DROIT DES OBLIGATIONS

Des mêmes auteurs

Philippe Malinvaud

- *Introduction à l'étude du droit*, LexisNexis, 14e éd. 2013.

Dominique Fenouillet

- *Droit de la famille, Cours Dalloz, 2e éd.* 2008.
- *Les personnes, la famille, les incapacités*, En collaboration avec François Terré, Précis Dalloz, 8e éd. 2011.

DROIT DES OBLIGATIONS

13e ÉDITION

Philippe Malinvaud
Professeur émérite de l'université Panthéon-Assas (Paris-II)

Dominique Fenouillet
Professeur à l'université Panthéon-Assas (Paris-II)

Mustapha Mekki
Professeur à l'Université Paris XIII

141, rue de Javel – 75015 Paris

Avertissement de l'Éditeur

Toute utilisation ou traitement automatisé, par des tiers, de données personnelles pouvant figurer dans cet ouvrage sont formellement interdits.

Le logo qui figure sur la couverture de ce livre mérite une explication. Son objet est d'alerter le lecteur sur la menace que représente pour l'avenir de l'écrit, tout particulièrement dans les domaines du droit, de l'économie et de la gestion, le développement massif du photocopillage.

Le Code de la propriété intellectuelle du 1er juillet 1992 interdit en effet expressément la photocopie à usage collectif sans autorisation des ayants droit. Or, cette pratique s'est généralisée dans les établissements d'enseignement supérieur, provoquant une baisse brutale des achats de livres au point que la possibilité même pour les auteurs de créer des œuvres nouvelles et de les faire éditer correctement soit aujourd'hui menacée.

Siège social : 141, rue de Javel – 75015 Paris

ISBN 978-2-7110-2091-1

Bibliographie sommaire

- AUBRY C. et RAU C., *Droit civil français*, par BARTIN E., t. IV, 6e éd. 1942.
- AUBRY C. et RAU C., *Droit civil français*, par PONSARD A. et DEJEAN DE LA BÂTIE N., t. VI, Litec, 7e éd. 1975.
- AUBRY C. et RAU C., *Droit civil français*, par DEJEAN DE LA BÂTIE N., t. VI-2, Litec, 8e éd. 1989.
- BÉNABENT A., *Droit civil. Les obligations*, Montchrestien, coll. « Précis Domat », 13e éd. 2012.
- BRUN P., Responsabilité extracontractuelle, LexisNexis, 3e éd., 2014.
- BUFFELAN-LANORE Y. et LARRIBAU-TERNEYRE V., *Droit civil. Les obligations*, Sirey, 13e éd., 2012.
- CARBONNIER J., *Droit civil. Les obligations*, t. IV, PUF, coll. « Quadrige », 2004.
- FABRE-MAGNAN M., *Les obligations*, PUF, coll. « Thémis », 3e éd., t.1, 2012 ; t. 2, 2013.
- FAGES B., *Droit des obligations*, LGDJ Lextenso, 4e éd. 2013.
- FLOUR J., AUBERT J.-L. et SAVAUX E., *Droit civil. Les obligations. 1. L'acte juridique*, par SAVAUX E., Armand Colin, 15e éd. 2012. – *Les obligations. 2. Le fait juridique*, par SAVAUX E., Armand Colin, 14e éd. 2011. – *Les obligations. 3. Le rapport d'obligation*, par SAVAUX E., 8e éd. 2013.
- GAZZANIGA J.-L., *Introduction historique au droit des obligations*, PUF, coll. « Droit fondamental », 1992.
- GHESTIN J., *Traité de droit civil, Les obligations. La formation du contrat*, 2 vol., par GHESTIN J., LOISEAU G. et SERINET Y.M.,LGDJ, 1. Le consentement, 4e éd. 2013 ; 2. L'objet et la cause. Les nullités, 4e éd. 2013.
- GHESTIN J., *Traité de droit civil, Les obligations. Les effets du contrat*, par GHESTIN J., JAMIN Ch. et BILLIAU M., LGDJ, 3e éd. 2001.
- GHESTIN J., *Traité de droit civil, Introduction à la responsabilité*, par VINEY G., LGDJ, 3e éd. 2008 ; *Les conditions de la responsabilité* par VINEY G., JOURDAIN P. et CARVAL S., LGDJ, 4e éd. 2013; *Les effets de la responsabilité*, par VINEY G. et JOURDAIN P., LGDJ, 3e éd. 2011.
- LARROUMET Ch., *Droit civil. Les obligations*, Économica., t. 3, Le contrat, 6e éd., 2007 ; t. 4, Régime général, par J. François, 2e éd., 2011 ; t. 5, La responsabilité civile, par M. Bakache-Gibeili, 2e éd. 2012.
- MALAURIE P., AYNÈS L. et STOFFEL-MUNCK P., *Les obligations*, LGDJ Lextenso, 6e éd. 2013.
- MARTY G. et RAYNAUD P., *Droit civil. Les obligations*, t. I, Sirey, 2e éd. 1988.
- MARTY G. et RAYNAUD P., *Droit civil*, t. II avec JESTAZ Ph., Sirey, 2e éd. 1989.
- MAZEAUD H., L. et J., *Leçons de droit civil. Obligations*, par CHABAS Fr., t. II, vol. I, Montchrestien, 9e éd. 1998.
- PLANIOL M. et RIPERT G., *Traité pratique de droit civil, Obligations* (1re partie), par ESMEIN P., t. VI, LGDJ, 2e éd. 1952.
- PLANIOL M. et RIPERT G., *Traité pratique de droit civil, Obligations* (2e partie), par ESMEIN P., RADOUANT V. et GABOLDE G., t. VII, LGDJ, 1954.
- SÉRIAUX A., *Droit des obligations*, PUF, coll. « Droit fondamental », 2e éd. 2014.
- STARCK B., *Droit civil. Obligations*, 3 vol., par ROLAND H. et BOYER L., Litec, 6e éd. 1998-1999.
- TERRÉ F., SIMLER P., LEQUETTE Y., *Droit civil. Les obligations*, Dalloz, coll. « Précis », 11e éd. 2013.
- ZENATI-CASTAING F. et REVET T., Cours de droit civil. Obligations. Régime, PUF, coll. « Droit fondamental », 2013.

Sommaire

INTRODUCTION

1. - Rappel : patrimoine et droits patrimoniaux. On définit classiquement le patrimoine comme l'ensemble des *droits* (ou biens) et des *obligations*, présents et à venir, d'une personne, et constituant une universalité de droit où l'actif répond du passif (V. *Introduction à l'étude du droit*, n°s 373 et s.). C'est ainsi que la proposition de réforme du droit des biens retient que « le patrimoine d'une personne est l'universalité de droit comprenant l'ensemble de ses biens et obligations, présents et à venir, l'actif répondant du passif » (art. 519).

À l'actif du patrimoine figurent les *droits patrimoniaux* qui comprennent les *droits réels* (qui portent directement sur les choses, par exemple le droit de propriété), les *droits personnels* ou de créance (créance d'une personne sur une autre) et les *droits intellectuels* (constitués par des monopoles d'exploitation). Au passif figurent les obligations (au sens large), c'est-à-dire pour l'essentiel les dettes.

Les droits réels (propriété, usufruit, servitudes, etc.) sont étudiés dans le cadre du *droit des biens* cependant que les droits personnels relèvent du *droit des obligations*. Il y a d'évidence dans ces appellations une part d'arbitraire qui n'est pas satisfaisante, mais qu'il faut accepter : par exemple, vue sous l'angle du créancier, la créance est un élément de son patrimoine, donc un *bien incorporel* ; et pourtant on en traite dans les obligations...

S'agissant des droits personnels ou de créance, on dira que le créancier et le débiteur sont unis par un *lien d'obligation*, lequel se traduit par une créance pour l'un et par une dette pour l'autre. Le droit des obligations apparaît ainsi comme régissant les relations économiques entre les hommes, par opposition aux relations familiales.

2. - Relations économiques et relations familiales. Les relations économiques entre les personnes sont celles qui tendent à la production et à la commercialisation ou à la circulation des biens et des services. L'objectif poursuivi est de nature patrimoniale, on pourrait même dire pécuniaire, tant est net ici le désir de réaliser un profit, de « gagner de l'argent ».

En cela, les relations économiques s'opposent aux relations familiales. Sans doute, le Code civil, dans son Livre III intitulé « Des différentes manières dont on acquiert la propriété », traite-t-il des successions, des donations entre vifs, des testaments et du contrat de mariage... Mais, s'il est exact qu'un patrimoine peut prospérer par ces voies, ces institutions ont une coloration familiale trop marquée pour établir de véritables relations économiques au sein de la famille ; elles ne seront donc pas étudiées ici.

Par le biais de rapports entre personnes, les relations économiques mettent face à face des patrimoines qui vont par là même se modifier dans leur structure (par ex. : dans la vente, une chose est remplacée par une créance de sommes d'argent ; dans le contrat de travail, la force de travail est aliénée moyennant un salaire, etc.) ou dans leur montant (par ex. : un emprunt aggrave le passif ; la consommation diminue l'actif).

En pratique, le patrimoine de chacun – personne physique ou personne morale –, est en mutation permanente en fonction des relations économiques nouées par son titulaire. Et c'est par une sorte d'artifice qu'on peut, à un moment donné, par l'établissement d'un bilan, fixer la consistance d'un patrimoine en mouvement ; le seul moment naturel est celui où le mouvement s'arrête, c'est-à-dire au décès de la personne ou à la dissolution de la société ou du groupement.

3. – **L'obligation, outil de base des relations économiques.** Analyser, d'un point de vue juridique, les relations économiques, cela revient à faire l'étude des mutations qu'elles entraînent dans les patrimoines en présence, dont on rappellera qu'ils peuvent comprendre, à l'actif : des droits réels, des créances (aspect positif du droit personnel), des droits intellectuels ; au passif : des obligations ou dettes (aspect négatif du droit personnel) (sur la notion de patrimoine et sa composition, V. *Introduction*, n°s 373 et s.).

Or, toute constitution, modification, transmission, etc., de l'un quelconque de ces droits patrimoniaux, se réalise toujours par un *rapport d'obligation* entre un créancier et un débiteur. Cela est évident pour les droits personnels puisqu'ils sont ce rapport lui-même. C'est également vrai pour le droit réel : on ne peut, en principe, acquérir ou transmettre la propriété, l'usufruit, l'hypothèque, etc., que par le moyen d'un contrat emportant transfert de propriété ou création du droit réel d'usufruit, d'hypothèque, etc. Et de même, pour les droits intellectuels ou monopoles d'exploitation, dont la mise en œuvre suppose des contrats générateurs d'obligations : par exemple, contrat d'édition, de cession de brevet.

On est ainsi conduit à cette conclusion que l'*obligation* est l'outil de base de toute relation économique, de toute modification patrimoniale, et que la vie économique, vue sous l'angle juridique, est un immense puzzle d'obligations.

Il est inutile de s'étendre sur l'intérêt considérable qui s'attache à l'étude des obligations pour tous ceux qui ont à jouer un rôle économique. Qu'on le veuille ou non, tous les rapports économiques des hommes ou des entreprises sont aussi des rapports juridiques, des rapports d'obligation ; puisque de toute manière ils s'imposent, mieux vaut les connaître pour les dominer, que les ignorer pour les subir.

Les relations économiques se nouent et se dénouent. Il en est de même pour les obligations qui en sont le support juridique. Ainsi sera-t-on amené à dire comment elles prennent naissance et comment leur mise en œuvre conduit à leur extinction.

Mais, avant toute chose, il convient de définir la notion même d'obligation et d'exposer les diverses classifications dans lesquelles on range les obligations, ce qui nous permettra de mesurer la place de la théorie générale des obligations au sein du droit civil.

§ 1. – Définition de l'obligation

4. – **Présentation générale.** Dès l'abord, il est nécessaire de dissiper une ambiguïté de terminologie tenant à ce que le terme d'obligation est employé en trois sens différents. Une fois précisé le sens ici retenu, on présentera brièvement les caractères de l'obligation.

A. – Les trois sens possibles d'« obligation »

5. – **Sens large ou général.** Dans le langage courant, y compris le langage juridique, obligation est souvent utilisé dans le sens de « devoir » : par exemple, obligation de rouler à droite, obligation d'immatriculer une société au registre du commerce et des sociétés, etc.

Ce sont là des prescriptions légales ou réglementaires qui imposent un devoir à une personne, mais non une obligation au sens juridique, parce qu'il n'y a pas de créancier, donc pas de lien de droit entre deux personnes.

Dans le même sens, on parlera des obligations morales, ou religieuses, ou mondaines, etc.

6. – **Sens « financier ».** L'obligation désigne ici le *titre*, c'est-à-dire l'acte écrit (l'*instrumentum*) qui constate une dette. On l'utilise surtout en droit des affaires et dans la pratique notariale.

En droit des affaires, on oppose classiquement les *actions* aux *obligations*. Les *actions* sont des titres représentant une participation à la société ; elles confèrent aux associés un pouvoir de gestion (droit de vote aux assemblées générales) et des chances de gain ou de perte suivant que la société fera de bonnes ou de mauvaises affaires : dans le premier cas, les associés toucheront des dividendes, et dans le second, rien du tout ; à l'extrême, leurs actions peuvent perdre toute valeur. À l'inverse, les *obligations* sont des titres constatant un simple prêt consenti à une société moyennant un intérêt qui devra être versé quels que soient les résultats, bénéficiaires ou non, de l'entreprise ; il est fréquent de voir l'État ou des entreprises importantes lancer des emprunts obligataires dans le public : ainsi dira-t-on que l'on a en portefeuille des OAT (obligations du Trésor) ou des obligations SNCF, EDF, Peugeot ou autres.

Dans la pratique notariale, on appelle obligation l'acte écrit constatant un prêt ; et s'il s'agit d'un prêt garanti par une hypothèque, on parlera d'« obligation hypothécaire ».

On est déjà là en présence d'un sens juridique du terme d'obligation, mais un sens très spécialisé.

7. – **Sens juridique à retenir.** On entend par obligation le rapport juridique entre créancier et débiteur, c'est-à-dire le lien de droit qui unit l'un à l'autre(1). De manière plus précise, c'est, suivant le Vocabulaire juridique (Assoc. Capitant, 9e éd., par G. Cornu), « le lien de droit par lequel une ou plusieurs personnes, le ou les débiteurs, sont tenues d'une prestation (fait ou abstention) envers une ou plusieurs

(1) G. Forest, *Essai sur la notion d'obligation en droit privé* : Dalloz, coll. « Bibl. thèses », vol. 116, 2012, préf. F. Leduc.

autres – le ou les créanciers – en vertu soit d'un contrat (obligation contractuelle), soit d'un quasi-contrat (obligation quasi contractuelle), soit d'un délit ou d'un quasi-délit (obligation délictuelle ou quasi délictuelle), soit de la loi (obligation légale) ».

Tel est le sens qui est retenu lorsqu'on parle des Obligations ou de la Théorie générale des obligations.

C'est, par exemple, l'obligation du vendeur de délivrer à l'acheteur la chose vendue, l'obligation de l'emprunteur de payer les intérêts convenus, l'obligation de l'entrepreneur d'exécuter les travaux commandés, l'obligation de la SNCF de transporter ses clients, etc. D'où le double aspect de l'obligation qui présente toujours un aspect actif pour le créancier (la créance), et un aspect passif pour le débiteur (la dette).

B. – Caractères de l'obligation

8. – **Caractère obligatoire.** Comme son nom l'indique, l'obligation présente en principe un caractère obligatoire (étym. : *obligare* : obliger, de *ligare* : lier, *ob* : en vue de). Le débiteur est obligé d'exécuter l'obligation souscrite ; s'il ne l'exécute pas spontanément, le créancier peut l'y contraindre en exerçant une action en justice.

À cet égard l'obligation *civile* s'oppose à l'obligation *naturelle* dont l'exécution ne peut pas être poursuivie en justice. Comme on le verra plus loin (V. *infra*, n°s 28 et s.), l'obligation naturelle est une obligation sans sanction mais, suivant la jurisprudence, elle devient une obligation civile lorsqu'elle est spontanément exécutée par le débiteur.

En pratique les obligations naturelles sont très rares si bien que, lorsqu'on parle d'obligation sans autre précision, on entend toujours parler de l'obligation civile, qui est le principe.

9. – **Caractère personnel.** Personnel s'oppose ici à familial. L'obligation est *personnelle* à celui qui l'a souscrite ; à la différence de ce qui se passait jadis en droit romain, lui seul est créancier ou débiteur, et non les membres de sa famille même s'ils se sentent tenus d'une obligation morale de venir à son secours. L'affirmation mérite toutefois d'être nuancée dans les rapports entre époux dans la mesure où, par suite de l'existence d'une communauté de vie (et souvent de biens), les dettes de l'un peuvent, dans certains cas, engager l'autre.

De ce caractère personnel on déduit généralement un principe d'intransmissibilité des obligations. À la vérité, on se demande s'il faut le présenter comme un principe, tant il subit d'exceptions. Ainsi la transmission active, c'est-à-dire celle de la créance, est toujours possible et le Code civil réglemente lui-même la cession de créance dans les articles 1689 et suivants. Quant à la transmission passive, c'est-à-dire celle de la dette, elle s'effectue *à titre universel*, en cas de décès : les héritiers et les légataires universels sont tenus des dettes du défunt ; il peut également, mais à titre plus exceptionnel à ce jour[(2)], y avoir transmission de la dette *à titre particulier* soit en vertu de la loi, soit par l'utilisation de certains mécanismes tels que la *délégation*. Il pourra même y avoir à la fois transmission active et passive ; tel est le cas

(2) En revanche le projet de réforme du droit des obligations consacre la cession de dette (art. 241 et s.)

dans la *cession de contrat* qui est expressément visée dans le projet de réforme du droit des obligations (art. 244).

À l'obligation personnelle on oppose parfois l'obligation *réelle*. En fait l'obligation dite réelle est une obligation liée à une chose (*propter rem*) ou, plus généralement, à un bien et qui pèse sur le débiteur, mais pris en sa qualité de propriétaire ou de détenteur de la chose[(3)]. Il s'ensuit que l'obligation se transmet et ne peut se transmettre qu'avec la chose elle-même. Tel est par exemple le cas de l'obligation pour le propriétaire d'un fonds grevé d'une servitude de réaliser à ses frais les travaux nécessaires à l'exercice de cette servitude.

10. - **Caractère patrimonial.** L'obligation a un caractère patrimonial en ce sens qu'elle est en principe évaluable en argent, qu'elle a une valeur et qu'à ce titre elle constitue un élément, actif ou passif, du patrimoine du créancier et du débiteur.

En cela l'obligation s'oppose aux droits extrapatrimoniaux. Cela dit, la frontière qui sépare les droits patrimoniaux (ici les droits de créance) des droits extrapatrimoniaux a souvent des contours incertains. Ainsi rencontre-t-on des droits patrimoniaux à caractère personnel, par exemple, les clientèles de certains professionnels. Réciproquement la violation des droits extrapatrimoniaux d'une personne se traduira bien souvent par l'allocation d'une indemnité pécuniaire, par exemple, pour le droit à l'image ; finalement, les droits extrapatrimoniaux seront bien souvent sanctionnés au plan pécuniaire, faute de disposer d'une sanction mieux adaptée. Dans notre société matérialiste, on admet que l'argent, même s'il ne remplace pas tout, est un bon substitut, à tout le moins une consolation.

§ 2. – Classification des obligations

11. - **Intérêt de classer.** Classer les obligations n'est pas un simple exercice d'école. Cela présente un double intérêt au plan pédagogique. D'une part, c'est une occasion de concrétiser des obligations, qui pour l'instant risquent d'apparaître singulièrement abstraites, en présentant des exemples entrant dans diverses catégories. D'autre part, à chaque classification s'attache un intérêt pratique dans la mesure où vont s'appliquer certaines règles précises qu'il est important de connaître.

Les obligations peuvent être classées en fonction soit de leur objet, soit de leur source. On ajoutera qu'elles peuvent également l'être en fonction de leur force, ce qui sera une occasion de présenter les obligations naturelles.

Le Projet Catala de réforme du droit des obligations et de la prescription (pour sa présentation, V. *infra*, n° 42) propose à cet égard de nombreuses classifications des obligations[(4)] : en fonction de leur source, de leurs modalités, de leur objet ou de leur force.

(3) L. Michon, *Des obligations* propter rem *dans le Code civil* : thèse Nancy, 1891. – M. de Juglart, *Obligation réelle et servitudes en droit privé français* : thèse Bordeaux, 1937. – H. Aberkane, *Essai d'une théorie générale de l'obligation* propter rem : LGDJ, 1957, préf. Fréjaville. – J. Scapel, *La notion d'obligation réelle* : PUAM, 2002, préf. P. Jourdain. – A. Mairot, *La réserve de propriété analysée en une obligation réelle* : Defrénois 2007, 1, 399, art. 38557. – C. Larroumet, *Obligation réelle et obligation personnelle* : RDA n° 7, févr. 2013, p. 89.

(4) D.-R. Martin, *Diverses espèces d'obligation*, in *Avant-projet de réforme du droit des obligations et de la prescription, Exposé des motifs* : La Documentation française, 2006, p. 49. – J. Huet, *Des distinctions entre les obligations* : RDC 2006, p. 89.

A. – Classifications fondées sur l'objet de l'obligation

12. – **L'objet de l'obligation.** *Brevitatis causa*, on définit le droit personnel ou de créance comme le pouvoir d'une personne (le créancier) d'exiger d'une autre personne (le débiteur) une prestation quelconque. Ainsi, dans toute obligation il y a un sujet actif, le créancier, un sujet passif, le débiteur, et un objet qui est la prestation promise. Ces prestations peuvent être des plus variables, mais elles peuvent néanmoins être classées en catégories ; et à chaque catégorie correspondra un corps de règles.

Diverses classifications prennent en compte l'objet de l'obligation ; la première figure dans le Code civil, les autres ont été dégagées par la jurisprudence et, si elles sont consacrées par le Projet Catala, elles n'ont pas été reprises dans le projet de réforme du droit des contrats. Cette omission ne signifie pas pour autant que les classifications ne doivent pas être présentées.

1° Obligations de donner, de faire, de ne pas faire

13. – **La classification du Code civil.** Toutes les obligations (c'est-à-dire toutes les prestations vues sous l'angle du débiteur) entrent dans cette classification. C'est à elle que se réfère le Code civil lorsqu'il veut définir la notion de contrat. Au lieu de dire brièvement que le contrat est une convention génératrice d'obligations, les articles 1101 et 1126 du Code civil précisent la nature de la prestation :

Art. 1101. – Le contrat est une convention par laquelle une ou plusieurs personnes s'obligent, envers une ou plusieurs autres, à donner, à faire ou à ne pas faire quelque chose.

Art. 1126. – Tout contrat a pour objet une chose qu'une partie s'oblige à donner, ou qu'une partie s'oblige à faire ou à ne pas faire.

L'intérêt principal de la distinction apparaît quant à la possibilité de procéder à une exécution forcée en nature de la prestation. Possible pour les obligations de donner, elle est en principe exclue pour les obligations de faire ou de ne pas faire dont l'inexécution entraîne seulement condamnation à dommages et intérêts (C. civ., art. 1142)[(5)]. Cette exclusion de l'exécution forcée en nature est aujourd'hui très contestée[(6)] ; elle a été abandonnée tant par le Projet Catala que par le projet de réforme du droit des contrats, ce qui enlève à la distinction son principal intérêt.

Art. 1142. – Toute obligation de faire ou de ne pas faire se résout en dommages et intérêts, en cas d'inexécution de la part du débiteur.

Par ailleurs on relèvera que cette classification du Code civil a été critiquée par certains auteurs qui voudraient ressusciter l'obligation de *praestare* que connaissait le droit romain, obligation ayant pour objet la mise d'un bien à disposition d'autrui (obligation de livrer) ; selon eux, cela permettrait d'expliquer les solutions en matière d'exécution forcée des obligations[(7)].

(5) A. Comaty, *Du mode d'exécution forcée des obligations de donner et de faire* : thèse Toulouse, 1976. – W. Jeandidier, *L'exécution forcée des obligations contractuelles de faire* : *RTD civ.* 1976, 700. – F. Bellivier et R. Sefton-Green, *Force obligatoire et exécution en nature du contrat en droit français et en droit anglais : bonnes et mauvaises surprises du comparatisme*, in *Mél. Ghestin*, 2000, p. 91. – A.-S. Dupré-Dallemagne, *La force contraignante du rapport d'obligation (Recherche sur la notion d'obligation)* : PUAM, 2004.

(6) *Exécution du contrat en nature ou par équivalent*, Colloque 14 oct. 2004 : *RDC* 2005, p. 5 et s.

(7) G. Pignarre, *À la redécouverte de l'obligation de* praestare. *Pour une relecture de quelques articles du Code civil* : *RTD civ.* 2001, 41.

14. - Les obligations de donner, de faire et de ne pas faire dans les projets de réforme. S'agissant de cette première classification, le projet de réforme du droit des contrats diffère radicalement du Projet Catala.

Ainsi, alors que ce dernier, sans définir le contrat par référence aux obligations de faire, de ne pas faire, ou de donner, consacre cette distinction en son article 1121 et y ajoute l'obligation de donner à usage[8], le projet de réforme du droit des contrats n'en fait plus mention.

15. - L'obligation de donner. L'*obligation de donner* doit être entendue comme l'*obligation de transférer la propriété* d'une chose, et non pas comme l'obligation de gratifier une personne. Donner est ici la traduction de *dare* (transférer la propriété), non celle de *donare* (faire don). Mais « transférer la propriété » n'est pas non plus synonyme de « livrer la chose » qui apparaît comme une obligation de faire puisqu'elle suppose une prestation personnelle du débiteur ; c'est précisément à propos de cette obligation qu'un auteur a suggéré de ressusciter l'obligation de *praestare* du droit romain (V. *supra*, n° 13).

L'obligation de donner ne se matérialise que rarement dans la pratique, si bien que son existence même est controversée[9]

En effet, lorsqu'il s'agit de *corps certains* (c'est-à-dire de choses parfaitement individualisées), en droit français le transfert de propriété s'opère de plein droit entre les parties à la vente (mais non à l'égard des tiers), dès l'instant qu'elles se sont mises d'accord sur la chose et sur le prix ; peu importe que la chose n'ait pas encore été livrée, ou que les clés de l'immeuble n'aient pas été remises. Le transfert de propriété s'opère *solo consensu*[10]. Il s'ensuit que pour les corps certains, il est très rare en pratique de rencontrer une obligation de donner inexécutée, puisque son exécution est un effet automatique de tout contrat translatif de propriété. Cela peut cependant se présenter dans l'hypothèse où le contrat prévoit que le transfert de propriété s'opérera à une date ultérieure ; mais, là encore, le transfert s'opérera automatiquement à l'échéance prévue. Tel est le cas, par exemple, en matière de vente d'immeuble lorsque le transfert de propriété est retardé jusqu'à la signature de l'acte notarié[11]. Il en est de même lorsque la vente est assortie d'une clause de réserve de propriété jusqu'à complet paiement du prix[12] ; pareille clause peut d'ailleurs être insérée de la même manière dans une vente de choses de genre.

S'agissant des *choses de genre*, le transfert de propriété n'est pas un effet automatique du contrat. Il ne s'opère que par l'individualisation de la chose, laquelle

(8) G. Pignarre, *L'obligation de donner à usage dans l'avant-projet Catala, Analyse critique : D.* 2007, chron. p. 384.

(9) N. Prybis-Gavalda, *La notion d'obligation de donner* : thèse Montpellier, 1997. Pour une critique de la notion même d'obligation de donner, V. M. Fabre-Magnan, *Le mythe de l'obligation de donner : RTD civ.* 1996, 85. Mais V. aussi en sens contraire : J. Huet, *Des différentes obligations et, plus particulièrement, de l'obligation de donner, la mal nommée, la mal aimée*, in *Mél. Ghestin* : LGDJ, 2001, p. 425. – A.-S. Courdier-Cuisinier, *Nouvel éclairage sur l'énigme de l'obligation de donner. Essai sur les causes d'une controverse doctrinale : RTD civ.* 2005, p. 521.

(10) Pour une critique du principe, voir V. Wester-Ouisse, *Le transfert de propriété solo consensu : principe ou exception ? : RTD civ.* 2013, 299.

(11) J. Schmidt-Szalewski, *Le rôle de l'acte authentique sans la vente immobilière : RD imm.* 1989, 147.

(12) Y. Chaput, *Les clauses de réserve de propriété : JCP* 1981, I, 3017. – J. Ghestin, *Réflexions d'un civiliste sur la clause de réserve de propriété : D.* 1981, chron. 1. – F. Pérochon, *La réserve de propriété dans la vente des meubles corporels* : Litec, 1988. – E. Robine, *La clause de réserve de propriété depuis la loi du 12 mai 1980*, préf. A. Viandier : Litec, 1991.

résulte le plus souvent de la livraison. En pareil cas l'obligation de donner va être étroitement liée à l'obligation de faire que constitue la livraison : ainsi en est-il, par exemple, d'une vente de fuel.

16. – **L'obligation de faire.** À la différence de l'obligation de donner qui porte nécessairement sur des choses dont le débiteur s'engage à transférer la propriété, l'obligation de faire s'applique à des prestations et, plus précisément, à des services.

L'*obligation de faire* est celle par laquelle *le débiteur s'engage à accomplir un fait positif*, à exécuter une prestation quelconque ; c'est en général l'obligation principale résultant du contrat : par exemple, l'obligation de l'architecte (dessiner les plans, surveiller les travaux), de l'entrepreneur (construire la maison, effectuer tels travaux), du vendeur (livrer la chose vendue, garantir l'acheteur contre les vices qui l'affecteraient), du médecin (soigner), de l'avocat (consulter, plaider), etc.

17. – **L'obligation de ne pas faire.** L'*obligation de ne pas faire* est celle par laquelle *le débiteur promet de s'abstenir d'un fait*[13]. Elle est le plus souvent stipulée de manière annexe dans un contrat : par exemple, clause par laquelle le vendeur d'un fonds de commerce s'engage à ne pas réinstaller un commerce similaire dans le voisinage (clause de non-concurrence), ou par laquelle le grossiste s'engage à ne fournir qu'un seul détaillant dans une zone déterminée sous réserve de réciprocité (clause d'exclusivité).

Un même contrat peut évidemment comporter plusieurs obligations. Ainsi un contrat de vente va réunir une obligation de donner (transférer la propriété), une ou plusieurs obligations de faire (livrer, garantir) et de ne pas faire (exclusivité).

2° Obligation de moyens et obligation de résultat

18. – **La distinction.** Les obligations peuvent être de moyens ou de résultat. Cette distinction ne résulte pas de la loi ; elle a été initiée par la doctrine[14], et consacrée ensuite par la jurisprudence. Le Projet Catala proposait de l'intégrer dans le Code civil, suggestion que n'a pas reprise le projet de réforme du droit des contrats ; mais elle subsiste toutefois dans le projet de réforme de la responsabilité civile du 26 juillet 2012 (art. 41).

Elle repose sur le contenu de l'obligation, sur ce qui a été promis. L'obligation est de résultat lorsque le débiteur s'est engagé à obtenir un résultat déterminé ou, pour reprendre les termes de l'article 1149, alinéa 1 du Projet Catala, « lorsque le débiteur est tenu, sauf en cas de force majeure, de procurer au créancier la satisfaction promise ». Elle est de moyens lorsque le débiteur a promis de mettre son activité au service du créancier, mais sans garantir que tel ou tel résultat sera obtenu, ou, selon

(13) J. Taxil, *L'obligation de ne pas faire* : thèse Aix, 2003. – C. Boillot, *L'obligation de ne pas faire : étude à partir du droit des affaires…* : *RTD com.* 2010, 243. – A. Mairot, *L'obligation de ne pas faire, une obligation originale* : RLDC févr. 2012, n° 90.

(14) La distinction a été présentée pour la première fois par R. Demogue, *Traité des obligations en général*, t. V, n° 1237. – H. Mazeaud, *Essai de classification des obligations* : *RTD civ.* 1936, 1. – A. Tunc, *Distinction des obligations de résultat et des obligations de diligence* : *JCP* 1945, I, 449. – J. Frossard, *La distinction des obligations de moyens et des obligations de résultat* : LGDJ, coll. « Droit privé », t. 67. – A. Plancqueel, *Obligations de moyens, obligations de résultat* : *RTD civ.* 1972, 334. – F. Maury, *Réflexions sur la distinction entre obligations de moyens et obligations de résultat* : *RRJ* 1998, 1243. – J. Bellissent, *Contribution à l'analyse de la distinction des obligations de moyens et des obligations de résultat* : LGDJ, coll. « Droit privé », 2001, t. 354. – V. Malabat, *De la distinction des obligations de moyens et des obligations de résultat*, in *Mél. Lapoyade-Deschamps*, 2003. – M. Mekki, *La distinction entre les obligations de moyens et les obligations de résultat : esquisse d'un art* : *RDA* n° 7, févr. 2013, p. 77.

l'article 1149, alinéa 2 du Projet Catala, « lorsque le débiteur est seulement tenu d'apporter les soins et diligences normalement nécessaires pour atteindre un certain but. »

Au plan de la terminologie, certains auteurs ont suggéré une autre appellation : les obligations de résultat seraient des *obligations déterminées*, les obligations de moyens des *obligations de prudence et de diligence*[15]. Comme toutes les classifications, celle-ci se combine avec la précédente. Ainsi, toutes les obligations de donner ou de ne pas faire sont des obligations de résultat parce qu'a été promis un résultat absolu, non susceptible de plus ou de moins : transférer la propriété, ne pas faire concurrence, ne pas se servir ailleurs, etc.

Au contraire, les obligations de faire peuvent être ou de moyens ou de résultat. L'exemple classique est celui qui oppose l'obligation du transporteur à celle du médecin. Le transporteur s'engage (ou est censé s'engager) à transporter d'un point à un autre un voyageur qui sera sain et sauf : il promet un résultat. Au contraire, le médecin s'engage non pas à guérir, mais à mettre en œuvre tous les moyens propres à améliorer l'état du malade ; tel est du moins le principe, affirmé pour la première fois par l'arrêt *Mercier* en 1936[16], et aujourd'hui repris par l'article L. 1142-1, I, du Code de la santé publique[17], tel qu'il résulte de la loi du 4 mars 2002 relative aux droits des malades et à la qualité du système de santé[18].

19. – **Intérêts de la distinction. Qualification d'une obligation.** L'intérêt de la distinction se situe en matière de preuve, lorsqu'il s'agit de mettre en œuvre la responsabilité du débiteur de l'obligation.

Si l'obligation est de résultat et si le résultat promis n'a pas été atteint (par ex., la marchandise n'est pas arrivée à destination), le débiteur est présumé responsable. Il suffit donc au créancier de démontrer que le résultat n'est pas atteint pour que le débiteur soit responsable de plein droit ; et ce dernier ne peut échapper à cette responsabilité qu'en démontrant que l'inexécution provient d'un cas de force majeure[19].

À l'inverse, si l'obligation est de moyens et si le créancier soutient qu'elle n'a pas été exécutée (par ex., le malade n'est pas guéri), il lui incombe de démontrer que le débiteur n'a pas mis en œuvre les moyens nécessaires, en l'espèce qu'il n'a pas soigné le patient conformément aux données acquises de la science médicale, qu'il a donc commis une faute. S'agissant des personnels de santé, il n'en va autrement que

(15) H. Mazeaud, art. préc.

(16) Cass. civ., 20 mai 1936 : *DP* 1936, 1, 88, concl. Matter, rapp. Josserand, note E. P. ; S. 1937, 1, 321 et note Breton.

(17) Art. L. 1142-1, I : « Hors le cas où leur responsabilité est encourue en raison d'un défaut d'un produit de santé, les professionnels de santé mentionnés à la quatrième partie du présent code, ainsi que tout établissement, service ou organisme dans lesquels sont réalisés des actes individuels de prévention, de diagnostic ou de soins ne sont responsables des conséquences dommageables d'actes de prévention, de diagnostic ou de soins qu'en cas de faute ».

(18) Après avoir posé le principe d'une responsabilité pour faute, cette loi y apporte deux exceptions (et confirme la jurisprudence antérieure) en retenant une responsabilité sans faute pour les accidents médicaux dus soit au défaut d'un produit de santé, soit à une infection nosocomiale. Elle prévoit également la prise en charge au titre de la solidarité nationale de l'aléa thérapeutique. V. Y. Lambert-Faivre, *La loi n° 2002-303 du 4 mars 2002 relative aux droits des malades et à la qualité du système de santé, III, L'indemnisation des accidents médicaux* : D. 2002, doctr. 1367. – P. Sargos, *Le nouveau régime des infections nosocomiales. Loi n° 2002-303 du 4 mars 2002* : *JCP* 2002, act. 276, p. 1117.

(19) Toutefois, cette responsabilité de plein droit ne s'applique qu'aux dommages causés par le manquement à l'obligation de résultat (Cass. 1re civ., 26 mars 2008, n° 06-18350. – V. aussi Cass. 1re civ., 16 oct. 2001 et Cass. com., 22 janv. 2002 : *RTD civ.* 2002, p. 514, obs. P. Jourdain). Elle n'emporte pas présomption générale de causalité comme on l'admettait jadis (Cass. 1re civ., 2 févr. 1994 : *Bull. civ.* 1994, I, n° 41 ; *JCP* 1994, II, 22294 et note Ph. Delebecque ; *RTD civ.* 1994, p. 613, obs. P. Jourdain).

dans les cas où la loi fait peser sur eux une obligation de résultat (défaut d'un produit de santé, ou infection nosocomiale).

Le Projet Catala consacre cette différence de régime en précisant que la responsabilité du débiteur de l'obligation de résultat est « engagée du seul fait qu'il n'a pas réussi à atteindre le but fixé », excepté en cas de force majeure[20] tandis que celle du débiteur d'une obligation de moyen « est subordonnée à la preuve qu'il a manqué de prudence ou de diligence »[21]. Cette solution se retrouve dans l'article 41 du projet de réforme de la responsabilité civile du 26 juillet 2012.

Cela dit, en cas de désaccord entre les parties sur la portée d'une obligation, c'est au juge qu'il appartient de décider si cette obligation est de moyens ou de résultat. Il arrive que son appréciation évolue avec le temps. Ainsi, s'agissant de la responsabilité médicale qui reposait depuis 1936 sur une obligation de moyens, la jurisprudence a admis que pesait sur le médecin une obligation de résultat pour les matériels et les produits qu'il utilise[22], et pour les maladies nosocomiales[23] ; ces solutions ont finalement été reprises par la loi du 4 mars 2002.

Pour qualifier une obligation, on peut dire que le juge se déterminera en fonction de la volonté présumée des parties, du caractère aléatoire ou non du résultat attendu, et du rôle actif ou passif du créancier dans l'exécution de l'obligation.

3° Obligations en nature et obligations de sommes d'argent

20. – La distinction[24]. Les *obligations* peuvent porter sur des prestations *en nature* ou sur *des sommes d'argent*[25], suivant ce qui a été promis. À cet égard, il ne faut pas se laisser abuser par le sens monétaire que donne le langage courant aux termes de créance et dette. Sans doute peut-il s'agir d'une somme d'argent, mais aussi d'une prestation en nature. En pratique, la plupart des contrats comportent l'une et l'autre obligation : c'est le cas chaque fois que l'un paie en argent une prestation en nature fournie par l'autre (vente, louage, transport, etc.).

Au sein même des obligations de sommes d'argent, il faut distinguer suivant que l'obligation est exprimée en argent dès sa naissance ou seulement au moment de son exécution. Dans ce dernier cas, on dira qu'on est en présence d'une *dette de valeur*[26]. Tel est par exemple le cas de l'obligation alimentaire que les enfants doivent à leurs parents, et réciproquement. Cette obligation édictée par la loi est latente ; elle ne donnera lieu à exécution que si le bénéficiaire de l'obligation alimentaire se trouve effectivement dans le besoin, et c'est à ce moment-là seu-

(20) Art. 1149, al. 1 et 1364, al. 1.

(21) Art. 1149, al. 2 et 1364 al. 2.

(22) Cass. 1re civ., 3 mars 1998 : *D.* 1999, 36, note Pignarre et Brun. – Cass. 1re civ., 9 nov. 1999 : *JCP* 2000, II, 10251 et note Brun. – Cass. 1re civ., 7 nov. 2000 : *D.* 2001, somm. 2236, obs. D. Mazeaud, et p. 3085, obs. Penneau.

(23) Cass. 1re civ., 29 juin 1999, trois arrêts : *JCP* 1999, II, 10138, rapp. P. Sargos ; *D.* 1999, 559 et note Thouvenin ; *RTD civ.* 1999, 841, obs. P. Jourdain.

(24) Ch. Bruneau, *La distinction entre les obligations monétaires et les obligations en nature. Essai de détermination de l'objet* : thèse Paris II, 1984. – L.-F. Pignarre, *Les obligations en nature et de sommes d'argent en droit privé* : LGDJ, coll. « Droit privé », t. 518, 2010, préf. J.-P. Tosi.

(25) G. Sousi, *La spécificité juridique de l'obligation de sommes d'argent* : *RTD civ.* 1982, 514. – R. Libchaber, *Recherches sur la monnaie en droit privé* : LGDJ, coll. « Droit privé », 1992. – M. Lainé, *La monnaie privée* : *RTD com.* 2004, p. 227.

(26) P. Raynaud, *Les dettes de valeur en droit français*, in *Mél. Brèthe de la Gressaye*, p. 611. – J.-M. Durand, *La dette de valeur* : thèse Paris II, 1972. – G.-L. Pierre-François, *La notion de dette de valeur en droit civil* : LGDJ, coll. « Droit privé », 1975, t. 138. – J.-F. Pillebout, *Observations pragmatiques sur la dette de valeur*, in *Mél. Holleaux*, p. 357.

lement qu'elle fera l'objet d'une évaluation en argent, laquelle sera fonction des besoins du créancier et des ressources du débiteur. Il en va de même lorsque, à la suite d'un accident, l'auteur responsable verra son obligation de réparer évaluée par le juge.

À la différence du Projet Catala qui consacre cette qualification (art. 1147), le projet de réforme du droit des contrats ne comporte aucune disposition relative aux obligations monétaires et aux obligations en nature.

21. – **Intérêt de la distinction.** L'intérêt de la distinction se situe relativement à la dépréciation monétaire qui, dans un contrat, va atteindre les seules obligations de sommes d'argent, à l'exception toutefois des dettes de valeur dont le montant est évalué lors de leur exécution. L'exemple se présente en période d'inflation pour les contrats dont l'exécution se poursuit sur une certaine durée, par exemple, en matière de bail ou de prêt, ou pour des contrats de fourniture de marchandises.

Le principe du *nominalisme monétaire*, que l'on rattache à l'article 1895 du Code civil (« L'obligation qui résulte d'un prêt en argent, n'est toujours que de la somme numérique énoncée au contrat »), devrait normalement conduire à interdire toute révision du montant de l'obligation de sommes d'argent. Mais le droit positif admet fort heureusement que l'on puisse faire varier ce montant en insérant dans le contrat une clause d'indexation ou d'échelle mobile ; cette faculté est toutefois réglementée de manière assez stricte (V. *infra*, n°s 537 et s.). Dans des domaines autres que contractuels la loi ou la jurisprudence ont instauré des mécanismes qui permettent de compenser les effets de la dépréciation monétaire : par exemple, pour l'évaluation des récompenses en matière de régimes matrimoniaux (art. 1469), pour la réparation de dommages sous la forme de rentes indexées, etc.

Cet intérêt de la distinction subsiste dans le projet de réforme qui, sans reprendre la formule de l'article 1895 du Code civil, consacre implicitement le principe du nominaliste monétaire dans son article 196 qui dispose que « le débiteur d'une obligation de somme d'argent se libère par le versement de son montant nominal » ; mais l'alinéa suivant précise que « le montant de la somme due peut varier en fonction d'une clause d'indexation ».

La distinction présente également un autre intérêt, qui est rappelé dans le Projet Catala (art. 1147, al. 2) : seules les obligations monétaires sont fongibles.

B. – Classifications fondées sur les sources des obligations

22. – **Présentation.** Il s'agit ici de classer les obligations en fonction de leurs sources, c'est-à-dire des *événements* qui leur donnent naissance. Par exemple, le locataire est obligé de payer son loyer parce que son *contrat* l'a prévu ainsi. Ou encore l'automobiliste est tenu d'indemniser le piéton qu'il a blessé du fait même de l'*accident* (et parce que la loi le dit).

De manière souvent maladroite, et toujours critiquée, le Code civil classe les obligations suivant leurs sources. À la réflexion la critique porte plus sur la terminologie que sur le fond ainsi qu'on va le voir.

1° La classification du Code civil

23. – **Les obligations conventionnelles et les engagements qui se forment sans convention.** Le Code civil suggère une division bipartite des obligations, suivant qu'elles naissent d'une convention entre les parties ou en dehors de toute convention.

D'une part, le Titre III traite « Des contrats ou des obligations conventionnelles en général » (art. 1101 à 1369). Le nombre d'articles consacrés à cette source conventionnelle montre suffisamment que c'était la source la plus importante en 1804, période marquée par l'individualisme et le principe de l'autonomie de la volonté. Elle le demeure encore aujourd'hui car elle répond à la nature des choses : on ne peut en principe être engagé que parce qu'on l'a voulu.

D'autre part, le Titre IV vise « Des engagements qui se forment sans convention » (art. 1370 à 1386). Parmi ceux-ci l'article 1370 distingue :

– ceux qui « résultent de l'autorité seule de la loi », donc qui naissent en dehors de tout acte de volonté : par exemple, l'obligation alimentaire entre parents et enfants, l'obligation du tuteur d'assumer les obligations de la tutelle, etc. ; en pratique, ces obligations purement légales, qui sont les plus diverses, sont étudiées avec l'institution dont elles dépendent : les relations familiales, la protection des incapables, etc. ;

– ceux qui « naissent d'un fait personnel à celui qui se trouve obligé ». Le Code civil les classe en deux catégories, fort différentes l'une de l'autre :

• les *quasi-contrats* (art. 1371 à 1381), que l'article 1371 définit comme « les faits purement volontaires de l'homme, dont il résulte un engagement quelconque envers un tiers, et quelquefois un engagement réciproque des deux parties ». La terminologie comme la définition sont peu éclairantes. En fait la loi vise ici deux hypothèses (la *gestion d'affaires* et la *répétition de l'indu*) dans lesquelles une personne a, sans tomber dans l'illicite, retiré un avantage injuste d'une situation en dehors de tout contrat ; par extrapolation, la jurisprudence a fait de *l'enrichissement sans cause* un troisième quasi-contrat, et elle a également appliqué cette notion aux loteries publicitaires (V. *infra*, n°s 817 et s.),

• les *délits* et *quasi-délits* (art. 1382 à 1386), que la loi ne définit pas, et qui sont les faits illicites dommageables pour autrui auxquels la loi attache une obligation de réparer ; la différence entre les deux tient au caractère intentionnel (délit) ou non intentionnel (quasi-délit) du fait illicite dommageable.

À ces deux titres, le législateur moderne en a récemment ajouté un troisième (titre IV *bis*) « De la responsabilité du fait des produits défectueux » qui accueille la loi du 19 mai 1998 portant transposition en droit français de la directive européenne n° 85-374 du 25 juillet 1985. Il s'agit là d'une hypothèse de fait illicite dommageable qui s'apparente aux délits et quasi-délits, même si elle peut se rencontrer à l'occasion d'un contrat (V. *infra*, n°s 716 et s.).

24. – **Critiques adressées à la classification du Code civil.** Cette classification a été vivement critiquée ; on lui a reproché d'être tout à la fois inexacte et incomplète.

Le grief d'inexactitude lui-même se dédouble :

– la distinction entre les délits et les quasi-délits, si elle a un intérêt en droit pénal où la répression est pour partie fonction de l'intention, n'en a aucun en droit civil qui ne s'intéresse qu'à la réparation ; la réparation est en principe la même, que le dommage ait été causé intentionnellement (délit) ou non (quasi-délit). À quoi on pourrait répondre que ce n'est pas toujours exact et que le droit civil lui-même s'attache parfois à l'intention pour moduler la réparation ou répartir la charge de celle-ci entre les divers coauteurs ;

– la notion de quasi-contrat serait une notion fausse, inutile et dangereuse : la prétendue obligation quasi contractuelle ne serait en définitive qu'une obligation légale[27].

Retenant ce grief en ses deux branches, Planiol en concluait que la classification du Code civil devait être écartée et que les deux seules sources d'obligations étaient le contrat et la loi. Mais si on pousse la critique de Planiol jusqu'à ses plus extrêmes limites, il faudrait dire que même l'obligation contractuelle trouve sa source dans la loi : c'est parce que la loi le prévoit que le contrat est générateur d'obligations. Il n'y aurait donc plus qu'une seule source d'obligations, la loi, et plus de classification fondée sur les sources...

Pour d'autres, la classification du Code civil serait non seulement inexacte mais incomplète au motif qu'elle ne mentionne pas, parmi les sources d'obligations, *l'engagement par volonté unilatérale*. Le grief est exact, mais mineur. En effet, en droit français, il n'est que très peu d'exemples d'obligations trouvant leur source dans un engagement par volonté unilatérale (promesse de récompense, obligation de maintenir l'offre de contracter pendant un délai raisonnable) (V. *infra*, n°s 57 et s.).

Au total, le principal grief qu'on puisse adresser sur ce point au Code civil tient à la terminologie, qui est trompeuse. Ainsi le terme de quasi-contrat invite à un rapprochement inexact avec le contrat car la volonté n'est pas à la source de l'obligation quasi contractuelle. Et de même le terme de délit est ambigu dans la mesure où il est employé ici dans un sens différent de celui qu'il a en droit pénal. En réalité, c'est la pauvreté de la langue juridique qui est en cause, plus que la classification du Code civil.

En définitive, il est bien exact que toute obligation vient de la loi. Mais la loi elle-même prévoit diverses manières de s'obliger ou d'être obligé, diverses sources d'obligations. C'est à ces manières qu'il convient de s'attacher pour classer les obligations d'après leurs sources.

2° Actes juridiques et faits juridiques, sources des obligations

25. – **Les événements générateurs d'obligations.** Pour classer les obligations selon leurs sources, il faut résoudre une question fondamentale : qu'est-ce qui peut faire qu'une personne soit engagée vis-à-vis d'une autre ? ou encore : comment naissent les obligations ? Où les rapports d'obligation créancier-débiteur trouvent-ils leur source ? La question est d'importance, puisqu'il s'agit de savoir à la fois

(27) Sur l'explication historique de la notion de quasi-contrat, V. E. Terrier, *La fiction au secours des quasi-contrats ou l'achèvement d'un débat juridique* : D. 2004, chron. 1179.

comment on peut engager les autres envers soi et comment, soi-même, on peut se trouver lié vis-à-vis des autres.

À cela, le Code civil de 1804 répond de manière fort simple, ainsi qu'on vient de le voir. À côté « des contrats ou des obligations conventionnelles en général », il y a « des engagements qui se forment sans convention ». Autrement dit, on peut être obligé, ou bien parce qu'on l'a voulu, ou bien en dehors de sa volonté.

Cette classification des sources des obligations par le Code civil a été reprise et modernisée par la doctrine actuelle. Dans la conception moderne, on s'attache surtout au fait que toutes les obligations découlent soit d'un acte juridique, soit d'un fait juridique. Ces événements, qui sont générateurs de droits, sont également générateurs d'obligations.

26. – **La distinction des actes juridiques et des faits juridiques**[28]. Les *actes juridiques* sont des manifestations de volonté destinées à créer des effets de droit. L'exemple type en est le *contrat*, qui est un accord de deux ou plusieurs volontés en vue de faire naître des obligations, ou de transmettre des droits réels comme la propriété.

Mais la catégorie est plus large que cela. Outre les *actes conventionnels* réunissant plusieurs volontés, elle comprend les *actes unilatéraux* qui sont l'expression d'une seule volonté : par exemple, un testament.

Les *faits juridiques* sont des événements auxquels la loi attache des effets de droit, indépendamment de la volonté des personnes qui bénéficieront ou souffriront de ces effets.

La catégorie n'est pas homogène. Elle englobe des faits purement matériels, sans la moindre coloration volontaire : par exemple, le *décès* d'une personne entraîne la vocation successorale de ses héritiers ; la *naissance* s'accompagne de droits et obligations réciproques entre parents et enfants. Mais elle s'étend aussi à des faits matériels où la volonté est sous-jacente : par exemple, le *dommage injustement causé à autrui* entraîne pour son auteur l'obligation de réparer (c'est la *responsabilité civile*) ; de même, le fait de retirer un *avantage injuste* oblige à indemniser (notion de *quasi-contrat*). Dans ces cas, seul le fait a été voulu, mais pas l'obligation qui en découle.

De ces actes et faits juridiques, on exclura ceux qui relèvent du droit familial, bien qu'ils aient des incidences patrimoniales : ainsi la naissance, le mariage, le décès. Seront seuls retenus ceux qui sont les plus importants sur le plan économique, d'une part les engagements par contrat, d'autre part certaines obligations non volontaires (responsabilité civile, quasi-contrats).

3° La classification tripartite des sources dans le projet de réforme

27. – **Actes juridiques, faits juridiques et obligations légales**. Le projet de réforme auquel on se réfèrera ici est celui daté de février 2009, non celui daté du 23 octobre 2013 car ce dernier n'a pas repris, du moins à ce jour, les trois premiers articles du projet de 2009 relatifs aux sources des obligations.

Y est tout d'abord consacrée dans son article 1 la distinction doctrinale bipartite entre les actes juridiques et les faits juridiques.

(28) Sur les difficultés de frontières entre les deux, V. C. Caillé, *Quelques aspects modernes de la concurrence entre l'acte juridique et le fait juridique*, in *Mél. J.-L. Aubert* : Dalloz, 2005, p. 55.

Le projet de réforme de 2009 définit dans son article 2, alinéa 1, les actes juridiques comme « des manifestations de volontés destinées à produire des effets de droit », et il précise qu'ils « peuvent être conventionnels ou unilatéraux ». S'agissant de leur régime, l'alinéa 2 indique que les actes juridiques « obéissent, en tant que de raison, pour leur validité et leurs effets, aux règles qui gouvernent les contrats ».

Quant aux faits juridiques, le projet de réforme les définit comme « des agissements ou des évènements auxquels la loi attache des effets de droit », et il précise que « les obligations qui naissent d'un fait juridique sont régies, selon les cas, par le sous-titre relatif aux quasi-contrats ou le sous-titre relatif à la responsabilité civile ».

À ces deux sources traditionnelles des obligations, le projet de réforme ajoute une catégorie nouvelle, les obligations d'origine légale, c'est-à-dire les obligations qui naissent « de l'autorité seule de la loi » (article 1).

Le projet de réforme du droit des contrats prévoit enfin, dans son article 1er, alinéa 2, que les obligations peuvent naître « de l'exécution volontaire ou de la promesse d'exécution d'un devoir de conscience envers autrui ». Il consacre de la sorte implicitement l'existence d'obligations naturelles (V. *infra*, n° 30).

C. – Classification fondée sur la force des obligations : obligations civiles et obligations naturelles

28. – **La distinction des obligations civiles et des obligations naturelles.** Toute obligation comprend normalement une sanction : si elle n'est pas exécutée par le débiteur, le créancier peut l'y contraindre et il pourra en obtenir l'exécution forcée. Par exception à la règle, on admettra parfois qu'il y a bien une obligation, mais qu'elle n'est pas assortie d'un pouvoir de contrainte. On dit alors qu'il s'agit d'une *obligation naturelle* par opposition à *l'obligation civile*(29).

Le Code civil y fait une simple allusion dans l'article 1235 à propos du paiement. Dans son premier alinéa, ce texte décide que « Tout payement suppose une dette » et il en déduit que « ce qui a été payé sans être dû, est sujet à répétition », c'est-à-dire à restitution. Mais dans l'alinéa 2, il écarte toute restitution lorsque le paiement correspond à une obligation naturelle : « La répétition n'est pas admise à l'égard des obligations naturelles qui ont été volontairement acquittées. » On en déduit donc que, parallèlement aux obligations civiles, il existe des obligations naturelles.

Par exemple, alors que la loi édicte une obligation alimentaire en ligne directe entre parents et enfants, elle ne dit rien des frères et sœurs ; on admet néanmoins qu'il y a entre eux une obligation naturelle.

29. – **Le domaine de l'obligation naturelle.** En l'absence de disposition plus explicite dans le Code civil, la jurisprudence et la doctrine se sont employées à cerner le domaine de l'obligation naturelle.

(29) E.-H. Perreau, *Les obligations de conscience devant les tribunaux* : *RTD civ.* 1913, 503. – J. Flour, *La notion d'obligation naturelle et son rôle en droit civil*, in *Trav. Assoc. Capitant*, t. 7, 1952, p. 813. – M. Gobert, *Essai sur le rôle de l'obligation naturelle*, 1957. – J.-J. Dupeyroux, *Les obligations naturelles, la jurisprudence, le droit*, in *Mél. Maury*, t. 2, p. 321. – M. Rotondi, *Quelques considérations sur le concept d'obligation naturelle et sur son évolution* : *RTD civ.* 1979, 1. – M. Coudrais, *L'obligation naturelle : une idée moderne ?* : *RTD civ.* 2011, 453. – F. Chénedé, *Edmond Colmet de Santerre, la notion d'obligation naturelle* : *RDC* 2014, 133. – V. aussi J.-L. Aubert, J. Flour et E. Savaux, *Les obligations, 3. Le rapport d'obligation*, nos 68 et s.

À la suite de Ripert[30], la doctrine moderne considère que l'obligation naturelle répond à un devoir moral. C'est également la conception de la jurisprudence qui y voit un devoir de conscience[31]. Ainsi considérera-t-on qu'il y a obligation naturelle chaque fois qu'une personne effectue, sans y être juridiquement tenue, un paiement correspondant à un devoir moral ou de conscience. C'est dire qu'il est impossible de dresser une liste des obligations naturelles car le sens de la morale ou de l'honnêteté varie suivant les époques. Tout au plus peut-on tenter de schématiser les hypothèses.

Parfois, il s'agira d'une obligation civile imparfaite, avortée ou qui a perdu son effet obligatoire. Ainsi en est-il d'une dette prescrite, c'est-à-dire d'une obligation éteinte par la prescription : si le débiteur la paie néanmoins, ce paiement est valable et ne pourra faire l'objet d'une action en répétition[32] ; et de même de l'héritier qui exécute un legs alors que celui-ci était simplement verbal et de ce fait irrégulier[33].

D'autres fois, en dehors de toute obligation civile préexistante, il s'agira d'un pur devoir moral ou de conscience, d'une question d'honnêteté : par exemple le devoir moral d'assistance à des frères et sœurs dans le besoin, ou à une concubine abandonnée[34] ; ou encore le devoir de reconnaissance du parieur (au tiercé) à l'égard d'un collègue qui l'a fait gagner[35].

On aurait pu craindre que la notion floue de devoir moral ou de conscience soit de nature à élargir considérablement l'éventail des obligations naturelles, mais tel n'est pas le cas à ce jour où les obligations naturelles restent une hypothèse très marginale.

30. – **Comment l'obligation naturelle se transforme-t-elle en obligation civile ?** En principe l'obligation naturelle se distingue de l'obligation civile en ce qu'elle ne peut faire l'objet d'aucune contrainte : elle n'est pas susceptible d'exécution forcée. Mais elle devient obligatoire soit lorsqu'elle est exécutée volontairement, soit lorsque le débiteur promet de l'exécuter.

Le premier cas est celui visé par l'article 1235 du Code civil : « la répétition n'est pas admise à l'égard des obligations naturelles qui ont été volontairement exécutées ». L'exécution volontaire doit être ici comprise comme celle faite délibérément, en connaissance de cause, par un débiteur qui savait ne pas être juridiquement tenu ; il y aurait à l'inverse lieu à répétition s'il a payé par erreur, c'est-à-dire en croyant à tort qu'il était tenu d'une obligation civile[36]. En bref, l'exécution volontaire d'une obligation naturelle transforme cette obligation en obligation civile[37], ce qui exclut tout droit de repentir.

La jurisprudence a assimilé à ce premier cas celui où le débiteur de l'obligation naturelle s'engage volontairement à l'exécuter. Suivant la formule des arrêts

(30) Ripert, *La règle morale dans les obligations civiles*, 4e éd. 1949, nos 416 et s.

(31) Cass. soc., 16 avr. 1969 : *Bull. civ.* 1969, I, n° 195. – Cass. 1re civ., 6 oct. 1959 : *D.* 1960, 515 et note Ph. Malaurie.

(32) Cass. com., 21 févr. 1949 : *D.* 1949, 208.

(33) Cass. 1re civ., 27 déc. 1963 : *Bull. civ.* 1963, I, n° 573. – Cass. 1re civ., 22 juin 2004 : *D.* 2004, 2953 et note M. Nicod. – Cass. 1re civ., 4 janv. 2005 : *D.* 2005, p. 1393 et note G. Loiseau ; *JCP* 2005, II, 10159 et note M. Mekki.

(34) Paris, 19 janv. 1977 : *D.* 1977, inf. rap. 332. – Cass. 1re civ., 17 nov. 1999 : *JCP* 2001, II, 10458 et note S. Chassagnard.

(35) Cass. 1re civ., 10 oct. 1995 : *D.* 1997, 155 et note G. Pignarre. – V. N. Molfessis, *L'obligation naturelle devant la Cour de cassation : remarques sur un arrêt rendu par la première chambre civile le 10 octobre 1995* : *D.* 1997, chron. 85.

(36) Cass. 1re civ., 12 juill. 1994 : *Bull. civ.* 1994, I, n° 252.

(37) Cass. 1re civ., 17 nov. 1999, préc.

les plus récents, la promesse d'exécuter, constitutive d'un engagement unilatéral, transforme là aussi l'obligation naturelle en obligation civile(38), et ce sans qu'il soit besoin d'un commencement d'exécution(39) ; ce faisant la jurisprudence écarte au profit de cette explication simple – et qui ne se réfère à aucun mécanisme juridique précis – l'idée précédemment soutenue (et critiquée) suivant laquelle il y aurait novation(40) de l'obligation naturelle en obligation civile(41).

À la différence du Projet Catala (art. 1130, 1151 et 1220) le projet de réforme du droit des contrats de 2009 ne fait pas expressément référence à la notion d'obligation naturelle. Il la consacre pourtant implicitement dans l'alinéa 2 de son article 1er lorsqu'il fait référence aux obligations qui naissent de « l'exécution volontaire ou de la promesse d'exécution d'un devoir de conscience envers autrui ».

Cela dit, il convient de rappeler qu'en droit français l'obligation naturelle est une institution tout à fait marginale. Lorsqu'on parle d'obligation, sans autre précision, c'est toujours à l'obligation civile que l'on entend se référer.

§ 3. – Place de la théorie générale des obligations au sein du droit civil

A. – Importance pratique

31. – **Les règles de la vie courante et de la vie des affaires.** Il est inutile de s'étendre sur l'importance pratique du droit des obligations tant elle est évidente. Ce droit constitue en effet la mise en forme juridique des rapports économiques entre les hommes ou, plus simplement encore, de la vie courante et de la vie des affaires.

C'est d'abord la base du droit des contrats sur lesquels repose toute la vie économique et sociale d'un pays. Par base, on doit entendre que la théorie générale des obligations s'en tient aux règles fondamentales communes à tous les contrats, par opposition à la réglementation particulière à tel ou tel type de contrat qui, ainsi que le rappelle expressément l'article 1107, est exposée à l'occasion de l'étude de ces contrats (vente, louage, contrat d'entreprise, vente d'immeubles à construire, mandat, etc.).

Réglant les contrats en général, la théorie des obligations règle aussi les problèmes de responsabilité civile, qu'ils surviennent accidentellement en dehors de tout contrat ou qu'ils découlent de l'inexécution ou de la mauvaise exécution d'un contrat. Or, chacun sait que la responsabilité civile représente un contentieux considérable, non seulement en matière d'accidents de la circulation mais en tous domaines.

(38) Cass. 1re civ., 10 oct. 1995, préc. – Cass. 1re civ., 4 janv. 2005 : *Bull. civ.* 2005, I, n° 4 ; *D.* 2005, p. 1393 et note G. Loiseau ; *JCP* 2005, II, 10159 et note M. Mekki. – Cass. 1re civ., 23 mai 2006 : *Bull. civ.* 2006, I, n° 264 ; *D.* 2006, inf. rap. p. 1569. – Cass. 1re civ., 3 oct. 2006 : *Bull. civ.* 2006, I, n° 428 ; *RTD civ.* 2007, p. 98, obs. J. Hauser, et p. 119, obs. J. Mestre et B. Fages. – Cass. 1re civ., 21 nov. 2006 : *Bull. civ.* 2006, I, n° 503 ; *Defrénois* 2007, 1, 467, art. 38562, n° 33, obs. R. Libchaber.

(39) Cass. 1re civ., 17 oct. 2012 : *D.* 2013.392, obs. S. Amrani-Mekki et M. Mekki ; *D.* 2013, 411, note G. Pignarre ; *RDC* 2013, 576, obs. M. Latina.

(40) Sur le mécanisme de la novation, V. *infra*, nos 837 et s.

(41) Cass. 1re civ., 17 nov. 1999, préc. – V. N. Molfessis, *L'obligation naturelle devant la Cour de cassation : remarques sur un arrêt rendu par la première chambre civile le 10 octobre 1995* : *D.* 1997, chron. 85. – V. *contra* : M. Julienne, *Obligation naturelle et obligation civile* : *D.* 2009, chron. 1709 (suivant lequel l'obligation naturelle est un simple « sentiment », cause de l'engagement unilatéral).

B. – Importance théorique

1° Réunion de tous les principes fondamentaux

32. – **Le droit commun.** Le droit des obligations comprend à peu près tous les principes fondamentaux du droit privé, c'est-à-dire non seulement du droit civil mais aussi du droit des affaires, et de toutes les branches qui ont pu se détacher de l'un ou de l'autre : droit bancaire, droit des transports, droit de la construction, etc. Il constitue le *droit commun,* c'est-à-dire les règles auxquelles on doit se référer lorsque la loi n'en a pas édictées de spécifiques à telle ou telle situation.

Ces mêmes principes ont également vocation à s'appliquer en droit public, plus précisément en droit administratif. Certes, le Conseil d'État n'applique pas le Code civil en tant que tel, mais il s'inspire des principes généraux qui se déduisent de ce code.

2° Tendance à l'universalité

33. – **Le mythe de l'universalité du droit des obligations.** Jadis, on a pu croire en une universalité parfaite du droit des obligations dans lequel on voyait une matière quasi scientifique fondée sur la logique. Tel était le cas de Saleilles qui considérait le droit des obligations comme « une matière essentiellement théorique et abstraite » fondée sur la logique juridique(42). Pourquoi n'y aurait-il pas en effet une sorte de mathématique universelle du droit des obligations ? L'expérience démontre qu'il n'en est pas ainsi(43).

34. – **Universalité dans le temps ?** Il n'y a pas d'*universalité dans le temps,* tout d'abord. Certes, le droit des obligations change moins vite et de manière moins spectaculaire que d'autres branches du droit. Par exemple, on ne saurait procéder aisément à une réforme du droit des obligations comme on a pu opérer d'un seul coup la réforme du divorce, de la filiation, des régimes matrimoniaux, etc. On relèvera toutefois qu'une réforme globale du droit des obligations, dont l'opportunité avait fait l'objet de débats(44), a donné lieu à différents projets de textes (V. *infra,* n° 42 et nos 52 à 55 pour leur présentation générale). Mais la réalisation d'une telle réforme, entreprise par la Chancellerie, ne se fera que par étapes : le droit de la prescription réformé par la loi du 17 juin 2008, le droit des contrats et le régime général des obligations qui devrait être réformé par ordonnance(45), et le droit de la responsabilité.

Il n'en demeure pas moins que le droit des obligations a connu des évolutions fondamentales, même au plan des principes. On en prend aisément conscience avec le recul du temps.

(42) R. Saleilles, *Étude sur la théorie générale de l'obligation d'après le premier projet de Code civil pour l'Empire allemand,* 3e éd. 1925.

(43) V. T. Génicon, *Les juristes en droit des contrats : oppositions juridiques ou oppositions politiques ? Réflexions sur la dimension politique de la technique juridique en droit des contrats,* in *La place du juriste face à la norme, Trav. Assoc. Capitant,* Journées nationales, t. XVI, Dalloz, 2012, p. 85.

(44) *Faut-il réformer le titre III du livre III du Code civil ?* (avec les contributions de P. Catala, J. Ghestin, J. Mestre, Ph. Rémy, A. Sériaux et D. Tallon) : *RDC* 2004, p. 1145 et s. – G. Pignarre (ss dir.), *Forces subversives et forces créatrices en droit des obligations* : Dalloz, coll. « Thèmes et commentaires », 2005.

(45) Projet de loi relatif à la modernisation et à la simplification du droit et des procédures dans les domaines de la justice et des affaires intérieures (déposé le 27 novembre 2013 devant le Sénat, n° 175). Pour une présentation générale, voir *D.* 2013, 2770.

C'est ainsi que du droit romain à nos jours le *formalisme* qui présidait à la naissance des obligations contractuelles a cédé la place au principe du *consensualisme* suivant lequel les contrats sont conclus par le simple accord des volontés. C'est là une rupture fondamentale.

Même en raisonnant sur des périodes plus courtes il est aisé de citer d'autres exemples tout aussi démonstratifs. Ainsi le droit de la responsabilité civile qui, pendant la majeure partie du XIXe siècle, a été fondé sur la *faute*, déborde aujourd'hui très largement ce fondement ; désormais, nombre d'hypothèses de responsabilité s'expliquent par l'idée de *risque* ou de *garantie*(46), notamment en matière d'accidents de la circulation ou de responsabilité du fait des produits. En bref, le critère de la responsabilité civile a changé de manière radicale, ce qui est là encore une évolution considérable.

Il en est de même des règles relatives à la conclusion du contrat, qui ont été largement bouleversées par les diverses lois qui accordent notamment une faculté de rétractation à certains cocontractants, les consommateurs.

35. – **Universalité dans l'espace ?** Il y a encore moins d'*universalité du droit des obligations dans l'espace*. Certes, tous les droits qui ont puisé leurs sources dans le droit romain présentent des analogies évidentes. Mais il suffit d'aborder les droits anglo-saxons pour s'apercevoir qu'ils obéissent à des logiques différentes. Et la différence était encore plus accusée lorsqu'on comparait le droit français des obligations à celui des pays de l'Europe de l'Est avant la libéralisation entreprise en 1990.

On le constate également au sein des pays de l'Union européenne. En effet, la Commission européenne se préoccupe actuellement des distorsions du droit des contrats entre les États membres, distorsions qui sont considérées comme un obstacle à la réalisation d'un marché unique(47). Et, parallèlement, divers travaux ont été menés(48) ou sont en cours(49) tendant à mettre sur pied des principes communs du droit européen des contrats. L'existence même de ces travaux démontre, s'il en était besoin, qu'il y a une grande diversité entre les droits des obligations des vingt-huit pays de l'Union européenne.

Il n'y a donc pas d'universalité du droit des obligations, mais une simple tendance à l'universalité dans la mesure où le raisonnement juridique repose dans tous les pays sur les mêmes techniques ou sur des techniques voisines. En fait la diversité des droits des obligations s'explique par le fait que la logique, le raisonnement pur qu'on rencontre dans le droit des obligations, n'est pas une fin en soi à laquelle il faudrait se conformer, mais un moyen au service de certains facteurs d'évolution qui varient suivant le contexte politique et économique du pays considéré.

(46) P. Jourdain, *Quelques réflexions sur la notion de garantie en droit privé*, in *Mél. Malinvaud* : Litec, 2007, p. 308.

(47) Communication de la Commission au Conseil et au Parlement européen concernant le droit européen des contrats : *JOCE* n° C 255/1, 13 sept. 2001. – D. Staudenmayer, *Le plan d'action de la commission européenne concernant le droit européen des contrats* : *JCP* 2003, I, 127.

(48) *Principes du droit européen du contrat*, Commission Lando, La Documentation française, 1997 et Société de législation comparée, 2003. – *Avant-projet de « Code européen des contrats » du groupe de Pavie* : *Gaz. Pal.* 21-22 févr. et 25 févr. 2003, 1.

(49) Ch. von Bar, *Le groupe d'études sur un Code civil européen* : *RID comp.* 2001, 127.

§ 4. – Les facteurs d'évolution du droit des obligations

Ces facteurs d'évolution ont été tout particulièrement mis en lumière par Ripert[(50)], et la doctrine moderne les soumet désormais à l'éclairage de la sociologie juridique[(51)].

En schématisant peut-être à l'excès, ces facteurs peuvent être rattachés à quatre ordres d'idées.

36. – **Le facteur moral.** Le droit des obligations ne saurait ignorer la morale en général. En pratique, de nombreuses règles de droit français ne sont que la transposition de règles morales : par exemple, le respect de la parole donnée qui interdit en principe de rompre unilatéralement un contrat, ou encore l'obligation de réparer le dommage injustement causé à autrui.

De même, il n'est pas douteux que la morale chrétienne a exercé une influence fondamentale sur le droit des obligations. C'est sous la pression de la morale chrétienne qu'on est passé du *formalisme* au *consensualisme* ; c'est d'elle que l'on tient la notion de juste prix et c'est elle aussi qui a fait apporter des assouplissements à la force du lien obligatoire afin que le débiteur ne soit pas asservi au créancier.

Mais la morale évolue, qu'il s'agisse du droit des contrats ou de celui de la responsabilité civile.

En matière de contrats[(52)], on met désormais l'accent sur la nécessité de la bonne foi tant dans la conclusion[(53)] que dans l'exécution des contrats. Cette exigence, qui figure depuis 1804 dans l'article 1134, alinéa 3, du Code civil (les conventions « doivent être exécutées de bonne foi »), est longtemps passée inaperçue[(54)]. Aujourd'hui on assiste à un bouillonnement des idées autour des notions de bonne foi[(55)] et d'équilibre contractuel[(56)]. Les uns en tirent une obligation de collaboration en vue de l'exécution du contrat[(57)], sinon même de fraternité[(58)], ou encore un solidarisme contractuel[(59)]. D'autres prônent la nécessité d'une transparence[(60)] dans les contrats, ou encore d'une proportionnalité[(61)] dans les obligations respectives des parties.

---

(50) G. Ripert, *La règle morale dans les obligations civiles. – Le régime démocratique et le droit civil moderne. – Aspects juridiques du capitalisme moderne. – Les forces créatrices du droit.*

(51) J. Carbonnier, *Flexible droit. Pour une sociologie du droit sans rigueur* : LGDJ, 10e éd. 2001. – J. Ghestin, *L'utile et le juste dans les contrats* : *D.* 1982, chron. 1.

(52) C. Thibierge-Guelfucci, *Libres propos sur la transformation du droit des contrats* : *RTD civ.* 1997, 357.

(53) Cass. 1re civ., 15 mars 2005 : *D.* 2005, p. 1462 et note A. Cathiard. – Cass. 3e civ., 31 oct. 2012 : *RTD civ.* 2013, 109,obs. B. Fages.

(54) Ch. Jamin, *Une brève histoire politique des interprétations de l'article 1134 du Code civil* : *D.* 2002, chron. 901.

(55) *La bonne foi*, in *Trav. Assoc. Capitant*, 1994. – B. Jaluzot, *La bonne foi dans les contrats. Étude comparative de droit français, allemand et japonais* : Dalloz, coll. « Bibl. thèses », 2001. – M. Benillouche, *La valeur primordiale du devoir de bonne foi en droit européen des contrats est-elle une originalité purement formelle ?* : *LPA* 29 juill. 2004, p. 6. – S. Tisseyre, *Le rôle de la bonne foi en droit des contrats* : PUAN, 2012.

(56) L. Fin-Langer, *L'équilibre contractuel* : LGDJ, coll. « Droit privé », 2002. – S. Pimont, *L'économie du contrat*, préf. J. Beauchard : PUAM, 2004. – D. Bakouche, *L'excès en droit civil*, préf. M. Gobert : LGDJ, 2005.

(57) Y. Picod, *Le devoir de loyauté dans l'exécution du contrat* : thèse Dijon, 1987 ; *L'obligation de coopération dans l'exécution du contrat* : *JCP* 1988, I, 3318.

(58) D. Mazeaud, *Loyauté, solidarité, fraternité : la nouvelle devise contractuelle ?*, in *Mél. Terré*, p. 603.

(59) Ch. Jamin, *Plaidoyer pour le solidarisme contractuel*, in *Études Ghestin*, p. 441. – J. Cedras, *Le solidarisme contractuel en doctrine et devant la Cour de cassation*, in *Rapport annuel de la Cour de cassation 2003*, Deuxième partie, Études et documents.

(60) N. Vignal, *La transparence en droit privé des contrats (approche critique de l'exigence)*, préf. J. Mestre : PUAM, 1998.

(61) *Existe-t-il un principe de proportionnalité en droit privé ?* Travaux du Colloque du 20 mars 1998 : *LPA* 30 sept. 1998, n° 117. – S. Le Gac-Pech, *La proportionnalité en droit privé du contrat*, préf. H. Muir-Watt : LGDJ, coll. « Droit privé », 2000, t. 335. – F. Terré, *La proportionnalité comme principe ?* : *JCP* 2009, n° 25, p. 52.

En matière de responsabilité civile, l'évolution répond à la multiplication et à l'ampleur des dommages tenant aux progrès scientifiques et techniques. Le dommage est ressenti comme une injustice qu'il faut absolument réparer, même si c'est un coup du sort, par exemple l'aléa thérapeutique. D'où, se tournant vers la *victime*, le Droit consacre désormais le droit de chacun à la sécurité, qu'il s'agisse d'accidents de la circulation[62], d'accidents dus à des produits[63], d'accidents médicaux[64]. Pour parvenir à cette indemnisation systématique, il a fallu corrélativement passer d'une responsabilité pour faute de l'auteur du dommage à une responsabilité fondée sur le risque que chacun, dans son activité, peut faire courir à ses semblables. À défaut de trouver un responsable solvable et identifié, on fera appel à des mécanismes relevant de l'assurance (l'indemnisation des victimes d'infractions ou de catastrophes naturelles) ou de la solidarité nationale (l'aléa thérapeutique).

37. – **Le facteur économique et politique.** On ne peut ici dissocier l'économie et la politique ; d'évidence la politique économique n'est qu'un aspect de la politique tout court. À cet égard, le passage progressif d'un ordre économique libéral à un ordre économique dirigé a conduit à restreindre la liberté contractuelle.

Pendant longtemps, la *liberté contractuelle* a été considérée comme le meilleur moyen de réaliser l'équilibre entre les *intérêts particuliers* et par là même de satisfaire *l'intérêt général*[65]. L'expérience a démontré que c'était une utopie. Les intérêts particuliers sont nécessairement égoïstes et, comme la puissance économique respective des cocontractants est rarement identique, il s'ensuit que les plus puissants seront tout naturellement conduits à user et même abuser de leur puissance.

Pour rééquilibrer la balance, le législateur moderne a donc été amené à venir au secours des plus faibles en édictant à leur profit des règles protectrices : protection des salariés contre les patrons, des locataires contre les propriétaires (y compris les propriétaires du secteur public ou parapublic, tels les organismes d'HLM), des consommateurs contre les fabricants et les vendeurs professionnels, des ménages endettés contre leurs créanciers, etc. D'où une floraison de textes particuliers qui viennent instaurer un droit spécial, souvent très réglementaire, dans des domaines qui précédemment relevaient des principes généraux du droit des obligations. Dépassant ces clivages entre catégories, on peut se demander si on ne s'oriente pas vers l'idée plus générale d'équilibre ou de proportionnalité du contrat. Ici, le facteur économique rejoint le facteur moral.

Par ailleurs, s'agissant de réaliser l'intérêt général, on constate qu'il ne saurait être la somme des intérêts particuliers[66].

Cet intérêt général postule tout d'abord que certaines activités soient exercées par l'État dans le cadre de services publics ou d'organismes publics. Suivant les gouvernements, la conception pourra varier. À côté des missions régaliennes que sont notamment la Justice, la Police, l'Armée, l'Impôt, l'État exerce parfois – ou pour

(62) L. 5 juill. 1985, dite loi Badinter.

(63) L. 19 mai 1998, insérée dans les articles 1386-1 à 1386-18 du Code civil.

(64) L. 4 mars 2002 relative aux droits des malades et à la qualité du système de santé. – V. Y. Lambert-Faivre, *III, L'indemnisation des accidents médicaux* : D. 2002, chron. 1367.

(65) J.-M. Pontier, *L'intérêt général existe-t-il encore ?* : D. 1998, chron. 327.

(66) M. Mekki, *L'intérêt général et le contrat. Contribution à une étude de la hiérarchie des intérêts en droit privé* : LGDJ, 2004. – Van Dai Do, *Le rôle de l'intérêt privé dans le contrat en droit français* : PUAM, 2004.

partie – des activités qui pourraient tout aussi bien relever du secteur privé : la santé, l'éducation, les transports, l'énergie, les télécommunications, etc. La conception de ce qui doit relever de l'État ou du secteur privé est une question éminemment politique ; les uns penseront qu'il faut nationaliser, les autres qu'il faut privatiser.

C'est également au nom de l'intérêt général que l'État intervient par des instruments de politique économique tels que les plans, la politique des prix et des revenus, la réglementation du crédit, etc. ; et ces interventions sont autant d'obstacles au principe de la liberté contractuelle. Dans le même esprit le législateur français, qui croit aux vertus de la concurrence pour réaliser l'intérêt général, a mis en place des règles tendant à assurer son libre jeu (notamment l'interdiction des ententes) et en sanctionne sévèrement le respect. Il rejoint en cela les préoccupations du législateur européen.

38. – **Le facteur européen : les projets doctrinaux de droit européen des contrats**. Le facteur européen est probablement à ce jour celui dont l'impact est le plus fort sur notre droit des obligations(67).

En effet, même s'il n'y a pas encore de droit européen des obligations, l'Union européenne édicte des *directives*, dont certaines touchent au droit des obligations et qui sont, ou seront, transposées dans notre droit (V. *infra*, nos 48 et 220).

Plus largement il se développe un grand mouvement d'idées tendant à l'élaboration d'un Code européen des obligations, qui pourrait conduire à terme à une relative unification du droit des obligations dans les pays faisant partie de l'Union. Il s'agit là d'une question récurrente. Le Parlement européen a indiqué en 1989 et rappelé en 1994 l'importance qu'il attachait à la rédaction d'un Code européen de droit privé, souvent dénommé Code civil européen. Cette initiative a suscité un intérêt très vif à l'étranger(68), plus mitigé en France(69).

Faisant écho à cette préoccupation européenne, trois importants travaux d'initiative privée doivent être signalés.

Parrainé par la Commission des Communautés européennes, un groupe de travail dénommé « Commission Lando » (du nom de son président) a mis sur pied des « Principes du droit européen du contrat », travaux qui ont été publiés en anglais et en français(70). Ces principes s'inspirent largement de la Convention de Vienne sur les contrats de vente internationale de marchandises de 1980 et surtout des Principes relatifs aux contrats du commerce international publiés en 1994 par

---

(67) H. Aubry, *L'influence du droit communautaire sur le droit français des contrats* : PUAM, 2002, préf. A. Ghozi. – E. Poillot, *Droit européen de la consommation et uniformisation du droit des contrats* : thèse Reims, 2004. – R.-M. Rampelberg, *Repères romains pour le droit européen des contrats. Variation sur des thèmes antiques* : LGDJ, 2005.

(68) Pour la littérature en langue française, V. G. Gandolfi, *Pour un Code européen des contrats* : *RTD civ.* 1992, 707. – J. Basedow, *Un droit commun des contrats pour le marché commun* : *RID comp.* 1998, 7.

(69) P. Legrand, *Sens et non-sens d'un Code civil européen* : *RID comp.* 1996, 779. – Cl. Witz, *Plaidoyer pour un Code européen des obligations* : D. 2000, chron. 79. – V. aussi, *L'harmonisation du droit des contrats en Europe* (ss dir. Ch. Jamin et D. Mazeaud) : Économica, 2001.

(70) *Principes du droit européen du contrat*, version française, vol. 2 : SLC, 2003. Cette version comprend les parties I, II et III des principes, respectivement consacrées à l'exécution, l'inexécution et ses suites ; à la formation, la validité, l'interprétation et le contenu du contrat ; au régime général de l'obligation. – D. Tallon, *Les principes pour le droit européen du contrat : quelles perspectives pour la pratique ?* : *Defrénois* 2000, p. 683, art. 37182. – P. Rémy-Corlay et D. Fenouillet (ss dir.), *Les concepts contractuels français à l'heure des principes du droit européen des contrats* : Dalloz, 2003. – C. Prieto (ss dir.), *Regards croisés sur les concepts du droit européen du contrat et sur le droit français* : PUAM, 2003. – P. Rémy-Corlay, *Observations sur la version française des Principes du droit européen du contrat* : *RID comp.* 2004, p. 205. – D. Mazeaud, *Un droit européen en quête d'identité. Les Principes du droit européen du contrat* : D. 2007, chron. p. 2959.

l'Institut International pour l'Unification du Droit privé (Unidroit) et remis à jour en 2004[(71)] puis en 2010. Si les champs d'application des deux corps de principes diffèrent – les Principes Unidroit ayant vocation à régir les seuls contrats du commerce international alors que les Principes Lando concernent tous les contrats mais dans un espace géographique plus restreint – leurs contenus et leurs philosophies sont en revanche très proches[(72)].

Partant des Principes Lando, une « Commission von Bar » (du nom de son président et initiateur) subventionnée par des fondations étrangères a préparé un projet de Code civil européen[(73)].

Parallèlement, un avant-projet de « Code européen des contrats » a été élaboré par l'Académie des privatistes européens, initiée par des professeurs italiens (dit le groupe de Pavie), qui entre donc en concurrence avec le projet « von Bar »[(74)].

Ces divers travaux doctrinaux n'ont bien sûr, pour l'instant, aucune valeur normative ; et ils sont rarement utilisés dans la pratique contractuelle ou judiciaire[(75)]. Mais ils peuvent constituer une source d'inspiration intéressante, un modèle[(76)], un creuset des évolutions prochaines de notre droit des contrats[(77)].

39. – Le facteur européen : l'action de la Commission européenne. Faisant suite au souhait exprimé le 16 mars 2000 par le Parlement européen, la Commission européenne a diffusé le 11 juillet 2001 une « Communication concernant le droit européen des contrats » par laquelle elle sollicitait l'avis des destinataires sur le choix entre quatre options :

- aucune action communautaire au plan de l'harmonisation, les Communautés européennes continuant à régir par voie de règlements et de directives les questions qui leur paraissent importantes ;

(71) Ces Principes Unidroit se composent d'un préambule et de plus de 120 articles régissant les contrats du commerce international ; ils n'ont pas de valeur contraignante en eux-mêmes mais peuvent être choisis par les parties comme loi régissant leur contrat, notamment lorsqu'elles ont entendu que leur contrat soit régi par les principes généraux du droit ou la *lex mercatoria* ; les arbitres internationaux peuvent s'y référer pour trancher les différends dont ils sont saisis ; ils peuvent en outre être utilisés pour interpréter ou compléter les instruments internationaux existants : *Principes d'Unidroit relatifs aux contrats du commerce international*, éd. Unidroit, 2004. – J.-P. Beraudo, *Les principes d'Unidroit relatifs au droit du commerce international* : *JCP G* 1995, I, 3842. – J. Huet, *Les contrats commerciaux internationaux et les nouveaux principes d'Unidroit, une nouvelle* lex mercatoria *?* : *LPA* 10 nov. 1995, n° 135, 8. – C. Kessedjian, *Un exercice de rénovation des sources du droit des contrats du commerce international : les principes proposés par Unidroit* : *Rev. crit. DIP* 1995, 641. – C. Larroumet, *La valeur des principes d'Unidroit applicables aux contrats du commerce international* : *JCP G* 1997, I, 4011. – B. Fauvarque-Cosson, *Les contrats du commerce international, une approche nouvelle : les principes d'Unidroit relatifs aux contrats du commerce international* : *RID comp.* 2/1998, 463.

(72) S. Guillemard, *Comparaison des Principes Unidroit et des Principes du droit européen du contrat dans la perspective de l'harmonisation du droit applicable à la formation des contrats internationaux* : http://www.cisg.law.pace.edu/cisg/biblio/guillemard.html, 1999. – D. Mazeaud, *À propos du droit virtuel des contrats : réflexions sur les Principes d'Unidroit et de la Commission Lando*, in *Mél. Cabrillac* : Litec, 1999.

(73) Ch. von Bar, *Le groupe d'études sur un Code civil européen* : *RID comp.* 2001, 127. – Pour une critique, V. Y. Lequette, *Quelques remarques à propos du projet de Code civil européen de M. von Bar* : *D.* 2002, chron. 2202.

(74) *Code européen des contrats, Avant-projet, Livre I*, Dott. A. Giuffré editore, 2004. – Sur l'hypothèse d'un Code européen des contrats : les propositions de l'Académie des privatistes européens (Paris) : *Gaz. Pal.* 21-22 févr. et 25 févr. 2003. – A. Debet, obs. *in RDC* 2003, p. 217.

(75) P. Deumier, *L'utilisation par la pratique des codifications d'origine doctrinale* : *D.* 2008, chron. 494.

(76) B. Fauvarque-Cosson, *Les contrats du commerce international, une approche nouvelle : les principes d'Unidroit relatifs aux contrats du commerce international* : *RID comp.* 1998, p. 463. – B. Fages, *Quelques évolutions du droit français des contrats à la lumière des Principes de la Commission Lando* : *RID comp.* 2004, p. 205. – B. Fauvarque-Cosson, *Droit européen et international des contrats : l'apport des codifications doctrinales* : *D.* 2007, chron. p. 96. – C. Castets-Renard et H. Hatano, *L'influence des PDEC sur les projets de réforme des droits français et japonais des contrats* : *RID comp.* 2010, 713.

(77) V. D. Mazeaud, art. préc., p. 205. – B. Fauvarque-Cosson, *Droit européen des contrats : bilan et perspectives pour la prochaine décennie. Programme de Stockholm adopté lors du sommet des 10-11 décembre 2009* : *RDC* 2010, 316.

• promotion de la mise au point de principes communs de droit des contrats pour renforcer la convergence des droits nationaux ; ce qui vise notamment les principes de la Commission Lando ou l'avant-projet du groupe de Pavie et, éventuellement, ceux qui pourraient être arrêtés pour certains contrats par la Commission von Bar, ou tous autres principes qui pourraient être mis sur pied par toute commission *ad hoc* ;

• amélioration de la qualité de la législation déjà en vigueur, c'est-à-dire revoir et rationaliser les directives déjà publiées ;

• adoption d'une nouvelle législation complète au niveau communautaire, c'est-à-dire mise en place d'un Code européen portant au moins sur les contrats qui serait ou obligatoire, auquel cas il remplacerait le droit national existant, ou optionnel.

En principe, la Commission devait arrêter sa position à la fin de l'année 2002, mais cette date a été reportée. Par un communiqué du 14 février 2003 la Commission a fait savoir qu'elle avait adopté un plan d'action en vue d'accroître la cohérence du Droit des contrats en Europe. Les mesures proposées étaient orientées dans deux directions : *a)* soutien à des initiatives volontaires en vue d'élaborer des clauses contractuelles types applicables dans l'ensemble de l'Union européenne, *b)* amélioration de la législation communautaire actuelle et future en matière de contrats par l'élaboration de règles communes sur la base des meilleures solutions identifiées dans les législations des États membres. La Commission se proposait également d'examiner s'il était opportun et possible de créer un « corpus » optionnel dans le domaine du Droit européen des contrats que les parties pourraient utiliser pour faciliter les échanges transfrontaliers[(78)].

Puis, dans une Communication du 11 octobre 2004 intitulée « Droit européen des contrats et révision de l'acquis : la voie à suivre », la Commission a déclaré que, « dans le souci de respecter la culture juridique et administrative propre à chaque État membre », elle n'envisageait pas de proposer un code civil européen qui harmoniserait les droits des contrats des États membres et qu'elle s'orientait vers « un modèle purement facultatif choisi par les parties contractantes par le biais d'une clause de droit applicable »[(79)].

Dans cette attente, la Commission européenne a publié le 8 février 2007 un Livre vert sur la révision de l'acquis communautaire en matière de protection des consommateurs[(80)] qui pourrait constituer un premier pas vers un code de la consommation et qui a suscité de nombreuses réponses, notamment françaises[(81)].

(78) D. Staudenmayer, *Le plan d'action de la Commission européenne concernant le droit européen des contrats* : *JCP* 2003, I, 127. – B. Fauvarque-Cosson, *Droit européen des contrats : première réaction au plan d'action de la Commission* : *D.* 2003, pt de vue, 1171. – V. aussi Rép. min. Justice à QE n° 7588 : *JO* 24 févr. 2003, p. 1454. – P. Rémy-Corlay, *Plan d'action sur le droit européen des contrats : une réponse au plan d'action* : LPA 4 sept. 2003, p. 3. – D. Staudenmayer, *Un instrument optionnel en droit européen des contrats* : *RTD civ.* 2003, 629.

(79) Doc. COM (2004), 651 final, 11 oct. 2004 ; *RDC* 2005, p. 1204, obs. A. Marais. – V. aussi S. Vogenauer et S. Weatherhill, *La compétence de la Commission européenne pour harmoniser le droit des contrats. Une analyse empirique* : RDC 2005, p. 1215.

(80) Doc. COM (2006), 744 final. – V. B. Fauvarque-Cosson *in D.* 2007, chron. p. 956. – G. Raymond : *Contrats, conc. consom.* 2007, étude 5. – G. Paisant : *JCP* 2007, I, 152.

(81) *Livre Vert sur la révision de l'acquis communautaire en matière de protection des consommateurs. Réponses françaises* : SLC, Coll. « Droit privé comparé et européen », vol. 5, août 2007. – *L'annonce d'un droit européen du contrat. La proposition de directive relative aux droits des consommateurs* (ss dir. D. Mazeaud, R. Schulze et G. Wicker) : *SLC*, vol. 10, 2010.

Le 20 avril 2010, la Commission européenne a présenté un nouveau plan d'action afin de mettre en œuvre le programme de Stockholm. Y figure l'annonce d'une communication en 2010 sur « le droit européen des contrats et la méthode vers l'adoption du cadre commun de référence » et celle d'une « proposition législative sur le cadre commun de référence »(82).

Enfin, après avoir réactivé l'idée d'un droit européen à valeur facultative(83), la Commission, dans un Livre vert du 1er juillet 2010, « s'est efforcée de dégager des solutions dans le domaine du droit des contrats pour rendre le marché unique plus accessible aux entreprises et aux consommateurs »(84). Mais, sans attendre les réponses à ce Livre vert, le groupe d'experts mandaté par la Commission a déjà rendu ses conclusions(85).

40. – **Le facteur européen : la position du Parlement européen.** Par une résolution en date du 23 mars 2006, le Parlement européen, après avoir indiqué que les chercheurs qui élaborent le Cadre commun sont convaincus que « le résultat final sera, à terme, un code européen des obligations, voire un véritable code civil européen », a jugé essentiel que le travail actuel soit mené à bien avec l'engagement politique approprié(86).

Plus récemment, dans une résolution sur le droit européen des contrats, adoptée le 7 septembre 2006(87), le Parlement européen a rappelé que l'initiative concernant ce projet est « la plus importante qui soit en cours dans le domaine du droit civil ». Il a invité en conséquence la Commission à mettre en œuvre le projet relatif à un « Cadre commun de référence élargi à des questions générales de droit des contrats, allant au-delà du domaine de la protection des consommateurs ». Alors que la Commission n'envisageait plus qu'un éventuel instrument optionnel et adoptait une attitude prudente en insistant sur la « révision de l'acquis », le Parlement précisait que le résultat final à long terme pourrait être un « instrument contraignant ».

Parallèlement, les travaux relatifs au Cadre commun de référence se sont poursuivis au sein de divers groupes de travail européens. Un deuxième rapport sur « l'état d'avancement du cadre commun de référence a été publié le 27 juillet 2007(88). Le groupe de travail « Acquis communautaire » a publié les résultats – partiels – de ses recherches tendant à dégager les Principes, mais ces Principes sont conçus dans une perspective

(82) B. Fauvarque-Cosson, *Un nouvel élan pour le cadre commun de référence en droit européen des contrats* : D. 2010, 1362.

(83) Communiqué UE, 21 mai 2010, IP/10/595 : *RDC* 2010, 1401, obs. J.-S. Bergé.

(84) *D.* 2010, 1628 et 1696 ; *RDC* 2010, 1284, obs. C. Aubert de Vincelles ; *RDC* 2011, 579, obs. S. Whittaker. – *Livre vert sur le droit européen des contrats. Réponses du réseau Trans Europe Experts* (ss dir. M. Béhar-Touchais et M. Chagny) : *SLC*, 2011. – C. Pérès, *Livre vert de la Commission européenne : les sources contractuelles à l'heure de la démocratie participative* : *RDC* 2011, 13. – *Vers un droit européen des contrats ? Réponse au Livre vert de la Commission européenne* : *RLD civ.* juill.-août 2011, p. 67. – Pour une vive critique de la Commission, V. Y. Lequette, *Le code européen est de retour* : *RDC* 2011, 1028. – T. Génicon, *Commission européenne et droit des contrats* : « Quousque tandem abutere patientia nostra ? » : *RDC* 2011, 1050. On notera également les réponses très réservées à ce Livre vert, des Barreaux français (*RDC* 2011, 1079) et de la Chambre de commerce et d'industrie de Paris (*RDC* 2011, 1097). V. également les diverses réponses publiées dans la *Revue des contrats* in *Débats : L'Europe contractuelle, encore et toujours !* : *RDC* 2011, 1361 et s. (V. la liste des réponses dans le sommaire, p. 1125).

(85) H. Claret, G. Pignarre et le groupe de travail du CDPPOC, *Les méthodes de la Commission européenne : à quoi sert-il de convaincre quand on a déjà contraint ?* : *D.* 2011, 1981.

(86) *Résolution sur le droit européen des contrats et la révision de l'acquis : la voie à suivre, 23 mars 2006, 2005/2002 [INI]* : *RDC* 2006, p. 1276, obs. A. Marais.

(87) P6-TA-Prov (2006) 009-07.

(88) Doc. COM (2007), 447 final.

relativement étroite, les rapports professionnels-consommateurs, et de ce fait ils ne peuvent constituer un droit commun du contrat applicable à tous[89]. Plus récemment ont été publiés, d'une part le *Draft Common Frame of Reference* (DCFR) sous la direction du professeur Christian von Bar, d'autre part le Projet de cadre commun de référence (t. 1, *Terminologie contractuelle* ; t. 2, *Principes contractuels communs*) sous l'égide de l'Association Henri Capitant et de la Société de législation comparée, qui sont ainsi soumis à l'examen de la Commission européenne[90]. Celle-ci a créé un groupe d'experts qui devait examiner ces travaux avant d'émettre des propositions[91].

À cet égard, le Parlement européen a rappelé que le cadre commun de référence, s'il doit servir de « boîte à outils » permettant de mieux légiférer, pourrait dans l'avenir être un « instrument facultatif » en droit européen des contrats[92]. C'est finalement cette option qui a été retenue par le Parlement le 12 avril 2011 : un instrument facultatif qui prendrait la forme d'un règlement et serait accompagné d'une « boîte à outils ».

41. – La réaction de la doctrine face à la politique européenne. La doctrine n'a pas manqué de constater qu'on s'orientait ainsi progressivement vers une harmonisation douce du droit européen des contrats qui débouchera peut-être un jour sur un Code européen des contrats ou, plus largement, des obligations. Même si pareille tâche nécessitera de longues années, cette simple perspective a suscité chez les juristes français des réactions pour le moins réservées, sinon même une levée de boucliers[93]. Les réactions sont parfois tout aussi réservées chez les juristes étrangers[94].

Plus généralement, elle a suscité de vives critiques, émanant de juristes de différents pays européens, portant sur l'approche purement technocratique de la question par la Commission européenne, sans tenir compte du fait que le droit des obligations

(89) P. Rémy-Corlay : *RTD civ.* 2007, 740 ; *RDC* 2005, p. 1204, obs. A. Marais.

(90) B. Fauvarque-Cosson, *Droit européen des contrats : les offres sont faites, les dés non encore jetés : D.* 2008, chron. p. 556. – D. Blanc, *Droit européen des contrats : un processus en voie de dilution ? : D.* 2008, chron. p. 564. – J. Gest, *Les travaux préparatoires du projet de cadre commun de référence sous la présidence française du Conseil de l'Union européenne : D.* 2009, chron. 1431. – G. Rouhette, *La contribution française au projet de cadre commun de référence : RDC* 2009, 739. – V. B. Fauvarque-Cosson : *RDC* 2010, p. 731 sur la position dans la Chambre des Lords à l'égard du DCFR.

(91) Déc. n° 2010/233/UE, 26 avr. 2010 : *JOUE* 27 avr.

(92) Résolution du Parlement européen, 3 sept. 2008 sur le Cadre commun de référence pour le droit européen des contrats, P6-TA (2008) 0397. – W. Doralt, *De quelques conditions du succès d'un instrument optionnel en droit européen des contrats : RDC* 2011, 1313.

(93) G. Cornu, *Un Code civil n'est pas un instrument communautaire : D.* 2002, chron. 351. – Ph. Malaurie, *Le Code civil européen des obligations et des contrats. Une question toujours ouverte : JCP* 2002, I, 110. – N. Charbit, *L'espéranto du droit ? La rencontre du droit communautaire et du droit des contrats. À propos de la communication de la Commission européenne relative au droit européen des contrats : JCP* 2002, I, 100. – L. Bernardeau, *Droit communautaire et droit des contrats : perspectives d'évolution : Contrats, conc. consom.* déc. 2001, chron. 19. – V. Heuzé, *À propos d'une « initiative européenne en matière de contrats » : JCP* 2002, I, 152. – Ph. Malinvaud, *Réponse – hors délai – à la Commission européenne : à propos d'un Code européen des contrats : D.* 2002, chron. 2542. – J. Huet, *Nous faut-il un « euro » droit civil ? : D.* 2002, 2611. – Y. Lequette, *Vers un Code civil européen ? : Pouvoirs* 2003, p. 97 ; et *Code civil, les défis d'un nouveau siècle, rapport de synthèse du 100e Congrès des Notaires : Defrénois* 2004, 1, 1055, art. 37991. – V. aussi les travaux regroupés dans *Pensée juridique française et harmonisation européenne du droit : SLC*, 2003. – D. Mazeaud, *Faut-il avoir peur d'un droit européen des contrats ?*, in *Mél. Blanc-Jouvan : SLC*, 2005. – D. Mazeaud, *Faut-il avoir peur d'un droit européen des contrats ?* Bis sed non repetita, in *Mél. Malinvaud*, Litec, 2007, p. 397. – Y. Lequette, *Le code européen est de retour : RDC* 2011, 1028. – T. Génicon, *Commission européenne et droit des contrats :* « Quousque tandem abutere patientia nostra ? » : *RDC* 2011, 1050.

(94) B. Markesinis, *Deux cents ans dans la vie d'un code célèbre. Réflexions historiques et comparatives à propos des projets européens : RTD civ.* 2004, 45. – B. Dauner-Lieb, *Vers un droit européen des obligations ? : RID comp.* 2004, p. 559. – S. Sanchez-Lorenzo, *Faut-il oublier l'idée d'un code civil européen ? : LPA* 5 juin 2007, p. 8.

répond et doit répondre à des valeurs fondamentales de justice sociale. La doctrine soulève ici un problème de méthode[95].

Elle a eu toutefois le mérite d'attirer l'attention de la doctrine française sur le vieillissement préoccupant de notre droit des obligations et sur l'intérêt qui s'attacherait à une refonte de ce droit[96]. C'est dire que cette refonte, qui devrait intervenir prochainement, ne pourra pas ignorer les travaux réalisés au niveau européen[97], ni les codifications étrangères.

À cet égard, il est intéressant de constater que la récente réforme allemande du droit des obligations s'est inspirée du droit communautaire et de la Convention de Vienne sur la vente internationale de marchandises mais également des Principes Unidroit et de ceux de la Commission Lando.

42. – **L'avant-projet de réforme du droit des obligations et de la prescription, dit Projet Catala, et ses suites.** L'action menée par les instances européennes, les projets doctrinaux européens et les réformes du droit des obligations intervenues aux Pays Bas, au Québec et en Allemagne ont suscité en France une réaction au sein de la doctrine, soucieuse d'assurer l'attractivité et la compétitivité du droit français autant que de le voir jouer un rôle dans le processus d'élaboration d'un éventuel droit européen des contrats.

Face au constat de l'immobilisme du droit des obligations dans le Code civil et à son développement soit jurisprudentiel, soit législatif mais dans d'autres codes, il est apparu nécessaire de restituer au Code civil le rôle majeur de modèle qu'il avait perdu au fil des ans[98].

C'est dans cette perspective, et dans le contexte d'une réforme globale du Code civil d'ores et déjà engagée, que des travaux ont été menés depuis quelques années et ont permis l'élaboration de différents textes relatifs à la réforme du droit des contrats ou, plus largement, du droit des obligations.

C'est ainsi qu'un avant-projet de réforme du droit des obligations et de la prescription, dit Projet Catala (sur sa présentation générale, V. *infra*, n° 43), et un rapport sur la réforme du droit des contrats, dit Projet Terré (sur sa présentation générale, V. *infra*, n° 52), ont été remis au garde des Sceaux, ministre de la Justice, respectivement le 22 septembre 2005 et le 1er décembre 2008. Par ailleurs, un projet de réforme du droit des contrats, diffusé en juillet 2008 et modifié en février 2009, puis en octobre 2013, a

---

(95) Groupe d'étude sur la justice sociale en droit privé européen, *Manifeste pour une justice sociale en droit européen des contrats* : *RTD civ.* 2005, p. 535. – T. Kadner-Graziano, *Le contrat en droit privé européen. Exercices de comparaison et d'harmonisation* : Bruylant, 2006. – B. Fauvarque-Cosson, *Heurs et malheurs de l'unification du droit des contrats en Europe*, in *Mél. P. Tercier*, Schulthess, 2008. – V. aussi D. Blanc et J. Deroulez, *La longue marche vers un droit européen des contrats* : D. 2007, chron. 1615.

(96) *Faut-il réformer le titre III du livre III du Code civil ?* : *RDC* 2004, p. 1145 ; avec les contributions de P. Catala, *Au-delà du bicentenaire*, p. 1145 ; J. Ghestin, *Le futur : exemples étrangers. Le Code civil en France aujourd'hui*, p. 1152 ; J. Mestre, *Faut-il réformer le titre III du Livre III du Code civil ?*, p. 1167 ; Ph. Rémy, *Réviser le titre III du livre troisième du Code civil*, p. 1169 ; A. Sériaux, Vanitas vanitatum. *De l'inanité d'une refonte du titre III du livre III du Code civil*, p. 1187 ; D. Tallon, *La rénovation du titre III, livre III du Code civil : une approche comparative*, p. 1190.

(97) R. Cabrillac, *L'avenir du Code civil* : *JCP* 2004, 1, 121. – H. Lemaire et A. Maurin, *Droit français et principes du droit européen du contrat* : LPA 7 mai 2004, p. 38 ; et *L'opportunité d'une refonte du droit français des obligations* : Defrénois 2004, 1, 683, art. 37941. – F. Terré, *Destinée du Code civil* : *JCP* 2004, I, 193. – Ph. Blondel, *De nouvelles perspectives pour le droit des obligations, notamment l'apport du droit européen (à partir de quelques exemples)*, in *Mél. Malinvaud* : Litec, 2007 p. 43.

(98) En ce sens, V. notamment : *L'exposé des motifs de l'avant-projet*, in *Avant-projet de réforme du droit des obligations et de la prescription* : La Documentation française, 2006 p. 11. – P. Catala, *Il est temps de rendre au Code civil son rôle de droit commun des contrats* : *JCP* 2005, I, 170. – D. Mazeaud, *Observations conclusives* : *RDC* 2006, p. 177, spéc. p. 179.

été élaboré par la direction des Affaires civiles et du Sceau du ministère de la Justice (sur le projet de réforme du droit des contrats, V. *infra*, n°s 53 à 55).

43. – **Le Projet Catala de réforme du droit des obligations et de la prescription. Présentation générale**(99). Un projet de réforme du droit des obligations et de la prescription a été élaboré, en trente mois, par un groupe de travail, composé majoritairement d'universitaires(100), sous la direction de Pierre Catala. Ce projet, remis au garde des Sceaux, ministre de la Justice, le 22 septembre 2005, a été soumis à la consultation de professionnels du droit(101). Il en est résulté la modification de certaines de ses dispositions relatives au droit des contrats.

Quant à la forme, l'augmentation du nombre de textes y est notable, étant précisé qu'elle est beaucoup plus importante en droit de la responsabilité (six articles dans le Code civil contre soixante-quatre dans le Projet) qu'en droit des contrats et des quasi-contrats (291 articles dans le Code civil contre 424 dans le Projet).

Quant au fond, le Projet Catala réalise une œuvre d'ajustement plus que de rupture, tenant compte tout à la fois du droit positif français, des critiques formulées et des solutions retenues dans les droits étrangers ou dans les projets européens. D'une part, s'il consacre de nombreuses évolutions jurisprudentielles (avant-contrats, stipulation pour autrui, responsabilité du fait des choses, théorie des troubles du voisinage, etc.) ainsi que des propositions doctrinales (distinction des obligations de moyen et de résultat, théorie moderne des nullités, condition extinctive, etc.), il procède également à de véritables modifications du droit positif (sur la rétractation de l'offre, sur la faculté de résolution unilatérale du contrat, sur les dommages intérêts punitifs, sur l'obligation de minimiser son dommage, etc.). D'autre part, si le Projet reste sur de nombreux points en opposition avec les droits étrangers et les « principes européens »(102), il ne les ignore pas puisqu'à certains égards, il s'en inspire(103).

(99) *Avant-projet de réforme du droit des obligations et de la prescription* : La Documentation française, 2006.
Sur l'avant-projet, V. les colloques du 25 octobre 2005 sur « la réforme du droit des contrats : projet et perspectives » : *RDC* 2006, n° 1 et du 12 mai 2006 sur *L'avant-projet de réforme du droit de la responsabilité* : *RDC* 2007, n° 1.
Sur la genèse de l'avant-projet : *Réforme du droit des obligations et de la prescription : parlons-en !* : *D.* 2005, p. 2961. – P. Catala, *Présentation générale de l'avant-projet*, in *Avant-projet de réforme du droit des obligations et de la prescription*, La Documentation française, 2006, p. 11. – P. Catala, *Il est temps de rendre au Code civil son rôle de droit commun des contrats* : *JCP* 2005, I, 170. – P. Catala, *La genèse et le dessein du projet* : *RDC* 2006, p. 11. – P. Catala, *Bref aperçu sur l'avant-projet de réforme du droit des obligations* : *D.* 2006, chron. p. 535. – G. Cornu, *Introduction*, in *Avant-projet de réforme du droit des obligations et de la prescription* : La Documentation française, 2006, p. 19. – G. Cornu, *Étude législative* : *RDC* 2006, p. 19. – L. Leveneur, *L'avant-projet de réforme du droit des obligations : place maintenant au débat* : *Contrats, conc. consom.* 2005, n° 12, repère 11. – L. Leveneur, *Réforme du droit des obligations : effervescence autour de l'avant-projet* : *Contrats, conc. consom.* 2006, n° 8, repère 8. – P. Malaurie, *Présentation de l'avant-projet de réforme du droit des obligations et du droit de la prescription* : *RDC* 2006, p. 7. – D. Mazeaud, *Observations conclusives* : *RDC* 2006, p. 177. – G. Viney, *Présentation des textes*, in *L'avant-projet de réforme du droit de la responsabilité – Actes du colloque du 12 mai 2006* : *RDC* 2007, p. 9.

(100) Ce qui a exposé l'avant-projet à la critique selon laquelle il serait une œuvre doctrinale tant dans sa source que dans son contenu. V. sur ce point : C. Pérès, *Avant-projet de réforme du droit des obligations et sources du droit* : *RDC* 2006, p. 281. – P. Deumier, *La doctrine collective législative : une nouvelle source de droit ? (Avant-projet de réforme du droit des obligations et du droit de la prescription ; Principes Unidroit relatifs aux contrats du commerce international ; Principes du droit européen du contrat ; Proposition de règlement du Parlement européen et du Conseil sur la loi applicable aux obligations contractuelles (Doc. COM (2005), 650 final)* : *RTD civ.* 2006, p. 63.

(101) C. Jamin, *Les avocats et l'avant-projet de réforme du droit des obligations et du droit de la prescription* : *JCP* 2006, act. 479 ; *La CCIP propose des amendements à l'avant-projet Catala* : *JCP* 2006, act. 542.

(102) Maintien de l'exigence d'une cause, refus de reconnaître au juge un pouvoir de réfaction du contrat, refus de l'annulation du contrat par simple notification au contractant, etc.

(103) Dommages et intérêts punitifs, obligation de minimiser son dommage, possibilité pour le juge de réviser ou supprimer les clauses d'un contrat créant un déséquilibre significatif au détriment de l'une des parties lorsqu'elles n'ont pas été négociées, etc.

Partagé entre la continuité et la nouveauté, le Projet proposait ainsi non une simple « révision-compilation », mais une véritable « révision-modification »(104). Il a fait l'objet d'un certain nombre d'études comparatives(105), parfois systématiquement critiques(106), et il a été traduit en plusieurs langues(107).

Quelles que soient les critiques qui ont pu lui être adressées, ce Projet – qui n'a d'évidence qu'une valeur prospective – a servi de base de travail tant au groupe de travail animé par François Terré sous l'égide de l'Académie des sciences morales et politiques(108) qu'au groupe constitué à la Chancellerie en vue de l'élaboration d'un projet de loi de réforme du droit des contrats qui, l'un et l'autre, s'en sont largement inspirés. Il a même déjà inspiré le législateur qui en a tiré la loi du 17 juin 2008 réformant le droit de la prescription.

44. - **Conclusion.** Il n'est pas niable que le droit des obligations repose sur une logique et postule en conséquence une *technique* certaine qui se retrouve, à des nuances près, dans tous les droits et à toutes les époques.

Mais, si le type de raisonnement demeure toujours le même, son aboutissement va varier en fonction des *finalités* poursuivies ; or ces finalités évoluent avec le temps, ce qui entraîne inéluctablement une évolution incontestable du droit des obligations. Certes, elle est plus insidieuse, moins visible que dans d'autres domaines, mais elle est néanmoins bien réelle : c'est ainsi par exemple que, sans qu'aucun article du Code civil n'ait été modifié, les divers textes sur la protection des consommateurs et sur celle des ménages surendettés remettent en cause nombre de principes bien assis du droit des obligations.

§ 5. – Les sources du droit des obligations(109)

A. – Les sources internes

45. - **Le Code civil et les lois ultérieures.** À l'origine, c'est-à-dire en 1804, le droit des obligations figurait tout entier dans le Code civil. Aujourd'hui encore, et dans l'attente de la réforme annoncée par ordonnance, c'est dans le Code civil que l'on trouve l'essentiel de ce droit et, le plus souvent, aux mêmes articles et dans la même forme où il se trouvait en 1804 ; s'y trouvent ainsi régis les règles générales du

(104) R. Cabrillac, *Réforme du droit des contrats : révision-modification ou révision-compilation ?* : RDC 2006, p. 25.

(105) B. Fauvarque-Cosson et D. Mazeaud, *L'avant-projet français de réforme du droit des obligations et du droit de la prescription et les principes du droit européen du contrat : variations sur les champs magnétiques dans l'univers contractuel* : LPA 2006, n° 146, p. 3. – D. Tallon, *Teneur et valeur du projet appréhendé dans une perspective comparative* : RDC 2006, p. 131. – H. Beale, *La réforme du droit français des contrats et le « droit européen des contrats » : perspective de la Law Commission anglaise* : RDC 2006, p. 135. – B. Fauvarque-Cosson, *La réforme du droit français des contrats : perspective comparative* : RDC 2006, p. 147. – O. Lando, *L'avant-projet de réforme du droit des obligations et les principes du droit européen du contrat : analyse de certaines différences* : RDC 2006, p. 167.

(106) G. Rouhette, *Regard sur l'avant-projet de réforme du droit des obligations* : RDC 2007, p. 1371, qui présente *in fine* une sorte de contre-projet.

(107) P. Catala (ss dir.), *L'art de la traduction. L'accueil international de l'avant-projet de réforme du droit des obligations* : éd. Panthéon-Assas, 2011.

(108) F. Terré (ss dir.), *Pour une réforme du droit des contrats* : Dalloz, 2008. – D. Mazeaud, *Une nouvelle rhapsodie doctrinale pour une réforme du droit des contrats* : D. 2009, chron. 1364.

(109) Journées de l'Association Capitant, *Le renouvellement des sources du droit des obligations* : LGDJ, 1996. – Ph. Malinvaud, *La mutation des sources du droit des contrats* : Rev. dr. Assas févr. 2012, n° 5, p. 37.

contrat (art. 1101 et s.), le régime des obligations (art. 1136 et s.), les quasi-contrats (art. 1371 et s.) et la responsabilité civile (art. 1382 et s.).

Si, le plus souvent, ces textes sont demeurés dans leur rédaction d'origine, il ne faudrait pas en conclure à la stagnation du droit des obligations. En effet, on ne saurait dissocier les textes de l'interprétation qu'en fait la jurisprudence. Or, dans certains domaines, la jurisprudence a considérablement évolué ; l'exemple le plus spectaculaire est celui de la responsabilité civile où, par interprétation de l'article 1384, la jurisprudence a édifié de toutes pièces un régime de responsabilité du fait des choses et de responsabilité du fait d'autrui.

À ces dispositions du Code civil, il faut ajouter quelques lois ultérieures intéressant directement le droit des obligations. Certaines y ont été intégrées comme la loi du 19 mai 1998 sur la responsabilité du fait des produits défectueux (art. 1386-1 et s.), et plus récemment la loi du 17 juin 2008 portant réforme de la prescription en matière civile (art. 2219 et s.). D'autres, tout aussi importantes par leurs applications pratiques n'ont jamais été codifiées ; on en citera pour exemple la loi du 5 juillet 1985 édictant un régime spécifique de responsabilité pour les accidents de la circulation.

De manière récurrente on se pose la question de savoir si, parmi ces dispositions du droit des obligations, certaines – les plus fondamentales – ne mériteraient pas de figurer parmi les *principes fondamentaux reconnus par les lois de la République* et d'être considérées comme ayant valeur constitutionnelle[(110)]. Une telle reconnaissance aurait pour conséquence d'interdire au législateur d'édicter des dispositions allant à l'encontre de ces lois. Tel a été, par exemple, le cas du droit de propriété[(111)] et celui de la liberté d'association[(112)].

On aurait pu penser que le Conseil constitutionnel consacrerait ainsi le *principe de la liberté contractuelle*, mais il ne l'a pas fait directement[(113)] ; en revanche, il l'a indirectement consacré – à propos de la loi sur les 35 heures – par référence à l'article 4 de la Déclaration des droits de l'homme et du citoyen[(114)], et à nouveau par référence à la liberté de choisir son cocontractant et de déterminer le contenu du contrat[(115)]. Ce dernier principe est aujourd'hui repris dans le projet de réforme (art. 2, al. 1 du projet d'octobre 2013).

De même, en matière de responsabilité civile, le Conseil constitutionnel s'est référé à ce même article 4 de la Déclaration pour reconnaître valeur constitutionnelle à la règle de l'article 1382 du Code civil suivant laquelle tout fait quelconque

(110) N. Molfessis, *Les sources constitutionnelles du droit des obligations*, in *Le renouvellement des sources des obligations*, p. 65 : LGDJ, 1997.

(111) Cons. const., 16 janv. 1982 : *D.* 1983, 169 et note L. Hamon ; *JCP* 1982, II, 19788, note Nguyen Vinh et Franck ; *Gaz. Pal.* 1982, 1, 67, note A. Piedelièvre et J. Dupichot.

(112) Cons. const., 16 juill. 1971, *in* L. Favoreu et L. Philip, *Les grandes décisions du Conseil constitutionnel* : 11e éd. 2001, n° 19.

(113) *Aucune norme de valeur constitutionnelle ne garantit le principe de la liberté contractuelle : Déc. n° 94-348 DC du 3 août 1994 : JCP* 1995, II, 22404 et note Y. Broussolle. En revanche, le Conseil constitutionnel a reconnu valeur constitutionnelle à la liberté du commerce et de l'industrie et de la libre concurrence : M. Kdhir, *Le principe de la liberté du commerce et de l'industrie. Mythe ou réalité ? : D.* 1994, chron. 30. – C. Champalaune, *Le principe de la liberté du commerce et de l'industrie et de la libre concurrence. Cinq ans de jurisprudence de la chambre commerciale* : Rapp. C. cass. 2001, p. 83.

(114) « Le législateur ne saurait porter à l'économie des conventions et contrats légalement conclus une atteinte d'une gravité telle qu'elle méconnaisse manifestement la liberté découlant de l'article 4 de la Déclaration des droits de l'homme et du citoyen de 1789 » : *Déc. n° 98-401 DC du 10 juin 1998 : RTD civ.* 1998, 796, obs. N. Molfessis.

(115) Cons. Const., 13 juin 2013, n° 2013-672 DC : *JO* 16 juin 2013, p. 997 ; *JCP* 2013, 929, note J. Ghestin ; *RDC* 2013, 1285, note C. Pérès ; *RTD civ.* 2013, 832, obs. H. Barbier.

de l'homme qui cause à autrui un dommage oblige celui par le fait duquel il est arrivé à le réparer[116].

46. – **Les disciplines annexes : droit de la consommation, droit de la concurrence, etc.** Depuis les années 1970, un certain nombre de dispositions éparses ont été édictées tendant à la protection des consommateurs. Ce faisant, la loi a progressivement régi de manière spécifique les relations contractuelles entre professionnels et consommateurs, en imposant un certain formalisme et en interdisant certaines clauses défavorables aux consommateurs.

En France, ces divers textes ont finalement été codifiés en 1993 dans un Code de la consommation alors que, dans les autres pays de l'Union européenne, des textes analogues ont été insérés dans le Code civil. En fait, il s'agit bien de droit civil, et plus précisément de droit des obligations, même s'il déroge sur de nombreux points au droit commun des obligations. C'est dire que toutes ces dispositions font partie intégrante du droit des obligations et qu'elles en sont l'une des sources.

On peut en dire autant du *droit de la concurrence* qui s'applique dans les rapports entre professionnels. Apparu au lendemain de la guerre, il a pris son essor avec l'ordonnance du 1er décembre 1986. Il interdit certaines pratiques, non critiquables au regard du droit commun des obligations (telles les ententes, refus de vente, abus de position dominante, pratiques discriminatoires), comme portant atteinte au libre jeu de la concurrence.

Il en va de même du *droit de la « faillite »*, qu'il s'agisse des procédures collectives concernant les commerçants (sauvegarde, redressement ou liquidation judiciaire) ou du surendettement des particuliers et des familles[117]. De telles procédures dérogent au droit commun des obligations en ce qu'elles permettent de suspendre les poursuites en paiement, d'accorder des délais et même d'effacer tout ou partie des dettes[118], notamment à la suite des lois du 1er août 2003[119], du 1er juillet 2010 et du 22 octobre 2010 (V. *infra*, n° 507).

B. – Les sources internationales

47. – **Généralités.** Évoquer l'idée de sources internationales du droit des obligations eut été une incongruité au temps du Code civil. Aujourd'hui, c'est une question qui est au cœur du droit des obligations.

(116) *Déc. n° 99-419 DC du 16 nov. 1999 : JCP* 2000, I, 280, n° 1, obs. G. Viney.

(117) L. 31 déc. 1989 relative à la prévention et au règlement des difficultés liées au surendettement des particuliers et des familles, loi plusieurs fois modifiée. – V. G. Paisant, *La réforme de la procédure de traitement du surendettement par la loi du 29 juillet 1998 relative à la lutte contre les exclusions : RTD com.* 1998, 743. – P.-L. Chatain et F. Ferrière, *Le nouveau régime de traitement du surendettement après la loi d'orientation n° 98-657 du 29 juillet 1998 relative à la lutte contre les exclusions : D.* 1999, chron. 287. – S. Gjidara, *L'endettement et le droit privé* : LGDJ, coll. « Droit privé », 1999, t. 316, préf. A. Ghozi. – X. Lagarde, *L'endettement des particuliers. Étude critique* : LGDJ, 2000.

(118) L. Grynbaum, *La mutation du droit des contrats sous l'effet du traitement du surendettement : Contrats, conc. consom.* août-sept. 2002, chron. 16.

(119) N. Côte, *Le nouveau dispositif de traitement du surendettement des particuliers. Titre III de la loi n° 2003-710 du 1er août 2003 : JCP* 2003, I, 175. – S. Piedelièvre, *Le droit à l'effacement des dettes : Defrénois* 2004, 1, 14, art. 37852. – G. Paisant, *La réforme de la procédure de traitement de surendettement par la loi du 1er août 2003 sur la ville et la rénovation urbaine : RTD com.* 2003, 671. – G. Raymond, *Surendettement et rétablissement personnel : le décret d'application n° 2004-180 du 24 févr. 2004 : Contrats, conc. consom.* 2004, étude 10. – S. Ledan, *Analyse comparative de la procédure de surendettement des particuliers et de celle relative à la sauvegarde des entreprises : Contrats, conc. consom.* 2006, études 8 et 15.

Même si ce n'est que rarement leur objet, les conventions internationales peuvent être une source du droit des obligations. On peut en citer pour exemple la Convention de Vienne du 11 avril 1980 sur la vente internationale de marchandises. Mais de telles conventions s'appliquent aux seules ventes internationales ; elles n'interfèrent pas avec le droit interne.

Il n'en va pas de même de la Convention européenne des droits de l'homme et, plus encore, du droit communautaire qui, s'il est édicté à Bruxelles, va s'appliquer à l'ensemble des pays de l'Union européenne.

48. – Le droit communautaire, source du droit des obligations[120]. Le Parlement européen a beaucoup légiféré, et en tous domaines, par voie de règlements ou de directives ; ces règles européennes font partie du droit positif, soit d'emblée, soit par voie de transposition pour les directives.

Nombre d'entre elles concernent le droit des obligations, qu'il s'agisse des contrats (spécialement des contrats de consommation) ou de la responsabilité civile.

S'agissant de la *responsabilité*[121], il faut citer la directive du 25 juillet 1985 en matière de responsabilité du fait des produits défectueux, qui a été transposée en France avec beaucoup de retard par la loi du 19 mai 1998. Cette loi, codifiée aux articles 1386-1 à 1386-18 du Code civil, a mis en place un régime spécifique de responsabilité du fait des produits qui trouve donc sa source dans cette directive européenne (V. *infra*, n° 716).

S'agissant des *contrats*[122], les directives sont nombreuses et importantes :

- directive du 5 avril 1993 concernant les clauses abusives dans les contrats conclus avec les consommateurs ;
- directive du 26 octobre 1994 concernant la protection des acquéreurs d'un droit d'utilisation à temps partiel de biens immobiliers (multipropriété) ;
- directive du 20 mai 1997 concernant la protection des consommateurs en matière de contrats à distance ;
- directive du 25 mai 1999 sur certains aspects de la vente et des garanties des biens de consommation ;
- directives du 13 décembre 1999 sur les signatures électroniques et du 8 juin 2000 sur le commerce électronique ;
- directive du 9 octobre 2002 concernant la commercialisation à distance de services financiers auprès des consommateurs ;
- directive du 11 mai 2005 sur les pratiques commerciales déloyales ;
- directive du 23 avril 2008 sur le crédit aux consommateurs ;
- directive du 25 octobre 2011 relative aux droits des consommateurs, reprenant et harmonisant la directive n° 97/7/CE relative aux contrats à distance et la directive n° 85/577/CE relative aux contrats négociés en dehors des établissements commerciaux.

(120) J.-S. Bergé, *Le droit européen et les sources généralistes du droit des contrats : altérité, concurrence et influence* : RDC 2007, p. 1445.

(121) P. Jourdain, *Les sources communautaires du droit français de la responsabilité civile*, in *Le renouvellement des sources du droit des obligations*, préc., p. 29.

(122) J. Huet, *Les sources communautaires du droit des contrats*, in *Le renouvellement des sources du droit des obligations*, préc., p. 11. – H. Aubry, *L'influence du droit communautaire sur le droit français des contrats* : PUAM, 2002.

Chaque directive pose des règles plus ou moins différentes des règles nationales et il faut les intégrer en droit français. Chaque fois, la question se pose de savoir si la loi transposant la directive viendra grossir le nombre des lois non intégrées dans le Code civil ou si, au contraire, il est possible et opportun de l'intégrer dans le Code civil.

On en prendra pour exemple la directive du 25 mai 1999 qui, s'agissant de la garantie dans la vente de biens de consommation, posait des règles différentes de celles figurant dans les articles 1641 et suivants du Code civil. Alors fallait-il la transposer *a minima*, sous la forme d'une loi particulière visant les seuls biens de consommation, ou fallait-il profiter de l'occasion pour modifier le droit français de la garantie dans la vente, quelle que soit la nature des biens vendus, auquel cas on était contraint de l'aligner sur la directive ? Telle est l'alternative à laquelle la France s'est trouvée confrontée et qui a opposé de manière très vive les partisans de l'une et de l'autre solution[(123)]. Et finalement, elle a été transposée *a minima* dans le Code de la consommation par l'ordonnance n° 2005-136 du 17 février 2005[(124)].

S'agissant de contrats de consommation, le parti a été généralement pris d'opérer la transposition dans le Code de la consommation, et de laisser subsister dans le Code civil la règle générale qui constitue le droit commun. Mais il faut bien reconnaître que l'accumulation de dispositions spécifiques aux consommateurs apporte une complexité supplémentaire, ce qui n'est guère satisfaisant.

Si, à l'inverse, la directive touche au droit des obligations en général, on aura tendance à la transposer dans le Code civil, si cela est possible. C'est ce qui a été fait pour la directive du 25 juillet 1985 sur la responsabilité du fait des produits défectueux.

Le droit communautaire apparaît donc comme une source importante du droit des obligations. Il est évident qu'il en deviendrait la source primordiale, sinon même unique, si devait voir le jour un Code civil européen des obligations (V. *supra*, n°s 38 et s.).

On relèvera à cette occasion que le droit communautaire peut aussi être une source de droit des contrats spéciaux, notamment de la vente[(125)].

(123) V. en faveur d'une transposition dans le Code de la consommation : G. Paisant et L. Leveneur, *Quelle transposition pour la directive du 25 mai 1999 sur les garanties dans la vente des biens de consommation ? : JCP* 2002, I, 135. – O. Tournafond, *La transposition de la directive du 25 mai 1999* : D. 2001, 3051. – R. Family, *Erreur, non-conformité, vice caché : état des questions à l'heure de la transposition de la directive du 25 mai 1999 : Contrats, conc. consom.* avr. 2002, chron. 7. – O. Tournafond, *De la transposition de la directive du 25 mai 1999 à la réforme du Code civil* : D. 2002, chron. 2883. – A. Ghozi, *La conformité*, rapport au Colloque tenu le 14 juin 2001 à la faculté de droit « Jean Monet » (université Paris XI) sur le thème : « Faut-il recodifier le droit de la consommation » : Économica, coll. « Études juridiques », oct. 2002. – D. Mainguy, *Propos dissidents sur la transposition de la Directive du 25 mai 1999 sur certains aspects de la vente et des garanties des biens de consommation : JCP* 2002, I, 183. – O. Tournafond, *Transposition de la directive de 1999 sur la garantie des consommateurs. Article de foi ou réalisme législatif ?* : D. 2003, 427. – En faveur d'une transposition dans le Code civil : G. Viney, *Quel domaine assigner à la loi de transposition de la directive européenne sur la vente ? : JCP* 2002, I, 158. – G. Viney, *Retour sur la transposition de la directive du 25 mai 1999* : D. 2002, chron. 3162. – P. Jourdain, *Transposition de la directive sur la vente du 25 mai 1999 ; ne pas manquer une occasion de progrès* : D. 2003, 4. – D. Mazeaud, *La parole est à la défense...* : D. 2003, 6.

(124) C. Rondey, *Garantie de la conformité d'un bien au contrat : la directive du 25 mai 1999 enfin transposée !* : D. 2005, Le point sur..., p. 562. – B. Fages, *Un nouveau droit applicable à la vente de biens de consommation : Rev. Lamy dr. soc.* mai 2005, p. 5. – O. Tournafond, *La nouvelle garantie de conformité des consommateurs. Commentaire de l'ordonnance n° 2005-136 du 17 février 2005 transposant en droit français la directive du 25 mai 1999* : D. 2005, chron. p. 1557. – G. Paisant, *La transposition de la directive du 25 mai 1999 sur les garanties dans la vente de biens de consommation. Ordonnance du 17 février 2005 : JCP* 2005, I, 146. – P. Rémy-Corlay, *La transposition de la directive 99/44 CE dans le code de la consommation : RTD civ.* 2005, p. 345. – Ph. Brun, *De quelques enseignements à tirer de la transposition de la directive CE du 25 mai 1999 : RDC* 2005, p. 940. – Ph. Malinvaud, *Retour sur une réforme du régime de la garantie dans la vente et sur la transposition de la directive du 25 mai 1999*, in *Liber amicorum G. Viney* : LGDJ, 2008, p. 669.

(125) P. Puig, *L'avènement des sources optionnelles (sur la proposition de règlement du Parlement européen et du Conseil relatif à un droit commun européen de la vente du 11 oct. 2011, COM(2011) 635 final : RTD civ.* 2012, 493.

49. – La Convention européenne des droits de l'homme, source du droit des obligations[126]. En tant que traité international, la Convention européenne fait partie intégrante de l'ordre juridique français. Elle est donc directement applicable par le juge français et, en vertu de l'article 55 de la Constitution, elle a prééminence sur les règles de droit interne.

Son influence sur le droit interne est très importante dans certains domaines, notamment en procédure civile où l'article 6, § 1 reconnaît aux justiciables le droit à un procès équitable.

Elle l'est moins en droit civil, car tous les droits garantis dans la Convention ne sont pas susceptibles d'être invoqués dans les litiges civils. Certains toutefois sont relatifs au droit civil, principalement au droit des personnes. En revanche, il y a moins de points de contacts entre cette convention et le droit des obligations[127] ou celui de la responsabilité[128] : on ne saurait toutefois présager ce que nous réserve l'avenir sur ce point.

50. – Plan. On étudiera successivement les sources des obligations (première partie), puis les règles de mise en œuvre communes à toutes les obligations, indépendamment de leurs sources (deuxième partie).

(126) A. Debet, *L'influence de la Convention européenne des droits de l'homme sur le droit civil* : Dalloz, coll. « Bibl. thèses », 2002. – P.-Y. Gautier, *La cessation du contrat, confrontée aux droits fondamentaux*, in *Mél. J. Foyer* : Économica, 2007, p. 487.

(127) J.-P. Marguénaud, *L'influence de la Convention européenne des droits de l'homme sur le droit français des obligations*, in *Le renouvellement des sources du droit des obligations*, préc., p. 45. – C. Lalaut, *Le contrat et la Convention européenne des droits de l'homme* : *Gaz. Pal.* 7-8 mai 1999, doctr.

(128) F. Leduc, *L'influence de la jurisprudence de la Cour EDH sur le droit français de la responsabilité civile* : LPA 23 janv. 2013, p. 5.

PREMIÈRE PARTIE

LES SOURCES DES OBLIGATIONS

51. – **Plan.** Comme on l'a vu précédemment les obligations trouvent leur source soit dans un acte juridique, soit dans un fait juridique(1).

Dans le premier cas, les parties sont engagées parce qu'elles l'ont voulu ; la volonté est donc à l'origine de l'obligation. On dit qu'on est en présence de sources contractuelles ou, plus largement, volontaires : cela vise pour l'essentiel le contrat et, très subsidiairement, l'acte juridique unilatéral.

Dans le second cas, une personne est engagée parce que la loi l'a voulu, compte tenu des circonstances. On parle alors de sources extracontractuelles, ce qui recouvre la responsabilité civile et les quasi-contrats.

(1) S. Obelliane, *Les sources des obligations* : PUAM, 2009, préf. D. Fenouillet. Pour une autre classification des obligations, V. C. Grimaldi, *Quasi-engagement et engagement en droit privé. Recherches sur les sources de l'obligation* : Defrénois, coll. « Thèses », 2006, V. spéc. le tableau présenté p. 34.

TITRE 1

LE CONTRAT

52. - **Projet Terré : « Pour une réforme du droit des contrats ». Présentation générale**(1). Il s'agit là d'une proposition de réforme du droit des contrats, remise au ministre de la Justice le 1er décembre 2008, qui émane d'un groupe de travail constitué en 2006, placé sous l'égide de l'Académie des Sciences Morales et Politiques et sous la direction de François Terré.

Ce texte, de domaine plus restreint que le Projet Catala puisqu'il ne concerne que le droit des contrats, s'est largement inspiré de celui-ci. Il s'appuie cependant également sur les projets élaborés au plan européen (Principes du droit européen des contrats, projet de code européen des contrats, Principes Unidroit) et sur les droits étrangers.

Inspiré du Projet Catala, le Projet Terré s'en distingue pourtant sur de nombreux aspects. C'est ainsi, par exemple, qu'il propose de placer quatre principes en tête du titre consacré au contrat à savoir, la liberté contractuelle, l'ordre public et les droits fondamentaux, la bonne foi et la cohérence contractuelle.

De même, alors que le Projet Catala, tel que modifié à la suite du processus de consultation, témoigne d'une certaine réserve à l'égard de la révision du contrat pour imprévision dans la mesure où il se limite à imposer aux parties une obligation de renégocier, le Projet Terré propose quant à lui de reconnaître au juge, dans de telles circonstances, un pouvoir de modification du contrat.

Dans le même sens, si le Projet Catala, dans sa dernière version, refuse d'étendre la protection contre les clauses abusives à l'ensemble des contractants, le Projet Terré prône, pour sa part, une telle généralisation.

La suppression, par le Projet Terré, de la notion de cause, la reconnaissance de la lésion qualifiée ou bien encore les dispositions relatives au retrait de l'offre faite à personne déterminée avec délai constituent d'autres illustrations des divergences entretenues entre les deux textes.

(1) *Pour une réforme du droit des contrats* (ss dir. F. Terré) : Dalloz, coll. « Thèmes et commentaires », 2008. – J. Beguin, *Rapport sur la réforme du droit des contrats élaboré par un groupe de travail de l'Académie des sciences morales et politiques* : JCP G 2008, act. 727. – F. Terré, *Quelle réforme pour le droit des contrats ?* : LPA 26 févr. 2008, n° 41, p. 4. – F. Terré, *la réforme du droit des contrats* : Dalloz, 2008, p. 2992. – F. Rome, *L'avant-projet nouveau est arrivé* : Dalloz, 2008, p. 2849. – D. Mazeaud, *Une nouvelle rhapsodie doctrinale pour une réforme du droit des contrats* : D. 2009, chron. 1364. – V. aussi obs. D. Mazeaud : *RDC* 2009, p. 471.

53. – **Projet de réforme du droit des contrats et des obligations. Évolution.** La volonté d'assurer l'attractivité et la compétitivité du droit français autant que de permettre aux citoyens de trouver dans le Code civil l'ensemble des règles relatives au contrat ont présidé à l'élaboration par la Chancellerie d'un projet de réforme portant tout d'abord sur le droit des contrats. Ce texte, qui s'inscrivait dans un contexte plus vaste de refonte du droit des obligations, a été mis au point par la direction des Affaires civiles et du Sceau du ministère de la Justice et diffusé au mois de juillet 2008. À la suite de la consultation des milieux universitaire et professionnel(2), il a connu de nombreuses modifications et a donné lieu à une seconde version datée de février 2009.

Le projet de réforme de 2009 ne concernait que le droit des contrats. Il a été suivi, à mi-2011, d'un projet de réforme du régime des obligations et des quasi-contrats, accompagné d'une note de présentation, qui a été soumis à consultation. Ce projet, relatif à des questions beaucoup plus techniques et donc moins sensibles, n'a pas suscité de réactions(3). Il devait être suivi, mais dans un délai indéterminé, d'un projet de réforme de la responsabilité civile.

Plus récemment, le 15 janvier 2014, à la suite d'une diffusion dans un journal économique, a été connu un projet de réforme portant sur l'ensemble du droit des obligations, à l'exclusion de la responsabilité civile(4), daté du 23 octobre 2013 dont on peut penser qu'il se retrouvera pour l'essentiel dans l'ordonnance prévue relative à la réforme du droit des obligations(5).

Ce dernier projet comporte trois titres :

– Titre III Des sources des obligations (art. 1 à 153) ;

– Titre IV Du régime général des obligations (art. 154 à 264) ;

– Titre IV bis La preuve de l'obligation (art. 265 à 307).

En attendant l'ordonnance annoncée c'est sur la base de ce Projet de réforme daté du 23 octobre 2013 qu'on raisonnera, sauf à faire parfois référence au projet de février 2009 pour les questions qui ne seraient pas envisagées dans le dernier projet(6).

54. – **Projet de réforme du droit des obligations. Les sources des obligations.** Sur le plan structurel, le projet de réforme d'octobre 2013 traite dans trois sous-titres les trois sources d'obligations habituellement retenues :

– Le contrat (art. 1 à 138) ;

– La responsabilité civile, qui est exclue du champ de la réforme, le texte précisant seulement qu'il sera fait « reprise à droit constant, sous réserve d'aménagements, des titres IV et IV bis du Livre III ;

– Les autres sources d'obligations (art. 139 à 153), c'est-à-dire les quasi-contrats que sont la gestion d'affaires, le paiement de l'indû et l'enrichissement injustifié.

(2) *La réforme du droit français des contrats en droit positif*, Actes du colloque du 24 septembre 2008 : *RDC* 2009, 265. – F. Rome, *Compartiment « rumeurs »* : D. 2008, p. 1329. – L. Aynès, A. Bénabent et D. Mazeaud, *Projet de réforme du droit des contrats : éclosion ou enlisement ?* : D. 2008, p. 1421. – P. Fombeur, *La réforme du droit des contrats* : D. 2008, p. 1972. – X. Henry, *Brèves observations sur le projet de réforme du droit des contrats... et ses commentaires* : D. 2008, p. 28.

(3) Pour un très bref commentaire, V. G. Loiseau : *JCP* 2011, n° 1030.

(4) La responsabilité civile fait l'objet d'un autre projet de réforme, daté de 26 juillet 2012.

(5) Sur l'étude d'impact, voir C. Pérès, *L'étude d'impact à la lumière de la réforme par ordonnance du droit des obligations* : *RDC* 2014, 275.

(6) D. Mazeaud, *Droit des contrats : réforme à l'horizon* : D. 2014, 291.

Le sous-titre consacré au contrat commence par un chapitre intitulé « Dispositions préliminaires » (art. 1 à 10) contenant l'énoncé de définitions et de principes généraux tels que la liberté contractuelle ou l'exigence de bonne foi[7]. Puis vient un chapitre 2 consacré à la formation du contrat (art. 11 à 95) dans laquelle il est traité de la conclusion du contrat (sect. 1), de ses conditions de validité (sect. 2), de sa forme (sect. 3) et des sanctions (sect. 4). Un chapitre 3 est consacré à l'interprétation des contrats et un chapitre 4 à ses effets.

Sur le plan substantiel, le projet de réforme oscille entre la consécration de solutions de droit positif et l'introduction de règles nouvelles.

De nombreuses dispositions du projet s'inscrivent ainsi dans la continuité des solutions consacrées par le Code civil ou la jurisprudence, qu'elles concernent la formation, la validité ou l'exécution du contrat.

Le projet de réforme porte cependant de véritables innovations. C'est ainsi, par exemple, qu'il propose d'introduire des actions interrogatoires en matière de pacte de préférence, de représentation et de confirmation d'un acte nul. Il supprime la cause, notion complexe et polysémique, ignorée de nombre de droits étrangers. Il institue enfin la généralisation de la protection contre les clauses abusives à l'ensemble des cocontractants et la diversification des remèdes à l'inexécution en offrant au créancier, en plus des sanctions traditionnelles, la possibilité de se prévaloir d'une exception pour risque d'inexécution et de solliciter le maintien du contrat avec réduction du prix.

Bien que susceptible de nouvelles évolutions, ce projet a d'ores et déjà fait l'objet de nombreuses critiques, les unes de forme, les autres de fond.

55. – **Projet de réforme du droit des obligations. Les critiques adressées au projet.** Les principales critiques de fond initialement adressées au projet de réforme en 2008 ont été prises en compte. Elles portaient essentiellement sur la consécration de trois principes directeurs dans une section préliminaire, sur le remplacement de la notion de cause par celle d'intérêt et sur l'introduction de la notion d'obligations implicites. Or ces trois aspects du projet de réforme ont fait l'objet de modifications de sorte que le projet, dans sa version modifiée, ne comporte pas de section préliminaire relative aux principes directeurs et ne fait référence ni à la notion d'intérêt ni à celle d'obligations implicites.

Pour autant, certaines critiques substantielles demeurent. Elles concernent principalement la suppression de la cause et les pouvoirs conférés au juge par le projet de réforme. S'agissant de la suppression de la cause, de nombreux auteurs s'accordent à dire que si cette notion est théoriquement complexe, elle présente un intérêt pratique considérable en permettant notamment d'assurer l'équilibre et la justice contractuelle. Il a également été observé que la cause est utilisée par les juridictions administratives[8]. Sa suppression serait donc inopportune. S'agissant des

(7) La version initiale du projet de réforme du droit des contrats proposait d'intégrer au Code civil un chapitre relatif aux définitions ainsi qu'un chapitre consacré aux « principes directeurs » que sont la liberté contractuelle, la bonne foi et la force obligatoire du contrat. Une telle proposition s'est heurtée à de nombreuses critiques, c'est pourquoi ces deux chapitres ont été réunis en un chapitre unique consacré aux « dispositions préliminaires ». Pour autant, les trois principes énoncés demeurent, que ce soit au sein du chapitre relatif aux dispositions générales (pour la liberté et la bonne foi contractuelle) ou au sein de celui consacré aux effets du contrat (pour la force obligatoire du contrat).

(8) F. Chénédé, *L'utilité de la cause de l'obligation en droit contemporain des contrats : l'apport du droit administratif : Contrats, conc. consom.* 2008, étude 11. – F. Chénédé, *Les emprunts du droit privé au droit public en matière contractuelle :* AJDA 2009, 923.

pouvoirs reconnus aux juges, une partie de la doctrine soutient que le projet de réforme, en consacrant des principes généraux ou des notions vagues tels que l'exigence de bonne foi[9], de liberté contractuelle ou la notion de contenu du contrat et en permettant au juge de modifier, avec l'accord des parties, un contrat devenu déséquilibré, aurait pour effet de faire perdre aux parties la maîtrise de leur contrat et de le placer entre les mains du juge, ce qui serait source d'insécurité juridique et, par conséquent, réduirait l'attractivité du droit français des contrats.

(9) J. Mestre, *Pour un principe directeur de bonne foi mieux précisé* : *Rev. Lamy dr. civ.* mars 2009, p. 7.

INTRODUCTION

NOTIONS GÉNÉRALES[1]

56. – **Les actes juridiques. Classification (rappel).**

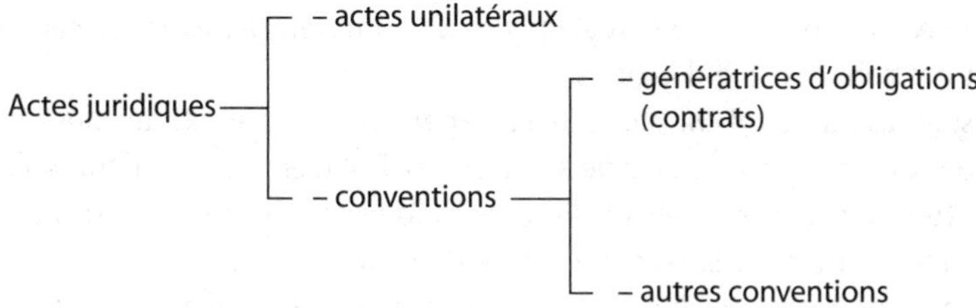

L'*acte juridique* est une manifestation de volonté destinée à produire des effets de droit (par ex., un contrat) ; à cet égard il se distingue du *fait juridique* qui produit aussi des effets de droit, mais par l'effet de la loi en dehors de toute volonté des protagonistes ou quelle que soit cette volonté (par ex., un accident).

L'acte juridique peut être ou unilatéral, ou conventionnel. L'*acte unilatéral* est l'œuvre d'une seule volonté, qui se suffit à elle-même, par exemple un testament. L'*acte conventionnel*, ou convention, est un accord de volontés conclu entre deux ou plusieurs personnes ; tel est notamment le cas du contrat. Le projet de réforme de février 2009 stipule que les dispositions relatives à la validité et aux effets des contrats s'appliquent, en tant que de raison, aux actes juridiques.

On observera que le projet de réforme n'utilise plus le terme de convention, terme que le Vocabulaire Capitant (9e éd. par G. Cornu) définit ainsi « Nom générique donné – au sein des actes juridiques – à tout accord de volonté entre deux ou plusieurs personnes destiné à produire un effet de droit quelconque : créer une obligation, transférer la propriété, transmettre ou éteindre une obligation ». On peut penser que, dans l'esprit du projet de réforme le terme de convention peut et doit être remplacé par celui contrat.

Au sein de la catégorie très vaste des conventions on fait une place particulière à celles qui sont génératrices d'obligations, c'est-à-dire les *contrats* qui ont précisément

(1) E. Savaux, *La théorie générale du contrat, mythe ou réalité ?* : LGDJ, 1997, préf. J.-L. Aubert.

pour objet de créer des obligations entre les parties qui les ont conclus. Et on regroupe sous l'intitulé d'*autres conventions* celles dont l'objet n'est pas de créer des obligations mais, par exemple, de les transférer (p. ex. la cession de créance), ou de les modifier (par ex. la novation), ou de les éteindre (par ex. la remise de dette), etc.

S'agissant ici de déterminer les sources des obligations, on ne traitera que des contrats. Les autres conventions seront étudiées à propos des effets des obligations.

Toutefois, la question se pose de savoir si l'acte unilatéral n'est pas, dans certains cas, une source d'obligations, auquel cas il mériterait d'être traité, ou en tout cas mentionné, ici.

57. – **L'acte unilatéral peut-il être source d'obligations ? La loi.** En tant qu'acte juridique, l'acte unilatéral crée des effets de droit(2). Mais peut-il créer des obligations à la charge de son auteur ? C'est la question, très discutée, dite de l'*engagement unilatéral de volonté*, ou encore de l'engagement par déclaration unilatérale de volonté(3).

La loi elle-même institue et réglemente de nombreux actes unilatéraux, mais ils ne sont pas créateurs d'obligations.

C'est le cas du *testament* par lequel une personne organise la dévolution successorale de ses biens pour le jour de sa mort ; mais il n'en ressort aucune obligation pour le testateur qui est d'ailleurs libre de modifier son testament comme bon lui semble. De même pour la *reconnaissance d'un enfant naturel* qui, certes, entraîne des obligations, mais des obligations qui sont déterminées par la loi elle-même, et non pas par l'auteur de la reconnaissance qui ne saurait les moduler à son gré.

Parmi les actes unilatéraux, il faut également citer les *renonciations*(4), par exemple renonciation à une succession, à un usufruit, à une servitude, etc. Mais de telles renonciations ne sont pas créatrices d'obligations.

En revanche, il est bien difficile de trouver des actes unilatéraux générateurs d'obligation tant dans la loi que dans la jurisprudence.

Au titre de la loi, on cite l'engagement de souscription d'actions lors de la constitution d'une société anonyme. Dans le même ordre d'idées, on cite également le cas des sociétés dites unipersonnelles, c'est-à-dire constituées d'une seule personne, qu'il s'agisse de l'entreprise unipersonnelle à responsabilité limitée (EURL), de l'exploitation agricole à responsabilité limitée ou de la société par actions simplifiée unipersonnelle (SAS) : la promesse du constituant de faire les apports promis est effectivement obligatoire.

(2) Martin de la Moutte, *L'acte juridique unilatéral* : thèse, Toulouse, 1951. – R. Encinas de Munagori, *L'acte unilatéral dans les rapports contractuels*, préf. A. Lyon-Caen : LGDJ, 1996.

(3) Worms, *De la volonté unilatérale considérée comme source d'obligations* : thèse Paris, 1891. – Chabas, *De la déclaration de volonté* : thèse Paris, 1931. – A. Rieg, *Le rôle de la volonté dans l'acte juridique en droit civil français et allemand* : thèse Strasbourg, 1961. – M.-L. Izorche, *L'avènement de l'engagement unilatéral en droit privé contemporain*, préf. J. Mestre : PUAM, 1995. – A. Sériaux, *L'engagement unilatéral en droit positif français actuel*, in *L'unilatéralisme et le droit des obligations* : Économica, 1999, p. 7. – Ph. Jestaz, *L'engagement par volonté unilatérale*, in *Les obligations en droit français et en droit belge. Convergences et divergences* : Bruylant-Dalloz, 1994, p. 3 ; et in *Autour du droit civil. Écrits dispersés. Idées convergentes* : Dalloz, 2005, p. 365. – C. Atias, *L'irrévocailité relative de l'acte unilatéral* : D. 2013, 1765.

(4) P. Raynaud, *La renonciation à un droit, sa nature et son domaine en droit civil* : *RTD civ.* 1936, p. 763. – Y. Seillan, *L'acte abdicatif* : *RTD civ.* 1966, p. 686. – F. Dreifuss-Netter, *Les manifestations de volonté abdicatives* : LGDJ, coll. « Droit privé », 1985, t. 185.

En revanche, la loi est venue interdire la pratique des offres unilatérales d'achat qui reposait effectivement sur un engagement unilatéral de volonté[5].

58. – **L'acte unilatéral peut-il être source d'obligation ? La jurisprudence.** En jurisprudence, on constate que les juges préfèrent, chaque fois que cela apparaît possible, admettre qu'il y a eu contrat entre le promettant et le bénéficiaire, et que l'obligation découle de ce contrat et non pas d'un engagement unilatéral.

Par exemple la promesse de récompense faite par celui qui a perdu une chose est analysée par la jurisprudence comme une offre de contrat à personne non dénommée, qui devient contrat par l'acceptation de celui qui découvre la chose perdue[6].

De même, la *lettre d'intention*[7] par laquelle une société mère vient en quelque sorte cautionner les obligations de sa filiale a été considérée comme un engagement contractuel auquel la jurisprudence appliquait l'article 1134 du Code civil[8]. Elle est aujourd'hui consacrée par la loi qui la définit comme « l'engagement de faire ou de ne pas faire ayant pour objet le soutien apporté à un débiteur dans l'exécution de son obligation envers son créancier » (C. civ., art. 2322).

La question s'est également posée pour les annonces de gains chimériques dans les loteries publicitaires. La jurisprudence a été longtemps hésitante. Certaines décisions ont condamné à payer la somme annoncée comme gagnée au motif qu'il y avait eu « rencontre des volontés », donc contrat[9]. Mais d'autres décisions ont retenu la responsabilité délictuelle de l'organisateur et condamné à des dommages-intérêts pour le préjudice souffert[10]. Et une autre encore y a vu un engagement par déclaration unilatérale de volonté[11]. Mettant fin à ces hésitations, un arrêt de chambre mixte du 6 septembre 2002 a finalement décidé qu'il s'agissait d'un quasi-contrat au sens de l'article 1371 du Code civil[12]. Ce faisant, la Cour de cassation a institué une nouvelle catégorie de quasi-contrats (V. *infra*, n°s 817 et s.).

Au total, il n'y a finalement que bien peu d'hypothèses où il est effectivement recouru à l'idée d'engagement par volonté unilatérale pour expliquer la naissance d'une obligation.

---

(5) S. Albrieux, *La prohibition des offres d'achat en matière immobilière dans l'article 1589-1 du Code civil : un dispositif maladroit et inefficace : Contrats, conc. consom.* 2006, étude 4.

(6) V. J. Flour, J.-L. Aubert et E. Savaux, *Les obligations, 1. L'acte juridique*, n° 503.

(7) M. de Vita, *La jurisprudence en matière de lettre d'intention. Étude analytique : Gaz. Pal.* 1987, 2, doctr. 667. – I. Najjar, *L'autonomie de la lettre de confort : D.* 1989, chron. 217. – X. Barré, *La lettre d'intention. Technique contractuelle et pratique bancaire* : Économica, 1995. – R. Baillod, *Les lettres d'intention : RTD com.* 1992, 547. – D. Mazeaud, *Variations sur une garantie épistolaire et indemnitaire : la lettre d'intention*, in *Mél. Jeantin*, 1999, 341. – M. Pariente, *Les lettres d'intention*, in *Mél. Y. Guyon* : Dalloz, 2003, p. 861. – V. aussi M. Lamoureux, *Les déclarations d'intention en droit privé : Rev. Lamy dr. civ.* avr. 2008, p. 57.

(8) Cass. com., 26 févr. 2002 : *D.* 2002, 1273, obs. A. Lienhard. – Cass. com., 9 juill. 2002 : *D.* 2002, 2327, obs. A. Lienhard ; *JCP* 2002, II, 10166 et note G. François ; *D.* 2003, 545 et note B. Dondero ; *D.* 2002, somm. 3332, obs. L. Aynès ; *Defrénois* 2002, 1, 1614, art. 37644, n° 93, obs. R. Libchaber.

(9) Cass. 2e civ., 11 févr. 1998 : *JCP* 1998, II, 10156 et note G. Carducci ; *D.* 1999, somm. 109, obs. R. Libchaber. – Cass. 1re civ., 12 juin 2001 : *JCP* 2002, II, 10104 et note D. Houtcieff ; *D.* 2002, somm. 1316, obs. D. Mazeaud ; *JCP* 2002, I, 122, n° 5, obs. G. Viney. – V. B. Lecourt, *Les loteries publicitaires. La déception a-t-elle un prix ? : JCP* 1999, I, 155.

(10) Cass. 2e civ., 3 mars 1988 : *D.* 1988, somm. 405, obs. J.-L. Aubert. – Paris, 18 juin 1999, 5e ch. C : *JCP* 2000, II, 10322 et note M.-Ch. Psaume. – Cass. 2e civ., 28 juin 1995 : *D.* 1996, 180, 2e esp., et note J.-L. Mouralis. – Cass. 2^e^ civ., 19 janv. 1999 : *JCP* 2000, II, 10347.

(11) Cass. 1re civ., 28 mars 1995 : *D.* 1996, 180, 1re esp., et note J.-L. Mouralis.

(12) Cass. ch. mixte, 6 sept. 2002 (deux arrêts) : *D.* 2002, 2531, obs. A. Lienhard ; *D.* 2002, 2963 et note D. Mazeaud ; *JCP* 2002, II, 10173 et note S. Reifegerste ; *Contrats, conc. consom.* oct. 2002, comm. 151 et note G. Raymond ; *Defrénois* 2002, 1, 1608, art. 37644, n° 92, obs. E. Savaux. – Cass. ch. mixte, 18 mars 2003 : *D.* 2003, inf. rap. 1009.

On citera principalement :

• la promesse d'exécuter une obligation naturelle, qui la transforme en obligation civile (V. *supra*, n° 30) ;

• l'offre de contracter lorsqu'elle est adressée à une personne déterminée à laquelle est en outre accordé un délai précis pour y répondre (V. *infra*, n° 127) ;

• L'engagement de souscrire à une augmentation de capital pour un certain montant[(13)] ;

• L'engagement du gérant d'une SCI d'exécuter certains travaux de reprise [(14)];

• ou encore l'engagement unilatéral d'un employeur de limiter le nombre de licenciements pendant une période donnée[(15)].

Ainsi, au plan pratique, l'engagement par volonté unilatérale est une situation tout à fait marginale. La jurisprudence ne le consacre que de manière très subsidiaire, lorsqu'il n'est pas possible de recourir à un autre mécanisme juridique (contrat, responsabilité, etc.) pour expliquer la naissance d'une obligation[(16)].

59. – **L'acte unilatéral dans les projets de réforme.** Dans la perspective d'une uniformisation du droit des obligations au sein de l'Union européenne, on signalera que les Principes du droit européen du contrat élaborés par la Commission Lando admettent la force contraignante des « promesses obligatoires sans acceptation »[(17)]. Les commentaires des Principes précisent que ces promesses doivent être regardées comme des contrats avec toutefois quelques particularités. Ainsi, ils semblent admettre avec certains droits de l'Union européenne[(18)] que la volonté individuelle puisse, seule, être créatrice d'obligations, spécialement dans le cadre de la « vie des affaires ».

Quant au projet de réforme s'il définissait l'acte unilatéral dans sa version de 2008, il ne faisait plus que le citer dans sa version de 2009 (art. 2, al. 1) et il le passe totalement sous silence dans sa version d'octobre 2013.

§ 1. – Notion de contrat[(19)]

60. – **Définition du contrat.** Que des engagements puissent être pris par contrat, qu'il en découle une créance pour l'une des parties et une obligation ou dette pour l'autre, voilà qui correspond au bon sens populaire. On serait même tenté d'ajouter que l'obligation voulue par les parties est la seule légitime, alors que l'obligation imposée par la loi appelle une justification.

(13) Cass. 1re civ., 28 nov. 2012 : *RDC* 2013, 505, obs. T. Genicon.

(14) Cass. 3e civ., 12 févr. 2013 : *RDC* 2013, 865, obs. T. Genicon.

(15) Cass. soc., 25 nov. 2003 : *D.* 2004, 2395 et note I. Omarjee ; *JCP* 2004, I, p. 1628, obs. G. Viney.

(16) V. C. Grimaldi, thèse précitée, qui donne un champ d'application très vaste à l'engagement.

(17) PDEC, art. 2.107 : « La promesse qui tend à être juridiquement obligatoire sans acceptation lie son auteur ».

(18) Par ex., les droits allemand, danois, écossais, autrichien admettent la force obligatoire d'une promesse sans acceptation lorsque cela résulte des termes mêmes de la promesse ou de sa nature. Ex : promesses de récompense.

(19) J. Ghestin, *La notion de contrat : D.* 1990, chron. 147. – M. Mekki, *Le discours du contrat : quand dire ce n'est pas toujours faire : RDC* 2006, p. 297. – T. Revet, *La structure du contrat, entre unilatéralité et bilatéralité : RDC* 2013, 327. – T. Génicon, *Contrat et protection de la confiance : RDC* 2013, 336. – Ph. Dupichot, *Les principes directeurs du droit français des contrats : RDC* 2013, 387. – Y.-M. Laithier, *Les principes directeurs du droit des contrats en droit comparé : RDC* 2013, 410.

Le contrat est défini par l'article 1101 du Code civil comme « une convention par laquelle une ou plusieurs personnes s'obligent envers une ou plusieurs autres, à donner, à faire ou à ne pas faire quelque chose ». Plus brièvement, on a coutume de dire que le contrat est une convention génératrice d'obligations. Rompant avec cette terminologie, le projet de réforme abandonne le terme de convention qu'il considère, à tort selon nous, comme synonyme de contrat.

Cette définition appelle trois observations.

1. Le contrat est une *convention*, c'est-à-dire un accord de volontés conclu entre deux ou plusieurs personnes ; il convient d'ajouter cette précision que l'accord suppose que les parties – et non pas la loi – déterminent elles-mêmes leurs obligations respectives[20]. En cela il s'oppose à l'*acte unilatéral* qui émane d'une (ou plusieurs personnes) manifestant une seule volonté, et qui peut, lui aussi, être source d'obligations (V. *supra*, n°s 57 et s.).

2. Le contrat est *générateur d'obligations*. La définition du Code civil de 1804 met en en outre l'accent sur le rôle créateur d'obligations de donner, de faire ou de ne pas faire. Cela dit, s'agissant de l'obligation de donner, c'est-à-dire de transférer la propriété ou tout autre droit réel, le contrat fait souvent plus que créer l'obligation : il la réalise, puisque le transfert de propriété s'opère par le seul consentement des parties pour les corps certains et par l'individualisation de la chose pour les choses de genre (V. *supra*, n° 15).

3. Le contrat est une *convention génératrice d'obligations*, donc une sorte de convention. Mais il existe d'autres sortes de conventions qu'on aura l'occasion de voir à propos de la transmission (cession de créance, novation) ou de l'extinction (remise de dette) des obligations.

Ainsi peut-on définir le contrat comme un acte juridique conventionnel générateur d'obligations et permettant le transfert des droits réels. Le contrat, qui est de loin le plus usité des actes juridiques, a une importance économique considérable tant dans la vie des affaires que dans la vie courante. C'est par des contrats que s'opère tout le processus de production et de commercialisation des biens.

Rompant avec le passé, le projet de réforme de 2009 définissait le contrat comme « un accord de volontés par lequel deux ou plusieurs personnes établissent, modifient ou suppriment entre elles un rapport de droit ». Plus brièvement la version de 2013 le définit comme « un accord de volontés entre deux ou plusieurs personnes destiné à créer des effets de droit ». Au plan purement formel, on a aussi pu dire que le contrat est ou comporte un ensemble de clauses contractuelles[21].

Il est à noter que la notion de contrat recouvre divers actes que, dans le langage courant, on nomme « compromis, avant contrat, promesse », etc., en croyant, à tort, échapper aux règles des contrats. Il convient néanmoins de préciser ce qu'il en est pour un certain nombre d'hypothèses qui sont aux confins de la notion de contrat.

(20) Tel n'est pas le cas lorsque les parties ne font que rappeler les obligations imposées par la loi : CA Paris, 1re ch. A, 21 sept. 2004 (à propos du plan d'aide au retour à l'emploi, dit PARE) : *D.* 2004, 2545 ; *RTD civ.* 2004, 725, obs. J. Mestre et B. Fages ; *RDC* 2005, p. 257, obs. J. Rochfeld et, sur pourvoi, Cass. soc., 31 janv. 2007 : *D.* 2007, p. 988 et rapp. Chauviré ; *D.* 2007, p. 1469, note Ch. Willmann. – V. aussi CE, 21 nov. 2001 (pour la charte des thèses) : *RTD civ.* 2002, 93. – Cass. soc., 2 mai 2001 : *Bull. civ.* 2001, IV, n° 143, p. 113 ; *Defrénois* 2001, 1061, obs. R. Libchaber. – Cass. soc., 10 mars 2004 : *RDC* 2004, p. 723, obs. Ch. Radé.

(21) M. Mekki, *Le nouvel essor du concept de clause contractuelle* : *RDC* 2006, p. 1051 (1re partie).

61. – En marge du contrat : actes de courtoisie, de complaisance, engagement d'honneur. Le critère du contrat étant la création d'obligations, il suffit de vérifier, au travers de la jurisprudence, où passe la frontière entre le contrat et ce qui reste en marge du contrat.

Les *actes de pure courtoisie* ne sont pas des contrats parce qu'ils ne sont pas générateurs d'obligations[22] : par exemple, l'autorisation gracieuse d'emprunter un chemin privé, de cueillir des fleurs dans un jardin, de ramasser des champignons ou du bois mort, etc.

Avec les *actes de complaisance* l'hésitation est permise car on arrive à la limite du contrat[23]. La jurisprudence considère, par exemple, que le transport bénévole d'un ami, d'une relation, d'un auto-stoppeur, etc., n'est pas en principe un contrat, ce qui permet d'alléger la responsabilité du transporteur bénévole. De même le conseil qu'incidemment un médecin ou un architecte pourra donner en dehors de l'exercice de sa profession, mais en revanche soigner gratuitement un malade est un contrat à titre gratuit. C'est dire que la limite est étroite entre l'acte de complaisance et le contrat de services gratuit.

D'apparition plus récente, l'*engagement d'honneur* est celui dont l'exécution dépend seulement de la loyauté respective des parties, lesquelles s'interdisent tout recours judiciaire. Il se rencontre en droit international public où on y voit une simple obligation naturelle, dans les relations familiales où il n'a pas en principe de force obligatoire, et en droit commercial, où la jurisprudence aurait tendance à l'analyser comme un contrat[24]. C'est ainsi que la chambre commerciale de la Cour de cassation a donné valeur contraignante à un engagement pourtant qualifié par les parties d'« exclusivement moral dont tout éventuel manquement ne saurait être considéré comme une inexécution des termes du présent protocole »[25].

62. – Les actes d'assistance : contrats de services gratuits. Il faut faire une place particulière aux *actes d'assistance* qui ont fait l'objet d'une évolution jurisprudentielle sans pour autant parvenir à une solution bien certaine. En pratique il s'agit le plus souvent de savoir si et comment on peut réparer ou faire réparer par une assurance le dommage survenu à celui qui se porte au secours de quelqu'un.

À l'origine la jurisprudence refusait de mettre à la charge de la personne secourue la réparation des dommages survenus au sauveteur au motif qu'il n'y avait pas véritablement de contrat d'assistance entre ces deux personnes (sauf pour le sauvetage en mer où la question est réglée par des textes particuliers). Puis la jurisprudence a ordonné la réparation de ce type de dommages, mais en recourant à des biais, tels que la gestion d'affaires[26] ou la responsabilité délictuelle. Aujourd'hui

(22) E.-H. Perreau, *Courtoisie, complaisance et usages non obligatoires devant la jurisprudence* : *RTD civ.* 1914, 481. – D. Mayer, *L'amitié* : *JCP* 1974, I, 2663. – P. Bedoura, *L'amitié et le droit civil* : thèse Poitiers, 1976.

(23) A. Viandier, *La complaisance* : *JCP* 1980, I, 2987.

(24) B. Oppetit, *L'engagement d'honneur* : *D.* 1979, chron. 107. – B. Beigner, *L'honneur et le droit* : LGDJ, 1995, préf. J. Foyer. – D. Ammar, *Essai sur le rôle de l'engagement d'honneur* : thèse Paris I, 1990.

(25) Engagement de ne plus copier les produits commercialisés par une société : Cass. com., 23 janv. 2007 : *Bull. civ.* 2007, IV, n° 12 ; *D.* 2007, p. 442, obs. X. Delpech ; *Defrénois* 2007, 1, 1027, art. 38624, n° 48, obs. E. Savaux ; *RTD civ.* 2007, 340, obs. J. Mestre et B. Fages ; *RDC* 2007, p. 697, obs. Y.-M. Laithier. – V. aussi Cass. com., 20 févr. 2007 : *D.* 2007, 807, obs. X. Delpech ; *RTD civ.* 2007, 340, obs. J. Mestre et B. Fages. – N. Vignal, *L'attraction de l'engagement d'honneur dans le giron du droit : la morale des affaires a son honneur !* : *Rev. Lamy dr. civ.* juill.-août 2007, p. 6.

(26) B. Guiderdoni, *La gestion d'affaires ou l'alternative à la convention d'assistance bénévole* : *RRJ* 2004, 745.

nombre de décisions admettent en pareil cas l'existence d'une *convention d'assistance*[27], sorte de *contrat de service gratuit*, qui sert de fondement à l'indemnisation du dommage subi à l'occasion de l'opération de sauvetage[28]. Cela dit, on peut se demander si ce n'est pas là une habileté pour forcer la notion de contrat car très souvent il n'y aura pas de consentement de l'assisté qui, par exemple, aura perdu connaissance.

La convention d'assistance entre alors dans la catégorie des contrats de services gratuits[29]. Il s'agit là de prestations de services qui en principe relèvent d'un contrat à titre onéreux, par exemple le contrat médical ou le contrat d'architecte, mais qui peuvent aussi être exécutées gratuitement[30]. En pareil cas, il y a bien contrat, mais contrat à titre gratuit ; on en tire généralement cette conséquence que la responsabilité encourue par le prestataire est moindre que celle qui pèserait sur lui si le contrat était à titre onéreux[31].

63. - **Les accords préalables au contrat.** Dans certains cas, le contrat est simple et pourra être conclu immédiatement ; tel est le cas lorsqu'on achète une chose dans un magasin. D'autres fois, l'élaboration et la mise au point d'un contrat feront l'objet de pourparlers si bien que la conclusion du contrat nécessitera un certain délai. Dans l'attente du contrat définitif les parties pourront conclure des accords intermédiaires ou des avant-contrats.

Dans le domaine des affaires, on rencontre souvent des accords intermédiaires qui constatent un accord sur certaines bases au cours de pourparlers qui se poursuivent pour parfaire le contrat. Pour les désigner, on utilise une terminologie très variée : accords de principe[32], protocoles d'accord, lettres d'intention[33], etc. Ce sont des sortes d'avant-contrat, susceptibles d'entraîner une responsabilité en cas de rupture des pourparlers dans des conditions anormales, mais qui ne comportent pas d'obligation de conclure le contrat (V. *infra*, n° 120).

Ces accords intermédiaires doivent être distingués des *contrats cadres*, fréquents dans les relations commerciales, qui établissent les règles de base du contrat et sur lesquels se grefferont des contrats successifs, ou en tout cas des commandes

(27) M. Riou, *L'acte de dévouement* : *RTD civ.* 1957, p. 221. – R. Bout, *La convention dite d'assistance*, in *Études Kayser*, 1979, p. 157. – C. Roy-Loustanau, *Du dommage éprouvé en portant assistance bénévole à autrui* : thèse Aix, 1980. – F. Stasiak, *Le fondement de la réparation du dommage résultant d'une assistance bénévole au regard des tendances actuelles de la jurisprudence civile* : *LPA* 19 juill. 1996, p. 9. – S. Beaugendre, *Contrat d'assistance et activité d'assurance*, préf. F. Collart-Dutilleul : LGDJ, coll. « Droit privé », 2000, t. 338. – M.-F. Rubio, *La convention d'assistance bénévole : critique d'un contrat solidaire* : *RRJ* 2008, 1727.

(28) Cass. 1re civ., 27 janv. 1993 : *Gaz. Pal.* 24-25 sept. 1993 et note J. Massip. – Cass. 1re civ., 17 déc. 1996 : *Contrats, conc. consom.* mai 1997, comm. 78 et note L. Leveneur. – Cass. 1re civ., 16 juill. 1997 : *D.* 1998, 566 et note F. Arhab. Mais d'autres arrêts écartent l'idée d'une convention d'assistance lorsque les circonstances de fait ne semblent pas s'y prêter : Cass. 2e civ., 26 janv. 1994 : *JCP* 1994, I, 3809, n° 1, obs. G. Viney. – Cass. 1re civ., 7 avr. 1998 : *JCP* 1998, II, 10203 et note O. Gout. – Cass. 2e civ., 12 sept. 2013 : *RDC* 2014, 16, note T. Génicon.

(29) M. Boitard, *Les contrats de service gratuits* : thèse Paris, 1942.

(30) Le contrat étant présumé être à titre onéreux, il appartient à celui qui se prévaut du caractère gratuit du contrat de démontrer l'intention libérale : Cass. 3e civ., 31 mai 1989 : *Gaz. Pal.* 1989, 2, pan. 142. – Cass. 3e civ., 17 déc. 1997 : *Bull. civ.* 1997, III, n° 226, p. 151. – Cass. 3e civ., 15 mai 2002 : *JCP* 2002, IV, 2097.

(31) Ainsi, pour un architecte, la responsabilité serait la responsabilité de droit commun, et non pas la responsabilité de plein droit des articles 1792 et suivants du Code civil : Cass. 3e civ., 20 juin 1972 : *Bull. civ.* 1972, III, n° 405. – Cass. 3e civ., 3 juill. 1996 : *Bull. civ.* 1996, III, n° 166, p. 107 ; *JCP* 1997, II, 22757 et note Ph. Le Tourneau ; *RD imm.* 1996, 581, obs. Ph. Malinvaud.

(32) I. Najjar, *L'accord de principe* : *D.* 1991, chron. 57.

(33) M. Fontaine, *Les lettres d'intention dans la négociation des contrats internationaux* : *DPCI* 1977, 73. Pour un autre sens de lettre d'intention, V. *supra*, n° 57 et *infra*, n° 552.

successives[34]. Prenant acte de cette catégorie nouvelle, le projet de réforme stipule que « le contrat cadre est un accord par lequel les parties conviennent des caractéristiques essentielles de leurs relations contractuelles futures » (art. 9). Et il consacre la pratique en ajoutant que « des contrats d'application en précisent les modalités d'exécution ».

Les *avant-contrats* sont des contrats préparatoires à un autre contrat[35] ; on les rencontre très fréquemment en matière de vente immobilière car c'est un domaine où il est difficile, sinon même impossible, de conclure d'emblée le contrat définitif. Dans l'attente de celui-ci on établira donc une promesse de contrat : celle-ci peut être unilatérale ou synallagmatique[36]. Ces avant-contrats sont pour l'essentiel la promesse unilatérale et le pacte de préférence.

§ 2. – Classification des contrats

64. – **De l'intérêt de classer les contrats.** La liberté reconnue aux contractants de définir le contenu du contrat aboutit à ceci qu'il peut y avoir une infinité de contrats. Certes, le Code civil et la pratique ont mis sur pied et standardisé un certain nombre de contrats ; par exemple, la vente, le louage, le mandat, la société, l'assurance, le transport, l'hypothèque, le gage, etc. Parce qu'ils ont un nom, on les appelle des *contrats nommés* ; ces contrats sont directement réglementés par la loi qui définit pour chacun un régime.

À côté de ces contrats nommés, il peut y avoir autant de *contrats innommés* que l'imagination permet d'en concevoir. Ainsi en est-il, par exemple, du contrat d'entretien d'un ordinateur ou du contrat de « parking », etc. Et, bien évidemment, la loi – qui ne peut les connaître – ne les soumet à aucun régime déterminé. Dès lors, si des difficultés surviennent qui n'ont pas été prévues et réglées par le contrat lui-même, il appartiendra au juge de déterminer la règle applicable (V. *infra*, n° 73).

D'où l'intérêt qui s'attache à ranger les contrats dans des classifications, étant entendu que l'appartenance à tel groupe entraîne l'application d'un certain nombre de règles, c'est-à-dire d'un régime déterminé. C'est donc à juste titre que, au risque de paraître doctrinal, le projet de réforme (art. 4 à 10) consacre plusieurs articles à ces classifications.

A. – Classifications fondées sur les conditions de formation du contrat

65. – **Contrats consensuels, solennels, réels.** Cette distinction est simplement sous-entendue par le Code civil ; mais aucun article ne la définit. Elle n'en est pas moins extrêmement importante au plan pratique. Elle permet en effet de préciser à quelles formalités les divers contrats sont astreints pour leur validité. Comme le

(34) M.-S. Zaki, *Le formalisme conventionnel : illustration de la notion de contrat-cadre* : *RID comp.* 1986, 1043. – F. Pollaud-Dulian et A. Ronzano, *Le contrat-cadre, par-delà les paradoxes* : *RTD com.* 1996, 179. – J. Gatsi, *Le contrat-cadre*, préf. M. Béhar-Touchais : LGDJ, coll. « Droit privé », 1996, t. 273.

(35) R. Demogue, *Les contrats provisoires*, in *Études Capitant*, 1939.139. – M. Geninet, *Théorie générale des avant-contrats en droit privé* : thèse Paris II, 1985. – J. Schmidt-Szalewski, *La force obligatoire à l'épreuve des avant-contrats* : *RTD civ.* 2000, 25. – D. Mazeaud, *Mystères et paradoxes de la période précontractuelle*, in *Mél. Ghestin*, p. 637.

(36) F. Collard-Dutilleul, *Les contrats préparatoires à la vente d'immeuble* : Sirey, 1988.

Projet Catala, le projet de réforme reprend la distinction des contrats consensuels, des contrats solennels et des contrats réels. À la différence des *contrats consensuels*, pour lesquels aucune formalité n'est exigée, les *contrats solennels* doivent, à peine de nullité, respecter certaines formes ; ces solutions sont consacrés dans l'article 7 du projet :

> Le contrat est consensuel lorsqu'il se forme par le seul échange des consentements quel qu'en soit le mode d'expression.
>
> Le contrat est solennel lorsque sa formation est subordonnée, à peine de nullité, à des formalités déterminées par la loi.
>
> Le contrat est réel lorsque sa formation est subordonnée à la remise d'une chose.

La règle générale est que les contrats sont consensuels c'est-à-dire qu'ils sont conclus par le seul échange des consentements, en dehors de tout écrit ou autre formalité ; ainsi le veut le principe du consensualisme qui est un aspect du principe de l'autonomie de la volonté (V. *infra*, n°s 81 et 353 et s.). Tel est le droit commun : tout contrat est en principe consensuel, sauf lorsque la loi en dispose autrement.

Par exception, certains contrats se trouvent soumis à des formalités dont l'inobservation est sanctionnée par la nullité absolue. On dit que ce sont des contrats solennels[37].

A priori la forme peut revêtir des aspects très divers, suivant les pays et les époques. Ainsi, en droit romain, elle se manifestait par la présence de témoins ou par le prononcé de formules sacramentelles. En droit moderne, la forme consiste en général dans l'établissement d'un *écrit*, soit authentique, soit sous seing privé. Parfois la loi exige que le contrat soit établi par *acte authentique* : la solennité consistera alors dans l'obligation de recourir à un notaire pour la rédaction du contrat (par ex., hypothèque, contrat de mariage, donation, etc.). Mais, le plus souvent on se contentera d'imposer, à titre de forme, l'établissement d'un *acte sous seing privé* (par ex., contrat de bail à usage d'habitation, contrat de société, de cession de brevet, d'édition, etc.). Suivant les cas, ces formes sont imposées dans un souci de protection des parties, ou des tiers, ou de l'ordre public[38].

Les *contrats réels*, enfin, sont ceux dont on considère qu'ils se forment, non par le seul échange des consentements, mais par la *remise de la chose* (de *res* : la chose ; d'où contrat réel). La remise de la chose joue ici un rôle de solennité et de publicité à l'égard des tiers. Cette catégorie est une survivance, généralement critiquée, du droit romain[39] (V. aussi *infra*, n°s 325 et 363). Elle n'intéresse qu'un nombre limité de contrats, parfois appelés *contrats de restitution* : le prêt à usage et de consommation, à l'exclusion toutefois du prêt d'argent consenti par un professionnel du crédit[40] (art. 1875 et 1892) (V. *infra*, n° 363), le dépôt (art. 1915), le gage avant la

(37) M.-A. Guerriéro, *L'acte juridique solennel* : LGDJ, 1974. On s'interroge parfois sur la nature de certains contrats, par exemple le PACS : Cl. Destamme, *PACS, Un nouveau contrat solennel. Formule-cadre* : *JCP* N 1999, 1698. – J. Hauser, *Le pacte civil de solidarité est-il un contrat consensuel ou un contrat solennel ?* : *Defrénois* 2001, 1, 673, art. 37362.

(38) À ce propos, il convient de préciser que les mêmes formalités peuvent remplir des fonctions très différentes : parfois, la rédaction d'un écrit est imposée par la loi à titre de solennité, et à peine de nullité du contrat ; mais cette obligation est assez peu fréquente et le recours à l'écrit n'est le plus souvent imposé que pour servir de preuve, sans que la nullité de l'acte puisse être encourue.

(39) M.-N. Jobard-Bachellier, *Existe-t-il encore des contrats réels en droit français ? Ou la valeur des promesses de contrat réel en droit positif* : *RTD civ.* 1985, 1. – Ch. Jamin, *Éléments d'une théorie réaliste des contrats réels*, in *Mél. J. Béguin* : Litec, 2005. – N. Mouligner, *Le contrat réel dans l'évolution du droit des contrats* : *RRJ* 4/2004, 2233.

(40) Cass. 1re civ., 28 mars 2000 : *D.* 2000, 482 et note S. Piedelièvre ; *JCP* 2000, II, 10296, concl. J. Sainte-Rose ; *Contrats, conc. consom.* juill. 2000, comm. 106 et note L. Leveneur. – Cass. 1re civ., 27 nov. 2001 : *JCP* 2002, II, 10050 et note S. Piedelièvre.

réforme du droit des sûretés par l'ordonnance du 23 mars 2006 et, selon la jurisprudence, le don manuel. Dans ces contrats la remise de la chose est une condition de formation du contrat et non pas, comme on pourrait le penser l'exécution de l'obligation de l'une des parties. Malgré les critiques qui lui ont été adressées, cette classification a été reprise par le projet de réforme du droit des contrats.

66. - **Contrats de gré à gré et contrats d'adhésion.** Cette distinction, qui ne figure pas dans le Code civil, a été présentée voici une trentaine d'années à propos de la protection du consommateur. On oppose désormais le contrat de gré à gré au contrat d'adhésion.

Le *contrat de gré à gré* est celui dont les clauses font l'objet d'une libre discussion entre les partenaires, le contrat librement négocié ; suivant la formule du projet de réforme, « le contrat de gré à gré est celui dont les stipulations sont librement négociées entre les parties ». C'est en définitive la représentation que l'on se fait classiquement du contrat et que les rédacteurs du Code civil ont certainement eue à l'esprit en 1804, même si cela n'apparaît pas de manière explicite au travers des articles du code.

Au contraire, le *contrat d'adhésion*(41) est celui dans lequel l'une des parties occupe une position de force ou de monopole qui interdit toute véritable discussion. De ce fait, la liberté du cocontractant se limite à un choix entre les deux branches d'une option : soit adhérer en bloc au contrat proposé, soit refuser de contracter. Encore faudrait-il ajouter que, dans de nombreux cas, on ne peut pratiquement pas refuser de contracter parce que le contrat répond à une nécessité de la vie courante. Ainsi un particulier ne saurait discuter les conditions de son contrat de transport, que ce soit en métro, en train ou en avion ; on ne discute pas non plus les termes d'un abonnement au gaz, à l'électricité, au téléphone, etc., mais on est libre de changer de fournisseur là où le monopole a disparu ; enfin, la discussion est aussi des plus réduites, sinon inexistante, en matière de contrat d'assurance, de contrat bancaire, d'achat dans un grand magasin, etc.

Il est clair que les contrats d'adhésion se sont multipliés de manière considérable : ils favorisent indéniablement des abus de puissance économique, spécialement au détriment des consommateurs.

Néanmoins, le Code civil de 1804 ne fait pas de distinction entre contrats de gré à gré et contrats d'adhésion, quant aux règles applicables, notamment en matière de protection de la liberté du consentement. Ce sont des lois spéciales qui sont intervenues pour réglementer, non pas les contrats d'adhésion, mais les contrats dits de consommation, c'est-à-dire ceux conclus entre professionnels et consommateurs. Outre diverses interventions ponctuelles législatives ou jurisprudentielles, deux lois

---

– Cass. 1re civ., 7 mars 2006 : *JCP* 2006, II, 10109 et note S. Piedelièvre ; *Contrats, conc. consom.*, comm. 128, obs. L. Leveneur. – Cass. 1re civ., 5 juill. 2006 : *D.* 2006, inf. rap. p. 2276. – V. J. Attard, *Le contrat de prêt d'argent, contrat unilatéral ou contrat synallagmatique ?*, préf. Ph. Delebecque : PUAM, 1999. – F. Grua, *Le prêt d'argent consensuel* : *D.* 2003, chron. 1492.

(41) Dereux, *De la notion juridique des contrats d'adhésion* : *RTD civ.* 1910, 503. – G. Berlioz, *Le contrat d'adhésion*, 1974 ; *Les contrats d'adhésion et la protection du consommateur*, 1979. – F.-X. Testu, *Le juge et le contrat d'adhésion* : *JCP* 1993, I, 3673. – E. Agostini, *De l'autonomie de la volonté à la sauvegarde de justice* : *D.* 1994, chron. 235. – O. Litty, *Inégalité des parties et durée du contrat. Étude de quatre contrats d'adhésion usuels*, préf. J. Ghestin : LGDJ, 1999, t. 322. – V. en droit québecois, B. Lefebvre, *La notion de contrat d'adhésion : portée et limites d'une définition*, in *Mél. Malinvaud* : Litec, 2007, p. 375. – F. Chénédé, *R. Saleilles, Le contrat d'achésion* : *RDC* 2012, 1017.

fondamentales du 10 janvier 1978 et une du 13 juillet 1979 relatives à l'information et à la protection des consommateurs ont eu notamment pour objet de réglementer les clauses abusives souvent imposées à la partie la plus faible dans ce type de contrat. Depuis lors, de nombreux textes ont été édictés, tant au niveau communautaire (directives) qu'au niveau national, pour compléter le dispositif de protection. Ces divers textes sont aujourd'hui codifiés dans le Code de la consommation (V. *infra*, n°s 215 et s.).

Le projet de réforme reconnaît l'existence des contrats d'adhésion qu'il définit à l'article 8 comme « celui dont les stipulations essentielles, soustraites à la libre discussion, ont été déterminées par l'une des parties ».

67. – **Contrats individuels et contrats collectifs.** Les contrats individuels représentent le droit commun et répondent à la conception qu'en a non seulement le public, mais le Code civil lui-même : ce sont les contrats conclus entre deux ou plusieurs personnes et dont les effets ne concerneront que ces seuls cocontractants[42].

Au contraire, les contrats collectifs font échec au principe de l'effet relatif des contrats et vont engager un groupe de personnes plus large que le cercle des cocontractants. L'hypothèse la plus connue est celle des *conventions collectives* qui engagent tous les employeurs et salariés de la branche considérée, même s'ils ne sont pas affiliés aux syndicats signataires, et même s'ils ne sont inscrits à aucun syndicat. Il en est de même des accords collectifs de location instaurés par la loi du 22 juin 1982 et étendus par la loi du 6 juillet 1989.

Sans consacrer cette distinction, le Projet Catala n'en distinguait pas moins entre l'acte juridique conventionnel, l'acte juridique unilatéral et l'acte juridique collectif, ce dernier étant défini comme « la décision prise collégialement par les membres d'une collectivité ». Ainsi défini, l'acte juridique collectif est à la base des contrats collectifs. Quant au projet de loi, il ne reprend pas la notion d'acte collectif.

B. – Classifications fondées sur le contenu du contrat

68. – Contrats synallagmatiques et contrats unilatéraux. La distinction[43].

Art. 1102. – Le contrat est *synallagmatique* ou *bilatéral* lorsque les contractants s'obligent réciproquement les uns envers les autres.

Art. 1103. – Il est *unilatéral* lorsqu'une ou plusieurs personnes sont obligées envers une ou plusieurs autres, sans que de la part de ces dernières il y ait d'engagement.

Ces définitions sont reprises à l'identique pour le contrat synallagmatique, et avec de minimes modifications de forme pour le contrat unilatéral, par le projet de réforme du droit des contrats[44].

(42) T. Revet, *Le « contrat-règles »*, in *Mél. Ph. Le Tourneau* : Dalloz, 2007, p. 919.

(43) R. Houin, *La distinction des contrats synallagmatiques et des contrats unilatéraux* : thèse Paris, 1937. – I. Maria, *La distinction entre les contrats unilatéraux et synallagmatiques ou les paradoxes de la notion d'engagement* : *Rev. Lamy dr. civ.* févr. 2007, p. 6.

(44) Art. 4 : « Le contrat est synallagmatique lorsque les contractants s'obligent réciproquement les uns envers les autres.
Il est unilatéral lorsqu'une ou plusieurs personnes s'obligent envers une ou plusieurs autres sans qu'il y ait d'engagement réciproque de celles-ci ».

Les *contrats synallagmatiques*, c'est-à-dire ceux qui comportent des obligations réciproques de chacune des parties envers l'autre, sont de loin les plus nombreux et les plus fréquents ; c'est le cas de la vente, du louage, du contrat d'entreprise, d'assurance, de transport, etc.[45]

Dans un *contrat unilatéral*, il n'y a pas de réciprocité : au lieu que chacun soit respectivement créancier et débiteur de l'autre, dans un contrat unilatéral l'un est créancier, et l'autre débiteur[46].

La catégorie est moins fournie que la précédente. Elle comprend tous les contrats à titre gratuit, mais aussi quelques contrats à titre onéreux : par exemple, le prêt d'argent[47] (les obligations de payer les intérêts et rembourser la somme ou rendre la chose pèsent sur le seul emprunteur), le dépôt, les promesses de payer constatées par une reconnaissance de dette, les promesses unilatérales de vente, ou d'achat, ou de tout autre contrat (par lesquelles un seul s'engage à vendre, ou acheter, etc., l'autre ne prenant aucun engagement et se réservant de lever ou non l'option consentie).

Le contrat unilatéral ne doit pas être confondu avec l'acte unilatéral : ainsi une offre est un acte unilatéral parce qu'elle émane d'une seule volonté, mais une promesse unilatérale de vente est un contrat unilatéral car il y a eu accord de deux volontés même si une seule s'est engagée à faire ou donner quelque chose.

Il peut arriver que, dans un contrat unilatéral par nature, apparaissent des obligations réciproques. Tantôt cela résulte d'une stipulation volontaire : ainsi en est-il lorsque les parties décident qu'un contrat de dépôt fera l'objet d'une rémunération, ce qui est toujours le cas en matière commerciale ; il s'agit alors d'un dépôt salarié, qui est un contrat synallagmatique. Tantôt la réciprocité d'obligations est une conséquence de la loi elle-même : ainsi, toujours dans le contrat de dépôt, le dépositaire a droit à être indemnisé des frais faits pour assurer la conservation de la chose déposée même si aucune rémunération n'a été convenue ; on dit alors qu'on est en présence d'un *contrat synallagmatique imparfait*, ce qui dans l'exemple choisi permettra au dépositaire d'opposer au déposant le droit de rétention tant que ce dernier ne l'aura pas indemnisé.

69. – **Contrats synallagmatiques et contrats unilatéraux. Intérêts de la distinction.** L'intérêt de la distinction entre contrat synallagmatique et contrat unilatéral se situe d'abord sur le plan de la *preuve*. Les contrats synallagmatiques doivent être établis en autant exemplaires qu'il y a de parties, plus un pour l'enregistrement au cas où l'acte est soumis à enregistrement ; c'est la formalité dite du *double original*. Les contrats unilatéraux peuvent n'être constatés que par un seul exemplaire, remis au créancier ; toutefois, lorsque l'engagement porte sur le paiement d'une somme d'argent ou sur la livraison d'un bien fongible, le titre doit comporter la mention, écrite de la main du débiteur, de la somme ou de la quantité en toutes lettres et en chiffres (C. civ., art. 1326).

(45) A. Sériaux, *La notion de contrat synallagmatique*, in *Mél. Ghestin* : LGDJ, 2001.
(46) F.-L. Simon, *La spécificité du contrat unilatéral* : *RTD civ.* 2006, p. 109.
(47) J. Attard, *Le contrat de prêt d'argent, contrat unilatéral ou contrat synallagmatique ?*, préf. Ph. Delebecque : PU Aix-Marseille, 1999.

Mais surtout, la réciprocité des obligations dans les contrats synallagmatiques entraîne des conséquences relatives à la force obligatoire de la convention : si l'un n'a pas exécuté son obligation, l'autre peut se refuser à exécuter en invoquant *l'exception d'inexécution* (V. *infra*, n°s 519 et s.) ; et si la situation persiste, il peut demander la *résolution* du contrat (c'est-à-dire sa mise à néant, V. *infra*, n°s 515 et s.) et des dommages et intérêts[(48)]. Toutes ces règles fondées sur la réciprocité des obligations, ne sauraient être transposées aux contrats unilatéraux, du moins en l'état du droit positif.

À cet égard, on relèvera que le projet de réforme consacre la distinction et ses principaux intérêts : exigence d'un double original pour les contrats synallagmatiques accomplis sous forme papier (art. 286), exigence d'une mention manuscrite particulière pour les contrats unilatéraux (art. 287), admission de l'exception d'inexécution dans les contrats synallagmatiques (art. 127) ; il, étend en revanche la résolution pour inexécution à tous les contrats (art. 125) (V. *infra*, n° 535).

70. - Contrats à titre onéreux et contrats à titre gratuit.

Art. 1105. – Le contrat de bienfaisance est celui dans lequel l'une des parties procure à l'autre un avantage purement gratuit.

Art. 1106. – Le contrat à *titre onéreux* est celui qui assujettit chacune des parties à donner ou à faire quelque chose.

Le contrat à *titre onéreux* se caractérise par le fait que chacun des cocontractants fournit quelque chose et reçoit une contrepartie voulue ; cette idée est expressément consacrée dans l'article 5 du projet de réforme qui précise que « le contrat est à titre onéreux lorsque chacune des parties reçoit de l'autre un avantage en contrepartie de celui qu'elle procure ». C'est le cas de la plupart des contrats, et spécialement de presque tous les contrats synallagmatiques, par exemple, la vente, le louage, etc., où chaque prestation est faite en vue d'une contrepartie.

Le contrat à titre gratuit se caractérise par l'intention libérale de l'un qui exclut toute idée de contrepartie de la part de l'autre ; là encore, l'idée est expressément consacrée dans l'article 5 du projet de réforme qui précise que « il est à titre gratuit lorsque l'une des parties procure à l'autre un avantage sans recevoir de contrepartie ».

L'exemple le plus typique est celui de la donation. Mais cette catégorie englobe plus largement tous les contrats désintéressés dans lesquels l'absence de contrepartie a été voulue.

Certains contrats sont par nature à titre onéreux ; ainsi en est-il de la vente et du bail, qui supposent l'existence d'un prix. D'autres sont par nature à titre gratuit, comme la donation, le prêt à usage. D'autres enfin peuvent être, suivant la volonté des parties, à titre onéreux ou à titre gratuit : le prêt d'argent (à intérêt ou non), le dépôt, le mandat ; c'est également le cas du contrat de louage d'ouvrage qui est présumé être à titre onéreux, mais qui peut aussi être exécuté à titre gratuit, auquel cas on parle de *contrat de services gratuit* (V. *supra*, n° 62)[(49)].

(48) V. Larribau-Terneyre, *Le domaine de l'action résolutoire : recherches sur le contrat synallagmatique* : thèse Pau, 1988.

(49) J.-J. Dupeyroux, *Contribution à la théorie générale de l'acte gratuit* : thèse Toulouse, 1955. – M. Boitard, *Les contrats de service gratuits* : thèse Paris, 1942.

Cette classification, tout en se rapprochant de la précédente, ne se confond pas avec elle. Ce serait le cas si tous les contrats à titre onéreux étaient synallagmatiques, et tous les contrats à titre gratuit unilatéraux. Or il n'en est pas toujours ainsi. Deux exemples permettent de le vérifier : le prêt à intérêt est un contrat à titre onéreux, mais il est unilatéral puisque les obligations ne pèsent que sur l'emprunteur seul (rembourser le capital et payer les intérêts) ; inversement, la donation avec charges est un contrat à titre gratuit, mais il est synallagmatique car la charge constitue une obligation réciproque.

L'intérêt de la distinction se situe à différents points de vue ; cet intérêt varie dans une large mesure suivant le contrat considéré si bien qu'il est difficile d'en présenter une synthèse. On se limitera donc aux idées générales. C'est ainsi que les actes à titre gratuit sont souvent encadrés par un formalisme tendant à protéger celui qui se dépouille (par ex. pour la donation). De même, dans les contrats à titre gratuit, les obligations de celui qui consent un avantage sans contrepartie sont moindres si bien que sa responsabilité sera appréciée moins sévèrement (V. *infra*, n° 62 *in fine*). De même encore, dans la mesure où les avantages consentis gratuitement à une personne en appauvrissent une autre, les créanciers de cette dernière pourront les attaquer plus aisément en cas de faillite ou par la voie de *l'action paulienne* (V. *infra*, n°s 897 et s.).

71. – **Contrats commutatifs et contrats aléatoires.**

Art. 1104. – Il est commutatif lorsque chacune des parties s'engage à donner ou à faire une chose qui est regardée comme l'équivalent de ce qu'on lui donne, ou de ce qu'on fait pour elle.

Lorsque l'équivalent consiste dans la chance de gain ou de perte pour chacune des parties, d'après un événement incertain, le contrat est *aléatoire*.

Dans le titre relatif aux contrats aléatoires, l'article 1964 du Code civil donne une définition légèrement différente : « Le contrat aléatoire est une convention réciproque dont les effets, quant aux avantages et aux pertes, soit pour toutes les parties, soit pour l'une ou plusieurs d'entre elles, dépendent d'un événement incertain ».

Le Projet de réforme combine ces deux définitions (art. 6). Il stipule dans l'alinéa 1er, que « le contrat est commutatif lorsque chacune des parties s'engage à procurer à l'autre un avantage qui est regardé comme l'équivalent de celui qu'elle reçoit », et dans l'alinéa 2 qu'« il est aléatoire lorsque les parties, sans rechercher l'équivalence de la contrepartie convenue, acceptent de faire dépendre les effets du contrat, quant aux avantages et aux pertes attendus, d'un évènement incertain ».

C'est là une sous-distinction des contrats à titre onéreux[(50)].

Dans le *contrat commutatif*, les prestations sont déterminées de manière invariable et équivalente : par exemple, vente d'une chose contre un prix exprimé en capital.

Au contraire, dans le *contrat aléatoire*, l'une des prestations va dépendre, dans son existence ou son étendue, d'un événement incertain, d'un aléa, lequel doit exister au moment même de la formation du contrat[(51)].

(50) R. Kahn, *La notion d'aléa dans les contrats*, Paris, 1924. – A. Bénabent, *La chance et le droit* : thèse Paris, 1973. – F. Grua, *Les effets de l'aléa et la distinction des contrats aléatoires et des contrats commutatifs* : *RTD civ.* 1983, 263. – A. Morin, *Contribution à l'étude des contrats aléatoires* : LGDJ, 1978. – *L'aléa*, Assoc. Henri Capitant : Dalloz, coll. « Thèmes et commentaires », 2011.

(51) Cass. 3e civ., 4 juill. 2007 : *Contrats, conc. consom.* 2007, comm. 293, obs. L. Leveneur ; *Defrénois* 2007, 1, 1737, art. 38697, n° 76, obs. E. Savaux (pour une vente moyennant une obligation de soins au profit d'un tiers bénéficiaire décédé après la promesse synallagmatique, mais avant la signature de l'acte authentique).

Tantôt l'aléa portera sur l'existence même de la contre-prestation. Par exemple, dans le contrat d'assurance, si la prime à payer par l'assuré est fixée de manière invariable, et si elle correspond bien à une garantie fournie par l'assureur, ce dernier n'aura à payer que si survient le sinistre faisant l'objet du contrat (suivant les cas, l'accident automobile, l'incendie, les dommages aux voisins, etc.).

Tantôt l'aléa portera sur l'étendue de la contre-prestation. Il se bornera à faire varier l'étendue de celle-ci. Par exemple, dans le cas de la vente d'un immeuble moyennant une rente viagère, la somme à payer mois après mois par l'acheteur dépendra finalement de la durée de la vie du vendeur, le crédirentier. On peut ainsi rappeler que Jeanne Calment, qui fut la doyenne des Français, avait vendu sa maison en viager à son notaire...

L'intérêt de la distinction se situe principalement quant à la *lésion* qui n'est pas une cause de nullité dans les contrats aléatoires. Il serait en effet anormal de sanctionner ici par la nullité du contrat le déséquilibre entre les prestations réciproques : la chance de gain ou de perte ayant été voulue, on ne saurait se plaindre de ce qu'elle se réalise ; en acceptant de jouer, on accepte de perdre. À cela on ajoutera que, de par sa nature, une prestation affectée d'un aléa est rebelle à toute évaluation si bien qu'on pourrait difficilement apprécier s'il y a ou non déséquilibre entre les prestations réciproques[(52)].

Raisonnant en matière d'assurance, on pourrait observer que les statistiques permettent à l'assureur de calculer son risque. Il ne faudrait toutefois pas en conclure que le contrat d'assurance a perdu son caractère aléatoire. En effet, si l'activité générale de l'assurance échappe dans une certaine mesure à l'aléa grâce aux informations statistiques, chaque contrat considéré individuellement demeure totalement aléatoire.

La question de la qualification s'est récemment posée à propos des contrats d'assurance-vie dont on a pu se demander, pour des raisons touchant au droit des successions, s'ils n'étaient pas des contrats de capitalisation[(53)]. La Cour de cassation a mis fin à la controverse en décidant que, dès lors que les effets du contrat dépendent de la vie humaine, un tel contrat, qualifié de contrat d'assurance-vie, comportait un aléa au sens des articles 1964 du Code civil, L. 310-1, 1° et R. 321-1, 20 du Code des assurances[(54)].

Le projet de réforme apporte un nouvel intérêt à la distinction : l'obligation de renégocier le contrat en cours d'exécution y instaurée (art. 104) ne peut-être imposée que dans les contrats commutatifs puisqu'elle suppose une rupture de l'équilibre initial des prestations réciproques (V. *infra*, n° 506) ; encore faut-il que le contrat commutatif soit à exécution successive ou échelonnée, et non pas instantanée.

72. - Contrats à exécution instantanée et contrats à exécution successive[(55)]. La distinction, qui n'est pas exprimée dans le Code civil de 1804, n'est pas exempte d'un

(52) J. Deprez, *La lésion dans les contrats aléatoires* : *RTD civ.* 1955, 1.

(53) V. en ce sens Cass. 1re civ., 18 juill. 2000 : *JCP* 2000, II, 10434. – M. Grimaldi, *L'assurance-vie et le droit des successions* (à propos de Cass. 1re civ., 18 juill. 2000, arrêt *Leroux*) : *Defrénois* 2001, 1, 3, art. 37276. – J. Ghestin et M. Billiau, *Contre la requalification des contrats d'assurance-vie en contrats de capitalisation* : *JCP* 2000, II, 10434.

(54) Cass. ch. mixte, 23 nov. 2004, 4 arrêts : *Bull. civ.* 2004, ch. mixte, n° 4, p. 9 ; *JCP* 2005, I, 111 (en annexe de l'article J. Ghestin, *La Cour de cassation s'est prononcée contre la requalification des contrats d'assurance-vie en contrats de capitalisation*) ; D. 2005, p. 1905 et note B. Beignier ; *RDC* 2005, p. 297, obs. A. Bénabent ; *RTD civ.* 2005, p. 434, obs. M. Grimaldi.

(55) M. Picq, *La distinction entre les contrats à exécution instantanée et les contrats à exécution successive*, thèse Grenoble, 1994. Pour une critique de la distinction, V. J. Rochfeld, *Les modes temporels d'exécution du contrat* : *RDC* 2004, p. 47. – A. de Guillenchmidt-Guignot, *La distinction des contrats à exécution instantanés et des contrats à exécution successive* : thèse Paris II, 2007. – A. Etienney, *La durée de la prestation. Essai sur le temps dans l'obligation* : LGDJ, coll. « Droit privé », 2008, t. 475, préf. T. Revet.

certain flou dans la mesure où elle soulève un problème de définition qui demeure non réglé. Cette distinction, présentée initialement dans le projet de réforme de juillet 2008, puis abandonnée dans les versions suivantes, a finalement été reprise dans la version d'octobre 2013 (art. 10) en ces termes ;

« Le contrat à exécution instantanée est celui dont les obligations peuvent s'exécuter en une prestation unique.

Le contrat à exécution successive est celui dont les obligations d'au moins une partie se renouvellent et s'échelonnent dans le temps ».

Le *contrat à exécution instantanée* est celui dont l'exécution est prévue en une seule fois, ou en un trait de temps : par exemple, la vente au comptant.

Le *contrat* à *exécution successive* est celui dont l'exécution nécessite l'écoulement du temps : par exemple, le louage, le contrat de travail, de société, etc. Il peut être à durée déterminée, comme un bail de trois, six ou neuf ans, ou à durée indéterminée comme le sont souvent les contrats de travail[(56)].

Au sein de ces contrats on opère une sous-distinction entre les contrats à exécution successive continue comme le bail, et les contrats dits *à exécution échelonnée*, dans lesquels l'une des prestations va s'exécuter de manière échelonnée dans le temps. Tel est par exemple le cas des contrats d'abonnement, des contrats de fournitures portant sur la livraison de marchandises à différentes époques suivant les commandes, etc. Les uns y verront un contrat successif, les autres une suite de contrats instantanés[(57)].

L'intérêt de la distinction apparaît notamment en cas de nullité ou de résolution. Alors que le principe est l'anéantissement rétroactif du contrat annulé ou résolu, cette rétroactivité est conçue différemment par la jurisprudence dans les contrats successifs sur l'exécution desquels il est impossible de revenir : par exemple la prestation de travail ne peut pas être restituée, ni la jouissance qu'un locataire aura eue de la maison. Cette différence se marque même dans la terminologie et l'on parle alors parfois non de résolution mais de *résiliation* du contrat. En ce qui concerne les contrats à exécution échelonnée, on distinguera suivant que les prestations ainsi fournies sont ou non indivisibles. Ces solutions étaient consarées dans la version de juillet 2008 du projet de réforme qui distinguait selon que le contrat était à exécution successive ou échelonnée, auquel cas la résolution n'avait effet que pour l'avenir et valait donc résiliation[(58)] ou à exécution instantanée, auquel cas la résolution était rétroactive et emportait obligation de restituer[(59)] (V. *infra*, n° 535). En revanche elles n'ont pas été reprises dans les versions ultérieures qui ne règlent pas cette difficulté.

Par ailleurs, certaines règles sont propres aux contrats successifs. Ainsi les contrats à exécution successive à durée indéterminée emportent toujours une faculté de résiliation unilatérale, même si elle est réglementée plus strictement dans certains cas (par ex., contrat de bail, de travail, etc.). De même, pour les contrats à

(56) Sur le manque de prise en compte de la durée dans les projets de réforme, voir A. Etienney de Sainte Marie, *La durée du contrat et la réforme du droit des obligations* : D. 2011, 2672.

(57) G. Brière de l'Isle, *De la notion de contrat successif* : D. 1957, chron. 153. – J. Azéma, *La durée des contrats successifs* : LGDJ, 1969. – J.-F. Artz, *La suspension du contrat à exécution successive* : D. 1979, chron. 95. – M.-L. Cros, *Les contrats à exécution échelonnée* : D. 1989, chron. 49.

(58) Art. 166, al. 2 du projet de 2008.

(59) Art. 166, al. 1 du projet de 2008.

exécution successive à durée déterminée, on considère que la poursuite du contrat au-delà du temps prévu vaut *tacite reconduction*(60), étant toutefois précisé que celle-ci n'entraîne pas prorogation du contrat primitif, mais donne naissance à un nouveau contrat(61) (V. *infra*, n° 439).

73. - Contrats nommés et contrats innommés.

Art. 1107. - Les contrats, soit qu'ils aient une dénomination propre, soit qu'ils n'en aient pas, sont soumis à des règles générales, qui sont l'objet du présent titre.

Les règles particulières à certains contrats sont établies sous les titres relatifs à chacun d'eux ; et les règles particulières aux transactions commerciales sont établies par les lois relatives au commerce.

La distinction, qui est d'origine romaine, est suggérée par l'article 1107 du Code civil ; elle avait été reprise dans l'article 14 du projet de réforme (version 2009) mais on ne la retrouve pas dans la version de 2013. Les *contrats nommés* sont ceux auxquels la loi donne un nom et surtout dont elle détermine le régime en prévoyant ses conditions et ses effets.

À cet égard, on constate un double mouvement. D'une part, ils sont de plus en plus nombreux : en 1804 le Code civil mentionnait la vente, l'échange, le louage d'ouvrage, le louage de services (contrat de travail), la société, le dépôt, le mandat, etc. ; depuis lors d'autres sont apparus, tels les contrats d'assurance, de promotion immobilière, de vente d'immeuble à construire, de construction de maison individuelle, etc. D'autre part, ils sont de plus en plus souvent réglementés de manière impérative : par exemple, les contrats de travail, de bail, d'assurance, de vente d'immeuble à construire, de construction de maison individuelle, etc., si bien qu'ils se trouvent dotés d'un véritable statut juridique. C'est également vrai de la vente, lorsque du moins elle intervient entre professionnels et consommateurs. Il s'ensuit un développement très important des contrats spéciaux, qui n'est pas sans entraîner insidieusement une transformation de la théorie générale des obligations.

Les contrats innommés sont « ceux que la loi ne réglemente pas sous une dénomination propre » (art. 14 du projet de réforme version 2009), même si parfois la pratique leur donne un nom. Tantôt il s'agira de contrats couramment pratiqués : ainsi en est-il du contrat d'hôtellerie, de « parking », de location de coffre-fort, d'entretien d'ascenseur, etc. Tantôt le contrat aura été spécialement étudié, sur mesure pourrait-on dire, pour répondre à tel besoin particulier, entre telles personnes(62).

L'intérêt de la distinction apparaît quant au choix de la règle applicable.

Pour les contrats nommés, on se référera aux règles, supplétives ou impératives, édictées par la loi. Cela dit, il ne faut jamais oublier que, sauf dans le cas où la loi en dispose autrement, le juge n'est pas tenu par la *qualification* donnée au contrat par les parties (CPC, art. 12, al. 2 et 3) ; si cette qualification est mensongère ou erronée,

(60) Dénommée tacite prolongation en matière de bail commercial (L. 22 mars 2012 modifiant les articles L. 145-8 et s. du Code de commerce), où le bail initial se prolonge effectivement au-delà du délai fixé.

(61) V. M.-L. Cros, *Les contrats à exécution échelonnée* : D. 1989, chron. 49. – B. Amar-Layani, *La tacite reconduction* : D. 1996, chron. 143.

(62) Mme Grillet, *Essai sur le contrat innommé* : thèse Lyon, 1982. – D. Grillet-Ponton, *Nouveau regard sur la vivacité de l'innommé en matière contractuelle* : D. 2000, chron. 331. – N. Blanc, *Contrats nommés et innomés, étude à partir du droit d'auteur* : thèse Paris II, 2009.

il pourra la rectifier et appliquer au contrat des règles auxquelles les parties avaient voulu échapper[(63)].

Pour les contrats innommés, on se référera aux règles que les cocontractants ont adoptées dans leur convention. Mais un problème apparaît lorsque la difficulté à régler n'a pas été envisagée par les parties et que le différend est soumis au juge : celui-ci doit alors *qualifier* le contrat, c'est-à-dire rechercher sa *nature juridique*, pour trouver la règle applicable.

Parfois cette recherche sera facile parce que le contrat litigieux se ramène à un contrat nommé. C'est la démarche à laquelle invite l'article 14 du projet de réforme (version 2009) : les contrats innomés « sont soumis par analogie aux règles applicables à des contrats comparables dans la mesure où leur spécificité n'y met pas obstacle ». Par exemple, le contrat d'entretien d'ascenseur est une sorte de louage d'ouvrage. D'autres fois la tâche sera plus délicate parce qu'on est en présence d'un contrat mixte, intermédiaire entre deux contrats nommés, par exemple entre la vente et le contrat d'entreprise (par ex., vente d'usine clé en mains) ou entre le louage et le dépôt (par ex., contrat de « parking »). Enfin il peut arriver que le contrat ne se ramène à aucun autre connu ; on dira alors qu'il s'agit d'un contrat *sui generis* auquel le juge appliquera la règle qui lui paraît la mieux adaptée.

74. - **Contrats civils et contrats commerciaux.** À côté des *contrats civils*, existent des *contrats commerciaux*. La distinction repose ici non pas sur la nature du contrat, mais sur la personnalité des contractants, suivant qu'ils sont commerçants ou non commerçants.

En pratique c'est le même contrat, vente, louage, mandat, etc., qui sera tantôt civil, tantôt commercial, suivant le but poursuivi ou la personnalité des contractants. Le plus souvent les règles de base sont les mêmes dans les deux cas, mais pas toujours : la législation sur les baux commerciaux, par exemple, diffère fondamentalement de celle sur les baux civils.

En outre, il existe des divergences générales sur certains points, par exemple :

– la preuve est libre en matière commerciale, alors que les contrats civils doivent être prouvés par écrit ;

– certaines clauses, interdites en matière civile, sont valables en matière commerciale, par exemple la *clause attributive de juridiction* (CPC, art. 48) ; il en allait jadis de même de la *clause compromissoire*, par laquelle les parties conviennent de soumettre leurs litiges à venir à des arbitres (au lieu de la juridiction étatique), qui est désormais permise entre toutes personnes « dans les contrats conclus à raison d'une activité professionnelle (C. civ., art. 2061) ;

– en revanche, la prescription, qui était jadis plus courte en matière commerciale (C. com., art. L. 110-4 : dix ans au lieu de trente ans) est désormais de cinq ans comme en droit commun (art. 2224).

75. - **Autres classifications.** D'autres classifications sont concevables. On peut ainsi faire observer que, si tous les contrats sont *générateurs d'obligations*, certains sont en outre *translatifs de droits* (V. *supra*, n° 15).

(63) F. Terré, *L'influence de la volonté individuelle sur les qualifications* : LGDJ, 1957. – X. Henry, *La technique des qualifications contractuelles* : thèse Nancy, 1992. – Ph. Jestaz, *La qualification en droit civil* : *Droits* 1994, 45.

De manière plus moderne, on parle souvent des *contrats de consommation* pour désigner les contrats entre professionnels et consommateurs qui sont régis par des règles tendant à la protection des consommateurs (V. *infra*, n° 85). Ils s'opposent aux contrats dits *égalitaires* entre professionnels ou à ceux entre particuliers qui relèvent du régime général.

De même, à raison de l'intrusion des progrès techniques dans le droit, on pourrait distinguer les contrats suivant le mode d'expression de la volonté, entre contrats traditionnels et *contrats électroniques*[(64)]. Le Code civil comporte d'ores et déjà diverses dispositions sur les contrats conclus en la forme électronique, qui ne pourront que se multiplier (V. *infra*, n°s 145 et s.).

De même encore, tenant compte du développement d'ensembles contractuels complexes, on pourrait esquisser une autre classification des contrats, riche de conséquences. Il s'agit de la distinction des *contrats uniques* et des *contrats interdépendants*[(65)], Les intérêts de la distinction tiennent à l'interprétation[(66)] de ces contrats ; mais, ils pourraient aussi s'étendre à leurs effets. Sur ce dernier point, la jurisprudence a déjà été amenée à se prononcer sur les interactions entre les divers contrats constitutifs de l'ensemble contractuel[(67)], notamment en cas de clauses incompatibles avec l'interdépendance[(68)].

§ 3. – La volonté, fondement du contrat[(69)]

76. – Le principe de l'autonomie de la volonté[(70)]. Tout le droit des contrats a été dominé par ce principe qui a probablement inspiré les rédacteurs du Code civil mais qui, depuis cette date, a perdu beaucoup de sa force.

Ce principe exprime une doctrine de philosophie juridique suivant laquelle toute obligation doit reposer sur la volonté pour être légitime. Plus simplement il peut être énoncé et compris de la manière suivante : l'homme étant un être libre, il ne peut être soumis à des obligations autres que celles qu'il a voulues ; libre de s'engager sans contrainte, il ne l'est que dans la mesure où il l'a voulu.

Ce principe est la traduction, sur le plan du droit, de la philosophie du XVIIIe siècle, suivant laquelle la société doit reconnaître à l'homme les droits les plus étendus et

(64) V., par ex., F. Terré, P. Simler et Y. Lequette, 11e éd., n° 72.

(65) B. Fauvarque-Cosson et a., *L'interdépendance contractuelle en droit comparé* : *RDC* 2013, 1079. – X. Lagarde, *Économie, indivisibilité et interdépendance des contrats* : *JCP* 2013, 1255.

(66) L'article 99, alinéa 2 du projet prévoit en ce sens que « lorsque, dans l'intention des parties, plusieurs contrats concourent à une même opération, ils s'interprètent en fonction de celle-ci ». Pour un exemple, voir Cass. Ch. Mixte, 17 mai 2013 : *D.* 2013, 1658, note D. Mazeaud ; *Contrats, conc. consom.* 2013, comm. 176, obs. L. Leveneur ; *RDC* 2013, 849, Avis av. gén. L. Le Mesle ; *RTD civ.* 2013, 597, obs. H. Barbier ; *RDC* 2013, 1331, obs. Y.-M. Laithier : *JCP* 2013, 673, note F. Buy et 674, note J.B. Seube.

(67) Cass. 1re civ., 13 nov. 2003 : *D.* 2004, 657 et note I. Najjar. – Cass. 1re civ., 13 nov. 2008, n° 06-12920.

(68) Cass. com., 27 sept. 2013 : *RDC* 2014, 64, obs. J.-B. Seube.

(69) A. Rieg, *Le rôle de la volonté dans l'acte juridique en droit civil français et allemand*, 1961. – Ph. Hebraud, *Rôle respectif de la volonté et des éléments objectifs dans les actes juridiques*, in *Mél. Maury*, t. 2, p. 419.

(70) E. Gounot, *Le principe de l'autonomie de la volonté en droit privé, étude critique de l'individualisme juridique* : thèse Dijon, 1912. – R. Savatier, *Les métamorphoses économiques et sociales du droit civil aujourd'hui*, t. I, 3e éd., *L'éclatement de la notion traditionnelle de contrat*. – V. Ranouil, *L'autonomie de la volonté*, 1980. – J.-P. Chazal, *L'autonomie de la volonté et la « libre recherche scientifique »* : *RDC* 2004, p. 621. – J.-F. Niort, *Le Code civil dans la mêlée politique et sociale. Regards sur deux siècles de lectures d'un symbole national* : *RTD civ.* 2005, p. 257, V. spéc., p. 273 et s. – V. Forray, *Le consensualisme dans la théorie générale du contrat* : LGDJ, coll. « Droit privé », 2007.

consacrer la liberté qui lui appartient « naturellement » (déclaration des Droits de l'homme). Il est aussi le reflet juridique du libéralisme économique, « laisser faire, laisser passer », considéré à cette époque comme le meilleur moyen d'assurer la justice et l'utilité sociale. D'où l'adage bien connu : « qui dit contractuel dit juste »[(71)].

En bref, la volonté est à la fois la source et la mesure des obligations, donc des droits ; et l'homme ne saurait être asservi à des obligations d'une autre source, sous-entendu à des obligations légales, sauf raison majeure (par exemple, obligation de réparer le dommage causé à autrui par une faute).

77. – **Le déclin du principe.** Avec le recul du temps, ce principe quelque peu « rousseauiste » a largement prêté le flanc à la critique. On n'a pas manqué de faire observer que cette glorification de la volonté individuelle risquait de conduire à des excès et que la liberté ne devait pas être considérée comme une fin en soi, mais comme un moyen au service de la justice et de l'utilité sociale. Or, pris au pied de la lettre, le principe de l'autonomie de la volonté peut conduire à l'écrasement du faible par le fort, ce qui est aujourd'hui considéré comme contraire à la justice ; de même il favorise la recherche des activités à forte rentabilité, lesquelles ne sont pas nécessairement conformes à l'utilité sociale.

Le principe de l'autonomie de la volonté a subi une évolution semblable à celle de la doctrine philosophique (individualisme et libéralisme politique et économique) qui en était le soutien ; en dépit des atteintes qui lui ont été portées, il n'en demeure pas moins la ligne directrice – tantôt droite, tantôt brisée, tantôt sinusoïdale –, du droit des contrats.

Toutefois, l'évolution s'est accélérée au cours des dernières années. Spécialement le souci de la défense des consommateurs a conduit le législateur à édicter une réglementation impérative en matière de contrat : interdiction de certaines clauses jugées abusives, obligation d'insérer certaines autres clauses protectrices de l'acheteur, recours à un formalisme qui peut aller jusqu'à un contrat-type imposé par la loi[(72)], etc.

78. – **La volonté contrôlée, fondement du contrat.** Le principe de l'autonomie de la volonté ne permet plus aujourd'hui d'expliquer le droit des contrats, tel qu'il a évolué sous l'effet de la loi et de la jurisprudence.

Cependant, la volonté des parties demeure le fondement du contrat[(73)], à ceci près qu'elle n'est pas souveraine, mais contrôlée. Elle ne joue que dans le cadre des lois qui la réglementent en considération de l'intérêt général et des intérêts légitimes des contractants. C'est ce qu'un auteur appelle le volontarisme social[(74)]. Cela dit, il resterait à s'interroger sur les critères de contrôle de la volonté par la loi.

(71) J.-F. Spitz, *« Qui dit contractuel dit juste » : quelques remarques sur une formule d'Alfred Fouillée : RTD civ.* 2007, p. 281.

(72) M. Armand-Prévost et D. Richard, *Le contrat déstabilisé – De l'autonomie de la volonté au dirigisme contractuel : JCP* 1979, II, 2952. – N. Chardin, *Le contrat de consommation de crédit et l'autonomie de la volonté*, préf. Aubert : LGDJ, 1988.

(73) Toutefois, selon un auteur, l'homme n'aurait pas le pouvoir de s'obliger par le seul effet de sa volonté ; en droit les contrats n'obligeraient que parce que et dans la mesure où la loi l'autorise. C'est ce qu'on appelle la théorie positiviste du contrat (G. Rouhette, *Contribution à l'étude critique de la notion de contrat* : thèse Paris, 1965 ; *La force obligatoire du contrat*, in *Le contrat aujourd'hui : comparaisons franco-anglaises* : LGDJ, 1987 ; *Droit de la consommation et théorie générale du contrat*, in *Mél. Rodière*, 1981, p. 247).

(74) J. Flour, J.-L. Aubert et E. Savaux, *Les obligations, 1. L'acte juridique*, 15e éd., n° 120.

Selon les uns, le législateur devrait mesurer les contrats à l'aune de ce qui est à la fois utile et juste[(75)] ; l'idée est peu contestable, mais on ne saurait toutefois y voir le fondement même du contrat, lequel demeure la volonté. C'est bien en effet la volonté des parties qui est à l'origine de tout engagement contractuel, même si cette volonté ne peut s'exprimer que dans la limite de ce qui est utile et juste. Au demeurant les notions d'utilité et de justice demeurent très vagues et laissent une large place à l'appréciation, pour ne pas dire à l'arbitraire.

D'autres font appel à l'idée de solidarisme contractuel[(76)] : le contrat ne serait plus le résultat de la conciliation des intérêts égoïstes en présence, mais une œuvre de coopération loyale – et même fraternelle – entre des individus unis par des liens de solidarité tissés au sein du groupe social. Idée généreuse en application de laquelle « l'altruisme et l'entraide » deviendraient « des vertus contractuelles majeures », mais idée assez largement utopique qui, même si elle peut trouver un cerain appui auprès de la Cour EDH[(77)], a été démentie par la jurisprudence[(78)].

D'autres encore, faisant appel au droit comparé et plus précisément aux droits de *common law*, suggèrent que le contrat devrait s'interpréter, être contrôlé et s'exécuter par référence aux attentes légitimes des cocontractants, lesquelles sont fonction de l'économie du contrat telle qu'elle a été voulue par les parties[(79)].

En définitive, le rôle primordial revient toujours à la volonté des contractants, mais volonté contrôlée. Cela dit, les idées d'utilité et de justice et, plus généralement, les idées sociales permettent d'expliquer l'évolution qu'ont connue les principes découlant de l'autonomie de la volonté. On le constate au stade tant de la formation que de l'exécution du contrat.

79. – Le rôle de la volonté dans le projet de réforme du droit des contrats. Le projet de réforme du droit des contrats illustre ce compromis entre le rôle majeur conféré à la volonté des parties et la recherche de solutions justes et utiles. Cet esprit de mesure transparaît au travers de nombreuses dispositions.

(75) J. Ghestin, *L'utile et le juste dans les contrats* : *D.* 1982 ; chron. 1. – V. aussi St. Darmaisin, *Le contrat moral* : LGDJ, 2000, préf. B. Teyssié.

(76) Ch. Jamin, *Plaidoyer pour le solidarisme contractuel*, in *Mél. Ghestin*, p. 441. – D. Mazeaud, *Loyauté, solidarité, fraternité : la nouvelle devise contractuelle*, in *Mél. Terré*, p. 603. – C. Thibierge-Guelfucci, *Libres propos sur la transformation du droit des contrats* : *RTD civ.* 1997, 357. – A.-S. Courdier, *Le solidarisme contractuel* : thèse Dijon, 2003. – J. Cedras, *Le solidarisme contractuel en doctrine et devant la Cour de cassation*, in Rapport annuel Cour de cassation 2003, IIe partie, Ėtudes et documents. – D. Mazeaud, *Le nouvel ordre contractuel* : *RDC* 2003, p. 295 ; *Regards positifs et prospectifs sur « le nouveau monde contractuel »* : *LPA* 7 mai 2004, p. 47. – V. aussi, *Le solidarisme contractuel : mythe ou réalité ?* Trav. du colloque de La Rochelle, 3-4 mai 2002, Économica, 2004 (ss dir. L. Grynbaum et M. Nicod). – M. Mignot, *De la solidarité en général, et du solidarisme contractuel en particulier ou Le solidarisme contractuel a-t-il un rapport avec la solidarité ?* : *RRJ* 4/2004, 2153. – C. Boismain, *Les contrats relationnels* : PUAM, 2008, préf. M. Fabre-Magnan. – D. Mazeaud, *La bataille du solidarisme contractuel : du feu, des cendres, des braises...* in *Mél. Hauser* : Dalloz et LexisNexis 2012. – C. Jamin, *Le rendez-vous manqué des civilistes français avec le réalisme juridique, un exercice de lecture comparée* : *Droits* 2010, n° 52, p. 137.

(77) CEDH, 1re sect., 29 janv. 2013, Zolotas c/ Grèce, n° 2 : *RTD civ.* 2013, 336, obs. J.-P. Marguénaud ; *RDC* 2013, 837, obs. J. Rochfeld.

(78) Cass. com., 6 mai 2002 : *Contrats, conc. consom.* oct. 2002, comm. 134, et note L. Leveneur ; *D.* 2002, somm. 2842, obs. D. Mazeaud. – Rappr. Cass. com., 2 juill. 2002 : *D.* 2002, 93 et note D. Mazeaud. – Cass. 1re civ., 30 juin 2004 : *D.* 2005, p. 1828 et note D. Mazeaud. – J. Cedras, *Liberté, égalité, contrat. Le solidarisme contractuel en doctrine et devant la Cour de cassation*, Rapp. C. cass. 2003, p. 215. – Y. Lequette, *Bilan des solidarismes contractuels*, in *Mél. P. Didier* : Économica, 2008. – Y. Lequette, *Retour sur le solidarisme : le rendez-vous manqué des solidaristes français avec la dogmatique juridique*, in *Mél. Hauser* : Dalloz et LexisNexis, 2012, p. 879.

(79) P. Lokiec, *Le droit des contrats et la protection des attentes* : *D.* 2007, chron. p. 321.

Dans le sens d'une approche libérale, le projet consacre le pouvoir de la volonté des contractants, qu'il s'agisse :

• de donner effet à l'accord de volonté : en ce sens, cet accord constitue la source du contrat (art. 1), le principe du consensualisme est consacré (art. 79, al. 1) ;

• de protéger la volonté individuelle : le projet de réforme énonce explicitement le principe de la liberté contractuelle (art. 2) et écarte l'application des conditions générales dans certaines hypothèses (art. 20), la liberté de rompre les négociations est affirmée (art. 11), des délais de réflexion et de rétractation sont aménagés (art. 23), l'accord du contractant cédé conditionne le transfert du contrat et la libération du cédant (art. 244) ;

• de donner effet à la volonté unilatérale : dans la fixation de l'objet (art. 71) ou dans la rupture du contrat (art. 134).

Cependant, le projet de réforme atteste également d'une approche plus sociale et promeuvent la recherche :

• de solutions justes : l'exigence de bonne foi dans la formation et dans l'exécution du contrat (art. 3), obligation de renégocier le contrat dans certaines circonstances (art. 104), mise à l'écart des clauses créant un déséquilibre significatif ou inconciliables avec l'obligation essentielle (art. 77) ;

• et de solutions utiles : le projet de réforme reconnait par exemple le droit de rompre unilatéralement le contrat en cas de manquement grave du cocontractant (art. 134), et il permet d'échapper à la nullité du contrat pour erreur en permettant au cocontractant de proposer l'exécution du contrat dans les termes envisagés par la victime de l'erreur lors de sa conclusion (art. 91, al. 2), etc.

80. - Volonté contractuelle et droit européen des contrats. Les idées de justice et d'équilibre contractuels irriguent pareillement tant les Principes du droit européen du contrat ou l'avant-projet de Code européen de l'Académie de Pavie que les Principes Unidroit. La liberté contractuelle est certes consacrée et la volonté demeure le fondement du contrat(80), mais la philosophie contractuelle de ces textes n'est pas insensible à un certain altruisme(81). La bonne foi, tout d'abord, est érigée au rang de devoir général(82), de règle impérative dirigeant les comportements des parties à chaque étape de la vie du contrat. Par ailleurs, ces divers corpus se réfèrent à des notions standard qui connaissent aujourd'hui un certain succès en droit français(83) telles que le raisonnable, la loyauté, la collaboration, la correction, la cohérence. Ainsi, on citera pêle-mêle l'obligation de minimiser le préjudice subi du fait d'une obligation contractuelle(84), l'admission de la révision pour imprévision et la généralisation de l'obligation de renégocier le contrat(85) et de la lésion(86) comme autant de manifestations de la prise en considération d'un idéal d'équilibre, de pro-

(80) Projet de Pavie, art. 1 et 2 ; PDEC, art. 1.102 ; Unidroit, art. 1.1.

(81) D. Mazeaud parle de « droit vertueux », *La commission Lando : le point de vue d'un juriste français*, in *L'harmonisation du droit des contrats en Europe*, ss dir. C. Jamin et D. Mazeaud : Économica, 2001, p. 147.

(82) PDEC, art. 1.201 ; Unidroit, art. 1.7 qui se réfère au concept plus restrictif de la bonne foi dans le commerce international.

(83) H. Lemaire, *Droit français et principes du droit européen du contrat* : *LPA* 7 mai 2004, p. 38.

(84) PDEC, art. 9.505 ; Unidroit, art. 7.4 ; projet de Pavie, art. 167. La Cour de cassation refuse toujours de consacrer une telle obligation. – V. Cass. 2e civ., 19 juin 2003 : *LPA* 17 oct. 2003, p. 16, obs. S. Reifegerste. – V. *infra*, nos 771 et 772.

(85) PDEC, art. 6.111 ; Unidroit, art. 6.2.1 et s.

(86) PDEC, art. 4.109 ; Unidroit, art. 3.2.7.

portionnalité et d'une certaine éthique contractuelle, limitant, contrôlant parfois, le pouvoir de la volonté.

A. – Au stade de la formation du contrat

81. – **L'évolution du principe du consensualisme.** La toute-puissance de la volonté a conduit à affirmer que cette volonté suffisait pour conclure le contrat et que tout formalisme serait superflu : c'est le principe du consensualisme suivant lequel l'accord de volontés se suffit à lui-même sans avoir besoin d'être conforté par le respect de certaines formes. Ce principe est rappelé à l'article 79 du projet de réforme : « Le contrat est parfait par le seul échange des consentements des parties ».

Or, en dépit de la solennité de ce rappel, on constate en pratique une renaissance du formalisme sous deux aspects[87].

D'une part se développe un formalisme direct. De plus en plus de contrats sont soumis à la forme écrite, à peine de nullité, par exemple, la vente d'immeuble à construire, le bail, etc. Parfois, notamment dans les contrats de consommation, la loi impose certaines mentions obligatoires ou l'adoption de certaines formules, ce qui sous-entend que le contrat doit être établi par écrit et comprendre ces mentions à peine de nullité.

D'autre part, on assiste parallèlement à un développement du *formalisme indirect*, c'est-à-dire d'un formalisme qui n'est pas prescrit à peine de nullité et qui poursuit des fins particulières : par exemple, un écrit sera établi en vue de la preuve, ou pour satisfaire ensuite à des règles de publicité (en matière immobilière, qui conditionnent l'opposabilité du contrat aux tiers) ou à la formalité de l'enregistrement.

82. – **L'évolution du principe de la liberté contractuelle**[88]. La première manifestation de l'autonomie de la volonté est d'abord la *liberté de contracter ou de ne pas contracter*. On ne sera donc pas surpris de voir cette liberté proclamée dans le projet de réforme du droit des contrats : « Chacun est libre de contracter ou de ne pas contracter, de choisir son cocontractant et de déterminer le contenu et la forme du contrat dans les limites fixées par la loi » (art. 2). Mais cette liberté se trouve aujourd'hui battue en brèche. Tantôt c'est par des mécanismes de droit public qu'on se verra contraint sinon de contracter au sens vrai du terme, tout au moins de céder : par exemple, en cas d'expropriation, de remembrement, etc. Tantôt, et en restant au sein du droit privé, la loi oblige à contracter : obligation d'assurance instaurée dans des domaines de plus en plus nombreux (véhicules à moteur, chasse, construction), obligation de vendre (C. consom., art. L. 122-1) ou

(87) J. Flour, *Quelques remarques sur l'évolution du formalisme*, in *Mél. Ripert*, t. I, p. 92. – A. Piedelièvre, *Les transformations du formalisme dans les obligations civiles* : thèse Paris, 1959. – J. Mestre, *L'approche par le juge du formalisme légal* : *RTD civ.* 1988, 329. – X. Lagarde, *Observations critiques sur la renaissance du formalisme* : *JCP* 1999, I, 170. – G. Couturier, *Les finalités et les sanctions du formalisme* : *Defrénois* 2000, 1, 880, art. 37209. – P. Catala, *Le formalisme et les nouvelles technologies* : *Defrénois* 2000, 1, 897, art. 37210. – Y. Flour et A. Ghozi, *Les conventions sur la forme* : *Defrénois* 2000, 1, 911, art. 37211. – J.-L. Aubert, *Le formalisme (rapport de synthèse)* : *Defrénois* 2000, 1, 931, art. 37213. – I. Dauriac, *Forme, preuve et protection du consentement*, in *Mél. Gobert* : Économica, 2004, p. 403. – L. Grynbaum, *La querelle des images (pour la liberté de la preuve des contrats et... le renforcement du formalisme)*, in *Mél. Gobert* : Économica, 2004, p. 427.

(88) Sur le point de savoir s'il s'agit d'un principe constitutionnel, V. F. Moderne, *La liberté contractuelle est-elle vraiment et pleinement constitutionnelle ?* : *RFDA* 2006, p. 2.

de vendre à telle personne par préférence aux autres (droit de préemption du locataire), ou de louer (droit au renouvellement du bail), etc.[89]

De même, la liberté contractuelle emporte la *liberté de choisir son cocontractant et de déterminer le contenu du contrat*. Là encore, cette liberté est proclamée dans l'article 2 du projet de réforme, mais il y est prudemment précisé une limite qui remplace l'article 6 du Code civil : « Toutefois la liberté contractuelle ne permet pas de déroger aux règles qui intéressent l'ordre public, ou de porter atteinte aux droits et libertés fondamentaux reconnus dans un texte applicable aux personnes privées, à moins que cette atteinte soit indispensable à la protection d'intérêts légitimes et proportionnés au but recherché [90]. Cette liberté était bien réelle en 1804, époque où peu de contrats étaient réglementés par le Code civil, et encore l'étaient-ils seulement de manière supplétive. Depuis lors, il y a eu un renversement complet de tendance : désormais, de très nombreux contrats sont réglementés par la loi (contrats d'assurance, de louage, de travail, de construction, etc.) et surtout ils le sont très souvent de manière impérative dans un but de protection de la partie réputée la plus faible, le salarié, le locataire, l'accédant à la propriété, le consommateur, etc. Par ailleurs, et plus généralement, la liberté contractuelle se restreint chaque jour davantage par suite de l'élargissement constant de la notion d'ordre public, spécialement en matière économique et sociale[91] ; la réglementation des clauses abusives en est un exemple frappant (V. *infra*, n°s 331 et s.).

Enfin, bien souvent, les parties n'usent pas de la liberté qui leur est offerte de composer leur contrat. Par facilité elles adoptent purement et simplement un contrat-type ou un modèle contractuel établi par des professionnels, et dont elles remplissent les blancs[92].

Quant à la liberté de choisir son cocontractant, elle est aujourd'hui combattue au nom du principe de non-discrimination inscrit à l'article 14 de la Convention européenne des droits de l'homme. Ce principe ne s'applique pas seulement à la jouissance des droits et libertés visés au texte. Il déborde sur le droit des contrats et il interdit toute discrimination « fondée notamment sur le sexe, la race, la couleur, la langue, la religion, les opinions politiques ou toutes autres opinions, l'origine nationale ou sociale, l'appartenance à une minorité nationale, la fortune, la naissance ou toute autre situation ». Le droit français en fait ainsi application en matière de contrat de travail, mais aussi en matière de bail. Il n'est donc plus tout à fait exact de proclamer que chacun est libre de choisir son cocontractant.

(89) L. Josserand, *Le contrat forcé et le contrat légal* : *D.* 1940, chron. 1. – P. Durand, *La contrainte légale dans la formation du rapport contractuel* : *RTD civ.* 1944, p. 73. – R. Morel, *Le contrat imposé*, in *Mél. Ripert*, t. II, p. 116. – J.-Ch. Serna, *Le refus de contracter*, 1967.

(90) C. Péres, *La liberté contractuelle et l'ordre public dans le projet de réforme du droit des contrats de la Chancellerie* : *D.* 2009, chron. p. 381.

(91) Ph. Malaurie, *L'ordre public et le contrat*, 1952. – G. Ripert, *L'ordre économique et la liberté contractuelle*, in *Mél. Gény*, t. II, p. 347. – G. Farjat, *L'ordre public économique* : LGDJ, 1963. – M. Vasseur, *Un nouvel essor du concept contractuel. Les aspects juridiques de l'économie concertée et contractuelle* : *RTD civ.* 1964, p. 4. – R. Savatier, *L'ordre public économique* : *D.* 1965, chron. 37. – G. Couturier, *L'ordre public de protection, heurs et malheurs d'une vieille notion neuve*, in *Études Flour*, p. 95.

(92) M.-S. Zaki, *Le formalisme conventionnel : illustration de la notion de contrat-cadre* : *RID comp.* 1986, 1043. – P. Catala, *L'informatique et l'évolution des modèles contractuels* : *JCP* 1993, I, 3687.

En revanche, le principe de l'autonomie de la volonté retrouve sa force lorsqu'il s'agit d'interpréter le contrat. La loi invite alors le juge à rechercher quelle a été « la commune intention des parties », c'est-à-dire la volonté interne des cocontractants, « plutôt que de s'arrêter au sens littéral des termes » (C. civ., art. 1156, repris dans l'article 96 du projet de réforme). Et la Cour de cassation n'hésite pas à censurer les juges du fond qui, sous couvert d'interprétation, auraient refait le contrat en dénaturant des clauses claires et précises (solution consacrée dans l'article 97 du projet de réforme). Cela dit, lorsque la recherche de la volonté des parties apparaît trop aléatoire, le juge l'interprétera en fonction de *l'utilité sociale* (V. *infra*, n°s 426 et s.). Réapparaissent ainsi l'utile et le juste, sous couvert d'une lecture nouvelle de l'article 1135 du Code civil suivant lequel « les conventions obligent non seulement à ce qui y est exprimé, mais encore à toutes les suites que l'équité, l'usage ou la loi donnent à l'obligation d'après sa nature »[(93)], formule reprise à l'identique par l'article 103 du projet de réforme.

B. – Au stade de l'exécution du contrat

83. – **L'évolution du principe de l'effet relatif du contrat.** Ce principe est posé par l'article 1165 du Code civil : « Les conventions n'ont d'effet qu'entre les parties contractantes ; elles ne nuisent point au tiers, et elles ne lui profitent que dans le cas prévu par l'article 1121 ». En bref, on ne peut être engagé que par sa propre volonté, pas par celle des autres ; il en résulte tout naturellement que, n'ayant rien voulu, les tiers à un contrat ne peuvent en principe se retrouver ni créanciers, ni débiteurs, par suite de ce contrat. C'est ce que rappelle l'article 108 du projet de réforme : « Le contrat ne crée d'obligation qu'entre les parties contractantes. Les tiers ne peuvent ni demander l'exécution du contrat, ni se voir contraints de l'exécuter, sous réserve des dispositions de la présente section ».

Sans être remis en question, le principe doit néanmoins être nuancé dans sa formulation pour tenir compte de la jurisprudence qui admet certains tempéraments à l'effet relatif (V. *infra*, n°s 456 et s.). Ainsi on s'accorde à considérer que les contrats sont opposables aux tiers en tant que faits, ce qui entraîne certaines conséquences de droit. Prenant acte de cette jurisprudence, l'article 109 du projet de réforme stipule que « les tiers doivent respecter la situation juridique créée par le contrat. Ils peuvent s'en prévaloir notamment pour rapporter la preuve d'un fait ». De même, la jurisprudence fait partiellement échec à la relativité dans les contrats en chaîne, en admettant la transmission de l'action contractuelle en garantie aux acquéreurs successifs d'une chose ; elle l'a toutefois écartée à propos de l'action du maître de l'ouvrage contre le sous-traitant[(94)].

84. – **L'évolution du principe de l'effet obligatoire du contrat.** Ce principe résulte de l'article 1134 du Code civil : « Les conventions légalement formées tiennent lieu de loi à ceux qui les ont faites. » Cette superbe formule a été reprise

(93) C. Mouly-Guillemaud, *Retour sur l'article 1135 du Code civil. Une nouvelle source du contenu contractuel* : LGDJ, coll. « Droit privé », 2006.

(94) Cass. ass. plén., 12 juill. 1991, *Besse* : *JCP* 1991, II, 21743, obs. G. Viney ; *D.* 1991, 549 et note J. Ghestin ; *Defrénois* 1991, 1, 1301 et note J.-L. Aubert.

dans le projet de réforme, le terme de contrat étant substitué à celui de convention (art. 102). De ce texte, qui pose la règle de *l'effet obligatoire du contrat* pour les parties, on a déduit l'impossibilité pour le juge de réviser les contrats car ce serait porter atteinte à la loi des parties, à ce qui a été librement consenti.

Si la jurisprudence a effectivement tiré jadis de ce texte la règle de *l'intangibilité du contrat*, c'est peut-être par suite d'une lecture inexacte de l'article 1134. En effet, comme le soulignent certains auteurs, il ne faut pas tirer de la formule du texte « les conventions (...) tiennent lieu de loi » que le contrat serait l'équivalent d'une loi(95).

Quel que soit le sens originaire de l'article 1134, la règle de l'intangibilité du contrat est aujourd'hui sérieusement mise à mal.

Tantôt la loi y fait échec, soit en permettant aux parties de se dédire (faculté de rétractation ouverte dans un certain délai, dit délai de repentir), soit en révisant directement certains contrats, par exemple, les rentes viagères.

Tantôt le juge se voit octroyer un pouvoir modérateur, par exemple, pour accorder des délais ou pour modifier le montant d'une clause pénale et plus largement encore en cas de surendettement des ménages pour réduire ou même annuler les dettes. Il arrive même que, en dehors de toute permission de la loi, le juge, saisi par un débiteur malheureux, tente de modifier dans le sens de l'équité la portée d'un contrat, sous prétexte d'interprétation.

Allant bien au-delà de cette jurisprudence le projet de réforme (art. 104) organise une faculté de renégociation pour le cas où « un changement de circonstances imprévisible lors de la conclusion du contrat rend l'exécution excessivement onéreuse pour une partie qui n'avait pas accepté d'en assumer le risque. »

85. - **Conclusion : vers un renouveau du rôle de la volonté dans les contrats.** On remarquera que, parmi les interventions du législateur, nombre d'entre elles ont pour objet de rétablir l'équilibre entre les parties en présence, par exemple de protéger le consommateur contre les professionnels.

Ces interventions vont clairement à l'encontre de la volonté des uns, les professionnels, et elles empêchent la conclusion d'un contrat à un niveau qui aurait été déséquilibré. Mais corrélativement elles viennent au secours de la volonté des autres, les consommateurs, volonté qui autrement ne serait pas libre. Et finalement l'accord de volontés qui réalise le contrat va s'établir à un niveau plus équilibré, plus juste. C'est ce que consacre le projet de réforme lorsqu'il décide de manière générale qu'« une clause qui crée un déséquilibre significatif entre les droits et obligations des parties au contrat peut être supprimée par le juge à la demande du contractant au détriment duquel elle est stipulée » (art. 77). Au total, le droit d'aujourd'hui ne récuse pas le rôle de la volonté ; il libère la volonté du plus faible des contraintes qui pesaient sur elle de telle sorte que le contrat ne soit pas l'expression de la volonté d'un seul, le plus puissant(96).

---

(95) J.-P. Chazal, *De la signification du mot loi dans l'article 1134 alinéa 1er du Code civil* : *RTD civ.* 2001, 265. – Ch. Jamin, *Une brève histoire politique des interprétations de l'article 1134 du Code civil* : D. 2002, doctr. 901.

(96) C. Noblot, *La qualité du contractant comme critère légal de protection. Essai de méthodologie législative* : LGDJ, 2002. – F. Limbach, *Le consentement contractuel à l'épreuve des conditions générales* : LGDJ, 2004.

C'est ainsi que s'est établi, en parallèle du droit des obligations puisqu'il figure dans le Code de la consommation, un droit des contrats de consommation qui se manifeste :

• par un certain *formalisme*, par exemple des mentions obligatoires tendant à l'information du consommateur ;

• par une réglementation du *contenu du contrat*, de manière à instituer certaines garanties minimales au consommateur et à écarter les dispositions abusives que le professionnel voudrait lui imposer ;

• par un aménagement des modalités de *conclusion du contrat*, en ménageant au consommateur soit un délai de réflexion, soit une faculté de rétractation dans un certain délai, ce qui perturbe les règles qui président à la force obligatoire du contrat.

Outre cette législation spécifique au consommateur, le législateur a également mis en place des dispositifs de protection d'autres catégories de personnes : les salariés, les locataires, etc.

On en vient aujourd'hui à se demander si ce droit spécial en voie d'extension, qui perturbe la belle ordonnance du droit des obligations, ne sera pas appelé à devenir un jour, au moins pour partie, le nouveau droit commun des obligations(97). La question s'est récemment posée à l'occasion de la transposition de la directive du 25 mai 1999 relative à la garantie dans la vente des biens de consommation dont on s'est demandé s'il fallait la transposer *a minima* dans le Code de la consommation, ou bien la transposer dans le Code civil en modifiant en conséquence les règles relatives à la garantie dans les ventes en général(98) (V. *supra*, n° 48). C'est finalement la solution d'une transposition *a minima* qui a été retenue par l'ordonnance n° 2005-136 du 17 février 2005(99).

La question de l'harmonisation du droit de la consommation et du droit commun des contrats pourrait donc se poser à l'occasion de la réforme du droit des contrats(100) (V. *infra*, n° 244). Mais on pourrait aussi fort bien concevoir que ces deux pans du droit vivent simplement en parallèle, le Code de la consommation régissant les rapports entre les professionnels et les consommateurs, et le Code civil représentant le droit commun des contrats entre professionnels d'une part, et entre particuliers d'autre part.

Sans aller jusqu'à l'harmonisation, on remarquera que le projet de réforme étend à tous les contractants, et non pas aux seuls consommateurs, la faculté de

(97) J. Calais-Auloy, *L'influence du droit de la consommation sur le droit civil des contrats* : *RTD civ.* 1994, 239. – N. Sauphanor, *L'influence du droit de la consommation sur le système juridique*, préf. J. Ghestin : LGDJ, coll. « Droit privé », 2000, t. 326. – N. Rzepecki, *Droit de la consommation et théorie générale du contrat*, préf. G. Wiederkehr : PUAM, 2001, chron. p. 2883.

(98) G. Paisant et L. Leveneur, *Quelle transposition pour la directive du 25 mai 1999 sur les garanties dans la vente de biens de consommation ?* : *JCP* 2002, I, 135. – G. Viney, *Quel domaine assigner à la loi de transposition de la directive européenne sur la vente ?* : *JCP* 2002, I, 158. – O. Tournafond, *De la transposition de la directive du 25 mai 1999 à la réforme du Code civil* : *D.* 2002, chron. p. 2883. – D. Mainguy, *Propos dissidents sur la transposition de la directive du 25 mai 1999 sur certains aspects de la vente et des garanties des biens de consommation* : *JCP* 2002, I, 183. – G. Viney, *Retour sur la transposition de la directive du 25 mai 1999* : *D.* 2002, chron. p. 3612.

(99) C. Rondey, *Garantie de la conformité d'un bien au contrat : la directive du 25 mai 1999 enfin transposée !* : *D.* 2005, Le point sur..., p. 562. – B. Fages, *Un nouveau droit applicable à la vente de biens de consommation* : *Rev. Lamy dr. civ.* mai 2005, p. 5. – Ph. Malinvaud, *Retour sur une réforme du régime de la garantie dans la vente et sur la transposition de la directive du 25 mai 1999*, in *Études G. Viney* : LGDJ, 2008, p. 669.

(100) En ce sens, G. Paisant, *Le Code de la consommation et l'avant-projet de réforme du droit des obligations – Quelle influence et quelle harmonisation ?* : *JCP* 2006, act. 429.

demander au juge la suppression d'une clause créant un déséquilibre significatif entre les droits et obligations réciproques des parties (art. 77).

86. – **Plan.** Le rôle de la volonté s'exerce tant au stade de la conclusion (chapitre 1) qu'à celui de l'exécution du contrat (chapitre 2) et il se manifeste par un certain nombre de règles générales(101). On rappellera que, outre ces règles générales applicables à tous les contrats, quels qu'ils soient, existent pour chaque contrat (vente, louage, etc.) des règles particulières qui ne seront pas envisagées ici, sinon de manière allusive.

(101) O. Penin, *La distinction de la formation et de l'exécution du contrat. Contribution à l'étude du contrat acte de prévision* : LGDJ, Droit Privé, t. 585, préf. Y. Lequette.

CHAPITRE 1

LA CONCLUSION DU CONTRAT

87. – **Le contrat vu sous l'angle pratique.** On définit généralement le contrat comme un acte juridique conventionnel générateur d'obligations et permettant le transfert des droits réels. En revanche, le projet de réforme le définit de manière sensiblement différente comme étant « un accord de volontés entre deux ou plusieurs personnes destiné à créer des effets de droit » (art. 1) ; cette différence tient peut-être à ce que le projet assimile convention et contrat et définit ici la convention, non le contrat.

Au plan pratique, le contrat recouvre des réalités très diverses. On peut citer, dans un ordre croissant de complexité :

- les contrats de la vie quotidienne qui se réalisent de manière instantanée, par exemple acheter des fournitures dans un magasin (contrat de vente), prendre le train, le métro ou l'autobus sans omettre de payer le billet (contrat de transport) ;
- les contrats plus importants par leur montant, qui appellent une plus longue réflexion et qui nécessitent souvent l'accomplissement de formalités diverses, comme l'achat d'un appartement (contrat de vente), souvent assorti d'un crédit (contrat de prêt), ou le contrat de mariage ;
- les contrats, parfois très importants et très complexes, que passent souvent les entreprises et qui seront le fruit d'une longue négociation : par exemple contrat de construction d'Eurodisney (contrat d'entreprise ou de louage d'ouvrage), commande à un chantier naval d'un pétrolier ou d'un navire de croisière, commande d'une cinquantaine d'Airbus par une compagnie aérienne ou par une société de location, etc.

On comprend aisément que, suivant son importance, le contrat se réalisera en une fraction de temps ou, au contraire, que le processus de négociation et formation du contrat s'étendra sur plusieurs jours, plusieurs semaines ou plusieurs mois. Tantôt il n'y aura aucun « papier » (sinon un ticket de caisse), et aucune formalité ; tantôt, à l'inverse, outre le temps nécessaire à la négociation et à une éventuelle mise en concurrence, il faudra réunir des autorisations diverses, formaliser le contrat par un document écrit, procéder le cas échéant à l'enregistrement de l'acte, et/ou à une publicité, etc. S'il est procédé à la rédaction d'un contrat, la clarté est une exigence impérieuse qui permettra d'éviter bien des désagréments dans l'exécution du contrat[1].

(1) G. Chantepie, *L'exigence de clarté dans la rédaction du contrat* : *RDC* 2012, 989.

Malgré cette diversité, les contrats sont tous soumis aux mêmes conditions de base, à ceci près que, pour certains s'ajoutent des formalités supplémentaires.

88. – **Les conditions de formation des contrats.** Bien que le droit français ne soit pas spécialement pointilleux, il exige la réunion d'un certain nombre de conditions pour que le contrat soit à l'abri de toute critique. Que l'une ou l'autre de ces conditions manque, et la convention sera affectée d'une précarité incompatible avec la sécurité du commerce : pendant un délai de cinq ans (C. civ., art. 1304 pour les cas de *nullité relative* et C. civ., art. 2224 pour les cas de *nullité absolue*), le contrat conclu pourra être anéanti par la voie d'une *action en nullité* ; mieux encore, le débiteur pourra toujours refuser l'exécution d'un tel contrat en invoquant l'*exception de nullité*.

Sans doute, il arrive que des contrats annulables ne soient jamais critiqués : ils reçoivent alors leur pleine exécution et ne sont plus critiquables à l'expiration du délai de prescription. Mais même dans cette hypothèse la plus favorable, l'incertitude qui pèse sur la bonne fin du contrat n'est pas tolérable dans la vie des affaires. D'où l'intérêt qui s'attache à ce que soient respectées les conditions de formation du contrat.

Dans les faits, ces conditions se trouvent le plus souvent remplies parce que leur observation spontanée correspond au sens commun et à une diligence normale. Les actions en nullité sont, en définitive, peu fréquentes ; cette constatation est rassurante et permet d'affronter avec sérénité l'apparente complexité des conditions de formation du contrat.

La connaissance de ces conditions présente un double intérêt pratique :

- *a priori*, pour éviter d'introduire une cause de nullité dans la conclusion d'un contrat qu'on a la charge d'établir ;
- *a posteriori*, pour découvrir une cause de nullité dans un contrat qu'on souhaiterait faire annuler.

L'article 1108 du Code civil de 1804 énumère quatre conditions :

Art. 1108. – Quatre conditions sont essentielles pour la validité d'une convention :
Le consentement de la partie qui s'oblige ;
Sa capacité de contracter ;
Un objet certain qui forme la matière de l'engagement ;
Une cause licite dans l'obligation.

À cela, on peut ajouter la conformité à l'ordre public et aux bonnes mœurs édictée par l'article 6 du Code civil.

Art. 6. – On ne peut déroger, par des conventions particulières, aux lois qui intéressent l'ordre public et les bonnes mœurs.

Enfin, à côté de ces conditions exigées à peine de nullité, d'autres existent qui sont tout aussi importantes en pratique, même si elles ne sont pas toujours sanctionnées par la nullité ; elles sont relatives, les unes au pouvoir de contracter pour autrui, les autres à la forme du contrat.

Ces quatre mêmes conditions se retrouvaient, en des termes voisins, dans le Projet Catala (art. 1108). Il en va différemment du projet de réforme qui retient seulement trois conditions de validité (art. 35) :

- le consentement des parties ;
- leur capacité de contracter ;
- un contenu licite et certain.

Apparemment l'objet et la cause ont disparu. Mais ce n'est qu'une apparence en ce qui concerne l'objet, qui se trouve englobé dans le « contenu licite et certain ». En revanche la cause a effectivement disparu, mais la fonction qu'elle remplissait est désormais dévolue à d'autres mécanismes.

De même, si l'article 6 du code civil relatif à l'ordre public et aux bonnes moeurs est abandonné, il se trouve remplacé par l'article 2, alinéa 2, du projet qui décide que « la liberté contractuelle ne permet pas de déroger aux règles qui intéressent l'ordre public... » et par l'article 69 aux termes duquel « le contrat ne peut déroger à l'ordre public ni par son contenu, ni par son but... ».

Enfin, à coté de la condition de capacité le projet de réforme traite de la représentation (art. 60 et s.) et des règles de forme (art. 79 et s.).

89. – **Plan.** Ces diverses conditions seront étudiées dans une première section. Dans un souci de clarté, elles seront regroupées de la manière suivante : la capacité et les pouvoirs ; le consentement des parties ; le contenu du contrat (objet, cause, conformité à l'ordre public et aux bonnes mœurs) ; la forme du contrat. Cette présentation correspond à peu près à l'ordre chronologique dans lequel ces difficultés se présentent dans la conclusion d'un contrat.

Quant à l'annulation du contrat, qui est la sanction de ces conditions, son étude sera faite dans une seconde section.

SECTION 1

LES CONDITIONS DE FORMATION DU CONTRAT

SOUS-SECTION 1

LA CAPACITÉ ET LE POUVOIR

90. – **Distinction entre capacité et pouvoir**[2]. La question de la capacité se pose dans le cas, qui est le cas général, où une personne agit pour son propre compte : a-t-elle la capacité d'accomplir tel acte ? La question du pouvoir n'apparaît que dans le cas où une personne agit pour le compte d'autrui : a-t-elle le pouvoir de *représenter* telle autre personne pour accomplir tel acte ?

Lorsqu'on agit pour soi-même, il est nécessaire d'avoir la capacité exigée pour accomplir l'acte envisagé. Il n'est pas question de traiter ici la capacité en tant que telle, qui est traditionnellement enseignée dans le cours de droit des personnes et de la famille, mais seulement sous l'angle limité d'une condition de validité du contrat, donc d'une indispensable vérification de la capacité de ceux avec qui on se propose de contracter. Le défaut de capacité de l'une des parties permettrait en effet à celle-ci d'exercer, suivant les cas, soit *l'action en nullité* (C. civ., art. 1124 et 1304), soit *l'action en rescision pour lésion* (C. civ., art. 1305 et 1313).

(2) E. Gaillard, *La notion de pouvoir en droit privé* : thèse Paris II, 1981. – P. Lokiec, *Contrat et pouvoir. Essai sur les transformations du droit privé des rapports contractuels* : LGDJ, 2004. – J. Hauser et G. Wicker, *Validité – Capacité et pouvoir*, in *Avant-projet de réforme du droit des obligations et de la prescription, Exposé des motifs* : La Documentation française, 2006, p. 33.

Lorsque l'un des cocontractants traite, non pas en son nom et pour son propre compte, mais pour le compte d'autrui, il doit avoir le pouvoir de représenter cette autre personne, qu'il s'agisse d'une personne physique ou d'une personne morale. À défaut, le contrat ainsi conclu n'engagerait pas la personne prétendument représentée ; il lui serait *inopposable*(3).

§ 1. – La capacité de contracter

91. – **Le principe de la capacité**(4). La capacité est la règle, l'incapacité l'exception. Tel est le sens de l'article 1123 du Code civil, suivant lequel « toute personne peut contracter si elle n'en est pas déclarée incapable par la loi. »

Art. 1123. – Toute personne peut contracter, si elle n'en est pas déclarée incapable par la loi.

Art. 1124. – Sont incapables de contracter, dans la mesure définie par la loi :

Les mineurs non émancipés ;

Les majeurs protégés au sens de l'article 488 du présent code.

Art. 414. – La majorité est fixée à dix-huit ans accomplis ; à cet âge, chacun est capable d'exercer les droits dont il a la jouissance.

Art. 415. – Les personnes majeures reçoivent la protection de leur personne et de leurs biens que leur état ou leur situation rend nécessaire selon les modalités prévues au présent titre.

Seule la loi peut donc déclarer une personne *incapable*, soit de manière générale, soit pour tel ou tel acte. À cet égard, on distingue classiquement entre deux types d'incapacités :

- les *incapacités de jouissance*, qui tendent à priver certaines personnes de certains droits ;
- les *incapacités d'exercice*, qui tendent seulement à restreindre la faculté de certaines personnes d'exercer seules, ou sans autorisation, les droits dont elles jouissent.

Ainsi, à la différence des incapables de jouissance auxquels certains droits sont retirés, les incapables d'exercice disposent des mêmes droits qu'une personne capable, mais ils ne peuvent pas les exercer librement.

S'inspirant de l'article 1123 du Code civil, le projet de réforme pose en principe que « toute personne physique peut contracter, si elle n'en est pas déclarée incapable par la loi » (art. 52) et il reprend dans des termes identiques la liste des incapables de contracter de l'article 1124 (art. 53).

La matière des incapacités a été profondément remaniée par la loi n° 2007-308 du 5 mars 2007 portant réforme de la protection juridique des majeurs. Au plan de la terminologie le terme *incapable*, qui apparaissait péjoratif, a été remplacé par la formule *personne protégée*. Quant au fond, la loi, qui nécessitait de nombreux textes d'application, n'est devenue applicable que le 1er janvier 2009. Elle n'affecte que peu les solutions actuelles relatives au sort des actes irrégulièrement accomplis par la personne protégée(5).

(3) Bastian, *Essai d'une théorie générale de l'inopposabilité* : thèse Paris, 1929. – R. Roblot, *Applications et fonctions de la notion d'inopposabilité en droit commercial*, in *Mél. Voirin*, p. 710. – R. Carli, *L'insécurité tenant à la relativité d'une nullité ou d'une inopposabilité* : RTD com. 1993, 255.

(4) S. Godelain, *La capacité dans les contrats*, préf. M. Fabre-Magnan et A. Supiot : LGDJ, 2007.

(5) Th. Fossier, *La réforme de la protection des majeurs. Guide de lecture de la loi du 5 mars 2007* : JCP 2007, I, 118. – Ph. Malaurie, *La réforme de la protection juridique des majeurs* : Defrénois 2007, 1, 557, art. 38569 ; *Le statut des majeurs protégés après la loi du 5 mars 2007*, colloque Caen, 20-21 mars 2008 : JCP N 2008, 1266. – Th. Fossier, *Actes de gestion du patrimoine des personnes protégées (D. n° 2008-1484 du 22 déc. 2008)* : JCP 2009, act. 20.

A. – Les incapacités de jouissance

92. - **Fondement.** Ainsi que le rappelle l'article 1116 du Projet Catala, la capacité de jouissance est « l'aptitude à être titulaire d'un droit ». On dira donc qu'il y a incapacité de jouissance lorsqu'une personne est privée du droit d'accomplir tel acte, de conclure tel contrat(6).

Les incapacités de jouissance sont toujours *spéciales*, en ce sens qu'elles visent un acte déterminé, et non pas tous les actes. Elles ne sont jamais *générales*. Sinon, cela aboutirait à priver une personne du droit de contracter, ce qui serait la négation de la personnalité juridique qui appartient de droit à toute personne physique ; c'était jadis le cas des esclaves.

Ces incapacités s'expliquent par une idée de méfiance : la loi craint que, pour tel contrat déterminé, telle personne abuse de sa position privilégiée au détriment de son cocontractant ou, tout simplement, de l'ordre public. De telles incapacités frappent tant les personnes physiques que les personnes morales.

93. - **Les personnes physiques.** En ce qui concerne les personnes physiques, les incapacités de jouissance tiennent aux rapports de dépendance dans lesquels se trouvent certaines personnes. La loi se méfie de celui qui est en position dominante et protège celui qui est en position de faiblesse.

Ainsi, les *libéralités* sont interdites au profit de certaines personnes qui, à raison de leurs fonctions, ont un ascendant sur l'auteur de la libéralité. Par exemple, le mineur devenu majeur ne peut pas disposer, par donation ou par testament, au profit de son ancien tuteur tant que le compte de tutelle n'a pas été apuré (art. 907). De même, un mourant ne peut disposer au profit du personnel médical qui lui aura prodigué des soins (art. 909). De même encore, mais pour des raisons d'ordre public, les libéralités « au profit des établissements de santé, des établissements sociaux et médico-sociaux, des pauvres d'une commune ou d'établissement d'utilité publique » sont subordonnées à une autorisation administrative (art. 910). En revanche une telle incapacité ne peut être instituée par un contrat(7).

Sont également interdites certaines *ventes :* celles faites par les pensionnaires agées au personnel des établissements les hébergeant ou leur dispensant des soins psychiatriques (art. 1125-1, repris dans l'article 59-1 du projet de réforme), celles portant sur des biens de l'incapable et faites à son tuteur (art. 509), ou au mandataire chargé de vendre le bien du mandant (art. 1596).

Afin d'éviter que ces interdictions ne soient trop aisément tournées, elles s'étendent généralement aux proches parents du bénéficiaire ; on dit qu'il y a alors présomption *d'interposition de personnes*(8) (par ex., art. 911, 1125-1, al. 2).

On signalera également les incapacités de jouissance qui frappent les faillis et certains condamnés qui, ne pouvant exercer le commerce ou telles activités déterminées, ne peuvent valablement conclure les contrats y relatifs.

(6) I. Maria, *Les incapacités de jouissance. Étude critique d'une catégorie doctrinale* : Defrénois, coll. « Doctorat et notariat », t. 44, 2010, préf. P. Ancel. – I. Maria, *De l'intérêt de distinguer jouissance et exercice des droits* : *JCP* 2009.

(7) À propos d'un contrat d'aide ménagère : Cass. 1re civ., 25 sept. 2013 : *RDC* 2014, 20, note Y.-M. Laithier.

(8) A. Dubois de Luzy, *L'interposition de personnes* : LGDJ, coll. « Droit privé », t. 519, 2010, préf. B. Ancel.

94. – **Les personnes morales.** Outre certaines incapacités de jouissance ci-dessus visées qui peuvent frapper indistinctement les personnes physiques ou les personnes morales, ces dernières sont toujours affectées d'incapacités de jouissance qui tiennent à leur statut juridique et à leur objet.

À raison de leur statut, les droits reconnus aux groupements ne sont pas identiques suivant qu'il s'agit d'une association, d'une congrégation religieuse, d'un syndicat, d'une société, etc. Plus encore, s'agissant des associations, leurs droits, et corrélativement leur capacité, varient suivant qu'elles sont *non déclarées*, ou *simplement déclarées*, ou encore *reconnues* d'utilité publique.

Enfin, et de manière générale, le *principe de la spécialité* des personnes morales leur interdit d'accomplir des actes ou de conclure des contrats qui sortiraient de leur objet. Ainsi, pour apprécier la capacité de jouissance d'une personne morale, il convient donc de rechercher l'objet pour lequel elle a été créée, objet qui figurera toujours dans les statuts. Bien évidemment, cet objet dépendra également du type de personne morale considéré, suivant qu'il s'agit d'un syndicat, dont l'objet ne peut être que la défense des intérêts professionnels de ses membres, ou d'une société ou d'une association qui peuvent poursuivre les buts les plus divers.

Ce principe de la spécialité des personnes morales avait été repris dans la version 2009 (art. 68) du projet de réforme en ces termes : « la capacité des personnes morales est limitée aux actes utiles à la réalisation de leur objet, tel qu'il est défini par les statuts, dans le respect des règles applicables à la personne morale considérée, ainsi que les actes qui sont les accessoires des précédents ». Mais on ne le retrouve pas dans la version 2013 qui ne traite pas de la capacité des personnes morales.

B. – Les incapacités d'exercice

95. – **Fondement.** Les personnes frappées d'une incapacité d'exercice ont les mêmes droits qu'une personne capable, mais on ne leur reconnaît pas la capacité de les exercer elles-mêmes ou, à tout le moins, sans autorisation.

En bref, pour contracter, ces *personnes protégées* doivent être, soit *autorisées*, soit *assistées* par un tiers, soit *représentées*. Cela dit, les contrats passés par elles ou en leur nom conformément aux formes requises – assistance ou représentation suivant les cas – sont parfaitement valables et ils produiront leurs effets comme s'il s'agissait d'une personne capable. C'est dire que, par le fait du contrat, la personne protégée deviendra créancière ou/et débitrice des obligations découlant de ce contrat.

Ces incapacités d'exercice sont inspirées par un souci de *protection* de la personne, à la fois contre elle-même et contre les tiers qui seraient tentés d'abuser de sa faiblesse. En édictant des mesures de protection, la loi entend ici protéger les *mineurs*, parce qu'ils sont dépourvus d'expérience, et les *majeurs* qui seraient atteints d'une altération de leurs facultés mentales ou corporelles (formule ancienne) ou qui bénéficieraient d'une « protection de leur personne ou de leurs biens que leur état ou leur situation rend nécessaire » (formule nouvelle de l'article 415). Les incapacités d'exercice sont la réponse du droit à une inaptitude naturelle, passagère ou durable, légère ou profonde, à accomplir, sinon les actes de la vie courante, du moins ceux de la vie juridique et spécialement de passer des contrats.

En définitive, les actes accomplis par la personne protégée sans respecter les formalités légales pourront, sous certaines distinctions, être annulés pour cause d'incapacité. Ainsi, l'incapacité apparaît comme une sorte de présomption de vice du consentement, présomption irréfragable qui dispense la personne protégée de démontrer à chaque fois qu'elle s'est trompée ou qu'elle a été abusée par son cocontractant.

96. – **L'incapacité des mineurs.** En ce qui concerne les mineurs, c'est-à-dire les jeunes de moins de dix-huit ans en France à ce jour[9], le principe est qu'ils sont, d'une manière générale, incapables de contracter par eux-mêmes. Le contrat envisagé ne doit donc pas être conclu par le mineur, mais par son *représentant légal*. Le système de *représentation*[10] varie suivant que le mineur a toujours ses parents ou l'un d'entre eux, ou qu'il est orphelin.

S'il a toujours ses parents ou l'un d'entre eux, et s'ils ne sont pas déchus de *l'autorité parentale*, le mineur est soumis au régime de *l'administration légale*, soit administration *conjointe* s'il est sous l'autorité de ses deux *parents, soit administration sous contrôle judiciaire* s'il est soumis à l'autorité parentale d'un seul parent.

Si ses deux parents sont décédés ou déchus de l'autorité parentale, il est soumis au régime de la *tutelle*, ce qui suppose la désignation d'un *tuteur* (art. 390 et s.) et d'un *conseil de famille* qui sera présidé par le *juge des tutelles*.

Les formalités pour accomplir l'acte envisagé varient suivant la gravité de cet acte. On distingue ainsi :

- les *actes de la vie courante*[11], pour lesquels l'usage veut qu'ils puissent être accomplis par le mineur lui-même (solution consacrée de manière générale pour tous les incapables par l'article 54 du projet de réforme) ; l'incapacité a pour simple effet que ces actes pourront être annulés à la demande du mineur, mais seulement dans le cas où ils seraient lésionnaires (art. 1305) ou conclus à des conditions anormales (art. 54 du projet de réforme) ;
- les *actes d'administration*, c'est-à-dire des actes de gestion courante, dont la loi prévoit qu'ils peuvent être accomplis soit, en cas d'administration légale, par l'un des parents agissant seul, soit, en cas de tutelle, par le tuteur seul, sans autorisation du conseil de famille (art. 465). Là encore, s'ils sont accomplis irrégulièrement par le mineur seul, ils pourront être annulés à la demande du mineur ou de son représentant légal, mais seulement en cas de lésion ;
- les *actes de disposition*, qui nécessitent l'accord des deux parents (et éventuellement du juge des tutelles) en cas d'administration légale, l'autorisation du conseil

(9) L'âge de la majorité peut être différent suivant les pays. En France, cet âge a été ramené de 21 ans à 18 ans par une loi du 5 juillet 1974. – V. J. Massip, *L'abaissement de l'âge de la majorité et ses conséquences : Defrénois* 1974, 1, 1057, art. 30723 et 1974, 1, 1121, art. 30744. – G. Couchez, *La fixation à dix-huit ans de l'âge de la majorité : JCP* 1975, I, 2684. – D. Poisson, *L'abaissement de l'âge de la majorité : D.* 1976, chron. 21. – Ch. Rigal, *L'âge en droit privé :* thèse Paris II, 2002.

(10) L'évolution générale tend à reconnaître progressivement une autonomie plus grande au mineur, ce qui a fait suggérer de remplacer le système de la représentation par un système d'assistance (V. J.-J. Lemouland, *L'assistance du mineur, une voie possible entre l'autonomie et la représentation : RTD civ.* 1997, 1).

(11) J.-Cl. Montanier, *Les actes de la vie courante en matière d'incapacité : JCP* 1982, I, 3076. – J. Stoufflet, *L'activité juridique du mineur non émancipé*, in *Mél. Voirin*, p. 782. – M. Grimaldi, *L'administration légale à l'épreuve de l'adolescence : Defrénois* 1991, 1, 385, art. 35000. – F. Gisser, *Réflexion en vue d'une réforme de la capacité des incapables mineurs. Une institution en cours de formation : la prémajorité : JCP* 1984, I, 3142. – J.-P. Gridel, *L'âge et la capacité civile : D.* 1998, chron. 90.

de famille en cas de tutelle. Si de tels actes sont accomplis irrégulièrement, ils sont nuls de droit, même s'ils ne sont pas lésionnaires ; ils sont en quelque sorte frappés d'une irrégularité de forme. Le régime de la nullité est ici particulièrement favorable au mineur dans la mesure où, au lieu d'avoir à restituer ce qu'il a reçu comme le prévoit le droit commun, le mineur ne restituera que ce qui a tourné à son profit (art. 1312 et art. 58 du projet de réforme) ; ainsi, il ne rendra rien s'il a tout dépensé, ce qui est aussi une manière de sanctionner le cocontractant imprudent qui a traité avec un mineur sans veiller au respect des règles de protection tenant à son incapacité ;

• enfin, à raison de leur particulière gravité, certains actes sont purement et simplement interdits au mineur ; il s'agit des donations – par lesquelles le mineur se dépouille –, des cautionnements et de la participation à une société commerciale de personnes – opérations dans lesquelles le mineur court un risque très important. De tels actes ne peuvent être accomplis ni par le mineur, ni par son représentant légal ; on est ici en présence non plus d'une incapacité d'exercice, mais d'une incapacité de jouissance.

Par exception à ce qui vient d'être dit, les mineurs émancipés peuvent valablement contracter. Cela vise tous les mineurs mariés, le mariage émancipant de plein droit, et ceux qui, âgés de seize ans au moins, ont fait l'objet sur la demande de leurs parents (ou de l'un d'eux) d'une émancipation par le juge des tutelles (C. civ., art. 413-1et s.). En revanche, même émancipé, un mineur ne pouvait pas jusqu'ici être commerçant (C. civ., art. 413-8)[12]. Cette solution a été renversée par la loi n° 2010-658 du 15 juin 2010 qui a modifié en ce sens l'article 413-8 du Code civil.

En cas de doute, l'âge du cocontractant pourra être vérifié sans difficulté sur un extrait d'acte de naissance ou sur le livret de famille. Il serait imprudent de se contenter d'une simple déclaration de majorité car une telle déclaration n'interdirait pas au mineur d'invoquer tout de même son incapacité pour faire annuler le contrat (C. civ., art. 1307, et art. 56 du projet de réforme)[13].

97. – Les majeurs protégés. En ce qui concerne les *majeurs*, ils sont tous en principe capables. Leur incapacité ne peut résulter que d'une décision judiciaire par laquelle le juge les met en *tutelle* ou en *curatelle* à raison de « l'altération de leurs facultés personnelles » (suivant la formule de l'article 488 ancien), c'est-à-dire de leurs déficiences physiques ou mentales qui les rendent incapables de gérer leurs propres affaires. À cette hypothèse était assimilé le cas du « majeur qui, par sa prodigalité, son intempérance ou son oisiveté, s'expose à tomber dans le besoin ou compromet l'exécution de ses obligations familiales ».

Abandonnant ces formules jugées humiliantes, la loi du 5 mars 2007 décide plus sobrement que « les personnes majeures reçoivent la protection de leur personne et de leurs biens que leur état ou leur situation rend nécessaire (...) » (art. 415) ; et que peut en bénéficier « toute personne dans l'impossibilité de pourvoir seule à

(12) S. Moreau, *L'émancipation : rajeunissement ou déclin ? (Réflexions au lendemain de la réforme du 5 juillet 1974)* : *JCP* 1975, I, 2718. – F. Vauvillé, *La pratique de l'émancipation judiciaire ou l'ambivalence d'une institution marginale* : *D.* 1990, chron. 283.

(13) Ph. Malinvaud, *La responsabilité des incapables à l'occasion d'un contrat* : LGDJ, 1965.

ses intérêts en raison d'une altération, médicalement constatée, soit de ses facultés mentales, soit de ses facultés corporelles de nature à empêcher l'expression de sa volonté ... » (art. 425). En pratique, le juge saisi dispose de trois degrés de protection : la sauvegarde de justice, la curatelle et la tutelle.

Le majeur peut tout d'abord être placé, au moins à titre transitoire, *sous sauvegarde de justice* si, pour l'une des causes prévues à l'article 425, il a besoin d'une protection juridique temporaire ou d'être représenté pour l'accomplissement de certains actes déterminés » (art. 433). Cette mesure ne rend pas incapable le majeur qui, conservant l'exercice de ses droits, peut conclure tous les contrats à sa guise. Mais ces contrats pourront être « rescindés pour simple lésion ou réduits en cas d'excès » (art. 435).

Si le majeur a simplement besoin d'une protection légère, le juge pourra mettre en place une *curatelle*. Ici, le majeur en curatelle conserve la capacité d'accomplir les actes de la vie courante et, plus généralement, les actes d'administration ; mais il pourra en demander la rescision pour lésion ou la réduction pour excès comme dans la sauvegarde de justice. En revanche, il ne peut accomplir les actes de disposition qu'avec l'*assistance* de son curateur ; à défaut d'une telle assistance, l'acte pourrait être annulé à la demande de l'incapable ou de son curateur.

Enfin, si le majeur a besoin d'une protection renforcée, il sera mis en place une *tutelle* ; le majeur protégé sera alors *représenté* par son tuteur. Comme dans les autres régimes de protection, les actes qui auraient été accomplis par le majeur seul, alors qu'il aurait dû être soit assisté de son tuteur, soit représenté par lui, pourront être annulés pour incapacité.

Ces diverses mesures de protection et l'étendue qu'elles revêtent, font l'objet d'une publicité en marge de l'acte de naissance ; leur existence est donc révélée, là encore, par un extrait de l'acte de naissance. En pratique cette publicité peut s'avérer insuffisante dans la mesure où, à la différence du mineur dont l'âge peut se deviner, l'incapacité des majeurs peut ne pas apparaître si bien que des contractants pourront de bonne foi contracter avec un majeur protégé, sans penser à demander un extrait de son acte de naissance.

Ce régime a été refondu par la loi du 5 mars 2007 dont l'entrée en vigueur a été fixée au 1er janvier 2009(14). L'idée générale est que les mesures de protection juridique ne doivent être ouvertes qu'au profit de ceux qui en ont véritablement besoin et seulement dans l'hypothèse où il ne pourrait être suffisamment pourvu aux intérêts de la personne vulnérable par le recours aux techniques juridiques classiques résultant des régimes matrimoniaux ou des règles de la représentation. Par ailleurs la loi nouvelle permet à toute personne d'organiser sa protection pour le cas d'inaptitude, ce dans le cadre d'un *mandat de protection future* (art. 477 et s.)(15).

(14) Th. Fossier, *La réforme de la protection des majeurs. Guide de lecture de la loi du 5 mars 2007* : JCP 2007, I, 119. – Ph. Malaurie, *La réforme de la protection juridique des majeurs* : Defrénois 2007, 1, 557, art. 38569. – A.-M. Leroyer, *Majeurs. Protection juridique* : RTD civ. 2007, p. 394. – *Le statut juridique des majeurs protégés après la loi du 5 mars 2007*, colloque Caen, 20-21 mars 2008 : JCP N 2008, 1266. – Th. Fossier, *Actes de gestion du patrimoine personnel des personnes protégées (D. n° 2008-1484 du 22 déc. 2008)* : JCP 2009, act. 20.

(15) A. Delfosse et N. Baillon-Wirtz, *Le mandat de protection future issu de la loi n° 2007-308 du 5 mars 2007* : JCP N 2007, 1140.

Quant à la sanction des actes irrégulièrement accomplis, elle est édictée par l'article 465 qui reprend pour l'essentiel les solutions du droit positif antérieur, tant jurisprudentielles que législatives(16).

98. - **La capacité d'exercice dans le projet de réforme du droit des contrats.** Le projet de réforme du droit des contrats, élaboré postérieurement à la loi du 5 mars 2007, ne comporte que peu de textes relatifs à la capacité, lesquels consacrent principalement les solutions du droit positif. Il rappelle d'abord que la capacité est une condition nécessaire à la validité d'un contrat (art. 35).

Le projet de réforme confirme ensuite que par principe toute personne physique jouit de la capacité de contracter, sous réserve de certaines limites, posées par la loi s'agissant des personnes physiques (art. 52 et 53). Le projet de réforme consacre également la solution retenue par la loi du 5 mars 2007 quant aux actes courants conclus à des conditions normales, lesquels peuvent être accomplis par une personne privée de sa capacité de contracter (art. 54).

Il développe enfin les sanctions attachées au défaut de capacité. En effet, le projet de réforme envisage les moyens de défense offerts aux cocontractants pour faire obstacle à la nullité ou à la rescision de l'acte pour défaut de capacité (art. 55) et consacre les solutions du droit positif relatives à la lésion et aux restitutions (art. 57 et 58).

99. - **Distinction entre l'incapacité et des formes voisines.** Il arrive qu'une personne ne puisse pas accomplir seule un acte sans pour autant être frappée d'une véritable incapacité.

Par exemple, s'agissant du *logement familial*, l'article 215, alinéa 3, prévoit que « les époux ne peuvent l'un sans l'autre disposer des droits par lesquels est assuré le logement de la famille, ni des meubles meublants dont il est garni », et ce à peine de nullité. Ainsi, même dans le cas où le logement et les meubles appartiennent en propre à l'un des époux, cet époux n'en a pas la libre disposition. Doit-on dire qu'il est frappé d'une incapacité ou plutôt d'un défaut de pouvoir ? La question reste ouverte. On se bornera à constater que, dans le souci de mettre le logement de la famille à l'abri des foucades ou des mesures de rétorsion de l'un des époux, la loi a voulu que l'aliénation fasse l'objet d'une décision commune des deux époux.

De même, le mariage n'entraîne aucune incapacité pour l'un ou l'autre conjoint. Toutefois, la connaissance du régime matrimonial sous lequel le cocontractant est marié est très importante, notamment pour connaître l'étendue précise des pouvoirs de chacun des époux. Par le biais d'un extrait d'acte de mariage, ou du registre du commerce pour un commerçant, on saura sans difficulté si le cocontractant est marié sans contrat, auquel cas il est soumis au *régime matrimonial légal*, ou s'il a fait un contrat (et le nom du notaire qui l'a reçu). Cette indication figure aussi sur le livret de famille.

Quant aux personnes morales, la question de la capacité d'exercice ne se pose pas pour elles. Sans doute ne peuvent-elles agir, et pour cause, que par l'intermédiaire de leurs représentants mais ce n'est pas pour leur assurer une quelconque protection. En revanche, se pose ici la question des pouvoirs de ces représentants.

(16) D. Noguero, *Les sanctions des actes juridiques irréguliers des majeurs protégés* : LPA 23 déc. 2009 et 5 janv. 2010.

§ 2. – Le pouvoir de contracter pour autrui

100. – **La représentation : technique juridique et utilité pratique.** En principe, les contrats sont conclus par les cocontractants eux-mêmes, c'est-à-dire par les *parties* au contrat, et non pas par des *tiers* à ce contrat.

Mais parfois ce schéma n'est pas possible, soit juridiquement, soit matériellement. Ainsi par exemple les mineurs, étant frappés d'une incapacité d'exercice, seront *représentés* par leur administrateur légal ou par leur tuteur. De même les personnes morales, par exemple les associations ou les sociétés, ne peuvent d'évidence contracter que par l'intermédiaire de ces personnes physiques que sont leurs *représentants*, leurs mandataires sociaux. De manière plus générale, pour une personne capable, il n'est pas nécessaire d'être physiquement présent pour pouvoir conclure un contrat ; on peut se faire *représenter*, et désigner à cet effet un *mandataire*.

Le mécanisme de la *représentation*[17] est précisément destiné à cet effet. C'est un procédé technique qui permet à une personne tierce, le *représentant*, de conclure un contrat pour le compte d'une autre personne, le *représenté*, qui sera partie au contrat. Ainsi, les effets du contrat se produiront en la personne du représenté qui, en sa qualité de partie au contrat, recueillera les droits et les obligations nées du contrat.

A. – Les conditions de la représentation

1° Le pouvoir de représenter

101. – **Pouvoir légal, judiciaire ou conventionnel.** Le pouvoir de représenter peut être conféré soit par la loi, soit par une décision judiciaire, soit conventionnellement par un mandat. Tout dépend des circonstances de fait. Le projet de réforme (art. 60) consacre ces trois types de représentation, légale, judiciaire et conventionnelle.

Il y a *représentation légale* dans les cas où la loi l'impose. Cela vise principalement le cas des mineurs et des majeurs protégés (V. *supra*, n°s 95 et s.). Ainsi, le mineur sera représenté par son administrateur légal (père ou mère) ou par son tuteur ; le majeur en tutelle le sera par son tuteur. Et la loi précise très exactement les pouvoirs des uns et des autres, ainsi que les éventuelles autorisations nécessaires. S'agissant de sociétés, la loi précise également quels sont les dirigeants sociaux qui ont légalement le pouvoir de les représenter ; ceci n'interdit pas à la société d'étendre, dans ses statuts, ce pouvoir à d'autres personnes, ou encore de désigner tel mandataire particulier pour accomplir tel acte en son nom, mais il s'agit alors d'un pouvoir, non plus légal, mais conventionnel[18].

On parlera de *représentation judiciaire* lorsque le pouvoir de représenter aura été conféré par une décision de justice. La loi prévoit ainsi qu'un époux peut se faire habiliter par justice à représenter son conjoint hors d'état de manifester sa volonté

(17) E. Pilon, *Essai d'une théorie de la représentation dans les obligations* : thèse Caen, 1898. – M. Storck, *Essai sur le mécanisme de la représentation dans les actes juridiques*, préf. D. Huet-Weiller : LGDJ, 1982. – Ph. Didier, *De la représentation en droit privé*, préf. Y. Lequette : LGDJ, coll. « Droit privé », 2000, t. 339.
(18) B. Kuhn, *Comment contrôler la capacité des dirigeants de sociétés ?* : *JCP* N 2004, 1387.

(art. 219), ou un indivisaire à représenter un autre indivisaire (art. 815-4)[19]. De même, en cas de redressement ou de liquidation judiciaire, le juge va désigner un administrateur avec pouvoir de représenter, dans certaines limites, le commerçant placé dans cette situation.

La *représentation conventionnelle* s'entend du cas où le pouvoir de représenter résulte d'un contrat entre le représentant et le représenté. C'est pour l'essentiel le contrat de mandat qui est réglementé aux articles 1984 et suivants du Code civil[20].

Art. 1984. – Le mandat ou procuration est un acte par lequel une personne donne à une autre personne le pouvoir de faire quelque chose pour le mandant et en son nom.

Le contrat ne se forme que par l'acceptation du mandataire.

Ici l'étendue du mandat sera exactement dosée par le mandant et suivant sa seule volonté alors que, dans la représentation légale ou judiciaire, la volonté du représenté ne joue aucun rôle. En pratique, le mandat peut être ou *spécial*, c'est-à-dire pour un contrat déterminé, ou *général* pour tous les contrats (art. 1987) ; toutefois, le mandat général ne s'applique qu'aux actes d'administration, pas aux actes de disposition (art. 1988). Sauf convention contraire le mandat est gratuit[21].

Le projet de réforme reprend la même distinction dans son article 62, avec une formulation différente :

« Lorsque le pouvoir du représentant est défini en termes généraux, il ne couvre que les actes d'administration.

Lorsque le pouvoir est spécialement déterminé, le représentant ne peut accomplir que les actes pour lesquels il est habilité et ceux qui en sont l'accessoire ».

En pratique, dans la vie des affaires, la plupart des contrats sont préparés et signés par des personnes qui ont été investies d'un mandat à cette fin (par ex., agents commerciaux), ou qui sont des mandataires institutionnels, des organes dit-on (gérant de SARL, directeur général de société anonyme, syndic de copropriété, etc.) ; de tels mandats sont à titre onéreux.

102. – La sanction en cas de dépassement de pouvoir. Le mandat apparent. Le représentant, qu'il soit légal, judiciaire ou conventionnel, ne peut « agir que dans la limite des pouvoirs qui lui ont été conférés » comme le rappelle l'article 60 du projet de réforme. En cas de dépassement, il a agi sans pouvoir et l'acte ainsi accompli est « inopposable au représenté » sauf en cas de mandat apparent (art. 63, al. 1, du projet). Telle est la règle générale, ce qui n'exclut pas l'application de dispositions spécifiques à tel ou tel cas.

S'agissant par exemple d'un tuteur qui aurait agi au-delà de son pouvoir, l'acte serait affecté de nullité. Dans le cas d'un conjoint ou d'un indivisaire excédant la limite de ses pouvoirs, la loi prévoit elle-même que les actes ainsi accomplis auront effet à l'égard de l'autre « suivant les règles de la gestion d'affaires » (art. 219, al. 2 et 815-4, al. 2) ; en bref, le représenté ne sera tenu par ces actes que dans les limites étroites édictées par le Code civil pour la gestion d'affaires (art. 1375).

(19) J.-L. Costes, *La représentation dans la gestion d'une indivision* : *JCP* 1985, I, 3181.

(20) Ph. Petel, *Les obligations du mandataire*, préf. M. Cabrillac : Litec, 1988. – Ph. Le Tourneau, *De l'évolution du mandat* : *D.* 1992, chron. 157. – M.-L. Izorche, *À propos du « mandat sans représentation* : *D.* 1999, chron. 369.

(21) V. en dernier Cass. 1re civ., 4 mai 2012, n° 11-10943 : *Contrats, conc. consom.* 2012, comm. 200, obs. L. Leveneur.

Plus généralement, la jurisprudence admet que le représenté est tout de même engagé s'il y a eu *mandat apparent* ; suivant la formule de la jurisprudence, il en est ainsi à la condition que la croyance du tiers aux pouvoirs du prétendu mandataire soit légitime, ce caractère supposant que les circonstances autorisaient le tiers à ne pas vérifier lesdits pouvoirs[(22)]. Cette solution est consacrée dans le projet de réforme qui stipule que « l'acte accompli par un représentant sans pouvoir ou au-delà de ses pouvoirs est inopposable au représenté, sauf si le tiers contractant a légitimement cru en la réalité des pouvoirs du représentant, en raison du comportement ou des déclarations du représenté » (art. 63, al. 1, du projet). Mais ce tiers contractant peut aussi invoquer la nullité de l'acte, si du moins il ignorait que cet acte était accompli par un représentant sans pouvoir ou au-delà de ses pouvoirs (art. 63, al. 2, du projet).

De même encore, le mandant est libre de régulariser un acte que le mandataire aurait passé en excédant les limites de son pouvoir ; l'article 1998, alinéa 2, en prévoit expressément la possibilité en cas de mandat. On dit alors qu'il y a *ratification*, laquelle est rétroactive ; on entend par là que l'acte ratifié est censé avoir été valablement conclu dès l'origine, si bien qu'il n'est plus possible d'invoquer l'inopposabilité ou la nullité de l'acte (art. 63, al. 3, du projet de réforme). Cette ratification peut être expresse ou tacite.

À supposer que le mandataire ait dépassé sa mission et qu'il n'y ait ni mandat apparent, ni ratification, le contrat n'est pas conclu valablement ; en bref, ce contrat est suivant les cas ou bien nul, ou bien inopposable au représenté (art. 39, al. 1 du projet). Sous réserve d'une application éventuelle des règles de la gestion d'affaires (C. civ., art. 1372 et s. – V. *infra*, n° 804), le cocontractant trompé peut rechercher la responsabilité du prétendu mandataire qui l'a induit en erreur[(23)].

Corrélativement, le représentant répond à l'égard du représenté des fautes qu'il a pu commettre dans l'exercice de ses pouvoirs ; ce sera notamment le cas lorsque cette faute engendrera la nullité de l'acte accompli au nom du représenté.

Enfin, en cas de détournement de pouvoir du réprésentant au détriment du représenté, « ce dernier peut invoquer la nullité de l'acte accompli si le tiers avait connaissance du détournement ou ne pouvait l'ignorer » (art. 64 du projet de réforme).

103. – L'action interrogatoire en cas de doute sur l'étendue du pouvoir du représentant conventionnel. Le projet de réforme introduit un mécanisme intéressant pour le cas où le tiers éprouve des doutes sur l'étendue des pouvoirs du représentant. En pareil cas la solution la plus simple pour ce tiers consiste à demander au représentant de présenter le mandat qui lui a été conféré ; mais les termes de ce mandat peuvent être ambigus.

(22) Cass. 1re civ., 29 avr. 1969, 3 arrêts : *JCP* 1969, II, 15972, obs. R. Lindon : *D.* 1970, 23 et note J. Calais-Auloy. – Cass. com., 29 avr. 1970, 2 arrêts : *JCP* 1971, II, 16694, obs. A. Mayer-Jack. – Cass. com., 27 mai 1974 : *D.* 1977, 421 et note J.-P. Arrichi. – Cass. 1re civ., 2 oct. 1974 : *JCP* 1976, II, 18247, obs. H. Thuillier. – Cass. 1re civ., 24 mars 1981 : *JCP* 1982, II, 19746, obs. R. Le Guidec. – Cass. 3e civ., 20 avr. 1988 : *JCP* 1989, II, 21229, obs. J. Moneger. – V. J. Calais-Auloy, *Essai sur la notion d'apparence en droit commercial* : LGDJ, coll. « Droit privé », t. 17, 1959. – J. Leaute, *Le mandat apparent dans ses rapports avec la théorie générale de l'apparence* : *RTD civ.* 1947, 288. – Ch. W. Chen, *Apparence et représentation en droit privé français*, préf. J. Ghestin : LGDJ, coll. « Droit privé », 2000, t. 340. – A. Danis-Fatôme, *Apparence et contrats* : LGDJ, 2004.

(23) F. Cohet-Cordey, *Représentation et faute délictuelle du mandataire* : *AJDI* 1999, 491.

Pour éviter tout risque de dépassement de pouvoir le projet de réforme ouvre au tiers une action interrogatoire : « Lorsque le tiers doute de l'étendue du pouvoir du représentant conventionnel à l'occasion de la conclusion d'un acte, il peut demander par écrit au représenté de lui confirmer, dans un délai raisonnable, que le représentant est habilité à conclure cet acte ». Et ledit écrit doit mentionner « en termes apparents, qu'à défaut de réponse le représentant est réputé habilité à conclure cet acte ».

Il subsiste néanmoins une ambiguité quant à la durée du délai raisonnable, ambiguité qui pourrait être levée si l'écrit interrogatoire mentionne lui-même un délai d'une durée suffisante pour être considéré comme raisonnable par un juge éventuellement saisi.

2° L'intention de représenter

104. – **La représentation déclarée.** L'*intention de représenter* s'entend de la volonté du représentant d'agir pour le compte d'autrui, et non pour lui-même.

Cette intention n'est pas nécessairement connue du cocontractant. En pratique, lorsqu'une personne conclut un contrat par représentation, elle peut adopter deux attitudes différentes. Elle peut tout d'abord déclarer agir *pour le compte et au nom du représenté*, annonçant clairement la situation à celui avec qui elle contracte. C'est la situation normale, qui répond aussi bien à l'idée de mandat qu'à celle de représentation légale ou judiciaire. On dit ici que la représentation est *parfaite*.

105. – **La représentation occultée.** L'*intention de représenter* peut aussi ne pas être révélée au cocontractant. En pareil cas, tout en agissant pour le compte du représenté, le représentant se présente *en son nom personnel* si bien que le cocontractant est laissé dans l'ignorance de la véritable situation. L'ignorance du cocontractant sera ou bien totale si le représentant masque le fait qu'il agit pour le compte d'autrui[24], ou bien partielle si, tout en déclarant agir pour autrui, il ne révèle pas le nom de son mandant. Cette hypothèse se rencontre fréquemment en matière commerciale ; en pareil cas, il y a représentation *imparfaite*[25].

C'est le cas du *contrat de commission* visé par l'article L. 132-1 du Code de commerce : « Le commissionnaire est celui qui agit en son propre nom ou sous un nom social pour le compte d'un commettant. » On notera que, dans son alinéa 2, ce même article édicte que les droits et les obligations du commissionnaire sont régis par les règles du mandat.

B. – Les effets de la représentation

106. – **La représentation parfaite.** Dans ce cas, le mécanisme de la représentation joue pleinement. Tout se passe comme si le contrat avait été conclu directement entre le cocontractant et le représenté ; ce sont les seules parties au contrat, à l'exclusion du représentant qui est un tiers à ce contrat.

(24) Le représentant apparaît alors comme un *prête-nom*, ce qui est licite sauf si cette pratique sert à tourner une prohibition légale.

(25) Certains considèrent qu'il n'y a plus alors de représentation (V. sur ce point M.-L. Izorche, *À propos du « mandat sans représentation »* : *D.* 1999, chron. 369).

Il s'ensuit tout d'abord que la capacité pour conclure le contrat s'apprécie en la personne du représenté ; c'est lui qui doit être capable de contracter, non son représentant. Toutefois l'article 67 du projet de réforme dispose que « les pouvoirs du représentant cessent s'il est atteint d'une incapacité ou frappé d'une interdiction ». Corrélativement, l'existence et l'intégrité du consentement doivent être réunies tout à la fois chez le représenté et chez le représentant, car ce dernier a pu être victime d'un dol ou de violences exercées à son encontre.

Quant aux effets du contrat, ils se produisent directement en la personne du représenté qui sera personnellement créancier et/ou débiteur. Suivant la formule de l'article 37, alinéa 1, du projet de réforme, « lorsque le représentant agit dans la limite de ses pouvoirs au nom et pour le compte du représenté, seul celui-ci est engagé ». Il en découle que, si le contrat est mal exécuté, le représentant n'en est aucunement responsable, à moins qu'il ne se soit porté personnellement garant de sa bonne exécution (clause de « ducroire »).

107. - **La représentation imparfaite.** Dans la représentation imparfaite, il faut distinguer deux séries de rapports et deux périodes.

Dans les rapports entre le cocontractant et le représentant, ce dernier est considéré comme étant le véritable cocontractant (et non pas un simple représentant puisqu'il ne s'est pas annoncé en cette qualité et qu'en tout cas, il n'a pas indiqué l'identité de son mandant). C'est donc lui qui sera personnellement créancier ou débiteur dans le contrat ainsi conclu (art. 61, al. 2 du projet de réforme).

En revanche, dans les rapports entre le représentant et le représenté, il est convenu que le premier transmettra au second tous les droits et obligations résultant du contrat. Ainsi, dans le contrat de *commission*, le commettant qui déclare vouloir profiter du contrat va se trouver substitué au *commissionnaire* ; de ce fait, il va devenir partie au contrat, aux lieu et place du commissionnaire.

108. - **Le contrat avec soi-même.** En conclusion, on constatera que le mécanisme de la représentation peut permettre de passer un « contrat avec soi-même ». La formule peut surprendre ; elle n'en correspond pas moins à une réalité assez simple.

On veut dire par là qu'il n'est pas besoin de deux personnes physiquement présentes pour conclure un contrat ; une seule suffit, ce qui vise deux hypothèses :

- ou bien le même représentant représente deux personnes différentes qui contractent entre elles ;
- ou bien une personne agit d'une part pour son propre compte et de l'autre pour le compte de son mandant.

On avait douté de la validité d'une telle opération qui concentre deux volontés en une seule personne ; la conclusion du contrat supposant la rencontre de deux volontés, comment cela serait-il possible en présence d'une seule personne ? À cela il est aisé de répondre qu'un représentant peut agir en plusieurs qualités, et donc exprimer deux ou plusieurs volontés.

Ainsi, la validité du contrat avec soi-même est généralement admise. C'est néanmoins un mécanisme dangereux, spécialement dans le cas où le représentant agit également pour son propre compte, auquel cas il se trouve en conflit d'intérêts avec son représenté ; par exemple, s'agissant d'une vente, on ne peut tout à la fois défendre les intérêts du vendeur et ceux de l'acheteur. Il y a alors d'évidence conflit d'intérêts.

Ceci explique que, dans certains cas, la loi exclut un tel mécanisme. Tel est notamment le cas pour la vente ou le bail des biens du mineur au profit de son tuteur (art. 509, 4°) ; plus généralement, il est de règle qu'en cas d'opposition d'intérêts entre l'incapable et son représentant, le tuteur sera suppléé par le *subrogé tuteur*. De même, l'article 1596 du Code civil interdit au mandataire de se rendre adjudicataire des biens qu'il est chargé de vendre.

Ceci explique aussi que le projet de réforme ait préféré poser l'interdiction de principe du contrat conclu avec soi-même pour énoncer ensuite les hypothèses dans lesquelles celui-ci est valable : lorsque la loi l'autorise, ou bien lorsque le représenté l'a autorisé ou ratifié (art. 68).

C. – La promesse de porte-fort

109. – **Nullité de la promesse pour autrui.** L'article 1119 dispose que « on ne peut en général, s'engager, ni stipuler en son propre nom, que pour soi-même ». Il s'ensuit que si une personne X promet à un tiers Z qu'une personne Y lui fournira telle prestation, cette personne Y n'est aucunement engagée. En bref, la promesse pour autrui est sans effet.

C'est là une application du principe de l'effet relatif des contrats exprimé à l'article 1165 : « Les conventions n'ont d'effet qu'entre les parties contractantes ; elles ne nuisent point au tiers et elles ne lui profitent que dans le cas prévu à l'article 1121 », c'est-à-dire le cas de la stipulation pour autrui.

110. – **La promesse de porte-fort de ratification**[(26)]. Se porter fort pour un tiers, c'est promettre que ce tiers ratifiera et prendra donc à son compte tel contrat que passe le porte-fort. En pratique, le porte-fort va conclure un contrat pour le compte d'un tiers en s'engageant, non pas à l'exécuter lui-même, mais à le faire ratifier par ce tiers ; cette obligation de rapporter l'accord du tiers est une obligation de résultat[(27)], si bien que le porte-fort engage sa responsabilité au cas où le tiers refuse de ratifier ledit contrat.

A priori, pareille démarche paraît bien singulière. Pour quelles raisons une personne conclurait-elle un contrat pour le compte d'un tiers en se portant fort que ce tiers le ratifierait ? Cela suppose à tout le moins que cette personne et ce tiers soient en relation d'affaires et qu'il y ait de bonnes chances de ratification. En fait, il s'agit le plus souvent d'un mandataire qui excède ses pouvoirs, mais pour de bonnes raisons. Par exemple, il avait pour mission d'acheter un appartement pour 500 000 € et, sans avoir le temps de revenir vers son mandant, il trouve une affaire exceptionnelle à saisir pour 520 000 € ; connaissant les ressources et les besoins de son mandant, il va acheter – sans en avoir le pouvoir – en se portant fort que son mandant ratifierait.

(26) J. Boulanger, *La promesse de porte-fort et les contrats pour autrui* : thèse Caen, 1933. – M. Dagot, *La reprise, par une société commerciale, des engagements souscrits pour son compte avant son immatriculation au registre du commerce* : *JCP* 1969, I, 2277. – M. Véricel, *Désuétude ou actualité de la promesse de porte-fort ?* : *D.* 1988, chron. 123.

(27) Cass. 1re civ., 25 janv. 2005 : *Bull. civ.* I, n° 43 ; *D.* 2005, inf. rap. 387 ; *JCP* 2005, IV, 1451 ; *Contrats, conc. consom.* 2005, comm. 81, obs. L. Leveneur. Soc. 3 mai 2012, n° 11-10501.

La promesse de porte-fort peut être expresse ou implicite[28] ; toutefois, dans ce dernier cas, elle ne peut résulter que d'actes manifestant l'intention certaine du promettant de s'engager pour un tiers[29].

Le Code civil traite de la promesse de porte-fort comme une exception au principe de l'*effet relatif du contrat* ; en effet, après avoir posé le principe dans l'article 1119, il utilise l'adverbe « néanmoins » pour présenter la promesse de porte-fort dans l'article 1120.

Art. 1120. – Néanmoins on peut se porter fort pour un tiers, en promettant le fait de celui-ci sauf l'indemnité contre celui qui s'est porté fort ou qui a promis de faire ratifier, si le tiers refuse de tenir l'engagement.

La doctrine unanime considère qu'il s'agit là d'une erreur de perspective car la promesse de porte-fort n'est pas une promesse pour autrui ; elle n'engage pas autrui, mais seulement l'auteur de la promesse. Il s'agit tout simplement du sort des contrats conclus sans pouvoir par une personne, ce qui relève de la même problématique que le dépassement de pouvoir par un mandataire.

On observera que, tenant compte de ces critiques, le projet de réforme, tout en reprenant le principe et la formule de l'article 1119 (art. 112), abandonne ensuite l'adverbe « néanmoins » pour présenter la promesse de porte fort et la stipulation pour autrui (art. 113 et 114).

111. – **Les effets de la promesse de porte-fort de ratification.** Les effets de la promesse diffèrent fondamentalement suivant que le tiers ratifie ou non le contrat. Telle est du moins la position traditionnelle du droit français.

La *ratification*, qui peut être tacite[30], entraîne deux séries d'effets qui sont rappelés dans l'article 113, alinéas 2 et 3 du projet de réforme.

D'une part, le tiers qui a ratifié est engagé par le contrat comme s'il y avait été régulièrement représenté par le porte-fort. Tout se passe donc comme s'il y avait eu représentation et dépassement de pouvoir ratifié par le représenté ; par exemple, s'il s'agit de l'achat d'un bien, le tiers devient rétroactivement propriétaire de ce bien à la date du contrat conclu par le porte-fort.

D'autre part, et corrélativement, le porte-fort a parfaitement rempli sa mission, qui était de rapporter l'accord du tiers. Notamment, il n'encourt aucune responsabilité si, en définitive, le contrat n'est pas exécuté ou est mal exécuté par le tiers qui a ratifié. En effet, à la différence d'une caution, le porte-fort a promis que le tiers ratifierait le contrat, et non pas qu'il l'exécuterait.

Cette conception semble être celle retenue par le projet de réforme. En effet, le promettant n'est libéré de toute obligation que « si le tiers accomplit le fait promis », et « dans le cas contraire, il peut être condamné à des dommages et intérêts » (art. 141, al. 2). Il subsiste toutefois une ambiguité : que faut-il entendre par « le fait promis » ? Est-ce la ratification du contrat ou son exécution ?

La *non-ratification* emporte des effets exactement inverses.

(28) Cass. civ., 28 déc. 1926 : *DP* 1930, 1, 73 et note Lalou. – Cass. com., 30 mars 1971 : *Bull. civ.* 1971, IV, n° 102.
(29) Cass. com., 17 juill. 2001 : *Contrats. conc. consom.* déc. 2001, comm. 170 et obs. L. Leveneur.
(30) Cass. ass. plén., 22 avr. 2011 : *D.* 2011, 1218, obs. X. Delpech.

D'une part, faute d'avoir été ratifié, le contrat est caduc ; il n'engage ni le tiers puisqu'il n'a pas ratifié, ni le porte-fort parce qu'il n'a aucunement promis de l'exécuter. Mais d'autre part, le porte-fort a manqué à son engagement puisqu'il n'a pas réussi à rapporter l'accord du tiers. À ce titre, il sera responsable à l'égard du cocontractant de ce manquement à son obligation ; et, s'agissant d'une obligation de faire, il encourt donc une condamnation à dommages-intérêts (art. 1142).

Il est toutefois une hypothèse où le tiers sera, de fait, obligé de ratifier. Il s'agit du cas où le père ou la mère, administrateur légal ou tuteur, a accompli pour le compte de ses enfants mineurs, mais sans respecter les formalités requises, un acte en se portant fort que, une fois parvenus à la majorité, les enfants ratifieraient. Si, entretemps, les enfants ont hérité de leur père ou mère, ils ont trouvé dans la succession l'obligation de porte-fort ; de ce fait ils ne sont plus libres de refuser de ratifier[(31)].

112. – **La promesse de porte-fort d'exécution**. Traditionnellement la promesse de porte-fort a toujours été considérée comme la promesse de faire ratifier le contrat par tel tiers. Mais la formule de la loi peut aussi être interprétée comme visant la promesse que le tiers exécutera effectivement la prestation prévue au contrat.

En effet l'article 1120 présente l'obligation du porte-fort : comme étant alternative ainsi qu'en témoigne l'utilisation du « ou » : « on peut se porter fort pour un tiers, en promettant le fait de celui-ci sauf l'indemnité contre celui qui s'est porté fort ou qui a promis de faire ratifier, si le tiers refuse de tenir l'engagement. ». Et il en va de même de l'article 113 du projet de réforme qui stipule qu'on « peut se porter fort en promettant le fait d'un tiers », ce fait pouvant être aussi bien la ratification que l'exécution de la prestation isée au contrat. Et l'alinéa 2 poursuit en décidant que « le promettant est libéré de toute obligation si le tiers acomplit le fait promis », ce fait promis pouvant être aussi bien l'exécution du contrat que sa ratification. Et le texte ajoute que « dans le cas contraire, il peut être condamné à des dommages et intérêts ».

Il s'ensuit qu'on peut concevoir une promesse de porte-fort de l'exécution. La jurisprudence en fournit des exemples[(32)] mais on est alors en présence d'un *porte-fort d'exécution*[(33)] et non plus d'un *porte-fort de ratification* ; il s'agit en fait d'une sûreté personnelle *sui generis*[(34)]. Un récent arrêt de la Chambre commerciale

(31) M. Le Galcher-Baron, *L'obligation de garantie, obstacle à une action en nullité pour incapacité* : *RTD civ.* 1959, 257. – La jurisprudence est toutefois partagée : Cass. 1re civ., 26 nov. 1975 : *D.* 1976, 353 et note Ch. Larroumet ; *JCP* 1976, II, 18500, obs. F. Moneger. – Lyon, 11 mars 1980 : *D.* 1981, 617 et note G. Peyrard. – V. en ce sens l'article 1170, al. 3, du Projet Catala.

(32) Cass. 1re civ., 25 janv. 2005 et Cass. com., 13 déc. 2005 : *D.* 2006, p. 298, obs. X. Delpech ; *JCP* 2006, II, 10021 et note Ph. Simler ; *D.* 2006, p. 2244 et note D. Arlie ; *Contrats, conc. consom.*, 2006, comm. 63, obs. L. Leveneur ; *Defrénois* 2006, art. 38345 et note E. Savaux ; *LPA* 24 avr. 2006, p. 17 et note S. Prigent ; *RTD civ.* 2006, p. 305, obs. J. Mestre et B. Fages. – Cass. com., 9 mars 2010 : *RDC* 2011, 193, obs. A.-S. Barthez. – Cass. soc., 3 mai 2012, 1205, obs. O. Deshayes ; *RDC* 2012, 1221, obs. D. Mazeaud. – Cass. com., 18 juin 2013 : *JCP* 2013, 960, note G. Mégret.

(33) Mais la formalité du bon pour de l'article 1326 ne lui est pas applicable : Cass. com., 18 juin 2013 : *D.* 2013, 1621, obs. X. Delpech ; *D.* 2013, 2561, note J.-D. Pellier ; *RTD civ.* 2013, 653, obs. P. Crocq. – *Contrats, conc. consom.* 2013, com. 203, obs. L. Leveneur.

(34) Ph. Simler, *Les solutions de substitution au cautionnement* : *JCP* 1990, I, 3427. – Ph. Simler, *De la substitution de la promesse de porte-fort à certaines lettres d'intention comme technique de garantie* : *RD bancaire et bourse* 1997, p. 223. – J.-F. Sagaut, *Variations autour d'une sûreté personnelle* sui generis : *la promesse de porte-fort de l'exécution* : *RDC* 2004, p. 840.

consacre clairement cette conception du porte-fort : « Vu l'article 1120 du Code civil : Attendu que le porte-fort, débiteur d'une obligation de résultat autonome, est tenu envers le bénéficiaire de la promesse des conséquences de l'inexécution de l'engagement promis »[(35)].

SOUS-SECTION 2

LE CONSENTEMENT DES PARTIES

113. - **Le contrat est un accord de volontés.** Contracter, c'est vouloir s'engager à accomplir telles prestations ou obligations au profit de tel cocontractant, généralement en contrepartie d'un avantage réciproque, par exemple recevoir une certaine somme d'argent.

Le contrat étant un accord de volontés, il faut donc autant de consentements qu'il y a de parties à l'acte, et des consentements concordants[(36)]. Ainsi le consentement apparaît-il comme l'élément fondamental de tout contrat. Alors que l'absence des autres conditions conduit seulement à vicier le contrat, à défaut de consentement, il y a le néant. Le projet de réforme consacre un chapitre à la formation du contrat, chapitre dans lequel il est rappelé que « la formation du contrat requiert la rencontre d'une offre et d'une acceptation, toutes deux manifestant la volonté de s'engager de chacune des parties » (art. 13). Et il est précisé dans un second alinéa que « cette volonté peut résulter d'une déclaration ou d'un comportement de son auteur ».

En principe, l'accord des volontés suffit à conclure le contrat, en dehors de toute formalité[(37)]. Néanmoins, la rédaction d'un écrit et sa signature par les parties sont rendues quasi obligatoires pour des motifs de preuve. À quoi servirait-il de conclure un contrat s'il était impossible de le prouver, donc de l'invoquer (V. *infra*, n°s 364 et s.).

Dans un système fondé sur l'autonomie de la volonté (V. *supra*, n°s 76 et s.), la nécessité du consentement sous-tend toutes les règles de la matière. L'idée est tellement évidente que les rédacteurs du Code civil ont omis de l'énoncer et se sont bornés à envisager le consentement sous l'angle des vices qui peuvent l'atteindre ; c'est tout juste s'il est rappelé dans l'article 414-1 que « pour faire un acte valable, il faut être sain d'esprit ».

Il en va de même du projet de réforme qui, après avoir rappelé l'exigence du « consentement des parties » (art. 35), traite principalement des vices du consentement à la suite d'un article consacré au devoir d'information[(38)].

(35) Cass. com., 1er avr. 2014 : *D.* 2014, 1185, note B. Dondero ; *Contrats, conc. consom.* 2014, com. 150, obs. L. Léveneur ; *JCP* 2014, 752, note Y. Dagorne-Labbé.

(36) Pour la distinction entre l'échange des consentements et la rencontre des volontés, V. M.-A. Frison-Roche, *Remarques sur la distinction de la volonté et du consentement en droit des contrats* : *RTD civ.* 1995, 573.

(37) Pour une application, V. Cass. 3e civ., 27 nov. 1990 : *JCP* 1991, II, 21808 et note Y. Dagorne-Labbé.

(38) Pour le consentement dans le Projet Catala, Y. Lequette, G. Loiseau et Y.-M. Serinet, *Validité du contrat – Consentement*, in *Avant-projet de réforme du droit des obligations et de la prescription, Exposé des motifs* : La Documentation française, 2006, p. 29. – P. Stoffel-Munck, *Autour du consentement et de la violence économique* : *RDC* 2006, p. 45.

114. – Le principe de la liberté de contracter et ses limites[39]. La première manifestation de l'autonomie de la volonté est le principe de la *liberté de contracter*, qui a pour corollaire nécessaire la *liberté de ne pas contracter*. Si contracter, c'est vouloir, chacun est libre de ne pas s'engager par contrat, ou de ne s'engager que dans les limites de son choix et avec la personne de son choix. C'est ce que rappelle le projet de réforme (art. 2) en tête du sous-titre consacré au contrat. Force est toutefois de constater que, bien que consacrée comme un principe, cette liberté est souvent soit illusoire pour des raisons de fait, soit très encadrée par des règles de droit.

La réalité quotidienne démontre en effet qu'on est souvent contraint de contracter dans des conditions qu'on n'a pas véritablement voulues, et ce tout simplement parce qu'on n'a pas le choix. C'est le cas chaque fois qu'un service essentiel à la vie courante est délivré par une entreprise en situation de monopole : par exemple, on ne discute pas le prix de l'eau, du gaz ou de l'électricité. De ce point de vue, il faut reconnaître que la suppression des monopoles et l'instauration d'une libre concurrence sont de nature à restaurer pour partie la liberté de contracter.

D'autres fois, c'est la loi elle-même qui bride la liberté de contracter, au point que la doctrine a pu parler de *contrat imposé* ou de *contrat forcé*[40].

Tantôt c'est la liberté de ne pas contracter qui est écartée, lorsque la loi impose à certaines personnes la conclusion d'un contrat. Ainsi en est-il de l'obligation d'assurance qui pèse sur de nombreuses personnes : les automobilistes, les chasseurs, les constructeurs, les notaires, les avocats, etc.

Tantôt c'est le choix du cocontractant qui est soit imposé, soit contrôlé. Il est imposé lorsque, en cas de vente d'un bien, la loi institue un droit de préemption en faveur par exemple du locataire d'un appartement, du fermier d'un domaine, de la SAFER pour un domaine rural, de la commune pour un terrain à bâtir ou pour un bien immobilier, etc. Il est contrôlé lorsque, à raison du principe de non-discrimination, il est interdit à un bailleur de refuser un locataire à raison de son sexe, de sa race, de ses mœurs, de son orientation sexuelle, de ses opinions politiques, de ses activités syndicales, etc. ; et de même lorsqu'il est interdit à un employeur de refuser d'embaucher un salarié à raison de ces mêmes caractéristiques.

Cela dit, en dépit de ces atteintes, le principe de la liberté de contracter conserve un domaine et une portée considérables.

115. – Plan. Pour la validité du contrat, le consentement des parties :

- d'une part doit exister, ce qui est postulé par le principe de la liberté contractuelle ;
- d'autre part doit être libre, c'est-à-dire exempt de vices.

L'existence du consentement, et son expression (§ 1), sera l'occasion de faire l'analyse de celui-ci, cependant que la condition de liberté et d'intégrité du consen-

(39) P.-Y. Gadhoun, *La liberté contractuelle dans la jurisprudence du Conseil constitutionnel* : Dalloz, coll. « Bibl. thèses », 2008, préf. D. Rousseau. – G. Chantepie et G. Pignarre, *Les frontières du consentement : de la confrontation du pouvoir aux marges de l'autonomie : RDC* 2011, 611.

(40) L. Josserand, *Le contrat forcé et le contrat légal : D.* 1940, chron. 1. – P. Durand, *La contrainte légale dans la formation du rapport contractuel : RTD civ.* 1944, p. 73. – R. Morel, *Le contrat imposé*, in *Mél. Ripert*, t. II, p. 116. – J.-Ch. Serna, *Le refus de contracter*, 1967.

tement (§ 2) amènera à faire l'étude des vices du consentement et des dispositions récemment prises par le législateur pour assurer au consommateur un consentement libre et éclairé (§ 3).

§ 1. – L'existence et l'expression du consentement[41]

116. – **Consentement et contrat d'adhésion.** Sur le principe, la nécessité du consentement est une condition indiscutable et indiscutée. Mais, en pratique, le consentement peut apparaître dans des conditions tout à fait différentes. Certes, il y a toujours accord de deux volontés qui se sont rencontrées ; pratiquement ce sont deux manifestations de volonté qui se répondent l'une l'autre : une offre, suivi d'une acceptation[42]. La divergence apparaît quant à l'existence ou à l'étendue de la discussion qui a précédé l'accord des parties.

Classiquement, on se représente le contrat comme le résultat d'une libre négociation, comme une navette de propositions et contre-propositions qui constituent les pourparlers. Ce schéma ne se rencontre en fait que dans le cas où les cocontractants se trouvent sur un pied d'égalité, le plus souvent entre professionnels ou entre particuliers, mais rarement dans les rapports entre professionnels et particuliers.

De nos jours, pour un particulier, il n'y a en général ni discussion ni négociation. Un contrat est proposé au public, sans modification possible, et le particulier – le consommateur dit-on aujourd'hui – ne peut qu'accepter ou refuser en bloc. C'est le *contrat d'adhésion* que chacun conclut quotidiennement : achat dans un grand magasin, à un distributeur automatique, achat d'un titre de transport (métro, SNCF, ou autres), souscription d'une police d'assurance, etc. Ici le consentement se trouve réduit à sa plus simple expression : accepter ou refuser.

Toutefois, malgré ces différences, le droit positif français ne distinguait pas jusqu'ici, tout du moins dans la théorie générale, suivant la situation de fait ; il appliquait les mêmes règles dans l'un et l'autre cas, à quelques nuances près. Ce n'est pas à dire que le droit français soit resté insensible à cette évolution. Mais il en tient compte et il en traite dans les dispositions relatives à la protection des consommateurs, c'est-à-dire dans le Code de la consommation, non dans le Code civil. On constate ainsi à nouveau que le Code civil constitue le droit commun des rapports contractuels d'une part entre professionnels, d'autre part entre particuliers, cependant que les rapports entre professionnels et particuliers sont régis par d'autres codes.

Revenant sur cet état du droit, le projet de réforme propose d'introduire un article permettant de sanctionner les clauses qui créent « un déséquilibre significatif entre les droits et les obligations des parties au contrat » (art. 77).

(41) P. Rémy-Corlay, *L'existence du consentement*, in *Les concepts contractuels français à l'heure des principes du droit européen des contrats* : Dalloz, 2003, p. 29. – P. Rémy-Corlay et D. Fenouillet, *Le consentement*, in *Pour une réforme du droit des contrats* : Dalloz, 2008, p. 147.

(42) J.-L. Aubert, *Notions et rôles de l'offre et de l'acceptation dans la formation du contrat*, 1970. – V. aussi A. Vialard, *L'offre publique de contrat* : *RTD civ.* 1971, 750.

117. – Contrats classiques et contrats électroniques. Jusqu'à l'apparition de l'internet et du commerce en ligne, on n'imaginait pas qu'un contrat pût être conclu autrement que de manière traditionnelle, c'est-à-dire sous la forme d'un accord, soit oral, soit écrit, faisant suite à une éventuelle discussion sur les conditions du contrat.

Il n'en va plus de même aujourd'hui où une proportion grandissante de contrats est conclue par voie électronique. Ce mouvement ne pouvait que s'amplifier à la suite de la directive n° 2000/31/CE du Parlement européen et du Conseil du 8 juin 2000[43] qui a été transposée en droit français par la loi n° 2005-575 du 21 juin 2004 pour la confiance dans l'économie numérique[44]. Certes, comme dans les contrats classiques, on retrouve bien une offre et une acceptation, mais elles revêtent une forme différente si bien que le législateur a réglementé l'expression du consentement électronique de manière spécifique, notamment mais pas exclusivement dans la perspective de la protection des consommateurs[45].

On envisagera donc successivement le consentement dans le contrat classique, qui constitue le droit commun, et le consentement dans le contrat électronique.

A. – Le consentement dans le contrat classique

118. – Plan. À l'analyse, on trouve toujours deux manifestations de volonté : une offre (1°), suivie d'une acceptation (2°) qui interviendra à la suite d'une discussion plus ou moins longue. Il faut en outre que ces deux volontés se rencontrent[46]. Comme le précise l'article 13 du projet de réforme, « la formation du contrat requiert la rencontre d'une offre et d'une acceptation, toutes deux manifestant la volonté de s'engager de chacune des parties ». Cette rencontre des volontés (3°) qui va marquer la conclusion du contrat s'opère spontanément lorsque les parties sont toutes présentes. En revanche, elle soulève diverses difficultés, tenant notamment au lieu et à la date du contrat, lorsque les parties sont éloignées : c'est la question

(43) A. Raynouard, *La formation du contrat électronique*, Trav. Assoc. Henri Capitant, 2002, p. 15. – J. Devèze, *La forme du contrat électronique* : Trav. Assoc. Henri Capitant, 2002, p. 35. – L. Grynbaum, *La directive « commerce électronique » ou l'inquiétant retour de l'individualisme juridique* : *JCP* 2001, I, 307. – M. Vivant, *Le commerce électronique, défi pour le juge* : *D.* 2003, chron. 674. – G. Decocq, *Commerce électronique, concurrence et distribution : questions d'actualité* : *Contrats, conc. consom.* 2003, chron. 13.

(44) N. Mathey, *Le commerce électronique dans la loi n° 2004-575 du 21 juin 2004 pour la confiance dans l'économie numérique* : *Contrats, conc. consom.* 2004, étude 13. – J. Huet, *Encore une modification du Code civil pour adapter le droit des contrats à l'électronique. Loi LCEN n° 2004-575 du 21 juin 2004* : *JCP* 2004, I, 178. – O. Cachard, *Le contrat électronique dans la loi pour la confiance dans l'économie numérique* : *Rev. Lamy dr. civ.* sept. 2004, p. 5. – J. Rochfeld, *De la* lex electronica *et du mélange des genres : la « loi régulatrice »* : *RDC* 2004, p. 915. – C. Chabert, *Le commerce électronique et la loi sur l'économie numérique du 21 juin 2004* : *Rev. Lamy dr. civ.* févr. 2005, suppl. p. 29 ; *Le contrat selon la loi du 21 juin 2004 sur la confiance dans l'économie numérique, Débats* : *RDC* 2005, p. 533.

(45) J. Passa, *Commerce électronique et protection du consommateur* : *D.* 2002, chron. 555. – J. Huet, *Libres propos sur la protection des consommateurs dans le commerce électronique*, in *Mél. Calais-Auloy*, p. 507. – J. Passa, *Les règles générales du commerce électronique et leur application dans les rapports avec les consommateurs* : *LPA* 6 févr. 2004, p. 35. – A. Penneau, *Commerce électronique et protection du cybercontractant. Du Code de la consommation au Code civil* : *LPA* 13 mai 2004, p. 3. – D. Fenouillet, *Consommateurs, ayez confiance dans l'économie numérique* : *RDC* 2004, p. 955. – Th Verbiest, *Le nouveau droit du commerce électronique. La loi pour la confiance dans l'économie numérique et la protection du cyberconsommateur* : éd. Larcier, préf. M. Lolivier, 2004.

(46) Suivant une thèse d'inspiration allemande, le contrat naîtrait de la simple juxtaposition de deux déclarations unilatérales de volonté, chacune étant obligatoire par elle-même (Worms, *De la volonté unilatérale considérée comme source d'obligations* : thèse Paris, 1891. – A. Rieg, *Le rôle de la volonté dans l'acte juridique en droit civil français et allemand* : thèse Strasbourg, 1961). Telle n'est pas la position du droit français qui suppose la rencontre des deux volontés (V. G. Rouhette, *Contribution à l'étude critique de la notion de contrat*, 1965).

du contrat par correspondance ou du contrat entre absents, qui a été récemment renouvelée avec l'arrivée dans notre droit du contrat électronique.

Au sein d'un chapitre 2 consacré à la formation du contrat, le projet de réforme traite successivement dans plusieurs sections de la conclusion du contrat, de sa validité, de sa forme et des sanctions. Et, dans la section I consacrée à la conclusion du contrat,le projet de réforme traite de l'offre et de l'acceptation (Sous-section 2).

1° L'offre

a) Les conditions pour qu'il y ait offre

1) Les conditions de fond

119. - **L'offre doit être précise et ferme.** L'*offre*, dite encore *pollicitation*, est une proposition de contrat qui implique par là même l'accord de l'offrant sur les termes du contrat projeté. Elle doit être précise et ferme de telle manière que l'acceptation survenant puisse à elle seule parfaire le contrat. Le projet de réforme consacre cette exigence d'une offre précise et ferme dans son article 14 : « L'offre comprend les éléments essentiels du contrat envisagé et peut être faite à personne déterminée ou indéterminée ».

Pour être suffisamment *précise*, l'offre doit comporter tous les éléments essentiels du contrat proposé dont la nature doit être précisée (vente, bail, etc.) : ainsi, pour la vente, l'indication précise de la chose et du prix. Ne constitue donc pas une offre une petite annonce portant sur la vente d'un appartement ou d'un véhicule, mais sans indication de prix ou avec la mention « prix à débattre ». Pareille annonce n'est pas une offre, mais une invitation à discuter, à entrer en négociation, ce que rappelle l'article 14 : « À défaut il y a seulement invitation à entrer en négociation ». Ici, c'est l'insuffisance de précision qui empêche d'y voir une offre véritable ; mais il y aurait offre si les éléments non indiqués ne revêtaient qu'un aspect tout à fait secondaire, par exemple le lieu du paiement, ou sa forme(47).

Pour être *ferme*, l'offre doit être formulée sans réserves, car la levée de ces réserves suppose un nouvel accord de l'offrant(48). On signalera à cet égard que les fournisseurs formulent parfois leurs offres « sous réserve de l'acceptation de la Direction » ou de la Société, ce qui peut permettre d'éluder les règles protectrices du consentement du consommateur(49) (V. *infra*, n° 346). Les réserves peuvent être expresses : par exemple, pour une offre de prêt, la mention « sous réserve de l'acceptation du dossier » ; ou encore, pour une vente, la clause « dans la limite du stock disponible ». Mais, le plus souvent, elles seront tacites et elles tiendront à la nature même du contrat proposé : ainsi, lorsque la personnalité et les qualités

(47) Toutefois, les parties sont libres de décider que tel aspect, généralement traité comme secondaire, sera considéré comme un élément conditionnant le consentement : Cass. com., 16 avr. 1991 : *JCP* 1992, II, 21871, obs. M.-O. Gain. – Cass. 3e civ., 14 janv. 1987 : *JCP* 1987, IV, 96.

(48) Cass. com., 22 janv. 1958 : *Bull. civ.* 1958, III, n° 43. – Cass. com., 8 déc. 1964 : *Bull. civ.* 1964, III, n° 546. – Cass. com., 11 juill. 1977 : *Bull. civ.* 1977, IV, n° 203. – Cass. com., 6 mars 1990 : *Bull. civ.* 1990, IV, n° 74 ; *JCP* 1990, II, 21583 et note B. Gross ; *Defrénois* 1991, art. 34987, obs. J.-L. Aubert ; *RTD civ.* 1990, p. 462, obs. J. Mestre.

(49) B. Gross, *La formation des ventes commerciales sujettes à confirmation*, in *Études Roblot* : LGDJ, 1984, p. 433. – S. Erhardt, *La clause de confirmation de commande à la lumière de la réglementation des clauses abusives : Contrats, conc. consom.* 2007, étude 1. – S. Bernheim-Desvaux, *Clause de confirmation de commande : Contrats, conc. consom.* 2011, formule 1.

personnelles du cocontractant sont un élément fondamental du contrat – ce qui est le cas des contrats *intuitu personae* –, par exemple pour le contrat de travail, l'offre au public par voie de petites annonces (et non à une personne déterminée) est implicitement faite sous réserve d'agrément de la personne de l'acceptant[(50)].

Les réserves peuvent également tenir aux usages, notamment aux usages du commerce[(51)]. C'est le cas par exemple pour les appels d'offres dans les marchés de travaux, soit ouverts à tous, soit restreints à plusieurs entreprises préqualifiées. Par cette procédure, les entreprises sont invitées à soumettre des propositions, éventuellement avec des variantes, et à fixer un prix. La réponse à un appel d'offres ne débouche donc pas directement sur un contrat, mais sur une période de négociation à l'occasion de laquelle l'une des entreprises sera finalement retenue.

Si la proposition n'est pas suffisamment précise et ferme, elle n'exprime pas un accord de l'offrant ; il ne s'agit que d'une « invitation à entrer en négociation » (art. 14 du projet), à entamer des *pourparlers*[(52)].

120. – Le régime des pourparlers. À ce jour, le régime des pourparlers n'est pas réglé par la loi, mais par la jurisprudence. La principale difficulté est celle soulevée par la rupture des pourparlers[(53)]. À cet égard, la jurisprudence pose un double principe.

D'une part chacun est libre de rompre les pourparlers : c'est là une manifestation fondamentale de la liberté de contracter ou de ne pas contracter[(54)]. Il n'y a donc pas en soi faute à rompre des pourparlers.

D'autre part la négociation doit être menée de bonne foi[(55)] ; il y aura donc lieu à responsabilité en cas de rupture abusive[(56)], sans raison légitime[(57)], ou si les pourparlers ont été menés de mauvaise foi ou avec une légèreté coupable : tel serait le cas de celui qui fait traîner les pourparlers en longueur alors qu'il n'a pas l'intention de contracter[(58)]. Pareille faute, étant intervenue alors que le contrat n'est pas encore conclu, est une *faute précontractuelle*[(59)]. Elle ne peut entraîner qu'une responsa-

(50) Il s'agit alors seulement d'une invitation à se présenter auprès de l'employeur : Cass. 3e civ., 28 nov. 1968 : *JCP* 1969, II, 15797.

(51) Cass. com., 6 mars 1990 : *Bull. civ.* 1990, IV, n° 74 ; *JCP* 1990, II, 21583 et note B. Gross ; *D.* 1991, somm. 317, obs. J.-L. Aubert.

(52) Sur le point de savoir si on est toujours dans les pourparlers ou s'il y a déjà eu un accord, V. J.-A. Albertini, *Les mots qui vous engagent...* : D. 2004, chron. 230.

(53) O. Deshayes, *La rupture des pourparlers* : *LPA* 9 oct. 2008, n° 203, p. 4. – X. Lagarde, *De la période précontractuelle* : *Rev. Lamy dr. civ.* déc. 2008, p. 7.

(54) V. par ex., Pau, 14 janv. 1969 : *D.* 1969, 716 (dans le cas où l'un des protagonistes traite finalement avec un concurrent).

(55) H. Muir-Watt, *Les pourparlers : de la confiance trompée à la relation de confiance*, in *Les concepts contractuels français à l'heure des principes du droit européen des contrats* : Dalloz, 2003, p. 53. – C. Riot, *Les obligations de la négociation* : *RRJ* 2006, 67.

(56) Tel est le cas lorsque la rupture est intervenue sans motifs légitimes, même en l'absence de toute volonté de nuire : Cass. com., 20 mars 1972 : *JCP* 1973, II, 17543 et note J. Schmidt ; *RTD civ.* 1972, 779, obs. G. Durry. – Cass. com., 7 janv. 1997 : *D.* 1998, 45 et note P. Chauvel. – Cass. com., 11 juill. 2000, *Contrats, conc. consom.* 2000, comm. 174.

(57) Mais il ne suffit pas de prouver l'absence de motif légitime : Cass. 1re civ., 20 déc. 2012 et Cass. 3e civ., 18 déc. 2012 : *RDC* 2013, 545, obs. O. Deshayes.

(58) Cass. com., 20 mars 1972 : *JCP* 1973, II, 17543, obs. J. Schmidt ; *RTD civ.* 1972, 779, obs. G. Durry. – Cass. 1re civ., 19 janv. 1977 : *D.* 1977, 593 et note J. Schmidt.

(59) Cass. com., 11 janv. 1984 : *JCP* 1984, IV, 86. – Cass. com., 7 janv. et 22 sept. 1997 : *D.* 1998, 45 et note P. Chauvel. – Paris, 25e ch. B, 10 mars 2000 : *JCP* 2001, II, 10470 et note F. Violet. – V. J. Schmidt, *La sanction de la faute précontractuelle* : *RTD civ.* 1974, 46. – J. Schmidt, *La période précontractuelle* : *RID comp.* 1990, 545. – D. Mazeaud, *Mystères et paradoxes de la période précontractuelle*, in *Mél. Ghestin*, p. 637. – J. Ghestin, *La responsabilité délictuelle pour rupture abusive des pourparlers* : *JCP* 2007, I, 155.

bilité de nature extracontractuelle, et la sanction prendra la forme de dommages-intérêts[60]. La jurisprudence retient que pourront être indemnisés à ce titre les frais inutiles occasionnés par la négociation, les études préalables effectuées, mais pas « la perte d'une chance de réaliser les gains que permettait d'espérer la conclusion du contrat »[61].

Il suffit d'une faute simple[62], mais elle sera souvent difficile à prouver, alors surtout que les pourparlers font en général l'objet de négociations verbales, et non pas écrites. Si la rupture est le fait d'un dirigeant social, la responsabilité personnelle de ce dirigeant à l'égard du tiers ne peut être retenue que s'il a commis une faute séparable de ses fonctions, ce qui suppose, suivant la jurisprudence, que le dirigeant ait commis intentionnellement une faute d'une particulière gravité incompatible avec l'exercice normal des fonctions sociales[63].

Cela dit, les tribunaux se montrent souvent exigeants et considèrent que les pourparlers doivent être empreints de loyauté et de bonne foi[64]. Ce recours fait à la notion de bonne foi paraît tout naturel ; il n'en tranche pas moins avec l'affirmation d'un arrêt suivant lequel « l'obligation de bonne foi suppose l'existence de liens contractuels »[65], ce qui n'est pas le cas au stade des pourparlers.

Il n'est pas interdit de mener des pourparlers avec plusieurs partenaires potentiels ; il s'ensuit qu'il n'y a pas faute pour l'un de ces partenaires de conclure les pourparlers par un contrat, sauf intention de nuire ou manœuvres frauduleuses.

À cela il convient d'ajouter que les parties peuvent également mettre fin d'un commun accord à leurs pourparlers. Une telle rupture à l'amiable peut, en dehors de toute faute de l'un des participants, s'accompagner d'une indemnité d'occupation pour le cas où l'un a été autorisé à utiliser un bâtiment dans l'attente de la vente projetée qui n'a finalement pas eu lieu[66].

121. – Le régime des pourparlers dans les projets européens[67]. Il s'agit ici des Principes Lando, des Principes Unidroit et de l'avant-projet de Code européen des contrats de l'Académie de Pavie. Si ces textes présentent l'intérêt majeur de proposer une réglementation de la période précontractuelle, pouvant éventuellement servir d'inspiration dans la perspective d'une réforme du Code civil, les solutions retenues ne sont guère originales et correspondent largement à celles dégagées par la jurisprudence interne.

---

(60) O. Deshayes, *Le dommage précontractuel* : *RTD com.* 2004, 187. – S. Menu, *Réflexions sur le préjudice précontractuel* : *LPA* 1er févr. 2006, p. 6.

(61) Cass. com., 26 nov. 2003 : *D.* 2004, 869 et note A.-S. Dupré-Dallemagne ; *RTD civ.* 2004, 80, obs. J. Mestre et B. Fages ; *JCP* 2004, I, 163, nos 18 et s., obs. G. Viney. – Cass. 3e civ., 28 juin 2006 : *Bull. civ.* 2006, III, n° 164 ; *D.* 2006, p. 2963 et note D. Mazeaud ; *JCP* 2006, II, 10130 et note O. Deshayes ; *Contrats, conc. consom.* 2006, comm. 223, obs. L. Leveneur ; *JCP* 2006, I, 166, n° 6, obs. Ph. Stoffel-Munck ; *Defrénois* 2006, 1, 1858, art. 38498, n° 71, obs. R. Libchaber ; *LPA* 11 oct. 2006, p. 13 et note S. Prigent ; *RTD civ.* 2006, p. 754, obs. J. Mestre et B. Fages, et p. 770, obs. P. Jourdain ; *RDC* 2006, p. 1069, obs. D. Mazeaud. – Cass. 3e civ., 7 janv. 2009 : *JCP* 2009, IV, 1215 ; *D.* 2009, act. jurispr. 297 ; *RTD civ.* 2009, 113, obs. B. Fages ; *RDC* 2009, p. 480, obs. Y.-M. Laithier. – Cass com., 18 sept. 2012 : *D.* 2012, 2241 ; *RDC* 2013, 98, obs. O. Deshayes. – J. Ghestin, *Les dommages réparables à la suite de la rupture abusive des pourparlers* : *JCP* 2007, I, 157.

(62) Cass. com., 22 févr. 1994 : *Bull. civ.* 1994, IV, n° 79 ; *RTD civ.* 1994, 849, obs. J. Mestre.

(63) Cass. com., 20 mai 2003 : *Bull. civ.* 2003, IV, n° 84 ; *Bull. Joly Sociétés* 2003, 787 et note H. Le Nabasque.

(64) Agen, 1re ch., 21 août 2002 : *JCP* 2003, II, 10162 et note A. Lecourt.

(65) Cass. 3e civ., 14 sept. 2005 : *D.* 2006, p. 761 et note crit. D. Mazeaud.

(66) Cass. 3e civ., 3 juill. 2002 : *RJDA* 2002, n° 971 ; *RTD civ.* 2002, 804, obs. J. Mestre et B. Fages.

(67) R. Monzer, *Les effets de la mondialisation sur la responsabilité précontractuelle. Régimes juridiques romano-germaniques et anglo-saxons* : *RID comp.* 2007, 523.

Le principe demeure celui de la liberté de ne pas contracter, donc de rompre les pourparlers, mais les négociations contractuelles doivent se dérouler sous le signe de la bonne foi. Ainsi, le fait d'entreprendre ou de poursuivre des tractations sans intention de parvenir à la conclusion du contrat[(68)] engage la responsabilité de l'auteur de la rupture des négociations qui est alors tenu d'indemniser le préjudice causé à l'autre partie.

Par préjudice, les trois corps de règles comprennent l'ensemble des dépenses encourues lors des négociations ainsi que la perte de chance de conclure un autre contrat (l'intérêt négatif). Mais, tout comme le décide la jurisprudence française, le créancier n'est pas admis à recouvrer le profit qui aurait résulté de la conclusion du contrat (l'intérêt positif).

Par ailleurs, les participants aux négociations sont tenus d'une obligation d'information[(69)], ainsi que d'une obligation de confidentialité[(70)] concernant les informations reçues à ce titre.

122. – **Le régime des pourparlers dans le projet de réforme.** Le projet de réforme entérine les solutions jurisprudentielles et se conforme, en partie, aux projets européens[(71)].

En effet, l'article 11 du projet consacre en son alinéa 1 le principe de la liberté d'initiative, de déroulement et de rupture des pourparlers : « l'initiative, le déroulement et la rupture des négociations précontractuelles sont libres. Ils doivent satisfaire aux exigences de la bonne foi ». Et dans l'alinéa 2, il précise que « la conduite ou la rupture fautive de ces négociations oblige son auteur à réparation sur le fondement de la responsabilité extracontractuelle ». Enfin, l'alinéa 3 reprend la solution jurisprudentielle suivant laquelle « les dommages et intérêts ne peuvent avoir pour objet de compenser la perte des bénéfices attendus du contrat non conclu ».

En complément de cette consécration de la jurisprudence, le projet de réforme pose un principe de confidentialité des négociations : « Celui qui utilise sans autorisation une information confidentielle obtenue à l'occasion des négociations engage sa responsabilité extracontractuelle » (art. 12).

123. – **Distinction avec les contrats préparatoires ou avant-contrats**[(72)]**.** L'offre est un acte de volonté *unilatéral*. En cela elle se distingue des *contrats préparatoires* ou *avant-contrats* par lesquels les parties formalisent un *accord de volontés*, même si cet accord n'est qu'une étape avant la conclusion du contrat définitif.

Les *avant-contrats*, contrats préparatoires à un autre contrat, se rencontrent très fréquemment en matière de vente immobilière car c'est un domaine où il est difficile, sinon même impossible, de conclure d'emblée le contrat définitif. Dans l'attente

(68) PDEC, art. 2.301 ; Unidroit, art. 2.1.15 ; Projet de Pavie, art. 6.

(69) Projet de Pavie, art. 7, et art. 9 du même texte qui exige une information écrite du commerçant au consommateur avec lequel il traite hors des établissements commerciaux.

(70) PDEC, art. 2.302 ; Unidroit, art. 2.1.16.

(71) P. Delebecque et D. Mazeaud, *Formation du contrat*, in *Avant-projet de réforme du droit des obligations et de la prescription, Exposé des motifs* : La Documentation française, 2006, p. 27. – C. Aubert de Vincelles, *Le processus de conclusion du contrat*, in *Pour une réforme du droit des contrats* : Dalloz, 2008, p. 119.

(72) M. Geninet, *Théorie générale des avant-contrats en droit privé* : thèse Paris II, 1985. – J. Schmidt-Szalewski, *La force obligatoire à l'épreuve des avant-contrats* : *RTD civ.* 2000, 25. – D. Martin, *Des promesses précontractuelles*, in *Mél. J. Béguin* : Litec, 2005. – Jurisprudence et doctrine : quelle efficacité pour les avant-contrats ?, Colloque Bordeaux, 24 nov. 2011 : *RDC* 2012, 617.

de celui-ci on établira donc une promesse de contrat : celle-ci peut être unilatérale ou synallagmatique[73].

La *promesse unilatérale* de contrat, par exemple de vente, est celle par laquelle l'un s'engage à vendre un bien à un prix déterminé cependant que l'autre, en prenant acte, se réserve de « lever l'option » dans un certain délai. Ainsi seul le premier s'engage, pas le second qui est libre de lever ou non l'option. Il s'agit donc en principe d'un contrat unilatéral[74]. Cela dit la faculté de lever l'option est le plus souvent assortie d'une clause de dédit, généralement fixée à 10 % du prix de vente et qui constitue une « indemnité d'immobilisation » à verser au vendeur par le bénéficiaire de la promesse qui ne lève pas l'option. C'est en quelque sorte le prix de la promesse unilatérale ou, si l'on préfère, l'indemnisation des chances perdues par le vendeur de vendre le bien à un tiers à un meilleur prix. Malgré cet élément de réciprocité, doctrine et jurisprudence considèrent que le contrat ne devient pas pour autant synallagmatique. En revanche, suivant la doctrine, la promesse prendrait un caractère synallagmatique si, au lieu de rester dans les normes habituelles, la clause de dédit avait été fixée à un prix trop élevé pour une indemnité d'immobilisation[75] ; cette opinion a été récemment démentie par un arrêt qui décide que l'importance de l'indemnité d'immobilisation n'enlève rien au caractère unilatéral de la promesse[76], mais cet arrêt s'explique peut-être par des circonstances de fait particulières[77].

La *promesse synallagmatique* est celle où il y a réciprocité des obligations, par exemple l'un s'engageant à vendre et l'autre à acheter[78]. Comme le dit l'article 1589 du Code civil, « la promesse de vente vaut vente, lorsqu'il y a consentement réciproque des deux parties sur la chose et sur le prix ». Elle ne se distingue de la vente elle-même que dans la mesure où, le plus souvent, le transfert de propriété qui est un

(73) F. Collard-Dutilleul, *Les contrats préparatoires à la vente d'immeuble* : Sirey, 1988. – F. Collart-Dutilleul, *La durée des promesses de contrat : RDC* 2004, p. 15. – F. Collart-Dutilleul, *Les contrats préparatoires à la vente d'immeuble : vingt ans après*, in *Mél. J.-L. Aubert* : Dalloz, 2005, p. 67. – G. Ngoumtsa Anou, *Promesses unilatérales et promesses synallagmatiques de vente : questions de frontière : Rev. Lamy dr. civ.* mars 2011, p. 69.

(74) Sur la faculté de rétracter la promesse, V. Cass. 3e civ., 15 déc. 1993 : D. 1994, 507 et note F. Bénac-Schmidt ; *JCP* 1995, II, 22366 et note D. Mazeaud ; *RTD civ.* 1994, 588, obs. J. Mestre. – D. Tomasin, *La valeur des promesses unilatérales de vente : Administrer* oct. 1996, n° 282, p. 15. – I. Najjar, *La « rétractation » d'une promesse unilatérale de vente (à propos d'un revirement)* : Cass. 3e civ., 26 juin 1996 : *D.* 1997, chron. 119. – A. Terrasson de Fougères, *Sanction de la rétractation du promettant avant la levée de l'option : JCP* N 1995, 194. – R.-N. Schütz, *Comment sauver les promesses unilatérales de vente ? : LPA* 23 avr. 1997, p. 18. – D. Mainguy, *L'efficacité de la rétractation de la promesse de contracter : RTD civ.* 2004, 1. – D. Mazeaud, *Exécution des contrats préparatoires : RDC* 2005, p. 61. – B. Nuytten, *L'exécution des contrats préparatoires à la vente d'immeubles : le point de vue du praticien : RDC* 2005, p. 75. Pour éviter certains inconvénients des promesses de vente, le 99e Congrès des notaires a suggéré une alternative : V. P.-J. Meyssan et D. Radot, *Le remède au compromis de vente : la vente conditionnelle ? : JCP* N 2003, 1318. – Pour le cas où la promesse comporte un engagement définitif de vendre, V. Cass. 3e civ., 8 sept. 2010 : *JCP* 2010, 1051, note G. Pillet ; *Defrénois* 2010, art. 39170, p. 2123, obs. L. Aynès. – L. Aynès, P. Tarrade et Ph. Davy, *Promesse unilatérale de vente : du nouveau : Defrénois* 2011, art. 40209.

(75) F. Benac-Schmidt, *Contrat de promesse unilatérale de vente*, préf. J. Ghestin, 1984 ; *La promesse unilatérale de vente : à propos de deux questions d'actualité : D.* 1990, chron. 7. – V. aussi *La formation du contrat, L'avant-contrat*, in *Trav. 62e Congrès des Notaires*, 1964. – M. Jorge, *La promesse unilatérale de vente avec faculté de substitution (essai de synthèse) : LPA* 22-25 oct. 1991. – M. Azencot, *La transmission des promesses unilatérales de vente : JCP* N 1992, I, doctr. 61. – D. Martin, *L'esquisse contractuelle et la mort : D.* 1993, chron. 236.

(76) Cass. 1re civ., 1er déc. 2010 : *D.* 2012, 462, obs. S. et M. Mekki ; *RTD civ.* 2011, 346, obs. B. Fages ; *RDC* 2011, 420, obs. Y.-M. Laithier.

(77) Voir en sens contraire Cass. 3e civ., 26 sept. 2012 : *RTD civ.* 2012, 723, obs. B. Fages ; *RDC* 2013, 59, obs. Y.-M. Laithier.

(78) Deux promesses unilatérales croisées, l'une de vente, l'autre d'achat, valent promesse synallagmatique si elles sont stipulées en termes identiques et comportent un accord définitif sur la chose et sur le prix (Cass. com., 16 janv. 1990 : *RTD civ.* 1990, 462), mais non si elles sont soumises à des conditions différentes (Cass. 3e civ., 26 juin 2002 : *Defrénois* 2002, 1231 et note E. Savaux ; *RTD civ.* 2003, 77, obs. J. Mestre et B. Fages. – Cass. com., 22 nov. 2005 : *Bull. Joly Sociétés* 2006, p. 377, note A. Couret et L. Cesbron ; *JCP* E 2006, n° 1463 et note A. Constantin ; *RTD civ.* 2006, p. 302.

effet de la vente, est retardé jusqu'à réitération de la vente par acte authentique[79]. Ici, il ne s'agit plus d'un contrat préparatoire à la vente, mais de la vente elle-même[80].

Enfin, le *contrat préliminaire* est un avant-contrat spécialement instauré par la loi pour la vente d'immeuble à construire et qui, depuis lors, a été étendu à d'autres contrats, notamment à la location-accession. Cet avant-contrat spécifique obéit à un régime propre qui ne se ramène ni à la promesse unilatérale, ni à la promesse synallagmatique[81]. Mais il s'agit bien d'un contrat préparatoire dans la mesure où le promettant conserve la liberté de ne pas conclure la vente.

124. - **Les avant-contrats dans le projet de réforme**[82]. Le projet de réforme réglemente ces avant-contrats que sont la promesse unilatérale de contrat et le pacte de préférence. Il reste en revanche muet au sujet de la promesse synallagmatique de contrat, ce qui laisse entendre que celle-ci ne constitue pas un contrat préparatoire mais le contrat final lui-même.

Au-delà des définitions qu'il propose de ces deux avant-contrats[83], le projet de réforme s'emploie à mettre un terme à des solutions jurisprudentielles très controversées. À cet effet, l'article 24, alinéa 2, consacre l'inefficacité de la rétractation du promettant pendant le temps laissé au bénéficiaire de la promesse unilatérale pour exprimer son consentement de telle sorte que le contrat promis sera formé malgré ce retrait du consentement.

Par ailleurs, l'article 24 précise à l'alinéa 3 que « le contrat conclu en violation de la promesse unilatérale avec un tiers qui en connaissait l'existence est nul ». Et corrélativement, l'article 25, alinéa 2, stipule que, en cas de violation d'un pacte de préférence par un tiers qui en connaissait l'existence, « le bénéficiaire peut agir en nullité ou demander au juge de le substituer au tiers dans le contrat conclu », le tout sans préjudice d'éventuels dommages et intérêts. Le projet va, ainsi dans le sens de l'évolution récente de la jurisprudence[84].

(79) Cass. 3e civ., 19 juin 2012 et 10 sept. 2013 : *RDC* 2014, 54, obs. Ph. Brun. – L. Boyer, *Les promesses synallagmatiques de vente : RTD civ.* 1949, 1. – J. Schmidt-Szalewski, *Le rôle de l'acte authentique dans la vente immobilière : RD imm.* 1989, 147. – Ch. Coutant, *La réitération des promesses synallagmatiques de vente : AJDI* 1999, 127.

(80) Un intérêt considérable s'attache à cette distinction entre promesse synallagmatique et promesse unilatérale. En effet, l'article 1589-2 du Code civil édicte que doit être constatée par acte authentique ou acte sous seing privé enregistré dans les dix jours toute promesse de vente afférente à un immeuble, un fonds de commerce, etc., *à peine de nullité*. Cette obligation d'enregistrement qui vise les seules promesses unilatérales sous seing privé, est parfois méconnue en pratique, ce qui entraîne alors la nullité ; il importe donc de savoir si la promesse conclue est ou non unilatérale, et si les formalités correspondantes ont été accomplies.

(81) Ph. Malinvaud et Ph. Jestaz, *Le contrat préliminaire à la vente d'immeuble à construire : JCP* 1976, I, 2790. – Th. Massis, *Le contrat préliminaire dans la vente d'immeuble à construire* : thèse Paris II, 1979. – P. Meysson, *Le contrat préliminaire à la vente d'immeuble à construire : JCP* N 81, I, p. 73. – F. Collart-Dutilleul, *op. cit.* – D. Ponton-Grillet, *Le contrat de réservation : D.* 1991, chron. 26.

(82) À propos du Projet Catala : P. Delebecque et D. Mazeaud, *Formation du contrat*, in *Avant-projet de réforme du droit des obligations et de la prescription, Exposé des motifs* : La Documentation française, 2006, p. 27. – S. Messaï-Bahri, *La sanction de l'inexécution des avant-contrats au lendemain de l'avant-projet de réforme du droit des obligations : LPA* 24 juill. 2006, n° 146, p. 12. – G. Forest, *Avant-projet de réforme du droit des obligations et de la prescription et contrats préparatoires à la vente d'immeuble : LPA* 11 juill. 2006, n° 137, p. 6. – C. Aubert de Vincelles, *Le processus de conclusion du contrat*, in *Pour une réforme du droit des contrats* : Dalloz, 2008, p. 119, V. spéc. p. 139. – O. Deshayes (ss dir.), *L'avant-contrat. Actualité du processus de formation des contrats* : PUF, 2008.

(83) La promesse unilatérale est définie par l'article 24, alinéa 1 comme « le contrat par lequel une partie, le promettant, consent à l'autre, le bénéficiaire, le droit pendant un certain temps, d'opter pour la conclusion d'un contrat dont les éléments essentiels sont déterminés ». Le pacte de préférence est quant à lui défini par l'article 34, alinéa 1 comme « le contrat par lequel une partie s'engage à proposer prioritairement à son bénéficiaire de traiter avec lui pour le cas où elle se déciderait de contracter ».

(84) Cass. ch. mixte, 26 mai 2006 : *D.* 2006, p. 1861 et note P.-Y. Gautier ; *JCP* 2006, II, 10142 et note L. Leveneur ; *Contrats, conc. consom.* 2006, comm. 153, obs. L. Leveneur ; *Defrénois* 2006, 1, 1206, art. 38433, n° 41, obs. E. Savaux ; *JCP* 2006, I, 176, nos 1

2) Les conditions de forme

125. – **La forme de l'offre. Règles générales.** À l'exception des contrats solennels qui sont soumis à des formes particulières, les contrats ne sont en principe soumis à aucune forme : ils se forment par le simple échange des consentements. Il en va de même de l'offre et de l'acceptation : peu importe la manière dont elles se formalisent dès l'instant qu'elles expriment sans équivoque la volonté de leur auteur.

Ainsi, l'offre peut être *expresse* ou *tacite*. Expresse, elle sera formulée par écrit (lettre, catalogue, petites annonces des journaux, etc.) ou plus simplement par la parole. Dans le commerce elle est le plus souvent tacite et résulte notamment de l'étalage des marchandises. D'une manière générale, on peut considérer que de nombreux professionnels sont en état d'offre permanente. Tel est par exemple le cas du taxi en stationnement, des marchandises exposées à l'étalage, etc. La loi décide en conséquence que le refus de vente ou de prestation de services constitue un délit, sauf motif légitime (C. consom., art. L. 122-1).

L'offre peut être faite *à personne déterminée* ou *indéterminée*, c'est-à-dire *au public* (art. 14 du projet de réforme). L'une et l'autre ont en principe les mêmes effets, à ceci près que l'offre au public comporte toujours des réserves, au moins implicites : jusqu'à épuisement du stock en cas d'offre portant sur des marchandises, sous réserve de la personnalité de l'acceptant dans les contrats *intuitu personae* où la considération de la personne est prédominante (dans ce dernier cas il s'agit en réalité d'une invitation à des pourparlers et non pas d'une offre au sens juridique du terme).

L'offre peut mentionner un *délai* pour l'acceptation, ou rester muette sur ce point[85]. Cette précision présente un intérêt majeur dans la mesure où elle détermine la durée de validité de l'offre.

126. – **La forme de l'offre. Règles spécifiques au droit de la consommation.** Le souci de protéger le consommateur a amené le législateur à poser des règles qui touchent à la forme de l'offre faite par le professionnel. On se bornera à en présenter quelques exemples.

C'est ainsi que l'offre réalisée sous la forme d'un *démarchage à domicile* est strictement réglementée (C. consom., art. L. 121-21 et s.).

De même, et cette fois-ci pour l'offre de denrées et marchandises faites au public, la loi impose des mentions spécifiques pour *l'étiquetage et l'affichage*. Notamment, l'article R. 112-8 du Code de la consommation prévoyait que toutes les mentions d'étiquetage devaient « être facilement compréhensibles, rédigées en langue française... ». Mais cette disposition, qui semblait protéger à la fois le consommateur et la langue française, a été condamnée par l'arrêt *Casino* de la Cour de justice des

---

et s., obs. F. Labarthe ; *RTD* civ. 2006, p. 550, obs. J. Mestre et B. Fages ; *Rev. Lamy dr. civ* sept. 2006, p. 5 ; *RDC* 2006, p. 1080, obs. D. Mazeaud, et p. 1131, obs. F. Collart-Dutilleul. – V. dans le même sens : Cass. 3e civ., 31 janv. 2007 : *Bull. civ.* 2007, III, n° 16 ; *D.* 2007, 1698 et note D. Mainguy. – Cass. 3e civ., 14 févr. 2007 : *D.* 2007, 2444 et note J. Théron ; *RDC* 2007, p. 701, obs. D. Mazeaud et 741, obs. G. Viney. – H. Kenfack, *Le renforcement de la vigueur du pacte de préférence : Defrénois* 2007, 1, 1003, art. 38621. – T. Bernard, *La prévention de l'inexécution du pacte de préférence : Defrénois* 2008, art. 38834, p. 1907.

(85) La loi en dispose parfois autrement ; par exemple, dans le contrat de crédit, l'offre de prêt doit être maintenue pendant une durée minimale de trente jours à compter de sa réception par l'emprunteur (C. consom., art. L. 312-10) ; dans la vente à distance, l'offrant doit obligatoirement mentionner « la durée de la validité de l'offre et du prix de celle-ci » (C. consom., art. L. 121-18).

Communautés européennes comme contraire à l'article 28 du traité CE et à la directive du 18 décembre 1978 concernant l'étiquetage des denrées alimentaires[86]. Plus généralement, la loi du 4 août 1994, dite loi Toubon, relative à l'emploi de la langue française, pose en son article 2 l'obligation – pénalement sanctionnée[87] – d'employer la langue française « dans la désignation, l'offre, la présentation, la publicité écrite ou parlée, le mode d'emploi ou d'utilisation, l'étendue et les conditions de garantie d'un bien ou d'un service, ainsi que dans les factures et quittances ». Afin de rendre cette disposition compatible avec les règles européennes[88], une circulaire du 20 septembre 2001 est tout d'abord venue fixer diverses recommandations[89]. Puis le législateur est intervenu pour ajouter à l'article R. 112-8 un deuxième alinéa précisant que les mentions d'étiquetage « peuvent figurer en outre dans une ou plusieurs autres langues ».

S'agissant maintenant de la précision de l'offre, l'article L. 111-1 pose en règle générale que « tout professionnel vendeur de biens ou prestataire de services doit, avant la conclusion du contrat, mettre le consommateur en mesure de connaître les caractéristiques essentielles du bien » ; il ajoute qu'« en cas de litige (...) il appartient au vendeur de prouver qu'il a exécuté ses obligations ». Dans certains domaines, la loi se montre encore plus exigeante quant aux informations qui doivent être mentionnées dans l'offre, spécialement en matière de crédit (C. consom., art. L. 311-8 et s.).

b) *Les effets de l'offre*

127. – **Révocabilité de l'offre ?** Tant que l'acceptation n'est pas intervenue pour parfaire le contrat, l'offrant se trouve dans une situation d'attente. Peut-il y mettre fin en révoquant son offre ? Suivant la doctrine classique ancienne, il devait y avoir *libre révocabilité* : s'agissant d'une manifestation unilatérale de volonté, il semblait naturel qu'on puisse la retirer à tout moment. En revanche, la *sécurité des transactions* postule la solution inverse : c'est en ce sens que se prononce la jurisprudence.

La jurisprudence considère en effet qu'il y a une obligation de maintenir l'offre, qui est à moduler suivant les circonstances[90], plus précisément suivant que l'offre est formulée avec ou sans délai de validité[91].

Si l'offre est formulée *avec un délai*, l'offrant doit la maintenir pendant ce délai ; il doit en quelque sorte tenir parole[92]. S'il révoque prématurément son offre, il n'est pas douteux que sa responsabilité pourra être engagée : il risque donc une condamnation à dommages et intérêts ; en revanche, il paraît difficile d'admettre que la

(86) CJCE, ass. plén., 12 sept. 2000, aff. C-366/98, *Y. Geffroy et Casino France SNC* : *D.* 2001, 1458 et note J.-M. Pontier. Sur l'extension possible de cette solution à d'autres domaines, voir : L. Bernardeau, *Étiquetage et langue française : les enseignements de l'arrêt Casino : Contrats, conc. consom.* 2001, chron. 10).

(87) Cass. crim., 26 avr. 2000 : *Bull. crim.* 2000, n° 476. – Cass. crim., 14 nov. 2000 : *JCP* 2001, II, 10525 et note E. Dreyer.

(88) H. Claret, *La loi Toubon du 4 août 1994 est-elle conforme au droit communautaire ? : Contrats, conc. consom.* 2001, chron. 5.

(89) Circ. 20 sept. 2001 relative à l'application de l'article 2 de la loi du 4 août 1994 relative à l'emploi de la langue française (*JO* 27 oct. 2001 ; *JCP* 2001, III, 20577).

(90) Dans le cas d'une offre par voie électronique, la loi pour la confiance dans l'économie numérique prévoit que : « l'auteur de l'offre est tenu par sa proposition tant qu'elle reste accessible par voie électronique de son fait ».

(91) Un auteur suggère de distinguer suivant qu'il y a uniquement un délai de validité, dont l'expiration entraîne automatiquement la caducité de l'offre, ou également, au sein de ce délai de validité, un délai d'irrévocabilité : C. Grimaldi, *La durée de l'offre* : *D.* 2013, 2871.

(92) Un auteur en propose pour fondement la bonne foi précontractuelle : J. Antippas, *De la bonne foi précontractuelle comme fondement de l'obligation de maintien de l'offre durant le délai indiqué* : *RTD civ.* 2013, 27. – Cass. 1re civ., 17 déc. 1958 : *D.* 1959, 33. – Cass. 3e civ., 10 mai 1968 : *Bull. civ.* 1968, III, n° 209.

révocation doive être tenue pour nulle et qu'une acceptation postérieure puisse alors former le contrat. Quelques décisions l'ont néanmoins jadis admis[93].

Si l'offre a été faite *sans indication de délai*, il faut distinguer entre deux situations. L'offre faite au public est en principe librement révocable, ce qui est logique compte tenu des réserves implicites qui accompagnent nécessairement ce type d'offre[94]. En revanche, si l'offre a été faite à personne déterminée, la jurisprudence décide en général que l'offrant est tenu de la maintenir pendant un délai raisonnable dont le *quantum* sera déterminé par les tribunaux suivant les usages et les circonstances[95].

Trois explications ont été avancées comme fondement possible de cette obligation d'origine jurisprudentielle. Les uns ont soutenu que cette obligation se rattachait à un *avant-contrat* portant sur le délai de maintien de l'offre ; mais cette théorie de l'avant-contrat, concevable lorsqu'un délai a été indiqué, relève de la fiction la plus totale dans le cas contraire. D'autres ont considéré qu'il y avait faute à retirer une offre prématurément ; mais cette théorie (dite de la *responsabilité civile*) suppose ce qui reste précisément à démontrer, à savoir l'existence d'une obligation de maintenir l'offre alors qu'aucun délai n'a été précisé. Compte tenu de ces contradictions, la doctrine voit généralement dans cette obligation une application de la théorie de l'*engagement unilatéral* suivant laquelle une volonté, à elle seule, pourrait être source d'obligation[96] (V. *supra*, n° 57).

Le projet de réforme[97] réglemente la question de la rétractation de l'offre par trois règles qui ne concernent en fait que l'offre faite à personne déterminée.

Il pose une première règle suivant laquelle « l'offre peut être librement rétractée tant qu'elle n'est pas parvenue à la connaissance de son destinataire » (art. 15).

En second lieu, une fois l'offre parvenue à la connaissance de son destinataire, cette offre « ne peut être révoquée avant l'expiration du délai expressément prévu, ou à défaut, avant l'expiration d'un délai raisonnable » (art. 16), ce qui dans ce dernier cas laisse au juge un large pouvoir d'appréciation. En revanche, il n'est pas prévu de révocation de l'offre pour justes motifs comme le proposait un auteur[98].

En troisième lieu, l'article 17 édicte que la révocation de l'offre en violation de l'article précédent « n'engage que la responsabilité extracontractuelle de son auteur sans l'obliger à compenser la perte des bénéfices attendus du contrat ». Cette disposition condamne implicitement la jurisprudence suivant laquelle une acceptation dans le délai vaut formation du contrat en dépit de la rétractation intervenue.

(93) Cass. 1re civ., 17 déc. 1958 et Cass. 3e civ., 10 mai 1968, préc.

(94) Versailles, 28 févr. 1992 : *Defrénois* 1992, 1, 1073, obs. J.-L. Aubert.

(95) Cass. 3e civ., 22 avr. 1958 : *Bull. civ.* 1958, III, n° 160. – Cass. 1re civ., 7 janv. 1959 : *Bull. civ.* 1959, I, n° 15. – Cass. soc., 22 mars 1972 : *D.* 1972, 468. – Cass. 3e civ., 20 mai 1992 : *D.* 1993, 493 et note G. Virassamy. – Cass. 3e civ., 25 mai 2005 : *Contrats, conc. consom.* 2005, comm. 166, obs. L. Leveneur ; *RTD civ.* 2005, p. 772, obs. J. Mestre et B. Fages. – Cass. 3e civ., 20 mai 2009 : *RDC* 2009, p. 1325, obs. Y.-M. Laithier. Pour une offre modifiée à la suite d'une erreur, voir Cass. 1re civ., 16 janv. 2013 : *RDC* 2013, 516, obs. T. Génicon.

(96) V. en ce sens, Cass. 3e civ., 7 mai 2008 : *D.* 2008, act. jurispr. 1480, obs. G. Forest ; *JCP* 2008, I, 179, nos 1 et s., obs. Y.-M. Serinet ; *RTD civ.* 2008, 474, obs. B. Fages ; *D.* 2008, pan. p. 2969, obs. S. Amrani-Mekki ; *RDC* 2008, p. 1109, obs. T. Génicon. – M.-L. Mathieu-Yzorche, *L'irrévocabilité de l'offre de contrat : réflexions à propos de l'arrêt de la 3e chambre civile du 7 mai 2008* : D. 2009, chron. 440.

(97) Pour le Projet Catala, V. P. Delebecque et D. Mazeaud, *Formation du contrat*, in *Avant-projet de réforme du droit des obligations et de la prescription, Exposé des motifs* : La Documentation française, 2006, p. 27.

(98) P. Stoffel-Munck, *Autour du consentement et de la violence économique* : RDC 2006, p. 45 et spéc. p. 47.

128. – Caducité de l'offre. On enseigne classiquement que l'offre devient caduque[99], c'est-à-dire tombe d'elle-même dans deux séries de cas.

Il y a tout d'abord caducité par l'*écoulement du temps*, mais il faut distinguer suivant que l'offre avait été faite avec ou sans indication de délai.

Si l'offre a été faite avec délai, il est évident qu'elle tombe à l'expiration du délai indiqué ; toute acceptation ultérieure serait donc sans effet.

À défaut d'indication d'un délai, certains auteurs considéraient qu'il n'y avait pas place pour la caducité et qu'une acceptation survenant après de longues années devait entraîner la conclusion du contrat[100]. Cette solution n'a pas été retenue par la jurisprudence qui considère qu'une offre faite sans indication de délai n'est pas faite pour l'éternité, mais pour un délai raisonnable qui doit être apprécié en fonction des circonstances[101]. Cela revient à dire que toutes les offres sont faites pour un délai limité, soit le délai déterminé par l'offrant, soit un délai raisonnable apprécié par le juge ; et la caducité intervient à l'expiration de ce délai. Telle est la solution qui a été retenue par le projet de réforme (art. 18, al. 1).

La question se pose également *en cas de mort ou d'incapacité de l'offrant*. La jurisprudence lui donne une réponse différente suivant que l'offre était faite avec ou sans indication de délai[102].

Si l'offre a été faite avec indication de délai, l'obligation de maintenir l'offre dans ce délai survit au décès de l'offrant et passe à ses héritiers ; il n'y a pas caducité de l'offre et une acceptation peut valablement intervenir après le décès de l'offrant, à la condition bien évidemment d'être toujours dans le délai[103].

Dans le cas où l'offre a été faite sans indication de délai, la jurisprudence a varié. Alors qu'il était traditionnellement admis, en jurisprudence comme en doctrine, que le décès de l'offrant entraînait la caducité, un arrêt avait décidé à l'inverse qu'une offre de vente ne pouvait être considérée comme caduque, ou inopposable à ses héritiers, du seul fait du décès de l'offrant[104]. Mais la jurisprudence est revenue ultérieurement à la solution classique de la caducité[105].

La question de la caducité pourrait également se poser en cas de survenance de l'incapacité de l'offrant, mais la jurisprudence n'a pas été amenée à se prononcer sur ce point.

S'agissant de la caducité de l'offre, le projet de réforme (art. 18) édicte qu'elle intervient « à l'expiration du délai fixé par son auteur ou, à défaut, à l'issue d'un délai raison-

(99) Sur la notion de caducité, V. Y. Buffelan-Lanore, *Essai sur la notion de caducité des actes juridiques* : LGDJ, coll. « Droit privé », t. 43. – N. Fricéro, *La caducité en droit privé* : thèse Nice, 1979. – F. Garron, *La caducité du contrat (Étude de droit privé)*, préf. J. Mestre : PUAM, 1999. – V. Wester-Ouisse, *La caducité en matière contractuelle : une notion à réinventer* : *JCP* 2001, I, 290. – R. Chaaban, *La caducité des actes juridiques* : LGDJ, coll. « Droit privé », 2005, t. 445, préf. Y. Lequette. – C. Pelletier, *La caducité des actes en droit privé français* : L'Harmattan, coll. « Logiques juridiques », 2004.

(100) V. en ce sens J. Flour, J.-L. Aubert et E. Savaux, *Les obligations. L'acte juridique*, n° 144.

(101) V. en ce sens Cass. 3e civ., 20 mai 1992, préc. – Cass. 3e civ., 20 mai 2009 : *Bull. civ.*, III, n° 118 ; *RTD civ.* 2009, 524, obs. B. Fages ; *RDC* 2009, 1325, obs. Y.-M. Laithier.

(102) L'article 18 du projet de Pavie prévoit qu'en cas de décès ou d'incapacité de l'auteur de l'offre ou de son destinataire, l'offre ou l'acceptation ne perd pas son efficacité, sauf si cela est justifié par la nature de l'affaire ou par les circonstances.

(103) Cass. 3e civ., 10 déc. 1997 : *Bull. civ.* 1997, III, n° 223 ; *Defrénois* 1998, 1, 336, art. 36753, n° 20, obs. D. Mazeaud ; *D.* 1999, somm. 9, obs. P. Brun.

(104) Cass. 3e civ., 9 nov. 1983 (à propos du droit de préemption d'une SAFER) : *Bull. civ.* 1983, III, n° 222 ; *RTD civ.* 1985, 154, obs. J. Mestre ; *Defrénois* 1984, 1, 1011, art. 33368, n° 78, obs. J.-L. Aubert.

(105) Cass. 3e civ., 10 mai 1989 : *D.* 1990, 365 et note G. Virassamy. – V. D. Martin, *L'esquisse contractuelle et la mort* : *D.* 1993, chron. 236.

nable » et, en toute hypothèse, « en cas d'incapacité ou de décès de son auteur », sans distinction suivant que l'offre avait été faite à personne déterminée ou indéterminée.

2° L'acceptation

a) Les conditions

1) Les conditions de fond

129. – **L'acceptation doit être conforme à l'offre. Les documents contractuels.** Le principe est posé par l'article 19 du projet de réforme qui définit l'acceptation comme « la manifestation de volonté de son auteur d'être lié dans les termes de l'offre » ; une acceptation non-conforme serait « dépourvue d'effet, sauf à constituer une offre nouvelle » (al. 2).

Ainsi l'acceptation doit tout d'abord être conforme ; il faut ici comprendre que l'acceptation porte seulement sur les conditions de l'offre telles qu'elles étaient connues de l'acceptant au moment où il a donné son consentement[(106)].

En vertu de cette idée, seront écartées les clauses illisibles ou réputées telles par la jurisprudence dans un souci de protection du consommateur, par exemple :

- les clauses en langue étrangère (le français est censé ne pas connaître de langues autres que la sienne...), sous réserve des exigences communautaires (V. *supra*, n° 126) ;
- celles rédigées en très petits caractères (le français est naturellement presbyte...), ou figurant au verso de la commande[(107)] ;
- ou encore celles inscrites dans un document annexe non communiqué à l'acceptant[(108)].

Sont généralement considérées comme n'ayant pas été acceptées les conditions qui n'ont été connues que postérieurement à l'acceptation, par exemple, celles figurant sur la facture adressée par la suite (c'était souvent le cas jadis des clauses d'attribution de compétence, qui sont désormais interdites sauf entre commerçants et à la condition d'être spécifiées de façon très apparente : CPC, art. 48)[(109)].

Il s'agit finalement de déterminer quels sont les documents contractuels[(110)]. Souvent, le contrat listera ces documents, en se bornant à y faire renvoi : par exemple les conditions générales de vente du vendeur, telle ou telle norme AFNOR, etc. Le principe est que seuls sont contractuels les documents qui ont été effectivement annexés au contrat et dont l'acceptant avait connaissance lors de son acceptation[(111)], par opposition à ceux dont il n'aurait eu connaissance qu'ultérieurement. Et il ne saurait y avoir d'accord si les conditions générales de l'un divergent des conditions générales de l'autre cocontractant[(112)].

(106) F. Limbach, *Le consentement contractuel à l'épreuve des conditions générales* : LGDJ, 2004.

(107) Cass. 1re civ., 3 mai 1979 : *Bull. civ.* 1979, I, n° 128 ; *D.* 1980, inf. rap. 262, obs. J. Ghestin ; *JCP* 1979, IV, 221. – Cass. com., 13 oct. 1992 : *Contrats, conc. consom.* 1993, comm. 1, et note L. Leveneur.

(108) Cass. 1re civ., 18 juin 1985 : *Bull. civ.* 1985, I, n° 195.

(109) J. Dupichot, *Bilan de l'interprétation jurisprudentielle de l'article 48* : *Gaz. Pal.* 1981, 2, 535.

(110) F. Labarthe, *La notion de document contractuel*, préf. J. Ghestin : LGDJ, 1994.

(111) Cass. 1re civ., 3 déc. 1991 : *Bull. civ.* 1991, I, n° 342. – Cass. 1re civ., 11 avr. 1995 : *Contrats, conc. consom.* 1995, comm. 124. – Cass. 1re civ., 17 nov. 1998 : *Contrats, conc. consom.* 1998, comm. 18. – Cass. 1re civ., 16 févr. 1999 : *JCP* 1999, II, 10162 et note B. Fillion-Dufouleur. – V. cependant *contra* : Cass. 1re civ., 3 févr. 1993 : *Bull. civ.* 1993, I, n° 48.

(112) Cass. com., 10 janv. 2012 : *RDC* 2013, 528, obs. Y.-M. Laithier. – V. C. Dzldoefz, *Le conflit né de la confrontation des conditions générales contraductoires et son incidence sur la formation des contrats*, in *M. Fontaine (dir), Le processus de formation du contrat* : Bruylant – LGDJ, 2002, p. 479.

C'est en ce sens que l'article 20 du projet de réforme règle le sort des conditions générales auxquelles l'offre fait souvent référence. L'acceptation n'emportera approbation de ces conditions par l'acceptant « que si elles ont été portées à sa connaissance et si elle les a acceptées ». Et, dans le cas, fréquent, où chacune des parties oppose à l'autre ses propres conditions, seront écartées les clauses qui apparaissent « incompatibles » (art. 20, al. 2).

En revanche, parce qu'il y va de l'intérêt de l'acceptant, un document publicitaire diffusé par l'offrant pourra être considéré comme ayant valeur contractuelle et obligeant son auteur à fournir la chose ou la prestation telle que promise(113).

130. – **L'acceptation doit être pure et simple.** Pour qu'il y ait rencontre des consentements et conclusion du contrat, l'acceptation doit être pure et simple. En pratique, l'acceptation sera souvent donnée sous réserve de telle ou telle modification, par exemple sous réserve d'un rabais sur le prix proposé. En fait, il ne s'agit pas là d'une acceptation mais d'une contre-proposition soumise à l'offrant. S'instaurera alors un processus de négociation, fait de propositions et contre-propositions, jusqu'au moment où les protagonistes seront effectivement d'accord sur la chose et sur le prix.

Seule l'acceptation venant en dernier sera une acceptation pure et simple et permettra au contrat de se former.

131. – **L'acceptation doit être complète.** L'acceptation doit enfin être complète, c'est-à-dire porter sur l'ensemble des conditions figurant dans l'offre.

Si l'offre ne portait que sur les points essentiels, le contrat est conclu, sauf pour les parties à s'entendre ensuite sur les points annexes qui n'avaient pas été envisagés, ni soumis à la discussion(114).

Mais si l'offre portait sur un ensemble de clauses et si l'acceptation a été limitée aux points essentiels, le contrat n'est pas formé si le juge estime que les conditions non agréées, même secondaires dans l'absolu, avaient été considérées comme déterminantes par l'offrant(115) : par exemple, les modalités de paiement. En pareil cas, il y a un simple *accord de principe*(116), qui oblige seulement les partenaires à poursuivre de bonne foi la négociation sur les points secondaires(117). Mais il n'y a pas encore contrat, à moins que les points restant en discussion ne soient totalement accessoires(118).

(113) Cass. com., 17 juin 1997 : *D.* 1997, inf. rap. 162 ; *JCP* 1997, I, 4056, nos 1 à 4 et note F. Labarthe. – Cass. 1re civ., 6 mai 2010 : *JCP* 2010.922, obs. F. Labarthe ; *D.* 2011, 475, obs. S. Amrani-Mekki ; *RDC* 2010, 1197, obs. D. Mazeaud ; *RTD civ.* 2010, 580, obs. P.-Y. Gautier ; *Contrats, conc. consom.* 2010, comm. 200.

(114) Cass. req., 20 janv. 1941 : *DA* 1941, 179. – Cass. 1re civ., 26 nov. 1962 : *D.* 1963, 61.

(115) Cass. 3e civ., 4 janv. 1973 : *D.* 1973, 663. – Cass. 3e civ., 2 mai 1978 : *D.* 1979, 317 et note J. Schmidt-Szalewski ; *JCP* 1980, II, 19465, obs. P. Fieschi-Vivet. – Cass. 1re civ., 21 févr. 1979 : *D.* 1979, 400 ; *JCP* 1980, II, 19482, obs. P. Fieschi-Vivet. – Cass. 3e civ., 26 avr. 1979 : *D.* 1979, inf. rap. 504. – Cass. 3e civ., 14 janv. 1987 : *JCP* 1987, IV, 96. – Cass. com., 16 avr. 1991 : *JCP* 1992, II, 21871, obs. M.-O. Gain. – En droit allemand, on admet que la formation du contrat puisse s'opérer par étapes successives : V. A. Rieg, *La punctatio, Contribution à l'étude de la formation successive du contrat*, in *Études Jauffret*, 1974, p. 593.

(116) I. Najjar, *L'accord de principe* : *D.* 1991, chron. 57. – Cass. com., 10 janv. 2012 : *D.* 2013, 391, obs. S. Amrani-Mekki et M. Mekki ; *RDI* 2012, 222 ; *RTD civ.* 2012, 311, obs. B. Fages ; *RTD com.* 2012, 174, obs. D. Legeais.

(117) Cass. soc., 19 déc. 1989 : *D.* 1991, 62 et note J. Schmidt-Szalewski. – Cass. com., 2 juill. 2002 : *RJDA* 2003, n° 52 ; *RTD civ.* 2003, 76, obs. J. Mestre et B. Fages.

(118) Cass. 3e civ., 14 janv. 1987 : *JCP* 1987, IV, 96 (sauf si les contractants ont entendu retarder la formation de la convention jusqu'à la fixation de ces modalités accessoires).

132. – L'acceptation mérite parfois réflexion : les délais de réflexion. En principe, l'acceptant est libre de donner son acceptation quand il l'entend, sans avoir à attendre un certain délai. L'acceptation peut donc, le cas échéant, avoir été donnée à la légère.

Pour éviter ce risque, la loi impose parfois un délai de réflexion avant l'expiration duquel l'acceptation ne peut pas être valablement donnée ; corrélativement, l'offrant ne peut retirer son offre pendant ce délai. Cette technique a été utilisée par le législateur dans le souci de la protection du consommateur, non pas de manière générale, mais pour certains contrats où le risque d'une acceptation précipitée, irréfléchie, est apparu plus important (V. *infra*, n° 241)[(119)]. C'est ce que rappelle le projet de réforme : « lorsque la loi ou les parties prévoient un délai de réflexion le destinataire de l'offre ne peut consentir efficacement au contrat avant l'expiration de ce délai » (art. 23, al. 1).

2) Les conditions de forme

133. – L'acceptation peut être expresse ou tacite. Comme l'offre, l'acceptation n'est en principe soumise à aucune forme particulière ; il faut et il suffit qu'elle soit exempte de toute équivoque. L'acceptation, si elle est une « manifestation de volonté » suivant la formule de l'article 19 du projet de réforme, peut tout aussi bien être *expresse* ou *tacite*.

Expresse, elle pourra être donnée par écrit ou verbalement. Par exemple, le devis signé par un artisan qui est une offre d'exécuter certains travaux à un certain prix sera contresigné par le client avec la formule « bon pour acceptation ». Parfois, les usages dictent la forme de l'acceptation : par exemple poignée de main dans les foires aux bestiaux (tope-là, cochon qui s'en dédit...), bras levé dans les ventes aux enchères, etc.

Quant à l'acceptation tacite, elle résultera le plus souvent de l'exécution spontanée du contrat proposé : par exemple le fait pour un client de monter dans un taxi ou un autobus[(120)], pour un fournisseur d'envoyer la marchandise commandée, pour un assureur d'envoyer une police à signer ou d'encaisser une prime[(121)], etc.

S'agissant du *contrat électronique*, la loi du 21 juin 2004 prévoit des modalités particulières (V. *infra*, n° 149).

134. – Le silence vaut-il acceptation ? La question ne se pose pas si le destinataire de l'offre, sans rien dire ou écrire, a néanmoins adopté un comportement pouvant être considéré comme valant acceptation tacite. Elle ne se pose que dans l'hypothèse où celui qui reçoit l'offre a conservé une attitude totalement passive : son silence peut-il ou non valoir acceptation ? L'article 21 du projet de réforme y répond en posant un principe et des exceptions.

Le principe est que « le silence ne vaut pas acceptation » car, par sa nature même, le silence est équivoque[(122)]. Une application remarquable en a été faite

(119) D. Ferrier, *Les dispositions d'ordre public visant à préserver la réflexion des contractants* : D. 1980, chron. 177. – Christianos, *Délai de réflexion : théorie juridique et efficacité de la protection des consommateurs* : D. 1993, chron. 28.

(120) Cass. 1re civ., 2 déc. 1969 : *D.* 1970, 104 et note G. C.-M.

(121) Cass. 1re civ., 21 juin 1983 : *Bull. civ.* 1983, I, n° 176. – Cass. 1re civ., 28 févr. 1989 : *Bull. civ.* 1989, I, n° 93. – Cass. 1re civ., 21 mai 1990 : *Bull. civ.* 1990, I, n° 109.

(122) *Les modes non formels d'expression de la volonté*, in *Trav. Assoc. H. Capitant*, t. XX. – M.-J. Littman, *Le silence dans la formation des actes juridiques* : thèse Strasbourg, 1969. – P. Diener, *Le silence et le droit* : thèse Bordeaux, 1975. – Cass.

à propos de ce procédé de vente qui consiste à envoyer à des particuliers des articles accompagnés d'une lettre aux termes de laquelle, faute de renvoyer lesdits articles dans un certain délai, le destinataire sera présumé les avoir acceptés. Cette pratique, qui spéculait sur la paresse des particuliers, a été condamnée par la loi (C. consom., art. L. 122-3) à la fois au plan pénal et au plan civil, en précisant que le contrat est alors « nul et de nul effet ».

Au principe il est fait exception lorsqu'il « en résulte autrement de la loi, des usages, des relations d'affaires ou de circonstances particulières[(123)]. Ce faisant, le projet consacre la jurisprudence suivant laquelle vaut acceptation un *silence circonstancié*. Tel est notamment le cas :

• lorsqu'offrant et destinataire étaient déjà en *rapport d'affaires du même genre* : la loi en fait application en matière de bail où le silence vaut tacite reconduction (C. civ., art. 1738), et en matière d'assurance à la proposition de l'assuré de prolonger ou modifier le contrat d'assurance (C. assur., art. L. 112-2) ; la jurisprudence applique la même solution de manière générale lorsque, en raison des rapports d'affaires antérieurs ou des circonstances[(124)], le silence perd son caractère équivoque[(125)] ;

• lorsque tel est l'*usage* de la profession[(126)] car, là encore, le silence perd son ambiguïté ;

• lorsque l'offre est faite dans le *seul intérêt du destinataire*, auquel cas son acceptation est présumée[(127)].

b) *Les effets de l'acceptation*

135. – Le principe : la conclusion du contrat. Lorsqu'elle remplit les conditions ci-dessus exposées, l'acceptation entraîne tout à la fois l'irrévocabilité de l'offre et la conclusion du contrat.

Encore faut-il, bien évidemment, que l'acceptation intervienne dans le délai indiqué dans l'offre ou, à défaut d'une telle indication, dans un délai raisonnable que le juge appréciera en fonction des circonstances (V. *supra*, n° 127).

Il reste à se demander si l'acceptation doit être portée à la connaissance de l'offrant, de telle sorte qu'il y ait bien une rencontre des consentements, un accord de volontés. Cette connaissance s'opère de manière évidente et spontanée lorsque les parties ont été présentes à la négociation. Elle fait en revanche difficulté

1re civ., 23 mai 1979 : *D.* 1979, inf. rap. 488. – Cass. 2e civ., 21 janv. 1981 : *Bull. civ.* 1981, II, n° 14. – Cass. 3e civ., 9 mars 1988 : *Gaz. Pal.* 1988, I, somm. 121. – Cass. com., 6 mars 1990 : *JCP* 1990, II, 21583, obs. B. Gross. – Cass. com., 16 avr. 1991 : *JCP* 1992, II, 21871, obs. M.-O. Gain. – Cass. 1re civ., 16 avr. 1996 : *Bull. civ.* 1996, I, n° 181.

(123) Cass. com., 18 janv. 2011 : *D.* 2012, 459, obs. S. et M. Mekki ; *RDC* 2011, 789, obs. Y.-M. Laithier ; *Contats, conc. consom.* 2011, comm. 88. – V. aussi Cass. com., 15 mars 2011 : *RDC* 2011, 795, obs. T. Génicon.

(124) Cass. 1re civ., 24 mai 2005 : *Bull. civ.* 2005, I, n° 223 ; *D.* 2006, p. 1025 et note A. Bensamoun ; *Contrats, conc. consom.* 2005, comm. 165, obs. L. Leveneur ; *JCP* 2005, I, 194, n° 1 et s., obs. C. Peres-Dourdou ; *RTD civ.* 2005, p. 588, obs. J. Mestre et B. Fages ; *RDC* 2005, p. 1007, obs. D. Mazeaud. – Cass. 1re civ., 28 févr. 2008 : *RDC* 2008, p. 709, obs. T. Génicon.

(125) Cass. 1re civ., 3 déc. 1985 : *Bull. civ.* 1985, I, n° 330. – Cass. 1re civ., 12 janv. 1988 : *JCP* 1988, IV, 108 (pour une hypothèse où le silence a été considéré comme valant acceptation). – Cass. com., 26 janv. 1993 : *D.* 1994, 69 et note J. Moury (pour la modification d'un contrat). – Cass. 1re civ., 18 juin 2002 : *D.* 2002, 2830 et note F. Verdun (pour l'adhésion à un nouveau contrat d'assurance de groupe) ; pour la critique, V. A. Bernard, *Acceptation par le silence ou contrat forcé ?* : *D.* 2003, chron. 441.

(126) Cass. com., 30 janv. 1956 : *Bull. civ.* 1956, III, n° 13.

(127) Cass. req., 20 mars 1938 : *D.* 1939, 1, 5 et note P. Voirin. – Cass. 1re civ., 1er déc. 1969 : *D.* 1970, 422 et note M. Puech ; *JCP* 1970, II, 16445, obs. J.-L. Aubert. – Cass. soc., 15 déc. 1970 : *JCP* 1971, IV, 24.

lorsque, les parties étant éloignées l'une de l'autre, la négociation s'est opérée par correspondance. C'est le problème des *contrats entre absents* (V. *infra*, n°s 137 et s.).

136. – L'exception : le délai de rétractation. Diverses lois récentes, tendant à protéger certaines personnes – spécialement les consommateurs – contre les pratiques commerciales trop agressives et contre le danger inhérent à certains contrats, amènent à nuancer le principe suivant lequel l'acceptation entraîne la conclusion du contrat.

Ce principe n'est pas mis en cause lorsque la loi impose un délai de réflexion à l'acceptant (V. *supra*, n° 132). En effet, un tel délai ne fait que retarder l'acceptation, mais il n'en modifie pas les effets.

Il n'en va pas de même lorsque, comme c'est souvent le cas aujourd'hui, la loi – ou les parties – accordent à l'acceptant un *délai de rétractation (ou de repentir)*. Le projet de réforme dispose qu'en pareille circonstance « il est permis au destinataire de l'offre de rétracter son consentement au contrat jusqu'à l'expiration de ce délai, sans avoir de motif à fournir » (art. 23). Dés lors on a pu se demander si l'acceptation entraînait véritablement la conclusion définitive du contrat[128], alors surtout que le contrat ne peut pas connaître d'exécution, ou de commencement d'exécution, avant l'expiration dudit délai. C'est dire que, tant que le délai n'est pas expiré, le contrat est en attente[129].

Une telle faculté de rétractation n'est pas édictée de manière générale. Tendant à assurer la protection des consommateurs (au sens large), elle ne s'applique qu'à certaines méthodes de commercialisation ou à certains contrats déterminés. C'est ainsi que la loi a instauré un délai de repentir :

- de sept jours pour le démarchage à domicile (C. consom., art. L. 121-25) ;
- de sept jours pour le crédit à la consommation (C. consom., art. L. 311-13) ;
- de sept jours pour tout acte ayant pour objet la construction ou l'acquisition d'un immeuble à usage d'habitation[130] (CCH, art. L. 271-1) ;
- de sept jours pour les ventes de biens et fournitures de prestations de services à distance (opérations dites de téléachat) (C. consom., art. L. 121-20) ; cette disposition devrait également s'appliquer aux consommateurs du commerce électronique[131] ;
- de quatorze jours pour le contrat de crédit (C. consom., art. L. 311-12) et pour la conclusion à distance d'un contrat portant sur des services financiers (C. consom., art. L. 121-20-12), délai porté à trente jours pour l'assurance-vie (C. consom, art. L. 132-5-1)[132].

(128) V. R. Baillod, *Le droit de repentir* : *RTD civ.* 1984, 227. – Ph. Malinvaud, *Droit de repentir et théorie générale des obligations*, in *Mél. Sacco*, 1992. – L. Bernardeau, *Le droit de rétractation du consommateur. Un pas vers une doctrine d'ensemble, À propos de l'arrêt CJCE, 22 avril 1999* : *JCP* 2000, I, 218. – L. Bernardeau, *Le droit de rétractation du consommateur. Un pas de plus vers une doctrine d'ensemble, À propos de l'arrêt CJCE, 13 décembre 2001* : *JCP JCP* 1970, II, 16445, obs. J.-L. Aubert. – Cass. soc., 15 déc. 1970 : *JCP* 1971, IV, 24.2002, I, 168. – E. Bazin, *Le droit de repentir en droit de la consommation* : *D.* 2008, chron. p. 3028.

(129) C'est l'idée qu'exprimait le projet de réforme dans sa version de 2009 : (art. 32, al. 1) : « dans les cas prévus par la loi ou par les parties, le consentement ne devient efficace et irrévocable qu'après l'expiration d'un délai de réflexion ou de rétractation ».

(130) Ph. Pelletier, *La protection nouvelle de l'acquéreur immobilier* : *Defrénois* 2001, 1, 205, art. 37307. – H. Périnet-Marquet, *L'impact de la loi SRU sur la vente immobilière* : *JCP* N 2001, 533. – H. Périnet-Marquet, *Les difficultés de délimitation du champ d'application des droits de rétractation et de réflexion offerts à l'acquéreur immobilier. Art. L. 271-1 du Code de la construction* : *JCP* 2002, I, 129.

(131) J. Passa, *Commerce électronique et protection du consommateur* : *D.* 2002, chron. 555.

(132) L. Grynbaum et F. Leplat, *Ordonnance « services financiers à distance ». De la relativité du Code de la consommation comme code... pilote* : *JCP* 2005, I, 193.

Cette faculté de rétractation peut être rapprochée de la *clause de dédit* que les parties peuvent conventionnellement insérer dans leur convention, à ceci près toutefois que le droit de repentir instauré par la loi en faveur des consommateurs est un avantage sans contrepartie, alors que le droit de rétractation conventionnel a un coût : le *dédit* qu'il faudra payer, ou les *arrhes* qu'il faudra abandonner (C. civ., art. 1590).

3° La rencontre des volontés

137. – **Position du problème.** Lorsque le contrat intervient entre des personnes présentes ou représentées, le problème n'apparaît pas : les volontés se sont rencontrées au moment et au lieu où elles ont été émises. La seule difficulté est de savoir quelle est la date du contrat lorsque celui-ci a été conclu par étapes successives ; tel est par exemple le cas si un accord de principe est intervenu sur les éléments essentiels du contrat et s'il n'a été complété que par la suite en ce qui concerne les modalités (V. *supra*, n° 131).

La difficulté est d'une autre nature lorsque offre et acceptation sont intervenues, non entre personnes présentes ou représentées, mais par téléphone ou par lettre ou par tout moyen électronique de transmission : c'est le problème dit des *contrats entre absents* ou *contrats par correspondance*, ou encore, pour employer une terminologie plus moderne, les *contrats à distance*(133).

Lorsque le contrat est conclu par téléphone, télécopie, télex, ou tout autre mode de transmission instantané comme Internet, seule se pose la question du lieu de conclusion du contrat : est-ce le lieu de l'offrant ou celui de l'acceptant ? Si la négociation a été menée par un échange de lettres, ce qui suppose un certain délai d'acheminement du courrier(134), alors se posent à la fois la question du lieu et celle du moment du contrat.

Il s'agit là d'une très ancienne question qui, faute d'avoir été réglée par la loi, a été longuement débattue en doctrine et a donné lieu à une importante jurisprudence. Elle a même pris récemment une dimension supérieure du fait du développement des techniques modernes et de la consécration du contrat électronique. Malheureusement, si le législateur est intervenu pour réglementer – dans le sens de la protection du consommateur – les contrats à distance et le contrat électronique(135), il n'a pas réglé expressément la difficulté relative au moment et au lieu de formation du contrat. Il s'ensuit que cette question demeure régie par le droit commun, c'est-à-dire par la jurisprudence.

Cette question est en revanche réglée par le projet de réforme (V. *infra*, n° 143).

138. – **Les intérêts pratiques en jeu.** Pour mettre en lumière les intérêts pratiques, il suffit de raisonner à partir d'un exemple.

(133) M. Martin, *Les contrats à distance* : *RRJ* 2003, p. 1821. – G. Brunaux, *Le contrat à distance au* XXI*e siècle* : LGDJ, coll. « Droit privé », t. 524, 2010, préf. N. Sauphanor-Brouillaud.

(134) Certaines règles ou certaines offres retiennent comme date celle du cachet de la poste, ce qui peut susciter des difficultés : V. D. Boulmier, *La crise de foi dans le cachet de la poste* : *JCP* 2003, I, 131.

(135) L. n° 2004-575, 21 juin 2004 pour la confiance dans l'économie numérique. – J. Passa, *Commerce électronique et protection du consommateur* : *D.* 2002, chron. 555. – F. Le Doujet-Thomas, *L'ordonnance du 23 août 2001 portant transposition de la directive du 20 mai 1997 concernant la protection des consommateurs en matière de contrats à distance : une erreur de perspective ?* : *Contrats, conc. consom.* mai 2002, chron. 10.

Supposons qu'un fabricant parisien offre un certain nombre de coupons de tissus à un artisan de Tahiti pour réaliser des paréos. L'artisan tahitien poste son acceptation le 15 décembre à Tahiti, mais celle-ci ne parviendra à Paris dans les bureaux de l'offrant que le 28 décembre. Une double question se pose : le contrat doit-il être considéré comme conclu le 15 ou le 28 décembre ? À Tahiti ou à Paris ?

En théorie, les deux questions devraient être liées si bien que la réponse devrait être l'une des deux suivantes : le contrat est conclu ou bien le 15 décembre à Tahiti, ou bien le 28 décembre à Paris. La jurisprudence ne s'est pas laissée enfermer dans cette logique formelle et, sans adopter l'un ou l'autre des systèmes proposés, elle s'est prononcée en fonction de l'intérêt pratique en jeu, ce qui a singulièrement compliqué la question.

Certains intérêts sont attachés à *la date du contrat.* Dans l'exemple choisi, il n'est pas indifférent de savoir si le contrat a été conclu le 15 ou le 28 décembre car des événements ont pu se produire au cours de ce délai et il faut déterminer comment le droit va les prendre en compte. Diverses questions se posent, qu'on se bornera à énoncer :

- est-il possible de révoquer l'offre ou l'acceptation jusqu'à réception de cette dernière par l'offrant ?
- y aura-t-il caducité en cas de décès ou d'incapacité de l'offrant survenant au cours de cette période ?
- s'il s'agit d'un contrat translatif de propriété, à quel moment se produisent le transfert de propriété et celui corrélatif des risques ?
- le contrat sera-t-il soumis à une loi nouvelle publiée au cours de cette période ?
- la perte de la lettre d'acceptation empêche-t-elle le contrat de se former ?, etc.

Il est évident que la réponse à ces questions sera radicalement différente suivant que l'on décide que le contrat a été conclu le 15 décembre, date d'émission de l'acceptation, ou le 28 décembre, date de la réception de cette acceptation par l'offrant.

D'autres intérêts concernent *le lieu du contrat* car certaines règles s'attachent à la situation géographique du contrat. Ainsi en est-il, en cas de litige, de la compétence territoriale du tribunal qui est parfois reconnue au tribunal du lieu de la conclusion du contrat. De même, à supposer qu'il s'agisse d'un contrat international, la forme de l'acte est soumise à la loi du lieu de sa conclusion *(locus regit actum)* ; et le lieu de conclusion peut parfois être un élément de rattachement déterminant la loi applicable au fond du litige.

139. – **Les théories en présence.** D'un point de vue théorique, le problème se pose dans les termes suivants, spécialement pour les contrats par échange de lettres : pour que le contrat soit conclu, suffit-il que les deux volontés coexistent (auquel cas ce sera au moment où l'acceptation est émise), ou bien faut-il que l'acceptation ait en outre été portée à la connaissance de l'offrant (auquel cas la conclusion du contrat sera retardée jusqu'à ce moment-là).

Deux systèmes ont été proposés (et même quatre avec leurs variantes) pour résoudre le problème.

Suivant la *théorie de l'émission,* le contrat doit être considéré comme conclu dès l'émission de l'acceptation, plus précisément au moment où la lettre d'acceptation est expédiée – dans l'exemple le 15 décembre à Tahiti. Dès cet instant les deux volontés coexistent, ce qui suffit à conclure le contrat. Suivant la *théorie de la réception*, il ne suffit pas que les deux volontés coexistent, il faut qu'elles se connaissent mutuellement ; plus précisément, il est nécessaire que l'offrant ait connaissance de l'acceptation car le contrat ne saurait être conclu à son insu. Le contrat ne sera donc formé que lors de la réception de l'acceptation, c'est-à-dire au moment où la lettre d'acceptation parvient à l'adresse de l'offrant.

Les auteurs classiques se sont partagés entre les deux théories ; mais ils considéraient que les questions de date et de lieu étaient liées. Depuis lors les idées ont évolué.

Les uns, maintenant le lien entre la date et le lieu du contrat (*théorie moniste*), se prononcent en faveur de la théorie de l'émission qui, en cas de litige, conduit à retenir la compétence du juge du lieu de l'acceptation, ce qui favorise l'acceptant ; ils justifient cette solution par l'idée que l'offrant, qui a pris l'initiative de l'opération, doit aussi en supporter les risques. Mais la solution inverse pourrait tout aussi bien être soutenue avec de bons arguments.

Les autres, partisans d'une *théorie dualiste*, considèrent que le lien entre la date et le lieu du contrat repose sur une logique simplement apparente. Ils font observer que la rencontre des volontés, si elle s'inscrit bien dans le temps, n'implique pas de rattachement géographique dans l'espace. D'ailleurs, ne peut-on pas conclure un contrat dans un avion qui se déplace entre Paris et New York ? Pour ces auteurs, la détermination tant de la date que du lieu du contrat est une question de fait, non une question de droit.

140. – Question de droit ou question de fait ? Tout d'abord il convient de préciser que la matière n'est pas d'ordre public et qu'en conséquence l'offrant est libre de déterminer dans son offre la règle à observer ; il pourra décider, par exemple, que le contrat ne sera conclu qu'au moment et au lieu de la réception[(136)]. Mais, le plus souvent, l'offrant ne se préoccupe pas de régler cette question si bien que le juge peut être appelé à se prononcer.

À la vérité, il n'y a aucun argument de texte direct pour trancher la difficulté. On est ici en présence d'une question purement abstraite : suffit-il que les deux volontés coexistent, ou faut-il une connaissance réciproque ? De bons arguments peuvent être avancés dans un sens et dans l'autre si bien que la discussion tourne immédiatement au dialogue de sourds.

D'assez nombreux arrêts consacrent ou du moins semblent consacrer le système de l'émission[(137)]. Notamment l'arrêt de la chambre des requêtes du 21 mars 1932 posait en règle que « la formation de la promesse est réalisée et le contrat rendu parfait par l'acceptation des propositions qui sont faites, dès l'instant où cette acceptation a eu lieu. »

Néanmoins, la tendance majoritaire, tant en doctrine qu'en jurisprudence, considère que « c'est généralement une question de fait dont la solution dépend

(136) Toulouse, 6 mars 1970 : *JCP* 1970, II, 16499.

(137) Cass. req., 21 mars 1932 : *D.* 1933, 1, 65 et note E.-Salle de la Marnierre ; S. 1932, 1, 278. – Cass. soc., 2 juill. 1954 : *Bull. civ.* 1954, IV, n° 485. – Cass. soc., 22 avr. 1955 et 22 juin 1956 : *JCP* 1956, II, 9587. – Cass. soc., 4 mai 1961 : *Bull. civ.* 1961, IV, n° 459. – Cass. soc., 5 juin 1962 : *Bull. civ.* 1962, IV, n° 537. – Cass. 3e civ., 6 janv. 1981 : *JCP* 1981, IV, 96.

des circonstances de la cause »[(138)]. Il s'ensuit que les juges du fond disposent d'un pouvoir souverain pour décider dans un sens ou dans l'autre, et ils le font bien évidemment par interprétation de la volonté des parties, même si celle-ci est parfois divinatoire. Au plan de l'utilité sociale cette solution semble la plus sage : plutôt que d'être enfermés dans une règle de droit qui pourrait s'avérer trop rigide, les juges du fond peuvent en effet tenir compte de la diversité des situations de fait.

Raisonnant cas par cas, intérêt pratique par intérêt pratique, les juges du fond ont usé de leur pouvoir souverain d'interprétation de la volonté des parties sans se soucier de la querelle doctrinale entre la théorie de l'émission et celle de la réception, entre la théorie moniste et celle dualiste.

Dans les faits, les juges ont été saisis du problème à propos de deux intérêts pratiques qui, à ce jour, semblent être à peu près les seuls concernés avec une certaine fréquence : la compétence territoriale et la faculté de révocation.

141. – La jurisprudence relative au lieu du contrat (compétence territoriale). La compétence territoriale est le principal intérêt pratique attaché au lieu de conclusion du contrat. En fait, la quasi-unanimité de la jurisprudence retient la compétence du tribunal du lieu de l'émission de l'acceptation, c'est-à-dire du domicile de l'acceptant, ce qui laisse entendre que le contrat est conclu dès l'émission de l'acceptation.

Le motif profond de cette jurisprudence, qui s'abrite sous le voile de l'interprétation de la volonté des parties, est non pas théorique mais pratique et social. Il s'agit d'avantager l'acceptant, en général le salarié embauché ou le consommateur ; outre qu'il est supposé moins puissant que l'offrant, on estime qu'ayant été sollicité il est normal qu'il plaide devant son propre tribunal et que l'offrant se déplace. Tel est le sens de nombreux arrêts rendus par la chambre sociale de la Cour de cassation[(139)]. La règle est aujourd'hui presque détachée de son motif, ce qui se traduit par une apparente consécration du système de l'émission.

142. – La jurisprudence relative à la date du contrat (faculté de révocation). S'agissant de la faculté de révocation, son exercice dépend du moment du contrat car, en principe, on ne peut révoquer ni l'offre, ni l'acceptation, une fois que le contrat est conclu.

Sur ce point la jurisprudence est partagée. D'assez nombreux arrêts se prononcent en faveur de la possibilité de révocation jusqu'au jour de la réception de l'acceptation par l'offrant, ce qui laisse entendre que le contrat n'est conclu qu'à ce moment[(140)]. Ce n'est là qu'une apparente consécration du système de la réception. En fait, la solution, qui s'explique par des considérations pratiques, répond à l'opinion commune : on doit pouvoir annuler par télégramme, par télex ou par courriel une acceptation écrite non encore parvenue à son destinataire. Et réciproquement,

(138) Cass. req., 29 janv. 1923 : *D.* 1923, 1, 175. – Cass. civ., 2 févr. 1932 : *S.* 1932, 1, 68. – Cass. soc., 20 juill. 1954 : *JCP* 1955, II, 8775 et obs. Rabut. – Cass. com., 6 mars 1961 : *Bull. civ.* 1961, IV, n° 123. – Cass. 1re civ., 21 déc. 1960 : *D.* 1961, 417 et note Ph. Malaurie. – Cass. soc., 9 mai 1962 : *Bull. civ.* 1962, IV, n° 420. – Cass. soc., 2 juill. 1969 : *D.* 1970, somm. 46.

(139) V. les arrêts cités *supra*, note sous n° 137. – V. en dernier Cass. soc., 11 juill. 2002 : *Bull. civ.* 2002, V, n° 254 ; *D.* 2003, 1718. – V. aussi L. Grynbaum, *Contrats entre absents : les charmes évanescents de la théorie de l'émission de l'acceptation* : *D.* 2003, chron. 1706, qui envisage les conséquences de la solution au regard du droit international privé.

(140) Cass. 1re civ., 21 déc. 1960 : *D.* 1961, 417 et note Ph. Malaurie.

l'offrant doit pouvoir révoquer son offre tant qu'il n'a pas reçu d'acceptation correspondante.

Mais d'autres arrêts se prononcent en sens inverse. Ainsi, un arrêt de la chambre commerciale du 7 janvier 1981 a retenu le système de l'émission en décidant, par interprétation de la volonté des parties, que « faute de stipulation contraire » le contrat était destiné à devenir parfait, non par la réception de l'acceptation, mais par l'émission de cette acceptation[(141)]. En revanche la troisième chambre civile s'est prononcée en sens contraire[(142)].

En définitive, on constate que la jurisprudence sépare en général, pour des raisons pratiques et d'opportunité, deux questions qui devraient être logiquement liées : la date et le lieu de conclusion d'un contrat par correspondance. La jurisprudence n'échappe à la contradiction que dans la mesure où, au lieu de poser ces solutions en règle, elle les tire cas par cas de l'interprétation de la volonté des parties. Cela présente l'inconvénient de laisser subsister une grande incertitude pour les autres hypothèses, au cas où elles seraient un jour soumises aux tribunaux.

143. – **Conclusion : éléments de solution tirés du contrat électronique et du droit comparé.** Il est regrettable que la loi n'ait pas réglementé cette question de la date et du lieu du contrat, à laquelle sont attachés des intérêts importants.

La transposition de la directive du 20 mai 1997 relative à la protection des consommateurs en matière de contrats à distance en fournissait une occasion que le législateur français n'a pas saisie. Il est vrai que cette transposition s'est faite de manière à la fois tardive et précipitée, non par la loi, mais par une ordonnance du 23 août 2001[(143)].

Une nouvelle occasion s'est présentée avec la transposition de la directive du 8 juin 2000 relative au commerce électronique[(144)]. Sans traiter directement de la date et du lieu du contrat, cette directive prévoit que le vendeur ou le prestataire doit accuser réception de la commande et que le destinataire doit y avoir accès ; malgré son ambiguïté, cette formulation semble reporter la formation du contrat à la réception de l'acceptation, sinon même à l'émission par l'offrant de l'accusé de réception[(145)].

Succédant à un premier projet de transposition devenu caduc par suite du changement de législature[(146)], un nouveau projet a conduit à la rédaction retenue dans l'article 1369-5 qui, sans se prononcer expressément sur la date à retenir, décide que « pour que le contrat soit valablement conclu, le destinataire de l'offre

(141) Cass. com., 7 janv. 1981 : *Bull. civ.* 1981, IV, n° 14, p. 11 ; *RTD civ.* 1981, 849, obs. F. Chabas.

(142) En application de l'article L. 412-8 du Code rural et de la pêche maritime : Cass. 3e civ., 16 juin 2011 : *JCP* 2011, 1016, note Y.-M. Serinet ; *JCP* 2011, 1141, n° 5, obs. G. Loiseau ; *D.* 2011, 2260, note N. Dissaux ; *D.* 2012, 461, obs. S. et M. Mekki.

(143) Ladite ordonnance ne transposait pas moins de neuf directives !

(144) L. Grynbaum, *La directive « commerce électronique » ou l'inquiétant retour de l'individualisme juridique* : *JCP* 2001, I, 307, V. spéc. n° 6.

(145) A. Raynouard, *La formation du contrat électronique*, in *Le contrat électronique : Trav. Assoc. H. Capitant*, éd. Panthéon-Assas, 2002, p. 15 et s. – Sur le problème de la compétence du juge pour connaître d'un contrat difficile à localiser géographiquement, V. M. Vivant, *Le commerce électronique, défi pour le juge* : *D.* 2003, chron. 674.

(146) Ce projet prévoyait que « le contrat proposé par voie électronique est conclu quand le destinataire de l'offre, après avoir passé commande et s'être vu accuser réception de celle-ci par l'auteur de l'offre, confirme son acceptation ». Suivant la formule d'un auteur, c'était créer là une « théorie de l'émission de la confirmation de l'acceptation » (L. Grynbaum, *Projet de loi sur la société de l'information : le régime du « contrat électronique »* : *D.* 2002, p. 378).

doit avoir eu la possibilité de vérifier le détail de sa commande et son prix total, et de corriger d'éventuelles erreurs, avant de confirmer celle-ci pour exprimer son acceptation ». Mais il est précisé dans l'alinéa 2 que « l'auteur de l'offre doit accuser réception sans délai injustifié et par voie électronique de la commande qui lui a été ainsi adressée ». Cela dit, cette nouvelle règle demeure ambiguë (V. *infra*, n° 150) et, en toute hypothèse, elle n'est pas d'application générale puisqu'elle ne s'applique pas aux contrats conclus exclusivement par échange de courriers électroniques et qu'elle peut être écartée dans les conventions entre professionnels (C. civ., art. 1369-6).

Parallèlement, on notera que la question est également traitée dans la Convention de Vienne du 11 avril 1980 qui privilégie en son article 18 la théorie de la réception : « l'acceptation d'une offre prend effet au moment où l'indication d'acquiescement parvient à l'auteur de l'offre ». Mais, à propos de la révocation de l'offre, l'article 16 y apporte un correctif qui se réfère à la théorie de l'émission : « l'offre peut être révoquée si la révocation parvient au destinataire avant que celui-ci ait expédié une acceptation ».

La théorie de la réception est aussi retenue dans « Les principes relatifs aux contrats du commerce international » Unidroit (art. 2.1.6) et dans « Les principes du droit européen du contrat » établis par la Commission Lando, ainsi que dans l'avant-projet de Code européen des contrats de l'Académie des privatistes de Pavie (art. 11), tous principes qui n'ont aucune valeur contraignante.

144. - **Le projet de réforme**. La question est réglée de manière très nette dans l'article 22 du projet de réforme. À propos de la date et du lieu de formation, cet article stipule que « le contrat est parfait dès que l'acceptation parvient à l'offrant. Il est réputé conclu au lieu où l'acceptation est parvenue ».

La théorie de la réception est ainsi retenue par le projet de réforme, qui lie la question de la date de la conclusion du contrat et celle de son lieu (théorie moniste).

On peut toutefois se demander si la règle est impérative, ou si les parties peuvent l'écarter dans leur convention comme l'admettait le Projet Catala (art. 1107). Dans le sens du caractère impératif, on retiendra le fait que, dans une première rédaction, le projet de réforme prévoyait la possibilité d'une stipulation contraire et que cette faculté n'a pas été reprise par la suite.

B. – Le consentement dans le contrat électronique

145. - **La transposition de la directive n° 2000/31/CE sur le commerce électronique.** Aux termes de l'article 9, 1° de la directive, « Les États membres veillent à ce que leur système juridique rende possible la conclusion des contrats par voie électronique. Les États membres veillent notamment à ce que le régime juridique applicable au processus contractuel ne fasse pas obstacle à l'utilisation des contrats électroniques ni ne conduise à priver d'effet et de validité juridique de tels contrats pour le motif qu'ils sont passés par voie électronique. »

Anticipant sur la directive, la loi du 13 mars 2000 a introduit dans le Code civil les articles 1316 à 1316-4 qui confèrent à l'écrit électronique la même valeur probante que celle de l'écrit sur support papier, sous réserve que l'identification de l'auteur de l'écrit, l'intégrité du contenu de l'écrit et la signature soient à l'abri de toute critique[147]. En revanche, cette loi ne se prononçait pas sur le point de savoir si l'écrit électronique était suffisant dans le cas où l'écrit était une condition, non pas seulement de preuve, mais de validité du contrat.

La loi n° 2004-575 du 21 juin 2004 pour la confiance dans l'économie numérique est venue compléter la transposition de la directive[148]. Pour ce qui concerne le contrat électronique, l'expression du consentement et, plus largement, la formation du contrat, elle a introduit dans le Code civil des dispositions qui régissent la validité des contrats passés par voie électronique (art. 1108-1 et 1108-2) et, dans un chapitre VII intitulé « Des contrats sous forme électronique », elle réglemente l'expression du consentement (art. 1369-4 à 1369-6)[149].

La transposition de la directive a finalement été parachevée par l'ordonnance n° 2005-674 du 16 juin 2005 qui a apporté un certain nombre de précisions relatives à l'échange d'informations en vue de la conclusion du contrat électronique (art. 1369-1 à 1369-3), et qui a réglé l'envoi et la remise d'un écrit par voie électronique en instituant l'équivalent électronique de la lettre simple, de la lettre recommandée avec accusé de réception[150], du formulaire détachable, etc. (art. 1369-7 et s.).

Quant au commerce électronique, dans le cadre duquel interviendront les contrats électroniques, l'article 14 de la loi du 21 juin 2004 le définit comme « l'activité économique par laquelle une personne propose ou assure à distance et par voie électronique la fourniture de biens ou de services », ce qui couvre à titre principal l'internet mais également le téléphone mobile[151].

La loi sur le commerce électronique n'est pas une loi de protection du consommateur ; elle régit toutes les transactions effectuées par voie électronique, qu'elles interviennent entre professionnels et consommateurs, ou entre professionnels, ou entre particuliers. Toutefois, certaines dispositions ne s'appliquent qu'aux professionnels et au bénéfice des non-professionnels.

146. – Le projet de réforme. Le projet de réforme reprend, sous une numérotation différente (art. 26 à 34) les articles 1369-1 à 1369-9 du Code civil, en leur apportant quelques modifications mineures. En revanche il reporte à la section 3 les dispositions de forme propres au contrat conclu par voie électronique, c'est-à-dire les articles 1108-1, 1108-2, 1369-10 et 1369-11 du Code civil).

---

(147) Pour une application, V. Cass. 1re civ., 30 sept. 2010, n° 09-68555.

(148) N. Mathey, *Le commerce électronique dans la loi n° 2004-575 du 21 juin 2004 pour la confiance dans l'économie numérique : Contrats, conc. consom.* 2004, étude 13. – J. Huet, *Encore une modification du Code civil pour adapter le droit des contrats à l'électronique. Loi LCEN n° 2004-575 du 21 juin 2004 : JCP* 2004, II, 178. – O. Cachard, *Le contrat électronique dans la loi pour la confiance dans l'économie numérique : Rev. Lamy dr. civ.* sept. 2004, p. 5. – J. Rochfeld, *De la* lex electronica *et du mélange des genres : la « loi régulatrice » : RDC* 2004, p. 915. – C. Chabert, *Le commerce électronique et la loi sur l'économie numérique du 21 juin 2004 : Rev. Lamy dr. civ.* févr. 2005, suppl., p. 29 ; *Le contrat selon la loi du 21 juin 2004 sur la confiance dans l'économie numérique, Débats : RDC* 2005, p. 533.

(149) F. Mas, *La conclusion des contrats du commerce électronique* : LGDJ, coll. « Droit privé », 2005, t. 437, préf. M. Vivant. – C. Castets-Renard, *Le formalisme du contrat électronique ou la confiance décrétée : Defrénois*, 2006, 1, p. 1529, art. 38464. – J. Rochfeld (ss dir.), *L'acquis communautaire. Le contrat électronique* : Économica, 2010. Sur le problème de la loi applicable au contrat électronique transfrontières, V. D. Bureau, obs. *in RDC* 2005, p. 450.

(150) I. Renard, *Le courrier recommandé électronique : JCP* 2011, 772.

(151) Th. Verbiest et E. Wéry, *Commerce électronique par téléphonie mobile (m.commerce) : un cadre juridique mal défini : D.* 2004, chron. 2981.

1° L'offre ou l'invitation à entrer en négociation

147. – **Les mentions informatives obligatoires.** Ces mentions s'imposent à toutes les personnes qui exercent l'activité visée à l'article 14 de la loi du 21 juin 2004, c'est-à-dire l'activité de commerce électronique, ce qui vise essentiellement les professionnels. Elles sont de deux ordres.

D'une part doivent être fournies les *informations relatives au prestataire*, à celui qui formule une offre par voie électronique. Suivant l'article 19 de la loi, il est tenu « d'assurer à ceux à qui est destinée la fourniture de biens ou la prestation de services un accès facile, direct et permanent utilisant un standard ouvert aux informations » relatives à son identité. Il doit en quelque sorte décliner son identité : nom et prénom pour les personnes physiques, raison sociale pour les personnes morales, adresse géographique et électronique, téléphone ; et éventuellement, suivant les cas, l'inscription au registre du commerce ou au répertoire des métiers, numéro d'assujettissement à la TVA, appartenance à une profession réglementée, etc.

D'autre part, lorsque l'offrant agit à titre professionnel, il doit tout d'abord mettre à disposition de son cocontractant « les conditions contractuelles applicables d'une manière qui permette leur conservation et leur reproduction ». Il doit en outre fournir les informations relatives à la prestation offerte, informations qui sont listées à l'article 1369-4 (art. 29 du projet) :

- les différentes étapes à suivre pour conclure le contrat par voie électronique ;
- les moyens techniques permettant à l'utilisateur, avant la conclusion du contrat, d'identifier les erreurs commises dans la saisie des données, et de les corriger ;
- les langues proposées pour la conclusion du contrat ;
- en cas d'archivage du contrat, les modalités de cet archivage par l'auteur de l'offre et les conditions d'accès au contrat archivé ;
- les moyens de consulter par voie électronique les règles professionnelles et commerciales auxquelles l'auteur de l'offre entend, le cas échéant, se soumettre.

Après avoir posé en règle que « la voie électronique peut être utilisée pour mettre à disposition des conditions contractuelles ou des informations sur les biens et services » (art. 1369-1, art. 26 du projet), la loi précise que l'usage de cette voie doit avoir été accepté par le destinataire lorsque ces informations sont demandées ou fournies en vue de la conclusion d'un contrat ou de son exécution (art. 1369-2, art. 27 du projet). Mais, exception à l'exception, tout professionnel qui donne son adresse électronique ne peut refuser ce mode de communication (art. 1369-3, art. 28 du projet).

La loi ne précise pas la sanction du défaut d'information si bien que, sur ce point, il conviendra de se référer au droit commun.

On notera que ces informations sur la prestation ne sont pas toujours obligatoires. Elles sont écartées dans le cas où le contrat est conclu exclusivement par échange de courriers électroniques[152] (C. civ., art. 1369-6, al. 1, art. 31, al. 1 du

(152) Cette exclusion est une application pure et simple de la directive. En effet, dans son considérant 18, la directive exclut du champ des services de communication en ligne « l'utilisation du courrier électronique (...) par des personnes physiques agissant à des fins qui n'entrent pas dans le cadre de leurs activités commerciales ou professionnelles, y compris leur utilisation pour la conclusion de contrats entre ces personnes ».

projet) ; et il peut en outre y être dérogé dans les conventions conclues entre professionnels (art. 31, al. 2).

Ces dispositions doivent toutefois être combinées avec celles de l'article L. 121-18 du Code de la consommation dans la mesure où le contrat électronique réalise une vente à distance. Rien en effet ne permet de penser que le contrat électronique pourrait échapper aux règles de protection des consommateurs édictées par ces textes.

148. – **Durée de validité de l'offre ou de l'invitation à entrer en négociation et son aire géographique.** Quant à la durée de validité de l'offre ou de l'invitation, l'article 1369-4 (art. 29 du projet) précise que son auteur reste engagé tant que cette offre ou invitation « est accessible par voie électronique de son fait ». Il faut ici comprendre que l'offre tombe lorsque le professionnel la retire de son site ; il y a en quelque sorte caducité même si, pour des raisons techniques indépendantes du fait du professionnel, l'offre demeure accessible. Corrélativement, on devrait en déduire que le professionnel est libre de la retirer à tout moment ; mais cette solution est à écarter dans la mesure où le contrat est également soumis à la réglementation sur la vente à distance et où l'offre doit alors préciser sa durée de validité.

En revanche la loi reste muette sur l'aire géographique de l'offre ou de l'invitation à entrer en négociation ; il appartient donc à l'offrant de préciser dans son offre ou invitation la zone géographique couverte par celle-ci car, à défaut, elle serait valable partout où elle peut être reçue à l'étranger.

2° L'acceptation

149. – **La règle du double clic.** C'est là une sécurité qui devrait bénéficier tout particulièrement au consommateur. Ainsi que l'expose très clairement l'article 1369-5 (art. 30 du projet), « pour que le contrat soit valablement conclu, le destinataire de l'offre ou de l'invitation à entrer en négociation doit avoir eu la possibilité de vérifier le détail de sa commande et son prix total, et de corriger d'éventuelles erreurs, avant de confirmer celle-ci pour exprimer son acceptation ». Autrement dit, l'acceptation intervient en deux temps : 1er clic, d'accord ; 2e clic, je confirme mon accord. Encore faudra-t-il qu'en pratique le destinataire n'ait pas la main trop rapide et ne clique pas une seconde fois sans avoir vérifié sa commande et son prix.

Par ailleurs, on relèvera que la règle du double clic n'est pas absolument générale. Elle est écartée dans le cas où le contrat est conclu exclusivement par échange de courriers électroniques (C. civ., art. 1369-6, al. 1, art. 31 du projet) ; et il peut en outre y être dérogé dans les conventions conclues entre professionnels.

Il en va de même de l'obligation faite à l'offrant d'accuser réception par voie électronique de la commande qui lui a été adressée.

3° La rencontre des consentements

150. – **Théorie de l'émission ou théorie de la réception ?** Le contrat se forme-t-il lorsque l'acceptant donne le 2e clic, ou lorsque l'offrant accuse réception de la commande ?

Les premiers commentateurs considèrent tous que le contrat est parfait lorsque le destinataire donne son acceptation par le second clic ; suivant la formule de l'article 1369-5, alinéa 1er (art. 30, al. 1 du projet), le contrat est alors « valablement conclu ». Dans ces conditions, l'accusé de réception de la commande par l'offrant apparaît comme une simple sécurité pour l'acceptant, comme un moyen de l'informer que l'offrant a bien reçu son acceptation. La loi consacrerait ainsi pour le contrat électronique la théorie de l'émission[(153)].

Cette conclusion doit toutefois être relativisée dans la mesure où l'article 1369-5 qui la fonde ne joue à plein que dans les rapports entre les professionnels et les consommateurs, et où il est écarté par l'article 1369-6 (art. 31 du projet) pour les contrats entre professionnels et pour ceux conclus exclusivement par échange de courriers électroniques.

Par ailleurs, il convient de rappeler que, en tant que contrat à distance, le contrat électronique est soumis à la faculté de rétractation de l'article L. 121-20 du Code de la consommation si bien qu'il pourra être remis en cause tant que le délai de sept jours francs ne sera pas expiré.

En revanche, même si le contrat considéré était soumis à la forme écrite à peine de nullité, ou s'il fallait y apposer une mention manuscrite, la forme électronique est aujourd'hui déclarée équivalente par l'article 1108-1 ; il n'y est fait exception que pour certains actes visés à l'article 1108-2 : les actes sous seing privé relatifs au droit de la famille et des successions ; et ceux relatifs à des sûretés personnelles ou réelles, de nature civile ou commerciale, sauf s'ils sont passés par une personne pour les besoins de sa profession (V. *infra*, n° 361).

151. - **Le formalisme transposé au contrat électronique**. Pour la conclusion et l'exécution des contrats établis sur papier, la loi, le contrat et la pratique ont établi un certain formalisme. Ce formalisme a été transposé *mutatis mutandis* au contrat électronique[(154)].

C'est ainsi tout d'abord que, lorsqu'un écrit est exigé pour la validité du contrat, l'article 1108-1, alinéa 1 (art. 82 du projet), prévoit « qu'il peut être établi et conservé sous forme électronique » suivant certaines modalités qui diffèrent selon qu'il s'agit d'un acte sous seing privé ou d'un acte authentique. De même l'alinéa 2 institue l'équivalent électronique de la mention manuscrite.

Dans le même esprit, l'ordonnance du 16 juin 2005 a mis en place l'équivalent électronique de la lettre simple (art. 1369-7, art. 32 du projet) et de la lettre recommandée, éventuellement avec avis de réception (art. 1369-8, art. 33 du projet). En bref, on peut désormais adresser par voie électronique une lettre simple, ou une lettre recommandée avec ou sans avis de réception[(155)].

De même, l'article 1369-9 (art. 34 du projet) transpose en matière électronique l'exigence, parfois requise, de la remise d'un écrit, éventuellement après lecture faite.

De même encore, il peut être électroniquement satisfait aux conditions spéciales de lisibilité ou de présentation, à l'exigence du formulaire détachable à renvoyer

(153) V. en ce sens, notamment, J. Huet, art. préc., n° 15. – N. Mathey, art. préc., n° 36.

(154) M. Mekki, *Le formalisme électronique : la « neutralité technique » n'emporte pas « neutralité axiologique »* : *RDC* 2007, p. 681.

(155) V. D. n° 2011-144, 2 févr. 2011 relatif à l'envoi d'une lettre recommandée par courrier électronique pour la conclusion ou l'exécution d'un contrat : *Admninistrer* avr. 2011, n° 442, p. 46 ; *JCP* 2011, 514, obs. I. Renard. – Y. *Broussolle, Modalités de validité d'une lettre recommandée électronique relative à la conclusion ou à l'exécution d'un contrat* : *Contrats, conc. consom.* 2011, focus 44.

(art. 1369-10, art. 84 du projet) et à l'exigence d'un envoi en plusieurs exemplaires (art. 1369-11, art. 85 du projet).

152. – **Conclusion : application corrélative des règles de protection des consommateurs**[(156)]. Ainsi qu'on a pu le constater, les dispositions relatives au contrat électronique n'ont pas pour but de protéger le consommateur[(157)] ; tout au plus observera-t-on que la règle du double clic, qui est générale, ne peut être écartée en présence d'un consommateur.

En revanche, elles n'excluent pas l'application des règles de droit commun ou de droit spécial relatives à la protection des consommateurs, par exemple les règles du contrat à distance[(158)] ou encore les règles relatives aux clauses abusives.

Il en est notamment fait rappel dans l'article 17 de la loi. Après avoir posé en règle que l'activité de commerce électronique « est soumise à la loi de l'État sur le territoire duquel la personne qui l'exerce est établie », l'article 17 formule immédiatement une réserve en décidant que cette disposition ne saurait avoir pour effet « de priver un consommateur ayant sa résidence habituelle sur le territoire national de la protection que lui assurent les dispositions impératives de la loi française relatives aux obligations contractuelles, conformément aux engagements internationaux souscrits par la France ». Mais il reste à savoir si cette réserve est bien conforme aux règles de droit international privé existantes, telles qu'elles résultent des conventions de La Haye et du règlement Rome 1[(159)].

Par ailleurs, la loi nouvelle laisse également entière l'application des règles de droit commun relatives à la validité des contrats, notamment celles concernant la liberté et l'intégrité du consentement.

Enfin la loi impose au contractant professionnel de conserver pendant dix ans les écrits qui constatent les contrats d'un montant égal ou supérieur à 120 € par voie électronique (C. consom., art. L. 134-2 et D. n° 2005-137, 16 févr. 2005).

§ 2. – La liberté et l'intégrité du consentement[(160)]

153. – **Les moyens indirects de protection du consentement.** Ainsi qu'on l'a vu, l'accord des volontés a un effet très important : la conclusion d'un contrat qui va entraîner des obligations, généralement réciproques, à la charge des parties. Un

(156) J. Passa, *Commerce électronique et protection du consommateur* : D. 2002, chron. 555. – J. Huet, *Libres propos sur la protection des consommateurs dans le commerce électronique*, in *Mél. Calais-Auloy*, p. 507. – J. Passa, *Les règles générales du commerce électronique et leur application dans les rapports avec les consommateurs* : LPA 6 févr. 2004, p. 35. – A. Penneau, *Commerce électronique et protection du cybercontractant. Du Code de la consommation au Code civil* : LPA 13 mai 2004, p. 3. – D. Fenouillet, *Consommateurs, ayez confiance dans l'économie numérique* : RDC 2004, p. 955. – A.-M. Leroyer, *Réflexion critique sur la protection du consommateur en ligne (notamment au regard des textes sur la « confiance dans l'économie numérique »)*, in *Mél. Lombois* : PULIM, 2004. – Th. Verbiest, *Le nouveau droit du commerce électronique. La loi pour la confiance dans l'économie numérique et la protection du cyberconsommateur* : éd. Larcier, préf. M. Lolivier, 2004.

(157) Elles n'en ont pas moins attiré l'attention de la Commission des clauses abusives qui a émis une recommandation sur ce point : Recomm. comm. clauses abusives n° 07-02, 24 mai 2007 : *BOCCRF* 24 déc. 2007 ; *Rev. Lamy dr. civ.* févr. 2008, p. 9.

(158) C'est ainsi que s'appliqueriont corrélativement les articles L. 121-16 et s. du Code de la consommation, tels qu'ils résultent de la loi du 17 mars 2014 relative à la consommation.

(159) V. sur ce point J. Huet, art. préc., n° 3.

(160) C. Ouerdane-Aubert de Vincelles, *Altération du consentement et efficacité des sanctions contractuelles* : Dalloz, coll. « Bibl. thèses », 2002. – G. Loiseau, *La qualité du consentement*, in *Les concepts contractuels français à l'heure des principes du droit européen des contrats* : Dalloz, 2003, p. 65.

tel effet suppose que les volontés soient parfaitement saines, libres et éclairées. À cet effet, la liberté et l'intégrité du consentement sont protégées par divers moyens, qui tendent plus ou moins directement à s'assurer de la qualité des consentements.

Elles le sont tout d'abord, et de manière générale, par les règles qui instituent des *incapacités* (V. *supra*, n°s 95 et s.). En effet, ces règles, qui limitent le pouvoir de s'obliger d'un mineur ou d'un majeur protégé, sont inspirées par le désir de protéger ces personnes dont on pose en postulat que leur consentement ne saurait être véritablement sain, libre et éclairé. D'où la nullité pour incapacité qui sanctionne les actes accomplis par ces incapables sans respecter les formalités requises par la loi.

Elles le sont aussi, de manière plus indirecte, par diverses règles de notre droit :

• par le *formalisme* imposé pour certains contrats[(161)], qui est pour une large part destiné à faire réfléchir les parties ou à les faire bénéficier des conseils d'un notaire, donc à s'assurer de la réalité de leur consentement ;

• par les règles sur la *lésion* car, même si la rescision pour lésion ne suppose pas la preuve d'un vice du consentement, le déséquilibre entre les prestations s'expliquera en général par une altération du consentement ;

• par les règles sur la *cause*, dans la mesure où l'absence de cause (au sens de contrepartie) révèle également une anomalie du consentement donné ;

• par la garantie des *vices cachés*, qui est souvent bien difficile à distinguer de l'erreur et du défaut de conformité.

154. – **Les moyens directs de protection du consentement.** La protection du consentement est assurée plus directement par trois séries de règles.

En premier lieu, même si une personne est majeure et non frappée d'incapacité, donc en principe pleinement capable de contracter, elle peut néanmoins être affectée d'un trouble mental, passager ou durable, qui enlève toute valeur à son consentement[(162)]. L'acte qu'elle aura passé pourra être annulé pour *insanité d'esprit*.

En second lieu, il est évident que nul, serait-il parfaitement sain d'esprit, n'est à l'abri d'une erreur, ou encore de manœuvres ou de violence tendant à extorquer son consentement. En pareil cas, il y aura *vice du consentement*, et là encore la nullité pourra être encourue.

Enfin, à ces diverses règles, le législateur moderne a ajouté toute une panoplie de dispositions relatives à *l'information et à la protection des consommateurs* qui tendent pour l'essentiel à assurer au consommateur un consentement éclairé. Au-delà du simple consommateur, le droit tend aujourd'hui à une certaine moralisation du contrat, et spécialement à la protection de la partie la plus faible contre les abus ou les pressions dont elle pourrait faire l'objet[(163)].

On observera à cet égard que le projet de réforme étend cette protection aux non-consommateurs lorsqu'il permet à un contractant de demander au juge de

(161) G. Couturier, *Les finalités et les sanctions du formalisme* : *Defrénois* 2000, 1, 880, art. 37209. – I. Dauriac, *Forme, preuve et protection du consentement*, in *Mél. M. Gobert* : Économica, 2004, p. 403.

(162) En dehors même de l'insanité d'esprit, une personne peut ne pas comprendre ce à quoi elle s'engage, par exemple en signant un document rédigé dans une langue étrangère, auquel cas le contrat sera nul : CA Paris, 30 nov. 2006 : *JCP* 2006, II, 10069 et note H. Kenfack.

(163) M. Behar-Touchais, *Information, conseil, mise en garde, compétence, etc. Toujours plus d'obligations à la charge du professionnel, Rapport introductif* : *RDC* 2012, 1041.

supprimer dans un contrat telle clause qui créerait « un déséquilibre significatif entre les droits et olbigations des parties au contrat » (art. 77 du projet). Là encore, en instaurant un équilibre entre les parties, la loi assure la liberté du consentement. On en trouve le reflet dans le projet de réforme du droit des contrats qui consacre un véritable devoir d'information à la charge des contractants.

155. – **Le devoir d'information.** Le projet de réforme institue un devoir d'information à la charge du contractant « qui connaît ou devrait connaître une information dont l'importance est déterminante pour le consentement de l'autre » (art. 37). Au plan de la preuve, le projet de 2009 prévoyait que c'est au contractant abusé qu'il incombe de prouver « que l'autre partie connaissait ou était en situation de connaître cette information, sauf pour celle-ci à prouver qu'elle l'ignorait elle-même ou qu'elle a satisfait à son obligation ». Mais, dans son dernier état, le projet ne se prononce pas sur la charge de la preuve.

Quant à la sanction du manquement à cette obligation, c'est la responsabilité délictuelle du débiteur de l'information qui, à ce titre, devra donc indemniser l'autre partie du préjudice que cette dernière en a souffert, mais sans préjudice, en cas de vice du consentement, de la nullité du contrat.

Il est difficile de mesurer l'impact de ce nouveau devoir qui, de prime abord, apparaît comme un aspect du devoir de loyauté. On pourrait en faire application en matière d'erreur sur la valeur, ce qui interdirait de fait à un contractant professionnel ou expérimenté de faire « une bonne affaire » en achetant à bas prix un objet dont le vendeur ignore la véritable valeur. Il n'y aurait pas là matière à nullité, mais seulement à responsabilité.

156. – **Les fondements de la théorie des vices du consentement**. *Erreur*, *dol* et *violence* sont les trois vices du consentement, à la différence de la *lésion* (traitée à la suite dans le Code civil de 1804) qui relève d'un fondement différent. En dépit de leurs différences d'origine, les divers vices du consentement se rejoignent à de nombreux égards, notamment pour la preuve qui peut être rapportée par tous moyens, et pour la sanction qui est la nullité relative. D'ailleurs, les articles 1109 et 1117 du Code civil les réunissent dans une même formule.

Art. 1109. – Il n'y a point de consentement valable, si le consentement n'a été donné que par erreur, ou s'il a été extorqué par violence ou surpris par dol.

Art. 1117. – La convention contractée par erreur, violence ou dol, n'est point nulle de plein droit ; elle donne seulement lieu à une action en nullité ou en rescision, dans les cas et de la manière expliqués à la section VII du chapitre V du présent titre.

Et il en va de même de l'article 38 du projet de réforme : « L'erreur, le dol et la violence vicient le consentement lorsqu'ils sont de telle nature que, sans eux, l'une des parties n'aurait pas contracté ou aurait contracté à des conditions substantiellement différentes ».

L'admission plus ou moins large de la nullité pour vice du consentement dépend du système de droit dans lequel on se trouve.

Ainsi, dans un *système formaliste* tel que celui du droit romain, on s'attachait essentiellement à l'expression de la volonté qui suffisait pour engager, les vices du consentement étant considérés comme indifférents. Cela explique qu'en droit romain le dol et la violence aient été sanctionnés à titre de délits et non de vices du consentement, comme des actes antisociaux et donc répréhensibles.

Au contraire, dans un *système consensualiste* fondé sur la toute-puissance de la volonté, le consentement ne produira ses effets qu'à la condition d'être sain, exempt de vices. Il s'ensuit que, outre le dol et la violence, l'erreur devrait aussi être largement admise comme cause de nullité.

De ce contexte le droit positif français a retenu une conception mixte : l'*aspect psychologique* est manifestement dominant dans l'erreur, qui est conçue comme une altération de la volonté ; s'agissant en revanche du dol et de la violence l'*aspect moral* intervient de manière importante.

L'aspect psychologique suscite des difficultés sérieuses au plan de la preuve dans la mesure où le juge doit rechercher s'il y a bien eu erreur et si elle a déterminé le consentement ; ce faisant, le juge se livre nécessairement à une appréciation subjective de la psychologie des parties, appréciation aléatoire qui explique la diversité de la jurisprudence.

L'aspect moral se manifeste en ce que le dol et la violence ont un double visage : vice du consentement de la victime, et faute de l'auteur. La jurisprudence en tire cette conséquence que la victime peut intenter à son choix une action en nullité de l'acte ou/et une action en responsabilité de l'auteur du dol ou de la violence.

Les Principes Unidroit et les Principes du droit européen du contrat ne retiennent pas cette distinction et autorisent la victime de l'erreur[164] tout comme celle du dol ou de la contrainte, à réclamer des dommages-intérêts à l'autre partie qui connaissait ou aurait dû connaître la cause d'annulation, de manière à être replacée dans l'état où elle se serait trouvée si le contrat n'avait pas été conclu[165].

De la même manière, le projet de réforme, qui reprend la distinction entre l'erreur, le dol et la violence en consacrant les solutions jurisprudentielles, permet à la victime de l'erreur comme à celle du dol et de la violence de demander l'allocation de dommages et intérêts en réparation du dommage subi « dans les conditions du droit commun de la responsabilité extracontractuelle ». (art. 86, al. 3).

157. - **Liberté du consentement et sécurité des transactions.** Il existe ici un antagonisme entre deux principes également respectables : la liberté du consentement et la sécurité des transactions. La sécurité des transactions, et plus généralement celle du commerce, postule que les contrats conclus ne puissent être remis en cause, ni a *fortiori* annulés. À l'inverse, le principe de la liberté du consentement veut que la validité des contrats soit subordonnée à l'absence de tout vice du consentement : on ne peut être engagé que parce qu'on l'a consciemment et librement voulu.

Un équilibre doit donc être trouvé entre ces exigences contradictoires. La question revêt un intérêt majeur en matière de vices du consentement, et spécialement en cas d'erreur dans la mesure où elle repose sur la psychologie de l'une des parties.

158. - **Plan.** On envisagera successivement l'insanité d'esprit, puis les trois vices du consentement, l'erreur, le dol et la violence.

(164) Sur la conception du vice d'erreur dans ces Principes, V. *infra*, n° 188.
(165) PDEC, art. 4.117 ; Unidroit, art. 3.2.16.

A. – L'insanité d'esprit[166]

159. – **Généralités.** Il faut distinguer la nullité pour insanité d'esprit de la nullité pour incapacité, alors surtout que, dans le grand public, on a tendance à considérer que tout individu faible d'esprit est un incapable. À la différence des actes accomplis par les mineurs et les majeurs protégés qui peuvent être annulés ou rescindés en cas de non-respect des règles de protection, les actes accomplis par des personnes capables sont en principe valables, sauf vice du consentement. Mais il y est fait exception par les articles 414-1 et 414-2 si, bien que capable, le contractant n'était pas « sain d'esprit ». Le principe en est posé par l'article 414-1, alinéa 1 : « Pour faire un acte valable, il faut être sain d'esprit », principe rappelé sous une formulation très légèrement différente dans l'article 36 du projet de réforme placé dans un praragraphe intitulé « l'existence du consentement ».

Corrélativement, l'article 464 – sis dans la section relative à la régularité des actes passés par une personne protégée – ouvre à la personne protégée une action en réduction ou en nullité des actes si son inaptitude était notoire à l'époque où les actes ont été passés, à la condition que ce soit moins de deux ans avant la publicité du jugement d'ouverture de la mesure de protection[167].

Cela vise de manière générale tous les actes juridiques, soit à incidence patrimoniale comme les contrats[168], soit en matière extrapatrimoniale comme une reconnaissance d'enfant naturel. Ils pourront être annulés en cas d'insanité d'esprit.

1° La preuve de l'insanité d'esprit[169]

160. – **Règle générale : la preuve d'un trouble mental au moment de l'acte.** Le principe est que toute personne capable est saine d'esprit. C'est là une présomption simple ; conformément à l'article 414-1, il incombe à celui qui, contestant dans un cas particulier le bien-fondé de cette présomption, agit en nullité, de « prouver l'existence d'un trouble mental au moment de l'acte », c'est-à-dire au moment précis où l'acte a été accompli. On ne saurait en effet exclure que l'intéressé a accompli l'acte critiqué dans un intervalle lucide.

Peu importe la cause du trouble mental. Le plus souvent, il s'agira d'un majeur dont l'altération des facultés mentales justifierait une protection ; mais celle-ci n'a pas été, ou pas encore été mise en place. Le trouble mental peut aussi être tout à fait passager, et être par exemple l'effet de l'alcool, ou de la drogue, etc.[170]

La difficulté est de faire la preuve de cet état, et au moment même de l'acte. Toutefois, s'agissant d'un simple fait, la preuve est libre et peut donc être rappor-

(166) O. Simon, *La nullité des actes juridiques pour trouble mental* : *RTD civ.* 1974, 707. – J. Klein, *Le traitement jurisprudentiel de la nullité pour trouble mental* : *Defrénois*, 2006, 1, p. 695, art. 38382.

(167) La nullité pour insanité d'esprit peut même être reconnue contre un acte – en l'espèce la vente de la résidence d'un majeur protégé – qui aurait été accompli avec l'autorisation du juge des tutelles : Cass. 1re civ., 20 oct. 2010 : *D.* 2011, 50 et note G. Raoul-Cormeil ; *RDC* 2011, p. 407, obs. E. Savaux ; et p. 519, obs. Ph. Brun.

(168) J. Klein et F. Gemignani, *Le notaire face à l'insanité d'esprit* : *JCP* N 2006, 1142.

(169) Fl. Fresnel, *L'éloge de la folie par le droit, ou comment le droit apprécie-t-il l'altération des facultés mentales ?* : *Gaz. Pal.* 2-3 août 2000, doctr. – A. Cermolacce, *La preuve de l'insanité d'esprit en matière de testament (À propos de Cass. 1re civ., 28 janv. 2003, deux arrêts)* : *JCP* N 2004, 1473.

(170) V. Cass. 1re civ., 12 nov. 1975 : *Bull. civ.* 1975, I, n° 319, p. 264.

tée par tous moyens, témoignages ou indices tenant par exemple au comportement de l'intéressé[171].

161. – **Règle particulière : la preuve de la notoriété du trouble mental à l'époque de l'acte.** L'article 503 ancien édictait une règle particulière dans le cas d'actes accomplis avant l'ouverture d'une tutelle[172]. Il suffisait alors de démontrer que « la cause qui a déterminé l'ouverture de la tutelle existait notoirement à l'époque » où les actes critiqués avaient été faits. Cette preuve était plus légère à rapporter que celle d'un trouble mental au moment de l'acte, et ce à un double égard.

D'une part, il n'était pas besoin de démontrer l'existence d'un trouble mental précis, mais le fait que l'altération des facultés mentales de l'intéressé était notoire[173], c'est-à-dire connue de son environnement social, et non pas de sa seule famille[174]. Cela dit, dans la mesure où l'exigence de la preuve tendait à protéger le tiers cocontractant, la jurisprudence assimilait à la notoriété la connaissance personnelle que ce tiers avait de la situation de l'intéressé[175].

D'autre part, il suffisait de prouver le caractère notoire de l'état de l'intéressé *à l'époque*, et non pas au moment même, où l'acte critiqué a été accompli[176]. Autrement dit, dans le cas où une tutelle a été ouverte par la suite, on présume que l'altération des facultés mentales relevée à l'époque existait au moment même de l'acte.

La règle est reprise dans son principe par l'article 464. Elle diffère du régime antérieur sur trois points :

- elle ne s'applique qu'aux actes accomplis moins de deux ans avant la publicité du jugement d'ouverture de la mesure de protection ;
- elle s'applique au cas où l'inaptitude de la personne à défendre ses intérêts était notoire ou connue du cocontractant au moment de l'acte ;
- les obligations en résultant peuvent être réduites, ou l'acte lui-même peut être annulé si la personne protégée en a subi un préjudice.

Par ailleurs, l'action se prescrit par cinq ans à compter de la date du jugement d'ouverture de la mesure.

2° Le régime de la nullité de la règle générale

162. – **Action en nullité exercée du vivant du malade.** Il s'agit d'une nullité de protection, donc d'une *nullité relative* qui ne peut être mise en œuvre que par la personne protégée ou par ses représentants, par exemple son tuteur ou son curateur si une mesure de protection a été ensuite mise en place. Telle est la règle retenue par l'article 414-2. Il s'ensuit tout naturellement que le cocontractant, qui a peut-être profité à l'époque de la faiblesse du malade, ne saurait se prévaloir ensuite de son insanité d'esprit pour faire annuler un contrat qui, en définitive, s'est avéré défavorable à ses intérêts.

(171) Cass. 1re civ., 27 janv. 1987 : *Bull. civ.* 1987, I, n° 31 (certificat médical établi deux jours après l'acte critiqué).
(172) C. Boillot, *Régime des actes conclus sous l'empire d'un trouble mental dans la période qui précède la mise en place d'un régime protecteur : Rev. Lamy dr. civ.* oct. 2007, p. 57.
(173) Cass. 1re civ., 24 avr. 1979 : *Bull. civ.* 1979, I, n° 116. – Cass. 1re civ., 28 avr. 1980 : *Bull. civ.* 1980, I, n° 128.
(174) Cass. 1re civ., 26 juin 1979 : *Bull. civ.* 1979, I, n° 192. – Cass. 1re civ., 5 mai 1987 : *JCP* 1988, II, 21109 et note B. Teyssié.
(175) Cass. 1re civ., 9 mars 1982 : *JCP* 1983, II, 19996 et note Ph. Rémy.
(176) Cass. 1re civ., 14 mai 1985 : *Bull. civ.* 1985, I, n° 153.

L'action en nullité est enfermée dans le délai de cinq ans de l'article 1304. Ce renvoi soulève une difficulté en ce qui concerne le point de départ de l'action. Suivant la jurisprudence, il faudrait comprendre que le délai de cinq ans court, non du jour où le majeur protégé a eu connaissance de l'acte « alors qu'il était en situation de [le] refaire valablement » comme l'indique l'article 1304, mais du jour de l'acte contesté[177] ; ce faisant la jurisprudence reprend la solution jurisprudentielle antérieurement retenue avant la réforme des incapacités de 1968. Toutefois, le point de départ du délai pourra être reporté par suite de la suspension du délai en cas d'impossibilité d'agir, précisément à raison de l'insanité d'esprit[178].

163. – Action en nullité exercée après le décès du malade. Après le décès du malade, l'action en nullité ne peut d'évidence plus être intentée par lui-même, mais par ses héritiers. Or, la loi voit d'un mauvais œil cette action par laquelle les héritiers viennent critiquer pour insanité d'esprit les actes du défunt qui les désavantagent : si leur parent avait des facultés mentales altérées, pourquoi n'ont-ils pas pris l'initiative de provoquer une mesure de protection ? Par ailleurs, comment faire la preuve de l'insanité d'esprit d'un défunt ?

À cet effet, l'article 414-2 distingue entre deux types d'actes : les donations et testaments d'une part, les autres actes, c'est-à-dire essentiellement les actes à titre onéreux d'autre part.

Les *donations* et *testaments* peuvent être attaqués pour insanité d'esprit conformément aux règles indiquées au numéro précédent. Cette solution s'explique par deux raisons. D'une part, il s'agit d'actes particulièrement dangereux, pour lesquels on peut craindre une captation d'héritage de la part de personnes mal intentionnées profitant de la faiblesse d'une personne en fin de vie. D'autre part, les testaments étant toujours révocables et n'étant généralement connus qu'au décès du testateur, il est impossible d'en demander la nullité du vivant du testateur. L'action en nullité est enfermée dans le délai de cinq ans de l'article 1304[179] et le point de départ est le jour du décès du disposant[180], qu'il s'agisse de donations ou de testament[181].

Il n'en va pas de même des autres actes, spécialement des *actes à titre onéreux* accomplis de son vivant par un défunt, alors que ses proches n'avaient pas alors jugé utile de provoquer la mise en place d'un régime de protection. *A priori*, de tels actes ne sont pas suspects. C'est pourquoi l'article 414-2 limite la possibilité d'en demander la nullité pour insanité d'esprit après le décès de leur auteur. La nullité ne pourra être demandée que dans les trois cas visés au texte[182] :

• cas où « l'acte porte en lui-même la preuve d'un trouble mental » : tout acte peut être attaqué, mais seulement si le trouble mental résulte d'une *preuve intrin-*

(177) Cass. 1re civ., 19 nov. 1991 et 18 févr. 1992 : *D.* 1993, 277 et note J. Massip. La solution de l'article 1304, édictée pour le cas où le malade bénéficiait d'un régime de protection, était difficilement transposable au cas d'insanité d'esprit d'une personne capable : comment en effet déterminer la date à laquelle l'insanité d'esprit a cessé et où, de ce fait, cette personne était capable de refaire valablement l'acte ?

(178) Cass. 1re civ., 1er juill. 2009 : *D.* 2009, 1896, obs. V. Egea ; *D.* 2009.2660 et note G. Raoul-Cormeil ; *Defrénois* 2009, 1, 2337, art. 39040, obs. E. Savaux.

(179) Cass. 1re civ., 11 janv. 2005 : *D.* 2005, 1207 et note A.-L. Thomat-Raynaud ; *JCP* 2005, IV, 1346.

(180) Cass 1re civ., 20 mars 2013 : *D.* 2013, 1884, note F. Safi ; *JCP* N 2013, 1284, note J. Massip ; *RDC* 2013, 868, obs. E. Savaux.

(181) Cass. 1re civ., 29 janv. 2014 : *JCP* N, 2014, 251.

(182) Cass. 3e civ., 20 oct. 2004 : *D.* 2005, 257 et note D. Noguéro ; *Contrats, conc. consom.* 2005, comm. 23, obs. L. Leveneur ; *Bull. civ.* 2004, III, n° 177, p. 161. Cette limitation au droit des héritiers d'agir en nullité a été déclarée conforme à la Constitution : Cons. Const., 17 janv 2013, n° 2012-288 : QPC, *JO* 18 janv. 2013, p. 1293 ; Defrénois, 2013, p. 1141, note J. Massip.

sèque à cet acte. En pareil cas, l'acte parle de lui-même ; le trouble mental relève de l'évidence[(183)] ;

• cas où, au moment de l'acte, l'intéressé était placé *sous sauvegarde de justice* (V. *supra*, n° 97), ce qui démontre par là même qu'il avait besoin d'une mesure de protection ;

• cas où une action avait été introduite avant le décès aux fins de faire ouvrir la tutelle ou la curatelle ou si effet a été donné au mandat de protection future, ce qui prouve que les héritiers n'ont pas attendu le décès pour invoquer l'altération des facultés mentales de leur parent et pour provoquer une mesure de protection[(184)].

Dans ces deux derniers cas, on en revient à la règle générale : les héritiers doivent rapporter la preuve que le défunt était affecté d'un trouble mental au moment de l'acte[(185)], mais ils peuvent le faire par tous moyens[(186)], et non pas seulement par une preuve intrinsèque à l'acte. Mais, bien souvent, faute d'avoir initié une mesure de protection du malade, les héritiers soucieux d'obtenir la nullité d'un acte de leur parent défunt n'ont d'autre choix que de soutenir que l'acte porte en lui-même la preuve du trouble mental[(187)].

B. – Les vices du consentement : l'erreur[(188)]

164. – **Généralités sur les vices du consentement.** Les vices du consentement sont au nombre de trois : l'erreur, le dol et la violence. Mais ils ne vicient le consentement que s'ils ont été déterminants, c'est-à-dire, suivant la formule du projet de réforme du droit des contrats (art. 38), « lorsqu'ils sont de telle nature que, sans eux, l'une des parties n'aurait pas contracté ou aurait contracté à des conditions substantiellement différentes ». Ce caractère déterminant « s'apprécie eu égard aux personnes et aux circonstances de l'espèce », ce qui peut varier suivant le vice considéré ; il sera donc réexaminé pour chaque vice du consentement. En revanche, quel que soit le vice, la victime de ce vice dispose d'une action en nullité relative.

165. – **Définition.** L'erreur est une croyance fausse portant sur un des termes du contrat, c'est la représentation inexacte de l'objet d'une obligation ; suivant une formule désormais classique, l'erreur consiste à prendre pour vrai ce qui est faux, ou inversement.

Cependant toute erreur n'est pas retenue comme viciant la convention car il faut concilier ici deux exigences contradictoires. D'une part l'idée de justice,

(183) En principe, la preuve intrinsèque doit se suffire à elle-même, sans que le juge puisse la compléter par des éléments extrinsèques (Cass. 3e civ., 28 sept. 1982 : *Gaz. Pal.* 1983, 1, pan. 53 et note J. Dupichot ; *Gaz. Pal.* 1983, 2, 455 et note J.-M.). Mais la jurisprudence n'est pas toujours très nette sur ce point (V. obs. J. Mestre ss Cass. 1re civ., 1er juill. 1987 : *RTD civ.* 1988, 340).

(184) Cass. 1re civ., 14 nov. 2006 : *Bull. civ.* 2006, I, n° 481. – Cass. 1re civ., 13 mars 2007 : *Bull. civ.* 2007, I, n° 111. – V. aussi C. Boillot, art. préc.

(185) Cass. 1re civ., 27 janv. 1987 : *Bull. civ.* 1987, I, n° 30.

(186) Cass. 1re civ., 18 janv. 1984 : *Gaz. Pal.* 1985, 1, 387 et note J. Massip. – Cass. 1re civ., 27 janv. 1987 : *Bull. civ.* 1987, I, n° 31 ; *JCP* 1988, II, 20981 et note Fossier ; *Gaz. Pal.* 1987, 2, 428 et note J.-M.

(187) V. obs. J. Hauser : *RTD* civ. 2013, 87.

(188) Célice, *L'erreur dans les contrats* : thèse Paris, 1922. – J. Ghestin, *La notion d'erreur dans le droit positif actuel* : 2e éd. 1972. – J. Foyer, F. Terré et C. Puigelier (ss dir.), *L'erreur* : PUF, 2007.

associée au principe du consensualisme, amènerait à dire que la nullité doit sanctionner toute erreur ayant affecté la volonté et déterminé le consentement. Mais, d'autre part, le souci de la sécurité des transactions interdit qu'un contrat puisse être remis en cause sauf raison majeure, ce qui conduit à ne retenir qu'un nombre limité d'erreurs.

Tel est finalement le sens de l'article 1110 du Code civil dont la formule même n'admet l'erreur qu'avec une certaine réticence.

Art. 1110. – L'erreur n'est une cause de nullité de la convention que lorsqu'elle tombe sur la substance même de la chose qui en est l'objet.

Elle n'est point une cause de nullité lorsqu'elle ne tombe que sur la personne avec laquelle on a l'intention de contracter, à moins que la considération de cette personne ne soit la cause principale de la convention.

Ce texte, qui à lui seul régit la matière, apparaît assez incomplet. Il ne recouvre pas l'entier domaine de l'erreur, laquelle est admise par la jurisprudence dans des hypothèses autres que l'erreur sur la substance ou sur la personne, par exemple, pour ce que la doctrine a appelé les erreurs-obstacles. En outre il ne s'explique pas sur le sens qu'il convient de donner à l'*erreur sur la substance*, ce qui a entraîné de nombreuses controverses et incertitudes en doctrine comme en jurisprudence.

166. – **Les conditions de la nullité pour l'erreur.** Toute erreur n'entraîne pas *ipso facto* la nullité du contrat. Pour éviter qu'un cocontractant mécontent puisse trop facilement faire annuler un contrat en se prétendant victime d'une erreur, trois conditions sont cumulativement exigées en jurisprudence. Ces conditions sont reprises dans les articles 38 et 39 du projet de réforme.

L'erreur n'est une cause de nullité que si elle a été déterminante (condition subjective), si elle présente une certaine gravité (condition objective) et si elle n'est pas imputable à faute à celui qui l'invoque (condition morale)[(189)].

1° Condition subjective : caractère déterminant de l'erreur

167. – **Appréciation *in concreto*.** Comme le dol et la violence, l'erreur n'est une cause de nullité que si elle a véritablement déterminé le consentement[(190)] ; c'est là une condition *sine qua non* de tout vice du consentement (V. *supra*, n° 164). Il s'ensuit que l'erreur s'apprécie au moment de la conclusion du contrat (V. *infra*, n° 176). Ce caractère déterminant, qui ne peut d'évidence être apprécié qu'*in concreto* – c'est-à-dire par référence à celui qui a donné son consentement – constitue un élément purement subjectif que tout contractant pourrait invoquer sans contrôle possible pour échapper à l'exécution d'un contrat qui lui déplaît.

Si l'exigence de la loi s'en tenait là, la sécurité des transactions serait gravement mise en jeu car l'appréciation par le juge de la psychologie du cocontractant serait

(189) L. Valcke, *Objectivisme et consensualisme dans le droit français de l'erreur dans les conventions* : *RRJ* 2005, 661.

(190) G. Vivien, *De l'erreur déterminante et substantielle* : *RTD civ.* 1992, 305. – Cass. 3e civ., 13 nov. 2003 : *Bull. civ.* 2003, III, n° 201, p. 178 (vente d'un bien immobilier pour lequel le vendeur n'avait pas contracté d'assurance dommages-ouvrage).

des plus aléatoires. D'où la nécessité de faire appel à des éléments objectifs – la gravité de l'erreur – qui permet de filtrer les causes de nullité.

Dans un ordre d'idées voisin, les tribunaux sont assez peu enclins à prononcer la nullité dans le cas où l'erreur, même déterminante en soi, n'a pas entraîné de véritable préjudice pour celui qui l'a commise ; mais c'est là plus une attitude des juges qu'une règle jurisprudentielle.

2° Condition objective : la gravité de l'erreur

168. – **La gradation des erreurs.** L'exigence de la gravité de l'erreur est un moyen tout naturel de contrôler le caractère déterminant qui oblige à une recherche psychologique trop aléatoire. L'article 1110, comme les articles 39 et s. du projet de réforme, envisage deux types d'erreur vices du consentement, l'erreur sur la substance et l'erreur sur la personne (*b*), mais la jurisprudence consacre d'autres hypothèses d'erreurs, encore plus graves, que la doctrine qualifie d'erreurs-obstacles (*a*). Il s'ensuit que les autres erreurs sont indifférentes (*c*).

a) L'erreur-obstacle

169. – **Les hypothèses d'erreur-obstacle.** Cette formule purement doctrinale couvre deux hypothèses non visées par le Code civil ni par le projet de réforme qui, tout en demeurant marginales, ne sont cependant pas des hypothèses d'école ainsi qu'en témoigne la jurisprudence. Il s'agit en fait de circonstances où, suivant la formule de Planiol, il n'y a pas contrat mais « malentendu ».

On distingue deux hypothèses :

- *l'erreur sur la nature du contrat (error in negotio)* : on cite souvent l'exemple où l'une des parties a cru vendre un bien, et l'autre recevoir une donation, ce qui a pu faire dire que l'hypothèse était seulement d'école ; la jurisprudence récente révèle d'autres exemples, qui sont bien réels(191) ;
- *l'erreur sur l'identité de la chose* faisant l'objet du contrat *(error in corpore)* : on cite classiquement l'exemple de celui qui croit vendre telle chose et de son cocontractant qui croit en acheter telle autre(192) ; de manière plus pratique on peut y rattacher l'erreur entre les anciens francs et les nouveaux francs(193), ou entre les francs et les euros(194), ou l'erreur sur le prix(195), ou l'erreur sur la consistance du bien vendu(196).

---

(191) Paris, 8 juill. 1966 : *Gaz. Pal.* 1967, 1, 33 (contrat de cession de parts sociales au lieu de vente d'immeuble). – Cass. 3e civ., 18 mars 1980 : *Bull. civ.* 1980, III, n° 65 ; *JCP* 1980, IV, 217 (deux ventes au lieu d'un échange).

(192) Cass. 3e civ., 1er févr. 1995 : *Bull. civ.* 1995, III, n° 36 (erreur sur la désignation des parcelles vendues).

(193) La jurisprudence y a vu parfois une erreur sur la substance : Cass. com., 14 janv. 1969 : *D.* 1970, IV, 458 et note M. Pédamon ; *RTD civ.* 1969, 556, obs. Y. Loussouarn.

(194) CA Orléans, 13 mai 2004 : *JCP* E 2005, 1060, obs. M. Vivant, N. Mallet-Poujol et J.-M. Bruguière ; *RTD civ.* 2005, p. 589, obs. J. Mestre et B. Fages. En revanche un arrêt a écarté l'erreur de conversion de francs en euros invoquée par un marchand de biens, professionnel de la vente : Cass. 3e civ., 4 juill. 2007 : *D.* 2007, 2847, obs. N. Rias ; *D.* 2007, pan. 2967, obs. S. Amrani-Mekki. – Et, sur renvoi Poitiers, 17 déc. 2008 : *JCP* N 2009, 1093 et note N. Prod'homme.

(195) Cass. 1re civ., 28 nov. 1973 : *D.* 1975, 21 et note R. Rodière. – TGI Pau, 7 janv. 1982 : *JCP* 1983, II, 19999 et obs. N. Coiret. – Paris, 2e ch. B, 15 sept. 1995 : *D.* 1995, inf. rap. 219. – TI Strasbourg, 24 juill. 2002 : *D.* 2003, 2434 et note C. Manara (erreur d'étiquetage informatique). – V. aussi, A. Lebois, *Erreur d'étiquetage et erreur sur le prix : Contrats, conc. consom.* oct. 2002, chron. 19.

(196) Appartement de 213 m² au lieu de 60 m² : Cass. 3e civ., 21 mai 2008 : *D.* 2008, act. jurispr. 1693 ; *D.* 2008, pan. 2970, obs. S. Amrani-Mekki ; *Contrats, conc. consom.* 2008, comm. 224, obs. L. Leveneur ; *RDC* 2008, p. 216, obs. T. Génicon. Mais, dans des circonstances voisines, un précédent arrêt y avait vu une erreur inexcusable : Cass. 3e civ., 4 juill.

Dans toutes ces hypothèses il n'y a pas de consentement car « les volontés ne se sont pas rencontrées sur les éléments essentiels du contrat »[(197)]. Cette référence aux éléments essentiels n'est pas sans rappeler les Principes du droit européen des contrats (V. *infra*, n° 188).

170. – Le cas de l'erreur sur la cause. De ces deux hypothèses d'erreurs obstacles, certains auteurs rapprochent parfois celle de l'*erreur sur la cause*. Ce rapprochement ne semble pas opportun et il est rendu d'autant plus difficile que la notion de cause recouvre deux sens différents, l'un objectif, l'autre subjectif. Au sens objectif, la cause d'un contrat réside dans la contrepartie attendue ; au sens subjectif, elle est le ou les *mobiles* particuliers qui ont déterminé l'une ou l'autre des parties à contracter.

On observera d'une part que l'erreur sur la *cause objective* est déjà prise en compte par le droit positif au titre de la cause, qui est une autre condition de validité du contrat. En effet, suivant l'article 1131 du Code civil, « l'obligation sans cause, ou sur une fausse cause, ou sur une cause illicite, ne peut avoir aucun effet ». Il est donc tout à fait possible de demander la nullité d'un contrat sur le fondement de ce texte en cas d'absence de cause au sens de contrepartie[(198)]. Mais il arrive aussi que, saisi sur le fondement de l'erreur sur la cause – qui est souvent une erreur de droit –, le juge prononce la nullité[(199)]. Il ne semble pas toutefois qu'en pareil cas la jurisprudence y voie un cas d'erreur obstacle.

D'autre part, lorsque la jurisprudence a à connaître d'une erreur sur la cause – au sens des mobiles qui ont inspiré les cocontractants – c'est une erreur sur les *motifs déterminants* qui est souvent, mais pas toujours[(200)], considérée comme une erreur indifférente (V. *infra*, n° 182).

Ainsi, la question de l'erreur sur la cause est assez obscure dans la mesure où, suivant les cas, elle pourra être traitée sous l'angle de la cause, ou sous celui de l'erreur sur la substance, ou encore comme une erreur sur les motifs déterminants. Dans ces conditions, il est difficile d'y voir une erreur obstacle. Cela dit, cette difficulté est probablement appelée à disparaître dans la mesure où le projet de réforme abandonne la notion de cause et n'envisage évidemment pas le cas de l'erreur sur la cause.

171. – La sanction de l'erreur obstacle : nullité absolue ou nullité relative ? L'erreur obstacle étant un malentendu fondamental, on serait tenté de considérer qu'il n'y a pas seulement vice du consentement, mais absence totale de consentement. Et on devrait en déduire que ce défaut de consentement devrait être sanctionné par une nullité absolue, sinon même par l'inexistence du contrat[(201)].

2007 : *D.* 2007, 2847, obs. N. Rias. – V. aussi G. Rouzet, *L'acquisition de lots de copropriété et l'erreur obstacle : Defrénois* 2008, 1, 1893, art. 38831.

(197) Formule de l'article 1109-1 du Projet Catala.

(198) Cass. 1re civ., 10 mai 1995 : *Defrénois* 1995, 1, 1038 et note Ph. Delebecque (qui, dans une hypothèse d'erreur sur la cause, casse un arrêt d'appel sur le fondement de l'article 1131 du Code civil).

(199) Par ex., nullité d'une offre de vente faite à un locataire ou à un fermier dans la croyance erronée que ce dernier bénéficiait d'un droit de préemption : Cass. 3e civ., 5 juill. 1995 : *Bull. civ.* 1995, III, n° 174 ; *RTD civ.* 1995, 880, obs. J. Mestre. – Cass. 3e civ., 24 mai 2000 : *JCP* 2001, II, 10494 et note crit. C. Duvert. – Cass. 3e civ., 20 oct. 2010, n° 09-66113.

(200) Cass. 1re civ., 3 févr. 2010 : *JCP* 2010, 497 et note J. Ghestin (pour une erreur sur la cause d'un partage).

(201) N. Rias, *La sanction de l'erreur-obstacle : pour un remplacement de la nullité par l'inexistence : RRJ* 2009, 1251.

C'est en ce sens que se prononçait la doctrine classique, et la jurisprudence[202] ; elle en déduisait que la nullité était encourue, même si l'erreur apparaissait inexcusable[203].

En revanche, la doctrine moderne a évolué et se prononce en faveur d'une nullité relative au motif que l'intérêt général n'est pas en cause, mais seulement l'intérêt particulier des parties au contrat. Elle fait cependant observer que, dans le cas de l'erreur obstacle, l'erreur a été commise par les deux parties, si bien que l'une et l'autre devraient pouvoir demander la nullité[204]. La Cour de cassation s'est récemment prononcée en faveur d'une nullité relative[205].

b) L'erreur – vice du consentement

1) L'erreur sur la substance ou sur les qualités essentielles[206]

172. - **Notion objective ou subjective ?** Suivant l'article 1110 du Code civil, « l'erreur n'est une cause de nullité de la convention que lorsqu'elle tombe sur *la substance même de la chose* qui en est l'objet ». Que faut-il entendre par substance au sens de ce texte ? Deux conceptions sont possibles :

- conception objective : la substance est la *matière* même dont la chose est faite. Pothier en a donné un exemple désormais classique : la vente est nulle si on achète des flambeaux en bronze argenté alors qu'on les croyait en argent massif ;
- conception subjective : la substance doit être entendue comme la ou les qualités substantielles qu'on prêtait à la chose, celles que les parties ont eues en vue et qui ont déterminé le consentement de l'une des parties.

En pratique, il arrivera parfois que les deux conceptions coïncident parce que la matière de la chose constituait précisément la qualité substantielle que l'une des parties avait en vue en contractant.

Mais, en cas de divergence, la jurisprudence se prononce très clairement en faveur de la conception subjective : « L'erreur doit être considérée comme portant sur la substance de la chose lorsqu'elle est de telle nature que, sans elle, l'une des parties n'aurait pas contracté »[207]. Cette interprétation est tout à la fois conforme à l'intention du législateur de 1804 et à la logique du consensualisme.

C'est également celle retenue par le projet de réforme, à ceci près que, au plan terminologique, l'erreur sur la substance de la chose est remplacée par l'erreur « sur les qualités essentielles de la prestation » : « Les qualités essentielles de la prestation due sont celles qui ont été expressément ou tacitement convenues et en considération desquelles les parties ont contracté » (art. 40, al. 1).

(202) Cass. 1re civ., 23 nov. 1976 : *Bull. civ.* 1976, I, n° 361. – Cass. 3e civ., 15 avr. 1980 : *Bull. civ.* 1980, III, n° 73 ; *D.* 1981, inf. rap. 314, obs. J. Ghestin ; *Defrénois* 1981, art. 32682, n° 50, obs. J.-L. Aubert ; *RTD civ.* 1981, 155, obs. F. Chabas.

(203) TGI Paris, 26 juin 1979 : *D.* 1980, inf. rap. 263, obs. J. Ghestin.

(204) F. Durand, *La nullité pour erreur obstacle* : *LPA* 25 mars 2010, p. 3.

(205) Cass. 3e civ., 26 juin 2013 : *JCP* 2013, 974, n° 9, obs. Y.-M. Serinet ; *D.* 2013, 1682 ; *D.* 2013, 2548, n° 6, obs. V. Guillaudier ; *RDC* 2013, 1299, obs. T. Génicon.

(206) J. Maury, *L'erreur sur la substance dans les contrats à titre onéreux*, in *Études Capitant*, p. 491. – J. Ghestin, *La réticence, le dol et l'erreur sur les qualités substantielles* : *D.* 1971, chron. 247. – Ph. Malinvaud, *De l'erreur sur la substance* : *D.* 1972, chron. 215. – G. Vivien, *De l'erreur déterminante et substantielle* : *RTD civ.* 1992, 305.

(207) Cass. civ., 28 janv. 1913 : *S.* 1913, 1, 487. – V. pour une formule voisine, Cass. com., 20 oct. 1970 : *JCP* 1971, II, 16916 et obs. J. Ghestin.

173. – **Domaine de l'erreur sur la substance ou sur les qualités essentielles.** Retenir la notion subjective d'erreur sur la substance ou sur les qualités essentielles, comme le fait la jurisprudence, conduit tout naturellement à une extension du domaine de l'erreur.

Tout d'abord, le fait de s'attacher aux qualités substantielles ou essentielles, et non pas seulement à la matière de la chose, entraîne cette conséquence que l'erreur sur la substance peut s'appliquer à des contrats portant sur des *biens incorporels* ; en effet, si ces biens n'ont pas de substance au sens matériel du terme, ils présentent néanmoins des qualités substantielles ou essentielles. C'est ainsi que l'erreur peut porter sur la substance de *parts sociales*, c'est-à-dire sur les qualités que l'acheteur leur a par erreur accordées[(208)].

Il s'ensuit également que le nombre des hypothèses d'erreur sur la substance devient illimité ; il est donc impossible d'en dresser une liste exhaustive, alors surtout que la jurisprudence conçoit de façon très large la notion de qualité substantielle ou essentielle : ce peut être la matière de la chose dans certains cas (des pierres précieuses, non des imitations en matière synthétique), l'ancienneté et l'origine dans d'autres cas (meuble d'époque, et non copie), l'aptitude de la chose à remplir sa fonction (la constructibilité d'un terrain), etc.

On ne peut donc que citer quelques exemples parmi les plus fréquents. Ainsi il y aura nullité pour erreur sur la substance en cas de vente d'une copie au lieu d'une antiquité[(209)], de perles de culture au lieu de perles fines[(210)], d'une jument de reproduction au lieu d'une pouliche de course[(211)], d'un tableau faussement attribué à un peintre célèbre[(212)], d'une statue à la datation erronée[(213)], en cas d'erreur sur la valeur culturale d'un domaine loué[(214)] ou sur les revenus mensuels d'un immeuble acheté[(215)] ou sur la constructibilité d'un terrain[(216)], ou sur la conformité de l'appartement vendu aux règles de l'urbanisme[(217)].

En revanche, l'appréciation erronée de la rentabilité économique d'une opération immobilière ne constitue pas une erreur sur la substance ; elle s'apparente à

(208) Cass. com., 7 févr. 1995 : *D.* 1996, 50 et note R. Blasselle. – Cass. com., 17 oct. 1995 : *D.* 1996, 167 et note J. Paillusseau. En revanche, la solution serait différente si l'acheteur fondait son action, non sur l'erreur, mais sur la garantie des vices des parts sociales (parts ayant pour objet l'exploitation d'un hôtel non conforme aux normes de sécurité) car la jurisprudence considère que, les vices de l'immeuble ne constituent pas des vices des parts sociales : Cass. com., 12 déc. 1995 : *D.* 1996, 277 et note J. Paillusseau.

(209) Cass. 1re civ., 23 févr. 1970 : *D.* 1970, 604 et note J.-M. Etesse ; *JCP* 1970, II, 16347, obs. P. A. – Paris, 1re ch., 24 sept. 1987 : *D.* 1987, 214. – Paris, 5 mai 1989 : *D.* 1989, inf. rap. p. 174.

(210) Cass. req., 5 nov. 1929 : *DH* 1929, 539.

(211) Cass. 1re civ., 5 févr. 2002 : *Bull. civ.* 2002, I, n° 38, p. 31 ; *JCP* 2003, II, 10175 et note Ch. Lièvremont.

(212) Paris, 22 févr. 1950 : *D.* 1950, 269. – Paris, 22 févr. 1954 : *D.* 1954, 337. – Paris, 10 mars 1955 : *D.* 1955, 295. – La nullité a également été prononcée dans le cas où un « tableau piège », signé et authentifié par l'artiste, a en fait été exécuté à sa demande par un tiers : Cass. 2e civ., 5 févr. 2002 : *JCP* 2002, II, 10193 et note S. Crevel ; *Defrénois* 2002, 1, 761, art. 37558, obs. E. Savaux ; *JCP* 2002, I, 148, nos 7 et s., obs. Y.-M. Serinet. – B. Edelman, *L'erreur sur la substance ou l'œuvre mise à nu par les artistes, même ! : D.* 2003, chron. 436. – Cass. 1re civ., 15 nov. 2005 : *Bull. civ.* 2005, I, n° 412 ; *D.* 2006, p. 1116 et note A. Tricoire ; *JCP* 2006, II, 10092 et note J. Ickowicz.

(213) Cass. 1re civ., 27 févr. 2007 : *D.* 2007, p. 1632 et note P.-Y. Gautier ; *Contrats, conc. consom.*, 2007, comm. 146, obs. L. Leveneur ; *JCP* 2007, I, 195, nos 6 et s., obs. F. Labarthe ; *D.* 2007, pan. 2968, obs. S. Amrani-Mekki.

(214) Cass. soc., 4 mai 1956 : *D.* 1957, 313 et note Ph. Malaurie.

(215) TGI Fontainebleau, 9 déc. 1970 : *D.* 1972, 89 et note J. Ghestin.

(216) J.-P. Marty, *Constructibilité d'un terrain, vices du consentement et garanties dans la vente d'immeubles : RD imm.* 1985, 317. – F. Rouvière, *L'inconstructibilité : entre non-conformité, erreur et vice caché : RD imm.* 2010, 253. – Cass. 3e civ., 15 déc. 1981 : *D.* 1982, inf. rap. 164. – Cass. 1re civ., 1er juin 1983 : *JCP* 1983, IV, 249. – Cass. 3e civ., 13 juill. 1999 : *Bull. civ.* 1999, III, n° 178, p. 122. – Cass. 3e civ. 12 juin 2014, n° 13-18446 : *D.* 2014, 1327.

(217) Cass. 3e civ., 12 mars 2003 : *JCP* N 2003, 1838.

une erreur sur la valeur[218] (V. *infra*, n° 181). De même, il n'y a plus matière à erreur sur la substance dans le cas où le contrat – en l'espèce une vente – a été conclu aux risques et périls de l'acheteur[219].

En pratique on rencontre de très nombreuses hypothèses en matière de vente d'objets d'art ce qui a entraîné une importante littérature[220].

174. – **Appréciation *in abstracto* ou *in concreto* ?**[221] Une fois posé le principe que la substance s'entend des qualités substantielles ou essentielles, une nouvelle question surgit. Faut-il rechercher si la qualité manquante a été substantielle ou essentielle pour celui-là même qui a contracté, ce qui revient à se demander ce que lui, personnellement, a eu en vue en contractant (appréciation *in concreto*) ? Faut-il au contraire rechercher si la qualité manquante était substantielle ou essentielle dans l'*opinion commune*, c'est-à-dire pour la grande majorité des gens concluant un contrat du type considéré (appréciation *in abstracto*) ?

L'aspect psychologique, qui est fondamental en matière d'erreur, conduit à retenir l'appréciation *in concreto* : de ce point de vue en effet, l'important est de savoir à quoi le cocontractant s'est attaché, même si ses préoccupations sortaient de l'ordinaire, et non pas à quoi d'autres à sa place auraient prêté attention. C'est en ce sens que se prononce la jurisprudence[222].

Cette solution, apparemment logique, prête néanmoins le flanc à la critique.

D'une part l'appréciation *in concreto* peut conduire à une injustice à l'égard de l'une des parties chaque fois que l'autre aura commis une erreur sur un élément secondaire du contrat mais qui était pour elle substantiel ou essentiel.

D'autre part, et en sens inverse, il est choquant de voir les juges refuser de prononcer la nullité dans des cas où la qualité manquante était substantielle ou essentielle dans l'opinion commune : par exemple, l'authenticité d'un tableau, l'origine ancienne d'un meuble, la constructibilité d'un terrain[223]. Il est vrai qu'en pareil cas les juges se prononcent au plan de la preuve et rejettent la demande en nullité au motif que le demandeur ne démontre pas qu'en l'espèce la qualité manquante – bien que substantielle ou essentielle dans l'opinion commune – ait été substantielle ou essentielle dans son esprit. La discussion se déplace alors du fond du droit vers le plan de la preuve.

175. – **Preuve du caractère substantiel ou essentiel.** Conformément au droit commun en matière de preuve, c'est au demandeur qu'incombe la charge de démontrer qu'il a bien commis l'erreur dont il se plaint[224].

Reste à définir l'objet de la preuve à rapporter. Dans la logique de la solution retenue au fond du droit, la jurisprudence exige que le demandeur en nullité prouve

(218) Cass. 3e civ., 31 mars 2005 : *Bull. civ.* 2005, III, n° 81.
(219) Cass. 3e civ., 9 juin 2010 : *Contrats, conc. consom.* 2010, comm. 222, L. Leveneur ; *RDC* 2011, 40, note E. Savaux.
(220) M. Fournier, *De la protection des parties dans les ventes d'antiquité et d'objets d'art* : thèse Dijon, 1936. – J. Chatelain, *L'objet d'art, objet de droit*, in *Études Flour*, p. 163. – J.-M. Trigeaud, *L'erreur de l'acheteur. L'authenticité du bien d'art (étude critique)* : *RTD civ.* 1982, 55. – J. Kadhim, *L'erreur et la nullité du contrat de vente d'objet d'art* : *Gaz. Pal.* 6-7 janv. 1993. – S. Lequette-de Kervenoaël, *L'authenticité des œuvres d'art* : LGDJ, coll. « Droit privé », 2006, préf. J. Ghestin. – G. Sousi et a., *L'authenticité d'une œuvre d'art : les enjeux*, colloque Art et droit, 18 mars 2004 : *LPA* 28 juill. 2005, p. 2 ; F. Labarthe, *Dire l'authenticité d'une œuvre d'art* : *D.* 2014, 1047.
(221) N. Dejean de la Bâtie, *Appréciation* in abstracto *et appréciation* in concreto *en droit civil* : Paris, 1963.
(222) Cass. civ., 23 nov. 1931 : *D.* 1932, 1, 129 et note L. Josserand. – Cass. soc., 4 mai 1956 : *D.* 1957, 313.
(223) Ph. Malinvaud, *De l'erreur sur la substance* : *D.* 1972, chron. 215.
(224) Cass. com., 20 oct. 1970 : *JCP* 1970, II, 16916 et obs. J. Ghestin.

que la qualité manquante était substantielle ou essentielle dans son esprit. Compte tenu de la difficulté d'une telle preuve – comment prouver ses états d'âme ? – il eût été souhaitable de poser en faveur de l'*errans* une présomption simple pour le cas où son erreur a porté sur une qualité considérée comme substantielle ou essentielle dans l'opinion commune(225). Tel était implicitement le sens de la jurisprudence ancienne, aujourd'hui contredite. Il a été ainsi jugé que l'acheteur d'un tableau de Magnasco – lequel s'avéra être un faux – et qui avait déboursé 90 000 F pour cette œuvre « n'avait pas justifié avoir vu dans l'authenticité de la toile une qualité substantielle »(226) !

Pour expliquer cette jurisprudence on a été amené à dire que la qualité manquante devait être entrée dans le *champ contractuel*, qu'elle devait avoir été implicitement convenue entre les parties. D'où la formule souvent employée pour exprimer cette idée que, pour être retenue, l'erreur doit avoir porté sur *les qualités convenues.*

Cette formule est probablement excessive. À la prendre au pied de la lettre, elle réduirait à néant le domaine d'application de l'erreur. Si en effet une qualité a été expressément convenue entre les parties, par exemple, l'authenticité d'un tableau ou l'ancienneté d'un meuble, il n'est nul besoin d'invoquer l'erreur sur la substance pour faire anéantir le contrat si la qualité attendue fait défaut ; on est en présence de l'inexécution d'une convention qui relève de la résolution(227). À la vérité, l'erreur suppose un certain flou dans la désignation de l'objet de l'obligation, qui fait que l'une des parties va commettre une erreur(228). Au contraire, on sort du domaine de l'erreur si la qualité a été promise ou *a fortiori* garantie expressément.

Cette extrême sévérité au plan de la preuve fait que, en dépit de la conception large de l'erreur sur la substance et de l'appréciation *in concreto*, les demandes en nullité sont souvent écartées, spécialement en matière de ventes d'objets d'art. En pratique cela revient à reconnaître aux juges du fond un pouvoir souverain pour décider si, compte tenu des circonstances et de la personnalité de l'*errans*, il y a ou non erreur sur la substance.

176. – **Date d'appréciation de l'erreur.** L'erreur est une *croyance* fausse par rapport à la *réalité*, ce qui soulève un double problème de date d'appréciation (V. aussi *infra*, n° 185).

La *croyance* s'apprécie certainement à la date de la conclusion du contrat : c'est à ce moment-là qu'il faut se placer pour savoir ce que les cocontractants avaient en vue.

(225) V. dans le même sens : J. Flour, J.-L. Aubert et E. Savaux, *Les obligations*, 1. *L'acte juridique*, n° 198.

(226) Cass. 1re civ., 26 janv. 1972 : *D.* 1972, 517 ; *JCP* 1972, II, 17065. – V. aussi Ph. Malinvaud, art. préc. Toutefois, les juges du fond admettent souvent d'emblée que certaines qualités sont en elles-mêmes substantielles au même titre qu'elles le sont dans l'opinion commune : V. Paris, 1re ch. B, 5 mai 1989 : *D.* 1989, inf. rap. 174 (pour l'authenticité d'un tableau). – Paris, 2e ch. B, 22 nov. 2001 : *D.* 2002, inf. rap. 46 (pour la pérennité de la construction et le bon état d'habitabilité d'une maison d'habitation dont la charpente s'est révélée infestée de capricornes).

(227) V. en ce sens Cass. 1re civ., 3 avr. 2002 : *D.* 2002, inf. rap. 1470 ; *JCP* 2002, IV, 1870. Dans cette espèce, la cour reproche à une décision qui avait écarté l'erreur de ne pas avoir appliqué l'article 3 du décret du 3 mars 1981 selon lequel, en matière de vente d'œuvres d'art, l'indication du nom de l'artiste immédiatement suivi de la désignation de l'œuvre entraîne, à défaut de réserve expresse, la garantie de l'authenticité de l'œuvre.

(228) V. pour le cas d'un meuble pour partie restauré : CA Paris, pôle 2, ch. 1, 21 sept. 2010 : *D.* 2011, 141, note L. Mauger-Vielpeau ; et sur pourvoi, Cass. 1re civ., 20 oct. 2011 : *D.* 2012, 76, note F. Labarthe ; *RDC* 2012.54, note T. Génicon ; *JCP* 2011, 1350, note Y.-M. Serinet.

La question est plus délicate pour l'appréciation de la *réalité*. En principe, la solution doit être la même et il n'y a pas lieu de tenir compte des modifications de la réalité postérieures au contrat. Si par exemple, un terrain était constructible lors de la vente et qu'il est devenu ensuite inconstructible par l'effet d'une décision de l'Administration, il n'y aura pas lieu à nullité car le propriétaire doit supporter les risques de *modification* de la chose, sauf si la modification n'était que la conséquence d'un vice caché (au sens large) existant lors de la vente(229).

À cela il faut ajouter une précision pour le cas où la réalité – qui intrinsèquement n'a pas changé – n'a été connue ou précisée que par la suite. Dans ce cas, on appréciera toujours la réalité au jour du contrat, mais on pourra faire appel aux données ultérieures qui ont permis de discerner ce qu'était exactement cette réalité. Par exemple, s'agissant de la vente d'un tableau, la réalité s'appréciera au jour de la vente (c'est bien le même tableau qui n'a pas changé) mais en tenant compte des expertises ou des opinions postérieures sur l'origine du tableau(230). De même, s'agissant de la vente d'un terrain présenté comme constructible par un certificat d'urbanisme erroné et illégal, on l'annulera pour erreur sur la substance car l'inconstructibilité existait lors de la vente ; peu importe que cette réalité n'ait été révélée que plus tard, par suite de l'annulation – d'ailleurs rétroactive – du certificat d'urbanisme(231). Il n'y aurait pas lieu à nullité en revanche si le terrain, bien que constructible, n'a finalement pas pu accueillir les constructions envisagées par l'acheteur, faute d'avoir pu obtenir le permis de construire correspondant(232).

177. – **Erreur sur la substance et garantie des vices cachés.** Dans le cas où l'erreur a été commise à l'occasion d'un contrat de vente, les circonstances de fait sont souvent telles que la victime pourrait intenter indifféremment l'action en nullité pour erreur sur la substance ou l'action en garantie des vices cachés de l'article 1641 du Code civil.

En effet, il y a erreur sur la substance lorsque « sans elle, l'une des parties n'aurait pas contracté » (V. *supra*, n° 172). Et, suivant l'article 1641, « Le vendeur est tenu à garantie à raison des défauts cachés de la chose vendue qui la rendent impropre à l'usage auquel on la destine, ou qui diminuent tellement cet usage, que l'acheteur ne l'aurait pas acquise, ou n'en aurait donné qu'un moindre prix, s'il les avait connus. »

Il peut arriver que l'erreur sur la substance tienne à un vice caché de la chose, auquel cas on peut hésiter sur le régime applicable. En pareil cas, la victime de l'erreur a-t-elle une option entre ces deux actions ? L'intérêt d'une telle option tient pour l'essentiel à la prescription de l'action ; alors que l'action en garantie des vices doit être exercée dans

(229) Paris 2e ch., 19 janv. 1999 : *JCP* 1999, IV, 1690.

(230) Cass. 1re civ., 13 déc. 1983 : *D.* 1984, 340 et note J.-L. Aubert ; *JCP* 1984, II, 20186 et concl. Gulphe : *RTD civ.* 1984, 209, obs. F. Chabas.

(231) Cass. 1re civ., 1er juin 1983 : *Bull. civ.* 1983, I, n° 168 ; *JCP* 1983, IV, 249. – Cass. 3e civ., 13 juill. 1999 : *Bull. civ.* 1999, III, n° 178, p. 122 (dans le cas où l'inconstructibilité a été constatée par une décision de justice postérieure à la vente). Un arrêt a néanmoins décidé qu'il n'y a pas erreur sur la constructibilité d'un terrain au motif que le retrait du permis de construire intervenu par la suite, même s'il est rétroactif, est indifférent pour apprécier l'existence de l'erreur : Cass. 3e civ., 23 mai 2007 : *D.* 2007, 2977 et note S. Maillard ; *RTD civ.* 2007, 565, obs. B. Fages. – Rappr. Cass. 3e civ., 17 juin 2009 : *Bull. civ.* 2009, III, n° 153.

(232) Sauf si le refus du permis de construire se fonde sur un défaut du terrain existant lors de la vente : Cass. 3e civ., 11 févr. 1981, préc. – V. aussi Cass. 3e civ., 3 févr. 1981 : *D.* 1984, 457 et note J. Ghestin, qui impose aux professionnels une obligation de renseignements quant à la qualité juridique du terrain.

un délai de deux ans à compter de la découverte du vice, l'action en nullité pour erreur peut être exercée dans les cinq ans du jour où l'erreur a été découverte.

La jurisprudence a longtemps considéré qu'en cas de concours d'actions, le demandeur avait le droit d'exercer l'action en nullité pour erreur, même si le bref délai ouvert par l'article 1648 du Code civil en matière de vices cachés était expiré[(233)] ; mais ce cumul d'actions a été condamné par un arrêt du 14 mai 1996 suivant lequel, en cas de vices cachés l'action en garantie des vices constitue « l'unique fondement possible de l'action »[(234)]. À cet égard, les arrêts ne sont pas toujours exempts d'une certaine ambiguïté[(235)].

Toutefois, on observera que, dans le même temps, la jurisprudence décide que « l'action en garantie des vices cachés n'est pas exclusive de l'action en nullité pour dol »[(236)] ; autrement dit, la jurisprudence consacre la solution contraire, et admet le concours des deux actions, lorsque l'erreur a été provoquée par un dol.

Et de même la troisième chambre civile a récemment admis que l'action fondée sur le défaut de conformité de la chose n'était pas exclusive de l'action en nullité pour erreur[(237)].

On notera que, sur ce point, les Principes du droit européen des contrats et les Principes Unidroit adoptent des positions divergentes : les premiers (art. 4.119) admettent l'option entre les moyens fondés sur l'inexécution et ceux relevant du chapitre sur la validité (ainsi la victime peut choisir par exemple entre l'annulation du contrat pour erreur ou des dommages-intérêts pour inexécution ou exécution de mauvaise qualité, V. PDEC, art. 6.108, mais elle ne pourra cependant pas cumuler les deux car c'est incompatible) ; en revanche, les seconds refusent la possibilité d'invoquer la nullité du contrat lorsque les circonstances donnent ou auraient pu donner ouverture à un moyen fondé sur l'inexécution (Unidroit, art. 3.2.4) et ils se rapprochent ainsi du droit français.

2) L'erreur sur la personne

178. – La prise en considération de la personne. L'erreur sur la personne est visée sous une forme négative à l'article 1110, alinéa 2, du Code civil : « Elle n'est

(233) Cass. com., 8 mai 1978 : *Bull. civ.* 1978, IV, n° 135. – Cass. 3e civ., 11 févr. 1981 : *D.* 1981, inf. rap. 440 et note Ch. Larroumet ; *D.* 1982, 287 et note J.-L. A ; *JCP* 1982, II, 19758, 2e esp., obs. J. Ghestin (qui applique le régime de la prescription de la garantie de vices cachés). – Cass. 3e civ., 18 mai 1988 : *Defrénois* 1989, 1, 1260, art. 34610 et note Y. Dagorne-Labbé. – Cass. 1re civ., 28 juin 1988 : *D.* 1988, inf. rap. 228. – Cass. 1re civ., 28 juin 1989 : *D.* 1989, 450, 2e esp. et note Ch. Lapoyade-Deschamps. – Cass. 1re civ., 16 avr. 1991 : *Bull. civ.* 1991, I, n° 144. – Cass. 1re civ., 17 mars 1992 : *ibid.*, I, n° 81. – V. D. Tallon, *Erreur sur la substance et garantie des vices dans la vente mobilière*, in *Études Hamel*, p. 435.

(234) Cass. 1re civ., 14 mai 1996 : *Bull. civ.* 1996, I, n° 213 ; *D.* 1997, somm. p. 345, obs. O. Tournafond ; *D.* 1998, 305, 1re esp., et note F. Jault-Seseke. – Cass. 3e civ., 7 juin 2000 : *Contrats, conc. consom.* nov. 2000, comm. 159, note L. Leveneur ; *D.* 2000, inf. rap. 186. – Cass. 3e civ., 24 avr. 2003 : *Bull. civ.* 2003, III, n° 86, p. 79. – Cass. 3e civ., 17 nov. 2004 : *Bull. civ.* 2004, III, n° 206, p. 185. – V. *contra* Cass. com., 18 juin 1996 : *D.* 1998, 305, 2e esp., et note F. Jault-Seseke. – Y.-M. Serinet, *Erreur et vice caché : variations sur le même thème*, in *Mél. Ghestin* : LGDJ, 2001.

(235) C'est ainsi qu'un arrêt a admis l'action en nullité dans le cas d'un tableau faussement attribué à Camille Claudel, au motif que ce n'était pas « une défectuosité intrinsèque compromettant l'usage normal de la chose ou son bon fonctionnement » : Cass. 1re civ., 14 déc. 2004 : *Bull. civ.* 2004, I, n° 326 ; *JCP* 2005, I, 141, n° 1, obs. Y.-M. Serinet. – N. Monachon-Duchêne, *Le vice extrinsèque de la chose n'est pas un vice caché* : *JCP* 2007, I, 199.

(236) Cass. 1re civ., 16 avr. 1991 : *Defrénois* 1992, 1, 471, art. 35239, 1re esp. et note Y. Dagorne-Labbé ; *D.* 1992, somm. 265 et note A. Penneau. – Cass. 3e civ., 29 avr. 2000 : *Bull. civ.* 2000, III, n° 182 ; *Contrats, conc. consom.* 2001, comm. 41 et obs. L. Leveneur ; *D.* 2001, inf. rap. 177. – Cass. 1re civ., 6 nov. 2002 : *Bull. civ.* 2002, I, n° 260, p. 202 ; *JCP* 2002, IV, 3055 ; *D.* 2002, inf. rap. 3190 ; *Contrats, conc. consom.* 2003, comm. 38, obs. L. Leveneur ; *JCP* 2002, I, 184, nos 1-5, obs. F. Labarthe. – V. toutefois Cass. 3e civ., 17 nov. 2004 : *Bull. civ.* 2004, III, n° 206, p. 185 (qui est plus ambigu).

(237) Cass. 3e civ., 25 mars 2003 : *JCP* 2003, I, 170, obs. Y.-M. Serinet.

point une cause de nullité, lorsqu'elle ne tombe que sur la personne avec laquelle on a intention de contracter, à moins que la considération de cette personne ne soit la cause principale de la convention ». De manière tout aussi claire, le projet de réforme dispose que « l'erreur sur les qualités essentielles du cocontractant n'est une cause de nullité que dans les contrats conclus en considération de la personne » (art. 41).

Cela concerne donc seulement les contrats conclus *intuitu personae*[(238)].

C'est le cas tout d'abord de tous les contrats à titre gratuit pour lesquels, par nature même, le geste libéral a été accompli en considération de la personnalité du bénéficiaire. On ne gratifie pas n'importe qui.

Mais il peut s'agir également de contrats à titre onéreux dans lesquels les qualités prêtées au cocontractant auront été déterminantes. C'est souvent le cas des contrats portant sur des prestations dont la qualité dépend de la personne du cocontractant : par exemple, contrat de mandat, de société, de cautionnement, de travail, contrat médical, etc. Ce peut même être le cas du contrat de vente ; certes, en général, la personnalité de l'acheteur est indifférente, mais il en va différemment si par exemple, un crédit a été accordé à l'acheteur[(239)].

179. - La notion d'erreur sur la personne. Traditionnellent on enseigne que l'erreur sur la personne peut s'entendre de l'erreur sur *l'identité physique ou civile*[(240)] : on a par exemple traité avec un homonyme ; mais en pratique une telle hypothèse sera très rare.

Si on laisse de côté cette hypothèse marginale l'erreur sur la personne doit être comprise comme l'erreur sur *les qualités essentielles* de la personne, c'est-à-dire celles qu'on a eues en vue en contractant. Il peut s'agir de qualités aussi diverses que la compétence, l'honorabilité, l'indépendance d'esprit[(241)], etc., qualités que dans le cas présent on attendait du cocontractant. C'est l'hypothèse visée par le projet de réforme (art. 39 et 41).

On observera à cet égard que la loi pénale interdit de procéder à des *discriminations* entre les personnes « à raison de leur origine, de leur sexe, de leur situation de famille, de leur grossesse, de leur apparence physique, de leur patronyme, de leur état de santé, de leur handicap, de leurs caractéristiques génétiques, de leurs mœurs, de leur orientation sexuelle, de leur âge, de leurs opinions politiques, de leurs activités syndicales, de leur appartenance ou de leur non-appartenance, vraie ou supposée, à une ethnie, une nation, une race ou une religion déterminée » (C. pén., art. 225-1). Sauf exceptions, pareilles discriminations sont sanctionnées lorsqu'elles surviennent dans certains contrats (C. pén., art. 225-2 et 225-3), notamment le contrat de travail, le contrat de fourniture de biens ou de services, le contrat de bail[(242)]. Il s'ensuit que, dans ces contrats, la nullité pour erreur sur la personne ne saurait être demandée pour l'une des caractéristiques visées par la loi.

(238) Valleur, *L'*intuitu personae *dans les contrats* : thèse Paris, 1938.
(239) Cass. 1re civ., 20 mars 1963 : *D.* 1963, 403.
(240) J.-F. Renucci, *L'identité du cocontractant* : *RTD com.* 1993, 441.
(241) Annulation d'un compromis d'arbitrage au motif que l'un des arbitres avait précédemment consulté pour l'une des parties (Cass. 2e civ., 13 avr. 1972 : *JCP* 1972, II, 17189 et obs. P. Level ; *D.* 1973, 2 et note J. Robert).
(242) J. Lafond, *Peut-on choisir son locataire ?* : *JCP* N 2002, 1638.

En définitive l'erreur sur la personne apparaît comme une forme particulière de l'erreur sur la substance, où la substance réside dans les qualités essentielles du cocontractant[243]. On doit donc lui appliquer les mêmes critères d'appréciation.

c) Les erreurs indifférentes

180. – **Généralités.** Sont indifférentes et n'entraînent donc pas la nullité du contrat toute une série d'erreurs. Pour une large part, elles se déduisent de ce qui vient d'être dit à propos des erreurs-obstacles et des erreurs-vices du consentement.

Cela vise :

- l'erreur sur la personne, dans les contrats sans *intuitu personae ;*
- l'erreur sur une qualité non substantielle.

En revanche, deux hypothèses appellent des précisions : l'erreur sur la valeur et l'erreur sur les motifs.

181. – **L'erreur sur la valeur.** Il s'agit de l'hypothèse où l'erreur a porté non sur la substance de la chose ou son identité, mais sur son évaluation monétaire. Par exemple, le tableau est bien de la main de tel peintre célèbre, mais il a été acheté beaucoup trop cher par rapport au prix normal des œuvres de cet artiste[244]. L'erreur sur la valeur doit être distinguée de l'erreur sur le prix[245], résultant d'une inadvertance ou d'une confusion entre unités monétaires (francs/euros), qui est généralement considérée comme un malentendu fondamental, comme une erreur obstacle (V. *supra*, n° 169).

L'erreur sur la valeur – qui s'analyse en fait comme une lésion – n'est pas retenue comme cause de nullité car la solution inverse aurait enlevé toute portée à l'article 1118 du Code civil qui n'admet la rescision pour lésion que de manière très restrictive, dans certains contrats ou à l'égard de certaines personnes. Il appartient à celui qui achète ou qui vend un bien de s'informer sur la valeur de ce bien, au besoin en recourant à un expert.

Encore faut-il préciser que cette exclusion ne concerne que l'erreur directement commise sur la valeur d'une chose, par exemple l'appréciation erronée de la rentabilité économique d'une opération[246], et non pas celle qui découlerait d'une erreur sur la substance, par exemple, d'une attribution erronée d'un tableau : le fait qu'une erreur sur la substance entraîne dans son sillage une erreur sur la valeur – ce qui est presque toujours le cas – n'empêche évidemment pas d'obtenir la nullité. On ajoutera que la jurisprudence se montre parfois assez large pour admettre la nullité dans des hypothèses qui semblaient pourtant relever de l'erreur sur la valeur[247]. C'est ainsi que la chambre commerciale a admis la possibilité d'une erreur substantielle

(243) Exceptionnellement, il peut s'agir des qualités essentielles d'un tiers, par exemple, d'un débiteur cautionné (Cass. 1re civ., 1er mars 1972 : *D.* 1973, 733 et note Ph. Malaurie. – Cass. com., 19 nov. 2003 : *D.* 2004, 60 et note V. Avena-Robardet).

(244) Cass. com., 20 mai 1980 : *JCP* 1980, IV, 289 (stock de marchandises défraîchies et invendables).

(245) A. Lebois, *Erreur d'étiquetage et erreur sur le prix : Contrats, conc. consom.* 2002, chron. 19.

(246) Cass. 3e civ., 31 mars 2005 : *Bull. civ.* 2005, III, n° 81 ; *RDC* 2005, p. 1025, obs. Ph. Stoffel-Munck ; *JCP* 2005, I, 194, nos 6 et s., obs. Y.-M. Serinet ; *D.* 2006, 2082 et note C. Boulogne-Yang-Ting.

(247) G. Goubeaux, *À propos de l'erreur sur la valeur*, in *Mél. Ghestin* : LGDJ, 2001. – V. par ex. Cass. soc., 4 mai 1956 : *D.* 1957, 313 et note Ph. Malaurie (erreur sur la valeur culturale). – Cass. 1re civ., 24 janv. 1979 : *Bull. civ.* 1979, I, n° 34 (erreur sur l'intérêt historique et muséologique d'une antiquité). – Paris, 16e ch. B, 15 janv. 1987 : *D.* 1987, inf. rap. p. 28 (diminution de la valeur locative d'un immeuble). – Cass. com., 12 févr. 2008 : *RDC* 2008, p. 730, obs. Y.-M. Laithier (parts sociales cédées à leur valeur nominale).

d'un franchisé « sur la rentabilité de l'activité entreprise »[(248)], et celle d'un locataire commercial sur l'absence de commerce concurrent dans un centre commercial[(249)].

On observera en revanche que la jurisprudence retient l'erreur sur la valeur comme cause de nullité lorsque celle-ci a été provoquée par les manœuvres du cocontractant, car il ne s'agit plus alors d'une simple erreur, mais d'un dol (V. *infra*, n° 189).

Ces solutions sont consacrées par le projet de réforme. Après avoir défini l'erreur sur la valeur comme « celle par laquelle, sans se tromper sur les qualités essentielles de la prestation due, un contractant fait seulement de celle-ci une appréciation économique inexacte », il pose en règle qu'elle « n'est pas en soi une cause de nullité » (art. 43), sauf dans le cas où elle résulterait d'un dol (art. 46).

182. – L'erreur sur les motifs[(250)]**.** Les qualités substantielles de la chose (dans l'erreur sur la substance) ou de la personne (dans l'erreur sur la personne) sont des motifs déterminants qui sont pris en considération par le droit.

Il en va différemment des motifs personnels, étrangers à la substance de la chose ou à la personne, qui animent l'un des cocontractants et qui l'ont poussé à contracter. Par exemple, un fonctionnaire achète ou loue un appartement dans une ville où il doit être muté, et la mutation n'intervient pas. Ou encore un amateur achète un tableau parce qu'il a cru, à tort, qu'il avait orné la chambre de l'artiste[(251)]. Ces motifs personnels, étrangers à la substance de la chose, ne sont pas pris en considération, à moins que les parties n'en aient expressément fait une condition du contrat : auquel cas il ne s'agit plus de nullité, mais du jeu de la condition.

Cette solution, longtemps incertaine, a été récemment affirmée en des termes très clairs par la Cour de cassation à propos de la vente d'un bien dont l'acquéreur croyait à tort qu'elle bénéficiait de certains avantages fiscaux ; l'acquéreur, qui en demandait la nullité pour erreur sur les motifs déterminants, s'est vu débouté parce que ce motif, même déterminant, était « extérieur à l'objet » du contrat[(252)].

> « Mais attendu, d'abord, que l'erreur sur un motif du contrat extérieur à l'objet de celui-ci n'est pas une cause de nullité de la convention, quand bien même ce motif aurait été déterminant ; que c'est donc à bon droit que l'arrêt énonce que l'absence de satisfaction du motif considéré – savoir la recherche d'avantages d'ordre fiscal – alors même que ce motif était connu de l'autre partie, ne pouvait entraîner l'annulation du contrat faute d'une stipulation expresse qui aurait fait entrer ce motif dans le champ contractuel en l'érigeant en condition de ce contrat. »
>
> Cass. 1re civ., 13 févr. 2001 : *Bull. civ.* 2001, I, n° 31.

Ainsi, les motifs déterminants ne sont retenus comme cause de nullité que s'ils portent directement sur l'objet même du contrat[(253)] ; à défaut, ils doivent être

(248) Cass. com., 4 oct. 2011 : *JCP* 2012, 135, note J. Ghestin ; *D.* 2011, 3052, note N. Dissaux ; *D.* 2012, 462, obs. S. et M. Mekki ; *RDC* 2012, 64, note T. Génicon. – Cass. com., 12 juin 2012 : *D.* 2012, 2079, note N. Dissaux. – Cass. com., 10 juil. 2012 : *RTD civ.* 2012, 724, obs. B. Fages. – Cass. com. 1er oct. 2013 et 10 déc. 2013 : *RTD* civ. 2014, 109, obs. H. Barbier.

(249) Cass. 3e civ., 2 oct. 2013, n° 12-13302.

(250) J. Rochfeld, *Les techniques de prise en considération des motifs dans le contrat en droit français* : *RDC* 2013, 1601. – M. Latina, *Les techniques de prise en considération des motifs dans le contrat dans les projets de droit européen du contrat* : *RDC* 2013, 1613.

(251) T. civ. Seine, 8 déc. 1950 : *D.* 1951, 50 ; *Gaz. Pal.* 1951, I, 153.

(252) Cass. 1re civ., 13 févr. 2001 : *Bull. civ.* 2001, I, n° 31 ; *Defrénois* 2002, 1, 476, art. 37521 et note D. Robine ; *RTD civ.* 2001, 352, obs. J. Mestre et B. Fages ; *JCP* 2001, I, 330, obs. J. Rochfeld. – Cass. 3e civ., 24 avr. 2003 : *JCP* 2003, II, 10134 et note R. Wintgen ; *D.* 2004, 450 et note S. Chassagnard.

(253) Pour une propostion de distinction, voir C. Grimaldi, *Retour sur l'erreur sur les motifs (de la nécessité de bien distinguer les fausses représentations des prévisions non réalisées)* : *D.* 2012, 2822.

expressément érigés en condition du contrat[254]. Le projet de réforme reprend cette solution : « L'erreur sur un simple motif, étranger aux qualités essentielles de la prestation due ou du cocontractant, n'est pas une cause de nullité à moins que les parties n'en aient fait expressément un élément déterminant de leur consentement » (art. 42, al. 1) ; il n'en va différemment qu'en matière de libéralités (art. 42, al. 2) et en cas de dol (art. 46).

3° Condition morale : non-imputabilité à faute à l'*errans*

183. – L'erreur inexcusable. Certaines erreurs, dites inexcusables, ne sont pas prises en considération bien qu'elles aient vicié le consentement de l'*errans*. La faute commise par celui qui commet une erreur inexcusable exclut le bénéfice de la protection légale[255]. Le caractère inexcusable doit être apprécié *in concreto*, en fonction de la personnalité et notamment de la compétence professionnelle de l'*errans*[256] et de la qualité en laquelle il est intervenu[257]. Cela dit, la seule constatation de la qualité de professionnel du demandeur en nullité ne suffit pas à rendre son erreur inexcusable[258].

L'idée générale est qu'il doit y avoir des limites au-delà desquelles l'erreur n'est plus admise : s'il est naturel que la loi protège ceux qui se trompent, elle ne saurait en revanche venir à l'aide de ceux qui font preuve d'une légèreté excessive, alors surtout qu'ils ont une obligation de se renseigner[259].

Quelques arrêts admettent cependant la nullité en dépit du caractère inexcusable de l'erreur, ce sur le fondement de l'article 1109 du Code civil[260], mais cela s'explique peut-être par le fait qu'il s'agissait d'une erreur de droit.

Au demeurant, au travers des exemples fournis par la jurisprudence, on peut se demander si le juge ne sanctionne pas ici parfois, au-delà de la grossièreté de l'erreur, le fait que l'erreur n'est pas véritablement crédible[261]. Cette solution est à rapprocher de celle de l'article 1642 du Code civil suivant lequel « le vendeur n'est pas tenu des vices apparents et dont l'acheteur a pu se convaincre lui-même ».

(254) Cass. com., 1er oct. 2002 : *JCP* 2003, II, 10072 et note F. Buy ; *D.* 2003, 1617 et note Y. Picod (cas où la caution avait fait de la solvabilité du débiteur principal la condition tacite de sa garantie). – Cass. com., 30 mai 2006 : *Contrats, conc. consom.* 2006, comm. 224, obs. L. Leveneur. – Cass. com., 11 avr. 2012 : *D.* 2013, 394, obs. S. Amnani-Mekki et M. Mekki ; *RDC* 2012, 1175, obs. Y.-M. Laithier.

(255) Cass. soc., 3 juill. 1990 : *Bull. civ.* 1990, V, n° 329 ; *JCP* 1990, IV, 334 (erreur sur la personne d'un salarié, embauché sans recherche suffisante sur ses antécédents).

(256) Cass. com., 29 avr. 2002 : *RTD civ.* 2002, 500, obs. J. Mestre et B. Fages (erreur d'un professionnel « sous la dépendance psychologique » de son cocontractant). – Cass. 3e civ., 4 juill. 2007 : *D.* 2007, 2847 et note N. Rias ; et sur renvoi Poitiers, 17 déc. 2008 : *JCP* N 2009, 1093 et note N. Prod'homme (erreur d'un marchand de biens dans la conversion en euros d'un prix négocié en francs).

(257) Cass. 1re civ., 14 déc. 2004 : *D.* 2005, inf. rap. 594 ; *Bull. civ.* 2004, I, n° 326, p. 271 ; *JCP* 2005, I, 141, nos 1-7, obs. Y.-M. Serinet (expert intervenant à des fins autres que la certification de la toile litigieuse).

(258) Cass. 1re civ., 8 déc. 2009 : *D.* 2010, act. jurispr. 15. – Cass. com., 13 mars 2012 : *JCP* 2012, 561, n° 4, obs. Y.-M. Serinet.

(259) P. Jourdain, *Le devoir de « se » renseigner (Contribution à l'étude de l'obligation de renseignement)* : *D.* 1983, chron. 139.

(260) Cass. 3e civ., 24 mai 2000 : *Bull. civ.* 2000, III, n° 114 ; *D.* 2001, somm. 1135, obs. Ph. Malaurie, et 2002, 926, obs. O. Tournafond ; *JCP* 2001, II, 10494, note C. Duvert ; *RTD civ.* 2000, 824, obs. J. Mestre et B. Fages. – Cass. 3e civ., 20 oct. 2010 : *D.* 2011, 279 et note A. Binet-Grosclaude ; *Defrénois* 2010, art. 39200, obs. Ph. Malaurie ; *RDC* 2011, 412, obs. Y.-M. Laithier. – O. Tournafond, *Excuser l'inexcusable (à propos du dangereux arrêt du 20 octobre 2010)* : *D.* 2011, 387.

(261) Cass. 1re civ., 29 juin 1959 : *Bull. civ.* 1959, I, n° 320 (souscrire deux assurances pour le même risque). – Cass. 1re civ., 16 déc. 1964 : *D.* 1965, 136 (amateur d'art qui s'en tient à la mention « attribué à Courbet »). – Cass. 1re civ., 2 mars 1964 : *Bull. civ.* 1964, I, n° 122 (architecte qui achète un terrain sans s'inquiéter de sa constructibilité). – Paris, 24 avr. 1984 : *Gaz. Pal.* 1985, 179 et note J. Dupichot. – Cass. 3e civ., 4 janv. 1985 : *JCP* 1985, IV, 103 (conseil juridique spécialisé en promotion immobilière soutenant s'être mépris sur l'étendue de ses droits et obligations). – Paris, 1re ch. B, 15 nov. 1990 : *D.* 1991, somm. 160, note O. Tournafond (pour une erreur du vendeur sur sa propre prestation).

Consacrant cette solution, le projet de réforme écarte la nullité lorsque l'erreur est inexcusable (art. 39). Mais il y apporte la même exception que la jurisprudence[262] en décidant que « l'erreur qui résulte d'un dol est toujours excusable ; elle est une cause de nullité alors même qu'elle porterait sur la valeur de la prestation ou sur un simple motif du contrat » (art. 46) (V. *infra*, n° 195).

184. - **L'erreur de droit.** En dépit du célèbre adage « Nul n'est censé ignorer la loi », il est possible d'invoquer aussi bien une erreur de droit qu'une erreur de fait à l'appui d'une demande en nullité[263] ; la solution est reprise dans le projet de réforme (art. 52). Il n'est pas inexcusable de commettre une erreur de droit, sauf pour un juriste où le cas échéant elle pourrait apparaître telle[264]. La loi y fait toutefois échec pour la transaction qui ne saurait être attaquée « pour cause d'erreur de droit, ni pour cause de lésion » (C. civ., art. 2052, al. 2)[265].

L'erreur s'apprécie par référence à la règle de droit écrite, non par référence à la jurisprudence qui est toujours susceptible de variation ; on ne saurait donc obtenir la nullité au motif qu'on ignorait la jurisprudence[266].

Cela dit, il n'y aura matière à nullité que si l'erreur de droit a porté sur un élément substantiel, « sur les qualités essentielles de la prestation due ou sur celles du cocontractant » suivant la formule du projet de réforme (art. 39). En pratique cela vise le cas où, suivant la formule jurisprudentielle, on s'est trompé sur l'existence, la nature ou l'étendue des droits qui ont fait l'objet d'un contrat argué de nullité, par exemple, d'un contrat de cession de droits successifs[267]. L'erreur de droit peut également porter sur la validité d'un congé[268], ou sur l'existence d'un droit de préemption d'un locataire[269], et cela même dans le cas où l'erreur est inexcusable, suivant la jurisprudence[270][271].

En revanche, n'est pas cause de nullité l'erreur de droit portant sur les effets d'un contrat, ou sur les conséquences attachées par la loi à une décision ou à une abstention, ou sur l'interprétation de la loi[272]. La distinction est subtile, mais elle n'en est pas moins réelle ; suivant la formule d'un arrêt, « si l'erreur de droit peut justifier l'annulation d'un acte juridique pour vice du consentement ou défaut de

(262) Cass. 1re civ., 3 mai 2000 : *Bull. civ.* 2000, I, n° 130.

(263) R. Decottignies, *L'erreur de droit* : *RTD civ.* 1951, 309. – Cass. 3e civ., 29 mai 1980 : *JCP* 1980, IV, 297. – Cass. 3e civ., 24 mai 2000 : *Defrénois* 2000, 1, 1377, art. 37270, n° 89, obs. D. Mazeaud.

(264) Elle est même admise en matière pénale comme cause d'irresponsabilité ou d'atténuation de la responsabilité (C. pén., art. 122-3).

(265) Cass. 1re civ., 12 juill. 2005 : *D.* 2006, p. 1512 et note R. Chaaban.

(266) Cass. 1re civ., 27 juin 2006 : *RTD civ.* 2006, p. 761, obs. J. Mestre et B. Fages ; *RDC* 2007, p. 229, obs. C. Peres.

(267) Cass. 1re civ., 20 nov. 1990 : *Bull. civ.* 1990, I, n° 250. – Cass. 1re civ., 2 avr. 1996 : *Bull. civ.* 1996, I, n° 159. – Cass. 3e civ., 5 juill. 1995 : *Bull. civ.* 1995, III, n° 174.

(268) Cass. 3e civ., 29 mai 1980 : *JCP* 1980, IV, 297.

(269) Ainsi, même lorsque l'offre faite par erreur à un locataire a été acceptée par ce dernier aux conditions de la vente projetée, l'erreur de droit commise par le vendeur sur l'existence d'un droit de préemption emporte la nullité du contrat : Cass. 3e civ., 24 mai 2000 : *JCP* 2001, II, 10494 et note C. Duvert ; *Defrénois* 2000, 1, 1377, art. 37270, n° 89, obs. D. Mazeaud ; *D.* 2001, somm. 1135, obs. D. Mazeaud et *D.* 2002, somm. 926, obs. O. Tournafond.

(270) Cass. 3e civ., 24 mai 2000 : *Bull. civ.* 2000, III, n° 114 ; *D.* 2001, somm. 1135, obs. Ph. Malaurie, et 2002, 926, obs. O. Tournafond ; *JCP* 2001, II, 10494, note C. Duvert ; *RTD civ.* 2000, 824, obs. J. Mestre et B. Fages. – Cass. 3e civ., 20 oct. 2010 : *D.* 2011, 279 et note A. Binet-Grosclaude ; *Defrénois* 2010, art. 39200, obs. Ph. Malaurie ; *RDC* 2011, 412, obs. Y.-M. Laithier. – O. Tournafond, *Excuser l'inexcusable (à propos du dangereux arrêt du 20 octobre 2010)* : *D.* 2011, 387.

(271) Sur ce point le projet de réforme se prononce en sens contraire (art. 39).

(272) CA Paris, pôle 4, ch. 1, 28 janv. 2010 : *D.* 2010, 1349, obs. Y. Rouquet. – J. Ghestin et Y.-M. Serinet : *Rép. civ.* Dalloz, *V° Erreur*, n° 191.

cause, elle ne prive pas d'efficacité les dispositions légales qui produisent leurs effets en dehors de toute manifestation de volonté de la part de celui qui se prévaut de leur ignorance »[(273)].

185. – **L'erreur sur sa propre prestation : le principe.** Autant il est fréquent de se tromper sur la contre-prestation attendue du cocontractant, autant il peut paraître singulier de faire erreur sur sa propre prestation, celle que l'on fournit à son partenaire. La pratique en fournit néanmoins des exemples, assez rares il est vrai : erreur de celui qui vend un terrain en le croyant inconstructible, ou une œuvre d'art authentique qu'il croit être une copie.

N'est-on pas là en présence d'une erreur inexcusable ? Cette question, qui avait déjà été soumise à la Cour de cassation voici bien longtemps, a donné lieu à une vive controverse à propos de l'affaire du *Poussin du Louvre* qui a connu de nombreux rebondissements jurisprudentiels. En l'espèce, les propriétaires d'un tableau qu'une longue tradition familiale attribuait à Poussin l'avaient confié à un commissaire-priseur en vue de sa vente par adjudication. Le commissaire-priseur et l'expert dont ils s'étaient fait assister détrompèrent les propriétaires et attribuèrent l'œuvre à l'École des Carraches. Adjugé pour une somme dérisoire à un célèbre marchand de tableaux, il fut immédiatement préempté par la Réunion des Musées nationaux et présenté quelques mois plus tard au Louvre comme une œuvre originale de Nicolas Poussin, ce qui motiva l'action en nullité des vendeurs pour erreur sur la substance[(274)].

Sur le principe même a été soulevé un argument de texte. Suivant certains auteurs, l'article 1110 du Code civil : « l'erreur n'est une cause de nullité de la convention que lorsqu'elle tombe sur la substance même de la chose qui en est l'objet » ne pourrait viser que la contre-prestation, chacun ayant en vue l'obligation de l'autre[(275)]. Mais c'est là une lecture de l'article 1110 qui amène à distinguer là où le texte ne distingue pas. Aussi bien la doctrine quasi unanime et la jurisprudence ont-elles admis le principe que l'erreur sur sa propre prestation est une cause de nullité au même titre que l'erreur sur la contre-prestation[(276)].

Cette solution a été expressément reprise dans le projet de réforme (art. 40, al. 2) : « L'erreur est une cause de nullité qu'elle porte sur la prestation de l'une ou de l'autre partie ».

(273) Cass. 1re civ., 4 nov. 1975 : *D.* 1977, 105 et note J. Ghestin (ainsi, la veuve, commune en biens, qui a omis de renoncer à la communauté, ne peut exercer la reprise de ses biens réservés en faisant valoir qu'elle ne connaissait pas les dispositions de la loi).

(274) TGI Paris, 13 déc. 1972 : *D.* 1973, 410, note J. Ghestin et Ph. Malinvaud ; *JCP* 1973, II, 17377, obs. R. Lindon. – Paris, 2 févr. 1976 : *D.* 1976, 325, concl. J. Cabannes ; *JCP* 1976, II, 18358, obs. R. Lindon. – Cass. 1re civ., 22 févr. 1978 : *D.* 1978, 601, note Ph. Malinvaud ; *JCP* 1978, II, 18925. – Amiens, 1er févr. 1982 : *JCP* 1982, II, 19916, obs. J.-M. Trigeaud ; *Defrénois* 1982, 1, 676, art. 32885, note J. Chatelain. – Cass. 1re civ., 13 déc. 1983 : *D.* 1984, 340, note J.-L. Aubert ; *JCP* 1984, II, 20186, concl. Gulphe. – Versailles, 7 janv. 1987 : *D.* 1987, 485 et note J.-L. Aubert ; *JCP* 1988, II, 21121, obs. J. Ghestin. – O. Tournafond, *L'erreur du contractant sur sa propre prestation*, in *Mél. Decottignies* : PU Grenoble, 2003, p. 377.

(275) J. Chatelain, *L'objet d'art, objet de droit*, in *Études Flour*, p. 63.

(276) V. en matière de cession de droits successoraux, Cass. civ., 17 nov. 1930 : *D.* 1932, 1, 161 ; *DH* 1931, 3 ; *S.* 1932, 1, 17 et note A. Breton. – Cass. civ., 24 mai 1948 : *D.* 1948, 517. – Cass. civ., 22 janv. 1953 : *D.* 1953, 334. – Cass. civ., 19 janv. 1960 : *JCP* 1961, II, 12274, obs. P. Voirin. – En matière de vente d'objets d'art : Montpellier, 2 janv. 1963 : *Gaz. Pal.* 1963, 1, 193, cassé sur un autre point par Cass. 1re civ., 25 janv. 1965 ; *D.* 1965, 217. – Cass. 1re civ., 22 févr. 1978 et 13 déc. 1983, préc. – Paris, 7 déc. 1976 : *Gaz. Pal.* 1977, 1, 135. – Cass. 1re civ., 24 janv. 1979 : *Bull. civ.* 1979, I, n° 34. – En matière de constructibilité d'un terrain : Pau, 27 mars 1979 : *JCP* 1980, IV, 392. Toutefois, dans certains cas, l'erreur pourra effectivement être jugée inexcusable : Paris, 1re ch. B, 15 nov. 1990 : *D.* 1991, somm. 160 et note O. Tournafond.

186. – L'erreur sur sa propre prestation : précisions sur l'erreur sur la substance. L'affaire du *Poussin du Louvre* a permis d'affiner les solutions en matière d'erreur sur la substance sur deux points.

D'une part, avait été formulée une objection propre aux œuvres d'art : la preuve positive de l'authenticité pouvant très difficilement être rapportée, il ne saurait y avoir erreur là où il y a doute. L'argument avait été reçu par la cour d'appel qui avait débouté les demandeurs au motif qu'il y avait un doute très sérieux sur l'attribution du tableau(277). L'arrêt fut cassé sur ce point au motif que les juges du fond auraient dû « rechercher si, au moment de la vente, le consentement des vendeurs n'avait pas été vicié par leur conviction erronée que le tableau ne pouvait pas être une œuvre de Nicolas Poussin »(278). Il y a en effet erreur dès l'instant qu'un décalage se produit entre la croyance (ici, croire que le tableau ne peut être un Poussin) et la réalité (l'œuvre est d'attribution incertaine, mais peut être un Poussin)(279). L'erreur est en revanche exclue lorsqu'au moment du contrat l'attribution était considérée comme incertaine par les deux parties qui ont ainsi l'une et l'autre accepté un aléa, l'œuvre pouvant s'avérer par la suite être une copie ou un original : tel était le cas dans l'affaire du *Verrou de Fragonard*(280) ; le projet de réforme (art. 40, al. 3) consacre cette solution en ces termes : « l'acceptation d'un aléa sur une qualité de la prestation due exclut l'erreur relative à cette qualité ».

D'autre part, contre l'admission de l'erreur sur sa propre prestation on a également invoqué une raison d'opportunité tenant à la nécessité d'assurer la sécurité du commerce, notamment en matière d'œuvres d'art où la réalité peut être changeante au gré des attributions faites par les experts. L'observation est exacte pour les ventes aux enchères publiques où, en principe, l'intérêt du vendeur devrait être protégé par le libre jeu des enchères ; mais il faudrait un texte pour consacrer ici une exception. En revanche l'argument perd toute pertinence pour les ventes privées où un acheteur compétent peut librement profiter de l'ignorance d'un vendeur.

Dans l'affaire du *Poussin du Louvre*, la cour de renvoi a été probablement sensible à cet argument et elle a rejeté la demande en nullité au motif que la conviction du vendeur n'était pas erronée au moment de la vente puisque ce n'est que par la suite que le tableau a pu être attribué à Poussin(281). Ce qui a été l'occasion pour la Cour de cassation de préciser que l'appréciation de la réalité, si elle devait s'opérer au jour de la vente (c'est bien le même tableau qui n'a pas changé), devait aussi

(277) Paris, 2 févr. 1976, préc.

(278) Cass. 1re civ., 22 févr. 1978, préc. – V. dans le même sens Cass. 1re civ., 17 sept. 2003 : *JCP* 2003 ; IV ; 2714 ; *Contrats, conc. consom.* 2004, comm. 2, obs. L. Leveneur ; *Gaz. Pal.* 29 févr.-2 mars 2004, 1, et note crit. S. Crevel ; *JCP* 2004, I, 123, nos 1 et s., obs. Y.-M. Serinet ; *RTD civ.* 2005, 123, obs. J. Mestre et B. Fages (à propos d'une autre affaire *Poussin* où le vendeur, après avoir consulté des experts, avait vendu le tableau aux enchères comme étant de l'École de Poussin alors qu'il s'est avéré par la suite être une œuvre authentique du peintre). – J.-P. Couturier, *La résistible ascension du doute (quelques réflexions sur l'affaire Poussin)* : *D.* 1989, chron. 23.

(279) Il y aura par exemple erreur si l'acheteur a contracté dans la certitude de l'authenticité de l'œuvre alors qu'après expertise celle-ci s'avère douteuse : Cass. 1re civ., 13 janv. 1998 : *D.* 2000, 54 et note Ch. Laplanche.

(280) TGI Paris, 21 janv. 1976 : *D.* 1977, 478, note Ph. Malinvaud. – Cass. 1re civ., 16 oct. 1979 : *Gaz. Pal.* 1980, 1, somm. 60. – Cass. 1re civ., 24 mars 1987 : *D.* 1987, 489 et note J.-L. Aubert ; *JCP* 1989, II, 21300, obs. M.-F. Vieville-Miravete. – V. aussi, dans le même sens, en cas d'aléa sur l'authenticité d'une lettre de Picasso : Cass. 1re civ., 30 mars 2001 : *JCP* 2003, II, 10090 et note J.-F. Césaro. – Cass. 1re civ., 28 mars 2008 : *JCP* 2008, II, 10101 et note Y.-M. Serinet ; *D.* 2008, 1866 et note E. Treppoz ; *Defrénois* 2008, art. 38838, p. 1958, obs. R. Libchaber.

(281) Amiens, 1er févr. 1982, préc.

prendre en compte les données ultérieures, opinions ou expertises, qui ont permis de préciser ce qu'était exactement la réalité(282).

La jurisprudence admet toutefois que l'*errans* doit, au titre de l'enrichissement sans cause, indemniser l'acquéreur évincé des frais faits en vue de démontrer l'originalité de l'œuvre, et donc sa valeur(283) ; mais cela suppose que de tels frais aient été effectivement engagés(284). À l'inverse, s'il ne peut se faire restituer l'œuvre parce qu'elle a été acquise par un tiers de bonne foi, il sera indemnisé du préjudice subi qui équivaut à la différence entre le prix de vente initial et celui de la revente(285).

187. - **Conclusion.** De l'étude de l'erreur se dégagent des impressions contradictoires. D'un côté la jurisprudence conçoit très largement la notion d'erreur, mais de l'autre la preuve n'en est reçue que de manière fort étroite. Cette attitude n'est contradictoire qu'en apparence. En définitive, elle reflète assez exactement le conflit entre les deux idées antagonistes qui dominent la matière de l'erreur et entre lesquelles la jurisprudence tente de réaliser un équilibre : l'idée de justice, liée au principe du consensualisme, et l'idée de sécurité des transactions. S'il en résulte parfois le sentiment d'un certain impressionnisme juridique, cela relève de la nature même des choses.

La sécurité des transactions postule de faire un tri parmi les erreurs, de manière à n'admettre que celles, bien réelles et excusables, qui ont affecté le consentement : on ne saurait invoquer n'importe quelle erreur pour faire tomber un contrat. Pour éviter les dérives, la doctrine a essayé de tracer des guides.

C'est ainsi que jadis on disait que, pour entraîner la nullité du contrat, l'erreur devait avoir été « commune ». Par cette formule, particulièrement ambiguë, on voulait dire, non pas que les deux parties devaient avoir commis la même erreur, mais que le cocontractant de l'errans devait savoir l'importance que ce dernier attachait à telle qualité substantielle ou essentielle, et manquante, de la chose.

Pour exprimer la même chose, les auteurs modernes déclarent que la qualité manquante doit être entrée dans le *champ contractuel* ou, allant plus loin encore, que l'erreur doit avoir porté sur les *qualités convenues* (V. *supra*, n° 175). C'est l'idée que consacre le projet de réforme lorsqu'il édicte que « les qualités essentielles de la prestation due sont celles qui ont été expressément ou tacitement convenues et en considération desquelles les parties ont contracté » (art. 40, al. 1).

Faisant preuve de beaucoup de pragmatisme, les juges recherchent au cas par cas si l'erreur portait sur une qualité substantielle ou essentielle et si la preuve en est suffisamment rapportée. Il va sans dire qu'une telle quête repose sur une appréciation subjective, ce qui confère un certain flou à la jurisprudence et, plus largement, à la matière de l'erreur.

188. - **L'erreur dans les Principes du droit européen des contrats et les Principes Unidroit : une conception différente.** Ces Principes proposent une conception essentiellement morale de l'erreur qui se démarque – en apparence du

(282) Cass. 1re civ., 13 déc. 1983, préc.
(283) Cass. 1re civ., 25 mai 1992 : *JCP* 1992, I, 3608, p. 370, obs. M. Billiau ; *Contrats, conc. consom.* 1992 ; comm. 174 et note L. Leveneur.
(284) Cass. 1re civ., 17 sept. 2003, préc.
(285) Paris, 29 juin 1992 : *D.* 1993, somm. comm. 209, obs. E. Fortis.

moins – assez largement du droit français. L'erreur n'est pas spontanée : elle ne peut être invoquée que si elle a été provoquée par une information erronée émanant de l'autre partie, et si cette dernière connaissait ou aurait dû connaître l'erreur(286) : il s'agit là d'une différence importante avec la conception française et un rapprochement avec le dol peut être tentant.

Toutefois, il apparaît rapidement que les deux vices demeurent nettement distincts : même en provoquant ou en ne signalant pas une erreur, la partie déloyale n'a pas l'intention de tromper. Cette exigence nouvelle d'une « participation du cocontractant au vice »(287) rend-elle le vice d'erreur moins protecteur du consentement ? Il semble possible à première vue de répondre par l'affirmative dans la mesure où l'erreur spontanée ne permettra effectivement plus à elle seule d'obtenir l'annulation du contrat. Cependant, il convient de nuancer cette conclusion : en effet, dès lors que le cocontractant « aurait dû avoir connaissance de l'erreur » cette erreur pourra entraîner la nullité du contrat.

En revanche, aucune exception n'est faite quant au domaine de l'erreur : l'erreur sur les motifs ou sur la valeur semblent ainsi, en principe, pouvoir être admises. Pour autant, l'erreur pour être pertinente doit être « essentielle ». Il semble que la notion d'erreur essentielle soit assez proche de l'erreur sur les qualités substantielles de l'article 1110, alinéa 1er, du Code civil(288). En définitive, cette conception renouvelée paraît relativement équilibrée et l'on peut penser que, bien qu'elle soit indéniablement plus restrictive que l'acception française, elle pourrait conduire à des résultats assez comparables(289).

Enfin, il est nécessaire de replacer l'erreur dans le cadre plus général des conditions de validité du contrat et on constate alors que la création de nouveaux vices (tels que le profit excessif ou avantage déloyal [V. *infra*, n° 319] ou l'information inexacte qui ouvre droit à réparation(290)) prend le relais de l'erreur pour protéger au mieux les contractants les plus vulnérables.

Au total on peut se demander si, en dépit de certaines subtilités qui pourraient aisément être gommées, l'approche du droit français n'est pas plus simple et plus intelligible que celle des Principes européens du contrat.

C. – Le dol

189. – Définition.

Art. 1116. – Le dol est une cause de nullité de la convention lorsque les manœuvres pratiquées par l'une des parties sont telles, qu'il est évident que, sans ces manœuvres, l'autre partie n'aurait pas contracté.

Il ne se présume pas, et doit être prouvé.

---

(286) PDEC, art. 4.103 ; Unidroit, art. 3.2.2 ; projet de Pavie, art. 151.1 et 151.7.

(287) G. Loiseau, *La qualité du consentement*, in *Les concepts contractuels français à l'heure des Principes du droit européen des contrats* : Dalloz, 2003, p. 66.

(288) Les commentaires des PDEC notent d'ailleurs que l'erreur sur la valeur n'est pas normalement essentielle.

(289) V. D. Poracchia, in *Regards croisés sur les concepts du droit européen du contrat et sur le droit françai* : PUAM, 2003, p. 251.

(290) PDEC, art. 4.106 : Information inexacte.
La partie qui s'est engagée sur le fondement d'une information inexacte donnée par l'autre partie peut obtenir des dommages-intérêts conformément aux alinéas 2 et 3 de l'article 4-117 alors même que l'information n'a pas occasionné une erreur essentielle au sens de l'article 4-103, à moins que la partie qui a donné l'information n'ait eu des raisons de croire que l'information était exacte.

De ce texte, qui s'attache aux moyens par lesquels le dol est perpétré, on en déduit une définition. À la différence de l'erreur, qui est *spontanée*, le dol est une *erreur provoquée* sur l'un des termes du contrat[(291)].

Le projet de réforme présente également le dol comme une erreur provoquée : « Le dol est le fait pour un contractant d'obtenir le consentement de l'autre par des manœuvres, des mensonges ou par la dissimulation intentionnelle d'une information qu'il devait lui fournir conformément à la loi » (art. 44).

Le dol soulève une difficulté de terminologie dans la mesure où ce terme est employé dans deux sens très différents. Le *dol dans la conclusion du contrat* dont il est ici question est un vice du consentement et, à ce titre, il constitue une cause de nullité du contrat. Cette notion n'a rien à voir avec *le dol dans l'exécution du contrat*, encore appelé faute dolosive ou intentionnelle : en ce sens, le dol se définit comme l'inexécution volontaire ou délibérée des obligations résultant d'un contrat ; il est sanctionné par la responsabilité contractuelle de son auteur, assortie le cas échéant de la résolution du contrat.

190. – Intérêt du dol par rapport à l'erreur. On peut se demander quel intérêt il y a à retenir, parmi les vices du consentement, l'erreur provoquée alors que l'erreur spontanée est, à elle seule, une cause de nullité. Cet intérêt apparaît à trois points de vue :

• quant à la *preuve*, le dol qui se manifeste par des manœuvres, des mensonges, etc., est souvent plus facile à démontrer que l'erreur ; cela tient à leur objet respectif, le dol se traduisant en général par des manifestations extérieures cependant que l'erreur est un état d'esprit interne à l'*errans* ;

• quant à son domaine, le dol s'étend au-delà de l'erreur. Ainsi, l'erreur sur la valeur ou sur les motifs individuels déterminants, qui n'est pas une cause de nullité si elle est spontanée (V. *supra*, n°s 181 et 182), le devient lorsqu'elle est provoquée par dol[(292)]. Se trouve ici sanctionnée la faute de l'auteur du dol, ce qui met en valeur l'élément moral inhérent à ce vice du consentement ; sur ce point le projet de réforme (art. 46) consacre le droit positif[(293)] en décidant que « l'erreur résultant d'un dol est toujours excusable ; elle est une cause de nullité alors même qu'elle porterait sur la valeur de la prestation ou sur un simple motif du contrat » ;

• quant à ses effets, le dol peut entraîner, outre la nullité pour vice du consentement, la condamnation à des dommages et intérêts car il met en cause la responsabilité délictuelle de son auteur[(294)]. Le demandeur est libre de demander, à son choix, la nullité du contrat ou l'allocation de dommages-intérêts[(295)],

(291) Perrin, *Le dol dans la formation des actes juridiques* : thèse Paris, 1931. – P. Bonassies, *Le dol dans la conclusion des contrats* : thèse Lille, 1955. – J. Ghestin, *La réticence, le dol et l'erreur sur les qualités substantielles* : D. 1971, chron. 247.

(292) Paris, 22 janv. 1953 : *D.* 1953, 136. – Cass. 3e civ., 22 juin 2005 : *RDC* 2005, p. 1025, obs. Ph. Stoffel-Munck. – Cass. com., 17 juin 2008 : *RTD civ.* 2008, p. 671, obs. B. Fages.

(293) Cass. 1re civ., 3 mai 2000 : *Bull. civ.* 2000, I, n° 130.

(294) La responsabilité est de nature délictuelle, et non pas contractuelle, car la faute, intervenant par définition même avant que le contrat ne soit conclu, ne constitue pas la violation d'une obligation résultant du contrat.

(295) Cass. 1re civ., 28 mai 2008 : *JCP* 2008, II, 10179 et note I. Beynex ; *RTD civ.* 2008, p. 476, obs. B. Fages (dans le cas du manquement à une obligation d'information constitutive d'une réticence dolosive). – Cass. 1re civ., 25 juin 2008 : *Contrats, conc. consom.* 2008, comm. 254, obs. L. Leveneur.

ou les deux cumulativement[296], ou encore la réduction du prix[297]. À supposer que l'action en nullité soit prescrite, la victime du dol pouvait, avant la réforme du 17 juin 2008, exercer l'action en responsabilité délictuelle qui ne se prescrivait alors que par dix ans[298]. Cet intérêt du dol sur l'erreur est gommé dans le projet de réforme qui, en cas de nullité, permet à la victime de demander réparation du domage subi, quelle que soit la cause de nullité (art. 86, al. 3).

Ces deux dernières différences s'expliquent par la nature mixte du dol où se côtoient l'élément psychologique (le vice du consentement) et l'élément moral (la faute). L'importance de l'élément moral se traduit ici par le fait que le souci de sécurité des transactions est beaucoup plus estompé qu'en matière d'erreur. Le dol apparaît ici comme un délit civil, ce qu'il était jadis en droit romain[299] et on a pu se demander s'il ne risquerait pas d'être absorbé par la responsabilité[300].

191. – **Dol et garantie des vices cachés.** L'erreur provoquée – le dol – peut porter sur un vice caché de la chose ; en pareil cas il y a cumul d'actions et la victime peut exercer l'action fondée sur le dol, même si l'action en garantie des vices est déjà prescrite[301]. On remarquera que la solution est inverse de celle retenue par la jurisprudence en matière d'erreur spontanée où l'action en garantie des vices constitue « l'unique fondement possible de l'action » (V. *supra*, n° 177). Faisant un sort particulier à l'action fondée sur le dol, la Cour de cassation a récemment réaffirmé ce cumul d'actions[302].

192. – **Plan.** Pour que le dol soit retenu comme cause de nullité, trois conditions sont exigées : le dol doit présenter une certaine gravité, avoir déterminé le consentement et émaner du cocontractant.

1° Gravité du dol

193. – **L'exigence de loyauté dans la conclusion du contrat : évolution.** Si la conclusion d'un contrat nécessite que chaque partie fasse preuve d'un minimum de loyauté, il n'en demeure pas moins que les cocontractants y défendent des intérêts

---

Si la victime ne demande pas l'annulation du contrat, le préjudice réparable n'est pas la perte du gain manqué mais la perte d'une chance d'avoiir pu contracter à des conditions plus avantageuses : Cass. com., 10 juil. 2012 : *D.* 2012, 2772, note M. Caffin-Moi ; *JCP* 2012, I, 1151, n° 9, obs. J. Ghestin ; *RTD civ.* 2012, 725, obs. B. Fages ; *RDC* 2013, 91, note O. Deshayes.

(296) Sur la faculté de mettre en œuvre la responsabilité civile en cas de vices du consentement (erreur ou dol), V. Y. Lequette, *Responsabilité civile versus vices du consentement, in Mél. S. Payet* : Dalloz, 2011. p. 363.

(297) Cass. 3e civ., 6 juin 2012 : *RDC* 2012, 1180, obs. T. Génicon.

(298) Cass. 1re civ., 4 févr. 1975 : *D.* 1975, 405, note Ch. Gaury ; *JCP* 1975, II, 18100, obs. Ch. Larroumet. – Cass. 1re civ., 14 nov. 1979 : *D.* 1980, inf. rap. p. 284. – Cass. com., 18 oct. 1994 : *D.* 1995, 180 et note Ch. Atias ; *Contrats, conc. consom.* 1995, comm. 1, obs. L. Leveneur (dans une hypothèse où l'acquéreur s'était désisté de l'action en nullité). – Cass. com., 15 janv. 2002 : *JCP* 2002, II, 10136 et note A. Cermolacce ; *RTD civ.* 2002, 290, obs. J. Mestre et B. Fages (écartant la prescription de l'article L. 141-4 du Code de commerce). – Cass. 1re civ., 25 juin 2008 : *D.* 2008, act. jurispr.1997 ; *JCP* 2008, II, 10205 et note L. Siguoirt ; *JCP* 2008, I, 218, n° 6, obs. F. Labarthe.

(299) Pour un retour à cette iidée, voir B. Waltz, *Le dol dans la formation des contrats : essai d'une nouvelle théorie* : thèse Lyon, 2011.

(300) A.-S. Barthez et a., *L'absorption du dol par la responsabilité civile : pour ou contre ?, Débats* : *RDC* 2013, 1154 et s.

(301) Cass. 1re civ., 16 avr. 1991 : *Defrénois* 1992, 1, 471, art. 35239, 1re esp. et note Y. Dagorne-Labbé ; *D.* 1992, somm. 265 et note A. Penneau.

(302) Cass. 3e civ., 29 nov. 2000 : *Bull. civ.* 2000, III, n° 182 ; *Contrats, conc. consom.* 2001, comm. 41, obs. L. Leveneur. – Cass. 1re civ., 6 nov. 2002 : *Bull. civ.* 2002, I, n° 260, p. 202 ; *D.* 2002, inf. rap. p. 3190 ; *JCP* 2002, IV, 3055 ; *JCP* 2002, I, 184, nos 1-5, obs. F. Labarthe ; *Contrats, conc. consom.* 2003, comm. 38, obs. L. Leveneur. – J. Betoulle, *L'aspect « délictuel » du dol dans la formation des contrats. Illustration dans la jurisprudence récente de la Cour de cassation en matière de vente d'immeubles*, Rapp. C. cass. 2001, p. 259, V. p. 266 et s.

qui sont souvent opposés. Dès lors il est naturel que, dans cette perspective, chacun mette en valeur la chose ou la prestation qu'il apporte à son partenaire. On s'accorde à reconnaître qu'il ne faut pas dépasser la mesure au-delà de laquelle il y aura dol[(303)].

Toute la difficulté est de définir cette mesure, qui dépend pour l'essentiel de considérations morales. L'article 1116 du Code civil semblait exiger des manœuvres pour qu'il y ait dol. Aujourd'hui la morale est nettement plus stricte que jadis et la jurisprudence admet sous certaines réserves que le mensonge, et même la simple réticence, puissent être constitutifs du dol, ce qui revient à introduire une obligation de renseignements dans la conclusion du contrat. Cette idée, d'origine jurisprudentielle, se trouve confortée et relayée de nos jours par les diverses lois récentes qui tendent à assurer l'information du consommateur, et plus généralement la protection de certaines catégories de contractants.

Tel est notamment le cas de la loi du 3 janvier 2008 qui a transposé dans le Code de la consommation la directive du 11 mai 2005 relative aux pratiques commerciales déloyales qui se déclinent en pratiques trompeuses et en pratiques agressives, les unes et les autres pénalement sanctionnées[(304)]. Les pratiques trompeuses (C. consom. art. L. 121-1 et s.), qu'elles le soient par action ou par omission, s'apparentent beaucoup aux manœuvres dolosives de l'article 1116 telles que définies par la jurisprudence et l'on peut se demander si, au-delà de la sanction pénale, elles ne sont pas de nature à entraîner la nullité du contrat. On relèvera que, curieusement, l'infraction de pratique commerciale trompeuse est encourue même lorsqu'elle s'exerce à l'encontre d'un professionnel (C. consom., art. L. 121-1, III).

Le projet de réforme s'inscrit très exactement dans cette perspective. En effet, outre qu'il consacre l'existence d'un devoir d'information (art. 37) (V. *infra*, n° 234), il précise que le dol peut consister en des manœuvres certes, mais aussi en des mensonges ou en une « dissimulation intentionnelle d'une information qu'il devait fournir conformément à la loi » (art. 44).

194. – Les manœuvres. Le terme de *manœuvres*, qu'utilise le Code civil, doit être compris comme visant des actes caractérisés de tromperie. On cite traditionnellement l'exemple, relaté par Cicéron, de la *mise en scène* réalisée par le vendeur d'une villa qui, afin de décider un acheteur, avait organisé une pêche miraculeuse dans un lac bordant la propriété. Aujourd'hui on penserait plutôt au *maquillage* d'une automobile que le vendeur aurait artificiellement rajeunie en modifiant la carte grise ou le compteur kilométrique. De telles manœuvres qui frisent l'escroquerie se rencontrent assez rarement en pratique.

Un arrêt remarqué de la cour de Colmar[(305)] avait élargi la notion de dol à l'hypothèse de l'insistance abusive auprès d'une personne âgée ou malade pour obtenir

(303) Sur l'obligation de loyauté des dirigeants en cas de cession de droits sociaux, V. Cass. com., 27 févr. 1996 : *JCP* 1996, II, 22665 et note J. Ghestin ; *D.* 1996, 518 et note Ph. Malaurie. – Cass. com., 12 mai 2004 : *Bull. civ.* 2004, IV, n° 93 ; *JCP* 2004, I, 173, n°s 1 et s., obs. A. Constantin.

(304) M. Cannarsa, *La réforme des pratiques commerciales déloyales par la loi Chatel. Le droit commun à la rencontre du droit de la consommation* : *JCP* 2008, I, 180. – H. Claret, *La loyauté des pratiques commerciales à l'égard des consommateurs. Plaidoyer pour une refonte* : *Contrats, conc. consom.* 2014, Étude 1.

(305) Colmar, 30 janv. 1970 : *D.* 1970, 297, note E. Alfandari ; *JCP* 1971, II, 16609, obs. Y. Loussouarn ; *Defrénois* 1971, 1, 891, art. 29914, obs. J.-L. Aubert.

son consentement ; en l'espèce la cour avait annulé pour dol une donation consentie dans des conditions fort suspectes par une donatrice qui avait été manifestement « chambrée ». Mais c'était méconnaître la définition du dol – erreur provoquée –, la donatrice ayant en l'occurrence cédé à une certaine forme de violence, sans commettre véritablement d'erreur. La Cour de cassation a eu par la suite l'occasion de condamner cette dérive de la notion de dol[(306)].

Au *plan pénal*, les manœuvres frauduleuses caractérisées exposent leur auteur à des sanctions. L'article 313-1 du Code pénal qui réprime l'*escroquerie* définit en effet celle-ci comme « le fait, soit par l'usage d'un faux nom ou d'une fausse qualité, soit par l'abus d'une qualité vraie, soit par l'emploi de manœuvres frauduleuses, de tromper une personne physique ou morale et de la déterminer ainsi, à son préjudice ou au préjudice d'un tiers, à remettre des fonds, des valeurs ou un bien quelconque, à fournir un service ou à consentir un acte opérant obligation ou décharge »[(307)].

Outre l'escroquerie, qui s'exerce le plus souvent en dehors de tout contrat, la loi du 1er août 1905, aujourd'hui codifiée aux articles L. 213-1 et suivants du Code de la consommation, réprime toute *tromperie dans les ventes de marchandises* dès lors qu'elle porte sur la nature de la chose, sur son espèce ou son origine, sur ses qualités substantielles, sur la quantité des choses livrées ou sur leur identité ; peu importe à cet égard que la tromperie ait ou non été accompagnée de manœuvres frauduleuses ou d'affirmations mensongères. Enfin, on rappellera l'interdiction, pénalement sanctionnée, des *pratiques commerciales trompeuses* (jadis qualifiées de *publicité mensongère*) (C. consom., art. L. 121-1 et s.).

Les sanctions pénales éventuellement prononcées s'ajoutent évidemment à la nullité et aux dommages et intérêts civils.

195. – Le mensonge. L'article 1116 a été interprété de manière extensive par la jurisprudence qui n'a pas hésité à l'étendre au mensonge. Suivant la formule d'un arrêt, « un simple mensonge, non appuyé d'actes extérieurs, peut constituer un dol »[(308)].

On enseigne habituellement que notre droit a repris la tradition romaine qui distinguait le *dolus malus*, c'est-à-dire le mensonge qui « dépasse l'habileté permise à tout vendeur »[(309)] et qui est seul constitutif de dol, et le *dolus bonus* qui est le droit naturel de vanter sa marchandise, quitte à verser dans l'excès.

On peut se demander s'il est toujours exact de présenter les choses ainsi et de reconnaître un certain droit au mensonge alors que le droit pénal, qui réprimait seulement la publicité mensongère, interdit désormais le recours à des « allégations, indications ou présentations fausses ou de nature à induire en erreur... » (C. consom., art. L. 121-1). Ce qui était vrai jadis du camelot ne l'est plus du vendeur d'aujourd'hui, spécialement du vendeur professionnel dont on exige une parfaite loyauté.

(306) Cass. 3e civ., 1er mars 1977 : *D.* 1978, 91 et note Ch. Larroumet. – Cass. com., 2 juin 1981 : *D.* 1981, inf. rap. 485 ; *Bull. civ.* 1981, IV, n° 259. – Cass. 1re civ., 10 juill. 1995 : *D.* 1997, 20 et note P. Chauvel ; *Defrénois* 1995, art. 36210, n° 138, obs. J.-L. Aubert ; *Contrats, conc. consom.* 1996, comm. 2, obs. L. Leveneur. – Cass. 1re civ., 13 févr. 1996 : *Bull. civ.* 1996, I, n° 78.
(307) M.-P. Lucas de Leyssac, *L'escroquerie par simple mensonge ?* : *D.* 1981, chron. 17.
(308) Cass. 3e civ., 6 nov. 1970 : *JCP* 1971, II, 16942, obs. J. Ghestin ; *Defrénois* 1971, art. 30005, p. 1264, obs. J.-L. Aubert.
(309) Cass. 1re civ., 1er févr. 1960 : *Bull. civ.* 1960, I, n° 67.

La distinction romaine peut en revanche trouver une justification au plan du caractère déterminant : s'il est toujours déloyal de mentir(310), en revanche le mensonge n'emporte pas toujours le consentement ; on ne saurait en effet être victime ni des menus mensonges habituels au commerce(311), ni des mensonges excessifs et donc non crédibles(312). En définitive le mensonge le plus convaincant est celui qui serre de plus près la réalité.

En revanche, s'il est démontré que le mensonge a effectivement entraîné une erreur dans l'esprit du cocontractant, un récent arrêt a considéré que, à la différence de l'erreur spontanée (V. *supra*, n° 183), l'erreur provoquée est toujours excusable(313) ; cette solution, rendue à propos d'une réticence dolosive, doit *a fortiori* s'appliquer en cas de mensonge. Telle est la solution consacrée dans l'article 46 du projet de réforme.

196. – La réticence et l'obligation de renseignements. Se taire alors que l'on sait, et ne pas informer son cocontractant de certains éléments de nature à influer sur son consentement, est-ce là un dol ? La réticence, c'est-à-dire le silence gardé sciemment, est-elle dolosive ? À ce jour, le Code civil ne le prévoit pas, mais la jurisprudence y a pourvu.

Dans un premier temps, la jurisprudence a d'abord répondu par la négative(314) : il n'y a pas dol parce qu'il appartient à chacun de se renseigner sur tous les aspects du contrat envisagé et qu'en conséquence il n'y a pas faute à se taire, à ne pas dévoiler à l'autre les éléments du contrat qui lui seraient défavorables.

Cette argumentation est devenue très largement caduque de nos jours. La jurisprudence a fait de la réticence une cause à peu près générale de nullité pour dol(315) mais, pour arriver à cette fin, elle suit deux voies différentes : manquement à l'obligation de renseignements ou manquement à l'obligation de bonne foi.

Tantôt, et c'est l'explication la plus courante, on dira que la réticence est constitutive d'un dol chaque fois que pesait sur ce cocontractant une *obligation de renseignements*(316).

(310) Dans un souci de protection des incapables, l'article 1307 du Code civil édicte toutefois que le mensonge du mineur sur sa capacité ne fait pas obstacle à sa demande en nullité pour incapacité.

(311) Cass. com., 13 déc. 1994 : *Contrats, conc. consom.* 1995, comm. 48 et note L. Leveneur. Étant précisé qu'il y a lieu de tenir compte de la qualité du cocontractant : s'il est d'usage que certains commerçants vantent leurs marchandises de manière quelque peu forcée, par exemple, un camelot ou un brocanteur, d'autres, tels les antiquaires, seront tenus par l'usage à plus de réserves.

(312) Cass. soc., 26 oct. 1957 : *Bull. civ.* 1957, IV, n° 1011.

(313) Cass. 3e civ., 21 févr. 2001 : D. 2001, 2702 et note D. Mazeaud ; *JCP* 2002, II, 10027 et note Ch. Jamin ; *Defrénois* 2001, 1, 702, art. 37365, n° 40, obs. R. Libchaber ; *JCP* 2001, I, 330, nos 10 et s., obs. A. Constantin. – V. J. Mouly, *Des rapports entre la réticence dolosive et l'erreur inexcusable (l'opinion dissidente d'un « travailliste »)* : D. 2003, chron. 2023. – J. Ghestin, *La réticence dolosive rend toujours excusable l'erreur provoquée* : *JCP* 2011, 703. – J. Mouly, *Une règle de nature à induire en erreur : « La réticence dolosive rend toujours excusable l'erreur provoquée »*, D. 2012, 1346.

(314) Cass. civ., 30 mai 1927 : S. 1928, 1, 105, note A. Breton. – Pour la doctrine ancienne, V. Ivanus, *De la réticence dans les contrats* : thèse Paris, 1925. – P. Guyot, *Dol et réticence*, in *Études Capitant*, p. 287.

(315) Boccara, *Dol, silence et réticence* : *Gaz. Pal.* 1953, 1, doctr. 24. – J. Ghestin, *La réticence, le dol et l'erreur sur les qualités substantielles* : *D.* 1971, chron. 247. – F. Magnin, *Réflexions critiques sur une extension possible de la notion de dol dans la formation des actes juridiques. L'abus de situation* : *JCP* 1976, I, 2780. – J. Mestre, *De la réticence dolosive*, obs. *in RTD civ.* 1988, 336. – R. Leost, *Promesse de vente. La réticence dolosive* : *AJPI* 1995, 669.

(316) M. de Juglart, *L'obligation de renseignements dans les contrats* : *RTD civ.* 1945, 1. – Y. Boyer, *L'obligation de renseignements dans la formation du contrat* : thèse Aix, 1977. – Lucas de Leyssac, *L'obligation de renseignements dans les contrats*, in *L'information en droit privé* : LGDJ, 1978. – Garcin et Moreteau, *Le dol et l'obligation de renseignements dans la formation des contrats* : *Annales Fac. dr. Lyon* 1982, p. 101. – M. Fabre-Magnan, *De l'obligation d'information dans les*

C'est parfois la loi qui impose une telle obligation. Ainsi en est-il du contrat de vente pour lequel l'article 1602 édicte que : « Le vendeur est tenu d'expliquer clairement ce à quoi il s'oblige. » ; et plus encore du contrat de vente d'immeuble où le législateur a multiplié les obligations d'informations : sur la surface, sur la présence de plomb, d'amiante, de termites, etc.[317] Ainsi en est-il également dans le contrat d'assurance où l'article L. 113-2 du Code des assurances oblige l'assuré à déclarer les circonstances nouvelles de nature à modifier l'appréciation du risque. De manière beaucoup plus large, la loi n° 92-60 du 18 janvier 1992 renforçant la protection des consommateurs pose en principe que « tout professionnel vendeur de biens ou prestataire de services doit, avant la conclusion du contrat, mettre le consommateur en mesure de connaître les caractéristiques essentielles du bien ou du service » (C. consom., art. L. 111-1)[318]. Cette obligation est réaffirmée et élargie dans l'article L. 121-1, suivant lequel une pratique commerciale est réputée trompeuse lorsque le professionnel « omet (...) une information substantielle » dont le consommateur a besoin, pour prendre sa décision en connaissance de cause.

Mais, parallèlement, la jurisprudence avait déjà consacré de manière très générale l'existence d'une obligation de renseignements dans les contrats. Elle l'a édictée d'abord à la charge des professionnels, spécialement du vendeur professionnel[319] auquel il incombe de surcroît de prouver qu'il a bien exécuté cette obligation[320] ; elle bénéficie non seulement au profane, mais également à l'acheteur professionnel, mais seulement dans la mesure où sa compétence ne lui donne pas les moyens d'apprécier la portée exacte des caractéristiques du matériel vendu[321]. En revanche, un arrêt de la première chambre civile a retenu qu'aucune obligation d'information ne pesait sur l'acheteur, même professionnel, si bien qu'il ne commettait pas de dol en achetant des photographies de Balthus au prix dérisoire demandé par le vendeur[322]. Et la troisième chambre civile s'est également prononcée dans le même sens pour écarter toute obligation de l'acheteur, marchand de biens, d'informer son vendeur de la valeur réelle de la maison objet de la vente[323].

---

contrats. Essai d'une théorie : LGDJ, 1992. – V. pour une opinion dissidente, B. Rudden, *Le juste et l'inefficace pour un non-devoir de renseignements* : *RTD civ.* 1985, 91.

(317) J.-M. Delpérier et J.-D. Roché, *L'évolution de la notion de dol dans la vente d'immeuble* : *LPA* 15 mai 2003, p. 32.

(318) V. G. Raymond, *Commentaire de la loi n° 92-60 du 18 janvier 1992 renforçant la protection des consommateurs* : *Contrats, conc. consom.* févr. 1992, p. 1 ; V. n°s 22 à 31.

(319) J. Ghestin, *Conformités et garanties dans la vente* : LGDJ, 1983. – V. Cristianos, *L'obligation d'informer dans la vente des produits mobiliers* : Bruxelles, 1987.

(320) Cass. 1re civ., 29 avr. 1997 : *Bull. civ.* 1997, I, n° 132. – Cass. 1re civ., 15 mai 2002 : *Bull. civ.* 2002, I, n° 132, p. 101 ; *Contrats, conc. consom.* 2002, comm. 135 et note L. Leveneur ; *JCP* 2002, I, 184, n°s 1 et s., obs. F. Labarthe.

(321) Cass. com., 28 mai 2002 : *Contrats, conc. consom.* 2002, comm. 138 et note L. Leveneur.

(322) Cass. 1re civ., 3 mai 2000 : *Bull. civ.* 2000, III, n° 4 ; *JCP* 2001, II, 10510 et note Ch. Jamin ; *D.* 2000, inf. rap. 169 ; *JCP* 2000, I, 272, n°s 1 à 3, obs. G. Loiseau ; *Defrénois* 2001, 1110, art. 37237, n° 64, obs. D. Mazeaud (contre) et Ph. Delebecque (pour) ; *RTD civ.* 2000, 566, obs. J. Mestre et B. Fages ; *Contrats, conc. consom.* oct. 2000, comm. 140, obs. L. Leveneur ; *D.* 2002, somm. 928, obs. O. Tournafond. Dans cette espèce, la cour d'appel avait annulé pour dol au motif « qu'en achetant de nouvelles photographies au prix de 1 000 F l'unité, il [l'acheteur] contractait à un prix dérisoire par rapport à la valeur des clichés sur le marché de l'art, manquant ainsi à l'obligation de contracter de bonne foi qui pèse sur tout contractant et que, par sa réticence à lui faire connaître la valeur exacte des photographies, M. C... a incité Mme B... à conclure une vente qu'elle n'aurait pas envisagée dans ces conditions ». V. également, *D.* 2002, act. jurispr. p. 503.

(323) Cass. 3e civ., 17 janv. 2007 : *Bull. civ.* 2007, III, n° 4 ; *JCP* 2007, II, 10042 et note crit. Ch. Jamin ; *D.* 2007, p. 1051, note crit. D. Mazeaud et note approb. Ph. Stoffel-Munck ; *Defrénois* 2007, 1, 443, art. 38562, n° 28, obs. E. Savaux ; *ibid.* 1, 959, art. 38612 et note Y. Dagorne-Labbé ; *RTD civ.* 2007, 335, obs. J. Mestre et B. Fages ; *RDC* 2007, p. 703, obs. Y.-M. Laithier, et 798, obs. F. Collart-Dutilleul ; *D.* 2007, pan. 2969, obs. S. Amrani-Mekki ; *Administrer* avr. 2007, n° 398, p. 13 et note F. Berenger ; *Contrats, conc. consom.* 2007, comm. 117, obs. L. Leveneur. – S. Ben Hadj Yahia, *Venditor debet esse curiosus... ou le vendeur tenu de s'informer* : *Rev. Lamy dr. civ.* janv. 2008, p. 69.

Plus généralement, la jurisprudence impose à tout contractant une obligation d'informer son partenaire chaque fois que celui-ci ne pouvait aisément recueillir lui-même l'information manquante[(324)]. L'obligation de renseignements devrait toutefois trouver une limite dans l'obligation corrélative de se renseigner qui est parfois reconnue à la charge du cocontractant[(325)], spécialement lorsqu'il a été informé d'un risque par son cocontractant[(326)].

Suivant certains arrêts, qui émanent de la première chambre civile, le manquement à l'obligation d'information constitue un dol par réticence même dans le cas où il n'a pas été inspiré par l'intention de tromper le cocontractant et de le déterminer à conclure le contrat[(327)] ; peu importe à cet égard que le juge se réfère également à l'idée de manquement à l'obligation de bonne foi. De même, la troisième chambre civile a considéré qu'il y avait réticence dolosive du professionnel qui dissimule à l'acquéreur d'un appartement en état futur d'achèvement l'existence dans le voisinage d'une installation classée soumise à autorisation comme présentant des dangers et des inconvénients[(328)], ou du vendeur qui omet de signaler que la maison a été plusieurs fois inondée[(329)]. Mais en sens inverse, d'autres arrêts, rendus par la chambre commerciale, décident que le manquement à une obligation précontractuelle d'information ne peut suffire à caractériser le dol par réticence, si ne s'y ajoute la constatation du caractère intentionnel de ce manquement et d'une erreur déterminante provoquée par celui-ci[(330)].

Quant au projet de réforme, il édicte de manière générale une obligation de renseignement à la charge de celui qui sait et au profit de celui qui ignore : « Celui des contractants qui connaît ou devrait connaître une information dont l'importance est déterminante pour le consentement de l'autre doit l'en informer dès lors que, légitimement, ce dernier ignore cette information ou fait confiance à son cocontractant » (art. 37) (V. *infra*, n° 234). Et le manquement à cette obligation engage la responsabilité du cocontractant taisant, « sans préjudice, en cas de vice du consentement, de la nullité du contrat ».

(324) La jurisprudence en offre de nombreux exemples : ainsi la vente d'un terrain ou d'un fonds en celant des renseignements relatifs à la constructibilité (Cass. 3e civ., 15 janv. 1971 : *D.* 1971, somm. 48 ; *JCP* 1971, IV, 43. – Cass. 3e civ., 3 févr. 1981 : *D.* 1984, 457, note J. Ghestin), ou l'existence d'une procédure de saisie immobilière (Cass. 3e civ., 30 janv. 1974 : *D.* 1974, 237), ou l'insuffisance d'alimentation en eau pour construire l'hôtel projeté (Cass. 3e civ., 7 mai 1974 : *D.* 1974, inf. rap. p. 176), ou l'installation prochaine d'une porcherie à proximité de la villa objet de la vente (Cass. 3e civ., 2 oct. 1974 : *JCP* 1974, IV, 368), ou la situation irrémédiablement compromise du débiteur à cautionner (Cass. 1re civ., 10 mai 1989 ; *JCP* 1989, II, 21363, obs. D. Legeais), ou la réalisation sur le terrain voisin d'un projet privant l'appartement à vendre de son principal intérêt (Cass. 3e civ., 20 déc. 1995 : *D.* 1996, inf. rap. p. 32), ou l'arrêté d'interdiction d'habiter qui frappe l'immeuble vendu (Cass. 3e civ., 29 nov. 2000 ; *Bull. civ.* 2000, III, n° 182 ; *Contrats, conc. consom.* 2001, comm. 41, obs. L. Leveneur ; *D.* 2001, inf. rap. p. 177), ou l'infestation d'un immeuble par des termites dix années auparavant ayant nécessité un traitement à deux reprises (Cass. 3e civ., 14 mars 2006 : *Contrats, conc. consom.* 2006, comm. 126, obs. L. Leveneur), ou les risques de maladie transmise par un rat domestique (Cass. 1re civ., 14 mai 2009 : *RDC* 2009, p. 1415, obs. D. Fenouillet), etc.

(325) P. Jourdain, *Le devoir de « se » renseigner (Contribution à l'étude de l'obligation de renseignement)* : *D.* 1983, chron. 139. – Ph. Le Tourneau, *De l'allégement de l'obligation de renseignements ou de conseil* : *D.* 1987, chron. 101. – Cass. 1re civ., 4 juin 2009 : *RDC* 2009, p. 1337, obs. Y.-M. Laithier et *RDC* 2009, p. 1486, obs. G. Lardeux.

(326) Cass. 1re civ., 26 févr. 2003 : *Contrats, conc. consom.* 2003, comm. 106 (qui a écarté le vice caché pour la présence de termites dans un cas où l'agent immobilier avait signalé la présence de capricornes dans la charpente et conseillé de prendre l'avis d'un spécialiste).

(327) Cass. 1re civ., 13 mai 2003 : *Bull. civ.* 2003, I, n° 114, p. 89 ; *JCP* 2003, II, 10144 et note R. Desgorces ; *JCP* 2003, I, 170, nos 15, obs. G. Loiseau.

(328) Cass. 3e civ., 7 nov. 2007 : *JCP* N 2007, 1333 et note M. Boutonnet.

(329) Cass. 3e civ., 3 mars 2010, n° 08-21056.

(330) Cass. com., 28 juin 2005 : *D.* 2006, p. 2774 et note P. Chauvel. – Cass. com., 7 juin 2011 : *D.* 2011, 2579, note M. Cartier-Frénois ; *Contrats, conc. consom.* 2011.comm. 208, obs. L. Leveneur.

Ce même projet décidant corrélativement en son article 44 qu'il y a dol lorsque le consentement a été obtenu « par la dissimulation intentionnelle d'une information » que le contractant devait fournir « conformément à la loi », et donc conformément à l'article 37 ci-dessus, l'action en nullité pour dol devrait être largement facilitée. Mais encore faut-il que la dissimulation ait été intentionnelle, condition qui est précisément exigée par la jurisprudence sanctionnant la réticence pour manquement à l'obligation de bonne foi.

197. – **La réticence et l'obligation de bonne foi.** Tantôt la jurisprudence recourt à la notion de bonne foi et déclare que la réticence est dolosive dès l'instant qu'elle a été intentionnelle[(331)] ; il y a alors dol chaque fois qu'un cocontractant a tu sciemment des informations de nature à influer sur le consentement de l'autre partie[(332)]. C'est poser là en principe que la réticence est l'une des formes normales du dol, au même titre que le mensonge ; ainsi la réticence apparaît en quelque sorte comme un mensonge par omission, comme un manquement à la bonne foi[(333)]. En revanche, on ne saurait parler de réticence lorsque la loi a mis en place un formulaire-type et lorsque ce formulaire a été correctement rempli[(334)].

On rappellera enfin la jurisprudence suivant laquelle la réticence dolosive, « à la supposer établie, rend toujours excusable l'erreur provoquée »[(335)] ; cette jurisprudence, qui laisse de côté l'obligation de se renseigner, a été vivement critiquée par un auteur[(336)].

2° Caractère déterminant du dol

198. – **Dol principal et dol incident.** Pour que la nullité soit prononcée, il ne suffit pas qu'il y ait eu manœuvres, mensonge ou dissimulation intentionnelle d'une

(331) Cass. com., 20 avr. 1982 : *JCP* 1982, IV, 233. Il n'y a pas de dol en revanche lorsqu'il n'est pas démontré que le vendeur connaissait les informations passées sous silence ; la réticence suppose en effet que son auteur connaisse les faits celés (Cass. com., 21 oct. 1974 : *JCP* 1975, II, 18176, 1re esp., obs. D. Randoux).

(332) « Le dol peut être constitué par le silence d'une partie dissimulant au cocontractant un fait qui, s'il avait été connu de lui, l'aurait empêché de contracter » : Cass. 3e civ., 15 janv. 1971 : *Bull. civ.* 1971, III, n° 38, p. 25 ; *RTD civ.* 1971, 839, obs. Y. Loussouarn. – Cass. 3e civ., 2 oct. 1974 : *Bull. civ.* 1974, III, n° 330, p. 251. – Cass. 3e civ., 20 déc. 1995 : *D.* 1996, inf. rap. p. 32 ; *Contrats, conc. consom.* 1996, comm. 55, obs. L. Leveneur. – Cass. 3e civ., 10 févr. 1999 : *Contrats, conc. consom.* 1999, comm. 90, obs. L. Leveneur. – Cass. 1re civ., 11 sept. 2012 : *RDC* 2013, 62, obs. E. Savaux.

(333) Cass. com., 18 nov. 1986 : *Gaz. Pal.* 1987, 1, pan. 10. – Cass. 3e civ., 25 févr. 1987 : *D.* 1987, inf. rap. p. 56 ; *JCP* 1987, IV, 154. – Cass. 1re civ., 10 mai 1989 : *JCP* 1989, II, 21363, obs. D. Legeais. – Cass. 3e civ., 15 nov. 2000 : *JCP* 2002, II, 10054 et note Ch. Lièvremont ; *JCP* 2001, I, 301, n° 1, obs. Y.-M. Serinet ; *RTD civ.* 2001, 355, obs. J. Mestre et B. Fages. – Cass. 3e civ., 27 mars 1991 : *D.* 1991, inf. rap. p. 131. – C. Vuillemin-Gonzalez, *La réticence dolosive des établissements bancaires à l'égard des cautions, un manquement à l'obligation de contracter de bonne foi* : *D.* 2001, chron. 3339. – Cass. 1re civ., 13 mai 2003 : *Bull. civ.* 2003, I, n° 114, p. 89 ; *JCP* 2003, II, 10144 et note R. Desgorces ; *D.* 2004, 262 et note E. Mazuyer ; *Defrénois* 2003, 1, 1568, art. 37845, n° 120, obs. R. Libchaber ; *JCP* 2003, I, 170, nos 1-5, obs. G. Loiseau (annulation d'un cautionnement pour manquement à l'obligation de contracter de bonne foi, d'où résulte un dol par réticence).

(334) Cass. 1re civ., 14 juin 1989 : *JCP* 1991, II, 21632.

(335) Cass. 3e civ., 21 févr. 2001 : *D.* 2001, 2702 et note D. Mazeaud ; *JCP* 2002, II, 10027 et note Ch. Jamin ; *Defrénois* 2001, 1, 702, art. 37365, n° 40, obs. R. Libchaber ; *JCP* 2001, I, 330, nos 10 et s., obs. A. Constantin. – V. *contra* Cass. 1re civ., 4 juin 2009, *Bull. civ.*, I, n° 119 ; *D.* 2010, 230, obs. S. Amrani-Mekki. – V. aussi, précédemment, Cass. 1re civ., 23 mai 1977 : *Bull. civ.* 1977, I, n° 244. – J. Betoulle, *L'aspect « délictuel » du dol dans la formation des contrats. Illustrations dans la jurisprudence récente de la Cour de cassation en matière de vente d'immeubles* : Rapp. C. cass. 2001, 259, V. p. 261 et s. – J. Mouly, *Des rapports entre la réticence dolosive et l'erreur inexcusable (l'opinion dissidente d'un « travailliste »)* : *D.* 2003, chron. 2023. – J. Ghestin, *La réticence dolosive rend toujours excusable l'erreur provoquée* : *JCP* 2011, 703. – G. Lardeux, *La réticence dolosive n'est pas un dol comme les autres* : *JCP* E 2012, 2986.

(336) J. Mouly, *Une règle de nature à induire en erreur : « La réticence dolosive rend toujours excusable l'erreur provoquée »* : *D.* 2012, 1346. – Et en réponse : J. Ghestin, *« La réticence dolosive rend toujours excusable l'erreur provoquée » Une règle de nature à induir en erreur ?* : *JCP* 2012, 812. – Et en réplique : J. Mouly, *La réticence dolosive ne rend pas excusable l'erreur de l'autre partie* : *JCP* 2012, 981. – V. aussi S. Amrani-Mekki et M. Mekki : *D.* 2013, 396.

information, encore faut-il qu'ils aient entraîné une erreur de l'autre partie et déterminé son consentement. Comme le dit l'article 1116, la nullité n'est encourue que si, « sans ces manœuvres, l'autre partie n'aurait pas contracté ».

Comme en matière d'erreur, le caractère déterminant du dol doit être apprécié *in concreto*, en fonction de la personnalité de la victime. La solution est consacrée par le projet de réforme qui invite à apprécier le caractère déterminant « eu égard aux personnes et aux circonstances de l'espèce » (art. 38, al. 2). Cela dit, si les juges du fond sont souverains pour apprécier la pertinence et la gravité des faits allégués comme constitutifs de dol et ayant déterminé le consentement, la Cour de cassation exerce son « contrôle sur le caractère légal de ces faits, c'est-à-dire sur la question de savoir si les moyens employés par l'une des parties doivent, ou non, être qualifiés de manœuvres illicites »[(337)].

Du caractère déterminant découlent deux conditions. D'une part, pour pouvoir déterminer le consentement, le dol doit nécessairement être antérieur à la conclusion du contrat ou, à tout le moins, concomitant de celle-ci. D'autre part, le dol doit avoir porté sur un élément qui a été effectivement déterminant, c'est-à-dire sur la substance, ou sur la valeur, ou sur un motif individuel déterminant[(338)] (V. aussi *infra*, n° 205 *in fine*, sur le délit d'abus de faiblesse ou d'ignorance).

À ce dol, dit *principal*, on oppose traditionnellement le dol *incident*, c'est-à-dire celui sans lequel la partie victime du dol aurait néanmoins contracté, mais à des conditions différentes, par exemple, à un prix plus avantageux. On enseigne traditionnellement que le dol incident, s'il ne justifie pas l'annulation du contrat, permet au cocontractant trompé d'obtenir des dommages et intérêts, c'est-à-dire en fait une diminution du prix convenu.

Une grande partie de la doctrine conteste cette distinction, en faisant observer qu'il est irréaliste de vouloir « distinguer entre la volonté de contracter, abstraitement considérée, et la volonté concrète de contracter à telles ou telles conditions »[(339)]. Selon ces auteurs le dol incident devrait permettre d'obtenir l'annulation car, sans lui, on n'aurait pas conclu le contrat considéré, mais un autre contrat à d'autres conditions ; ils font toutefois observer que la partie trompée est libre de ne pas demander la nullité et de formuler seulement une demande en dommages et intérêts à laquelle le juge ne peut refuser de faire droit[(340)]. Mais l'opinion contraire conserve ses partisans[(341)].

Exception faite de rares décisions[(342)], la jurisprudence n'a jusqu'ici pas tenu compte des critiques de cette doctrine. Consacrant la notion de dol incident, elle a continué à affirmer que le dol sans lequel on aurait contracté à d'autres

(337) Cass. civ., 30 mai 1927 : *DH* 1927, 416 ; S. 1928, 1, 105, note A. Breton. – Cass. 1re civ., 12 janv. 2012 et Cass. com., 7 févr. 2012 : *JCP* 2012, 561, n° 6, obs. J. Ghestin.

(338) Cass. 3e civ., 1er mars 1977 : *D.* 1978, 91, note Ch. Larroumet. – Paris, 15 janv. 1987 : *D.* 1987, inf. rap. p. 28. – Cass. soc., 5 oct. 1994 : *D.* 1995, 282 et note Ph. Mozas (embauche au vu d'un *curriculum vitae* manuscrit rédigé non par le candidat, mais par son épouse). – Cass. 3e civ., 21 mars 2001 : *Contrats, conc. consom.* 2001, comm. 101 et note L. Leveneur (achat immobilier non déterminé par les manœuvres portant sur l'attrait fiscal de l'opération).

(339) J. Flour, J.-L. Aubert et E. Savaux, n° 214. – J. Ghestin, *La formation du contrat*, n° 576. – Marty et Raynaud, n° 157. – *Contra* : A. Kenmogne Simo, *La sanction du dol ayant amené à contracter à des conditions différentes* : *Rev. Lamy dr. civ.* sept. 2008, p. 54.

(340) Cass. com., 14 mars 1972 : *D.* 1972, 653, note J. Ghestin.

(341) D. Bakouche, *La prétendue inconsistance de la distinction du dol principal et du dol incident* : *JCP* 2012, 851.

(342) Cass. 1re civ., 22 déc. 1954 : *D.* 1955, 254.

conditions ne peut justifier que l'allocation de dommages et intérêts, non la nullité du contrat[343]. Elle a toutefois été remise en cause par un arrêt de la troisième chambre civile, laquelle paraît diverger des autres chambres[344]. À l'appui de la jurisprudence antérieure, on observera que l'admission du dol incident est la conséquence naturelle et inéluctable du dol sur la valeur : le cocontractant trompé était disposé à acheter ou à vendre et le vice du consentement n'a porté que sur le prix ; il suffit donc de rectifier le prix par l'allocation de dommages et intérêts pour que le contrat soit parfait. D'ailleurs, la victime ne demande souvent qu'une réduction de prix, et non l'annulation de la vente[345].

Le projet de réforme s'inscrit à rebours de la jurisprudence traditionnelle et dans le sens de l'arrêt de la troisième chambre civile du 22 juin 2005. En effet, il pose en règle générale que « l'erreur, le dol et la violence vicient le consentement lorsqu'ils sont de telle nature que, sans eux, l'une des parties ou son représentant n'aurait pas contracté ou aurait contracté à des conditions substantiellement différentes » (art. 38, al. 1). Il s'en déduit que, dans le projet, le dol incident est cause de nullité du contrat, au même titre que le dol principal, mais seulement s'il a entraîné la conclusion du contrat à des conditions substantiellement différentes, ce qui laisse subsister le dol incident dans le cas contraire. Il appartiendra donc au juge saisi d'apprécier dans chaque cas si les conditions sont ou non substantiellement différentes pour décider s'il y a lieu à nullité ou seulement à allocation de dommages-intérêts.

3° Dol émanant du cocontractant

199. - **Dol du cocontractant et dol d'un tiers.** Le dol n'est une cause de nullité que s'il émane du cocontractant ; tel est le sens donné à la formule de l'article 1116 « manœuvres pratiquées par l'une des parties »[346]. S'il est le fait d'un tiers, il donnera seulement lieu à dommages et intérêts.

Cette règle est étrangère à la théorie des vices du consentement, car l'erreur est la même, qu'elle ait été provoquée par le cocontractant ou par un tiers. Elle a une double explication. Historiquement, en droit romain où le dol était réprimé comme un délit et non comme un vice du consentement, l'*exceptio doli* ne pouvait être opposée qu'au cocontractant auteur du dol, responsable personnellement. Logiquement, il serait injuste que le cocontractant innocent soit finalement victime d'une nullité causée par le dol d'un tiers : la partie trompée n'en souffrira pas pour autant puisqu'elle pourra faire condamner ce tiers à dommages et intérêts.

Cette condition connaît cependant des limites naturelles.

D'une part, elle est écartée lorsque le cocontractant, sans être l'auteur direct des manœuvres, ne saurait invoquer le bénéfice de l'innocence : tel est le cas s'il a été complice du dol ou s'il l'a inspiré, ce qui sera fréquent[347], ou encore si le dol émane

(343) Cass. 3e civ., 5 avr. 1968 : *D.* 1968, somm. 89. – Cass. com., 11 juill. 1977 : *D.* 1978, 155, note Ch. Larroumet. – Cass. com., 2 mai 1984 : *JCP* 1984, IV, 218.

(344) Cass. 3e civ., 22 juin 2005 : *Bull. civ.* 2005, III, n° 137 ; *JCP* N 2006, 1143 et note H. Kenfack ; *LPA* 24 janv. 2006, p. 9 et note J. Théron.

(345) V. par ex., Cass. com., 14 mars 1972 : *D.* 1972, 653 et note J. Ghestin.

(346) Cass. com., 26 avr. 1971 : *JCP* 1972, II, 16986, obs. N. Bernard. – Cass. com., 18 juin 1973 : *D.* 1973, inf. rap. p. 188 ; *JCP* 1973, IV, 297. – Cass. com., 22 juill. 1986 : *Gaz. Pal.* 1986, 2, pan. 277.

(347) Cass. req., 20 mars 1883 : *S.* 1884, 1, 417. – Cass. com., 25 mai 1974 : *Bull. civ.* 1974, IV, n° 104.

de son représentant, auquel cas il sera assimilé à son propre dol[348]. On peut se demander s'il ne devrait pas en être de même en matière de cautionnement lorsque le dol émane du débiteur principal qui est un tiers par rapport au contrat de cautionnement qui est conclu entre le banquier et la caution[349].

D'autre part, l'exigence d'un dol émanant du cocontractant est également écartée pour les actes unilatéraux, par exemple, pour une renonciation à succession[350] ; la raison en est ici évidente puisqu'autrement, faute de cocontractant, ces actes pourraient être infestés de dol sans jamais encourir la nullité.

Enfin, la victime du dol d'un tiers reste libre d'invoquer la nullité pour erreur sur la substance, si les conditions en sont réunies, auquel cas la nullité sera prononcée sur le fondement de l'article 1110, et non pas sur celui de l'article 1116[351].

Le refus de principe du droit français de sanctionner le dol du tiers contraste avec les Principes Unidroit et les Principes du droit européen du contrat : non seulement le dol du tiers représentant ou « qui participe à la conclusion du contrat avec l'accord de l'autre partie » est admis, mais encore, le dol d'une autre personne, sans lien avec le cocontractant, peut donner lieu à la nullité du contrat dès lors que « l'autre partie avait ou aurait dû avoir connaissance des faits pertinents »[352]. La sanction du dol d'un tiers, dès lors qu'il profite au cocontractant de la victime, pourrait tout aussi bien être admise en droit français[353].

S'inspirant pour partie des Principes du droit européen des contrats, le projet de réforme consacre aussi la jurisprudence en admettant « que le dol est également constitué s'il émane du représentant, gérant d'affaires, préposé ou porte-fort du cocontractant » et qu'il « l'est encore lorsqu'il émane d'un tiers, si le cocontractant en a eu connaissance et en a tiré avantage » (art. 45).

200. – Preuve du dol. L'article 1116, alinéa 2, dispose que le dol « ne se présume pas, et doit être prouvé ». Cette disposition signifie seulement que la charge de la preuve du dol pèse sur celui qui prétend avoir été trompé. Et, s'agissant de la preuve d'un fait, il pourra prouver le dol par tous moyens, y compris par présomptions.

Cela dit, la règle de preuve se trouve renversée dans le cas de la réticence dolosive, lorsque pèse sur l'un des contractants une obligation de renseignements, comme c'est le cas pour le vendeur professionnel. C'est alors à ce vendeur professionnel de prouver qu'il a exécuté son obligation de renseignement, si bien que la réticence dolosive se trouve présumée[354].

---

(348) Cass. 1re civ., 2 nov. 1954 : *Gaz. Pal.* 1955, 1, 74. – Cass. 1re civ., 7 juill. 1960 : *D.* 1961, somm. 25. – Cass. com., 13 juin 1995 : *Bull. civ.* 1995, IV, n° 175. – Cass. 3e civ., 29 avr. 1998 : *Bull. civ.* 1998, III, n° 87 ; *JCP* 1998, IV, 2351.

(349) La jurisprudence s'est jusqu'ici prononcée en sens contraire : Cass. 1re civ., 27 juin 1973 : *D.* 1973, 733 et note Ph. Malaurie. – Cass. 1re civ., 26 janv. 1977 : *Bull. civ.* 1977, I, n° 52. – Cass. 1re civ., 28 juin 1978 : *Bull. civ.* 1978, I, n° 246. – Cass. 1re civ., 20 mars 1989 : *Bull. civ.* 1989, I, n° 127. Mais un arrêt plus récent peut être interprété en faveur d'une évolution : Cass. com., 13 nov. 2002 : *D.* 2003, 684, obs. B. Roman ; *JCP* 2003, I, 122, nos 1-4, obs. G. Loiseau.

(350) Cass. req., 2 janv. 1878 : *D.* 1878, 1, 136 ; *S.* 1878, 1, 103. La doctrine propose la même solution pour tous les actes portant libéralité.

(351) Cass. 1re civ., 3 juill. 1996 : *Bull. civ.* 1996, I, n° 288 ; *Defrénois* 1997, 1, 920, art. 36619 et note Y. Dagorne-Labbé ; *D.* 1996, somm. 323, obs. Ph. Delebecque ; *JCP* 1997, I, 4033, n° 1, obs. Ph. Simler.

(352) PDEC, art. 4.111 ; Unidroit, art. 3.2.8.

(353) Les articles 4.111 (PDEC) et 3.2.8 (Unidroit) visent d'ailleurs plus généralement l'ensemble des vices de formation du contrat : erreur, information inexacte (PDEC), dol, contrainte ou menaces, l'avantage déloyal ou le profit excessif, la lésion.

(354) Cass. 1re civ., 15 mai 2002 : *Bull. civ.* 2002, I, n° 132, p. 101 ; *D.* 2002, inf. rap. p. 1811 ; *Contrats, conc. consom.* 2002, comm. 135 et note L. Leveneur ; *RTD civ.* 2003, 84, obs. J. Mestre et B. Fages (cassation d'un arrêt qui, pour rejeter la

D. – La violence

201. – **Définition.** La violence est une contrainte exercée sur l'un des contractants en vue de l'amener à contracter. En cela la violence diffère des autres vices du consentement. Ici, le consentement n'est pas vicié par une erreur, spontanée ou provoquée ; il est *extorqué* : la victime donne son consentement sous l'empire de la violence, par *crainte*(355). Telle était d'ailleurs la dénomination de la violence en droit romain *(metus)* qui la réprimait comme un délit, non comme un vice du consentement.

Il y a ainsi dans la violence, outre l'élément psychologique qui en fait un vice du consentement, un élément moral, antisocial ; ces deux aspects se reflètent dans la prise en considération de la violence par le droit positif.

La violence est régie par les articles 1111 à 1115 du Code civil.

Art. 1111. – La violence exercée contre celui qui a contracté l'obligation est une cause de nullité, encore qu'elle ait été exercée par un tiers autre que celui au profit duquel la convention a été faite.

Art. 1112. – Il y a violence lorsqu'elle est de nature à faire impression sur une personne raisonnable, et qu'elle peut lui inspirer la crainte d'exposer sa personne ou sa fortune à un mal considérable et présent.

On a égard, en cette matière, à l'âge, au sexe et à la condition des personnes.

Art. 1113. – La violence est une cause de nullité du contrat, non seulement lorsqu'elle a été exercée sur la partie contractante, mais encore lorsqu'elle l'a été sur son époux ou sur son épouse, sur ses descendants ou ses ascendants.

Art. 1114. – La seule crainte révérencielle envers le père, la mère, ou autre ascendant, sans qu'il y ait eu de violence exercée, ne suffit point pour annuler le contrat.

Art. 1115. – Un contrat ne peut plus être attaqué pour cause de violence, si, depuis que la violence a cessé, ce contrat a été approuvé, soit expressément, soit tacitement, soit en laissant passer le temps de la restitution fixé par la loi.

Quant au projet de réforme, il définit la violence dans des termes proches de ceux de l'article 1112, tel que ce texte est interprété par la jurisprudence : « Il y a violence lorsqu'une partie s'engage sous la pression d'une contrainte qui lui inspire la crainte d'exposer sa personne, sa fortune ou celles de ses proches à un mal considérable » (art. 47).

202. – **Conditions de la nullité.** Comme pour les autres vices du consentement, la nullité ne saurait être encourue pour violence que si celle-ci présente une certaine gravité et a ainsi joué un rôle déterminant. Mais, parce qu'elle repose également sur l'idée de faute, la violence n'est sanctionnée que si elle est illégitime, ce qui n'est pas toujours le cas. Enfin, et à la différence du dol (sous les réserves mentionnées *supra*, n° 199), la violence est prise en considération même si elle n'émane pas du cocontractant.

1° Gravité et caractère déterminant

203. – **L'éventail des menaces.** Le droit a par nature même horreur de la violence. On ne s'étonnera donc pas de voir sanctionner la menace sous toutes ses formes.

---

demande en nullité de la vente d'un véhicule automobile jadis accidenté pour réticence dolosive, retient que l'acquéreur ne rapporte pas la preuve que le vendeur avait dissimulé cet accident, alors que le vendeur professionnel est tenu d'une obligation de renseignement à l'égard de son client et qu'il lui incombe de prouver qu'il a exécuté cette obligation).

(355) R. Demogue, *De la violence comme vice du consentement : RTD civ.* 1914, 435. – A. Breton, *La notion de violence en tant que vice du consentement* : thèse Caen, 1925. – J. Treillard, *La violence comme vice du consentement en droit comparé*, in *Mél. Laborde-Lacoste*, p. 419.

Il peut s'agir indifféremment d'une menace portant sur la *personne* ou sur sa *fortune*, c'est-à-dire sur les biens de la personne (art. 1112), ce qui vise tout à la fois des menaces :

• d'ordre physique : menaces de sévices, d'enlèvement, de séquestration, etc. ;

• d'ordre moral : menaces de diffamation, de poursuites scandaleuses ou d'autres faits de nature à porter atteinte à l'honneur, harcèlement sexuel ou autre[(356)], pressions de toutes sortes, etc.[(357)] ;

• d'ordre pécuniaire : menaces de déprédations, d'incendie, de blocage d'une entreprise ou de dénigrement de ses produits, etc.

Il n'est pas sans intérêt de rapprocher ces menaces de celles sanctionnées tout à la fois pénalement et par la nullité du contrat, lorsqu'elles sont commises à l'encontre de consommateurs, par les articles L. 122-11 et suivants du Code de la consommation sous l'intitulé de « pratiques commerciales agressives »[(358)].

La menace peut viser indifféremment le *cocontractant* ou ses *proches*, terme retenu par le projet de réforme (art. 47). L'article 1113 cite le conjoint, les descendants et les ascendants, mais on s'accorde à considérer que la liste n'est pas limitative et qu'elle peut s'étendre à tous ceux qui sont chers au cocontractant : fiancé(e), amant ou maîtresse, ami intime, etc. L'idée générale est que le consentement est vicié de la même manière, que la menace s'adresse à la personne même du cocontractant ou à ceux auxquels il porte intérêt et affection.

La violence peut être invoquée aussi bien par des personnes morales que par des personnes physiques ; par exemple par une société dont le consentement à un contrat aura été extorqué grâce à des menaces exprimées aux représentants légaux de la société[(359)].

204. – Appréciation du caractère déterminant. La gravité de la crainte inspirée doit-elle être appréciée *in concreto* ou *in abstracto* ? L'appréciation *in concreto* conduirait à se demander si la violence exercée a été suffisante pour forcer le consentement de celui-là même qui a contracté ; au contraire l'appréciation *in abstracto* amènerait à se poser une question différente : la violence exercée aurait-elle fait céder un cocontractant raisonnable ?

La difficulté vient de ce que l'article 1112 est fort ambigu à cet égard. L'alinéa 1er se réfère à l'appréciation *in abstracto* : « Il y a violence, lorsqu'elle est de nature à faire impression sur une personne raisonnable, et qu'elle peut lui inspirer la crainte d'exposer sa personne ou sa fortune à un mal considérable et présent[(360)]. » Mais, lorsque l'alinéa 2 dispose qu'« on a égard, en cette matière, à l'âge, au sexe et à la condition des personnes », il invite manifestement à une appréciation *in concreto*.

(356) Cass. soc., 30 nov. 2004 : *D.* 2005, inf. rap. p. 14.

(357) V., par ex., Cass. com., 28 mai 1991 : *D.* 1992, 166 et note P. Morvan. – Cass. 3e civ., 13 janv. 1999 : *Bull. civ.* 1999, III, n° 11 ; *D.* 2000, 76 et note Ch. Willmann ; *RTD civ.* 1999, 381, obs. J. Mestre ; *JCP* 1999, I, 143, nos 1-2, obs. G. Loiseau (pressions exercées par une secte sur une personne vulnérable afin de lui faire vendre sa maison pour y loger les membres de la secte).

(358) M. Cannarsa, *La réforme des pratiques commerciales déloyales par la loi Chatel. Le droit commun à la rencontre du droit de la consommation* : *JCP* 2008, I, 180.

(359) Cass. soc., 8 nov. 1984 : *JCP* 1985, IV, 23.

(360) On notera au passage une inexactitude évidente dans la formule finale puisque le mal redouté est par définition même futur, même s'il est imminent.

C'est en ce dernier sens que la jurisprudence s'est prononcée, ce qui est naturel puisqu'il s'agit de rechercher si le cocontractant – et non pas un cocontractant abstrait, idéal – a été victime d'un vice du consentement[(361)]. Le projet de réforme (art. 38, al. 2) consacre également l'appréciation *in concreto*, et ce de manière générale pour tous les vices du consentement.

205. – L'abus de faiblesse. Il est des personnes qui, soit naturellement, soit lorsqu'elles se trouvent dans certaines circonstances, présentent une faiblesse particulière et peuvent être aisément victimes de cocontractants peu scrupuleux. De telles personnes, dont la vulnérabilité doit être appréciée *in concreto*, pourraient demander la nullité de leurs engagements pour violence[(362)], mais le plus souvent elles ne le feront pas, à raison notamment du coût d'une action devant la juridiction civile[(363)].

Venant à leur secours, le législateur a institué deux infractions pénales, l'une édictée en vue de la protection des consommateurs, l'autre générale, dont les domaines se recoupent.

D'une part, la loi du 22 décembre 1991 (art. 7) relative à la protection des consommateurs en matière de démarchage et de vente à domicile a institué un délit pénal d'*abus de faiblesse ou d'ignorance* du cocontractant[(364)].

Le champ d'application de ce délit a été élargi par la loi du 18 janvier 1992 (art. 1er) à des situations débordant le classique démarchage à domicile, et au cas où le solliciteur a obtenu, non pas un engagement, mais la remise d'un bien ou de sommes d'argent, en numéraire ou sous toute autre forme[(365)]. Il y a ainsi abus de faiblesse lorqu'une personne de soixante-quatorze ans achète, sous la pression de deux démarcheurs, deux systèmes d'alarme à crédit remboursable par mensualités supérieures au tiers de ses revenus[(366)].

L'abus de faiblesse est aujourd'hui codifié dans le Code de la consommation (C. consom., art. L. 122-8 et s.). De cette infraction on peut rapprocher le délit de pratiques commerciales agressives à l'encontre d'un consommateur défini par les articles L. 122-11 et suivants du Code de la consommation.

D'autre part, le Code pénal sanctionne le délit d'*abus frauduleux de l'état d'ignorance ou de faiblesse* qui, après avoir été modifié par la loi du 12 juin 2001 relative aux sectes[(367)], figure aujourd'hui à l'article 223-15-2[(368)].

---

(361) Ainsi le contrat sera maintenu si la victime prétendue de la violence est un commerçant avisé, rompu aux affaires (Cass. req., 17 nov. 1925 : S. 1926, 1, 121, note A. Breton. – Cass. com., 30 janv. 1974 : *D.* 1974, 382), et annulé s'il s'agit d'un vieillard aux facultés affaiblies (Cass. req., 27 janv. 1919 : S. 1920, 1, 198). – Cass. 1re civ., 3 nov. 1959 : *D.* 1960, 187, note Holleaux. – Cass. 3e civ., 19 févr. 1969 : *JCP* 1969, IV, 82). – Cass. 1re civ., 5 mai 1986 : *D.* 1986, inf. rap. p. 271.

(362) L'état de faiblesse a parfois été admis comme cause de nullité autonome, à mi-chemin entre l'erreur et la violence : Cass. 2e civ., 5 oct. 2006 : *D.* 2007, 2215 et note G. Raoul-Cormeil.

(363) C. Ouerdane-Aubert de Vincelles, *Altération du consentement et efficacité des sanctions contractuelles* : Dalloz, coll. « Bibl. thèses », 2002.

(364) L. Bihl, *Le délit d'abus de faiblesse. La loi du 22 décembre 1991 ou la frilosité du législateur* : *Gaz. Pal.* 25-26 nov. 1992.

(365) Pour une application, V. CA Riom, 11 juin 2003 : *Contrats, conc. consom.* 2004, comm. 48, obs. G. Raymond.

(366) Cass. crim., 19 avr. 2005 : *Contrats, conc. consom.* 2005, comm. 156, obs. G. Raymond.

(367) A. Dorsner-Dolivet, *Loi sur les sectes* : *D.* 2002, chron. 1086.

(368) Par ex., disposition testamentaire obtenue d'une personne vulnérable : Cass. crim., 15 nov. 2005 : *JCP* 2006, II, 10057 et note J.-Y. Maréchal ; *Contrats, conc. consom.* 2006, comm. 52, obs. G. Raymond. – Cass. crim., 5 sept. 2012 : *RDC* 2013, 213, obs. O. Ollard. – Cass. crim., 7 oct. 2009 : *Contrats, conc. consom.* 2010, comm. 24, obs. G. Raymond. – CA Paris, pôle 2, ch. 8, 8 mars 2010 : *JCP* 2010, 835, obs. Y. Maréchal.

On peut espérer que l'existence même de ces infractions pénales sera suffisamment dissuasive pour limiter les violences exercées contre les personnes vulnérables. En cas de poursuite pénale, la victime exerçant son action civile pourrait demander devant la juridiction pénale des dommages-intérêts, mais non la nullité du contrat conclu ; en revanche la nullité peut être demandée devant la juridiction civile, pour dol ou pour violence[369].

Sur ce point, on observera que le projet de réforme assimile à la violence l'abus de faiblesse : « Il y a également violence lorsqu'une partie abuse de l'état de nécessité ou de dépendance dans lequel se trouvait l'autre partie pour obtenir un engagement que celle-ci n'aurait pas souscrit si elle ne s'était trouvée dans cette situation de faiblesse » (art. 50). Cette extension permet d'englober les hypothèses aujourd'hui traitées par la jurisprudence sous l'angle de l'état de nécessité ou de dépendance (V. *infra*, nos 209 et s.).

2° Caractère illégitime

206. – La crainte révérencielle. La violence n'est une cause de nullité que si elle est illégitime, injuste, auquel cas elle revêt le caractère d'une faute. L'article 1114 du Code civil fournit un exemple d'une forme de violence qu'une longue tradition considère comme légitime, et non constitutive de faute : « La seule crainte révérencielle envers le père, la mère, ou autre ascendant, sans qu'il y ait eu de violence exercée, ne suffit point pour annuler le contrat. » Cette formulation, qui avait été reprise à l'identique dans le Projet Catala, n'a pas été retenue dans le projet de réforme.

Le texte vise ici la crainte – largement estompée, mais peut-être renaissante[370] – que les enfants majeurs éprouvent de déplaire à leurs parents[371] et qui aurait pu les amener à conclure, sous la pression de cette seule autorité morale, tel contrat souhaité par leurs ascendants. En pareil cas, le contrat ne pourrait être annulé pour violence ; il en irait autrement si, à l'autorité morale, s'étaient jointes de véritables menaces au sens de l'article 1112[372].

207. – La menace d'exercer un droit ou des voies de droit. La jurisprudence décide qu'il n'y a pas lieu à nullité pour violence lorsqu'un contrat a été conclu sous la menace de poursuites judiciaires, telles que saisies ou autres voies d'exécution[373]. Il n'y a pas faute en effet à exercer un droit, si bien que l'élément moral, antisocial, de la violence fait défaut.

La violence est ici légitime mais la jurisprudence subordonne cette légitimité à la rectitude de la conduite de son auteur quant aux moyens employés et quant au but poursuivi.

Légitimité des moyens employés. Est seule légitime la menace d'exercer des *voies de droit*, à la condition toutefois que celles-ci soient effectivement

(369) V. par ex. Cass. 3e civ., 26 oct. 2005 : *Contrats, conc. consom.* 2006, comm. 21, obs. L. Leveneur.
(370) Y. Guenzoui, *La crainte révérentielle* : *D.* 2010, chron. 984.
(371) Par analogie la jurisprudence a admis la crainte révérencielle d'un conjoint envers l'autre : Angers, 19 mars 1956 : *D.* 1957, 22, et sur pourvoi, Cass. 1re civ., 3 juin 1959 : *Bull. civ.* 1959, I, n° 276.
(372) Cass. 1re civ., 22 avr. 1986 : *JCP* 1986, IV, 181 (pressions exercées par un père sur son fils à l'occasion du partage de la succession de sa mère).
(373) Cass. 1re civ., 11 mars 1959 : *Bull. civ.* 1959, I, n° 151. – Cass. soc., 4 mai 1960 : *Bull. civ.* 1960, IV, n° 442.

ouvertes, et non pas abusives ou imaginaires[374]. En revanche toute menace de *voies de fait* est une violence illégitime, même si son auteur ne cherche qu'à obtenir son dû[375].

Légitimité du but poursuivi. La menace n'est en outre légitime que si elle tend à obtenir la conclusion d'un contrat en rapport direct avec le droit que l'on a menacé d'exercer : ainsi la constitution d'une sûreté, hypothèque, gage, cautionnement, etc., obtenue d'un débiteur sous la menace d'une saisie. Suivant la formule de la jurisprudence, la menace de l'emploi d'une voie de droit ne constitue une violence que « s'il y a abus de ce procédé, soit en le détournant de son but, soit en en usant pour obtenir une promesse ou un avantage sans rapport ou hors de proportion avec l'engagement primitif »[376].

Cette jurisprudence est consacrée par le projet de réforme du droit des contrats qui précise que « La menace d'une voie de droit ne constitue pas une violence. Il en va autrement lorsque la voie de droit est détournée de son but ou exercée pour obtenir un avantage manifestement excessif » (art. 48).

Dans ces diverses hypothèses où la violence est jugée légitime, il n'y aura pas nullité même si elle a inspiré une crainte qui a déterminé le consentement. S'il est ainsi fait échec à la nullité, c'est que l'auteur de la violence n'a fait qu'exercer son droit, en dehors de tout abus : il n'a pas commis de faute.

3° Peu importe l'auteur de la violence

208. – Violence exercée par un tiers. À la différence du dol, et sous les réserves mentionnées plus haut (V. *supra*, n° 199), la violence est prise en considération de la même manière, qu'elle émane du cocontractant ou d'un tiers. La règle est posée par l'article 1111 : « La violence exercée contre celui qui a contracté l'obligation est une cause de nullité, encore qu'elle ait été exercée par un tiers autre que celui au profit duquel la convention a été faite ». Cette solution est reprise, sous une formulation plus simple, dans l'article 49 du projet de réforme : « La violence est une cause de nullité, qu'elle ait été exercée par une partie ou par un tiers ».

On explique cette solution par le caractère particulièrement antisocial et intolérable de la violence. Il n'en demeure pas moins que la nullité prononcée dans de telles circonstances peut apparaître injuste pour le cocontractant innocent, comme le fait observer la doctrine. On peut toutefois se demander si ce n'est pas là un faux problème ; en effet, sauf circonstances tout à fait exceptionnelles, un tiers ne se livrera à de tels agissements – dol ou violence – que s'il y a été invité plus ou moins directement par le cocontractant bénéficiaire de l'opération, auquel cas il est juste que la nullité du contrat soit prononcée. Ainsi, il est probable que, en dépit de la différence des textes, la solution est en pratique la même lorsque le dol ou la violence est le fait d'un tiers.

(374) Cass. 1re civ., 30 juin 1954 : *JCP* 1955, II, 8325. – Cass. 1re civ., 17 juill. 1967 : *D.* 1967, 509 (poursuites judiciaires éteintes par prescription). – TGI Laon, 15 nov. 1972 : *JCP* 1974, IV, 379 (infraction non constituée).

(375) Douai, 16 juin 1982 : *JCP* 1983, II, 20035, obs. R. Jambu-Merlin (occupation d'un navire et voies de fait – sur les officiers – non couverts par le droit de grève).

(376) Cass. req., 6 avr. 1903 : *S.* 1904, 1, 505, note Naquet. – Cass. civ., 9 avr. 1913 : *D.* 1917, 1, 103. – Cass. 1re civ., 3 nov. 1959 : *D.* 1960, 187, note Holleaux. – Paris, 8 juill. 1982 : *D.* 1983, 473, note D. Landraud, et sur pourvoi, Cass. 3e civ., 17 janv. 1984 : *JCP* 1984, IV, 93.

209. – Violence résultant des circonstances : l'état de nécessité. La question s'est d'abord posée sous l'angle très classique de l'*état de nécessité*(377). Dès l'instant que la violence émanant d'un tiers peut être une cause de nullité, ne doit-on pas admettre par voie d'analogie que la contrainte résultant des circonstances doit être retenue de la même manière ?

La doctrine traditionnelle y était hostile, au motif que l'article 1109 – en visant le consentement extorqué par violence – suppose que la violence soit d'origine humaine. Un courant doctrinal important est d'avis contraire : invoquant l'article 1111, ces auteurs considèrent que la liberté du contractant est affectée identiquement, que son consentement ait été extorqué par un tiers, ou qu'il ait été donné sous la pression des circonstances, et ils en déduisent que l'action en nullité devrait être ouverte dans un cas comme dans l'autre(378).

La jurisprudence s'était prononcée en ce sens à propos du contrat d'assistance maritime qui est l'exemple typique du contrat conclu sous l'empire de la nécessité(379) : le capitaine du navire en péril est inéluctablement amené à passer sous les fourches caudines du capitaine du navire sauveteur. Mais cette jurisprudence est aujourd'hui tarie, la loi donnant désormais expressément au juge le pouvoir d'annuler ou de modifier le contrat si les conditions convenues ne lui paraissent pas équitables. La loi est également intervenue en faveur des personnes victimes de spoliations, notamment les juifs contraints de vendre leurs biens, souvent à vil prix, et de disparaître pour échapper à l'ennemi.

De ce fait, la jurisprudence est peu fournie et, de surcroît, hésitante. Si on peut citer quelques rares arrêts de la Cour de cassation en faveur de l'assimilation de l'état de nécessité à la violence(380), les juridictions du fond se montrent beaucoup plus réticentes(381).

En toute hypothèse, pour qu'il y ait ici violence, il faut que le cocontractant ait profité de l'état de nécessité dans lequel se trouvait son partenaire pour obtenir de lui, non pas seulement la conclusion du contrat, mais sa conclusion à des conditions anormales(382). En bref, c'est l'abus de situation qui se trouve ici sanctionné, ce que consacre le projet de réforme tant pour l'état de nécessité que pour l'état de dépendance (art. 50).

210. – La violence économique : l'état de dépendance. La question a été rajeunie récemment à propos de la *violence économique*, qui n'est en définitive qu'une forme particulière de l'état de nécessité, dû en ce cas aux circonstances économiques. On en rencontre principalement des applications en matière commerciale.

Ainsi, s'agissant du renouvellement d'un contrat de concession (distribution d'une marque d'automobiles) à des conditions spécialement contraignantes, la cour

(377) Lallement, *L'état de nécessité en matière civile* : thèse Paris, 1922. – Savatier, *L'état de nécessité et la responsabilité civile*, in *Études Capitant*, p. 729. – Pallard, *L'exception de nécessité en droit civil* : thèse Poitiers, 1949.

(378) Mazeaud et Chabas, *Obligations*, n° 203. – F. Terré, P. Simler et Y. Lequette, *Les obligations*, 11e éd., n° 247. – J. Flour, J.-L. Aubert et E. Savaux, *Les obligations, L'acte juridique*, 15e éd., n° 224. – Ghestin, 3e éd., n° 586.

(379) Cass. req., 27 avr. 1887 : *D.* 1888, 1, 263 ; S. 1887, 1, 372.

(380) Cass. soc., 5 juill. 1965 : *Bull. civ.* 1965, IV, n° 545 (contrat de travail désavantageux consenti par un salarié sous l'influence de besoins financiers pressants dus à la maladie d'un enfant). – V. aussi Cass. civ., 26 juill. 1949 : *Gaz. Pal.* 1949, 2, 363. – Rappr. Cass. 2e civ., 5 oct. 2006 : *Contrats, conc. consom.* 2007, comm. 44 (convention d'honoraires conclue par une personne en état de surendettement et en état de faiblesse psychologique).

(381) V. les références citées par J. Flour, J.-L. Aubert et E. Savaux, n° 224.

(382) Cass. 1re civ., 24 mai 1989 : *Bull. civ.* 1989, I, n° 212.

de Paris avait admis la nullité pour violence, le non-renouvellement risquant d'entraîner la fermeture immédiate de l'entreprise[383] ; mais cette décision a été cassée au motif que les juges du fond n'avaient pas précisé en quoi les agissements du concédant étaient illégitimes[384].

Plus récemment, à propos d'une transaction conclue entre un assuré et un assureur à la suite de l'incendie d'un immeuble, transaction arguée de nullité pour violence, la première chambre civile de la Cour de cassation a décidé que « la contrainte économique se rattache à la violence et non à la lésion »[385].

Enfin, à propos de la renonciation d'un salarié à ses droits d'auteur intervenant dans une période de compression de personnel, la cour a décidé que « seule l'exploitation abusive d'une situation de dépendance économique, faite pour tirer profit de la crainte d'un mal menaçant directement les intérêts légitimes de la personne, peut vicier de violence son consentement »[386]. On doit, semble-t-il, comprendre qu'il n'y a pas faute, et donc pas violence, pour un cocontractant de profiter de la situation de dépendance économique de l'autre partie, mais à la condition de ne pas l'exploiter abusivement. Comme pour l'état de nécessité, c'est donc l'abus de situation qui est sanctionné par la nullité du contrat[387].

211. - **La violence économique dans les projets européens.** Les solutions françaises sont finalement assez proches de la position adoptée par les Principes du droit européen du contrat, les Principes Unidroit ou l'avant-projet de Code européen des contrats de l'Académie de Pavie[388] qui admettent la nullité (ou la rescision) du contrat lorsqu'il accorde injustement un avantage excessif à une partie qui a profité en connaissance de cause et de manière déloyale de l'état de dépendance, de la détresse économique, de l'urgence des besoins, de l'imprévoyance, de l'ignorance (...) de l'autre partie. Ce nouveau vice très protecteur du consentement des contractants les plus vulnérables se rattache en réalité plus à la lésion en ce qu'il vise à assurer un certain équilibre contractuel.

212. - **La violence économique en droit de la concurrence.** En droit de la concurrence, divers textes sanctionnent la violence économique, non pas comme un vice du consentement, mais comme portant atteinte à la liberté de la concurrence[389].

(383) Paris, 27 sept. 1977 : *D.* 1978, 690, note H. Souleau.

(384) Cass. com., 20 mai 1980 : *Bull. civ.* 1980, IV, n° 212.

(385) Cass. 1re civ., 30 mai 2000 : *Bull. civ.* 2000, I, n° 169, p. 109 ; *D.* 2000, 879 et note J.-P. Chazal ; *JCP* 2001, II, 10461 et note G. Loiseau ; *RTD civ.* 2000, 827, obs. J. Mestre et B. Fages, et 863, obs. P.-Y. Gautier ; *Defrénois* 2000, art. 37237, n° 68, obs. Ph. Delebecque ; *D.* 2001, somm. 1140, obs. D. Mazeaud. – C. Nourissat, *La violence économique, vice du consentement : beaucoup de bruit pour rien ?* : *D.* 2000, chron. 369. – B. Edelman, *De la liberté et de la violence économique* : *D.* 2001, chron. 2315. – Rappr. Cass. 1re civ., 9 juill. 2003 : *JCP* 2003, II, 10171 et note R. Desgorces ; *RD imm.* 2003, 539, obs. L. Grynbaum.

(386) Cass. 1re civ., 3 avr. 2002 : *D.* 2002, 1860, note J.-P. Gridel et note J.-P. Chazal ; *Defrénois* 2002, 1, 1246, art. 37607, n° 65, obs. E. Savaux ; *Contrats, conc. consom.* 2002, comm. 121, obs. L. Leveneur ; *D.* 2002, somm. 2844, obs. D. Mazeaud ; *JCP* 2002, I, 184, nos 6 et s., obs. G. Virassamy ; *RTD civ.* 2002, 502, obs. J. Mestre et B. Fages ; *RTD com.* 2003, 86, obs. A. Françon.

(387) Y.-M. Laithier, *Remarques sur les conditions de la violence économique* : *LPA* 22 nov. 2004, p. 6 ; *ibid.* 24 nov., p. 5. – I. Beynex, *L'unification prétorienne du vice de violence économique en droit privé* : *LPA* 25 août 2006, p. 3.

(388) PDEC, art. 4.109 ; Unidroit, art. 3.2.7 ; Pavie, art. 30.3.

(389) B. Montels, *La violence économique, illustration du conflit entre droit commun des contrats et droit de la concurrence* : *RTD com.* 2002, 417. – G. Parléani, *Violence économique, vertus contractuelles, vices concurrentiels*, in *Mél. Guyon* : Dalloz, 2003, p. 881.

D'une part, au titre des *pratiques anticoncurrentielles*, l'article L. 420-2 du Code de commerce (qui codifie sur ce point l'article 8 de l'ordonnance du 1er décembre 1986) condamne l'exploitation abusive de l'état de dépendance économique[(390)] du partenaire, soit pour conclure un contrat, soit pour y mettre fin[(391)]. Mais elle n'est sanctionnée que dans la mesure où elle affecte le libre jeu de la concurrence, donc afin d'assurer une liberté du marché dans son entier, et non pas en ce qu'elle porterait atteinte à l'équilibre d'un contrat particulier.

Art. L. 420-2, al. 2

Est en outre prohibée, dès lors qu'elle est susceptible d'affecter le fonctionnement ou la structure de la concurrence, l'exploitation abusive par une entreprise ou un groupe d'entreprises de l'état de dépendance économique dans lequel se trouve à son égard une entreprise cliente ou fournisseur. Ces abus peuvent notamment consister en refus de vente, en ventes liées, en pratiques discriminatoires visées au I de l'article L. 442-6 ou en accords de gamme.

D'autre part, au titre des *pratiques restrictives de concurrence*, la loi sur les Nouvelles régulations économiques (NRE) a introduit un article L. 442-6 qui tend non seulement à assurer le bon fonctionnement du marché, mais aussi à corriger les déséquilibres contractuels tenant à l'abus de dépendance économique[(392)]. À ce dernier titre, la violence économique sera sanctionnée par la responsabilité de son auteur, par des dommages-intérêts, mais non par la nullité du contrat pour vice du consentement.

Art. L. 442-6. – I. – Engage la responsabilité de son auteur et l'oblige à réparer le préjudice causé le fait, par tout producteur, commerçant, industriel ou personne immatriculée au répertoire des métiers :

(...)

2° De soumettre ou de tenter de soumettre un partenaire commercial à des obligations créant un déséquilibre significatif dans les droits et obligations des parties[(393)] ;

(...)

4° D'obtenir ou de tenter d'obtenir, sous la menace d'une rupture brutale totale ou partielle des relations commerciales, des conditions manifestement abusives concernant les prix, les délais de paiement, les modalités de vente ;

(...)

213. – **Preuve et sanctions de la violence.** La preuve suit ici les règles de droit commun, comme en matière de dol. C'est à la victime de rapporter la preuve de la violence et, s'agissant d'un fait juridique, elle peut le faire par tous moyens.

La sanction peut être de deux ordres.

D'une part le contrat extorqué par violence est nul. Il s'agit d'une nullité relative, comme pour l'erreur et le dol, ce que consacre l'article 87, alinéa 2, du projet de réforme.

D'autre part, la violence peut justifier en outre l'allocation de *dommages et intérêts*, à raison de la faute commise, pour réparer le préjudice qui n'aurait pas été effacé par la nullité (art. 86, al. 2 du projet de réforme). À raison de l'indépendance

(390) Sur la définition de l'état de dépendance économique, V. Cass. com., 3 mars 2004 : *JCP* 2004, IV, 1876 ; *D.* 2004, 874, obs. E. Chevrier ; *JCP* 2004, I, 149, nos 1-8, obs. M. Chagny.

(391) F. Dreifuss-Netter, *Droit de la concurrence et droit commun des obligations* : *RTD civ.* 1990, 369.

(392) M. Chagny, *L'article L. 442-6, I, 2° du Code de commerce entre droit du marché et droit commun des obligations* : *D.* 2011, 392.

(393) Il a été jugé que cette disposition était conforme à la Constitution et qu'elle ne méconnaissait pas le principe de la légalité des délits et des peines : Cons. const., 13 janv. 2011 : *D.* 2011, 415 et note Y. Picod.

des actions en nullité et en responsabilité, la victime peut exercer l'action en responsabilité alors même que l'action en nullité serait prescrite[394]. En cas d'infraction pénale, ou encore de violation des règles de la concurrence, il ne pourra y avoir lieu qu'à dommages-intérêts.

214. – **Conclusion : effectivité de la théorie des vices du consentement.** Il est difficile de formuler un jugement sur l'effectivité de la théorie des vices du consentement.

On peut sans doute lui reconnaître un *effet préventif* probable dans la mesure où la crainte de la nullité peut détourner des manœuvres, mensonges, dissimulations et des menaces illégitimes. Il en va d'ailleurs de même des sanctions pénales qui s'attachent à certains comportements déloyaux, abus de faiblesse, etc.

En revanche son *effet curatif* paraît assez faible, si l'on en juge par l'importance minime du contentieux au regard du nombre des contrats. Certes, faisant preuve d'optimisme, on pourrait penser que ce faible contentieux traduit une disparition progressive des vices du consentement. D'autres explications paraissent plus vraisemblables : d'une part le coût d'accès à la justice civile est tel que se trouvent écartés tous les cas où l'intérêt du litige est trop faible ; d'autre part et surtout il semble bien qu'au cours des dernières décennies le problème de la liberté du consentement se soit déplacé : on ne contracte plus par erreur, ou sous l'empire du dol ou de la violence, mais plus simplement parce qu'on ne peut pas faire autrement. C'est alors un autre problème, celui de la protection des faibles et, plus spécialement, des consommateurs.

§ 3. – Le consentement dans les contrats d'adhésion : la protection des consommateurs

A. – Historique. Les textes

215. – **Le phénomène des contrats d'adhésion.** Le mouvement tendant à la protection des consommateurs trouve son origine dans la multiplication des contrats d'adhésion, contrat que le projet de réforme définit comme « celui dont les stipulations essentielles, soustraites à la discussion, ont été déterminées à l'avance par l'une des parties (art. 8, al. 2) (V. *supra*, n° 66). Il est une réaction contre les abus découlant de ces contrats dans lesquels la liberté, et donc le consentement de la partie la plus faible se trouvent réduits à leur plus simple expression. Conçus par la partie dominante, ces contrats standardisés, se présentant souvent sous forme d'imprimés qu'il suffit de signer après avoir rempli les blancs, comportent des batteries de clauses qui sont tout naturellement inspirées par l'intérêt de celui-là seul qui les y a introduites.

Il est évident que, dans de telles conditions, l'adage « Qui dit contractuel, dit juste » perd toute crédibilité. Le consentement donné par la partie la plus faible est tout à la fois mal éclairé et contraint : mal éclairé parce que cette partie est le plus souvent incapable d'apprécier la mesure exacte des obligations respectives à la lecture – rapide sinon

(394) Cass. com., 18 févr. 1997 : *Bull. civ.* 1997, IV, n° 59 ; *JCP* 1997, IV, 841 ; *D.* 1998, somm. 181, obs. J.-C. Hallouin.

fugitive – de documents contractuels trop longs et habilement rédigés ; contraint parce qu'en toute hypothèse, toute discussion étant exclue, ce cocontractant n'a pas d'autre choix que d'accepter ou refuser en bloc. Même ce choix minimal n'est d'ailleurs pas toujours ouvert dans la mesure où le besoin satisfait par le contrat proposé est une nécessité et où le marché n'offre aucune autre alternative ; tel est le cas lorsque le cocontractant le plus fort occupe une situation de monopole ou se partage le marché avec d'autres qui, faute d'une véritable concurrence, proposent le même contrat d'adhésion. Le principe de l'autonomie de la volonté n'est plus alors qu'un mythe dans un environnement économique qui ne permet pas son fonctionnement normal, et on ne saurait s'en satisfaire.

216. – L'inadaptation du droit commun. Face aux problèmes soulevés par les contrats d'adhésion, le droit commun, et spécialement la théorie des vices du consentement, sont impuissants parce qu'on n'est pas en présence d'un vice du consentement au sens classique du terme. Pour sortir de la difficulté, il eût fallu soit une loi spéciale réglementant les contrats d'adhésion, soit une jurisprudence prétorienne qui aurait consacré des règles particulières pour ce type de contrat. Or le législateur ne s'est pas préoccupé globalement du problème, et la jurisprudence a traité les contrats d'adhésion comme les autres.

Si très tôt on a mis l'accent sur la nécessité d'une protection particulière du consommateur, qui est apparue simultanément dans de nombreux pays[(395)], ce n'est là qu'un aspect – spectaculaire certes, mais pas unique – d'un problème infiniment plus vaste, celui du déséquilibre des contrats conclus entre des parties dont la puissance respective est disproportionnée.

Contre ce déséquilibre la jurisprudence n'avait rien pu faire de sérieux par application du droit commun. À titre anecdotique on peut néanmoins citer la jurisprudence qui, en matière d'acceptation, a décidé que celle-ci n'avait pas pu porter sur les clauses rédigées en petits caractères, ou en langue étrangère, ou figurant au verso de la commande ou dans un document annexe non communiqué au moment du contrat[(396)]. Mais c'étaient là des résultats très faibles, tout à fait insuffisants pour répondre au besoin de protection né des contrats d'adhésion.

Il fallait donc une intervention du législateur. Il y en a eu plusieurs, qui s'inscrivent dans deux tendances différentes : la protection contre les abus en général, et la protection des consommateurs. Cela dit, l'existence d'une protection spéciale du consentement, notamment du consommateur, n'exclut nullement en principe[(397)] la faculté pour la victime de recourir aux règles du droit commun[(398)].

(395) *La protection des consommateurs*, in *Trav. Assoc. H. Capitant*, 1973. – U. Bernitz, *La protection des consommateurs en Suède et dans les pays nordiques : RID comp.* 1974, 543. – T. Modeen, La protection des *consommateurs en droit finlandais : RID comp.* 1974, 583. – M. Fontaine, *La protection du consommateur en droit civil et en droit commercial belge : RTD com.* 1974, 199. – M. Fromont, *La protection du consommateur en RFA : Gaz. Pal.* 1979, 1, doctr. 16. – B. Lancin, *La protection du consommateur en Finlande : RID comp.* 1980, 373. – J. Honnold, *Les solutions du droit privé pour répondre aux besoins des consommateurs : l'évolution aux États-Unis : RID comp.*, vol. 1, 1979, p. 653. – V. aussi Travaux des 12e Journées franco-espagnoles : *Ann. Fac. dr. Toulouse* 1979, t. 27, p. 27 et s. – P. Lagarde, *Heurs et malheurs de la protection internationale du consommateur dans l'Union européenne*, in *Mél. Ghestin* : LGDJ, 2001. – J.-P. Pizzio, *Le droit de la consommation à l'aube du XXIe siècle. Bilan et perspectives*, in *Mél. Calais-Auloy*, p. 877.

(396) Cass. 1re civ., 3 mai 1979 : *D.* 1980, inf. rap. 262, obs. J. Ghestin.

(397) V. L. Attuel-Mendes, *Consentement et actes juridiques* : thèse Paris II, 2006, nos 546 et s.

(398) L. Attuel-Mendes, *La difficile articulation entre protection classique et protection spéciale du consentement : JCP* 2007, I, 188.

217. – **La protection contre les abus en général.** De tout temps le législateur s'est préoccupé de pourchasser les abus. C'est là un élément de l'ordre public économique, qui s'est particulièrement développé depuis les années 1970. Sans prétendre à l'exhaustivité, on peut citer les textes les plus marquants.

Certains sont d'application très générale :

• la loi du 1er août 1905 sur les *fraudes et falsifications*, modifiée en 1978(399), qui est progressivement devenue une loi de protection du consommateur(400) ;

• la loi du 9 juillet 1975 sur la *clause pénale*.

D'autres réglementent certains contrats particuliers où des abus s'étaient manifestés :

• la loi du 3 janvier 1967 sur la *vente d'immeuble à construire* ;

• la loi du 12 juillet 1971 sur le contrat d'*enseignement par correspondance* ;

• la loi du 3 janvier 1972 sur le *démarchage financier* ;

• la loi du 22 décembre 1972 en matière de *démarchage* et de *vente à domicile*(401) ;

• la loi du 7 janvier 1981, relative au *contrat d'assurance* et aux *opérations de capitalisation*, modifiée par la loi n° 89-1014 du 31 décembre 1989 portant adaptation du Code des assurances à l'ouverture du marché européen(402) ;

• la loi du 22 juin 1982, dite loi Quilliot, relative aux *droits et obligations des locataires et bailleurs*, remplacée par la loi du 23 décembre 1986, dite loi Méhaignerie, modifiée par la loi du 6 juillet 1989, dite loi Mermaz(403) ;

• l'ordonnance du 1er décembre 1986 relative à la liberté des prix et de la concurrence(404) ;

• la loi du 6 janvier 1988 relative aux opérations de télépromotion avec offre de vente, dites de « téléachat » ;

• la loi du 19 décembre 1990 relative au contrat de construction d'une maison individuelle(405).

La plupart de ces lois sont aujourd'hui intégrées dans les codes correspondant à la matière : Code civil, Code pénal, Code de commerce, Code de la consommation, Code de la construction et de l'habitation, etc. Chacun de ces textes a apporté sa pierre à la construction d'un droit de la protection des faibles, ce qui retentit sur la théorie générale des obligations. Mais il n'y a pas de règle générale de protection en la matière(406).

Au titre des textes ayant une vocation générale de protection on rappellera que le projet de réforme du droit des contrats prévoit diverses dispositions tendant à l'élimination dans les contrats des clauses privant « de sa substance l'obligation

(399) C. Brechet, *La loi du 1er août 1905 sur les fraudes et falsifications et la réforme du 10 janvier 1978* : *Gaz. Pal.* 1978, doctr. 317.

(400) A. Lecourt, *La loi du 1er août 1905 : protection du marché ou protection du consommateur* : *D.* 2006, chron. p. 722.

(401) J. Calais-Auloy, *La loi sur le démarchage à domicile et la protection des consommateurs* : *D.* 1973, chron. p. 255. – J.-P. Pizzio, *Un apport législatif en matière de protection du consentement* : *RTD civ.* 1976, 66.

(402) J. Bigot, *La loi du 7 janvier 1981 et l'assurance-vie* : *JCP* 1981, I, 3047.

(403) J. Lafond, *Les baux d'habitation* : Litec, 7e éd. 2007.

(404) J. Calais-Auloy, *L'ordonnance du 1er décembre 1986* et les consommateurs : *D.* 1987, chron. 137.

(405) J. Hugot et D. Sizaire, *Le contrat de construction d'une maison individuelle* : Litec, 1992.

(406) D. Mazeaud, *Plaidoyer en faveur d'une règle générale sanctionnant l'abus de dépendance en droit des contrats, in Mél. Paul Didier* : Économica, 2008.

essentielle du débiteur » (art. 76) ou créant « un déséquilibre significatif entre les droits et obligations des parties » (art. 77).

218. – **La protection du consommateur en tant que tel**(407). La loi du 22 décembre 1972 sur le démarchage et la vente à domicile annonçait déjà la prise en considération particulière de la protection du consommateur. Mais celle-ci ne se concrétisa véritablement qu'à partir de 1978 et elle a été l'aboutissement d'une volonté politique évidente, manifestée par la création d'un secrétariat d'État à la consommation. Ce poste ministériel a été occupé en premier par Mme Scrivener dont le nom est resté attaché à trois lois fondamentales :

- la loi n° 78-22 du 10 janvier 1978 relative à l'information et à la protection des consommateurs dans le domaine de *certaines opérations de crédit*(408) ;
- la loi n° 78-23 du 10 janvier 1978 sur l'information et la protection des *consommateurs de produits et de services*(409) ;
- la loi du 13 juillet 1979 sur l'information et la protection des *emprunteurs dans le domaine immobilier*(410).

219. – **L'essor du droit de la consommation.** La loi n° 89-421 du 23 juin 1989 « relative à l'information et à la protection des consommateurs ainsi qu'à diverses pratiques commerciales » a apporté une série de retouches à la plupart des textes constituant le droit de la consommation, spécialement à la loi du 22 décembre 1972 sur le démarchage à domicile et à celle du 10 janvier 1978 sur le crédit à la consommation(411).

D'autres retouches ou ajouts ont été apportés par la loi n° 92-60 du 18 janvier 1992 renforçant la protection des consommateurs(412).

(407) Sur l'ensemble de la question, V. notamment J. Calais-Auloy et F. Steinmetz : *Droit de la consommation*, 7e éd. 2006. – *Les contrats d'adhésion et la protection du consommateur* : Travaux du Colloque Droit et commerce, 3-4 juin 1978. – *Propositions pour un nouveau droit de la consommation*, 1985, 2e éd. 1990. – G. Cas et D. Ferrier, *Traité de droit de la consommation* : PUF, 1986. – A. Rieg, *La protection du consommateur (Approches de droit privé)* : *RID comp.* 1979, vol. 1, p. 631. – Ph. Malinvaud, *La protection des consommateurs en droit français* : *D.* 1981, chron. 49. – L. Bihl, *Droit de la consommation : bilan de dix années* : *Gaz. Pal.* 1984, doctr. 241. – A. Sinay-Cytermann, *Protection ou surprotection du consommateur ?* : *JCP* 1994, I, 3804. – W.-J. Maxwell, T. Zeggane et S. Jacquier, *Publicité ciblée et protection du consommateur en France, en Europe et aux États-Unis* : *Contrats, conc. consom.* 2008, étude 8.

(408) V. notamment Ch. Gavalda, *L'information et la protection des consommateurs dans le domaine de certaines opérations de crédit* : *D.* 1978, chron. 189. – D. Martin, *La défense du consommateur à crédit* : *RTD com.* 1977, 619. – G. Raymond, *La protection du consommateur dans les opérations de crédit : commentaire de la loi n° 78-22 du 10 janvier 1978* : *Gaz. Pal.* 1978, 2, doctr. 556. – J. Stoufflet, *La protection du consommateur faisant appel au crédit : Premières réflexions sur la loi n° 78-22 du 10 janvier 1978*, in *Mél. E. Gaudin de Lagrange*, 1978, p. 225. – D. Schmidt et Ph. Gramling, *Commentaire de la loi du 10 janvier 1978 relative à l'information et à la protection des consommateurs dans le domaine de certaines opérations de crédit*, 1979. – N. Chardin, *Le contrat de consommation, de crédit et l'autonomie de la volonté* : LGDJ, 1988. – J. Roche-Dahan, *Le domaine d'application des lois Scrivener* : *RTD com.* 1996, 1. – Ph. Flores et G. Biardeaud, *La protection de l'emprunteur : une notion menacée* : *D.* 2000, doctr. 191.

(409) V. notamment L. Bihl, *La loi n° 78-23 du 10 janvier 1978 sur la protection et l'information du consommateur* : *JCP* 1978, I, 2909. – X. de Mello, *La protection et l'information du consommateur* : *Gaz. Pal.* 1978, 1, doctr. 287. – D. Nguyen Thanh-Bourgeais, *Réflexions sur deux innovations de la loi n° 78-23 du 10 janvier 1978 sur la protection et l'information des consommateurs de produits et de services* : *D.* 1979, chron. 15.

(410) V. notamment H. Thuillier, *Analyse de la loi du 13 juillet 1979 relative à la protection des emprunteurs dans le domaine immobilier* : *JCP N* 1979, prat. 7241. – Ph. Jestaz, P. Lancereau et G. Roujou de Boubée, *L'information et la protection des emprunteurs dans le domaine immobilier* : *RD imm.* 1979, 409. – M. Dagot, *Prêt immobilier et protection de l'emprunteur* : *JCP* 1980, I, 2979. – C.-A. Thibierge, *La protection des acquéreurs de logement qui recourent au crédit pour financer leur acquisition* : *Defrénois* 1980, 1, 433, art. 32254. – Ch. Gavalda, *La protection de l'emprunteur en matière de crédit immobilier* : *D.* 1980, chron. 211. – J.-M. Bez, *La protection de l'emprunteur immobilier et la pratique notariale* : *JCP N* 1981, p. 125.

(411) A. Gourio, *La toilette du droit de la consommation (Commentaire de la loi n° 89-421 du 23 juin 1989)* : *Gaz. Pal.* 1990, doctr. 187.

(412) G. Raymond, *Commentaire de la loi n° 92-60 du 18 janvier 1992 renforçant la protection des consommateurs* : *Contrats, conc. consom.* févr. 1992, chron. p. 1.

Par ailleurs, les deux lois en matière de crédit – mobilier et immobilier – ont été modifiées par la loi du 31 décembre 1989 relative à la prévention et au règlement des difficultés liées au surendettement des particuliers et des familles[(413)], elle-même réformée par les lois des 8 février 1995 et du 29 juillet 1998[(414)], puis par le Titre III de la loi du 1er août 2003 d'orientation et de programmation pour la ville et la rénovation urbaine[(415)], et enfin par deux lois des 1er juillet et 22 octobre 2010.

Enfin, plus récemment, la loi n° 2014-344 du 17 mars 2014 relative à la consommation est venue refondre et compléter la protection des consommateurs[(416)].

À ces divers textes relatifs à la protection juridique des consommateurs est venue s'ajouter une loi du 21 juillet 1983 relative à la sécurité des consommateurs[(417)] qui poursuit un objectif tout à fait différent, celui d'assurer la prévention des accidents[(418)].

Puis, par ordonnance du 23 août 2001[(419)], le Gouvernement a transposé plusieurs directives européennes concernant notamment la publicité comparative[(420)], les contrats conclus à distance, les clauses abusives dans les contrats conclus avec les consommateurs, et l'action en cessation d'agissements illicites, transposition qui venait modifier les dispositions françaises antérieures.

Par ailleurs, même si elle n'a pas eu pour objet d'assurer la protection des consommateurs, la loi du 21 juin 2004 pour la confiance dans l'économie numérique transposant la directive n° 2000/31/CE sur le commerce électronique, a apporté de fait quelques règles tendant à protéger le consentement du cocontractant (V. *supra*, nos 145 et s.).

Ce dispositif de protection a été ensuite complété par la loi du 3 janvier 2008 pour le développement de la concurrence au service des consommateurs qui a

(413) J.-L. Vallens, *La loi du 31 décembre 1989 relative à la prévention et au règlement des difficultés liées au surendettement des particuliers et des familles* : *ALD* 1990, 87. – A. Kornmann, *Prévention et règlement du surendettement des particuliers* : *JCP* N 1990, doctr. 123. – G. Paisant, *La loi du 31 décembre 1989 relative au surendettement des ménages* : *JCP* 1990, I, 3457. – P. Lancereau, *La loi sur le surendettement des particuliers et les dettes immobilières* : *RD imm.* 1990, 175. – J. Rosenberg, *Incidence de la loi n° 89-1010 du 31 décembre 1989 sur le droit civil français* : *Gaz. Pal.* 1991, doctr. 3. – F. Schaufelberger, *La prévention des situations de surendettement des particuliers* : *RD imm.* 1990, 301. – G. Paisant, *Le redressement judiciaire civil à l'essai* : *JCP* 1991, I, 3510.

(414) G. Paisant, *La réforme de la procédure de traitement du surendettement par la loi du 29 juillet 1998 relative à la lutte contre les exclusions* : *RTD com.* 1998, 743. – S. Gjidara, *L'endettement et le droit privé* : LGDJ, 1999. – X. Lagarde, *L'endettement des particuliers. Étude critique* : LGDJ, 2000. – S. Neuville, *Le traitement planifié du surendettement* : *RTD com.* 2001, 31. – X. Lagarde, *Prévenir le surendettement des particuliers* : *JCP* 2002, I, 163. – L. Grynbaum, *La mutation du droit des contrats sous l'effet du traitement du surendettement* : *Contrats, conc. consom.* sept. 2002, chron. 16.

(415) C. Rondey, *La réforme du surendettement par la loi « Borloo » du 1er août 2003* : *D.* 2003, chron. 2162. – G. Raymond, *Quatrième étape pour le surendettement : le redressement personnel* : *Contrats, conc. consom.* 2003, chron. 9. – N. Côte, *Le nouveau dispositif de traitement du surendettement des particuliers* : *JCP* 2003, I, 175. – P. Lebatteux, *Surendettement et rétablissement personnel après la loi du* 1er *août 2003* : *Rev. Administrer* déc. 2003, p. 23. – S. Piedelièvre, *Le droit à l'effacement des dettes* : *Defrénois* 2004, 1, 14, art. 37852. – G. Paisant, *La réforme de la procédure de traitement du surendettement par la loi du 1er août 2003 sur la ville et la rénovation urbaine* : *RTD com.* 2003, 671. – G. Raymond, *Surendettement et rétablissement personnel : le décret d'application n° 2004-180 du 24 février 2004* : *Contrats, conc. consom.* 2004, étude 10.

(416) N. Ferrier et A.-C. Martin, *Loi relative à la consommation en faveur des consommateurs … et de certains professionnels* : *JCP* 2014, 376. – C. Aubert de Vincelles et N. Sauphanor-Brouillaud, *Loi du 17 mars 2014 : nouvelles mesures protectrices du consommateur* : *D.* 2014, 879. – La loi Hamon du 17 mars 2014 : *Contrats, conc. consom.* mai 2014 : Dossier 1 à 9.

(417) J.-C. Fourgoux, *La loi du 21 juillet 1983 : la sécurité des consommateurs et le reste* : *Gaz. Pal.* 1983, 2, doctr. 395. – L. Bihl, *Une réforme nécessaire. La loi du 21 juillet 1983* : *Gaz. Pal.* 1983, 2, doctr. 525. – J. Revel, *La prévention des accidents domestiques : vers un régime spécifique de responsabilité du fait des produits* : *D.* 1984, chron. 69.

(418) J. Calais-Auloy, *Ne mélangeons plus conformité et sécurité* : *D.* 1993, chron. 130.

(419) *JO* 25 août 2001, p. 13645 ; *D.* 2001, législ. p. 2486 ; *JCP* 2001, III, 20543.

(420) Ph. Laurent, *La publicité comparative harmonisée* : *Contrats, conc. consom.* 2001, chron. 16.

transposé dans le Code de la consommation la directive du 11 mai 2005 sur les pratiques commerciales déloyales[421]. Ces nouveaux textes sanctionnent au plan pénal les « pratiques trompeuses » et les « pratiques agressives » (C. consom., art. L. 121-1 et s. et L. 122-11 et s.), ces dernières pouvant également entraîner la nullité du contrat passé.

À l'exception du texte relatif à la sécurité des consommateurs, tous les autres ont plus ou moins directement pour but de restituer au consommateur – et plus généralement au cocontractant pour certains d'entre eux – une liberté de contracter qui lui avait été confisquée soit par la technique du contrat d'adhésion, soit par les méthodes déloyales, trompeuses ou agressives, de commercialisation des produits. Sous l'hétérogénéité des textes et des dispositifs de protection qu'ils instaurent, il s'agit d'un vaste mouvement tendant à la recherche d'un équilibre entre les parties qui, sans avoir jamais véritablement existé dans le passé, se trouve aujourd'hui particulièrement compromis[422]. La plupart de ces textes sont aujourd'hui codifiés dans le Code de la consommation[423], manifestant ainsi une certaine autonomie par rapport au droit civil[424]. La protection résultant de ces différents textes a été accrue par la loi du 3 janvier 2008 qui, mettant fin à la jurisprudence antérieure, décide que « le juge peut soulever d'office toutes les dispositions du présent code dans les litiges nés de son application » (art. L. 141-4), ce qui permet aux tribunaux de mieux sanctionner la violation des règles protectrices du consommateur[425].

220. – L'influence du droit européen de la consommation. L'Union européenne s'est également préoccupée d'assurer une protection des consommateurs, non pas identique – du moins à l'origine – mais comparable, au sein des États membres de telle sorte qu'un consommateur trouve le même niveau de protection, qu'il achète dans son pays ou dans un autre[426]. À cet effet, ont été édictées un certain nombre de directives qui devaient être transposées dans les droits nationaux, étant précisé que les règles protectrices édictées au plan européen étaient des minima auxquels chaque État pouvait ajouter, mais non pas retrancher[427]. Cette réglementation européenne a mécaniquement entraîné une certaine uniformisation du droit des contrats dans les pays de l'Union européenne[428].

---

(421) M. Cannarsa, *La réforme des pratiques commerciales déloyales par la loi Chatel. Le droit commun à la rencontre du droit de la consommation* : *JCP* 2008, I, 180.

(422) J.-P. Pizzio, *Le droit de la consommation à l'aube du XXIe siècle. Bilan et perspectives*, in *Mél. Calais-Auloy*, 2003, p. 877.

(423) G. Raymond, *Bienvenue au Code de la consommation* : *Contrats, conc. consom.* août-sept. 1993, p. 1. – D. Bureau, *Remarques sur la codification du droit de la consommation* : D. 1994, chron. 291. – J. Beauchard, *Remarques sur le Code de la consommation*, in *Mél. Cornu*, p. 9. – D. Fenouillet, F. Labarthe et a., *Faut-il recodifier le droit de la consommation ?* : Économica, 2002. – G. Paisant, *À propos des vingt ans du Code de la consommation* : *JCP* 2013, 621. – N. Sauphanor-Brouillaud et C. Aubert de Vincelles, « *Une refonte du Code de la consommation s'impose* » : *JCP* 2013, 727.

(424) Ph. Stoffel-Munck, *L'autonomie du droit contractuel de la consommation* : *RTD com.* 2012, 705. – N. Sauphanor-Brouillaud, *Traité de droit civil. Les contrats de consommation. Règles communes* : LGDJ, 2012.

(425) G. Poissonnier, *Mode d'emploi du relevé d'office en droit de la consommation* : *Contrats, conc. consom.* 2009, étude 5.

(426) A.-M. de Matos, *Les contrats transfrontières conclus par les consommateurs au sein de l'Union européenne*, préf. R. Bout : PUAM, 2001. – Th. Bourgoignie, *Droit et politique communautaires de la consommation. Une évaluation des acquis*, in *Mél. Calais-Auloy* : Dalloz, 2003, p. 95. – M. Fontaine, *La protection du consommateur et l'harmonisation du droit européen des contrats* : *eod. loc.*, p. 385. – D. Fasquelle et P. Meunier (ss dir.), *Le droit communautaire de la consommation. Bilan et perspectives* : La Documentation française, 2002.

(427) Toutefois, certaines directives, tendant à une harmonisation maximale, ne laissent aucune latitude aux États membres d'aller au-delà de la protection édictée ; tel est par exemple le cas de la directive du 25 juillet 1985 sur la responsabilité du fait des produits défectueux.

(428) E. Poillot, *Droit européen de la consommation et uniformisation du droit des contrats* : LGDJ, 2006, préf. P. de Vareilles-Sommières.

Ces directives ont été élaborées sous l'influence des législations les plus avancées, ce qui était le cas de la législation française. C'est dire que ces règles européennes n'ont pas apporté de bouleversement en droit français ; mais il a néanmoins fallu en tenir compte et procéder à leur transposition.

Certaines directives sont relatives plutôt à *l'information du consommateur* : directives du 19 juin 1979 relative à l'indication du prix des denrées alimentaires, et du 16 février 1978 sur l'indication du prix de tous les produits.

Mais les directives les plus importantes concernent la *protection du consommateur* :

- 18 décembre 1978 et 20 mars 2000 sur l'étiquetage des denrées alimentaires ;
- 10 octobre 1984 sur la publicité trompeuse ;
- 25 juillet 1985 sur la responsabilité du fait des produits défectueux (V. *infra*, n°s 716 et s.) ;
- 20 décembre 1985 sur les contrats négociés en dehors des établissements commerciaux ;
- 22 décembre 1986 sur le crédit à la consommation ;
- 5 avril 1993 concernant les clauses abusives (V. *infra*, n°s 331 et s.) ;
- 26 octobre 1994 et 14 janvier 2009 sur l'utilisation à temps partiel de biens immobiliers ;
- 20 mai 1997 sur les contrats à distance[429] ;
- 6 octobre 1997 sur la publicité trompeuse ;
- 19 mai 1998 sur l'action en cessation d'agissements illicites ;
- 25 mai 1999 sur la vente des biens de consommation et la garantie ;
- 23 septembre 2002 concernant la commercialisation à distance des services financiers[430] ;
- 11 mai 2005 sur les pratiques commerciales déloyales[431] ;
- 23 avril 2008 sur le crédit aux consommateurs[432] ;
- 25 octobre 2011 relative aux droits des consommateurs ;
- 4 février 2014 sur le crédit aux consommateurs relatif aux biens immobiliers.

---

(429) M. Trochu, *Protection des consommateurs en matière de contrats à distance : directive n° 97-7 du 20 mai 1997* : D. 1999, chron. 179. – S. Grégoire, *L'offre d'accès à Internet et la protection des consommateurs : Contrats, conc. consom.* 1998, chron. 13. – V. Gautrais, *Labellisation des sites sur Internet et protection des consommateurs : vision comparée : Contrats, conc. consom.* 2001, chron. 13. – Th. Verbiest, *La protection juridique du cyber-consommateur* : Litec, 2002. – V. aussi *supra*, n°s 145 et s. et les réf. citées en note.

(430) Directive transposée par l'ordonnance du 6 juin 2005 (*RDC* 2005, p. 1052, obs. D. Fenouillet) dans les articles L. 121-20-8 à L. 121-20-17 du Code de la consommation. – F.-E. Jouffin, *Démarchage et vente à distance de produits et services financiers : principes généraux : D.* 2006, chron. p. 1534. – F. Coupez et Th. Verbiest, *Commercialisation à distance des services financiers : bilan d'un nouveau cadre juridique : D.* 2006, chron. p. 3057.

(431) J. Berrebi, *Commentaire de la directive du 11 mai 2005 sur les pratiques commerciales déloyales (Dir. n° 2005/CE : JOUE 11 juin, n° L. 149, p. 22) : Rev. Lamy dr. civ.* sept. 2005, p. 5 ; *RDC* 2005, p. 1059, obs. D. Fenouillet. – D. Touchent, *La protection du consommateur contre les pratiques commerciales déloyales : LPA* 2 août 2006, p. 11. Cette directive a été transposée par la loi du 3 janvier 2008. – V. G. Raymond, *Les modifications au droit de la consommation apportées par la loi n° 2008-3 du 3 janvier 2008 pour le développement de la concurrence au service des consommateurs : Contrats, conc. consom.* 2008, étude 3. – M. Cannarsa, *La réforme des pratiques commerciales déloyales par la loi Chatel. Le droit commun à la rencontre du droit de la consommation : JCP* 2008, I, 180. – D. Fenouillet, *Loi du 3 janvier 2008, Pratiques commerciales déloyales, trompeuses, agressives : RDC* 2008, p. 345.

(432) G. Raymond, *Directive 2008/48/CE relative aux crédits à la consommation. Premières approches : JCP* 2008, I, 215 ; *Contrats, conc. consom.* 2008, étude 9. – A. Gourio, *La directive européenne du 23 avril 2008 concernant les contrats de crédit aux consommateurs : JCP E* 2008, n° 36, p. 17. – S. Piedelièvre, *La directive du 23 avril 2008 sur le crédit aux consommateurs : D.* 2008, chron. 2614. Cette directive a été transposée par la loi n° 2010-737 du 1er juillet 2010 : voir V. Valette-Ercole, *Vers un crédit responsable ?, À propos de la loi du 1er juillet 2010 : JCP* 2010, 779. – S. Piedelièvre, *La réforme du crédit à la consommation : D.* 2010, chron. 1952. – G. Raymond, *La loi n° 2010.737 du 1er juillet 2010 portant réforme du crédit à la consommation : Contrats, conc. consom.* 2010, étude 11 ; *RDC* 2010, 1304, obs. N. Sauphanor-Brouillaud.

La Commission européenne a également publié un Livre vert sur « la révision de l'acquis communautaire en matière de protection des consommateurs ». Ce Livre vert, auquel il devait être répondu pour le 15 mai 2007[(433)], soulevait diverses questions fondamentales, et notamment celle de savoir si l'harmonisation des droits en la matière ne devrait pas être totale, ce qui signifie qu'à la différence de la situation actuelle aucun État membre ne pourrait appliquer des règles plus protectrices que celles définies au niveau communautaire[(434)]. À la suite de cette consultation, la Commission européenne a présenté le 8 octobre 2008 une proposition de directive relative aux droits des consommateurs qui refondait quatre précédentes directives (des 20 décembre 1985, 5 avril 1993, 20 mai 1997 et 25 mai 1999) et qui, réalisant une harmonisation totale, excluait toute disposition contraire du droit national ; on n'a pas manqué de relever qu'une telle harmonisation se traduirait en France par une régression de la protection des consommateurs[(435)] et par des incidences sérieuses sur le droit commun des contrats[(436)]. Finalement ce processus a débouché plus modestement sur la directive n° 2011/83/UE du 25 octobre 2011 relative aux droits des consommateurs[(437)], reprenant et harmonisant deux seules directives, celle n° 97/7/CE relative aux contrats à distance et celle n° 85/577/CE relative aux contrats négociés en dehors des établissements commerciaux.

Dans le même sens on relèvera qu'en procédant à une harmonisation complète des règles relatives aux pratiques commerciales déloyales, la directive n° 2005/29 du 11 mai 2005 a privé les États membres de la possibilité d'adopter ou de maintenir des mesures plus restrictives que celles qu'elle définit. C'est ainsi que l'interdiction des ventes avec primes et des ventes liées a été remise en cause par la Cour de justice des Communautés européennes[(438)].

(433) G. Viney (ss dir.), *Livre vert sur le droit européen de la consommation. Réponses françaises* : SLC, 2007.

(434) B. Fauvarque-Cosson, *Quelle protection des consommateurs pour demain ? La Commission hésite et consulte* : D. 2007, chron. p. 956. – G. Raymond, *Le livre vert sur le droit communautaire de la consommation* : *Contrats, conc. consom.* 2007, étude 5. – G. Paisant, *La révision de l'acquis communautaire en matière de protection des consommateurs. À propos du Livre vert du 8 février 2007* : *JCP* 2007, I, 152.

(435) G. Paisant, *Proposition de directive relative aux droits des consommateurs. Avantage pour les consommateurs ou faveur pour les professionnels ?* : *JCP* 2009, I, 118.

(436) J. Rochfeld, *La communautarisation des sources du droit. De l'harmonisation maximale* : *RDC* 2009, p. 1. – C. Aubert de Vincelles, L. Grynbaum et J. Rochfeld, *Où sont les Français ? Ou l'urgence de la mobilisation européenne...* : D. 2009, 737. – S. Whittaker, *Clauses abusives et garanties des consommateurs : la proposition de directive relative aux droits des consommateurs et la portée de l'« harmonisation complète »* : D. 2009, chron. 1152. – C. Castets-Renard, *La proposition de directive relative aux droits des consommateurs et la construction d'un droit européen des contrats* : D. 2009, chron. 1158. – J. Rochfeld, *Les ambiguïtés des directives d'harmonisation totale : la nouvelle répartition des compétences communautaire et interne* : D. 2009, chron. 2047. – C. Aubert de Vincelles, *Naissance d'un droit commun communautaire de la consommation* : *RDC* 2009, p. 578. – J.-S. Bergé, obs. *in RDC* 2009, p. 697. – J. Rochfeld, *État des lieux des discussions relatives à la proposition de directive-cadre sur les droits du consommateur du 8 octobre 2008* : *RDC* 2009, p. 981 et *RDC* 2010, p. 15. – Y. Lequette, *Du Code civil européen à la révision de l'acquis communautaire : quelle légitimité pour l'Europe ?*, in *L'amorce d'un droit européen du contrat, Droit privé comparé et européen* : SLC, vol. 10, p. 185.

(437) *JOUE* 22 nov. 2011 ; D. 2011, 2926, obs. A. Astaix. – G. Paisant, *La directive du 25 octobre 2011 relative aux droits des consommateurs* : *JCP* 2012, 62 ; *Directive consommateurs n° 2011/83/UE du 25 octobre 2011* : *Contrats, conc. consom.* 2012, étude 3 ; *Adoption, enfin de la directive sur les droits des consommateurs* : *RDC* 2011, 1224. – M. Latina, *Les derniers développements du droit européen du contrat* : *RDC* 2012, 299.

(438) CJCE, 23 avr. 2009, aff. C-299/07 : D. 2009, 1273 et note E. Petit. – CA Paris, 5e ch., 14 mai 2009 : D. 2009, act. jurispr. 1475, obs. E. Petit. – CJCE, Gde ch., 9 nov. 2010, aff. C-540/08, *Mediaprint Zeitungs* : *RDC* 2011, 497, obs. C. Aubert de Vincelles. – Ph. Stoffel-Munck, *L'infraction de vente liée à la dérive... Observations sur les malfaçons du droit de la consommation* : *JCP* 2009, n° 27, 84. – P. Wilhem et L. Ferchiche, *Le sort des ventes subordonnées et des ventes avec primes en droit français de la consommation après l'arrêt de la CJCE du 23 avril 2009* : *Contrats, conc. consom.* 2009, étude 8. – M. Chagny, *De l'assouplissement du régime des offres liées à l'avènement d'un droit du marché ?* : D. 2009, chron. 2561 – N. Sauphanor-Brouillaud et a., *Les contrats de consommation* : LGDJ, 2012.

221. - **La notion de consommateur**(439). Si, parmi les textes français, certains ne qualifient pas le bénéficiaire de la protection, nombreux sont ceux qui visent exclusivement le consommateur. Une controverse s'est instaurée sur le point de savoir comment il fallait comprendre la notion de « consommateur » ou « non-professionnel » au sens de ces textes. La même question se pose d'ailleurs en droit européen et elle n'y a pas toujours été résolue de la même manière(440).

Une longue évolution s'est produite en droit français. C'est tout d'abord à une notion étroite que doctrine, jurisprudence et réponses ministérielles se sont ralliées pour l'application des lois du 10 janvier 1978 : le consommateur ou non-professionnel est celui qui achète pour ses besoins privés et ceux de sa famille, par opposition à ses besoins professionnels(441).

Puis certains arrêts ont décidé que celui qui acquiert un bien pour les besoins de son activité professionnelle est un « consommateur » ou un « non-professionnel » au sens de la loi lorsqu'il n'a pas de compétence relativement au bien ainsi acquis(442). C'était là une extension évidente de la notion de consommateur et, par suite, du champ d'application des diverses lois de protection des consommateurs. Mais il ne s'agissait pas d'une jurisprudence constante, certains arrêts s'en tenant à la conception stricte de la notion de consommateur(443).

Plus récemment, à propos des clauses abusives, la jurisprudence a retenu un critère différent, en décidant que les articles L. 132-1 et L. 133-1 du Code de la consommation ne s'appliquaient pas « aux contrats de fournitures de biens ou de services qui ont un rapport direct avec l'activité professionnelle exercée par le contractant »(444). Cette formule, reprise de l'ancien article L. 121-22 du Code de la consommation relatif au démarchage à domicile, tendait à une certaine uniformisation de la notion de consommateur(445). Cette jurisprudence étendait la protection

(439) M. Pizzio, *L'introduction de la notion de consommateur en droit français* : *D.* 1982, chron. 91. – Ph. Malaurie, *Le consommateur* (Rapport de synthèse au Congrès des Notaires) : *Defrénois* 1985, 1, 1040, art. 33593. – J.-P. Chazal, *Le consommateur existe-t-il ?* : *D.* 1997, 260.

(440) M. Luby, *La notion de consommateur en droit communautaire : une commode inconstance...* : *Contrats, conc. consom.* 2000, chron. 1. – M. Luby, *Notion de consommateur : ne vous arrêtez pas à l'apparence !* (À propos des arrêts de la CJCE du 22 nov. 2001, aff. C-541/99, *Sté CAPE SNC et Ideal service SRL*, et aff. C-542/99, *Ideal service MNRE Sas*) : *Contrats, conc. consom.* 2002, chron. 14. – J. Mel, *La notion de consommateur européen* : *LPA* 31 janv. 2006, p. 5.

(441) Cass. 1re civ., 15 avr. 1986 : *D.* 1986, inf. rap. 393 ; *JCP* 1986, IV, 174.

(442) Cass. 1re civ., 28 avr. 1987 : *JCP* 1987, II, 20893, obs. G. Paisant ; *D.* 1988, 1 et note Ph. Delebecque ; *D.* 1987, somm. p. 455 et note J.-L. Aubert. – Paris, 16e ch. B, 22 mars 1990 : *D.* 1990, inf. rap. p. 98. – Cass. 1re civ., 25 mai 1992 : *D.* 1993, 87 et note G. Nicolau ; *D.* 1992, somm. p. 401 et note J. Kullmann. – Cass. 1re civ., 20 oct. 1992 : *JCP* 1993, II, 22007 et note G. Paisant.

(443) Cass. 1re civ., 15 avr. 1986 : *RTD civ.* 1987, 86, obs. J. Mestre. – Cass. 1re civ., 23 juin 1987 : *Bull. civ.* 1987, I, n° 209 ; *RTD com.* 1987, 238, obs. B. Bouloc. – Cass. com., 10 mai 1989 : *Bull. civ.* 1989, IV, n° 148 ; *RTD com.* 1990, 89, obs. B. Bouloc. – Cass. 1re civ., 21 févr. 1995 : *JCP* 1995, II, 22502 et note G. Paisant.

(444) Cass. 1re civ., 24 janv. 1995 : *D.* 1995, 327 et note G. Paisant ; *Contrats, conc. consom.* 1995, comm. 84 et note L. Leveneur. – Cass. 1re civ., 3 et 30 janv. 1996 : *D.* 1996, 228 et note G. Paisant. – Cass. 1re civ., 17 nov. 1998 : *Contrats, conc. consom.* 1999, comm. 21 et note L. Leveneur. – Cass. 1re civ., 10 juill. 2001 : *D.* 2001, 2829, obs. C. Rondey ; *D.* 2002, somm. p. 932, obs. O. Tournafond ; *JCP* 2002, I, 148, nos 1 et s., obs. N. Sauphanor-Brouillaud. – Cass. 1re civ., 5 mars 2002 : *JCP* 2002, II, 10123 et note G. Paisant. – Cass. 1re civ., 22 mai 2002 : *Bull. civ.* 2002, I, n° 143, p. 110. – A. Cathelineau, *La notion de consommateur en droit interne : à propos d'une dérive...* : *Contrats, conc. consom.* 1999, chron. 13. – Rappr. M. Luby, *La notion de consommateur en droit communautaire : une commode inconstance* : *Contrats, conc. consom.* 2000, chron. 1. – G. Paisant, *À la recherche du consommateur. Pour en finir avec l'actuelle confusion née de l'application du critère du « rapport direct »* : *JCP* 2003, I, 121. – CJCE, 19 janv. 1993 : *D.* 1993, somm. p. 214, obs. J. Kullmann.

(445) Cass. 1re civ., 15 avr. 1982 : *D.* 1984, 439, note J.-P. Pizzio. – V. aussi V. Wester-Ouisse, *La notion de consommateur à la lumière de la jurisprudence pénale* : *JCP* 1999, I, 176.

des consommateurs aux professionnels lorsque le contrat passé n'a qu'un rapport indirect avec la profession exercée[(446)].

Désormais la définition du consommateur est donnée par la loi du 17 mars 2014 qui reprend la définition retenue en droit européen dans un article préliminaire inséré dans le Code de la consommation : « Au sens du présent code, est considérée comme un consommateur toute personne physique qui agit à des fins qui n'entrent pas dans le cadre de son activité commerciale, industrielle, artisanale ou libérale »[(447)(448)].

On pourrait corrélativement s'interroger sur la notion de *professionnel*, et notamment sur le point de savoir si les services publics ne sont pas des professionnels et si, en conséquence, l'usager du service public n'est pas un consommateur bénéficiant de la protection de la loi[(449)] (V. *infra*, n° 336).

Si, de manière très générale, le consommateur est un particulier acheteur de biens ou de services, il peut arriver que ce particulier vende des choses d'occasion à un professionnel. Il ne bénéficie alors d'aucune protection[(450)], sauf dans le cas de vente de bijoux ou de métaux précieux à un professionnel[(451)].

B. – La technique de protection

222. – **Protection *a posteriori* et protection *a priori*.** Traditionnellement le droit ne connaît que des modes de protection *a posteriori*, sous la forme d'actions en justice tendant à faire prononcer la nullité d'un contrat ou la condamnation à dommages et intérêts de celui qui a commis une faute (faute précontractuelle, dol, violence, et même erreur dans le projet de réforme) dans la conclusion de ce contrat ; il peut même s'agir parfois d'une sanction pénale, dont on peut espérer que la crainte de l'encourir aura un effet dissuasif. Non seulement les lois récentes ont perfectionné ce type de protection, mais en outre elles ont instauré une protection *a priori* par la mise en place de nouveaux mécanismes contractuels tendant à assurer une réelle liberté du consentement.

223. – **L'action en représentation conjointe des associations de consommateurs[(452)].** Le consommateur victime peut intenter les actions en justice classiques

(446) Par ex., il n'y a pas de rapport direct entre l'activité pastorale de curé d'une paroisse et l'acquisition d'un photocopieur pour les besoins de la paroisse : Cass. 1re civ., 8 juill. 2004 : *JCP* 2004, II, 10107, note C. Duvert et N. Sauphanor-Brouillaud ; *JCP* 2004, I, 123, nos 18-25, obs. N. Sauphanor-Brouillaud. En revanche, l'association sportive qui contracte un emprunt pour financer l'acquisition de son siège social accomplit un acte en rapport avec son activité professionnelle : Cass. 1re civ., 27 sept. 2005 : *RDC* 2006, p. 359, obs. M. Bruschi. – V. cep. Cass. 1re civ., 19 juin 2013 : *JCP* 2013, 957 et note G. Paisant. – V. D. Mazeaud, *Les professionnels sont des consommateurs comme les autres*, in *Mél. Ph. Merle* : Dalloz, 2012.

(447) G. Paisant, *Vers une définition générale du consommateur dans le Code de la consommation* : *JCP* 2013, 589. – G. Raymond, *Définition légale du consommateur par l'article 3 de la loi n° 2014-344 du 17 mars 2014* : *Contrats, conc. consom.* mai 2014 : Dossier 3.

(448) Sur l'application de cette définition au consommateur en matière immobilière, voir C. Noblot, *Réflexions sur l'immeuble d'habitation en droit de la consommation* : *JCP* N 2008, 1361.

(449) J. Chevallier, *Les droits du consommateur usager de services publics* : *Dr. soc.* févr. 1975. – J. Amar, *De l'usager au consommateur de service public*, préf. A. Ghozi : PUAM, 2001. – J. Amar, *Plaidoyer en faveur de la soumission des services publics administratifs au droit de la consommation* : *Contrats, conc. consom.* 2002, chron. 2. – S. Perdu, *Le juge administratif et la protection des consommateurs* : *AJDA* 2004, 481. – R. Noguellou, *Le consommateur et les services publics*, in *Travaux Assoc. H. Capitant*, Journées colombiennes, 2007, p. 565.

(450) E. Giquiaud, *Le consommateur vendeur* : *D.* 2014, 559.

(451) C. consom., art. L. 121-99 et s.

(452) A. de Laforcade, *L'évolution du droit d'agir des associations de consommateurs* : *RTD com.* 2011, 711.

(en nullité pour vice du consentement, par exemple) ou celles nouvelles que lui ouvrent les diverses lois de protection (en nullité d'une clause abusive, par exemple). Sa tâche se trouve aujourd'hui facilitée par la loi qui décide qu'en cas de doute, les clauses des contrats proposés par les professionnels aux consommateurs « s'interprètent dans le sens le plus favorable au consommateur ou au non-professionnel » (C. consom., art. L. 133-2, al. 2).

Mais l'expérience démontre que, s'agissant d'un intérêt en jeu relativement modeste, le simple particulier renonce souvent à exercer une action à raison du coût incompressible de l'accès à la justice, des ennuis et inconvénients divers afférents à toute procédure dont le succès n'est d'ailleurs jamais assuré.

Pour tourner cet inconvénient la loi du 5 janvier 1988 (C. consom., art. L. 421-1 et s.) a largement ouvert l'action en justice des groupements de consommateurs(453), qui peuvent notamment agir en cessation de tout « agissement illicite » et en suppression des clauses illicites ou abusives « dans tout contrat ou type de contrat proposé ou destiné au consommateur »(454) (V. *infra*, n° 348). Faute de rapport contractuel entre l'association et le professionnel dont la responsabilité est recherchée, l'action est de nature délictuelle ou quasi délictuelle(455).

Art. L. 421-1. – Les associations régulièrement déclarées ayant pour objet statutaire explicite la défense des intérêts des consommateurs peuvent, si elles ont été agréées à cette fin, exercer les droits reconnus à la partie civile relativement aux faits portant un préjudice direct ou indirect à l'intérêt des consommateurs.

Les organisations définies à l'article L. 211-2 du Code de l'action sociale et des familles sont dispensées de l'agrément pour agir en justice dans les conditions prévues au présent article.

Art. L.421-2. – Les associations de consommateurs mentionnées à l'article L. 421-1 et agissant dans les conditions précisées à cet article peuvent demander à la juridiction civile, statuant sur l'action civile, ou à la juridiction répressive, statuant sur l'action civile, d'ordonner au déendeur ou au prévenu, le cas échéant sous astreinte, toute mesure destinée à faire cesser des agissements illicites ou à supprimer dans le contrat ou le type de contrat proposé aux consommateurs une clause illicite.

Elles peuvent également demander, selon le cas, à la juridction civile ou à la juridiction répressive de déclarer que cette clause est réputée non écrite dans tous les contrats identiques conclus par le défendeur ou le prévenu avec des consommateurs, y compris les contrats qui ne sont plus proposés, et de lui ordonner d'en informer à ses frais les consommateurs concernés par tous moyens appropriés.

Ajoutant à cette loi, la loi du 18 janvier 1992 (C. consom., art. L. 422-1) ouvre à certaines associations agréées, devant toutes les juridictions, civiles ou pénales, une action qualifiée d'*action en représentation conjointe*(456) (V. aussi *infra*, n° 348).

(453) L. Bihl, *La loi du 5 janvier 1988 sur l'action collective des organisations de consommateurs* : *Gaz. Pal.* 1988, 1, doctr. 268. – J. Calais-Auloy, *Les actions en justice des associations de consommateurs* : *D.* 1988, chron. 193. – G. Paisant, *Les nouveaux aspects de la lutte contre les clauses abusives* : *D.* 1988, chron. 253. – G. Viney, *Un pas vers l'assainissement des pratiques contractuelles : la loi du 5 janvier 1988 relative aux actions en justice des associations agréées de consommateurs* : *JCP* 1988, I, 3355. – L. Boré, *La défense des intérêts collectifs par les associations devant les juridictions administratives et judiciaires*, préf. G. Viney : LGDJ, 1977. – J. Franck, *Pour une véritable réparation du préjudice causé à l'intérêt collectif des consommateurs*, in *Mél. Calais-Auloy* : Dalloz, 2003, p. 409. – Pour une application, V. Cass. 1re civ., 5 oct. 1999 : *D.* 2000, 110 et note G. Paisant.

(454) R. Martin, *Notes sur l'action associative en suppression des clauses abusives dans les contrats* : *Contrats, conc. consom.* 1994, chron. 8. – G. Viney, *Actions associatives et actions de groupe*, in *Mél. Malinvaud* : Litec, 2007, p. 697.

(455) CJCE, 1er oct. 2002, aff. C-167/00. – V. aussi Dir. n° 2009/22/CE, 23 avr. 2009 : *JOUE* n° L 110, 1er mai 2009.

(456) G. Raymond, *Commentaire de la loi n° 92-60 du 18 janv. 1992 renforçant la protection des consommateurs* : *Contrats, conc. consom.* 1992, n° 2 ; V. nos 78 et s. – R. Martin, *L'action en représentation conjointe des consommateurs* : *JCP* 1994, I, 3756. – L. Boré, *L'action en représentation conjointe : class action française ou action mort-née ?* : *D.* 1995, chron. 267. – F. Caballero, *Plaidons par procureur ! De l'archaïsme procédural à l'action de groupe* : *RTD civ.* 1985, 247. – S. Guinchard, *L'action de groupe en procédure civile française* : *RID comp.* 1990, 599. – L. Boré, *La défense des intérêts collectifs par les*

Art. L. 422-1. – Lorsque plusieurs consommateurs, personnes physiques, identifiés ont subi des préjudices individuels qui ont été causés par le fait d'un même professionnel, et qui ont une origine commune, toute association agréée et reconnue représentative sur le plan national en application des dispositions du Titre 1er peut, si elle a été mandatée par au moins deux des consommateurs concernés, agir en réparation devant toute juridiction au nom de ces consommateurs.

Le mandat ne peut être sollicité par voie d'appel public télévisé ou radiophonique, ni par voie d'affichage, de tract ou de lettre personnalisée. Il doit être donné par écrit et par chaque consommateur.

Art. L. 422-2. – Tout consommateur ayant donné son accord, dans les conditions prévues à l'article L. 422-1, à l'exercice d'une action devant une juridiction pénale est considéré en ce cas comme exerçant les droits reconnus à la partie civile en application du Code de procédure pénale. Toutefois, les significations et notifications qui concernent le consommateur sont adressées à l'association.

Sans aller jusqu'à instituer une action de groupe calquée sur le modèle des *class actions* connues aux États Unis(457), la loi permet donc aux consommateurs, victimes d'un préjudice causé par le fait d'un même professionnel, de donner mandat à l'association de les représenter en justice(458). C'est là une entorse au principe « nul ne plaide par procureur », qui devrait faciliter l'exercice de l'action en responsabilité contre les vendeurs professionnels et les fabricants. Néanmoins on constate qu'en pratique cette voie n'a pas séduit les associations de consommateurs à raison de la contrainte liée à la réunion de multiples mandats(459), de l'ampleur des responsabilités encourues et du poids financier lié à la gestion de trop nombreux dossiers.

Cette difficulté pourrait être levée en application d'un récent arrêt de la Cour de justice de l'Union européenne suivant lequel une décision prononçant la nullité d'une clause abusive pourrait être invoquée par tout consommateur, même n'ayant pas été partie à l'instance(460).

Parallèlement la pratique a tenté de mettre en place un mécanisme amiable de médiation collective(461).

224. – L'action de groupe instituée par la loi du 17 mars 2014. Dans le même temps que les États-Unis tentaient de lutter contre la dérive des *class actions* en les canalisant devant certaines juridictions(462), un projet de loi « en faveur des consommateurs » soumis au Parlement comportait un volet tendant à instaurer en droit français une action de groupe en faveur des consommateurs(463). Après bien des

associations devant les juridictions administratives et judiciaires : LGDJ, coll. « Droit privé », 1997, t. 278, préf. G. Viney. – G. Viney, *Actions associatives et actions de groupe, in Mél. Malinvaud* : Litec, 2007, p. 697.

(457) R. et J. Martin, *L'action collective* : *JCP* 1984, I, 3162. – C. Le Gallou, *Les* class actions *en droit américain* : *Rev. Lamy dr. civ.* nov. 2011, p. 69.

(458) M.-J. Azard-Baud, *Les actions collectives en droit de la consommation* : Dalloz, Bibl. thèses, vol. 121, 2013.

(459) V. Cass. 1re civ., 26 mai 2011 (interdiction du démarchage en vue de recueillir des mandats) : *D.* 2011, 1548, obs. X. Delpech ; *D.* 2011, 1884, note N. Dupont ; *Contrats, conc. consom.* 2011, comm. 201, obs. G. Raymond ; *RDC* 2011, 1252, obs. N. Sauphanor-Brouillaud ; *RDC* 2012, 151, obs. C. Pelletier.

(460) CJUE, 26 avr. 2012, aff. C-472/10, *Invitel Tavközlési Zrt.* : *D.* 2012, 1182 ; *JCP* 2012, 840, note G. Paisant.

(461) L. Ascenci et S. Bernheim-Desvaux, *La médiation collective, solution amiable pour résoudre les litiges de masse ?* : *Contrats, conc. consom.* 2012, Études 9 et 10.

(462) V. aussi C. Le Gallou, *La Cour suprême américaine freine la plus grande* class action *jamais menée* : *D.* 2011, 2284.

(463) D. Mainguy, *À propos de l'introduction de la* class action *au droit français* : *D.* 2005, point de vue, p. 1282. – H. Temple, *« Class action » et économie de marché* : *JCP* 2005, act. 284. – S. Guinchard, *Une* class action *à la française ?* : *D.* 2005, chron. p. 2180. – A. Outin-Adam et J. Simon, *Faut-il ou non une* class action *à la française ? Synthèse du colloque du 13 avril 2005, CCIP-MEDEF* : *LPA* 13 sept. 2005, p. 3. – D. Mainguy et a., *L'introduction en droit français des* class actions : *LPA* 22 déc. 2005, p. 6. – S. Cabrillac, *Pour l'introduction de la* class action *en droit français* : *LPA* 18 août 2006, p. 4. – *Les actions de groupe. Implications processuelles et substantielles* : *Rev. Lamy dr. civ.* déc. 2006, p. 59 et s. – H. Claret et G. Paisant, *Un nouveau projet de loi en faveur des consommateurs* : *JCP* 2006, act. 564. – D. Fenouillet, *Premières remarques sur le projet de loi « en faveur des consommateurs » ou comment un inventaire à la Prévert dissimule mal l'asphyxie de l'action de groupe* : *D.* 2006, chron. p. 2987. – L. Gaudin, *L'introduction d'une*

vicissitudes ce projet a finalement débouché sur la loi du 17 mars 2014 dont le chapitre 1 est consacré à l'action de groupe[464]. Ces nouveaux textes enlèvent une part de son intérêt à l'action en représentation conjointe, qui est néanmoins conservée. Ils sont intégrés dans le Code de la consommation aux articles L. 423-1 à L. 423-26.

Cette action de groupe est en quelque sorte d'ordre public dans la mesure où la loi prévoit qu'« est réputée non écrite toute clause ayant pour objet ou effet d'interdire à un consommateur de participer à une action de groupe » (C. consom., art. L. 423-25).

Il s'agit là d'un mécanisme assez original tendant à assurer la protection des consommateurs, tout en cherchant à éviter les dérives dénoncées en droit américain[465]. On en décrira le champ d'application, la procédure, et diverses modalités particulières.

225. - **L'action de groupe : Champ d'application.** Le champ d'application de l'action de groupe est limité à plusieurs égards, ainsi qu'il ressort de l'article L. 423-1 du Code de la consommation.

Quant aux acteurs, l'action n'est ouverte qu'aux associations de défense des consommateurs représentatives au niveau national et agréées en application de l'article L. 411-1. Et l'association ne peut agir qu'au profit des consommateurs personnes physiques victimes « à l'occasion de la vente de biens ou de la fourniture de services ».

Ces consommateurs ne peuvent être réunis au sein d'un groupe que si leurs préjudices individuels ont été subis alors qu'ils étaient « placés dans une situation similaire ou identique ».

Quant aux préjudices subis, il doit s'agir de « préjudices patrimoniaux résultant des dommages matériels subis par les consommateurs ». Il s'ensuit que la réparation des autres préjudices éventuellement subis par un consommateur, et notamment les préjudices corporels ne relèvent pas de l'action de groupe, mais d'une action individuelle que tout consommateur victime, même membre du groupe, est libre d'intenter (art. L. 423-22).

226. - **L'action de groupe : procédure**. Tout d'abord, l'action ne peut etre portée que devant le tribunal de grande instance. De manière quelque peu singulière, la procédure se déroule en deux temps : jugement sur la responsabilité d'abord, puis constitution du groupe de victimes à indemniser.

---

action de groupe en droit français : présentation du projet de loi en faveur des consommateurs : *LPA* 17 janv. 2007, p. 3. – V. aussi *Les « class actions » devant le juge français : rêve ou cauchemar* : *LPA* 10 juin 2005, p. 2. – C. Prieto, *Actions de groupe et pratiques anticoncurrentielles : perspectives d'évolution... au Royaume Uni* : *D.* 2008, chron. 232 ; *Vers une action de groupe... à la française* : *Rev. conc. consom.* 2008, Dossier « Concurrence », n° 2, p. 19. – P. Cassia, *Vers une action collective en droit administratif* : *RFDA* 2009, p. 657. – M. Douchy-Oudot, *Où en est-on de l'action de groupe ?* : *Dr. et proc.* 2010, p. 41. – M. Barcaroli et G. Patetta, *Action de groupe : alors que la France recule, l'Italie avance* : *Rev. Lamy dr. civ.* avr. 2010, 63. – L. Boré et Y. Strichler, *Faut-il avoir peur de l'action de groupe ?* : *Rev. Dr. Assas*, n° 9, févr. 2014, p. 11.

(464) M. Bakache, Introduction de l'action de groupe en droit français : *JCP* 2014, 377. – L. François-Martin et I. Daulouède, *L'introduction de l'action de groupe en droit français : entre risque et incertitude pour les entreprises* : *Contrats, conc. consom.* mai 2014, Dossier 5. – V. Rebeyrol, *La nouvelle action de groupe* : *D.* 2014, 940. – N. Molfessis, *L'exorbitance de l'action de groupe à la française* : *D.* 2014, 947 ; D. Mainguy et M. Depincé, *L'action de groupe, nouvelle procédure du droit français de la consommation* : *Dr. et patr.* mai 2014, p. 34. – V. aussi C. Abid, *Le renouveau de l'arbitrage international dans les litiges de consommation : l'introduction de l'arbitrage collectif en France* : *RTD com.* 2014, 27.

(465) K. Haeri et B. Javaux, *L'action de groupe à la française, une curiosité* : *JCP* 2014, 375 (qui relèvent les dérives possibles.

Dans un premier temps, à partir de quelques victimes sélectionnées par l'association , celle-ci va saisir le Tribunal de grande instance compétent (celui du domicile desdites victimes) pour que le juge :

- constate que les conditions de recevabilité de l'article L. 423-1 sont réunies ;
- statue sur la responsabilité du professionnel au vu des cas individuels présentés ;
- définisse le groupe de consommateurs à l'égard desquels la responsabilité du professionnel est engagée ;
- détermine les préjudices susceptibles d'être réparés pour chaque consommateur ou chacune des catégories de consommateurs constituant le groupe précédemment défini, ainsi que leur montant ou tous les éléments permettant l'évaluation de ces préjudices.

Par cette même décision, le tribunal, s'il décide que la responsabilité du professionnel est engagée, ordonne les mesures adaptées pour en informer les consommateurs susceptibles d'appartenir au groupe (C. consom., art. L. 423-4) ; cette publicité incombe au professionnel. Par ailleurs le tribunal fixe le délai – entre deux et six mois à compter de la publicité – dont disposent les consommateurs pour adhérer au groupe (C. consom., art. L. 423-5). On peut penser que l'association veillera à ce que cette publicité soit la plus large possible afin de réunir le maximum de consommateurs victimes.

Enfin le jugement précise si les consommateurs s'adressent directement au professionnel ou par l'intermédiaire de l'association, étant précisé que l'adhésion au groupe vaut mandat aux fins d'indemnisation au profit de l'association requérante.

Dans un second temps, dans le délai fixé par le jugement (C. consom., art. L. 423-7), interviendra l'indemnisation – dans les conditions, limites et délais fixés par le jugement – indemnisation qui, suivant les cas, sera versée soit à l'association, soit directement au consommateur victime. Le montant total de cette indemnisation dépendra du nombre de consommateurs victimes ayant adhéré au groupe, si bien que, au début de la procédure, le professionnel ne sera pas en mesure d'en connaître le coût global.

Les difficultés d'exécution seront réglées par le juge qui a statué sur la responsabilité (C. consom., art. L. 423-12 à L. 423-15).

227. – **L'action de groupe : modalités particulières.** En marge de l'action de groupe normale, la loi a prévu une procédure d'action de groupe dite « simplifiée » « lorsque l'identité et le nombre des consommateurs lésés sont connus et lorsque ces consommateurs ont subi un préjudice d'un même montant, d'un montant identique par prestation rendue ou d'un montant identique par référence à une période ou à une durée » (C. consom., art. L. 423-10). En pareil cas, comme il n'y a pas de problème de publicité en vue de la constitution d'un groupe, le juge « après avoir statué sur la responsabilité du professionnel, peut condamner ce dernier à les indemniser directement et individuellement dans un délai et selon des modalités qu'il fixe ».

Par ailleurs la loi a prévu une procédure de médiation aux fins d'obtenir la réparation des préjudices individuels des consommateurs victimes (C. consom., art. L. 423-15 et L. 423-16). Cette médiation ne peut être menée que par l'association requérante et l'accord négocié au nom du groupe « est soumis à l'homologation du juge, qui vérifie s'il est conforme aux intérêts de ceux auxquels il a vocation à s'appliquer et lui donne force exécutoire ». Au même titre que le jugement sur la responsabilité, cet accord doit préciser « les mesures de publicité nécessaires pour informer les consommateurs concernés de la possibilité d'y adhérer, ainsi que les délais et modalités de cette adhésion » (C. consom., art. L. 423-16).

Enfin, l'action de groupe est soumise à des modalités spécifiques dans le cas où les manquements reprochés au professionnel tiennent au non respect des règles françaises ou européennes du droit de la concurrence. En pareil cas, la responsabilité du professionnel ne peut être retenue dans le cadre de l'action de groupe que sur le fondement d'une décision définitive des autorités ou juridictions nationales ou de l'Union européenne constatant les manquements du professionnel (C. consom., art. L. 423-17). En bref, l'action de groupe est ici subordonnée à la décision rendue en matière de concurrence, ce qui retardera d'autant sa mise en œuvre.

228. - **Les nouveaux mécanismes de formation des contrats.** La véritable originalité des textes récents réside dans une protection *a priori*. L'idée est que, pour écarter les abus inhérents aux contrats d'adhésion, il est préférable d'agir en amont et de mettre en place des mécanismes propres à assurer l'équilibre du contrat et à conférer au consommateur une véritable liberté de contracter.

Il va sans dire que ces mécanismes bouleversent profondément le processus contractuel classique et remettent en cause nombre de principes de base du droit commun des obligations. De nouvelles règles régissent ici la formation du contrat, son contenu, et même sa mise en œuvre.

C'est dire que ces dispositions, dont le champ d'application est très vaste et qui sont d'ordre public[466], font vaciller sur leurs bases des principes aussi ancrés dans notre droit que ceux de l'autonomie de la volonté, du consensualisme, de la liberté contractuelle et de l'effet obligatoire du contrat[467].

Comme l'indique l'intitulé même des lois « Scrivener », les mécanismes mis en place tendent à assurer la liberté du consentement par deux voies : l'information d'abord, la protection ensuite.

1° L'information du consommateur[468]

a) L'information du public en général

229. - **Généralités.** Pour être valable le consentement doit être éclairé. Or il n'est pas douteux que la technique naturelle du commerce consiste à séduire le consommateur, plus qu'à l'éclairer : il faut allécher le client avant de le « fidéliser ».

---

(466) D. Nguyen Thanh-Bourgeais, *Les contrats entre professionnels et consommateurs et la portée de l'ordre public dans les lois Scrivener du 10 janvier 1978 et du 13 juillet 1979 : D.* 1984, chron. 91.

(467) M. Borysrewicz, *Les règles protectrices du consommateur et le droit commun des contrats*, in *Études Kayser*, p. 91. – M. Armand-Prévost et D. Richard, *Le contrat déstabilisé (de l'autonomie de la volonté au dirigisme contractuel) : JCP* 1979, I, 2952. – G. Berlioz, *Droit de la consommation et droit des contrats : JCP* 1979, I, 2954. – G. Cornu, *L'évolution du droit des contrats en France : RID comp.* 1979, vol. 1, p. 447. – G. Rouhette, *Droit de la consommation et théorie générale du contrat*, in *Mél. Rodière*, 1981. – Ph. Malinvaud, art. préc. – J. Calais-Auloy, *L'influence du droit de la consommation sur le droit civil des contrats : RTD civ.* 1994, 239. – N. Sauphanor, *L'influence du droit de la consommation sur le droit civil des contrats*, préf. J. Ghestin : LGDJ, coll. « Bibl. Droit privé », 2000, t. 326. – N. Rzepecki, *Droit de la consommation et théorie générale du contrat*, préf. G. Wiederkehr : PUAM, 2001. – D. Mazeaud, *Droit commun du contrat et droit de la consommation. Nouvelles frontières ?*, in *Mél. Calais-Auloy*, 2003, p. 697. – E. Poillot, *Droit européen de la consommation et uniformisation du droit des contrats* : LGDJ, 2006, préf. P. de Vareilles-Sommières.

(468) B. Bonjean, *Le droit à l'information des consommateurs* in L'information en droit privé, 1978. – J. Calais-Auloy, *L'information des consommateurs par les professionnels*, in *Dix ans de droit de l'entreprise*, 1979.

La démarche du législateur a été inverse : il convient d'éclairer le consommateur afin qu'il puisse exercer un libre choix.

L'information vise d'abord tout client potentiel, ce qui déborde très largement la notion de cocontractant et par là même le domaine du contrat, sauf à y voir une obligation précontractuelle très générale de renseignements à l'égard du public. On se bornera donc à présenter ici un très rapide survol de la réglementation en la matière.

230. – **L'obligation d'information en général.** Pendant longtemps cette obligation ne résultait que de la jurisprudence et des principes généraux du droit des contrats. Elle est désormais consacrée expressément par le Code de la consommation dans un tout premier chapitre intitulé « Obligation générale d'information précontractuelle », dont les dispositions été sensiblement modifiées par la loi du 17 mars 2014 ; ces nouvelles dispositions sont applicables aux contrats conclus après le 13 juin 2014.

Art. L. 111-1. – Avant que le consommateur ne soit lié par un contrat de vente de biens ou de fourniture de services, le professionnel communique au consommateur, de manière lisible et compréhensible, les informations suivantes :

1° Les caractéristiques essentielles du bien ou du service, compte tenu du support de communication utilisé et du bien ou service concerné ;

2° Le prix du bien ou du service, en application des articles L. 113-3 et L. 113-3-1 ;

3° En l'absence d'exécution immédiate du contrat, la date ou le délai auquel le professionnel s'engage à livrer le bien ou à exécuter le service ;

4° Les informations relatives à son identité, à ses coordonnées postales, téléphoniques et électroniques et à ses activités, pour autant qu'elles ne ressortent pas du contexte, ainsi que, s'il y a lieu, celles relatives aux garanties légales, aux fonctionnalités du contenu numérique et, le cas échéant, à son interopérabilité, à l'existence et aux modalités de mise en œuvre des garanties et aux autres conditions contractuelles. La liste et le contenu précis de ces informations sont fixés par décret en Conseil d'État.

Le présent article s'applique également aux contrats portant sur la fourniture d'eau, de gaz ou d'électricité, lorsqu'ils ne sont pas conditionnés dans un volume délimité ou en quantité déterminée, ainsi que de chauffage urbain et de contenu numérique non fourni sur un support matériel. Ces contrats font également référence à la nécessité d'une consommation sobre et respectueuse de la préservation de l'environnement.

Art. L. 111-2. – Outre les mentions prévues à l'article L. 111-1, tout professionnel, avant la conclusion d'un contrat de fourniture de services et, lorsqu'il n'y a pas de contrat écrit, avant l'exécution de la prestation de services, met à la disposition du consommateur ou lui communique, de manière lisible et compréhensible, les informations complémentaires relatives à ses coordonnées, à son activité de prestation de services et aux autres conditions contractuelles, dont la liste et le contenu sont fixés par décret en Conseil d'État. Ce décret précise celles des informations complémentaires qui ne sont communiquées qu'à la demande du consommateur.

II. – Le I du présent article ne s'applique ni aux services mentionnés aux livres Ier à III et au titre V du livre V du Code monétaire et financier, ni aux opérations pratiquées par les entreprises régies par le Code des assurances, par les mutuelles et unions régies par le livre II du Code de la mutualité et par les institutions de prévoyance et unions régies par le titre III du livre IX du Code de la sécurité sociale.

Art. L. 111-4. – I. – En cas de litige relatif à l'application des articles L. 111-1 à L. 111-3, il appartient au professionnel de prouver qu'il a exécuté ses obligations.

II. – Les articles L. 111-1 et L. 111-2 s'appliquent sans préjudice des dispositions particulières en matière d'information des consommateurs propres à certaines activités.

Art. L. 111-6. – Tout manquement aux articles L. 111-1 à L. 111-3 et à l'article L. 111-5 est passible d'une amende administrative dont le montant ne peut excéder 3 000 € pour une personne physique et 15 000 € pour une personne morale. L'amende est prononcée dans les conditions prévues à l'article L. 141-1-2.

(...)

Enfin l'ensemble de ces dispositions sont déclarées d'ordre public (art. L. 111-7).

Outre l'amende administrative stipulée à l'article L. 111-6, le manquement à cette obligation d'information précontractuelle relève également du droit commun, c'est-à-dire, si les conditions en sont réunies, d'une action en nullité pour erreur ou dol, ou encore d'une action en responsabilité civile.

On relèvera à cet égard que le projet de réforme du droit des obligations instaure également une obligation générale d'information dans les contrats, infiniment moins détaillée que celle retenue ci-dessus pour les consommateurs, et qui a vocation à s'appliquer à tout contractant, qu'il soit ou non consommateur (art. 37) (V. *infra*, n° 234).

231. - **Réglementation de la publicité**[(469)] **: de la publicité mensongère aux pratiques commerciales trompeuses.** Dans le souci d'offrir au consommateur une information sur l'objet du contrat qui lui est proposé, la loi rend obligatoire la publicité de certains éléments : par exemple, obligation d'affichage des prix, d'étiquetage des produits préemballés, obligation d'annoncer les prix au litre ou au kilo, d'indiquer le taux effectif global (TEG) en matière de crédit à la consommation ou de crédit immobilier, etc.

Réciproquement certaines publicités sont interdites parce que trompeuses. Ont été ainsi réprimées pénalement la publicité mensongère (L. 2 juill. 1963, art. 5 et 6), puis la publicité simplement fausse, de nature à induire en erreur le consommateur (L. 27 déc. 1973), et désormais les « pratiques commerciales trompeuses » par action ou par omission[(470)]. Ces textes sont codifiés aux articles L. 121-1 et suivants du Code de la consommation[(471)].

Pendant longtemps, la jurisprudence a étendu cette interdiction à la publicité comparative, considérée comme une manifestation de concurrence déloyale ; puis elle a admis la publicité qui se borne à la comparaison des prix auxquels des produits identiques sont vendus, dans les mêmes conditions, par des commerçants différents, contribuant à assurer la transparence d'un marché soumis à la concurrence[(472)]. Par la suite, la loi du 18 janvier 1992 a consacré la licéité de la publicité comparative (C. consom., art. L. 121-8 et s.), tout en l'enserrant dans un faisceau de conditions assez strictes[(473)] ; ces textes ont

(469) *La publicité-propagande*, in *Trav. Assoc. H. Capitant*, t. XXXII, 1981, V. spéc. I, *La publicité et le consommateur*, rapp. M. Pédamon, p. 105. – P. Bauge-Magnan, *Le consommateur et la publicité* : thèse Paris II, 1984. – R. Saint-Esteben et J.D. Bretzner, *La charge de la preuve en matière de publicité trompeuse ou de nature à induire en erreur* : D. 2006, p. 1610.

(470) G. Raymond, *Les modifications au droit de la consommation apportées par la loi n° 2008-3 du 3 janvier 2008 pour le développement de la concurrence au service des consommateurs : Contrats, conc. consom.* 2008, étude 3. – M. Cannarsa, *La réforme des pratiques commerciales déloyales par la loi Chatel. Le droit commun à la rencontre du droit de la consommation : JCP* 2008, I, 180. – D. Fenouillet, *Loi du 3 janvier 2008, Pratiques commerciales déloyales, trompeuses, agressives : RDC* 2008, p. 345. Et il s'agit là d'un délit non intentionnel pour lequel l'élément intentionnel n'est donc pas exigé (Cass. crim., 15 déc. 2009, n° 09-83059).

(471) D. Fenouillet, *Loi de modernisation de l'économie du 4 août 2008 et réforme du droit des pratiques commerciales déloyales : RDC* 2009, p. 128. – H. Claret, *La loyauté des pratiques commerciales à l'égard des consommateurs. Plaidoyer pour une refonte : Contrats, conc. consom.* 2014, Étude 1.

(472) V. A. Pirovano, *Publicité comparative et protection des consommateurs* : *D.* 1974, chron. 279. – Cass. com., 22 juill. 1986 : *D.* 1986, 436 et note G. Cas. – TGI Paris, 1re ch., 18 janv. 1989 : *JCP* 1989, II, 21312, obs. G. Heidsieck. – Cass. com., 29 mars 1989 : *D.* 1989, 408 et note Y. Serra.

(473) J.-Cl. Fourgoux, *L'article 10 de la loi du 18 janvier 1992. Feu sur la publicité comparative* : *Gaz. Pal.* 14 avr. 1992. – Y. Serandour, *L'avènement de la publicité comparative en France. Article 10 de la loi du 18 janvier 1992 renforçant la*

été toilettés par l'ordonnance du 23 août 2001[474] transposant la directive CE n° 97-55 du 6 octobre 1997[475] et par l'article 45 de la loi de simplification et d'amélioration du droit du 17 mai 2011.

232. – **Réglementation des labels.** La loi prévoit diverses dispositions destinées à faciliter l'information du consommateur par une réglementation de la « qualification des produits », c'est-à-dire des *labels* dont l'attribution se trouve étroitement réglementée. Spécialement, les articles L. 115-27 et suivants du Code de la consommation, qui définissent le *certificat de produits ou de services* et les conditions de sa délivrance, interdisent en fait les labels de complaisance que les fabricants pouvaient s'attribuer à eux-mêmes par le biais d'organismes de façade. Dans la mesure où les labels ont un impact publicitaire souvent très important sur les consommateurs, il faut voir, dans cette réglementation, un souci de moralisation de la publicité et d'information loyale du public. Ne subsistent donc plus que les labels officiels (par ex., la norme NF délivrée par l'AFNOR, les appellations d'origine contrôlée, AOC, consacrées par l'INAO, etc.) et les labels privés délivrés par des organismes agréés par l'autorité administrative.

Par ailleurs, la loi a créé un *laboratoire d'essais*, dont le rôle permet d'assurer la protection et l'information des consommateurs (C. consom., art. L. 561-1).

b) L'information du cocontractant[476]

233. – **L'obligation de renseignements du droit commun.** Ce n'est pas d'aujourd'hui que date le souci d'assurer au contractant une information loyale sur les données du contrat. Le principe en était inscrit en filigrane de la théorie générale des contrats, et il était même postulé par le consensualisme.

Mais ce souci ne trouvait pas sa traduction dans des textes précis, à l'exception de l'article 1116 du Code civil qui, en consacrant le dol comme vice du consentement, pose l'obligation de ne pas tromper le cocontractant et, à cette fin, de s'abstenir de manœuvres, mensonges ou réticences. La jurisprudence a tenté d'adapter ce texte aux besoins du temps. Ainsi, dans l'appréciation de l'existence du dol, elle tient compte de la qualité respective des parties, et du fait que l'un des cocontractants est en position d'infériorité par rapport à l'autre. C'est ainsi également que la réticence est presque toujours considérée comme dolosive dans les rapports entre professionnel et consommateur ; et de même l'appréciation du caractère déterminant du dol sera fonction du degré d'inexpérience de l'un et de la confiance qu'il accordait légitimement à l'autre.

Au-delà de l'obligation négative de ne pas tromper, la jurisprudence a finalement consacré une obligation positive de renseignements (V. *supra*, n° 196), spécialement

protection des consommateurs : *JCP* 1992, I, 3596. – M. Luby, *Propos critiques sur la légalisation de la publicité comparative* : *D.* 1993, chron. 53.

(474) Ph. Laurent, *La publicité comparative harmonisée* : *Contrats, conc. consom.* 2001, chron. 16. – J.-Cl. Fourgoux, *Publicité comparative : information ou manipulation ?*, in *Mél. Calais-Auloy* : Dalloz, 2003, p. 399.

(475) J.-Ph. Gunther, *Harmonisation de la publicité comparative en Europe* : *Contrats, conc. consom.* 1998, chron. 2.

(476) M. Fabre-Magnan, *De l'obligation d'information dans les contrats. Essai d'une théorie* : LGDJ, 1992. – S. Le Gac. Pech, *L'obligation d'information : omniprésente mais en mal de reconnaissance ?* : *RLD civ.* oct. 2012, p. 87.

à la charge des professionnels. Mais la portée de cette obligation précontractuelle demeure incertaine : de nombreuses décisions reconnaissent l'existence d'une obligation de fournir des instructions, modes d'emploi et mises en garde ; en revanche peu d'entre elles posent un principe général d'information sur l'objet du contrat qui serait sanctionné de manière spécifique, autrement que sous l'angle de la réticence dolosive.

La tendance est néanmoins clairement en ce sens. C'est ainsi que la jurisprudence a édicté une obligation d'information à la charge des professionnels, spécialement du vendeur professionnel(477) auquel il incombe de surcroît de prouver qu'il a bien exécuté cette obligation(478). Plus généralement, la jurisprudence impose à tout contractant une obligation d'informer son partenaire chaque fois que celui-ci ne pouvait aisément recueillir lui-même l'information manquante(479).

En revanche l'obligation cesse là où l'information est de notoriété publique, par exemple les risques du tabac ou de l'alcool(480).

Parallèlement, certains textes édictent des obligations spécifiques d'information. Par exemple, l'article L. 514-20 du Code de l'environnement prévoit que le vendeur d'un terrain sur lequel a jadis été exploitée une installation classée doit en informer l'acheteur, et lui signaler, pour autant qu'il les connaisse, les dangers ou inconvénients importants résultant de cette exploitation(481). Plus généralement, le vendeur d'un immeuble se voit imposer une large obligation d'information relative notamment à la présence d'amiante, de plomb, de termites, à l'état de l'installation électrique ou de gaz, etc.(482) ; ou encore sur les risques technologiques ou naturels ou sismiques auxquels le bien objet de la vente ou du bail serait exposé(483) (C. env., art. L. 125-5).

(477) J. Ghestin, *Conformités et garanties dans la vente*, 1983. – V. Cristianos, *L'obligation d'informer dans la vente des produits mobiliers*, 1987.

(478) Cass. 1re civ., 29 avr. 1997 : *Bull. civ.* 1997, I, n° 132. – Cass. 1re civ., 15 mai 2002 : *Bull. civ.* 2002, I, n° 132, p. 101 ; *Contrats, conc. consom.* 2002, comm. 135 et note L. Leveneur ; *JCP* 2003, I, 152, n° 19, obs. G. Viney. S'agissant d'un fait pur et simple, la preuve que l'information a été donnée peut être rapportée par tous moyens.

(479) La jurisprudence en offre de nombreux exemples : ainsi la vente d'un terrain ou d'un fonds en celant des renseignements relatifs à la constructibilité (Cass. 3e civ., 15 janv. 1971 : *D.* 1971, somm. 48 ; *JCP* 1971, IV, 43. – Cass. 3e civ., 3 févr. 1981 : *D.* 1984, 457, note J. Ghestin), ou l'existence d'une procédure de saisie immobilière (Cass. 3e civ., 30 janv. 1974 : *D.* 1974, 237), ou l'insuffisance d'alimentation en eau pour construire l'hôtel projeté (Cass. 3e civ., 7 mai 1974 : *D.* 1974, inf. rap. 176), ou l'installation prochaine d'une porcherie à proximité de la villa objet de la vente (Cass. 3e civ., 2 oct. 1974 : *JCP* 1974, IV, 368), ou la situation irrémédiablement compromise du débiteur à cautionner (Cass. 1re civ., 10 mai 1989 ; *JCP* 1989, II, 21363, obs. D. Legeais), ou la réalisation sur le terrain voisin d'un projet privant l'appartement à vendre de son principal intérêt (Cass. 3e civ., 20 déc. 1995 : *D.* 1996, inf. rap. 32), ou l'arrêté d'interdiction d'habiter qui frappe l'immeuble vendu (Cass. 3e civ., 29 nov. 2000 : *Bull. civ.* 2000, III, n° 182 ; *Contrats, conc. consom.* 2001, comm. 41, obs. L. Leveneur ; *D.* 2001, inf. rap. p. 177), etc.

(480) A. Bugada, *Nul n'est censé ignorer les méfaits du tabac* : *D.* 2004, chron. 653. Mais, corrélativement, la loi impose de faire figurer sur chaque paquet de cigarettes la mention « Le tabac tue ». – Cass. 2e civ., 20 nov. 2003 : *Bull. civ.* 2003, II, n° 355 ; *D.* 2003, 2909, concl. R. Kessous et note L. Grynbaum ; *JCP* 2003, II, 10004 et note B. Daille-Duclos ; *JCP* 2004, I, 163, n° 36, obs. G. Viney.

(481) V. pour une application, CA Paris, 2e ch. B., 13 févr. 2003 : *JCP* 2003, II, 10075 et note F.-G. Trébulle. – Cass. 3e civ., 12 janv. 2005, pourvoi n° 03-18055. – Cass. 3e civ., 25 mai 2011 : *Contrats, conc. consom.* 2011, comm. 184, obs. L. Leveneur ; *RDC* 2012, 908, note M. Boutonnet.

(482) J.-M. Delpérier et J.-D. Roché, *L'aggravation de l'obligation d'information du vendeur d'immeuble* : *JCP* N 2003, 1319. – M. Tchendjou, *L'alourdissement du devoir d'information et de conseil du professionnel* : *JCP* 2003, I, 141.

(483) M.-F. Steinlé-Feuerbach, *La nouvelle obligation d'information sur les risques technologiques et naturels en matière de transaction immobilière. Article 77 de la loi n° 2003-699 du 30 juillet 2003* : *JCP* 2003, I, 171. – D. Mancel, *Encore une obligation légale d'information sur les risques naturels et technologiques majeurs et les sinistres des biens immobiliers* : *AJDI* 2006. – F. Collart-Dutilleul, *L'enrichissement de l'obligation légale d'information à la charge du vendeur* : *RDC* 2006, p. 1135.

Dans un ordre d'idées différent, la loi du 1er août 2003 pour l'initiative économique a soumis le cautionnement consenti par une personne physique à un créancier professionnel à certaines règles de protection particulières[484] (C. consom., art. L. 341-2 et s.).

234. – **Le devoir d'information dans le projet de réforme du droit des contrats.** Le Projet Catala consacrait, au sein de dispositions relatives à l'intégrité du consentement, l'existence d'une obligation de renseignement (art. 1110)[485]. Il en adoptait cependant une conception assez mesurée. Cette obligation d'information a été reprise, sous l'intitulé plus fort de « devoir d'information, dans le projet de réforme du droit des contrats (art. 37) ; elle s'impose à tout contractant, quelle que soit la qualité – consommateur ou non – de son cocontractant.

S'agissant des personnes, l'article 37, alinéa 1, dispose que « celui des contractants qui connaît ou devrait connaître une information dont l'importance est déterminante pour le consentement de l'autre doit l'en informer dès lors que, légitimement, ce dernier ignore cette information ou fait confiance à son cocontractant.

Et, s'agissant de la sanction du manquement à cette obligation, l'alinéa 2 en traite sous l'angle tant de la responsabilité que de la nullité : « Le manquement à ce devoir d'information engage la responsabilité civile extracontractuelle de celui qui en était tenu. Lorsque ce manquement provoque un vice du consentement, le contrat peut être annulé ».

235. – **L'obligation de renseignements à l'égard du consommateur. La langue à utiliser.** Le Code de la consommation consacre d'importants développements à l'information des consommateurs ainsi que le démontre son Livre 1er qui s'intitule « Information des consommateurs et formation des contrats ».

Le code pose des règles très détaillées dans les tout premiers articles, notamment dans les articles L. 111-1 et s. sous l'intitulé « Obligation générale d'information précontractuelle » et L. 133-2 sous l'intitulé « Interprétation et forme des contrats »[486].

Ces dispositions ayant été présentées plus haut (V. *supra*, n° 230), on se limitera ici à traiter de la langue à utiliser...

La langue de la République étant le français (Const., art. 2), la loi du 4 août 1994, dite loi Toubon, en a tiré un certain nombre de conséquences. Elle édicte notamment en son article 2 l'obligation, pénalement sanctionnée[487], d'utiliser le français dans le commerce des biens, produits et services.

Art. 2. – Dans la désignation, l'offre, la présentation, le mode d'emploi ou d'utilisation, la description de l'étendue et des conditions de garantie d'un bien, d'un produit ou d'un service, ainsi que dans les factures et quittances, l'emploi de la langue française est obligatoire.

Si la loi a été conçue dans le souci de protéger la langue contre l'intrusion de langues étrangères ou de mots étrangers, son article 2 avait pour objectif principal

(484) D. Houtcieff, *Les dispositions applicables au cautionnement issues de la loi pour l'initiative économique* : *JCP* 2003, I, 161. – V. Avena-Robardet, *Réforme inopinée du cautionnement* : *D.* 2003, chron. 2083.

(485) Sur la question de savoir s'il faut y voir une véritable obligation ou plutôt un devoir de renseigner le futur cocontractant, V. Ph. Stoffel-Munck, *Autour du consentement et de la violence économique* : *RDC* 2006, p. 45 et spéc. p. 49.

(486) Pour une application récente de ce dernier texte, V. Cass. 1re civ., 21 janv. 2003 : *D.* 2003, 693, obs. V. Avena-Robardet ; *JCP* 2003, IV, 1420.

(487) V. par ex. Cass. crim., 14 nov. 2000 : *JCP* 2001, II, 10525 et note E. Dreyer.

d'assurer la protection des consommateurs français qui risquaient d'être induits en erreur par l'utilisation d'une langue étrangère.

Néanmoins, une telle obligation absolue d'utiliser le français, rappelée par l'article R. 112-8 du Code de la consommation en matière d'étiquetage, a été condamnée par la Cour de justice des Communautés européennes comme une entrave au commerce intracommunautaire incompatible avec l'article 30, devenu article 28, du traité CE[(488)].

Pour tenir compte de cette condamnation, une circulaire du 20 septembre 2001[(489)], après avoir rappelé l'obligation d'appliquer l'article 2 de la loi lors de la commercialisation en France des biens, produits ou services quelle que soit l'origine de ceux-ci, en atténue le caractère absolu en précisant que :

L'article 2 de la loi ne fait pas obstacle à la possibilité d'utiliser d'autres moyens d'information du consommateur, tels que dessins, symboles ou pictogrammes. Ceux-ci peuvent être accompagnés de mentions en langue étrangère non traduites en français, dès lors que les dessins, symboles ou pictogrammes et les mentions sont soit équivalents, soit complémentaires, sous réserve qu'ils ne soient pas de nature à induire en erreur le consommateur.

Et il a été ajouté à l'article R. 112-8 un deuxième alinéa précisant que les mentions d'étiquetage pouvaient en outre figurer dans une ou plusieurs langues autres que le français.

L'obligation générale d'information des consommateurs se trouve précisée par divers textes qui réglementent l'établissement de l'écrit (V. *supra*, n° 230), instaurant par là même un *formalisme de protection*. Ce formalisme se manifeste de trois manières : par l'interdiction du renvoi à des documents non signés, par la technique des mentions obligatoires et par celle des modèles types.

236. – L'interdiction du renvoi à des documents non signés. Cette interdiction avait été initialement édictée par l'article 1er du décret du 24 mars 1978 portant application de la loi n° 78-23 du 10 janvier 1978. Il s'agissait de mettre fin à la pratique, courante en matière de vente, du renvoi opéré par le contrat (par ex., un bon de commande sommaire) à des conditions générales de vente qui, en fait, n'étaient jamais communiquées à l'acheteur. Par suite, le consommateur risquait de se trouver tenu par des dispositions contractuelles qu'il ignorait lors de la conclusion du contrat. Pour y échapper il fallait être non seulement un consommateur, mais un juriste averti, et faire plaider que le consentement n'avait pas pu porter sur des dispositions, prétendues contractuelles, qui n'avaient pas été portées à la connaissance du cocontractant. Coupant court à ces difficultés, l'article 1er du décret susvisé

(488) CJCE, ass. plén., 12 sept. 2000, aff. C-366/98, *Y. Geffroy et Casino France SNC* : *D.* 2001, 1458 et note J.-M. Pontier. – V. aussi, H. Claret, *La loi Toubon du 4 août 1994 est-elle conforme au droit communautaire ? : Contrats, conc. consom.* 2001, chron. 5. – L. Bernardeau, *Étiquetage et langue française : les enseignements de l'arrêt* Casino : *Contrats, conc. consom.* 2001, chron. 10. – V. aussi l'avis motivé adressé par la Commission européenne à la République française le 25 juillet 2002.

(489) Circ. 20 sept. 2001 relative à l'application de l'article 2 de la loi du 4 août 1994 relative à l'emploi de la langue française : *JO* 27 oct. 2001 ; *JCP* 2001, III, 20577. La circulaire prend bien soin de rappeler que les dispositions de l'article 2 « ont pour objet d'assurer l'information et la protection du consommateur afin qu'il puisse acheter et utiliser un produit ou bénéficier de services en ayant une parfaite connaissance de leur nature, de leur utilisation et de leurs conditions de garantie ».

obligeait en pratique à recueillir la signature du cocontractant, donc à porter à sa connaissance l'ensemble des stipulations contractuelles.

En clair il s'agissait donc de contraindre le professionnel à donner une information complète et loyale à son cocontractant consommateur. L'idée était en soi excellente. Malheureusement sa mise en forme allait trop loin ou, en tout cas, bouleversait trop d'habitudes. En effet la pratique du renvoi à des documents non signés était courante non seulement en matière de vente, mais aussi en matière d'assurance (conditions particulières renvoyant à la police), de contrats immobiliers (renvoi au cahier des charges d'un lotissement, ou au règlement de copropriété de l'immeuble), etc., et elle ne donnait pas nécessairement lieu à des abus.

C'est pourquoi la disposition de l'article 1er a été annulée par un arrêt du Conseil d'État du 3 décembre 1980[(490)]. L'arrêt précise que l'interdiction figurant à l'article 1er a été prise en application de l'article 35, alinéa 1er de la loi, relatif aux clauses abusives, et que le renvoi à des documents non signés ne répond pas aux conditions de ce texte en ce qu'il « ne révèle pas dans tous les cas un abus de puissance économique et [il] ne confère pas nécessairement un avantage excessif aux professionnels ».

Il est probable que cette disposition réglementaire aurait échappé à toute critique si elle avait été prise en application de l'article 35, alinéa 5, de la loi, devenu aujourd'hui l'article L. 133-1 du Code de la consommation.

Art. L. 133-1. – En vue d'assurer l'information du contractant non professionnel ou consommateur les décrets prévus à l'article L. 132-1 peuvent réglementer la présentation des écrits constatant les contrats visés au même article.

Cela eût d'ailleurs été plus conforme à l'esprit de la loi, alors qu'il était un peu artificiel d'y voir une clause abusive. C'est pourtant sous l'angle des clauses abusives que l'interdiction du renvoi à des documents non signés a été indirectement reprise. En effet, avant même le décret du 18 mars 2009 édictant la liste des clauses abusives, pouvait être déclarée abusive au sens de l'article L. 132-1, alinéa 3, du Code de la consommation, toute clause ayant pour objet ou pour effet « de constater de manière irréfragable l'adhésion du consommateur à des clauses dont il n'a pas eu, effectivement, l'occasion de prendre connaissance avant la conclusion du contrat » (Annexe, 1, i). Et désormais, l'article R. 132-1 mentionne au 1° des clauses « noires » présumées abusives de manière irréfragable « les clauses ayant pour objet ou pour effet de : « constater l'adhésion du non professionnel ou du consommateur à des clauses qui ne figurent pas dans l'écrit qu'il accepte ou qui sont reprises dans un autre document auquel il n'est pas fait expressément référence lors de la conclusion du contrat et dont il n'a pas eu connaissance avant sa conclusion. »

Dans cette même perspective d'information des consommateurs, l'article L. 134-1 du Code de la consommation édicte que « Les professionnels vendeurs ou prestataires de service doivent remettre, à toute personne intéressée qui en fait la demande, un exemplaire des conventions qu'ils proposent habituellement ».

(490) CE, 3 déc. 1980 : *D.* 1981, 1, 228, note Ch. Larroumet ; *JCP* 1981, II, 19502, concl. Mme Hagelsteen ; *Defrénois* 1981, 1, 203, art. 32551, note M. Vion.

237. - **La technique des mentions obligatoires.** Diverses lois spéciales obligent les parties à faire figurer dans le contrat, c'est-à-dire dans l'écrit – authentique ou sous seing privé – qui devient ainsi une *condition de forme*, des mentions obligatoires à des *fins informatives*[(491)].

Dans tous les cas il s'agit d'informer soit le consommateur, soit la partie la plus faible. Il faut remarquer que l'information requise du professionnel relève de deux ordres très différents.

1° *Tantôt l'information requise est de nature juridique* : le contrat doit rappeler ou plutôt apprendre au consommateur la règle de droit afin qu'il connaisse exactement les droits et obligations qu'elle lui confère.

Par exemple, le contrat préliminaire à la vente d'immeuble à construire « doit obligatoirement reproduire les dispositions des articles R. 261-28 à R. 261-31 » du Code de la construction et de l'habitation, relatifs au sort du dépôt de garantie fait par l'accédant à la propriété (CCH, art. R. 261-27).

De même, l'article R. 211-4 du Code de la consommation oblige le professionnel qui fournit une garantie contractuelle à « mentionner clairement que s'applique, en tout état de cause, la garantie légale qui oblige le vendeur professionnel à garantir l'acheteur contre toutes les conséquences des défauts ou vices cachés de la chose vendue ou du service rendu ». On a voulu ainsi mettre fin à une pratique aussi répandue que trompeuse qui consistait à mettre en valeur et présenter comme un avantage une garantie contractuelle – en général limitée dans le temps et dans sa portée – ce qui laissait croire au cocontractant qu'il n'y avait pas d'autre recours. Le texte sanctionne ici, et pénalement, une pratique qui ne pouvait même pas être considérée comme un dol par réticence car « nul n'est censé ignorer la loi ».

Transposant la directive n° 1999/44/CE du 25 mai 1999 sur certains aspects de la vente et des garanties des biens de consommation, l'ordonnance n° 2005-136 du 17 février 2005 a repris la même solution, mais de manière plus détaillée dans l'alinéa 3 du nouvel article L. 211-15 du Code de la consommation, tel que modifié par la loi du 17 mars 2014 : « il mentionne de façon claire et précise que, indépendamment de la garantie commerciale, le vendeur reste tenu de la garantie légale de conformité mentionnée aux articles L. 211-4 à L. 211-13 du présent code et de celle relative aux défauts de la chose vendue, dans les conditions prévues aux articles 1641 à 1648 et 2232 du Code civil. Les articles L. 211-4, L. 211-5 et L. 211-12 du présent code ainsi que l'article 1641 et le premier alinéa de l'article 1648 du Code civil sont intégralement reproduits ».

2° *Tantôt l'information requise porte sur l'objet même du contrat.* La loi définit alors l'étendue exacte de l'obligation de renseignements imposée à la partie dominante. Ainsi, en matière de vente d'immeuble à construire dans le secteur du logement, la loi du 3 janvier 1967 (CCH, art. L. 261-11) impose toute une série de mentions obligatoires : la description de l'immeuble ou de la partie d'immeuble vendu, le prix et les modalités de paiement, le délai de livraison, les garanties de bonne fin, etc.

(491) A. Lepage, *Les paradoxes du formalisme informatif*, in *Mél. Calais-Auloy*, p. 597.

Et ces exigences figurent aussi dans les contrats de cession de parts de certaines sociétés immobilières, dans le contrat de construction d'une maison individuelle, etc. Cette technique des mentions obligatoires est devenue aujourd'hui courante et on la retrouve dans de nombreuses lois récentes, par exemple en matière de démarchage à domicile (C. consom., art. L. 121-18 et L. 121-23), de crédit – ordinaire et immobilier – (C. consom., art. L. 311-8 et s.), en matière de bail (L. 23 déc. 1986, mod. par L. 6 juill. 1989), en matière de caution, etc.

Ainsi, pour assurer l'information du cocontractant, le législateur a eu recours à une technique éprouvée, le formalisme, tout en la modernisant par l'adjonction de mentions obligatoires qui restreignent d'autant le champ d'application de l'erreur ou du dol, et dont l'absence sera souvent une cause de nullité sans qu'il soit besoin de rapporter la preuve d'un quelconque vice du consentement.

Certes, la sanction de ce formalisme informatif varie suivant les hypothèses, ce qui a pu faire souhaiter une unification du régime des sanctions[(492)]. Cela dit, la Cour de cassation a clairement manifesté son intention de sanctionner pareille violation par la nullité du contrat[(493)], alors que certains suggéraient de réserver la nullité au cas où la violation aurait entraîné un vice du consentement.

238. – La technique des modèles types et des clauses types. La loi du 10 janvier 1978 relative à certaines opérations de crédit (C. consom., art. L. 311-8 et s.) va encore plus loin dans le formalisme en organisant une information particulière de l'emprunteur par la procédure précontractuelle dite d'*offre préalable*. Non seulement le texte précise les mentions que doit contenir une telle offre, mais, pour en orienter la rédaction, il va jusqu'à prévoir une *lettre-modèle*[(494)] ; et il s'agit ici d'un modèle précontractuel qui est en fait appelé à devenir le contrat. Cette technique est tout à fait remarquable en ce qu'elle dépasse l'information pure et simple pour empiéter sur le contenu même du contrat.

De même, en matière notamment d'assurance construction, le législateur prévoit que des *clauses-types* seront édictées par décret, et que les cocontractants devront les adopter, ou en reprendre le contenu, dans le contrat.

On pourrait penser que l'utilisation du modèle type mette le professionnel à l'abri de toute critique. Allant au-delà de l'exigence légale, un arrêt a néanmoins considéré que le professionnel devait être sanctionné dans le cas où le modèle type n'avait pas été adapté par le pouvoir réglementaire à une modification législative ultérieure[(495)].

239. – Conclusion. Ainsi, relayant une jurisprudence limitée dans son action par les règles du droit commun, le législateur a forgé les instruments d'un véritable droit à l'information du consommateur auquel correspond évidemment une obligation

(492) V. Magnier, *Les sanctions du formalisme informatif* : *JCP* 2004, I, 106 ; selon cet auteur, l'omission de la forme requise devrait entraîner une présomption d'erreur ou de dol, avec un contrôle du juge en cas de mauvaise foi du consommateur. – V. aussi A. Lepage, *Les paradoxes du formalisme informatif*, in *Mél. Calais-Auloy*, p. 597.

(493) Cass. 1re civ., 7 déc. 2004 : *JCP* 2005, II, 10160 et note crit. N. Rzepecki ; *RDC* 2005, p. 323, obs. D. Fenouillet. – Cass. com., 28 avr. 2009, n° 08-11.616.

(494) A. 19 déc. 2006 fixant les modèles types d'offres préalables de crédit et de bordereau détachable de rétractation en application des articles L. 311-13 et L. 311-15 du Code de la consommation : *JO* 24 déc. 2006, p. 19604. – G. Biardeaud et Ph. Flores, *Observations critiques sur les nouveaux modèles types* : *D.* 2007, chron. p. 1294.

(495) Cass. 1re civ., 17 juill. 2001 : *D.* 2002, 71 et note crit. D. Mazeaud.

corrélative de renseignements de l'autre partie. Si cette obligation a été respectée, on doit, semble-t-il, considérer que le consentement donné par le consommateur est suffisamment éclairé et qu'il perd par là même toute possibilité d'invoquer l'erreur ou le dol pour faire annuler son engagement(496).

Il est clair que, par cette information préalable, ces lois spéciales – dont le champ d'application très vaste réduit d'autant le domaine du droit commun – ont entendu protéger la partie la plus faible en lui permettant de mesurer la portée des engagements qu'elle s'apprête à souscrire.

Il n'est toutefois pas certain qu'à elle seule cette information atteigne toujours son but : en effet, outre que le cocontractant ne porte pas toujours une attention suffisante aux renseignements donnés, l'expérience démontre que, contrairement à ce que supposait le Code civil de 1804, il n'est pas toujours l'homme avisé qui sait résister aux tentations. D'où la nécessité, ressentie par le législateur, d'assortir dans certains cas l'information d'une protection plus directe contre les entraînements irréfléchis.

2° La protection contre les entraînements irréfléchis

240. – **Le consommateur face aux pratiques commerciales déloyales : les sanctions pénales.** On entend ici la notion de consommateur au sens large de celui qui contracte avec un professionnel, ce qui inclut, par exemple, le « consommateur de logement »(497).

Si le danger de céder à la tentation d'acheter, d'emprunter, etc., a toujours existé, il s'est aggravé avec le perfectionnement des procédés de commercialisation. Sans doute, il est naturel que les commerçants soient habiles, mais à la condition que l'habileté ne verse pas dans des pratiques parfois qualifiées de racolage ou d'agression(498).

Certains procédés ont été jugés si déloyaux ou dangereux qu'il a paru nécessaire, à peine de sanction pénale, de les interdire ou de les réglementer : tel est le cas de la vente par envois forcés, c'est-à-dire des envois à domicile sans commande préalable (C. pén., art. R. 635-2 et C. consom., art. L. 122-3 et s.), des ventes liées ou subordonnées (C. consom., art. L. 122-1), des ventes à la boule-de-neige (C. consom, art. L. 122-6), des ventes avec primes (C. consom., art. L. 121-35)(499), du crédit gratuit (C. consom., art. L. 311-5)(500), des loteries publicitaires par correspondance (C. consom., art. L. 121-36 et s.). On relèvera toutefois que certaines de ces dispositions ont dû être modifiées (L. 17 mai 2011, art. 45) pour satisfaire aux exigences du droit communautaire qui se montre plus conciliant que le droit français(501).

(496) V. en ce sens, Cass. 1re civ., 14 juin 1989 : *JCP* 1991, II, 21632.

(497) R. Saint-Alary, *Le consommateur et son logement* : *RD imm.* 1981, 14. – C. Noblot, *Réflexions sur l'immeuble d'habitation en droit de la consommation* : *JCP* N 2008, 1361.

(498) J. Calais-Auloy, *Les ventes agressives* : *D.* 1970, chron. 129.

(499) F. Greffe et N. Boespflug, *La réglementation des ventes avec primes et cadeaux depuis l'ordonnance du 1er décembre 1986 relative à la liberté des prix et de la concurrence* : *Gaz. Pal.* 1987, 1, doctr. 160.

(500) Ch. Gavalda, *Un frein à l'extension du crédit gratuit* (L. 24 janv. 1984, art. 86 ; L. n° 84-709, 24 juill. 1984, art. 38 et 39) : *D.* 1984, chron. 181.

(501) A.-L. Falkman, *Les ventes subordonnées, ventes avec primes et loteries sont désormais officiellement licites : avancée juridique ou casse-tête à venir ?* : *Contrats, conc. consom.* 2011, focus 64.

À cette occasion il est singulier de constater que la loi pénale vient ici protéger le consommateur dans des hypothèses où, bien qu'on lui ait « forcé la main », il ne trouverait pas de protection dans le droit commun des obligations ; en effet, sauf exception, il lui serait difficile de prétendre qu'il a été victime d'un vice du consentement.

Plus récemment, et transposant la directive du 11 mai 2005 relative aux pratiques commerciales déloyales, la loi du 3 janvier 2008 pour le développement de la concurrence au service des consommateurs (art. 39) est venue sanctionner pénalement, et parfois civilement, les pratiques déloyales trompeuses (C. consom., art. L. 121-1 et s.) et celles agressives (C. consom., art. L. 122-11). Ces dispositions ont été complétées par la loi du 17 mars 2014. S'agissant des premières, la loi a remplacé par un nouveau délit l'infraction de publicité trompeuse, la tromperie pouvant résulter soit d'une action (des manœuvres), soit d'une omission (la réticence dolosive) ; quant aux secondes, la loi sanctionne désormais pénalement, au-delà de l'abus de faiblesse (V. *supra*, n° 205), certains comportements commerciaux agressifs qui s'apparentent à la violence[(502)].

Outre ces hypothèses, le législateur a estimé utile de protéger le consommateur contre certaines tentations offertes en dehors de toute déloyauté de son cocontractant. Il s'agit en fait de protéger le consommateur contre lui-même, contre ses engagements inconsidérés. À cet effet deux techniques, voisines quoique différentes, sont utilisées : ou bien on impose au consommateur un *délai de réflexion* obligatoire avant la conclusion du contrat, ou bien on lui ouvre, une fois le contrat conclu, une *faculté de repentir* dans un certain délai.

Ces techniques ont été conçues dans la perspective d'un contrat classique, mais elles sont tout aussi nécessaires en matière de contrat électronique, même si la loi n'en prévoit pas expressément l'application (V. *supra*, n°s 147 et 152).

241. – La technique du délai de réflexion[(503)]. Un certain nombre de textes accordent au consommateur, et à lui seulement, un délai de réflexion avant qu'il ne s'engage. Le projet de réforme du droit des contrats consacre le principe d'un tel délai, étant précisé que « le destinataire de l'offre ne peut consentir efficacement au contrat avant l'expiration de ce délai » (al. 23, al. 1).

Dans la plupart des cas l'intention est très clairement d'obliger le consommateur à réfléchir, de l'empêcher de s'engager à la légère. Ainsi la loi du 12 juillet 1971 (art. 9) relative à l'enseignement à distance, c'est-à-dire par correspondance, impose à peine de nullité un délai de sept jours entre la réception du contrat par le client et sa signature (C. éduc., art. L. 444-8).

Ce même délai de réflexion de sept jours est accordé par la loi du 13 décembre 2000 (dite loi SRU) à l'acquéreur non professionnel d'un bien immobilier par acte authentique (CCH, art. L. 271-1, al. 5)[(504)].

---

(502) G. Raymond, *Les modifications au droit de la consommation apportées par la loi n° 2008-3 du 3 janvier 2008 pour le développement de la concurrence au service des consommateurs : Contrats, conc. consom.* 2008, étude 3. – M. Cannarsa, *La réforme des pratiques commerciales déloyales par la loi Chatel. Le droit commun à la rencontre du droit de la consommation : JCP* 2008, I, 180. – D. Fenouillet, *Loi du 3 janvier 2008, Pratiques commerciales déloyales, trompeuses, agressives : RDC* 2008, p. 345.

(503) D. Ferrier, *Les dispositions d'ordre public visant à préserver la réflexion des contractants : D.* 1980, chron. 177. – Christianos, *Délai de réflexion : théorie juridique et efficacité de la protection des consommateurs : D.* 1993, chron. 28.

(504) O. Rault, *La protection de l'acquéreur d'un bien immobilier : JCP* 2001, I, 294. – Ph. Pelletier, *La protection nouvelle de l'acquéreur immobilier : Defrénois* 2001, 1, 205, art. 37-307. – H. Périnet-Marquet, *L'impact de la loi SRU sur la vente*

Enfin, c'est en matière de crédit immobilier que la technique du délai de réflexion trouve sa meilleure illustration[505]. La loi du 13 juillet 1979, qui oblige le prêteur à maintenir son offre pendant un délai de trente jours au moins à compter de sa réception par l'emprunteur, dénie tout effet à l'acceptation que l'emprunteur aurait donnée moins de dix jours après cette date (C. consom., art. L. 312-10) ; ainsi le délai de réflexion sera-t-il nécessairement d'au moins dix jours. En fait ce temps de réflexion joue ici un autre rôle, celui d'un délai de prospection car il permet au client emprunteur de faire le tour des financiers de la place pour rechercher de meilleures conditions.

Cela dit, la tendance actuelle du législateur est d'accorder au consommateur une faculté de rétractation, plutôt qu'un simple délai de réflexion. C'est là une autre technique de protection du consommateur, qui consiste à limiter au profit de certaines personnes les effets de l'acceptation qu'elles ont donnée.

242. - **La technique du droit de repentir ou faculté de rétractation**[506]. Le droit commun connaît la faculté de repentir, soit sous forme conventionnelle de la *clause de dédit*, notamment en matière de promesse de vente[507], soit sous sa forme légale (par ex., C. civ., art. 1794 : faculté de résiliation unilatérale du marché à forfait). Mais ici cette faculté se paie : l'acheteur devra payer le dédit prévu, le maître de l'ouvrage devra indemniser l'entrepreneur, etc. Tel est notamment le cas lorsque l'acquéreur verse des *arrhes* (C. civ., art. 1590 ; C. consom., art. L. 131-1).

Diverses lois récentes se sont montrées beaucoup plus audacieuses en instaurant un droit de repentir gratuit pendant un certain délai, faculté consacrée dans son principe par le projet de réforme du droit des contrats, étant précisé qu'« il est permis au destinataire de l'offre de rétracter son consentement au contrat jusqu'à l'expiration de ce délai, sans avoir de motif à fournir » (art. 23, al. 2).

Ainsi la loi du 3 janvier 1972 sur le *démarchage financier* dispose que le souscripteur d'un plan d'épargne a un délai de quinze jours pour dénoncer son engagement, et ce sans indemnité. De même, s'agissant de contrats conclus à distance et hors établissement, la loi du 17 mars 2014[508] accorde un droit de rétractation de quatorze jours à compter de la conclusion du contrat, pour les contrats de prestation de services, ou à compter de la réception du bien par le consommateur pour les contrats de vente (art. L. 121-21 et s.) toute abdication de ce droit de repentir étant frappée de nullité. La mise en œuvre de ce droit se trouve même facilitée par la loi qui impose la remise au client, en même temps que le contrat, d'un formulaire détachable destiné à l'exercice de la faculté de repentir. (V. *supra*, n° 147 et 152).

La loi du 10 janvier 1978 sur le crédit à la consommation avait adopté un mécanisme identique et permis au client de revenir sur son engagement dans un délai

immobilière : *JCP* N 2001, 533. – H. Périnet-Marquet, *Les difficultés de délimitation du champ d'application des droits de rétractation et de réflexion offerts à l'acquéreur immobilier. Art. L. 271-1 du Code de la construction* : *JCP* 2002, I, 129.

(505) N. Monachon Duchêne, *La protection du délai de réflexion de l'emprunteur immobilier* : *JCP* 2004, I, 152.

(506) R. Baillod, *Le droit de repentir* : *RTD civ.* 1984, 227. – Ph. Malinvaud, *Droit de repentir et théorie générale des obligations*, in *Mél. Sacco*, 1992. – L. Bernardeau, *Le droit de rétractation du consommateur. Un pas vers une doctrine d'ensemble. À propos de l'arrêt CJCE, 22 avr. 1999* : *JCP* 2000, I, 218. – L. Bernardeau, *Le droit de rétractation du consommateur. Un pas de plus vers une doctrine d'ensemble, À propos de l'arrêt CJCE, 13 déc. 2001* : *JCP* 2002, I, 168. – E. Bazin, *Le droit de repentir en droit de la consommation* : *D.* 2008, chron. 3028. – V. Legrand, *Consommateurs et délais de repentir : crédit à la consommation, vente à distance ou démarchage, comment s'y retrouver ?* : *LPA* 1er oct. 2010, p. 7.

(507) Y. Dagorne-Labbé, *Contribution à l'étude de la faculté de dédit* : thèse Paris II, 1984.

(508) G. Raymond, *Contrats conclus à distance ou hors établissement* : *Contrats, conc. consom.* mai 2014 : Dossier 6.

de sept jours à compter de son acceptation de l'offre de crédit ; et là encore l'exercice de cette faculté est facilité par un formulaire détachable joint à l'offre préalable (C. consom., art. L. 311-15).

On retrouve le même système dans la loi du 7 janvier 1981 sur l'assurance-vie : toute personne physique ayant souscrit un contrat de ce genre a une faculté de *renonciation* pendant un délai de trente jours à compter du premier versement de la prime (C. assur., art. L. 132-5-1 au cas où le contrat est conclu à la suite d'un démarchage à domicile ou sur les lieux du travail).

Cette même faculté de rétractation a été accordée par l'article 20 de la loi du 31 décembre 1989 en cas d'acquisition ou de construction d'un logement neuf[(509)]. Elle a été étendue par l'article 72 de la loi du 13 décembre 2000 au cas d'acquisition, par un acte sous seing privé, d'un bien immobilier ancien à usage d'habitation par un non-professionnel[(510)] (CCH, art. L. 271-1).

On peut se poser la question de savoir si la faculté de rétractation peut également être exercée dans le cas de la tacite reconduction d'un contrat conclu par un consommateur[(511)].

Pour faire courir ces délais de repentir, on utilise souvent la technique de la lettre recommandée, mais elle n'offre pas la certitude et la sécurité qu'on lui accorde généralement[(512)].

L'exercice de la faculté de rétractation entraîne l'anéantissement du contrat, lequel ne saurait revivre du seul fait que le rétractant y a renoncé ; en bref, la rétractation est définitive[(513)].

243. – **Les difficultés d'analyse juridique soulevées par la faculté de rétractation.** On n'a pas manqué de souligner que la technique du droit de repentir relevait d'un autre ordre que celle du délai de réflexion.

En effet le délai de réflexion ne fait que retarder le consentement, donc la conclusion du contrat, cependant que la faculté de repentir ou de rétractation, qui s'exerce une fois le contrat conclu, porte directement atteinte au principe de la force obligatoire du contrat en instaurant un droit de résiliation unilatérale.

Pour éviter de consacrer une exception à un principe aussi fondamental du droit des obligations, certains ont voulu analyser autrement cette faculté, en considérant que le contrat se formait par *strates* successives, que le consentement du consommateur était donné en deux temps – positivement par son adhésion au contrat, négativement par le non-exercice du droit de repentir – et que le contrat n'était donc parfait qu'à l'expiration du délai de repentir[(514)]. En ce sens, on peut en effet observer que le contrat ne peut connaître ni exécution, ni commencement d'exécution, avant

(509) M. Vion, *Faculté de rétractation en cas d'acquisition ou de construction d'un logement neuf : Defrénois* 1990, 1, 257, art. 34723.

(510) G. Rouzet, *Les formes alternatives de notification des contrats de vente immobilière : Defrénois*, 2005, 1, p. 1657, art. 38260.

(511) Ph. Stoffel-Munck, *L'encadrement de la tacite reconduction dans les contrats de consommation depuis la loi Chatel (L. n° 2005-67, 26 janv. 2005) : JCP* 2005, I, 129, n°s 10 et s.

(512) V. M. Dagot, *Les illusions de la lettre recommandée : JCP* N 2003, 1266.

(513) Cass. 3e civ., 13 févr. 2008 : *D.* 2008, act. jurispr. 615, obs. G. Forest. – Cass. 3e civ., 13 mars 2012 : *JCP* 2012, 561, n° 3, obs. G. Loiseau.

(514) Suivant la Cour de justice des Communautés européennes, la faculté de rétractation constitue une condition résolutoire purement potestative : V. L. Bernardeau, *Le droit de rétractation du consommateur. Un pas vers une doctrine d'ensemble. À propos de l'arrêt CJCE, 22 avr. 1999 : JCP* 2000, I, 218.

l'expiration dudit délai. C'est dire que, tant que le délai n'est pas expiré, le contrat est en attente. Mais telle n'est pas la conception de la Commission européenne qui, dans sa proposition de directive relative aux droits des consommateurs, décide que, pendant la durée du délai de rétractation, rien ne peut interdire aux parties d'exécuter leurs obligations contractuelles[(515)]. Et il en va de même du législateur français qui, à propos du droit de rétractation applicable aux contrats conclus à distance et hors établissement, dispose que « l'exercice du droit de rétractation met fin à l'obligation des parties soit d'exécuter le contrat à distance... » (C. consom., art. L. 121-21-7) et prévoit les modalités de restitution réciproque (C. consom., art. L. 121-21-3 et s.).

D'autres y voient une annulation extrajudiciaire reposant sur une présomption de vice du consentement au sens large[(516)]. Pour notre part, il nous semble qu'il s'agit tout simplement d'une faculté de résiliation unilatérale, mesure de protection limitée dans le temps. Quant au projet de réforme, il se borne à préciser l'effet du délai de repentir sans se prononcer sur sa nature juridique (art. 23, al. 2).

244. - **Conclusion : droit commun et droit spécial.** Les divers textes qui, directement ou indirectement, tendent à assurer au consommateur un *consentement éclairé* (par l'information) et librement *réfléchi* (par la protection) constituent du droit spécial. En droit français, ce caractère spécial se manifeste notamment par l'insertion de ces textes, non dans le Code civil, mais dans le Code de la consommation ; il n'en demeure pas moins qu'ils affectent une part très importante du commerce, et donc des contrats.

En principe ils ne devraient pas porter atteinte au droit commun, et notamment à la théorie des vices du consentement, qui demeurerait applicable même aux hypothèses visées par ces textes ; mais la jurisprudence ne va pas dans ce sens lorsque l'information requise par la loi a été effectivement donnée[(517)].

Dans les faits, et dans la pratique courante, il en va autrement. D'une part, on a le sentiment que la matière des vices du consentement est moins vivante que jadis ; certes, elle conserve des applications notables – par exemple, l'erreur dans les ventes d'œuvres d'art, ou sur la constructibilité d'un terrain, ou encore l'erreur sur sa propre prestation –, mais la théorie des vices du consentement a été incapable de répondre aux problèmes quotidiens importants auxquels se trouve confronté le grand public aujourd'hui : les contrats d'adhésion, les pratiques commerciales en matière de vente et de crédit corrélatif, etc. D'autre part, ces lois spéciales sont précisément intervenues pour apporter une solution dans ces domaines qui font difficulté et sont en nombre croissant.

Sans nul doute il devrait y avoir complémentarité entre droit commun et droit spécial. Mais ces lois nouvelles, qui apportent des réponses hétérogènes aux

(515) La Cour de justice des Communautés européennes en déduit que le vendeur n'a droit à aucune indemnité compensatrice pour l'utilisation du bien livré lorsque le consommateur a exercé son droit de rétractation dans les délais, sauf dans le cas où celui-ci « aurait fait usage dudit bien d'une manière incompatible avec les principes du droit civil ».: CJCE, 1re ch., 3 sept. 2009 : *JCP* 2009, n° 47, 459 et note G. Paisant ; *RDC* 2010, 113, obs. S. Pimont, et 643, obs. C. Aubert de Vincelles. – V. aussi CJUE, 4e ch., 15 avr. 2010 (relatif à l'imputation des frais d'expédition de la marchandise) : *D.* 2010, 2132 et note G. Busseuil ; *RDC* 2010, 1295, obs. C. Aubert de Vincelles.

(516) S. Detraz, *Plaidoyer pour une analyse fonctionnelle du droit de rétractation en droit de la consommation : Contrats, conc. consom.* 2004, étude 7.

(517) V., en ce sens, Cass. 1re civ., 14 juin 1989 : *JCP* 1991, II, 21632. – Cass. 1re civ., 23 mars 1999 : *D. affaires* 1999, 754. – Cass. 1re civ., 4 déc. 2001 : *RTD civ.* 2002, 287, obs. J. Mestre et B. Fages.

problèmes apparus en matière de consentement, entraînent une remise en cause de multiples principes du droit des contrats sans que la diversité des solutions retenues ait à ce jour permis de reconstruire une théorie homogène. Cette perversion du droit commun par le droit de la consommation a été maintes fois dénoncée[(518)].

Dans la mesure où les règles de protection des consommateurs transitent souvent – mais pas toujours – par des directives européennes, la communauté juridique déplore par là même la perversion du droit des contrats par le droit européen. On en vient alors à se demander si certaines directives européennes, bien que conçues dans la perspective de la protection du consommateur, ne devraient pas être intégrées dans le Code civil de manière à éviter qu'il n'y ait en droit français deux systèmes parallèles, l'un spécial aux contrats conclus entre professionnels et consommateurs ou non-professionnels, et l'autre de droit commun pour tous les autres contrats. La question a notamment été soulevée et vivement débattue pour la transposition de la directive du 25 mai 1999 sur certains aspects de la vente et des garanties des biens de consommation[(519)], laquelle a finalement été transposée dans le Code de la consommation (V. *supra*, n° 48).

Dans une vision plus large, la question se pose aussi de savoir si, à l'occasion de la réforme du droit des contrats, il ne serait pas souhaitable d'intégrer dans le Code civil un certain nombre de règles qui se dégagent du droit de la consommation.

C'est ce qui avait été ébauché dans le Projet Catala[(520)]. La même tendance se retrouve dans le projet de réforme.

Le constat de cette influence appelle deux remarques. On peut se demander d'abord si l'intégration dans le Code civil de dispositions nées dans le Code de la consommation ne vise pas, précisément, à refaire du premier le siège du droit commun des obligations[(521)] ; on peut s'interroger ensuite sur les difficultés d'harmonisation qui pourraient en résulter[(522)]. Cela dit, les textes en matière de droit de la consommation sont souvent tellement touffus et détaillés – notamment la loi du 17 mars 2014 relative à la consommation qui occupe une centaine de pages du *JO* – qu'on imagine mal comment on pourrait les introduire dans le Code civil sans le dénaturer.

(518) J. Calais-Auloy, *L'influence du droit de la consommation sur le droit civil des contrats : RTD civ.* 1994, 239. – J. Calais-Auloy, *L'influence du droit de la consommation sur le droit civil des contrats : RTD com.* 1998, 115. – D. Mazeaud, *L'attraction du droit de la consommation : RTD com.* 1998, 95. – N. Sauphanor, *L'influence du droit de la consommation sur le système juridique*, préf. J. Ghestin : LGDJ, 2000. – N. Rzepecki, *Droit de la consommation et théorie générale du contrat*, préf. G. Wiederkher : PUAM, 2000. – L. Grynbaum, *La mutation du droit des contrats sous l'effet du traitement du surendettement : Contrats, conc. consom.* 2002, chron. 16. – D. Mazeaud, *Droit commun du contrat et droit de la consommation. Nouvelles frontières ?*, in *Mél. Calais-Auloy* : Dalloz, 2003, p. 697. – C. Goldie-Genicon, *Contribution à l'étude des rapports entre le droit commun et le droit spécial des contrats* : LGDJ, coll. « Droit privé », t. 509, 2009, préf. Y. Lequette. – F. Berenger, *Le droit commun des contrats à l'épreuve du droit spécial de la consommation : renouvellement ou substitution ?* (2 t.) : PUAM, 2007.

(519) G. Paisant et L. Leveneur, *Quelle transposition pour la directive du 25 mai 1999 sur les garanties dans la vente de biens de consommation ? : JCP* 2002, I, 135. – G. Viney, *Quel domaine assigner à la loi de transposition de la directive européenne sur la vente ? : JCP* 2002, I, 158. – O. Tournafond, *De la transposition de la directive du 25 mai 1999 à la réforme du Code civil : D.* 2002, chron. 2883. – D. Mainguy, *Propos dissidents sur la transposition de la directive du 25 mai 1999 sur certains aspects de la vente et des garanties des biens de consommation : JCP* 2002, I, 183. – G. Viney, *Retour sur la transposition de la directive du 25 mai 1999 : D.* 2002, chron. 3162.

(520) En ce sens, G. Paisant, *Le Code de la consommation et l'avant-projet de réforme du droit des obligations – Quelle influence et quelle harmonisation ? : JCP* 2006, act. 429.

(521) En ce sens, Y. Lequette, G. Loiseau et Y.-M. Serinet, *Validité du contrat – Consentement*, in *Avant-projet de réforme du droit des obligations et de la prescription, Exposé des motifs* : La Documentation française, 2006, p. 29.

(522) V. en ce sens, G. Paisant, art. préc.

SECTION 2

LE CONTENU DU CONTRAT

245. - **Idée générale**[523]. Le principe de la liberté contractuelle devrait conduire à laisser les cocontractants libres de déterminer le contenu du contrat, dès l'instant que leur consentement est sain et éclairé ; c'est ce que proclame le projet de réforme : « Chacun est libre de contracter ou de ne pas contracter, de choisir son cocontractant et de déterminer le contenu et la forme du contrat dans ls limites fixées par la loi » (art. 2, al. 1). Cette liberté connaît néanmoins des limites qui résultent de différents textes du Code civil.

C'est ainsi que, de manière très générale, l'article 6 du Code civil pose en principe qu'« On ne peut déroger, par des conventions particulières, aux lois qui intéressent l'ordre public et les bonnes mœurs ». La liberté contractuelle trouve ici une limite dans l'ordre public et les bonnes mœurs. Cette limite est reprise sous une formulation plus large par l'article 2, alinéa 2, du projet de réforme : « Toutefois la liberté contractuelle ne permet pas de déroger aux règles qui intéressent l'ordre public, ou de porter atteinte aux droits et libertés fondamentaux reconnus dans un texte applicable aux relations entre personnes privées, à moins que cette atteinte soit indispensable à la protection d'intérêts légitimes et proportionnée àu but recherché ».

Plus précisément, l'article 1108 stipule que « quatre conditions sont essentielles pour la validité d'une convention » ; et il cite dans l'ordre « le consentement de la partie qui s'oblige » (V. *supra*, n°s 113 et s.), « la capacité de contracter » (V. *supra*, n°s 90 et s.), « un objet certain qui forme la matière de l'engagement » et « une cause licite dans l'obligation ». Ces deux dernières conditions, l'objet et la cause, sont relatives au contenu du contrat. La condition de « cause » se trouve ensuite rappelée à l'article 1131 suivant lequel « L'obligation sans cause, ou sur une fausse cause, ou sur une cause illicite, ne peut avoir aucun effet ».

De même, c'est encore le contenu du contrat qui est concerné lorsque l'article 1118, en sanctionnant la lésion, consacre le respect d'une certaine proportionnalité entre les prestations réciproques des parties à un contrat.

Depuis lors, c'est-à-dire depuis 1804, d'autres textes sont venus s'ajouter à cette liste. C'est ainsi que parfois la loi définit impérativement le contenu d'un contrat, soit de manière positive en imposant certaines dispositions « contractuelles », soit de manière négative en interdisant, par exemple, les *clauses abusives*, là encore dans un souci de protection de la partie la plus faible, notamment du consommateur.

Les projets européens et les Principes Unidroit déterminent de manière légèrement différente les conditions essentielles du contrat. Tous, à l'image de l'article 1108 du Code civil, exigent l'accord, le consentement des parties. De même, l'objet rebaptisé « contenu » semble constituer un élément fondamental du contrat. En revanche, la cause est la grande absente de ces textes. Concept pourtant retenu par certains droits de l'Union européenne, parfois qualifiée de « considération », elle est délibérément

(523) F. Rouvière, *Le contenu du contrat : essai sur la notion d'inexécution* : PUAM, 2004, préf. Ch. Atias. – *Les prérogatives contractuelles (Actes du colloque du 30 nov. 2010) : RDC* 2011, 639.

abandonnée par les projets d'harmonisation du droit européen des contrats[524]. Cependant, la cause étant une notion fonctionnelle, peut-être ne doit-on pas s'alarmer de sa disparition dans les projets européens dans la mesure où d'autres instruments efficaces sont prévus pour assurer ses fonctions classiques : veiller à la licéité du contrat et à son équilibre[525].

Le débat sur l'abandon ou le maintien de la cause a trouvé un regain d'actualité avec la réforme du droit des contrats. Alors que le Projet Catala optait pour le maintien de la cause comme condition de la validité du contrat (art. 1108)[526], le Projet Terré l'abandonnait et le premier projet établi par la Chancellerie remplaçait la cause par l'intérêt au contrat. Puis, face aux critiques, cette dernière idée a été abandonnée, la cause et l'intérêt disparaissant comme condition du contrat, cependant que la fonction de la cause était reprise par d'autres mécanismes, notamment par l'illicéité et par l'objet qui sont présentés dans le projet de réforme sous l'intitulé de « contenu certain ».

246. – **Le contenu certain du contrat suivant le projet de réforme**. L'article 35 du projet présente les conditions de validité du contrat :

« Sont nécessaires à la validité d'un contrat :

Le consentement des parties ;

Leur capacité de contracter ;

Un contenu licite et certain ».

Sous cet intitulé de contenu certain les articles 69 et suivants du projet traitent de ce qu'on appelle habituellement l'objet du contrat (la chose, la prestation, le prix), de sa détermination, du défaut d'équivalence entre les prestations, du déséquilibre significatif, de l'absence de contrepartie, etc. Il est toutefois précisé d'entrée que, au plan terminologique, le projet évite l'utilisation du terme « objet » et de celui de « chose », ce dernier étant remplacé par « prestation ».

En tête de la sous-section consacrée au « contenu du contrat », l'article 69 du projet pose le principe que : « Le contrat ne peut déroger à l'ordre public ni par son contenu, ni par son but, que ce dernier ait été connu ou non par toutes les parties ». Ce faisant le projet ne fait que reprendre, sous une autre forme, ce que déclare déjà l'article 6 du Code civil : « On ne peut déroger, par des conventions particulières, aux lois qui intéressent l'ordre public et les bonnes mœurs ».

247. – **Plan.** Traditionnellement les auteurs envisagent de manière séparée ces diverses questions : objet, cause, lésion, etc., ce qui amène parfois à des redites (par ex., à propos de l'ordre public et des bonnes mœurs) et surtout ne permet pas de donner une vision générale de la matière, telle que modifiée par les textes récents sur la protection du consommateur.

Toutes ces questions s'ordonnent autour du problème plus général du contenu du contrat, lequel échappe de plus en plus au principe de la liberté contractuelle

(524) D. Mazeaud, *La matière du contrat*, in *Les concepts contractuels français à l'heure des Principes du droit européen du contrat*, ss dir. P. Rémy-Corlay et D. Fenouillet : Dalloz, 2003, p. 81.

(525) V. D. Mazeaud, *La Commission Lando : le point de vue d'un juriste français*, in *L'harmonisation du droit des contrats en Europe*, ss dir. C. Jamin et D. Mazeaud : Économica, 2001, p. 151.

(526) Sur l'objet et la cause dans l'avant-projet, V. B. Fages, *Autour de l'objet et de la cause* : RDC 2006, p. 37.

pour relever d'un ordre public sans cesse plus contraignant : en effet à côté de l'ordre public de direction que l'on connaissait jusqu'ici s'est développé un ordre public de protection (du salarié, du locataire, de l'assuré, du consommateur en général, etc.) qui tend à assurer l'équilibre des contrats.

Pour mieux rendre compte de l'évolution générale qui s'accomplit aujourd'hui, on regroupera ces diverses questions sous l'angle du contenu du contrat, en envisageant successivement l'objet du contrat, sa conformité à l'ordre public et aux bonnes mœurs, à la vérité, enfin à la justice sociale.

Cette présentation a en revanche l'inconvénient de faire éclater l'étude de certaines notions, spécialement de la cause qui avait fait l'objet voici un demi-siècle d'une vive controverse entre les causalistes et les anticausalistes(527).

§ 1. – L'objet

248. – **Terminologie**. Que sont devenus dans le projet de réforme « l'objet du contrat » et « l'objet de l'obligation » ?

S'agissant de l'objet du contrat on peut trouver une indication sérieuse en rapprochant l'article 49 de la version de février 2009 de l'article 69 de la version d'octobre 2013 qui traitent du même sujet. Alors que l'artice 69 de la version 2013 stipule que « le contrat ne peut déroger à l'ordre public ni par son contenu, ni par son but ... », l'article 49, alinéa 1 de la version de 2009 stipulait que « le contrat qui par son objet ou par son but contrevient à l'ordre public est illicite ». Il faut donc comprendre que l'objet du contrat, c'est son « contenu ».

S'agissant maintenant de l'objet de l'obligation, il suffit de se reporter à l'article 70 de la version d'octobre 2013 : « l'obligation a pour objet une prestation présente ou future » ; il en résulte que l'objet de l'obligation, c'est une prestation.

Dans le même esprit qu'est devenue la « chose » qui figurait au Code civil ? La chose est devenue la « prestation ». On comprend alors qu'il y a deux sortes de prestations : des prestations de service (voir l'article 72 qui traite des contrats de prestation de service) et les autres qui portent sur des choses (mais on ne dit pas le mot).

249. – **Objet du contrat et objet de l'obligation.** La formulation de l'article 1108 du Code civil « Quatre conditions sont nécessaires pour la validité d'une convention : (...) Un objet certain qui forme la matière de l'engagement » semble désigner l'*objet du contrat*, et on en trouve confirmation plus loin dans l'article 1126 (« Tout contrat a pour objet... »). Ainsi, une interprétation littérale des textes conduirait à dire que l'objet, au sens du Code civil, est l'objet du contrat.

Mais on considère en général qu'il s'agit là d'une erreur de rédaction, et ce pour deux raisons. D'une part, un contrat n'a pas à proprement parler d'objet, il a des *effets* qui sont la création d'une ou plusieurs obligations ; d'autre part, la lecture des articles 1126 et suivants montre clairement qu'ils envisagent l'*objet des obligations* créées par le contrat.

(527) Sur l'histoire de la cause en droit français voir E. Chevreau, *La cause dans le contrat en droit français : une interprétation erronée du droit romain : RDC 2013, 11.*

Art. 1126. – Tout contrat a pour objet une chose qu'une partie s'oblige à donner, ou qu'une partie s'oblige à faire ou à ne pas faire.

Art. 1127. – Le simple usage ou la simple possession d'une chose peut être, comme la chose même, l'objet du contrat.

Art. 1128. – Il n'y a que les choses qui sont dans le commerce qui puissent être l'objet des conventions.

Art. 1129. – Il faut que l'obligation ait pour objet une chose au moins déterminée quant à son espèce.

La quotité de la chose peut être incertaine, pourvu qu'elle puisse être déterminée.

Art. 1130. – Les choses futures peuvent être l'objet d'une obligation.

On ne peut cependant renoncer à une succession non ouverte, ni faire aucune stipulation sur une pareille succession, même avec le consentement de celui de la succession duquel il s'agit, que dans les conditions prévues par la loi.

Tout en convenant de cela, nombre d'auteurs(528) retiennent l'idée d'objet du contrat comme désignant l'opération juridique envisagée dans son ensemble, le but poursuivi par le contrat, et ils se servent de cette notion pour vérifier que le contrat est bien conforme à l'ordre public et aux bonnes mœurs. Ils font en effet observer que parfois l'objet de chaque obligation peut être licite cependant que l'objet du contrat sera illicite. Cette idée se retrouvait dans l'article 49, alinéa 1, de la version 2009 du projet de réforme suivant lequel « le contrat qui par son objet ou par son but contrevient à l'ordre public est illicite ».

En pratique, il ne semble pas qu'il y ait un réel intérêt à faire une place particulière à l'objet du contrat : en effet, le plus souvent il y a illicéité tout à la fois de l'objet de l'obligation et de l'objet du contrat ; il n'en ira autrement que dans des cas exceptionnels et alors la nullité pourra être prononcée sur un autre fondement, en principe sur celui de l'illicéité de la cause (ou du « but » suivant la terminologie du projet de réforme). Mieux vaut donc limiter ici l'étude à l'objet de l'obligation, cependant que l'éventuelle illicéité de l'objet du contrat sera traitée au titre de la cause (V. *infra*, n°s 285 et s.).

Mais l'opinion contraire est soutenue de manière intéressante par certains auteurs qui voient dans l'objet du contrat – défini comme « l'opération juridique concrète voulue par les parties » – une notion susceptible de compléter utilement celle de cause(529).

Quant au Projet Catala qui consacre une section à l'objet(530), il ne lève pas l'ambiguïté dans la mesure où il fait référence tantôt à l'objet du contrat (art. 1121), tantôt à l'objet de l'obligation (art. 1121-3). Et il en va de même du projet de réforme qui vise – sans le dire – l'objet du contrat dans l'article 69 et l'objet de l'obligation dans les articles 70 et suivants où il est traité de la chose (qualifiée de prestation), du prix et du déséquilibre entre la chose / prestation et le prix.

250. – **L'objet de l'obligation. Plan.** L'objet de l'obligation se définit comme ce qui est dû au créancier par le débiteur(531). Lorsque, comme c'est le plus souvent le cas, il s'agit d'un contrat synallagmatique, il y aura au moins deux obliga-

(528) V. notamment Mazeaud et Chabas, n°s 231 et 244. – Terré, Simler et Lequette, n°s 265 et 301.

(529) A.-S. Lucas-Puget, *Essai sur la notion d'objet du contrat* : LGDJ, coll. « Droit privé », 2005, t. 441, préf. M. Fabre-Magnan.

(530) Les rédacteurs du Projet Catala ont préféré l'appellation d'objet à celle de contenu du contrat, au motif que cette dernière expression ne serait pas suffisamment précise pour garantir la sécurité des relations contractuelles : J. Huet et R. Cabrillac, *Validité – Objet*, in *Avant-projet de réforme du droit des obligations et de la prescription, Exposé des motifs* : La Documentation française, 2006, p. 35.

(531) D. Mazeaud, *La matière du contrat*, in *Les concepts contractuels français à l'heure des principes du droit européen des contrats* : Dalloz, 2003, p. 81.

tions réciproques, chacune ayant son objet propre. Par exemple, dans la vente, l'objet de l'obligation du vendeur est de transférer la propriété de la chose, de la livrer, de la garantir, cependant que le paiement du prix est l'objet de l'obligation de l'acheteur.

Cet objet est défini par l'article 1126 comme « une chose qu'une partie s'oblige à donner, ou qu'une partie s'oblige à faire ou à ne pas faire ». Sur ce point le projet de réforme indique que « l'obligation a pour objet une prestation présente ou future » ; mais le terme de prestation semble devoir être pris dans un sens très large, englobant les prestations de service (art. 70) et les choses.

La « chose »(532) au sens de l'article 1126 va revêtir des aspects différents suivant les circonstances puisqu'il s'agira :

– tantôt d'une *chose* au sens matériel du terme (un objet qu'on vend ou qu'on met en dépôt, une maison qu'on loue, une somme d'argent à payer) ;

– tantôt d'une *prestation* ou d'une *abstention*, sans lien direct avec une chose matérielle quelconque (par ex., soigner un malade, plaider une affaire, repeindre une pièce, ne pas faire concurrence, etc.).

On remarquera que la distinction entre chose et prestation ne se confond pas avec la classification des obligations de donner, de faire et de ne pas faire. Ainsi l'obligation du bailleur est une obligation de faire, et pourtant elle porte sur une chose.

La notion de chose au sens de l'article 1126 est très large, au même titre que la notion de prestation au sens du projet de réforme, si bien que les deux vocables paraissent recouvrir le même objet. Il peut s'agir de *biens corporels*, c'est-à-dire d'objets matériels faisant par exemple l'objet d'une vente, d'un bail, d'un prêt, etc. ; ou de *biens incorporels*, c'est-à-dire de droits, par exemple de droits d'auteur, de parts de sociétés, etc., faisant l'objet d'une cession. Il peut aussi s'agir d'une somme d'argent, qui constitue la contre-prestation, et dont la dénomination variera suivant le type de contrat : *prix* dans la vente, *loyer* dans le bail, *intérêts* dans le prêt, *salaire* dans le contrat de travail, *honoraires*, etc.

Trois conditions sont requises pour la validité de l'objet, avec des modalités différentes suivant qu'il s'agit d'une chose, d'une prestation ou d'un prix : l'objet doit être déterminé, possible et licite.

A. – Détermination de l'objet(533)

251. – **Le principe.** La condition est posée par l'article 1129 :

> Il faut que l'obligation ait pour objet une chose au moins déterminée quant à son espèce. La quotité de la chose peut être incertaine, pourvu qu'elle puisse être déterminée.

Telle que libellée, cette condition a été conçue pour une chose au sens matériel du terme. Elle a néanmoins vocation à s'appliquer de manière générale, qu'il s'agisse d'une chose au sens strict, d'une prestation ou d'une somme d'argent. Cette application soulève des difficultés variables suivant les cas ; la jurisprudence récente

(532) E. Sabathié, *La chose en droit civil* : thèse Paris II, 2004.

(533) Th. Revet, *La détermination unilatérale de l'objet dans le contrat*, in *L'unilatéralisme et le droit des obligations* : Économica, 1999.

amène même à se demander si la condition de détermination doit s'appliquer au prix.

Le projet de réforme est tout aussi ambigu lorsqu'il stipule (art. 70, al. 2) que la prestation, présente ou future, « doit être possible et déterminée ou déterminable ». Mais il consacre les trois articles suivants à la détermination du prix.

252. – **La détermination de la chose.** Pour une chose l'article 1129 distingue entre l'espèce et la quotité.

S'agissant de l'*espèce* il y a des degrés possibles dans la détermination. Si le contrat porte sur un *corps certain*, qui est identifié dans son individualité même, la détermination sera parfaite. Pour une *chose de genre* il faut qu'elle « soit déterminée quant à son espèce » : par exemple, du fuel domestique, du blé, du vin, etc. ; mais il n'est pas indispensable d'en préciser la qualité. En cas de litige, le juge recherchera quelle a été la volonté commune des parties et, à défaut de découvrir cette volonté, on présumera que les parties ont eu en vue une qualité moyenne conformément à la règle supplétive de l'article 1246 du Code civil. La solution est explicitée en ces termes dans le projet de réforme : « Lorque la qualité de la prestation n'est pas déterminée ou déterminable en vertu du contrat, le débiteur doit offrir une prestation de qualité conforme aux attentes légitimes des parties en considération de sa nature, des usages et du montant de la contrepartie » (art. 74).

S'agissant de la *quotité*, c'est-à-dire de la quantité, l'article 1129, alinéa 2, admet qu'elle soit incertaine « pourvu qu'elle puisse être déterminée ». On interprète ce texte en ce sens que, si la quantité peut ne pas être déterminée lors de la conclusion du contrat, il faut néanmoins qu'elle soit *déterminable* en fonction de dispositions prévues au contrat. Cette condition est reprise dans le projet de réforme : « la prestation est déterminable lorsqu'elle peut être déduite du contrat ou par référence aux usages ou aux relations antérieures des parties » (art. 70, al. 3). Peut-être la quotité ne pourra-t-elle être finalement déterminée qu'au moment de l'exécution du contrat, ou par l'exécution de celui-ci, mais c'est à la condition que cette détermination soit faite en fonction de principes ou de critères arrêtés dans le contrat.

Par exemple, sera valable le contrat par lequel on s'engage à assurer la fourniture de tel carburant nécessaire au fonctionnement de telle usine, de telle machine ou de tel véhicule pendant telle durée. De même, on admet sans la moindre hésitation qu'est valable un contrat de fourniture d'eau, de gaz, d'électricité, de téléphone, etc., alors que la quotité sera fonction de la consommation du client, telle que comptabilisée au compteur, c'est-à-dire de sa décision unilatérale de consommer ou de ne pas consommer.

253. – **La détermination de la prestation.** Pour une prestation, c'est l'évidence même qu'elle doit être déterminée : il faut savoir à quoi on s'oblige pour qu'on puisse parler de contrat, et la prestation doit être définie de manière suffisamment précise pour que la convention ne soit pas affectée d'une ambiguïté fondamentale.

Ainsi, s'engager à « faire un geste » est un contrat vicié par l'indétermination de l'objet de l'obligation[534]. En revanche, pour certains contrats, la détermination sera

(534) Cass. com., 28 févr. 1983 : *Bull. civ.* 1983, IV, n° 86.

suffisante même si la durée n'est pas précisée : le contrat, par exemple le contrat de travail, est alors à durée indéterminée.

De même, en matière de contrat d'entreprise, une jurisprudence constante considère le contrat comme valable, même lorsqu'il est prévu la faculté pour le client d'apporter des modifications à son projet, c'est-à-dire de réduire ou d'augmenter les prestations initialement prévues ; si le marché a été conclu *à forfait*, on dira que c'est un *marché à forfait imparfait*. Sur ce point, la norme AFNOR P 03-001, qui est le Cahier des clauses administratives générales applicables aux travaux de bâtiment faisant l'objet de marchés privés, prévoit expressément la possibilité pour le maître de l'ouvrage d'apporter des modifications dans l'importance et la nature des travaux ; et l'entrepreneur est tenu par la décision du maître de l'ouvrage à la condition toutefois que l'augmentation des travaux n'excède pas le quart du montant initial ou que la diminution reste en dessous de 15 % du montant initial prévu.

En bref, la solution dépend largement de la nature du contrat. À côté des contrats classiques pour lesquels la chose doit être déterminée et arrêtée dès l'origine, car il faut bien savoir à quoi on s'engage, il en est d'autres pour lesquels la quotité de la chose pourra varier. En pratique, il n'y a pas de contentieux sur ce point.

254. – **La détermination du prix en général.** Dans tout contrat synallagmatique, il y a des obligations réciproques. Le plus souvent, il s'agira d'une part d'une chose ou d'une prestation de services et, d'autre part, d'un prix versé en contrepartie. Ce prix apparaît ainsi comme l'objet de l'obligation de payer, laquelle se retrouve dans presque tous les contrats à titre onéreux.

La question est de savoir si l'article 1129 doit être appliqué au prix alors que, compte tenu de sa formulation et de son contexte, il semble plutôt viser des choses, et même des choses de genre, qui seraient à définir dans leur espèce et dans leur quotité. Certes, on pourrait soutenir que le prix s'exprime par une somme d'argent et que l'argent est une chose de genre par excellence : dès lors tout contrat devrait la définir dans son espèce (euro, dollar, yen, etc.) et dans sa quotité, c'est-à-dire dans son montant. Sur ce point le projet de réforme sous entend que la détermination du prix dans les contrats de prestation de service n'est pas une condition nécessaire puisqu'il prévoit qu'à défaut d'accord préalable le prix pourra être fixé par le créancier et, en cas de contestation sur son montant, par le juge (art. 72).

Parfois, en sus de la disposition générale de l'article 1129 relative à l'objet, la loi prévoit expressément que tel ou tel contrat doit comporter un prix. Ainsi en est-il de la vente (art. 1591), du bail (art. 1709), du contrat de louage d'ouvrage (art. 1710), du prêt à intérêt (art. 1907), de la rente viagère (art. 1968), du contrat de promotion immobilière (art. 1831-1), de la vente d'immeuble à construire, du contrat de construction de maison individuelle, du contrat d'assurance, etc.

Ce prix doit-il être déterminé à peine de nullité du contrat et, dans l'affirmative, est-ce en application de l'article 1129, ou de la disposition spéciale au contrat considéré ?

S'agissant du contrat de louage d'ouvrage, que l'article 1710 définit comme « le contrat par lequel l'une des parties s'engage à faire quelque chose pour l'autre, *moyennant un prix convenu entre elles* », une jurisprudence constante considère que la détermination du prix n'est pas une condition de validité[(535)] ; il s'ensuit qu'à défaut de prix et d'accord ultérieur des parties, il appartient au juge de le fixer[(536)].

Mais le débat a principalement porté sur l'indétermination du prix dans la vente qui a donné lieu à une importante jurisprudence dont l'évolution doit être retracée.

255. – **L'indétermination du prix dans la vente.** Pendant très longtemps, la jurisprudence a résolu la question par application de l'article 1591 suivant lequel « le prix de la vente doit être déterminé et désigné par les parties ». Suivant cette jurisprudence, à défaut d'être déterminé, le prix devait à tout le moins être déterminable, mais à la condition que cette détermination ne dépende pas de l'arbitraire de l'une des parties, en pratique du vendeur. Était ainsi jugée valable la stipulation d'un prix à fixer par un tiers expert, ou par référence à un cours officiel, etc. ; et nulle la référence faite au prix catalogue, ou au tarif du vendeur lors de la livraison, ou même au prix du marché sauf si ce dernier ne dépend pas de la volonté du vendeur. La jurisprudence, qui a eu maintes fois l'occasion de se prononcer à propos des contrats de « pompiste de marque » et des « contrats de bière » était constante en ce sens[(537)].

256. – **L'évolution de la jurisprudence.** Pour échapper à cette solution fondée sur l'article 1591 relatif à la vente, certains fournisseurs ont alors fait plaider que les contrats litigieux étaient des contrats complexes, *sui generis*, et non des contrats de vente. Pour rejeter cette argumentation la chambre commerciale de la Cour de cassation a fondé la nullité, non plus sur l'article 1591, mais sur l'article 1129 pour indétermination de l'objet[(538)].

Cette nouvelle motivation est apparue très critiquable. Outre que l'article 1129 ne semble pas avoir été écrit pour cet objet de l'obligation que constitue le prix, le fondement retenu par la chambre commerciale aurait dû conduire à une généralisation à tous les contrats de la nullité pour indétermination du prix. Or, c'eût été entrer en conflit avec une autre jurisprudence, aussi ancienne que constante, qui décide que l'indétermination du prix n'est pas une cause de nullité du contrat d'entreprise et qu'en cas de désaccord entre les parties sur le prix, il appartient au juge de le fixer[(539)].

(535) V. par ex. Cass. 3e civ., 18 janv. 1977 : *JCP* 1977, IV, 66. – Cass. 3e civ., 24 janv. 1978 : *Bull. civ.* 1978, III, n° 49, p. 39.

(536) F. Labarthe, *Le juge et le prix dans le contrat d'entreprise*, in *Mél. J. Normand* : Litec, 2003, p. 275. – Cass. 3e civ., 3 déc. 1970 : *Bull. civ.* 1970, III, n° 663. – Cass. 3e civ., 10 janv. 1973 : *D.* 1973, inf. rap. p. 58. – Cass. com., 6 nov. 1978 : *JCP* 1979, IV, 21. – Cass. 1re civ., 4 oct. 1989 : *JCP* 1989, IV, 385.

(537) Cass. com., 27 avr. 1971, 3 arrêts : *JCP* 1972, II, 16975, obs. J. Bore ; *D.* 1972, 353, note J. Ghestin. – Cass. com., 1er févr. 1972 : *JCP* 1972, II, 17136. – Cass. com., 13 mars 1972 : *JCP* 1972, II, 17196, obs. J. Bore. – Cass. com., 12 févr. 1974 : *D.* 1974, 414, note J. Ghestin ; *JCP* 1975, II, 17915, obs. J. Bore. – Cass. com., 21 juin 1976 : *JCP* 1978, II, 18984, obs. N. Albala et A. Corneveaux. – Affaire du *Crédit suisse* : Paris, 22 nov. 1972 : *D.* 1974, 93, note Ph. Malaurie, et sur pourvoi Cass. 1re civ., 12 nov. 1974 : *Bull. civ.* 1974, I, n° 301. – Cass. 1re civ., 18 juill. 1979 : *JCP* 1979, IV, 326.

(538) Cass. com., 11 oct. 1978, 2 arrêts : *D.* 1979, 135, note R. Houin ; *JCP* 1979, II, 19034, obs. Y. Loussouarn. – Cass. com., 13 déc. 1982 : *JCP* 1983, IV, 73. – Cass. com., 11 janv. 1984 : *JCP* 1984, IV, 88. – F. Gore, *La détermination du prix dans les contrats dits « marchés de bière »* : *Gaz. Pal.* 1979, I, doctr. 84. – J.-J. Barbièri, *La détermination du prix dans les contrats d'approvisionnement exclusif* : *RJ com.* 1983, 329. – P. de Fontbressin, *De l'influence de l'acceptation du concept de prix sur l'évolution du droit des contrats* : *RTD civ.* 1986, 655.

(539) Cass. 3e civ., 4 juill. 1972 : *Bull. civ.* 1972, III, n° 442. – Cass. 1re civ., 9 févr. 1977 : *Bull. civ.* 1977, I, n° 74. – Cass. 3e civ., 18 janv. 1977 : *JCP* 1977, IV, 66. – Cass. 3e civ., 24 janv. 1978 : *Bull. civ.* 1978, III, n° 49. – Cass. com., 6 nov. 1978 : *JCP* 1979, IV, 21. – Cass. 1re civ., 4 oct. 1989 : *JCP* 1989, IV, 385.

Tenant compte de ces objections, la jurisprudence s'est à nouveau infléchie, à propos des contrats de distribution exclusive, et la chambre commerciale a distingué suivant que le contrat portait sur une *obligation de faire* comme le contrat d'entreprise ou une *obligation de donner* comme la vente. Posant en principe que la règle de la détermination du prix ne concerne que les contrats comportant des obligations de donner, la jurisprudence a écarté la nullité pour indétermination du prix dans les contrats de distribution exclusive, considérés comme comportant essentiellement des obligations de faire(540). Ce faisant, la chambre commerciale évitait toute contradiction avec la jurisprudence de la troisième chambre civile en matière de contrat d'entreprise qui, lui aussi, ne comporte que des obligations de faire.

Mais les contrats sont souvent très complexes, et il n'est pas toujours évident de les classer de manière tranchée suivant la distinction des obligations de donner et de faire. Ceci explique peut-être une nouvelle évolution de la jurisprudence, cette fois-ci de la première chambre civile. Tout en maintenant l'exigence de la détermination du prix, la cour a considéré qu'il y était satisfait dès lors que le contrat faisait référence à un tarif, en l'espèce celui du vendeur, sous réserve que le vendeur n'ait pas « abusé de l'exclusivité qui lui était réservée pour majorer son tarif dans le but d'en tirer un profit illégitime, et ainsi méconnu son obligation d'exécuter le contrat de bonne foi »(541). La question se déplaçait ici de la formation vers l'exécution du contrat et la cour consacrait le pouvoir du juge de contrôler, à l'aune de la bonne foi, le pouvoir reconnu au vendeur de renvoyer à son tarif.

Les distorsions de jurisprudence entre ces trois chambres de la Cour de cassation appelaient une intervention de l'assemblée plénière(542).

257. – Les arrêts de l'assemblée plénière du 1er décembre 1995. Par quatre arrêts du 1er décembre 1995(543) l'assemblée plénière de la Cour de cassation a édicté deux principes. D'une part, revenant sur la jurisprudence de la chambre commerciale, la cour décide que « l'article 1129 du Code civil n'est pas applicable à la détermination du prix ». D'autre part, allant plus loin que la première chambre civile, elle décide « que, lorsqu'une convention prévoit la conclusion de contrats ultérieurs, l'indétermination du prix de ces contrats dans la convention initiale n'affecte pas, sauf dispositions légales particulières, la validité de celle-ci, l'abus dans la fixation

(540) Cass. com., 9 nov. 1987 : *D.* 1989, 35 et note Ph. Malaurie ; *JCP* 1989, II, 21186, obs. G. Virassamy. – Cass. com., 22 janv. 1991 : *D.* 1991, 175, concl. Jeol ; *JCP* 1991, II, 21679, obs. G. Virassamy. – Cass. com., 29 janv. 1991 : *JCP* 1991, II, 21751, obs. L. Leveneur. – Cass. com., 2 juill. 1991 : *D.* 1991, 501 et note Ph. Malaurie. – D. Ferrier, *La détermination du prix dans les contrats stipulant une obligation d'approvisionnement exclusif* : *D.* 1991, chron. 237. – D. Tallon, *Le surprenant réveil de l'obligation de donner (à propos des arrêts de la chambre commerciale en matière de détermination du prix)* : *D.* 1992, chron. 67. – D. d'Hoeraene, *L'indétermination des prix* : *Gaz. Pal.* 10-11 juin 1992. – M.-A. Frison-Roche, *L'indétermination du prix* : *RTD civ.* 1992, 269. – F. Leduc, *La détermination du prix, une exigence exceptionnelle ?* : *JCP* 1992, I, 3631.

(541) Cass. 1re civ., 29 oct. 1994 : *JCP* 1995, II, 22371 et note J. Ghestin ; *D.* 1995, 122 et note L. Aynès ; *RTD civ.* 1995, 358, obs. J. Mestre.

(542) L. Vogel, *Plaidoyer pour un revirement : contre l'obligation de détermination du prix dans les contrats de distribution* : *D.* 1995, chron. 155.

(543) Cass. ass. plén., 1er déc. 1995 : *JCP* 1996, II, 22565, concl. M. Jéol et note J. Ghestin ; *D.* 1996, 13, concl. M. Jéol et note L. Aynès ; *Gaz. Pal.* 1995, 626 et note de Fombressin ; *Defrénois* 1996, 747, obs. Ph. Delebecque ; *RTD civ.* 1996, 153, obs. J. Mestre. – A. Brunet et A. Ghozi, *La jurisprudence de l'assemblée plénière sur le prix du point de vue de la théorie du contrat* : *D.* 1998, chron. 1. – V. aussi *La détermination du prix : nouveaux enjeux un an après les arrêts de l'assemblée plénière*, Travaux du colloque du 17 décembre 1996 : *RTD com.* 1997, 1 et s. ; V. spéc. D. Ferrier, *Les apports au droit commun des obligations*, p. 49. – Sur les conséquences de cette jurisprudence, V. F. Terré, P. Simler et Y. Lequette, n° 291.

du prix ne donnant lieu qu'à résiliation ou indemnité ». C'est la solution qui a été retenue dans le projet de réforme pour les contrats-cadre et les contrats à exécution successive (art. 71).

Les principes dégagés par les arrêts de l'assemblé plénière ont été repris par les diverses juridictions, notamment pour les contrats de distribution ou de fournitures(544), pour le contrat de prêt (à propos tant des intérêts(545) que de l'indemnité de remboursement anticipé(546)) et même pour les contrats d'entreprise(547).

Il en résulte que, au regard de l'article 1129, la détermination du prix n'est pas une condition de formation des contrats. Mais la question reste de savoir s'il faut aller plus loin, et considérer que, en cas d'indétermination du prix dans un contrat, la nullité ne peut pas être demandée sur le fondement des textes particuliers autres que l'article 1129, qui mentionnent la nécessité d'un prix dans un certain nombre de contrats ; en bref, suivant la formule de l'avocat général Jéol, a-t-on « tordu le cou » au seul article 1129, ou à tous les textes exigeant ou semblant exiger une détermination du prix(548). Jusqu'ici la jurisprudence maintient fermement la nécessité d'un prix dans le contrat de vente en application de l'article 1591(549), cependant qu'il en va différemment pour le contrat d'entreprise.

En conclusion il faut donc distinguer. Les contrats pour lesquels la loi – telle qu'interprétée par la jurisprudence – exige que le prix soit déterminé seront annulables en cas d'indétermination du prix. Pour les autres contrats, seul est sanctionné l'abus dans la fixation unilatérale du prix, et la sanction est, non la nullité du contrat, mais sa résiliation.

Enfin, il résulte aussi implicitement de la jurisprudence que, dans le cas où les parties ont omis de fixer le prix, même par simple référence à un tarif, il appartient au juge de le fixer lui-même, comme cela est admis depuis longtemps dans le contrat d'entreprise.

258. – La détermination de l'objet dans le projet de réforme. L'article 70 pose le principe que l'obligation, dont l'objet peut être « une prestation présente ou future », « doit être possible et déterminée ou déterminable » ; et il précise que « la prestation est déterminable lorsqu'elle peut être déduite du contrat ou par référence aux usages ou aux relations antérieures des parties ». Le projet distingue ensuite suivant que l'indétermination touche la qualité de la prestation ou son prix.

Quant à la qualité de la prestation, c'est-à-dire de la chose au sens de l'article 1126, si elle n'est pas déterminée ou déterminable en vertu du contrat, « le

(544) Cass. com., 26 mars 1996 : *Bull. civ.* 1996, IV, n° 205 ; *Contrats, conc. consom.* 1996, comm. 136, obs. L. Leveneur.

(545) Cass. com., 9 juill. 1996 : *Bull. civ.* 1996, IV, n° 205 ; *JCP* 1996, II, 22721 et note J. Stoufflet ; *Defrénois* 1996, 1363, obs. Ph. Delebecque ; *Contrats, conc. consom.* 1996, comm. 182, obs. L. Leveneur.

(546) Cass. 1re civ., 14 juin 2000 : *Bull. civ.* 2000, I, n° 184, p. 119. – Cass. 1re civ., 6 mars 2001 : *Bull. civ.* 2001, I, n° 54, p. 35 ; *JCP* N 2001, 1401 et note L. Leveneur ; *D.* 2001, somm. p. 3237, obs. L. Aynès.

(547) Cass. 1re civ., 20 févr. 1996 : *Bull. civ.* 1996, I, n° 91. – J.-P. Chazal, *De la puissance économique en droit des obligations*, thèse Grenoble, 1996. – C. Aubert de Vincelles, *Altération du consentement et efficacité des sanctions contractuelles*, Dalloz, 2002, préf. Y. Lequette. – C. Aubert de Vincelles, *Pour une généralisation, encadrée, de l'abus dans la fixation du prix* : *D.* 2006, chron. p. 2629.

(548) M. Jéol, *La fixation du prix dans les contrats d'affaires : de l'indétermination de la loi à la détermination du juge*, in *Mél. Bézard* : LGDJ, 2002.

(549) Cass. 1re civ., 24 févr. 1998 : *Bull. civ.* 1998, I, n° 81 ; *RTD civ.* 1998, 900, obs. J. Mestre. – Cass. 1re civ., 28 nov. 2000 : *Contrats, conc. consom.* 2001, comm. 40, obs. L. Leveneur. – Cass. 3e civ., 29 janv. 2003 : *Bull. civ.* 2003, III, n° 23 ; *Defrénois* 2003, art. 37767, n° 53, obs. E. Savaux ; *JCP* 2003, I, 186, nos 1-6, obs. F. Labarthe. – M.-A. Rakotovahiny, *La condition potestative dans l'indétermination du prix de vente* : *LPA* 30 nov. 2007, p. 4.

débiteur doit offrir une prestation de qualité conforme aux attentes légitimes des parties en considération de sa nature, des usages et du montant de la contrepartie », c'est-à-dire du prix (art. 74).

Quant au prix, il traite tout d'abord des contrats-cadre et des contrats à exécution successive où, s'il en est ainsi convenu, le prix de la prestation peut être fixé unilatéralement par l'une des parties, « à charge pour elle d'en justifier le montant en cas de contestation » ; et, si le prix est abusif, le cocontractant pourra saisir le juge d'une demande soit en révision du prix, soit en dommages et intérêts et, « le cas échéant » d'une demande en résolution (art. 71).

Pour les contrats portant sur des prestations de services, « à défaut d'accord des parties avant leur exécution, le prix peut être fixé par le créancier à charge pour lui d'en justifier le montant » ; et, en cas de contestation, le débiteur pourra saisir le juge « afin qu'il fixe le prix en considération notamment des usages, des prix du marché ou des attentes légitimes des parties » (art. 72). Ce faisant, le projet confère au juge un pouvoir que ce dernier s'était jusque là toujours refusé.

En revanche le projet ne se prononce pas sur les contrats portant sur les autres prestations, c'est-à-dire notamment sur les choses. On peut penser qu'il renvoie ici implicitement aux dispositions spécifiques applicables à ces contrats et à la jurisprudence.

259. – **Droit comparé et perspectives d'avenir.** La solution retenue par la Cour de cassation rejoint celle qui est généralement édictée dans les divers droits européens pour lesquels la détermination du prix n'est pas une condition de validité du contrat. On peut la rapprocher de celle fixée dans les Principes Unidroit relatifs aux contrats du commerce international, à l'article 5.1.7.[550].

Par ailleurs, les projets d'harmonisation des droits européens[551] considèrent eux aussi que la détermination du prix n'est pas une condition de validité du contrat, si bien que les Principes de la Commission Lando, qui reprennent presque mot pour mot le texte de l'article 5.1.7 des Principes Unidroit, traitent de la question de la détermination du prix dans la première partie consacrée à l'exécution et à l'inexécution. Lorsque le contrat ne fixe pas le prix ni la façon de le déterminer, les parties sont censées être convenues d'un prix raisonnable. Le prix peut être déterminé unilatéralement par une des parties mais ne doit pas être abusif.

La jurisprudence de l'assemblée plénière de 1995 est donc en accord avec ces dispositions. En revanche, le rôle confié au juge est tout à fait innovant au regard du droit positif : en effet, le juge peut substituer lui-même un prix raisonnable au prix abusivement déterminé par une partie.

(550) Art. 5.1.7. – 1) Lorsque le contrat ne fixe pas de prix ou ne prévoit pas le moyen de le déterminer, les parties sont réputées, sauf indication contraire, s'être référées au prix habituellement pratiqué lors de la conclusion du contrat, dans la branche commerciale considérée, pour les mêmes prestations effectuées dans des circonstances comparables ou, à défaut d'un tel prix, à un prix raisonnable.
2) Lorsque le prix qui doit être fixé par une partie s'avère manifestement déraisonnable, il lui est substitué un prix raisonnable, nonobstant toute stipulation contraire.
3) Lorsqu'un tiers chargé de la fixation du prix ne peut ou ne veut le faire, il est fixé un prix raisonnable.
4) Lorsque le prix doit être fixé par référence à un facteur qui n'existe pas, a cessé d'exister ou d'être accessible, celui-ci est remplacé par le facteur qui s'en rapproche le plus.

(551) PDEC, art. 6.104 ; Pavie, art. 31.

Ainsi, la volonté de « sauver le contrat » qui fonde nombre des dispositions de ces projets, est ici manifeste. Il s'agit d'adapter le contrat, de lui donner une chance de vivre et de produire ses effets en le rééquilibrant. La résiliation n'est donc pas la seule perspective d'un contrat dans lequel le prix est indéterminé ou même abusif.

B. – Possibilité de l'objet

260. – **Possibilité de la prestation.** Cette condition ne figure pas dans le Code civil, mais elle y est sous entendue ; en revanche elle est mentionnée dans le projet de réforme : la prestation « doit être possible et déterminée ou déterminable » (art. 70, al. 2). En pratique la question se pose généralement *a posteriori*, au moment de l'exécution du contrat, lorsque le débiteur ne peut pas accomplir la prestation promise et que sa responsabilité est recherchée par le créancier victime de l'inexécution. Le débiteur pourra faire écarter la demande en démontrant que l'obligation souscrite était impossible car « à l'impossible nul n'est tenu ».

L'impossibilité s'entend de celle existant *lors de la conclusion du contrat*, qui seule est une cause de nullité. Ici, le débiteur échappera à toute responsabilité de manière indirecte, en faisant prononcer la nullité du contrat ; celle-ci ayant pour effet d'effacer rétroactivement le contrat, l'inexécution d'une obligation qui est censée n'avoir jamais existé ne saurait être source d'une quelconque responsabilité. Si l'impossibilité d'exécuter survenait postérieurement à la conclusion du contrat, elle pourrait aussi permettre d'échapper à la responsabilité si elle était due à un cas de force majeure : ici le contrat est bien valable mais son inexécution est due à la force majeure, et non pas à une faute du débiteur.

Cela dit, seule constitue une cause de nullité l'impossibilité *absolue*, c'est-à-dire celle qui s'imposerait à tout débiteur, et non l'impossibilité *relative*, celle que n'a pu surmonter tel débiteur. En bref, on apprécie l'impossibilité *in abstracto* (ce qui serait impossible pour tout le monde) et non pas *in concreto* (ce qui a été impossible pour le débiteur en question).

S'agissant d'une prestation de service, l'impossibilité absolue sera exceptionnelle car, sauf insanité d'esprit, nul ne promettra l'impossible (par ex., toucher le ciel du doigt, disaient les Romains). On peut néanmoins citer l'hypothèse où l'engagement pris se heurte à une interdiction légale ignorée du débiteur : par exemple, s'engager à construire sur un terrain situé dans une zone inconstructible suivant les dispositions d'urbanisme de la commune.

Le plus souvent l'impossibilité n'est que relative : le débiteur s'est engagé à accomplir un acte qui dépasse ses capacités personnelles, mais qui aurait été possible à une tierce personne (donner un récital, restaurer un tableau, etc.). En pareil cas le contrat est parfaitement valable et le débiteur verra sa responsabilité engagée pour l'inexécution du contrat, sauf s'il démontre que l'inexécution est due à un cas fortuit ou de force majeure.

261. – **Possibilité ou existence de la chose.** Lorsque le contrat porte sur une chose, la possibilité ou l'existence de celle-ci conditionne de toute évidence la validité de l'engagement. Si la chose n'existe pas, le contrat est nul faute d'objet.

Bien qu'une telle hypothèse apparaisse à première vue étrange, elle peut se produire. Tel sera le cas, par exemple, si le propriétaire d'une chose la vend alors qu'en fait, à son insu, celle-ci vient de disparaître dans un incendie, dans un naufrage, ou à la suite d'un vol, etc. ; ou encore si le contrat portait sur la cession d'une créance déjà éteinte ou prescrite, d'un brevet d'invention périmé, d'actions d'une société disparue[(552)], etc.

À l'inexistence on peut assimiler l'hypothèse où l'exécution du contrat se heurte à une impossibilité absolue, par exemple à l'interdiction d'importer les choses qu'on a promis de livrer ; il y aura nullité si l'impossibilité existait lors de la conclusion du contrat et persiste encore.

262. - **Contrats portant sur la chose d'autrui.** Qu'en est-il lorsqu'un contrat porte sur la *chose d'autrui* ? Il y a bien ici impossibilité, mais *impossibilité relative* dans la mesure où, à la différence du cocontractant, le propriétaire pourrait exécuter le contrat. De ce caractère relatif la doctrine déduit qu'en soi un contrat sur la chose d'autrui est valable[(553)] et qu'il appartient au cocontractant de se rendre propriétaire afin de pouvoir exécuter l'obligation souscrite.

Le Code civil y apporte néanmoins deux exceptions remarquables, en frappant de nullité la vente (art. 1599)[(554)] et l'hypothèque de la chose d'autrui (art. 2413).

263. - **Contrats portant sur des choses futures.** Bien qu'elles n'existent pas encore, « les *choses futures* peuvent être l'objet d'une obligation » (C. civ., art. 1130, al. 1er) ; cette solution est également consacrée dans le projet de réfome, l'article 70, al. 1, stipulant que « l'obligation a pour objet une prestation présente ou future ». On en connaît des applications très nombreuses en pratique ; tel est le cas chaque fois que le contrat porte sur une chose à fabriquer[(555)] : la vente d'immeuble à construire, de navire à construire, de film à réaliser, le contrat de construction de maison individuelle, etc.

De manière plus générale une vente est parfaitement valable, même si elle porte sur un bien, un produit ou une marchandise non disponible : par exemple, la vente d'un véhicule à livrer sous quelques mois et qui n'est donc pas encore construit.

La loi y apporte néanmoins un certain nombre d'exceptions pour des contrats dont l'objet futur est jugé non pas impossible mais illicite : ainsi en est-il des *pactes sur succession future*, sauf dans les conditions prévues par la loi (C. civ., art. 1130, al. 2), et de la cession globale des droits sur les œuvres littéraires ou artistiques futures (CPI, art. L. 131-1). Ce sont là en effet des opérations dangereuses par lesquelles le cocontractant se dépouille par avance de choses qui ne sont pas encore à sa disposition.

---

(552) Cass. com., 26 mai 2009 : *RDC* 2009, p. 1341, obs. Y.-M. Laithier.

(553) Par ex., le bail portant sur la chose d'autrui : Cass. 3e civ., 26 avr. 1972 : *Gaz. Pal.* 28 déc. 1972. – P. Zajac, *Le bail accidentel de la chose d'autrui* : *JCP* N 1993, doctr. 641. – A.-V. Le Fur, *L'acte d'exploitation de la chose d'autrui* : *RTD civ.* 2004, 429.

(554) P. Guiho, *Les actes de disposition sur la chose d'autrui* : *RTD civ.* 1954, 1. Il s'agit toutefois d'une action en nullité relative qui ne peut donc être invoquée que par l'acheteur et non par le véritable propriétaire qui ne dispose que de l'action en revendication : Cass. req., 15 janv. 1934 : *DH* 1934, p. 97. – Cass. 1re civ., 17 juill. 1958 : *D.* 1958, p. 619. – Cass. 3e civ., 9 mars 2005 : *Contrats, conc. consom.* 2005, comm. 128, obs. L. Leveneur.

(555) F. David, *Le marché à façon : étude sur la vente d'objets fabriqués sur commande* : thèse Paris, 1937.

C. – Licéité de l'objet

1° Licéité de la chose objet de l'obligation

264. – Choses dans le commerce et choses hors commerce. Suivant l'article 1128, « il n'y a que les choses qui sont dans le commerce qui puissent être l'objet des conventions ». À la différence du Projet Catala qui reprend cette solution dans les mêmes termes (art. 1121-1) le projet de réforme se borne à préciser de manière générale que « le contrat ne peut déroger à l'ordre public ni par son contenu, ni par son but (...) » (art. 69).

L'expression « choses qui sont dans le commerce » ne doit pas être prise au pied de la lettre(556). En réalité ce texte est une tautologie : il signifie que certaines choses ne peuvent, pour des considérations d'ordre public, de morale, etc., faire l'objet d'une obligation ou de telle obligation précise ; on dit alors qu'elles sont hors du commerce(557).

On peut en citer de nombreux exemples, dans les domaines les plus divers.

Ainsi sont hors du commerce : les *res nullius* qui par leur nature même ne sont pas susceptibles d'appropriation privée (par ex., l'air, l'eau, etc.), les biens du *domaine public* qui sont inaliénables, certains droits déclarés incessibles par la loi (par ex., le droit d'usage, le droit d'habitation ; C. civ., art. 631 et 634), les biens frappés d'une clause d'inaliénabilité(558), les fichiers non déclarés à la CNIL(559), les choses dont le commerce est interdit en vue de la protection de la santé publique, par exemple les drogues, les médicaments ne bénéficiant pas d'une autorisation de mise sur le marché (AMM) ; ou encore à raison d'une contrefaçon(560).

De même ne peuvent faire l'objet d'une convention :

– l'*état et la capacité des personnes* ce qui interdit les pactes de séparation amiable entre époux ;

– la *personne humaine*, ce qui exclut les conventions portant atteinte à l'intégrité physique(561), sauf si celle-ci est justifiée par l'intérêt légitime de celui qui y consent (par ex., à des fins thérapeutiques), ou par l'intérêt général (par ex., vaccinations). Cette prohibition a été consacrée dans l'article 16-5 du Code civil : « Les conventions ayant pour effet de conférer une valeur patrimoniale au corps humain, à ses éléments ou à ses produits sont nulles. » ; cependant que les cessions à titre gratuit des éléments et produits du corps humain sont licites (C. santé publ., art. L. 1211-1 et s.). C'est à ce titre qu'on a pu interdire de donner en spectacle des cadavres ou des organes conservés(562).

Aux conventions sur la personne humaine on assimilait celles relatives à la vie privée des personnes. Cette assimilation est désormais remise en cause par le *pacte*

(556) F. Paul, *Les choses qui sont dans le commerce au sens de l'article 1128 du Code civil* : LGDJ, coll. « Droit privé », 2002.

(557) G. Loiseau, *Typologie des choses hors du commerce* : *RTD civ.* 2000, 47. – I. Moine, *Les choses hors commerce, une approche de la personne humaine juridique* : LGDJ, coll. « Droit privé », 1997, t. 271, préf. E. Loquin.

(558) Cass. 1re civ., 23 févr. 2012 : *Contrats, conc. consom.* 2012, comm. 116, obs. L. Leveneur.

(559) Cass. com., 25 juin 2013 : *JCP* 2013, 920, note A. Debet ; *JCP* 2014, 115, n° 10, obs. Y.-M. Serinet.

(560) Cass. com., 24 sept. 2003 : *Bull. civ.* 2003, IV, n° 147 ; *D.* 2003, 2683 et note Ch. Caron ; *JCP* 2004, I, 123, nos 15-17, obs. G. Loiseau ; *RTD civ.* 2003, 703, obs. J. Mestre et B. Fages ; *RTD civ.* 2004, 117, obs. Th. Revet.

(561) TGI Paris, 3 juin 1969 : *Gaz. Pal.* 1969, 2, 57 ; *D.* 1970, 136 (pour une convention de tatouage d'une rose et d'une Tour Eiffel, suivie d'exérèse de la partie tatouée).

(562) Paris, 30 avr. 2009 : *D.* 2009, 1278, obs. C. Le Douaron ; *RTD civ.* 2009, p. 501, obs. J. Hauser.

civil de solidarité (PACS) qui est consacré par la loi et qui a pourtant pour objet d'organiser la vie de couple de deux personnes[(563)].

Sont également hors du commerce les *fonctions publiques*[(564)], ou l'investiture par un parti politique d'un candidat à une fonction élective[(565)] ; toutefois le titulaire d'un office ministériel dispose d'un droit de présentation de son successeur, sous le contrôle du Gouvernement dont l'agrément est nécessaire.

265. – **Le cas des clientèles civiles.** Si la licéité de la cession des clientèles commerciales n'a jamais été mise en doute puisqu'il s'agit d'un élément du fonds de commerce, il n'en a pas été de même pour les *clientèles civiles* des professions libérales (médecins, avocats, architectes, etc.).

La jurisprudence les a longtemps considérées comme étant hors du commerce au motif que le lien entre ces professionnels et leur clientèle repose sur la confiance personnelle et ne saurait donc faire l'objet d'une transmission[(566)]. Néanmoins elle admettait la validité de l'engagement de présenter son successeur à la clientèle, de lui céder local et matériel, et de s'abstenir de lui faire concurrence[(567)]. Une telle convention, admise d'abord pour les professions de la santé, a été étendue aux avocats, lorsque du moins ils exercent en société.

Allant plus loin encore, la première chambre civile de la Cour de cassation a admis la licéité de la cession de la clientèle médicale « à la condition que soit sauvegardée la liberté de choix du patient »[(568)]. Cet arrêt, qui consacre la reconnaissance d'un *fonds libéral*[(569)] susceptible d'être constitué et cédé, était clairement un revirement de jurisprudence. Puis la Cour de cassation a eu l'occasion de préciser,

---

(563) G. Raymond, *PACS et droit des contrats : Contrats, conc. consom.* 2000, chron. 14, V. p. 8.

(564) Cass. 1re civ., 20 mars 1984 : *Gaz. Pal.* 1984, 2, pan. p. 166 et note J. Dupichot (à propos de la cession de la fonction de syndic-administrateur judiciaire).

(565) Cass. 1re civ., 3 nov. 2004 : *Bull. civ.* 2004, I, n° 237, p. 199 ; *D.* 2004, inf. rap. 3037 ; *JCP* 2004, IV, 3384 ; *Defrénois* 2004, art. 38073, n° 103, p. 1730, obs. J.-L. Aubert ; *Contrats, conc. consom.* 2005, comm. 39, obs. L. Leveneur ; *RTD civ.* 2005, 125, obs. J. Mestre et B. Fages ; *RDC* 2005, p. 263, obs. D. Mazeaud.

(566) Cass. 1re civ., 7 mars 1956 : *D.* 1956, 523, note Percerou. – Cass. 1re civ., 17 mai 1961 : *Bull. civ.* 1961, I, n° 257. – Cass. 1re civ., 24 mai 1978 : *Gaz. Pal.* 1978, 2, pan. 335. – Cass. 1re civ., 8 janv. 1985 : *JCP* 1986, II, 20545, obs. G. Mémeteau ; *D.* 1986, 448, 2e esp. et note J. Penneau (pour un médecin). – Cass. 1re civ., 31 mai 1988 : *Gaz. Pal.* 1988, 2, 650 et note G. Fléchеux (pour un avocat). – Cass. 1re civ., 7 févr. 1990 : *Defrénois* 1990, 1, art. 34837, p. 1018, obs. J.-L. Aubert. – Cass. 1re civ., 3 juill. 1996 : *D.* 1997, 531 et note N. Descamps-Dubrele (pour un médecin). – P. Julien, *Les clientèles civiles. Remarques sur l'évolution de leur patrimonialité : RTD civ.* 1963, 213. – P. Leclercq, *Les clientèles attachées à la personne*, 1964. – P. Blondel, *La transmission à cause de mort des droits extrapatrimoniaux et des droits patrimoniaux à caractère personnel*, 1969.

(567) Cass. 1re civ., 7 juin 1995 : *D.* 1995, 560 et note B. Beignier. – M. Chaniot-Waline, *La transmission des clientèles civiles* : LGDJ, 1994. – S. Ferré-André, *De la patrimonialisation à la commercialisation des clientèles civiles et des professions libérales : RTD com.* 1995, 565. – Y. Chartier, *La clientèle civile dans la jurisprudence de la Cour de cassation*, Rapp. C. cass. 1996, 71. – M. Goré, *La cession entre vifs des clientèles civiles*, in *Les professions libérales, Trav. Assoc. H. Capitant*, Nice, 1997 : LGDJ. – Ph. Reigné, *L'avenir d'une fiction juridique : le particularisme des clientèles des professions libérales*, in *Mél. Terré*, p. 587.

(568) Cass. 1re civ., 7 nov. 2000 : *JCP* 2000, II, 10452 et note F. Vialla ; *D.* 2001, 2401 et note Y. Auguet ; *Defrénois* 2001, 1, 431, art. 37338 et note R. Libchaber ; *JCP* 2001, I, 301, nos 16 et s., obs. J. Rochfeld ; *D.* 2002, somm. 930, obs. O. Tournafond. – Cass. 1re civ., 30 juin 2004 : *Bull. civ.* 2004, I, n° 195, p. 162 ; *Contrats, conc. consom.* 2004, comm. 135, obs. L. Leveneur. – Cass. 1re civ., 16 janv. 2007 : *Bull. civ.* 2007, I, n° 24 ; *RTD civ.* 2007, 336, obs. J. Mestre et B. Fages ; *D.* 2007, pan. 2971, obs. S. Amrani-Mekki ; *RTD civ.* 2008, p. 123, obs. Th. Revet.

(569) J.-J. Daigre, *Une révolution pour les professions libérales : la consécration du fonds libéral : JCP* N 2001, 1235. – M.-C. Chemtob, *Cession de clientèle médicale : licéité sous réserve de la liberté de choix du patient : Contrats, conc. consom.* 2001, chron. 7. – Y. Serra, *L'opération de cession de clientèle civile après l'arrêt du 7 nov. 2000 : dorénavant, on fera comme d'habitude : D.* 2001, chron. 2295. – Ph. Le Tourneau, *Quelques remarques terminologiques autour de la vente*, in *Mél. Catala*, p. 469. – O. Tournafond, *Les cessions directes de clientèles civiles depuis le revirement de la Cour de cassation dû 7 novembre 2000*, in *Mél. Sortais*, Bruylant, 2002, p. 577. – Y. Mirtin-Guilhaudis et J.-G. Raffray, *La cession des clientèles libérales : une question réglée ? : JCP* N 2003, 1483.

à propos d'un litige relatif à la liquidation des droits d'époux dont l'un était médecin, que le « fonds d'exercice libéral » comprend la clientèle, les matériels et les locaux(570). Dans la même ligne, la troisième chambre civile a admis la licéité de la cession d'un fonds agricole(571).

2° Licéité de la prestation

266. – **La licéité de l'objet de l'obligation.** Serait nul pour illicéité de l'objet l'engagement d'accomplir un fait illicite ou immoral, par exemple, d'exécuter telle prestation qui constitue une infraction à la loi pénale (commettre un délit, le « contrat » pour assassiner telle personne), ou plus généralement à l'ordre public (par ex., travailler *au noir*)(572).

Une obligation, licite en soi, peut devenir illicite par sa durée. Ainsi en est-il des *engagements perpétuels*(573) (V. *infra*, n° 283) ou qui dépassent la durée de la vie humaine(574) : c'est la raison pour laquelle, dans un contrat à durée indéterminée, chacune des parties est libre d'y mettre fin sauf à respecter un délai raisonnable ; tel est le cas, par exemple, du délai-congé en matière de contrat de travail à durée indéterminée(575).

Dans un ordre d'idées différent, on ne peut promettre que son propre fait, non celui d'autrui, car on ne peut engager un tiers en dehors de sa volonté (V. cependant *supra*, n° 110, pour la promesse de porte-fort). Cette limitation est inscrite dans le Code civil au titre de l'effet relatif du contrat (C. civ., art. 1119), non à celui de l'objet ; mais elle n'est pas absolue, l'article 1119 précisant qu'« on ne peut, en général, s'engager, ni stipuler en son propre nom, que pour soi-même ».

267. – **La licéité de l'objet du contrat.** Un certain nombre d'auteurs considèrent que la condition de licéité doit s'appliquer non seulement à l'objet de l'obligation, mais aussi à l'objet du contrat, c'est-à-dire à l'opération juridique envisagée dans son ensemble(576). Outre que cette opinion n'est pas admise par tout le monde, on peut se demander si elle présente un réel intérêt. En effet il semble bien que, dans les hypothèses visées par ces auteurs, le contrat serait annulable à un autre titre, soit parce que l'objet de l'une de ces obligations est illicite, soit pour cause illicite. En revanche, la licéité de l'objet du contrat retrouve son intérêt si, comme le prévoit le projet de réforme, la notion de cause est abandonnée ; d'où la formule de

(570) Cass. 1re civ., 2 mai 2001 : *JCP* 2002, II, 10062 et note O. Barrat.

(571) Cass. 3e civ., 16 sept. 2009 : *JCP* N 2009, 1337 et note J.-J. Barbièri ; *RTD civ.* 2009, 748, obs. T. Revet ; *JCP* 2010, p. 214, n° 115.

(572) Colmar, 18 oct. 1979 : *JCP* 1981, II, 19574, obs. A.-M. Boucon et D. d'Ambra (opérations d'assurance proposées par une société de conseil non autorisée à cet effet).

(573) J. Ghestin, *Existe-t-il en droit positif français un principe général de prohibition des contrats perpétuels ?*, in *Mél. D. Tallon*, 1999.

(574) En revanche, n'est pas nulle à ce titre la convention entre une clinique et un gynécologue qui s'étend sur « une durée de vingt cinq ans, jusqu'à l'âge légal de la retraite » et qui, étant conclue pour une durée inférieure à la moyenne de la vie professionnelle, ne porte aucune atteinte à la liberté individuelle (Cass. 1re civ., 20 mai 2003 : *Bull. civ.* 2003, I, n° 124, p. 96 ; *Contrats, conc. consom.* 2003, comm. 123, obs. L. Leveneur ; *LPA* 8 déc. 2003, p. 9, note V. Forray ; *JCP* 2003, I, 186, nos 7-13, obs. J. Rochfeld).

(575) Cette faculté de résiliation unilatérale étant d'ordre public, elle ne saurait être écartée par une clause de perpétuité : Cass. 1re civ., 7 mars 2006 : *Bull. civ.* 2006, I, n° 132 ; *Dr. et patrimoine* 2006, n° 152, p. 97, obs. Ph. Stoffel-Munck.

(576) Mazeaud et Chabas, nos 231 et 244. – Terré, Simler et Lequette, nos 265 et 301. – V. *supra*, n° 249.

l'article 69, suivant laquelle « le contrat ne peut déroger à l'ordre public ni par son contenu, ni par son but (...) ».

Un bon exemple en est fourni par la convention de « prêt d'utérus », dite encore de *mères porteuses* que la jurisprudence a déclaré nulle en ce qu'« elle contrevient tant au principe d'ordre public de l'indisponibilité du corps humain qu'à celui de l'indisponibilité de l'état des personnes »[(577)], sans qu'il soit besoin de préciser si la nullité est prononcée pour cause illicite ou pour objet illicite du contrat. Cette jurisprudence a depuis lors été consacrée dans l'article 16-7 du Code civil qui édicte la nullité de « toute convention portant sur la procréation ou la gestation pour le compte d'autrui ». Mais cette interdiction est contestée et pourrait être remise en cause.

En toute hypothèse, à supposer qu'on retienne ici la nullité pour illicéité de l'objet du contrat, la notion d'illicéité ou d'immoralité est la même qu'en matière de cause.

§ 2. – Conformité à l'ordre public et aux bonnes mœurs

268. – Conformité à l'ordre public et conformité à la justice sociale[(578)]. De tradition l'ordre public classique tendait à protéger l'intérêt général au travers de la défense de l'État, de la famille, de la morale, etc. ; c'est ce qu'on appelle aujourd'hui l'*ordre public politique*, pour le distinguer de l'*ordre public économique*.

D'apparition plus récente, ce dernier s'est d'abord manifesté par divers textes inspirés par le souci de l'intérêt général, vu cette fois-ci sous son aspect économique. Mais, outre que certaines règles d'ordre public économique ont pour effet de protéger aussi les intérêts des particuliers, le législateur a pris au cours des dernières décennies toute une série de dispositions dont l'objet est la protection des particuliers, spécialement des consommateurs, contre les clauses léonines ou abusives qui leur seraient imposées par les fabricants, distributeurs, etc.

La doctrine s'est demandé sous quelle bannière il convenait de classer ces textes d'inspiration nouvelle. Le sens de cette évolution n'étant pas apparu clairement au début, on y a vu une forme d'ordre public économique. Mais, pour manifester la différence avec les autres textes, on a distingué au sein de l'ordre public économique :

– un *ordre public de direction*, représenté par les textes poursuivant un but d'intérêt général ;

– et un *ordre public de protection*, illustré par tous ces textes qui tendent à rétablir l'équilibre du contrat au profit de la partie la plus faible[(579)], appelé aussi parfois *ordre public social*[(580)].

(577) Cass. ass. plén., 31 mai 1991 : *D.* 1991, 417, rapp. Y. Chartier et note D. Thouvenin ; *JCP* 1991, II, 21752, consult. J. Bernard, concl. H. Dontenwille et note F. Terré. – Cass. 1re civ., 29 juin 1994 : *D.* 1994, 581 et note Y. Chartier ; *JCP* 1995, II, 22362 et note J. Rubellin-Devichi.

(578) C. Brunetti-Pons, *La conformité des actes juridiques à l'ordre public*, in *Mél. Malinvaud* : Litec, 2007, p. 103.

(579) G. Couturier, *L'ordre public de protection ; heurs et malheurs d'une vieille notion neuve*, in *Études Flour*, p. 95.

(580) Flour et Aubert, n° 297.

Dans ce paragraphe on envisagera la conformité à l'ordre public politique et à l'ordre public économique de direction. L'ordre public économique de protection, ou ordre public social, sera traité dans le paragraphe 4 consacré à la conformité à la justice sociale.

A. – Définition de l'ordre public et des bonnes mœurs(581)

269. – **Faut-il distinguer entre l'ordre public et les bonnes mœurs ?** Deux articles du Code civil se réfèrent expressément à l'ordre public et aux bonnes mœurs pour en assurer la sanction :

– l'article 6 qui interdit « de déroger, par des conventions particulières, aux lois qui intéressent l'ordre public et les bonnes mœurs » ;

– l'article 1133 qui, à propos des conditions de validité du contrat, édicte que « la cause est illicite, quand elle est prohibée par la loi, quand elle est contraire aux bonnes mœurs ou à l'ordre public ».

Traditionnellement associées à l'ordre public, les bonnes mœurs ne sont en réalité qu'un aspect de celui-ci, relatif à la morale, et notamment à la morale sexuelle(582). Mais il s'agit d'une morale sociale conçue comme constituant le fondement d'une société, au travers d'institutions telles que le mariage. Ainsi, au-delà d'une terminologie devenue désuète, les bonnes mœurs ne sont qu'une composante de l'ordre public, tendant à la défense de l'intérêt général plus que de la morale(583), ce qui explique l'abandon de cette notion dans le projet de réforme (art. 69).

Néanmoins, un auteur a récemment proposé de l'étendre en matière contractuelle, ce qui pourrait lui donner une seconde jeunesse(584).

1° Qui détermine l'ordre public et les bonnes mœurs ?

270. – **Détermination par la loi.** À lire l'article 6, on pourrait penser que la mission de déterminer ce qui est d'ordre public appartient au législateur, et à lui seul. Ne seraient donc d'ordre public que les lois qui se déclarent telles. En pratique une doctrine aussi rigide n'a jamais été sérieusement soutenue.

Certes il arrive qu'en édictant une loi le législateur précise son caractère d'ordre public, soit directement, soit indirectement en indiquant qu'est nulle toute convention contraire. Jadis, c'était assez rare ; notamment peu d'articles du Code civil le

---

(581) L. Julliot de la Morandière, *L'ordre public en droit privé interne*, in *Études Capitant*, p. 381. – Ph. Malaurie, *L'ordre public et le contrat*, 1952. – *L'ordre public à la fin du xxe siècle*, ss dir. Th. Revet : Dalloz, 1996. – P. Catala, *À propos de l'ordre public*, in *Mél. Drai*, 2000, p. 511 ; *L'ordre public*, in *Trav. Assoc. H. Capitant*, t. 49, 2001. – M.-C. Vincent-Legoux, *L'ordre public : Étude de droit comparé interne*, préf. J.-P. Dubois : PUF, 2001. – J. Hauser, *L'ordre public et les bonnes mœurs*, in *Les concepts contractuels français à l'heure des principes du droit européen des contrats* : Dalloz, 2003, p. 105. – D. Krajeski, *Les outils jurisprudentiels de la moralisation*, in *Mél. Ph. Le Tourneau* : Dalloz, 2007, p. 563. – G. Pignarre, *Et si l'on parlait de l'ordre public (contractuel) ?* : *RDC* 2013, 251. – G. Drago (dir.), *L'ordre public*, Rapport Cour de cassation 2013. Étude.

(582) J. Bonnecase, *La notion juridique de bonnes mœurs ; sa portée en droit civil français*, in *Études Capitant*, p. 91. – F. Senn, *Des origines et du contenu de la notion de bonnes mœurs*, in *Études Gény*, I, p. 53. – J. Mourgeon, *De l'immoralité dans ses rapports avec les libertés publiques* : *D.* 1974, chron. 247 ; *Les bonnes mœurs*, ss dir. J. Chevallier : PUF, 1994.

(583) D. Fenouillet, *Les bonnes mœurs sont mortes ! Vive l'ordre public philanthropique !*, in *Mél. P. Catala*, 2001, p. 487. – G. Fauré, *Bonnes mœurs et dignité*, in *Le Titre préliminaire du Code civil* : Économica, 2003, p. 201. – J. Hauser, *L'ordre public et les bonnes mœurs*, in *Les concepts contractuels français à l'heure des principes du droit européen des contrats* : Dalloz, 2003, p. 106. – Y. Lequette, *Le droit est la semence des mœurs*, in *Le Discours et le Code* : LexisNexis, 2004, p. 391.

(584) G. Pignarre, *Que reste-t-il des bonnes mœurs en droit des contrats ? Presque rien ou presque tout ?* : *RDC* 2005, p. 1290.

précisent. Mais depuis lors la tendance s'est largement inversée et désormais, il est assez fréquent que le législateur contemporain se prononce sur le caractère d'ordre public du texte nouveau. Parfois, ce sont des textes réglementaires qui en décident ainsi, mais on a toujours interprété l'article 6 comme visant la loi au sens large. On dit alors qu'on est en présence d'un ordre public *législatif*, ou encore *textuel*.

Ainsi, de manière assez générale, les textes de protection des consommateurs ou des salariés, etc., précisent qu'ils sont d'ordre public. La formule employée variera suivant les cas. Tantôt il sera dit expressément, en tête de la loi ou à la fin, que « les présentes dispositions sont d'ordre public », par exemple pour la loi du 6 juillet 1989 relative au bail d'habitation. D'autres fois, on écrira que « toutes clauses contraires seront nulles et de nul effet », ou encore seront « réputées non écrites », ou autre formule semblable, comme dans la loi du 31 décembre 1975 relative à la sous-traitance (art. 15).

De même, les *règlements* et *directives* communautaires sont généralement très précis sur ce point. En principe, les dispositions qu'ils prévoient sont d'ordre public ; et, s'il est laissé une latitude soit aux États membres pour opérer la transposition (des directives), soit aux parties à un contrat, cette latitude est clairement indiquée.

De même encore, on peut admettre que les *droits fondamentaux* consacrés au niveau européen relèvent de l'ordre public[585].

271. - **Détermination par la jurisprudence.** Si la loi n'a rien précisé, c'est au juge qu'il incombe *a posteriori* de dire si telle disposition, législative ou réglementaire, est d'ordre public ; et c'est encore à lui de décider si la convention litigieuse est ou non contraire à l'ordre public ainsi précisé. On est ici en présence d'un ordre public *virtuel*, que le juge a tiré de l'interprétation de la loi.

Parfois même, en l'absence de tout texte applicable à un contrat considéré, le juge sera amené à l'annuler comme contraire à l'ordre public lorsque ce contrat lui apparaît contraire aux fondements de l'organisation sociale. C'est notamment le cas pour les bonnes mœurs, qui ne sont pas définies par la loi, si ce n'est indirectement et de manière négative dans la loi pénale qui édicte certaines infractions contre les mœurs. On parle alors d'ordre public *judiciaire* ou encore *jurisprudentiel*.

Il s'ensuit que, en l'absence de prescription légale expresse ou de jurisprudence bien établie, l'incertitude règne sur la validité de certains contrats, ou de certaines clauses insérées dans les contrats. Cette situation, qui a l'avantage de la souplesse, peut s'avérer gênante dans les domaines du droit qui évoluent très vite, comme le droit des affaires, où des modèles de contrat nouveaux ou des clauses d'avant-garde apparaissent de manière spontanée, en dehors de toute réglementation.

2° Les différents aspects de l'ordre public

272. - **Généralités.** L'ordre public est la marque de certaines règles légales ou réglementaires qui tirent leur suprématie de leur objet : la défense d'un intérêt général devant lequel doivent s'incliner les intérêts particuliers et les contrats qui les expriment.

(585) J. Raynaud, *Les atteintes aux droits fondamentaux dans les actes juridiques privés* : thèse Limoges, 2001.

On objectera avec raison que pareille définition manque de précision, mais il ne peut en être autrement compte tenu de la variabilité de l'ordre public qui évolue au cours du temps en fonction des impératifs politiques, économiques et sociaux. Tantôt l'époque se montre plus exigeante, s'agissant, par exemple, de la protection des faibles, tantôt plus laxiste comme en matière de bonnes mœurs. Pour ce qui est du droit des obligations, la tendance est à l'expansion de l'ordre public, spécialement de l'ordre public économique de protection, et, corrélativement, à un affaiblissement considérable de la liberté contractuelle.

On oppose traditionnellement l'ordre public politique et l'ordre public économique. L'*ordre public politique* a toujours existé et représente la notion traditionnelle : c'est lui qui assure, contre d'intempestives initiatives individuelles, la défense de l'État, de la famille et de la morale. L'*ordre public économique* est d'apparition plus récente, mais c'est lui qui connaît les plus amples développements. Peut-être faudra-t-il bientôt y ajouter un *ordre public écologique*(586).

On limitera l'étude à l'ordre public français, tout en rappelant que s'est formé parallèlement un ordre public européen à partir d'une part de la législation communautaire, d'autre part de la Convention européenne des droits de l'homme. Dans la mesure où cet ordre public s'impose aux États membres, il se trouve souvent reflété dans l'ordre public français(587).

a) L'ordre public politique

273. – **La défense de l'État.** Les divers textes régissant l'organisation de l'État et des services publics sont en principe des règles impératives, si bien que les contrats qui contreviendraient à ces règles seraient de nature à perturber l'équilibre du pays, en bref à troubler l'ordre public.

C'est ainsi que sont impératives :

• les lois constitutionnelles : d'où la nullité des contrats qui réaliseraient une corruption électorale(588) ;

• les lois administratives : d'où la nullité des contrats qui rémunéreraient un fonctionnaire pour accomplir un acte, même régulier, de ses fonctions(589) ;

• les lois fiscales : par exemple, nullité des conventions de « dessous-de-table », interdiction des ventes sans facture, etc. ;

• les lois pénales : nullité du contrat d'assurance des amendes.

Cela dit, toutes les règles de droit public ne sont pas, par là même, d'ordre public. Ainsi, dans certains domaines, la loi elle-même laisse aux citoyens la latitude d'y déroger, tout du moins en partie.

Tel est notamment le cas des lois de procédure civile. Par exemple, si l'État a le monopole de la justice, la loi permet dans certains cas aux parties à un contrat d'y échapper en prévoyant que leurs litiges seront réglés par voie d'arbitrage (C. civ.,

(586) M. Boutelet et J.-C. Fritz (ss dir.), *L'ordre public écologique* : Bruylant, 2006.

(587) S. Poillot-Peruzetto, *Ordre public et droit communautaire* : D. 1993, 177. – M-C. Boutard-Labarde, *L'ordre public en droit communautaire*, in *L'ordre public à la fin du xxe siècle*, p. 83. – C. Picheral, *L'ordre public européen. Droit communautaire et droit européen des droits de l'homme* : La Documentation française, 2002.

(588) Paris, 1re ch. A, 12 nov. 2001 : *RTD civ.* 2002, 89, obs. J. Mestre et B. Fages.

(589) D. Jean-Pierre, *La lutte contre la corruption des fonctionnaires et agents publics. Commentaire des dernières conventions internationales ratifiées par la France* : D. 2000, chron. 307.

art. 2059 et s.). De même, dans les rapports entre commerçants, il est possible de déroger aux règles de compétence territoriale (mais pas aux règles de compétence d'attribution) des tribunaux par des clauses attributives de compétence (CPC, art. 48).

274. - **La défense de la famille.** Plus encore que pour l'État, les règles régissant le droit de la famille n'ont pas toutes le même caractère impératif. Il faut ici distinguer entre le statut de la famille et les règles de caractère patrimonial.

Les règles statutaires régissant le *mariage* et la *filiation* sont d'ordre public : si chacun est libre de se marier ou non, en revanche le statut du mariage est impératif ; il ne saurait être modulé au goût de chacun[(590)]. C'est ainsi que l'article 1388 du Code civil prévoit que « les époux ne peuvent déroger ni aux devoirs ni aux droits qui résultent pour eux du mariage, ni aux règles de l'autorité parentale, de l'administration légale et de la tutelle ». De son côté, la jurisprudence dénie toute valeur contractuelle aux fiançailles pour assurer la liberté du consentement jusqu'au jour du mariage, et annule les conventions de séparation amiable entre époux[(591)].

Les règles patrimoniales n'ont pas toutes le même caractère impératif. S'agissant du *régime matrimonial*, les époux sont libres de leur choix ; et ce n'est qu'à défaut de choix que la loi les soumet au *régime légal*. Quant à la *succession*, c'est-à-dire à la dévolution des biens lors du décès, chacun – marié ou non – peut l'aménager par *testament* en fonction de la distinction suivante : s'il n'y a pas d'héritiers *réservataires* (c'est-à-dire bénéficiant de la *réserve*, ce qui concerne les héritiers proches, notamment les enfants), la liberté du testateur est totale ; en présence d'héritiers réservataires, le testateur ne peut pas porter atteinte à la réserve si bien que sa liberté est limitée au surplus, c'est-à-dire à la *quotité disponible* (C. civ., art. 912 et s.). De même encore, si l'*obligation alimentaire* entre parents et alliés (C. civ., art. 205 et s.) est d'ordre public dans son principe[(592)], elle peut librement être aménagée par convention entre créancier et débiteur.

275. - **La défense de la morale.** La morale présente plusieurs facettes. La morale sexuelle, c'est-à-dire les bonnes mœurs, dont l'importance a considérablement décru depuis un demi-siècle, a laissé aujourd'hui la place principale au respect de la personne humaine[(593)].

La défense de la morale postule la nullité des conventions contraires au respect dû à la personne humaine, à sa *dignité* telle qu'elle est aujourd'hui consacrée dans l'article 16 du Code civil, et à sa liberté individuelle. Sont nulles, à ce titre, les clauses de célibat dans le contrat de travail, les engagements perpétuels (art. 1780, al. 1er, pour le contrat de travail), ou d'une durée supérieure à quatre-vingt-dix-neuf ans (en matière de bail), certaines conventions sur le corps humain. En revanche, les clauses de non-concurrence, qui portent atteinte à la liberté professionnelle, sont

(590) Il en va différemment du pacte civil de solidarité (PACS) par lequel les partenaires peuvent aménager leur vie de couple (V. G. Raymond, *PACS et droit des contrats : Contrats, conc. consom.* 2000, chron. 14, V. p. 8).
(591) Cass. 2e civ., 22 avr. 1977 : *D.* 1977, inf. rap. p. 359.
(592) On ne peut donc pas y renoncer : Cass. req., 26 juill. 1928 : *DH* 1928, 463.
(593) G. Fauré, *Bonnes mœurs et dignité*, in *Le Titre préliminaire du Code civil* : Économica, 2003, p. 201.

valables à la condition d'être indispensables à la protection des intérêts légitimes de l'entreprise[594], limitées dans l'espace et dans le temps et de comporter l'obligation pour l'employeur de verser au salarié une contrepartie financière, ces conditions étant cumulatives[595].

C'est encore la morale qui conduit à condamner certains gains, jugés immoraux, par exemple ceux résultant de contrats de jeu ou de paris. La solution trouve son fondement dans l'article 1965 du Code civil suivant lequel « la loi n'accorde aucune action pour une dette de jeu ou pour le payement d'un pari ». Mais cette immoralité paraît aujourd'hui quelque peu désuète tant il y a d'exceptions organisées par ou pour l'État (Loterie nationale, PMU, Loto, marchés à terme dans les bourses, etc.).

Dans un ordre d'idées voisin, les cessions de clientèle, valables pour les professions commerciales ou assimilées (fonds de commerce, représentants, agent d'assurance, pharmacies, etc.), avaient été jugées nulles pour les professions libérales (avocats, médecins, etc.), comme s'il n'était pas convenable de tirer profit d'une clientèle aussi personnelle que fugitive. Cette solution, tournée dans un premier temps par le biais d'une cession du bail et de l'installation matérielle, de la présentation du successeur aux clients et de l'engagement de ne pas se réinstaller à proximité, est aujourd'hui abandonnée ; désormais, le fonds d'exercice libéral est considéré comme un objet parfaitement licite (V. *supra*, n° 265).

Enfin, certaines conventions peuvent être annulées au nom de la morale sexuelle. On continue du moins à le dire, mais la plupart des exemples appartiennent à un passé révolu : contrats relatifs aux maisons de tolérance, ou imprégnés de pornographie. Pendant longtemps les donations entre concubins ont figuré au rang de ces conventions annulables pour immoralité, du moins lorsqu'elles étaient consenties aux fins de perpétuer une relation jugée à l'époque immorale. Mais tel n'est plus le cas aujourd'hui où la loi elle-même consacre le concubinage et lui offre un statut avec le PACS ; au travers du PACS et de la définition qu'elle donne du concubinage (C. civ., art. 515-8) elle légitimait dès 1999 les relations homosexuelles aujourd'hui consacrées par le « mariage pour tous ».

Le plus souvent, ces conventions immorales étaient jadis annulées pour immoralité de la *cause* du contrat. Mais, suivant en cela les mœurs, la jurisprudence se montre de plus en plus permissive ; c'est ainsi, par exemple, qu'elle a récemment décidé que « n'est pas contraire aux bonnes mœurs la cause de la libéralité dont l'auteur entend maintenir la relation adultère qu'il entretient avec le bénéficiaire »[596] et, plus largement encore, la libéralité « consentie à l'occasion d'une relation adul-

(594) Suivant une autre terminologie, la clause de non-concurrence ne doit pas être « disproportionnée par rapport à l'objet du contrat » (Cass. com., 16 déc. 1997 : *Contrats, conc. consom.* 1998, comm. 39, obs. L. Leveneur) ou « par rapport aux intérêts légitimes à protéger » (Cass. 1re civ., 11 mai 1999 : *Defrénois* 1999, 1, 992, note D. Mazeaud).

(595) Cass. soc., 10 juill. 2002 (3 arrêts) : *D.* 2002, 2491 et note Y. Serra ; *JCP* 2002, II, 10162 et note F. Petit ; *Dr. soc.* 2002, 949 et note R. Vatinet ; *Defrénois* 2002, 1, 1619, art. 37644, n° 94, obs. R. Libchaber. – Ch. Jamin, *Clause de non-concurrence et contrat de franchise : D.* 2003, chron. 2878. – B. Reynis, *La renonciation à la clause de non-concurrence : la portée du revirement jurisprudentiel de 2002 : D.* 2004, chron. 1543.

(596) Cass. 1re civ., 3 févr. 1999 : *JCP* 1999, II, 10083, note M. Billiau et G. Loiseau ; *JCP* N 1999, 1430 et note F. Sauvage ; *D.* 1999, 267, rapp. X. Savatier et note J.-P. Langlade-O'Sughrue ; *D.* 1999, somm. 377 et note J.-J. Lemouland ; *Contrats, conc. consom.* juill-août 1999, comm. 105 et note L. Leveneur ; *JCP* 1999, I, 143, nos 4 et s., obs. F. Labarthe. – L. Leveneur, *Une libéralité consentie pour maintenir une relation adultère peut-elle être valable ? : JCP* 1999, I, 152.

tère »[597], solution qui aboutit à légitimer une violation du statut du mariage. En fait, la notion de bonnes mœurs a largement évolué. Ce qui est aujourd'hui immoral, c'est le commerce de la pédophilie, la commercialisation de viandes susceptibles de contenir des prions, ou de sang contaminé par le Sida ou l'hépatite ou autres maladies, la transmission consciente du Sida par voie sexuelle, etc. On constate à cette occasion que la définition des bonnes ou mauvaises mœurs relève beaucoup plus de la jurisprudence que de la loi : il s'agit là d'un ordre public judiciaire.

On reverra ces questions plus loin avec la mise en œuvre de l'ordre public, spécialement à propos de la cause (V. *infra*, nos 285 et s.).

b) L'ordre public économique

276. - **Ordre public de direction et ordre public de protection**[598]. L'*ordre public économique*, d'apparition plus récente, a été mis en place d'abord pour défendre l'intérêt général économique de la Nation, ensuite, plus tardivement, pour protéger les faibles contre les puissants. C'est ainsi qu'on distingue l'ordre public économique de direction, et l'ordre public économique de protection. Il ne faut toutefois pas se dissimuler qu'il y a interaction entre l'un et l'autre, toute mesure de caractère économique ayant nécessairement un impact à la fois sur l'économie en général et sur les cocontractants ; pour ranger une mesure dans l'une ou l'autre catégorie, on doit s'attacher au but principal qu'elle poursuit, en négligeant les effets collatéraux qu'elle pourrait avoir.

Ordre public de direction et ordre public de protection présentent un certain nombre de points communs. C'est ainsi qu'ils sont l'un et l'autre d'origine *législative*. Seul en effet le législateur a une vision globale de l'économie nationale, et seul il peut décider ce qui est bien, au plan économique, pour la Nation, ou comment réglementer certains contrats dans le sens de la protection de l'un des contractants. Et, ils font souvent l'objet d'une *réglementation détaillée* qu'il suffit d'appliquer. De même l'un et l'autre sont *évolutifs*, en fonction des considérations économiques qui sont par nature changeantes.

Ils se distinguent en ce que l'ordre public économique de direction tend à protéger *l'intérêt général* cependant que l'ordre public économique de protection défend *l'intérêt particulier* de celui que la loi veut protéger. Il s'ensuit notamment que le contrat contraire à l'intérêt général est nul de *nullité absolue* (que tout intéressé peut demander) alors que celui contraire à l'intérêt particulier est nul de nullité relative (que seul le cocontractant protégé peut demander).

277. - **L'ordre public économique de direction.** L'ordre public économique de direction présente deux faces souvent opposées, l'une libérale, l'autre dirigiste. En règle générale, la loi elle-même précise ce qui est ou non impératif : c'est tantôt la liberté, tantôt la non-liberté qui sont érigées en ordre public[599].

---

(597) Cass. ass. plén., 29 oct. 2004 : *D.* 2004, 3175 et note D. Vigneau ; *JCP* 2005, II, 10011 et note F. Chabas ; *Defrénois* 2004, art. 38073, n° 105, p. 1732 et note R. Libchaber. – V. M. Lamarche, *Sexe, bonnes mœurs et libéralités : Rev. Lamy dr. civ.* déc. 2004, p. 41.

(598) M. Hervieu, *Ordre public économique de direction, ordre public de protection : l'avenir de la distinction*, in *Mél. M.-S. Payet* : Dalloz, 2012.

(599) G. Ripert, *L'ordre économique et la liberté contractuelle*, in *Mél. Gény*, t. II, p. 347. – G. Farjat, *L'ordre public économique* : LGDJ, t. 37. – R. Savatier, *L'ordre public économique : D.* 1965, chron. 37. – P. Lemoyne de Forges, *Ordre public et réglementation des prix : RTD com.* 1976, 415.

D'une part, l'État, au travers de la législation, croit aux bienfaits de l'économie libérale et défend le principe de la liberté du commerce et de l'industrie. De ce point de vue, sont interdites les clauses qui auraient pour but ou pour effet de fausser le jeu de la concurrence(600) en France ou au sein de l'Union européenne : par exemple, interdiction des prix imposés ou conseillés, réglementation des ententes et des positions dominantes, répression du refus de vendre, etc. Cet ordre public est apparu tellement essentiel que le législateur l'a sanctionné sur le plan pénal : il existe désormais un *droit pénal économique*, dont l'ordonnance du 30 juin 1945 constituait la charte avant que n'intervienne l'ordonnance du 1er décembre 1986, codifiée pour partie dans le Code de la consommation.

D'autre part, l'État croit aux vertus du dirigisme économique. Son intervention s'est manifestée à l'origine par la mise sur pied d'un plan au respect duquel les entreprises étaient incitées par des contraintes indirectes certes, mais efficaces (fiscales, par exemple). D'une manière plus particulière, le législateur est intervenu pour réglementer impérativement tout ou partie du contenu de certains contrats. À commencer par le contrat de travail, où la liberté contractuelle est devenue l'exception ; le contrat d'assurance ; le contrat de transport, etc. Dominant la monnaie par le secteur bancaire (réglementation du crédit, etc.), l'État contrôle aussi les prix et salaires pour éviter les mouvements inflationnistes ; dans ce même but, la loi limite la possibilité d'inclure dans les contrats des clauses d'indexation : ordonnance du 30 décembre 1958, modifiée par celle du 4 février 1959, et loi du 9 juillet 1970.

Ce ne sont là que quelques exemples de l'interventionnisme étatique qui a mis en place une *régulation* des contrats dans certains secteurs de l'économie qu'il est désormais convenu d'appeler les *secteurs régulés*. Il s'agit finalement d'un ordre public économique de direction, à ceci près qu'il s'exerce ici au nom de l'efficacité économique(601).

Cela dit, on ne saurait dresser une liste complète et à jour des interventions étatiques, tant elle serait longue et changeante.

278. – **L'ordre public économique de protection.** Déjà, nombre de dispositions relatives au contrat de travail sont inspirées par un souci de protection du salarié, par exemple les *congés payés* ; et plus généralement tous les « acquis sociaux », même si à l'origine ils ont pu être mis en place à raison de considérations économiques (par exemple les 35 heures qui tendaient à une répartition du travail considérée comme un moyen de résorption du chômage).

Plus clairement, la réglementation du *contrat de bail*, qu'il s'agisse du bail d'habitation, du bail commercial ou du bail rural, a été édictée en vue de protéger les locataires contre les bailleurs. Et de même la loi du 3 janvier 1967 sur la *vente d'immeuble à construire*, celle du 19 décembre 1990 sur le *contrat de construction de maison individuelle* et, plus largement, toute la réglementation des opérations de *promotion immobilière* sont des textes de protection de l'accédant à la propriété contre les promoteurs et constructeurs.

Enfin, toutes les lois de *protection des consommateurs* qui se sont multipliées en France depuis 1972 au point de constituer un droit de la consommation (V. *supra*,

(600) Cl. Lucas de Leyssac et G. Parléani, *L'atteinte à la concurrence, cause de nullité du contrat*, in *Mél. Ghestin*, p. 601.
(601) Ch. Jamin, *Théorie générale du contrat et droit des secteurs régulés* : D. 2005, chron. p. 2342.

n°s 215 et s.) relèvent aussi directement de l'ordre public économique de protection. Toutefois, par dérogation au principe que l'action est réservée au consommateur protégé, la loi du 3 janvier 2008 (C. consom., art. L. 141-4) a renversé la jurisprudence antérieure[602] en permettant au juge de soulever d'office toutes les dispositions dudit code (de la consommation) « dans les litiges nés de son application »[603].

279. - **Conclusion : cas où la loi laisse une liberté de choix entre plusieurs formules juridiques.** L'ordre public n'est pas concerné lorsque, entre plusieurs formules juridiques aboutissant au même résultat, les cocontractants écartent la formule la plus défavorable pour eux.

Ainsi est-on libre de concéder un usufruit sur un immeuble plutôt que le donner à bail, de prendre un bien en crédit-bail plutôt que l'acheter à crédit, etc. De même, sous réserve de remplir les conditions voulues, les fondateurs d'une société sont libres de choisir le type (société anonyme, SARL, société par actions simplifiée, société en nom collectif ou en commandite, etc.), qui leur paraît le plus avantageux, notamment sur le plan fiscal. D'ailleurs, l'incitation fiscale est l'un des moyens utilisés par les gouvernements pour lancer les formules juridiques nouvelles (par ex., bail à construction).

Par exception, il est des cas où, en présence de plusieurs combinaisons voisines, la loi supprime le choix et impose une formule qui constitue en quelque sorte un passage obligé pour obtenir tel résultat déterminé. Il y aura alors lieu à mise en œuvre de l'ordre public.

B. – Mise en œuvre de l'ordre public et des bonnes mœurs

280. - **La sanction de la nullité.** La sanction naturelle de l'ordre public et des bonnes mœurs est la nullité des conventions qui iraient à leur encontre. Toutefois, dans certains cas, le respect de l'ordre public ne nécessite pas la nullité du contrat dans son entier ; il suffira alors soit d'écarter les dispositions non conformes en laissant subsister le contrat, soit de déclarer ces dispositions inopposables à la personne que la loi veut protéger.

En pratique, cette mise en œuvre de l'ordre public pourra être effectuée sur divers fondements, qui seront fonction des circonstances[604] : nullité de l'article 6 du Code civil, illicéité de l'*objet* ou de la *cause*, *fraude à la loi ou aux droits d'un tiers*.

1° La nullité de l'article 6 du Code civil

281. - **Contrat contraire à l'ordre public.** Tout contrat allant à l'encontre de l'ordre public est affecté d'une cause de nullité. Le principe en est posé par l'article 6 du Code civil ; il est repris sous une formulation différente dans le projet de réforme (art. 69).

(602) Cass. com., 3 mai 1995 : *Bull. civ.* 1995, IV, n° 128 ; *D.* 1997, 124 et note F. Eudier. – Cass. 1re civ., 15 févr. 2000 : *Bull. civ.* 2000, I, n° 49 ; *JCP* 2000, IV, 1579. – V. X. Lagarde, *Office du juge et ordre public de protection* : *JCP* 2001, I, 312. – F. Canut, *Le relevé d'office de moyens d'ordre public de protection* : *D.* 2007, chron. 2257 (comparaison entre le droit de la consommation et le droit du travail).

(603) L. 3 janv. 2008 pour le développement de la concurrence au service des consommateurs, art. 34. – V. G. Poissonnier, *Office du juge en droit de la consommation : une clarification bienvenue* : *D.* 2008, chron. 1285.

(604) M. Luby, *À propos des sanctions de la violation de l'ordre public* : *Contrats, conc. consom.* 2001, chron. 3. – C. Bloch, *La cessation de l'illicite* : thèse Aix-Marseille, 2006.

Art. 6. – On ne peut déroger, par des conventions particulières, aux lois qui intéressent l'ordre public et les bonnes mœurs.

Il n'y a aucune difficulté si la règle violée, qu'il s'agisse d'une loi, d'un règlement, d'une disposition communautaire, etc., est expressément déclarée impérative par l'auteur du texte (V. *supra*, n° 270). On est alors en présence d'un *ordre public législatif* ou *textuel*, et il suffit de démontrer que les dispositions contractuelles critiquées violent la règle pour que le juge en prononce la nullité. À défaut de précision dans le texte sur son caractère impératif, c'est au juge saisi qu'il incombe de dire, par voie d'interprétation, si ce texte est ou non d'ordre public ; il s'agit alors d'un *ordre public virtuel* (V. *supra*, n° 271). Bien évidemment, c'est au fil du temps et des litiges que se forme une jurisprudence qui viendra déclarer tel ou tel texte comme étant d'ordre public.

Le plus souvent, il s'agira d'une *nullité absolue* car l'intérêt général est en cause, ce qui signifie que tout intéressé peut faire prononcer la nullité par un tribunal. Tel est le cas de l'ordre public politique et de l'ordre public économique de direction. La nullité sera simplement *relative* dans le cas de violation de l'ordre public économique de protection, auquel cas seul le cocontractant protégé pourra l'invoquer.

Toute la difficulté est alors de distinguer ce qui relève de l'ordre public de direction plutôt que de protection. Certes, en général, il apparaît clairement qu'une disposition relève de l'une ou de l'autre catégorie. Mais parfois la frontière est difficile à tracer lorsque, comme c'est souvent le cas, la mesure prise intéresse tout à la fois l'intérêt général et l'intérêt des personnes protégées.

On en prendra pour exemple le cas des *clauses d'indexation* qui ont été réglementées par la loi, dans le but à la fois de lutter contre l'inflation et de protéger le débiteur contre une augmentation excessive de sa dette. Sachant que seuls les actes nuls de nullité relative sont susceptibles de *confirmation*, doit-on décider qu'une clause d'indexation irrégulière a pu être confirmée par un paiement spontané du débiteur ? La Cour de cassation a écarté cette solution, rangeant ainsi implicitement la loi dans les textes relevant de l'ordre public de direction[(605)].

282. – **Contrat contraire aux bonnes mœurs.** Dans la mesure où l'article 6 se réfère tant aux bonnes mœurs qu'à l'ordre public, il peut servir de fondement à une demande en nullité d'une convention qui serait contraire aux bonnes mœurs.

Mais, en pratique, on invoquera plus volontiers un autre fondement, l'immoralité de l'objet ou de la cause.

2° La nullité pour illicéité ou immoralité de l'objet

283. – **Illicéité ou immoralité de l'objet de l'obligation.** Tout contrat comporte des obligations et l'objet de chacune de ces obligations doit être licite, qu'il s'agisse d'une chose ou d'une prestation. On rattache traditionnellement cette condition à l'article 1128 du Code civil suivant lequel « il n'y a que les choses qui sont dans le commerce qui puissent faire l'objet des conventions ». Le Projet Catala l'énonce plus clairement dans son article 1122 : « L'illicéité de l'objet entache la convention

(605) Cass. com., 3 nov. 1988 : *D.* 1989, 93 et note Ph. Malaurie ; *D.* 1989, somm. 234, obs. J.-L. Aubert ; *Defrénois* 1990, 740, obs. J.-L. Aubert.

de nullité absolue ». Quant au projet de réforme (art. 69), il pose en règle que « le contrat ne peut déroger à l'ordre public ni par son contenu, ni par son but, que ce dernier ait été connu ou non par toutes les parties », ce qui vise l'illicéité tant de la cause (ici dénommée but) que de l'objet du contrat (ici dénommé contenu).

Sont ainsi nulles pour objet illicite les conventions portant sur des produits interdits, tels que les médicaments non autorisés, les drogues, etc. ; sur l'état et la capacité des personnes ; sur la personne humaine elle-même ainsi que le rappelle l'article 16-5 du Code civil dû aux lois « bioéthiques » du 29 juillet 1994 : « Les conventions ayant pour objet de conférer une valeur patrimoniale au corps humain, à ses éléments ou à ses produits sont nulles. » Plus largement, les conventions portant atteinte à l'intégrité physique sont nulles, sauf si l'atteinte est justifiée par l'intérêt légitime de celui qui y consent, par exemple dans le cadre du contrat médical. Ainsi, est nul le contrat par lequel une jeune fille accepte de se faire tatouer une rose et une Tour Eiffel sur une partie charnue et de céder la partie tatouée après exérèse[(606)].

De même on a longtemps considéré comme hors du commerce les clientèles civiles, c'est-à-dire celles des médecins, des avocats, etc., si bien qu'elles ne pouvaient faire l'objet d'une cession. Tel n'est plus le cas aujourd'hui où la jurisprudence a consacré la licéité de la cession du « fonds d'exercice libéral » (V. *supra*, n° 265).

Sont également nulles les conventions portant sur des *prestations* illicites par leur objet, notamment s'engager à enfreindre une loi pénale (par exemple assassiner telle personne) ou, plus généralement, une loi d'ordre public (par exemple en matière sociale s'engager à travailler plus que la loi ne le permet). L'objet illicite peut aussi figurer dans une obligation de ne pas faire, par exemple pour une entreprise répondant à un appel d'offres pour des travaux, s'engager à ne pas proposer un prix inférieur à celui d'un concurrent, ce qui constitue une entente contraire à la concurrence.

De même encore, une obligation licite en soi peut devenir illicite si elle est stipulée perpétuelle. Sont ainsi interdits par la loi le bail perpétuel (art. 1709), le louage de services à vie (C. civ., art. 1780, al. 1er), les sociétés pour plus de quatre-vingt-dix-neuf ans[(607)] (art. 1838), le dépôt à durée illimitée (art. 1944), le mandat perpétuel (art. 2003). Transposant la solution de l'article 1780 aux clauses de non-concurrence, la jurisprudence décide que la validité de ces clauses est subordonnée à trois conditions cumulatives au nombre desquelles figure la limitation dans l'espace et dans le temps (V. *supra*, n° 275). Extrapolant à partir de ces exemples, on considère généralement qu'il y a en droit français un principe général de prohibition des engagements perpétuels[(608)], principe que consacre l'article 119 du projet de réforme : « Les engagements perpétuels sont prohibés ». On l'explique traditionnellement par le souci de la défense de la liberté individuelle et, plus récemment, par le risque de sclérose des échanges économiques[(609)]. En principe de tels contrats sont nuls, mais on peut se demander s'il ne serait pas préférable de les requalifier en contrats

---

(606) TGI Paris 3 juin 1969 : *Gaz. Pal.* 1969, 2, 57 ; *D.* 1970, 136.

(607) R. Libchaber, *Réflexions sur les engagements perpétuels et la durée des sociétés* : *Rev. sociétés* 1995, 437.

(608) O. Litty, *Inégalité des parties et durée du contrat* : LGDJ, 1999, préf. J. Ghestin, p. 19 et s. – V. cependant, en sens contraire, J. Ghestin, *Existe-t-il en droit positif français un principe général de prohibition des engagements perpétuels ?*, in *Mél. Tallon*, 1999.

(609) L. et J. Vogel, *Vers un retour des contrats perpétuels ? Évolution récente du droit de la distribution* : *Contrats, conc. consom.* août-sept. 1991, p. 1.

à durée indéterminée, ce qui permettrait à chacune des parties, ou à la partie protégée, de les résilier unilatéralement à tout moment[610]. Ou encore, la nullité pourrait être limitée à la clause de perpétuité, cependant que le contrat subsisterait[611].

284. – **Illicéité ou immoralité de l'objet du contrat.** L'objet du contrat s'entend de l'objet de l'opération juridique envisagée dans son ensemble. Certains auteurs font observer que l'objet de chacune des obligations peut être licite, cependant que l'objet du contrat sera peut-être illicite. À titre d'exemple, on cite le cas de la vente du sang qui est interdite, le don seul étant autorisé ; or, si on considère les obligations respectives, l'objet de chacune est licite : transfert de sang d'une part, paiement d'un prix d'autre part.

Dans des hypothèses de ce genre, on peut effectivement demander la nullité du contrat pour illicéité de l'objet ; mais on pourrait tout aussi bien le faire pour illicéité de la cause, c'est-à-dire des motifs déterminants qui ont inspiré les contractants : en l'espèce se faire rémunérer le transfert de son sang, ce qui est illicite. Ainsi y a-t-il tout à la fois illicéité de l'objet et de la cause du contrat (V. aussi *supra*, n° 267). Le projet de réforme règle la question de manière finalement plus simple, sans employer le terme de cause ni celui d'objet, en décidant que le contrat ne peut déroger à l'ordre public « par son but », (art. 69).

3° La nullité pour illicéité ou immoralité de la cause[612]

Art. 1131. – L'obligation sans cause, ou sur une fausse cause, ou sur une cause illicite, ne peut avoir aucun effet.

Art. 1133. – La cause est illicite, quand elle est prohibée par la loi, quand elle est contraire aux bonnes mœurs ou à l'ordre public.

285. – **La notion de cause[613] et le contrôle de la licéité ou de l'immoralité.** La pensée du XIXe et de la première moitié du XXe siècle, qui trouvait son inspiration dans le principe de l'autonomie de la volonté, était profondément hostile à un contrôle de la licéité ou de la moralité du contrat qui aurait amené le juge à « sonder les cœurs », à rechercher les motifs qui avaient animé les parties à un contrat et qui doivent demeurer leur affaire personnelle. Au surplus, on faisait observer que ces motifs peuvent être multiples, très divers suivant que l'on se penche sur l'une ou sur l'autre partie, et que toute recherche était nécessairement aléatoire.

Aussi bien lorsqu'il s'est agi de déterminer la notion de *cause* au sens des articles 1131 et suivants du Code civil, on s'en est longtemps tenu à une conception étroite. Dans cette conception, la cause, c'est pour une partie, la *considération de la contrepartie* qu'elle trouve à l'obligation qu'elle fournit (V. *infra*, nos 320 et s.).

(610) V. en ce sens F.Terré, P. Simler et Y. Lequette, *Les obligations*, n° 300. – Comp. A. Constantin, obs. ss Cass. 1re civ., 19 mars 2002 : *JCP* 2003, I, 122, nos 15-24 ; *RTD civ.* 2002, 510, obs. J. Mestre et B. Fages.

(611) Ainsi en a-t-il été jugé pour un contrat de caution : Cass. 1re civ., 7 mars 2006 : *Bull. civ.* 2006, I, n° 132 ; *Dr. et patrimoine* 2006, n° 152, p. 97, obs. Ph. Stoffel-Munck.

(612) Le projet de réforme abandonne la notion de cause et il la remplace par l'objet et le « but » dans l'article 49 pour décider que la nullité du contrat est encourue si, « par son objet ou par son but », le contrat contrevient à l'ordre public.

(613) Sur la notion de cause en général, V. H. Capitant, *De la cause des obligations*, 3e éd. 1927. – L. Josserand, *Les mobiles dans les actes juridiques*, 1928. – J. Rochfeld, *Cause et type de contrat* : LGDJ, 1999. – R.-M. Rampelberg, *Le contrat et sa cause : aperçu historique et comparatif, sur un couple controversé*, in *Les concepts contractuels français à l'heure des principes du droit européen des contrats* : Dalloz, 2003, p. 19. – J. Ghestin, *En relisant « De la cause des obligations » de Henri Capitant*, in *Mél. J.-L. Aubert* : Dalloz, 2005, p. 115. – D. Bonnet, *Cause et condition dans les actes juridiques* : LGDJ, 2005, préf. P. de Vareilles-Sommières. – J. Ghestin, *Cause de l'engagement et validité du contrat* : LGDJ, 2006. – X. Lagarde, *Sur l'utilité de la théorie de la cause* : *D.* 2007, chron. p. 740.

Par exemple, dans un contrat synallagmatique tel que la vente, l'obligation du vendeur de transférer la propriété a pour cause la considération du prix qu'il va recevoir en contrepartie et, réciproquement, l'obligation de l'acheteur de payer le prix a pour cause la considération du transfert de propriété dont il va bénéficier. Et, s'agissant d'un contrat à titre gratuit dans lequel il n'y a pas de contrepartie, on disait que l'obligation du donateur avait pour cause l'*intention libérale* de ce donateur.

Il est évident qu'une telle notion abstraite de la cause ne pouvait permettre aucun contrôle de la licéité ou de la moralité. Par exemple, l'intention libérale n'est jamais illicite ou immorale en soi ; ce qui peut l'être, ce sont les *motifs* ou *mobiles* qui, dissimulés derrière cette intention libérale, ont déterminé le donateur. Il en va de même pour les contrats synallagmatiques : la considération de l'obligation réciproque dont l'exécution est attendue n'est jamais illicite ou immorale, sauf dans le cas où l'objet même de cette obligation est illicite ou immoral ; mais alors l'illicéité de la cause n'ajoute rien à l'illicéité de l'objet.

En revanche, les motifs ou mobiles peuvent être illicites ou immoraux. Par exemple l'achat d'un immeuble peut avoir pour motif l'installation d'une maison de tolérance, interdite à ce jour ; ou encore, plus perfidement, l'achat d'un immeuble ou d'une entreprise peut avoir pour motif le recyclage d'argent sale. De même la libéralité consentie peut avoir des motifs inavouables à coloration sexuelle, etc.

Pour pouvoir exercer un contrôle de la licéité ou de la moralité, il faut donc aller au-delà de l'aspect extérieur de l'opération et rechercher les motifs qui l'ont inspirée. C'est ainsi qu'à côté de la notion classique et abstraite de la cause, qui conserve une utilité majeure en matière d'équilibre des contrats (V. *infra*, n°s 320 et s.), on admet aujourd'hui une notion concrète et subjective de la cause qui permet de faire une autre lecture des articles 1131 et suivants. Ainsi entendue, la cause devient un instrument de moralisation du contrat[(614)].

Au plan terminologique, pour dénommer cette nouvelle notion de cause, on parle de *cause du contrat* par opposition à la *cause de l'obligation*, ou encore de cause *subjective et concrète* par opposition à la cause *objective et abstraite* ; ou encore, plus simplement on parle des *motifs ou mobiles* par opposition à la *cause*.

Sur ce point, le projet de réforme abandonne la notion de cause mais il la remplace par celle de « but » (art. 69), ce qui est une autre manière de désigner les mobiles dans la mesure où les mobiles tendent à réaliser un but qui va à l'encontre de l'ordre public.

286. – L'illicéité ou l'immoralité de la cause. Critère. L'appréciation se fait ici de la même manière que pour l'ordre public ou l'objet. On ne peut donc que donner des exemples, et non pas définir un critère.

En matière de *contrats à titre gratuit*, et plus spécialement de libéralités[(615)], la jurisprudence a souvent eu à connaître des libéralités entre concubins[(616)] à propos desquelles elle avait établi une subtile distinction reposant sur les motifs qui les inspiraient :

- si la libéralité était inspirée par le souci de respecter un devoir moral, par exemple assurer les vieux jours de la concubine, le motif était noble et la libéralité valable ;

(614) M. Defossez, *Réflexions sur l'emploi des motifs comme cause des obligations* : *RTD civ.* 1985, 521. – I. Najjar, *L'astrologie et le droit : « l'illicéité au sens large » et la cause du contrat*, in *Mél. Terré*, p. 701.

(615) Hamel, *La notion de cause dans les libéralités* : thèse Paris, 1920. – R. Dorat des Monts, *La cause immorale* : thèse Paris, 1955.

(616) P. Ascencio, *L'annulation des donations immorales entre concubins* : *RTD civ.* 1975, 248.

• si elle était inspirée par le souci d'établir ou de maintenir des rapports jugés immoraux (à l'époque), spécialement s'ils étaient adultères, alors la libéralité ayant une cause immorale était nulle.

Rompant avec cette jurisprudence au parfum quelque peu suranné, la première chambre civile de la Cour de cassation décide désormais que « n'est pas contraire aux bonnes mœurs la cause de la libéralité dont l'auteur entend maintenir la relation adultère qu'il entretient avec le bénéficiaire »[(617)]. Allant plus loin encore, un arrêt d'assemblée plénière a posé en principe que n'est pas en soi nulle comme contraire aux bonnes mœurs[(618)], la cause de la libéralité dont l'auteur entend faire bénéficier la personne avec laquelle il entretient une relation adultère[(619)] ; cette motivation a été depuis lors reprise par la première chambre civile[(620)].

En matière de *contrats à titre onéreux*, on trouve les exemples les plus divers. Ainsi y aura-t-il nullité de la vente de matériel d'occultisme[(621)], du contrat de présentation d'une clientèle d'astrologue[(622)], du contrat d'intermédiaire en matière d'adoption[(623)], de la convention de « mère porteuse »[(624)], de prêt destiné à tourner une réglementation européenne[(625)], etc. On s'est également posé la question pour les « messageries roses »[(626)].

Quant à la date à laquelle il convient de se placer pour apprécier s'il y a illicéité de la cause, la Cour de cassation a retenu la date de la conclusion du contrat. C'est ainsi qu'a été considéré comme illicite le contrat de présentation de clientèle d'astrologue car, à la date du contrat, l'article 34, 7°, du Code pénal alors en vigueur, punissait « les gens qui font métier de deviner, pronostiquer ou d'expliquer les songes »[(627)]. Cette incrimination ayant été abandonnée par le nouveau Code pénal, le contrat n'aurait donc plus été illicite si on s'était placé à la date du jugement. Cette solution appelle quelques réserves, et ce pour deux raisons : d'une part, elle va à l'encontre de la règle de la rétroactivité des lois pénales plus douces ; d'autre part, on observera que la solution serait probablement inverse pour l'immoralité car celle-ci est appréciée par le juge en fonction des mœurs de l'époque à la date de sa décision, et non pas des mœurs anciennes.

(617) Cass. 1re civ., 3 févr. 1999 : *D.* 1999, 267, rapp. X. Savatier et note J.-P. Langlade-O'Sughrue ; *JCP* 1999, II, 10083, note M. Billiau et G. Loiseau ; *JCP N* 1999, 1430 et note P. Sauvage ; *D.* 1999, somm. 377, obs. J.-J. Lemouland ; *JCP* 1999, I, 143, nos 4 et s., obs. F. Labarthe. – L. Leveneur, *Une libéralité consentie pour maintenir une relation adultère peut-elle être valable ?* : *JCP* 1999, I, 152. – Ch. Larroumet, *La libéralité consentie par un concubin adultère* : *D.* 1999, chron. 351. – Cass. 1re civ., 1er juill. 2003 : *D.* 2003, 2031 et note B. Beigner.

(618) Sur la jurisprudence relative aux bonnes mœurs, V. le débat publié par la *Revue des contrats* sous l'intitulé *Que reste-t-il des bonnes mœurs en droit des contrats ?* : *RDC* 2005, p. 1273.

(619) Cass. ass. plén., 29 oct. 2004 : *Bull. civ.* 2004, ass. plén., n° 12 ; *D.* 2004, 3175 et note D. Vigneau ; *JCP* 2005, II, 10011 et note F. Chabas ; *Defrénois* 2004, art. 38073, n° 105, p. 1732 et note R. Libchaber ; *Defrénois* 2005, 1, 234, art. 38096 et note S. Piedelièvre ; *Contrats, conc. consom.* 2005, comm. 40, obs. L. Leveneur ; *RTD civ.* 2005, 104, obs. J. Mestre et B. Fages. – M. Lamarche, *Sexe, bonnes mœurs et libéralités* : *Rev. Lamy dr. civ.* déc. 2004, p. 41 ; *Defrénois* 2005, 1, p. 1045, art. 38183 et note V. Mikalef-Toudic.

(620) Cass. 1re civ., 25 janv. 2005 : *D.* 2005, inf. rap. p. 458.

(621) Cass. 1re civ., 12 juill. 1989 : *JCP* 1990, II, 21546, obs. Y. Dagorne-Labbé ; *Gaz. Pal.* 1991, 374 et note F. Chabas ; *Defrénois* 1990, 1, 358, art. 34750, obs. J.-L. Aubert.

(622) Cass. 1re civ., 10 févr. 1998 : *D.* 2000, 442 et note L. Gannagé.

(623) Cass. 1re civ., 22 juill. 1987 : *D.* 1988, 172 et note J. Massip.

(624) Cass. 1re civ., 13 déc. 1989 : *D.* 1990, inf. rap. p. 273, rapp. J. Massip et Cass. ass. plén., 31 mai 1991 ; *D.* 1991, 417, rapp. Y. Chartier et note D. Thouvenin ; *JCP* 1991, II, 21752, concl. J. Bernard, concl. H. Dontenwille et note F. Terré.

(625) Cass. 1re civ., 26 sept. 2012 : *RDC* 2013, 25 et note J. Rochfeld ; *RDC* 2013, 70 obs. Y.-M. Laithier.

(626) G. Raymond, *Messageries roses et droit des contrats* : *Contrats, conc. consom.* 1994, chron. 4.

(627) Cass. 1re civ., 10 févr. 1998, préc.

287. – La condition jurisprudentielle de « cause impulsive et déterminante ». Se fondant sur les articles 1108 et 1131 du Code civil qui exigent une cause licite dans l'obligation, la jurisprudence se reconnaît donc le droit de procéder à une recherche psychologique des motivations.

À supposer que les motifs soient multiples, les juges sont invités à faire un tri pour déterminer celui ou ceux qui, suivant la formule jurisprudentielle, ont été « la cause impulsive et déterminante », auquel cas le contrat sera annulé si le motif déterminant est illicite ou immoral. Comme le souligne un auteur(628), ce n'est le plus souvent là qu'un habillage de pure forme, du « verbalisme » dans la mesure où le juge qui, parmi les mobiles, en trouve un illicite ou immoral, décide volontiers et sans contrôle possible que ce motif a été la cause impulsive et déterminante du contrat.

288. – La condition jurisprudentielle de « cause commune » aux deux parties. Parallèlement à l'exigence d'une cause impulsive et déterminante, la jurisprudence imposait que cette cause ait été commune aux deux parties pour entraîner la nullité du contrat, ce qui était fort rare. Par la suite, la jurisprudence s'est bornée à exiger que le motif illicite ou immoral qui animait l'un ait été connu de l'autre(629).

Cette solution était fondée sur l'idée qu'il n'aurait pas été juste de faire subir à un cocontractant de bonne foi les conséquences d'une annulation pour des causes qui lui étaient étrangères. Mais cette condition présentait l'inconvénient de limiter singulièrement les hypothèses où la nullité pouvait être demandée, et donc de laisser vivre des contrats illicites ou immoraux.

Le souci de moralisation des contrats a amené la jurisprudence à renoncer à cette condition si bien que, désormais, « un contrat peut être annulé pour cause illicite ou immorale, même lorsque l'une des parties n'a pas eu connaissance du caractère illicite ou immoral déterminant de la conclusion du contrat »(630). S'agissant d'une nullité absolue, elle peut être demandée par l'une ou l'autre des parties, donc en l'espèce par la partie dont les motifs étaient illicites, ce qui peut paraître choquant. Il resterait alors à trouver une solution pour éviter que le cocontractant ne soit victime d'une nullité due à son seul partenaire ; on peut ainsi penser soit à déchoir le cocontractant indigne du droit de demander la nullité, soit de le priver du droit à restitution de ce qu'il a versé, en application de la règle *Nemo auditur*... (V. *infra*, n° 415), soit encore d'ouvrir au cocontractant victime de la nullité une action en responsabilité contre son partenaire qui est à l'origine de la cause de nullité.

Quant au projet de réforme, tout en abandonnant la notion de cause, il n'en consacre pas moins la jurisprudence en décidant que le contrat ne peut déroger à l'ordre public « par son but, que ce dernier ait été connu ou non par toutes les parties » (art. 69).

289. – La preuve de l'illicéité de la cause. Tout contrat est présumé avoir une cause, et une cause licite ; cette présomption correspond à la situation normale.

(628) J. Flour, J.-L. Aubert et E. Savaux, *Les obligations, L'acte juridique*, n° 268.

(629) Cass. 1re civ., 4 déc. 1956 : *JCP* 1957, II, 10008 et note J. Mazeaud. – V. A. Weill, *Connaissance du motif illicite ou immoral déterminant et exercice de l'action en nullité*, in *Mél. Marty*, p. 1165.

(630) Cass. 1re civ., 7 oct. 1998 : *D.* 1998, 563 et note J. Sainte-Rose ; *JCP* 1998, II, 10202 et note M.-H. Malville ; *Defrénois* 1998, 1, art. 36895, p. 1408 et note D. Mazeaud ; *Defrénois* 1999, 1, 602, art. 36990 et note V. Chariot ; *Contrats, conc. consom.* 1999, comm. 1 et note L. Leveneur ; *JCP* 1999, I, 114, nos 1-3, obs. Ch. Jamin. – Cass. 1re civ., 1er mars 2005 : *Contrats, conc. consom.* 2005, comm. 124, obs. L. Leveneur.

Il incombe donc à celui qui demande la nullité de démontrer que la cause « impulsive et déterminante » de l'un des cocontractants était illicite ou immorale. S'agissant d'un fait, l'état d'esprit de l'une des parties lors de la conclusion du contrat (V. *supra*, n° 286 *in fine*), la preuve peut en être rapportée par tous moyens, y compris par présomptions ou indices (C. civ., art. 1353) tenant par exemple aux circonstances dans lesquelles le contrat a été conclu.

C'est ce qui a toujours été admis pour les *actes à titre onéreux*. La solution a longtemps été différente pour les *actes à titre gratuit* pour lesquels la jurisprudence exigeait jadis que la preuve de l'illicéité résulte de l'acte lui-même[(631)], système dit de la *preuve intrinsèque*. Mais cette solution a été abandonnée depuis fort longtemps[(632)], si bien que désormais la preuve de l'illicéité ou de l'immoralité peut être rapportée par tous moyens, que l'acte attaqué soit à titre gratuit ou à titre onéreux ; on en revient ainsi à la règle générale de la *preuve extrinsèque*.

290. – **La sanction : nullité absolue ou nullité relative ?** S'agissant d'un acte contraire à l'ordre public ou aux bonnes mœurs, la nullité est en principe absolue, ce qui entraîne un certain nombre de conséquences notamment quant aux personnes pouvant demander la nullité : alors que la nullité absolue peut être demandée par tout intéressé, et donc même par la partie à l'origine de l'illicéité, l'action en nullité relative est réservée à celui que la loi a voulu protéger. Toutefois, la nullité ne sera que relative dans le cas où la règle violée relèverait de l'ordre public économique de protection. Cette question n'est pas directement traitée dans le projet de réforme ; mais elle est réglée de manière générale par l'article 87 pour tous les cas de nullité ; ce texte édicte que « la nullité est absolue lorsque la règle violée a pour objet la sauvegarde de l'intérêt général », et « relative lorsque la règle violée a pour objet la sauvegarde d'un intérêt privé ».

Que la nullité soit absolue ou relative, les effets en sont les mêmes (V. *infra*, n° 400). Cependant la jurisprudence fait un sort spécial au cas d'une convention annulée pour *immoralité*. Alors que, en principe, chacune des parties doit restituer ce qu'elle a reçu en application du contrat annulé, la jurisprudence décide, en vertu de l'adage *Nemo auditur propriam turpitudinem allegans*, que le contractant qui se prévaut de son immoralité ne peut obtenir la restitution de ce qu'il a versé (V. *infra*, n° 415). Cette solution ne s'applique qu'en cas d'immoralité, non d'illicéité. Cette sanction n'est évidemment pas envisagée dans le projet de réforme qui abandonne la notion de bonnes mœurs.

4° La nullité pour fraude[(633)]

291. – **Les différents aspects de la fraude.** Si on laisse de côté la *fraude fiscale* qui relève d'une autre discipline, on connaît en droit la *fraude à la loi*[(634)] *et la fraude aux droits des tiers*. À la vérité il n'y a pas opposition, mais complémentarité entre les deux[(635)].

(631) Sur les raisons de cette exigence, V. J. Flour, J.-L. Aubert et E. Savaux, *Les obligations : L'acte juridique*, n° 274.
(632) Cass. civ., 2 janv. 1907 : *D.* 1907, 1, 137 et note A. Colin ; S. 1911, 1, 585 et note Wahl.
(633) H. Desbois, *La notion de fraude et la jurisprudence française* : thèse Paris, 1927. – J. Vidal, *Essai d'une théorie générale de la fraude en droit français*, 1957.
(634) B. Audit, *La fraude à la loi* : Dalloz, 1974.
(635) F. Bérenger, *La fraude en droit immobilier : Administrer* juin 2009, n° 422, p. 21.

292. - La fraude à la loi. En droit civil, le *Vocabulaire juridique* (Assoc. H. Capitant, 9e éd., par G. Cornu) définit la fraude à la loi comme « un acte régulier en soi accompli dans l'intention d'éluder une loi impérative ou prohibitive et qui, pour cette raison, est frappé d'inefficacité par la jurisprudence ou par la loi »(636). Il n'y a en revanche pas fraude à écarter une loi simplement supplétive, ou à choisir entre plusieurs formules juridiques celle qui est la plus intéressante pour les parties, sauf dans le cas où la loi impose l'adoption d'une certaine formule pour obtenir tel résultat déterminé (V. *supra*, n° 279).

Sans pouvoir les pourchasser toutes, la loi sanctionne expressément les fraudes les plus courantes, par exemple les donations déguisées ou faites à personne interposée (C. civ., art. 911).

Là où la loi n'a rien prévu, les parties qui souhaitent tourner une règle impérative font souvent preuve d'une grande imagination. Par exemple, pour éluder l'application du droit de préemption du locataire en cas de vente, on va vendre séparément et successivement l'usufruit et la nue-propriété(637), ou bien on va déguiser la vente en échange(638).

293. - La fraude aux droits des tiers. Lorsqu'une loi est édictée en faveur, sinon d'une personne du moins d'une catégorie de personnes, la fraude à la loi réalise en même temps une fraude aux droits des tiers. Ainsi en est-il de la fraude au droit de préemption que la loi accorde au locataire ou au fermier.

Mais il peut aussi y avoir fraude aux droits des tiers en dehors de la violation d'une règle précise. La loi sanctionne parfois expressément de telles fraudes.

Ainsi, l'article 1167 du Code civil sanctionne la *fraude paulienne*(639), qui consiste de la part d'un débiteur peu scrupuleux à se rendre sciemment insolvable ou à augmenter son insolvabilité, afin d'écarter les poursuites de ses créanciers. En pareil cas, les créanciers peuvent attaquer « les actes faits par leur débiteur en fraude de leurs droits », actes qui leur seront alors inopposables (V. *infra*, nos 897 et s.).

De même les contrats conclus par un commerçant pendant la *période suspecte* qui précède le dépôt de bilan sont eux-mêmes suspects dans la mesure où ils peuvent avoir pour but de faire échapper certains biens aux poursuites des créanciers, ou encore d'avantager certains créanciers au détriment des autres en violation du principe de l'égalité des créanciers. Aussi bien la loi répute-t-elle nuls les actes les plus anormaux (C. com., art. L. 632-1) et permet-elle au juge d'annuler les autres (C. com., art. L. 632-2).

294. - L'adage *Fraus omnia corrumpit* et la jurisprudence. La loi sanctionne expressément la fraude à la loi ou aux droits des tiers, soit par des dispositions spécifiques, soit par des mécanismes tels que l'action paulienne ou les nullités de la période suspecte. Mais elle ne peut pas tout prévoir pour déjouer les montages auxquels recourent les fraudeurs pour échapper à la loi. C'est alors à la jurisprudence de

(636) Pour la fraude à la loi en droit public, V. M. Dubuy, *La fraude à la loi. Étude de droit public français* : *RFDA* 2009, p. 243.

(637) Cass. 3e civ., 12 oct. 1982 : *Bull. civ.* 1982, III, n° 198.

(638) Échange avec un bien de valeur très inférieure et une soulte très importante : Cass. 3e civ., 9 janv. 1991 : *Bull. civ.* 1991, III, n° 18.

(639) L. Sautonie-Laguionie, *La fraude paulienne* : LGDJ, coll. « Droit privé », 2008, t. 500, préf. G. Wicker.

sanctionner de manière prétorienne de tels comportements qui vont à l'encontre de l'ordre public.

À défaut de principe général législatif, la jurisprudence sanctionne la fraude en se référant à l'adage *Fraus omnia corrumpit*[640], lequel fait donc fonction de principe complétant le dispositif partiel de la loi figurant dans des textes particuliers.

Le juge sanctionnera alors la fraude si se trouvent réunies deux conditions :

• l'utilisation d'un mécanisme permettant d'échapper à une loi impérative ; on observera à cet égard que la simulation (V. *infra*, n°s 296 et s.) constitue un tel mécanisme, mais qu'il n'est pas pour autant condamné par la loi qui lui donne effet (C. civ., art. 1321), sauf pour la jurisprudence à l'écarter si elle tend à tourner la loi et, de ce fait, à être frauduleuse ;

• l'intention de tourner la loi impérative.

295. – La sanction de la fraude. On serait tenté de penser que la fraude est toujours sanctionnée par la nullité de la convention qui la réalise. Telle est notamment la sanction édictée par l'article 911, alinéa 1er, pour les donations faites à une personne incapable de recevoir, lorsqu'elles sont déguisées en acte à titre onéreux ou faites par personnes interposées.

Mais il n'en va pas toujours ainsi. La sanction sera parfois limitée à ce qui est nécessaire pour déjouer la fraude. S'agissant par exemple de l'action paulienne qui sanctionne une fraude aux droits des tiers, la solution retenue n'est pas la nullité, mais l'*inopposabilité* de l'acte aux tiers, et spécialement aux créanciers. Il en allait de même pour les actes accomplis pendant la période suspecte, avant que l'inopposabilité ne soit remplacée par la nullité.

La jurisprudence en décide de même chaque fois que l'acte frauduleux est dirigé contre des tiers déterminés[641]. Mais il devrait en revanche y avoir nullité si la loi éludée est une disposition d'ordre public édictée dans l'intérêt général.

§ 3. – Conformité à la vérité : la simulation[642]

296. – Définition et terminologie. La simulation est le fait, pour les parties à un contrat, de dissimuler leur accord véritable – qui demeurera secret – derrière une fausse apparence. Les parties vont donc établir pour une seule et même opération deux actes :

• l'*acte ostensible*, dit encore l'*acte apparent*, qui est de la poudre aux yeux pour les tiers et ne correspond aucunement à leur volonté réelle ;

• l'*acte secret*, appelé encore *contre-lettre*, qui représente leur volonté réelle et qui restera caché aux yeux des tiers.

---

(640) V. H. Roland et R. Boyer, *Adages du droit français* : Litec, 4e éd. 1999, n° 148. Suivant ces auteurs, l'adage serait d'origine récente par sa formulation, mais trouverait son origine dans le droit romain. – J. Mazeaud, *L'adage* Fraus omnia corrumpit *et son application dans le domaine de la publicité foncière* : *Defrénois*, 1962, art. 28265. – A. Jeammaud, *Fraus omnia corrumpit* : *D.* 1997, chron. 19. – V. aussi, sur la preuve de la fraude, G. Bourdeaux, *La suspicion de fraude* : *JCP* 1994, I, 3782.

(641) Cass. com., 2 juin 1987 : *Bull. civ.* 1987, IV, n° 132. – Cass. 1re civ., 4 déc. 1990 : *Bull. civ.* 1990, I, n° 2.

(642) M. Dagot, *La simulation en droit privé*, 1967. – J.-D. Bredin, *Remarques sur la conception jurisprudentielle de l'acte simulé* : *RTD civ.* 1956, 261.

Ainsi, l'opération repose sur un mensonge : l'acte ostensible fait apparaître aux yeux des tiers un accord de volontés qui est en fait démenti par l'acte secret, les deux actes étant rédigés en même temps. Les parties simulent dans l'acte ostensible un contrat apparent A, alors qu'en réalité ils ont conclu un contrat occulte B tout différent dans l'acte secret ; elles camouflent l'acte secret derrière l'acte ostensible qui n'est qu'une façade. Pour qu'il y ait simulation, le vrai et le faux doivent être concomitants dans l'esprit des parties[(643)].

En pratique, la simulation peut être inspirée par un simple désir de discrétion, assez naturel dans le monde des affaires. Mais il faut bien reconnaître que, le plus souvent, ce sont des motifs frauduleux qui auront présidé à l'établissement de l'acte apparent : par exemple, on aura voulu tourner les règles relatives aux incapacités, ou bien frauder le fisc pour payer des droits moindres[(644)], ou violer les principes en matière de donation, ou encore faire fraude aux droits des tiers, notamment des créanciers, en organisant son insolvabilité.

Malgré le taux de fraude, le droit français admet, dans le principe, la validité de la simulation ; à elle seule, la simulation n'est donc pas une cause de nullité (arg. C. civ., art. 1321) et cette solution a été reconduite dans le projet de réforme (art. 110). Elle peut revêtir des formes diverses suivant le point sur lequel porte le mensonge.

A. – Les formes de la simulation

297. – **L'acte fictif.** Par exemple, pour échapper aux poursuites de ses créanciers, le propriétaire d'une maison la vend à un ami par un acte ostensible, mais il est corrélativement convenu dans un acte secret que le vendeur demeurera propriétaire de sa maison. On est donc en présence d'une vente fictive : l'acte de vente est fictif puisqu'il est entièrement démenti par l'acte secret. En apparence il y a eu vente, mais en fait il ne s'est rien passé.

On atteint ici le comble du mensonge puisqu'il porte sur l'existence même du contrat. Une telle opération est généralement mise en place afin de faire fraude aux droits des créanciers, ou du fisc, ou de tout autre tiers[(645)].

298. – **L'acte déguisé.** À la différence de l'acte fictif, il y a bien ici un contrat qui figure dans l'acte apparent, mais il va être modifié dans l'un de ses éléments par l'acte secret. On dit qu'il y a *déguisement,* lequel peut être plus ou moins important suivant les cas.

On qualifie le déguisement de *total* lorsqu'il porte sur la *nature* même du contrat. Par exemple, une donation va être déguisée sous la forme d'une vente : l'acte apparent est donc une vente, mais il est convenu dans l'acte secret que le prix ne sera jamais payé. Le plus souvent, la simulation sera inspirée par le désir de frauder : fraude fiscale pour ne pas avoir à payer les droits en matière de donation qui sont beaucoup plus élevés que pour la vente ; fraude aux droits des héritiers

(643) C'est ainsi qu'il n'y a pas simulation dans le cas où le contrat d'emphytéose n'a finalement pas été exécuté par l'emphytéote sans que le bailleur n'intervienne pour exiger cette exécution : Cass. 3e civ., 15 sept. 2010, n° 09-68656.

(644) Fl. Deboissy, *La simulation en droit fiscal* : LGDJ, 1997.

(645) Cass. 3e civ., 8 juill. 1992 : *Bull. civ.* 1992, III, n° 246 ; *JCP* 1993, II, 21982 et note G. Wiederkehr ; *RTD civ.* 1993, 352, obs. J. Mestre (vente fictive destinée à obtenir un prêt à l'acquisition devant bénéficier au vendeur, et ce avec la complicité de la banque).

réservataires qui peuvent demander la réduction des libéralités portant atteinte à leur réserve, non des actes à titre onéreux de leur auteur.

Le déguisement sera seulement *partiel* s'il porte sur l'une des *conditions* du contrat, le plus souvent sur *le prix* qui sera minoré dans l'acte ostensible par rapport au prix réel inscrit dans l'acte secret. Là encore, il s'agira d'une fraude fiscale tendant à payer les droits d'enregistrement sur une base moindre que la réalité ; mais la fraude peut être aisément déjouée par l'administration fiscale qui peut taxer d'office sur la valeur réelle du bien vendu, sans même avoir à faire la preuve d'une simulation.

299. – L'acte par personne interposée. Ici, la dissimulation porte sur l'identité du bénéficiaire réel du contrat[(646)]. Ainsi, l'acte apparent est conclu entre A et B, mais il est convenu dans un acte secret[(647)] que le bénéfice ou la charge de ce contrat sera en fait transmis par B à C. On dira que B est un *prête-nom*[(648)] et que le contrat a été passé entre A et C par *personne interposée.*

Un tel procédé sera souvent utilisé pour tourner une incapacité de contracter certains contrats (C. civ., art. 1125-1), ou une incapacité de recevoir établie par la loi entre deux personnes déterminées, par exemple une libéralité faite au médecin soignant par un malade au cours de la maladie qui va l'emporter (C. civ., art. 909) ; la libéralité sera faite à un tiers à charge d'en transmettre le bénéfice au médecin. Pour déjouer cette fraude, la loi pose des présomptions d'interposition de personnes : sont ainsi considérés comme personnes interposées le conjoint, les ascendants et descendants des personnes frappées de l'incapacité (C. civ., art. 911 et 1125-1).

B. – Le régime de la simulation

300. – Conflit entre le respect de la volonté des parties et la protection des tiers. Dans un système consensualiste tel que le connaît le droit français, il semblerait naturel de donner plein effet à la *volonté réelle* des parties telle qu'elle s'est exprimée, c'est-à-dire à l'acte secret. L'acte secret devrait donc prévaloir sur l'acte ostensible.

Mais, corrélativement, la sécurité du commerce juridique postule que les tiers à l'opération puissent s'en tenir à la *vérité officielle*, c'est-à-dire celle qui s'est exprimée dans l'acte ostensible, seul document qui apparaît aux yeux des tiers. Donc, en ce qui concerne les tiers à l'opération, l'acte ostensible apparent devrait prévaloir sur l'acte occulte, qui demeure secret.

Prenant en considération cette double exigence, l'article 1321 du Code civil établit une dualité de régime pour la simulation, suivant qu'il s'agit de régir les rapports entre les parties ou l'opposabilité aux tiers.

(646) V. une hypothèse curieuse où la vente d'un terrain a été annulée pour dol portant sur l'existence de carrières dans le sous-sol, dol tenant pour une part au fait que le contrat avait été conclu par une personne interposée pour le compte d'une société d'exploitation de carrières (Cass. 3e civ., 15 nov. 2000 : *JCP* 2002, II, 10054 et note Ch. Lièvremont ; *JCP* 2001, I, 301, nos 1-10, obs. Y.-M. Serinet).

(647) Il est dans la logique de l'opération qu'acte apparent et acte secret soient conclus entre les mêmes personnes ; un arrêt a néanmoins admis l'inverse dans le cas d'interposition de personnes (Cass. 1re civ., 28 nov. 2000 : *JCP* 2001, II, 10645 et note T. Azzi ; *D.* 2001, somm. 1139, obs. Ph. Delebecque ; *Defrénois* 2001, art. 37309, n° 237, obs. R. Libchaber ; *RTD civ.* 2001, 134, obs. J. Mestre et B. Fages).

(648) F. Leduc, *Réflexions sur la convention de prête-nom (contribution à l'étude de la représentation imparfaite) : RTD civ.* 1999, 283.

Art. 1321. – Les contre-lettres ne peuvent avoir leur effet qu'entre les parties contractantes : elles n'ont point d'effet contre les tiers.

Cette disposition a été reprise dans le projet de réforme (art. 110), tout en étant déplacée dans la section relative à l'effet des conventions à l'égard des tiers. Il convient donc de distinguer le régime de la simulation entre les parties et à l'égard des tiers.

1° Le régime de la simulation entre les parties

301. – **Principe : application de l'acte secret.** Entre les parties, c'est l'acte secret, et lui seul, qui s'appliquera parce qu'il représente leur volonté réelle. C'est ce qui résulte de l'article 1321 : si « les contre-lettres ne peuvent avoir leur effet qu'entre parties contractantes », il faut comprendre qu'elles ont pleine efficacité dans ce rapport, cependant que l'acte ostensible n'aura aucun effet. C'est ce qu'exprime plus clairement l'article 110 du projet de réforme : « Lorsque les parties ont conclu un contrat apparent qui dissimule un contrat occulte, ce dernier, appelé aussi contre-lettre, produit effet entre les parties ». Par exemple, en cas de vente fictive, on appliquera l'acte secret qui déclare que la vente doit être tenue comme n'étant pas intervenue ; il s'ensuit que le vendeur n'aura pas à livrer la chose prétendument vendue et qu'il ne saurait prétendre en recevoir le prix stipulé dans l'acte apparent.

Ainsi, malgré le taux de fraude en la matière, la simulation n'est pas, en elle-même, une cause de nullité. Les parties sont libres d'établir une convention qui demeurera occulte, et de la déguiser à l'intention des tiers sous une forme apparente.

Cette convention occulte, telle qu'elle est constatée dans l'acte secret, est tout naturellement soumise aux conditions générales de validité des contrats de l'article 1108 du Code civil, c'est-à-dire celles relatives à la capacité, au consentement, à l'objet et à la cause(649) ; elle pourrait donc être annulée pour incapacité (dans le cas où par exemple elle contrevient à une incapacité de donner ou de recevoir, ou encore pour erreur, dol, etc.). En revanche, les conditions de forme requises sont celles de l'acte apparent(650).

302. – **Exception : nullité partielle ou totale de l'opération.** Valable dans son principe, la simulation encourt la critique lorsqu'elle tend à réaliser une fraude à la loi. Certaines fraudes, parce qu'elles sont particulièrement fréquentes, sont expressément visées et sanctionnées par la loi. Mais, en dehors de ces hypothèses précises, le juge qui aurait à connaître de l'acte secret peut décider qu'il va à l'encontre d'une règle d'ordre public(651).

En principe, la fraude devrait être sanctionnée par la nullité de l'opération dans son entier, c'est-à-dire tout à la fois de l'acte secret parce qu'il est contraire à une règle impérative, et de l'acte ostensible parce qu'il ne correspond pas à la volonté réelle des parties.

(649) Cass. 1re civ., 20 déc. 1988 : *Bull. civ.* 1988, I, n° 369, p. 249 ; *D.* 1990, 241 et note J.-P. Marguénaud ; *Defrénois* 1989, 759, obs. J.-L. Aubert ; *RTD civ.* 1989, 300, obs. J. Mestre.

(650) Cass. 1re civ., 29 mai 1980 : *Bull. civ.* 1980, I, n° 164, p. 131.

(651) Cass. 1re civ., 22 janv. 1975 : *JCP* 1976, II, 18401, 2e esp. et note Ph. Simler (fraude au contrôle des changes sanctionné par la nullité de l'acte tout entier).

Exceptionnellement, la nullité atteindra l'acte secret seul. Ainsi les articles 1321-1 et 1589-2 du Code civil(652) sanctionnent par la nullité de l'acte secret les dissimulations de prix dans les ventes et dans les promesses unilatérales de vente d'immeubles, les cessions de fonds de commerce, d'office ministériel, ou de clientèle. Il s'ensuit que sera seul applicable l'acte ostensible qui stipulait un prix moindre en faveur du vendeur, lequel se trouvera par là même sanctionné pour la fraude commise(653). Ce faisant, la loi veut ici dissuader les vendeurs de pratiquer une dissimulation de prix ; mais la parade est aisée : il suffit en effet que, lors de la signature de l'acte ostensible, le vendeur se fasse remettre un « dessous-de-table ».

303. – **Preuve de l'acte secret.** L'acte ostensible ne soulève généralement aucune difficulté de preuve ; en effet, dans la mesure où il a pour but d'être exhibé aux yeux des tiers, il aura certainement été établi par écrit et chacune des parties en détiendra un exemplaire. Il n'en va pas nécessairement de même de l'acte secret.

Or, conformément au droit commun, la charge de la preuve de la simulation pèse sur le demandeur. Ainsi la partie qui voudra demander soit l'exécution d'un acte secret valable, soit la nullité d'un acte secret nul ou frauduleux, devra démontrer que l'acte ostensible n'est qu'une apparence et qu'il est démenti, en tout ou en partie, par un acte secret. C'est l'*action en déclaration de simulation*, qui se prescrivait par *trente ans* à compter du jour de l'acte argué de simulation avant que la loi du 17 décembre 2008 ne ramène le délai de prescription de droit commun à cinq ans (art. 2224) avec un butoir de vingt ans à compter du jour de la naissance du droit (art. 2232).

La règle de l'article 1341 veut que la preuve soit faite *par écrit* pour toute somme ou valeur supérieure à 800 €. En outre, si, comme ce sera le plus souvent le cas, l'acte ostensible a été établi par écrit, la preuve contraire, c'est-à-dire en fait la preuve de l'acte secret, devra elle-même être faite par écrit(654), même si l'intérêt en jeu est inférieur à 800 €. Peu importe que l'acte ostensible ait été établi sous seing privé ou en la forme authentique ; en effet la force probante de l'acte authentique (jusqu'à inscription de faux : art. 1319) ne s'attache qu'aux faits énoncés par l'officier public comme s'étant passés en sa présence, et elle ne fait donc pas obstacle à ce que la convention soit arguée de simulation, soit par des tiers, soit même par l'une des parties(655).

Toutefois, la preuve pourra, conformément au droit commun, être faite *par tous moyens* s'il y a un commencement de preuve par écrit (art. 1347) ou impossibilité de la preuve écrite (art. 1348). Suivant la jurisprudence, il en va de même lorsque la simulation a eu pour but d'éluder une règle impérative ou de réaliser une fraude(656).

(652) Ces articles reprennent très exactement les dispositions figurant précédemment aux articles 1840 et 1840 A du Code général des impôts où elles ont été supprimées. Il s'agit donc uniquement d'un transfert d'un code à un autre.

(653) La nullité affectera l'acte secret seul, même s'il y a indivisibilité entre les deux actes : Cass. ch. mixte, 12 juin 1981 : *D.* 1981, 413, concl. av. gén. Cabannes (mettant fin à un conflit entre deux chambres de la Cour de cassation : Cass. 1re civ., 28 oct. 1974 : *JCP* 1976, II, 18401, 1re esp. et note Ph. Simler. – Cass. com., 8 mai et 6 nov. 1979 : *D.* 1980, 283 et note J. Ghestin).

(654) Cass. 3e civ., 15 sept. 2010 : *JCP* 2010.1112, obs. Y. Dagorne-Labbé.

(655) Cass. com., 12 nov. 1974 : *JCP* 1974, IV, 426. – Cass. com., 19 nov. 2002 : *Bull. civ.* 2002, IV, n° 174, p. 199.

(656) Cass. 3e civ., 5 mars 1997 : *Bull. civ.* 1997, III, n° 51 ; *Defrénois* 1997, art. 36591, n° 78, obs. Ph. Delebecque. – Cass. com., 19 nov. 2002 : *Bull. civ.* 2002, IV, n° 174, p. 199. – Cass. 1re civ., 17 déc. 2009 : *Bull. civ.* 2009, I, n° 254 ; *D.* 2010, 150 ; *Contrats, conc. consom.* 2010, comm. 65, obs. L. Leveneur.

2° Le régime de la simulation à l'égard des tiers

304. – **L'option des tiers entre l'acte ostensible et l'acte secret.** Sont des tiers toutes les personnes, autres que les ayants cause universels des parties, qui auraient intérêt à ce que soit reconnue soit l'efficacité, soit la nullité de la simulation. En pratique, ce seront le plus souvent les *ayants cause particuliers* des parties et leurs *créanciers* ; et, à la différence de l'action paulienne, il importe peu que leur créance ne soit pas antérieure à l'acte attaqué(657).

L'article 1131 stipule que « les contre-lettres (...) n'ont point d'effet contre les tiers ». Il faut ici comprendre que les tiers peuvent écarter l'application de tout acte secret qui leur serait préjudiciable, au motif qu'en vertu de l'article 1131 il leur est inopposable. Mais il ne leur interdit pas de s'en prévaloir s'ils y ont intérêt. C'est ce qu'exprime plus clairement l'article 110 du projet de réforme : « Il (l'acte secret) n'est pas opposable aux tiers, qui peuvent néanmoins s'en prévaloir ».

Il s'ensuit que les tiers disposent d'une option entre deux branches :

- ou bien invoquer l'acte ostensible auquel ils étaient en droit de se fier puisqu'il était le seul apparent à leurs yeux(658) ;
- ou bien se prévaloir de l'acte secret(659).

Tout dépend de leur intérêt. Si on prend l'exemple d'une vente fictive, on constate que les créanciers de l'acheteur ont intérêt à invoquer l'acte ostensible car ils pourront saisir le bien supposé vendu, cependant que les créanciers du vendeur ont intérêt à se prévaloir de l'acte secret d'où il résulte que le vendeur est resté propriétaire.

Lorsque, comme dans l'exemple précédent, il y a conflit entre des tiers qui invoquent, les uns l'acte ostensible, les autres l'acte secret, la jurisprudence décide que le conflit doit être réglé en faveur de ceux qui se prévalent de l'acte ostensible(660). Cette solution trouve son fondement à la fois dans la lettre de l'article 1321, et dans le principe de la sécurité du commerce qui postule que l'on puisse se fier aux apparences.

305. – **Action en nullité ouverte aux tiers.** Si la simulation a pour but de faire fraude aux droits des tiers, au nombre desquels figure l'administration fiscale, ces derniers peuvent demander la nullité de l'acte pour fraude. En général, la fraude sera réalisée, non par l'acte apparent qui précisément aura été fait pour cacher une opération frauduleuse sous les aspects d'un acte neutre, mais par l'acte secret.

Toutefois la fraude n'est pas une condition de l'action, si bien que les tiers peuvent agir en déclaration de simulation même lorsqu'ils n'invoquent pas la fraude des parties(661).

Les tiers vont donc devoir démontrer que l'acte ostensible n'est qu'une apparence trompeuse et que cette apparence est démentie par un acte secret. À cet effet, ils vont exercer l'*action en déclaration de simulation* pour faire apparaître l'acte secret.

---

(657) Paris, 2e ch. B, 13 déc. 2001 : *RTD civ.* 2001, 301, obs. J. Mestre et B. Fages.

(658) La faculté de se prévaloir de l'acte ostensible est toutefois refusée au tiers qui se serait rendu complice de la simulation : Cass. 3e civ., 8 juill. 1992 : *JCP* 1993, II, 21982 et note G. Wiederkehr.

(659) Cass. 1re civ., 6 mars 1996 : *Bull. civ.* 1996, III, n° 125.

(660) Cass. civ., 25 avr. 1939 : *D.* 1940, 1, 12. – Cass. soc., 14 déc. 1944 : *S.* 1946, 1, 105 et note R. Plaisant.

(661) Cass. 3e civ., 4 juin 2003 : *Bull. civ.* 2003, III, n° 123, p. 110 ; *JCP* N 2004, n° 1269 et note M. Dagot ; *JCP* 2004, II, 10136 et note M. Dagot.

306. – Preuve de l'acte secret par les tiers. Si les tiers entendent se prévaloir de l'acte ostensible, ils n'auront en pratique aucune difficulté ; c'est en effet un acte tout à fait apparent qui a été précisément conçu à leur intention pour masquer la réalité. À supposer qu'ils aient besoin de le prouver, ils peuvent le faire par tous moyens puisque la règle de la preuve écrite ne s'applique qu'aux parties, pas aux tiers.

Si, à l'inverse, les tiers choisissent d'invoquer l'acte secret, soit parce qu'il leur est plus favorable, soit au contraire pour démontrer que l'opération doit être annulée pour fraude à leurs droits, ils vont devoir faire la preuve de cet acte secret dans le cadre de l'action en déclaration de simulation. Conformément à la règle en matière de preuve, ils peuvent le faire par tous moyens, c'est-à-dire non seulement par écrit, mais aussi par témoins, présomptions ou indices, sans avoir à justifier d'une fraude des parties à l'acte litigieux[(662)].

§ 4. – Conformité à la justice sociale. L'équilibre du contrat

307. – Y a-t-il un principe d'équilibre du contrat ? S'agissant du contenu du contrat, il reste à se poser une question : dans les contrats synallagmatiques, doit-on exiger au nom de la justice sociale qu'il y ait, lors de la conclusion du contrat, une équivalence au moins approximative entre les prestations réciproques des parties ?

La question est d'importance car elle concerne la quasi-totalité des contrats de la vie courante et du commerce : vente, louage, mandat salarié, dépôt salarié, etc. En cette matière où le profit est le moteur de l'entreprise, et donc de l'expansion économique, l'un peut-il librement user de sa force ou de son habileté pour exiger de l'autre plus qu'il ne lui fournit, plus qu'il n'est juste, dirait-on d'un point de vue moral ?

En pratique, force est de constater que bien souvent la partie la plus puissante impose sa volonté à son partenaire, y compris lorsqu'il s'agit de rapports entre professionnels. Ainsi, en dehors même du domaine de la consommation, on dit volontiers que les entreprises ont tendance à écraser leurs sous-traitants, que les centrales d'achat imposent à leurs fournisseurs des conditions draconiennes, que cela se répercute sur toute la chaîne de production, qu'il s'agisse de produits alimentaires ou industriels.

Ce déséquilibre peut revêtir des formes diverses. Tantôt, et c'est l'hypothèse la plus fréquente, le déséquilibre tient au prix qui est soit trop bas, soit trop élevé par rapport à la chose ou à la prestation fournie en contrepartie ; en bref, ce n'est pas le juste prix, même si c'est le prix du marché. Tantôt, plus subtilement, le déséquilibre tient à certaines clauses du contrat qui imposent à l'une des parties des conditions léonines, ou en tout cas abusives.

(662) Cass. 1re civ., 7 févr. 1967 : *D.* 1967, 278. – Cass. 3e civ., 6 nov. 1973 : *D.* 1974, inf. rap. p. 28. – Cass. 3e civ., 4 juin 2003, préc.

Face à ces déséquilibres que la doctrine déplore[663], quelle est la réponse du droit ?

Le droit français n'a jamais posé de principe général d'équilibre des contrats. En application du principe de l'autonomie de la volonté, on considère traditionnellement que, hormis les mineurs et les majeurs protégés, toutes les personnes sont égales entre elles et que, par suite, leurs contrats sont justes et équilibrés ; d'où l'adage « qui dit contractuel, dit juste ». Aussi, le Code civil ne comporte-t-il pas, à l'inverse du Code suisse, une règle générale édictant la rescision pour « lésion lorsque l'une des parties a profité de la légèreté ou de l'inexpérience de l'autre partie pour lui imposer des conditions léonines »[664].

L'absence d'un tel principe ne signifie nullement que le législateur français méconnaisse la nécessité de protéger les faibles contre les puissants. Mais ses interventions s'opèrent le plus souvent de manière préventive afin d'éviter qu'un déséquilibre ne se produise. Il opère alors par voie de taxation en enfermant le prix dans une certaine limite : ainsi les taux des prêts d'argent (répression de l'*usure*), des loyers, etc. Ou encore il réglementera ou interdira certaines clauses : ainsi les clauses d'indexation, les clauses abusives que les fabricants et distributeurs insèrent volontiers dans leurs conditions générales de vente, etc. De même, sur un registre différent, l'existence de conventions collectives empêche l'écrasement des salaires.

308. – **L'incrimination pénale de certains déséquilibres.** La loi pénale sanctionne un certain nombre de comportements d'où résulte un déséquilibre au sein d'un contrat. Toutefois, le plus souvent, l'incrimination pénale est édictée en vue de la protection de l'intérêt général économique plus que de l'intérêt du cocontractant. Ainsi en est-il notamment de la plupart des violations du droit de la concurrence tendant à fausser les prix.

Cela dit, parfois, la loi pénale a clairement pour objet de protéger certaines personnes à raison de leur faiblesse. Tel est notamment le cas du délit d'*abus de faiblesse ou d'ignorance* du cocontractant (C. consom., art. L. 122-8 et s.), de celui de pratique commerciale agressive (C. consom., art. L. 122-11 et s.) et de celui d'abus frauduleux de l'état d'ignorance ou de la situation de faiblesse (C. pén., art. 223-15-2) (V. *supra*, n° 205). Mais, curieusement, et sauf pour le délit de pratique commerciale agressive (C. consom., art. L. 122-15), cette infraction n'est pas sanctionnée au plan civil par une cause de nullité correspondante ; à cet égard, seul s'applique le droit commun des contrats[665], qui permet de demander la nullité du contrat en cas de vice du consentement[666].

Il en va de même de l'*usure*, à ceci près toutefois que les sommes perçues indûment doivent être restituées (C. consom., art. L. 313-3 et s.).

(663) V. Lasbordes, *Les contrats déséquilibrés*, préf. C. Saint-Alary-Houin : PUAM, 2000. – L. Fin-Langer, *L'équilibre contractuel* : LGDJ, coll. « Droit privé », 2002. – D. Bakouche, *L'excès en droit civil* : LGDJ, 2005, préf. M. Gobert.

(664) Les Principes du droit européen du contrat et les Principes Unidroit, ainsi que l'avant-projet de Code européen des contrats de l'Académie des privatistes de Pavie prévoient une telle règle générale. V. *infra*, n° 319. – V. aussi P.G. Jobin, *L'étonnante destinée de la lésion et de l'imprévision dans la réforme du Code civil au Québec : RTD civ.* 2004, 693, qui déplore la frilosité du droit québecois sur ce point.

(665) G. Raymond, *Commentaire de la loi n° 92-60 du 18 janvier 1992 renforçant la protection des consommateurs : Contrats, conc. consom.* févr. 1992, p. 1, n°s 96 et s.

(666) V. par ex. Cass. 3e civ., 26 oct. 2005 : *Contrats, conc. consom.* 2006, comm. 21, obs. L. Leveneur.

De manière plus générale, un certain nombre de règles de protection des consommateurs[667], relatives par exemple au pourcentage du prix à payer à certaines étapes de la construction, sont sanctionnées pénalement.

309. – Les règles civiles corrigeant les déséquilibres. La tendance du législateur moderne est plus de prévenir les déséquilibres que de les sanctionner : comme le rappelle l'adage populaire, « mieux vaut prévenir que guérir ». La raison en tient peut-être aussi à la crainte du législateur de retoucher le Code civil de 1804 qui limitait la sanction de la lésion à certains contrats ou au bénéfice de certaines personnes.

Si l'on s'en tient au Code civil, deux institutions seulement, la *lésion* et la *cause*, permettent de sanctionner les éventuels déséquilibres d'un contrat, plus précisément la distorsion entre le prix et la prestation. Ici, la liberté contractuelle, notamment celle de convenir d'un prix, se trouve bridée pour des motifs d'équité qui conduisent à ouvrir à la victime une action en *nullité* ou en *rescision pour lésion*. Mais l'une et l'autre ne permettent qu'un contrôle limité, la lésion parce que son champ d'application est étroit, la cause parce que l'absence de cause se rencontre finalement assez peu. C'est dire que les juges ne trouvent pas dans les textes un support solide pour réaliser un contrôle de l'équilibre des contrats[668]. Ceci explique probablement le recours parfois opéré dans les décisions à la notion d'*économie du contrat*[669] ou à celle de *proportionnalité*[670] que certains essaient de promouvoir pour contrôler l'équilibre des contrats.

Le législateur avait en revanche les mains libres pour sanctionner les déséquilibres tenant à l'insertion dans le contrat de clauses conférant à l'une des parties un avantage excessif. C'est ce qu'il a fait en instaurant une réglementation des clauses abusives, tout d'abord dans les rapports entre professionnels et consommateurs et plus récemment dans les rapports entre professionnels (C. com., art. L. 442-6 ; Ord. n° 2008-1161, 13 nov. 2008, art. 4). C'est dans la même perspective que l'article L. 441-7 du Code de commerce (L. 17 mars 2014) sanctionne par une amende administrative le fait d'imposer des obligations manifestement disproportionnées dans les relations ditributeurs-fournisseurs[671].

A. – La lésion

310. – Définition. On appelle *lésion* le déséquilibre existant entre les prestations respectives des parties, au moment de la conclusion du contrat[672] ; on l'oppose à

(667) S. Agostini, *La responsabilité pénale en droit de la consommation, Panorama de la jurisprudence de la chambre criminelle* : Rapp. C. cass. 2002, p. 119.

(668) G. de Monteynard, *La recherche d'un équilibre contractuel au travers de la jurisprudence de la chambre commerciale de la Cour de cassation* : Rapp. C. cass. 2000, p. 237.

(669) J. Moury, *Une embarrassante notion : l'économie du contrat* : *D.* 2000, chron. 382. – A. Zelcevic-Duhamel, *La notion d'économie du contrat en droit privé* : *JCP* 2001, I, 300. – S. Pimont, *L'économie du contrat* : PUAM, 2004, préf. J. Beauchard.

(670) *Existe-t-il un principe de proportionnalité en droit privé ?*, Travaux du Colloque du 20 mars 1998 : *LPA* 30 sept. 1998, n° 117. – S. Le Gac-Pech, *La proportionnalité en droit privé des contrats*, préf. H. Muir-Watt : LGDJ, coll. « Droit privé », 2000. – S. Pesenti, *Le principe de proportionnalité en droit des sûretés* : *LPA* 11 mars 2004, p. 12. – Y. Picod, *Proportionnalité et cautionnement. Le mythe de Sisyphe*, in *Mél. Calais-Auloy* : Dalloz, 2003, p. 843. – D. Bakouche, *La proportionnalité dans le cautionnement à l'épreuve de la loi et de la jurisprudence* : *Contrats, conc. consom.* 2004, chron. 5.

(671) F. Buy, *La sanction de la lésion dans les relations commerciales. À propos de l'article L. 441-7 du code de commerce modifié par la loi Hamon du 17 mars 2014* : *D.* 2014, 1333.

(672) E. Demontès, *De la lésion dans les contrats entre majeurs* : thèse Paris, 1924. – E. Demontès, *Observations sur la théorie de la lésion dans les contrats*, in *Études Capitant*, p. 171. – M.-A. Perot-Morel, *De l'équilibre des prestations*

l'*imprévision* qui vise la rupture d'équilibre survenant en cours de contrat, par suite d'une variation des circonstances économiques ou des données monétaires. Ce sont là deux notions différentes. Alors que l'imprévision n'est – à ce jour[(673)] – jamais prise en considération par les juridictions de l'ordre judiciaire (V. *infra*, n°s 502 et s.), la lésion entraîne dans certains cas la rescision du contrat.

Il ne saurait y avoir de lésion que dans les *contrats à titre onéreux* (V. *supra*, n° 70) ; certes, dans les contrats à titre gratuit, il y a bien déséquilibre mais un déséquilibre qui a été voulu et qui est la manifestation même de la gratuité.

Au sein des contrats à titre onéreux, la lésion se rencontrera le plus souvent dans les *contrats synallagmatiques* (V. *supra*, n° 68) qui, par définition même, comportent des obligations réciproques. Mais elle peut se produire également dans les *contrats réels* (V. *supra*, n° 65), notamment dans le prêt à intérêt lorsque le taux d'intérêt stipulé est excessif.

Enfin, il n'y a pas en principe place pour la lésion dans les *contrats aléatoires* (V. *supra*, n° 71) car, l'existence ou l'étendue de la prestation de l'un dépendant d'un événement incertain, il est ici impossible d'apprécier l'équivalence des prestations[(674)]. Suivant une formule classique, « l'aléa chasse la lésion ». Mais la règle supporte des exceptions.

311. – Le principe de la non-prise en considération de la lésion. Ce principe négatif résulte des termes mêmes de l'article 1118 du Code civil : le simple déséquilibre entre les prestations n'est pas une cause de nullité, sauf les exceptions visées au texte.

Art. 1118. – La lésion ne vicie les conventions que dans certains contrats ou à l'égard de certaines personnes, ainsi qu'il sera expliqué en la même section.

Sur ce point le projet de réforme reste fidèle à la tradition lorsqu'il édicte de manière très large que « dans les contrats synallagmatiques, le défaut d'équivalence des obligations n'est pas une cause de nullité du contrat, à moins que la loi n'en dispose autrement » (art. 78).

La disposition de l'article 1118 s'explique principalement par l'idée qu'il est bien difficile, sinon même impossible, de déterminer de manière certaine la valeur d'une chose ou d'une prestation. Faut-il se référer au *juste prix* comme le proposaient saint Thomas et les canonistes ? Mais qu'est-ce que le juste prix ? Si on retient le prix du marché, on s'aperçoit que ce prix est très variable puisqu'il dépend de l'offre et de la demande, et qu'il peut s'avérer un jour excessif, un autre jour dérisoire, et dans les deux cas inéquitable. De surcroît, on ne saurait écarter les motifs personnels qui ont pu pousser les parties à accepter tel ou tel prix : besoin impérieux d'argent pour le vendeur, intérêt particulier de la chose pour l'acheteur, etc. Chaque chose n'a de valeur que celle qu'on veut bien lui accorder ; ainsi, à côté du *prix objectif* qui est très difficile à définir, il y a pour chaque chose un *prix subjectif* qui l'est encore plus.

Ce principe négatif inscrit dans l'article 1118 a conduit la jurisprudence à écarter l'*erreur sur la valeur* comme cause de nullité ; en effet, s'il suffisait à la victime d'un

dans la conclusion du contrat : thèse Lyon, 1961. – H. de Mesmay, *La nature juridique de la lésion en droit civil français* : thèse Paris II, 1980. – Mrabti Abdelkader, *Contribution à l'étude critique de la notion de lésion* : thèse Paris II, 1986. – G. Chantepie, *La lésion* : LGDJ, coll. « Droit privé », 2006, préf. G. Viney.

(673) Mais elle l'est dans le projet de réforme (art. 104).

(674) Araud, *La rescision pour cause de lésion dans les contrats aléatoires* : thèse Toulouse, 1941. – J. Deprez, *La lésion dans les contrats aléatoires* : *RTD civ.* 1955, 1.

déséquilibre de prétendre avoir commis une erreur sur la valeur pour faire annuler la convention, cela eut enlevé toute portée à l'article 1118 (V. *supra*, n° 181).

Le législateur n'est jamais revenu sur cette règle, même à l'occasion de la réglementation des clauses abusives à l'égard des consommateurs où il est expressément précisé que « l'appréciation du caractère abusif... ne porte ni sur la définition de l'objet principal du contrat ni sur l'adéquation du prix ou de la rémunération au bien vendu ou au service offert pour autant que les clauses soient rédigées de façon claire et compréhensible » (C. consom., art. L. 132-1, al. 7). La même idée est reprise de manière générale dans l'article 77 du projet de réforme qui, tout en ouvrant l'action en suppression d'une clause créant « un déséquilibre significatif entre les droits et obligations des parties » précise que « l'appréciation du déséquilibre significatif ne porte ni sur la définition de l'objet du contrat ni sur l'adéquation du prix à la prestation ».

À ce jour, le juge ne peut donc prendre en considération le déséquilibre d'un contrat que dans les hypothèses où la loi écarte le principe négatif de l'article 1118[(675)], c'est-à-dire à l'égard de certaines personnes ou dans certains contrats.

1° Les personnes protégées en cas de lésion

312. – **Les mineurs non émancipés.** L'article 1305 du Code civil dispose, sous l'intitulé « De l'action en nullité ou en rescision des conventions » que « la simple lésion donne lieu à rescision en faveur du mineur non émancipé contre toutes sortes de conventions ». Il ne faut pas se méprendre sur la portée de cette disposition.

Étant frappé d'une incapacité générale d'exercice, le mineur non émancipé doit normalement être représenté par son administrateur légal ou son tuteur ; mais les formalités varient suivant la gravité de l'acte à accomplir. Ainsi qu'on l'a vu (V. *supra*, n° 96), on distingue quatre catégories d'actes :

- les actes de la vie courante, pour lesquels un usage *contra legem* veut qu'ils puissent être accomplis par le mineur seul ;
- les actes d'administration qui doivent être accomplis par le représentant légal du mineur, mais sans qu'il lui soit nécessaire d'avoir l'autorisation du conseil de famille ;
- les actes de disposition qui nécessitent des formalités (accord des deux parents, autorisation du conseil de famille) ;
- enfin les actes interdits.

L'article 1305 ne s'applique qu'aux deux premières catégories. Lorsque le mineur accomplit seul des actes de la vie courante ou des actes d'administration, il ne peut en demander la nullité pour incapacité, mais seulement la rescision pour lésion. Ici, la rescision est un substitut à la nullité.

En revanche, à défaut de respect des formalités requises, les actes plus graves sont nuls de droit, même s'ils ne sont pas lésionnaires. On dit qu'ils sont frappés d'une *nullité de forme*.

313. – **Certains majeurs protégés.** La loi du 3 janvier 1968 sur les majeurs protégés a institué deux nouveaux cas de lésion, en faveur du majeur placé sous *sau-*

(675) Cass. com., 21 avr. 1980 : *Bull. civ.* 1980, IV, n° 153. – Cass. com., 9 oct. 1990 : *RTD civ.* 1991, 113, obs. J. Mestre.

vegarde de justice, et du majeur en *curatelle* pour les actes pour lesquels l'assistance du curateur n'est pas requise (V. *supra*, n° 97).

Art. 435. – La personne placée sous sauvegarde de justice conserve l'exercice de ses droits. (...).

Les actes qu'elle a passés et les engagements qu'elle a contractés pendant la durée de la mesure peuvent être rescindés pour simple lésion ou réduits en cas d'excès alors même qu'ils ne pourraient être annulés en vertu de l'article 414-1. Les tribunaux prennent notamment en considération l'utilité ou l'inutilité de l'opération, l'importance ou la consistance du patrimoine de la personne protégée et la bonne ou mauvaise foi de ceux avec qui elle a contracté.

Art. 465, 1°. – Si la personne protégée a accompli seule un acte qu'elle pouvait faire sans l'assistance ou la représentation de la personne chargée de sa protection, l'acte reste sujet aux actions en rescision ou réduction prévues à l'article 435 comme s'il avait été accompli par une personne sous la sauvegarde de justice (...).

Dans ces deux hypothèses, la loi protège contre la lésion des majeurs qui agissent dans la limite de leur capacité, mais dont la faiblesse a été constatée par une décision judiciaire plaçant le majeur sous sauvegarde de justice ou instituant une curatelle.

2° Les contrats soumis à rescision pour lésion

314. – **Les contrats visés par le Code civil.** *Toute personne lésée*, serait-elle capable, peut demander la rescision de certaines conventions déterminées. Dès l'origine, le Code civil visait deux hypothèses.

En matière de *vente d'immeuble*, l'article 1674 du Code civil dispose que le vendeur et lui seulement, pour des raisons historiques, peut demander la rescision en cas de lésion de plus des 7/12 ; l'action en rescision pour lésion est toutefois écartée dans les ventes faites par autorité de justice (art. 1684), où le risque de lésion est très faible. Bien que l'hypothèse prévue soit celle d'un prix stipulé en capital, la jurisprudence a étendu l'application de ce texte à la vente d'immeuble moyennant une rente viagère au cas où la rente stipulée, n'excédant pas le revenu de l'immeuble, ne peut être considérée comme un prix sérieux. C'est là une atténuation à la règle que la lésion ne doit pas recevoir application dans les contrats aléatoires, contrats dans lesquels les parties ont volontairement couru le risque d'un déséquilibre entre les prestations réciproques. Les articles 1674 et suivants du Code civil ont donné lieu à de grandes difficultés en jurisprudence, notamment en ce qui concerne le caractère aléatoire ou non de la vente, l'évaluation de la lésion et le calcul du supplément de prix à payer pour racheter la lésion et éviter ainsi la rescision[(676)].

De même, en matière de *partage*, les articles 887 et suivants anciens ouvraient à tout cohéritier la faculté de demander la rescision du partage intervenu en cas de lésion du plus du quart. La solution s'expliquait ici par l'idée que « l'égalité est l'âme

(676) H. Le Griel, *La jurisprudence récente concernant la lésion dans la vente immobilière* : *D.* 1967, chron. 57. – J. Deprez, *La lésion dans les contrats aléatoires* : *RTD civ.* 1955, 1. – R. Savatier, *Le rachat de la lésion et l'instabilité monétaire* : *D.* 1971, chron. 199. – J. Viatte, *L'aléa dans les ventes d'immeubles à charge de rente viagère* : *Gaz. Pal.* 1975, 1, doctr. 297. – A. Gobin, *De la date d'évaluation de la lésion en matière de vente* : *JCP* N 76, 2759. – G. Klein, *Aléa et équilibre contractuel dans la formation du contrat de vente d'immeuble en viager* : *RTD civ.* 1979, 13. – H. Méau-Lautour, *Aléa, lésion et vileté du prix* : *JCP* N 1990, 301. – Paris, 23 déc. 1970 : *D.* 1972, 158 et note Ph. Malaurie. – Cass. 3e civ., 3 mai 1972 : *JCP* 1972, II, 17143 et rapp. Fabre ; *D.* 1972, 598 et note Ph. Malaurie. – Orléans, 14 juin 1973 : *D.* 1974, 485 et note Ph. Malaurie.

des partages ». Elle a été abandonnée par la loi du 23 juin 2006 qui l'a remplacée par une action en complément de part (art. 889 nouveau).

315. – **Les extensions légales.** Postérieurement au Code civil, de nombreuses lois sont intervenues pour sanctionner la lésion dans certains contrats. Sont notamment visés :

• les *ventes d'engrais et de semences*, au profit de l'acheteur lésé de plus du quart, disposition peut-être aujourd'hui obsolète de protection des agriculteurs contre les marchands (L. 8 juill. 1907, 10 mars 1937 et 13 juill. 1979) ;

• le contrat d'*assistance ou de sauvetage maritime* (L. 29 avr. 1916 et L. 7 juill. 1967, art. 15), que le juge peut annuler ou modifier lorsque les conditions convenues ne sont pas « équitables », et que la jurisprudence considérait précédemment comme une hypothèse de contrat conclu sous l'empire de la nécessité (V. *supra*, n° 209) ;

• la *cession de droits d'auteur* pour une somme forfaitaire lorsque l'auteur subit un préjudice de plus de 7/12e (L. 11 mars 1957, aujourd'hui CPI, art. L. 131-5) ;

• le *prêt à intérêt* consenti à un taux usuraire, c'est-à-dire excédant de plus du tiers le taux normalement pratiqué (C. consom., art. L. 313-3 et s.) ;

• dans les *sociétés d'attribution*, qui tendent à la commercialisation d'un immeuble en construction, le cas où les obligations mises à la charge d'un associé excèdent de plus du quart la part normale (L. 16 juill. 1971 ; CCH, art. L. 212-5, al. 3)[(677)] ;

• dans les *règlements de copropriété*, la répartition des charges peut faire l'objet d'une révision en justice lorsque la part attribuée à un lot est inférieure ou supérieure de plus du quart au montant résultant de l'application de la loi (L. 10 juill. 1965, art. 12).

Outre ces hypothèses, qui relèvent directement de l'idée de lésion, d'autres dispositions sanctionnent également les déséquilibres entre les prestations. On en citera pour exemple l'article 1844-1 du Code civil qui dispose que, dans le *contrat de société*, les *clauses léonines* – attribuant la totalité du profit ou des pertes à l'un des associés – sont réputées non écrites. De même la loi SRU du 13 décembre 2000 impose au bailleur de fournir au locataire un logement décent, ce qui permet à ce dernier de demander la mise aux normes d'habitabilité ou, à défaut, une diminution du loyer[(678)].

Ainsi, si la lésion n'est pas de manière générale une cause de nullité des contrats, on est amené à constater que le législateur est intervenu pour la sanctionner dans tous les contrats où la pratique avait fait apparaître de graves abus.

316. – **Les extensions jurisprudentielles.** Face au principe négatif exprimé par l'article 1118, la jurisprudence n'a pas cru pouvoir s'en affranchir et exercer de manière générale un contrôle de l'équilibre des contrats. Elle y a néanmoins procédé dans quelques hypothèses.

La plus ancienne porte sur la réduction des honoraires des *mandataires et agents d'affaires* lorsqu'ils paraissent excessifs. On explique souvent cette solution par l'idée

(677) Pour une application, V. Cass. 1re civ., 22 oct. 2002 : *Bull. civ.* 2002, I, n° 240, p. 185.
(678) Ph. Briand, *La mise aux normes et le bail d'habitation* : *Defrénois* 2004, art. 37963.

que le mandat est en principe à titre gratuit ; mais l'explication n'est guère convaincante dans la mesure où l'article 1986 prévoit expressément la clause contraire et où, par définition même, la question du caractère excessif des honoraires ne peut se poser que dans le mandat salarié. La jurisprudence a donc ajouté de toutes pièces un contrat, le mandat salarié, à ceux retenus par le législateur, pour le cas où « le salaire convenu… est hors de proportion avec le service rendu »[679], la charge de la preuve du caractère abusif de la rémunération incombant au mandant[680].

La jurisprudence a ensuite étendu la solution aux honoraires des membres des *professions libérales*, architectes[681], avocats[682], conseils juridiques[683], conseils en organisation ou en gestion[684], experts comptables[685], généalogistes[686]. On observera que les contrats de ces professionnels relèvent de la catégorie, non du mandat, mais du louage d'ouvrage qui est un tout autre contrat. La solution s'applique dans la seule hypothèse où les honoraires sont fixés forfaitairement en début de contrat, avant toute exécution, si bien qu'il est difficile au client d'apprécier s'il correspond ou non au travail à fournir. Il y a discussion sur le fondement de cette solution ; les uns le trouvent dans l'idée de cause (V. *infra*, n°s 320 et s.), d'autres dans celle de bonne foi qui doit présider à l'exécution des contrats (C. civ., art. 1134, al. 3).

La jurisprudence l'avait également étendue aux cessions d'offices ministériels[687], mais elle est récemment revenue sur cette exception[688].

On peut également rapprocher de l'idée de lésion la jurisprudence suivant laquelle les clauses de non-concurrence ne sont licites que si, outre les conditions classiquement admises (clause indispensable à la protection des intérêts légitimes de l'entreprise, limitée dans le temps et dans l'espace, prise en compte des spécificités de l'emploi du salarié), elles comportent « l'obligation pour l'employeur de verser au salarié une contrepartie financière »[689].

On observera que ces extensions jurisprudentielles peuvent être rattachées tout aussi bien à l'idée de cause qu'à celle de lésion (V. *infra*, n°s 320 et s.). Cela n'a rien d'étonnant car l'absence de cause se définit comme une absence – ou une insuffisance – de contrepartie dans un contrat, ce qui entraîne inévitablement un déséquilibre du contrat constitutif d'une lésion.

(679) Jurisprudence constante depuis Cass. civ., 29 janv. 1867 : *DP* 1867, 1, 53 ; S. 1867, 1, 245.

(680) Cass. 1re civ., 24 sept. 2002 : *Contrats, conc. consom.* 2003, comm. 3, obs. L. Leveneur.

(681) Cass. 1re civ., 4 mars 1958 : *D.* 1958, 495.

(682) Cass. 1re civ., 3 mars 1998 : *Defrénois* 1998, 734, obs. J.-L. Aubert. – Cass. 1re civ., 7 juill. 1998 : *Contrats, conc. consom.* 1998, comm. 159, obs. L. Leveneur. – V. R. Martin, *La réduction des honoraires de l'avocat par le pouvoir judiciaire* : *JCP* 1999, I, 110.

(683) Cass. 1re civ., 19 juin 1990 : *Bull. civ.* 1990, I, n° 170, p. 120. – Rappr. Cass. 1re civ., 23 nov. 2011 : *D.* 2012, 589, note M. Séjean.

(684) Cass. com., 2 mars 1993 : *Bull. civ.* 1993, IV, n° 83 ; *D.* 1994, somm. 11, obs. J. Kullmann ; *RTD civ.* 1994, 346, obs. J. Mestre.

(685) Cass. 1re civ., 3 juin 1986 : *JCP* 1987, II, 20791 et note A. Viandier.

(686) Cass. 1re civ., 5 mai 1998 : *Contrats, conc. consom.* 1998, comm. 111, obs. L. Leveneur ; *Defrénois* 1998, 1042, obs. Ph. Delebecque ; *RTD civ.* 1998, 901, obs. J. Mestre. – Cass. 1re civ., 21 févr. 2006 : *Bull. civ.* 2006, I, n° 100.

(687) Cass. req., 13 juin 1910 : S. 1913, 1, p. 347.

(688) Cass. 1re civ., 7 déc. 2004 : *Contrats, conc. consom.* 2005, comm. 60, obs. L. Leveneur ; *RDC* 2005, p. 681, obs. D. Mazeaud.

(689) Cass. soc., 10 juill. 2002 (trois arrêts) : *D.* 2002, 2491 et note Y. Serra ; *JCP* 2002, II, 10162 et note F. Petit ; *Dr. soc.* 2002, 949 et note R. Vatinet ; *Defrénois* 2002, 1, 1619, art. 37644, n° 94, obs. R. Libchaber.

317. – **Sanctions de la lésion : de la rescision à la révision.** Il est ici impossible de poser une règle générale car chaque cas de lésion fait l'objet d'une sanction spécifique. On peut seulement dégager des idées générales.

On peut partir de l'idée que, dans les cas du Code civil, la lésion était sanctionnée par la *rescision*, nom donné ici à la nullité. Tel est par exemple le cas pour les contrats conclus par des mineurs non émancipés. Il en allait de même pour la vente d'immeuble et le partage, à cette différence – importante – près que l'acheteur pouvait faire échec à la nullité en payant le supplément du juste prix (C. civ., art. 1681), le copartageant en fournissant le supplément nécessaire pour rééquilibrer le partage (C. civ., art. 891 ancien) ; cette solution est désormais la seule possible en cas de lésion dans un partage (C. civ., art. 889 nouveau). Dans ces hypothèses, le contrat n'était pas annulé, mais rééquilibré.

C'est dans ce dernier sens que s'est orienté le législateur en édictant de nouveaux cas de lésion, si bien que la lésion apparaît aujourd'hui souvent plus comme un cas de *révision* du contrat tendant à rétablir l'équilibre des prestations entre les parties, à réaliser une justice contractuelle.

318. – **Quel avenir pour la lésion ?** Après deux siècles d'existence, il est aujourd'hui admis que, contrairement à une idée jadis soutenue, la lésion ne repose pas sur un vice du consentement présumé. Certes, il est possible que le déséquilibre trouve sa source dans le fait que l'une des parties a commis une erreur, ou a été victime de la violence, que cette violence émane du cocontractant, d'un tiers ou tout simplement des circonstances économiques, de l'état de nécessité. Mais la nullité est encourue dès l'instant qu'existe le déséquilibre prévu par la loi. Il suffit qu'il y ait défaut d'équivalence des prestations lors de la conclusion du contrat[(690)], et il n'est pas besoin de démontrer l'existence d'un vice du consentement, erreur, dol ou violence dans lequel la lésion prendrait sa source[(691)]. Ainsi retient-on une conception *objective*, et non pas *subjective*, de la lésion.

Ceci étant admis, *de lege ferenda*, faut-il faire de la lésion une cause générale de rescision ou de révision des contrats ? Et corrélativement supprimer toutes les dispositions particulières sanctionnant la lésion au profit de certaines personnes ou dans certains contrats ?

Tel n'est pas le sens de l'évolution, tant il paraît difficile de laisser au juge le soin d'apprécier la valeur respective de prestations dont le prix dépend de facteurs tant subjectifs qu'objectifs. Ceci explique probablement que, notamment, malgré le puissant mouvement de protection des consommateurs, le législateur ait écarté tout contrôle du juge « sur l'adéquation du prix ou de la rémunération au bien vendu ou au service offert » (C. consom., art. L. 132-1, al. 7). Cela explique aussi vraisemblablement que le projet de réforme (art. 78) maintient le refus d'admission de la rescision pour lésion hors des cas légaux (alors que cependant, en sens inverse, il sanctionne, sous certaines conditions, les déséquilibres excessifs ou significatifs sur le fondement soit des vices du consentement (V. *supra*, n° 211) soit des clauses abusives (V. *infra*, n° 352).

(690) Ou lors de la levée de l'option en cas de promesse unilatérale de vente (C. civ., art. 1675, al. 2).
(691) Cass. req., 21 mars 1933 : *DH* 1933, 235. – Rouen, 28 sept. 1976 : *Gaz. Pal.* 1977, 1, 123 et note G. Raymond.

Il est donc peu probable, et sans doute peu souhaitable, que le législateur revienne sur le principe négatif inscrit dans l'article 1118 du Code civil, à moins que la France n'y soit conduite dans la perspective d'une harmonisation du droit européen des contrats.

319. – **Perspectives d'harmonisation européenne : la sanction de l'avantage excessif.** Les Principes du droit européen du contrat – qui s'inspirent là encore largement des Principes d'Unidroit – ainsi que l'avant-projet de l'Académie des privatistes de Pavie, adoptent une conception renouvelée de la lésion. Ils généralisent la possibilité de mettre fin à un contrat, ou pour le juge de l'adapter, dès lors que le contrat en question confère à une partie un profit excessif, un avantage déloyal, manifestement disproportionné par rapport à la contrepartie fournie[(692)].

Ces dispositions sont très protectrices car elles élargissent *rationae materiae* et *rationae personae* l'acception française de la lésion, mais elles n'ouvrent pas abusivement les cas de lésion car elles sanctionnent seulement les déséquilibres véritablement excessifs, spécialement ceux qui ont pour origine l'exploitation par une partie de l'état de dépendance, de la détresse économique, de l'urgence des besoins de l'autre partie, de son ignorance ou son inaptitude à la négociation. Cette conception est donc éminemment subjective et rapproche en définitive la lésion des vices du consentement. À certains égards, elle s'apparente à la position du droit français qui réprime pénalement l'abus de faiblesse du cocontractant.

B. – Absence de cause (ou de contrepartie sérieuse)

320. – **Les textes.** L'article 1108 mentionne comme conditions de la validité d'un contrat, outre la capacité, le consentement et l'objet, « une cause licite dans l'obligation ».

Puis, plus loin, une section consacrée à la cause comporte trois articles :

Art. 1131. – L'obligation sans cause, ou sur une fausse cause, ou sur une cause illicite, ne peut avoir aucun effet.

Art. 1132. – La convention n'est pas moins valable, quoique la cause n'en soit pas exprimée.

Art. 1133. – La cause est illicite quand elle est prohibée par la loi, quand elle est contraire aux bonnes mœurs ou à l'ordre public.

Ainsi, la condition de cause se dédouble : il faut une cause, et une cause licite. Quant à la fausse cause visée à l'article 1131, on considère généralement qu'elle n'est rien autre qu'une erreur portant sur l'existence de la cause : l'un des contractants croyait à l'existence d'une cause alors que cette cause n'existait pas. La fausse cause se confond alors avec l'absence de cause, lorsque du moins elle est totale[(693)]. En revanche, suivant certains auteurs, la fausse cause partielle serait une réalité distincte de l'absence de cause[(694)], ce que la jurisprudence n'a pas admis. Il y aura donc nullité en cas d'absence – partielle[(695)] ou totale – de la cause et en cas d'illicéité ou d'immoralité de la cause. En cela la cause répond à deux fonctions radicalement différentes.

(692) PDEC, art. 4.109 ; Unidroit, art. 3.2.7 ; Pavie, art. 30.3.

(693) À cet égard on notera que le Projet Catala, qui reprend l'exigence d'une « cause réelle et licite » qui justifie l'engagement, abandonne en revanche le concept de fausse cause (art. 1124).

(694) J.-R. Binet, *De la fausse cause : RTD civ.* 2004, 655.

(695) R. Marty, *De l'absence partielle de cause de l'obligation* : thèse Paris II, 1995.

La nullité pour illicéité ou immoralité tend à protéger l'ordre public, donc l'intérêt général, cependant que la nullité pour absence de cause va protéger l'intérêt particulier du cocontractant victime. Il s'ensuit que cette dernière est une nullité relative[(696)].

C'est la raison pour laquelle nous avons étudié l'illicéité ou l'immoralité de la cause à propos de la conformité à l'ordre public et aux bonnes mœurs (V. *supra*, n°s 285 et s.), cependant que nous étudions ici l'absence de cause dans la perspective de la conformité à la justice sociale. Cette dissociation présente d'autant moins d'inconvénients que la notion de cause n'est pas la même suivant qu'on traite de l'illicéité de la cause ou de l'absence de cause.

Sans se référer expressément à l'article 1131 du Code civil, la jurisprudence administrative retient également la notion de cause, et cela dans ses deux sens[(697)].

321. – La notion de cause et le contrôle de l'absence de cause. De manière générale, on peut définir la cause comme étant « l'intérêt de l'acte juridique pour son auteur »[(698)], la raison pour laquelle les parties ont contracté ou, suivant la formule du Projet Catala, ce qui « justifie » l'engagement.

Cette raison peut être appréciée à deux niveaux. Il suffit de prendre un exemple simple pour le comprendre, celui de la vente d'un immeuble.

Si on s'en tient au but immédiat poursuivi par les parties, on dira que le vendeur vend pour recevoir un prix, cependant que l'acheteur achète pour recevoir l'immeuble. Mais on pourrait aussi s'interroger sur les motifs qui ont poussé le vendeur à vendre : besoin d'argent pour payer des dettes urgentes, ou pour financer l'achat d'un appartement plus grand ou situé dans une autre ville, désir de placer son argent en Bourse, ou en assurance-vie pour le transmettre plus aisément à ses héritiers, etc. ; et pour l'acheteur : se loger, ou loger l'un de ses enfants, installer un club de rencontres, etc.

Il s'ensuit qu'il y a deux notions possibles de cause :

- une notion *objective, abstraite,* et qui sera toujours la même dans chaque type de contrat ; la cause de l'obligation du vendeur est de recevoir un prix et celle de l'acheteur de disposer du bien vendu, c'est-à-dire finalement la *contrepartie convenue* suivant la formule de Jacques Ghestin[(699)] ;
- une notion *subjective, concrète,* qui variera dans chaque hypothèse suivant la personnalité des parties, les *motifs* ou *mobiles* qui les ont animés.

La question a fait jadis l'objet de longues controverses[(700)] portant à la fois sur la notion de cause et sur le rôle à lui faire jouer, les uns voulant s'en tenir à la cause objec-

(696) Cass. 3e civ., 29 mars 2006 : *RDC* 2006, p. 1072, obs. D. Mazeaud. – Cass. 3e civ., 21 sept. 2011 : *D.* 2011, 2711, note D. Mazeaud ; *RD imm.* 2011, 623, obs. M. Poumarède ; *JCP* N 2012, 1001, note B. Waltz.

(697) F. Chénédé, *L'utilité de la cause de l'obligation en droit contemporain des contrats : l'apport du droit administratif : Contrats, conc. consom.* 2008, étude 11.

(698) *Vocabulaire juridique* (Assoc. Capitant, 9e éd., par G. Cornu), qui donne ensuite deux définitions suivant qu'il s'agit d'apprécier la licéité de la cause ou d'en vérifier l'existence.

(699) J. Ghestin, *Cause de l'engagement et validité du contrat* : LGDJ, 2006 ; *L'absence de cause de l'engagement : absence de la contrepartie convenue* : *JCP* 2006, I, 177 ; *Le renouveau doctrinal actuel de l'absence de cause* : *JCP* 2006, I, 194. – X. Lagarde, *L'objet et la cause du contrat, entre actualités et principes* : LPA 6 avr. 2007, p. 6.

(700) H. Capitant, *De la cause des obligations*, 3e éd. 1927. – L. Josserand, *Les mobiles dans les actes juridiques*, 1928. – P. Louis-Lucas, *Volonté et cause* : thèse Dijon, 1918. – G. Ripert, *La règle morale dans les obligations civiles*. – R. David, *Cause et considération*, in *Mél. Maury*, t. II, 111. – Maury, *Le concept et le rôle de la cause des obligations dans la jurisprudence* : *RID comp.* 1951, 485. – R. Marty, *De l'absence partielle de cause de l'obligation et de son rôle dans les contrats à titre onéreux* : thèse Paris II, 1992. – Ph. Reigné, *La notion de cause efficiente en droit privé français* : thèse Paris II, 1993.

tive pour éviter un contrôle des motivations, les autres préconisant à l'inverse de retenir la notion subjective pour précisément permettre au juge d'exercer ce contrôle.

Le débat a finalement débouché sur un accord, qui consiste à admettre la coexistence des deux notions, chacune ayant sa fonction propre. La notion subjective, qualifiée de moderne, est retenue pour contrôler la licéité, cependant que la notion objective, dite classique, sert à vérifier l'existence de la cause. On s'en tiendra ici à cette seconde notion, la première ayant été précédemment traitée à propos de la nullité pour illicéité ou immoralité de la cause (V. *supra*, n°s 285 et s.).

La cause s'apprécie en principe lors de la conclusion du contrat[701] (V. *infra*, n° 329). Mais, étendant la notion de cause, certains arrêts admettent que la disparition de la cause en cours d'exécution peut entraîner la nullité du contrat, ou sa caducité[702].

1° La notion d'absence de cause (ou de contrepartie) suivant les types de contrats

a) Les contrats synallagmatiques

322. - **Les contrats commutatifs : la contre-prestation.** Dans les contrats synallagmatiques, l'obligation de chacune des parties trouve sa cause dans la contre-prestation convenue et attendue, c'est-à-dire dans l'obligation de l'autre[703] : dans la vente, ce sera le prix pour le vendeur, la chose pour l'acheteur ; dans le bail, le loyer pour le bailleur, la jouissance de la chose pour le locataire, etc.

Cette définition avait jadis suscité la critique de Planiol qui la considérait comme inexacte et inutile.

Inexacte parce que, les deux obligations naissant en même temps et la cause précédant nécessairement l'effet, l'une ne saurait être la cause de l'autre. Objection à laquelle il pouvait être aisément répondu que la cause de chacune des obligations résidait dans la considération, la perspective de l'obligation de l'autre.

Inutile parce que, les obligations réciproques se servant mutuellement de cause, l'absence de cause se confond avec l'absence d'objet et la cause illicite avec l'objet illicite ; si bien que la nullité du contrat pourrait tout aussi bien être recherchée sur le seul fondement de l'absence d'objet ou d'illicéité de l'objet. L'objection n'est qu'en partie pertinente ; en effet, sauf dans le cas où les deux obligations réciproques seraient absentes ou illicites, la nullité fondée sur l'objet n'affecterait que l'une des obligations, pas l'autre. Seule la cause peut permettre l'annulation du contrat dans son entier.

Aussi bien la jurisprudence décide-t-elle que, « lorsque l'obligation d'une partie est dépourvue d'objet, l'engagement du cocontractant est nul faute de cause »[704].

– J. Rochfeld, *Cause et type de contrat* : LGDJ, 1999, préf. J. Ghestin. – A. Cermolacce, *Cause et exécution du contrat* : PUAM, 2001, préf. J. Mestre. – Pour une critique récente, V. X. Lagarde, *Sur l'utilité de la notion de cause* : D. 2007, chron. p. 740.

(701) J. Ghestin, *Cause de l'engagement et validité du contrat* : LGDJ, n°s 972 et s.

(702) Cass. 1re civ., 30 oct. 2008 : *JCP* 2009, II, 10000 et note D. Houtcieff ; *Rev. Lamy dr. civ.* févr. 2009, p. 7 et note A. Cermolacce ; *RTD civ.* 2009, 118, obs. B. Fages ; *RDC* 2009, p. 49, obs. D. Mazeaud. – Cass. com., 29 juin 2010 : *JCP* 2010, 1056, note T. Favario ; *D.* 2010, 2480, note appr. D. Mazeaud, et note crit. T. Génicon.

(703) V. par ex. Cass. 1re civ., 25 mai 1988 : *Bull. civ.* 1988, I, n° 149.

(704) Cass. 1re civ., 7 févr. 1990 : *Bull. civ.* 1990, I, n° 38.

On en trouve d'assez nombreuses applications en jurisprudence[(705)], étant toutefois précisé que, dans le cas d'une opération économique constituant un ensemble indivisible, l'appréciation de la cause doit s'opérer par référence à l'ensemble[(706)]. Ainsi, sont nuls pour absence de cause :

• la convention de révélation de succession conclue par un généalogiste lorsqu'il apparaît que l'héritier aurait sans cette aide découvert la succession à laquelle il était appelé[(707)] ;

• la rémunération d'un concierge pour présenter son successeur, alors qu'un tel droit de présentation n'existait pas[(708)] ;

• l'obligation d'un locataire commercial de payer un certain prix en contrepartie de l'engagement du bailleur de lui assurer l'exclusivité de ce type de commerce dans l'immeuble, alors que la loi interdit pareille exclusivité[(709)] ;

• le rachat par un salarié de points de retraite à une caisse alors que ses droits auprès de cette caisse atteignent déjà le plafond[(710)] ;

• le contrat de location de cassettes vidéo pour l'exploitation d'un commerce, alors que l'exécution de ce contrat selon l'économie voulue par les parties était impossible[(711)] ;

• le contrat de prestations de services consenti par une société à son dirigeant, prestations qui entraient déjà dans la mission normale de ce dirigeant[(712)].

En revanche, l'acquisition par un bailleur du droit au bail mis en vente par son locataire a une cause en ce qu'elle permet au premier de recouvrer la jouissance matérielle des lieux[(713)].

323. – **Suite : le renouveau de la cause.** Par extension, la nullité est encourue non seulement en cas d'absence totale de cause, mais aussi dans le cas où la contre-prestation est dérisoire. Tout en abandonnant le concept de cause, le projet de réforme retient exactement la même solution lorsqu'il édicte qu'un « contrat à titre onéreux est nul lorsque, lors de sa formation, la contrepartie convenue au profit de celui qui s'engage est illusoire ou dérisoire » (art 75).

Par exemple, l'engagement pris par un fournisseur d'obtenir un prêt au profit d'un distributeur et de le cautionner a été jugé dérisoire au regard de l'enga-

(705) V. aussi, pour l'absence de cause tenant à l'impossibilité de bénéficier d'un avantage fiscal, T. com., Basse-Terre, 17 mars 1993 : *D.* 1993, 449 et note P. Diener ; *RTD civ.* 1994, 95, obs. J. Mestre. – P. Diener, *À propos d'une prétendue absence de cause* : *D.* 1994, chron. 347.

(706) Cass. 1re civ., 13 juin 2006 : *D.* 2007, p. 277 et note J. Ghestin ; *RDC* 2007, p. 256, obs. D. Mazeaud.

(707) Cass. civ., 18 avr. 1953 : *D.* 1953, 403. – Cass. 1re civ., 10 déc. 1985 : *Gaz. Pal.* 1986, 1, pan. 89. – CA Pau, 5 déc. 2005 : *D.* 2006, p. 2020 et note A. Lecourt. – Cass. 1re civ., 21 févr. 2006 : *Defrénois* 2006, 1, 1223, art. 38433, obs. R. Libchaber. – Cass. 1re civ., 20 janv. 2010, n° 08-20459. – Sur l'absence de réglementation de la profession de généalogiste, V. Rép. min. n° 48626 : *JOAN Q*, 23 nov. 2004, p. 9253.

(708) Cass. 1re civ., 20 févr. 1973 : *D.* 1974, 37 et note Ph. Malaurie.

(709) Cass. com., 5 oct. 1981 : *Bull. civ.* 1981, IV, n° 340.

(710) Cass. soc., 15 oct. 1980 : *Bull. civ.* 1980, V, n° 741.

(711) Cass. 1re civ., 3 juill. 1996 : *D.* 1997, 500 et note Ph. Reigné. Mais voir, pour une appréciation différente, Cass. com. 27 mars 2007 : *JCP* 2007, II, 10119, et note Y.-M. Serinet ; *Contrats, conc. consom.* 2007, comm. 196, obs. L. Leveneur ; *D.* 2007, pan. 2970, obs. S. Amrani-Mekki. – Cass. com., 9 juin 2009 : *RDC* 2009, p. 1345, obs. D. Mazeaud ; *RTD civ.* 2009, 719, obs. B. Fages.

(712) Cass. com., 23 oct. 2012 : *D.* 2013, 686, note D. Mazeaud ; *D.* 2013.391, obs. S. Amrani-Mekki et M. Mekki ; *RDC* 2013, 1321, note T. Génicon.

(713) Cass. 3e civ., 13 oct. 2004 : *D.* 2005, p. 1617 et note E. Monteiro ; *Defrénois* 2005, 1, 1245, art. 38207, n° 55, obs. J.-L. Aubert ; *RDC* 2005, p. 1009, obs. D. Mazeaud.

gement corrélatif souscrit par le distributeur de s'approvisionner exclusivement pendant cinq ans et pour une quantité minimum déterminée auprès de ce fournisseur[(714)]. On cite aussi classiquement le cas des ventes annulées pour vileté du prix[(715)], notamment les ventes moyennant une rente viagère dont le montant est égal ou inférieur au revenu de l'immeuble vendu (V. *infra*, n° 324).

Plus récemment, la jurisprudence s'est servi de la cause pour assurer un rééquilibrage des contrats dans lesquels l'une des parties avait inséré des clauses lui conférant un avantage excessif sans contrepartie réelle[(716)]. Ont ainsi été condamnées :

• certaines clauses abusives des contrats bancaires en matière de « dates de valeur »[(717)] ;

• certaines clauses des contrats d'assurance sur la date de la réclamation aboutissant en fait à priver l'assuré du bénéfice de l'assurance[(718)] ;

• dans le fameux arrêt *Chronopost*, la clause de non-responsabilité en cas de retard dans la délivrance du pli (l'obligation de ponctualité étant considérée comme une obligation essentielle du contrat)[(719)] ; on notera que, au-delà des avatars subis par les premiers arrêts *Chronopost*, la jurisprudence se poursuit[(720)] ;

• les clauses de non-concurrence lorsqu'elles ne satisfont pas aux conditions cumulatives posées par la jurisprudence, à savoir être indispensables à la protection des intérêts légitimes de l'entreprise, limitées dans le temps et dans l'espace, proportionnées aux intérêts légitimes à protéger[(721)], tenir compte des spécificités de l'emploi du salarié et comporter l'obligation pour l'employeur de verser au salarié une contrepartie financière[(722)], laquelle ne doit pas être dérisoire[(723)].

---

(714) Cass. com., 14 oct. 1997 : *Defrénois* 1998, 1, 1040, note D. Mazeaud. – Cass. com., 8 févr. 2005 : *RDC* 2005, p. 684, obs. D. Mazeaud. – V. aussi, pour un bail à construction conclu pour un prix dérisoire : Cass. 3e civ., 21 sept. 2011 : *D.* 2011, 2711, note D. Mazeaud ; *RD imm.* 2011, 623, note M. Poumarède ; *JCP* N 2012, 1001, note B. Waltz ; *RDC* 2012, 47, obs. E. Savaux ; *Contrats, conc. consom.* 2011, comm. 252, obs. L. Leveneur ; *JCP* 2011, 1276, note J. Ghestin.

(715) La jurisprudence en affirme le principe, mais les applications en sont rares (Cass. 1re civ., 4 juill. 1995 : *Contrats, conc. consom.* 1995, comm. 181, obs. L. Leveneur ; *D.* 1997, 206 et note A.-M. Luciani. – Cass. 3e civ., 29 avr. 1998 : *JCP* 1998, IV, 2350). Sur la validité d'une vente moyennant un franc symbolique, V. B. Garrigues, *La contre-prestation du franc symbolique : RTD civ.* 1991, 459. – Ch. Freyria, *Le prix de vente symbolique : D.* 1997, chron. 51.

(716) R. Marty, *De l'absence partielle de cause de l'obligation et de son rôle dans les contrats à titre onéreux* : thèse Paris II, 1995. – J.-M. Guéguen, *Le renouveau de la cause en tant qu'instrument de justice contractuelle : D.* 1999, chron. 352.

(717) Cass. com., 6 avr. 1993 : *D.* 1993, 310 et note Gavalda. – Cass. com., 29 mars 1994 : *Bull. civ.* 1994, IV, n° 134. – Cass. com., 10 janv. 1995 : *Bull. civ.* 1995, IV, n° 8.

(718) Cass. 1re civ., 3 févr. 1993 : *JCP* 1993, II, 22048 et note J. Bigot. – Cass. 1re civ., 28 sept. 2004 : *Bull. civ.* 2004, I, n° 212, p. 178.

(719) Cass. com., 22 oct. 1996 : *D.* 1997, 121 et note A. Sériaux ; *JCP* 1997, II, 22881 et note D. Cohen ; *Defrénois* 1997, 1, 333, obs. D. Mazeaud. En l'espèce, la nullité de la clause a conduit à l'application du contrat-type messagerie de La Poste qui comprenait une clause limitative du même genre, laquelle ne pouvait tomber qu'en cas de faute lourde : Cass. com., 9 juill. 2002 : *D.* 2002, 2329, obs. E. Chevrier ; *JCP* 2002, II, 10176, note G. Loiseau et M. Billiau ; *D.* 2002, somm. 2837, obs. Ph. Delebecque ; *Contrats, conc. consom.* 2003, comm. 2 et note L. Leveneur ; *D.* 2003, somm. 457, obs. D. Mazeaud ; *JCP* 2002, I, 184, nos 14 et s., obs. J. Rochfeld. – Cass. ch. mixte, 22 avr. 2005, 2 arrêts : *Bull. civ.* 2005, ch. mixte, n° 3 ; *D.* 2005, p. 1864 et note J.-P. Tosi ; *Contrats, conc. consom.* 2005, comm. 150, obs. L. Leveneur ; *RTD civ.* 2005, p. 604, obs. P. Jourdain ; *RDC* 2005, p. 651, avis av. gén. R. de Gouttes ; *D.* 2005, act. jurispr. p. 1224 et note E. Chevrier. – Cass. com., 21 févr. 2006 : *D.* 2006, p. 717, obs. E. Chevrier. – V. aussi Cass. com., 17 juill. 2001 : *JCP* 2002, I, 148, n° 17, obs. G. Loiseau.

(720) Cass. com., 30 mai 2006 : *D.* 2006, p. 1599, obs. X. Delpech ; *D.* 2006, p. 2288 et note D. Mazeaud ; *Contrats, conc. consom.* 2006, comm. 183, obs. L. Leveneur ; *Rev. Lamy dr. civ.* oct. 2006, p. 17 ; *RDC* 2006, p. 1075, obs. Y.-M. Laithier ; *RTD civ.* 2006, p. 773, obs. P. Jourdain. – Cass. com., 5 juin 2007 : *D.* 2007, 1720, obs. X. Delpech ; *D.* 2007, pan. 2975, obs. B. Fauvarque-Cosson.

(721) Cass. 1re civ., 11 mai 1999 : *Contrats, conc. consom.* 1999, comm. 137 et note L. Leveneur. – Cass. com., 1er juill. 2003, comm. 152 et note L. Leveneur.

(722) Cass. soc., 10 juill. 2002 (trois arrêts) : *D.* 2002, 2491 et note Y. Serra ; *JCP* 2002, II, 10162 et note F. Petit ; *Dr. soc.* 2002, 949 et note R. Vatinet ; *Defrénois* 2002, 1, 1619, art. 37644, n° 94, obs. R. Libchaber. – Cass. com., 15 mars 2011 : *D.* 2011, 1261, note Y. Picot. Sur la faculté pour l'employeur de renoncer à une clause de non-concurrence non conforme aux exigences jurisprudentielles, V. B. Reynis, *La renonciation à la clause de non-concurrence : la portée du revirement jurisprudentiel de 2002 : D.* 2004, chron. 1543.

(723) Cass. soc., 16 mai 2012 : *RDC* 2013, 74, obs. T. Génicon.

Certains saluent ce mouvement jurisprudentiel comme un renouveau de la cause[(724)]. D'autres y voient l'avènement d'un nouveau principe, le principe de proportionnalité[(725)].

Consacrant cette évolution jurisprudentielle, mais sans se référer à la notion de cause, le projet de réforme décide que « toute clause qui prive de sa substance l'obligation essentielle du débiteur est réputée non écrite » (art. 76)[(726)].

324. – **Les contrats aléatoires : l'existence de l'aléa.** Lorsqu'on est en présence d'un contrat synallagmatique aléatoire, par exemple un contrat d'assurance, la cause de l'obligation réside, non pas dans la contre-prestation, mais dans l'existence de l'aléa[(727)]. Chacune des parties s'engage en effet en fonction d'un aléa, d'un risque : risque de survenance d'un sinistre dans le contrat d'assurance, risque de décès dans tout contrat viager.

Si, en fait, le risque n'existe pas, le contrat aléatoire est déséquilibré ; il est dépourvu de cause. Si, par exemple, on assure un cheval de course qui est mort la veille, il n'y a plus de risque, plus d'aléa, et donc plus de cause au contrat qui sera nul. Le législateur en a tiré les conséquences dans l'article L. 121-15 du Code des assurances en décidant que « l'assurance est nulle si, au moment du contrat, la chose assurée a déjà péri ou ne peut plus être exposée aux risques ».

De même, dans le cas d'un contrat moyennant rente viagère, où l'aléa repose sur la durée de vie du vendeur, il n'y a pas d'aléa si le crédirentier est déjà décédé (art. 1974) ou s'il est certain qu'à raison de son état de santé il décédera à brève échéance. Aussi bien l'article 1975 décide-t-il que le contrat « ne produit aucun effet » lorsque « la rente a été créée sur la tête d'une personne atteinte de la maladie dont elle est décédée dans les vingt jours du contrat ». Mais la jurisprudence retient la même solution en cas de décès postérieur, lorsque du moins le cocontractant débirentier savait, lors de la conclusion du contrat, que le décès du crédirentier était imminent ou proche[(728)]. Là encore, le contrat pourra donc être annulé, à la demande du crédirentier ou de ses héritiers, pour absence de cause.

b) Les contrats unilatéraux

325. – **Les contrats réels.** Les contrats réels sont ceux qui se forment, non par le seul échange des consentements, mais par la *remise de la chose* (V. *supra*,

(724) J.-P. Chazal, *Théorie de la cause et justice contractuelle. À propos de l'arrêt* Chronopost : *JCP* 1998, I, 152. – J.-M. Guéguen, *Le renouveau de la cause en tant qu'instrument de justice contractuelle* : D. 1999, chron. 352. – J. Ghestin, *L'absence de cause et la contrepartie propre à une obligation résultant d'une clause du contrat*, in *Mél. J. Béguin* : Litec, 2005. – F. Hage-Chahine, *La sanction de l'absence de cause constatée au moment de la formation du contrat*, in *Mél. A. Decocq* : Litec, 2006, p. 327.

(725) *Existe-t-il un principe de proportionnalité en droit privé ?*, Travaux du Colloque du 20 mars 1998 : *LPA* 30 sept. 1998, n° 117. – S. Le Gac-Pech, *La proportionnalité en droit privé des contrats*, préf. H. Muir-Watt : LGDJ, coll. « Droit privé », 2000. – Ch. Auguet, *Au nom de la cause, vive le principe de proportionnalité* : *Dr. et patrimoine* févr. 2001, p. 33. Un auteur marque en revanche une grande réserve à l'égard de ce prétendu principe : F. Terré, *La proportionnalité comme principe ?* : *JCP* 2009, n° 25, p. 52.

(726) T. Génicon, *Théorie de la cause : les vraies raisons pour lequelles on y revient sans cesse* : *RDC* 2013, 1321.

(727) Cette conception est consacrée dans l'article 1125-3 du Projet Catala suivant lequel « les contrats aléatoires sont dépourvus de cause réelle lorsque, dès l'origine, l'absence d'aléa rend illusoire ou dérisoire pour l'un des contractants la contrepartie convenue ».

(728) Cass. 3e civ., 6 nov. 1969 : *JCP* 1970, II, 16502 et note A. Bénabent. – Cass. 3e civ., 4 nov. 1980 : *Bull. civ.* 1980, III, n° 169. – Cass. 1re civ., 5 mai 1982 : *Bull. civ.* 1982, I, n° 164. – Cass. 3e civ., 2 févr. 2000 : *Bull. civ.* 2000, III, n° 26, p. 18 ; *JCP* 2000, II, 10289 et note J.-F. Weber.

n° 65). Il s'agit principalement des contrats de prêt (art. 1875 et 1892) et de dépôt (art. 1915) ; il en allait de même du contrat de gage avant que l'ordonnance du 23 mars 2006 relative aux sûretés ne supprime la condition de remise de la chose.

Par exemple, le prêt s'opère par la remise de la chose prêtée ; et il est un contrat unilatéral parce que seul l'emprunteur a des obligations : payer des intérêts et rendre la chose à la fin du prêt.

Ici, l'obligation de l'emprunteur ne saurait avoir pour cause l'obligation réciproque puisqu'il n'y en a pas ; elle réside dans la *remise de la chose* qui lui a été faite par le prêteur(729).

Critiquant la notion de cause, Planiol faisait observer qu'ici la cause et l'objet se confondent : si la chose n'a pas été remise, le contrat est à la fois sans objet et sans cause ; si elle est illicite, hors du commerce, c'est à la fois la cause et l'objet qui sont illicites. En bref, il y a double emploi.

Le fait que la cause réside dans la remise de la chose a des conséquences importantes en matière de prêt et, plus généralement, pour les *opérations de crédit*. En effet, le plus souvent, le crédit obtenu va être destiné à financer une opération, par exemple l'achat d'un bien. Si, pour une raison quelconque, ce second contrat – l'achat du bien – est annulé ou résolu, cet événement est sans conséquence sur le contrat de crédit qui subsiste ; certes, l'achat du bien est le motif qui a conduit à conclure le contrat de crédit, mais il n'en est pas la cause. Il s'ensuit que le contrat de crédit n'est pas affecté par la disparition du second contrat et que, le prêt se poursuivant, les intérêts vont continuer à courir.

Pour éviter cette conséquence fâcheuse, les lois relatives à la protection du consommateur en matière de crédit mobilier (L. 10 janv. 1978) et immobilier (L. 13 juill. 1979), ont lié le sort du contrat de crédit à celui de la vente qu'il servait à financer, si bien que la disparition de l'un entraîne la disparition de l'autre.

Mais, en dehors du champ d'application de ces deux lois, la jurisprudence n'a pas étendu la solution aux contrats de prêt(730) à ceci près toutefois que, à la suite d'un revirement de jurisprudence, la Cour de cassation considère désormais que le prêt consenti par un professionnel du crédit n'est pas un contrat réel(731) (V. *infra*, n° 363). Il n'en va autrement que dans le cas où les parties ont établi une *indivisibilité* entre les deux contrats ; le sort des deux contrats est alors lié à raison de l'indivisibilité(732). En toute hypothèse, dans la mesure où l'existence de la cause doit être

(729) C'est ce que rappelle l'article 1125-1, alinéa 1 du Projet Catala : « l'engagement de restituer une chose ou une somme d'argent a pour cause la remise de la chose ou des fonds à celui qui s'oblige ».

(730) Cass. 1re civ., 20 nov. 1974 : *Bull. civ.* 1974, I, n° 311, p. 267 ; *JCP* 1975, II, 18109 et note J. Calais-Auloy. – Cass. 1re civ., 16 déc. 1992 : *Bull. civ.* 1992, I, n° 316. – Cass. com., 5 mars 1996 : *Bull. civ.* 1996, IV, n° 75. – Cass. 1re civ., 16 févr. 1999 : *Contrats, conc. consom.* 1999, comm. 70, obs. L. Leveneur ; *D.* 1999, inf. rap. p. 76.

(731) Cass. 1re civ., 5 juill. 2006 : *D.* 2007, p. 50 et note J. Ghestin. Il s'ensuit que l'obligation de l'emprunteur trouve sa cause dans l'obligation souscrite par le prêteur, cause dont l'existence et l'exactitude doivent être appréciés au moment de la conclusion du contrat : Cass. 1re civ., 19 juin 2008 : *D.* 2008, act. jurispr. p. 1825, note X. Delpech et p. 1827 ; *JCP* 2008, II, 10150 et note A. Constantin ; *Defrénois* 2008, art. 38838, p. 1967, obs. E. Savaux ; *Contrats, conc. consom.* 2008, comm. 255, obs. L. Leveneur ; *RDC* 2008, 1129, obs. Y.-M. Laithier ; *RDC* 2009, p. 183, obs. P. Puig. – Cass. com., 7 avr. 2009 : *D.* 2009, 2080 et note J. Ghestin ; *Defrénois* 2009, art. 39014 et note J. François. – F. Chénédé, *La cause de l'obligation dans le contrat de prêt réel et dans le contrat de prêt consensuel* : *D.* 2008, chron. 2555.

(732) V. sur ce point, A. Bénabent, *Les obligations*, nos 183 et 189. – J. Moury, *De l'indivisibilité entre les obligations et entre les contrats* : *RTD civ.* 1994, 255. – J.-B. Seube, *L'indivisibilité et les actes juridiques* : thèse Montpellier, 1998. – S. Amrani-Mekki, *Indivisibilité et ensembles contractuels : l'anéantissement en cascade des contrats* : *Defrénois* 2002, 1, 355, art. 37505.

appréciée au moment de la conclusion du contrat, la nullité ne saurait en principe être prononcée pour absence de cause si celle-ci, qui existait lors du contrat, n'a disparu que par la suite (V. *infra*, n° 329).

Pour régler cette difficulté, le projet de réforme décide qu'il y aura caducité « lorsque des contrats ont été conclus en vue d'une opération d'ensemble et que la disparition de l'un d'eux rend impossible ou sans intérêt l'exécution d'un autre. La caducité de ce dernier ne peut, toutefois, avoir lieu que si le contractant contre lequel elle est invoquée connaissait l'existence de l'opération d'ensemble lorsqu'il a donné son consentement » (art. 94).

326. – **La promesse de payer.** Il s'agit ici du *billet non causé* visé à l'article 1132 du Code civil, c'est-à-dire d'un écrit par lequel le signataire reconnaît devoir une certaine somme à un tiers. Suivant cet article, une telle convention « n'en est pas moins valable, quoique la cause n'en soit pas exprimée » ; peu importe en outre que cette convention ne réponde pas aux exigences de forme de l'article 1326[733].

La doctrine s'est interrogée sur la portée de cette disposition. Il est aujourd'hui admis que cet article ne consacre pas la validité de l'*acte abstrait*, c'est-à-dire d'un acte qui, détaché de sa cause, serait valable du seul fait de sa signature. Certes, notre droit en connaît des exemples, notamment avec les *titres négociables* (billets à ordre, lettres de change, etc.) qui doivent pouvoir circuler librement sans qu'il y ait lieu de se préoccuper de leur cause[734]. Les tiers de bonne foi qui les reçoivent en paiement tiennent du droit cambiaire une protection particulière : par suite de la règle de l'inopposabilité des exceptions, ils ne pourront se voir opposer la nullité du contrat à l'occasion duquel a été créé le billet. Mais la solution serait différente pour une reconnaissance de dette qui ne revêtirait pas la forme d'un *billet à ordre ou au porteur*[735].

En France, la règle veut que tous les actes aient une cause, y compris les billets non causés. L'article 1132 signifie seulement qu'un acte est valable, même si l'écrit n'en indique pas la cause. En bref, la production du billet fait simplement présumer l'existence d'une cause et sa licéité[736]. Cette cause peut résider soit dans une *intention libérale* (c'est alors une donation), soit dans une *dette* du signataire vis-à-vis du bénéficiaire (c'est alors une reconnaissance de dette).

Cela dit, le signataire de la promesse qui voudrait échapper à son engagement est libre de démontrer l'absence de cause[737] et notamment l'absence de dette[738]. Tel serait par exemple le cas s'il prouvait qu'il s'est engagé à dédommager une personne dans la croyance fausse qu'il était tenu à réparation, alors qu'en fait il ne l'était pas : la promesse repose alors sur une fausse cause qui la vicie[739].

(733) Cass. 1re civ., 14 juin 1988 : *Bull. civ.* 1988, I, n° 190 ; *RTD civ.* 1989, 300, obs. J. Mestre. – Cass. 1re civ., 12 janv. 2011 : *D.* 2012, 217, obs. I. Gallmeister ; *RDC* 2012, 453, obs. J. Klein.

(734) M. Vivant, *Le fondement juridique des obligations abstraites* : *D.* 1978, chron. 39.

(735) R. Martin, *Le refoulement de la cause dans les contrats à titre onéreux* : *JCP* 1983, I, 3100.

(736) Cass. 1re civ., 20 mars 1980 : *Bull. civ.* 1980, I, n° 103 ; *Defrénois* 1980, art. 32494, obs. J.-L. Aubert.

(737) Cass. 1re civ., 14 juin 1988 : *Gaz. Pal.* 24 août 1988, note J.-J. Taisne. – Cass. 1re civ., 21 juin 2005 : *Bull. civ.* 2005, I, n° 270 ; *D.* 2005, inf. rap. p. 1960 ; *JCP* 2005, IV, n° 2803 ; *RDC* 2005, p. 1013, obs. D. Mazeaud ; *Defrénois* 2005, 1, 1998, art. 38301, n° 92, obs. R. Libchaber. – Cass. 1re civ., 19 juin 2008 : *D.* 2008, p. 255 et note Chénédé. – Cass. 1re civ., 8 oct. 2009 : *D.* 2009, act. jurispr. 2551 ; *D.* 2010, 128 et note V. Rebeyrol ; *Defrénois* 2010, p. 109, art. 39053, n° 4, obs. E. Savaux.

(738) Cass. 1re civ., 14 janv. 2012. *D.* 2012. 620, note François. – Cass. 1re civ., 4 mai 2012, n° 10-13545.

(739) Cass. req., 12 juill. 1924 : *DH* 1924, 509. – Cass. 1re civ., 6 oct. 1981 : *Bull. civ.* 1981, I, n° 273.

Allant plus loin, un arrêt a admis, à propos d'une reconnaissance de dette, qu'il pouvait y avoir une fausse cause partielle (résultant d'une erreur sur le montant), et qu'elle pouvait être sanctionnée non par la nullité, mais par une réduction à la mesure de l'avantage procuré[(740)] ; étant précisé que dans les rapports entre les parties la fausseté de la cause devra être rapportée par écrit[(741)]. Pareille réfaction est en revanche écartée dans les contrats synallagmatiques[(742)].

327. – La cause dans les contrats conclus au profit d'un tiers : l'exemple du contrat de cautionnement. Le contrat de cautionnement (V. *infra*, n° 549) est celui par lequel une personne appelée caution, se soumet envers le créancier à satisfaire une obligation si le débiteur n'y satisfait pas lui-même. Bien que le débiteur soit considéré comme un tiers au contrat, le rapport nécessairement triangulaire qu'implique cette convention a alimenté de nombreux débats doctrinaux relatifs à sa cause.

Si l'on excepte les auteurs optant pour la qualification d'acte abstrait, trois voies ont été proposées. La première consistait à rechercher la cause de l'engagement de la caution dans ses rapports avec le débiteur, et alors la cause serait l'avantage – moral ou pécuniaire – que la caution retire du contrat. La deuxième consistait à rechercher la cause dans les rapports de la caution avec le créancier ; la cause de son engagement serait ici la fourniture de la sûreté, mais l'on confondrait alors la cause avec l'objet de l'engagement. La troisième analyse situait la cause dans les rapports du créancier et du débiteur, auquel cas la cause du cautionnement serait l'avantage escompté par le débiteur et subordonné à l'obtention de la garantie, autrement dit, la considération de l'obligation prise par le créancier en faveur du débiteur. C'est dans le sens de cette troisième analyse que s'est prononcée la jurisprudence dans le célèbre arrêt *Lempereur* rendu par la chambre commerciale de la Cour de cassation le 8 novembre 1972[(743)(744)].

c) *Les contrats à titre gratuit*

328. – La cause est l'intention libérale. Dans les contrats à titre gratuit, où il n'y a par essence même aucune contrepartie, la cause abstraite réside dans l'*intention libérale*, l'*animus donandi*. Or, en soi, l'intention libérale ne saurait être ni absente (ou alors il y a défaut de consentement), ni illicite. Une telle conception ne permet donc de contrôler ni l'existence, ni la licéité de la cause dans les actes à titre gratuit. Pour exercer un tel contrôle, il faut aller rechercher les motifs qui sont en arrière-plan à l'origine de l'intention libérale.

C'est ainsi que, pour assurer la conformité du contrat à titre gratuit à l'ordre public et aux bonnes mœurs, on a retenu pour cause les motifs ou mobiles qui ont inspiré l'acte (V. *supra*, n°s 285 et s.).

---

(740) Cass. 1re civ., 11 mars 2003 : *JCP* 2003, IV, 1818 ; *JCP* 2003, I, 142, n°s 5 et s., obs. J. Rochfeld.

(741) Cass. 1re civ., 23 févr. 2012 : *JCP* 2012, 271 ; *D.* 2012, 610, et 640, obs. C. Creton, et 993, note A. Donnette ; *JCP* 2012, 561, n° 8, obs. J. Ghestin ; *RDC* 2012, 315, obs. B. Fages ; *RDC* 2012, 824, obs. J. Klein.

(742) Cass. 1re civ., 31 mai 2007 : *D.* 2007, act. jurispr. 1724, obs. I. Gallmeister ; *D.* 2007, 2333, obs. C. Creton ; *D.* 2007, 2574 et note J. Ghestin ; *D.* 2007, pan. 2970, obs. S. Amrani-Mekki ; *JCP* 2007, I, 195, n°s 11 et s., obs. A. Constantin ; *RTD civ.* 2007, 566, obs. B. Fages ; *RDC* 2007, 1103, obs. Y.-M. Laithier.

(743) Cass. com., 8 nov. 1972 : *D.* 1973, 753 (1re esp.), note Malaurie ; *Gaz. Pal.* 1973, 1, 143, note D. Martin.

(744) C'est cette dernière solution que consacre le Projet Catala. En effet l'article 1125-2 dudit projet dispose que « l'engagement pris en contrepartie d'un avantage convenu au profit d'un tiers a pour cause cet avantage, indépendamment de l'intérêt moral ou matériel que celui qui s'oblige peut y trouver pour lui-même ».

S'agissant ici de vérifier l'existence de la cause, la jurisprudence a également été amenée à rechercher les motifs qui ont poussé l'auteur de la libéralité. Certes, les motifs ne sont jamais inexistants, sinon la libéralité serait l'œuvre d'un fou ; mais il arrive qu'ils soient faux. Il se peut en effet que le donateur ait voulu gratifier quelqu'un parce qu'il lui attribuait une qualité qui en fait n'existait pas ; il a ainsi commis une erreur et la donation repose sur une fausse cause(745).

Les décisions sont fort rares, mais il en existe. Tel est par exemple le cas d'une donation-partage faite en considération d'avantages fiscaux qui ont été rétroactivement supprimés par la loi(746), d'une donation faite à deux époux à raison de leurs liens alors qu'ils allaient divorcer(747), d'une donation faite en remerciement pour des services qui n'avaient pas été rendus(748), de l'engagement d'une société à racheter des points de retraite à un dirigeant en reconnaissance de ses bons services, et ce dans l'ignorance de ses fautes de gestion(749).

Si, en revanche, la cause d'un testament disparaît ultérieurement, il appartient exclusivement au testateur de modifier ses dispositions, voire de les révoquer partiellement ou totalement(750)(751).

2° La preuve de l'absence de cause

329. – **Appréciation à la date de conclusion du contrat.** Suivant une jurisprudence constante, implicitement consacrée dans le Projet Catala et dans le projet de réforme(752), l'existence de la cause doit s'apprécier à la date à laquelle l'obligation a été souscrite, c'est-à-dire à la date de conclusion du contrat(753) et non à celle de son exécution.

Si la cause vient à disparaître par la suite, le contrat n'est pas nul pour défaut de cause. Mais il pourra peut-être faire l'objet d'une action en résolution pour inexécution, si par exemple la contre-prestation attendue dans un contrat synallagmatique à exécution successive n'est pas fournie, ou ne l'est que partiellement(754). Certains auteurs soutiennent cependant que la cause doit subsister pendant toute la durée du contrat(755) ; et un arrêt récent a admis que la disparition de la cause en cours d'exécution pouvait entraîner la nullité du contrat, ou sa caducité(756).

(745) B. Grelon, *L'erreur dans les libéralités* : *RTD civ.* 1981, 288.

(746) Cass. 1re civ., 11 févr. 1986 : *JCP* 1988, II, 21027 et note C. David ; *RTD civ.* 1986, 586, obs. J. Patarin.

(747) Cass. 1re civ., 14 mai 1985 : *Defrénois* 1985, art. 33636, n° 109, obs. J.-L. Aubert ; *RTD civ.* 1986, 397, obs. J. Patarin.

(748) Cass. com., 8 avr. 1976 : *Bull. civ.* 1976, IV, n° 109, p. 93.

(749) Cass. 1re civ., 10 mai 1995 : *Bull. civ.* 1995, I, n° 194.

(750) Cass. 1re civ., 15 févr. 2012 : *JCP* 2012, 734, note S. Le Normand.

(751) Ces solutions sont reprises dans l'article 1125-4 du Projet Catala selon lequel d'une part la cause des donations et des testaments réside dans l'intention libérale (al. 1) et d'autre part « les libéralités sont dépourvues de cause réelle en l'absence d'un des motifs sans lequel leur auteur n'aurait pas disposé » (al. 2).

(752) En ce sens les articles 1125 et 1125-3 du Projet Catala font référence à l'absence de cause réelle « dès l'origine », et de même l'article 86 du projet.

(753) Cass. 3e civ., 8 mai 1974 : *D.* 1975, 305 et note Ch. Larroumet (bail consenti en contrepartie d'un droit de passage sur un terrain du locataire, droit qui a par la suite disparu du fait de l'expropriation du fonds servant). – Cass. com., 21 oct. 1974 : *Bull. civ.* 1974, IV, n° 255. – Cass. com., 30 juin 1987 : *Bull. civ.* 1987, IV, n° 163. – Cass. 3e civ., 17 juill. 1996 : *Bull. civ.* 1996, III, n° 193 ; *Defrénois* 1996, 1, 1357 et note Ph. Delebecque (engagement de verser à un locataire évincé une indemnité pour perte d'une clientèle qu'il a pu conserver en se réinstallant dans le voisinage). – Rouen, 2e ch. civ., 25 mai 2000, 10608 et note V. Mady-Kerguelen.

(754) Cass. 3e civ., 25 oct. 1977 : *Bull. civ.* 1977, III, n° 270. – Cass. 1re civ., 16 déc. 1986 : *Gaz. Pal.* 1987, 1, somm. 55. – Cass. 3e civ., 9 juill. 1980 : *D.* 1981, inf. rap. 312, obs. J. Ghestin.

(755) A. Cermolacce, *Cause et exécution du contrat* : PUAM, 2001, préf. J. Mestre.

(756) Cass. 1re civ., 30 oct. 2008 : *JCP* 2009, II, 10000 et note D. Houtcieff ; *Rev. Lamy dr. civ.* févr. 2009, p. 7 et note A. Cermolacce ; *D.* 2009, 753, n° 4, obs. C. Creton. – V. aussi Cass. com., 29 juin 2010 : *D.* 2010, 2481, obs. D. Mazeaud ;

Plus généralement, l'inexécution des obligations résultant d'un contrat ne relève pas de la nullité pour défaut de cause, mais des sanctions spécifiques à l'inexécution d'un contrat.

330. – **Charge de la preuve et modes de preuve.** Bien souvent, le contrat comportera la mention de la cause ; tel est le cas de tous les contrats synallagmatiques puisqu'ils font apparaître les obligations réciproques des parties, et de nombreux contrats unilatéraux. En pareil cas, c'est à celui qui conteste l'existence de la cause de rapporter la preuve de cette inexistence ; et il devra le faire par écrit conformément à la règle de l'article 1341 du Code civil.

S'agissant des billets non causés, l'existence de la cause est présumée ; tel est le sens que l'on donne à l'article 1132. Il s'ensuit que, là aussi, la charge de la preuve contraire incombera à celui qui conteste l'existence de la cause ou qui la prétend fausse(757)(758), mais il pourra faire cette preuve par tous moyens car, n'ayant pas à prouver contre un écrit, la règle de l'article 1341 n'est pas applicable.

C. – Les clauses abusives(759)

331. – **Les clauses abusives dans les contrats d'adhésion.** Les clauses abusives se rencontrent le plus souvent dans les contrats d'adhésion, lesquels sont prérédigés par l'une des parties à son profit. Confrontée à ce problème, la jurisprudence n'a pas trouvé dans le droit commun un appui qui lui permette de venir au secours de la partie la plus faible.

D'une part, au niveau du consentement, le contrat d'adhésion n'a pas été jugé d'une nature différente des autres : adhérer, c'est donner son consentement, et il importe peu à cet égard qu'il n'y ait pas de discussion préalable. Par ailleurs, celui qui adhère ainsi à un contrat n'est pas victime d'un vice du consentement : il n'y a ni erreur, ni dol, ni violence qui lui permette de demander la nullité. Sur ce point, les Principes européens du contrat se montrent beaucoup plus protecteurs(760) ; et il en va de même du projet de réforme qui étend à tous les contractants les règles actuellement établies au profit des seuls consommateurs (V. *infra*, n° 352).

D'autre part, quant au contenu du contrat, les parties sont libres de le déterminer. Comme le dit l'article 1134 du Code civil, « les conventions légalement formées

---

et 2485, obs. T. Génicon ; *D.* 2011, 481, obs. B. Fauvarque-Cosson. – Rappr. CEDH, 18 nov. 2010, *Cts Richet et Le Ber c/ France* : *RDC* 2012, 23, note J. Rochfeld.

(757) Lorsque la cause énoncée dans une reconnaissance de dette est démontrée fausse, il incombe au bénéficiaire de prouver que sa créance repose sur une autre cause licite : Cass. 1re civ., 20 déc. 1988 : *D.* 1990, 241 et note J.-P. Marguénaud.

(758) Cette solution relative à la charge de la preuve de la cause implicite est reprise dans l'article 1124-2, alinéa 2 du Projet Catala : « il incombe à celui qui conteste la cause implicite d'en prouver l'absence ou l'illicéité ».

(759) H. Bricks, *Les clauses abusives* : LGDJ, 1982, préf. J. Calais-Auloy. – Ch. Jamin, D. Mazeaud et a., *Les clauses abusives entre professionnels* : Économica, 1998. – A. Karimi, *Les clauses abusives et la théorie de l'abus du droit* : LGDJ, coll. « Droit privé », 2001, préf. Ph. Simler. – Ph. Stoffel-Munck, *L'abus dans le contrat, essai d'une théorie*, préf. R. Bout : LGDJ, 2000. – J. Rochfeld, *Les clairs-obscurs de l'exigence de transparence appliquée aux clauses abusives*, in *Mél. Calais-Auloy* : Dalloz, 2003, p. 981. – Y. Serra, *Des clauses abusives cachées depuis la fondation du monde*, in *Mél. Calais-Auloy* : Dalloz, 2003, p. 997. – X. Lagarde, *Qu'est-ce qu'une clause abusive ?* : *JCP* 2006, I, 110, étude pratique.

(760) Art. 2-104. – « Les clauses qui n'ont pas fait l'objet d'une négociation individuelle ne peuvent être invoquées à l'encontre d'une partie qui ne les connaissait pas que si la partie qui les invoque a pris des mesures raisonnables pour attirer sur elles l'attention de l'autre avant la conclusion du contrat ou lors de cette conclusion. La seule référence à une clause par un document contractuel n'attire pas sur elle de façon satisfaisante l'attention du cocontractant, alors même que ce dernier signe le document ».

tiennent lieu de loi à ceux qui les ont faites » et le juge ne peut les retoucher sauf en cas de lésion ou d'absence de contrepartie. Or, le plus souvent, les clauses abusives n'entrent nullement dans ces catégories, même si elles entraînent souvent un déséquilibre entre les obligations réciproques.

S'agissant du contrat de vente, la jurisprudence est néanmoins parvenue à annuler certaines clauses jugées abusives. Ainsi en est-il des *clauses limitatives ou exonératoires de garantie* stipulées au profit des vendeurs professionnels ou fabricants, ce au motif que ces professionnels sont censés connaître, et même tenus de connaître les défauts cachés des choses qu'ils fabriquent ou qu'ils vendent ; ils sont dès lors considérés comme étant de mauvaise foi au sens de l'article 1645 du Code civil, ce qui leur interdit de se prévaloir d'une clause limitative(761).

Cette solution n'a pas été retenue par la Convention de Vienne sur la vente internationale de marchandises qui permet les clauses limitatives(762). En revanche, elle a été reprise par la loi du 19 mai 1998 transposant la directive communautaire du 25 juillet 1985 sur la responsabilité du fait des produits défectueux (C. civ., art. 1386-15 ; V. *infra*, n°s 716 et s.), et par l'ordonnance du 17 février 2005 transposant la directive du 25 mai 1999 sur certains aspects de la vente et des garanties des biens de consommation (C. consom., art. L. 211-17).

332. – **Les clauses abusives avant la loi du 10 janvier 1978.** Dans son ensemble, le problème posé par les clauses abusives ne pouvait être réglé que par le législateur, soit comme un élément de l'ordre public économique de protection, soit comme une extension de la notion de violence à l'abus de situation, à la violence économique.

Jusqu'en 1978, la loi n'a abordé le problème que ponctuellement, pour interdire ou réglementer certaines clauses jugées abusives dans certains contrats, mais sans référence à la notion de consommateur. Ainsi ont été interdites les clauses de non-responsabilité dans le transport terrestre, les clauses de non-garantie dans la vente d'immeuble à construire (L. 3 janv. 1967) et dans le contrat d'entreprise de construction (C. civ., art. 1792-5), les clauses d'attribution de compétence territoriale à l'égard des non-commerçants (CPC, art. 48). Ont été réglementées les clauses d'indexation (Ord. 30 déc. 1958) et les clauses pénales que le juge peut modifier si le montant en est manifestement excessif ou dérisoire (C. civ., art. 1152).

Avant la loi du 10 janvier 1978, le législateur avait également édicté diverses dispositions tendant à la protection contre les abus en général, toujours sans référence à la notion de consommateur, dans un certain nombre de contrats particuliers : lois du 12 juillet 1971 sur l'enseignement par correspondance (C. éduc., art.

(761) H. Mazeaud, *La responsabilité civile du vendeur-fabricant : RTD civ.* 1955, 611. – Ph. Malinvaud, *La responsabilité civile du vendeur à raison des vices de la chose : JCP* 1968, I, 2153 ; *Pour ou contre la validité des clauses limitatives de la garantie des vices cachés dans la vente : JCP* 1975, 1, 2690. – P. Ancel, *La garantie conventionnelle des vices cachés dans les conditions générales de vente en matière mobilière : RTD com.* 1979, 203. – Ph. Le Tourneau, *Conformités et garanties dans la vente d'objets mobiliers corporels : RTD com.* 1980, 231. – J. Ghestin, *Conformité et garanties dans la vente (Produits mobiliers)*, 1983. – J. Ghestin et B. Desché, *La vente*, n°s 854 et s.

(762) B. Audit, *La vente internationale de marchandises* : LGDJ, 1990, n° 119. – E. Bertrand, M. Calvo et G. Claret, *Convention de Vienne et clauses limitatives de responsabilité : les points de vue français et anglais : Gaz. Pal.* 3-4 avr. 1992. – K. Missaoui, *La validité des clauses aménageant la garantie des vices cachés dans la vente internationale de marchandises : JCP* 1996, I, 3927. Ainsi il semblerait que, même au regard du droit français, une clause limitative puisse être considérée comme valable dans une vente internationale (V., en ce sens, Cass. 1re civ., 4 oct. 1989 : *Bull. civ.* 1989, I, n° 304 ; *D.* 1990, somm. 266, note B. Audit).

L. 444-1 et s ; L. 471-1 et s.), du 3 janvier 1972 sur le démarchage financier (C. monét. fin., art. L. 341-1 et s. ; L. 353-1 et s.), du 22 décembre 1972 sur le démarchage et la vente à domicile (C. consom., art. L. 121-21 et s.).

Toutes ces dispositions subsistent, avec diverses retouches qui ont pu leur être apportées à l'occasion de leur codification. Elles sont désormais complétées par une réglementation de caractère général issue de la loi du 10 janvier 1978.

333. – **La protection des consommateurs et les clauses abusives depuis la loi du 10 janvier 1978**(763). Ce n'est qu'en 1978 qu'est apparue en France la protection des consommateurs avec trois lois fondamentales (V. *supra*, n°s 218 et s.) : loi n° 78-22 du 10 janvier 1978 relative à l'information et à la protection des consommateurs dans le domaine de certaines opérations de crédit, loi n° 78-23 du 10 janvier 1978 sur l'information et la protection des consommateurs de produits et de services, et loi du 3 juillet 1979 sur l'information et la protection des emprunteurs dans le domaine immobilier.

Diverses retouches leur ont été apportées par la suite, avant qu'elles ne soient codifiées en 1993 dans le Code de la consommation aux articles L. 132-1 et suivants et R. 132-1 et suivants. Ces dispositions ont à nouveau été retouchées par la loi du 1er février 1995 qui transposait en droit français la directive européenne du 5 avril 1993 sur les clauses abusives(764), et par l'ordonnance du 23 août 2001 transposant diverses directives ; elles ont été refondues par la loi de modernisation de l'économie du 4 août 2008 qui est en principe entrée en vigueur le 1er janvier 2009 alors que le décret qui conditionnait son application effective n'a été pris que le 18 mars 2009(765). On rappellera ici que, comme toutes les autres dispositions du Code de la consommation, celles relatives aux clauses abusives peuvent être soulevées d'office par le juge saisi d'un litige y relatif(766).

On notera que, en parallèle de la réglementation des clauses abusives à l'égard des consommateurs, la loi a modifié l'article L. 442-6 du Code de commerce de manière à étendre pour partie la protection au bénéfice des professionnels (V. *infra*, n° 350). Plus généralement, à la suite des divers travaux européens (V. *infra*, n° 351),

(763) P. Japy, *Les clauses abusives à l'égard des consommateurs et la réglementation du 10 janvier 1978 : Gaz. Pal.* 1978, 2, doctr. 453. – D. Tallon et a., *Le contrôle des clauses abusives dans l'intérêt du consommateur dans les pays de la CEE : RID comp.* 1982, 505. – O. Carmet, *Réflexions sur les clauses abusives au sens de la loi n° 78-23 du 10 janvier 1978 : RTD com.* 1982, 1. – J.-P. Gridel, *Remarques de principe sur l'article 35 de la loi n° 78-23 du 10 janvier 1978 relatif à la prohibition des clauses abusives :* D. 1984, chron. 153. – J. Calais-Auloy et L. Bihl, *Les clauses abusives en 1983 : Gaz. Pal.* 1984, 2, doctr. 461. – G. Paisant, *De l'efficacité de la lutte contre les clauses abusives :* D. 1986, chron. 299. – J.-Cl. Tahita, *La loi du 10 janvier 1978 et la protection des consommateurs contre les clauses abusives*, thèse Poitiers, 1985. – G. Paisant, *Les nouveaux aspects de la lutte contre les clauses abusives :* D. 1988, chron. 253. – J. Huet, *Les hauts et les bas de la protection contre les clauses abusives (à propos de la loi du 18 janvier 1992 renforçant la protection des consommateurs) ; JCP* 1992, I, 3592. – F.-X. Testu, *Le juge et le contrat d'adhésion : JCP* 1993, I, 3673. – J. Mestre, *Vingt ans de lutte contre les clauses abusives*, in *Mél. Terré*, p. 677. – N. Sauphanor-Brouillaud, *Clauses abusives dans les contrats de consommation : critères de l'abus : Contrats, conc. consom.* 2008, étude 7.

(764) G. Paisant, *Les clauses abusives et la présentation des contrats dans la loi n° 95-96 du 1er février 1995 :* D. 1995, chron. 99. – J. Ghestin et I. Marchessaux-Van Melle, *L'application en France de la directive visant à éliminer les clauses abusives après l'adoption de la loi n° 95-96 du 1er février 1995 : JCP* 1995, I, 3854. – G. Paisant, *Clauses pénales et clauses abusives après la loi n° 95-96 du 1er février 1995 :* D. 1995, chron. 23. – B. Gelot, *Clauses abusives et rédaction des contrats : incidences de la loi du 1er février 1995 : Defrénois* 1995, 1, 1201, art. 36171. – F.-X. Testu, *La transposition en droit interne de la directive communautaire sur les clauses abusives : D. affaires* 1996, n° 13, 372.

(765) N. Sauphanor-Brouillaud, *Un an après le décret du 18 mars 2009, l'actualité des clauses abusives dans les contrats de consommation : Rev. Lamy dr. civ.* sept. 2010, p. 7.

(766) G. Poissonnier, *Mode d'emploi du relevé d'office en droit de la consommation : Contrats, conc. consom.* 2009, étude 5. – B. Gorchs, *Le relevé d'office des moyens tirés du Code de la consommation : une qualification inappropriée :* D. 2010, 1300.

le projet de réforme du droit des obligations comporte des règles générales de protection à l'encontre des clauses abusives (V. *infra*, n° 352).

334. – **Plan.** On envisagera successivement le champ d'application de la réglementation des clauses abusives, la technique de détermination, le critère et la sanction de ces clauses.

1° Le champ d'application de la protection contre les clauses abusives

335. – **Droit communautaire et droit français.** Le droit français avait réglementé les clauses abusives avant même que le droit communautaire ne régisse la matière par la directive du 5 avril 1993. À l'occasion de la transposition de cette directive, le législateur français a donc été amené à apporter des retouches au droit interne, mais il a assigné à la protection contre les clauses abusives un champ d'application plus large que le droit communautaire sur deux points.

D'une part, allant au-delà de la directive, le droit français ne limite pas la protection à celui qui se voit proposer la signature d'un contrat prérédigé, non négocié, c'est-à-dire d'un contrat d'adhésion qu'il peut seulement accepter ou refuser ; la protection s'étend à tous les contrats, même s'ils ont fait l'objet d'une négociation.

D'autre part, alors que le droit communautaire protège le seul consommateur(767), personne physique(768), le droit français protège le consommateur et le « non-professionnel », qu'il s'agisse d'une personne physique ou d'une personne morale(769).

336. – **Le champ d'application quant aux personnes : le consommateur et le non-professionnel.** Ainsi que l'annonce l'intitulé de la section du code qui y est consacrée, il s'agit uniquement de la protection des consommateurs contre les clauses abusives. Plus précisément, et selon la formule de la loi de 1978 reprise dans l'article L. 132-1, il s'agit de protéger les « non-professionnels ou consommateurs » contre les professionnels. Cette disposition n'ayant pas été modifiée par la loi du 17 mars 2014 relative à la consommation, il faut comprendre que la protection continue à s'appliquer aussi aux « non professionnels ».

La principale difficulté a été de définir ce qu'il fallait entendre par « non-professionnel ou consommateur », formule que la loi n'avait pas explicitée. À la suite d'une évolution qui a déjà été retracée (V. *supra*, n° 221), la jurisprudence retient à ce jour la solution suivante : sont protégés contre les clauses abusives, non seulement le consommateur au sens étroit, c'est-à-dire celui qui passe des contrats de biens ou de services pour la satisfaction de ses besoins personnels et familiaux, mais plus généralement toute personne, même professionnelle, sauf pour les « contrats de fournitures de biens ou de services qui ont un rapport direct

(767) M. Luby, *La notion de consommateur en droit communautaire : une commode inconstance : Contrats, conc. consom.* 2000, chron. 1. – CJCE, 19 janv. 1993 : *D.* 1993, somm. 214, obs. J. Kullmann.

(768) Cette précision, qui figurait déjà dans l'article 2, b), de la directive, a été rappelée par un arrêt de la Cour de justice des Communautés européennes : la notion de consommateur telle que définie à l'article 2, sous b), de la directive n° 93/13/CEE du Conseil du 5 avril 1993 concernant les clauses abusives dans les contrats conclus avec les consommateurs doit être interprétée en ce sens qu'elle vise exclusivement les personnes physiques (CJCE, 22 nov. 2001 : *D.* 2002, 90 et note C. Rondey ; *D.* 2002, somm. 2929, obs. J.-P. Pizzio ; *Contrats, conc. consom.* 2002, comm. 18 ; *RTD civ.* 2002, 291, obs. J. Mestre et B. Fages).

(769) Cass. 1re civ., 15 mars 2005 : *D.* 2005, 887 et note C. Rondey. – M. Luby, *Trop ne vaut rien ! (Ou quand la CJCE ébranle le régime des clauses abusives) : Contrats, conc. consom.* 2004, chron. 1.

avec l'activité professionnelle exercée par le contractant »[770]. Cette exclusion de la protection s'étend aux contrats accessoires à un contrat principal à caractère professionnel[771]. L'existence de ce rapport, direct ou indirect, avec l'activité du professionnel est, en général, appréciée souverainement par les juges du fond[772].

Cette définition jurisprudentielle se rapproche de celle de la directive n° 2011/83/UE du 25 octobre 2011 : « toute personne physique qui, dans les contrats relevant de la présente directive, agit à des fins qui n'entrent pas dans le cadre de son activité commerciale, industrielle, artisanale ou libérale » ; mais elle ne s'y identifie pas. On observera notamment que, à la différence de la directive qui s'applique aux seuls consommateurs personnes physiques[773], la jurisprudence considère comme « non-professionnel ou consommateur »[774] toute personne physique ou morale qui se procure ou qui utilise un bien ou un service pour un usage non professionnel[775].

On peut toutefois se demander si la jurisprudence maintiendra cette définition qui n'est pas cohérente avec la nouvelle définition du consommateur, reprise de la directive et inscrite en tête du Code de la consommation : « au sens du présent code, est considérée comme un consommateur toute personne physique qui agit à des fins qui n'entrent pas dans le cadre de son activité commerciale, industrielle, artisanale ou libérale ».

Sous cette réserve, il s'ensuit que les professionnels peuvent bénéficier de la protection contre les clauses abusives dans les contrats relatifs, non seulement à leur vie privée, mais à leur activité professionnelle, à la condition toutefois que le bien ou le

(770) Cass. 1re civ., 3 et 30 janv. 1996 : *D.* 1996, 228 et note G. Paisant ; *JCP* 1996, II, 22654 et note L. Leveneur. – Cass. 1re civ., 5 nov. 1996 : *Contrats, conc. consom.* 1997, p. 9. – Cass. 1re civ., 17 nov. 1998 : *Contrats, conc. consom.* 1999, p. 8 et note L. Leveneur. – Cass. 1re civ., 10 juill. 2001 : *D.* 2001, 2829, obs. C. Rondey ; *D.* 2002, somm. 932, obs. O. Tournafond. – Cass. 1re civ., 5 mars 2002 : *JCP* 2002, II, 10123 et note G. Paisant. – Cass. 2e civ., 18 mars 2004 : *Bull. civ.* 2004, II, n° 136, p. 114 ; *Contrats, conc. consom.* 2004, comm. 76 et note L. Leveneur. – A. Cathelineau, *La notion de consommateur en droit interne : à propos d'une dérive... : Contrats, conc. consom.* 1999, chron. 13. – G. Paisant, *À la recherche du consommateur. Pour en finir avec l'actuelle confusion née de l'application du critère du « rapport direct » : JCP* 2003, I, 121. – X. Henry, *Clauses abusives : où va la jurisprudence accessible ? L'appréciation du rapport direct avec l'activité : D.* 2003, chron. 2557.

(771) Cass. 2e civ., 18 mars 2004 : *JCP* 2004, II, 10106 et note D. Bakouche. – Rappr. Cass. 1re civ., 26 nov. 2002 : *Bull. civ.* 2002, I, n° 290 ; *Contrats, conc. consom.* 2003, comm. 80, obs. G. Raymond ; *JCP* 2003, I, 170, nos 22-28, obs. N. Sauphanor-Brouillaud.

(772) X. Henry, art. préc. – Cass. 1re civ., 22 mai 2002 : *Bull. civ.* 2002, I, n° 143, p. 110. Par exemple, s'il est constaté que la technicité et le coût du matériel en cause ne s'adressaient qu'à un professionnel, une cour d'appel a pu souverainement estimer que son acquisition avait un rapport direct avec l'activité professionnelle, même future, de l'acheteur, dont elle n'avait pas à vérifier les compétences professionnelles qu'il avait lui-même déclarées : Cass. 1re civ., 10 juill. 2001 : *D.* 2001, 2829 ; *D.* 2002, somm. 932, obs. O. Tournafond.

(773) J. Mel, *La notion de consommateur européen : LPA* 31 janv. 2006, p. 5. – CJCE, 22 nov. 2001 : *D.* 2002, 90 et note C. Rondey ; *JCP* 2002, II, 10047 et note G. Paisant ; *Contrats, conc. consom.* 2002, comm. 18, obs. G. Raymond ; *D.* 2002, somm. 2929, obs. J.-P. Pizzio ; *RTD civ.* 2002, 291, obs. J. Mestre et B. Fages ; et 397, obs. J. Raynard.

(774) En revanche, lorsque la loi ne vise que le consommateur, ce qui est le cas de l'article L. 136-1, la jurisprudence ne l'applique qu'aux seules personnes physiques : Cass. 3e civ., 2 avr. 2009 : *Contrats, conc. consom.* 2009, comm. 182, obs. G. Raymond.

(775) Cass. 1re civ., 5 mars 2002 : *RTD civ.* 2002, 291, obs. J. Mestre et B. Fages. – Cass. 1re civ., 15 mars 2005 (qui considère qu'une personne morale peut être, sinon un consommateur, du moins un « non-professionnel » au sens du droit français) : *JCP* 2005, IV, 1967 ; *LPA* 12 mai 2005, p. 12 et note D. Bert ; *Contrats, conc. consom.* 2005, comm. 100, 1re esp., et note G. Raymond. Toutefois une personne morale, en l'espèce un syndicat départemental de contrôle laitier sera exclue de la protection si elle agit en qualité de professionnel : Cass. 1re civ., 15 mars 2005 : *Bull. civ.* 2005, I, n° 135 ; *JCP* 2005, II, 10114 et note G. Paisant ; *D.* 2005, p. 1948 et note A. Boujeka ; *Defrénois* 2005, 1, 2009, art. 38301, n° 95, obs. E. Savaux. Et de même pour une association, en l'occurrence la Fédération française d'athlétisme lorsqu'elle emprunte pour financer l'acquisition et l'aménagement de son nouveau siège social : Cass. 1re civ., 27 sept. 2005 : *Bull. civ.* 2005, I, n° 347 ; *D.* 2006, p. 238 et note Y. Picod ; *Contrats, conc. consom.* 2006, comm. 2, obs. L. Leveneur. – V. J. Amar, *Une cause perdue : la protection des personnes morales par le droit de la consommation ? : Contrats, conc. consom.* 2003, chron. 5. – K. de la Asuncion-Planes, *La personne morale peut-elle être protégée par le droit de la consommation ? : LPA* 3 mars 2010, p. 3.

service faisant l'objet du contrat soit extérieur à l'objet spécifique de leur activité[776]. Allant plus loin encore, le projet de réforme étend la protection à tout contractant victime d'une « clause qui crée un déséquilibre significatif entre les droits et les obligations des parties au contrat » (art. 77) (V. *infra*, n° 352).

Par ailleurs, la loi règle les éventuels conflits de lois en décidant, dans l'article L. 135-1, que la protection s'applique même si le contrat est soumis à la loi d'un État extérieur à l'Union européenne, dès l'instant « que le consommateur ou le non-professionnel a son domicile sur le territoire de l'un des États membres de l'Union européenne et que le contrat y est proposé, conclu ou exécuté ».

Corrélativement, on peut s'interroger sur la notion de *professionnel*[777], et notamment sur le point de savoir si les services publics ne sont pas des professionnels et si, en conséquence, l'usager du service public n'est pas un consommateur bénéficiant de la protection de la loi[778] (V. *supra*, n° 221). C'est bien en ce sens que se prononce le juge administratif[779].

337. – **Le champ d'application quant aux contrats : tous les contrats.** La protection s'applique, quels que soient la nature, la forme ou le support du contrat.

D'une part, la *nature du contrat* importe peu. Dès 1978, la loi avait vocation à s'appliquer à tout contrat, même si en fait on pensait surtout au contrat de vente ou de fourniture de services. La directive de 1993 était plus restrictive et ne visait que les contrats d'adhésion, par opposition à ceux négociés. Mais une telle distinction était d'application malaisée chaque fois qu'il y avait place à une certaine part de négociation, fût-elle faible, et ce malgré les règles d'interprétation posées dans la directive. Aussi la loi n'a-t-elle pas retenu cette réserve si bien que, comme précédemment, les articles L. 132-1 et suivants du Code de la consommation s'appliquent à tout type de contrat, quelle que soit sa nature.

D'autre part, la *forme ou le support du contrat* importe peu. Sur ce point l'article L. 132-1, alinéa 4, reprend les termes de la loi de 1978 : « Ces dispositions sont applicables quels que soient la forme ou le support du contrat. Il en est ainsi notamment des bons de commande, factures, bons de garantie, bordereaux ou bons de livraison, billets ou tickets, contenant des stipulations négociées librement ou non ou des références à des conditions générales préétablies ». Compte tenu de la généralité de la formule, la protection devrait s'étendre également au *contrat électronique*[780],

(776) L. Leveneur, *Contrats entre professionnels et législation des clauses abusives : Contrats, conc. consom.* 1996, chron. 4. – V. *Les clauses abusives entre professionnels* : Économica, 1998. – D. Mazeaud, *Les professionnels sont des consommateurs comme les autres*, in *Mél. Ph. Merle* : Dalloz, 2012. Mais les clauses de non-responsabilité entre commerçants ne relèvent pas de l'article 2 du décret du 24 mars 1978 et ne sont donc pas abusives (Cass. com., 23 nov. 1999 : *JCP* 2000, II, 10326 et note J.-P. Chazal). – Cass. 1re civ., 11 déc. 2008 : *Contrats, conc. consom.* 2009, comm. 69, obs. L. Leveneur.

(777) Ph. Le Tourneau, *Les critères de la qualité de professionnel* : *LPA* 12 sept. 2005, p. 4. Il a par exemple été jugé que la vente par un marchand de biens de son habitation principale est une vente réalisée par un professionnel, et que, par voie de conséquence, la clause d'exclusion de garantie des vices cachés inscrite dans l'acte est réputée non écrite à l'égard d'un acheteur non professionnel : Cass. 3e civ., 29 nov. 2000 : *AJDI* 2001, 831 et note F. Cohet-Cordey. – V. aussi E. Poillot, *D.* 2012, 844.

(778) J. Chevallier, *Les droits du consommateur usager de services publics* : *Dr. soc.* févr. 1975. – J. Amar, *De l'usager au consommateur de service public*, préf. A. Ghozi : PUAM, 2001. – J. Amar, *Plaidoyer en faveur de la soumission des services publics administratifs au droit de la consommation* : *Contrats, conc. consom.* 2002, chron. 2.

(779) S. Perdu, *Le juge administratif et la protection des consommateurs* : *AJDA* 2004, 481. – R. Noguellou, *Le consommateur et les services publics*, in *Trav. Assoc. Capiant*, t. 57, 2007, p. 565.

(780) Pour une application à un contrat par Internet, V. TGI Paris, 4 févr. 2003 : *JCP* 2003, II, 10079 et note Ph. Stoffel-Munck.

même si cette hypothèse n'a été envisagée ni en 1978, ni en 1995, ni en 2008, ni même dans la loi du 21 juillet 2004 pour la confiance dans l'économie numérique qui a institué le régime du contrat électronique (V. *supra*, n° 152 et les références citées).

En revanche, la protection ne s'applique en principe pas dans le domaine immobilier, où de tout temps le législateur a instauré des règles protectrices tout à fait spécifiques[781].

2° La technique de détermination des clauses abusives

338. – **Détermination par la loi ou détermination par le juge ?** On peut concevoir diverses techniques pour éliminer les clauses abusives. Deux grandes tendances sont possibles : ou bien le législateur dresse lui-même, ou par renvoi à une autorité, une liste des clauses abusives, et le juge n'a plus qu'à en faire une application mécanique ; ou bien il se limite à poser un ou des critères et il appartient au juge de rechercher dans chaque cas d'espèce si, prise dans son contexte, telle clause est ou non abusive.

Le choix entre les deux formules a des conséquences théoriques et pratiques majeures. Si une clause est déclarée abusive par la loi ou le pouvoir réglementaire, on est en présence d'une clause illicite que le juge doit réputer nulle par application de la loi. Si latitude est laissée au juge de sanctionner les clauses qui lui paraissent abusives, il dispose d'un pouvoir d'appréciation sur des clauses qui, en elles-mêmes, ne sont pas illicites mais qui peuvent être jugées abusives à raison du contexte contractuel dans lequel elles ont été stipulées.

Le législateur et la directive ont hésité entre les deux techniques ; ou plutôt ils les ont cumulées. Dans sa rédaction due à la loi du 4 août 2008, l'article L. 132-1, prévoit deux listes réglementaires de clauses abusives ou présumées telles, mais on peut penser que, comme par le passé, le juge conserve le pouvoir de déclarer abusive telle clause qui ne figurerait sur aucune des listes.

a) La technique de la liste, légale ou réglementaire

339. – **La liste dressée par le législateur (historique).** Lors de l'élaboration de la loi de 1978, la question s'était posée en France de savoir si on dresserait une liste, ou plusieurs listes : l'une noire des clauses automatiquement réputées non écrites, l'autre grise des clauses présumées abusives sous réserve de la preuve contraire par le professionnel. Finalement l'idée avait été abandonnée au profit d'une délégation au pouvoir réglementaire.

Au niveau européen, en revanche, la directive de 1993 avait adopté la technique de la liste, mais sans caractère impératif ; figurait ainsi en annexe « une liste indicative et non exhaustive de clauses qui peuvent être déclarées abusives », liste qui visait dix-sept clauses ou types de clauses. Mais c'était une liste « blanche », en ce sens que le juge n'était pas tenu. À la suite de la loi de 1995 transposant la directive, avait été insérée en annexe de l'article L. 132-1 cette « liste indicative et non exhaustive de clauses qui peuvent être regardées comme abusives si elles satisfont aux conditions posées au premier alinéa ». C'était là pour le juge une simple indication de clauses suspectes, mais sans plus puisque le demandeur devait démontrer qu'elle revêtait le

(781) C. Noblot, *Réflexions sur l'immeuble d'habitation en droit de la consommation* : *JCP* N 2008, n° 1361.

caractère abusif tel que défini par la loi ; et le juge était également libre de retenir comme abusive telle clause qui ne figurait pas sur cette liste. En définitive, l'intérêt d'une telle liste était assez limité, au moins dans le contexte français.

C'est pourquoi la loi du 4 août 2008 a supprimé cette annexe à l'article L. 132-1 et a décidé que seraient établies deux listes par décret, l'une « noire » de clauses abusives, l'autre « grise » de clauses simplement réputées abusives.

340. – **La liste dressée par le pouvoir réglementaire (historique).** L'article 35 de la loi de 1978 renvoyait à des décrets en Conseil d'État, pris après avis de la commission des clauses abusives, le soin d'interdire, limiter ou réglementer les clauses abusives telles que définies par la suite du texte, c'est-à-dire « lorsque de telles clauses apparaissent imposées aux non-professionnels ou consommateurs par un abus de la puissance économique de l'autre partie et confèrent à cette dernière un avantage excessif ».

Dans la loi de 1978, c'était le seul moyen d'édicter le caractère abusif d'une clause, le juge se voyant implicitement refusé tout pouvoir propre de décider que, dans tel contrat, telle clause était abusive parce que répondant au critère ci-dessus. Tel n'est plus le cas aujourd'hui (V. *infra*, n° 344).

Cela dit, le pouvoir réglementaire s'est montré très timide puisqu'un seul décret est intervenu, le décret du 24 mars 1978 qui a interdit comme abusives trois clauses :

• le renvoi fait dans le contrat à des stipulations qui ne figurent pas sur l'écrit signé ;

• la limitation ou l'exclusion de la responsabilité du vendeur ;

• la réserve, pour le professionnel, du droit de modifier unilatéralement les caractéristiques du bien à livrer ou du service à rendre (sous réserve des modifications liées à l'évolution technique).

Ces deux dernières interdictions avaient été reprises dans les articles R. 132-1 et R. 132-2 cependant que la première avait été annulée par un arrêt du Conseil d'État du 3 décembre 1980 au motif que la clause interdite ne répondait pas nécessairement aux critères édictés par la loi.

La situation a été totalement renouvelée à la suite de la loi du 4 août 2008 qui, modifiant l'article L. 132-1, prévoyait que seraient établies par décret deux listes de clauses abusives. C'est en application de cette loi que le décret du 18 mars 2009 a établi une liste « noire » de douze clauses irréfragablement présumées abusives et une liste « grise » de dix clauses simplement présumées abusives dans les contrats conclus avec les professionnels[782]. Ces dispositions figurent aux articles R. 132-1 et R. 132-2 du Code de la consommation. Ces deux listes, qui s'inspirent pour une large part de l'annexe à la directive du 5 avril 1993, n'ont finalement pas été remises en cause par la directive du 25 octobre 2011 relative aux droits des consommateurs[783].

(782) G. Paisant, *Le décret portant listes noire et grise de clauses abusives. Décret du 18 mars 2009 : JCP* 2009, n° 28, 116. – J. Rochfeld, *Clauses abusives. Listes réglementaires noire et grise : RTD civ.* 2009, 383. – S. Carval, *La responsabilité contractuelle à l'épreuve des listes « noire » et « grise » du décret n° 2009-302 du 18 mars 2009 : RDC* 2009, p. 1055.

(783) La proposition de directive comportait un volet clauses abusives dans lequel figurait une liste noire et une liste grise, dont le contenu ne correspondait que pour partie aux listes du droit français ; mais ce volet a été abandonné dans la directive. Pour des commentaires sur la proposition, V. S. Whittaker, *Clauses abusives et garanties des consom-*

341. – **La liste « noire » des clauses abusives**(784). L'article L. 132-1, alinéa 3, stipule qu'un décret en Conseil d'État, pris après avis de la commission des clauses abusives, déterminera « des types de clauses qui, eu égard à la gravité des atteintes qu'elles portent à l'équilibre du contrat, doivent être regardées, de manière irréfragable, comme abusives au sens du premier alinéa ». En présence d'une telle clause, le juge perd tout pouvoir d'appréciation et ne peut que la déclarer abusive, même si elle ne répond pas exactement à la définition de l'article L. 132-1, alinéa 1.

Douze clauses sont ainsi visées dont on trouve la liste à l'article R. 132-1. Sont notamment déclarées irréfragablement abusives les clauses prévoyant que le non-professionnel ou consommateur pourrait être tenu par des stipulations dont il n'a pas eu connaissance lors de la conclusion du contrat (art. R. 132-1, 1°), les clauses réservant au professionnel « le droit de modifier unilatéralement les clauses du contrat relatives à sa durée, aux caractéristiques ou au prix du bien à livrer ou du service à rendre » (art. R. 132-1, 3°), les clauses tendant à « supprimer ou réduire le droit à réparation du préjudice subi par le non-professionnel ou consommateur en cas de manquement par le professionnel à l'une quelconque de ses obligations » (art. R. 132-1, 6°) et plus généralement les clauses tendant à restreindre l'intérêt économique du contrat pour le consommateur (art. R. 132-1, 4° et 7°), les clauses octroyant au professionnel un avantage sans justification, ou contrepartie, ou réciprocité (art. R. 132-1, 5, 8°, 9°, 10°, 11° et 12°).

342. – **La liste « grise » des clauses réputées abusives.** Conformément à l'article L. 132-1, alinéa 2, qui prévoit l'établissement de cette liste, il s'agit d'une présomption simple que le professionnel peut faire tomber en apportant « la preuve du caractère non abusif de la clause litigieuse ».

Dix clauses sont ainsi visées à l'article R. 132-2, dont certaines sont déjà illicites au regard du droit commun des obligations ; par exemple subordonner l'exécution par le professionnel à « une condition dont la réalisation dépend de sa seule volonté » (art. R. 132-2, 1° et C. civ., art. 1174), obliger « le consommateur à saisir exclusivement une juridiction d'arbitrage »(785) (art. R. 132-2, 10° et C. civ., art. 2061). D'autres font double emploi avec le droit commun, par exemple imposer au consommateur défaillant « une indemnité d'un montant manifestement disproportionné », ce qui constitue une clause pénale (art. R. 132-2, 3°).

On voit ici clairement l'influence du droit communautaire qui prend le pas sur le droit commun des obligations qui, à certains égards, est probablement plus protecteur.

343. – **La liste dressée par la Commission des clauses abusives.** La loi de 1978 avait prévu la mise en place d'une Commission des clauses abusives ayant

---

mateurs : la proposition de directive relative aux droits des consommateurs et la portée de l'« harmonisation complète » : D. 2009, chron. 1152. – D. Fenouillet : *RDC* 2009, p. 1422. – O. Deshayes, *Clauses abusives. Les réformes récentes et attendues en 2009 : RDC* 2009, p. 1602. – S. Amrani-Mekki, *Décret du 18 mars 2009 relatif aux clauses abusives : quelques réflexions procédurales : RDC* 2009, p. 1617. – Y.-M. Laithier, *Clauses abusives. Les clauses de responsabilité (clauses limitatives de réparation et clauses pénales) : RDC* 2009, p. 1650.

(784) J. Rochfeld : *RDC* 2009, p. 985.

(785) Mais en revanche un compromis d'arbitrage signé, hors toute clause compromissoire insérée à un contrat, n'est pas une clause abusive au sens de l'article L. 132-1 du Code de la consommation : Cass. 1re civ., 25 févr. 2010 : *D.* 2010, act. jurispr. p. 651.

notamment pour objet de rechercher, dans les contrats habituellement proposés par les professionnels, les clauses abusives au sens de la loi et d'en faire rapport au Gouvernement[(786)]. La Commission a, à ce jour, émis plus d'une soixantaine de recommandations, qui ont été publiées, et qui concernent soit des clauses de caractère général, soit des contrats spécifiques. Les premières ont été regroupées dans la recommandation de synthèse n° 91-02.

Il convient de souligner que ces recommandations n'ont pas de valeur obligatoire, si bien qu'elles ne sont pas susceptibles d'un recours pour excès de pouvoir[(787)].

On pouvait néanmoins espérer que leur publication serait suffisamment incitative pour que les professionnels renoncent aux clauses ainsi dénoncées, mais l'expérience a démontré qu'il n'en était rien.

Quelques-unes des clauses dénoncées par la Commission ont été interdites par le législateur à l'occasion de réformes ponctuelles (par exemple du contrat de construction de maison individuelle)[(788)]. En revanche, avant la loi du 4 août 2008, le Gouvernement n'avait jamais utilisé les travaux de la Commission pour réglementer ou interdire telle ou telle clause. Il en va désormais différemment puisque les listes « noire » et « grise » ont été établies par un décret en Conseil d'État après avis de la Commission. Cela dit, et en dehors des hypothèses visées par les listes « noire » et « grise », il n'est bien évidemment pas interdit au juge de s'inspirer des recommandations de la Commission pour déclarer abusive telle ou telle clause[(789)].

b) La technique du pouvoir conféré au juge

344. – **Le pouvoir du juge de déclarer une clause abusive[(790)].** Même si la loi de 1978 ne comportait pas d'interdiction formelle faite au juge de déclarer directement abusive une clause, en dehors de toute disposition réglementaire, telle était bien l'intention du législateur ainsi que cela résultait des travaux préparatoires, et du fait que la loi réservait au pouvoir réglementaire le droit d'édicter le caractère abusif des clauses. Le législateur se méfiait en effet d'une trop grande liberté des juges en ce domaine.

Mais devant la carence du pouvoir réglementaire, la Cour de cassation a dès 1989 reconnu aux juges le pouvoir de déclarer abusive une clause, en dehors de tout texte réglementaire, sur le seul fondement des critères édictés par la loi de 1978[(791)].

---

(786) A. Sinay-Cytermann, *La Commission des clauses abusives et le droit commun des obligations : RTD civ.* 1985, 471. – G. Paisant, *À propos des vingt-cinq ans de la Commission des clauses abusives en France*, in *Mél. J. Béguin* : Litec, 2005.

(787) CE, 16 janv. 2006 : *AJDA* 2006, p. 828, concl. M. Guyomar ; *Contrats, conc. consom.* 2006, comm. 117, obs. G. Raymond ; *D.* 2006, p. 576, obs. V. Avena-Robardet ; *RDC* 2006, p. 670 et note C. Peres. – L. Calandri, *Le pouvoir de recommandation de la Commission des clauses abusives : LPA* 15 sept. 2006, p. 4.

(788) H. Périnet-Marquet, *Les clauses abusives dans les contrats de construction*, in *JCl. Construction*, Fasc. 900.

(789) L. Leveneur, *La Commission des clauses abusives et le renouvellement des sources du droit des obligations*, in *Le renouvellement des sources du droit des obligations* : Économica, 1997, p. 155. – C. Ruth, *La Commission des clauses abusives, un ministère d'influence à succès : Rev. Lamy dr. civ.* juin 2009, p. 7. – L. Leveneur, *Les recommandations de la Commission des clauses abusives*, in *Études B. Oppetit* : Litec, 2009, p. 495.

(790) J. Ghestin, *L'élimination par le juge des clauses abusives en l'absence de décret d'interdiction. Un peu d'histoire*, in *Mél. Calais-Auloy* : Dalloz, 2003, p. 447.

(791) Cass. 1re civ., 6 déc. 1989 : *D.* 1990, 289 et note J. Ghestin ; *JCP* 1990, II, 21534 et note Ph. Delebecque. – Cass. 1re civ., 14 mai 1991 : *D.* 1991, 449 et note J. Ghestin ; *JCP* 1991, II, 21763 et note G. Paisant. – J. Huet, *Pour le contrôle des clauses abusives par le juge judiciaire : D.* 1993, chron. 331.

Néanmoins, pour assurer une unité d'interprétation, la Cour de cassation s'est réservée de contrôler la qualification de clause abusive(792) ; elle a également été amenée à se prononcer sur ce point dans le cadre de la procédure d'avis(793).

Ce pouvoir du juge n'a jamais été remis en cause. Il a même été indirectement reconnu et donc consacré d'abord par le règlement, puis par la loi.

Dans un premier temps, un décret du 10 mars 1993 a prévu que le juge pouvait demander à la Commission des clauses abusives son avis (dont il est précisé qu'il ne lie pas le juge) sur le caractère abusif de telle clause ; ce qui sous-entend nécessairement le pouvoir du juge de reconnaître ce caractère abusif.

Ensuite, la loi du 1er février 1995 transposant la directive de 1993, si elle ne consacrait pas expressément ce pouvoir du juge, en admettait implicitement le principe. Cela résultait sans ambiguïté de l'article L. 132-1 ancien, spécialement de l'alinéa 3 relatif à la liste indicative des clauses qui « peuvent être regardées comme abusives si elles satisfont aux conditions posées par le premier alinéa » ; ce qui supposait le pouvoir du juge de se prononcer sur ce point.

La question se pose aujourd'hui de savoir si le juge conserve ce pouvoir de déclarer abusive une clause qui ne figurerait pas sur la liste « grise » des clauses présumées abusives.

On pouvait le penser, compte tenu de la position de la Cour de justice des Communautés européennes suivant laquelle la protection édictée par la directive « implique que le juge national puisse apprécier d'office le caractère abusif d'une clause du contrat qui lui est soumis lorsqu'il examine la recevabilité d'une demande »(794). Elle a même décidé que le juge pouvait et devait(795) relever d'office le caractère abusif d'une clause insérée dans un contrat de crédit à la consommation, alors que la forclusion édictée par la loi française était acquise(796). C'est la solution qui a été finalement retenue par la loi du 17 mars 2014 relative à la consommation (C. consom., art. L. 141-4).

Ce pouvoir du juge de contrôler le caractère abusif d'une clause est en outre dans l'air du temps puisqu'on le retrouve dans l'article 77 du projet de réforme : « une clause qui crée un déséquilibre significatif entre les droits et les obligations des parties au contrat peut être supprimée par le juge à la demande du contractant au détriment duquel elle est stipulée ».

---

(792) Cass. 1re civ., 26 mai 1993 : *D.* 1993, 568 et note G. Paisant ; *JCP* 1993, II, 22158 et note E. Bazin. – Cass. 1re civ., 10 avr. 1996 : *JCP* 1996, II, 22694, note G. Paisant et H. Claret. – Cass. 1re civ., 7 juill. 1998 : *Contrats, conc. consom.* 1998, n° 120, obs. G. Raimond ; *Defrénois* 1998, 1, 1417, obs. D. Mazeaud. – Cass. 1re civ., 14 nov. 2006 : *Bull. civ.* 2006, I, nos 488 et 489 (4 arrêts) ; *JCP* 2007, II, 10056 et note G. Paisant.

(793) Avis, 10 juill. 2006, sur la définition d'une clause abusive en matière de crédit : *Bull. civ.* 2006, avis, n° 6.

(794) CJCE, 27 juin 2000 ; *JCP* 2001, II, 10513, note M. Carballo Fidalgo et G. Paisant ; *Rev. Lamy dr. aff.* nov. 2000, n° 32, p. 21, n° 2033 (à propos du caractère abusif d'une clause attributive de juridiction).

(795) CJCE, 4e ch., 4 juin 2009, aff. C-243/08 : *D.* 2009, act. jurispr. p. 1690 ; *JCP* 2009, n° 42, p. 33 et note G. Paisant ; *RTD civ.* 2009, 685, obs. P. Rémy-Corlay ; *RDC* 2010, p. 59, obs. O. Deshayes. – CJCE, 6 oct. 2009, aff. C-40/08 : *RDC* 2010, p. 59, obs. O. Deshayes. – CJUE, Gde ch., 9 nov. 2010, aff. C-137/08 : *RDC* 2011, 504, obs. C. Aubert de Vincelles.

(796) CJCE, 21 nov. 2002, *SA Cofidis c/ France* (qui déclare incompatible avec la directive le délai de forclusion de deux ans édicté par l'article L. 311-37, al. 1er) : *D.* 2003, 486 et note C. Nourissat ; *Contrats, conc. consom.* 2003, comm. 31 et note G. Raymond ; *JCP* 2003, II, 10082 et note G. Paisant ; *JCP E* 2003, 279, note C. Baude-Texidor et I. Fadlallah ; *JCP* 2003, I, 142, nos 1 et s., obs. X. Lagarde. – S. Moracchini-Zeidenberg, *Le relevé d'office en droit de la consommation interne et communautaire : Contrats, conc. consom.* 2013, Étude 9.

3° Critère de la clause abusive[797]

345. – **Le critère ancien de la loi de 1978.** En 1978, la loi conférait au seul pouvoir réglementaire le droit de déclarer une clause abusive, et c'est donc celui-ci qui devait se conformer à ce critère. Il s'agissait alors d'un double critère établi par la loi : pour être déclarée abusive, une clause devait :

- d'une part, apparaître « imposée au non-professionnel ou consommateur par un *abus de la puissance économique* » ;
- d'autre part, « conférer au professionnel un *avantage excessif* ».

La détermination des clauses abusives résultant d'actes du pouvoir réglementaire, en fait le seul décret du 24 mars 1978, le contrôle de la légalité appartenait au Conseil d'État. Ceci explique que l'article 1 de ce décret ait été annulé par cette juridiction, au motif que la clause interdite (le renvoi dans le contrat à des stipulations ne figurant pas sur l'écrit qu'il signe) ne répondait pas au double critère ci-dessus.

La Cour de cassation ayant dès 1989 reconnu au juge le pouvoir de déclarer abusive une clause, le contrôle s'est déplacé. C'est bien évidemment la Cour de cassation, et non pas le Conseil d'État, qui est juge du respect du critère par les juridictions, ainsi qu'elle a pris soin de le rappeler (V. *supra*, n° 344).

Ainsi, dès cette époque, le pouvoir d'appréciation du juge dépendait de l'autorité ayant déterminé le caractère abusif de la clause. Dans le cas où ce caractère abusif avait été édicté par décret, le juge ne pouvait qu'en tirer les conséquences, sans pouvoir exercer de contrôle. En dehors de cette hypothèse, il retrouvait son pouvoir d'appréciation, qu'il exerçait sous le contrôle de la Cour de cassation.

346. – **Le critère nouveau des lois de 1995 et de 2008**[798]**.** Tout en passant sous silence l'exigence de bonne foi qui figurait dans la directive, la loi de 1995 et à sa suite la loi de 2008 en reprennent les termes en retenant comme abusives « les clauses qui ont pour objet ou pour effet de créer, au détriment du non-professionnel ou du consommateur, un *déséquilibre significatif* entre les droits et obligations des parties au contrat » (C. consom., art. L. 132-1, al. 1er). Ce même critère a également été retenu dans le projet de réforme du droit des contrats (art. 77, al. 1).

Pour certains commentateurs, la différence entre ce critère et celui de la loi de 1978 tient plus à la terminologie qu'au fond. Ils font d'abord observer que, suivant la Cour de cassation, la première condition de la loi de 1978, à savoir l'abus de la puissance économique, n'avait pas à être démontrée lorsqu'on était en présence d'un contrat d'adhésion. Ils ajoutent ensuite qu'il n'y a guère de différence entre l'avantage excessif conféré au professionnel de la loi de 1978 et le déséquilibre significatif entre les droits et obligations des parties de la loi de 1995.

D'autres sont d'un avis contraire[799]. Ils considèrent que le double critère de la loi de 1978 présentait un caractère objectif, indépendamment des circonstances de fait qui entouraient la conclusion du contrat, et qu'il pouvait donc aisément

(797) N. Sauphanor-Brouillaud, *Clauses abusives dans les contrats de consommation : critères de l'abus : Contrats, conc. consom.* 2008, étude 7. – C.M. Peglion-Zika, *La notion de clause abusive au sens de l'article L. 132-1 du Code de la consommation* : thèse Paris II, 2013.

(798) C.M. Peglion-Zika, *La notion de clause abusive au sens de l'article L. 132-1 du Code de la consommation* : thèse Paris II, 2013.

(799) V. spéc. F. Terré, P. Simler et Y. Lequette, *Obligations*, n° 324.

faire l'objet d'un contrôle par la Cour de cassation. S'agissant au contraire du critère nouveau des lois de 1995 et de 2008, qui reprennent sur ce point l'article 4 de la directive, ils font observer que l'appréciation du caractère abusif d'une clause doit se faire, sans préjudice des règles d'interprétation des articles 1156 et suivants du Code civil, et de l'esprit de la directive[(800)], en se référant, au moment de la conclusion du contrat, à toutes les circonstances qui entourent sa conclusion, de même qu'à toutes les autres clauses du contrat. Il s'apprécie également au regard de celles contenues dans un autre contrat lorsque la conclusion ou l'exécution de ces deux contrats dépendent juridiquement l'un de l'autre (C. consom., art. L. 132-1, al. 5).

Autrement dit, il ne s'agit plus d'une appréciation *in abstracto*, mais *in concreto*, laquelle se prête moins facilement à un contrôle de la Cour de cassation. Faisant la synthèse de la jurisprudence, un auteur suggère que seraient abusives les clauses qui menacent l'économie du contrat et celles qui octroient un avantage au professionnel[(801)]. À ce jour, la controverse est restée doctrinale mais elle pourrait être relancée par un arrêt de la CJUE qui retient une appréciation *in concreto*[(802)].

En toute hypothèse, il convient de rappeler que la question de l'appréciation des tribunaux ne se pose pas pour les clauses figurant dans la liste « noire » ; en pareil cas, le juge ne peut que sanctionner la clause et n'a aucun pouvoir d'appréciation.

Il en va bien sûr différemment des clauses figurant dans la liste « grise » et, *a fortiori*, de celles non listées[(803)]. Ont été ainsi jugées abusives, sous l'empire de la loi de 1995 : la clause prévoyant le versement de la totalité du prix d'un contrat d'enseignement quel que soit le motif de son annulation[(804)], une clause de limitation de garantie à raison de l'ambiguïté de ses termes[(805)], la clause d'une convention de compte bancaire qui postule l'approbation tacite des relevés de compte dans un délai de trois mois, ainsi que la clause qui assimile un compte de dépôt à un compte courant[(806)]. Mais en sens inverse, on peut citer une clause jugée abusive qui a été par la suite autorisée par une loi nouvelle[(807)]. Peu importe, en tout cas, que la clause critiquée soit relative à une obligation principale ou à une obligation accessoire[(808)].

Par ailleurs, on rappellera un point important qui se retrouve, à quelques nuances près à la fois dans la directive et dans les lois de 1995 et de 2008. C'est la disposition suivant laquelle « l'appréciation du caractère abusif des clauses... ne porte ni sur la définition de l'objet principal du contrat ni sur l'adéquation du prix ou de la rémunération au bien vendu ou au service offert pour autant que les clauses soient rédigées de façon claire et compréhensible » (art. L. 132-1, al. 7). Par

(800) La Cour de justice a en effet précisé que « la juridiction nationale est tenue, lorsqu'elle applique des dispositions de droit national (...) de les interpréter, dans toute la mesure du possible, à la lumière du texte et de la finalité de cette directive » : CJCE, 27 juin 2000 : *JCP* 2001, II, 10513, note M. Carballo Fidalgo et G. Paisant.

(801) X. Lagarde, *Qu'est-ce qu'une clause abusive ?* : *JCP* 2006, I, 110, étude pratique.

(802) CJUE, 1re Ch., 16 janv. 2014, aff. C-226/12 : *D.* 2014.269.

(803) N. Sauphanor-Brouillaud, *Les remèdes en droit de la consommation : clauses noires, clauses grises, clauses blanches, clauses proscrites par la jurisprudence et la Commission des clauses abusives* : *RDC* 2009, p. 1629.

(804) Cass. 1re civ., 10 févr. 1998 : *D.* 1998, 539 et note D. Mazeaud ; *JCP* 1998, II, 10124 et note G. Paisant (dans un cas où l'élève n'avait pu suivre les cours en raison d'une maladie).

(805) Cass. 1re civ., 19 juin 2001 : *Bull. civ.* 2001, I, n° 181, p. 116 ; *JCP* 2001, II, 10631 et note G. Paisant.

(806) Cass. 1re civ. 8 janv. 2009 : *Contrats, conc. consom.* 2009, comm. 85, obs. G. Raymond.

(807) Cass. 1re civ., 1er févr. 2005 : *D.* 2005, 565 (clause d'un contrat de syndic prévoyant d'imputer sans décision judiciaire au copropriétaire défaillant les frais de recouvrement des charges impayées).

(808) Cass. 1re civ., 3 mai 2006 : *D.* 2006, p. 2743 et note Y. Dagorne-Labbé ; *RDC* 2006, p. 1114, obs. D. Fenouillet.

cette disposition, qui a été reprise en des termes voisins dans le projet de réforme du droit des contrats (art. 77, al. 2) au titre du droit commun, le législateur marque clairement que la réglementation des clauses abusives n'empiète aucunement sur la règle que la lésion n'est pas une cause de nullité des conventions. Ce faisant il opère une différence nette entre les clauses abusives qui sont le plus souvent trompeuses parce que dissimulées, et la disproportion entre les prestations réciproques, notamment entre le prix et la chose ou le service, qui apparaît aux yeux de tous[(809)].

4° La sanction des clauses abusives

347. – **La sanction individuelle d'une clause abusive dans un contrat.** Il s'agit de la situation classique du contrat conclu entre un professionnel et un non-professionnel ou consommateur et qui comporte une ou des clauses abusives.

Déjà la loi de 1978 réputait ces clauses non écrites, si bien que le contrat subsistait à l'exception de la clause abusive retranchée. On considère généralement cette solution comme étant la plus conforme à l'intérêt du consommateur qui, le plus souvent, souhaite l'exécution du contrat, mais sans la clause abusive. Si la sanction était la nullité du contrat, on pourrait craindre que le consommateur renonce à faire valoir le caractère abusif d'une clause pour ne pas perdre le bénéfice du contrat.

C'est cette même sanction qui a été reprise dans les lois de 1995 et 2008 et qu'on retrouve aujourd'hui dans l'article L. 132-1, alinéas 6 et 8. Ce texte décide tout à la fois que « les clauses abusives sont réputées non écrites » et que « le contrat restera applicable dans toutes ses dispositions autres que celles jugées abusives s'il peut subsister sans lesdites clauses »[(810)]. Cette solution se retrouve, au moins implicitement dans l'article L. 141-4 modifié du Code de la consommation : « Il (le juge) écarte d'office, après avoir recueilli les observations des parties, l'application d'une clause dont le caractère abusif ressort des éléments du débat ». C'est également la sanction retenue dans le projet de réforme du droit des obligations qui prévoit que « la clause (...) peut être supprimée par le juge » (art. 77, al. 1). Il faut voir là une application du droit commun français en matière de nullité partielle, suivant lequel la nullité n'affecte le contrat tout entier que dans l'hypothèse où la clause critiquée comme abusive constituait la cause impulsive et déterminante du contrat. Pareille hypothèse se rencontre très rarement en jurisprudence.

À cela il faut désormais ajouter la sanction de l'amende administrative que peuvent infliger les agents de la DGCCRF au professionnel qui a mis une clause relevant de la liste noire (C. consom. art. L. 132-2).

348. – **La sanction collective des clauses abusives dans les contrats-types ou modèles : l'action en cessation d'agissements illicites.** En pratique l'effectivité de la sanction classique des clauses abusives est assez faible. Certes, la clause sera annulée dans le contrat considéré, et entre les parties au litige, mais on la retrouvera dans

(809) La directive ouvrait sur ce point une faculté de contrôle que le législateur français n'a pas souhaité adopter. V. CJUE, 3 juin 2010, aff. C-484/08 : *JCP* 2011, 61, note Paisant et L.-P. San Miguel Pradera ; *RDC* 2010, 1299, obs. C. Aubert de Vincelles.

(810) Suivant la Cour de justice de l'Union européenne, la directive CEE n° 93/13 du 5 avril 1993 relative aux clauses abusives dans les contrats conclus avec les consommateurs ne s'oppose pas à ce qu'un État-membre prévoie, dans le respect du droit de l'Union, qu'un contrat conclu avec un consommateur par un professionnel et contenant une ou plusieurs clauses abusives est nul dans son ensemble lorsqu'il s'avère que cela assure une meilleure protection du consommateur (CJUE, 15 mars 2012, aff. C-453/10 : *D.* 2012, 805 ; *JCP* 2012, 720 et note G. Paisant. – V. aussi CJUE, 14 juin 2012, aff. C-618/10.

tous les autres contrats conclus par le même professionnel. D'où l'idée, initiée par la loi du 5 janvier 1988 et reprise par la directive de 1993, d'extirper les clauses abusives de tous les contrats du même type par un seul procès(811). Elle a été insérée dans l'article L. 421-6 du Code de la consommation, par la suite modifié par l'ordonnance du 23 août 2001(812) qui a introduit dans notre droit l'« action en cessation d'agissements illicites »(813). Cette solution a été également retenue par la loi du 17 mars 2014 relative à la consommation qui confère un effet *erga omnes* à la suppression des clauses abusives dans les modèles de contrat, y compris pour les clauses qui ont été retirées par le professionnel au moment où le juge statue(814).

Art. L. 421-2. – Les associations de consommateurs mentionnées à l'article L. 421-1 et agissant dans les conditions précisées à cet article peuvent demander à la juridiction civile, statuant sur l'action civile, ou à la juridiction répressive, statuant sur l'action civile, d'ordonner au défendeur ou au prévenu, le cas échéant sous astreinte, toute mesure destinée à faire cesser des agissements illicites ou à supprimer dans le contrat ou le type de contrat proposé aux consommateurs une clause illicite.

Elles peuvent également demander, selon le cas, à la juridiction civile ou à la juridiction répressive de déclarer que cette clause est réputée non écrite dans tous les contrats identiques conclus par le défendeur ou le prévenu avec des consommateurs, y compris les contrats qui ne sont plus proposés, et de lui ordonner d'en informer à ses frais les consommateurs concernés par tous moyens appropriés.

Art. L. 421-6. – Les associations mentionnées à l'article L. 421-1 et les organismes justifiant de leur inscription sur la liste publiée au Journal officiel des Communautés européennes en application de l'article 4 de la directive 2009/22/CE du Parlement européen et du Conseil du 23 avril 2009 relative aux actions en cessation en matière de protection des intérêts des consommateurs peuvent agir devant la juridiction civile pour faire cesser ou interdire tout agissement illicite au regard des dispositions transposant les directives mentionnées à l'article 1er de la directive précitée.

Le juge peut à ce titre ordonner, le cas échéant sous astreinte, la suppression d'une clause illicite ou abusive dans tout contrat ou type de contrat proposé ou destiné au consommateur.

Les associations et les organismes mentionnés au premier alinéa peuvent également demander au juge de déclarer que cette clause est réputée non écrite dans tous les contrats identiques conclus par le même professionnel avec des consommateurs, y compris les contrats qui ne sont plus proposés, et de lui ordonner d'en informer à ses frais les consommateurs concernés par tous moyens appropriés.

Ainsi, les associations de défense des consommateurs agréées à cette fin peuvent demander la suppression des clauses illicites ou abusives dans les modèles de contrats proposés ou destinés aux consommateurs(815)(816) et ce devant toute juridiction,

(811) R. Martin, *Notes sur l'action associative en suppression des clauses abusives dans les contrats : Contrats, conc. consom.* 1994, chron. 8.

(812) Cette ordonnance a transposé un certain nombre de directives, et notamment la directive n° 98/27/CE relative aux actions en cessation d'agissements illicites en matière de protection des consommateurs.

(813) V. Dir. n° 2009/22/CE, 23 avr. 2009 : *JOUE* n° L 110, 1er mai, qui codifie à droit constant la directive du 19 mai 1998 relative aux actions en cessation en matière de protection des intérêts des consommateurs. Étant précisé que l'agissement illicite n'est pas nécessairement constitutif d'une infraction pénale : Cass. 1re civ., 25 mars 2010 : *D.* 2010, 1842 et note N. Dupont ; *RDC* 2010.879, obs. D. Fenouillet.

(814) Solution imposée par la CJUE : CJUE 26 avr. 2012, C.-472/10, Invitel : *JCP* G 2012, 840, note G. Paisant ; *RTD* eur. 2012, p. 666, n° 7, obs. C. Aubert de Vincelles ; *D.* 2014, 645, obs. E. Poillot.

(815) La Cour de justice des Communautés européennes a été amenée à préciser que la nature préventive et l'objectif dissuasif des actions en suppression des clauses abusives impliquent que de telles actions puissent être exercées alors même que les clauses dont l'interdiction est réclamée n'auraient pas été utilisées dans des contrats déterminés (CJCE, 24 janv. 2002 : *D.* 2002, 1065, obs. E. Chevrier) ; et que l'action est de nature délictuelle ou quasi délictuelle (CJCE, 1er oct. 2002 : *D.* 2002, 3002 et note H. Kobina Gaba). L'action est recevable même si le modèle type a été établi non par le professionnel mais par une association de professionnels (Cass. 1re civ., 3 févr. 2011 : *Contrats, conc. consom.* 2011, comm. 102, obs. G. Raymond ; *JCP* 2011, 414 et note R. Paisant ; *D.* 2011, 1659, obs. G. Chantepie ; *Rev. Lamy dr. civ.* juin 2011 et note D. Houtcieff.

(816) Mais cette action à caractère préventif ne peut pas être exercée contre des clauses disparues au moment où le juge statue ou contre les clauses conformes à des dispositions législatives : Cass. 1re civ., 23 janv. 2013, 2 arrêts : *JCP* 2013, 297, note G. Paisant ; *Contrats, conc. consom.* 2013, comm. 88, obs. G. Raymond.

y compris pénale, statuant sur l'action civile. La jurisprudence en fournit quelques exemples[(817)]. Ici, s'agissant d'une action collective contre une ou plusieurs clauses, l'appréciation du caractère abusif se fait nécessairement *in abstracto*, et non plus *in concreto*.

Aux termes même de l'article L. 421-6, cette action préventive en suppression des clauses abusives bénéficie aux seuls consommateurs, pas aux non-professionnels[(818)].

349. – **Clauses imposées.** Parfois le législateur ne se borne pas à interdire certaines clauses jugées abusives. Il ordonne la stipulation de clauses considérées comme essentielles pour l'équilibre du contrat.

Ainsi, en matière de vente d'immeuble à construire, ou de contrat de construction de maison individuelle, il va exiger l'insertion de garanties de bonne fin, ou de garanties de remboursement ; il limitera la possibilité d'indexation en imposant le choix de l'indice, etc.

Dans le contrat de sous-traitance, il impose à l'entrepreneur de fournir au sous-traitant une caution pour garantir les paiements, et ce à peine de nullité (L. 31 déc. 1975, art. 14).

De même, dans certains domaines particuliers, comme l'assurance-construction ou le contrat de construction de maison individuelle, le Gouvernement édicte par voie réglementaire des clauses-types qui seront les garanties minimales à fournir dans ces contrats.

Ce mouvement s'inscrit dans une évolution générale qui tend à définir de manière impérative le contenu de certains contrats, le plus souvent dans le souci de protéger la partie la plus faible et de rétablir à son profit l'équilibre du contrat. On assiste ainsi à l'éclosion progressive d'une sorte de « régime légal du contrat d'adhésion »[(819)].

350. – **Les clauses abusives entre professionnels.** La législation sur les clauses abusives ne s'applique en principe pas dans les rapports entre professionnels[(820)]. Et, même si les professionnels peuvent être eux-mêmes victimes de clauses abusives, il ne serait ni possible, ni souhaitable de transposer à leur intention les règles de protection des consommateurs ; en effet, à la différence des consommateurs à qui les professionnels imposent des contrats-types, les contrats entre professionnels sont le plus souvent négociés et conçus sur mesure de telle sorte qu'une clause, apparemment abusive, peut ne pas l'être dans le contexte contractuel d'ensemble[(821)].

Cela dit, les professionnels ne sont pas démunis de toute protection face aux clauses abusives.

(817) Cass. 1re civ., 6 janv. 1994 : *D.* 1994, inf. rap. p. 27. En revanche, une association ne saurait demander la suppression de clauses figurant dans un contrat-type édité par une société et utilisé par des profanes ou des professionnels pour établir des contrats de vente, ou de bail, etc. : Cass. 1re civ., 4 mai 1999 : *JCP* 1999, II, 10205 et note G. Paisant ; *Contrats, conc. consom.* 1999, comm. 124 et note L. Leveneur, p. 26 et note G. Raymond. Sur les limites de l'action collective, V. Cass. 1re civ., 1er févr. 2005, trois arrêts : *JCP* 2005, II, 10057 et note G. Paisant ; *Contrats, conc. consom.* 2005, comm. 95 et note G. Raymond ; *JCP* 2005, I, 141, nos 15-18, obs. J. Rochfeld.

(818) Civ. 1re, 4 juin 2014 : *D.* 2014, 1268.

(819) V. J. Flour, J.-L. Aubert et E. Savaux, *Les obligations*, nos 184 et s.

(820) Cass. com., 23 nov. 1999 : *JCP* 2000, II, 10326 et note J.-P. Chazal ; *Contrats, conc. consom.* 2000, comm. 40, obs. L. Leveneur ; *Defrénois* 2000, 245, obs. D. Mazeaud.

(821) Ch. Jamin et D. Mazeaud (ss dir.), *Les clauses abusives entre professionnels* : Économica, 1998. – V. notamment le rapport de synthèse de J. Mestre, p. 157. – F.-X. Licari, *Quelques réflexions et propositions au sujet des clauses « déraisonnables » ou « abusives » dans les contrats conclus entre professionnels à la lueur du droit comparé et des propositions savantes*, in *Mél. Ph. Le Tourneau* : Dalloz, 2007, p. 655.

Le professionnel peut tout d'abord trouver une certaine protection dans le droit commun. Outre les remèdes classiques qui ont pu être recensés[(822)], la jurisprudence a utilisé la notion de cause pour annuler les clauses qui seraient contraires à l'économie du contrat dans lequel elles ont été insérées[(823)].

Ensuite, on rappellera que, sauf pour les contrats ayant un rapport direct avec son activité, le professionnel est considéré par la jurisprudence comme un « non-professionnel » au sens du droit de la consommation (V. *supra*, n° 336), ce qui lui permet d'invoquer le bénéfice de la protection due au consommateur[(824)]. Ce n'est là toutefois qu'une situation marginale.

D'autres fois, c'est dans le droit commercial, et plus spécialement dans le droit de la concurrence, que le professionnel peut trouver une protection contre l'abus de dépendance économique, les pratiques discriminatoires ou anticoncurrentielles[(825)]. C'est ainsi que la loi de modernisation de l'économie du 4 août 2008 a réécrit l'article L. 442-6, I du Code de commerce de manière à sanctionner, non par la nullité du contrat mais par la responsabilité du professionnel en position de domination, le fait de « soumettre ou de tenter de soumettre un partenaire commercial à des obligations créant un déséquilibre significatif dans les droits et obligations des parties (...) »[(826)(827)]. On relèvera avec un certain étonnement que le législateur a repris ici le critère de la clause abusive au sens de l'article L. 132-1, alinéa 1, du Code de la consommation. Le même critère se retrouve également dans le projet de réforme du droit des contrats (art. 77), démontrant ainsi que, parfois, le droit de la consommation peut être un précurseur du droit commun[(828)].

Corrélativement on relèvera que la loi du 17 mars 2014 relative à la consommation a également prévu quelques dispositions tendant à la protection des professionnels[(829)], notamment en ce qui concerne les rapports entre les fournisseurs et les distributeurs (C. com. art. L. 441-7)[(830)].

(822) D. Mazeaud, *La protection par le droit commun*, in *Les clauses abusives entre professionnels*, préc., p. 33. – D. Mazeaud et T. Génicon, *Protection des professionnels contre les clauses abusives* : *RDC* 2012, 276.

(823) J.-P. Chazal, *Théorie de la cause et justice contractuelle* : *JCP* 1998, I, 152. – J. Moury, *Une embarrassante notion : l'économie du contrat* : *D.* 2000, 382. – A. Zelcevic-Duhamel, *La notion d'économie du contrat en droit privé* : *JCP* 2001, I, 300. – D. Houtcieff, *Le principe de cohérence en matière contractuelle* : thèse Paris XI, 2001. – S. Pimont, *L'économie du contrat* : PUAM, 2004.

(824) G. Paisant, *La protection par le droit de la consommation*, in *Les clauses abusives entre professionnels*, préc., p. 17.

(825) B. Fages et J. Mestre, *L'emprise du droit de la concurrence sur le contrat* : *RTD com.* 1998, 71. – L. Idot, *La protection par le droit de la concurrence*, in *Les clauses abusives entre professionnels*, préc., p. 55.

(826) M. Malaurie-Vignal, *Le nouvel article L. 442-6 du Code de commerce apporte-t-il de nouvelles limites à la négociation contractuelle ?* : *Contrats, conc. consom.* 2008, dossier « Moderniser l'économie », n° 5, p. 12 et s. – M. Béhar-Touchais, *Que penser de l'introduction d'une protection contre les clauses abusives dans le Code de commerce ?* : *RDC* 2009, p. 1258. – Y. Utzchneider et A. Lamothe, *Que penser d'une règle de protection contre les clauses abusives dans le code de commerce ?* : *RDC* 2009, p. 1261. – C. Lucas de Leyssac et M. Chagny, *Le droit des contrats, instrument d'une forme nouvelle de régulation économique ?* : *RDC* 2009, p. 1268. – S. Saint-Esteben, *L'introduction par la loi LME d'une protection des professionnels à l'égard des clauses abusives : un faux ami du droit de la consommation* : *RDC* 2009, p. 1275. – J.-L. Fourgoux et L. Djavadi, *Les clauses contractuelles à l'épreuve du « déséquilibre significatif » :état de la jurisprudence* : *Contrats, conc. consom.* 2013, Étude 11. – T. com. Lille, 6 janv. 2010 : *D.* 2010, 1000 et note J. Sénéchal ; *RDC* 2010, 928, obs. M. Behar-Touchais.

(827) Cette disposition a été jugée conforme à la Constitution et en particulier aux articles 8 et 9 de la Déclaration des droits de l'homme et du citoyen : Cons. const., déc. 13 janv. 2011, n° 2010-85 QPC : *JCP* 2011, 274, note Mainguy ; *RTD civ.* 2011, 121, obs. B. Fages ; *Contrats, conc. consom.* 2011, comm. 62, obs. N. Mathey, et comm. 63, obs. M. Malaurie-Vignal.

(828) D. Mainguy, *Défense critique et illustration de certains points du projet de réforme du droit des contrats* : *D.* 2009, chron. 308. – M. Béhar-Touchais, *La sanction du déséquilibre significatif dans les contrats entre professionnels* : *RDC* 2009, p. 202.

(829) D. Ferrier, *Loi du 17 mars 2014 « relative à la consommation » ... et pour un encadrement renforcé des relations entre professionnels* : *D.* 2014, 889.

(830) F. Buy, *La sanction de la lésion dans les relations commerciales* : *D.* 2014, 1333.

Enfin, il faut également signaler que les *organisations professionnelles* éditent souvent des *contrats-types* qui ont été conçus de manière à réaliser un équilibre dans les rapports entre professionnels. On en citera pour exemple les modèles de contrat de sous-traitance qui ont été mis en place conjointement par la Fédération française du bâtiment et la Fédération nationale des travaux publics. Il en va de même de certaines *normes* à caractère juridique comme la norme AFNOR P 03.001, qui édicte des « clauses administratives générales » pour les travaux de bâtiment faisant l'objet de marchés privés ; si les parties la rangent parmi les pièces contractuelles du marché, la norme devient contractuellement obligatoire. C'est là un moyen préventif contre les clauses abusives, dont l'efficacité est probablement plus importante que les sanctions *a posteriori*.

351. – **Les clauses abusives dans les Principes du droit européen du contrat et l'avant-projet de Code européen des contrats de l'Académie de Pavie**[(831)]. Ces textes reprennent globalement la réglementation communautaire et déclarent nulles ou sans effet les clauses « créant un déséquilibre significatif entre les droits et les obligations des parties eu égard à la nature de la prestation à fournir, aux autres clauses et aux circonstances ». Cette réglementation des clauses abusives ne se confond toutefois pas avec les dispositions sur la lésion ; en effet elle ne s'applique pas aux clauses définissant l'objet principal du contrat ni à l'adéquation entre la valeur respective des prestations. Dans l'ensemble, ces dispositions sont très proches du droit français.

Toutefois, les Principes de la Commission Lando se démarquent de manière essentielle en élargissant le champ d'application des règles relatives aux clauses abusives aux relations entre professionnels, contrairement à l'avant-projet de Pavie qui ne vise que les contrats conclus entre un professionnel et un consommateur. Mais par ailleurs, les deux *corpus*, conformes à la directive du 5 avril 1993, amoindrissent la protection en limitant la qualification de clause abusive aux clauses non négociées.

Plus largement, on remarquera que la question de la conformité du contrat à la justice sociale est envisagée sous un angle un peu différent dans les projets européens. En effet, l'abandon du concept de cause se trouve contrebalancé par la généralisation et la subjectivisation de la lésion, ainsi que par la réglementation des clauses abusives ou l'interdiction d'invoquer des clauses non négociées.

352. – **La protection contre les clauses abusives dans le projet de réforme.** Le projet de réforme (art. 77) retient des règles assez proches de celles figurant dans les Principes du droit européen des contrats.

C'est ainsi qu'il permet au juge de supprimer, à la demande du cocontractant, les clauses qui créent « un déséquilibre significatif entre les droits et les obligations des parties », que ces clauses aient été ou non négociées, et quelle que soit la qualité du cocontractant victime du déséquilibre, professionnel, non-professionnel ou consommateur.

Il retient également le même critère de la clause abusive, déjà adopté en matière de protection des consommateurs : le « déséquilibre significatif entre les droits et les obligations des parties » ; et il reprend aussi la règle que « l'appréciation du déséquilibre significatif ne porte ni sur la définition de l'objet du

---

(831) Ph. Stoffel-Munck, *Clauses abusives qui n'ont pas fait l'objet d'une négociation individuelle*, in *Regards croisés sur les principes du droit européen du contrat et sur le droit français*, ss dir. C. Pietro : PUAM, 2003, p. 273.

contrat ni sur l'adéquation du prix à la prestation ». De manière plus générale, il rappelle que « dans les contrats synallagmatiques, le défaut d'équivalence des obligations n'est pas une cause de nullité du contrat, à moins que la loi n'en dispose autrement » (art. 78), avec cette limite toutefois que, s'agissant d'un contrat à titre onéreux, il serait nul si, « dès l'origine, la contrepartie convenue au profit de celui qui s'engage est illusoire ou dérisoire » (art. 75). Enfin, il édicte la même sanction : la suppression par le juge de la clause abusive, ce qui suppose un contrôle judiciaire.

Corrélativement le projet prévoit que « toute clause qui prive de sa substance l'obligation essentielle du débiteur est réputée non écrite » (art. 76), ce qui vise certaines clauses limitatives de garantie ou de responsabilité.

C'est donc un nouveau droit commun des clauses abusives qui serait mis en place, droit commun calqué sur le droit spécial de la protection des consommateurs qui subsisterait parallèlement.

SECTION 3

LA FORME DU CONTRAT[832]

353. – **Le principe du consensualisme.** Jusqu'ici, le contrat a été conçu et défini comme une opération intellectuelle, quasi désincarnée : un accord de volontés qui se suffit à lui-même, en dehors de toute forme particulière. Telle est bien la règle qui découle du principe du *consensualisme* (V. *supra*, n° 81) : étant en principe *consensuel* (V. *supra*, n° 65), le contrat a valeur obligatoire pour les parties du seul fait qu'un accord, même tacite, est intervenu.

En droit romain, la règle était inverse : les contrats supposaient l'accomplissement de formalités variées : prononcé de paroles sacramentelles (contrats *verbis*), inscription sur des registres (contrats *litteris*), remise de la chose (contrats se formant *re*, c'est-à-dire les contrats *réels* d'aujourd'hui). Ce n'est qu'au XVIIe siècle qu'est apparu le consensualisme[833]. Il s'est retrouvé en 1804 dans le Code civil, mais sous une forme négative, en ce que la forme n'est pas mentionnée à l'article 1108 parmi les conditions de validité du contrat. En revanche il est affirmé de manière tout à fait positive dans l'article 79 du projet de réforme : « Le contrat est parfait par le seul échange des consentements des parties »[834].

Le principe repose sur des considérations morales et économiques. Au *plan moral*, il repose sur le respect de la parole donnée, auquel on ne saurait échapper au prétexte d'une irrégularité de forme. Au *plan économique*, il répond parfaitement

(832) S. Becqué-Ickowicz, *Le parallélisme des formes en droit privé*, éd. Panthéon-Assas, 2004, préf. P.-Y. Gautier. On parle de parallélisme des formes pour justifier l'extension de la forme d'un acte juridique à un acte juridique qui lui est lié, soit parce qu'il modifie ou éteint, prépare ou prolonge un acte antérieur. Un tel parallélisme ne s'impose que si la fonction jouée par la forme dans l'acte principal doit également être remplie dans l'autre acte.

(833) Suivant la formule de Loysel, « on lie les bœufs par les cornes et les hommes par les paroles, et autant vaut une simple promesse ou convenance que les stipulations du droit romain ».

(834) V. Forray, *Le consensualisme dans la théorie générale du contrat* : LGDJ, coll. « Droit privé », 2007.

au besoin de rapidité et de simplicité de la vie des affaires, et plus simplement de la vie de tous les jours.

354. – **Les inconvénients du principe et ses limites.** À la vérité le principe est en parfaite adéquation avec les besoins de la vie courante pour la satisfaction desquels on passe quotidiennement des contrats sans même s'en rendre compte : faire ses courses, faire « les soldes », prendre l'autobus ou un taxi, consulter un médecin, etc. Il s'agit là de petits achats ou de services normaux pour lesquels il faut pouvoir aller vite et qui ne font pas courir de risques importants.

Il n'en va pas de même pour les contrats importants par leur montant, ou complexes à raison de la multiplicité des questions qui devront être réglées pour que les parties se mettent d'accord : par exemple conclure un contrat de mariage, constituer une société, acheter ou louer un appartement, faire un emprunt et déterminer ses modalités de remboursement, constituer une hypothèque ou autre sûreté en garantie. Ce sont là en effet des opérations pour lesquelles on ne saurait s'engager à la légère et qui, de surcroît, intéressent les tiers ainsi que l'Administration.

Si de tels contrats pouvaient être conclus sans formes à respecter, on pourrait redouter :

• que certains contractants ne s'engagent dans un contrat sans en mesurer les conséquences, donc sans avoir donné un consentement réfléchi ;

• que certains aspects d'un contrat complexe n'aient pas été envisagés par les parties, n'aient fait l'objet d'aucun accord si bien que des difficultés d'interprétation ou d'exécution du contrat ne manqueraient pas de susciter un conflit entre les parties ;

• que, faute d'un document constatant l'accord des parties et le détaillant, l'une d'entre elles ne conteste la portée de son engagement, en bref manque à sa parole : suivant l'adage bien connu, *verba volant, scripta manent* ;

• que des tiers, faute de pouvoir connaître un contrat purement verbal, ne soient trompés sur la situation, etc.

Ceci explique que, sauf pour les petits contrats de la vie courante, les contrats sont le plus souvent soumis à des formes, ne serait-ce que pour des raisons de preuve. En pratique, il n'y a guère de contrat sans écrit correspondant ; d'ailleurs le rite de la signature est ressenti – à tort – dans le grand public comme la marque de l'engagement définitif, ce qui constitue un phénomène social fondamental : « je n'ai rien signé ! », dira-t-on pour démontrer qu'on n'a pas donné son consentement et qu'il n'y a donc pas de contrat, pas d'engagement.

355. – **Les exceptions et atténuations au principe du consensualisme.** On parle d'*exceptions* lorsque, faisant échec au principe, la loi impose le respect de certaines formes *à peine de nullité* ; ici, la forme est une *condition de validité* du contrat qui s'ajoute à celles visées à l'article 1108. Pareille exigence est toujours inspirée par un souci de protection des cocontractants ou de l'un d'entre eux ; la forme prend du temps, elle oblige à réfléchir avant de donner son consentement[835]. On est alors en présence d'un *formalisme direct*.

(835) G. Couturier, *Les finalités et les sanctions du formalisme : Defrénois* 2000, 1, 880, art. 37209. – I. Dauriac, *Forme, preuve et protection du consentement*, in *Mél. M. Gobert* : Économica, 2004, p. 403.

On parle d'*atténuations* lorsque, sans être une condition de validité, la forme est nécessaire pour que le contrat connaisse sa pleine *efficacité*. Ainsi, il ne suffit pas qu'un contrat existe ; encore faut-il en faire la *preuve* en cas de contestation. En effet, par suite du principe du consensualisme, un contrat ou, plus généralement, un *acte juridique* est quelque chose d'immatériel ; même si l'accord a été concrétisé par des paroles ou par des gestes, il n'en subsiste aucune trace. Aussi est-il habituel de le matérialiser dans un *acte instrumentaire*, c'est-à-dire en fait un *écrit* – écrit papier ou informatique – destiné à servir de preuve. Dans la terminologie juridique, l'*acte* peut désigner soit l'accord lui-même, l'acte juridique, soit l'écrit qui le constate, l'acte instrumentaire. En pratique, la question de preuve n'apparaît qu'en cas de litige sur l'existence ou le contenu du contrat. Et de tels litiges sont assez rares. Mais, si la plupart des contrats s'exécutent sans qu'aucun litige ne survienne sur ce point, cela tient sans nul doute à ce que la présence d'un écrit décourage les contestations éventuelles. C'est à juste titre qu'on a pu parler à cet égard d'une « hygiène de la preuve préconstituée ». Il s'agit bien là d'un formalisme, mais d'un *formalisme indirect* dans la mesure où le respect de la forme, l'établissement d'un écrit, est une exigence de preuve, non une condition de validité du contrat.

Il y a également atténuation lorsque certaines formalités complémentaires sont imposées pour des motifs tenant par exemple à l'enregistrement et à la publicité de certains contrats[(836)].

Le projet de réforme confirme cette distinction entre le formalisme exigé à titre de validité du contrat et le formalisme exigé à titre de preuve ou d'opposabilité du contrat. C'est ainsi qu'après avoir posé dans l'article 79, alinéa 1, le principe du consensualisme, le projet ajoute immédiatement que « par exception, la validité d'un contrat peut être subordonnée à l'observation de formalités déterminées par la loi ou par les parties, ou à la remise d'une chose » (art. 79, al. 2) et précise que « les formes exigées aux fins de preuve ou d'opposabilité sont sans effet sur la validité des contrats » (art. 80).

356. – La renaissance du formalisme. Depuis plus d'un siècle[(837)] la doctrine se plaît à relever une *renaissance du formalisme*[(838)].

L'observation est exacte, notamment pour le formalisme direct. Dans un souci de protection de la partie faible, le législateur a subordonné la validité de nouveaux contrats à certaines formes : établissement d'un acte notarié dans certains cas, et dans d'autres d'un acte écrit comportant des mentions obligatoires. Mais cette tendance lourde va de pair avec un relatif allégement des formalités et des sanctions.

---

(836) V. E. Meiller, *La distinction du formalisme et de la formalité. Réflexion sur les prescriptions imposées au mandat de l'agent immobilier* : D. 2012, 160.

(837) V. Moeneclay, *De la renaissance du formalisme en droit civil et commercial français* : thèse Lille, 1914.

(838) J. Flour, *Quelques remarques sur l'évolution du formalisme*, in *Études Ripert*, t. I, p. 92. – A. Piedelièvre, *Les transformations du formalisme dans les obligations civiles* : thèse Paris, 1959. – J. Mestre, *L'approche par le juge du formalisme légal*, obs. *in RTD civ.* 1988, 329. – B. Nuytten et L. Lesage, *Formation des contrats : regards sur les notions de consensualisme et de formalisme* : *Defrénois* 1998, 1, 497, art. 36784. – X. Lagarde, *Observations critiques sur la renaissance du formalisme* : *JCP* 1999, I, 170. – *Le formalisme, Journée Jacques Flour (Trav. Assoc. H. Capitant)* : *Defrénois* 2000, 1, 866 et s., art. 37207 et s. – N. Randoux, *Réflexions actuelles sur le formaliisme* : *JCP* N. 2012, 1350. – N. Randoux, *Les dernières vies du formalisme* : *RRJ* 2012, 3, p. 1293.

D'une part, si la formalité la plus souvent exigée demeure l'écrit, il s'agit en général, non pas d'un acte notarié, mais d'un écrit sous seing privé, c'est-à-dire dans bien des cas d'un contrat-type dont on se bornera à remplir les blancs avant de le signer.

D'autre part, avec le progrès de la technique[(839)], l'écrit n'est plus nécessairement écrit ; il peut s'agir d'un écrit électronique – même lorsque l'écrit est exigé pour la validité de l'acte (C. civ., art. 1108-1, al. 1) –, et d'une signature par un code et un « double-clic ». À cet égard, nous sommes à l'aube d'une profonde mutation qui ne se manifestera dans toute son ampleur qu'après de nombreuses années. À la civilisation du papier a succédé celle de l'informatique. Ce même développement de la technique a des conséquences importantes en matière de preuve, ce qui devrait alléger le poids de la preuve[(840)].

357. – **Plan.** Distinguant suivant que le formalisme est direct ou indirect, on envisagera successivement les formes exigées pour la validité du contrat, puis celles exigées pour la preuve.

On y ajoutera les formalités annexes diverses qui, sauf exception, ne sont jamais sanctionnées par la nullité, mais parfois par l'inopposabilité aux tiers.

§ 1. – Les formes exigées pour la validité

358. – En principe, les contrats étant tous *consensuels* ne sont soumis à aucune forme pour leur validité. Par exception, la validité de certains contrats est subordonnée à l'accomplissement de solennités pour les uns (contrats solennels), à la remise de la chose objet du contrat pour les autres (contrats réels).

A. – Les contrats solennels[(841)]

359. – **Nécessité d'un texte dérogatoire.** Le principe étant le consensualisme, donc l'absence de forme, un contrat n'est soumis à des formes que dans la mesure où une disposition expresse le prévoit.

Lorsque la forme imposée est la rédaction d'un acte notarié, elle est toujours prescrite à peine de nullité ; peu importe que la loi ne le précise pas.

En revanche, la question fait difficulté pour nombre de dispositions récentes qui prévoient que tel acte ou tel contrat doit être établi par écrit, souvent sans préciser si c'est à titre de solennité, donc à peine de nullité, ou pour des raisons de preuve. Ou encore, sans même dire expressément que l'acte devra être établi par écrit, il sera dit que le contrat devra comporter certaines mentions obligatoires, ce qui suppose un support écrit (même simplement informatique), et sans indiquer la sanction de leur omission.

360. – **L'exigence d'un acte notarié.** Pour certains contrats, assez rares, la solennité consiste dans l'intervention d'un notaire qui confère l'*authenticité* à l'acte (acte authentique par opposition à acte sous seing privé : V. *infra*, n° 381). C'est l'exigence la plus sévère ; elle est inspirée par le souci d'assurer l'information et la pro-

(839) P. Catala, *Le formalisme et les nouvelles technologies* : *Defrénois* 2000, 1, 897, art. 37210.
(840) L. Grynbaum, *La querelle des images (pour la liberté de la preuve des contrats et… le renforcement du formalisme)*, in *Mél. M. Gobert* : Économica, 2004, p. 427.
(841) M.-A. Guerriero, *L'acte juridique solennel* : LGDJ, 1975.

tection des cocontractants qui s'apprêtent à accomplir des actes particulièrement dangereux. L'obligation d'« aller chez le notaire » amène à réfléchir, et la réflexion sera d'autant plus éclairée que le notaire a notamment pour mission d'informer ses clients de l'étendue de leurs engagements et de s'assurer qu'ils ont une parfaite conscience de la gravité de l'acte qu'ils accomplissent.

Cet acte notarié peut être dressé soit sur support papier, soit sur support électronique « s'il est établi et conservé dans des conditions fixées par décret en Conseil d'État » (C. civ., art. 1317, al. 2 et 1108-1, al. 1).

Initialement, le Code civil ne visait que la donation (art. 931), la subrogation conventionnelle par le débiteur (art. 1250), le contrat de mariage (art. 1394) et la constitution d'hypothèque (art. 2416). Le législateur moderne y a ajouté quelques autres contrats, spécialement la vente d'immeuble à construire à usage d'habitation ou professionnel et d'habitation (CCH, art. L. 261-11) ou encore le contrat de location-accession à la propriété (L. 12 juill. 1984). En revanche, contrairement à une opinion très répandue, les ventes d'immeubles n'ont pas à être établies par acte notarié à peine de nullité ; si elles sont effectivement passées devant notaires, c'est pour des raisons tenant à la publicité foncière qui doit être réalisée pour rendre l'acte opposable aux tiers.

Pour éviter que le formalisme ne soit trop aisément tourné, la *promesse de contrat solennel* est soumise à la même forme notariée ; il y est toutefois fait exception lorsque l'authenticité n'est exigée que dans l'intérêt des tiers[842].

Curieusement, on constate que la jurisprudence a atténué la portée de ce formalisme, spécialement en matière de donation. Alors que l'article 931 prescrit l'intervention d'un notaire « sous peine de nullité », la jurisprudence admet la validité de certaines donations sans forme :

- d'une part, le *don manuel*, c'est-à-dire la donation « de la main à la main » d'objets mobiliers (bijoux, sommes d'argent, chèques, valeurs mobilières, tableaux, meubles, etc.), à la condition qu'il y ait remise effective de la chose, ce dessaisissement permettant au donateur de prendre conscience de la gravité de l'acte ;
- d'autre part, la *donation déguisée*, c'est-à-dire celle réalisée sous les apparences d'un acte à titre onéreux, par exemple une vente dont le prix ne sera pas payé.

361. – **L'exigence d'un acte écrit et de mentions obligatoires.** Nombre de lois récentes prescrivent que certains contrats doivent être établis par écrit, mais sans toujours en préciser la sanction. Faut-il y voir une règle de forme édictée à peine de nullité ? ou une règle de preuve, ce qui permettrait éventuellement de faire la preuve par témoins, présomptions ou indices, si on peut justifier d'un commencement de preuve par écrit ou d'une impossibilité de la preuve écrite (V. *infra*, n°s 371 et 372) ?

La jurisprudence donne des solutions qui varient suivant les circonstances. Dans le souci d'atténuer les conséquences du formalisme, elle a souvent décidé qu'il s'agissait d'une simple règle de preuve : par exemple pour le contrat d'assurance[843], le contrat

(842) Le manquement à la promesse est alors sanctionné par des dommages-intérêts : Cass. 3e civ., 7 avr. 1993 : *Bull. civ.* 1993, III, n° 55 ; *Defrénois* 1993, art. 35617, n° 104, obs. L. Aynès.
(843) Cass. 1re civ., 4 juill. 1978 : *Bull. civ.* 1978, I, n° 251. – Cass. 1re civ., 4 janv. 1980 : *Bull. civ.* 1980, I, n° 8.

de gage[844], le contrat d'édition[845], le contrat d'architecte[846]. Mais en sens inverse elle a décidé que la fixation du taux de l'intérêt conventionnel « par écrit » dans le contrat de prêt (C. civ., art. 1907) était une règle de forme[847] ; et de même de l'obligation faite aux organismes d'HLM de passer par écrit les contrats de louage d'ouvrage (CCH, art. R. 433-5)[848].

Depuis le développement de la protection du consommateur, de nombreux textes exigent désormais que le contrat soit rédigé par écrit et qu'il comporte un certain nombre de mentions obligatoires. Tel est notamment le cas du contrat de construction de maison individuelle (CCH, art. L. 231-1 et s. ; art. L. 232-1), du contrat de promotion immobilière portant sur un immeuble à usage d'habitation ou professionnel et d'habitation (CCH, art. L. 222-3), du contrat de crédit mobilier ou immobilier, etc.

Là encore, la sanction varie suivant les circonstances. Le plus souvent, ce sera la nullité du contrat car il s'agit bien de règles de forme ; mais parfois la nullité pourra être circonscrite pour coller exactement au besoin de protection recherché par la loi.

Par ailleurs, si le contrat est conclu sous forme électronique, la loi du 28 juin 2004 pour la confiance dans l'économie numérique est venue préciser que, lorsque l'écrit est exigé pour la validité d'un acte juridique, « il peut être établi et conservé sous forme électronique dans les conditions prévues aux articles 1316-1 et 1316-4 (...) » (C. civ., art. 1108-1, al. 1). Il y est toutefois fait exception pour les actes sous seing privé relatifs au droit de la famille et des successions, et pour ceux relatifs à des sûretés personnelles ou réelles, de nature civile ou commerciale, sauf s'ils sont passés par une personne pour les besoins de sa profession (C. civ., art. 1108-2).

362. – Les formes conventionnelles[849]. Parfois, alors que la loi ne requiert aucune forme particulière, ce sont les parties elles-mêmes qui décident d'une forme. Par exemple, il sera prévu dans une promesse unilatérale de vente que la levée de l'option devra se faire par lettre recommandée avec demande d'avis de réception ; cette forme de la lettre recommandée est aussi fréquemment stipulée pour diverses notifications dans les marchés de travaux. Si la forme conventionnelle ainsi édictée n'a pas été respectée, est-ce une cause de nullité de l'acte ?

Si les parties ont précisé que la forme était prescrite à peine de nullité, un juge saisi ne pourra qu'en tirer les conséquences[850]. C'est ce qui ressort notamment de l'article 79 du projet de réforme suivant lequel « la validité d'un contrat peut être assujettie à l'observation de formalités déterminées par la loi ou par les parties, (...) ».

---

(844) L'exigence d'un écrit instituée par l'article 2074 ancien du Code civil (art. 2336 nouveau) ne joue que pour l'opposabilité aux tiers, pas dans les rapports entre les parties : Cass. 1re civ., 25 mai 1976 : *Bull. civ.* 1976, I, n° 201.

(845) Cass. 1re civ., 20 nov. 1979 : *Bull. civ.* 1979, I, n° 289 ; *D.* 1981, inf. rap. p. 86, obs. Cl. Colombet (pour l'application de l'article L. 131-2 du Code de la propriété intellectuelle).

(846) Cass. 3e civ., 11 juin 1986 : *D.* 1987, 285 et note A. Gourio (pour l'application de l'article 11 du décret du 20 mars 1980 sur les devoirs de l'architecte).

(847) Cass. 1re civ., 24 juin 1981 : *JCP* 1982, II, 19713 (3e esp.) et note M. Vasseur. – Cass. 1re civ., 14 févr. 1995 : *JCP* 1995, II, 22402 et note Y. Chartier.

(848) Cass. 3e civ., 18 juin 2003 : *JCP* 2003, IV, 2430.

(849) Y. Flour et A. Ghozi, *Les conventions sur la forme : Defrénois* 2000,1, 911, art. 37211.

(850) Cass. com., 3 oct. 2006 : *JCP* 2007, I, 104, n° 7, obs. R. Wintgen.

Mais le plus souvent, la convention ne précise pas quelle sera la sanction, auquel cas il appartiendra au juge de rechercher et d'interpréter la volonté des parties. La question, qui relève de l'appréciation souveraine des juges du fond, s'est notamment posée à propos de la clause, fréquente en matière de vente, suivant laquelle le transfert de propriété n'interviendra que lors de la réitération par acte authentique de l'accord des parties sur la chose et sur le prix. En pareil cas la jurisprudence décide que, sauf volonté claire des parties en sens contraire[(851)], la formalité requise n'est qu'une modalité d'exécution d'un contrat qui a été valablement formé par le simple accord des parties sur la chose et sur le prix[(852)].

Cela dit, ce formalisme conventionnel n'est pas de la même nature que le formalisme légal. Notamment, les parties peuvent y renoncer, même tacitement, alors que la forme légale s'impose toujours à peine de nullité.

B. – Les contrats réels

363. – **Le cas discuté des contrats réels.** Les contrats *réels* sont ceux dont on considère qu'ils se forment, non pas par le simple échange des consentements, mais par la *remise de la chose* (de *res* : la chose ; d'où l'appellation de contrat réel). La remise de la chose est donc une *forme* essentielle pour la conclusion de ces contrats (V. *supra*, n° 65). Il s'agit là d'une survivance du droit romain qui concerne trois contrats : le prêt à usage et de consommation (C. civ., art. 1875 et 1892), le dépôt (C. civ., art. 1915), et le gage (C. civ., art. 2073 et 2076 anciens), ce dernier avant que l'ordonnance du 23 mars 2006 relative aux sûretés ne supprime la condition de remise de la chose ; on y ajoute souvent le don manuel, dans la mesure où la jurisprudence fait de la remise du bien la condition de validité de cette donation contraire à l'article 931 (V. *supra*, n° 360).

Si on prend l'exemple du prêt, la remise de la chose par le prêteur est une condition de formation du contrat si bien que les seules obligations résultant du contrat (payer les intérêts et rendre la chose ou la somme prêtée) pèsent sur l'emprunteur ; d'où l'appellation de *contrats de restitution* qui est parfois donnée aux contrats réels. Il s'ensuit que le contrat réel est aussi un contrat unilatéral.

Cette catégorie est très discutée de nos jours et nombreux sont ceux qui contestent la nécessité d'une remise de la chose pour la formation de ces contrats. Selon eux, il faudrait y voir des contrats consensuels synallagmatiques. Par exemple, dans le prêt, remettre la chose ou la somme prêtée serait l'obligation du prêteur ; dès lors la remise de la chose serait l'exécution de son obligation et non pas une forme, une condition d'existence du contrat.

Quelle que soit la pertinence de la critique, qui pourrait justifier une réforme législative tendant à supprimer les contrats réels, force est de constater que, à ce jour, les textes imposent l'existence des contrats réels lorsqu'ils déclarent que tel contrat se forme par la remise de la chose[(853)]. Et, loin d'effacer la catégorie des

(851) Cass. 3e civ., 17 juill. 1997 : *Defrénois* 1998, 239, obs. D. Mazeaud.

(852) Cass. 3e civ., 20 déc. 1994 : *JCP* 1995, II, 22491 et note C. Larroumet. – Cass. 3e civ., 28 mai 1997 : *Contrats, conc. consom.* 1997, comm. 131, obs. L. Leveneur.

(853) Sur la preuve de la remise des fonds dans les contrats de prêt d'argent, réels et consensuels, V. Cass. 1re civ., 14 janv. 2010, 2 arrêts : *D.* 2010, 620 et note J. François. – V. aussi Cass. 1re civ., 9 févr. 2012, n° 10-27785.

contrats réels, le projet de réforme la maintient puisqu'il le définit dans l'article 7 : « le contrat est réel lorsque sa formation est subordonnée à la remise effective d'une chose » ; et il en fait application plus loin, à propos de la forme du contrat (art. 79, al. 2).

En pratique, l'intérêt de la discussion a été considérablement limité par la jurisprudence en ce qui concerne le contrat de prêt d'argent. En effet, la Cour de cassation a d'abord considéré, par interprétation de la loi, que les prêts relevant du droit de la consommation n'étaient pas des contrats réels[(854)]. Puis, plus récemment, elle a décidé que « le prêt consenti par un professionnel du crédit n'est pas un contrat réel »[(855)], à la différence de celui consenti par un non professionnel[(856)].

Enfin, et de manière très générale, la jurisprudence considère que la promesse de prêt ou de dépôt est valable bien que, par définition même, il n'y ait pas encore remise de la chose. Cette validité des *promesses de contrat réel* enlève beaucoup d'intérêt à la catégorie dans la mesure où le bénéficiaire d'une telle promesse peut en exiger l'exécution et, à défaut, obtenir des dommages-intérêts[(857)]. Mais la solution n'est pas certaine, notamment en ce qui concerne l'ouverture de crédit qui peut être analysée comme une promesse de prêt[(858)]. L'intérêt de la discussion se trouve également limité par la réforme du gage qui, désormais, est devenu un contrat solennel qui se forme par l'établissement d'un écrit (C. civ., art. 2336).

§ 2. – Les formes exigées pour la preuve[(859)]

364. – La préconstitution de la preuve. La nécessité de faire la preuve ne se pose pas le jour de la conclusion du contrat, mais plus tard, en cas de contestation par l'une des parties de l'existence ou de la portée de son engagement. Il est alors bien difficile de faire cette preuve d'un contrat si on n'a pas eu la prudence de la préconstituer lors même de la conclusion.

En pratique, et depuis des siècles, le moyen le plus sûr a été de dresser un écrit recensant les termes de l'accord, et signé des deux parties.

Avec les techniques d'enregistrement des sons et des images, on aurait pu songer à utiliser les films, bandes magnétiques, photocopies, télécopies, microfilms,

(854) Cass. 1re civ., 27 mai 1998 : *Bull. civ.* 1998, I, n° 186 ; *D.* 1999, 194 et note M. Bruschi.

(855) Cass. 1re civ., 28 mars 2000 : *D.* 2000, 482 et note S. Piedelièvre ; *JCP* 2000, II, 10296, concl. J. Sainte-Rose ; *Contrats, conc. consom.* 2000, comm. 106 et note L. Leveneur. – Cass. 1re civ., 27 nov. 2001 : *JCP* 2002, II, 10050 et note S. Piedelièvre. – Cass. 1re civ., 27 juin 2006 : *Contrats, conc. consom.* 2006, comm. 221, obs. L. Leveneur. – V. J. Attard, *Le contrat de prêt d'argent, contrat unilatéral ou contrat synallagmatique ?*, préf. Ph. Delebecque : PUAM, 1999. – F. Grua, *Le prêt d'argent consensuel* : *D.* 2003, chron. 1492.

(856) Cass. 1re civ., 7 mars 2006 : *JCP* 2006, II, 10109 et note S. Piedelièvre ; *Contrats, conc. consom.* 2006, comm. 128, obs. L. Leveneur ; *RDC* 2006, p. 778, obs. P. Puig. – M.-P. Viret, *Les prêts réels existent encore* : *Rev. Lamy dr. civ.* déc. 2006, p. 5.

(857) M.-N. Jobard-Bachellier, *Existe-t-il encore des contrats réels en droit français ? Ou la valeur des promesses de contrat réel en droit positif* : *RTD civ.* 1985, 1.

(858) Cass. com., 21 janv. 2004 : *Bull. civ.* 2004, IV, n° 13, p. 14 ; *D.* 2004, 498, obs. V. Avena-Robardet ; *JCP* 2004, II, 10062 et note S. Piedelièvre ; *RDC* 2004, 743, obs. D. Houtcieff. – Ch. Jamin, *L'incertaine qualification de l'ouverture de crédit* : *D.* 2004, 1149. – S. Sabathier, *Les espoirs suscités par la remise en cause du caractère réel du contrat de prêt* : *RTD com.* 2005, 29.

(859) R. Legeais, *Les règles de preuve en droit civil : « permanences et transformations »*, 1955. – Carel, *Les modes de preuve au XXe siècle* : *Gaz. Pal.* 1957, 1, doctr. 32. – J.-B. Denis, *Quelques aspects de l'évolution récente du système des preuves en droit civil* : *RTD civ.* 1977, 671. – X. Lagarde, *Réflexion critique sur le droit de la preuve* : LGDJ, 1994.

microfiches, etc. ; mais, à défaut de texte qui en précise la valeur, les tribunaux, dans la crainte de fraudes possibles, ne leur avaient jusqu'ici reconnu qu'une force probante très réduite. Il s'en est suivi un problème quant à la valeur probante de ces techniques nouvelles[(860)].

La matière a été retouchée une première fois par une loi du 12 juillet 1980 dont la portée n'a été que très modeste[(861)].

Elle est aujourd'hui profondément réformée par la loi du 1er mars 2000 portant adaptation du droit de la preuve aux technologies de l'information et relative à la signature électronique ; elle a fait l'objet de décrets d'application du 30 mars 2001 et du 18 avril 2002[(862)] relatifs à la signature électronique. La loi nouvelle a été insérée au Code civil dans les articles 1316 à 1316-4, 1317 et 1326[(863)]. Il s'ensuit qu'aujourd'hui l'écrit destiné à servir de preuve peut être indifféremment sur support électronique ou sur support papier.

À cela, il convient d'ajouter que, dans certaines limites, les parties à un contrat peuvent établir des conventions sur la preuve[(864)]. Le projet de réforme, qui reprend pour l'essentiel les solutions du droit positif, consacre la validité de ces conventions, tout en l'encadrant pour éviter les abus (art. 268).

365. - **Charge de la preuve**[(865)]. Se réserver la preuve des contrats passés est d'autant plus nécessaire que, en raison du principe de la neutralité du juge en matière civile et commerciale, la charge de la preuve pèse sur les plaideurs eux-mêmes.

En vertu de l'article 1315 du Code civil, disposition reprise à l'identique par l'article 265 du projet de réforme, la charge de la preuve pèse sur le demandeur. Tel est le principe, étant précisé que la notion de demandeur doit être comprise au sens large de celui qui présente une allégation, et non pas au sens procédural de demandeur à une instance judiciaire.

---

(860) P. Mimin, *La preuve par magnétophone* : JCP 1957, I, 1370. – T. Ivainer, *Le magnétophone, source ou preuve de rapports juridiques en droit privé* : Gaz. Pal. 1966, 2, doctr. 91. – F. Chamoux, *Le microfilm au regard du droit des affaires* : JCP 1975, I, 2725 ; *Les nouveaux moyens de reproduction (papier, sonores, audiovisuels et informatique)*, in *Trav. Assoc. H. Capitant*, t. XXXVII, 1986. – J. Huet, *Formalisme et preuve en informatique et télématique : éléments de solution en matière de relations d'affaires continues ou de rapports contractuels occasionnels* : JCP 1989, I, 3406. – A. Bensoussan, *Contribution théorique au droit de la preuve dans le domaine informatique* : Gaz. Pal. 1991, 2, doctr. 361. – J. Huet, *La valeur juridique de la télécopie (ou fax), comparée au télex* : D. 1992, chron. 33. – L. Lautrette, *Télex, télécopie, télégramme : valeur juridique et force probante* : LPA 10 mai 1996. – N. Mouligner, *La force probante des télécopies en droit civil* : JCP N 2003, 1096.

(861) M. Vion, *Les modifications apportées au droit de la preuve par la loi du 12 juillet 1980* : Defrénois 1980, 1, 1329, art. 32470. – J. Viatte, *La preuve des actes juridiques* : Gaz. Pal. 1980, 2, doctr. 581. – F. Chamoux, *La loi du 12 juillet 1980 : une ouverture sur de nouveaux moyens de preuve* : JCP 1981, I, 3008. – D. Ammar, *Preuve et vraisemblance. Contribution à l'étude de la preuve technologique* : RTD civ. 1993, 499.

(862) A. Penneau, *La certification des produits et systèmes permettant la réalisation des actes et signatures électroniques (à propos du décret n° 2002-535 du 18 avril 2002)* : D. 2002, chron. 2065. – X. Buffet-Delmas et B. Liard, *L'achèvement du cadre juridique de la signature électronique sécurisée. Décret n° 2002-535 du 18 avril 2002 et arrêté du 31 mai 2002* : JCP 2002, act. 519, p. 2153.

(863) Sur le projet de loi : P. Catala et a., *L'introduction de la preuve électronique dans le Code civil* : JCP 1999, I, 182. – J. Huet, *Vers une consécration de la preuve et de la signature électroniques* : D. 2000, chron. 95. – Sur la loi : A. Raynouard, *Droit de la preuve, nouvelles technologies et signature électronique* : Defrénois 2000, 1593, art. 37174. – F-G. Trébulle, *La réforme du droit de la preuve et le formalisme* : LPA 20 avr. 2000. – E.-A. Caprioli, *La loi française sur la preuve et la signature électroniques dans la perspective européenne, Dir. 1999/93/CE du Parlement européen et du Conseil du 13 décembre 1999* : JCP 2000, I, 224. – F. Schwerer, *Réflexions sur la preuve et la signature dans le commerce électronique* : Contrats, conc. consom. 2000, chron. 216.

(864) Y. Flour et A. Ghozi, *Les conventions sur la forme* : Defrénois 2000, 1, 911, art. 37211. – M. Mekki, *La gestion contractuelle du risque de la preuve* : RDC 2009, 453. – M. Lamoureux, *Les limites des clauses de preuve* : Rev. Lamy dr. civ. mai 2010, suppl. p. 19.

(865) M. Mekki, *Réflexions sur le risque de la preuve en droit des contrats* : RDC 2008, p. 681.

Plus précisément, c'est à celui qui avance une prétention de la prouver : celui qui invoque un contrat devra démontrer son existence et son contenu, l'adversaire qui prétend avoir payé devra à son tour rapporter la preuve du paiement, etc. Sur le plan de la preuve, le procès s'apparente à une partie de ping-pong ou chacun se renvoie la balle. Et, de même que le joueur qui rate la balle perd le point, de même le plaideur qui manque sa preuve perd le procès[(866)].

C'est dire l'intérêt qu'il y a à préconstituer la preuve chaque fois que cela est possible. Or, sauf circonstances exceptionnelles, il est toujours possible de se réserver la preuve d'un contrat.

366. – Origine des éléments de preuve : « Nul ne peut se constituer une preuve à soi-même »[(867)]. Préconstituer la preuve ne signifie pas que chacun peut se fabriquer ses propres preuves. La preuve ne peut résulter que d'éléments extérieurs à celui qui la produit, non de ses propres documents ; sinon il s'agirait de simples affirmations qui ne sauraient avoir aucune valeur probante.

Se fondant sur l'article 1315 du Code civil, la jurisprudence pose ainsi la règle que « Nul ne peut se constituer une preuve à lui-même »[(868)]. Par exemple il ne suffit pas à un commerçant d'établir une facture pour prouver l'existence d'un contrat portant sur la chose ou la prestation facturée[(869)] ; la preuve d'un paiement ne peut résulter d'une inscription figurant sur le livre de dépenses du débiteur[(870)], le versement d'une commission n'est pas démontré par sa mention sur une déclaration fiscale de celui qui prétend l'avoir versée[(871)], etc.

Toutefois, suivant la première chambre civile, désormais suivie par la troisième chambre civile[(872)], cette règle n'est pas applicable à la preuve des faits juridiques[(873)].

Cela dit, pour des raisons pratiques évidentes, la jurisprudence considère que le relevé de communications téléphoniques établi par le fournisseur d'accès[(874)], ou

(866) H. Motulsky, *Principes d'une réalisation méthodique du droit privé (La théorie des éléments générateurs des droits subjectifs)* : thèse Lyon, 1947. – J. Larguier, *La preuve d'un fait négatif* : *RTD civ.* 1953, 1. – J. Chevallier, *Remarques sur l'utilisation par le juge de ses informations personnelles* : *RTD civ.* 1962, 5. – F. Boulanger, *Réflexions sur le problème de la charge de la preuve* : *RTD civ.* 1966, 736. – E. Le Gall, *Le devoir de collaboration des parties à la manifestation de la vérité dans les litiges privés ; remarques sur l'adage* Nemo tenetur edere contra se : thèse Paris, 1967. – C. Marraud, *Le droit à la preuve. La production forcée des preuves en justice* : *JCP* 1973, I, 2572. – X. Lagarde, art. préc., n°s 10 et s.

(867) C. Mouly-Guillemaud, *La sentence « nul ne peut se constituer une preuve à soi-même » ou le droit de la preuve à l'épreuve de l'unilatéralisme* : *RTD civ.* 2007, p. 253.

(868) V. par ex. Cass. 1re civ., 2 avr. 1996 : *Bull. civ.* 1996, I, n° 170 ; *Contrats, conc. consom.* 1996, comm. 119, obs. L. Leveneur. – Cass. 3e civ., 20 janv. 2001 : *Contrats, conc. consom.* 2001, comm. 155, obs. L. Leveneur. – X. Lagarde, *Finalités et principes du droit de la preuve. Ce qui change* : *JCP* 2005, I, 133, n°s 4 et s.

(869) Cass. 1re civ., 28 janv. 1981 : *Bull. civ.* 1981, I, n° 34. – Cass. com., 18 juin 1991 : *Bull. civ.* 1991, IV, n° 224. – Cass. 1re civ., 24 sept. 2002 : *Bull. civ.* 2002, I, n° 219, p. 168. – Cass. 1re civ., 14 janv. 2003 : *Bull. civ.* 2003, I, n° 9, p. 6. – Cass. 2[e] civ., 23 sept. 2004 : *Bull. civ.* 2004, II, n° 414, p. 351 ; *Contrats, conc. consom.* 2004, comm. 4, obs. L. Leveneur.

(870) Cass. 3[e] civ., 18 nov. 1997 : *Contrats, conc. consom.* 1998, comm. 21, obs. L. Leveneur.

(871) Cass. 1re civ., 23 juin 1998 : *Bull. civ.* 1998, I, n° 220 ; *Contrats, conc. consom.* 1998, comm. 141, obs. L. Leveneur ; *RTD civ.* 1999, 401, obs. J. Mestre.

(872) Cass. 3e civ., 3 mars 2010 : *Bull. civ.* 2010, III, n° 52 ; *D.* 2010, 1019.

(873) Cass. 1re civ., 1er févr. 2005, n° 02-19757. – Cass. 1re civ., 10 mai 2005, n° 02-12302. – Cass. 1re civ., 13 févr. 2007 : *Bull. civ.* 2007, I, n° 60. – Cass. 1re civ., 14 juin 2007, n° 06-13938 : *RTD com.* 2007, p. 540 et 543, obs. F. Pollaud-Dulian ; *D.* 2008, pan. 2823, obs. J.-D. B.

(874) Cass. 1re civ., 7 mars 2000 : *Bull. civ.* 2000, I, n° 81, p. 55 ; *RTD civ.* 2000, 333, obs. J. Mestre et B. Fages. – Cass. 1re civ., 28 janv. 2003 : *Bull. civ.* 2003, I, n° 26, p. 21. – Sous réserve toutefois que l'abonnement soit constaté par écrit : Cass. 1re civ., 12 juill. 2005 : *Bull. civ.* 2005, I, n° 328 ; *Contrats, conc. consom.* 2006, comm. 3, obs. L. Leveneur ; *RDC* 2006, p. 319, obs. Y.-M. Laithier. – Lê-My Duong, *Le monopole de fait de la preuve dans les télécommunications (à propos de la charge de la preuve du volume des communications facturées)* : *D.* 2005, chron. 496.

le relevé de la consommation d'eau constatée au compteur[(875)], ou le listing informatique d'enregistrement sur un vol[(876)], constitue une présomption de l'existence et du montant de la créance, l'abonné pouvant apporter la preuve contraire par tous moyens.

A. – La preuve par écrit

1° L'exigence d'un écrit en matière civile

367. – **La règle de la preuve écrite des actes juridiques.** Les articles 1315 et suivants du Code civil édictent un certain nombre de règles de preuve et indiquent aux juges quelle foi ils doivent accorder à tel mode de preuve dans telle circonstance. S'agissant des actes juridiques, et notamment des contrats, l'article 1341 pose la règle de la preuve écrite. Le projet de réforme reprend cette règle dans son article 271 sous une formulation quelque peu différente. Cette exigence est ici toute naturelle dans la mesure où les cocontractants ont tout loisir de rédiger un acte instrumentaire constatant les termes de leur accord.

Code civil

Art. 1341. – Il doit être passé acte devant notaires ou sous signatures privées de toutes choses excédant une somme ou une valeur fixée par décret, même pour dépôts volontaires, et il n'est reçu aucune preuve par témoins contre et outre le contenu aux actes, ni sur ce qui serait allégué avoir été dit avant, lors ou depuis les actes, encore qu'il s'agisse d'une somme ou valeur moindre.

Le tout sans préjudice de ce qui est prescrit dans les lois relatives au commerce.

Projet de réforme

Art. 271. – L'acte juridique portant sur une somme ou une valeur excédant un montant fixé par décret doit être prouvé par écrit.

Il ne peut être pouvé outre ou contre un écrit, même si la somme ou la valeur n'excèse pas ce montant, que par un autre écrit sous signature privée ou authentique.

(...)

La règle comporte deux aspects : d'une part, l'acte doit être constaté par écrit en vue de la preuve ; d'autre part, lorsqu'un écrit a été établi la preuve contraire ne peut elle-même être faite que par écrit. Ce second aspect de la règle montre l'intérêt qui s'attache à une parfaite rédaction de l'écrit. Si, en effet, l'écrit est incomplet ou ne correspond pas exactement à ce qui a été convenu entre les parties, la preuve « contre ou outre » ce qui a été écrit ne pourra être faite que par écrit. En revanche, s'il s'agit seulement d'interpréter un acte obscur ou ambigu, la preuve par témoins ou présomptions est admissible[(877)].

Ici, l'établissement d'un écrit n'est pas exigé à peine de nullité, comme pour les contrats solennels (V. *supra*, n°s 359 et s.) ; il est une simple règle de preuve, sans influence directe sur la validité du contrat. Mais, en pratique, que le contrat soit

---

(875) Cass. 1re civ., 31 mars 1999 : *RTD civ.* 1999, 642, obs. P.-Y. Gautier.

(876) Cass. 1re civ., 13 juill. 2004 : *Bull. civ.* 2004, I, n° 207, p. 173 ; *D.* 2004, 2524 et note N. Léger. – F. Garron, *Quand le listing informatique vient éclairer le principe « Nul ne peut se constituer une preuve à soi-même »* : *Rev. Lamy dr. civ.* déc. 2004, p. 13.

(877) Cass. 3e civ., 14 nov. 1973 : *Bull. civ.* 1973, III, n° 582. – Cass. 1re civ., 11 avr. 1995, n° 93-13551. – Cass. 1re civ., 26 janv. 2012 : *Defrénois* 2012, art. 40426, note Y. Dagorne-Labbé ; *RDC* 2012, 819, obs. R. Libchaber. Cette solution est consacrée dans l'article 2864 du Code civil du Québec en ces termes : « La preuve par témoignage est admise lorsqu'il s'agit d'interpréter un écrit, de compléter un écrit manifestement incomplet ou d'attaquer la validité dee l'acte juridique qu'il constate. »

nul ou qu'il ne puisse être prouvé, cela revient au même pour le créancier qui en demande l'exécution et ne peut l'obtenir.

On observera que la règle de la preuve écrite n'est pas d'ordre public. Il s'ensuit que les parties peuvent y renoncer ou, mieux encore, déterminer leurs propres règles dans une convention relative à la preuve, tout du moins « pour les droits dont elles ont la libre disposition »[(878)]. Par exemple, dans les contrats complexes, notamment les contrats de construction, il est d'usage de prévoir un ordre de préférence des pièces contractuelles pour le cas où il y aurait contradiction entre plusieurs documents ; ou encore il sera prévu que toute modification au contrat devra revêtir la forme d'un avenant, etc.

La licéité de ces conventions relatives à la preuve est consacrée dans le projet de réforme (art. 268), mais dans certaines limites.

368. – La règle ne s'applique qu'aux actes d'un montant supérieur à 1 500 €. La règle de la preuve écrite des actes juridiques connaît trois limites qui constituent les frontières de son domaine d'application.

En premier lieu, la règle est écartée pour les petites affaires, pour lesquelles il n'est pas d'usage de dresser un écrit. Cette limitation est ancienne puisqu'elle date de l'Ordonnance de Moulins. La difficulté est de fixer le chiffre en deçà duquel le contrat, échappant à la règle de la preuve écrite, pourra être prouvé par tous moyens.

Pendant longtemps, ce chiffre a été fixé par l'article 1341 lui-même à 50 F ; puis la loi du 12 juillet 1980 a décidé qu'il serait désormais fixé par décret. Le montant a alors été porté à 5 000 F, et il est aujourd'hui de 1 500 €.

369. – La règle ne s'applique pas en matière commerciale[(879)]. En second lieu, elle ne joue qu'*en matière civile*, non en matière commerciale. Cette limite, qui est traditionnelle, figure aujourd'hui dans l'article L. 110-3 du Code de commerce : « À l'égard des commerçants, les actes de commerce peuvent se prouver par tous moyens à moins qu'il n'en soit autrement disposé par la loi. » Bien que le texte ne vise que les actes de commerce, la jurisprudence a généralisé la solution et affirmé le principe de la liberté de la preuve en matière commerciale[(880)].

Toutefois, cette liberté n'existe que pour les contrats entre commerçants, non pour ceux entre un commerçant et un non-commerçant. Dans ce dernier cas, on est en présence d'un *acte mixte*, commercial pour le commerçant et civil pour son cocontractant. On procèdera ici à une application distributive des règles de preuve : alors que le particulier peut faire la preuve contre le commerçant par tous moyens, le commerçant qui veut prouver contre un particulier est astreint à la règle de la preuve écrite.

370. – La règle ne s'applique qu'aux parties, pas aux tiers. Même pour les actes juridiques de nature civile, la règle de la preuve écrite ne s'applique qu'aux parties, non aux tiers qui voudraient prouver l'existence et le contenu de l'acte ou faire la preuve contraire.

(878) Cass. 1re civ., 8 nov. 1989 : *D.* 1990, 369 et note Ch. Gavalda. – V. D. Ferrier, *La preuve et le contrat*, in *Mél. Cabrillac*, 1999, p. 105. – Y. Flour et A. Ghozi, *Les conventions sur la forme : Defrénois* 2000, 1, 911, art. 37211. – M. Mekki, *La gestion contractuelle du risque de la preuve : RDC* 2009, p. 453.

(879) L. Ruet, *Quelques remarques sur l'office du juge et la preuve en droit commercial : RTD com.* 1991, 151.

(880) Cass. req., 13 déc. 1935 : *DH* 1936, 66. – Cass. civ., 2 juill. 1941 : *DA* 1941, 291.

Cette limitation du champ d'application de la règle s'explique aisément : on ne saurait imposer la preuve écrite à des tiers qui, étant par définition même étrangers à l'acte, n'ont eu aucun moyen de se ménager cette preuve. Il est donc naturel qu'ils puissent en faire la preuve par tous moyens, le juge demeurant libre d'apprécier le caractère convaincant des preuves produites.

La règle de l'article 1341 du Code civil s'analyse en définitive comme une obligation faite aux parties d'établir, sur un support quelconque un écrit destiné à servir de preuve. La sanction en est l'interdiction de recourir à la preuve par témoins, ou par présomptions ou indices, lesquels apparaissent comme des *modes imparfaits* par rapport à ce *mode parfait* qu'est l'écrit. Cette interdiction connaît cependant des exceptions.

En dehors même de l'aveu qui demeure la preuve parfaite par excellence, la loi autorise la preuve des contrats par témoins, présomptions ou indices pour compléter un *commencement de preuve par écrit* ou pour pallier une *impossibilité de la preuve écrite.*

371. – Exception à la règle en cas de commencement de preuve par écrit. L'article 1347, alinéa 1er, du Code civil prévoit que la règle de la preuve écrite reçoit « exception lorsqu'il existe un commencement de preuve par écrit ».

L'alinéa 2 définit le commencement de preuve comme « tout acte par écrit qui est émané de celui contre lequel la demande est formée, ou de celui qu'il représente, et qui rend vraisemblable le fait allégué ». Interprétant libéralement cette disposition, la jurisprudence admet que vaut commencement de preuve par écrit un écrit non signé, un brouillon, une lettre faisant allusion au contrat, une télécopie[(881)] ou une copie ou photocopie de l'acte, ou encore un acte sous seing privé irrégulièrement rédigé[(882)].

Consacrant une jurisprudence antérieure, une loi du 9 juillet 1975 a ajouté à l'article 1347 un troisième alinéa aux termes duquel : « peuvent être considérées par le juge comme équivalant à un commencement de preuve par écrit les déclarations faites par une partie lors de sa comparution personnelle, son refus de répondre ou son absence à la comparution ». En revanche, cette loi ne fait aucune allusion aux paroles enregistrées sur bande magnétique que certaines décisions avaient admises comme commencement de preuve par écrit.

Toutefois, le commencement de preuve par écrit ne suffit pas à lui seul pour faire preuve ; il devra être complété par d'autres éléments, témoignages, présomptions ou indices pour l'appréciation desquels les juges du fond disposent d'un pouvoir souverain d'appréciation, en dehors même de tout contrôle de la Cour de cassation[(883)]. Cependant, il doit s'agir d'éléments extrinsèques, et non pas d'éléments puisés dans les autres énonciations de l'acte[(884)].

La disposition de l'article 1347, telle qu'interprétée par la jurisprudence, est consacrée sous une formulation rajeunie dans l'article 273 du projet de réforme ;

(881) N. Mouligner, *La force probante des télécopies en droit civil* : *JCP* N 2003, 1097, V. nos 15-17.

(882) H. Mazeaud, *La conception jurisprudentielle du commencement de preuve par écrit de l'article 1347 du Code civil* : thèse Lyon, 1921.

(883) Cass. 1re civ., 10 mai 2000 : *Bull. civ.* 2000, I, n° 138, p. 92.

(884) Cass. com., 11 juin 2003 : *Bull. civ.* 2003, I, n° 125, p. 103 ; *Contrats, conc. consom.* 2003, comm. 151 et note L. Leveneur (à propos d'un cautionnement solidaire). – Cass. 1re civ., 5 mai 2004 : *Contrats, conc. consom.* 2004, comm. 105 et note L. Leveneur.

l'article 271, alinéa 3, ajoute que le commencement de preuve par écrit doit être corroboré « par un autre moyen de preuve », sans autre précision.

372. – **Exception à la règle en cas d'impossibilité de la preuve écrite**[885]. L'article 1348 du Code civil admet que certaines circonstances puissent constituer pour les cocontractants une impossibilité de satisfaire à la règle de la preuve écrite, auquel cas il y est fait exception. Outre l'hypothèse des quasi-contrats, délits et quasi-délits qui ne sont pas des actes juridiques, l'article vise deux hypothèses d'impossibilité.

D'une part, l'*impossibilité de se procurer un écrit* : reprenant sur ce point une importante jurisprudence, la loi consacre l'*impossibilité matérielle* tenant aux circonstances dans lesquelles le contrat est intervenu (par exemple dépôt d'un vêtement à un vestiaire, d'un véhicule dans un parking, etc.), et l'*impossibilité morale* découlant des relations de famille, ou d'un lien de subordination (entre patron et employé), ou encore des usages.

D'autre part, l'*impossibilité de présenter l'écrit préconstitué* dans le cas où l'écrit établi a été perdu, sauf à démontrer qu'il a été perdu « par suite d'un cas fortuit ou de force majeure ».

Ajoutant un alinéa à l'article 1348, la loi du 12 juillet 1980 crée un nouveau cas d'impossibilité, l'impossibilité de présenter l'original de l'écrit sous seing privé. Alors que seul l'original d'un acte sous seing privé fait preuve, par opposition aux copies, la loi décide qu'il est fait exception à cette règle en cas de présentation d'une « copie fidèle et durable », ce qui peut être le cas de certaines photocopies[886] et microfilms.

Là encore, cette exception à la règle est reprise, sous une formulation quelque peu rajeunie dans l'article 274 du projet de réforme : « Les règles ci-dessus reçoivent exception en cas d'impossibilité matérielle ou morale de se procurer un écrit, ou lorsque l'écrit a été perdu par force majeure ». De manière plus générale, le projet pose en règle qu'en cas de perte du titre original, la copie fidèle et durable d'un acte sous seing privé peut suffire à en prouver l'existence (art. 293).

2° L'utilité d'un écrit en matière commerciale

373. – **La preuve en matière commerciale.** En matière de commerce, la règle de la preuve écrite des contrats n'est pas applicable. Sans doute a-t-on pensé que ce formalisme, même limité à la preuve, était une contrainte insupportable dans les rapports commerciaux. Aussi l'article L. 110-3 du Code de commerce dispose-t-il qu'« à l'égard des commerçants, les actes de commerce peuvent se prouver par tous moyens à moins qu'il n'en soit autrement disposé par la loi »[887].

On devrait donc dire que la rédaction d'un écrit est ici inutile. Cette affirmation doit être largement tempérée.

(885) Ph. Malinvaud, *L'impossibilité de la preuve écrite* : *JCP* 1972, I, 2468.

(886) Paris, 8e ch. A, 17 mars 1998 et Cass. 1re civ., 30 mai 2000 : *JCP* 2001, II, 10505 et note F. Nizard ; *Bull. civ.* 2000, I, n° 164, p. 106. – Pour les télécopies, V. N. Mouligner, art. préc., V. nos 12-13, et 17.

(887) G. Parléani, *Un texte anachronique : le nouvel article 109 du Code de commerce* : D. 1983, chron. 65. – Y. Chartier, *La preuve commerciale après la loi du 12 juillet 1984*, in *Mél. de Juglart*. – L. Harant, *La preuve en matière commerciale au regard des techniques nouvelles* : *LPA* 3, 6 et 10 juill. 1987. – L. Ruet, *Quelques remarques sur l'office du juge et la preuve en droit commercial* : *RTD com.* 1991, 151.

On observera tout d'abord que la liberté de la preuve ne joue qu'« à l'égard des commerçants », c'est-à-dire dans les rapports entre commerçants. En revanche, si un contrat a été conclu entre un commerçant et un non-commerçant, il s'agit d'un *acte mixte* ; ce qui a pour conséquence que le commerçant qui doit prouver l'existence ou le contenu du contrat conclu avec un particulier est soumis à la règle de la preuve écrite. Voilà déjà une première raison pour les commerçants de se préconstituer une preuve écrite.

En second lieu, on remarquera que diverses règles imposent l'établissement d'un document, même s'il n'a pas valeur de preuve écrite : par exemple, l'obligation de dresser une facture, ou de donner quittance. De même, certains contrats usuels en matière de commerce devront, pour leur validité et non pas pour leur preuve, être rédigés par écrit : contrat de société, vente de fonds de commerce, etc.

Enfin, la préconstitution d'une preuve est un tel avantage que, spontanément, les commerçants établissent par écrit leurs accords dès l'instant qu'ils sont de quelque importance. Cette pratique a le mérite d'éviter bien des litiges en enlevant à certains toute tentation de contester l'existence ou le contenu d'un contrat qu'ils ne veulent plus exécuter.

Certes, lorsque la preuve est libre, d'autres modes que l'écrit sont possibles : le contrat pourra être prouvé par témoins, dans le cadre d'une procédure d'enquête ; ou bien le juge pourra le déduire de certaines présomptions ou indices. Mais chacun se rend compte combien ces diverses méthodes comportent d'aléas au regard d'un écrit bien rédigé. Or, la sécurité du commerce postule que soient éliminés tous les risques inutiles, à commencer par ceux tenant à la preuve. La preuve littérale est ici une nécessité de fait, sinon de droit.

L'établissement systématique d'un écrit présente un autre avantage non négligeable : il ne sera pas nécessaire de s'interroger chaque fois sur le point de savoir si le contrat passé est de nature civile ou commerciale, et si est applicable ou non la règle de la preuve écrite.

B. – Les divers types d'écrits

374. – **La notion d'écrit. Support papier ou support électronique**[(888)]. Dans la lecture qui était traditionnellement faite des articles 1315 et suivants, l'écrit était confondu avec le support papier sur lequel il était apposé. Il s'ensuit qu'on ne concevait pas que l'écrit pût être autre chose qu'un papier signé, si bien qu'on déclinait toute valeur d'écrit à des documents d'une autre nature, et notamment aux documents informatiques. Ainsi, jusqu'à la loi du 1er mars 2000, et à défaut de définition légale, l'écrit était classiquement conçu comme un document sur support papier signé par les parties, et en outre par le notaire dans le cas de l'acte authentique.

Un arrêt de la chambre commerciale avait déjà ébranlé cette conception en décidant que l'écrit constituant, aux termes de l'article 6 de la loi du 2 janvier 1981, l'acte d'acceptation de la cession du nantissement d'une créance professionnelle, pouvait être établi et conservé sur tout support, y compris par télécopie, dès lors

(888) P.-Y. Gautier, *L'équivalence entre supports électronique et papier, au regard du contrat : Études X. Linant de Bellefonds* : Litec, 2007.

que son intégrité et l'imputabilité de son contenu à l'auteur désigné avaient été vérifiées ou n'étaient pas contestées[(889)].

Allant plus loin encore, la loi du 1er mars 2000 définit désormais dans l'article 1316 du Code civil la preuve littérale ou par écrit comme celle qui « résulte d'une suite de lettres, de caractères, de chiffres ou de tous autres signes ou symboles dotés d'une signification intelligible, quels que soient leur support et leurs modalités de transmission ». Il s'ensuit que, à côté de l'écrit sur support papier, le législateur ouvre la possibilité d'un écrit sur un autre support, et spécialement « sous forme électronique » puisque tel était l'objet de la loi[(890)]. S'agissant de ce nouvel écrit, l'article 1316-1 précise qu'il « est admis en preuve au même titre que l'écrit sur support papier, sous réserve que puisse être dûment identifiée la personne dont il émane et qu'il soit établi et conservé dans des conditions de nature à en garantir l'intégrité »[(891)]. Enfin, l'article 1316-2 s'en remet au juge pour régler « les conflits de preuve littérale en déterminant par tous moyens le titre le plus vraisemblable, quel qu'en soit le support ». Ces dispositions sont reprises presque à l'identique dans le projet de réforme (art. 276 et s.).

S'agissant de l'écrit sur support papier, qui est à ce jour le plus utilisé, il est important de préciser que tout papier rédigé n'est pas nécessairement un écrit. Idéalement, l'écrit c'est l'*acte instrumentaire* qui aura été établi pour matérialiser l'accord de volontés, pour servir de preuve du contrat. Mais, par extension, ce sera tout écrit remplissant les conditions de validité d'un acte sous seing privé. À l'inverse, parce qu'ils ne réunissent pas ces conditions, une facture, un texte non signé ne sont pas des écrits au sens de l'article 1341 du Code civil.

Cela dit, et quel qu'en soit le support, tout écrit est soit un *acte sous seing privé* signé par les seules parties au contrat, soit un *acte authentique* s'il est dressé par un officier public, par exemple un notaire (acte notarié). L'établissement d'un acte notarié, qui est parfois obligatoire pour la validité des contrats solennels (V. *supra*, n° 360), est toujours facultatif pour la preuve des contrats consensuels. La prudence doit conduire à constater toute convention au moins par un acte sous seing privé qui, sans avoir la même force probante que l'acte notarié, confère néanmoins une sécurité appréciable.

1° L'acte sous seing privé

375. – Conditions de validité. En pratique, l'acte sous seing privé est le procédé de loin le plus usité. On appelle ainsi tout écrit, quel que soit son support, constatant le contrat et signé par les parties ; s'agissant d'un écrit sur support papier, on admettra qu'un échange de lettres, qui est au moins un commencement de preuve par écrit (V. *supra*, n° 371), peut valoir acte sous seing privé si les deux lettres se répondent et constituent bien un accord. Par exemple, deux promesses unilatérales

(889) Cass. com., 2 déc. 1997 : *JCP* 1998, II, 10097 et note L. Grynbaum. Mais, en cas de contestation, les juges du fond disposent d'un pouvoir souverain pour décider si la télécopie fait preuve : Cass. 1re civ., 28 mars 2000 : *D.* 2000, 276, obs. J. Faddoul. – V. aussi Cass. 1re civ., 30 mai 2000, préc., qui a admis qu'une photocopie pouvait constituer une copie sincère et fidèle au sens de l'article 1348, alinéa 2, du Code civil.

(890) J.-L. Navarro, *La preuve et l'écrit entre la tradition et la modernité* : *JCP* 2002, I, 187. – E. Joly-Passant, *L'écrit confronté aux nouvelles technologies* : LGDJ, coll. « Droit privé », 2006, préf. M. Vivant.

(891) B. Barraud, *La preuve de l'acte juridique électronique* : *RRJ* 2012, p. 1791.

croisées, l'une de vente, l'autre d'achat, valent promesse synallagmatique si elles sont stipulées en termes identiques et comportent un accord définitif sur la chose et sur le prix[892], mais non si elles sont soumises à des conditions différentes[893].

La *signature* des cocontractants est la condition fondamentale[894]. Suivant la formule de l'article 1316-4, texte repris à l'identique dans l'article 278 du projet de réforme, « la signature *nécessaire à la perfection* d'un acte juridique » joue une double fonction :

- elle « *identifie* celui qui l'appose » ;
- et « elle *manifeste le consentement des parties* aux obligations qui découlent de cet acte ».

L'alinéa 2 précise que la signature électronique « consiste en l'usage d'un procédé fiable d'identification garantissant son lien avec l'acte auquel elle s'attache » ; et il renvoie à un décret du Conseil d'État pour déterminer les conditions de cette fiabilité[895].

Ceci étant, peu importe que l'acte instrumentaire ait été établi sur support papier ou sur support électronique, qu'il ait été rédigé par l'une ou l'autre des parties ou par un tiers, qu'il ait été manuscrit ou tapé à la machine ou imprimé (on aura rempli les blancs), qu'il ait été écrit sur papier libre ou sur papier timbré ; peu importe même que la signature ait été apposée une fois le texte rédigé ou avant la rédaction du texte puisque le *blanc-seing* est en soi valable.

Sauf les cas où la loi en dispose autrement, l'acte sous seing privé n'est soumis à aucune autre condition de forme que la signature de ceux qui s'y obligent ; c'est ainsi que la formule « lu et approuvé » souvent requise dans la pratique n'est nullement nécessaire[896].

En pratique, la signature s'accompagne presque toujours d'une autre formalité, qui dépend de la nature du contrat : formalité du *double original* pour les contrats synallagmatiques, formalité du « bon pour » pour les contrats unilatéraux.

376. – La formalité du double original pour les contrats synallagmatiques. Pour les *contrats synallagmatiques*[897], catégorie qui comprend la quasi-totalité des contrats usuels, l'acte doit être établi en autant d'originaux (par ex., exemplaires tirés sur l'imprimante ou photocopiés puis signés par les parties, aucun n'ayant été rédigé après coup ni copié sur un autre) que de parties ayant un intérêt distinct

---

(892) Cass. com., 16 janv. 1990 : *RTD civ.* 1990, 462.

(893) Cass. 3e civ., 26 juin 2002 : *Defrénois* 2002, 1231 et note E. Savaux ; *RTD civ.* 2003, 77, obs. J. Mestre et B. Fages.

(894) En général, la signature est l'apposition en bas du texte du nom du signataire ; mais elle peut revêtir toute autre forme, griffe, signe quelconque, par lequel le signataire manifeste son identité et s'approprie le texte signé. V. Cass. com., 4 mars 2003 : *D.* 2003, inf. rap. 947, qui décide qu'un texte dactylographié ne saurait être considéré comme une signature sauf à établir que la partie à laquelle on l'oppose l'a elle-même dactylographié et qu'il est son œuvre matérielle et intellectuelle.

(895) Ces conditions ont été définies par deux décrets : D. n° 2001-272, 30 mars 2001 et D. n° 2002-535, 18 avr. 2002. – V. L. Jacques, *Le décret n° 2001-272 du 30 mars 2001 relatif à la signature électronique* : *JCP* 2001, act. p. 1601. – A. Penneau, *La certification des produits et systèmes permettant la réalisation des actes et signatures électroniques (à propos du décret n° 2002-535 du 18 avril 2002)* : *D.* 2002, chron. 2065. – X. Buffet-Delmas et B. Liard, *L'achèvement du cadre juridique de la signature électronique sécurisée. Décret n° 2002-535 du 18 avril 2002 et arrêté du 31 mai 2002* : *JCP* 2002, act. 519, p. 2153. – J. Devèze, *Vive l'article 1322 ! Commentaire critique de l'article 1316-4 du Code civil*, in *Mél. Catala*, p. 529. – Th. Piette-Coudol, *La signature électronique* : Litec, 2001. – B. Jaluzot, *Transposition de la directive « signature électronique » : comparaison franco-allemande* : D. 2004, chron. 2866.

(896) Cass. 1re civ., 30 oct. 2008 : *Contrats, conc. consom.* 2009, comm. 1, obs. L. Leveneur.

(897) La formalité ne s'applique pas à un état des lieux dressé contradictoirement au départ du locataire car il ne s'agit pas d'un contrat, mais de la simple constatation d'une situation de fait : Cass. 3e civ., 23 mai 2002 : *Bull. civ.* 2002, III, n° 109, p. 97 ; *Contrats, conc. consom.* 2002, comm. 137, obs. L. Leveneur ; *JCP* 2002, IV, 2154.

(C. civ., art. 1325) ; ainsi chacune des parties pourra contraindre les autres à l'exécution de la convention puisque chacune aura entre les mains la preuve du contrat. S'agissant de contrats électroniques, la condition du double original est réputée remplie « lorsque l'acte est établi et conservé conformément aux articles 1316-1 et 1316-4 et que le procédé permet à chaque partie de disposer d'un exemplaire ou d'y avoir accès (C. civ., art. 1325, al. 4).

S'il n'a pas été satisfait à cette formalité dite du *double original*, la validité du contrat n'est nullement affectée mais l'écrit ne vaut plus que commencement de preuve par écrit(898). Suivant la jurisprudence, le défaut de double peut être rattrapé par le *dépôt* de l'original *au rang des minutes d'un notaire*(899) : le notaire conservant l'acte dans l'intérêt de tous, les cocontractants peuvent chacun en demander copie et se retrouvent alors sur un pied d'égalité quant à la preuve.

Le projet de réforme reprend dans son article 286, dans des termes voisins de ceux de l'article 1325 du Code civil, l'exigence de la formalité du double original.

377. – **La formalité du « bon pour » pour les contrats unilatéraux.** *Pour les contrats unilatéraux*, dans lesquels l'un est seulement créancier et l'autre seulement débiteur, il suffit d'un original, qui sera remis au créancier puisque lui seul aura besoin, le cas échéant, de faire la preuve de la convention. C'est le cas, par exemple, d'une reconnaissance de dette, d'un cautionnement.

Dispensés de la formalité du double, les contrats unilatéraux étaient jadis soumis à celle du « bon pour... » qui était très décriée(900). Désormais, l'article 1326 du Code civil, qui est repris dans des termes voisins par l'article 287 du projet de réforme, prévoit simplement que, pour les engagements portant sur des sommes d'argent ou sur des biens fongibles à livrer, le titre devra comporter – outre la signature du débiteur – « la mention, écrite par lui-même(901) de la somme ou de la quantité(902) en toutes lettres et en chiffres(903) » et que, « en cas de différence, l'acte sous seing privé vaut pour la somme écrite en toutes lettres ».

Allant plus loin encore, la loi du 1er août 2003 pour l'initiative économique dispose que, dans le cas où une personne physique se porte caution au profit d'un

(898) Cass. 3e civ., 23 janv. 1991 : *Bull. civ.* 1991, III, n° 35.

(899) M. Dagot, *Dépôt au rang des minutes d'un notaire* : *JCP* N 1994, prat. 2948. – P. Callé, *Réflexions sur la nature juridique d'un acte sous seing privé déposé au rang des minutes d'un notaire* : *JCP* N 2003, 1150.

(900) H. Lalou, *La « solemnisation » des actes sous seing privé ou des exigences abusives du « bon pour »* : *DH* 1933, chron. 33. – Ph. Le Tourneau, *Contre le « bon pour »* : *D.* 1975, chron. 187.

(901) La formule « écrite par lui-même » a été substituée par la loi du 1er mars 2000 à celle « écrite de sa main » de manière à couvrir l'hypothèse de l'écrit sur support électronique, ou encore simplement dactylographié (Cass. 1re civ., 13 mars 2008 : *D.* 2008, 911, obs. I. Gallmeister ; *JCP* 2008, II, 10081 et note E. Putman ; *Contrats, conc. consom.* 2008, comm. 174, obs. L. Leveneur ; *D.* 2008, 1956 et note I. Maria ; *Defrénois* 2008, 1, 1345, art. 38795, n° 2, obs. R. Libchaber.

(902) Pour un cautionnement, l'exigence de l'article 1326 ne porte que sur le montant de l'obligation principale, pas sur ses accessoires ou ses composantes : Cass. 1re civ., 29 oct. 2002, 3 arrêts : *D.* 2002, 3071 et note J. Djoudi ; *JCP* 2002, II, 10187 et note D. Legeais ; *Defrénois* 2003, 1, 229, art. 37675 et note S. Piedelièvre ; *Contrats conc. consom.* 2003, comm. 67, obs. L. Leveneur. – Cass. 1re civ., 4 févr. 2003 : *D.* 2003, 1357 et note B. Roman.

(903) La mention en chiffres ou en lettres seulement est insuffisante pour un cautionnement (Cass. 1re civ., 13 nov. 1996 : *Contrats, conc. consom.* 1997, comm. 25. – Cass. 2e civ., 27 juin 2002 : *D.* 2002, somm. 3333, obs. L. Aynès. – Cass. 1re civ., 25 mai 2005 : *Bull. civ.* 2005, I, n° 228 ; *D.* 2005, 1548 et note V. Avena-Robardet ; *JCP* 2005, II, 10169 et note S. Piedelièvre ; *Defrénois* 2005, 1, 1489, art. 38241 et note Y. Dagorne-Labbé ; *Contrats, conc. consom.* 2005, comm. 188, obs. L. Leveneur), cependant que la mention en toutes lettres seulement suffit pour une reconnaissance de dette (Cass. 1re civ., 18 sept. 2002 : *Bull. civ.* 2002, I, n° 207, p. 159 ; *JCP* 2002, IV, 2667. – Cass. 1re civ., 19 nov. 2002 : *Bull. civ.* 2002, I, n° 278, p. 217 ; *Contrats, conc. consom.* 2003, comm. 54, obs. L. Leveneur).

créancier professionnel, cette personne doit, à peine de nullité du cautionnement, faire précéder sa signature d'une mention manuscrite indiquant très précisément les limites de son engagement[(904)] ; bien qu'inscrite dans le Code de la consommation, cette exigence n'est nullement réservée aux contrats de consommation (C. consom., art. L. 341-2).

En revanche, l'article 1326 est sans application à l'obligation du porte-fort qui est une obligation de faire[(905)], ni à une obligation portant sur la bonne exécution d'un contrat de construction[(906)].

Cette formalité a pour but, d'une part d'attirer l'attention du débiteur sur la mesure de son engagement, d'autre part d'éviter les abus de blanc-seing et faire échec aux retouches que le créancier pourrait être tenté d'opérer sur l'écrit que seul il détient. Dans son application, la jurisprudence fait preuve d'une certaine souplesse et elle considère la formalité satisfaite dès l'instant qu'il apparaît que celui qui s'engage avait une parfaite conscience de l'étendue de son engagement.

S'il n'a pas été satisfait à la formalité, la sanction est la même que pour le manquement à la formalité du double original. C'est dire que le contrat n'est pas nul, mais que l'acte instrumentaire qui le constate n'a plus la valeur probante d'un écrit ; il ne vaut plus que commencement de preuve par écrit[(907)].

378. – Force probante de l'origine et du contenu de l'acte. Pour les actes sous-seing privé, la *force probante* s'attache à l'*original* seulement. Des *copies* d'un support papier, même certifiées conformes par un notaire[(908)], et des photocopies ne sont pas des originaux et ne dispensent pas de la présentation de l'original[(909)] (C. civ., art. 1334), sauf s'il s'agit d'une *copie fidèle et durable* au sens de l'article 1348[(910)]. Ces solutions relatives à la force probatoire des copies sont reprises dans l'article 293 du projet de réforme. Il faut prévoir en outre un exemplaire pour l'enregistrement, le cas échéant (V. *infra*, n° 386) ; et sur chaque original doit être mentionné le nombre d'exemplaires rédigés.

Cela dit, la *force probante* qui s'attache à un acte sous seing privé n'est pas la même pour chacun de ses éléments : signature, contenu, date. Elle est en toute hypothèse moindre que celle de l'acte authentique (V. *infra*, n° 381). Elle est en revanche identique, que l'acte ait été établi sur support électronique ou sur support papier (C. civ., art. 1316-3).

La *signature* d'un acte sous seing privé ne constitue pas une présomption d'origine de l'acte. Le signataire supposé, c'est-à-dire celui dont le nom figure dans le texte, est libre de ne pas reconnaître son écriture ou sa signature (C. civ., art. 1323). Si l'un des cocontractants prétendus désavoue sa signature, il appartient au juge de vérifier l'écrit contesté et de procéder à la vérification d'écriture au vu des

(904) V. Avena-Robardet, *Réforme inopinée du cautionnement* : D. 2003, chron. 2083. – D. Houtcieff, *Les dispositions applicables au cautionnement issues de la loi pour l'initiative économique* : *JCP* 2003, I, 161. – I. Tricot-Charmard, *Les vicissitudes de la mention manuscrite dans le cautionnement : suite ou fin ?* : *JCP* 2004, I, 112.

(905) Cass. com., 18 juin 2013 : *RDC* 2014, 66, obs. A.-S. Barthez.

(906) Cass. 3e civ., 12 févr. 2003 : *Bull. civ.* 2003, III, n° 35, p. 34.

(907) Cass. com., 30 nov. 1993 : *Bull. civ.* 1993, IV, n° 435. – Cass. 1re civ., 21 mars 2006 : *Bull. civ.* 2006, I, n° 167.

(908) Cass. 1re civ., 24 oct. 2006 : *Bull. civ.* 2006, I, n° 436.

(909) Cass. 1re civ., 30 janv. 1996 : *Bull. civ.* 1996, I, n° 54.

(910) Sur les copies des actes déposés au rang des minutes d'un notaire, V. P. Callé, art. préc. : *JCP* N 2003, 1150.

éléments dont il dispose après avoir, s'il y a lieu, enjoint aux parties de produire tous documents à lui comparer (CPC, art. 287 et 288). En fait, en raison des progrès de l'expertise en écriture, il est devenu assez rare qu'un plaideur de mauvaise foi désavoue sa signature. La question se pose dans des termes voisins pour la signature électronique, dont la fiabilité est présumée jusqu'à preuve contraire (C. civ., art. 1316-4, al. 2) ; il s'ensuit que le juge devra vérifier si les conditions mises par les articles 1316-1 et 1316-4 du Code civil à la validité de l'écrit et de la signature électronique sont satisfaites[(911)] (CPC, art. 287, al. 2).

Le *contenu* de l'acte ne fait foi que jusqu'à preuve contraire. Cela signifie que les parties, comme les tiers, sont autorisés à prouver l'inverse de ce qui est écrit. On pourra, par exemple, démontrer que l'écrit est un faux-semblant, une *simulation* (V. *supra*, n°s 296 et s.) qui cache une autre opération, ou encore qu'il ne reflète pas fidèlement l'accord intervenu. Toutefois, s'agissant de prouver outre ou contre l'écrit, cette preuve ne pourra être administrée que par écrit par les parties, alors que les tiers pourront recourir à tous moyens (V. *supra*, n°s 367 et 370).

Ces diverses solutions relatives à la force probante de la signature et du contenu d'un acte sous seing privé sont reprises par le projet de réforme (art. 283 et 284).

379. – **Force probante de la date de l'acte.** Quant à sa *date*, l'acte ne fait foi qu'entre les parties, leurs héritiers[(912)] ou leurs créanciers, et jusqu'à preuve contraire. Cette date est en revanche inopposable aux tiers qui seront libres de la considérer comme inexacte, antidatée ou postdatée, si tel est leur intérêt : par exemple, l'acheteur d'un immeuble est en droit de considérer comme postérieur à son acquisition, et donc inopposable à lui, le bail sous seing privé portant une date antérieure.

Cette règle (C. civ., art. 1328) est destinée à protéger les tiers, et notamment les tiers acquéreurs, contre des contrats antidatés dont ils pourraient être les victimes. Mais elle serait intolérable pour les cocontractants de bonne foi si ces derniers n'avaient à leur disposition un moyen bien simple de donner *date certaine* au contrat[(913)] : l'*enregistrement* de l'acte (V. *infra*, n° 386), dont la date fait alors foi à l'égard de tous. Bien qu'étant le moyen le plus simple de rendre la date opposable aux tiers, ce n'est pas le seul : outre les deux autres hypothèses visées à l'article 1328 du Code civil, la rédaction d'un acte notarié aboutirait au même résultat et conférerait en général une force probante plus grande.

La question de la force probante de la date se pose également pour les écrits électroniques, et de manière d'autant plus délicate que le législateur n'a pas envisagé cette difficulté[(914)].

Le projet de réforme reprend dans son article 288 la disposition de l'article 1328, mais sans se prononcer sur la force probante de la date d'un écrit électronique.

(911) Th. Alballea, *Signature électronique, quelle force pour la présomption légale ?* : *D.* 2004, 2236.

(912) À l'héritier doit être assimilé le légataire universel ; ainsi la date d'une promesse de vente sous seing privé est opposable à la Fondation de France, légataire universel du vendeur : Cass. 3e civ., 18 déc. 2002 : *D.* 2003, inf. rap. p. 179 ; *Defrénois* 2003, art. 37767, n° 55, obs. R. Libchaber.

(913) F. Favennec-Hery, *La date certaine des actes sous seing privé* : *RTD civ.* 1992, 1.

(914) V. sur ce point : S. Mercoli, *Incertitudes sur la date des actes sous seing privé (de l'écrit sur support papier à l'écrit électronique)* : *JCP N* 2001, 44.

380. – L'acte contresigné par avocat. Faisant suite à l'une des propositions du rapport Darrois[915], la Chancellerie a promu un projet de loi tendant à instituer l'*acte contresigné par avocat*. Ce projet a suscité un certain nombre de commentaires doctrinaux[916] et il a entraîné une vive irritation chez les notaires qui y ont vu une atteinte à leur mission d'authentification des actes privés[917].

L'acte contresigné par avocat a été consacré par la loi n° 2011-331 du 28 mars 2011 dans ses articles 66-3-1 et suivants[918].

Art. 66-3-1. – En contresignant un acte sous seing privé, l'avocat atteste avoir éclairé pleinement la ou les parties qu'il conseille sur les conséquences juridiques de cet acte.

Art. 66-3-2. – L'acte sous seing privé contresigné par les avocats de chacune des parties ou par l'avocat de toutes les parties fait pleine foi de l'écriture et de la signature de celles-ci tant à leur égard qu'à celui de leurs héritiers ou ayants cause. La procédure de faux prévue par le code de procédure civile lui est applicable.

Art. 66-3-3. – L'acte sous seing privé contresigné par avocat est, sauf disposition dérogeant expressément au présent article, dispensé de toute mention manuscrite exigée par la loi.

Finalement, l'acte contresigné par avocat n'est qu'un acte sous seing privé, mais qui bénéficie de certains avantages du fait qu'il a été contresigné par un ou des avocats :

- le contreseing atteste du fait que l'avocat a pleinement éclairé la ou les parties qu'il conseille, de la portée et des conséquences juridiques dudit acte ;
- l'acte contresigné fait pleine foi de l'écriture et de la signature des parties, mais non pas de sa date à la différence de l'acte authentique ;
- enfin, l'acte contresigné est dispensé des mentions manuscrites qui sont parfois exigées par la loi afin d'attirer l'attention de la partie faible, généralement le consommateur, sur la portée de son engagement[919]. La même règle a été édictée pour les actes notariés (C. civ., art. 1317-1). On peut en effet penser que les parties auront suffisamment été instruites par l'avocat ou le notaire.

En revanche, l'acte contresigné par avocat n'a pas la force exécutoire, laquelle n'est reconnue qu'à l'acte authentique.

Le projet de réforme reprend l'essentiel de ces dispositions, avec cette précision que l'acte « fait foi, jusqu'à inscription de faux, de l'écriture et de la signature des parties » (art. 285).

2° L'acte notarié

381. – Conditions. L'acte sur support papier. L'intervention d'un notaire apporte à l'acte l'*authenticité*, au sens juridique du terme, c'est-à-dire une force probante particulière que la loi attache aux actes, dits *authentiques*, rédigés par les

(915) *Rapport sur les professions du droit*, Commission Darrois, mars 2009, p. 35.

(916) M. Mekki, *De l'acte sous signature juridique à l'acte contresigné par l'avocat* : *JCP* 2009, 61. – V. Toussaint, *L'acte contresigné par avocat prend forme* : *JCP* N 2009, 835. – I. Dauriac, *L'acte contresigné par un avocat : un acte professionnel sous seing privé* : *RDC* 2009, 1061. – J. de Poulpiquet, *La responsabilité du rédacteur d'un acte « sous signature juridique ». Ébauche d'une étude prospective* : *JCP* N 2010, 1223. – V. aussi les Débats publiés *in RDC* 2010, 747 sous l'intitulé *Avocats : passage à l'acte !*. – M. Bacache et A.-M. Leroyer, obs. *in RTD civ.* 2011, 403.

(917) J.-F. Humbert, *L'institution d'un acte d'avocat : une construction baroque et dangereuse* : *JCP* N 2008, 1321. – J.-F. Humbert, *Libres propos autour d'une « modernisation » des professions juridiques* : *JCP* N 2011, 1119.

(918) C. Jamin, *L'acte d'avocat* : *D.* 2011, p. 960. – D. Mazeaud, obs. *in RDC* 2011, 873.

(919) Sur la question de savoir si cette disposition s'applique également à la mention manuscrite de l'article 1326 du Code civil, V. L. Leveneur, *La loi du 28 mars 2011 et les mentions manuscrites* : *Contrats, conc. consom.* 2011, repère 5.

officiers publics dans la limite de leur compétence. Ainsi en est-il de l'acte notarié pour les contrats[920].

En dehors des cas où la forme notariée est imposée par la loi comme condition de validité du contrat, auquel cas elle remplit en même temps un rôle de preuve, le recours à un notaire n'est jamais nécessaire sur le plan de la preuve. En fait, il est souvent fait appel au ministère du notaire car son intervention, malgré son coût, présente de nombreux avantages.

C'est ainsi que la rédaction de l'acte sera sans doute mieux assurée en la forme comme au fond par un professionnel qui connaît les clauses d'usage et les pratiques courantes[921]. Ayant un devoir de conseil et une responsabilité correspondante, le notaire mettra en valeur les avantages et inconvénients des diverses formules possibles, et permettra souvent de lever certaines incertitudes.

De même l'intervention du notaire prémunit contre les risques de perte de l'acte instrumentaire, du moins lorsqu'il est rédigé sur support papier en *minute* : il en est ainsi lorsque l'original appelé minute, signé du notaire et des parties, est conservé par l'officier public (par opposition à la rédaction en *brevet*, où l'original est remis aux parties : pour les procurations, par exemple). L'original demeurant au rang des minutes du notaire, ce dernier délivre aux parties des copies qui, à la différence des copies d'actes sous seing privé (V. *supra*, n° 378), ont la même valeur que l'original. La première copie jadis dénommée *grosse* et désormais *copie exécutoire*, est revêtue de la *formule exécutoire*, comme les jugements ; les autres copies sont de simples *expéditions*. La présence de la formule exécutoire permet au porteur de la *copie exécutoire* de procéder à des mesures d'exécution forcée (V. *infra*, n°s 880 et s.), au cas d'inexécution du contrat, alors que le porteur d'un acte sous seing privé doit au préalable obtenir un jugement. L'avantage est loin d'être négligeable. Il en va de même pour les actes rédigés en la forme électronique, lesquels sont conservés dans un « minutier central » contrôlé par le Conseil supérieur du notariat.

Par ailleurs, et comme l'acte contresigné par avocat, l'acte reçu en la forme authentique par un notaire est, sauf dispositions contraires, « dispensé de toute mention manuscrite exigée par la loi » (art. 1317-1).

En contrepartie, l'authenticité suppose accomplies d'assez nombreuses formalités, au nombre desquelles figure au premier chef la *signature du notaire*[922]. Toute irrégularité de forme[923] disqualifierait l'acte notarié pour n'en faire qu'un acte sous seing privé (C. civ., art. 1318), s'il en remplit par ailleurs les conditions[924], et notam-

(920) G. Morin, *Les nouvelles règles de forme des actes notariés* (D. n° 71-941 du 26 nov. 1971) : *Defrénois* 1972, 1, 65. – J. Flour, *Sur une notion nouvelle de l'authenticité : Defrénois* 1972, 1, 977. – H. Bosvieux, *Plaidoyer pour la rénovation de l'acte authentique : JCP* N 1981, p. 391. – L. Chaine, *L'authenticité et le Notariat : JCP* N 1985, I, 125. – P.-E. Normand, *La loi, le contrat et l'acte authentique : JCP* N 1990, I, doctr. 359. – D. Froger, *Contribution notariale à la définition de la notion d'authenticité : Defrénois* 2004, 1, 173, art. 37873.

(921) J.-F. Pillebout, *Le style de l'acte notarié : JCP* N 2008, 1190.

(922) A.-M. Leroyer et B. Vincent, *Rédaction et réception de l'acte authentique : les exigences de la loi : JCP* N 2012, 1055.

(923) Si l'irrégularité touchait au fond, par exemple en cas de faux, l'acte perdrait toute valeur probatoire : Cass. 1re civ., 21 févr. 2006 : *D.* 2006, inf. rap. p. 675 ; *JCP* 2006, IV, n° 1589.

(924) Un acte notarié ne vaut acte sous seing privé que si le vice de forme invoqué lui fait perdre son caractère authentique. En revanche, les mentions d'un acte frappées de nullité ne peuvent faire preuve comme écriture privée (Cass. 1re civ., 28 oct. 1986 : *Defrénois* 1987, 1, 252, art. 33886 et note M. Vion). – Cass. 1re civ., 28 sept. 2011 : *RDC* 2012, 43, obs. Y.-M. Laithier.

ment si les parties y ont apposé leur signature[(925)]. Mais il perdrait alors son principal intérêt qui réside dans sa *force probante*.

Ces diverses dispositions se retrouvent dans le projet de réforme (art. 280 et s.).

382. – **Conditions. L'acte sur support électronique.** Comme l'acte sous seing privé, l'acte authentique peut être dressé sur support électronique « s'il est établi et conservé dans des conditions fixées par décret en Conseil d'État » (C. civ., art. 1317). C'est là un changement très important[(926)] qui a mis longtemps à devenir effectif dans la mesure où il dépendait de décrets d'application qui n'ont finalement été adoptés que le 10 août 2005 pour les notaires et pour les huissiers[(927)]. Ces deux textes comportent de nombreuses dispositions similaires qui constituent en fait une sorte de tronc commun de l'acte authentique électronique.

S'agissant de l'établissement de l'acte, le notaire est tenu d'utiliser « un système de traitement, de conservation et de transmission de l'information agréé » par le Conseil supérieur du notariat (D. 26 nov. 1971, art. 16) et « garantissant l'intégrité et la confidentialité » de son contenu. Il doit également avoir recours à un procédé de signature électronique sécurisée conforme aux exigences de l'article 1316-4 (art. 17). La première signature du premier acte authentique sur support électronique a eu lieu le 28 octobre 2008 à l'occasion d'un évènement organisé au Conseil supérieur du notariat à Paris.

Quant à la date, elle doit être mentionnée en lettres dans l'acte notarié (art. 8), qu'il soit établi sur papier ou sur support électronique. Enfin, il peut être mis en annexe de l'acte authentique électronique des pièces établies sous la même forme.

S'agissant de la conservation de l'acte, d'une part elle doit être effectuée dans des conditions de nature à en préserver l'intégrité et la lisibilité, d'autre part elle doit être assurée dans un « minutier central » – contrôlé par le Conseil supérieur du notariat – auquel l'acte notarié doit être adressé dès son établissement. Toutefois seul le notaire qui a dressé l'acte, ou la personne qui le détient a accès à l'acte conservé dans le minutier.

383. – **Force probante.** L'acte notarié, comme tout acte authentique, fait foi jusqu'à *inscription de faux*. Cela signifie que la preuve contraire doit être rapportée dans le cadre d'une procédure pénale dont le succès suppose démontrée une affirmation mensongère du notaire. Il s'agit d'un faux en écritures publiques, crime puni par l'article 441-4 du Code pénal[(928)].

(925) Lorsqu'il s'agit d'un simple paraphe et non d'une signature, il appartient aux juges du fond d'apprécier souverainement si ce paraphe apposé à l'endroit des signatures vaut signature (Cass. 3e civ., 7 mars 2001 : *Bull. civ.* 2001, III, n° 31, p. 25. – Paris, 22 mai 1975 : *JCP* 1976, IV, 158 ; *D.* 1976, somm. 8).

(926) B. Reynis, *Signature électronique et acte authentique : le devoir d'inventer… : JCP* N 2001, 1494. – P. Leclercq, *La dématérialisation des écrits cambiaires et des actes authentiques*, in *Mél. Bézard* : LGDJ, 2002. – X. Linant de Bellefonds, *Notaires et huissiers face à l'acte authentique électronique : JCP* N 2003, 1196. – M. Grimaldi et B. Reynis, *L'acte authentique électronique : Defrénois* 2003, 1, 1023, art. 37798. – A. Raynouard, *Sur une notion ancienne de l'authenticité : l'apport de l'électronique : Defrénois* 2003, 1, 1117, art. 37806. – D. Froger, *La réception d'un acte établi sur support électronique alors que les comparants sont physiquement éloignés : mythe ou réalité ? : LPA* 7 mai 2004, p. 64.

(927) J. Huet, *L'acte authentique électronique, petit mode d'emploi (décrets n° 2005-972 et 973 du 10 août 2005) : D.* 2005, chron. p. 2903.

(928) La peine peut aller jusqu'à quinze ans de réclusion criminelle et 225 000 € d'amende.

Cette force probante s'attache à la *date* et à la *signature*, c'est-à-dire à l'identité des signataires, à l'origine de l'acte, sous réserve des dispositions de l'article 1316-4 relatives à la signature électronique[(929)].

Quant au *contenu* de l'acte, il faut distinguer entre les diverses énonciations. Celles qui émanent des parties ou des témoins et qui sont simplement reproduites par le notaire ne font foi que jusqu'à preuve contraire, comme pour un acte sous seing privé : leur fausseté peut en effet être démontrée sans qu'il soit porté atteinte à l'honneur de l'officier public. Au contraire, font foi jusqu'à inscription de faux les constatations et affirmations faites par le notaire lui-même, et dans le cadre de sa compétence[(930)]. Ces règles, qui figurent à l'article 1319 du Code civil, sont reprises en ces termes dans l'article 282 du projet de réforme : « L'acte authentique fait foi jusqu'à inscription de faux de ce que l'officier public dit avoir personnellement accompli ou constaté. En cas d'inscription de faux, le juge peut suspendre l'exécution de l'acte ».

Par exemple, si le notaire déclare qu'une des parties a remis devant lui une somme de *x* euros à l'autre partie, c'est une constatation qui engage l'honnêteté de l'officier public et qui, par suite, fait foi jusqu'à inscription de faux. Mais, lorsqu'il précise que cette somme a été remise à titre de paiement d'un prix de vente, il ne fait que reproduire ce que les parties lui ont dit ; cette énonciation peut être inexacte, sans que pour autant le notaire ait menti, et elle ne fait foi que jusqu'à preuve contraire. Il en est de même lorsque le notaire affirme, par la formule consacrée, que les contractants étaient sains de corps et d'esprit, car cette constatation ne relève pas de sa compétence[(931)].

La force probante qui découle de l'authenticité, jointe aux garanties de compétence du notaire, explique qu'il soit souvent recouru à la forme notariée, en dehors même des contrats solennels. Il est vrai que ce recours est parfois rendu nécessaire, de manière indirecte, pour l'accomplissement de formalités annexes, telles que la publicité foncière.

§ 3. – Les formalités annexes

384. – **Quel rapport entre la forme du contrat et les formalités ?** En dépit du principe du consensualisme, il est rare qu'un contrat de quelque importance ne soit pas astreint à des formes. S'il s'agit d'un contrat solennel, la forme – l'établissement d'un écrit, authentique ou sous seing privé – est une condition de validité. Le contrat est-il seulement consensuel, les règles de preuve conduiront néanmoins à dresser là encore un écrit.

Outre ces formes, certains contrats sont subordonnés à l'obtention de certaines autorisations ou à l'accomplissement de certaines formalités qui en conditionnent

(929) B. Reynis, art. préc.

(930) Jurisprudence constante : parmi de très nombreuses décisions, V. Cass. 3e civ., 19 avr. 1972 : *JCP* 1972, IV, 138. – Cass. 1re civ., 2 nov. 2005 : *Bull. civ.* 2005, I, n° 399 ; *Defrénois* 2006, 1, 580, art. 38365, n° 21, obs. R. Libchaber. Il s'ensuit qu'il est possible d'intenter une action en déclaration de simulation contre un acte notarié sans avoir à recourir à l'inscription de faux lorsque les énonciations mensongères n'émanent que des parties : Cass. 3e civ., 22 févr. 1972 : *JCP* 1972, IV, 90.

(931) Cass. 2e civ., 5 juill. 2006 : *D.* 2007, pan. p. 1904, obs. T. Vasseur.

la validité. Il ne s'agit pas là de conditions de forme, mais de conditions de fond qui sont spécifiques à tel ou tel type de contrat.

Par exemple, le contrat de mariage est un contrat solennel. Mais, si les époux veulent modifier ce contrat, il ne leur suffira pas toujours de faire établir un nouveau contrat par leur notaire ; si un enfant majeur ou un créancier fait opposition, ou si l'un des époux a des enfants mineurs, la loi exige que cette modification soit soumise à un juge qui procèdera à un contrôle avant de l'homologuer (C. civ., art. 1397). Ici l'*homologation* par le tribunal est une condition de fond de validité de la modification.

De même, le contrat de construction de maison individuelle est un contrat soumis à la forme écrite. Mais son exécution sera paralysée tant que le maître de l'ouvrage n'aura pas obtenu un permis de construire délivré par l'Administration. Pareille *autorisation administrative*, qui constitue une formalité, n'est pas une forme du contrat, mais une condition de fond. Plus généralement chaque fois qu'un contrat est subordonné à une autorisation ou à l'accomplissement d'un acte quelconque pour sa validité ou son efficacité, il faut y voir une condition de fond.

En revanche, certaines formalités qui, sauf exception, ne sont pas prescrites à peine de nullité, ont une influence sur la forme du contrat, ou sur sa preuve. Il s'agit des formalités de publicité et de l'enregistrement.

385. – **Les formalités de publicité.** Bien que régissant des rapports privés, de nombreux contrats intéressent aussi les tiers et l'Administration, spécialement l'administration fiscale. Afin d'assurer l'information nécessaire des tiers, la loi organise la *publicité* de divers événements, actes et contrats. La sanction normale étant l'*inopposabilité aux tiers* des actes non publiés, voilà qui incite à se plier à la règle ; et toute publicité supposant la matérialisation préalable de l'acte sous la forme d'un *instrumentum*, c'est une raison supplémentaire de se conformer à la règle de la preuve écrite, même en matière de commerce où elle n'est pas obligatoire (V. *supra*, n°s 369 et 373). Il s'agit là d'un formalisme indirect dont on donnera quelques exemples.

C'est ainsi que doivent être publiés au *registre du commerce et des sociétés* tous les éléments susceptibles d'exercer une influence sur la situation juridique des commerçants, mariage, contrat de mariage par exemple, et de leur fonds de commerce, nantissement par exemple. De même, tout contrat instituant une société, quelle que soit sa forme, est soumis à la même publicité ; mieux encore, c'est l'*immatriculation* au registre qui confère à la société la personnalité morale, c'est-à-dire la vie juridique.

De même, à la *Conservation des hypothèques* s'effectue la *publicité foncière* de tous les actes relatifs aux *immeubles*, qu'il s'agisse de contrats solennels (hypothèque, donation) ou de contrats consensuels (vente, apport en société, constitution d'usufruit ou de servitude, etc.). On sait quelle importance cette publicité revêt pour les hypothèques, dont le rang est déterminé par leur date d'inscription ; son intérêt n'est pas moindre pour les actes translatifs de propriété ou autres droits réels puisque seule la transcription de l'acte rend le transfert opposable aux tiers.

Cette formalité de publicité, qui est en fait obligatoire pour la pleine efficacité du contrat, rejaillit sur la forme même de l'acte à publier : en effet, la publicité foncière ne pouvant être faite que sur la base d'un *acte notarié*, cela impose aux parties de recourir à un notaire pour toute vente d'immeuble bien que ce soit en principe un contrat consensuel.

386. – **La formalité de l'enregistrement.** Cette publicité, qui remplit un rôle civil, poursuit aussi un *but fiscal*. L'*Enregistrement* relève du ministère de l'Économie et des Finances, au même titre que la *Conservation des hypothèques* et l'une comme l'autre opèrent la perception de droits. Le lien entre ces deux administrations a d'ailleurs été marqué par une loi du 26 décembre 1969 portant réforme des droits d'enregistrement et de la taxe de publicité foncière. Désormais, les formalités de l'enregistrement et de la publicité foncière sont fusionnées pour les actes publiés au fichier immobilier (vente d'immeuble, ou apport immobilier en société, etc.).

Lorsque la loi prescrit l'enregistrement d'un acte, le défaut d'enregistrement n'entraîne en principe que des sanctions fiscales. Il en va toutefois différemment pour les promesses unilatérales de vente par acte sous seing privé portant sur des immeubles qui doivent être enregistrées à peine de nullité (C. civ., art. 1589-2) ; il s'agit là d'une sanction très exceptionnelle qui tend à décourager la fraude fiscale.

En dehors de son aspect fiscal, l'enregistrement présente un intérêt, déjà signalé (V. *supra*, n° 379), sur le plan de l'opposabilité aux tiers de la date des actes sous seing privé. C'est le moyen le plus sûr de donner *date certaine* à un acte sous seing privé, qu'il soit ou non astreint à enregistrement ; c'est en outre un moyen de conservation de l'acte puisque le Bureau de l'Enregistrement intéressé est habilité à en délivrer copie.

SECTION 4

SANCTION DES CONDITIONS DE FORMATION DU CONTRAT

387. – **La nullité, sanction de la violation des conditions de formation.** Si les parties sont tenues par les obligations souscrites, c'est à la condition que le contrat ait été valablement passé, que les conditions de formation (V. *supra*, n°s 90 et s.) aient été respectées. À défaut, la *nullité* serait encourue[932], solution que reprend tout naturellement l'article 86 du projet de réforme : « un contrat qui ne remplit pas les conditions nécessaires à sa validité est nul »[933].

Ainsi définie, la nullité sanctionne la violation des conditions de formation du contrat, lesquelles sont instituées pour protéger tantôt l'une des parties : conditions de capacité, de consentement ; tantôt l'intérêt général : condition de conformité à l'ordre public, par exemple. On la qualifie de *rescision* lorsque la nullité est pronon-

(932) M. Mekki, *Nullité et validité en droit des contrats : un exemple de pensée par les contraires* : RDC 2006, p. 679.

(933) A. Bénabent, *Autour de la méthode générale, ainsi que des nullités et autres sanctions* : RDC 2006, p. 33. – P. Simler, *Sanctions*, in *Avant-projet de réforme du droit des obligations et de la prescription, Exposé des motifs* : La Documentation française, 2006, p. 44.

cée pour cause de lésion (V. *supra*, n°s 310 et s.), mais c'est une nullité comme les autres, la différence étant purement terminologique.

La nullité peut éventuellement s'accompagner d'autres sanctions. Tel est le cas lorsque des faits constitutifs de dol ou de violence constituent également une *infraction pénale*, par exemple délit de pratiques commerciales trompeuses (V. *supra*, n° 194), ou d'abus de faiblesse (V. *supra*, n° 205). De même, si le cocontractant à l'origine d'une erreur ou d'un dol a commis une faute, il engage sa *responsabilité civile*, et la victime pourra tout à la fois demander la nullité du contrat et des dommages-intérêts[934]. Cette solution est reprise dans le projet de réforme : « Indépendamment de l'annulation du contrat, la victime peut demander réparation du dommage subi dans les conditions du droit commun de la responabilité extracontractuelle » (art. 86, al. 3).

388. – Distinction entre la nullité et les notions voisines. Si la nullité entraîne l'anéantissement du contrat, elle n'est pas le seul mécanisme à produire cet effet. À cet égard, il convient donc de la distinguer de ces autres mécanismes.

La nullité doit tout d'abord être distinguée de l'*inopposabilité*[935] *qui sanctionne au profit des tiers le défaut de publicité* de certains actes ou renseignements : par exemple, le défaut de publicité des aliénations immobilières à la Conservation des hypothèques (V. *supra*, n° 385), ou de certains procès-verbaux de délibérations au registre du commerce et des sociétés. L'inopposabilité suffit ici à assurer la protection des tiers, sans qu'il soit nécessaire d'annuler l'acte entre les parties, par exemple en matière de simulation (V. *supra*, n°s 304 et s.).

La nullité diffère aussi de la *résolution* qui sanctionne, à la demande du créancier impayé, l'inexécution des contrats à obligations réciproques (V. *infra*, n°s 515 et s.). Certes, les deux mécanismes ont un effet identique, l'anéantissement du contrat, mais ils diffèrent fondamentalement par leur rôle. Alors que la nullité sanctionne l'inobservation des conditions de formation du contrat, la résolution est la sanction de l'inexécution ou de la mauvaise exécution d'un contrat valable.

La NULLITÉ sanctionne l'inobservation des conditions de formation du contrat.
L'INOPPOSABILITÉ sanctionne l'inobservation des conditions de publicité du contrat.
La RÉSOLUTION sanctionne l'inexécution ou la mauvaise exécution du contrat.

La nullité doit également être distinguée de l'*abrogation volontaire* d'un contrat. Libres de conclure un contrat, les parties le sont aussi de le modifier ou d'y mettre fin, c'est-à-dire de l'abroger. C'est ce que rappelle l'article 1134, alinéa 2, lorsqu'il dispose que les conventions « ne peuvent être révoquées que de leur consentement mutuel » (V. *infra*, n° 451). La différence avec la nullité et la résolution tient au fait que l'abrogation ne se produit que pour l'avenir ; elle n'efface pas le passé.

Enfin, il arrive – rarement il est vrai – qu'un contrat disparaisse par *caducité*[936]. Il y aura caducité dans le cas où un acte juridique, bien que valablement conclu,

(934) C. Ouerdane-Aubert de Vincelles, *Altération du consentement et efficacité des sanctions contractuelles*, préf. Y. Lequette : Dalloz, 2002. – D. Houtcieff, *Les sanctions de la formation du contrat*, in *Les concepts contractuels français à l'heure des principes du droit européen des contrats* : Dalloz, 2003, p. 115.

(935) Bastian, *Essai d'une théorie générale de l'inopposabilité* : thèse Paris, 1929. – P. Carli, *L'insécurité tenant à la relativité d'une nullité ou d'une inopposabilité* : *RTD com.* 1993, 255.

(936) Cass. soc. 17 juin 2003 : *Bull. civ.* 2003, V, n° 198. – Cass. 1re civ., 7 nov. 2006 : *Bull. civ.* 2006, I, n° 457 ; *JCP* 2007, I, 161, n°s 1 et s., obs. Y.-M. Serinet. – Y. Buffelan-Lanore, *Essai sur la notion de caducité des actes juridiques* : LGDJ, coll. « Droit privé » 1963, t. 43. – N. Fricéro, *La caducité en droit privé* : thèse Nice, 1979. – F. Garron, *La caducité du contrat (Étude*

nécessitait pour son efficacité la survenance d'un élément supplémentaire ; par exemple une donation consentie en vue d'un mariage devient caduque si le mariage ne survient pas.

Le projet de réforme (art. 94) consacre une conception large de la caducité en précisant que le contrat devient caduc lorsque, bien que valablement formé, l'un de ses éléments constitutifs disparaît ou un élément extérieur au contrat auquel son efficacité était subordonnée fait défaut. S'agissant de ses effets, le projet de réforme décide que « la caducité met fin au contrat entre les parties », laissant entendre qu'elle n'a pas d'effet rétroactif.

Le projet de réforme en fait application en cas de disparition d'un contrat appartenant à un ensemble contractuel. Il y aura caducité « lorsque des contrats ont été conclus en vue d'une opération d'ensemble et que la disparition de l'un d'eux rend impossible ou sans intérêt l'exécution d'un autre » (art. 94, al. 2). Ce faisant, le projet consacre la solution qui a été retenue en jurisprudence (V. *infra*, n° 401).

389. – Nécessité d'une action en justice. La nullité, qui a été longtemps considérée comme un état de l'acte (il y aurait des actes nuls et des actes valables, au même titre par exemple qu'il y a des actes authentiques et des actes sous seing privé), est désormais analysée depuis Japiot comme un droit de critique contre les effets d'un acte, conféré à une personne ou à un groupe de personnes. Cela explique qu'un acte annulable puisse néanmoins accomplir tous ses effets, ou certains d'entre eux, si les titulaires de l'action ne l'exercent pas, ou encore si ne sont critiquables que certains effets de l'acte[937].

Tout contrat est présumé valablement conclu si bien qu'il appartient à celui qui en critique la validité d'en rapporter la preuve. Cette critique ne peut être formulée que devant un juge qui seul a le pouvoir d'annuler un contrat. Cette nécessité d'une action en justice a toutefois été contestée dans le cas où le prétendu contrat aurait si peu d'apparence qu'on devrait le considérer comme inexistant ; en pareil cas, selon certains, il n'y aurait pas lieu de faire prononcer la nullité mais simplement de constater son inexistence[938], et l'action serait imprescriptible.

Tout en maintenant le principe que « la nullité doit être prononcée par le juge », le projet de réforme y apporte une exception : « à moins que les parties ne la constatent d'un commun accord » (art. 87, al. 1).

On observera que cette nécessité d'une action en justice ne se retrouve pas dans les projets européens. En effet, les Principes du droit européen du contrat et ceux

de droit privé), préf. J. Mestre : PUAM, 1999. – V. Wester-Ouisse, *La caducité en matière contractuelle : une notion à réinventer* : *JCP* 2001, I, 209. – R. Chaaban, *La caducité des actes juridiques* : LGDJ, 2005, préf. Y. Lequette. – C. Pelletier, *La caducité des actes en droit privé français, Logiques juridiques*, coll. « Droit-Justice », 2004. – M.-C. Aubry, *Retour sur la caducité en matière contractuelle* : *RTD civ.* 2012, 625.

(937) Japiot, *Des nullités en matière d'actes juridiques, essai d'une théorie nouvelle* : thèse Dijon, 1909. – Piedelièvre, *Des effets produits par les actes nuls* : thèse Paris, 1911. – Ph. Simler, *La nullité partielle des actes juridiques*, 1969. – Ch. Hannoun, *L'action en nullité et le droit des sociétés (réflexions sur les sources procédurales du droit de critique et leurs fonctions)* : *RTD com.* 1993, 227. – P. Carli, *L'insécurité tenant à la relativité d'une nullité ou d'une inopposabilité* : *RTD com.* 1993, 255.

(938) G. Cohendy, *Des intérêts de la distinction entre l'inexistence et la nullité d'ordre public* : *RTD civ.* 1914, 33. – H. Adida-Canac, *Actualité de l'inexistence des actes juridiques*, Rapp. C. cass. 2004, p. 119. – Cl. Witz, *La consécration de l'inexistence par plusieurs instruments d'uniformisation du droit*, in *Études Simler* : Litec, 2006. – Cass. 3e civ., 15 déc. 1999 : *JCP* 2000, II, 10236, concl. J.-F. Weber. – F. Hage-Chahine, *Le rationnel et l'empirique dans la notion d'inexistence en matière d'actes juridiques*, in *Mél. J. Foyer* : Économica, 2007.

d'Unidroit, tout comme l'avant-projet de Pavie, admettent que l'annulation d'un contrat peut se faire par voie de *notification* à l'autre partie dans un délai raisonnable (Unidroit, art. 3.2.11 et 3.2.12 ; PDEC, art. 4.112 et 4.113) ou par déclaration dans un délai de prescription de dix ans courant du jour de la conclusion du contrat (Pavie, art. 141). Le contrôle du juge est donc repoussé dans le temps et subordonné à une contestation de la partie qui s'est vue notifier l'annulation. Cette annulation par notification rend la procédure bien plus rapide et donc plus efficace et moins coûteuse, ce qui est essentiel dans le cadre commercial, particulièrement du commerce international. Toutefois, le contrat peut être sauvé par confirmation[(939)] ou, dans l'hypothèse d'une erreur, si l'autre partie exécute volontairement et dans un délai raisonnable le contrat ainsi que la victime de l'erreur l'entendait[(940)].

390. – Action en nullité et exception de nullité. Si on laisse de côté la théorie de l'inexistence, il y a deux manières possibles de faire valoir la nullité d'un contrat, comme l'illégalité d'un acte du pouvoir réglementaire : par voie d'action et par voie d'exception.

Le titulaire du droit de critique peut tout d'abord prendre l'initiative et intenter directement l'action en nullité, que le contrat ait ou non été exécuté ; mais il ne peut le faire que dans un certain délai, dit délai de prescription, dont la durée varie suivant les hypothèses (V. *infra*, n°s 909 et s.).

Il peut aussi rester passif, attendre que le créancier lui demande l'exécution du contrat annulable et y résister en excipant de l'exception de nullité[(941)] ; procéduralement l'exception apparaît alors comme une défense au fond qui peut être proposée en tout état de cause[(942)]. Toutefois, la nullité ne peut être invoquée par voie d'exception qu'après expiration du délai de prescription[(943)] ; avant cette date le défendeur à l'action peut seulement demander la nullité par le biais d'une demande reconventionnelle.

Cela dit, l'exception ne peut jouer qu'en cas d'inexécution du contrat ; suivant la formule de la jurisprudence, « l'exception de nullité peut seulement jouer pour faire échec à la demande d'exécution d'un acte juridique qui n'a pas encore été exécuté »[(944)]. Mais cette solution jurisprudentielle, qui joue dans le cas d'une inexécution totale du contrat, s'applique-t-elle aussi au cas où celui-ci a reçu une exécution partielle ? La question se pose principalement dans le cas des contrats à

(939) Unidroit, art. 3.2.9 ; PDEC, art. 4.114 ; Pavie, art. 143.2 et 149.2.

(940) Unidroit, art. 3.2.10 ; PDEC, art. 4.105 ; Pavie, art. 149.1.

(941) M. Storck, *L'exception de nullité en droit privé* : *D.* 1987, chron. 67. – D. Vich-Y-Llado, *L'exception de nullité* : *Defrénois* 2000, 1, art. 37256. – J.-L. Aubert, *Brèves réflexions sur le jeu de l'exception de nullité*, in *Mél. Ghestin* : LGDJ, 2001. – M. Bruschi, *L'exception de nullité du contrat* : *Dr. et patrimoine* janv. 2000, p. 69.

(942) Cass. 3e civ., 16 mars 2010 : *RTD civ.* 2010, 374, obs. R. Perrot ; *RDC* 2010, 1208, obs. Y.-M. Laithier. En définitive, l'exception a le même effet que l'action en nullité, à savoir qu'elle « emporte, en principe, l'effacement rétroactif du contrat » : Cass. 1re civ., 16 juill. 1998 : *Defrénois* 1998, 1, 1413 et note J.-L. Aubert.

(943) Cass. com., 26 mai 2010 : *Bull. civ.* IV, n° 95 ; *JCP* 2011, n° 226, n° 8, obs. Ph. Simler ; *RDC* 2010, 1208, obs. Y.-M. Laithier. – Cass. 1re civ., 4 mai 2012, n° 10-25558, *JCP* 2012, 821, note Y.-M. Serinet ; *RTD civ.* 2012, 526, obs. B. Fages.

(944) Cass. 1re civ., 1er déc. 1998 : *Bull. civ.* 1998, I, n° 338 ; *RTD civ.* 1999, 621, n° 7, obs. J. Mestre ; *Defrénois* 1999, 1, 364, obs. J.-L. Aubert ; *JCP* 1999, I, 171, n° 5-8, obs. M. Fabre-Magnan. – Cass. 1re civ., 9 nov. 1999 : *JCP* 2000, II, 10335 et note Ch. Seraglini. – Cass. 3e civ., 10 mai 2001 : *Bull. civ.* 2001, III, n° 61 ; *D.* 2001, 3156 et note P. Lipinski ; *JCP* 2001, IV, 2195 (pour un contrat de vente à terme). – Cass. 3e civ., 30 janv. 2002 : *D.* 2002, somm. 2837, obs. L. Aynès (pour un contrat de crédit-bail). – Cass. 3e civ., 14 mai 2003 : *Bull. civ.* 2003, III, n° 103, p. 94 (pour un contrat de bail). – Cass. 2e civ., 14 sept. 2006 : *D.* 2006, inf. rap. p. 2346. – Cass. 1re civ., 7 nov. 2006 : *Bull. civ.* 2006, I, n° 458 (pour une caution).

exécution successive qui ont reçu une exécution partielle : s'agissant par exemple d'un contrat de prêt, l'exception de nullité peut-elle encore être invoquée par le débiteur (ou par la caution) alors qu'il a déjà procédé au remboursement d'un certain nombre d'échéances ? Après un revirement, la jurisprudence la plus récente se prononce dans le sens de la négative : celui qui a exécuté le contrat, même partiellement[(945)], ne peut plus invoquer l'exception de nullité[(946)], et ce même s'il s'agit d'une nullité absolue[(947)]. Il va sans dire qu'il en irait différemment si on était toujours dans le délai de prescription, et que la nullité pourrait alors être invoquée par voie d'action.

Cette jurisprudence est consacrée par le Projet Catala (art. 1130) ; cependant que le projet de réforme ne fait aucune mention de l'exception de nullité.

La particularité remarquable de l'exception est qu'elle peut être invoquée sans limitation de délai, donc même lorsque le délai de prescription est expiré[(948)]. Pour exprimer cette survie de l'exception de nullité, on dit souvent qu'elle est perpétuelle suivant l'adage *quae temporalia sunt ad agendum, perpetua sunt ad excipiendum*. On observera à cet égard qu'un récent arrêt a posé cette solution en principe dans son visa : « Vu le principe selon lequel l'exception de nullité est perpétuelle »[(949)]. On s'accorde généralement pour considérer que la règle s'applique à tous les délais de prescription, quelle que soit leur durée, mais à l'exception des délais préfix[(950)]. On explique la pérennité de l'exception, non pas tant par la lettre des articles 1304 et 2224 qui, à propos de la prescription, visent seulement les « actions », mais par le fondement même de la prescription. En effet, au même titre que la prescription de l'action en nullité tend à consolider une situation de fait qui ne peut plus désormais être critiquée, l'exception permet de maintenir le *statu quo*, c'est-à-dire la non-exécution d'un contrat ; l'une et l'autre trouvent leur justification dans la même idée : *quieta non movere*[(951)].

391. - Plan. Nous consacrant à l'action en nullité, nous envisagerons successivement ses conditions d'exercice, puis ses effets.

---

(945) Et même si l'obligation exécutée est une obligation accessoire de cette arguée de nullité : Cass. com. 13 mai 2014 : *D.* 2014, 1148.

(946) Cass. 1re civ., 1er déc. 1998, préc. – Cass. 1re civ., 9 nov. 1999, préc. – Cass. 3e civ., 10 mai 2001, préc. – Cass. com., 6 juin 2001 : *Bull. civ.* 2001, IV, n° 113, p. 104 ; *Defrénois* 2001, 1, 1429, art. 37441, n° 95, obs. R. Libchaber. – Cass. 1re civ., 3 juill. 2001 : *Bull. civ.* 2001, I, n° 201, p. 128 ; *JCP* ²2001, I, 370, n° 14, obs. Y.-M. Serinet. – Cass. 1re civ., 6 nov. 2001 : *Bull. civ.* 2001, I, n° 268, p. 170. – Cass. 1re civ., 30 janv. 2002 : *JCP* 2003, II, 10089 et note O. Padé ; *D.* 2002, somm. 2837, obs. L. Aynès. – Cass. 1re civ., 25 mars 2003 : *Bull. civ.* 2003, I, n° 88, p. 66 ; *D.* 2003, inf. rap. p. 1077. – Cass. 1re civ., 13 févr. 2007 : *Bull. civ.* 2007, I, n° 57 ; *D.* 2007, act. jurispr. p. 726 ; *D.* 2007, 2334, obs. C. Creton ; *RTD civ.* 2007, p. 585, obs. crit. P.-Y. Gautier. – Cass. com., 13 janv. 2013 : *D.* 2013, 241 ; *D.* 2013, 539 et note B. Dondero. – P.-Y. Gautier, *Faut-il porter l'estocade finale à l'adage* Quae temporalia sunt ad agendum, perpetua sunt ad excipiendum *?* : *RDC* 2004, 849. – V. aussi Y.-M. Serinet, obs. *in RDC* 2009, 1516.

(947) Cass. 1re civ., 24 avr. 2013 : *D.* 2013, 1132 ; *RTD civ.* 2013, 596, obs. H. Barbier ; *Contrats, conc. consom.* 2013, comm. 154, obs. L. Leveneur ; *RDC* 2013, 1310, obs. Y.-M. Laithier.

(948) V. par ex. Cass. 1re civ., 19 déc. 1995 : *Contrats, conc. consom.* 1996, comm. 38 et note L. Leveneur. – Cass. 3e civ., 18 mars 1998 : *Bull. civ.* 1998, III, n° 67.

(949) Cass. 3e civ., 10 mai 2001 : *D.* 2001, 3156 et note P. Lipinski ; *JCP* 2001, IV, 2195. – Cass. 3e civ., 3 févr. 2010, n° 08-21333.

(950) Cass. req., 24 mai 1898 : *S.* 1901, I, 335. – Cass. 1re civ., 29 mars 1950 : *Bull. civ.* 1950, I, n° 89 ; *RTD civ.* 1950, 514, obs. J. Carbonnier. – Cass. 3e civ., 4 nov. 2004 : *JCP* 2004, IV, 3407 ; *RD imm.* 2005, p. 61. – M. Bruschi, *L'impossible oubli : pour l'application de la maxime « quae temporalia » aux délais préfix*, in *Liber Amicorum B. Savelli, Le droit dans le souvenir* : PU Aix-Marseille 1998, 183.

(951) S. Ravenne, *Pour une alternative à la perpétuité de l'exception en nullité* : *RLD civ.* mai 2012, p. 7.

§ 1. – Conditions de l'action en nullité

392. – **Pouvoir du juge[952] ?** Lorsque le juge saisi constate l'existence d'une cause de nullité, il n'a pas de pouvoir d'appréciation sur l'opportunité de la sanction : il doit prononcer la nullité. On exprime cela en disant que la nullité est *de droit*. Mais en revanche, au moins dans certains cas, il dispose de ce pouvoir d'appréciation en amont, pour décider si, compte tenu des circonstances de fait, il y a eu ou non vice du consentement de l'un des contractants, ou si la cause du contrat est illicite ou immorale, etc.

Par exception au principe que les nullités sont de droit, la loi accorde parfois au juge la liberté de prononcer ou non la nullité. La nullité est alors *facultative*[953].

A. – Les cas de nullité et les titulaires de l'action

393. – **Nullité absolue et nullité relative.** Toute action en nullité doit être fondée sur une cause qui est la violation d'une condition de formation du contrat. Bien que les textes n'en fissent nulle part mention, la doctrine classique opposait traditionnellement la *nullité absolue* à la *nullité relative*. La nullité étant conçue comme un *état de l'acte*, on établissait une distinction suivant la gravité de l'irrégularité affectant l'acte : nullité absolue, inguérissable, pour les irrégularités les plus graves ; nullité relative, susceptible de guérison pour les irrégularités moindres.

On en déduisait des conséquences en ce qui concerne les conditions d'exercice de l'action : ses titulaires, la possibilité de confirmer l'acte annulable, le délai de prescription. En présence d'un cas de nullité absolue, l'action en nullité pouvait être exercée par tout intéressé, et l'acte n'était susceptible ni de confirmation, ni de prescription. Les solutions étaient inverses pour la nullité relative qui ne pouvait être demandée que par la personne protégée et qui était susceptible de confirmation et de prescription.

Cette terminologie s'est perpétuée tout en recouvrant un contenu différent. D'entrée, il convient d'éviter une grave confusion sur le sens de ces expressions qui font supposer à tort des degrés dans les effets de la nullité. Qu'elle soit absolue ou relative, la nullité produit toujours les mêmes effets ; la différence est ailleurs, elle touche aux conditions d'exercice de la nullité.

La tendance moderne est de considérer qu'il n'y a pas de lien absolu entre le caractère de la nullité et les conditions d'exercice de l'action. Mais, sauf à sombrer dans une casuistique aux conséquences imprévisibles, il ne serait pas raisonnable de soutenir que chaque action en nullité a son régime propre. Aussi les auteurs s'accordent-ils sur un moyen terme qui rénove la distinction des nullités absolue et relative. On considère que la nullité a l'un ou l'autre caractère suivant que la condition violée protégeait l'*intérêt général* (nullité absolue) ou l'*intérêt d'une personne en particulier* (nullité relative).

Le projet de réforme reprend la distinction doctrinale entre nullité relative et nullité absolue et en consacre la conception moderne. C'est ainsi que l'article 87 du

(952) O. Gout, *Le juge et l'annulation du contrat*, préf. P. Ancel : PUAM, 1999.
(953) P. Rubellin, *Les nullités facultatives*, in *Études Simler* : Litec, 2006.

projet précise que la nullité est « relative lorsque la règle violée a pour objet la sauvegarde d'un intérêt privé » tandis que « la nullité est absolue lorsque la règle violée a pour objet la sauvegarde de l'intérêt général ».

Ce critère, satisfaisant dans l'ensemble, manque de rigueur dans la mesure où certaines conditions intéressent tout à la fois l'intérêt général et l'intérêt particulier. Il s'ensuit que l'hésitation est parfois permise tant sur ce qui relève de l'une et l'autre nullité que sur les conséquences qu'il convient d'en tirer au plan des titulaires de l'action, de la confirmation et de la prescription. À côté des cas où la qualification n'est pas contestée, il en est d'autres où elle est discutée[(954)].

Remettant en question le critère ci-dessus, un auteur a récemment proposé de distinguer suivant que le vice affecte le consentement (nullité relative) ou qu'il affecte objectivement le contrat lui-même (nullité absolue)[(955)].

394. – Les cas de nullité relative. Ici, l'exercice de l'action en nullité est réservé à la personne « que la loi entend protéger » (art. 89 du projet de réforme) ; à ce titulaire unique il faut ajouter ses créanciers[(956)] par la voie de l'action oblique (V. *infra*, n°s 893 et s.), de son vivant, et ses héritiers et ayants cause universels après sa mort. En revanche, l'action ne se transmet pas aux ayants cause particuliers de la victime qui seraient subrogés dans ses droits[(957)].

Relèvent certainement de la nullité relative les cas traditionnels où la règle violée tend à protéger l'intérêt particulier de l'un des contractants. Tel est le cas pour la violation des règles relatives :

- à l'*incapacité d'exercice* : l'action en nullité est réservée à l'incapable ou à son représentant ; ou à l'*incapacité de jouissance* lorsqu'elle est établie dans l'intérêt d'une personne ;
- aux *vices du consentement* : action réservée à la victime de l'erreur, du dol, de la violence ; ou au *défaut de consentement* ;
- à la *lésion*, ou aux *clauses abusives* ;
- à l'absence de cause, alors que seul est en jeu l'intérêt du cocontractant dont l'obligation est sans cause[(958)].

Relèvent également de la nullité relative un certain nombre de cas pour lesquels il peut néanmoins y avoir difficulté :

- la violation d'une *règle d'ordre public de protection* : par exemple, l'action sera réservée au consommateur, ou au salarié, ou au locataire, etc.[(959)] ; toutefois, sur ce

(954) Pour la discussion, V. J. Flour, J.-L. Aubert et E. Savaux, *Les obligations, L'acte juridique*, n°s 334 et s. Le Projet Catala tentait de remédier à ces incertitudes en précisant, le plus souvent, quelle est la nature de la nullité. En ce sens par exemple, la nullité est absolue lorsque la cause ou l'objet du contrat est illicite (art. 1122 et 1124-1) et relative en cas d'absence ou vice du consentement et d'absence de cause ou d'objet (art. 1109-2, 1115, 1122 et 1124-1). – A. Bénabent, *Autour de la méthode générale, ainsi que des nullités et autres sanctions* : *RDC* 2006, p. 33, spéc. p. 34.

(955) A. Posez, *La théorie des nullités. Le centenaire d'une mystification* : *RTD civ.* 2011, 647.

(956) J.-L. Aubert, *Le droit pour le créancier d'agir en nullité des actes passés par son débiteur (Un aspect particulier de la théorie générale des nullités)* : *RTD civ.* 1969, 692.

(957) À propos de l'action en nullité relative pour dol : Cass. 3e civ., 18 oct. 2005 : *Bull. civ.* 2005, III, n° 197.

(958) Cass. 1re civ., 9 nov. 1999 : *D.* 2000, p. 507 et note Cristau ; *Defrénois* 2000, p. 250, obs. J.-L. Aubert. – Cass. 1re civ., 20 févr. 2001 : *Bull. civ.* 2001, I, n° 939. – Cass. 3e civ., 29 mars 2006 : *D.* 2007, p. 477 et note J. Ghestin ; *JCP* 2006, I, 153, n°s 7 et s., obs. Constantin.

(959) Avant la loi du 3 janvier 2008 la jurisprudence en tirait cette conséquence que la méconnaissance de la règle (en l'espèce, les articles L. 311-2 et L. 311-9 du Code de la consommation relatifs aux informations devant figurer

point, la loi du 3 janvier 2008 a édulcoré la solution en donnant pouvoir au juge de relever d'office toutes les violations des dispositions du Code de la consommation (C. consom., art. L. 141-4)[(960)] ;

- la violation d'une *règle de forme*, mais dans le cas où la forme protégeait uniquement l'une des parties, ce qui peut faire l'objet de discussion.

395. – **Les cas de nullité absolue.** L'éventail des demandeurs possibles est à l'inverse très large lorsque la condition violée protégeait l'intérêt général. L'idée est que, l'ordre public étant mis en cause, il faut accroître les chances d'annulation d'un pareil contrat. C'est pourquoi l'action est ouverte à « toute personne justifiant d'un intérêt » comme le rappelle l'article 88 du projet de réforme. En pratique, cela signifie que la nullité pourra être demandée par l'une ou l'autre des parties au contrat dès lors qu'elle y a intérêt[(961)], et non plus par une seule.

Traditionnellement, une nullité d'ordre public peut en outre être relevée d'office par un tribunal, soit *a priori*, soit pour le cas où le contrat vicié ferait l'objet d'une demande judiciaire en exécution par l'une des parties[(962)]. Ce pouvoir du juge de soulever d'office une nullité ne peut toutefois s'exercer que sous réserve de se fonder sur les seuls faits qui sont dans le débat (CPC, art. 7, al. 1er) et de respecter le principe du contradictoire (CPC, art. 16, al. 3). Ce pouvoir du juge de relever d'office les nullités absolues est repris dans l'article 88 du projet de réforme au profit du Ministère public.

Il y aura lieu à nullité absolue pour *illicéité* ou *immoralité* de l'objet ou de la cause, lorsque la règle violée est d'*ordre public économique ou de direction*, ou encore pour défaut de prix sérieux[(963)].

La jurisprudence considère également, malgré les critiques qui ont pu lui être adressées, qu'il y a nullité absolue en cas de violation des règles de forme lorsqu'il s'agit d'un *acte solennel*, alors que cependant la forme peut ne protéger que l'intérêt privé[(964)].

---

dans l'offre préalable de crédit), même d'ordre public, ne pouvait être opposée qu'à la demande du consommateur protégé, et non à l'initiative du juge : Cass. 1re civ., 10 juill. 2002 : *D.* 2003, 549 et note crit. O. Gout ; *RTD civ.* 2003, 85, obs. J. Mestre et B. Fages. – Cass. 1re civ., 16 mars 2004 (2 arrêts) : *D.* 2004, 947 et note V. Avena-Robardet ; *JCP* 2004, II, 10129 et note Y. Dagorne-Labbé ; *RDC* 2004, 679, obs. D. Fenouillet. Mais cette interprétation a été condamnée par la Cour de justice des Communautés européennes : CJCE, 21 nov. 2002 : *D.* 2003, 486 et note crit. C. Nourissat ; *JCP* E 2003, 278, note I. Fadlallah et Ch. Baude-Texidor ; *JCP* 2003, II, 142, nos 1 et s., obs. X. Lagarde. – CJCE, 1re ch., 4 oct. 2007 : *JCP* 2008, II,10031 et note G. Paisant ; *D.* 2008, 458 et note H. Claret. – Cass. 3e civ., 6 juill. 2011, *Bull. civ.* III, n° 123 ; *RDI* 2011.505, obs. D. Tomasin. – Cass. 3e civ., 20 nov. 2013 : *RDC* 2014, 169, note Y.M. Laithier ; *Const. urb.* 2014, com. 14, obs. C. Sizaire.

(960) G. Raymond, *Les modifications au droit de la consommation apportées par la loi n° 2008-3 du 3 janvier 2008 pour le développement de la concurrence au service des consommateurs : Contrats, conc. consom.* 2008, étude 3. – G. Poissonnier, *Office du juge en droit de la consommation : une clarification bienvenue : D.* 2008, chron. 1285. – V. pour une première application : Cass. 1re civ., 22 janv. 2009 : *D.* 2009, act. jurispr. 365, obs. V. Avena-Robardet ; *JCP* 2009, II, 10037 et note X. Lagarde ; *Contrats, conc. consom.* 2009, comm. 88, obs. G. Raymond ; *D.* 2009, 908 et note S. Piedelièvre. – G. Poissonnier, *Mode d'emploi du relevé d'office en droit de la consommation : Contrats, conc. consom.* 2009, étude 5.

(961) Cass. 1re civ., 16 janv. 2013 : *RDC* 2013, 537, obs. Y.-M. Laithier.

(962) P. Kayser, *Les nullités d'ordre public : RTD civ.* 1933, 1115. – Ch. Bertrand, *La notion d'ordre public en matière de nullité* : thèse Lille, 1939.

(963) Cass. com., 23 oct. 2007 : *JCP* 2008, II, 10024 et note N. Roget ; *JCP* 2007, I, 104, nos 7 et s., obs. R. Wintgen ; *Defrénois* 2007, 1, 1729, art. 38697, n° 74, obs. R. Libchaber ; *RDC* 2008, 234 et note T. Génicon.

(964) Cette dernière solution n'est pas retenue par le Projet Catala. En effet, il décide que la nullité pour non-respect du formalisme de validité dépend de la nature des intérêts que la formalité omise tend à protéger (art. 1127-4) et que la nullité pour absence de cause est relative (art. 1124-1). Comp. art. 96 du projet de réforme.

B. – Extinction de l'action

396. – Peut-on réparer un contrat vicié ? Lorsqu'un contrat est affecté d'une cause de nullité, les parties peuvent-elles réparer le vice pour mettre le contrat à l'abri de toute critique ?

À cet effet, il est toujours possible de faire un nouveau contrat ayant le même objet (sauf si l'objet est en soi illicite), en veillant bien entendu à le modifier pour en écarter toute cause de nullité. Il s'agit alors d'une *réfection* du contrat, non d'une réparation du contrat initial ; il s'ensuit que le nouveau contrat prendra effet au jour de sa conclusion et n'aura pas d'effet rétroactif.

Outre cela, il est possible de consolider le contrat initial, de le valider rétroactivement, mais dans certaines circonstances seulement : parfois on pourra procéder à une *régularisation* ; d'autres fois, s'agissant d'un contrat nul de nullité relative, il pourra faire l'objet d'une *confirmation*.

Enfin, comme en toutes matières, l'action en nullité n'est ouverte que pendant un certain délai ; une fois le délai expiré, il y aura *prescription*. En pareil cas, le vice ne sera pas réparé, mais le contrat sera à l'abri de toute critique.

397. – La régularisation(965). Il y aura *régularisation* lorsqu'un élément manquant, essentiel à la validité du contrat, peut être apporté par la suite, permettant ainsi de valider un acte initialement nul. C'est une hypothèse relativement rare en pratique.

On en cite classiquement comme exemple le cas de la rescision pour lésion dans la vente d'immeuble, où l'acheteur bénéficiaire de la lésion peut faire échec à l'action en payant « le supplément du juste prix » (C. civ., art. 1681).

De même, si l'acte passé par un mandataire excédant ses pouvoirs est nul, le mandant peut le ratifier, ce qui lui donne plein effet.

Le Projet Catala, qui consacrait la régularisation (art. 1133), en fournit d'autres exemples : régularisation de l'acte qui méconnaît les formalités exigées à titre de validité (art. 1127-1), ratification de l'acte accompli par un incapable une fois celui-ci devenu capable (art. 1117-4 et 1118-1, al. 3). En revanche le projet de réforme n'en parle pas.

On rencontre de nombreuses hypothèses de régularisation en matière de droit des sociétés, afin d'éviter des nullités en cascade. Il n'en reste pas moins que la régularisation a un domaine d'application limité.

398. – La confirmation(966). Confirmer, cela signifie renoncer au droit d'invoquer la nullité si bien que la validité de l'acte devient désormais indiscutable. La confirmation doit émaner de celui que la nullité tendait à protéger et qui, par la confirmation, renonce à ce droit. Il s'ensuit qu'elle n'est possible que pour les actes affectés d'une nullité relative, où l'action en nullité est réservée à la personne protégée(967). Elle ne l'est pas dans le cas de la nullité absolue car, tout intéressé pouvant la demander, la confirmation de l'un ne saurait mettre l'acte à l'abri du droit de cri-

(965) C. Dupeyron, *La régularisation des actes nuls* : LGDJ, coll. « Droit privé », 1973.
(966) G. Couturier, *La confirmation des actes nuls* : LGDJ, coll. « Droit privé », 1972.
(967) Dans le cas où l'action en nullité relative appartient à plusieurs titulaires, l'article 89, alinéa 2, du projet de réforme prévoit que « la renonciation de l'un n'empêche pas les autres d'agir ».

tique des autres. Ainsi, sauf exception (art. 1340, par ex.), les actes nuls d'une nullité absolue ne peuvent être « rattrapés » que par une réfection totale du contrat (V. *supra*, n° 396). Ces principes sont repris dans le projet de réforme (art. 89 et s.).

Art. 1338. – L'acte de confirmation ou ratification d'une obligation contre laquelle la loi admet l'action en nullité ou en rescision n'est valable que lorsqu'on y trouve la substance de cette obligation, la mention du motif de l'action en rescision, et l'intention de réparer le vice sur lequel cette action est fondée.

À défaut d'acte de confirmation ou ratification, il suffit que l'obligation soit exécutée volontairement après l'époque à laquelle l'obligation pouvait être valablement confirmée ou ratifiée.

La confirmation, ratification, ou exécution volontaire dans les formes et à l'époque déterminées par la loi emporte la renonciation aux moyens et exceptions que l'on pouvait opposer contre cet acte, sans préjudice néanmoins du droit des tiers.

La confirmation doit émaner de celui que la condition violée protégeait. Elle est subordonnée à une triple condition :

• la *connaissance du vice* par la personne protégée ; par exemple la victime d'une erreur s'est rendue compte de cette erreur ;

• l'*intention de le réparer*, en fait l'intention de renoncer à invoquer la nullité, étant précisé que la confirmation peut être expresse ou simplement tacite, à la condition qu'elle soit sans équivoque ; elle peut notamment résulter de l'exécution spontanée du contrat annulable, comme l'indique l'article 1338 : « à défaut d'acte de confirmation ou de ratification, il suffit que l'obligation soit exécutée volontairement après l'époque à laquelle l'obligation pouvait être valablement confirmée ou ratifiée »[(968)] (solution reprise dans l'article 90, alinéa 3, du projet de réforme) ;

• la *disparition de ce vice* lors de la confirmation : par exemple, le vice d'incapacité ne pourra être couvert par un mineur qu'une fois arrivé à la majorité.

Lorsqu'elle intervient, la confirmation interdit d'invoquer la nullité, que ce soit par voie d'action ou par voie d'exception.

Reprenant une idée du Projet Catala, le projet de réforme ouvre en outre une faculté tout à fait originale permettant de mettre fin aux incertitudes relatives à la validité d'un acte affecté de nullité relative : celui dont dépend la confirmation peut être mis en demeure par l'autre partie soit de confirmer, soit d'agir en nullité dans un délai de six mois, à peine de forclusion (art. 91).

399. – La prescription[(969)]. En principe, toutes les actions se prescrivent, c'est-à-dire s'éteignent par l'écoulement d'un certain délai (V. *infra*, n°s 909 et s.). De manière générale, la prescription trouve son fondement dans le besoin de sécurité juridique : il ne faut pas que les contrats puissent être remis en cause de longues années après leur conclusion. Mais corrélativement la nullité tend à protéger le ou les titulaires de l'action et doit donc perdurer le plus longtemps possible. La prise en compte de ces perspectives antagonistes a conduit à un équilibre qui distingue suivant que l'action en nullité tend à protéger l'intérêt général (nullité absolue) ou un intérêt particulier (nullité relative).

(968) Sous réserve que le débiteur ait eu effectivement connaissance du vice qui affectait son obligation : Civ. 3e 20 nov. 2013 : *RDC* 2014, 169, note Y.M. Laithier.

(969) M. Bandrac, *La nature juridique de la prescription extinctive en matière civile*, préf. P. Raynaud : Économica, 1986.

Le Code civil ne consacre qu'un seul article à la prescription de l'action en nullité, l'article 1304 qui, à la suite d'une modification intervenue en 1968, a ramené la prescription de dix ans à *cinq ans*. Ce texte n'a pas été modifié par la loi du 17 juin 2008 portant réforme de la prescription.

Art. 1304. – Dans tous les cas où l'action en nullité ou en rescision d'une convention n'est pas limitée à un moindre temps par une loi particulière, cette action dure cinq ans.

Ce temps ne court dans le cas de violence que du jour où elle a cessé ; dans le cas d'erreur ou de dol, du jour où ils ont été découverts.

Le temps ne court, à l'égard des actes faits par un mineur, que du jour de la majorité ou de l'émancipation ; et à l'égard des actes faits par un majeur protégé, que du jour où il en a eu connaissance, alors qu'il était en situation de les refaire valablement. Il ne court contre les héritiers de la personne en tutelle ou en curatelle que du jour du décès, s'il n'a commencé à courir auparavant.

Compte tenu du contexte de l'époque et du libellé même du texte, l'article 1304 a toujours été interprété comme s'appliquant aux seules nullités relatives. Pour les nullités absolues, on appliquait donc la prescription de droit commun, c'est-à-dire, jusqu'à la réforme du 17 juin 2008, le délai de *trente ans* de l'article 2262 ; désormais ce délai de droit commun est lui aussi de cinq ans, mais à compter du jour où le titulaire du droit « a connu ou aurait dû connaître les faits lui permettant de l'exercer » (C. civ., art. 2224).

Ces deux délais représentent le droit commun en matière de prescription, droit commun qui peut être écarté par des dispositions particulières à telle ou telle cause de nullité. Ainsi de nombreux textes prévoient des délais plus brefs dans certains domaines : par exemple, deux ans pour l'action en rescision pour lésion dans la vente d'immeuble (C. civ., art. 1674), deux ans également pour le contrat d'assurance, etc.

Quant au *point de départ du délai*, le principe est qu'il court du jour du contrat. Mais, s'agissant des nullités relatives classiques visées à l'article 1304, le point de départ est retardé jusqu'au jour où la personne protégée était en mesure d'invoquer la nullité : du jour où le vice a cessé (pour la violence) ou a été découvert (pour l'erreur[970] et le dol[971]), ou du jour de la capacité (en cas d'incapacité). Compte tenu de ce point de départ retardé, il se peut que l'action en nullité relative soit encore ouverte alors que le délai de droit commun (de trente ans de l'article 2262 ancien, ou de cinq ans de l'article 2224 nouveau) est expiré[972], auquel cas l'article 2232 prévoyant un délai butoir pourrait trouver application.

À la différence de la confirmation, la prescription ne met fin qu'à l'action en nullité, cependant que l'exception peut toujours être invoquée sans limitation de délai (V. *supra*, n° 390).

---

(970) Par exemple, en cas d'erreur sur la défiscalisation, il a été jugé que l'erreur était découverte du jour de la notification des redressements, et non du jour du jugement du tribunal administratif rejetant la contestation fiscale : Cass. 1re civ., 13 déc. 2005 : *AJDI* 2006, p. 842, obs. J.-P. Maublanc.

(971) Cass. 1re civ., 6 oct. 2010 : *RDC* 2011, 415, obs. E. Savaux.

(972) Cass. 1re civ., 24 janv. 2006 : *Bull. civ.* 2006, I, n° 28 ; *D.* 2006, p. 626 et note crit. R. Wintgen ; *JCP* 2006, II, 10036 et note M. Mekki ; *Defrénois* 2006, 1, 583, art. 38365, n° 22, obs. E. Savaux ; *RDC* 2006, p. 708, obs. D. Mazeaud (écartant la prescription trentenaire). – CA Paris, 1re ch. A, 26 juin 2007 : *D.* 2007, 2788 et note F. Baillet-Bouin (écartant la prescription décennale de l'article L. 110-4 ancien du Code de commerce).

§ 2. – Les effets de la nullité

400. – Anéantissement du contrat. Quelle que soit la gravité du vice qui affecte le contrat, sa nullité ne peut résulter que d'une décision judiciaire(973)(974). Tant qu'elle n'est pas prononcée le contrat demeure valable et obligatoire, sauf à exciper de l'exception de nullité. Il arrive ainsi que des contrats annulables soient menés à bonne fin parce que personne n'a jamais demandé leur nullité.

Une fois le jugement rendu, l'annulation produit le même effet, que la nullité soit relative ou absolue : l'anéantissement du contrat, en principe total et rétroactif(975). *Quod nullum est, nullum producit effectum*(976), disait-on jadis, formule que la jurisprudence a traduite dans un nouveau principe qui sert de visa aux arrêts : « Vu le principe selon lequel ce qui est nul est réputé n'avoir jamais existé »(977).

On constate en pratique que la nullité ne s'étend pas toujours à l'ensemble du contrat : l'anéantissement peut être total ou partiel, suivant ce qui est nécessaire pour éliminer le vice. Lorsque l'anéantissement est total et rétroactif on se trouve confronté au problème des restitutions.

401. – Conséquences sur les contrats faisant partie d'un ensemble. La question des contrats interdépendants, qui se pose fréquemment dans la pratique, n'a pas été envisagée par le Code civil. Elle est en revanche traitée par le projet de réforme du droit des obligations.

Si l'un des contrats faisant partie de l'ensemble est annulé ou résolu, les autres contrats faisant partie du même ensemble peuvent-ils survivre ? On considère généralement que, par suite de cet anéantissement, les autres contrats perdent leur cause et deviennent donc caducs. Telle est la solution retenue par le projet de réforme (art. 94, al. 2) : les parties à ces autres contrats peuvent se prévaloir de leur caducité si la disparition de l'un des contrats « rend impossible ou sans intérêt l'exécution d'un autre » La jurisprudence en fournit des exemples(978).

A. – L'étendue de la nullité : anéantissement total ou partiel ?

402. – Le principe : anéantissement total. Le principe est que le contrat nul ne produit aucun effet si bien qu'on en revient à la situation antérieure(979). En bref, le contrat est effacé dans son entier, à l'exception toutefois de certaines clauses qui sont autonomes par rapport au contrat ; ainsi en est-il de la clause compromissoire,

(973) O. Gout, *Le juge et l'annulation du contrat*, préf. P. Ancel : PUAM, 1999.

(974) Le projet de réforme prévoit également que « la nullité doit être prononcée par le juge », mais « à moins que les parties ne la constatent d'un commun accord » (art. 86, al. 1).

(975) L'effet est le même en cas d'exception de nullité : Cass. 1re civ., 16 juill. 1998 : *Defrénois* 1998, 1, 1413 et note J.-L. Aubert.

(976) A. Piedelièvre, *Quelques réflexions sur la maxime* « Quod nullum est, nullum producit effectum », in *Mél. Voirin*, p. 638.

(977) Cass. 3e civ., 2 oct. 2002 : *Contrats, conc. consom.* 2003, comm. 23, obs. L. Leveneur.

(978) Cass. com., 5 juin 2007 : *D.* 2007, 1723, obs. X. Delpech ; *JCP* 2007, II, 10184 et note Y.-M. Serinet ; *Dr. et patrimoine* 2007, 89, obs. L. Aynès et Ph. Stoffel-Munck ; *RTD civ.* 2007, 569, obs. B. Fages. – Cass. Ch. Mixte, 17 mai 2013 : *D.* 2013, 1658, note D. Mazeaud ; *Contrats, conc. consom.* 2013, comm. 176, obs. L. Leveneur ; *RDC* 2013, 849, Avis av. gén. Le Mesle ; *RTD civ.* 2013, 597, obs. H. Barbier ; *RDC* 2013, 231, obs. Y.-M. Laithier ; *JCP* 2013, 673, note F. Buy, et 674, note J.B. Seube.

(979) Cass. 3e civ., 22 juin 2005, 2 arrêts : *JCP* 2005, IV, 2811 et 2812.

de la clause d'arbitrage[980] et de la clause attributive de compétence[981] qui, sauf stipulation contraire, survivent à la nullité du contrat.

Mais ce principe, qui conserve un domaine d'application très important, est néanmoins de plus en plus souvent battu en brèche. Dans certains cas, la nullité ne sera que partielle[982], notamment dans le cas où la nullité n'affecte qu'une clause du contrat qui serait illicite, abusive ou excessive. Les exceptions au principe peuvent être classées en trois catégories.

403. – **Exception au principe : la clause réputée non écrite**[983]. La question de l'anéantissement total ou partiel du contrat se pose lorsqu'une seule clause du contrat est critiquable : par exemple, une clause d'exclusivité ou une clause monétaire, ou une clause de non-concurrence, etc. À supposer que la clause soit nulle comme contraire à l'ordre public de direction ou de protection, entraîne-t-elle la nullité du contrat dans son entier ? La question se pose fréquemment en pratique. Sur ce point précis, le Code civil fournit deux réponses contradictoires concernant les conditions insérées dans les actes à titre gratuit et dans les actes à titre onéreux.

Art. 900. – Dans toute disposition entre vifs ou testamentaires, les conditions impossibles, celles qui seront contraires aux lois ou aux mœurs, seront réputées non écrites.

Art. 1172. – Toute condition d'une chose impossible, ou contraire aux bonnes mœurs, ou prohibée par la loi, est nulle, et rend nulle la convention qui en dépend.

Ainsi, insérée dans une donation ou une libéralité, une condition illicite est réputée non écrite, cependant que subsiste la donation. Ici, la nullité est partielle, et ce pour une raison très simple : si on avait retenu la solution contraire, le bénéficiaire de la donation n'aurait pas critiqué la clause illicite dans la crainte de perdre le bénéfice de la donation. Mais, insérée dans un acte à titre onéreux, la même condition illicite entraîne la nullité de l'acte dans son entier.

Partant de ces dispositions contradictoires, la jurisprudence a finalement, par une interprétation audacieuse, retenu une solution identique pour tous les actes, distinguant suivant que la clause litigieuse a été ou non la cause impulsive et déterminante du contrat : la nullité s'étendra à l'ensemble du contrat si la clause a été déterminante du consentement des parties ; elle sera limitée à la clause, qui sera alors réputée non écrite, dans le cas contraire[984]. La solution est consacrée dans l'article 93 du projet de réforme : « Lorsque la cause de nullité n'affecte qu'une ou plusieurs clauses du contrat, elle n'emporte nullité de l'acte tout entier que si cette ou ces clauses ont constitué un élément déterminant de l'engagement des parties ou de l'une d'elles ».

Ainsi, il appartient au juge saisi de l'action en nullité d'apprécier si la clause litigieuse a été, dans l'intention des parties, déterminante de leur consentement, ou si

(980) La solution, affirmée d'abord pour les contrats internationaux (Cass. 1re civ., 21 mai 1997 : *Bull. civ.* 1997, I, n° 159), a été ensuite étendue aux contrats internes (Cass. 2e civ., 4 avr. 2002 et Cass. com., 9 avr. 2002 : *JCP* 2002, II, 10154 et note S. Reifegerste ; *D.* 2003, 1117 et note L. Degos) ; *Rev. arb.* 2003, 103 et note P. Didier. – Cass. 2e civ., 20 mars 2003 : *Bull. civ.* 2003, II, n° 68, p. 60 ; *JCP* 2003, IV, 1881. – Cass. 1re civ., 15 mai 2008 : *RDC* 2008, 1122, obs. T. Génicon.

(981) Cass. 1re civ., 8 juill. 2010 : *D.* 2010, 1869, obs. X. Delpech ; *D.* 2010, 2333, obs. L. d'Avout ; *RDC* 2011, 223, obs. J.-B. Racine.

(982) Ph. Simler, *La nullité partielle des actes juridiques* : LGDJ, coll. « Droit privé », 1969.

(983) S. Gaudemet, *La clause réputée non écrite* : Économica, 2006.

(984) B. Teyssié, *Réflexions sur les conséquences de la nullité d'une clause d'un contrat* : *D.* 1976, chron. 281.

elle n'a été qu'un élément secondaire. Parfois, les parties s'en expliquent clairement dans le contrat, auquel cas le juge ne peut l'ignorer(985). Mais il arrive aussi que la partie la plus forte impose une clause illicite et stipule perfidement dans le contrat qu'elle en a été la cause déterminante, ceci afin de dissuader la partie faible de soulever une nullité qui lui ferait perdre le bénéfice du contrat dans son entier. En pareil cas, les juges n'hésitent pas, « nonobstant le fait que les parties étaient convenues que cette clause était essentielle », à réputer non écrite la stipulation contraire à l'ordre public(986).

Allant plus loin dans la voie de la nullité partielle, le législateur moderne adopte très fréquemment la sanction de la « clause réputée non écrite »(987) pour éliminer d'un contrat les clauses illicites. Tel est notamment le cas pour les clauses abusives dans les contrats avec les consommateurs (C. consom., art. L. 132-1). La tendance générale est de limiter la nullité à ce qui est strictement nécessaire.

C'est également la solution retenue dans les Principes Unidroit relatifs aux contrats du commerce international (art. 3-2-13) : « L'annulation se limite aux seules clauses du contrat visées par la cause d'annulation, à moins que, eu égard aux circonstances, il ne soit déraisonnable de maintenir les autres dispositions du contrat. »

Toutefois, lorsque la loi vise expressément la nullité de l'acte dans son entier, le juge ne peut substituer à cette sanction celle de la clause réputée non écrite(988).

404. – Exception au principe : la réduction de la clause excessive. Il se peut que, dans un contrat, une disposition dépasse le quantum qui est autorisé par la loi. La clause est alors illicite, non dans son principe, mais dans son montant si bien qu'il est possible de réparer ce vice en ramenant le montant à ce qui est autorisé.

Les parties pourraient le faire spontanément et procéder à la *régularisation* de l'acte (V. *supra*, n° 397). Mais parfois, la loi elle-même le prévoit ou y invite. Par exemple, une donation excédant la quotité disponible sera réduite, le montant du loyer excessif ou du taux d'intérêt usuraire sera ramené au montant ou au taux permis (C. consom., art. L. 313-4), la convention d'indivision supérieure à cinq ans sera limitée à ce délai, etc.

La jurisprudence a fait application de cette technique à une clause de non-concurrence excessive quant à son champ d'application territorial(989), dans le cas

(985) Cass. com., 27 mars 1990 : *D.* 1991, 289 et note F.-X. Testu ; *RTD civ.* 1991, 112, obs. J. Mestre.

(986) Cass. 3e civ., 6 juin 1973 : *D.* 1974, 151 et note Ph. Malaurie (clause d'indexation illicite dans un bail). – Cass. 3e civ., 31 janv. 2001 : *JCP* 2001, I, 354, obs. Y.-M. Serinet (clause de fourniture exclusive, générale et absolue, dans un bail, portant ainsi atteinte au droit au renouvellement). – Rappr. Cass. 1re civ., 13 mars 2007 : *JCP* 2007, act. 135, obs. J. Ortscheidt (qui répute non écrite dans une convention d'arbitrage international la clause essentielle prévoyant la possibilité d'interjeter appel).
Parfois même le juge va réputer non écrite une clause qui normalement devrait entraîner la nullité du contrat tout entier : Cass. soc., 8 avr. 2010 : *D.* 2010, 1085, obs. L. Perrin ; *RDC* 2010, 1199, obs. T. Génicon (pour la contrepartie financière d'une clause de non-concurrence).

(987) J. Kullmann, *Remarques sur les clauses réputées non écrites* : *D.* 1993, chron. 59. – V. Cottereau, *La clause réputée non écrite* : *JCP* 1993, I, 3691. – R. Baillod, *À propos des clauses réputées non écrites*, in *Mél. Boyer*, 1996. – S. Gaudemet, *op. cit.*

(988) Cass. 3e civ., 23 janv. 2008 : *Bull. civ.* 2008, III, n° 11 ; *JCP* 2008, II, 10083 et note F. Auque ; *Defrénois* 2008, 1, 688, art. 38740, obs. R. Libchaber ; *RTD civ.* 2008, 292, obs. B. Fages.

(989) Cass. soc., 1er déc. 1982 : *Bull. civ.* 1982, V, n° 668, p. 493 ; *D.* 1983, inf. rap. 418, obs. Serra. – D. Bakouche, *L'excès en droit civil* : LGDJ, coll. « Droit privé », 2005, t. 432, préf. M. Gobert.

d'une reconnaissance de dette pour un montant excédant celui de la dette[990], ou encore à une pénalité de retard d'un taux supérieur à celui prévu par la loi[991].

405. – **Exception au principe : la conversion**[992]. La conversion est une technique juridique tendant à sauver un acte de la nullité. Par exemple, un acte notarié qui serait nul faute de signature du notaire pourra être considéré comme un acte sous seing privé valable s'il comporte la signature des parties. Afin de sauver l'acte, on va le disqualifier en un autre acte, sous réserve qu'il réponde aux conditions de validité de cet autre acte et que ce nouvel acte corresponde bien à la volonté des parties.

On en trouve quelques exemples en jurisprudence. Ainsi, a-t-on admis la conversion d'une lettre de change incomplète en un billet à ordre[993], ou encore un contrat d'assurance nul en un contrat commutatif innomé[994].

En droit français, il s'agit d'exceptions fort rares. Mais on observera que le principe de la conversion est retenu en droit allemand[995] et en droit italien[996]. Il est donc possible qu'à l'occasion d'une harmonisation du droit européen des contrats, un tel principe s'étende un jour au droit français.

C'est ce que propose le Projet Catala dans son article 1143, qui figure au paragraphe consacrée à la qualification : « L'acte nul faute de répondre aux conditions de validité correspondant à la qualification choisie par les parties subsiste, réduit, s'il répond aux conditions de validité d'un autre acte dont le résultat est conforme à leur volonté ». En revanche, le projet de réforme n'en fait aucune mention.

B. – Le problème des restitutions[997]

406. – **Le principe de la rétroactivité de la nullité.** Le problème des restitutions ne se pose que dans la mesure où la nullité du contrat se traduit par son anéantissement total. En vertu du principe *Quod nullum est nullum producit effectum*, principe dont l'article 86 du projet de réforme fait application, le contrat est censé n'avoir jamais existé[998].

Il en découle deux conséquences : le contrat n'aura pas d'effet dans l'avenir, et en outre il faudra effacer le passé. Si la première conséquence ne suscite aucune difficulté, il n'en va pas de même pour la seconde lorsque, au moment de l'annulation, le contrat a déjà fait l'objet d'une exécution, totale ou partielle.

(990) Il y a alors fausseté partielle de la cause et réduction au montant réellement dû : Cass. 1re civ., 11 mars 2003 : *JCP* 2003, IV, 1818 ; *JCP* 2003, I, 142, nos 5 et s.

(991) Cass. 3e civ., 9 juill. 2003 : *D.* 2003, 2914 et note O. Gout.

(992) X. Perrin, *La conversion par réduction des actes et des personnes juridiques. Essai d'une théorie en droit français* : thèse Dijon, 1911. – A. Couret, *La notion juridique de conversion*, in *Mél. Vigreux*, t. 1, 1981, p. 219. – P. Lipinski, *La conversion des actes juridiques* : *RRJ* 2002, n° 3, p. 1167. – A. Boujeka, *La conversion par réduction : contribution à l'étude des nullités des actes juridiques formels* : RTD com. 2002, 223.

(993) Cass. com., 18 mars 1959 : *Bull. civ.* 1959, III, n° 148 ; *RTD com.* 1959, 909, obs. J. Becqué et M. Cabrillac. – Cass. com., 23 janv. 2007 : *D.* 2007, p. 437, obs. X. Delpech ; *D.* 2007, 2509 et note A. Boujeka.

(994) Paris, 13 déc. 1851 : *DP* 1854, I, 369.

(995) BGB, art. 140 : « Lorsqu'un acte juridique nul remplit les conditions requises d'un autre acte juridique, ce dernier est valable s'il y a lieu d'admettre que, la nullité étant connue, cette validité aurait été voulue. »

(996) Art. 1424 du Code civil italien.

(997) H. Boucard, *Les conséquences de l'anéantissement du contrat : restitutions et enrichissement sans cause* : RDC 2013, 1669.

(998) M. Mercier, *La rétroactivité. Essai d'une théorie générale* : thèse Paris I, 2003 ; *L'anéantissement rétroactif du contrat (Actes du colloque du 22 oct. 2007)* : *RDC* 2008, 7 : V. notamment L. Aynès, *Rapport introductif*, p. 9. – A. Bénabent, *La révision du passé entre les parties*, p. 15. – P. Ancel, *La rétroactivité et la sécurité des tiers*, p. 35. – Ph. Malinvaud, *Observations conclusives*, p. 101.

Le principe de la rétroactivité conduit à ceci que les choses doivent être remises en l'état où elles étaient lors de la conclusion du contrat, comme si rien ne s'était passé[999]. Il faut refaire le contrat à l'envers[1000]. C'est dire que chacune des parties devra restituer à l'autre ce qu'elle a reçu ; il y aura lieu à des restitutions réciproques[1001]. Voilà qui n'est pas toujours simple : par exemple, en cas de nullité d'un bail, le bailleur peut aisément rendre le montant des loyers perçus, mais comment le locataire peut-il rendre sa jouissance des lieux ?

Par ailleurs, la rétroactivité va également atteindre les tiers dans la mesure où, par exemple, la chose faisant l'objet du contrat annulé a été prêtée, louée ou vendue à une tierce personne ; si on fait jouer ici à plein la rétroactivité, elle entraînera la nullité en cascade de tous les contrats successifs qui trouvaient leur support dans le contrat annulé.

Dans le paragraphe consacré à la nullité le projet de réforme ne traite pas directement des restitutions ; il renvoie au régime général des restitutions prévu « au chapitre V du titre IV » (art. 86, al. 2), c'est-à-dire aux articles 257 et suivants du projet. Le projet institue donc un traitement uniforme des restitutions, qu'elles résultent de l'annulation du contrat, de sa résolution ou de sa caducité. Les restitutions soulèvent d'importantes difficultés, ce qui explique les exceptions ou atténuations qui y sont apportées.

La question se pose en outre de savoir quel sort doit être donné aux clauses qui tendent à écarter ou au contraire à faire jouer la rétroactivité[1002].

1° La forme et l'étendue des restitutions

407. – **Fondement juridique des restitutions**[1003]. Par suite de l'annulation rétroactive du contrat, chacune des parties se trouve avoir reçu une chose, ou une somme d'argent, qui ne lui était pas due, et qu'elle doit donc restituer. Quelles sont les règles qui gouvernent ces restitutions ?

En l'absence de dispositions sur ce point dans le Code civil, on aurait pu se référer aux règles édictées par les articles 1376 et suivants du Code civil en matière de *répétition de l'indu* (V. *infra*, n°s 806 et s.).

Telle n'a pas été la position de la jurisprudence. Dans un arrêt relatif au délai de prescription de l'action en restitution des intérêts d'un prêt annulé, la Cour de cassation a, sous le visa des articles 1376 et 1304 du Code civil, posé le principe suivant : « Attendu que les restitutions consécutives à une annulation ne relèvent pas de la répétition de l'indu mais seulement des règles de la nullité »[1004]. Et elle en a déduit que la prescription applicable était la prescription de cinq ans de l'article 1304, et non la prescription de l'action en répétition de l'indu.

(999) La jurisprudence en tire cette conséquence que la confusion résultant du contrat annulé ou résolu disparaît rétroactivement : Cass. 3e civ., 22 juin 2005 : *Bull. civ.* 2005, III, n° 143 ; *JCP* 2005, II, 10149 et note Y. Dagorne-Labbé ; *D.* 2005, p. 3003 et note M.-A. Rakotovahiny ; *RTD civ.* 2006, p. 313, obs. J. Mestre et B. Fages.

(1000) X. Lagarde, *Retour sur les restitutions consécutives à l'annulation d'un contrat* : *JCP* 2012, 504.

(1001) Ph. Malaurie, *Les restitutions en droit civil*, Les cours du droit, 1975. – A. Bousiges, *Les restitutions après annulation ou résolution d'un contrat* : thèse Poitiers, 1982. – E. Poisson-Drocourt, *Les restitutions entre les parties consécutives à l'annulation d'un contrat* : *D.* 1983, chron. 85. – J. Schmidt-Szalewski, *Les conséquences de l'annulation d'un contrat* : *JCP* 1989, I, 3397. – C. Guelfucci-Thibierge, *Nullité, restitutions et responsabilité*, préf. J. Ghestin : LGDJ, coll. « Droit privé », 1992. – M. Malaurie, *Les restitutions en droit civil*, préf. G. Cornu : éd. Cujas, 1991.

(1002) M.-E. Pancrazi, *Les clauses de rétroactivité* : *RTD civ.* 2011, 469.

(1003) F. Rouvière, *L'évaluation des restitutions après annulation ou résolution de la vente* : *RTD civ.* 2009, 617.

(1004) Cass. 1re civ., 24 sept. 2002 : *Bull. civ.* 2002, I, n° 218, p. 168 ; *D.* 2003, 369 et note crit. J.-L. Aubert ; *JCP* 2002, IV, 2702.

Même si ce n'était pas la seule décision en la matière[1005], c'est la première qui posait de manière générale et absolue que les restitutions devaient être régies par les règles des nullités et non par celles de la répétition de l'indu.

Il reste à déterminer quelles sont ces règles en matière de nullité. C'est ce à quoi s'est employé le projet de réforme (art. 257 et s.) du droit des contrats qui édicte un certain nombre de règles applicables à tous les cas de restitution, qu'il s'agisse d'annulation, de caducité ou de résolution.

408. – **Principe de la restitution en nature.** Le principe est que chacun doit restituer exactement ce qu'il a reçu à raison du contrat annulé. À cet égard le projet de réforme pose le principe de la restitution en nature : « La restitution a lieu en nature ou, lorsque cela est impossible, en valeur » (art. 257).

Si l'un a reçu un *prix*, par exemple un prix de vente, un loyer, des intérêts, etc., en bref des *sommes d'argent*, le *principe du nominalisme monétaire*[1006] postule qu'il restitue la somme même qu'il a reçue, et non pas un montant réévalué en fonction de l'érosion monétaire[1007], ou diminué au motif que la chose vendue aurait entre-temps perdu une part de sa valeur[1008]. Ainsi, il se peut que les restitutions entraînent un préjudice pour l'une des parties, préjudice qui pourrait donner lieu à réparation dans le cas où la nullité serait due à la faute de l'autre partie (V. *infra*, n° 417). Avec le prix devront être restitués ses accessoires, par exemple la TVA[1009] ; le projet de réforme consacre cette solution dans l'article 258 : « la restitution d'une somme d'argent porte sur le principal de la prestation reçue ainsi que sur les intérêts et les taxes acquittées entre les mains de celui qui a reçu le prix ».

S'il a reçu une chose, il doit restituer la chose même qu'il a reçue, si elle existe encore. Si elle a subi des *dégradations* imputables à une faute du détenteur, ce dernier sera tenu d'une indemnité correspondant à la moins-value. La solution est plus douteuse dans le cas où la dépréciation du bien restitué est due à l'utilisation normale de la chose, à l'usure. On peut en effet soutenir que, le contrat étant censé n'avoir jamais existé, les risques de perte sont à la charge du propriétaire : *res perit domino*. Sur ce point, certaines décisions se sont prononcées en ce sens[1010], et d'autres en sens contraire[1011] suivant que la vente était résolue pour défaut de conformité[1012] ou pour vices cachés[1013].

(1005) Il a été ainsi jugé qu'en cas de nullité d'un prêt faisant l'objet d'une caution, la caution continuait à garantir la restitution du capital : Cass. com., 17 nov. 1982 : *Bull. civ.* 1982, IV, n° 357 ; *D.* 1983, 127 et note M. Contamine-Raynaud ; *JCP* 1984, II, 20216, note Ch. Mouly et Ph. Delebecque. – Cass. com., 1er juill. 1997 : *D.* 1998, 32 et note L. Aynès.

(1006) Ce principe est tiré de l'article 1895 du Code civil suivant lequel « l'obligation qui résulte d'un prêt en argent, n'est toujours que de la somme numérique énoncée au contrat ».

(1007) Cass. 1re civ., 7 avr. 1998 : *Bull. civ.* 1998, I, n° 142.

(1008) Cass. 1re civ., 19 mars 1996 : *Bull. civ.* 1996, I, n° 139 (pour des actions ayant perdu leur valeur). – Cass. com., 19 mai 1998 : *Bull. civ.* 1998, IV, n° 160 (pour un fonds de commerce).

(1009) Cass. com., 26 juin 1990 : *Bull. civ.* 1990, IV, n° 190.

(1010) Cass. 1re civ., 6 déc. 1967 : *Bull. civ.* 1967, I, n° 358 ; *RTD civ.* 1968, 708, obs. J. Chevallier. – Cass. 1re civ., 19 mars 1996 : *Bull. civ.* 1996, I, n° 137 (pour des actions ayant perdu l'essentiel de leur valeur).

(1011) Cass. com., 21 juill. 1975 : *D.* 1976, 582, note P. Diener et E. Agostini. – Cass. 1re civ., 2 juin 1987 : *Bull. civ.* 1987, I, n° 183. – Cass. 1re civ., 4 oct. 1988 : *Bull. civ.* 1988, I, n° 274 ; *RTD civ.* 1989, 539, obs. Ph. Rémy (pour le cas d'une dépréciation due à l'usage normal d'un véhicule entre le jour de la vente et celui de la résolution).

(1012) Cass. 1re civ., 8 mars 2005 : *Bull. civ.* 2005, I, n° 128. – Cass. 1re civ., 21 mars 2006 : *Bull. civ.* 2006, I, n° 165. – Cass. com., 22 mai 2012 : *JCP* 2012.1151, n° 14, obs. P. Grosser.

(1013) Cass. 1re civ., 21 mars 2006, 3 arrêts : *Bull. civ.* 2006, I, n° 171, 172 et 173 ; *D.* 2006, p. 1869 et note C. Montfort. Sur cette différence, V. obs. crit. Ph. Brun : *RDC* 2006, p. 1140, et G. Viney, *RDC* 2006, p. 1230. – V. aussi S. Hocquet-Berg,

S'agissant des dégradations et détériorations, le projet de réforme décide que « celui qui restitue la chose répond des dégradations et détériorations qui en ont diminué la valeur, à moins qu'il ne soit de bonne foi et que celles-ci ne soient pas dues à sa faute » (art. 262, al. 2). Corrélativement, si le détenteur de la chose a été amené à faire des frais pour sa conservation, il devra en être remboursé par le bénéficiaire de la restitution qui, par suite de la rétroactivité, est censé avoir toujours été propriétaire[(1014)]. Cette solution, déjà admise en jurisprudence, est reprise dans le projet de réforme (art. 262, al. 1).

Cela dit, on constate que la restitution en nature ne permet pas de résoudre tous les problèmes. Si, par exemple, un contrat de vente d'un véhicule est annulé un an après la vente, la restitution du véhicule ne suffit pas à remettre les parties en l'état où elles auraient été si la vente n'avait pas eu lieu. En effet, le vendeur a été privé de la jouissance du véhicule pendant un an, cependant que l'acheteur en a profité pendant le même temps. Ne doit-il pas y avoir lieu à restitution de cette jouissance[(1015)] ? On ajoutera que cette jouissance s'est souvent traduite par une certaine usure de la chose objet de la restitution. Doit-il en être tenu compte ?

Sur ce point, les chambres de la Cour de cassation se sont d'abord prononcées dans des sens différents, certains arrêts admettant le principe d'une indemnité compensant un enrichissement injuste[(1016)], cependant que d'autres l'écartaient[(1017)]. C'est en ce dernier sens que, saisie de ce conflit, s'est prononcée une chambre mixte par un arrêt du 9 juillet 2004, en ajoutant cette précision que seule la partie de bonne foi au contrat de vente annulé peut demander la condamnation de la partie fautive à réparer le préjudice qu'elle a subi en raison de la conclusion du contrat annulé[(1018)] ; ce n'est plus alors une question de restitution mais un problème de responsabilité (V. *infra*, n° 417).

S'alignant sur cet arrêt, les diverses chambres de la Cour de cassation décident désormais qu'à raison de l'effet rétroactif de l'annulation de la vente, le vendeur n'est pas fondé à obtenir une indemnité correspondant à la seule occupation de l'immeuble[(1019)], ou « à la seule utilisation de la chose »[(1020)].

Garantie des vices cachés, défaut de conformité et restitutions : *Resp. civ. et assur.* 2006, étude 9. – J.-E. Chevallier, *Les conséquences de l'action rédhibitoire pour vices cachés à travers l'exemple du secteur automobile* : *RTD com.* 2010, 231.

(1014) Cass. 3e civ., 12 janv. 1994 : *Bull. civ.* 1994, III, n° 5.

(1015) G. Kessler, *Restitutions en nature et indemnité de jouissance* : *JCP* 2004, I, 154. – F. Rouvière, *L'évaluation des restitutions après annulation ou résolution de la vente* : *RTD civ.* 2009, 617.

(1016) Cass. com., 16 déc. 1975 : *Bull. civ.* 1975, IV, n° 308. – Cass. com., 15 mars 1988 : *Bull. civ.* 1988, IV, n° 105. – Cass. 3e civ., 12 janv. 1988 : *Bull. civ.* 1988, III, n° 7 ; *D.* 1988, inf. rap. p. 44 (sauf dans le cas où le vendeur serait de mauvaise foi). – Cass. 3e civ., 12 mars 2003 : *Bull. civ.* 2003, III, n° 63, p. 58 ; *D.* 2003, 2522, 2e esp. et note Y.-M. Serinet ; *Defrénois* 2004, 1, 516, art. 37916 et note B. Gelot ; *JCP* 2003, IV, 1838 (indemnité d'occupation accordée sur le fondement de l'article 1371, c'est-à-dire de l'enrichissement sans cause, dans le cas de la nullité de la vente d'un appartement occupé pendant sept ans).

(1017) Cass. com., 11 mai 1976 : *Bull. civ.* 1976, IV, n° 162. – Cass. 1re civ., 2 juin 1987 : *Bull. civ.* 1987, I, n° 183. – Cass. 1re civ., 11 mars 2003 : *JCP* 2004, II, 10159 et note Ch. Lievremont ; *D.* 2003, 2522, 1re esp. et note Y.-M. Serinet.

(1018) Cass. ch. mixte, 9 juill. 2004 : *Bull. civ.* 2004, ch. mixte, n° 2 ; *D.* 2004, 2175 et note Ch. Tuaillon ; *JCP* 2004, II, 10190 et note G. François ; *Contrats, conc. consom.* 2004, comm. 167 et note L. Leveneur ; *Defrénois* 2004, 1, 1402, obs. R. Libchaber ; *JCP* 2004, I, 173, nos 14-21, obs. Y.-M. Serinet ; *JCP* 2005, I, 132, n° 1, obs. G. Viney ; *RTD civ.* 2005, 125, obs. J. Mestre et B. Fages. – M. Malaurie-Vignal, *La jouissance du bien exclue du champ des restitutions (ch. mixte, 9 juill. 2004)* : *Rev. Lamy dr. civ.* nov. 2004, p. 5 ; *AJDI* 2005, 331 et note F. Cohet-Cordey ; *RDC* 2005, 280, obs. Ph. Stoffel-Munck. – R. Wintgen, *L'indemnité de jouissance en cas d'anéantissement rétroactif d'un contrat translatif* : *Defrénois* 2004, 1, 692, art. 37942.

(1019) Cass. 3e civ., 2 mars 2005 : *Bull. civ.* 2005, III, n° 57. – Cass. 3e civ., 26 oct. 2005 : *Contrats, conc. consom.* 2006, comm. 45, obs. L. Leveneur.

(1020) Cass. com., 30 oct. 2007 : *Bull. civ.* 2007, IV, n° 231 ; *JCP* 2007, IV, n° 3180. – Cass. 3e civ., 19 déc. 2007, n° 07-12824 : *RDC* 2008, 255, obs. T. Génicon. – Cass. 1re civ., 19 févr. 2014 : *D.* 2014, 544 ; *Contrats, conc. consom.* 2014, comm. 112, ob. L. Leveneur ; *D.* 2014, 642, note S. Pellet.

Sur ce point, le projet de réforme se prononce en sens contraire en décidant que la restitution d'une chose s'étend aux accessoires de la chose, lesquels comprennent « les fruits et la compensation de la jouissance qu'elle a procurés », compensation qui doit être « évaluée par le juge au jour où il se prononce » (art. 259, al. 1).

409. – **Restitution en valeur de la chose disparue ou consommée.** Il est un certain nombre de cas où la restitution en nature est impossible. Elle s'opérera alors en valeur comme le prévoit l'article 257 du projet de réforme : « La restitution a lieu en nature ou, lorsque cela est impossible, en valeur ».

Cette situation se présente tout d'abord en cas de *disparition de la chose* qui ne peut donc plus être restituée en nature ; par exemple la chose a été détruite dans un accident, ou consommée, ou encore vendue à un tiers. En pareille circonstance, on considérait jadis que l'impossibilité de restitution en nature faisait obstacle à la nullité. Telle n'est plus la position de la jurisprudence qui décide que les « restitutions réciproques, conséquences nécessaires de la nullité d'un contrat (...), peuvent être exécutées en nature ou en valeur »(1021).

La jurisprudence décide généralement que la valeur à retenir est celle de la chose au jour de la vente(1022), et non au jour de la restitution. Mais cette solution est critiquée ; parmi les autres formules possibles, une préférence semble se dégager en doctrine en faveur de la valeur de la chose au jour de la restitution, mais en l'état qui était le sien au jour de l'exécution de l'obligation de délivrance par le vendeur(1023). C'est également la solution retenue dans le projet de réforme suivant lequel « les plus-values et les moins-values advenues à la chose restituée sont estimées au jour de la restitution » (art. 262, al. 3).

S'agissant d'une vente, on serait tenté de dire que la valeur à restituer correspond exactement au *prix versé*. Même s'il en ira souvent ainsi, ne serait-ce que par facilité, la règle est que le juge doit rechercher la *valeur réelle* de la chose vendue, sans s'arrêter au simple *prix* stipulé dans le contrat ; il se peut donc que la valeur retenue par le juge soit supérieure ou inférieure au prix(1024).

En cas de vente de la chose à restituer le projet de réforme distingue suivant la bonne ou mauvaise foi : « Celui qui l'ayant reçue de bonne foi a vendu la chose ne doit restituer que le prix de la vente. S'il l'a reçue de mauvaise foi, il en doit la valeur au jour de la restitution lorsqu'elle est supérieure au prix » (art. 263).

410. – **Restitution en valeur des prestations non restituables en nature.** Il s'agit là souvent de contrats à exécution successive, tels le bail ou le contrat de travail. Si des contrats de ce type sont annulés après plusieurs mois ou plusieurs années d'exécution, le locataire ne peut pas restituer en nature la jouissance qu'il a eu de la chose, ni le patron la force de travail déployée par son salarié.

(1021) Cass. 1re civ., 11 juin 2002 : *D.* 2002, 3108 et note M.-A. Rakotovahiny. – V. déjà précédemment, Cass. com., 29 févr. 1972 : *D.* 1972, 623. – Cass. com., 11 mai 1976 : *Bull. civ.* 1976, IV, n° 162. – Cass. 1re civ., 26 avr. 1988 : *D.* 1988, inf. rap. 134. – Cass. 1re civ., 16 juill. 1998 : *D.* 1999, 361.

(1022) Cass. com., 19 janv. 1993 : *Bull. civ.* 1993, IV, n° 20.

(1023) V. C. Guelfucci-Thibierge, *op. cit.*, p. 494. – E. Poisson-Drocourt, art. préc., p. 86-87. – M.-A. Rakotovahiny, note préc.

(1024) Cass. 1re civ., 12 déc. 1979 : *Bull. civ.* 1979, I, n° 318. – Cass. com., 18 nov. 1974 : *D.* 1975, 625 et note Ph. Malaurie. – Cass. com., 30 oct. 1984 : *Bull. civ.* 1984, IV, n° 292. – Cass. com., 23 juin 1992 : *JCP* 1992, II, 21974 et note M. Behar-Touchais. – Cass. 1re civ., 16 mars 1999 : *Bull. civ.* 1999, I, n° 95 ; *Defrénois* 1999, art. 37079, n° 93, obs. Ph. Delebecque ; *JCP* 1999, IV, 1914 ; *S.* 1999, inf. rap. 106. – Cass. 1re civ., 8 mars 2005 : *Bull. civ.* 2005, I, n° 128.

Pendant longtemps on a considéré que, pour ces contrats à exécution successive, la nullité n'avait d'effet que pour l'avenir, pas pour le passé. En bref, le contrat était annulé pour l'avenir, sans effet rétroactif. Puis, à propos du contrat de bail, la jurisprudence a décidé qu'il fait l'objet d'une annulation rétroactive[(1025)] et qu'il incombe au juge de déterminer la valeur de l'avantage représenté par la jouissance du bien pendant la période visée, sans référence au loyer effectivement payé ; suivant les cas, la valeur locative réelle peut s'avérer supérieure ou inférieure au loyer stipulé. On aurait pu se demander si cette solution n'était pas devenue caduque à la suite de l'arrêt de la chambre mixte du 9 juillet 2004 (V. *supra*, n° 408). Mais, par un arrêt d'une chambre mixte du 9 novembre 2007, la Cour de cassation a décidé qu'en cas d'annulation d'un bail le juge peut évaluer l'indemnité d'occupation en se référant à la valeur locative résultant du dernier loyer contractuel[(1026)].

La question se pose dans les mêmes termes pour le contrat de mise à disposition de travailleurs temporaires[(1027)].

S'agissant de la restitution des prestations de service, le projet de réforme décide que « la restitution d'une prestation de service consommée a lieu en valeur. Celle-ci est appréciée à la date à laquelle elle a été fournie » (art. 261).

411. - **Restitution en valeur des travaux effectués.** La question se pose pour le contrat d'entreprise de construction. Lorsqu'un tel contrat est annulé alors que les travaux sont déjà largement avancés, il va sans dire que le maître de l'ouvrage est dans l'impossibilité de restituer à l'entrepreneur les matériaux et le travail accompli. Mais faut-il en déduire pour autant que le contrat ne sera annulé que pour l'avenir et qu'en conséquence les travaux et prestations déjà effectués seront évalués par référence aux dispositions contractuelles relatives au prix ? Le principe est que ces travaux devront être restitués en valeur. Comment apprécier cette valeur ? Le plus simple serait évidemment de se référer au prix prévu dans le contrat, mais le contrat est censé n'avoir jamais existé et l'entrepreneur (ou le sous-traitant en cas de nullité d'un contrat de sous-traitance) ne souhaite pas que le juge s'y réfère dans la mesure où il s'agit en général d'un marché à forfait traité à un prix relativement bas.

La jurisprudence a déjà eu l'occasion de se prononcer sur ce point dans le cas où un contrat de sous-traitance est annulé à la demande du sous-traitant pour défaut de fourniture d'une caution par l'entrepreneur (L. 31 déc. 1975, art. 14) : en pareil cas, le sous-traitant demande toujours au juge d'évaluer ses travaux au montant de ses débours et non pas au montant forfaitaire stipulé dans le contrat. La troisième chambre civile l'a admis, et ce même dans une hypothèse où les ouvrages exécutés par le sous-traitant avaient été si mal réalisés qu'ils avaient dû être détruits, si bien que leur valeur réelle était nulle ; il semble toutefois que, corrélativement, la responsabilité du sous-traitant avait été retenue à raison du préjudice causé par sa faute[(1028)].

(1025) Cass. 3e civ., 13 juin 2001 : *Contrats, conc. consom.* nov. 2001, comm. 155, obs. L. Leveneur. Il en va de même en cas de résolution : Cass. 3e civ., 30 avr. 2003 : *Bull. civ.* 2003, III, n° 87 ; *D.* 2003, inf. rap. 1408. – Cass. 3e civ., 1er oct. 2008 : *D.* 2008., obs. D. Chenu.

(1026) Cass. ch. mixte, 9 nov. 2007 : *RDC* 2008, 243, obs. Y.-M. Laithier.

(1027) Cass. soc., 7 nov. 1995 : *JCP* 1996, II, 22626, note B. Petit et M. Picq.

(1028) Cass. 3e civ., 13 sept. 2006 : *Bull. civ.* 2006, III, n° 175 ; *JCP* 2006, II, 10198 et note J. Traullé ; *RD imm.* 2007, 420, obs. H. Périnet-Marquet. – V. précédemment Cass. 3e civ., 12 mars 1997 : *Bull. civ.* 1997, III, n° 55.

Cela dit, la solution la plus juste, qui a été récemment consacrée par la Cour de cassation[(1029)], consiste à faire évaluer la valeur des travaux par expert, sans tenir compte ni des termes du contrat, ni de la comptabilité du sous-traitant.

2° Atténuations et exceptions au principe de la rétroactivité

412. – **Les contrats successifs**[(1030)]**.** Jadis, on enseignait classiquement que, pour les contrats à exécution successive, la nullité n'opérait que pour l'avenir, sans rétroactivité, comme s'il s'agissait d'une résiliation.

La jurisprudence a abandonné cette position, au moins pour le contrat de bail (V. *supra*, n° 410), ce qui lui permet d'allouer, à titre de restitution, une somme différente du loyer stipulé. Cela dit, le juge considérera bien souvent que la somme versée à titre de loyer (ou à titre de rémunération pour un contrat de travail ou de prestation de services) correspond exactement à la prestation non restituable, par exemple à la jouissance dont a bénéficié le locataire, et qu'il n'y a pas lieu à restitution ; en pareil cas, tout se passe comme si le contrat était annulé pour l'avenir seulement, comme s'il y avait une simple résiliation du contrat.

D'ailleurs, la loi se prononce parfois expressément en ce sens pour certains contrats. Notamment pour le contrat de société, l'article 1844-15 dispose que « lorsque la nullité de la société est prononcée, elle met fin, sans rétroactivité, à l'exécution du contrat ».

Compte tenu de l'incertitude à laquelle conduit ici la rétroactivité, on peut se demander s'il ne serait pas plus opportun d'écarter purement et simplement la rétroactivité de la nullité dans les contrats successifs[(1031)].

413. – **Les fruits : acquisition par le possesseur de bonne foi.** En cas d'annulation d'une vente, le principe de la rétroactivité de la nullité postule que l'acquéreur restitue non seulement la chose mais aussi les fruits et revenus qu'elle a produits pendant le temps où elle était en sa possession[(1032)].

Cette conséquence est cependant écartée par une règle générale du droit des biens, la règle de l'acquisition des fruits par le possesseur de bonne foi (C. civ., art. 549). Si l'acquéreur ignorait que le contrat était affecté d'une cause de nullité, il est un possesseur de bonne foi au sens de l'article 549 et il « fait les fruits siens » jusqu'au jour où il a connaissance de la véritable situation (C. civ., art. 550), c'est-à-dire jusqu'au jour de l'action en nullité[(1033)]. Cette solution trouve son fondement dans l'idée que le possesseur de bonne foi, se croyant propriétaire, était en droit de consommer les fruits de la chose et qu'il serait injuste de l'obliger à les restituer.

Sur ce point, le projet de réforme écarte clairement cette règle du droit des biens en prévoyant la restitution des fruits, soit en nature, soit à défaut en valeur « selon la valeur estimée à la date du remboursement » (art. 259, al. 2).

(1029) Cass. 3e civ., 30 nov. 2011, n° 10-27021 : *JCP* 2012, 63, n° 16, obs. Y.-M. Serinet.
(1030) A. Etienney, *La durée de la prestation. Essai sur le temps dans l'obligation* : LGDJ, coll. « Droit privé », 2008, t. 475, préf. Th. Revet. V. aussi *supra*, n° 72.
(1031) V. en ce sens J. Flour, Aubert et Savaux., *Les obligations : L'acte juridique*, n° 366.
(1032) Cass. 3e civ., 22 juill. 1992 : *Bull. civ.* 1992, III, n° 263.
(1033) Paris, 22 nov. 1972 : *D.* 1974, 93 et note Ph. Malaurie.

Toutefois le projet tient compte de la bonne ou mauvaise foi pour la restitution des intérêts, des fruits et de la compensation de jouissance : la partie de mauvaise foi les doit « à compter du paiement » cependant que celle de bonne foi « ne les doit qu'à compter du jour de la demande » (art. 260). La rétroactivité, totale pour celui qui est de mauvaise foi, n'est que partielle pour la partie de bonne foi.

414. - **La restitution limitée des incapables.** Dans le cas où un contrat est annulé pour incapacité, l'article 1312 du Code civil dispose que le remboursement de ce qui lui a été payé « ne peut en être exigé, à moins qu'il ne soit prouvé que ce qui a été payé a tourné à [son] profit ». Si, par exemple, l'incapable vend un bien pour un montant de 10 000 €, et si la vente est annulée pour incapacité, l'incapable n'aura à restituer que la fraction du prix qui est effectivement demeurée dans son patrimoine, soit en argent, soit par un bien utile acquis en remplacement. Cette règle protectrice s'explique aisément : si les incapables devaient restituer intégralement ce qu'ils ont reçu, ils ne seraient pas protégés contre les conséquences de leur inexpérience ou de leur faiblesse et, réciproquement, ceux qui acceptent de contracter avec eux en dehors des règles de protection n'encourraient ni risque, ni sanction.

Ainsi, il appartient au cocontractant de démontrer que l'opération a tourné au profit de l'incapable, et il faut se placer au jour de la demande en nullité, non au jour de la convention annulée.

Le résultat de la règle n'est cependant pas très moral dans la mesure où il avantage l'incapable qui dissipe vainement les sommes qui ont pu lui être remises en paiement, par rapport à l'incapable qui se montre bon gestionnaire. Il s'ensuit que seul l'incapable dissipateur a intérêt à demander la nullité, et bien entendu après avoir consommé inutilement les sommes remises.

La règle est conservée dans le projet de réforme,sous une formulation quelque peu différente (art. 58).

415. - **La règle *Nemo auditur...***[1034]. Il s'agit là d'une règle coutumière qu'on exprime sous la forme de deux adages dont la solution n'a pas été reprise dans le Code civil : *Nemo auditur propriam turpitudinem allegans*[1035] (personne ne peut alléguer sa propre turpitude) et *In pari causa turpitudinis cessat repetitio*[1036] (en égale turpitude, pas de répétition).

En application de cette règle, la jurisprudence décide que, lorsque la nullité d'un contrat est prononcée pour immoralité, celui qui se prévaut de l'immoralité ne peut obtenir la restitution de ce qu'il a fourni. Ainsi, la règle n'empêche pas à l'indigne de demander la nullité, mais elle lui interdit de réclamer restitution de sa prestation[1037].

Faute de pouvoir lui trouver un meilleur fondement, on justifie la règle par l'effet dissuasif qu'elle devrait avoir sur les parties qui ont conclu un contrat immoral ;

(1034) Ph. Le Tourneau, *La règle* « Nemo auditur... », préf. P. Raynaud : LGDJ, coll. « Droit privé », 1970 ; *La spécificité et la subsidiarité de l'exception d'indignité* : *D.* 1994, chron. 298.
(1035) H. Roland et L. Boyer, *Adages du droit français*, n° 246 : Litec, 4e éd. 1999.
(1036) H. Roland et L. Boyer, *Adages du droit français*, n° 177.
(1037) Cass. 1re civ., 25 janv. 1972 : *D.* 1972, 413 et note Ph. Le Tourneau.

en effet, celui qui prend l'initiative d'exécuter un contrat immoral risque de ne pas pouvoir se faire restituer sa prestation en cas de demande en nullité émanant de son partenaire. Ainsi, la règle inciterait les parties à ne pas exécuter un tel contrat. On observera toutefois que pareil effet dissuasif ne peut jouer qu'à l'égard des parties qui connaissent l'adage *Nemo auditur*, ce qui ne sera pas nécessairement le cas des parties à un contrat immoral...

Dans la pratique jurisprudentielle, le champ d'application de la règle est limité aux seuls contrats annulés pour *immoralité*, par opposition à la simple *illicéité*(1038). Son domaine d'élection est celui de la vente d'un immeuble aux fins d'y installer une maison de tolérance(1039) ou une maison de jeux. Même en cas d'immoralité, la règle n'est pas d'une fermeté absolue(1040). L'incertitude qui règne à cet égard en jurisprudence s'explique probablement pour partie par le fait qu'il est souvent difficile de tracer une frontière précise entre l'illicite et l'immoral.

Même limitée au domaine de l'immoralité, la règle ne s'applique qu'aux contrats à titre onéreux, pas aux libéralités qui pourraient être annulées pour cause immorale(1041). Elle est également sans application en matière délictuelle(1042).

En pratique, les hypothèses auxquelles on appliquait jadis la règle *Nemo auditur* apparaissent quelque peu désuètes et ne se rencontrent plus guère aujourd'hui. Mais on peut imaginer des applications plus modernes, par exemple pour les affaires de *corruption*(1043).

Le Projet Catala consacre cette exception, mais comme une faculté pour le juge et sans en réduire le domaine à l'immoralité. En effet alors que l'article 1126-1, alinéa 2 dispose que « toute réclamation est exclue quand les deux parties avaient connaissance de l'illicéité », l'article 1162-3 prévoit, plus largement, que « celui qui a sciemment contrevenu à l'ordre public, aux bonnes mœurs ou, plus généralement à une règle impérative, peut se voir refuser toute restitution ». Il n'en est en revanche pas fait état dans le projet de réforme.

416. – La rétroactivité écartée ou limitée à l'égard des tiers. La question se pose lorsque, avant l'annulation du contrat, l'un des cocontractants a conféré à des tiers des droits sur la chose faisant l'objet du contrat annulé par la suite. En vertu du principe de la rétroactivité, la nullité du premier contrat devrait entraîner la nullité des contrats ultérieurs comme ayant été conclus par quelqu'un qui n'était pas le véritable propriétaire. Deux adages consacrent cette solution

(1038) Cass. 1re civ., 18 juin 1969 : *JCP* 1969, II, 16131, obs. P.L. – Paris, 26 mai 1972 : *JCP* 1973, II, 17419. – Cass. 1re civ., 27 nov. 1984 : *Gaz. Pal.* 1985, 1, pan. 135, obs. F. Chabas. – Cass. com., 20 janv. 1987 : *JCP* 1988, II, 20987, obs. G. Goubeaux. – Cass. 3e civ., 25 févr. 2004 : *D.* 2005, p. 2205 et note M. Tchendjou ; *RTD civ.* 2004, 279, obs. J. Mestre et B. Fages ; *JCP* 2004, I, 149, nos 9-14, obs. F. Labarthe. – Cass. soc., 10 nov. 2009 : *JCP* 2010, p. 168 et note J. Mouly ; *RDC* 2010, p. 557, obs. Y.-M. Laithier.

(1039) V. par ex. Cass. com., 27 avr. 1981 : *D.* 1982, 51 et note Ph. Le Tourneau (cas dans lequel il y avait turpitude réciproque).

(1040) Cass. crim., 7 juin 1945 : *D.* 1946, 149 et note R. Savatier ; *JCP* 1946, II, 2255, obs. J. Hémard (qui permet à une prostituée de réclamer la restitution de ses gains à son souteneur).

(1041) Cass. 1re civ., 25 janv. 1972 (sol. impl.), préc. – Rouen, 20 oct. 1973 : *D.* 1974, 378 et note Ph. Le Tourneau.

(1042) Cass. 1re civ., 22 juin 2004 : *Bull. civ.* 2004, I, n° 182, p. 151 ; *JCP* 2004, II, 10006 et note A.-F. Eyraud ; *Contrats, conc. consom.* 2004, comm. 136, obs. L. Leveneur ; *LPA* 22 juin 2005, p. 16 et note M.-A. Chardeaux ; *RTD civ.* 2004, 503, obs. J. Mestre et B. Fages ; *JCP* 2005, I, 132, n° 2, obs. G. Viney (action en réparation du dommage résultant de la conclusion d'un contrat nul).

(1043) Paris, 30 sept. 1993 : *D.* 1993, inf. rap. p. 226.

qui constitue l'état du droit, même si elle n'est pas expressément reprise dans le Code civil : *Nemo plus juris ad alium transferre potest quam ipse habet*[1044] (Nul ne peut transférer à autrui plus de droit qu'il n'en a lui-même) et *Resoluto jure dantis resolvitur jus accipientis*[1045] (Résolu le droit du cédant, résolu le droit du cessionnaire).

Une telle solution est de nature à entraîner une grave insécurité juridique pour les tiers qui, faute de connaître la cause de nullité infestant le contrat initial, étaient en droit de prendre pour certaine la situation juridique résultant de ce contrat. Le besoin de sécurité explique que tant la jurisprudence que la loi écartent la rétroactivité, permettant ainsi de maintenir les droits conférés aux tiers, à la condition toutefois qu'ils soient de bonne foi.

Les *actes d'administration* ou de *conservation* de la chose, mobilière ou immobilière, faisant l'objet du contrat annulé sont ainsi maintenus au profit d'un sous-contractant de bonne foi. Il s'ensuit que, la chose étant restituée au propriétaire initial, ce dernier devra exécuter ces contrats passés par celui dont le droit se trouve aujourd'hui annulé : par exemple, les contrats portant sur l'assurance, l'entretien, la réparation de la chose ; ou encore les contrats de bail (à la condition qu'ils ne soient pas des actes de disposition).

Les *actes de disposition portant sur des biens mobiliers* sont également maintenus en application de l'article 2276 au profit des tiers acquéreurs qui sont possesseurs de bonne foi : « En fait de meubles, la possession vaut titre. »

Les *actes de disposition portant sur des biens immobiliers*, en revanche, vont en principe subir le contrecoup de l'annulation et disparaître eux-mêmes[1046]. Toutefois, deux règles peuvent conduire à maintenir les droits des tiers. D'une part, par le jeu de l'*usucapion*, le tiers acquéreur qui, à raison de la nullité, a acquis *a non domino* va acquérir la propriété par la prescription de dix ans de l'article 2272, alinéa 2, s'il est possesseur de bonne foi. D'autre part, la *théorie de l'apparence* permet de maintenir les actes, même de disposition, accomplis par le propriétaire apparent s'il y a tout à la fois bonne foi et erreur commune[1047].

417. - **La responsabilité en cas d'annulation d'un contrat.** L'annulation peut fort bien causer un préjudice qui ne soit pas réparé par le jeu des restitutions. Par exemple, l'une des parties a perdu du temps et de l'argent à conclure et commencer à exécuter un contrat qui, en définitive, va être annulé ; ou bien les règles relatives aux restitutions n'ont pas permis d'indemniser l'une des parties du dommage qu'elle a subi. En pareil cas, la victime qui ignorait le vice du contrat peut-elle en demander réparation ?

Écartant la responsabilité contractuelle préconisée par Ihering[1048], doctrine et jurisprudence s'accordent à considérer que la responsabilité ne peut ici être que

(1044) H. Roland et L. Boyer, *Adages du droit français*, n° 259.
(1045) H. Roland et L. Boyer, *Adages du droit français*, n° 399.
(1046) V. par ex. Cass. 3e civ., 15 janv. 1971 : *JCP* 1971, IV, 45.
(1047) D. Pombieilh-Jeauneau, *L'élément psychologique de la théorie de l'apparence à la lumière de la jurisprudence de la Cour de cassation* : *RRJ* 2004, 1547.
(1048) Ihering, *De la* culpa in contrahendo *ou des dommages-intérêts dans les conventions nulles ou restées imparfaites*. – Saleilles, *De la responsabilité précontractuelle* : *RTD civ.* 1907, 697. – Roubier, *La responsabilité précontractuelle* : thèse Lyon, 1911. – V. aussi J. Huet, *Responsabilité contractuelle et responsabilité délictuelle*, thèse Paris II, 1978, nos 258 et s.

délictuelle[1049]. Il s'ensuit qu'il incombe au demandeur de faire la preuve d'une *faute* de son partenaire, faute qui consiste à avoir conclu un contrat alors qu'il connaissait, ou qu'il aurait dû connaître, le vice qui affectait le contrat.

Bien évidemment, seule la partie de bonne foi au contrat annulé peut demander la condamnation de la partie fautive à réparer le préjudice qu'elle a subi en raison de la conclusion du contrat annulé[1050].

Quant au mode de réparation, on peut tout d'abord concevoir une *réparation en nature* qui consisterait à priver le responsable du vice du droit d'invoquer la nullité. Le Code civil en fait application dans l'article 1310 au mineur qui, allant au-delà d'une simple déclaration de majorité (C. civ., art. 1307), se livre à des manœuvres pour tromper son cocontractant sur son âge : en pareil cas, le mineur « n'est point restituable contre les obligations résultant de son délit ou quasi-délit »[1051]. De même, la jurisprudence écarte tout droit de demander la nullité à celui qui commet une *erreur inexcusable* (V. *supra*, n° 183).

Mais, de manière générale, la doctrine est hostile à ce type de réparation qui aboutit à maintenir un contrat vicié. La préférence va à une réparation en équivalent sous la forme de dommages-intérêts compensant le préjudice subi. Telle est d'ailleurs la seule sanction concevable lorsqu'on est en présence d'une nullité absolue que tout intéressé peut faire valoir.

La possibilité d'obtenir réparation du dommage causé par l'annulation du contrat avait été confirmée dans la version 2009 du projet de réforme du droit des obligations. Tout en organisant les restitutions il prévoyait en effet que « la partie à laquelle la nullité est imputable peut en outre voir engager sa responsabilité » (art. 104, al. 3). Cette disposition n'a pas été reprise dans les mêmes termes dans la version d'octobre 2013. ; mais l'hypothèse est peut-être couverte par l'article 86, alinéa 3, suivant lequel « Indépendamment de l'annulation du contrat, la victime peut demander réparation du dommage subi dans les conditions du droit commun de la responsabilité extracontractuelle ».

(1049) Cass. 3e civ., 18 mai 2011, n° 10-11721 : *RDC* 2011, 1139, obs. T. Génicon (par l'effet de l'anéantissement rétroactif du contrat de bail annulé, la responsabilité du bailleur ne peut être recherchée que sur le fondement délictuel ou quasi-délictuel).

(1050) Cass. ch. mixte, 9 juill. 2004 : *Bull. civ.* 2004, ch. mixte, n° 2 ; *D.* 2004, 2175 et note Ch. Tuaillon ; *JCP* 2004, II, 10190 et note G. François ; *Contrats, conc. consom.* 2004, comm. 167 et note L. Leveneur ; *Defrénois* 2004, 1, 1402, obs. R. Libchaber ; *JCP* 2004, I, 173, nos 14-21, obs. Y.-M. Serinet ; *JCP* 2005, I, 132, n° 1, obs. G. Viney ; *RTD civ.* 2005, 125, obs. J. Mestre et B. Fages.

(1051) Ph. Malinvaud, *La responsabilité des incapables et de la femme dotale à l'occasion d'un contrat* : LGDJ, coll. « Droit privé », 1964.

C H A P I T R E 2

LES EFFETS DU CONTRAT

418. - **Plan.** Un contrat crée des obligations (ou dettes) à la charge des uns, obligations qui sont autant de droits (ou créances) au profit des autres. Plus largement il a force obligatoire entre les parties (Section 1).

Au-delà des parties, il peut intéresser les tiers : il produit à leur égard des effets variables (Section 2).

S'il est souvent exécuté sans difficulté, il arrive qu'il en soit autrement. Le droit offre en la matière de nombreux remèdes et sanctions (Section 3).

S E C T I O N 1

LA FORCE OBLIGATOIRE ENTRE LES PARTIES

Art. 1134. – Les conventions légalement formées tiennent lieu de loi à ceux qui les ont faites.

Elles ne peuvent être révoquées que de leur consentement mutuel ou pour les causes que la loi autorise.

Elles doivent être exécutées de bonne foi.

419. - **La force obligatoire entre les parties.** Pour bien marquer à quel point les parties sont liées par le contrat(1), l'article 1134, alinéa 1er, du Code civil, emploie une formule dont on se plaît à relever la vigueur : « Les conventions légalement formées tiennent lieu de loi à ceux qui les ont faites ». Il pose ainsi ce qu'on appelle le principe de la force obligatoire (ou de l'effet obligatoire) du contrat. L'avant-projet de réforme exprime la même règle : « Les contrats légalement formés tiennent lieu de loi à ceux qui les ont faits » (art. 102)(2).

Ce principe de la « force obligatoire » du contrat entre les parties sera d'abord défini dans sa signification matérielle : que doivent les parties ?

(1) Pour l'engagement d'exécuter une obligation naturelle, V. Cass. 1re civ., 3 oct. 2006 : *Bull. civ.* I, n° 428. – 21 nov. 2006 : *Bull. civ.* I, n° 503. – Cass. 1re civ., 17 oct. 2012 : *RDC* 2013/2, p. 576, obs. M. Latina ; *D.* 2013, 411, note G. Pignarre ; *D.* 2013, 391, obs. S. Amrani-Mekki, M. Mekki. – Le bénéficiaire d'un engagement unilatéral peut demander son exécution : Cass. 3e civ., 12 févr. 2013, n° 11-21314 : *RDC* 2013/3, p. 865 et s., obs. Th. Genicon.

(2) Comp. le Projet Catala, qui maintenait la distinction contrat/convention, et reprenait donc la formule actuelle. – Sur la force obligatoire du contrat dans la version initiale de l'avant-projet de réforme : D. Fenouillet, *Les effets du contrat entre les parties : ni révolution, ni conservation, mais un « entre-deux » perfectible* : *RDC* 2006, p. 67.

Il sera ensuite précisé dans sa portée temporelle : pendant combien de temps les parties sont-elles ainsi tenues ?

§ 1. – La signification du principe de la force obligatoire du contrat[3]

420. – Principe de la force obligatoire. Généralités. « Les conventions légalement formées tiennent lieu de loi à ceux qui les ont faites » : la formule énergique de l'article 1134, alinéa 1er, ne doit pas être prise au pied de la lettre ; nul n'a jamais soutenu que le contrat soit l'égal de la loi ; il lui est subordonné, et n'a de force que dans la mesure et dans la limite où la loi le permet[4].

La force obligatoire doit seulement être comprise en ce sens que les parties au contrat sont *obligées*, c'est-à-dire qu'elles sont liées par les obligations qu'elles ont créées, les unes rendues créancières et les autres rendues débitrices.

L'effet obligatoire dépasse d'ailleurs cet effet personnel du contrat qui consiste dans la création d'obligations personnelles. Au-delà de la naissance d'un lien d'obligation entre les parties, le contrat produit souvent un *effet réel*[5]. On définit généralement le contrat comme une convention génératrice d'obligations de donner, ou de faire, ou de ne pas faire (V. *supra*, n° 65) ; or les obligations de donner, c'est-à-dire de transférer la propriété, s'exécutent en même temps qu'elles se créent[6]. Dans les rapports entre les parties, l'accord des volontés suffit en effet à opérer le transfert de propriété pour les *corps certains*[7]. Et il existe dans l'arsenal juridique un certain nombre de contrats qui tendent directement à ce but : la vente, l'apport en société, la donation, l'échange[8].

Plus largement, l'effet obligatoire s'attache à *toutes les clauses du contrat*[9], aussi bien celles qui dessinent les obligations principales en vue desquelles les parties ont contracté (le paiement d'un prix et le transfert de la propriété d'une chose dans la vente par exemple), que les clauses annexes. La plupart des contrats comportent en effet des clauses dites annexes, en ce qu'elles sont secondaires, accessoires par rapport à l'obligation principale. Parmi les clauses courantes, on peut citer, à titre d'exemple, la *clause compromissoire* (arbitrage), la *clause d'élection de domicile*, la *clause attributive de compétence territoriale*, la *clause de non-concurrence*, la *clause*

(3) P. Ancel, *Force obligatoire et contenu obligationnel du contrat* : *RTD civ.* 1999, 771. – G. Wicker, *Force obligatoire et contenu du contrat*, in *Les concepts contractuels français à l'heure des principes du droit européen des contrats* : Dalloz, 2003, p. 151. – A.-S. Dupré-Dallemagne, *La force contraignante du rapport d'obligation*, préf. Ph. Delebecque : PUAM, 2004. – R. Libchaber, *Réflexions sur les effets du contrat*, in *Mél. J.-L. Aubert* : Dalloz, 2005, p. 211. – A. Siri, *L'évolution des interprétations du principe de la force obligatoire du contrat de 1804 à l'heure présente* : *RRJ* 2008, 1339. – G. Chantepie, *L'efficacité attendue du contrat* : *RDC* 2010, 346. – M. Mekki, *Les doctrines sur l'efficacité du contrat en période de crise* : *RDC* 2010, 383.

(4) Sur les différentes lectures qu'on a pu faire de l'article 1134, V. Ch. Jamin, *Une brève histoire politique des interprétations de l'article 1134 du Code civil* : *D.* 2002, chron. 901. – J.-P. Chazal, *De la signification du mot loi dans l'article 1134, alinéa 1er, du Code civil* : *RTD civ.* 2001, 265.

(5) Ph. Chauviré, *L'acquisition dérivée de la propriété : le transfert volontaire des biens* : LGDJ, coll. thèses, t. 547, 2013.

(6) J.-P. Chazal et S. Vicente, *Le transfert de propriété par l'effet des obligations dans le Code civil* : *RTD civ.* 2000, 477.

(7) Ce qui entraîne également transfert des risques (art. 1138), sauf disposition légale contraire (V. par ex., C. consom., art. L. 138-4 et 5) et sauf clause conventionnelle contraire. – V. Wester-Ouisse, *Le transfert de propriété solo consensu : principe ou exception ?* : *RTD civ.* 2013, 299.

(8) Sur la question du transfert de propriété en Europe : V. *RDC* 2013/4, p. 1684 et s.

(9) G. Helleringer, *Les clauses du contrat, Essai de typologie* : LGDJ, 2012, préf. L. Aynès.

d'exclusivité, la *clause pénale*, la *clause d'indexation*, la *clause de confidentialité*[10], etc. Ces clauses sont dotées de la même force obligatoire que les clauses principales : les parties doivent les respecter.

On observera en outre que cette force obligatoire ne s'attache pas seulement aux clauses explicites du contrat : au-delà des stipulations formelles, les parties sont tenues, plus largement, notamment par leurs *accords tacites* (sur quoi, V. *supra*, n°s 125 et 133).

La fondamentalisation du droit[11] n'épargne pas la force obligatoire du contrat, qui bénéficie du renfort des droits fondamentaux[12], en même temps qu'elle subit leurs assauts. On s'interroge ainsi sur les limites que les droits fondamentaux pourraient éventuellement opposer à la force obligatoire des conventions[13]. Encore observera-t-on que la question sera généralement posée, techniquement, sur le terrain de la validité de telle ou telle clause contractuelle, à raison de son potentiel liberticide.

421. – **Effet obligatoire et effet translatif du contrat dans l'avant-projet de réforme.** L'avant-projet de réforme distingue clairement l'effet obligatoire du contrat et son effet réel : après avoir envisagé l'effet obligatoire dans une sous-section 1, il expose son effet translatif dans une sous-section 2. Les innovations principales sont relatives à la force obligatoire, les textes définissant l'effet translatif n'étant que la reprise de textes actuellement éparpillés dans le Code civil.

Avant-projet de réforme

Sous-section 1 : **Effet obligatoire**

Article 102. – Les contrats légalement formés tiennent lieu de loi à ceux qui les ont faits.

Ils ne peuvent être modifiés ou révoqués que de leur consentement mutuel, ou pour les causes que la loi autorise.

Article 103. – Les contrats obligent non seulement à ce qui y est exprimé, mais encore à toutes les suites que l'équité, l'usage ou la loi donnent à l'obligation d'après sa nature.

Article 104. – Si un changement de circonstances imprévisible lors de la conclusion du contrat rend l'exécution excessivement onéreuse pour une partie qui n'avait pas accepté d'en assumer le risque, celle-ci peut demander une renégociation du contrat à son cocontractant. Elle continue à exécuter ses obligations durant la renégociation.

En cas de refus ou d'échec de la renégociation, les parties peuvent demander d'un commun accord au juge de procéder à l'adaptation du contrat. À défaut, une partie peut demander au juge d'y mettre fin, à la date et aux conditions qu'il fixe.

Sous-section 2 : **Effet translatif**

Article 105. – Dans les contrats ayant pour objet l'aliénation de la propriété ou d'un autre droit, le transfert s'opère dès la conclusion du contrat.

Ce transfert peut être différé par la volonté des parties, la nature des choses ou une disposition de la loi.

Le transfert de propriété emporte [en principe] transfert des risques de la chose, encore que la délivrance n'en ait été faite, à moins que le débiteur ne soit en demeure de la délivrer ; auquel cas la chose reste aux risques de ce dernier.

---

(10) M. Béhar-Touchais, *Le contenu du contrat*, in *Secret et contrat* : *RDC* 2013/2, p. 756 et s.

(11) L. Maurin, *Contrat et droits fondamentaux* : LGDJ, coll. thèses, t. 545, 2013.

(12) Cons. const., 12 févr. 2004, n° 2004-490 DC : *D.* 2005, 1132, 1125, obs. V. Ogier-Bernaud et C. Severino ; *RFDA* 2004, 248, étude J.-E. Schoettl. – 7 août 2008, n° 2008-568 DC : *D.* 2008, 2064. – 13 janv. 2013, n° 2013-672 DC : csdt 6.

(13) Cass. 3e civ., 8 juin 2006 : *D.* 2006, 2887, note C. Atias ; *RTD civ.* 2007, p. 722, obs. J.-P. Marguénaud ; *LPA* 5 juill. 2006, p. 9, note D. Fenouillet. – Comp. CEDH, 23 sept. 2010, Obst c/ Allemagne, Schuth c/ Allemagne. – CEDH, 15 janv. 2013, 2 mai 2013 : *RDC* 2013/4, p. 1503 et s., obs. F. Marchadier.

Article 106. – L'obligation de délivrer la chose emporte obligation de la conserver jusqu'à la délivrance, en y apportant tous les soins d'une personne raisonnable.

Article 107. – Lorsque deux acquéreurs successifs d'un même meuble corporel tiennent leur droit d'une même personne, celui qui a pris possession de ce meuble en premier est préféré, même si son droit est postérieur, à condition qu'il soit de bonne foi.

422. – **Détermination subjective et objective des effets du contrats. Principe de bonne foi.** Le principe de la force obligatoire doit être précisé à deux égards.

Il faut en premier lieu préciser les modes de détermination des effets du contrat. Faisant suite à l'article 1134, l'article 1135 dispose : « Les conventions obligent non seulement à ce qui y est exprimé, mais encore à toutes les suites que l'équité, l'usage ou la loi donnent à l'obligation d'après sa nature ». Le texte invite ainsi à rechercher les effets du contrat non pas seulement dans ce que les parties y ont inscrit mais aussi dans des sources plus objectives. La lecture du texte indique ainsi que les effets du contrat font l'objet d'une détermination subjective mais aussi, le cas échéant, objective, ce que les règles d'interprétation confirment.

Il convient en second lieu de préciser que le principe de la force obligatoire va de pair avec celui de l'exécution de bonne foi, comme le révèle la lecture même de l'article 1134 : les conventions « doivent être exécutées de bonne foi ». La signification exacte de ce principe devra être recherchée.

A. – La détermination des effets du contrat

423. – **Interprétation**[14]**. Présentation générale.** La détermination du sens ou de la portée du contrat ne pose bien souvent aucune difficulté[15]. Mais une clause peut être ambiguë ou obscure[16]. Le contrat peut également comporter des lacunes telles qu'il y a incertitude sur la volonté des parties[17]. Il y a alors matière à interprétation[18]. À défaut d'accord amiable, il faudra alors recourir au juge[19].

Interprète de la loi, le juge est aussi celui du contrat ; mais sa démarche ne sera pas identique dans un cas et dans l'autre. Alors que les textes sont très lacunaires sur la manière dont il convient d'interpréter la loi, ils édictent à l'intention du juge des règles générales d'interprétation des conventions ; les parties peuvent elles-mêmes mettre ces règles en application et, par un accord amiable, faire l'économie d'une instance judiciaire. Bien qu'une telle instance puisse se poursuivre jusque devant la Cour de cassation, le rôle de cette dernière est ici très effacé, alors qu'il est fondamental en matière d'interprétation de la loi.

---

(14) G. Marty, *La distinction du fait et du droit* : thèse Toulouse, 1929 ; *Le rôle du juge dans l'interprétation des contrats*, in *Trav. Assoc. Capitant*, t. V, 1949, p. 84. – Y. Paclot, *Recherche sur l'interprétation juridique* : thèse Paris II, 1988. – B. Gelot, *Finalités et méthodes objectives d'interprétation des actes juridiques* : LGDJ, 2003, préf. Y. Flour. – F. Gendron, *L'interprétation des contrats*, préf. J.-L. Baudouin : Montréal, 2002. – C. Grimaldi, *Paradoxes autour de l'interprétation des contrats* : RDC 2008, 207.

(15) Sur les enjeux de la clarté dans la rédaction du contrat, V. G. Chantepie : *RDC* 2012/3, p. 989 et s.

(16) Th. Ivainer, *L'ambiguïté dans les contrats* : *D.* 1976, chron. 153. – G. Nicolau, *L'équivoque entre vice et vertu* : *RTD civ.* 1996, 57.

(17) A. Zarrouk, *Le laconisme du contrat* : *RRJ* 2012/3, p. 1321 et s. – Adde J.-Ph. Lieutier, *L'article 1900 du Code civil : exemple de comblement d'une lacune contractuelle par le juge* : *RRJ* 2012/1, p. 227 et s.

(18) La preuve nécessaire à l'interprétation d'un acte obscur ou ambigu est libre. Pour une application contestable de ce principe à l'hypothèse de la rectification d'une erreur matérielle de rédaction de l'acte, V. Cass. 1re civ., 26 janv. 2012 : *RDC* 2012/3, p. 819 et s., obs. R. Libchaber.

(19) Sur les méthodes anglaises, V. L. Usinier, *Le droit anglais de l'interprétation des contrats, entre convergence et résistance* : *RDC* 2012/4, p. 1372 et s.

La Cour européenne des droits de l'homme semble prête à s'arroger le droit de contrôler l'interprétation faite par le juge français d'une clause testamentaire ou d'un contrat privé lorsque cette interprétation « apparaît comme étant déraisonnable, arbitraire ou (...) en flagrante contradiction avec l'interdiction de discrimination établie à l'article 14 et plus généralement avec les principes sous-jacents à la Convention »[20].

1° Les règles générales d'interprétation[21]

424. – **Les directives d'interprétation.** Les articles 1156 à 1164 du Code civil donnent aux magistrats des directives générales qui répondent à deux idées.

Art. 1156. – On doit dans les conventions rechercher quelle a été la commune intention des parties contractantes, plutôt que de s'arrêter au sens littéral des termes.

Art. 1157. – Lorsqu'une clause est susceptible de deux sens, on doit plutôt l'entendre dans celui avec lequel elle peut avoir quelque effet, que dans le sens avec lequel elle n'en pourrait produire aucun.

Art. 1158. – Les termes susceptibles de deux sens doivent être pris dans le sens qui convient le plus à la matière du contrat.

Art. 1159. – Ce qui est ambigu s'interprète par ce qui est d'usage dans le pays où le contrat est passé.

Art. 1160. – On doit suppléer dans le contrat les clauses qui y sont d'usage, quoiqu'elles n'y soient pas exprimées.

Art. 1161. – Toutes les clauses des conventions s'interprètent les unes par les autres en donnant à chacune le sens qui résulte de l'acte entier.

Art. 1162. – Dans le doute, la convention s'interprète contre celui qui a stipulé, et en faveur de celui qui a contracté l'obligation.

Art. 1163. – Quelque généraux que soient les termes dans lesquels une convention est conçue, elle ne comprend que les choses sur lesquelles il paraît que les parties se sont proposé de contracter.

Art. 1164. – Lorsque dans un contrat, on a exprimé un cas pour l'explication de l'obligation, on n'est pas censé avoir voulu par là restreindre l'étendue que l'engagement reçoit de droit aux cas non exprimés.

425 – **La recherche de la volonté des parties.** En premier lieu, la loi pose en principe la *recherche de la volonté des parties.*

Ainsi le juge est-il invité à « rechercher quelle a été la commune intention des parties contractantes, plutôt que de s'arrêter au sens littéral des termes »[22] (art. 1156).

Comme le disait jadis Demolombe, c'est « la règle des règles »[23]. On ne s'étonnera donc pas de retrouver la même règle, sous réserve de quelques nuances ou précisions, dans les Principes Unidroit (art. 4.1) et dans les Principes du droit européen du contrat (art. 5 : 101).

À cette règle de base, qui trouve son inspiration dans la notion de bonne foi, s'ajoutent quelques recettes particulières. Ainsi, toute clause doit s'interpréter en fonction des autres clauses du contrat, du contexte contractuel (art. 1161)[24] .

---

(20) CEDH, 4e sect., 13 juill. 2004, *Pla et Puncernau c/ Andorre* : *JCP* 2005, II, 10052 et note F. Boulanger ; *D.* 2005, p. 1832 et note E. Poisson-Drocourt ; *AJDA* 2004, 1812, obs. J.-F. Flauss ; *RTD civ.* 2004, 804, obs. J.-P. Marguénaud ; *RDC* 2005, p. 645, obs. J. Rochfeld ; *Defrénois* 2005, 1, 1909, art. 38285, obs. Ph. Malaurie. – CEDH, 1er déc. 2009, n° 64301/01, *Velcea et Mazare c/ Roumanie* : *RDC* 2010, 981, obs. J.-P. Marguénaud.

(21) J. Dupichot, *Pour un retour aux textes : défense et illustration du petit guide-âne des articles 1156 à 1164 du Code civil*, in *Études Flour*, 1979, p. 179.

(22) Th. Ivainer, *La lettre et l'esprit de la loi des parties* : *JCP* 1981, I, 3023.

(23) Demolombe, *Traité des contrats ou des obligations conventionnelles*, t. 2, n° 3, p. 4.

(24) La même règle se retrouve dans les Principes Unidroit (art. 4.4) et dans les Principes du droit européen du contrat (art. 5 : 105).

Dans un langage plus moderne, on dira parfois que le contrat doit être interprété en considération de son *économie*[25]. De même, quand une clause est susceptible de deux sens, il faut plutôt l'entendre dans celui qui convient le plus à la matière du contrat (art. 1158).

C'est toujours en vertu de cette prééminence de la volonté des parties qu'en cas de contradiction entre les *clauses manuscrites* et des *clauses* imprimées, la jurisprudence fait prévaloir les premières parce qu'elles ont sans doute été plus fortement voulues. Et peu importe que la clause imprimée ait par avance dénié toute valeur aux clauses manuscrites[26].

En revanche, les *clauses usuelles ou de style*, si elles ne sont pas démenties par ailleurs[27], ont le même effet que les clauses originales insérées à l'acte : il appartient à chacun de lire ce qu'il s'apprête à signer et de dénoncer les clauses, seraient-elles de style, auxquelles il se refuse à souscrire[28].

La volonté des parties n'a pas à être explicite : elle peut aussi être déduite de tel ou tel élément extérieur[29]. Elle peut notamment être recherchée dans les documents préparatoires du contrat, et ce alors que parfois le document définitif dénie toute valeur aux documents antérieurs[30].

426. – La recherche de l'utilité sociale. En second lieu, pour le cas où la recherche de la volonté des parties apparaît très aléatoire, l'ambiguïté du contrat doit être levée par la *recherche de l'utilité sociale*. Cette situation se présente souvent lorsque les parties, une fois d'accord sur les grandes lignes du contrat, ont laissé dans l'ombre tout le reste. L'article 1135 du Code civil[31] édicte alors que :

« les conventions obligent non seulement à ce qui y est exprimé, mais encore à toutes les suites que l'équité, l'usage ou la loi donnent à l'obligation d'après sa nature »[32].

L'avant-projet de réforme reprend la même règle à l'article 103 :

Art. 103. – Les contrats obligent non seulement à ce qui y est exprimé, mais encore à toutes les suites que l'équité, l'usage ou la loi donnent à l'obligation d'après sa nature.

L'appel fait à la loi s'adresse plus précisément aux lois dites supplétives de volonté. Ces textes, nombreux en matière de contrat, ont précisément été édictés dans le but de combler des oublis

(25) J. Moury, *Une embarrassante notion : l'économie du contrat* : D. 2000, chron. 382. – A. Zelcevic-Duhamel, *La notion d'économie du contrat en droit privé* : JCP 2001, I, 300. – S. Pimont, *L'économie du contrat* : PUAM, 2004.

(26) E.-H. Perreau, *Clauses manuscrites et clauses imprimées* : RTD civ. 1927, 303.

(27) Si la clause est contredite, notamment par les courriers échangés entre les parties, elle sera écartée : Cass. com., 14 oct. 2008 : *Bull. civ.* 2008, IV, n° 171 ; D. 2008, act. jurispr. 2718, obs. X. Delpech ; *Defrénois* 2008, art. 38874, n° 2, obs. R. Libchaber ; RDC 2009, 56, obs. Y.-M. Laithier.

(28) A. Lecomte, *La clause de style* : RTD civ. 1935, 305. – B. Boccara, *Le clair et l'obscur (À propos de l'interprétation judiciaire des clauses types)* : JCP 1978, I, 2910. – D. Denis, *La clause de style*, in *Études Flour*, 1979, p. 117. – Cass. com., 7 janv. 1969 : JCP 1969, II, 16121, obs. R. Prieur. À cette occasion, on observera que la pratique a inventé de toutes pièces des mentions manuscrites que tout le monde finit par croire obligatoires alors qu'elles ne sont nullement requises ; tel est notamment le cas des formules « Lu et approuvé » ou « Bon pour pouvoir » : V. sur cette pratique, S. Jacopin, *Les mentions contractuelles « coutumières ». Un droit imaginaire ? À propos des mentions manuscrites « hors la loi »* : JCP 2001, 1, 288.

(29) A. Zarrouk, *L'implicite et le contenu contractuel : étude de droit comparé*, L'Harmattan, 2012.

(30) V. E. Rawach, *La portée des clauses tendant à exclure le rôle des documents précontractuels dans l'interprétation du contrat* : D. 2001, chron. 223. – M. Lamoureux, *La clause d'intégralité en droits français, anglais et américain* : *Rev. Lamy dr. civ.* févr. 2007, p. 75. – B. Fauvarque-Cosson, *L'interprétation du contrat : observations comparatives* : RDC 2007, p. 481.

(31) Comp. art. 2049 en matière de transaction. – Cass. soc., 30 nov. 2011 : RTD civ. 2012, 335, obs. P.-Y. Gautier.

(32) Ph. Jacques, *Regards sur l'article 1135 du Code civil* : Dalloz, coll. « Bibl. thèses », 2005, préf. F. Chabas. – C. Mouly-Guillemaud, *Retour sur l'article 1135 du Code civil. Une nouvelle source du contenu contractuel* : LGDJ, coll. « Droit privé », 2006.

qu'on analyse comme une référence implicite des cocontractants à la loi supplétive. Ainsi le Code civil consacre au contrat de vente de très nombreux articles dont la plupart ne sont applicables qu'à défaut de clause contraire.

À cet égard, il convient de noter une tendance générale à transformer ces règles pour leur donner un caractère impératif. Par exemple, parce que les juges considèrent comme essentielle la garantie due par les vendeurs professionnels, ils dénient toute valeur aux clauses limitatives qu'ils pourraient insérer dans leurs contrats[33]. Cette jurisprudence se trouve aujourd'hui confirmée par l'article R. 132-1 du Code de la consommation, qui interdit comme abusive la clause « ayant pour objet ou pour effet de » ... 6° « supprimer ou réduire le droit à réparation du préjudice subi par le non-professionnel ou le consommateur en cas de manquement par le professionnel à l'une quelconque de ses obligations » (V. *supra*, n° 340).

L'utilité sociale se trouve également consacrée dans les *usages* auxquels renvoient les articles 1135, 1159 et 1160 du Code civil[34]. En pratique, ces usages tiennent lieu de lois supplétives dans de nombreux domaines, professionnels et commerciaux[35].

427. – **L'utilité sociale et l'équité.** Enfin, en dernier recours, le juge peut interpréter les contrats en fonction de l'équité[36]. C'est une invite à la protection du faible contre le fort, dont l'article 1162 du Code civil donne d'ailleurs un exemple : dans le doute, le contrat devra être interprété en faveur du débiteur, dit le texte, en faveur du cocontractant le plus faible, traduit la jurisprudence. Mais cette règle ne s'applique que de manière subsidiaire, pour le cas où le doute ne pourrait être levé par application de la règle générale de l'article 1156[37].

On retrouve une solution identique dans l'article L. 133-2 du Code de la consommation, en faveur du consommateur ou non-professionnel[38]. Il a même été soutenu que l'interprétation des contrats de consommation relevait de cette seule règle, ce qui exclurait l'application des règles générales des articles 1156 et suivants du Code civil[39].

Art. L. 133-2. – Les clauses des contrats proposés par les professionnels aux consommateurs ou aux non-professionnels doivent être présentées et rédigées de façon claire et compréhensible.

Elles s'interprètent en cas de doute dans le sens le plus favorable au consommateur ou au non-professionnel. Le présent alinéa n'est toutefois pas applicable aux procédures engagées sur le fondement de l'article L. 421-6[40].

---

(33) Ph. Malinvaud, *Pour ou contre la validité des clauses limitatives de la garantie des vices cachés dans la vente* : *JCP* 1975, I, 2690.

(34) Comp. avant-projet de réforme, art. 70, al. 3 (« La prestation est déterminable lorsqu'elle peut être déduite du contrat ou par référence aux usages ou aux relations antérieures des parties ») et article 74 (« Lorsque la qualité de la prestation n'est pas déterminée ou déterminable en vertu du contrat, le débiteur doit offrir une prestation de qualité conforme aux attentes légitimes des parties en considération de sa nature, des usages et du montant de la contrepartie »).

(35) Comp. le rôle des normes AFNOR, par exemple en droit de la construction : Cass. 3e civ., 7 juin 2001, n° 99-14067, 25 mai 2011, n° 10-19271, 23 mai 2012, n° 11-301. – L'usage ne s'applique que dans le silence de la convention : Cass. 1re civ., 4 juin 2014, n° 13-17077.

(36) E. Agostini, *L'équité* : *D.* 1978, chron. 7. – P. Bellet, *Le juge et l'équité*, in *Études Rodière*, p. 9. – N. Dion, *Le juge et le désir du juste* : *D.* 1999, chron. 195. – Ch. Albiges, *De l'équité en droit privé* : LGDJ, 2000, préf. R. Cabrillac.

(37) CA Aix-en-Provence, 26 juin 2002 : *JCP* 2004, II, 10022 et note V. Egea. – CA Reims, 7 janv. 2004 : *RDC* 2004, 933 et note Ph. Stoffel-Munck.

(38) Pour une application de ce texte aux contrats d'assurance, V. Cass. 1re civ., 21 janv. 2003 : *Bull. civ.* 2003, I, n° 19, p. 14 ; *D.* 2003, 693, obs. V. Avena-Robardet ; *D.* 2003, 2600 et note H. Claret ; *RTD civ.* 2003, p. 292, obs. J. Mestre et B. Fages. – Cass. 1re civ., 13 juill. 2006 : *Bull. civ.* 2006, I, n° 214 ; *Contrats, conc. consom.* 2006, comm. 209, obs. G. Raymond. – Cass. 2e civ., 1er juin 2011 : *D.* 2011, 1612, obs. T. Ravel d'Esclapon.

(39) M. Lamoureux, *L'interprétation des contrats de consommation* : *D.* 2006, chron. p. 2848.

(40) Pour une illustration du rôle que l'ambiguïté joue dans la qualification de « clause abusive », V. Cass. 1re civ., 20 mars 2013, n° 12-14.432.

Dans ce même esprit, les tribunaux ajoutent souvent à la lettre des contrats et, par une interprétation pour le moins audacieuse de la volonté des parties, découvrent des obligations à la charge de celui qui a dicté ses conditions à l'autre. L'exemple le plus connu est celui de l'*obligation de sécurité* que la jurisprudence a introduite, par le biais de l'interprétation, dans les contrats de transport qui ne la mentionnaient nullement. Cette interprétation est implicitement consacrée par le Projet Catala lorsqu'il édicte que « l'obligation de sécurité inhérente à certains engagements contractuels, impose de veiller à l'intégrité de la personne du créancier et de ses biens » (art. 1150). Mais l'équité peut justifier le rattachement d'autres obligations au contrat : devoir de coopérer, obligation d'information, etc.[41].

C'est encore la recherche de l'utilité sociale qui explique le désir, manifesté dans l'article 1157 du Code civil, de sauver les contrats : quand une clause est susceptible de deux sens, il faut plutôt l'entendre dans celui où elle peut avoir quelque effet, que dans celui où elle serait nulle ou sans effet[42].

428. – L'interprétation des contrats dans les Projets Catala et Terré et dans l'avant-projet de réforme du droit des obligations[43]. Le Projet Catala (art. 1136 à 1141) et le projet de réforme (art. 152 à 158) consacrent de nombreuses dispositions à l'interprétation des contrats.

Reprenant en substance et souvent littéralement les règles de droit positif, le Projet Catala réalise un compromis entre techniques subjectives et techniques objectives d'interprétation. En effet, s'il s'attache tout d'abord à la recherche de la volonté des parties[44], il confère également une importance à l'usage, l'équité, la raison et l'utilité du contrat[45]. Il laisse une grande latitude au juge lorsqu'il proclame que « le contrat s'interprète en raison et en équité » (art. 1139). Il propose également d'intégrer dans le Code civil, à titre de droit commun, la règle d'interprétation actuellement édictée pour les contrats de consommation : « En cas d'ambiguïté, les clauses d'un contrat d'adhésion s'interprètent à l'encontre de celle des parties qui en est l'auteur » (art. 1140-1). Enfin, il règle certains points jadis laissés dans l'ombre, relatifs à l'acte unilatéral, à l'acte collectif et aux contrats interdépendants. S'agissant du premier, il

---

(41) Sur le rôle des droits fondamentaux en la matière, V. CEDH, 29 janv. 2013 : *RTD civ.* 2013, 336 ; J.-P. Marguénaud : *RDC* 2013/3, p. 837 et s., obs. J. Rochfeld, condamnant la Grèce pour n'avoir pas imposé aux banques le devoir d'informer le client de la prescription jouant en l'absence de mouvement sur un compte bancaire.

(42) Cass. 1re civ., 13 mars 2013 : *RTD civ.* 2013, 631, obs. P.-Y. Gautier.

(43) A. Ghozi, *Effet des conventions, Interprétation, Qualification*, in *Avant-projet de réforme du droit des obligations et de la prescription, Exposé des motifs* : La Documentation française, 2006, p. 46. – D. Fenouillet, *Les effets du contrat entre les parties : ni révolution, ni conservation, mais un « entre-deux » perfectible* : *RDC* 2006, p. 67, spéc. p. 80 et s. – P. Catala, *Interprétation et qualification dans l'avant-projet de réforme des obligations*, in *Mél. G. Viney* : LGDJ, 2008, p. 243. – F. Terré, *L'interprétation*, in *Pour une réforme du droit des contrats* : Dalloz, Thèmes et commentaires, 2009, p. 301 et s. – Comp. l'interprétation des contrats dans la proposition de règlement relative au droit commun européen de la vente, V. S. Milleville : *LPA* 24 déc. 2013, n° 256, p. 35.

(44) Art. 1136, al. 1 (recherche de la commune intention des parties), art. 1138-1 (condamnation de l'interprétation dépassant les choses sur lesquelles les parties ont contracté) et 1138-2. L'avant-projet maintient cependant les quelques directives d'interprétation impliquant de prendre en compte le contrat dans son ensemble : art. 1137 (interprétation des clauses les unes par rapport aux autres pour assurer la cohérence de l'acte), 1139-2 (résolution des polysémies en tenant compte de la matière du contrat) et 1141 (prise en compte de l'ensemble des éléments du contrat).

(45) Art. 1135 (prise en compte des suites que l'équité, l'usage ou la loi donnent à l'obligation d'après sa nature), art. 1139 (interprétation du contrat en raison et en équité), art. 1139-3 (prise en compte de l'usage du lieu où le contrat est passé et de la pratique des parties), art. 1139-1 (réduction des polysémies en cherchant à faire produire au contrat son effet utile), art. 1140 (interprétation contre celui qui a stipulé et en faveur de celui qui a contracté), 1140-1 (prise en compte, dans l'interprétation, de l'inégale puissance des parties).

précise qu'« on doit semblablement dans l'acte unilatéral, faire prévaloir l'intention réelle de son auteur » sur la lettre du texte (art. 1136, al. 2). S'agissant de l'interprétation d'une décision collective, « on doit faire prévaloir le sens le plus conforme à l'intérêt de la collectivité » (art. 1136, al. 3). Pareillement, « les contrats interdépendants s'interprètent en fonction de l'opération à laquelle ils sont ordonnés (art. 1137, al. 2).

L'avant-projet de réforme consacre lui aussi les méthodes subjectives et objectives de détermination du contenu du contrat. Il reprend, voire développe, les règles actuelles : il faut rechercher quelle a été la volonté, explicite ou tacite, des parties ; il est possible aussi de se référer à celle d'une personne raisonnable dans les mêmes circonstances[46] ; le principe de l'effet utile est repris ; le principe de l'interprétation *in favorem* ne joue pas seulement au profit du débiteur mais aussi de la partie qui a adhéré à un contrat rédigé par l'autre ; le principe de cohérence joue aussi bien pour un acte unique (respect de la cohérence interne de l'acte) que pour une opération d'ensemble (interprétation des contrats qui concourent à une opération d'ensemble en fonction de cette opération d'ensemble).

Art. 96. – Le contrat s'interprète d'après la commune intention des parties plutôt que d'après le sens littéral des termes.

Lorsque la commune intention des parties ne peut être décelée, le contrat s'interprète selon le sens que lui donnerait une personne raisonnable placée dans la même situation.

Art. 98. – Dans le doute, une obligation s'interprète contre le créancier et en faveur du débiteur.

Art. 99. – Toutes les clauses d'un contrat s'interprètent les unes par rapport aux autres, en donnant à chacune le sens qui respecte la cohérence de l'acte tout entier.

Lorsque, dans l'intention des parties, plusieurs contrats concourent à une même opération, ils s'interprètent en fonction de celle-ci.

Art. 100. – Lorsqu'une clause est susceptible de deux sens, celui qui lui confère un effet l'emporte sur celui qui ne lui en fait produire aucun.

Art. 101. – En cas d'ambiguïté, les clauses d'un contrat d'adhésion s'interprètent à l'encontre de la partie qui les a proposées.

2° Rôle respectif des juges du fond et de la Cour de cassation

429. – Le pouvoir souverain des juges du fond. La Cour de cassation est l'organe suprême chargé d'assurer l'unité d'interprétation de la loi sur tout le territoire. En revanche, l'interprétation des contrats n'est pas de son ressort : en cette matière, elle s'efface devant le pouvoir souverain des juges du fond.

Ce renversement apparent de la hiérarchie s'explique très simplement. Interpréter la loi est une question de droit et le principe de l'unité de législation postule qu'il y ait une seule interprétation, donnée par une juridiction unique, la Cour de cassation. Interpréter un contrat est une question de fait puisqu'il s'agit avant tout de rechercher la volonté des parties ; plus proches des justiciables, les juges du fond sont les mieux placés pour cette recherche ; et le principe de l'unité de législation n'étant pas en cause (le contrat n'est que la loi des parties : C. civ., art. 1134), il n'y a pas matière, pour la Cour de cassation, à réaliser une quelconque unité d'interprétation.

(46) H. Ramparany-Ravololomiarana, *Le raisonnable en droit des contrats* : éd. Th. Poitiers, 2009. – Comp., à propos des attentes légitimes, J. Calais-Auloy, *L'attente légitime, une nouvelle source de droit subjectif ? : Mél. en l'honneur de Y. Guyon* ; Dalloz, 2003, p. 171. – H. Aubry, *Un apport du droit communautaire au droit français des contrats* : RIDC 2005, vol. 57, p. 627.

430. – Le contrôle de la Cour de cassation. À ce principe de la compétence exclusive des juges du fond pour l'interprétation des conventions, sont apportés quelques tempéraments.

Ainsi, la Cour suprême contrôle la *qualification* donnée au contrat par les premiers juges[47]. Déterminer la catégorie juridique à laquelle appartient telle convention litigieuse est une question de droit parce que cela conditionne l'application des règles de tel ou tel type de contrat. La question s'est posée par exemple pour le crédit-bail avant qu'il n'ait été réglementé ; elle se pose aussi pour les cartes de crédit : quelle est la nature du contrat qui unit le titulaire de la carte et l'organisme de crédit ?

Le Projet Catala rappelait et réglementait ce contrôle dans son article 1142. Après avoir posé que « lorsque les parties ont donné à leur accord une dénomination, il y a lieu de la suivre », il précisait que « lorsqu'elle est inexacte, le juge redresse cette qualification hors le cas où elle s'impose à lui », ce qui est une référence à l'article 12, alinéa 3 du Code de procédure civile. Et s'il y a lieu à requalification, le juge « se fonde sur les éléments que les parties, dans la réalité, ont donné pour base à leur accord ». L'avant-projet de réforme est en revanche silencieux sur cette question.

De même, la Cour a un rôle à jouer en ce qui concerne l'interprétation des *contrats-types* diffusés à des milliers ou millions d'exemplaires[48] : les contrats d'assurance ou de transport, par exemple. Il y a en cette matière un besoin d'unité d'interprétation parce que, comme pour la loi, il serait très regrettable que plusieurs interprétations puissent coexister en France. Cela mènerait droit à l'injustice puisque la solution de chaque litige dépendrait du tribunal compétent, c'est-à-dire, en définitive, des règles de compétence territoriale.

Enfin, le pouvoir souverain des juges du fond ne les autorise pas à dénaturer les clauses claires et précises d'un contrat. Une clause claire et précise s'applique, elle ne s'interprète pas, même pour des motifs d'équité. Aussi, en exerçant un *contrôle de la dénaturation*, la Cour de cassation tient la main à ce que les juges du fond ne refassent pas, sous prétexte d'interprétation, les contrats qui leur paraissent injustes ou déséquilibrés[49]. Cette jurisprudence a été consacrée par le Projet Catala (« les clauses claires et précises ne sont pas sujettes à interprétation, à peine de dénaturation de l'acte » : art. 1138) et par l'avant-projet de réforme (art. 97).

Art. 97. – L'interprétation du contrat ne peut conduire à en dénaturer les clauses claires et précises ».

B. – L'exécution de bonne foi

431. – Principe de l'exécution de bonne foi. Après avoir affirmé que « les conventions légalement formées tiennent lieu de loi à ceux qui les ont faites », l'ar-

(47) F. Terré, *L'influence de la volonté individuelle sur les qualifications*, 1957. – Ph. Jestaz, *La qualification en droit civil : Droits* 1994, 45. – X. Henry, *La technique des qualifications contractuelles* : thèse Nancy, 1992.

(48) J. Leauté, *Les contrats-types : RTD civ.* 1953, 429. – P. Malinverni, *Les conditions générales de vente et les contrats-types des chambres syndicales*, 1978. – B. Boccara, *Le clair et l'obscur (À propos de l'interprétation judiciaire des clauses-types) : JCP* 1978, I, 2910.

(49) J. Voulet, *Le grief de dénaturation devant la Cour de cassation : JCP* 1971, I, 2410. – J. Boré, *Un centenaire : le contrôle par la Cour de cassation de la dénaturation des actes : RTD civ.* 1972, 249. – C. Marraud, *La notion de dénaturation en droit privé français* : thèse Nancy, 1972.

ticle 1134 ajoute, sous une forme lapidaire, qu' « elles doivent être exécutées de bonne foi ».

Longtemps en sommeil, le texte suscite maintes réflexions doctrinales, portant notamment sur les liens unissant le principe de bonne foi et l'article 1135 du Code civil, ou sur les relations de hiérarchie ou de complémentarité existant entre le principe de la force obligatoire et celui de bonne foi, ou encore sur le rapport qu'entretient la bonne foi avec l'abus, avec la responsabilité délictuelle, etc.

Il a surtout trouvé une seconde jeunesse dans la jurisprudence contemporaine.

La Cour de cassation s'est parfois appuyée sur le texte pour imposer aux parties telle ou telle obligation qu'elles n'avaient pas prévue initialement : ainsi par exemple de l'obligation de sécurité, ou de renseignement. Plus généralement, le principe de bonne foi pourrait imposer aux parties une obligation de coopération[(50)]. Mais l'article 1135 constitue sans doute un fondement plus adéquat à ce « forçage » du contrat : si le contrat de transport génère une telle obligation, c'est à raison de la nature même de l'obligation assumée par le transporteur et sur le fondement de l'équité objectivement entendue. De même, c'est eu égard au type de contrat et aux informations dont les parties peuvent disposer qu'elles doivent s'informer l'une l'autre des éléments qui nécessaires à l'exécution[(51)].

Le principe d'exécution de bonne foi trouve également à s'appliquer en jurisprudence[(52)] lorsqu'il s'agit de sanctionner la déloyauté des parties dans la mise en œuvre de leurs droits et obligations[(53)]. Ainsi entendu, le principe ne fonde plus la création d'obligations personnelles entre les parties : il ne s'agit pas de dire « *à quoi* » est tenue telle ou telle partie. Il consiste alors en une norme qui indique le comportement que les parties doivent adopter *dans l'accomplissement* de leurs obligations : il s'agit de dire « *comment* » les parties doivent se comporter dans l'exécution[(54)]. La jurisprudence donne plusieurs exemples de manquements au principe de bonne foi ainsi entendu : se contredire au détriment du contractant[(55)] ; empêcher le contractant de pratiquer des prix concurrentiels[(56)] ou lui imposer des sacrifices considérables et sans rapport avec l'utilité contractuelle[(57)] ; etc. Elle semble

(50) Y. Picod, *L'obligation de coopération dans l'exécution du contrat* : JCP 1988, I, 3318. – S. Darmaisin, *Le contrat moral* : LGDJ, 2000, préf. B. Teyssié.

(51) Sur l'obligation d'information, V. M. Fabre-Magnan, *De l'obligation d'information dans les contrats* : LGDJ, 1992, préf. J. Ghestin.

(52) E. Chevalier, *La loyauté contractuelle : portée d'une notion novatrice en droit des contrats administratifs* : JCP A 2012, 2392.

(53) L. Aynès, *L'obligation de loyauté, Arch. ph. dr.* 2000, t. 44, p. 195. – L. Vogel, *Loyauté et droit des affaires : l'impossible mariage*, in *Mélanges en l'honneur de Ph. Merle* : Dalloz, 2013, p. 745 et s. – Le principe serait même invocable pour justifier une limite à des droits et libertés fondamentaux : CEDH, Gde Ch., 12 sept. 2011 : *RDC* 2012/1, p. 29 et s., obs. J. Rochfeld.

(54) B. Fages, *Le comportement du contractant*, préf. J. Mestre : PUAM, 1997. – Ph. Stoffel-Munck, *L'abus dans le contrat, Essai d'une théorie* : LGDJ, 2000.

(55) V. ainsi Cass. com., 8 mars 2005 : *LPA* 27 sept. 2005, n° 192, p. 11, obs. Y. Dagorne-Labbé ; Cass. com., 18 janv. 2011 : *Gaz. Pal.* 2011, n° 76, p. 14, note J. Lasserre Capdeville. – Cass. 3ᵉ civ., 28 janv. 2009 : *Bull. civ.* III, n° 22 ; *RDC* 2009, 999, obs. D. Mazeaud. – La bonne foi permet ainsi d'accueillir discrètement le principe de l'estoppel en matière contractuelle : D. Mazeaud, *Rapport français*, in *La confiance légitime et l'estoppel*, dir. B. Fauvarque-Cosson, Société de législation comparée, 2007, p. 246. – Sur le principe, qui trouve surtout à s'appliquer en matière procédurale, V. B. Fages, *Le comportement du contractant*, préc., n° 592 et s. – D. Houtcieff, *Le principe de cohérence en matière contractuelle* : PUAM, 2001. – *L'interdiction de se contredire au détriment d'autrui*, dir. M. Béhar-Touchais : Economica, 2001. – B. Fauvarque-Cosson, *L'estoppel, concept étrange et pénétrant* : *RDC* 2006, 1279 et s. – Sur sa réception à la Cour de cassation, V. L. Usinier : *RDC* 2013/2, p. 701 et s.

(56) Cass. com., 3 nov. 1992 : *Bull. civ.* , IV, n° 338.

(57) La Cour refuse aujourd'hui de consacrer directement l'obligation de minimiser son dommage (V. en dernier lieu Cass. 1ʳᵉ civ., 2 oct. 2013 : *RDC* 2014/1, p. 27 et s., obs. O. Deshayes), et ce alors même qu'elle peut être rattachée soit au

toutefois aujourd'hui vouloir limiter le principe de bonne foi, en distinguant les « prérogatives contractuelles » et la « substance des droits et obligations contractuelles » : les premières seraient susceptibles d'être paralysées si elles sont invoquées de mauvaise foi ; ainsi par exemple(58) en matière de faculté de résiliation unilatérale (V. *infra*, n°s 452 et s.)(59), de clause résolutoire (V. *infra*, n° 529)(60), de clause de dédit(61) ; la seconde en revanche échapperait au principe de bonne foi(62). La solution suscite des appréciations contrastées et des difficultés pratiques(63), quand elle n'est pas contournée par la Cour de cassation elle-même(64).

La démarche consistant à distinguer le rôle de la bonne foi selon que le contrat est un contrat permutation (ce qu'on a appelé un contrat échange)(65), un contrat organisation (ce qu'on a appelé un contrat alliance)(66) ou un contrat coopération(67) est autrement plus convaincante.

On s'interroge sur l'éventualité de clauses contraires au principe de bonne foi(68).

432. – **Principe de l'exécution de bonne foi dans les projets de réforme**(69). Les critiques adressées au projet gouvernemental dans sa version initiale, qui érigeait la bonne foi en principe directeur, après la liberté contractuelle(70), ont conduit le gouvernement à maintenir dans la dernière mouture l'explicitation-généralisation de la bonne foi, mais sans la bannière symbolique du « principe directeur », en plaçant le texte dans un chapitre de « dispositions préliminaires ». Cette explicitation-généralisation est bienvenue(71), car la bonne foi n'ouvre pas à l'arbitraire judiciaire dès

principe de bonne foi, soit à l'article 1151, qui limite la réparation à ce qui est une suite directe de l'inexécution. – Sur une présentation générale de la question, V. not. O. Deshayes, *L'introduction de l'obligation de modérer son dommage en matière contractuelle, Rapport français* : *RDC* 2010/3, p. 1139 et s., n° 7.

(58) Comp. au sujet de la clause de conciliation insérée dans un contrat de travail, Cass. soc., 7 déc. 2011 : *RDC* 2012/3, p. 888 et s., obs. C. Pelletier. – Adde la clause de confidentialité, Cass. com., 12 mars 2013 : *RTD civ.* 2013, 373, obs. B. Fages.

(59) V. ainsi Cass. com., 8 oct. 2013 : *D.* 2014, 630, obs. S. Amrani-Meki, M. Mekki ; *D.* 2013, 2617, obs. D. Mazeaud : « nonosbtant le respect du préavis contractuel, la société… ne s'était pas correctement acquittée de son obligation de bonne foi dans l'exercice de son droit de résiliation ».

(60) Cass. com., 15 mai 2012, Cass. 3e civ., 23 mai 2012 : *RTD civ.* 2012, 727, obs. B. Fages.

(61) Cass. 3e civ., 11 mai 1976 : *Bull. civ.*, III, n° 199. – 10 nov. 2010 : *Bull. civ.*, III, n° 199.

(62) « Si la règle selon laquelle les conventions doivent être exécutées de bonne foi permet au juge de sanctionner l'usage déloyal d'une prérogative contractuelle, elle ne l'autorise pas à porter atteinte à la substance même des droits et obligations légalement convenues entre les parties » : Cass. com., 10 juill. 2007 : *D.* 2007, 2839, note Ph. Stoffel-Munck et note P.-Y. Gautier ; *RDC* 2007, 1107, obs. L. Aynès et D. Mazeaud ; *Contrats, conc. consom.* 2007, comm. 294, obs. L. Leveneur. – Cass. 3e civ., 9 déc. 2009 : *Bull. civ.*, III, n° 275. – Cass. 3e civ., 26 mars 2013 : *RDC* 2013/3, p. 888 et s., obs. Y.-M. Laithier ; *Contrats, conc. consom.* 2013, comm. 128, obs. L. Leveneur.

(63) Sur quoi, V. *Les prérogatives contractuelles* : *RDC* 2011/2, p. 639 et s. – I. Najjar, *La potestativité* : *RTD civ.* 2012, 601.

(64) Cass. 3e civ., 21 mars 2012 : *RDC* 2012/3, p. 763 et s., obs. Y.-M. Laithier, p. 806 et s., obs. O. Deshayes, retenant la responsabilité du bailleur qui ne procède pas à la régularisation annuelle des charges et réclame plus du triple de la somme provisionnée pour une période écoulée de cinq ans, car cette réclamation, quoique juridiquement recevable et exacte dans son calcul, est déloyale et brutale, et constitue donc une faute dans l'exécution du contrat.

(65) P. Didier, *Brèves notes sur le contrat-organisation, Mélanges en hommage à F. Terré* : Dalloz, PUF, Jurisclasseur, 1999, p. 635 et s.

(66) F. Hamelin, *Le contrat alliance* : LGDJ, 2012, préf. N. Molfessis.

(67) S. Lequette, *Le contrat-coopération : contribution à la théorie générale du contrat* : Economica, 2012, vol. 27, préf. Cl. Brenner.

(68) Y.-M. Laithier, *L'obligation d'exécuter le contrat de bonne foi est-elle susceptible de clause contraire ?, Réflexions comparatives* : *D.* 2014, 33.

(69) Sur la bonne foi dans la proposition de règlement pour un droit commun européen de la vente, V. M. Goubinat, *L'édiction des principes généraux, quel intérêt ?* : *LPA* 24 déc. 2013, n° 256, p. 23.

(70) Y. Lequette, A. Ghozi, *Brèves observations sur le projet de la Chancellerie* : *D.* 2008, 2609 et s. – Comp. M. Mekki, *Observations sur le livre III, titre III, sous-titre I, chapitre 2, du Projet de la chancellerie sur les principes directeurs (art. 15 à 18)* : *LPA* 12 févr. 2009, n° 31, p. 103.

(71) Sur la défense du principe, V. *Ph. Dupichot, Les principes directeurs du droit français des contrats* : *RDC* 2013/1, p. 387 et s. – Comp. le débat entre M. Fabre-Magnan et L. Leveneur, au sujet des principes directeurs de la proposition de

lors qu'on la définit objectivement, comme le suggère la doctrine, par « références aux usages, à une règle de comportement, ou même à l'évidence du bon sens »[72].

Art. 3. – Les contrats doivent être formés et exécutés de bonne foi.

§ 2. – La portée temporelle de la force obligatoire

433. – **Le contrat dans la durée**[73]**.** Certains effets du contrat peuvent se produire dès la formation du contrat, d'autres n'interviendront que dans le temps, en fonction de la nature des obligations[74] et de ce que les parties auront décidé. Ces dernières peuvent notamment s'engager *sous condition* ou *à terme* : les « modalités » de l'obligation, et plus largement du contrat, seront analysées dans un premier temps.

Les parties peuvent également mettre fin à leurs relations contractuelles dans différentes situations : *la cessation du contrat* sera exposée dans un second temps.

A. – Les modalités

434. – **Les clauses instituant des modalités de l'obligation : le terme et la condition.** Parmi les clauses que les parties peuvent insérer dans leur accord, certaines ont pour but d'apporter des modalités à l'obligation principale.

Les parties peuvent ainsi instituer des obligations dites « plurales ». Il peut s'agir d'une pluralité de sujets, illustrée par la solidarité, qu'elle existe entre créanciers ou entre débiteurs (sur quoi, V. *infra*, n° 545 et s.). Il peut aussi s'agir d'une pluralité d'objets, ce qu'illustre l'obligation dite alternative[75] ou facultative ou encore cumulative.

S'inspirant étroitement du Projet Terré (art. 36 à 43)[76], l'avant-projet de réforme distingue les obligations alternative, facultative et cumulative (art. 168 à 175 de l'avant-projet).

Avant-projet de réforme

§ 1. – L'obligation cumulative

Article 168. – L'obligation est cumulative lorsqu'elle a pour objet plusieurs prestations et que seule l'exécution de la totalité de celles-ci libère le débiteur.

§ 2. – L'obligation alternative

Article 169. – L'obligation est alternative lorsqu'elle a pour objet plusieurs prestations et que l'exécution de l'une d'elles suffit à libérer le débiteur.

---

règlement du Parlement européen et du Conseil relatif à un droit commun européen de la vente : *RDC* 2012/4, p. 1430 et s. – Adde *Les principes directeurs du droit des contrats* : *RDC* 2013/1, p. 311 et s., spéc. Y.-M. Laithier, p. 410 et s.

(72) G. Cornu, *Regards sur le Titre III du Livre III du Code civil, Cours DEA de droit privé*, cours polycopié, Paris, 1976-1977, p. 290.

(73) Th. Revet, *La prise d'effets du contrat* : *RDC* 2004, 29. – A. Etienney, *La durée de la prestation. Essai sur le temps dans l'obligation* : LGDJ, coll. « Droit privé », 2008, t. 475, préf. Th. Revet. – A. Etienney de Sainte-Marie, *La durée du contrat et la réforme du droit des obligations* : D. 2011, 2672. – Ch. Atias, *Exécution et efficacité des actes juridiques* : D. 2013, 2288.

(74) E. Putman, *La formation des créances* : thèse Aix-Marseille, 1987. – *La date de naissance des créances*, dir. M. Béhar-Touchais : *LPA* 9 nov. 2004, n° spécial. Le droit civil serait spiritualiste (la créance naît lors de la conclusion du contrat) quand le droit des procédures collectives serait matérialiste (naissance lors de l'exécution de la prestation). – Pour une illustration, Cass. com., 27 sept. 2011 : *RDC* 2012/1, p. 105 et s., obs. R. Libchaber.

(75) A. Baydoun, *L'obligation alternative* : thèse Paris II, 2005. – Comp. Cass. 1re civ., 12 juin 2013 : *JCP* 2013, I, 1522, note C. Asfar Cazenave, relatif à une clause de règlement de litiges optionnelle. – Comp. C. tourisme, art. L. 211-15, pour une sorte d'obligation alternative légale, et Cass. 1re civ., 8 mars 2012 : *Resp. civ. ass.* 2012, comm. 142, obs. C. Bloch.

(76) O. Deshayes, *De la pluralité d'objets*, *in Pour une réforme général du régime des obligations*, dir. F. Terré : Dalloz, Thèmes et commentaires, 2013, p. 71 et s.

Article 170. – Le choix entre les prestations appartient au débiteur, sauf disposition légale ou clause contraire.

Si le choix n'est pas exercé en temps voulu ou dans un délai raisonnable, l'autre partie peut, après mise en demeure, exercer ce choix ou résoudre le contrat.

Le choix exercé est définitif et fait perdre à l'obligation son caractère alternatif.

Article 171. – Si elle procède d'un cas de force majeure, l'impossibilité d'exécuter la prestation choisie libère le débiteur.

Article 172. – Le débiteur qui n'a pas fait connaître son choix doit, si l'une des prestations devient impossible, exécuter l'autre.

Article 173. – Le créancier qui n'a pas fait connaître son choix doit, si l'une des prestations devient impossible à exécuter par suite de force majeure, se contenter de l'autre.

Article 174. – Lorsque les prestations deviennent impossibles, le débiteur n'est libéré que si l'impossibilité procède, pour l'une et pour l'autre, d'un cas de force majeure.

§ 3. – L'obligation facultative

Article 175. – L'obligation est facultative lorsque, ayant pour objet une certaine prestation, le débiteur a néanmoins la faculté, pour se libérer, d'en fournir une autre.

L'obligation facultative est éteinte si l'exécution de la prestation principale devient impossible pour cause de force majeure.

Les parties peuvent également stipuler soit un terme, soit une condition au contrat(77). Seules ces modalités seront ici envisagées, car elles déterminent le sort temporel de l'obligation, ou plus largement du contrat.

En la forme, l'avant-projet de réforme intègre l'essentiel de la matière des conditions et du terme dans un chapitre premier intitulé « Les modalités de l'obligation », chapitre qui trouve place dans un Titre IV traitant « Du régime général des obligations » : c'est là que résident les règles relatives au terme suspensif et aux conditions. Curieusement, l'avant-projet traite du terme extinctif ailleurs, dans un chapitre IV, dédié aux effets du contrat, à l'intérieur du Titre III, consacré quant à lui aux sources des obligations. Il serait judicieux de définir le terme extinctif au titre des modalités des obligations, et au sein du régime général, car l'institution ne procède pas toujours d'un contrat et n'affecte pas que les obligations contractuelles. Pour les textes de l'avant-projet, V. *infra*, n° 438, 440, 447.

1° Le terme(78)

435. – **Définition.** Le terme est une échéance, certaine dans son principe, et soit déterminée (par ex., le 1er juin 2012), soit déterminable (par ex., le jour du décès de M. X.) ; insérée dans un contrat, cette date pourra marquer soit le point de départ des effets du contrat *(terme suspensif)*, soit au contraire leur point final *(terme extinctif)*.

Art. 1185. – Le terme diffère de la condition, en ce qu'il ne suspend point l'engagement, dont il retarde seulement l'exécution.

Art. 1186. – Ce qui n'est dû qu'à terme, ne peut être exigé avant l'échéance du terme ; mais ce qui a été payé d'avance ne peut être répété.

Art. 1187. – Le terme est toujours présumé stipulé en faveur du débiteur, à moins qu'il ne résulte de la stipulation, ou des circonstances, qu'il a été aussi convenu en faveur du créancier.

(77) J.-D. Pellier, *Les conflits de qualification entre le terme et la condition* : *RRJ* 2008, 913. – Le même évènement peut parfois être érigé en condition ou en terme : ainsi de la réitération de la promesse de vente par acte authentique, qui peut être instituée à titre de condition de formation de la vente ou ne constituer qu'une simple modalité d'exécution du contrat. Sur la critique, V. Cass. 3e civ., 10 sept. 2013, 19 juin 2012 : *RDC* 2014/1, p. 54 et s., obs. Ph. Brun.

(78) C. Bloud, *Le terme dans le contrat* : thèse Paris II, 2001.

Art. 1188. – Le débiteur ne peut plus réclamer le bénéfice du terme lorsque par son fait il a diminué les sûretés qu'il avait données par le contrat à son créancier.

436 – Le terme dans l'avant-projet de réforme. L'article 1185 du Projet Catala proposait une définition du terme qui faisait ressortir sa dualité : « Le terme est un événement futur et certain qui affecte une obligation née soit en retardant son exécution soit en y mettant fin. Il peut être exprès ou tacite, ainsi quand il résulte implicitement de la teneur de l'engagement. Le terme peut être une date déterminée ou son échéance être inconnue bien qu'il soit sûr qu'elle adviendra ».

L'avant-projet de réforme quant à lui procède à une présentation éclatée de la matière. Il expose les règles relatives au terme suspensif dans les articles 162 et suivants, à la suite des textes relatifs aux conditions, donc dans les dispositions ayant trait au régime général des obligations. Il n'envisage explicitement le terme extinctif que dans la section 3 du chapitre IV (relatif aux effets du contrat), section qui traite de « la durée du contrat ».

437. – Le terme suspensif. *Le terme suspensif* est celui qui suspend l'exécution de l'obligation jusqu'à l'arrivée du terme ; il peut être stipulé dans n'importe quel type de contrat. Par exemple, une vente étant conclue ce jour, les parties peuvent convenir que l'une des prestations, le prix ou la livraison, sera effectuée à une ou plusieurs dates ultérieures : la *vente à crédit* est une vente à terme. En pratique, l'usage du terme est constant dans le droit des affaires : ainsi, entre commerçants, les paiements se faisaient autrefois presque toujours par *traite* à trente, soixante ou quatre-vingt-dix jours[79] ; de même la principale activité de la Bourse des valeurs est le *marché à terme* ; également, le paiement des intérêts d'un prêt ou du loyer est toujours stipulé à terme ; les livraisons de marchandises sont elles aussi souvent à terme, etc.

Les exemples précédents sont tous relatifs à des paiements ou à des livraisons affectés d'un terme. Mais on peut au même titre utiliser le terme suspensif pour retarder un transfert de propriété.

Parfois, ce retard découle de la nature des choses : ainsi, dans les ventes de *choses de genre*, le transfert ne s'opérera que plus tard, lorsque la chose vendue aura été individualisée, par la livraison en général ; de même, dans le cas où la vente porte sur des choses futures (V. *supra*, n° 263), navires ou immeubles à construire, le transfert s'accomplit « au fur et à mesure de l'exécution » des ouvrages ; ou encore lorsque le transfert de propriété est subordonné à une autorisation administrative ou à l'accomplissement d'une formalité.

Enfin, à supposer que soient réunies les conditions pour que le transfert s'opère au moment du contrat, les parties peuvent convenir qu'il sera retardé jusqu'à l'arrivée d'un certain terme : par exemple, en matière immobilière, le jour de la réalisation du « compromis de vente » par un acte notarié.

La stipulation d'un terme n'empêche pas la naissance immédiate de l'obligation promise ; elle affecte seulement son exigibilité. Le créancier à terme ne peut donc

(79) Pour limiter le risque de faillite, le droit a réduit les délais de paiement, par la loi LME du 4 août 2008 et par la loi Hamon du 17 mars 2014. Sur quoi, V.A. Berg-Moussa, *Contr. conc. consom.* 2014, Étude 7.

pas exiger son paiement avant l'écoulement du délai – à moins que le terme n'ait été stipulé en sa seule faveur (C. civ., art. 1187)[80].

Il n'est fait échec à cette règle que si le bénéficiaire du terme y consent ou s'il en a été déchu. La déchéance du terme découle de la liquidation judiciaire pour les commerçants, de la déconfiture pour les non-commerçants ou de la diminution des sûretés par le fait du débiteur (C. civ., art. 1188). Elle peut aussi être organisée par contrat[81].

Pour protéger le consommateur, la loi impose au professionnel de l'informer de la date d'exécution du contrat, faute de quoi il dispose pour ce faire d'un délai maximal de trente jours (C. consom., art. L. 138-1) ; l'irrespect du terme ouvre au consommateur un droit à résolution unilatérale, sauf à devoir mettre en demeure le professionnel.

438. – **Le terme suspensif dans l'avant-projet de réforme.** Les différentes solutions de droit civil relatives au terme suspensif se trouvaient consacrées dans le Projet Catala (art. 1187 à 1187-2). Quant à l'avant-projet de réforme (art. 162 à 167), il est très inspiré du Projet Terré[82]. Il définit le terme suspensif dans un premier article (art. 162), puis expose qu'il peut être exprès ou tacite, volontaire ou judiciaire (art. 163), avant de préciser son régime : impossibilité d'exiger le paiement avant l'échéance, mais impossible répétition de ce qui a été payé d'avance et pouvoir du créancier d'accomplir les actes conservatoires (art. 164), présomption de stipulation dans l'intérêt du débiteur et faculté de renonciation de la partie bénéficiaire (art. 165), perte du bénéfice du terme en cas de non fourniture des sûretés promises au créancier ou de diminution des sûretés données (art. 166)[83] et inopposabilité de la déchéance aux codébiteurs même solidaires (art. 167).

Article 162. – L'obligation est à terme lorsque son exigibilité est différée jusqu'à la survenance d'un événement futur et certain, encore que la date en soit incertaine.

Article 163. – Le terme peut être exprès ou tacite.

Lorsque le terme n'a pas été fixé, ou lorsque sa détermination suppose un nouvel accord ou la décision de l'une des parties, le juge peut, si le terme n'est pas déterminé à l'issue d'un délai raisonnable, le fixer en considération de la nature de l'obligation et de la situation des parties.

Article 164. – Ce qui n'est dû qu'à terme ne peut être exigé avant son échéance ; mais ce qui a été payé d'avance ne peut être répété.

Le créancier de l'obligation affectée d'un terme peut exercer tous les actes conservatoires de son droit et agir contre les actes du débiteur accomplis en fraude de ses droits.

Article 165. – Le terme profite au débiteur, s'il ne résulte de la loi, de la volonté des parties ou des circonstances qu'il a été établi en faveur du créancier ou des deux parties.

La partie au bénéfice exclusif de qui le terme a été fixé peut y renoncer sans le consentement de l'autre.

Article 166. – Le débiteur ne peut réclamer le bénéfice du terme s'il ne fournit pas les sûretés promises au créancier ou qu'il diminue par son fait celles qu'il lui a données.

Article 167. – La déchéance du terme encourue par un débiteur est inopposable à ses codébiteurs, même solidaires.

(80) Les Principes Lando et Unidroit envisagent quant à eux l'exécution anticipée de la prestation. Ils disposent qu'une partie peut refuser l'exécution avant l'échéance « sauf si cela n'affecte pas ses intérêts de façon déraisonnable, ou si elle n'a aucun intérêt à refuser. » (PDEC, art. 7.103 ; Unidroit, art. 6.1.5).

(81) A.-S. Lucas-Puget, *La clause de déchéance du terme*, V. *Contrats, conc. consom.* 2014, formule 1.

(82) J.-S. Borghetti, *Des obligations conditionnelles et à terme, in Pour une réforme du régime général des obligations*, préc., p. 63 et s.

(83) La liquidation judiciaire a le même effet en vertu du droit spécial.

439. – **Le terme extinctif.** À côté du terme suspensif, seul envisagé par les articles 1185 et suivants du Code civil, il existe une seconde sorte de terme, *le terme extinctif*, qui limite la durée du contrat et ne se conçoit, par hypothèse, que pour les contrats qui s'exécutent dans le temps, non pour ceux à exécution instantanée (V. *supra*, n° 72).

Lorsque les parties concluent un contrat à exécution successive, elles sont libres de fixer ou non un terme extinctif à leurs obligations. Suivant la décision prise, le contrat sera donc, soit à durée déterminée s'il y a un terme, soit à durée indéterminée en l'absence de terme. En pratique, cela dépend du contrat considéré et des circonstances de fait. Ainsi, en général, les contrats de bail, d'assurance, de société et de prêt sont conclus pour une durée déterminée ; les contrats de travail, de mandat, de dépôt sont le plus souvent à durée indéterminée.

Les règles ne sont pas les mêmes dans les deux cas, à de multiples égards.

Si un terme a été fixé, il ne saurait excéder quatre-vingt-dix-neuf ans, faute de quoi il s'agirait d'un engagement perpétuel contraire à l'ordre public (V. *infra*, n° 283). Encore ce délai, peu usité, sauf pour les sociétés et les baux emphytéotiques, devra-t-il être réduit à la mesure des usages dans de nombreuses hypothèses : par exemple, pour les clauses d'exclusivité, ou de non-concurrence, etc.

Mais, si le délai fixé est conforme à la loi, aux usages ou à l'ordre public, il ne pourra être mis fin au contrat avant cette date, à moins que le bénéficiaire du terme n'y renonce ou qu'il ait commis une faute justifiant une rupture anticipée.

L'arrivée du terme ne marque d'ailleurs pas toujours la fin des rapports contractuels. D'une part, les parties sont libres de *proroger* le contrat initial. D'autre part, à défaut d'invoquer l'expiration du terme en donnant *congé*, ou par une *mise en demeure*, le contrat sera considéré comme reconduit dans certaines hypothèses : *tacite reconduction*[84] du bail, du contrat d'assurance, etc. Le silence va entraîner la tacite reconduction s'il y a volonté de poursuite de la relation contractuelle ; toutefois, en dépit de la terminologie employée, et sauf exception[85], il ne s'agit pas de la prorogation du contrat primitif, mais d'un nouveau contrat[86], cette fois-ci à durée indéterminée[87].

Souvent le contrat prévoit lui-même qu'à défaut de dénonciation dans un certain délai, il sera prorogé par tacite reconduction et pour la même durée que le

(84) B. Amar-Layani, *La tacite reconduction* : *D.* 1996, chron. 143. – D. Favre, *Contribution à l'étude de la tacite reconduction* : *LPA* 7 août 1996, p. 23. – A. Bénabent, *La prolongation du contrat* : *RDC* 2004, 117. – C. Najm-Makhlouf, *Tacite reconduction et volonté des parties* : LGDJ, coll. thèses, t. 542, 2013.

(85) Lorsque telle est la volonté des parties : Cass. 1re civ., 4 juin 2009 : *RDC* 2009, p. 1330 s., obs. Th. Genicon. – Cass. com., 11 avr. 2012, *RDC* 2012/2, p. 755, obs. Th. Genicon. – Cass. com., 30 mai 2012, *RDC* 2013/1, p. 188 s., obs. C. Grimaldi.- Lorsque la loi le prévoit : V. ainsi art. L. 145-9 C. com. rédact. L. n°2012-387 du 22 mars 2012, *RDC* 2012/3, p. 871 s., obs. J.-B. Seube.

(86) Cass. com., 13 mars 1990 : *D.* 1990, inf. rap. p. 84 (pour un contrat d'assurance maritime). – Cass. com., 6 févr. 2001 : *JCP* 2001, I, 370, n° 24, obs. A. Constantin (disparition de la caution qui assortissait le contrat initial). – Cass. 3e civ., 7 déc. 2004 : *Bull. civ.* 2004, III, n° 225, p. 202 (bail commercial qui devient à durée indéterminée). – Cass. 1re civ., 15 nov. 2005 : *Bull. civ.* 2005, I, n° 413 ; *D.* 2006, p. 587 et note M. Mekki ; *Contrats, conc. consom.* 2006, comm. 43, obs. L. Leveneur ; *Rev. Lamy dr. civ.* mars 2006, p. 5, obs. F. Buy ; *Defrénois* 2006, 1, 828, art. 38395 et note C. Le Gallou ; *RTD civ.* 2006, p. 114, obs. J. Mestre et B. Fages ; *RDC* 2006, p. 696, obs. Y.-M. Laithier. À cet égard, il convient de distinguer la tacite reconduction de la prorogation qui est la continuation de la relation contractuelle originaire, et du renouvellement à l'occasion duquel les parties pourront modifier le contenu du contrat primitif. V. F. Plancqueel, *Le bail commercial renouvelé est-il bien un nouveau bail ?* : *AJDI* 2006, p. 633.

(87) Cette solution jurisprudentielle ne va pas sans soulever certains problèmes, notamment en matière de bail commercial où la loi utilise l'expression de *tacite prolongation* (L. 22 mars 2012 modifiant les articles L. 145-8 et s. du Code de commerce). En matière de baux d'habitation, la loi prévoit que le contrat tacitement reconduit est d'une durée identique à celle du contrat précédent, et ce impérativement (L. 6 juill. 1989, art. 10) : Cass. 3e civ., 27 sept. 2006 : *AJDI* 2007, p. 204, obs. Y. Rouquet.

contrat initial[88]. Pour éviter que les consommateurs ne laissent passer ce délai, la loi n° 2005-67 du 28 janvier 2005 a introduit dans le Code de la consommation une disposition suivant laquelle le professionnel doit informer le consommateur par écrit « au plus tôt trois mois et au plus tard un mois avant le terme de la période autorisant le rejet de la reconduction, de la possibilité de ne pas reconduire le contrat qu'il a conclu » (C. consom., art. L. 136-1, al. 1) ; à défaut de cette information, le consommateur pourra résilier son contrat à tout moment (al. 2)[89] ; la loi n° 2014-344 du 17 mars 2014 oblige le professionnel à reproduire dans les contrats de service cette faculté de résiliation (art. L. 136-2). Une règle du même type a été édictée pour les contrats d'assurance autres que sur la vie à tacite reconduction couvrant les personnes physiques en dehors de leurs activités professionnelles[90] (C. assur., art. L. 113-15-1).

Le terme extinctif joue donc un rôle tout à fait différent de celui du terme suspensif : il limite à une certaine durée l'exécution des contrats qui, par nature, s'accomplissent dans le temps ; ce faisant, il préserve la liberté du débiteur tout en stabilisant la situation des parties jusqu'à l'arrivée du terme.

440. – Le terme extinctif dans l'avant-projet de réforme. L'avant-projet de réforme du droit des obligations consacre quatre textes au terme extinctif, non pas dans les dispositions relatives aux modalités de l'obligation mais dans celles relatives à la durée du contrat[91]. Il rappelle l'interdiction des engagements perpétuels (art. 119), affirme que chaque partie doit exécuter un contrat à durée déterminée jusqu'à son terme (art. 121). Conformément à la liberté contractuelle, il prévoit que « nul ne peut exiger le renouvellement », sauf naturellement « disposition légale » (par exemple en matière de bail) ou « clause contraire » (art. 121, al. 2) ; il précise que le renouvellement donne naissance à un « nouveau contrat à durée indéterminée » mais « dont le contenu est identique au précédent ». Il envisage par ailleurs la prorogation : d'une part elle suppose que « les contractants en manifestent la volonté avant son expiration » ; d'autre part elle « ne peut porter atteinte aux droits des tiers ». Enfin, il définit la notion et les effets de la tacite reconduction.

Art. 119. – Les engagements perpétuels sont prohibés.

Art. 121. – Lorsque le contrat est conclu pour une durée déterminée, chaque contractant doit l'exécuter jusqu'à son terme.

Sauf disposition légale ou clause contraire, nul ne peut exiger le renouvellement du contrat.

Art. 122. – Le contrat peut être prorogé si les contractants en manifestent la volonté avant son expiration. La prorogation ne peut porter atteinte aux droits des tiers.

Art. 123. – Le contrat à durée déterminée peut être renouvelé par l'effet de la loi ou par l'accord des parties.

(88) S. Bernheim-Desvaux, *La clause de tacite reconduction, Contrats, conc. consom.* 2012, Formule 6. – Cass. 1re civ., 11 mars 2014 : *D.* 2014, 721 : sur la question de l'opposabilité de la clause figurant dans les conditions générales de vente.

(89) J. Rochfeld, *Reconduction des contrats. Crédits – Loi n° 2005-67 du 28 janv. 2005 : RTD civ.* 2005, p. 478. – J. Coelho, *À propos des nouvelles prescriptions destinées à conforter la confiance et la protection du consommateur : LPA* 6 sept. 2005, p. 3. – Cass. 1re civ., 10 avr. 2013, n° 12-18556 : *RDC* 2013/3, p. 963 et s., obs. N. Sauphanor-Brouillaud.

(90) Pour une critique de cette disposition, V. J. Bigot, *La loi Chatel et l'assurance : une loi inutile ? : JCP* 2005, act. 82. Et en sens inverse : Ph. Stoffel-Munck, *L'encadrement de la tacite reconduction dans les contrats de consommation depuis la loi Chatel. L. n° 2005-67, 28 janv. 2005 : JCP* 2005, I, 129. – G. Raymond, *Actualité législative en droit de la consommation : Contrats, conc. consom.* 2005, étude 3. – N. Saupharor-Brouillaud, *Une nouvelle loi pour faciliter la résiliation des contrats tacitement reconductibles : Rev. Lamy dr. civ.* avr. 2005, p. 5. – H. Claret, *La loi n° 2005-67 du 28 janvier 2005 tendant à conforter la confiance et la protection du consommateur : JCP* 2005, I, 140.

(91) Pour l'explication, V. J.-S. Borghetti, art. préc., p. 68.

Sauf disposition légale ou clause contraire, le renouvellement donne naissance à un nouveau contrat à durée indéterminée dont le contenu est identique au précédent.

Art. 124. – Lorsqu'à l'expiration du terme d'un contrat conclu à durée déterminée, les contractants continuent d'en exécuter les obligations, il y a tacite reconduction. Celle-ci donne naissance à un nouveau contrat, à durée indéterminé, dont le contenu est, pour le reste, identique à celui du contrat initial.

2° La condition[92]

Art. 1168. – L'obligation est conditionnelle lorsqu'on la fait dépendre d'un événement futur et incertain, soit en la suspendant jusqu'à ce que l'événement arrive, soit en la résiliant, selon que l'événement arrivera ou n'arrivera pas.

Art. 1169. – La condition *casuelle* est celle qui dépend du hasard, et qui n'est nullement au pouvoir du créancier ni du débiteur.

Art. 1170. – La condition *potestative* est celle qui fait dépendre l'exécution de la convention d'un événement qu'il est au pouvoir de l'une ou de l'autre des parties contractantes de faire arriver ou d'empêcher.

Art. 1171. – La condition *mixte* est celle qui dépend tout à la fois de la volonté d'une des parties contractantes et de la volonté d'un tiers.

Art. 1172. – Toute condition d'une chose impossible, ou contraire aux bonnes mœurs, ou prohibée par la loi, est nulle, et rend nulle la convention qui en dépend.

Art. 1173. – La condition de ne pas faire une chose impossible ne rend pas nulle l'obligation contractée sous cette condition.

Art. 1174. – Toute obligation est nulle lorsqu'elle a été contractée sous une condition potestative de la part de celui qui s'oblige.

Art. 1175. – Toute condition doit être accomplie de la manière que les parties ont vraisemblablement voulu et entendu qu'elle le fût.

Art. 1176. – Lorsqu'une obligation est contractée sous la condition qu'un événement arrivera dans un temps fixe, cette condition est censée défaillie lorsque le temps est expiré sans que l'événement soit arrivé. S'il n'y a point de temps fixe, la condition peut toujours être accomplie ; et elle n'est censée défaillie que lorsqu'il est devenu certain que l'événement n'arrivera pas.

Art. 1177. – Lorsqu'une obligation est contractée sous la condition qu'un événement n'arrivera pas dans un temps fixe, cette condition est accomplie lorsque ce temps est expiré sans que l'événement soit arrivé : elle l'est également, si avant le terme il est certain que l'événement n'arrivera pas ; et s'il n'y a pas de temps déterminé, elle n'est accomplie que lorsqu'il est certain que l'événement n'arrivera pas.

Art. 1178. – La condition est réputée accomplie lorsque c'est le débiteur, obligé sous cette condition, qui en a empêché l'accomplissement.

Art. 1179. – La condition accomplie a un effet rétroactif au jour auquel l'engagement a été contracté. Si le créancier est mort avant l'accomplissement de la condition, ses droits passent à son héritier.

Art. 1180. – Le créancier peut, avant que la condition soit accomplie, exercer tous les actes conservatoires de son droit.

441. – **Définition et terminologie.** Un contrat[93] est soumis à une condition lorsque les parties conviennent de faire dépendre son existence d'un événement futur de réalisation incertaine[94].

(92) J.-J. Taisne, *La notion de condition dans les actes juridiques* : thèse Lille, 1977. – O. Milhac, *Contribution à l'étude de la notion de condition dans les contrats à titre onéreux* : LGDJ, 2001. – D. Bonnet, *Cause et condition dans les actes juridiques* : LGDJ, 2005, préf. P. de Vareilles-Sommières. – M. Latina, *Essai sur la notion de condition en droit des contrats* : LGDJ, coll. « Droit privé », 2009, t. 505, préf. D. Mazeaud.

(93) Un engagement unilatéral de volonté peut également être affecté d'une condition : Cass. 1re civ., 28 nov. 2012 : *RDC* 2013/2, p. 505 et s., obs. Th. Genicon.

(94) Le principe de liberté de la forme permet en principe de retenir des termes et conditions tacites. Mais le droit exige parfois que la volonté des parties soit expresse. Il en va ainsi des motifs personnels des contractants, extérieurs au contrat : ils doivent être explicitement érigés en condition du contrat pour être pris en compte : Cass. 1re civ., 13 févr.

La condition se distingue du terme à deux points de vue[(95)].

D'une part, le terme affecte seulement la durée du contrat en précisant son point de départ ou sa fin ; quelle que soit cette durée, le contrat existe ou a existé alors que la condition subordonne l'existence même du contrat : suivant que la condition se réalisera ou non, le contrat conclu existera ou sera censé n'avoir jamais existé.

D'autre part, l'arrivée d'un terme est toujours une certitude, parce qu'il s'agit d'une date précise ou, le cas échéant, d'un événement qui se produira à coup sûr, la mort d'une personne par exemple ; au contraire, étant un événement futur de réalisation incertaine, la condition prévue au contrat peut ou se réaliser, ou défaillir : par exemple, le mariage d'une personne, l'obtention d'un marché, etc.[(96)].

Un contrat conditionnel se trouve en conséquence soumis à un aléa qui est facteur d'insécurité pour les parties et même pour les tiers. L'incertitude est particulièrement gênante lorsqu'elle porte sur la propriété d'un bien, meuble ou immeuble, dont l'appartenance à l'une ou à l'autre partie pourra se trouver remise en cause.

Ainsi, la condition apparaît-elle comme une modalité un peu spéciale tandis que le terme est une clause usuelle.

À cet égard, une remarque de terminologie s'impose dans la mesure où la pratique utilise à tort le vocable « condition » pour désigner toute clause d'un contrat : dans les contrats d'assurance, ou de vente, on emploie souvent comme titre : conditions générales, conditions particulières. Clause et condition ne sont pas synonymes : la clause étant l'appellation générale, la condition en est une espèce qui répond à la définition précisée plus haut. Mais, si l'intention des parties n'est pas clairement exprimée, il est parfois difficile de savoir si telle clause est ou non une condition dont les cocontractants ont entendu faire dépendre l'existence du contrat. Pour éviter l'inconvénient d'une interprétation peut-être erronée par le tribunal, il est souhaitable de préciser dans l'écrit la portée attribuée à une telle clause : il vaut mieux dire que sous-entendre.

En pratique, le problème se pose dans le cas où une clause du contrat est annulée : la jurisprudence considère que la nullité de la clause entraîne ou non la nullité du contrat tout entier suivant que les parties ont entendu ou non en faire une condition dont dépendrait l'existence du contrat (V. *supra*, n° 403)[(97)].

442. – Validité de la condition. Malgré leur validité de principe, les conditions sont annulables dans deux cas ; la sanction est en effet la nullité, et non pas la simple mise à l'écart de la condition[(98)].

2001, n°98-15092. – 3e civ., 24 avr. 2003, n°01-17458. – 1re civ., 12 juill. 2005, n° 04-15.275. – Cass. com., 12 déc. 2006, n°04-19083, 11 avr. 2012 : *RDC* 2012/4, p. 1175 et s., obs. Y.-M. Laithier ; *D.* 2013, 391, obs. S. Amrani-Mekki, M. Mekki : *JCP* 2012, I, 1151, n° 7, obs. Y.-M. Serinet. – Sur le cantonnement de la condition à partir de la distinction entre représentations et prévisions, C. Grimaldi, *Retour sur l'erreur sur les motifs* : *D.* 2012, 2822.

(95) J.-D. Pellier, *Les conflits de qualification entre le terme et la condition* : *RRJ* 2008, 913. – Pour une illustration de la question, Cass. com., 20 sept. 2011 : *RTD civ.* 2012, 115, obs. B. Fages.

(96) V. par ex., Cass. 3e civ., 13 avr. 1999 : *JCP* 2000, II, 10309 et note A.-S. Barthez. – Cass. 1re civ., 13 juill. 2004 : *Bull. civ.* 2004, I, n° 204, p. 171 ; *JCP* 2004, II, 10155, avis av. gén. J. Sainte-Rose ; *D.* 2005, 1009 et note A. Bories ; *Defrénois* 2004, 1, 1396, art. 38035, n° 77, obs. J.-L. Aubert. – Cass. com., 20 sept. 2011 : *RDC* 2012/2, p. 451, obs. D. Mazeaud.

(97) Il s'agit d'une question de fait qui relève du pouvoir souverain des juges du fond. Pour des applications en matière de clauses d'indexation, V. Cass. 3e civ., 22 oct. 1970 : *JCP* 1971, II, 16636 *bis*, obs. J.-Ph. Lévy. – Cass. 3e civ., 24 juin 1971 : *JCP* 1972, II, 17191, obs. J. Ghestin. – Cass. 3e civ., 6 juin 1972 : *D.* 1973, 151 et note Ph. Malaurie. – B. Teyssié, *Réflexions sur les conséquences de la nullité d'une clause d'un contrat* : *D.* 1976, chron. 281.

(98) Cass. 3e civ., 2 mars 2004 : *RDC* 2004, 921, obs. L. Aynès.

D'une part, comme toute clause, une condition peut être annulée si elle est impossible, immorale ou illicite, c'est-à-dire contraire à l'ordre public[(99)] (V. *supra*, n°s 280 et s.) : ainsi ont été annulées les clauses de célibat dans les contrats de travail[(100)], les clauses d'exclusivité non conformes aux usages.

D'autre part, sont également nulles les conditions dont la réalisation dépend de la seule volonté du débiteur (C. civ., art. 1174 : *condition purement potestative* de la part du débiteur[(101)]) ; sont au contraire valables les conditions dont la réalisation dépend du hasard (C. civ., art. 1169 : condition casuelle), ou de la volonté du créancier (C. civ., art. 1170 : condition potestative) ou de plusieurs éléments (C. civ., art. 1171 : condition mixte)[(102)].

D'une importante jurisprudence il ressort qu'une condition est *purement potestative*, et donc nulle au regard de l'article 1174, lorsqu'elle ne dépend que de la seule volonté du débiteur qui est finalement libre d'échapper comme bon lui semble à l'exécution du contrat[(103)] ; une telle condition est incompatible avec la force obligatoire du contrat pour les parties.

En revanche, la condition est valable si elle dépend, au moins pour partie d'un élément extérieur à la volonté du débiteur. Par exemple, l'achat d'un bien sous la condition que l'acheteur vende lui-même un autre bien n'est pas purement potestative parce qu'elle suppose l'accomplissement d'un fait extérieur, à savoir la découverte d'un acquéreur pour ce dernier bien[(104)].

De même, n'est pas purement potestative la clause permettant à l'installateur d'appareils de distribution d'aliments et de boissons de retirer ces appareils si leur exploitation s'avérait déficitaire, car cette donnée peut être vérifiée en justice[(105)].

---

(99) Il a été jugé que la nullité fondée sur une condition impossible est une nullité relative qui ne peut être invoquée que par celui dont la loi qui a été méconnue tendait à assurer la protection : Cass. 3e civ., 8 oct. 2008, n° 07-14396 : *RDC* 2009, 51, obs. Y.-M. Laithier.

(100) Comp. Cass. 1re civ., 14 mars 2012, n° 11-13.791 : *JCP* 2012, 607, note Cl. Brenner ; *RDC* 2012/3, p. 891 et s., obs. Ch. Goldie-Genicon ; *Defrénois* 2012, n° 18, 40562, obs. C. Donzel-Taboucou, jugeant qu'une condition résolutoire liée au prononcé du divorce ou à une demande en divorce ne peut être insérée dans une donation de biens présents prenant effet au jour du mariage eu égard à l'article 265, alinéa 1er.

(101) J.-L. Costa, *Condition potestative et validité des contrats : Administrer* mars 1985, n° 155, p. 5. – J. Ghestin, *La notion de condition potestative au sens de l'article 1174 du Code civil*, in *Mél. Weill*, p. 243. – S. Valory, *La potestativité dans les relations contractuelles* : PUAM, 1999, préf. J. Mestre. – Cass. 3e civ., 15 janv. 2003 : *D.* 2003, 1190 et note H. Kenfack ; *JCP* 2003, II, 10129 et note E. Fischer-Achoura.

(102) Pour une critique de ces distinctions et de la jurisprudence, V. B. Dondero, *De la condition potestative licite : RTD civ.* 2007, 677. – W. Dross, *L'introuvable nullité des conditions potestatives : RTD civ.* 2007, 701. – Adde M. Latina, *Essai sur la condition en droit des contrats* : LGDJ, 2009, préf. D. Mazeaud, n° 295 et s., qui suggère d'abandonner le contrôle *ex ante* et de se contenter de contrôler la mise en œuvre des conditions notamment sur le terrain de l'article 1178. – Comp. F. Chenédé, *Charles Demolombe, la condition potestative : RDC* 2013/3, p. 1131 et s., préférant le maintien de l'interdiction, expurgée de ses raffinements divers.

(103) Pour une illustration, V. Cass. 1re civ., 20 sept. 2011 : *RDC* 2012/2, p. 407 et s., obs. Th. Genicon, relatif à la clause de résiliation-dédit dans un contrat à durée déterminée. – Comp. Cass. 1re civ., 10 juill. 2013 : *RDC* 2014/1, p. 77 et s., obs. crit. S. Pellet.

(104) Cass. 3e civ., 22 nov. 1995 : *D.* 1996, 604 et note Ph. Malaurie ; *Contrats, conc. consom.* 1996, comm. 19, note L. Leveneur. Cet arrêt rompt avec une jurisprudence en sens inverse : Cass. 3e civ., 8 oct. 1980 : *D.* 1981, inf. rap. 441 et note B. Audit.

(105) Cass. com., 12 mai 1980 : *Bull. civ.* 1980, IV, n° 190. Pour d'autres hypothèses, V. Cass. com., 22 nov. 1976 : *JCP* 1978, II, 18903, obs. B. Stemmer (achat sous condition d'obtention d'un prêt, tout en se réservant la faculté de demander la réalisation de la vente en cas de non-obtention du prêt). – Cass. 3e civ., 4 déc. 1985 : *Bull. civ.* 1985, III, n° 162, p. 123 ; *Defrénois* 1986, 1, 1103, obs. J.-L. Aubert (la vente d'un terrain moyennant la construction d'une maison sans que soit précisée de date limite, n'est pas affectée d'une condition purement potestative, mais assortie d'un terme à échéance incertaine pouvant être fixé judiciairement). – Cass. 1re civ., 16 oct. 2001 : *JCP* 2001, IV, 2898 ; *JCP* 2002, I, 134, n° 4, obs. J. Rochfeld ; *RTD civ.* 2002, 97, obs. J. Mestre et B. Fages (cessation d'un contrat de médecin en cas de fermeture de la clinique). – V. J. Rochfeld, *Les droits potestatifs accordés par le contrat*, in *Études Ghestin* : LGDJ, 2001, p. 747.

443. – Les deux types des conditions[106]. Si toutes les conditions affectent l'existence du contrat, les unes suspendent la naissance de l'obligation jusqu'à ce que l'événement prévu arrive (condition suspensive), les autres conditionnent la résiliation du contrat (condition résolutoire).

Art. 1181. – L'obligation contractée sous une condition suspensive est celle qui dépend ou d'un événement futur et incertain, ou d'un événement actuellement arrivé, mais encore inconnu des parties.

Dans le premier cas, l'obligation ne peut être exécutée qu'après l'événement.

Dans le second cas, l'obligation a son effet du jour où elle a été contractée.

Art. 1182. – Lorsque l'obligation a été contractée sous une condition suspensive, la chose qui fait la matière de la convention demeure aux risques du débiteur qui ne s'est obligé de la livrer que dans le cas de l'événement de la condition.

Si la chose est entièrement périe sans la faute du débiteur, l'obligation est éteinte.

Si la chose s'est détériorée sans la faute du débiteur, le créancier a le choix ou de résoudre l'obligation, ou d'exiger la chose dans l'état où elle se trouve, sans diminution du prix.

Si la chose s'est détériorée par la faute du débiteur, le créancier a le droit ou de résoudre l'obligation, ou d'exiger la chose dans l'état où elle se trouve, avec des dommages-intérêts.

Art. 1183. – La condition résolutoire est celle qui, lorsqu'elle s'accomplit, opère la révocation de l'obligation, et qui remet les choses au même état que si l'obligation n'avait pas existé.

Elle ne suspend point l'exécution de l'obligation ; elle oblige seulement le créancier à restituer ce qu'il a reçu dans le cas où l'événement prévu par la condition arrive.

444. – La condition suspensive[107]. Lorsqu'un contrat est conclu sous *condition suspensive*, commence une période d'incertitude sur la naissance de l'obligation ; par exemple, dans la vente à l'essai, ou à la dégustation ; ou encore lorsqu'un contrat de fournitures est adopté sous réserve que l'acheteur obtienne tel marché qu'il a en vue, ou telle autorisation administrative qui lui est nécessaire ; ou une vente de terrain à bâtir subordonnée à l'obtention du permis de construire, etc.

Parfois, la loi elle-même décide que certains contrats seront conclus sous condition suspensive. Ainsi en est-il en matière de crédit immobilier où la loi du 13 juillet 1979 relative à l'information et à la protection des emprunteurs dans le domaine immobilier édicte que la vente est conclue « sous la condition suspensive de l'obtention du ou des prêts qui en assument le financement » (C. consom., art. L. 312-16)[108].

Afin d'éviter une trop longue expectative, il est fréquent que soit précisé un *terme* pour l'arrivée de la condition : par exemple, si tel événement se produit avant telle date[109]. Néanmoins, si aucun terme n'est fixé, la condition n'en est pas moins

(106) Ph. Derouin, *Pour une analyse « fonctionnelle » de la condition : RTD civ.* 1978, 1.

(107) G. Goubeaux, *Remarques sur la condition suspensive stipulée dans l'intérêt exclusif de l'une des parties : Defrénois* 1979, 1, 753, art. 31987. – V. aussi Cass. 3e civ., 13 oct. 1999 : *JCP* 2000, I, 237, nos 14 à 18, obs. J. Rochfeld (pour le cas où la condition est unilatérale, dans l'intérêt d'une seule des parties).

(108) Ch. Atias et Ch. Mouly, *Libres propos sur la condition suspensive d'obtention d'un prêt immobilier : JCP* N 1980, I, p. 205 ; *Propos encore plus libres sur la condition suspensive d'obtention du prêt immobilier : JCP* N 1980, p. 303. – C.- A. Thibierge, *La condition suspensive de l'article 17 et les actes qui l'engendrent : Defrénois* 1980, 1, 1225, art. 32446. – L. Aynès, *La condition d'obtention d'un prêt dans une promesse unilatérale de vente : D.* 1988, chron. 283. – J.-L. Bergel, *La condition suspensive de l'obtention des prêts immobiliers : JCP* N 1988, I, 225. – D. Mazeaud, *La condition suspensive d'obtention d'un prêt immobilier à l'épreuve de la jurisprudence : vers un juste équilibre : JCP* N 1993, 345. – F. Steinmetz, *L'acquéreur, le vendeur, le prêteur et la condition suspensive de l'obtention du prêt : RD imm.* 1993, 305. – Sur le jeu de la condition malgré la renonciation formelle du bénéficiaire, en cas de fraude, V. Cass. 3e civ., 29 janv. 2014 : *D.* 2014, 972, obs. V. Pezzetta.

(109) Comp. Cass. 3e civ., 29 mai 2013 : *RTD civ.* 2013, 592, obs. H. Barbier ; *RDC* 2013/4, p. 1373 et s., obs. M. Latina, p. 1409 et s., obs. J. Le Bourg ; *D.* 2014, 630, obs. S. Amrani-Mekki et M. Mekki. : *LPA* 21 août 2013, n° 167, p. 12, obs. N. Haoulia.

valable ; en effet, l'absence de terme ne confère pas à l'obligation un caractère perpétuel et la condition ne sera censée défaillie que lorsqu'il sera devenu certain que l'événement posé en condition n'arrivera pas (art. 1176)[(110)].

Si la condition attendue se réalise, le contrat jusqu'ici virtuel prend corps : de conditionnel il devient pur et simple et développe tous ses effets. Si, à l'inverse, la condition défaille, c'est-à-dire si l'événement ne se produit pas, tout se passe comme si le contrat n'avait jamais été conclu[(111)]. La jurisprudence laisse au bénéficiaire de la condition la liberté d'y renoncer[(112)] mais prive d'effet cette renonciation lorsque la condition a été stipulée dans l'intérêt commun des deux parties[(113)]. La question de savoir si la défaillance de la condition opère automatiquement ou si elle doit être invoquée par la partie dans l'intérêt de laquelle la condition a été stipulée est discutée[(114)].

Par ailleurs, il n'y a pas défaillance si c'est le débiteur lui-même qui empêche l'événement de survenir. La solution découle de l'article 1178 suivant lequel « la condition est réputée accomplie lorsque c'est le débiteur, obligé sous cette condition, qui en a empêché l'accomplissement »[(115)]. Cette disposition permet de faire échec à la mauvaise foi du débiteur qui, regrettant le contrat qu'il a conclu sous condition, cherche à échapper à son obligation en empêchant la condition de se réaliser[(116)]. Ainsi en est-il de l'acquéreur d'un terrain sous condition suspensive d'obtention du permis de construire lorsque la demande est rejetée à raison du refus du pétitionnaire de respecter les règles relatives aux places de stationnement et à l'accessibilité de l'immeuble aux personnes handicapées[(117)] ; et de même d'un acquéreur sous condition suspensive d'obtention d'un prêt qui a refusé sans raison valable l'offre de prêt qui lui était faite par un organisme financier[(118)], ou sollicite un prêt à des conditions différentes de celles qui avaient été prévues[(119)], ou encore de l'acquéreur d'un local commercial sous condition d'obtenir l'autorisation de la CDEC qui n'effectue pas les démarches nécessaires à cet effet[(120)].

---

(110) H. Kenfack, *La défaillance de la condition suspensive : Defrénois* 1997, 1, 833, art. 36604. – Cass. 1re civ., 4 juin 1991 : *D.* 1992, 170 et note M.-O. Gain ; *RTD civ.* 1991, 738. – Cass. 3e civ., 24 juin 1998 : *D.* 1999, 403 et note H. Kenfack. – Cass. 3e civ., 19 déc. 2001 : *D.* 2002, 1586 et note H. Kenfack ; *Contrats, conc. consom.* 2002, comm. 57, obs. L. Leveneur ; *RTD civ.* 2002, 299, obs. crit. J. Mestre et B. Fages. – Cass. com., 6 mars 2007 : *JCP* 2007, IV, n° 1780 ; *D.* 2007, act. jurispr. p. 1077, obs. X. Delpech ; *Defrénois* 2007, 1, 1033, art. 38624, n° 49, obs. E. Savaux. – Sur les dangers d'une telle solution, V. Cass. 3e civ., 21 nov. 2012 : *RDC* 2013/2, p. 621 et s., obs. S. Pimont.

(111) Cass. 3e civ., 9 oct. 1974 : *JCP* 1975, II, 18149, obs. H. Thuillier.

(112) Cass. 3e civ., 12 janv. 2010 : *RDC* 2010, p. 567, obs. T. Génicon.

(113) V. Wittmann, *La renonciation unilatérale à la défaillance de la condition suspensive dans les promesses de vente : à la recherche d'un équilibre contractuel : D.* 2012, 301.

(114) Comp. Cass. 3e civ., 10 oct. 2012, Cass. 1re civ., 17 oct. 2012, Cass. com., 23 oct. 2010 : *RDC* 2013/2, p. 579 et s., obs. M. Latina.

(115) Pour l'articulation avec une clause pénale, V. Cass. 3e civ., 20 nov. 2013 : *JCP* 2014, II, 420, note M. Ranouil ; *D.* 2014, 196, note S. Tisseyre ; *D.* 2014, 630, obs. S. Amrani-Mekki, M. Mekki. – Cass. com., 28 mai 2013 : *RTD civ.* 2013, 592, obs. H. Barbier.

(116) Le texte ne s'applique pas à la clause de tontine : Cass. 3e civ., 5 déc. 2012 : *RDC* 2013/3, p. 945 et s., obs. M. Latina, p. 994, obs. A. Bénabent, p. 1021 et s., obs. Ch. Goldie-Genicon ; *Defrénois* 2013, n° 12, p. 663, obs. B.-H. Dumortier. – Sur l'analyse de la tontine, V. C. Grimaldi, *Mystérieuse tontine*, in *Mélanges G. Champenois : Defrénois*, Lextenso éditions, 2012, p. 417 et s.

(117) Cass. 3e civ., 16 avr. 1986 : *JCP* 1988, II, 21033, obs. G. Liet-Veaux.

(118) Cass. com., 31 janv. 1989 : *JCP* 1989, II, 21382, obs. Y. Dagorne-Labbé. – Cass. 1re civ., 19 déc. 1992 et 20 janv. 1993 : *JCP* 1993, II, 22106 et note A. Gourio.

(119) La Cour de cassation est rigoureuse pour le débiteur. – V. ainsi Cass. 3e civ., 20 nov. 2013 : *Defrénois* 2014, 176, obs. J.-B. S. – Cass. 3e civ., 20 nov. 2013 : *RDC* 2014, 111, obs. M. Latina.

(120) Cass. 3e civ., 10 sept. 2008 : *Contrats, conc. consom.* 2009, comm. 2, obs. L. Leveneur.

445. – La condition résolutoire. La *condition résolutoire* correspond à la situation inverse. Dans un premier temps, le contrat est comme un contrat pur et simple : il produit tous ses effets et, le cas échéant, entraîne transfert de propriété. Si la condition, l'événement résolutoire, ne se produit pas, la situation antérieure est définitivement consolidée puisque toute menace de résolution a disparu. Au contraire, l'arrivée de la condition entraîne d'office la résolution du contrat. Ainsi, on pourra conclure une vente sous condition résolutoire de la non-obtention des prêts prévus.

En pratique, on stipule assez souvent des conditions résolutoires. En effet, une condition résolutoire est, pour le créancier, un excellent moyen de contraindre le débiteur à l'exécution de telle prestation annexe ; le contrat sera anéanti, à moins que le débiteur n'accomplisse, ou n'accomplisse pas, telle ou telle chose : par exemple, rester célibataire, se fournir exclusivement chez le vendeur, payer en monnaie étrangère ou suivant une clause d'échelle mobile. Outre qu'elle est un moyen de pression, la condition résolutoire présente un autre avantage, son automaticité : le contrat est résolu d'office par la survenance de la condition, en dehors de toute intervention du juge.

C'est pourquoi il est d'usage de stipuler dans les contrats une condition résolutoire expresse pour le cas où le débiteur n'exécuterait pas. Une telle clause permet au créancier d'échapper à l'application de l'article 1184 du Code civil, selon lequel la résolution du contrat pour inexécution ne peut être prononcée que par le juge (V. *infra*, n° 529) ; le législateur est d'ailleurs intervenu pour limiter les effets de cette clause dans certains contrats, notamment en matière de bail et de vente d'immeuble à construire, où elle apparaissait abusive. La stipulation d'une condition suspensive répond au contraire à des circonstances de fait spécifiques au contrat envisagé.

446. – Effets de la condition. Suspensive ou résolutoire, la condition, une fois accomplie, « a un effet rétroactif au jour auquel l'engagement a été contracté » (C. civ., art. 1179)[121].

À supposer qu'il s'agisse d'une condition suspensive, on considérera que le contrat a toujours existé avec son plein effet *ab initio* (si la condition se réalise) ou, au contraire, que le contrat n'a jamais été conclu (si la condition défaille)[122]. Les solutions seront inverses pour la condition résolutoire : le contrat sera censé n'avoir jamais connu aucune menace (si la condition défaille), ou il sera effacé rétroactivement (si la condition se réalise).

En fait, cette rétroactivité n'aura pas lieu chaque fois que les prestations déjà accomplies seront irréversibles. On ne peut pas revenir par exemple sur ce fait matériel qu'un travailleur a œuvré, qu'un locataire a joui de l'appartement, etc., avant l'arrivée de la condition. En pareil cas, au lieu d'une *résolution* (rétroactive), on dira simplement qu'il y a *résiliation* (non rétroactive) pour l'avenir.

(121) Les Principes du droit européen du contrat (art. 16 : 103) et l'avant-projet de Code européen des contrats de l'Académie de Pavie (art. 49 et 50) retiennent la règle inverse : la condition – suspensive ou résolutoire – n'a pas d'effet rétroactif lorsqu'elle se réalise, à moins que les parties n'en décident autrement.

(122) J.-D. Pellier, *Le sort du contrat en cas de défaillance de la condition suspensive* : *LPA* 10 avr. 2008, p. 3. Néanmoins la troisième chambre civile a admis que, lorsque la condition avait été stipulée dans son intérêt exclusif (en l'espèce l'obtention d'un permis de construire), l'acquéreur pouvait « renoncer au bénéfice de cette condition dont la non réalisation ne pouvait rendre caduque la promesse » : Cass. 3e civ., 12 janv. 2010, n° 08-18624.

447. – La condition dans l'avant-projet de réforme. S'inspirant à la fois du Projet Catala[(123)] et du Projet Terré[(124)], l'avant-projet de réforme reprend certaines dispositions du Code civil, mais propose aussi d'en supprimer d'autres et d'en introduire de nouvelles.

S'agissant des suppressions, on remarquera que disparaît toute référence aux conditions casuelles, potestatives ou mixtes, l'avant-projet maintenant uniquement la prohibition des conditions potestatives, sans utiliser ce terme : « Est nulle toute obligation contractée sous une condition dont la réalisation dépend de la seule volonté du débiteur. Cette nullité ne peut être poursuivie lorsque l'obligation a été exécutée en connaissance de cause » (art. 156). De même, les textes relatifs au mode d'accomplissement de la condition (art. 1176 et 1177 actuels) sont abandonnés.

L'avant-projet de réforme ajoute des dispositions sur la renonciation à une condition (art. 158)[(125)] et sur les actes que le créancier peut faire *pendente conditione* (art. 159 et 161, al. 1er)[(126)]. Comme le Projet Terré, il s'éloigne du droit positif quant à la question de la rétroactivité de la condition : il écarte la rétroactivité de l'accomplissement de la condition suspensive (art. 160, al. 1er) [(127)] mais la maintient pour la condition résolutoire (art. 161, al. 1er) ; dans les deux cas, il réserve aux parties la faculté de déroger au principe légal (art. 160, al. 2 et 161, al. 2)[(128)].

Art. 154. – L'obligation est conditionnelle lorsqu'elle dépend d'un événement futur et incertain.

La condition est suspensive lorsque son accomplissement rend l'obligation pure et simple.

Elle est résolutoire lorsque son accomplissement entraîne l'anéantissement de l'obligation.

Art. 155. – La condition dont dépend l'obligation doit être possible et licite. A défaut, l'obligation est nulle.

Art. 156. – Est nulle toute obligation contractée sous une condition dont la réalisation dépend de la seule volonté du débiteur. Cette nullité ne peut être poursuivie lorsque l'obligation a été exécutée en connaissance de cause.

Art. 157. – La condition suspensive est réputée accomplie si celui qui y avait intérêt en a empêché l'accomplissement.

La condition résolutoire est réputée non réalisée si son accomplissement a été provoqué par la partie qui y avait intérêt.

Art. 158. – Une partie est libre de renoncer à la condition stipulée dans son intérêt exclusif, tant que celle-ci n'est pas accomplie.

Art. 159. – Le créancier peut, avant que la condition suspensive soit accomplie, exercer tous les actes conservatoires de son droit et agir contre les actes du débiteur accomplis en fraude de ses droits.

Art. 160. – L'obligation produit tous ses effets à compter de l'accomplissement de la condition suspensive.

Toutefois, les parties peuvent prévoir que l'accomplissement de la condition aura un effet rétroactif à compter du jour auquel l'engagement a été contracté. Dans ce cas, la chose, objet de l'obligation,

(123) M. Bouteille, *Regard critique sur la modalité conditionnelle dans l'avant-projet de réforme du droit des obligations et de la prescription* : D. 2008, chron. 1848.

(124) J.-S. Borghetti, *Des obligations conditionnelles et à terme*, *in Pour une réforme du régime général des obligations*, préc., p. 63 s.

(125) À la différence du projet Catala, et comme le projet Terré, le texte ne précise pas que les parties poeuvent convenir de renoncer à une condition stipulée dans l'intérêt de chacune d'elle, une telle règle étant superfétatoire.

(126) Le créancier de l'obligation sous condition suspensive peut accomplir les actes conservatoires et exercer l'action paulienne ; le créancier de l'obligation sous condition résolutoire peut accomplir les actes d'administration.

(127) La défaillance de la condition suspensive, en revanche, opère rétroactivement : art. 160, al. 3.

(128) Si le contrat prévoit la rétroactivité de l'accomplissement de la condition suspensive, l'avant-projet précise que la chose objet de l'obligation reste aux risques du débiteur, qui conserve l'administration et perçoit les fruits jusqu'à accomplissement de la condition. Par ailleurs, l'avant-projet prévoit d'une part que la rétroactivité de l'accomplissement de la condition résolutoire peut être écartée par une stipulation conventionnelle, d'autre part qu'elle l'est « si l'économie du contrat le commande ».

demeure aux risques du débiteur, qui en conserve l'administration et en perçoit les fruits jusqu'à l'accomplissement de la condition.

En cas de défaillance de la condition suspensive, l'obligation est réputée n'avoir jamais existé.

Art. 161. – L'accomplissement de la condition résolutoire éteint rétroactivement l'obligation, sans remettre en cause, le cas échéant, les actes d'administration.

La rétroactivité n'a pas lieu si telle est la convention des parties ou si l'économie du contrat le commande.

B. – Le devenir du contrat dans le temps

448. – **La force obligatoire dans le temps. Principes.** Une fois précisé ce à quoi le contrat oblige, il reste à se demander quelle est la portée du lien dans le temps : les parties ou l'une d'entre elles peuvent-elles échapper aux obligations souscrites ? La force obligatoire du contrat s'y oppose : le respect de la parole donnée et la sécurité des transactions postulent qu'on ne puisse revenir sur ce qui a été promis. Suivant l'article 1134, les contrats légalement formés « tiennent lieu de loi à ceux qui les ont faits », et ils « ne peuvent être modifiés ou révoqués que de leur consentement mutuel, ou pour les causes que la loi autorise »(129). La formule fameuse est reconduite à l'identique par l'article 102 de l'avant-projet de réforme.

Article 102. – Les contrats légalement formés tiennent lieu de loi à ceux qui les ont faits.

Ils ne peuvent être modifiés ou révoqués que de leur consentement mutuel, ou pour les causes que la loi autorise.

449. – **La force obligatoire dans le temps. Modification, résiliation et révocation amiables.** Il s'ensuit que, si tous les cocontractants en sont d'accord(130), ils sont libres de modifier les termes de leur contrat, par exemple par des avenants(131). Ils peuvent aussi y mettre fin(132). Une *résiliation amiable*(133) est toujours possible. La loi l'encadre parfois (par exemple le contrat de travail(134)), voire l'interdit pour certains contrats (par exemple le contrat de mariage). Il appartient aux parties de régler l'étendue de cette résiliation qui pourra être soit rétroactive, soit pour l'avenir seulement ; à défaut de précision sur ce point la jurisprudence la déclare rétroactive(135), sauf s'il s'agit d'un contrat successif(136).

---

(129) La force obligatoire peut s'avérer très rigoureuse pour le pacte de préférence, si les parties ne l'ont pas affecté d'un terme. Sur cette question, V. S. Lequette, *Réflexions sur la durée du pacte de préférence* : *RTD civ.* 2013, 491. – L. Tranchant : *Defrénois* 2013, n° 11, p. 595.

(130) À condition que leur accord modificatif respecte les conditions de validité des contrats. À défaut, l'acte modificatif pourra être annulé. Pour un exemple, V. Cass. soc., 30 janv. 2013 : *RDC* 2013/3, p. 879 et s., obs. E. Savaux, annulant pour violence l'acte de rupture conventionnelle du contrat de travail, 23 mai 2013 : *JCP* 2013, I, 974, n° 6, obs. G. Loiseau.

(131) S. Pellet, *L'avenant au contrat* : IRJS éditions, 2010. – Pour une illustration de la délicate question de la portée d'un avenant, V. Cass. 1re civ., 24 avr. 2013, n° 11-26.597 ; *RTD civ.* 2013, 600, obs. H. Barbier.

(132) A. Ghozi, *La modification de l'obligation par la volonté des parties*, préf. D. Tallon : LGDJ, 1980.

(133) R. Vatinet, *Le mutuus dissensus* : *RTD civ.* 1987, 252. – G. Rouhette, *La révision conventionnelle du contrat* : *RID comp.* 1986, 369. – A. Arseguel, *Rupture d'un commun accord et transaction*, in *Mél. Boyer*, 1996. – E. Putman, *La révocation amiable*, in *La cessation des relations contractuelles* : PUAM, 1997, p. 125. – L. Chicheportiche, *Les ruptures d'un commun accord du contrat de travail*, Université Panthéon-Assas, 2011, préf. B. Teyssié. – La révocation d'un contrat par consentement mutuel des parties peut être tacite et résulter de circonstances de fait souverainement appréciées par les juges du fond, sans qu'il soit nécessaire d'en rapporter la preuve par écrit : Cass. 1re civ., 18 mai 1994 : *JCP* 1994, IV, 1817.

(134) C. trav., art. 1237-11 et s.

(135) Cass. civ., 27 juill. 1892 : *DP* 1892, 1, 462. – Cass. com., 30 nov. 1983 : *Bull. civ.* 1983, IV, n° 337 ; *RTD civ.* 1985, p. 166, obs. J. Mestre ; *RTD com.* 1985, p. 149, obs. J. Hémard et B. Bouloc. – Cass. com., 14 déc. 2010 : *RDC* 2011, 2e esp., obs. Y.-M. Laithier. Mais la chambre sociale s'est récemment prononcée en sens contraire : Cass. soc., 20 déc. 2006 : *D.* 2007, p. 555 et note G. Blanc-Jouvan ; *JCP* 2007, II, 10104 et note E. Treppoz.

(136) Cass. com., 1er févr. 1994 : *RTD civ.* 1994, p. 356, obs. J. Mestre.

Les parties peuvent même *se réserver à l'avance le droit de mettre fin* au contrat[137], et ce le cas échéant sans indemnité[138]. C'est un usage courant pour le bail : un bail de trois, six, neuf ans est un bail de neuf ans avec faculté de résiliation unilatérale après trois ou six ans pour l'une ou les deux parties. Il en va de même pour l'assurance (faculté de résiliation annuelle, en général). On peut également le prévoir dans un mandat de gestion et l'assortir d'une indemnité qui est alors le prix de la faculté de résiliation unilatérale, et non pas une clause pénale[139].

Le fait de prévoir un *dédit* aboutit à un résultat identique[140] ; chacun est libre de se délier du contrat en payant à l'autre l'indemnité fixée[141] : l'exemple type est celui de la vente avec *arrhes* (C. civ., art. 1590 ; *adde* C. consom., art. L. 131-1 et s.). On peut aussi subordonner la résiliation du contrat à la survenance d'une condition résolutoire (V. *infra*, n° 445).

Bien entendu, sans aller jusqu'à la résiliation, les parties peuvent aussi apporter d'un commun accord des modifications à la convention originaire. Si le principe ne fait aucun doute, son application soulève parfois des difficultés lorsque, comme il est fréquent, les parties tolèrent des latitudes par rapport à la lettre du contrat. Ces tolérances doivent-elles être analysées comme des modifications tacites apportées au contrat ? Il s'agit là d'une question de pur fait qui relève du pouvoir souverain des juges du fond, lesquels décideront en fonction des circonstances de la cause.

450. – La force obligatoire dans le temps. Limites et exceptions légales. Résolution. Rétractation. Résiliation. La force obligatoire du contrat n'est pas sans limite et exceptions légales non plus.

La loi offre d'abord parfois aux parties *la faculté de se rétracter*, c'est-à-dire de reprendre leur engagement avant toute exécution[142]. Cette faculté est née dans le domaine du droit de la consommation[143], où elle constitue une technique préventive de protection du consentement du consommateur générale aux contrats conclus à distance et hors établissement, et où elle vient d'être récemment unifiée dans son régime (C. consom., art. L. 121-21 et s. rédact. L. n° 2014-344 du 17 mars 2004)[144]. Mais elle se rencontre également ailleurs : par exemple en matière immobilière, tout acquéreur non professionnel d'un immeuble à usage d'habitation ayant

(137) Y. Pagnerre, *Essai sur l'extinction unilatérale des engagements* : thèse Paris II, 2009.

(138) Cass. 1re civ., 17 févr. 2011 : *D.* 2011, 676, obs. Y. Rouquet ; *RDC* 2011, 832, obs. T. Génicon.

(139) Cass. 1re civ., 6 mars 2001 : *D.* 2001, somm. 3243, obs. Ph. Delebecque.

(140) Y. Dagorne-Labbé, *Contribution à l'étude de la faculté de dédit* : thèse Paris II, 1984. – L. Boyer, *La clause de dédit*, in *Mél. Raynaud*, 1985, p. 41. – Cl. Humann, *La spécificité de la clause de dédit* : *RD imm.* 1997, 169. – Le dédit est intangible : Cass. 2e civ., 13 juin 2013 : *RTD civ.* 2013, 615, obs. H. Barbier.

(141) Allant à l'encontre de l'opinion générale de la doctrine, un arrêt de la chambre commerciale a néanmoins décidé que la faculté de dédit peut être gratuite : Cass. com., 30 oct. 2000 : *D.* 2001, somm. 3241, obs. D. Mazeaud.

(142) L'avant-projet de réforme propose d'introduire un texte relatif à la faculté de rétractation et au délai de réflexion dans le Code civil (article 23) : « Lorsque la loi ou les parties prévoient un délai de réflexion, le destinataire de l'offre ne peut consentir efficacement au contrat avant l'expiration de ce délai » (al. 1er). « Lorsque la loi ou les parties prévoient un délai de rétractation, il est permis au destinataire de l'offre de rétracter son consentement au contrat jusqu'à l'expiration de ce délai, sans avoir de motif à fournir » (al. 2).

(143) Sur la faculté de rétractation dans la proposition de règlement relative au droit commun de la vente, V. Ch. Lebideau : *LPA* 24 déc. 2013, n° 256, p. 29.

(144) Le consommateur dispose désormais de quatorze jours, la rétractation conduit à un anéantissement radical du contrat, mais les frais de renvoi sont à la charge du consommateur.

le droit de se rétracter dans un délai de sept jours à compter de la notification de l'acte de cession (CCH, art. L. 271-1)[145].

Elle leur donne également, en diverses situations, *la faculté de résilier unilatéralement le contrat*, c'est-à-dire la faculté de mettre fin, dans le futur, à un contrat d'ores et déjà entré en application, voire *la faculté de résolution unilatérale*, c'est-à-dire la faculté de mettre fin au contrat en cas de manquement contractuel[146].

451. – **La résiliation unilatérale[147]. Les principes généraux.** En théorie, le principe de la force obligatoire du contrat s'oppose à ce qu'il puisse être anéanti par l'une des parties, de manière unilatérale. Mais diverses circonstances, et notamment les caractéristiques du contrat, plus particulièrement sa nature et sa durée (déterminée ou non), peuvent justifier que la loi reconnaisse aux parties, ou à l'une d'elles, une faculté de résiliation unilatérale.

La loi autorise ainsi à titre exceptionnel *la résiliation unilatérale* chaque fois que la nature du contrat la rend légitime. Tel est le cas pour le contrat de mandat. Parce qu'il repose sur la confiance placée en la personne du mandataire, il peut être librement résilié par le mandant qui a perdu confiance ; d'où la faculté de révocation ouverte au mandant par l'article 2004 du Code civil[148]. Il en va de même pour le contrat de travail, lorsqu'il est à durée indéterminée. Même si le licenciement est encadré par les règles du droit du travail, il n'en demeure pas moins que l'employeur a le droit de résilier unilatéralement le contrat (C. civ., art. 1780) ; et réciproquement, le salarié a toute latitude de démissionner. Dans le contrat de bail, le locataire se voit également reconnaître la faculté de donner congé, c'est-à-dire de résilier avant l'arrivée du terme, sauf à respecter un délai de préavis ; cependant que le bailleur ne le peut pas. Enfin, dans le droit de la consommation, la loi ouvre très fréquemment au consommateur une faculté de rétractation pendant un certain délai, qui s'apparente à une résiliation unilatérale du contrat (V. *supra*, n° 242)[149]. Non sans rapport, la loi n° 2014-344 du

---

(145) La rétractation entraîne anéantissement du contrat et ne peut donc être rétractée : Cass. 3e civ., 13 févr. 2008 : *D.* 2008, 1530, note Y. Dagorne-Labbe ; *RTD civ.* 2008, 293, obs. B. Fages ; *Defrénois* 2008, 38795, obs. R. Libchaber ; 13 mars 2012 : *D.* 2013, 391, obs. S. Amrani-Mekki et M. Mekki. – Pour la question de savoir si la faculté de rétractation est ouverte à une SCI, V. Cass. 3e civ., 24 oct. 2012 : *Defrénois* 2012, n° 24, p. 1288, obs. C. Grimaldi, 2013, n° 4, p. 175, note S. Becqué-Ickowicz et D. Savouré ; *D.* 2013, 280, note C. Blanchard. Pour le jeu de la faculté en présence de co-acquéreurs, V. Cass. 3e civ., 9 juin 2010 : *Bull. civ.*, I, n° 114, et 24 oct. 2012 : *Defrénois* 28 févr. 2013, p. 175, note S. Becqué-Ickowicz et D. Savouré ; *D.* 2013, 280, note C. Blanchard. et 4 déc. 2013 : *RDC* 2014, 214, obs. M. Latina – Cass. 3e civ., 4 déc. 2013 : *D.* 2014, 630, obs. S. Amrani-Mekki, M. Mekki ; *Defrénois* 2014, n° 115D9, p. 176, obs. H. L.

(146) Les auteurs parlent souvent de « résiliation » lorsque la résolution pour manquement ne se traduit pas par un anéantissement rétroactif du contrat, mais seulement par sa cessation dans le futur. Il semble préférable de distinguer résolution et résiliation, la première désignant la prérogative reconnue au créancier et lui permettant de mettre fin au contrat en cas de manquement du débiteur, quand la seconde désigne la prérogative ouverte, par la loi ou le contrat, à un contractant et lui permettant d'y mettre fin dans le furtur, mais sans avoir à justifier d'un motif.

(147) N.-M. Saguès, *La rupture unilatérale des contrats* : thèse Paris, 1937. – B. Houin, *La rupture unilatérale des contrats synallagmatiques* : thèse Paris II, 1973. – I. Aribi, *Notion et rôle de la résiliation en droit privé interne* : thèse Grenoble, 1994. – C. Ruet, *La résiliation unilatérale des contrats à exécution successive* : thèse Paris XI, 1995. – Ph. Delebecque, *L'anéantissement unilatéral du contrat*, in *L'unilatéralisme et le droit des obligations*, p. 61 : Économica, 1999. – O. Litty, *Inégalité des parties et durée du contrat* : LGDJ, 1999, préf. J. Ghestin. – M.-E. Ancel, *La prestation caractéristique du contrat* : Économica, 2002. – S. Le Gach-Pech, *Rompre son contrat* : *RTD civ.* 2005, p. 223. – C. Tirvaudey-Bourdin, *Propositions pour une vision renouvelée de la notion de résiliation* : *RRJ* 2005, 1313. – Ph. Stoffel-Munck, *La rupture du contrat*, in *Trav. Assoc. H. Capitant, Journées brésiliennes*, t. LV, 2005, p. 803. – D. Mazeaud, *L'introduction de la résolution unilatérale pour inexécution* : *RDC* 2010, 1076.

(148) Est nulle la stipulation d'une indemnité due au gérant de société de nature à dissuader les associer d'exercer la faculté qu'ils ont de le révoquer, V. Cass. com., 6 nov. 2012 : *RTD civ.* 2013, 113, obs. B. Fages. – Comp. Cass. soc., 10 avr. 2013, n° 11-25.841 : *RTD civ.* 2013, 601, obs. H. Barbier.

(149) R. Baillod, *Le droit de repentir* : *RTD civ.* 1984, 227. – Ph. Malinvaud, *Droit de repentir et théorie générale des obligations*, in *Mél. Sacco*, 1992.

17 mars 2014 a introduit dans les contrats d'assurance de masse une faculté de résiliation dite infra-annuelle au profit de l'assuré (C. ass., art. L. 113-15-2)(150).

De même, *la résiliation unilatérale accompagne-t-elle éventuellement les procédures collectives.* Le principe de la force obligatoire du contrat demeure en cas d'ouverture d'une procédure de sauvegarde à l'encontre de l'un des cocontractants, et même en cas de liquidation judiciaire. Les articles L. 622-13 et L. 641-11-1 du Code de commerce, tels que modifiés par les ordonnances du 18 décembre 2008 et du 12 mars 2014, maintiennent en effet la règle de la continuation des contrats en cours(151), sauf pour le contrat de travail et celui de fiducie. Mais, dans diverses hypothèses, la résiliation pourra intervenir soit de plein droit, soit à la demande de l'administrateur judiciaire ou du liquidateur(152).

452. - **La résiliation unilatérale des contrats à durée indéterminée.** En outre, et en dehors des hypothèses ci-dessus, on admet de manière générale que, dans les *contrats à durée indéterminée*, chacune des parties dispose d'une faculté de résiliation unilatérale, même si celle-ci n'est pas stipulée dans le contrat(153).

La liberté individuelle commande en effet que le droit écarte les engagements perpétuels(154). Cette faculté a même été consacrée par le Conseil constitutionnel(155). La Cour de cassation en a fait application au contrat de commodat en décidant qu'à défaut de terme stipulé ou naturellement prévisible le prêteur est en droit d'y mettre fin à tout moment en respectant un délai de préavis raisonnable(156), sans avoir à justifier d'un quelconque motif(157).

Le juge n'exerce ici qu'un contrôle *a posteriori* des motifs de la rupture, contrôle qui s'opère classiquement sur le fondement de l'abus de droit(158), lequel abus ne saurait résulter du seul fait que la résiliation n'est pas motivée(159). Il en va différemment

(150) M. Touillier, *La faculté de résiliation infra-annuelle dans les contrats d'assurance : une nouvelle arme à double tranchant* : D. 2014, 98.

(151) Il n'est pas possible de modifier les conditions de la poursuite du contrat par une stipulation contractuelle : Cass. com., 14 janv. 2014 : *LPA* 2 mai 2014, n° 88, p. 14, obs. T. Stefania.

(152) E. Le Corre-Broly, *Les modifications apportées au droit commun de la continuation des contrats en cours* : D. 2009, chron. 663.

(153) P. Poumb, *La rupture des contrats à durée indéterminée par volonté unilatérale. Essai d'une théorie générale* : thèse Paris, 1937. – B. Houin, *La rupture unilatérale des contrats synallagmatiques* : thèse Paris II, 1973. – I. Petel-Teyssié, *Les durées d'efficacité du contrat* : thèse Montpellier, 1984. – D. Mazeaud, *Durées et ruptures* : *RDC* 2004, 129. – Sur l'éventuelle limite de l'indemnité qui aurait été contractuellement stipulée : Cass. soc., 10 avr. 2013, n° 11-25.841 : *RTD civ.* 2013, 601, obs. H. Barbier.

(154) J. Ghestin, *Existe-t-il en droit français un principe général de prohibition des contrats perpétuels ?, Mél. D. Tallon*, Société de législation comparée, 1999, p. 250 et s. – Comp. Cass. 3e civ., 31 oct. 2012 : *RDC* 2013/2, p. 584 et s., obs. R. Libchaber ; *LPA* 12 juin 2013, n° 117, p. 11, obs. J.-F. Barbiéri.

(155) Décision du 9 novembre 1999 : « L'article 4 de la Déclaration des droits de l'homme et du citoyen de 1789 justifie qu'un contrat de droit privé à durée indéterminée puisse être rompu unilatéralement par l'un ou l'autre des contractants » : *RTD civ.* 2000, 109, obs. J. Mestre et B. Fages.

(156) Cass. 1re civ., 3 févr. 2004 : *Bull. civ.* 2004, I, n° 34, p. 28 ; *D.* 2004, 903 et note C. Noblot ; *Contrats, conc. consom.* 2004, comm. 53 et note L. Leveneur ; *RDC* 2004, 647, obs. Ph. Stoffel-Munck, et 2004, 714, obs. J.-B. Seube ; *Defrénois* 2004, 1, 1452, art. 38041 et note R. Crône. – Cass. 1re civ., 3 juin 2010 : *JCP* 2010, 1146, note M. Mekki.

(157) Cass. 1re civ., 21 févr. 2006 : *Contrats, conc. consom.* 2006, comm. 99, obs. L. Leveneur ; *RDC* 2006, 704, obs. D. Mazeaud.

(158) Cass. 1re civ., 5 févr. 1985 : *Bull. civ.* 1985, I, n° 54 ; *RTD civ.* 1986, 105, obs. J. Mestre. – Cass. com., 14 nov. 1989 : *Bull. civ.* 1989, IV, n° 286. – Cass. com., 31 mai 1994 : *JCP* 1994, IV, 1939. – Cass. com., 21 févr. 2006 : *Bull. civ.* 2006, I, n° 82, p. 78 ; *Contrats, conc. consom.* 2006, comm. 99, obs. L. Leveneur ; *RDC* 2006, p. 704, obs. D. Mazeaud. – Cass. com., 26 janv. 2010 : *D.* 2010, 379. – Cass. com., 8 oct. 2013 : *D.* 2014, 630, obs. S. Amrani-Meki, M. Mekki ; *D.* 2013, 2617, obs. D. Mazeaud. – D. Mazeaud, *Rupture unilatérale du contrat : encore le contrôle des motifs* : D. 2010, 2178. Un auteur a proposé d'exercer ce contrôle sur le fondement de l'intérêt légitime : B. Le Bars, *La résiliation unilatérale du contrat pour cause d'intérêt légitime* : *D.* 2002, chron. 381.

(159) Cass. com., 10 nov. 2009 : *Contrats, conc. consom.* 2010, comm. 36, obs. L. Leveneur. – Cass. 1re civ., 6 mai 2010 : *D.* 2010, 1279, obs. X. Delpech. – L'auteur de la rupture n'est pas tenu de motiver sa décision : Cass. com., 25 avr. 2001 : *D.* 2001, 3237, obs. D. Mazeaud ; *RTD civ.* 2002, 99, obs. J. Mestre, B. Fages.

dans le mandat d'intérêt commun : la jurisprudence exige alors que la rupture soit justifiée par un « motif légitime »[160] ; la doctrine suggère d'étendre la solution aux contrats d'intérêt commun[161].

453. – **La résiliation unilatérale des contrats à durée déterminée.** S'agissant des *contrats à durée déterminée*, le principe est qu'ils ne sont pas susceptibles de résiliation unilatérale[162].

Mais la jurisprudence récente a reconnu à chacun une faculté de résolution unilatérale en cas de manquement grave de l'autre partie : « la gravité du comportement d'une partie à un contrat peut justifier que l'autre partie y mette fin de façon unilatérale à ses risques et périls »[163], « peu important que le contrat soit à durée déterminée ou non »[164]. Cette faculté de résolution unilatérale peut être exercée même dans le cas où l'autre partie a mis en œuvre une clause résolutoire prévoyant des modalités précises de rupture[165], et même si le contrat a prévu des « modalités formelles de résiliation contractuelle »[166]. On semble donc aller vers un principe de résolution unilatérale du contrat[167], et ce malgré la résistance de certaines juridictions[168] et les réserves de la doctrine[169] (V. *infra*, n° 534 sur l'admission de la résolution unilatérale par les Principes Lando et Unidroit).

Là encore, le juge sera amené à exercer un contrôle *a posteriori* ; en cas de résiliation injustifiée[170], le créancier pourra prétendre à la réparation du préjudice subi, mais non à l'exécution du contrat ou à sa valeur[171] ; toutefois, notamment en

(160) Tel n'est pas le cas du contrat conclu par un distributeur d'abonnement téléphonique : Cass. com., 21 juin 2011 : *RDC* 2012/1, p. 139 et s., obs. C. Grimaldi.

(161) M.-E. Ancel, *La prestation caractéristique* : Economica, préc., n° 179.

(162) Ph. Simler, *L'article 1134 du Code civil et la résiliation unilatérale anticipée des contrats à durée déterminée* : *JCP* 1971, I, 2413.

(163) Cass. 1re civ., 13 oct. 1998 : *Bull. civ.* 1998, I, n° 300 ; *D.* 1999, 197 et note Ch. Jamin ; *JCP* 1999, II, 10133 et note N. Rzepecki ; *Defrénois* 1999, art. 36954, n° 17, obs. D. Mazeaud ; *D.* 1999, somm. 115, obs. Ph. Delebecque. – Douai, 9 juill. 1999 : *JCP* 1999, I, 191, n° 14, obs. Ch. Jamin. – Cass. 1re civ., 5 nov. 2008 : *RTD civ.* 2009, 119, obs. B. Fages. – Cass. 1re civ., 24 sept. 2009 : *RDC* 2010, p. 690, obs. C. Pelletier. – J.-P. Gridel, *La rupture unilatérale aux risques et périls* : *Rev. Lamy dr. civ.* sept. 2007, p. 53. – Ph. Chauviré, *Quelle sanction pour la rupture unilatérale du contrat en l'absence de comportement grave ?* : *Rev. Lamy dr. civ.* oct. 2010, p. 7. – S. Pellé, *La réception des correctifs d'équité par le droit : l'exemple de la rupture unilatérale du contrat en droit civil et en droit du travail* : *D.* 2011, 1230.

(164) Cass. 1re civ., 20 févr. 2001 : *Bull. civ.* 2001, I, n° 40 ; *D.* 2001, 1568 et note Ch. Jamin ; *D.* 2001, somm. 3239, obs. D. Mazeaud ; *Defrénois* 2001, art. 37365, n° 41, obs. E. Savaux ; *RTD civ.* 2001, 363, obs. J. Mestre et B. Fages. – Cass. 1re civ., 9 juill. 2002 : *Bull. civ.* 2002, I, n° 187, p. 145 ; *JCP* 2002, IV, 2525. – Cass. 1re civ., 14 janv. 2003 : *Contrats, conc. consom.* 2000, comm. 87. – Cass. 1re civ., 28 oct. 2003 : *Bull. civ.* 2003, I, n° 211, p. 166 ; *JCP* 2004, II, 10108 et note Ch. Lachieze ; *Contrats, conc. consom.* 2004, comm. 4, obs. L. Leveneur ; *RTD civ.* 2004, 89, obs. J. Mestre et B. Fages ; *Defrénois* 2004, 1, 378, art. 37894, n° 24, obs. R. Libchaber, et n° 25, obs. J.-L. Aubert ; *Rev. Lamy dr. civ.* févr. 2004, p. 5 et note E. Garaud. – Cass. 1re civ., 13 mars 2007 : *JCP* 2007, I, 161, nos 12 et s., obs. P. Grosser. – V. *contra*, pour un contrat de bail, Cass. 3e civ., 28 oct. 2009 : *JCP* 2010, n° 50 et note Ch. Lachièze.

(165) Cass. com., 4 févr. 2004 : *JCP* 2004, I, 149, nos 15-21, obs. J. Rochfeld ; *RTD civ.* 2004, 731, obs. J. Mestre et B. Fages.

(166) En l'espèce trois lettres recommandées motivées : Cass. com., 10 févr.2009 : *Contrats, conc. consom.* 2009, comm. 123, obs. L. Leveneur ; *RTD civ.* 2009, 318, obs. B. Fages.

(167) Van Dai Do et M. Chang, *La résiliation unilatérale du contrat en droit français : vers une harmonisation au sein de la Cour de cassation* : *LPA* 9 avr. 2004, p. 3.

(168) Nancy, 20 nov. 2000 : *JCP* 2002, II, 10113 et note Ch. Jamin.

(169) S. Amrani-Mekki, *La résiliation unilatérale des contrats à durée déterminée* : *Defrénois* 2003, 1, 369, art. 37688. – D. Mazeaud, art. préc. – Ch. Corgas-Bernhard, *La résiliation unilatérale du contrat à durée déterminée* : PUAM, 2006. – A. Vaissière, *À propos de la résiliation unilatérale des contrats à durée déterminée* : *Rev. Lamy dr. civ.* juill.-août 2006, p. 70. – T. Génicon, *Point d'étape sur la rupture unilatérale du contrat aux risques et périls du créancier* : *RDC* 2010, 44.

(170) Sur la notion de manquement grave, V. Cass. com., 18 juin 2013 : *LPA* 18 oct. 2013, n° 209, p. 6, obs. A. Albarian.

(171) Cass. com., 22 oct. 1996 : *Bull. civ.* 1996, IV, n° 260, p. 222 ; *RTD civ.* 1997, 123, obs. J. Mestre et p. 439, obs. P. Jourdain. – Cass. soc., 18 nov. 2003 : *Bull. civ.* 2003, IV, n° 285 ; *RDC* 2004, 653, obs. Ph. Stoffel-Munck. – V. toutefois Cass. com., 18 nov. 2008 : *RDC* 2009, 484, obs. D. Mazeaud ; *RDC* 2009, 1048, obs. G. Viney.

matière de contrat de travail, l'auteur de la rupture peut, semble-t-il, être condamné au maintien du contrat abusivement résilié[(172)].

Le Projet Catala consacrait la possibilité d'une résolution unilatérale (art. 1158 ; sur la question de la résolution du contrat dans l'avant-projet, V. *infra*, n° 535). Allant plus loin, et s'inspirant du Projet Terré, l'avant-projet de réforme prévoit que « la résolution résulte soit de l'application d'une clause résolutoire, soit, en cas d'inexécution suffisamment grave, d'une notification du créancier au débiteur ou d'une décision de justice (art. 132 et s. ; V. *infra*, n°s 523 et s.).

454. – **La rupture unilatérale d'une relation commerciale établie**[(173)]. Curieusement, le droit commercial est ici en avance sur le droit civil. En matière commerciale, la résiliation unilatérale est indirectement consacrée par l'article L. 442-6 du Code de commerce qui précise les conditions de la responsabilité pour rupture unilatérale. Le texte pose tout d'abord en règle qu'« engage la responsabilité de son auteur et l'oblige à réparer le préjudice causé le fait, par tout producteur, commerçant, industriel ou personne immatriculée au répertoire des métiers : (...) 5° De rompre brutalement, même partiellement, une relation commerciale établie, sans préavis écrit tenant compte de la durée de la relation commerciale et respectant la durée minimale de préavis déterminée, en référence aux usages du commerce, par des accords interprofessionnels ». Il faut donc comprendre que la rupture unilatérale est admise, mais sous réserve de respecter un préavis[(174)].

Allant plus loin encore, le texte prévoit que l'exigence d'un préavis peut être contractuellement écartée « en cas d'inexécution par l'autre partie de ses obligations ou en cas de force majeure », ce qui est une invitation à insérer dans les contrats commerciaux une clause en ce sens[(175)]. Encore faut-il toutefois que l'inexécution présente un degré de gravité suffisant[(176)], ce qui rapproche de la solution retenue par la jurisprudence civile.

Toute rupture unilatérale non-conforme aux dispositions ci-dessus engagerait la responsabilité délictuelle[(177)] de son auteur à hauteur du préjudice subi[(178)]. Et cette

(172) J. Mestre, *Rupture abusive et maintien du contrat : RDC* 2005, 99. – Ch. Bourgeon, *Rupture abusive et maintien du contrat : observations d'un praticien : RDC* 2005, 109. – Ch. Radé et S. Tournaux, *Réflexions à partir de l'application de l'article 1142 du Code civil en droit du travail : RDC* 2005, 197. – V. Le Blan-Delannoy, *Le maintien judiciaire du contrat en cas de rupture abusive : l'impasse ? : LPA* 24 janv. 2005, p. 6.

(173) S. Petit, *La rupture abusive des relations commerciales* : thèse Lille II, 2007. – K. Le Couviour, *Regards critiques sur la rupture brutale des relations commerciales établies : RTD com* 2008, 1. – S. Regnault, *Guide la rupture des relations commerciales établies : Rev. Lamy dr. civ.* janv. 2008, p. 6. – M. Behar-Touchais, *La rupture d'une relation commerciale établie : LPA* 9 oct. 2008, n° 2003. – K. Haeri et M. Pichon de Bury, *Extension de l'application de la notion de rupture brutale des relations commerciales établies : Contrats, conc. consom.* 2010, étude 6. – B. Saintourens, *La notion de rupture brutale de la relation commerciale, Cah. dr. entr.* 2014 ; dossier 3. – A. Bianco, *La rupture de la relation établie – Début de la fin ou fin du début ?, Mél. J. Beauchard* : LGDJ, 2013, p. 537 et s.

(174) Pour des illustrations, V. Cass. com., 3 mai 2012 : *RDC* 2013/1, p. 185 et s., obs. C. Grimaldi. – Cass. com., 9 juill. 2013 : *RDC* 2014/1, p. 69 et s., obs. C. Grimaldi. – Cass. com., 22 oct. 2013 : *Contrats, conc. consom.* 2013, comm. 266, obs. N. Mathey. – Cass. com., 20 mai 2014, n° 12-26705, 12-26970, 12-29281.

(175) Cass. com., 11 sept. 2012 : *Contrats, conc. consom.* 2012, comm. 256, N. Mathey.

(176) Cass. com., 25 sept. 2007 : *D.* 2008, 1115 et note C. Mouly-Guillemaud.

(177) Cass. com., 6 févr. 2007 : *Bull. civ.* 2007, IV, n° 21 ; *D.* 2007, 653, obs. E. Chevrier ; *JCP* 2007, II, 10108 et note F. Marmoz ; *RDC* 2007, 731, obs. J.-S. Borghetti. – Cass. com., 13 janv. 2009 : *RDC* 2009, 1016, obs. D. Mazeaud. – Comp. Cass. com., 20 mars 2012 : *Contrats, conc. consom.* 2012, comm. 208, obs. N. Mathey. – L'action échappe à la prescription annale de l'article L. 133-6 du Code de commerce : Cass. com., 1er oct. 2013 : *D.* 2013, 2334, obs. X. Delpech.

(178) Certains arrêts émanant de la première chambre civile peuvent laisser penser que la responsabilité serait de nature contractuelle : V. D. Mainguy, *La nature de la responsabilité du fait de la rupture brutale des relations commerciales*

responsabilité pourrait aussi, le cas échéant, être engagée à l'égard des tiers[179]. La poursuite sous astreinte des relations commerciales a même été ordonnée en référé[180].

455. – **Faculté de résiliation et durée du contrat dans l'avant-projet de réforme.** L'avant-projet de réforme consacre une section 3 à la durée du contrat, dans laquelle il explicite la plupart des règles positives actuelles. Il réaffirme ainsi la faculté de résiliation offerte à chaque partie dans les contrats à durée indéterminée[181] sous réserve du délai de préavis et de l'éventuel principe du parallélisme des formes[182], et sauf responsabilité en cas d'abus. On regrette le silence du texte sur la faculté de dédit[183]. On doit souligner le lien que d'autres dispositions entretiennent avec cette question : ainsi des articles 154 et suivants qui encadrent les modalités contractuelles, telles la condition ou le terme (V. *supra*, n° 436 s., 441 s.) ; ainsi de l'article 104, qui détermine les effets de l'imprévision (V. *infra*, n° 506)[184].

Art. 120. – Lorsque le contrat est conclu pour une durée indéterminée, l'une ou l'autre partie peut y mettre fin à tout moment, sous réserve d'un délai de préavis raisonnable.

La responsabilité du contractant qui met fin unilatéralement au contrat ne peut être engagée qu'en cas d'abus.

SECTION 2

LES EFFETS DU CONTRAT À L'ÉGARD DES TIERS

456. – **L'effet relatif du contrat.** Invoquant les termes de l'article 1165 du Code civil, les juristes se plaisent à dire que les conventions n'ont d'effet qu'entre les parties contractantes ; elles ne nuisent point aux tiers et elles ne leur profitent que dans le cas de *stipulation pour autrui* (V. *infra*, n°s 483 et s.). On désigne cette règle sous le nom d'*effet relatif du contrat*, relatif en ce sens qu'il ne concernerait que les parties[185].

établies : une controverse jurisprudentielle à résoudre : D. 2011, 1495. – Comp. D. Mazeaud, *Liberté contractuelle et procès civil, Mél. J. Beauchard* : LGDJ, 2013, p. 229 et s.

(179) Cass. com., 6 sept. 2011 : *RDC* 2012/1, p. 81 et s., obs.J.-S. Borghetti, p. 148 et s., obs. M. Béhar-Touchais.

(180) Cass. com., 3 mai 2012 :*Contrats, conc. consom.* 2012, comm. 173, obs. N. Mathey ; *JCP* 2012, 764, note F. Buy.

(181) Comp. la version initiale de l'avant-projet, qui étendait la faculté de résiliation unilatérale « sous réserve d'un délai de préavis suffisant » au contrat d'une « durée manifestement excessive » (art. 130).

(182) Article 81 : « Les contrats qui ont pour objet de modifier un contrat antérieur ou d'y mettre fin sont soumis aux mêmes règles de forme que celui-ci, à moins qu'il n'en soit autrement disposé ou convenu ».

(183) Comp. Projet Catala, art. 1134-1 : « Les parties peuvent, aux conditions de leur convention, de l'usage ou de la loi, se réserver la faculté de se dédire ou l'accorder à l'une d'elles ».

(184) Article 104 : « Si un changement de circonstances imprévisible lors de la conclusion du contrat rend l'exécution excessivement onéreuse pour une partie qui n'avait pas accepté d'en assumer le risque, celle-ci peut demander une renégociation du contrat à son cocontractant. Elle continue à exécuter ses obligations durant la renégociation » (al. 1er). « En cas de refus ou d'échec de la renégociation, les parties peuvent demander d'un commun accord au juge de procéder à l'adaptation du contrat. À défaut, une partie peut demander au juge d'y mettre fin, à la date et aux conditions qu'il fixe » (al. 2).

(185) R. Savatier, *Le prétendu principe de l'effet relatif des contrats* : *RTD civ.* 1934, 525. – A. Weill, *La relativité des contrats en droit privé français* : thèse Strasbourg, 1939. – Goutal, *Recherches sur le principe de l'effet relatif des contrats* : thèse Paris II, 1977. – Y. Flour, *L'effet des contrats à l'égard des tiers en droit international privé* : thèse Paris II, 1977. – G. Rouhette, *L'extension à des tiers des effets d'un accord de volonté (les accords collectifs en droit français)* : *RID comp.* 1979, vol. 1, p. 55. – B. Boubli, *La transmission de l'entreprise et le sort des emplois* : *Gaz. Pal.* 1989, 2, doctr. 359. – Ch. Jamin, *Une restauration de l'effet relatif du contrat (à propos de l'arrêt Cass. ass. plén., 12 juillet 1991, Besse)* : *D.* 1991, chron. 257. – M. Bacache-Gibelli, *La relativité des conventions et les groupes de contrats*, préf. Y. Lequette : LGDJ, 1996 ; *La relativité des contrats*, in *Trav. Assoc. H. Capitant*, Nantes, 1999 : LGDJ, 2000. – Ph. Didier, *L'effet relatif*, in *Les concepts contractuels français à l'heure des principes du droit européen des contrats* : Dalloz, 2003, p. 187.

Art. 1165. – Les conventions n'ont d'effet qu'entre les parties contractantes ; elles ne nuisent point au tiers, et elles ne lui profitent que dans le cas prévu par l'article 1121.

On précisera la signification du principe et les limites qui lui sont apportées.

§ 1. – La signification du principe de l'effet relatif des contrats

457. – **Distinction entre les parties et les tiers**[186]**. Premières vues.** La radicalité de l'article 1165 reflète mal la réalité. L'opposition des parties d'une part, et des tiers d'autre part, est en effet beaucoup trop sommaire ; elle a d'ailleurs suscité d'importantes controverses en doctrine[187].

458. – **La force obligatoire à l'égard des parties, présentes ou représentées.** Qu'il crée des obligations ou transfère la propriété, le contrat produit ses effets entre les parties, qui deviennent ainsi créancières ou/et débitrices.

Le principe de la force obligatoire du contrat, et l'obligation qui en résulte d'exécuter le contrat, s'imposent à toutes les parties, qu'elles aient été présentes lors de la conclusion du contrat ou seulement représentées ; on a vu en effet qu'en cas de représentation les créances ou dettes naissent directement en la personne du représenté, le représentant n'étant en quelque sorte qu'un porte-parole (V. *supra*, n°s 100 et s.). Ce sera, par exemple, la société elle-même, et non pas son président ou gérant, qui sera partie au contrat et qui en recueillera les avantages et les inconvénients.

S'inspirant du Projet Catala, l'avant-projet de réforme du droit des obligations consacre de nombreuses dispositions à la théorie de la représentation (art. 60 à 68) : inopposabilité de l'acte au représenté, au-delà du pouvoir de représentation, sauf croyance légitime du tiers contractant ; possibilité pour le tiers contractant de bonne foi d'invoquer la nullité de ce même acte ; nullité de l'acte conclu par détournement de pouvoirs, ou en cas de conflits d'intérêts ; etc. Quoique placées dans le chapitre relatif à la formation du contrat par l'avant-projet de réforme (V. *supra*, n° 100 s.), elles ne sont pas sans lien avec la question des effets du contrat.

459. – **La force obligatoire à l'égard des ayants cause des parties. Principe. Limites.** Aux parties, présentes ou représentées, doivent certainement être assimilés leurs ayants cause universels, héritiers ou légataires[188]. Ainsi, en cas de décès d'une personne, ses héritiers et légataires universels recueillent, sauf renonciation à

(186) Pour la bibliographie relative à la distinction entre les parties et les tiers, V. note suivante et *infra*, n° 458 et les notes.

(187) J.-L. Aubert, *À propos d'une distinction renouvelée des parties et des tiers* : *RTD civ.* 1993, 263. – C. Guelfucci-Thibierge, *De l'élargissement de la notion de partie au contrat... à l'élargissement de la portée du principe de l'effet relatif* : *RTD civ.* 1994, 275. – J. Ghestin, *Nouvelles propositions pour un renouvellement de la distinction des parties et des tiers* : *RTD. civ.* 1994, 777. – C. Charbonneau et F.-J. Pansier, *Du renouveau de la notion de partie* : *Defrénois* 2000, 1, 284, art. 37110. – Ph. Delmas Saint-Hilaire, *Le tiers à l'acte juridique* : LGDJ, coll. « Droit privé », 2000, préf. J. Hauser. – M.-L. Mathieu-Izorche, *Une troisième personne bien singulière ou « 2+1 = tout autre chose »* : *RTD civ.* 2003, 51.

(188) Pour une illustration, V. Cass. 1re civ., 5 déc. 2012, n°11-24.758 : *JCP* 2013, II, 231, note Ch. Simler, 415, note Ph. Simler ; *D.* 2013, 482, note A. Tadros ; *RTD civ.* 2013, 402, W. Dross : *Defrénois* 2013, n° 17, p. 845, 113p3, obs. L. Tranchant, admettant l'opposabilité aux héritiers, ayants cause universels, d'un prêt consenti par le défunt quoique portant sur des deniers dont il n'avait que le quasi usufruit. – Cass. 1re civ., 4 juill. 2012 : *RDC* 2012/4, p. 1298 et s., obs. Ch. Goldie-Genicon, jugeant que le droit d'option dont le défunt était titulaire comme bénéficiaire d'une promesse de vente est transmis aux héritiers tel que défini par les stipulations contractuelles,

la succession, le patrimoine du défunt ; par là même, ils deviennent d'une manière générale créancier ou débiteur à la place de leur auteur (art. 147 du projet de réforme) : on dit que ce sont les *ayants cause universels* du défunt. Ce qui est vrai des personnes physiques l'est aussi des personnes morales, en cas de fusion ou d'absorption d'une société par une autre[(189)].

Sont encore assimilables aux parties ceux qui bénéficient d'une *cession de créance* (V. *infra*, n°s 824 et s.), le *cessionnaire* devenant créancier aux lieu et place du *cédant*. Sur la cession de dette et de contrat, V. *infra*, n° 491 et s., 823.

En résumé, s'il est vrai que seules les parties sont tenues comme créancières ou débitrices, il faut étendre la notion de partie et dire que deviennent des parties leurs ayants cause universels et les cessionnaires de créances (C. civ., art. 1122)[(190)].

Mais cette règle supporte des *exceptions*. Il est possible de stipuler une clause contraire et de décider par exemple dans les statuts d'une société de personnes ou d'une SARL qu'en cas de décès d'un associé, la société continuera ou ne continuera pas avec ses héritiers. En dehors même de toute clause particulière, la loi s'oppose à la continuation par l'héritier de contrats, tels le mandat (C. civ., art. 2003) ou le contrat d'entreprise (C. civ., art. 1795), qui ont été conclus en considération de la personne du défunt.

460. – Effet à l'égard des tiers. Distinction de l'effet relatif et de l'opposabilité. Distinction entre plusieurs catégories de tiers. Il est plus difficile de déterminer la signification de l'effet relatif des contrats à l'égard des tiers[(191)].

Qui doit figurer sous l'étiquette de tiers ? La question est d'autant plus délicate que la catégorie n'est pas homogène et que la notion de tiers peut varier suivant la règle de droit à appliquer[(192)].

De manière schématique, sont des tiers :

1. les tiers au sens étroit du terme, c'est-à-dire ceux qui n'ont aucun rapport avec l'une ou l'autre partie ;

2. les créanciers de chacune des parties ;

3. les ayants cause à titre particulier, c'est-à-dire ceux qui ont acquis un bien (ou plusieurs, mais pas une universalité) de l'une des parties.

Que signifie en outre le principe de l'effet relatif ? L'article 1165 interdit en principe d'imposer à un tiers des droits ou des obligations créés par un contrat auquel il n'était pas partie : les contrats ne peuvent en principe *rendre créancier ou débiteur que les parties*[(193)]. Plus généralement, les tiers ne sont pas tenus de respecter les clauses du contrat, et ne peuvent pas davantage s'en prévaloir : clause de prescrip-

---

(189) Pour une illustration en matière de sous-cautionnement, V. Cass. com., 7 janv. 2014 : *JCP* 2014, 236, note H. Hovasse, *JCP* 2014, Doctr. 699, n° 11, obs. J. Ghestin : « en cas d'absorption d'une société ayant souscrit un engagement de sous-caution, la société absorbante est tenue d'exécuter cet engagement dans les termes de celui-ci ». – Ph. Simler, *Retour sur un énigmatique arrêt de la Cour de cassation* : *JCP* 2014, I, 435.

(190) C. Charbonneau et F.-J. Pansier, *Du renouveau de la notion de partie* : *Defrénois* 2000, 1, p. 284, art. 37110.

(191) Sur l'éventuelle transposition du principe à l'engagement unilatéral de volonté, V. Th. Génicon : *RDC* 2013/2, p. 505 et s.

(192) Par exemple, les membres d'une association syndicale libre sont des tiers par rapport aux contrats passés par cette association et ils ne sont donc pas tenus de son passif : Cass. 3e civ., 12 juin 2002 : *JCP* 2002, II, 10005 et note E. Derrieux.

(193) Pour une illustration récente, V. Cass. 1re civ., 25 sept. 2013 : *Defrénois* 2014, n° 4, 115e6, p. 177, obs. J.-B. S. ; *RDC* 2014, p. 20 et s., obs. Y.-M. Laithier.

tion, clause de conciliation, clause d'arbitrage[194], etc. Mais cela ne signifie pas que le contrat ne produise aucun effet à l'égard des tiers : même s'ils ne sont pas directement concernés par le contrat et les droits et obligations que celui-ci a créés, ils ne peuvent pas pour autant ignorer le contrat. Pour eux, le contrat est au moins *un fait qui leur est opposable* et qu'*ils peuvent opposer* aux parties. Encore cette opposabilité se présente-t-elle en des termes différents suivant que le contrat considéré ne fait que créer des obligations ou emporte en plus transfert d'un droit réel.

461. – L'effet relatif dans l'avant-projet de réforme. La distinction entre l'effet relatif du contrat et son opposabilité aux tiers est clairement mise en exergue dans le Projet Catala[195] et l'avant-projet de réforme du droit des obligations.

L'article 1165 du Projet Catala présente l'effet relatif : « Les conventions ne lient que les parties contractantes ; elles n'ont d'effet à l'égard des tiers que dans les cas et limites ci-après expliqués ». Et l'article 1165-2 expose l'opposabilité : « Les conventions sont opposables aux tiers ; ceux-ci doivent les respecter et peuvent s'en prévaloir, sans être en droit d'en exiger l'exécution ».

Quant à l'avant-projet de réforme, il reprend à peu près la même structure en des termes légèrement différents, l'effet relatif étant explicité à l'article 108, le principe de l'opposabilité à l'article 109, et les article 110 et 111 ayant trait aux contre-lettres.

Art. 108. – Le contrat ne crée d'obligations qu'entre les parties contractantes.

Les tiers ne peuvent ni demander l'exécution du contrat ni se voir contraints de l'exécuter, sous réserve des dispositions de la présente section.

Art. 109. – Les tiers doivent respecter la situation juridique créée par le contrat.

Ils peuvent s'en prévaloir notamment pour apporter la preuve d'un fait.

Le transfert de la propriété immobilière et des autres droits réels immobiliers est opposable aux tiers dans les conditions fixées par les lois sur la publicité foncière. Des lois particulières règlent l'opposabilité aux tiers du transfert de la propriété de certains meubles.

Art. 110. – Lorsque les parties ont conclu un contrat apparent qui dissimule un contrat occulte, ce dernier, appelé aussi contre-lettre, produit effet entre les parties. Il n'est pas opposable aux tiers, qui peuvent néanmoins s'en prévaloir.

Art. 111. – Est nulle toute contre-lettre ayant pour objet une augmentation du prix stipulé dans le traité de cession d'un office ministériel.

Est également nulle toute convention ayant pour but de dissimuler partie du prix, lorsqu'elle porte sur une vente d'immeubles, une cession de fonds de commerce ou de clientèle, une cession d'un droit à un bail, ou le bénéfice d'une promesse de bail portant sur tout ou partie d'un immeuble et tout ou partie de la soulte d'un échange ou d'un partage comprenant des biens immeubles, un fonds de commerce ou une clientèle.

A. – L'opposabilité aux tiers des obligations résultant d'un contrat

462. – L'opposabilité aux créanciers chirographaires. Le contrat est au premier chef une convention génératrice d'obligations, et donc de créances. Or, la naissance

(194) Sur le particularisme de la problématique en la matière, v. A. Bessis, *L'extension ratione personae des conventions d'arbitrage : vers un retour au droit des obligations ? : LPA* 2 août 2012, n°154, p. 6.

(195) J.-L. Aubert et P. Leclercq, *Effet des conventions à l'égard des tiers*, in *Avant-projet de réforme du droit des obligations et de la prescription, Exposé des motifs* : La Documentation française, 2006, p. 62. – L. Aynès, *Les effets du contrat à l'égard des tiers (art. 1165 à 1172-3 de l'avant-projet de réforme) : RDC* 2006, p. 63.

de créances et surtout d'obligations sur la tête d'une personne peut avoir une incidence plus ou moins marquée sur un nombre indéterminé de tiers.

Ainsi, les *créanciers chirographaires* des cocontractants, c'est-à-dire ceux qui, à défaut de sûreté, n'ont que leur droit de gage général sur le patrimoine de leur débiteur, vont pâtir ou bénéficier des contrats passés ou à passer par leur débiteur, car ces contrats entraînent des fluctuations du patrimoine sur lequel ils ont action. En bref, les créanciers chirographaires ressentent le contrecoup de tous les événements qui affectent la fortune de leurs débiteurs, et donc des contrats qu'ils passent. C'est là une évidence.

À cette règle sont apportées deux exceptions. D'une part, en cas de *simulation*, les créanciers peuvent considérer que soit l'acte apparent, soit l'acte secret, leur est inopposable (V. *supra*, n°s 304 et s.). D'autre part, ils peuvent exercer l'*action paulienne* pour faire juger inopposables à eux les contrats que leurs débiteurs auraient conclus en fraude de leurs droits (V. *infra*, n°s 897 et s.).

La loi instaure même une présomption de fraude pour certains actes accomplis par un commerçant pendant la *période suspecte* qui précède le dépôt de bilan. Jadis ces actes étaient déclarés inopposables à la masse des créanciers. Depuis la loi du 25 janvier 1985 relative au redressement et à la liquidation judiciaire des entreprises la sanction de l'inopposabilité a été remplacée par celle de la nullité (C. com., art. L. 632-1).

463. – **L'opposabilité aux ayants cause à titre particulier.** Quant aux *ayants cause à titre particulier* des parties, le problème pour eux se pose dans des termes différents suivant le contrat qu'on veut leur opposer.

En effet, tenant un bien meuble ou immeuble du vendeur, ils ne sont ayants cause à titre particulier que relativement au bien transmis *(propter rem)* et aux actes accomplis sur ce bien par leur auteur : on verra que ces actes font plus que leur être opposables (V. *infra*, n°s 476 et s.).

Mais vis-à-vis des actes de leur auteur non relatifs au bien transmis, ils sont de simples tiers (V. *infra*, n° 464), non plus des ayants cause à titre particulier.

464. – **Le principe de l'opposabilité et les tiers.** Si les tiers ne peuvent devenir créanciers ou débiteurs en raison d'un contrat auquel ils n'ont pas été parties, cela n'implique pas que ce contrat ne puisse avoir, à leur égard, aucune répercussion. Le principe de l'effet relatif des contrats, qui concerne les parties, a pour corollaire le principe de l'opposabilité du contrat qui, lui, concerne les tiers. Pour les tiers au sens étroit du terme, le contrat – et son exécution ou son inexécution – est un fait pur et simple qui, le cas échéant, s'imposera à eux, à leur détriment comme à leur profit, bien qu'ils ne soient ni créanciers, ni débiteurs.

Ce principe de l'opposabilité est unanimement admis tant en jurisprudence qu'en doctrine. Il est exposé par tous les auteurs de la même manière[(196)], à quelques nuances près, et il a fait l'objet de nombreuses études[(197)]. Tous les auteurs sont d'accord pour

(196) V. par ex. Ghestin, Jamin et Billiau, *Les effets du contrat*, 3e éd., n°s 724 et s.

(197) F. Bertrand, *L'opposabilité du contrat aux tiers* : thèse Paris II, 1979. – J. Duclos, *L'opposabilité. Essai d'une théorie générale* : LGDJ, coll. « Droit privé », 1984, préf. D. Martin. – M. Fontaine, J. Ghestin et a., *Les effets du contrat à l'égard des tiers. Comparaisons franco-belges* : LGDJ, 1993. – M.-L. Izorche, *Les effets des conventions à l'égard des tiers : l'expérience française : Cahiers des écoles doctorales* : Montpellier, n° 1, 2000, p. 453. – R. Wintgen, *Étude critique de la notion d'opposabilité. Les effets du contrat à l'égard des tiers en droit français et allemand* : LGDJ, 2004.

considérer que le principe de l'opposabilité a deux facettes : l'opposabilité du contrat par les parties aux tiers, et l'opposabilité du contrat par les tiers aux parties. Les Projets Catala (art. 1165-2) et Terré (art. 109) et le projet de réforme (art. 109) consacrent cette double facette de l'opposabilité du contrat en précisant que les tiers doivent, d'une part le « respecter », et peuvent d'autre part « s'en prévaloir ».

465. – **L'opposabilité du contrat par les parties aux tiers.** C'est l'aspect qui a été le premier mis en lumière ; le projet de réforme le résume dans une formule très forte : « Les tiers doivent respecter la situation juridique créée par le contrat » (art. 109, al. 1). La jurisprudence en fait application en décidant qu'engage sa responsabilité le tiers qui, sciemment, se rend complice de la violation d'un contrat[(198)]. On cite traditionnellement deux exemples parmi les plus fréquents[(199)]. D'une part, le fait de débaucher en connaissance de cause un salarié lié à une autre entreprise par un contrat de travail non encore expiré constitue une faute, et le second patron devra indemniser le premier du dommage causé bien qu'il soit un tiers par rapport au contrat rompu. D'autre part, à supposer qu'un immeuble ait fait l'objet d'une promesse unilatérale de vente à une personne moyennant un prix raisonnable, le fait d'un tiers bien informé qui proposerait un prix supérieur et déciderait le vendeur à rompre sa promesse serait aussi une faute[(200)] ; il en va de même en cas de violation en connaissance de cause d'un pacte de préférence[(201)]. L'avant-projet de réforme consacrerait ces solutions, en renforçant même les sanctions d'une promesse unilatérale de contrat ou d'un pacte de préférence (sur quoi, V. *infra*, n° 887).

Des diverses solutions positives exposées ci-dessus, il résulte donc que les cocontractants peuvent opposer aux tiers les droits et obligations qu'ils tiennent d'un contrat. Par exemple, celui qui est lié à un acheteur ou à un vendeur par une clause d'exclusivité valable peut refuser de traiter avec un tiers.

466. – **L'opposabilité du contrat par les tiers aux parties.** C'est le second volet de l'opposabilité. À l'origine, la jurisprudence y voyait une simple faculté ouverte au juge : les arrêts indiquaient en effet que le juge « pouvait » prendre en considération le contrat invoqué par le tiers, ce qui impliquait qu'il n'y était pas nécessairement

(198) P. Hugueney, *La responsabilité du tiers complice de la violation d'une obligation contractuelle* : thèse Dijon, 1910. – E. Lalou, *1382 contre 1165 ou la responsabilité délictuelle des tiers à l'égard d'un contractant et d'un contractant à l'égard des tiers* : *DH* 1928, chron. 69. – B. Starck, *Des contrats conclus en violation des droits contractuels d'autrui* : *JCP* 1954, I, 1180. – F. Bertrand : thèse préc.

(199) Pour une application au contrat d'édition, V. Cass. 1re civ., 17 oct. 2000 : *D.* 2001, 952, note M. Billiau et J. Moury ; *JCP* 2001, I, 338, n° 6, obs. G. Viney (article de presse reprenant des informations contenues dans un ouvrage à paraître) ; au mandat de vente d'un agent immobilier : Cass. ass. plén., 9 mai 2008 : *RTD civ.* 2008, 485, obs. B. Fages et p. 498, obs. P.-Y. Gautier. – Comp. Cass. com., 7 juin 2011 : *RDC* 2012/1, p. 141 et s., obs. C. Grimaldi, écartant la responsabilité délictuelle du tiers complice de la violation d'une clause de non affiliation d'un contrat de franchise.

(200) E. du Pontavice, *Fraude dans les transferts immobiliers et sécurité des tiers* : *RTD civ.* 1963, 649.

(201) Ch. mixte, 26 mai 2006 : *JCP* 2006, II, 10142, note L. Leveneur ; *D.* 2006, 1861, note P.-Y. Gautier, *D.* Mainguy ; *Defrénois* 2006, 1206, obs. E. Savaux, 1233, obs. R. Libchaber : « si le bénéficiaire d'un pacte de préférence est en droit d'exiger l'annulation du contrat passé avec un tiers en méconnaissance de ses droits et d'obtenir sa substitution à l'acquéreur, c'est à la condition que ce tiers ait eu connaissance, lorsqu'il a contracté, de l'existence du pacte de préférence et de l'intention du bénéficiaire de s'en prévaloir ». – Pour une illustration récente de l'exigence de cette double connaissance, au moment même de la conclusion du contrat par le tiers, V. Cass. 3e civ., 3 nov. 2011 : *RTD civ.* 2012, 327, obs. P.-Y. Gautier ; Cass. 3e civ., 25 sept. 2012 : *D.* 2013, 391, obs. S. Amrani-Mekki, M. Mekki. – Sur la question, V. H. Kenfack : *Defrénois* 2012, n° 12, p. 622 et s., 40536. – S. Cabrillac : *Defrénois* 2013, n° 11, p. 615.

tenu[202]. Depuis lors, cette restriction a été levée, la Cour de cassation décidant que « s'ils ne peuvent être constitués ni débiteurs, ni créanciers, les tiers à un contrat peuvent invoquer à leur profit, comme un fait juridique, la situation créée par le contrat »[203], et un fait juridique « dont peuvent être déduites des conséquences à l'égard des tiers »[204]. La jurisprudence en a tiré trois conséquences. Le jeu de l'opposabilité et délicat en matière de transaction : V. Cass. soc., 20 nov. 2013 : *RCD* 2014, 243, obs. S. Pellet.

Tout d'abord, et en toute hypothèse, le contrat peut être utilisé comme un élément de preuve pour les tiers. Suivant la formule d'un auteur, le contrat constitue une sorte de « banque de données pour les tiers »[205]. C'est là la seule conséquence que retient expressément le projet de réforme en indiquant que les tiers « peuvent s'en prévaloir notamment pour apporter la preuve d'un fait » (art. 109, al. 2), formule qui laisse toute liberté à la jurisprudence d'aller plus loin.

En deuxième lieu, un tiers peut invoquer le non-respect par l'une des parties à un contrat, si ce manquement lui a causé un dommage. À cet égard, il y a eu une divergence au sein de la Cour de cassation quant au point de savoir si la seule méconnaissance d'une obligation contractuelle suffit à constituer au regard des tiers une faute au sens de l'article 1382 du Code civil[206]. Telle a été la position de la première chambre civile qui, sous le visa des articles 1165 et 1382 du Code civil, a posé le principe que « les tiers à un contrat sont fondés à invoquer l'exécution défectueuse de celui-ci lorsqu'elle leur a causé un dommage »[207], et ce « sans avoir à rapporter d'autre preuve »[208]. Sans reprendre cet attendu de principe, la troisième chambre civile en a également fait application en considérant que la mauvaise exécution d'un contrat de sous-traitance, qui est une faute contractuelle à l'égard de l'entrepreneur principal, peut être invoquée par le maître de l'ouvrage comme étant une faute délictuelle[209].

---

(202) Cass. com., 19 oct. 1954 : *DS* 1956, 78. – Cass. 3e civ., 15 févr. 1972 : *Bull. civ.* 1972, III, n° 95. – Sur le point de savoir si une clause du contrat peut écarter cette opposabilité, V. Cass. com., 13 nov. 2013, *RDC* 2014, 167, obs. Y.-M. Laithier.

(203) Cass. com., 22 oct. 1991 : *Bull. civ.* 1991, IV, n° 302, p. 209 ; *D.* 1993, 181 et note J. Ghestin. – Encore faut-il que la situation de fait soit « de nature à fonder l'application d'une règle juridique conférant (au tiers) le droit qu'il invoque » : Cass. com., 18 déc. 2012 : *RDC* 2013/2, p. 533 et s., obs. Y.-M. Laithier : *RDC* 2013/3, p. 915 et s., obs. J.-S. Borghetti ; *D.* 2013, 746, note R. Boffa.

(204) Cass. 1re civ., 10 mai 2005 : *Bull. civ.* 2005, I, n° 205 ; *D.* 2006, p. 1156 et note A. Guegan-Lécuyer ; *RTD civ.* 2005, p. 596, obs. J. Mestre et B. Fages.

(205) Ph. Delebecque, in *Defrénois* 1996, 1022. Par exemple, pour apprécier le montant d'un préjudice : Cass. 1re civ., 10 mai 2005, préc.

(206) F. Vetu, *L'inexécution contractuelle et la faute délictuelle* : *RRJ* 2005, 107.

(207) Cass. 1re civ., 15 déc. 1998 : *Bull. civ.* 1998, I, n° 368 ; *Defrénois* 1999, art. 37008 et note D. Mazeaud ; *Contrats, conc. consom.* 1999, comm. 37, obs. L. Leveneur (action de l'assureur du bailleur qui invoquait à l'encontre de l'entreprise de rénovation les dispositions du CCAP figurant dans le contrat entre cette entreprise et le preneur). – Cass. com., 8 oct. 2002 : *JCP* 2003, I, 152, n° 3, obs. G. Viney. – Cass. com., 1er juill. 2003 : *Bull. civ.* 2003, IV, n° 115. – Cass. 2e civ., 23 oct. 2003 : *Bull. civ.* 2003, II, n° 330. – Cass. 1re civ., 28 oct. 2003 : *Bull. civ.* 2003, I, n° 219 ; *JCP* 2004, II, 10006 et note G. Lardeur ; *D.* 2004, 233 et note Ph. Delebecque ; *RTD civ.* 2004, 96, obs. P. Jourdain ; *JCP* 2004, I, 163, nos 8 et s., obs. G. Viney. – Cass. 1re civ., 18 mai 2004 : *D.* 2005, 187, obs. D. Mazeaud ; *RTD civ.* 2004, 516, obs. P. Jourdain.

(208) Cass. 1re civ., 18 juill. 2000 : *Bull. civ.* 2000, I, n° 221, p. 144 ; *Contrats, conc. consom.* 2000, comm. 175, obs. L. Leveneur. – Cass. 1re civ., 13 févr. 2001 : *JCP* 2002, II, 10099 et note C. Lisanti-Kalczynski ; *JCP* 2001, I, 338, n° 8, obs. G. Viney ; *Defrénois* 2001, 712, art. 37365, obs. E. Savaux ; *D.* 2001, somm. 2234, obs. Ph. Delebecque ; *RTD civ.* 2001, p. 367, obs. P. Jourdain (action des parents, victimes par ricochet, du fait de l'inexécution du contrat d'hospitalisation de l'enfant victime dans le premier cas ; et du fait de la fourniture de sang contaminé par le Sida lors d'une transfusion dans le second). – Cass. 1re civ., 7 mars 2006 : *D.* 2006, inf. rap. p. 812 (affaire du distilbène). – J.-P. Tosi, *Le manquement contractuel dérelativisé*, in *Mél. M. Gobert* : Économica, 2004, p. 479. – Ch. Hecart, *L'inexécution contractuelle : fait générateur de responsabilité délictuelle envers les tiers*, : thèse Paris II, 2005.

(209) Cass. 3e civ., 10 janv. 2001 : *RD imm.* 2001, 179, obs. Ph. Malinvaud ; *D.* 2001, inf. rap. p. 832 ; *JCP* 2001, IV, 1378. – Cass. 3e civ., 28 nov. 2001 : *RD imm.* 2002, 92, obs. Ph. Malinvaud. – V. également Cass. 2e civ., 28 mars 2002 : *Contrats,*

En revanche, la chambre commerciale se situait très en retrait et décidait qu'« un tiers ne peut, sur le fondement de la responsabilité délictuelle, se prévaloir de l'inexécution d'un contrat qu'à la condition que cette inexécution constitue un manquement à son égard au devoir général de ne pas nuire à autrui »[210]. Ce faisant la chambre commerciale se conformait à la jurisprudence antérieure suivant laquelle le tiers ne pouvait obtenir réparation que s'il démontrait l'existence d'« une faute délictuelle envisagée en elle-même, indépendamment de tout point de vue contractuel ».

Tranchant ce conflit en faveur de la position de la première chambre civile, l'assemblée plénière pose en principe « que le tiers à un contrat peut invoquer, sur le fondement de la responsabilité délictuelle, un manquement contractuel dès lors que ce manquement lui a causé un dommage »[211]. L'analyse de la jurisprudence postérieure révèle que la chambre commerciale s'est en principe ralliée à cette solution[212] ; et que les autres chambres ont maintenu leur position[213]. Mais certaines décisions s'écartent de cette solution[214]. Quant au Conseil d'État, il se prononce en sens contraire[215]. Une clarification s'impose[216].

L'article 1342 du Projet Catala réglait la question de façon originale et pragmatique :

• « Lorsque l'inexécution d'une obligation contractuelle est la cause directe d'un dommage subi par un tiers, celui-ci peut en demander réparation au débiteur » sur le fondement de la responsabilité contractuelle. Mais « il est alors soumis à toutes les limites et conditions qui s'imposent au créancier pour obtenir réparation de son propre dommage » ; ainsi le tiers victime pourra se voir opposer les clauses du contrat relatives à la compétence, au montant de la réparation, à la loi applicable, etc.

---

conc. consom. 2002, comm. 105, obs. L. Leveneur (responsabilité délictuelle du contrôleur technique à l'égard de l'acquéreur du véhicule). – Cass. 1re civ., 18 mai 2004 : *Bull. civ.* 2004, I, n° 141, p. 117 ; *Contrats, conc. consom.* 2004, comm. 121 et note L. Leveneur (responsabilité délictuelle du mandataire à l'égard du cocontractant). – V. aussi Cass. 3e civ., 30 janv. 2007 : *RD imm.* 2007, 416, obs. H. Périnet-Marquet.

(210) Cass. com., 8 oct. 2002 : *Resp. civ. et assur.* 2003, comm. 2 ; *Defrénois* 2003, art. 37767, n° 62, obs. E. Savaux. – Cass. com., 5 avr. 2005 : *JCP* 2005, IV, 2197 ; *Contrats, conc. consom.* 2005, comm. 149, obs. L. Leveneur ; *RTD civ.* 2005, p. 602, obs. P. Jourdain ; *RDC* 2005, p. 687, obs. D. Mazeaud. – Rappr. Cass. com., 1er juill. 2003 : *JCP* 2003, IV, 2537.

(211) Cass. ass. plén., 6 oct. 2006 : *Bull. civ.* 2006, ass. plén. n° 9 ; *D.* 2006, inf. rap. p. 2484, obs. I. Gallmeister ; *D.* 2006, p. 2825 et note G. Viney ; *JCP* 2006, II, 10181, avis M. Gariazzo et note M. Billiau ; *JCP* 2006, I, 115, n° 4, obs. Ph. Stoffel-Munck ; *RD imm.* 2006, p. 504, obs. Ph. Malinvaud ; *LPA* 22 janv. 2007, p. 16 et note C. Lacroix ; *RTD civ.* 2007, p. 115, obs. J. Mestre et B. Fages, et p. 123, obs. P. Jourdain ; *AJDI* 2007, p. 295, obs. N. Damas ; *Administrer* mars 2007, n° 397, p. 31 et note F. Berenger ; *LPA* 16 mai 2007, p. 16 et note V. Depadt-Sebag ; *RDC* 2007, p. 269, obs. D. Mazeaud, p. 279, obs. S. Carval et p. 379, obs. J.-B. Seube ; *D.* 2007, 2900, pan. 3, obs. P. Jourdain et *D.* 2007, pan. 2976, obs. B. Fauvarque-Cosson. – Ph. Brun, *Feu la relativité de la faute contractuelle : Rev. Lamy dr. civ.* janv. 2007, p. 5. – V. aussi *RDC* 2007, p. 537, *Débats, Contrat sans frontière*. – X. Lagarde, *Le manquement contractuel assimilable à une faute délictuelle. Considérations pratiques sur la portée d'une solution incertaine : JCP* 2008, I, 200.

(212) Cass. com., 6 mars 2007 : *JCP* 2007, IV, n° 1779 ; *D.* 2007, act. jurispr. p. 1078, obs. E. Chevrier ; *JCP* 2007, I, 185, n° 5 et n° 6, obs. Ph. Stoffel-Munck. – Cass. com., 21 oct. 2008 : *JCP* 2009, I, 123, n° 6, obs. Ph. Stoffel-Munck ; *RDC* 2009, 506, obs. J.-S. Borghetti. – Cass. com., 6 sept. 2011 : *RDC* 2012, 81, obs. J.-S. Borghetti.

(213) Cass. 1re civ., 15 mai 2007 : *Bull. civ.* 2007, I, n° 193 ; *RDC* 2007, 1137, obs. S. Carval ; *D.* 2007, act. jurispr. p. 1594. – Cass. 2e civ., 10 mai 2007 : *D.* 2007, act. jurispr. p. 1502. – Cass. 3e civ., 4 juill. 2007 : *Defrénois* 2007, 1, 1449, art. 38667, n° 60, obs. E. Savaux. – Cass. 3e civ., 27 mars 2008 : *JCP* 2008, IV, 1812 ; *RDC* 2008, 1151, obs. S. Carval. – Cass. 3e civ., 13 juill. 2010 : *D.* 2010, 1941 ; *Contrats, conc. consom.* 2010, comm. 240, obs. L. Leveneur ; *Rev. Lamy dr. civ.* nov. 2010, p. 7 et note S. Brena ; *RDC* 2011, 65, obs. crit. T. Génicon ; *RDC* 2011, 73, obs. G. Viney. – V. toutefois en sens contraire Cass. 1re civ., 15 déc. 2011 : *D.* 2012, 659 et note D. Mazeaud ; *LPA* 14 juin 2012, n° 119, p. 18, obs. A. Cayol.

(214) V. ainsi Cass. com., 9 oct. 2012 : *RDC* 2012/3, p. 637 et s. et *RDC* 2013/4, p. 984 et s., obs. C. Grimaldi.

(215) CE, 11 juill. 2011 : *D.* 2012, 653 et note G. Viney : *RDC* 2012/2, p. 419 et s., note G. Viney.

(216) Sur cette nécessité, V. J.-S. Borghetti : *RDC* 2013/3, p. 920 et s.

• En revanche, si le tiers victime peut établir à la charge du débiteur, outre la simple défaillance contractuelle, un fait générateur de la responsabilité extra-contractuelle, il peut alors rechercher la responsabilité du débiteur sur ce fondement, sans risquer de se voir opposer les clauses du contrat. En bref, en pareil cas, le tiers victime a l'option entre l'action contractuelle et l'action extracontractuelle(217).

Le Projet Terré, quant à lui, entendait condamner l'extension de la responsabilité contractuelle hors la sphère des parties au contrat : « la seule existence d'un dommage subi par un tiers du fait de l'inexécution d'une obligation par un contractant n'engage pas la responsabilité délictuelle de celui-ci à l'égard du tiers » (art. 125, al. 2)(218).

L'avant-projet de réforme a opté pour un silence prudent, renvoyant cette question à la réforme de la responsabilité civile.

Enfin et en troisième lieu, un tiers peut également invoquer un contrat pour échapper à une obligation dont il serait sinon tenu. Par exemple, l'assureur de responsabilité peut se prévaloir d'une transaction par laquelle l'assuré et sa victime sont convenus d'une limitation du montant du préjudice, faute de quoi l'assuré s'enrichirait indûment(219).

Ainsi, au total, un tiers est admis à opposer à son profit le contrat à l'encontre d'un contractant, alors qu'il n'était juridiquement lié à aucune des parties au contrat conclu par celui-ci. Suivant la formule d'un auteur, « on voit ainsi l'opposabilité se concrétiser de façon tout à fait significative : le contrat peut être invoqué par un tiers, non seulement comme un élément de preuve, mais beaucoup plus directement pour se constituer un droit contre l'une des parties »(220).

B. – L'opposabilité aux tiers des transferts de propriété (ou de droits réels)

1° Position du problème

467. – Les contrats emportant transfert de propriété. On a vu que, si tous les contrats donnaient naissance à des obligations (de donner, de faire ou de ne pas faire ; en nature ou en argent), certains accomplissaient en outre l'obligation de donner et emportaient transfert de propriété, ou de tout autre droit réel.

Certains contrats sont spécialisés en ce sens. Même en laissant de côté la donation, parce qu'elle est un contrat à titre gratuit, on peut citer l'*apport en société* et surtout la *vente* qui est sans nul doute le contrat le plus pratiqué. Le plus souvent,

(217) G. Viney, *Exposé des motifs*, in *Avant-projet de réforme du droit des obligations et de la prescription* : La Documentation française, 2006, p. 161. – C. Hécart, *L'article 1342 de l'avant-projet Catala : quelle cohérence ?* : *D.* 2006, p. 2268. – P. Ancel, *La responsabilité contractuelle et ses relations avec la responsabilité extra-contractuelle : présentation des solutions de l'avant-projet*, in *L'avant-projet de réforme du droit de la responsabilité – Actes du colloque du 12 mai 2006* : *RDC* 2007, p. 19, et éd. Le Manuscrit, p. 35. – J. Huet, *Observations sur la distinction entre les responsabilités contractuelle et délictuelle dans l'avant-projet de réforme du droit des obligations*, in *L'avant-projet de réforme du droit de la responsabilité – Actes du colloque du 12 mai 2006* : *RDC* 2007, p. 31, et éd. Le Manuscrit, p. 59. – E. Savaux, *Brèves observations sur la responsabilité contractuelle dans l'avant-projet de réforme du droit de la responsabilité*, in *L'avant-projet de réforme du droit de la responsabilité – Actes du colloque du 12 mai 2006* : *RDC* 2007, p. 45, et éd. Le Manuscrit, p. 83.

(218) P. Rémy-Corlay, *Les effets à l'égard des tiers*, in *Pour une réforme du droit des contrats*, préc., p. 291 et s.

(219) Cass. 1re civ., 23 juin 1998 : *Bull. civ.* 1998, I, n° 224. – V. aussi Cass. 1re civ., 5 oct. 1999 : *Bull. civ.* 1999, I, n° 253.

(220) J. Flour, J.-L. Aubert et E. Savaux, *Les obligations, 1. L'acte juridique*, n° 433. – V. aussi D. Mazeaud, *Contrat, responsabilité et tiers... (du nouveau à l'horizon...)*, in *Mél. Ph. Le Tourneau* : Dalloz, 2007, p. 745.

ces contrats portent sur des choses corporelles, soit meubles, soit immeubles. Outre cette hypothèse, qui sera seule retenue ici, le transfert peut aussi porter sur des choses incorporelles, par exemple des créances, ou des parts d'intérêts, des actions ou des obligations de société : il s'agit alors de transferts, non de droits réels, mais de droits personnels et on parle de *cession de créance* (V. *infra*, n°s 824 et s.).

Ces divers contrats ne sont d'ailleurs pas les seuls moyens de transférer la propriété : le même résultat découlera par exemple du décès d'une personne dont le patrimoine échoira par succession à ses héritiers ou à ses légataires.

468. - **Exemple de la vente.** Pour se borner à la vente qui constitue l'exemple type, ce contrat entraîne nettement deux sortes d'effets : création d'obligations d'une part, transfert de propriété d'autre part.

Au titre des obligations, il faut citer à la charge de l'acheteur l'obligation de payer le prix convenu et, à la charge du vendeur, l'obligation de livrer la chose et celle de garantie : garantie des *vices* qui rendraient la chose impropre à l'usage auquel on la destine ; garantie contre l'*éviction*, c'est-à-dire contre les troubles qui pourraient être apportés par le vendeur ou par des tiers à la jouissance paisible de l'acheteur sur la chose.

À ces obligations, il faut ajouter celle de transférer la propriété et, par voie de conséquence, les risques qui s'y rapportent : risques de dommages causés à la chose ou par elle, à couvrir le cas échéant par une assurance. C'est ici qu'apparaît l'intérêt de rendre le transfert opposable aux tiers. S'agissant des obligations énoncées à l'alinéa précédent, peu importe qu'elles soient ou non opposables aux tiers car on ne pourra en principe en demander l'exécution qu'au débiteur. Au contraire, parce que le respect des tiers est essentiel à l'exercice du droit de propriété, il est fondamental que l'acheteur puisse opposer à tous le droit réel qu'il vient d'acquérir sur la chose.

Dans les rapports entre les parties au contrat, le transfert s'opère en principe du seul fait de l'échange des consentements à moins qu'il n'ait été retardé par une clause du contrat ou par la nature des choses (V. *supra*, n° 437). L'avant-projet de réforme le rappelle (art. 105) : « Dans les contrats ayant pour objet l'aliénation de la propriété ou d'un autre droit, le transfert s'opère dès la conclusion du contrat » (al. 1er). « Ce transfert peut être différé par la volonté des parties, la nature des choses ou une disposition de la loi » (al. 2). « Le transfert de propriété emporte [en principe] transfert des risques de la chose, encore que la délivrance n'en ait été faite, à moins que le débiteur ne soit en demeure de la délivrer ; auquel cas la chose reste aux risques de ce dernier » (al. 3).

Mais à lui seul le contrat, aurait-il date certaine (V. *supra*, n° 379), ne suffit pas à rendre le transfert opposable aux tiers ; il faut quelque chose de plus, pour que les tiers soient officiellement prévenus du changement de propriétaire.

Par ces précautions supplémentaires, la loi veut protéger les tiers contre un certain type de fraude : craignant que, faute d'une publicité adéquate, un tiers ne soit amené à acheter un bien qui a déjà été vendu à un premier acquéreur, la loi vient au secours du second acheteur en décidant que la première vente lui est inopposable si les formalités de publicité n'ont pas été accomplies.

Envisageant la situation sous l'angle de celui qui achète un bien, il faut dire que, pour rendre la vente opposable non seulement au vendeur mais à tout le monde, il convient de satisfaire dans les meilleurs délais aux exigences de publicité destinées à prévenir les tiers. Ces formalités diffèrent suivant qu'il s'agit de la propriété immobilière ou de la propriété mobilière.

L'avant-projet de réforme précise à l'alinéa 3 de l'article 109 que « Le transfert de la propriété immobilière et des autres droits réels immobiliers est opposable aux tiers dans les conditions fixées par les lois sur la publicité foncière. Des lois particulières règlent l'opposabilité aux tiers du transfert de la propriété de certains meubles ».

2° Transfert de la propriété immobilière à l'égard des tiers

469. – La publicité foncière. Lorsque le contrat translatif porte sur un immeuble, l'opposabilité aux tiers découle de la publicité de l'acte à la Conservation des hypothèques.

Cette publicité a d'ailleurs un domaine d'application beaucoup plus large que la matière des contrats. Ayant pour but de dresser la situation juridique de chaque immeuble, la Conservation des hypothèques centralise la publicité de tous les événements entraînant constitution ou transfert de droit réel : cela vise, outre les contrats de vente, apport en société, échange, donation, constitution d'hypothèque, d'usufruit, de servitude, de bail à construction, de concession immobilière, etc., toutes les successions, les partages, les privilèges, les jugements, etc., ayant une incidence sur les immeubles. Même les baux de plus de douze ans doivent faire l'objet d'une publicité. Une longue liste des actes soumis à publicité figure aux articles 28 et suivants du décret du 4 janvier 1955 (mod. par D. 7 janv. 1959).

Tous ces actes, et donc les contrats translatifs de droits réels, ne sont opposables aux tiers que du jour de leur dépôt à la Conservation des hypothèques[221]. Seuls les actes authentiques pouvant être publiés, la formalité incombe au notaire qui aura rédigé le contrat (V. *supra*, n° 385).

470. – Effet de la publicité. Dès l'instant qu'un acte a été publié, il devient opposable à tous les tiers, et spécialement à tous ceux qui, par la suite, acquerraient du même propriétaire des droits sur le même immeuble. Ainsi en cas d'hypothèques successives sur un immeuble, leur rang est déterminé non par la date des divers contrats, mais par la date d'inscription à la Conservation des hypothèques ; c'est ce qu'on appelle la règle de *la priorité des inscriptions*. Cette règle s'applique à tous les conflits entre ceux qui tiennent leurs droits du même auteur : par exemple, entre deux acheteurs successifs, sera préféré celui qui aura transcrit son droit le premier.

Ces solutions découlent toutes de l'idée que la publicité est la condition de l'opposabilité aux tiers ; tant que cette publicité n'a pas été accomplie, les tiers sont en

(221) En l'absence de publicité, l'acte est inopposable aux tiers, si bien que le notaire ne peut refuser d'instrumenter le nouvel acte que l'ancien propriétaire entend conclure avec un tiers acquéreur : Cass. 1re civ., 20 déc. 2012 : *D.* 2013, 391, obs. S. Amrani-Mekki, M. Mekki. – 11 sept. 2013 : *RDC* 2014/1, p. 56 et s., obs. J. Le Bourg, Ch. Quézel-Ambrunaz ; *Defrénois* 2013, n° 23, 114j8, p. 1210, obs. Y. Dagorne-Labbé. – Adde St. Piédelièvre : *Defrénois* 2014, n° 1, p. 8 et s.

droit de considérer que le contrat translatif de propriété, bien que parfait entre les parties, n'existe pas à leur égard.

C'est pourquoi, avant d'acheter un immeuble ou de prendre une hypothèque, il est d'usage de demander au conservateur un état hypothécaire. Et, en pratique, le prix ne sera payé ou le prêt délivré que si, au jour de la *transcription* de la vente ou de l'*inscription* de l'hypothèque, aucune transcription ou inscription n'a été prise entre-temps. En fait, il se produit assez peu de mauvaises surprises et il est rare qu'un propriétaire de mauvaise foi vende deux fois le même immeuble à des acheteurs différents. Si néanmoins il y procède, le conflit sera réglé par la règle de la priorité des inscriptions, quelle que soit la bonne ou la mauvaise foi des parties[(222)].

3° Transfert de la propriété mobilière à l'égard des tiers

471. - **La difficulté d'organiser une publicité.** Une publicité des transferts mobiliers se heurte à des difficultés souvent insurmontables.

Pour les immeubles, l'organisation de la publicité est assez simple car on peut procéder selon un principe de localisation géographique : il y a une Conservation des hypothèques par arrondissement, qui réunit tous les renseignements afférents aux immeubles du ressort.

Au contraire, les meubles étant par définition mobiles dans l'espace, il est impossible de réaliser une publicité pour tous les meubles, alors surtout qu'ils sont infiniment plus nombreux et variés que les immeubles. Aussi bien n'a-t-il pu être organisé de publicité que pour certains meubles bien déterminés dans leur espèce, tels que les avions, les navires, les films, etc. C'est précisément cette difficulté qui nuit au développement des sûretés réelles sur les meubles.

Il s'ensuit que l'opposabilité aux tiers des transferts de propriété mobilière diffère suivant que le meuble considéré est ou non soumis à une publicité. Une seule règle est commune : à lui seul, le contrat ne suffit pas à rendre le transfert opposable aux tiers ; comme pour les immeubles il faut quelque chose de plus, tantôt une publicité, tantôt une mise en possession de la chose.

472. - **Cas des meubles soumis à publicité.** S'agissant des meubles pour lesquels existe une publicité – et ils sont pour l'instant l'exception – on peut en général transposer les règles appliquées aux immeubles : le transfert est opposable aux tiers à compter non du jour du contrat, mais du jour de la publicité.

Ainsi en est-il, parmi les meubles corporels, pour les navires, les bateaux de rivière, les avions ou aéronefs. Mais il n'en est pas de même pour les véhicules soumis à immatriculation : il s'agit d'une formalité de police qui, en l'état actuel, n'a pas d'incidence sur la propriété de la chose, même si la jurisprudence considère que le vendeur doit délivrer non seulement la chose elle-même, mais aussi les documents administratifs du véhicule considérés comme des accessoires. Le registre est toutefois utilisé pour la publicité des gages automobiles.

(222) Cass. 3e civ., 12 janv. 2011 : *D.* 2011, 851, note L. Aynès ; *Defrénois* 2011, 39211, obs. C. Grimaldi ; *RTD civ.* 2011, 158, obs. P. Crocq, 369, obs. Th. Revet. – 19 juin 2012, n° 11-17105. – Comp. Cass. 3e civ., 2 juill. 2013 : *RTD civ.* 2013, 865, obs. W. Dross.

De nombreux meubles incorporels font aussi l'objet d'une publicité dont la réalisation entraîne l'opposabilité aux tiers : par exemple, les fonds de commerce, les titres nominatifs des sociétés, les droits de propriété industrielle, les droits sur les films cinématographiques, etc.

473. – **Cas des meubles non soumis à publicité.** Pour tous les autres meubles, dont la transmission n'est astreinte à aucune publicité, la règle est posée par l'article 1141 du Code civil à propos du conflit entre deux acquéreurs successifs du même meuble : est considéré comme propriétaire celui qui, de bonne foi, a été mis en possession du meuble, sans qu'importe la date respective des deux titres d'acquisition.

Art. 1141. – Si la chose qu'on s'est obligé de donner ou de livrer à deux personnes successivement, est purement mobilière, celle des deux qui en a été mise en possession réelle est préférée et en demeure propriétaire, encore que son titre soit postérieur en date, pourvu toutefois que la possession soit de bonne foi.

Cette règle se retrouve à l'article 107 de l'avant-projet de réforme du droit des obligations.

Article 107. – Lorsque deux acquéreurs successifs d'un même meuble corporel tiennent leur droit d'une même personne, celui qui a pris possession de ce meuble en premier est préféré, même si son droit est postérieur, à condition qu'il soit de bonne foi.

C'est là une application du principe bien connu de l'article 2276 du Code civil : « En fait de meubles, la possession vaut titre ». On part de l'idée qu'en matière mobilière l'acheteur n'a ni le temps ni la possibilité de vérifier les droits du vendeur sur la chose, et qu'il est donc contraint de se fier à l'apparence du droit, c'est-à-dire à la possession. Pour protéger l'acheteur contre une revendication émanant d'un tiers qui se prétendrait le véritable propriétaire, la loi décide que la mise en possession d'un acquéreur de bonne foi vaut propriété.

Retournant le principe pour l'appliquer à une situation non conflictuelle, on tiendra le langage suivant : dans les rapports entre les parties, le contrat vaut transfert de la propriété mobilière, sauf clause de réserve de propriété ; mais ce transfert ne devient opposable aux tiers que du jour où l'acheteur a été mis en possession.

Cette mise en possession de l'acheteur, jointe à la dépossession corrélative du vendeur, joue vis-à-vis des tiers le rôle d'une publicité qui, en l'espèce, n'a pas pu être réalisée faute d'un registre adéquat. C'est pourquoi on exige une livraison matérielle du bien, et non pas seulement une transmission symbolique, invisible aux yeux des tiers, qui résulterait par exemple de la remise d'un titre de propriété[223]. Il en irait autrement et la transmission symbolique serait suffisante si le titre était vraiment représentatif du bien ou de la marchandise : par exemple, titres au porteur, warrants, lettres de voiture, connaissements, etc.

On en tirera cette conclusion pratique qu'en cas d'acquisition d'une chose mobilière, l'acheteur aura intérêt à en exiger la livraison immédiate pour rendre le transfert opposable aux tiers et, notamment, pour éviter que le vendeur demeuré

(223) Pour une illustration, V. Cass. com., 8 oct. 2013 : *RDC* 2014, 219, obs. J. Le Bourg.

en possession ne vende à nouveau la chose et la livre à une tierce personne de bonne foi. Sans doute cette déloyauté entraînerait-elle la condamnation du vendeur à des dommages-intérêts pour inexécution dolosive du premier contrat, mais cette indemnité ne remplacerait peut-être pas, dans le patrimoine du premier acheteur, le bien mobilier.

474. - **Conclusion.** Il n'est donc pas réaliste de dire que les contrats n'ont d'effet qu'entre les parties, non à l'égard des tiers. L'expérience montre à chaque instant l'inexactitude de cette proposition. Tout contrat passé par une personne a des incidences plus ou moins directes sur un nombre plus ou moins important de tiers : en première ligne, les créanciers des parties qui sont toujours concernés ; puis les tiers à qui les transferts de propriété seront opposables, et qui pourront opposer ou se voir opposer certaines obligations résultant de contrats auxquels ils sont étrangers.

Il est même des contrats qui créent des personnes nouvelles. Ainsi toute *société* ou toute *association* naît d'un contrat de société ou d'association. Bien qu'un tel contrat soit conclu entre un nombre limité d'individus, les associés ou sociétaires, son effet de création d'une personne morale s'impose comme un fait à tous les tiers qui entreront en contact avec le groupement.

Dans un ordre d'idées quelque peu différent, un contrat de mandat va aussi produire ses effets à l'égard des tiers puisque, précisément, il a été conclu pour que le mandataire puisse représenter le mandant auprès de tiers contractants (V. *supra*, n° 101).

§ 2. – Les limites de l'effet relatif des contrats : certains contrats rendent créancier ou débiteur certains tiers

475. - **Contrats collectifs et contrats individuels.** En définitive, le principe de l'effet relatif du contrat signifie seulement que les contrats ne peuvent rendre créancier ou débiteur que les parties elles-mêmes, non les tiers. Ainsi limitée, la solution paraît raisonnable ; c'est une application du principe de l'autonomie de la volonté (V. *supra*, n°s 76 et s.) : nul ne saurait être engagé par un contrat qu'il n'a pas conclu, car il le serait en dehors de sa volonté. Si on peut à la rigueur admettre qu'un contrat rende un tiers créancier, il paraît intolérable qu'il puisse le rendre débiteur.

Et pourtant, cela se produit parfois. Chacun sait par exemple qu'à la différence des contrats individuels, les *contrats collectifs* (V. *supra*, n° 67) peuvent conférer des droits ou imposer des obligations à des personnes qui ne sont pas affiliées aux groupements signataires. Notamment, les *conventions collectives* de travail engagent tous les employeurs et salariés de la branche considérée, même s'ils ne sont pas affiliés aux syndicats signataires, et même s'ils ne sont inscrits à aucun syndicat. Il en va de même des accords collectifs de location prévus par la loi du 22 juin 1982, et repris par la loi du 6 juillet 1989.

Les *contrats individuels* eux-mêmes peuvent, dans certaines circonstances, engager soit les ayants cause à titre particulier des parties au contrat, soit des tiers au sens étroit du terme. Toutefois, alors que les ayants cause peuvent être créanciers ou débiteurs du fait des contrats passés par leurs auteurs, les tiers véritables peuvent seulement être rendus créanciers.

A. – Les contrats peuvent rendre créancier ou débiteur les ayants cause particuliers des parties[(224)]

476. – **Les contrats constitutifs ou translatifs de droits réels.** Est ayant cause particulier d'une personne celui qui tient un bien meuble ou immeuble de cette personne en vertu par exemple d'un contrat de vente, d'un apport en société, d'une donation, etc. Ce qui constitue le lien entre ces deux personnes, l'ayant cause particulier et son auteur, c'est la chose transmise à l'un par l'autre.

La question est de savoir dans quelle mesure les contrats passés sur la chose par l'ancien propriétaire vont rejaillir sur le nouveau propriétaire. Il faut distinguer suivant la nature de ces contrats.

Si les contrats passés par le précédent propriétaire sont constitutifs ou translatifs de droits réels, ils s'imposent au nouveau propriétaire comme à n'importe quel tiers et il suffit donc d'appliquer les règles d'opposabilité dégagées plus haut (V. *supra*, n°s 467 et s.) pour les meubles comme pour les immeubles. À supposer par exemple un immeuble vendu, toutes les constitutions d'hypothèque, d'usufruit, de servitudes, de concession immobilière, etc., consenties par le premier propriétaire, seront opposables au second si elles ont été publiées à la Conservation des hypothèques avant que le second n'ait lui-même publié son titre d'acquisition[(225)]. Il en va de même des charges réelles affectant le fonds cédé[(226)].

Si les contrats passés par le précédent propriétaire sont relatifs à l'administration du bien, par exemple un contrat de bail, alors la question du transfert des droits et obligations qui en résultent se pose dans les mêmes termes que pour les contrats seulement générateurs d'obligations.

477. – **Les contrats générateurs d'obligations. Les cas réglés par la loi.** La véritable difficulté apparaît pour les contrats générateurs de créances ou d'obligations. Lorsque des contrats de ce genre sont conclus par le premier propriétaire relativement au bien transmis, le bénéfice ou la charge de ces contrats passent-ils ou non sur la tête du nouvel acquéreur ? Ce dernier est-il créancier ou débiteur dans un contrat qu'il n'a pas lui-même conclu ?

A priori, on aurait tendance à répondre par la négative. Pourquoi le nouveau propriétaire « chausserait-il les bottes » du précédent ? Et pourtant, la loi se prononce en ce sens dans certaines hypothèses.

(224) O. Deshayes, *La transmission de plein droit des obligations à l'ayant cause à titre particulier* : LGDJ, coll. « Bibl. A. Tunc », 2004.

(225) F. Bérenger, *La transmission des créances et des dettes dans la vente d'immeuble* : *Administrer* avr. 2008, n° 409, p. 24.

(226) Cass. 3e civ., 13 oct. 2004 : *D.* 2005, 934 et note S. Mary.

a) Le contrat de bail, lorsqu'il a date certaine (V. *supra*, n° 379), se poursuit avec tous les propriétaires successifs de l'immeuble : « Si le bailleur vend la chose louée, l'acquéreur ne peut expulser le fermier, le métayer ou le locataire qui a un bail authentique ou dont la date est certaine » (C. civ., art. 1743, al. 1er). C'est tout le contrat qui est transmis, avec ses créances (droit de percevoir le loyer) et ses dettes (obligation d'assurer au locataire une jouissance paisible des lieux). Cette règle s'explique pour une large part par la nature du droit de bail : conformément à la tradition, on continue à dire qu'il s'agit d'un simple droit personnel et non pas d'un droit réel sur les locaux ; mais, compte tenu de l'importance des droits conférés au locataire, le bail se rapproche beaucoup dans ses effets d'un droit réel. Cette solution s'applique sans distinction aux baux civils, commerciaux et ruraux(227).

b) Pour des raisons plus évidentes encore, le *contrat de travail* qui lie les salariés au patron de l'entreprise survit en cas de transfert de l'entreprise à un nouveau titulaire, individu ou société. Il en est ainsi en cas de cession, de fusion ou de regroupement d'entreprises : la cession ne met pas fin aux contrats en cours et le nouveau patron sera à la fois débiteur des salaires et créancier du temps de travail de ses employés(228). C'est ainsi que la jurisprudence décide que le transfert d'une « unité économique autonome » entraîne de plein droit le maintien, avec le nouvel employeur, des contrats de travail qui y sont attachés.

c) Enfin, en cas d'aliénation d'une chose assurée, le *contrat d'assurance* est maintenu au profit de l'acquéreur qui devra en contrepartie payer les primes. Cette transmission du contrat dans son entier ne s'applique toutefois qu'à défaut de résiliation par l'assureur ou par l'acquéreur ; sous le bénéfice de cette observation, elle concerne toutes les assurances de choses, à l'exception des véhicules terrestres à moteur ou de leurs remorques.

478. – Les contrats générateurs d'obligations. Les cas non réglés par la loi. Dans les autres cas, non réglés par le législateur, la jurisprudence a dû se prononcer au coup par coup, si bien que la matière reste dans une grande incertitude et n'est pas exempte de contradictions(229).

La question est pourtant importante en pratique. Par exemple, l'obligation de non-concurrence souscrite par le vendeur d'un fonds de commerce ou par un ingénieur ou technicien bénéficie-t-elle à tous les propriétaires successifs du fonds ou seulement à celui qui a signé le contrat la contenant ? Ou, à l'inverse, le contrat de fourniture exclusive (contrat de bière, notamment) s'impose-t-il au seul commerçant signataire du contrat ou à tous ses successeurs dans le fonds de commerce ?

Tout en posant le principe de l'intransmissibilité à l'acquéreur tant des créances que des dettes relatives à la chose vendue, la jurisprudence lui apporte d'assez larges tempéraments(230).

(227) *La vente de l'immeuble loué* : *JCP* N 2003, 1283.

(228) B. Boubli, *La transmission de l'entreprise et le sort des emplois* : *Gaz. Pal.* 1989, 2, doctr. 359.

(229) Lepargneur, *De l'effet à l'égard de l'ayant-cause particulier des contrats générateurs d'obligations relatifs au bien transmis* : *RTD civ.* 1924, 481. – Du Garreau de la Méchenie, *La vocation de l'ayant-cause particulier aux droits et obligations de son auteur* : *RTD civ.* 1944, 219.

(230) O. Deshayes, *La transmission de plein droit des obligations à l'ayant-cause à titre particulier* : LGDJ, coll. « Bibl. A. Tunc », 2004, préf. G. Viney.

479. – Les cas non réglés par la loi : la transmission des créances. S'agissant des *créances* attachées au bien aliéné, la jurisprudence admet souvent leur transmission, en la fondant soit sur l'interprétation de la volonté des parties, soit sur la transmission des accessoires[231].

Par exemple, on décidera que la clause de non-concurrence insérée dans une vente de fonds de commerce ou dans un contrat de travail bénéficie au sous-acquéreur du fonds ou de l'entreprise si telle a été l'intention des rédacteurs de la clause (qui auraient alors fait une stipulation pour autrui au bénéfice de tous les propriétaires successifs ; V. *infra*, n°s 483 et s.) ou si le bénéfice de cette clause a été cédé au sous-acquéreur par le titulaire du fonds (c'est-à-dire une *cession de créance* ; V. *infra*, n°s 824 et s.).

S'agissant de dommages affectant un immeuble vendu, il convient de distinguer[232].

Si les dommages affectaient déjà l'immeuble antérieurement à la vente, la vente de l'immeuble n'emportait pas autrefois de plein droit cession, au profit de l'acquéreur, des droits et actions à fins de dommages-intérêts ; la Cour de cassation jugeait que la cession ne pouvait résulter que d'une clause expresse du contrat[233]. Mais elle a abandonné cette solution, en deux temps. Elle a d'abord jugé que l'action était transmise aux acquéreurs successifs en tant qu'accessoire, « nonobstant la connaissance par les acquéreurs des vices (...) lors de la signature de la vente et l'absence de clause leur réservant un tel recours », et ce « à moins que le vendeur ne puisse invoquer un préjudice personnel lui conférant un intérêt direct et certain à agir »[234]. Plus radicalement, elle décide aujourd'hui que « *sauf clause contraire*, les acquéreurs successifs de l'immeuble ont qualité pour agir » contre les constructeurs sur le fondement de la responsabilité contractuelle de droit commun qui accompagne l'immeuble en tant qu'accessoire, et ce « nonobstant l'action en réparation intentée par le vendeur avant cette vente »[235]. Corrélativement, elle semble priver le vendeur du droit d'agir, même pour les dommages antérieurs et nonobstant l'action en réparation intentée avant la vente, sauf clause contraire du contrat[236].

S'agissant des dommages qui pourraient apparaître postérieurement à la vente, on s'accorde à reconnaître que la *garantie des vices cachés* par le vendeur, parce qu'elle s'identifie à la chose dont elle est un *accessoire*, se transmet avec elle au profit de tous les propriétaires successifs, et ce même en l'absence de toute volonté expresse ou tacite des parties[237]. Cette solution est affirmée par la loi en ce qui concerne la garantie dans la vente d'immeuble à construire

(231) Ce qui pose la délicate question du rayonnement des clauses relatives aux créances transmises (clause de prescription, clause compromissoire, clause limitative de responsabilité, etc.). – Sur quoi, V. D. Mazeaud, *Le rayonnement des clauses contractuelles* : *D.* 2014, 121.

(232) J.-M. Delperier et J.-D. Roché, *La transmission des actions judiciaires en matière immobilière* : *Defrénois* 2003, 1, 351, art. 37687.

(233) Cass. 3e civ., 4 déc. 2002 : *JCP* 2003, II, 10058 et note P. Jourdain ; *Defrénois* 2003, 1, 245, art. 37676, n° 11, obs. R. Libchaber. – Cass. 3e civ., 17 nov. 2004 : *D.* 2004, inf. rap. 3195 ; *JCP* 2004, IV, 3524 ; *JCP* N 2006, 1002 et note J.-A. Gravillou ; *RDC* 2005, 347, obs. Ph. Brun. – Cass. 3e civ., 31 janv. 2007, n° 05-15790 : *Bull. civ.* 2007, III, n° 15 ; *RDC* 2007, 738, obs. S. Carval.

(234) Cass. 3[e] civ., 23 sept. 2009 : *RD imm.* 2010, p. 107, obs. F. Nesi et D. Chauchis ; *RDC* 2010, 589, obs. O. Deshayes ; *RTD civ.* 2010.336, obs. crit. P. Jourdain.

(235) Cass. 3e civ., 10 juill. 2013 : *RDC* 2013/4, 1349 et s., obs. O. Deshayes ; *D.* 2013, 2448, note M. Cottet, 2544, note V. Georget ; *RTD civ.* 2013, 839, obs. H. Barbier.

(236) Cass. 3e civ., 5 nov. 2013 : *RDC* 2014, 201, obs. Y.-M. Laithier.

(237) Cass. 1re civ., 4 févr. 1963 : *JCP* 1963, II, 13159 et obs. R. Savatier. – Cass. 1re civ., 5 janv. 1972 : *JCP* 1973, II, 17340, obs. Ph. Malinvaud. – V. cependant, dans un sens différent : Cass. com., 27 févr. 1973 : *JCP* 1973, II, 17445, obs. R. Savatier ; *D.* 1974, 138 et note Ph. Malinvaud. – B. Boubli, *Soliloque sur la transmission de l'action en garantie (à propos de l'arrêt*

(C. civ., art. 1646-1, al. 2). La jurisprudence a également admis la transmission au sous-acquéreur de la *garantie des vices de construction* due par les architectes et entrepreneurs ; la solution a ensuite été consacrée par la loi du 4 janvier 1978 (C. civ., art. 1792). Cette jurisprudence est susceptible de s'appliquer à bien d'autres hypothèses[(238)]. Corrélativement, elle semble priver le vendeur du droit d'agir, même pour les dommages antérieurs et nonobstant l'action en réparation intentée avant la vente, sauf clause contraire du contrat[(239)].

Dans un domaine différent, mais voisin, cette solution a été reprise par la jurisprudence qui décide que l'action du propriétaire actuel d'une chose contre le fabricant ou un maillon quelconque de la chaîne de commercialisation est nécessairement de nature contractuelle. La solution a d'abord été affirmée dans le cas d'une chose transmise par une suite de ventes successives[(240)]. Après une divergence entre deux chambres de la Cour de cassation[(241)], elle a finalement été étendue au cas où, après des ventes successives, la chose est parvenue au propriétaire actuel par le biais d'un contrat d'entreprise : « comme le sous-acquéreur, le maître de l'ouvrage dispose de tous les droits et actions attachés à la chose transmise par son auteur »[(242)]. Cette jurisprudence, dont on a pu craindre qu'elle soit remise en cause par l'arrêt *Besse* (V. alinéa suivant), se poursuit à ce jour[(243)] ; toutefois, par un arrêt très critiqué[(244)], la troisième chambre civile a écarté la transmission de l'action dans le cas où un matériau a été fourni par le vendeur, non à l'entrepreneur, mais à l'un de ses sous-traitants.

La même évolution s'était amorcée en ce qui concerne l'action en responsabilité intentée par le maître de l'ouvrage contre un sous-traitant[(245)]. Mais, mettant

---

de Cass. 3e civ., 9 juin. 1973) : JCP 1974, I, 2646. – V. aussi G. Bonet et B. Gross, *La réparation des dommages causés aux constructions par les vices des matériaux : JCP* 1974, I, 2602.

(238) Cass. 1re civ., 21 janv. 2003 : *D.* 2003, 2993 et note D. Bazin-Beust (transmission à l'acquéreur d'un manège de l'action en responsabilité contre le contrôleur technique de ce manège). – Cass. 3e civ., 27 mars 2013 : *RDC* 2013/3, p. 911 et s., obs. S. Carval (transmission à l'acquéreur de l'action contractuelle de droit commun existant au profit du maître de l'ouvrage contre le constructeur en cas de faute dolosive de ce dernier).

(239) Cass. 3e civ. 5 nov. 2013, RDC 2014, 201, obs. Y.-M. Laithier.

(240) Cass. 1re civ., 9 oct. 1979 : *Gaz. Pal.* 1980, 1, 249 ; *D.* 1980, inf. rap. p. 222, note Ch. Larroumet. – Cass. com., 17 mai 1982 : *JCP* 1982, IV, 268 ; *D.* 1983, inf. rap. p. 479, obs. Ch. L. – Cass. 1re civ., 21 janv. 2003 : *Bull. civ.* 2003, I, n° 18, p. 14. – La Cour de justice des Communautés européennes a cependant rendu une décision en sens contraire, à propos de l'application de l'article 5-1° de la Convention du 27 septembre 1968 concernant la compétence judiciaire et l'exécution des décisions en matière civile et commerciale : CJCE, 17 juin 1992 : *JCP* 1992, II, 21927, obs. Ch. Larroumet. – Adde CJUE, 7 févr. 2013 : *JCP* 2013, 516, note Ph. Guez ; *JCP* 2013, I, 975, obs. C. Nourissat ; *JCP* E 2013, 1332, note M. Attal ; *JDI* 2013, comm. 20, obs. S. Clavel ; *Europe* 2013, comm. 194, L. Idot, *Procédures* 2013, comm. 104. – C. Nourissat : *RTD civ.* 2013, 338, obs. P. Rémy-Corlay. – Cass. 3e civ., 11 sept. 2013, *JCP E* 2013, 1620, note. C. Golhen ; *D.* 2014, 121 ; *RTD civ.* 2013, 839, obs. H. Barbier ; *Contrats, conc. consom.* 2013, comm. 257, obs. L. Leveneur ; *JCP* E 2014, 1022, note A. Piacitelli-Guedj. – Comp. Cass. com., 4 mars 2014 : *JCP* E 2014, 1288, note M. Attal.

(241) Cass. 1re civ., 29 mai 1984 et Cass. 3e civ., 19 juin 1984 : *JCP* 1985, II, 20387 et note Ph. Malinvaud ; *D.* 1985, 213 et note A. Bénabent. – V. aussi Cass. com., 17 mars 1970 : *JCP* 1970, II, 16453. – Cass. 3e civ., 21 janv. 1971 : *JCP* 1971, II, 16729, obs. P. L. – V. Ph. Malinvaud, *L'action directe du maître de l'ouvrage contre les fabricants et fournisseurs de matériaux : D.* 1984, chron. 41.

(242) Cass. ass. plén., 7 févr. 1986, 2 arrêts : *JCP* 1986, II, 20616, obs. Ph. Malinvaud ; *D.* 1986, 293 et note A. Bénabent. – Cass. 1re civ., 20 mai 2010 : *D.* 2010, 1757, note O. Deshayes.

(243) Cass. 3e civ., 12 déc. 2002 : *RD imm.* 2002, 92, obs. Ph. Malinvaud ; *RTD civ.* 2002, 303, obs. P. Jourdain.

(244) Cass. 3e civ., 28 nov. 2001 : *JCP* 2002, II, 10037 et note D. Mainguy ; *D.* 2002, 1442 et note J.-P. Karila ; *RD imm.* 2002, 92, obs. Ph. Malinvaud ; *Defrénois* 2002, 1, 255, art. 37486, obs. R. Libchaber ; *RTD civ.* 2002, 104, obs. P. Jourdain ; *JCP* 2002, I, 186, n° 2, obs. G. Viney. Suivant cet arrêt, le sous-traitant engageant sa responsabilité à l'égard du maître de l'ouvrage sur le plan délictuel, « le fournisseur de ce sous-traitant doit, à l'égard du maître de l'ouvrage, répondre de ses actes sur ce même fondement ». – V. aussi C. Laronde-Clérac, *La nature toujours controversée de la responsabilité dans les chaînes contractuelles : Contrats, conc. consom.* 2003, chron. 6. – P. Puig, *Faut-il supprimer l'action directe dans les chaînes de contrats ?*, in *Mél. Calais-Auloy* : Dalloz, 2003, p. 913.

(245) La première chambre civile se prononçait en faveur de l'action directe contractuelle (Cass. 1re civ., 21 juin 1988 : *JCP* 1988, II, 21125, 1re esp., obs. P. Jourdain ; *JCP* E 1988, II, 15294 et note Ph. Delebecque ; *D.* 1989, 5 et note Ch. Larroumet). Cependant, la troisième chambre civile se prononçait en sens contraire, en ouvrant seulement l'action en responsabilité

fin à une opposition entre la première et la troisième chambre civile de la Cour de cassation, la Cour suprême a décidé en assemblée plénière que la responsabilité des sous-traitants à l'égard du maître de l'ouvrage ne peut être que délictuelle, faute de rapports contractuels entre eux[(246)]. Dans cette configuration-là, et seulement dans celle-là, la Cour de cassation est donc revenue à la conception classique et stricte de l'effet relatif du contrat, et elle s'y tient depuis[(247)]. Certes, elle juge que la clause compromissoire stipulée dans le contrat d'entreprise principal est opposable au sous-traitant, mais c'est en relevant qu'il en a eu connaissance lors de la signature de son contrat et est directement impliqué dans l'exécution du premier contrat[(248)].

480. – Les cas non réglés par la loi : la transmission des dettes. Quant aux *dettes* attachées au bien aliéné, la jurisprudence est plus réticente pour admettre qu'elles puissent incomber à un tiers du seul fait de l'acquisition d'un bien. Néanmoins la troisième chambre civile semble évoluer en ce sens. Dans un premier arrêt elle avait décidé que l'acquéreur d'un bien à titre particulier ne succède pas de plein droit aux obligations personnelles de son auteur, même si celles-ci sont nées à l'occasion du bien transmis[(249)]. Mais, plus récemment, elle s'est prononcée en sens inverse en retenant que « les cessions successives d'un bail commercial opèrent transmission des obligations en découlant au dernier titulaire du contrat qui devient débiteur envers le bailleur des dégradations causées par ses prédécesseurs »[(250)]. Toutefois, dans le même temps, la première chambre civile maintient le principe de la non-transmission[(251)].

Une évolution s'est également produite à propos des clauses de non-concurrence figurant dans un contrat de cession d'un bien immobilier. Sur ce point, la jurispru-

---

délictuelle (Cass. 3e civ., 22 juin 1988 : *JCP* 1988, II, 21125, 2e esp., obs. P. Jourdain). – V. Ch. Larroumet, *L'action de nature nécessairement contractuelle et la responsabilité civile dans les ensembles contractuels* : *JCP* 1988, I, 3357. – B. Boubli, *Réflexions sur les obligations des parties dans la sous-traitance de marchés de travaux immobiliers* : *RD imm.* 1988, 391. – P. Ancel, *Les arrêts de 1988 sur l'action en responsabilité contractuelle dans les groupes de contrats, quinze ans après*, in *Mél. Ponsard* : Litec, 2003, p. 3.

(246) Cass. ass. plén., 12 juill. 1991, *Besse* : *D.* 1991, 549 et note J. Ghestin ; *JCP* 1991, II, 21743, obs. G. Viney ; *Defrénois* 1991, 1, 1301 et note J.-L. Aubert ; *D.* 1992, somm. p. 119, obs. A. Bénabent. – V. cependant Cass. com., 22 mai 2002 : *Bull. civ.* 2002, IV, n° 89 ; *D.* 2002, somm. 2843 ; *RTD civ.* 2003, 94, obs. P. Jourdain. – Ch. Larroumet, *L'effet relatif des contrats et la négation de l'existence d'une action en responsabilité nécessairement contractuelle dans les ensembles contractuels* : *JCP* 1991, I, 3531. – Ch. Jamin, *Une restauration de l'effet relatif du contrat* : *D.* 1991, chron. 257. – J.-P. Karila, *L'action directe du maître de l'ouvrage à l'encontre du sous-traitant est nécessairement de nature délictuelle* : *Gaz. Pal.* 8-9 janv. 1992. – B. Boubli, *Transfert de propriété et responsabilité dans les groupes de contrats* : *RD imm.* 1992, 27. – P. Jourdain, *La nature de la responsabilité civile dans les chaînes de contrats après l'arrêt de l'assemblée plénière du 12 juillet 1991* : *D.* 1992, chron. 149. – J. Djoudi, *La sous-traitance dans le contexte européen* : *D.* 1992, chron. 215. – Ch. Jamin, *Une restauration de l'effet relatif du contrat* : *D.* 1991, chron. 257. – C. Lisanti-Kalczynski, *L'action directe dans les chaînes de contrats ? Plus de dix ans après l'arrêt* Besse : *JCP* 2003, I, 102. – G. Jazottes, *Responsabilités dans les relations du maître de l'ouvrage et du sous-traitant* : *Dr. et ville* 2004, n° 57, p. 23.

(247) Cass. 1re civ., 21 juin 1988 et Cass. 3e civ., 22 juin 1988 : *JCP* 1988, II, 21125, obs. P. Jourdain. *plénière du 12 juillet 1991* : *D.* 1992, chron. 149. – G. Jazottes, *Responsabilités dans les relations du maître de l'ouvrage et du sous-traitant* : *Dr. et ville* 2004, n° 57, p. 23.

(248) Cass. 1re civ., 26 oct. 2011 : *RDC* 2012/2, p. 545 et s., obs. X. Boucobza et Y.-M. Serinet. – Comp. Cass. 1re civ., 6 nov. 2013 : *JCP* 2014, 1075, obs. C. Séraglini ; *RDC* 2014, 261, obs. X. Boucobza et Y.-M. Serinet, écartant le jeu de la clause compromissoire stipulée dans un contrat cadre dans les litiges afférant au contrat d'exécution, en se fondant sur l'existence, dans ces contrats d'exécution, de clauses spécifiques de règlement des différends, la volonté des parties de faire prévaloir la clause compromissoire n'étant pas établie.

(249) Cass. 3e civ., 16 nov. 1988 : *D.* 1989, 157, 1re esp., note Ph. Malaurie (à propos de l'obligation souscrite par le constructeur d'un immeuble de réserver un certain nombre de logements aux familles désignées par l'organisme finançant la construction).

(250) Cass. 3e civ., 9 juill. 2003 : *JCP* 2003, IV, 2596 ; *D.* 2003, 2312, obs. Y. Rouquet ; *JCP* 2003, I, 186, nos 20-26, obs. A.-S. Barthez.

(251) Cass.1re civ., 30 avr. 2009 : *JCP* 2009, n° 27, 73, p. 17 et note J.-J. Ansault.

dence considère que, sauf acceptation au moins implicite de l'acheteur du bien, l'obligation de non-concurrence ne pèse pas sur le nouveau titulaire du bien, à moins qu'elle ne constitue une véritable servitude non détachable de la chose sur laquelle elle porte[(252)]. La question s'est notamment posée pour les galeries marchandes où il est d'usage que le promoteur vendeur assure à chacun des acquéreurs l'exclusivité de l'exercice de tel ou tel commerce et, corrélativement, interdit aux autres acquéreurs l'exercice de ce commerce. Élargissant la notion de servitude, la jurisprudence décide dans des circonstances de ce genre que l'interdiction faite à l'acquéreur d'un fonds immobilier de l'affecter à un usage déterminé, bien qu'étant une obligation personnelle, est une véritable servitude se transmettant avec le fonds. Suivant la formule de la Cour de cassation, « il est permis aux propriétaires d'établir sur leurs propriétés, ou en faveur de leurs propriétés, telles servitudes que bon leur semble, pourvu néanmoins que les services établis ne soient imposés ni à la personne, ni en faveur de la personne, mais seulement à un fonds et pour un fonds, et pourvu que ces services n'aient d'ailleurs rien de contraire à l'ordre public »[(253)].

On voit qu'il y a là, pour les tribunaux, une marge d'appréciation qui est un facteur d'insécurité. Aussi est-il préférable d'indiquer clairement dans le contrat originaire le sort de toutes ces créances et obligations.

B. – Les contrats peuvent rendre créanciers certains tiers

481. – **Présentation générale.** Si les ayants cause peuvent dans une certaine mesure devenir débiteurs parce qu'ils ont entre leurs mains un bien en quelque sorte affecté d'une charge, en revanche il ne saurait en être de même des tiers au sens étroit du terme. Sauf le cas des contrats collectifs qui s'imposent à toute une catégorie professionnelle (V. *supra*, n° 475), nul ne saurait être rendu débiteur par contrat sans l'avoir voulu.

Sans doute a-t-on déjà vu qu'en cas de mandat le mandant se trouve engagé par le mandataire (V. *supra*, n°s 100 et s.). Mais il n'y a pas là une exception à la règle sus-énoncée. Si le mandant est engagé, c'est parce qu'il l'a voulu : le mandataire n'a été que son porte-parole. Le fait que le représenté ne soit pas engagé lorsque le représentant a excédé ses pouvoirs en est une confirmation éclatante.

Une autre preuve en est fournie par les règles de la *promesse de porte-fort* (C. civ., art. 1120). Le porte-fort assume une obligation de faire[(254)] qui est une obligation de résultat[(255)] : il s'engage à obtenir la ratification du tiers[(256)], ou l'exécution par un

(252) Douai, 21 mai 1973 : *JCP* 1974, II, 17595 et obs. J. Personnaz. – Cass. 3e civ., 24 mars 1993 : *JCP* N 1994, I, II, p. 94 et note J.-G. Raffray.

(253) Arrêt rendu au visa des articles 686 et 1134 du Code civil : Cass. 3e civ., 4 juill. 2001 : *D.* 2002, 433 et note R. Libchaber ; *D.* 2002, somm. p. 2513, obs. N. Reboul-Maupin. – V. aussi J.-F. Astruc, *La clause de non-concurrence accessoire au contrat de cession d'un bien immobilier* : *D.* 2002, chron. 908. L'auteur critique la validité de la clause au regard tant du droit des sûretés que du droit de la concurrence.

(254) La promesse de porte-fort échappe donc à l'art. 1326 : Cass. com., 18 juin 2013 : *JCP* 2013, I, 1256, n° 9, obs. Ph. Simler, II, 960, note G. Mégret ; *JCP* E 2013, 1595, obs. L. Leveneur ; *RDC* 2014/1, p. 66, obs. A.-S. Barthez ; *RTD civ.* 2013, 653, obs. P. Crocq, 842, obs. H. Barbier ; *D.* 2013, 2561, note J.-D. Pellier.

(255) Cass. com., 1er avr. 2014, n° 1310629 : *D.* 2014, 1185, note B. Dondero, *Contrats conc. consom.* 2014, n° 7, comm. 150, L. Leveneur : *JCP* 2014, n° 26, 752, note Y. Dagorne-Labbé. « le porte-fort, débiteur d'une obligation de résultat autonome, est tenu envers le bénéficiaire de la promesse, des conséquences de l'inexécution de l'engagement promis ».

(256) Pour une illustration, V. Cass. soc., 3 mai 2012 : *RDC* 2012/4, p. 1205 et s., obs. O. Deshayes, p. 1221 et s., obs. D. Mazeaud.

tiers de tel engagement[257]. Mais la promesse ne rend pas débiteur autrui puisque le tiers demeure libre de ratifier ou non (V. *supra*, nos 110 et s. – V. aussi *infra*, n° 804, à propos de la gestion d'affaires).

En revanche, rien ne s'oppose à ce que deux cocontractants conviennent que le bénéfice de leur contrat reviendra à un tiers. L'hypothèse est expressément prévue par l'article 1165 qui renvoie à l'article 1121 du Code civil : il s'agit alors d'une *stipulation pour autrui* (assurance-vie, par exemple).

De cette stipulation contractuelle il faut rapprocher l'*action directe*, qui procède de la même idée et qui, accordée par la loi, permet à certains tiers de réclamer directement au débiteur l'exécution d'un contrat conclu par d'autres : par exemple, l'action directe de la victime contre l'assureur de l'auteur du dommage (sur l'action directe, V. *infra*, n° 487).

Art. 1119. – On ne peut, en général s'engager, ni stipuler en son propre nom, que pour soi-même.

Art. 1120. – Néanmoins, on peut se porter fort pour un tiers, en promettant le fait de celui-ci ; sauf l'indemnité contre celui qui s'est porté fort ou qui a promis de faire ratifier, si le tiers refuse de tenir l'engagement.

Art. 1121. – On peut pareillement stipuler au profit d'un tiers, lorsque telle est la condition d'une stipulation que l'on fait pour soi-même ou d'une donation que l'on fait à un autre. Celui qui a fait cette stipulation ne peut plus la révoquer, si le tiers a déclaré vouloir en profiter.

Art. 1122. – On est censé avoir stipulé pour soi et pour ses héritiers et ayants cause, à moins que le contraire ne soit exprimé ou ne résulte de la nature de la convention.

482. – Les exceptions à l'effet relatif dans l'avant-projet de réforme. L'avant-projet de réforme procède pour l'essentiel à une recodification à droit constant, en explicitant la plupart des solutions déjà consacrées en jurisprudence.

Art. 112. – On ne peut, en général, s'engager ni stipuler en son propre nom que pour soi-même.

Art. 113. – On peut se porter fort en promettant le fait d'un tiers.

Le promettant est libéré de toute obligation si le tiers accomplit le fait promis. Dans le cas contraire, il peut être condamné à des dommages et intérêts.

Si le tiers ratifie la promesse faite pour lui, il est engagé à compter de sa ratification et peut se prévaloir de l'engagement depuis la date à laquelle il a été souscrit par le promettant.

Art. 114. – On peut également stipuler pour autrui.

L'un des contractants, le stipulant, peut faire promettre à l'autre, le promettant, d'accomplir une prestation au profit d'un tiers, le bénéficiaire. Ce dernier peut être une personne future mais doit être précisément désigné ou pouvoir être déterminé lors de l'exécution de la promesse.

Art. 115. – Tant que le bénéficiaire de la stipulation ne l'a pas acceptée, le stipulant peut librement la révoquer.

Pourvu qu'elle intervienne avant la révocation, l'acceptation rend la stipulation irrévocable dès que son auteur ou le promettant en a eu connaissance.

(257) Sur le porte-fort d'exécution, V. Cass. com., 13 déc. 2005, n° 03-19.217 : *D.* 2006, 298, 2244, chron. Arlie, 2855, obs. P. Crocq ; *RTD civ.* 2006, 305, obs. J. Mestre. – B. Fages : *JCP* 2006, II, 10021, note P. Simler ; *JCP* E 2006, 1342, note P. Grosser ; *RDBF* janv.-févr. 2006, comm. 17, obs. D. Legeais, *Banque et Droit* mars-avr. 2006, 60, obs. N. R. ; *Defrénois* 2006, art. 38345, note E. Savaux ; *RJDA* 2006, 787, note R. Libchaber ; *RLDC* avr. 2006, 26, note I. Riassetto ; *RLDA* 2006, n° 3, p. 35, note D. Chemin-Bomben ; *Bull. Joly* 2006, n° 4, p. 482, note J.-F. Barbièri ; *RD bancaire et bourse* 2006, n° 1, p. 19, note D. Legeais ; *Contrats, conc. consom.* 2006, comm. 63, obs. L. Leveneur ; *Banque et Droit* 2006, n° 106, p. 60, note N. Rontchevsky ; *LPA* 24 avr. 2006, p. 17, note C. Prigent. – P. Simler, *Les solutions de substitution au cautionnement* : *JCP* 1990, I, 387. – P. Simler, *Peut-on substituer la promesse de porte-fort à certaines lettres d'intention ?* : *RD bancaire et bourse* 1997, 223. – M. Véricel, *Désuétude ou actualité de la promesse de porte-fort ?* : *D.* 1988, chron. 123. – P. Dupichot, *Le pouvoir des volontés individuelles en droit des sûretés*, préf. M. Grimaldi : *Éditions Panthéon Assas*, 2005, n° 424. – R. Libchaber, *La vaine recherche de sûretés personnelles nouvelles : l'insaisissable porte-fort de l'exécution* : *RJDA* 2006, 787.

Elle investit le bénéficiaire, qui est censé l'avoir eu dès sa constitution, du droit d'agir directement contre le promettant pour l'exécution de l'engagement.

Art. 116. – La révocation ne peut émaner que du stipulant ou, après son décès, de ses héritiers. Ceux-ci ne peuvent y procéder qu'à l'expiration d'un délai de trois mois à compter du jour où ils ont mis le bénéficiaire en demeure de l'accepter.

La révocation produit effet dès lors que le tiers bénéficiaire ou le promettant en a eu connaissance.

Lorsqu'elle est faite par testament, elle prend effet au moment du décès. Si elle n'est pas assortie de la désignation d'un nouveau bénéficiaire, la révocation profite, selon le cas, au stipulant ou à ses héritiers. Le tiers initialement désigné est censé n'avoir jamais bénéficié de la stipulation faite à son profit.

Art. 117. – L'acceptation peut émaner du bénéficiaire ou, après son décès, de ses héritiers, sauf clause contraire. Elle peut être expresse ou tacite. Elle peut intervenir même après le décès du stipulant ou du promettant.

Art. 118. – Le stipulant peut lui-même exiger du promettant l'exécution de son engagement envers le bénéficiaire.

1° La stipulation pour autrui(258)

483. – **Opération à trois personnages.** La stipulation pour autrui est traditionnellement présentée comme une opération à trois personnages : d'un côté deux cocontractants, le *stipulant* et le *promettant*, de l'autre le *tiers bénéficiaire* en faveur de qui le contrat est conclu. Pour imager ce schéma, il suffit de prendre l'exemple simple de l'assurance-vie d'un père de famille au profit de son conjoint ou de ses enfants. Le contrat est passé entre le père de famille, *stipulant*, et une compagnie d'assurance, *promettant*, laquelle, moyennant le versement de primes, s'engage à payer, en cas de décès du stipulant, un certain capital à son conjoint ou à ses enfants, les *tiers bénéficiaires*.

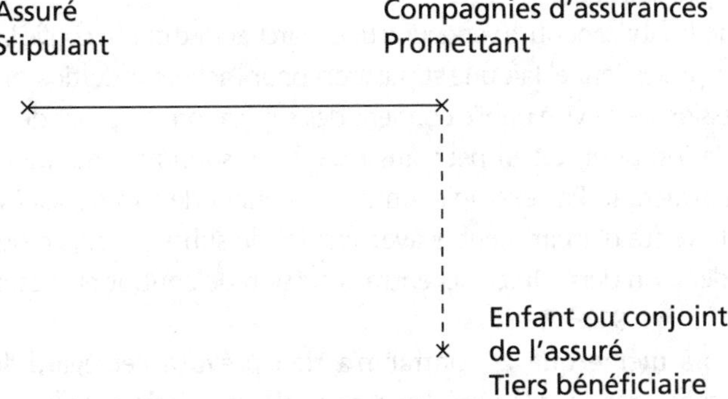

Avant que l'assurance-vie n'ait été réglementée par la loi du 13 juillet 1930, sa validité avait longtemps été contestée car elle n'entrait pas dans les prévisions de l'article 1121 du Code civil. En effet, tel qu'il est encore rédigé, ce texte subordonne

(258) E. Lambert, *Du contrat en faveur des tiers* : thèse Paris, 1893 ; *La stipulation pour autrui et ses principales applications*, in *Trav. Assoc. H. Capitant*, t. VII, 1952. – Ch. Larroumet, *Les opérations juridiques à trois personnes* : thèse Bordeaux, 1968. – G. Venandet, *La stipulation pour autrui avec obligation acceptée par le tiers bénéficiaire* : *JCP* 1989, I, 3391. – D.-R. Martin, *La stipulation de contrat pour autrui* : D. 1994, chron. 145. – J. François, *Les opérations triangulaires attributives (stipulation pour autrui et délégation de créances)* : thèse Paris II, 1994. – J.-M. Roux, *Le rôle créateur de la stipulation pour autrui*, préf. J. Mestre : PUAM, 2001. – R.-M. Rampelberg, *Brève perspective comparative sur les destinées de la règle* alteri stipulari nemo potest, in *Les concepts contractuels français à l'heure des principes du droit européen des contrats* : Dalloz, 2003, p. 143. – O. Deshayes, *Précisions sur la nature et les fonctions de la règle d'effet relatif des contrats*, in *Études G. Viney* : LGDJ, 2008, p. 333 et s.

la validité de la stipulation pour autrui à certaines conditions qui ne sont pas remplies dans le contrat d'assurance-vie.

Bien que cet article n'ait pas été modifié, la jurisprudence a, par une interprétation audacieuse, supprimé ces conditions. La seule exigence est que le stipulant ait un intérêt personnel à l'opération, serait-il seulement un intérêt moral ; or, sauf insanité d'esprit, il en est toujours ainsi.

484. – **Applications pratiques.** Cette jurisprudence prétorienne a permis à la stipulation pour autrui de connaître un essor considérable en pratique. Outre l'hypothèse, envisagée à l'origine, de la *donation avec charge* au profit d'un tiers, de nombreuses opérations sont fondées sur la stipulation pour autrui :

- *l'assurance-vie* classique en faveur du conjoint survivant, ou des enfants nés ou à naître ; plus récemment, l'assurance-vie de l'emprunteur au profit de l'organisme de crédit, pour le montant du prêt (les deux contrats, de prêt et d'assurance-vie, sont liés de telle manière qu'en cas de décès de l'emprunteur, soit versé au prêteur un capital correspondant au crédit non encore remboursé ; ainsi, la famille qui a perdu son soutien sera au moins déchargée du souci pécuniaire d'un emprunt) ;
- *l'assurance passagers* au bénéfice de ceux qui sont transportés à titre gratuit ;
- *l'assurance individuelle accidents* que les chefs d'entreprise peuvent souscrire au profit de leurs employés pour compléter les prestations de la Sécurité sociale ;
- *l'assurance de groupe*(259) ;
- *l'assurance pour le compte de qui il appartiendra*, en cas de perte ou détérioration des marchandises au cours d'un transport maritime, c'est-à-dire pour le compte de l'acheteur, encore inconnu, qui en sera devenu propriétaire au jour de l'accident éventuel, etc.

De même, le fabricant ou le vendeur d'une marchandise qui en confie la livraison à un transporteur professionnel fait une stipulation pour l'acheteur destinataire. Également, toute concession de service public contient des stipulations au profit des usagers, etc.

La stipulation pour autrui peut aussi servir de support juridique à un changement de contractant. Par exemple, un professionnel de l'immobilier conclura une promesse de vente d'un immeuble avec faculté de substitution, ce qui lui permettra de la céder à un tiers. On est ici entre la cession de contrat et la stipulation pour autrui (V. *infra*, n° 491)(260).

Enfin, alors même que le contrat n'a rien prévu à cet égard, les tribunaux admettent sans grande difficulté l'existence de stipulations tacites au profit de tiers : par exemple, dans le contrat de transport de personnes, en faveur des proches parents de la victime(261), etc.(262). La multiplicité et la diversité de ces exemples montrent combien il est fréquent qu'un contrat puisse rendre créancier un tiers.

(259) Cass. 1re civ., 22 mai 2008 : *D.* 2008, 1954 et note D.-R. Martin. – Adde Cass. 2e civ., 28 mars 2013 : *RDC* 2013/4, p. 1444 et s., obs. Ph. Pierre.

(260) E. Jeuland, *Essai sur la substitution de personne dans un rapport d'obligation* : LGDJ, 1999 ; *Proposition de distinction entre la cession de contrat et la substitution de personne* : *D.* 1998, chron. 356. – D.-R. Martin, *Du changement de contractant* : *D.* 2001, chron. 3144. – G. Pillet, *La substitution de contractant à la formation du contrat en droit privé* : LGDJ, coll. « Bibl. A. Tunc », 2005, préf. P. Jourdain.

(261) V. cependant une tendance restrictive récente d'un arrêt qui écarte la stipulation pour autrui au profit des parents victimes par ricochet : Cass. 1re civ., 28 oct. 2003 : *D.* 2003, inf. rap. p. 2731.

(262) Pour une éventuelle illustration, V. Cass. 1re civ., 28 juin 2012, n° 10-28.492 : *JCP* 2012, 1069, note J. Dubarry ; *RTD civ.* 2012, 729, obs. P. Jourdain ; *LPA* 28 sept. 2012, n° 195, p. 10, obs. A. Bascoulergue, relatif à la réparation du dommage

485. - **Effets.** Ainsi définie, la stipulation pour autrui peut soit réaliser une donation indirecte (assurance-vie au profit de la famille), soit éteindre une dette vis-à-vis du tiers bénéficiaire (assurance-vie au profit d'un prêteur d'argent). Ses effets tournent autour de deux grandes idées.

D'une part, le stipulant peut modifier la désignation du bénéficiaire tant que ce dernier n'a pas accepté le bénéfice de la stipulation ; mais une acceptation tacite, sinon même un silence circonstancié, serait ici suffisante (V. *supra*, n° 134) pour paralyser la *faculté de révocation*. Cette acceptation suppose évidemment que le bénéficiaire ait eu connaissance de la stipulation faite à son profit, ce qui ne sera pas toujours le cas : l'existence d'une assurance-vie ne sera le plus souvent découverte qu'après le décès du stipulant. Toutefois, par dérogation à cette règle, la loi du 17 décembre 2007 impose que le stipulant donne son consentement à l'acceptation du bénéficiaire, par voie d'avenant signé du stipulant, du bénéficiaire et de l'assureur, ou par acte authentique ou sous seing privé signé par le stipulant et le bénéficiaire et notifié par écrit à l'assureur pour lui être opposable (C. assur., art. L. 132-9). Telle est la situation avant le décès de l'assuré cependant que, après son décès, l'acceptation devient libre. Cette dérogation a pour objet de protéger le stipulant contre une acceptation qui l'empêcherait d'exercer sa faculté de rachat, ou de solliciter des avances[263]. On observera à cet égard que, sans attendre l'application de la loi nouvelle, la Cour de cassation avait déjà décidé que, « lorsque le droit de rachat du souscripteur est prévu dans un contrat d'assurance-vie mixte, le bénéficiaire qui a accepté sa désignation n'est pas fondé à s'opposer à la demande de rachat du contrat en l'absence de renonciation expresse du souscripteur à son droit »[264].

En revanche, parce que la stipulation ne s'analyse pas comme une offre faite au tiers bénéficiaire, le décès du stipulant n'entraîne nullement la caducité de la stipulation, alors qu'il entraînerait celle d'une offre (V. *supra*, n° 128). Il sera donc toujours temps d'accepter, à moins qu'une révocation ne soit déjà intervenue. Cependant, si le bénéficiaire décède avant d'avoir accepté, le bénéfice de la stipulation revient, non à ses héritiers, mais aux personnes désignées par le stipulant à titre subsidiaire[265].

D'autre part, le tiers bénéficiaire recueille dans le contrat un *droit direct* contre le promettant : cette créance lui est acquise du jour de la stipulation, et non de l'acceptation, laquelle consolide son droit en éloignant toute menace de révocation, mais ne le crée pas[266]. Ainsi, dans l'assurance-vie, le capital versé ou à verser va directement de l'assurance au tiers bénéficiaire, sans passer dans le patrimoine de l'assuré ; on en tire cette conséquence que ce capital échappe au droit de gage

résultant d'un accident survenu dans une aire de jeux réservée à la clientèle d'un restaurant et subi par un enfant participant à un goûter en compagnie d'un adulte et d'autres enfants.

(263) L. Mayaux, *Assurance-vie : les audaces tranquilles du législateur. L. n° 2007-1775 du 17 décembre 2007 : JCP* 2008, I, 106. – F. Sauvage, *L'acceptation du bénéficiaire d'un contrat d'assurance-vie encadrée par la loi du 17 décembre 2007 : Rev. Lamy dr. civ.* mars 2008, p. 47. – N. Martial-Braz, *Clair obscur autour de l'acceptation du bénéficiaire d'une assurance-vie : LPA* 6 mars 2008, p. 9. – C. Grimaldi, *L'« acceptation de l'acceptation » d'un contrat d'assurance-vie : Defrénois* 2008, art. 38815.

(264) Cass. ch. mixte, 22 févr. 2008 : *D.* 2008, act. jurispr. 691, obs. J. Speroni ; *JCP* 2008, II, 10058 et note L. Mayaux.

(265) Cass. 1re civ., 10 juin 1992 : *D.* 1992, 493 et note J.-L. Aubert. – Cass. 1re civ., 9 juin 1998 : *Defrénois* 1998, 1, 1416, obs. Ph. Delebecque.

(266) Cass. 1re civ., 12 juill. 1956 : *D.* 1956, jurispr. 749 et note Radouant. Mais peu importe que l'acceptation soit concomitante ou postérieure au contrat comportant stipulation pour autrui : Cass. 1re civ., 19 déc. 2000 : *D.* 2001, 3482 et note I. Ardeef.

général des créanciers du stipulant, qu'il ne peut pas être saisi par eux. Par exemple, à supposer qu'un commerçant assuré sur la vie tombe en faillite et décède, le tiers bénéficiaire percevra le capital sans avoir à redouter les poursuites des créanciers du défunt à moins que le contrat d'assurance n'apparaisse comme une fraude à leur égard (V. *infra*, action paulienne, n°s 897 et s.)[267]. Plus largement, notamment dans l'assurance de groupe, bénéficiaire et assureur deviennent co-contractants, si bien que le bénéficiaire assuré peut se prévaloir des dispositions protectrices de l'article L. 132-1 du Code de la consommation[268].

486. – La stipulation pour autrui dans le Projet Catala et le projet de réforme[269]. Le Projet Catala (art. 1169 et s.) et le projet de réforme (art. 142 et s. ; sur lesquels V. *supra*, n° 482) retiennent des dispositions identiques.

Après avoir rappelé le principe selon lequel « on ne peut, en général, s'engager ni stipuler en son propre nom que pour soi-même », l'avant-projet de réforme consacre les solutions jurisprudentielles relatives à la stipulation pour autrui qu'il définit comme le contrat par lequel le stipulant fait promettre à l'autre contractant, le promettant « d'accomplir une prestation au profit d'un tiers, le bénéficiaire ». S'agissant des conditions de validité de la stipulation, il ne reprend pas l'exigence d'un intérêt du stipulant mais requiert que le bénéficiaire, fut-il une personne future, soit « précisément désigné », ou puisse « être déterminé lors de l'exécution de la promesse ».

S'agissant des effets de la stipulation, l'avant-projet consacre les solutions jurisprudentielles, qu'elles tiennent aux modalités ou aux effets de la révocation et de l'acceptation de la stipulation.

2° L'action directe[270]

487. – Définition et hypothèses. L'action directe permet à un tiers au contrat d'exercer les droits du créancier à l'encontre du débiteur. Par exemple, le sous-traitant impayé par l'entrepreneur va demander son paiement au maître de l'ouvrage ; bien que tiers au contrat de construction, il va exercer contre le maître de l'ouvrage le droit de se faire payer dont disposait l'entrepreneur.

À la différence du tiers bénéficiaire d'une stipulation pour autrui, le titulaire d'une action directe tient son droit non d'une clause contractuelle, mais de la loi elle-même. Il n'y a donc d'action directe que là où la loi l'accorde (sous réserve du transfert des actions en responsabilité, V. *supra*, n° 479). À ceci près, la technique est très voisine ; il suffit pour s'en convaincre de passer en revue les principaux exemples d'action directe.

Art. 1753 du Code civil. – Un propriétaire loue un local à un locataire, lequel le sous-loue à un sous-locataire. Voilà deux contrats distincts et il n'y a aucun lien de droit entre le propriétaire et le sous-locataire puisqu'ils ne sont pas partie au même contrat. Néanmoins, à défaut de paiement du loyer par

(267) V. Cass. civ., 2 nov. 1937 : *D.* 1938, 1, 57, rendu sur la demande des héritiers légitimes qui critiquaient une libéralité indirecte réalisée sous la forme d'une assurance-vie. La cour a décidé que les primes d'assurances ne pouvaient être soumises à rapport ou réduction que si elles étaient « manifestement exagérées eu égard aux facultés » de l'assuré, c'est-à-dire si elles empiétaient sur le capital.

(268) Cass. 1re civ., 22 mai 2008 : *D.* 2008, 1954 et note D.-R. Martin ; *JCP* 2008, II, 10133, note A. Sériaux ; *RDC* 2008, 1135, obs. D. Mazeaud. – Cass. com., 13 avr. 2010 : *D.* 2010, 1208, obs. X. Delpech ; *RDC* 2010, 1228, obs. T. Génicon.

(269) J.-L. Aubert et P. Leclercq, *Effet des conventions à l'égard des tiers*, in *Avant-projet de réforme du droit des obligations et de la prescription, Exposé des motifs* : La Documentation française, 2006, p. 62, spéc. p. 65.

(270) H. Solus, *L'action directe et l'interprétation des articles 1753, 1798, 1994 du Code civil* : thèse Paris, 1914. – M. Cozian, *L'action directe*, 1969. – Ch. Jamin, *La notion d'action directe* : LGDJ, 1991.

le locataire, le bailleur peut s'adresser directement au sous-locataire en exerçant l'*action directe* que lui confère le code ; la loi lui permet de se comporter comme s'il était le créancier du sous-locataire.

Art. 1798 du Code civil. – Le propriétaire d'un terrain s'adresse à un entrepreneur pour élever une construction ; pour bâtir, l'entreprise embauche des ouvriers qu'elle omet de payer. Ceux-ci peuvent demander le paiement de leurs salaires au maître de l'ouvrage, à concurrence des sommes dues à l'entrepreneur.

Transposant cette solution au contrat de sous-traitance, la loi du 31 décembre 1975 accorde au sous-traitant non payé par l'entrepreneur principal une action directe contre le maître de l'ouvrage[(271)].

Art. 1994 du Code civil. – Le mandant peut agir directement contre la personne que le mandataire s'est substitué (sous-mandataire)[(272)].

L'action directe est enfermée dans la *double limite* de ce qui est dû par le débiteur dans le contrat, et de ce qui est dû au bénéficiaire de l'action. S'agissant par exemple du sous-traitant, il ne peut demander au maître de l'ouvrage plus que ce dernier ne reste devoir à l'entrepreneur, ni plus que ce qui est dû au sous-traitant par l'entrepreneur. Il s'ensuit, dans ce même exemple, que le maître de l'ouvrage peut opposer au sous-traitant toutes les *exceptions* qu'il aurait pu faire valoir à l'encontre de l'entrepreneur, son cocontractant : malfaçons de l'ouvrage, non-conformités, etc. ; il en va différemment toutefois en ce qui concerne l'action directe en matière d'assurance de responsabilité.

488. – L'action directe dans les projets de réforme. Le Projet Catala ouvrait l'action directe au créancier dans deux cas (art. 1168) :

- c'était le cas d'abord lorsque la loi investit certains créanciers « du droit d'agir directement en paiement de leur créance contre un débiteur de leur débiteur », et ceci « dans la limite des deux créances » ;
- mais c'était aussi le cas, de manière générale, lorsque l'action directe « permet seule d'éviter l'appauvrissement injuste du créancier, compte tenu du lien qui unit les contrats », ce qui vise l'hypothèse d'un groupe de contrat[(273)].

En l'état, et à la différence de la version initiale, qui n'en parlait pas, l'avant-projet de réforme du droit des obligations envisage l'institution, après l'action oblique et l'action paulienne, mais seulement pour annoncer l'existence de dispositions légales spéciales en ce sens (art. 234), l'apport pratique principal du texte étant de réserver au législateur la création d'une telle action[(274)].

Art. 234. – Dans certains cas déterminés par la loi, le créancier peut agir directement en paiement de sa créance contre un débiteur de son débiteur.

489. – L'action directe dans l'assurance de responsabilité. L'exemple de très loin le plus fréquent se rencontre en matière d'assurance de responsabilité. La

(271) G. Flécheux, *La loi n° 75-1334 du 31 décembre 1975 relative à la sous-traitance* : *JCP* 1976, I, 2791 ; *La sous-traitance de marchés de travaux et de services*, 1978. – J. Neret, *Le sous-contrat* : LGDJ, 1979, préf. P. Catala. – H. Synvet, *Nouvelles variations sur le conflit opposant banquiers et sous-traitants* : *JCP* 1990, 1, 3425. – A. Bénabent, *Le conflit entre banquiers et sous-traitants* : *RD imm.* 1990, 149. – A.-M. Romani, *La protection des sous-traitants de marchés privés titulaires de l'action directe dans le conflit les opposant aux banquiers bénéficiaires de transferts de créances* : *D.* 1990, chron. 179. – D. Rambure, *Le paiement du sous-traitant*, EJA, 1990. – Pour la protection du sous-traitant dans la sous-traitance industrielle, V. Cass. com., 7 nov. 2012 : *Contrats, conc. consom.* 2013, comm. 27, obs. L. Leveneur. – 5 nov. 2013 : *Contrats, conc. consom.* 2014, comm. 33, obs. L. Leveneur.

(272) B. Mallet-Bricout, *La substitution de mandataire*, préf. Ch. Larroumet : éd. Panthéon-Assas, 2000. L'action directe ne peut toutefois être exercée qu'autant que l'action du mandataire intermédiaire n'est pas elle-même éteinte : Cass. com., 3 déc. 2002 : *D.* 2003, 786 et note B. Mallet-Bricout.

(273) L. Aynès, *Les effets du contrat à l'égard des tiers (art. 1165 à 1172-3 de l'avant-projet de réforme)* : *RDC* 2006, p. 63, spéc. p. 65.

(274) J.-S. Borghetti, *Des droits du créancier*, *in Pour une réforme du régime général des obligations*, préc., p. 57 et s., spéc. p. 61 et s.

victime d'un dommage dispose, outre son recours contre l'auteur du dommage, d'une action directe contre l'assureur du responsable[275]. L'hypothèse est ici plus éloquente que les précédentes parce que l'assureur ne doit verser l'indemnité qu'à la victime elle-même et non à son propre assuré. Pourtant cette victime est un tiers par rapport au contrat d'assurance. Tout se passe comme si l'assurance de responsabilité comportait une stipulation pour autrui au profit des victimes éventuelles.

En fait, malgré sa technique identique, l'action directe joue un rôle différent de celui de la stipulation pour autrui. Alors que le droit du tiers bénéficiaire d'une stipulation pour autrui a été voulu par les parties au contrat (bien souvent le contrat n'aura même que ce seul but), au contraire l'action directe est imposée par la loi, en dehors de toute volonté des parties, sinon même contre leur volonté.

Pour une large part, l'action directe apparaît surtout comme une sûreté personnelle accordée à certains créanciers pour se protéger contre l'insolvabilité du débiteur : tel était par exemple l'objet de la loi du 31 décembre 1975 qui tendait à conférer au sous-traitant des garanties de paiement pour pallier les conséquences de l'insolvabilité éventuelle des entrepreneurs. S'apparentant à la stipulation pour autrui par sa technique, elle a aussi beaucoup de points communs avec les privilèges, ou même avec la saisie pour l'assurance, par son effet.

§ 3. – Les facteurs de complication

490. – **Nouvelles figures contractuelles. Substitution de contractant. Groupe de contrats.** La question de l'effet relatif et de ses limites a été singulièrement compliquée du fait de l'essor, en droit contemporain, de nouvelles figures contractuelles : la substitution de contractant d'une part, les groupes de contrats d'autre part.

A. – La substitution de contractant

491. – **Substitution et cession de contrat.** De ce que les dettes ne peuvent pas normalement être cédées en droit français, on a longtemps déduit que la *cession de contrat* était impossible puisqu'elle entraînait cession de créances *et* cession de dettes. Il n'en est plus de même aujourd'hui, le contrat n'étant plus seulement appréhendé comme un lien mais aussi comme un bien[276]. On admet la cession de contrat[277], et cela même lorsqu'il s'agit d'un contrat *intuitu personae :* la juris-

(275) B. Atallah, *Le droit propre de la victime et son action directe contre l'assureur de la responsabilité automobile obligatoire*, 1969. – Abandonnant sa jurisprudence antérieure (Cass. civ., 13 déc. 1938, 3 arrêts : *DP* 1939, 1, 3, note Picard), la Cour de cassation décide désormais que la recevabilité de cette action directe « n'est pas subordonnée à l'appel en la cause de l'assuré par la victime » (Cass. 1re civ., 7 nov. 2000 : *JCP* 2001, II, 10456. – J. Bigot, *Assurances de responsabilité. Action directe : feu la mise en cause de l'assuré* : *JCP* 2001, act. 3, p. 113).

(276) Sur quoi, V. E. Juen, *Contrat-lien ou contrat-bien ?* : *RRJ* 2012/2, p. 737 et s.

(277) Lapp, *Essai sur la cession de contrat synallagmatique à titre particulier* : thèse Strasbourg, 1950. – Becqué, *La cession de contrats* : Travaux de l'Institut de droit comparé de Paris, 1959, n° 15. – Ph. Malaurie, *La cession de contrat : Defrénois* 1976, I, 1009, art. 31194. – J. Neret, *Le sous-contrat* : Paris II, 1977. – L. Aynès, *La cession de contrat et les opérations juridiques à trois personnes* : Economica, 1984. – D. Fabiani, *La cession judiciaire des contrats* : Paris 1989. – M. Billiau, *Cession de contrat ou délégation de contrat ? Étude du régime juridique de la prétendue « cession conventionnelle de contrat »* : *JCP* 1994, 1, 3758. – Ch. Jamin, *Cession de contrat et consentement du cédé : D.* 1995, chron. 131. – M.- L. Izorche, *Information et cession de contrat : D.* 1996, chron. 347. – L. Aynès, *Cession de contrat : nouvelles précisions sur le rôle du cédé : D.* 1998, chron. 25. – E. Jeuland, *Proposition de distinction entre la cession de*

prudence décide en effet que « le fait qu'un contrat ait été conclu en considération de la personne du cocontractant ne fait pas obstacle à ce que les droits et obligations de ce dernier soient transférés à un tiers dès lors que l'autre partie y a consenti »[(278)]. Cela dit, la cession de contrat suppose que le cocontractant cédé donne son consentement, et non pas une simple autorisation[(279)]. La distinction de la substitution de contractant et de la cession de contrat reste en débat[(280)].

La cession du contrat emporte transmission de tous les droits et obligations découlant du contrat[(281)], y compris ceux résultant d'une clause compromissoire[(282)]. Plus difficile est la question de savoir quelles sont les garanties dues de part et d'autre. Le cédant doit-il garantir au contractant cédé la bonne exécution par le cessionnaire des obligations postérieures à la cession ? Le cessionnaire doit-il garantir au contractant cédé la bonne exécution des obligations antérieures à la cession par le cédant ? L'analogie avec la cession de créance et l'essence translative de la cession portent à donner une réponse négative, laissant aux parties la liberté de stipuler des garanties conventionnelles[(283)].

Parfois, la loi elle-même valide expressément la cession de contrat, par exemple pour le contrat de promotion immobilière (C. civ., art. 1831-3), la vente d'immeuble à construire (C. civ., art. 1601-4) ou la vente d'immeuble à rénover (CCH, art. L. 262-6). Bien souvent, elle en précise alors les effets.

492. - **Substitution de contractant et cession de contrat dans le projet de réforme.** Le Projet Catala consacrait, au sein des dispositions concernant l'effet des conventions à l'égard des tiers[(284)], trois articles relatifs à la substitution de contractant et au transfert de contrat (art. 1165-3 à 1165-5).

---

contrat et la substitution de personnes : *D.* 1998, chron. 356. – Ch. Lachièze, *L'autonomie de la cession conventionnelle de contrat* : *D.* 2000, chron. 184. – Ph. Le Tourneau, *Quelques remarques terminologiques autour de la vente*, in *Mél. Catala*, p. 469. – M. Billiau, *La transmission des créances et des dettes* : LGDJ, 2002. – G. Audebrand, *De l'incessibilité du contrat* : thèse Paris II, 2002. – G. Pillet, *La substitution de contractant à la formation du contrat en droit privé* : LGDJ, 2005, préf. P. Jourdain. – Ch. Lachièze, *La cession de contrat : entre objectivisme et subjectivisme*, in *Mél. J. Hauser* : Dalloz, Lexisnexis, 2012, p. 879 et s. – Ch. Broche, *La cession conventionnelle de contrat existe-t-elle ?* : *RRJ* 2012/3, p. 1271 et s.

(278) Cass. com., 7 janv. 1992 : *Bull. civ.* 1992, IV, n° 3 ; *RTD civ.* 1992, 762, obs. J. Mestre ; *D.* 1992, somm. 278, obs. L. Aynès ; *JCP* 1992, I, 3591, obs. Ch. Jamin. – Cass. 1re civ., 6 juin 2000 : *D.* 2001, 1345 et note D. Krajeski ; *RTD civ.* 2000, 571, obs. J. Mestre et B. Fages ; *Defrénois* 2000, art. 37237, n° 69, p. 1125, obs. Ph. Delebecque.

(279) Cass. com., 6 mai 1997 (deux arrêts) : *Bull. civ.* 1997, IV, n° 117-118 ; *D.* 1997, 588, note M. Billiau et Ch. Jamin ; *Contrats, conc. consom.* 1997, comm. 146, obs. L. Leveneur ; *Defrénois* 1997, art. 36633, p. 977, obs. D. Mazeaud. – Cass. 3e civ., 12 déc. 2001 : *D.* 2002, 984, note M. Billiau et Ch. Jamin. – V. aussi Ch. Jamin et M. Billiau, *Cession conventionnelle du contrat : la portée du consentement du cédé* : *D.* 1998, chron. 145.

(280) D.-R. Martin, *La substitution de contrat pour autrui* : *D.* 1994, chron. 145. – V. Soubise, *La transmission, par substitution de bénéficiaire, des droits conférés par une promesse de vente* : *D.* 1994, chron. 237. – E. Jeuland, préc. – V. par ex. Cass. 3e civ., 12 avr. 2012 : *RDC* 2012/4, p. 1217 et s., obs. J. Klein, p. 1241 et s, obs. Ph. Brun ; *JCP* 2012, II, 760, note Y. Dagorne-Labbe, I, 1151, n° 16, obs. A.-S. Barthez ; *D.* 2013, 391, obs. S. Amrani-Mekki, M. Mekki.

(281) Mais il appartient au concédant de fournir au concessionnaire qu'il a agréé les informations requises en vertu de la loi Doubin : Cass. com., 21 févr. 2012 : *RDC* 2012/4, p. 1260 et s., obs. C. Grimaldi.

(282) Cass. 1re civ., 6 févr. 2001 : *JCP* 2001, I, 10567 et note C. Legros ; *contra Contrats, conc. consom.* 2001, comm. 82, obs. L. Leveneur ; *D.* 2001, somm. 1135, obs. Ph. Delebecque. – Cass. 1re civ., 28 mai 2002 : *Bull. civ.* 2002, I, n° 146 ; *JCP* 2003, I, 105, n° 10, obs. C. Seraglini : *JCP* 2003, I, 142, nos 20 et s., obs. A. Barthez. – V. M.-E. Mathieu-Bouyssou, *La transmission de la clause compromissoire au cessionnaire de la créance* : *JCP* 2003, I, 116.

(283) Pour un exemple dans la cession de bail commercial, V. Cass. com., 27 sept. 2011 : *RDC* 2012/1, p. 137 et s., obs. J.-B. Seube.

(284) J.-L. Aubert et P. Leclercq, *Effet des conventions à l'égard des tiers*, in *Avant-projet de réforme du droit des obligations et de la prescription, Exposé des motif* : La Documentation française, 2006, p. 62. – L. Aynès, *Les effets du contrat à l'égard des tiers (art. 1165 à 1172-3 de l'avant-projet de réforme)* : *RDC* 2006, n° 1, p. 63. – D. Arteil, *L'effet des conventions à l'égard des tiers dans l'avant-projet de réforme du droit des obligations* : *LPA* 15 nov. 2006, n° 228, p. 11.

On retrouvait à peu près les mêmes règles dans la version 2007 du projet de réforme : un article 147 prévoyait la transmission des obligations à cause de mort[(285)], quand l'article 148 introduisait la cession de contrat à titre d'institution générale dans le Code civil, mais sans en approfondir les effets : « Un contractant ne peut sans l'accord exprès ou tacite de son cocontractant, céder entre vifs à un tiers sa qualité de partie au contrat » (al. 1er) ; une telle cession « ne libère le contractant cédant que si le contractant cédé l'a expressément déclaré » (al. 2).

En l'état, l'avant-projet de réforme consacre un texte à la cession de contrat, à la suite de la cession de créance et de la cession de dette. Il est plus précis que la version antérieure s'agissant des conséquences de la cession sur le débiteur cédé. Il est prévu qu'il peut invoquer la cession dès qu'il en a connaissance ; qu'il peut consentir à la libération du cédant, mais que celle-ci ne joue que pour l'avenir ; que dans le cas contraire, le cédant reste garant des dette du cessionnaire. Surtout, l'avant-projet comble les éventuelles lacunes par un renvoi aux règles de la cession de créance et de dette « en tant que de besoin ». On comprend, de ce point de vue, que la cession de contrat n'ait pas été placée dans le titre relatif au contrat mais dans le titre relatif au régime général des obligations.

Article 244. – Un contractant ne peut, sans l'accord de son cocontractant, céder à un tiers sa qualité de partie au contrat.

Le contractant cédé peut invoquer la cession dès lors qu'il en a connaissance.

La cession de contrat ne libère le cédant que si le cédé y a expressément consenti. Cette libération ne vaut que pour l'avenir.

Lorsque le cédant n'est pas libéré pour l'avenir, et en l'absence de clause contraire, il est simplement garant des dettes du cessionnaire.

Les règles de la cession de créance et de la cession de dette sont applicables, en tant que de besoin.

B. – Les contrats interdépendants

493. – **Les liens entre contrats. Figure de la pratique contemporaine. Réception jurisprudentielle.** Le champ d'application du principe de la force obligatoire du contrat se trouve parfois étendu par la jurisprudence qui attache des effets, le cas échéant, aux liens existant en fait entre des contrats[(286)].

On se souvient ainsi que, dans *les chaînes translatives de propriété*, la jurisprudence considère que les actions contractuelles en responsabilité et garantie se transmettent aux propriétaires successifs de la chose. La construction d'un immeuble dans le cadre d'un contrat d'entreprise peut par exemple conduire l'entrepreneur à acquérir des matériaux d'un tiers : en ce cas, la jurisprudence décide que le client – le maître de l'ouvrage – peut rechercher la responsabilité contractuelle des fabricants et fournisseurs de matériaux, bien qu'il n'ait pas traité directement avec eux, mais seulement avec l'entrepreneur[(287)]. Mais cette solution reste limitée à raison de son

(285) Il rappelait ainsi que les droits et obligations du défunt adviennent à ses héritiers, sauf dans le cas où ils s'éteignent du fait du décès.

(286) J. Neret, *Le sous-contrat* : LGDJ, 1979. – B. Teyssié, *Les groupes de contrats* : LGDJ, 1975. – S. Bros, *L'interdépendance contractuelle* : thèse Paris II, 2001.

(287) Cass. ass. plén., 7 févr. 1986 ; *JCP* 1986, II, 20616, obs. Ph. Malinvaud ; *D.* 1986, 293 et note A. Bénabent. – Cass. 3e civ., 12 déc. 2001 : *RD imm.* 2002, 92, obs. Ph. Malinvaud. Mais la troisième chambre civile a limité la portée de cette jurisprudence en décidant que l'action du maître de l'ouvrage contre le fournisseur du sous-traitant (et non pas de l'entrepreneur) était de nature délictuelle : Cass. 3e civ., 28 nov. 2001 : *JCP* 2002, II, 10037 et note D. Mainguy ; *D.* 2002, 1442 et

fondement, le transfert des actions à titre d'accessoire de la chose acquise. La Cour suprême a ainsi décidé en assemblée plénière que la responsabilité des sous-traitants à l'égard du maître de l'ouvrage ne peut être que délictuelle parce qu'il n'existe pas de rapports contractuels entre eux[288]. Ce faisant, elle a mis un coup d'arrêt à l'expansion de *la notion de groupe de contrats*. Sur ces questions, V. *supra*, n° 479.

La Cour de cassation attache surtout certains effets à *l'interdépendance contractuelle*[289]. Lorsqu'une personne conclut plusieurs contrats nécessaires à la réalisation d'une opération économique d'ensemble, la jurisprudence admet que la nullité (ou la résolution)[290] de l'un des contrats conduit à la caducité des autres[291], lorsque les contrats étaient interdépendants dans l'intention commune des parties. La Cour de cassation a même parfois jugé qu'une clause de divisibilité devait être réputée non écrite, comme étant contraire à l'économie de l'opération[292]. Cette jurisprudence suscite de nombreuses difficultés quant à son fondement[293], ses conditions[294], ses effets[295] et son opportunité politique[296]. Pour tenter de remédier à l'insécurité juridique d'une solution fondée sur une recherche de la volonté des parties, et qui relève donc du pouvoir souverain des juges du fond[297], la Cour de cassation a posé deux principes, s'agissant des opérations incluant une location financière : « les contrats concomitants ou successifs qui s'inscrivent dans une opération incluant une

---

note J.-P. Karila ; *RD imm.* 2002, 92, obs. Ph. Malinvaud ; *Defrénois* 2002, 1, 255, art. 37486, obs. R. Libchaber ; *JCP* 2002, I, 186, n°s 2 et s., obs. G. Viney ; *RTD civ.* 2002, 104, obs. P. Jourdain.

(288) Cass. 1re civ., 21 juin 1988 et Cass. 3e civ., 22 juin 1988 : *JCP* 1988, II, 21125, obs. P. Jourdain. – Cass. ass. plén., 12 juill. 1991 : *D.* 1991, 549 et note L. Ghestin ; *JCP* 1991, II, 21743, obs. G. Viney ; *Defrénois* 1991, I, 1301 et note J.-L. Aubert ; *D.* 1992, somm. 119, obs. A. Bénabent. – Ch. Larroumet, *L'effet relatif des contrats et la négation de l'existence d'une action en responsabilité nécessairement contractuelle dans les ensembles contractuels* : *JCP* 1991, I, 3531. – Ch. Jamin, *Une restauration de l'effet relatif du contrat* : *D.* 1991, chron. 257. – J.-P. Karila, *L'action directe du maître de l'ouvrage à l'encontre du sous-traitant est nécessairement de nature délictuelle* : *Gaz. Pal.* 8-9 janv. 1992. – B. Boubli, *Transfert de propriété et responsabilité dans les groupes de contrats* : *RD imm.* 1992, 27. – P. Jourdain, *La nature de la responsabilité civile dans les chaînes de contrats après l'arrêt de l'assemblée plénière du 12 juillet 1991* : *D.* 1992, chron. 149. – J. Djoudi, *La sous-traitance dans le contexte européen* : *D.* 1992, chron. 215. – C. Lisanti-Kalczynski, *L'action directe dans les chaînes de contrats ? Plus de dix ans après l'arrêt* Besse : *JCP* 2003, I, 102. – G. Jazottes, *Responsabilités dans les relations du maître de l'ouvrage et du sous-traitant* : *Dr. et ville* 2004, n° 57, p. 23.

(289) S. Amrani-Mekki, Indivisibilité et ensembles contractuels, L'anéantissement en cascade des contrats : Defrénois 2002, 355. – J.-S. Seube, L'indivisibilité et les actes juridiques : Litec, 1999. – S. Bros, L'interdépendance contractuelle : thèse Paris II, 2001. – S. Pellé, La notion d'interdépendance contractuelle, Contribution à l'étude des ensembles de contrats : Dalloz, 2007. – C. Aubert de Vincelles, Réflexions sur les ensembles contractuels en général : un droit en devenir : *RDC* 2010/3, p. 983. – J.-S. Seube, *Caducité et ensemble contractuel indivisible, Mél. J. Foyer* : Economica, 2008, p. 925 et s.

(290) Comp., en cas de pluralité de créancier, Cass. 1re civ., 22 mars 2012, n° 09-72.792 : *RDC* 2012/3, p. 795 et s., obs. O. Deshayes ; *RDC* 2014/4, p. 1337 et s., obs. E. Savaux.

(291) Cass. com., 5 juin 2007, n°04-20.380. – Sur cette notion, M.-C. Aubry, *Retour sur la caducité en matière contractuelle* : *RTD civ.* 2012, 625.

(292) Cass. com., 15 févr. 2000 : *Bull.* civ. , IV, n° 29. – 24 avr. 2007 : *RDC* 2008, 276, obs. D. Mazeaud. – Cass. 3e civ., 6 déc. 2011 : *RDC* 2012/2, p. 518 et s., obs. J.-B. Seube. – *Contra* : Cass. 1re civ., 28 oct. 2010 : *D.* 2011, 566, note D. Mazeaud.

(293) La solution a été fondée sur la notion de cause, sur la technique de la condition, sur l'indivisibilité des obligations (art. 1218), sur le principe qui veut que l'accessoire suit le principal, etc. Il est plus simple de se fonder sur l'article 1134 du Code civil, comme le fait la chambre mixte réunie en 2013… même si ce fondement peut sembler paradoxal invoqué par des décisions écartant une clause de divisibilité…

(294) L'interdépendance est-elle objective ou subjective ? La connaissance de l 'intention du contractant suffit-elle ? Est-il nécessaire que le co-contractant ait accepté l'interdépendance ? Comment prouver ces éléments ?

(295) La caducité opère-t-elle rétroactivement ou pour le futur ?

(296) La jurisprudence qui écarte les clauses de divisibilité a été très critiquée comme étant porteuse d'insécurité juridique et comme manifestant un grand mépris pour la répartition contractuelle des risques voulue par les parties. Mais est-il sur que le contractant en cause était conscient des conséquences de ladite clause ?

(297) Cass. 1re civ., 4 avr. 2006, n° 02-1827. – Cass. com., 18 déc. 2007 : *JCP* 2008, I, 136, obs. M. Mekki. – 15 janv. 2008, n° 06-15609, n° 05-19458, n° 06-18842, n° 06-18826. – 12 juill. 2011 : *RDC* 2012/2, p. 531 et s., obs. C. Grimaldi. – La qualification dépend de multiples éléments : unité d'*instrumentum*, unité d'interlocuteur, unité de date et lieu de conclusion des contrats, même durée, redevance unique, etc.

location financière sont interdépendants » ; « sont réputées non écrites les clauses des contrats inconciliables avec cette interdépendance »[(298)]. Cela ne résout en rien la question générale, qui continue de relever de la volonté des parties [(299)].

494. – **Interdépendance contractuelle dans l'avant-projet de réforme.** Le Projet Catala tenait compte de l'existence de groupes de contrat à plusieurs égards. En effet, s'il n'employait pas cette expression, il évoquait à plusieurs reprises l'hypothèse du contrat appartenant à un « ensemble contractuel » formant un tout « indivisible » pour en tirer des conséquences quant au régime du contrat. C'est ainsi que le transfert d'un tel contrat pouvait, par exception, avoir lieu sans le consentement du cocontractant cédé (art. 1165-5, al. 2) et que l'interprétation de ce contrat devait être faite au regard de l'opération d'ensemble dans laquelle il s'inscrit (art. 1137, al. 2). Il régissait en outre dans ses articles 1172 à 1172-3 « l'effet des contrats interdépendants »[(300)]. Il rappelait, en vertu de l'effet relatif, que les clauses d'un des contrats ne s'appliquent aux autres conventions que si elles y ont été reproduites ou ont été acceptées. Mais il était également prévu que certaines clauses[(301)] figurant dans un des contrats produisaient des effets dans les autres conventions, à condition toutefois que leurs parties en aient eu connaissance lors de leur engagement et qu'elles n'aient pas formé de réserves. Ainsi sauf à voir dans de tels faits une acceptation tacite desdites clauses, cette disposition traduisait une certaine extension de la force obligatoire du contrat, ou autrement dit un affaiblissement de son effet relatif[(302)]. Enfin, le Projet Catala réglait la question de la nature de la responsabilité au sein des groupes de contrat. L'article 1342 reconnaissait d'une façon générale à un tiers au contrat la possibilité de se prévaloir de son inexécution si celle-ci lui causait un dommage et ceci, à son choix, sur le fondement de la responsabilité contractuelle ou extracontractuelle. Suivant l'option retenue par la victime, la réparation était soumise aux règles de la réparation contractuelle ou délictuelle (V. *infra*, n°s 466 et 581)[(303)].

(298) Ch. mixte, 17 mai 2013, n° 11-22.768 et 11-22.927 : *RDC* 2013/3, p. 849 et s. ; *D.* 2013, p. 1273, obs. X. Delpech, p. 1658, note D. Mazeaud ; *JCP* 2013, 673, note F. Buy, p. 674, note J.-B. Seube ; *RDC* 2013/4, p. 1331 et s., obs. Y.-M. Laithier ; *Contrats, conc. consom.* 2013, comm. 176, L. Leveneur ; *D.* 2014, 630, obs. S. Amrani-Mekki et M. Mekki ; *RTD civ.* 2013, 597, obs. H. Barbier ; *LPA* 28 août 2013, n° 172, p. 9, obs. J. Attard. – 25 oct. 2013, n° 214, p. 7, obs. S. Chassagnard-Pinet. – 14 nov. 2013, n° 228, p. 7, obs. A. Sotiropoulou. – Cass. com., 24 sept. 2013 : *RDC* 2014/1, p. 64 et s., obs. J.-B. Seube. – *L'interdépendance contractuelle en droit comparé* : *RDC* 2013/3, p. 1079 et s. – D. Mazeaud, *L'important, c'est la clause, l'important...* : *D.* 2013, 1658. – X. Lagarde, *Economie, indivisibilité et interdépendance des contrats* : *JCP* 2013, I, 1255. – E. Gicquiaud, *L'interdépendance contractuelle dans les opérations de financement locatif* : *RDBF* 2014, étude 4.

(299) Cass. 1re civ., 16 janv. 2013 : *RDBF* 2013, comm. 61, obs. J. Djoudi : « Le fait que l'assurance-vie ait été remise en garantie du remboursement des prêts ne démontre pas une intention commune de constituer un ensemble contractuel indivisible ». – Cass. 1re civ., 4 avr. 2013 : *RTD civ.* 2013, 600, obs. H. Barbier. – Cass. com., 5 nov. 2013 : *RDBF* 2014, comm. 15, comm. J. Djoudi, jugeant qu'« en l'absence d'intention commune des parties de constituer un ensemble contractuel indivisible, le contrat de prêt et le contrat d'assurance-vie évoluent de façon autonome ». – Montpellier, 16 avr. 2013 : *Comm. com. électr.* 2013, comm. 76, obs. G. Loiseau.

(300) D. Arteil, *L'effet des conventions à l'égard des tiers dans l'avant-projet de réforme du droit des obligations* : *LPA* 15 nov. 2006, n° 228, p. 11, spéc. n°s 26 et s.

(301) L'article 1172-2 précise quelles sont les clauses concernées : « Il en est ainsi des clauses limitatives ou exclusives de responsabilité, clauses compromissoires et clauses d'attribution de compétence ». S'il n'est pas précisé le caractère limitatif ou énonciatif de l'énumération, l'exposé des motifs de ce texte invite à y voir une liste limitative.

(302) L. Aynès, *Les effets du contrat à l'égard des tiers (art. 1165 à 1172-3 de l'avant-projet de réforme)* : *RDC* 2006, p. 63, spéc. p. 66.

(303) C. Hécart, *L'article 1342 de l'avant-projet Catala : quelle cohérence ?* : *D.* 2006 p. 2268. – G. Viney, *Exposé des motifs*, in *Avant-projet de réforme du droit des obligations et de la prescription* : La Documentation française, 2006, p. 161. – P. Ancel, *La responsabilité contractuelle et ses relations avec la responsabilité extra-contractuelle : présentation des solutions de l'avant-projet*, in *L'avant-projet de réforme du droit de la responsabilité, Actes du colloque du 12 mai 2006* : *RDC* 2007, p. 19. – J. Huet, *Observations sur la distinction entre les responsabilités contractuelle et délictuelle dans l'avant-projet de réforme du droit des obligations*, in *L'avant-projet de réforme du droit de la responsabilité – Actes du colloque*

Sans les nommer non plus, l'avant-projet de réforme traite de la question des contrats interdépendants en s'inspirant du Projet Terré (art. 89, al. 3, art. 137, al. 2).

Il précise d'abord que « lorsque, dans l'intention des parties, plusieurs contrats concourent à une même opération, ils s'interprètent en fonction de celle-ci » (art. 99, al. 2, V. *supra*, n° 428).

Il traite surtout de la question du sort des contrats faisant partie d'une opération d'ensemble lorsque l'un des contrats est anéanti. Deux textes envisagent cette question, les articles 94 et 95. Du premier texte résulte que « lorsque des contrats sont conclus en vue d'une opération d'ensemble », et que « la disparition de l'un d'eux rend impossible ou sans intérêt l'exécution d'un autre », cet autre contrat sera caduc, à supposer « toutefois », que le contractant contre lequel elle est invoquée ait connu l'existence de l'opération d'ensemble lorsqu'il a consenti. L'avant-projet de réforme tente ainsi de concilier la protection de la partie qui contracte « en vue d'une opération d'ensemble » (l'existence de cet ensemble contractuel dans l'intention du contractant se traduit par le lien existentiel unissant les contrats) et celle de l'autre partie, qui ne sera affectée par la caducité que si elle connaissait l'existence de cette « vue » poursuivie par son co-contractant(304), et encore seulement si la disparition de l'un des contrats rend « impossible ou sans intérêt l'exécution » de l'autre(305). Le second texte dit de la caducité qu'elle met fin au contrat, sans préciser si elle opère ou non rétroactivement, ce qui dépendra des cas(306), d'où résulte qu'il conviendra le cas échéant, de procéder à des restitutions, l'avant-projet de réforme renvoyant sur ce point à nouveau au chapitre V du titre IV qu'il crée (Les restitutions ; V. *infra*, n° 808).

Il ne dit rien, en revanche, ni de l'effet des clauses stipulées dans un contrat à l'égard des autres contractants, ni des questions de responsabilité, ce qui conduit *a priori* à réserver la responsabilité contractuelle aux seules parties contractantes (sur la responsabilité contractuelle dans les groupes de contrats, V. *supra*, n° 479).

Article 94. – Le contrat valablement formé devient caduc si l'un de ses éléments constitutifs disparaît. Il en va de même lorsque vient à faire défaut un élément extérieur au contrat mais nécessaire à son efficacité.

Il en va encore ainsi lorsque des contrats ont été conclus en vue d'une opération d'ensemble et que la disparition de l'un d'eux rend impossible ou sans intérêt l'exécution d'un autre. La caducité de ce dernier ne peut, toutefois, avoir lieu que si le contractant contre lequel elle est invoquée connaissait l'existence de l'opération d'ensemble lorsqu'il a donné son consentement.

Article 95. – La caducité met fin au contrat entre les parties.

Elle peut donner lieu à restitution dans les conditions prévues au chapitre V du titre IV.

---

du 12 mai 2006 : *RDC* 2007, p. 31. – E. Savaux, *Brèves observations sur la responsabilité contractuelle dans l'avant-projet de réforme du droit de la responsabilité*, in *L'avant-projet de réforme du droit de la responsabilité – Actes du colloque du 12 mai 2006* : *RDC* 2007, p. 45. – M. Faure-Abbad, *La présentation de l'inexécution contractuelle dans l'avant-projet Catala* : *D.* 2007, p. 165.

(304) Il n'est donc pas nécessaire qu'elle l'ait acceptée. Les clauses contraires sont-elles possibles ? La liberté contractuelle porte à répondre par l'affirmative. Mais la jurisprudence actuelle, qui répute non écrites les clauses de divisibilité, en les jugeant contraires à l'économie de l'opération, rend la solution incertaine.

(305) L'impossibilité renvoie *a priori* à une appréciation de type objectif. Il en va différemment de la référence à une exécution « sans intérêt », qui peut être entendue objectivement (*in abstracto* pour ce contrat) mais aussi subjectivement (*in concreto*, eu égard à l'opération d'ensemble voulue par le contractant).

(306) L'exécution des divers contrats avant que l'un d'eux ne disparaisse aura pu être satisfactoire, auquel cas la caducité ne devrait jouer que pour l'avenir.

SECTION 3

LES DIFFICULTÉS D'EXÉCUTION DU CONTRAT

495. – **Le juge et la pathologie du contrat.** Une fois le contrat conclu, il développe sa force obligatoire entre les parties et s'impose aux tiers suivant les modalités précisées plus haut. Dans l'immense majorité des cas, tout se déroule sans incident notable et les rapports civils ou commerciaux établis par le contrat restent sur un plan juridique. C'est au plan judiciaire ou arbitral qu'apparaît la pathologie du contrat car, nul ne pouvant se faire justice à soi-même, tout différend non résolu à l'amiable relève de la compétence du juge.

Toutes les difficultés en la matière tiennent au fait que l'une ou l'autre des parties (mais pas les deux, sinon elles décideraient d'un commun accord une résiliation amiable, *supra*, n° 449) ne peut pas ou ne veut pas exécuter le contrat tel qu'il a été conclu. Alors, à moins qu'on ne se trouve dans une hypothèse où la résiliation unilatérale est possible (en vertu d'une clause du contrat, clause de dédit par exemple ; ou en raison de la nature du contrat : mandat, contrat à durée indéterminée, etc. V. *supra*, n° 451)(307), il faudra s'adresser au juge ou à l'arbitre(308).

496. – **Révision du contrat. Remèdes à l'inexécution du contrat. Prévention de l'inexécution du contrat.** Les problèmes suscités par l'exécution d'un contrat sont multiples, mais ils se ramènent le plus souvent à deux grandes hypothèses. Sur l'interprétation, V. *supra*, n° 423.

Ou bien, sans contester l'existence ni le contenu du contrat, on demandera au juge la *révision* de certains de ses aspects, soit le prix, soit le délai fixé pour l'exécuter. C'est déjà revenir sur la parole donnée et mettre en cause la force obligatoire du contrat (V. *supra*, n°s 419 et s.).

Ou bien, l'on cherchera à remédier à l'inexécution. La *résolution* du contrat est traditionnellement la sanction naturelle de l'inexécution des obligations, du moins pour les contrats synallagmatiques. Mais le créancier peut aussi invoquer l'*exception d'inexécution* (V. *infra*, n°s 519 et s.), recourir à l'*exécution forcée* (V. *infra*, n°s 881 et s.), ou encore engager la *responsabilité contractuelle* (V. *infra*, n° 560).

Il faudra également exposer sommairement les moyens par lesquels les parties essaient de se prémunir contre le risque d'inexécution.

§ 1. – La révision des contrats

497. – **Échec à la force obligatoire des contrats.** On sait que « les conventions légalement formées tiennent lieu de loi à ceux qui les ont faites » (C. civ., art. 1134). En vertu de ce principe de la force obligatoire des contrats, les parties ne peuvent

(307) Plus généralement, sur les sanctions unilatéralement décidées, V. M. Jaouen, *Les sanctions prononcées par les parties au contrat, Étude sur la justice privée dans les rapports contractuels de droit privé* : Economica, vol. 29, 2013 préf. D. Mazeaud.

(308) S. Le Gac-Pech, *Vers un droit des remèdes* : LPA 4 déc. 2007, p. 7.

modifier leurs engagements, ou les supprimer, que de leur consentement mutuel (V. *supra*, n° 419).

Mais, ce que l'une des parties ne peut faire unilatéralement, pourrait-elle le demander au juge ? En bref, le principe de la force obligatoire qui s'impose aux parties s'impose-t-il de manière identique au juge et au législateur ?

La réponse est principe affirmative. C'est ainsi, par exemple, que le juge ne peut en principe réviser le contrat, quelqu'inéquitables que soient ses effets. C'est ainsi, également, que la loi nouvelle épargne en principe les effets des contrats conclus antérieurement à son entrée en vigueur, que ces effets se soient déjà produits (309) ou qu'ils soient à venir. Mais ce principe est parfois écarté, le droit donnant alors au législateur, ou au juge à la demande de l'une des parties, le pouvoir de modifier un élément du contrat(310). En pratique, il faut distinguer deux cas : la révision du prix, ou la révision du terme fixé pour l'exécution.

Le phénomène de fondamentalisation n'épargnant pas la matière contractuelle, le droit des contrats doit, ici aussi, se plier aux exigences posées par le Conseil constitutionnel(311) ou la Cour européenne des droits de l'homme(312).

A. – La révision du prix

498. – Les hypothèses de révision. En principe, la révision du prix suppose un déséquilibre entre ce prix et la prestation correspondante fournie par l'autre partie. Lié par le prix stipulé, le débiteur doit en principe s'exécuter. La rigueur de cette règle diffère suivant que le déséquilibre était initial ou qu'il est survenu en cours de contrat.

À cette hypothèse classique de déséquilibre entre les prestations réciproques, il faut désormais ajouter un autre cas de révision dans la mesure où la loi a ouvert au juge la faculté de moduler ou réduire les engagements du débiteur en cas de surendettement.

499. – Révision du prix déterminé unilatéralement dans l'avant-projet de réforme. De ces trois hypothèses, on rapprochera celles prévues par l'avant-projet de réforme s'agissant de la détermination unilatérale du prix ou des difficultés affectant le prix déterminable.

S'inspirant de la jurisprudence actuelle et dans la droite ligne du projet Catala(313), l'avant-projet de réforme admet en effet que le prix soit déterminé unilatéralement par une partie, dans le cas de contrat-cadre ou de contrat de prestation de service.

(309) La sécurité juridique peut même justifier la prévalence du principe de non rétroactivité sur la protection des droits fondamentaux : CEDH, 21 juill. 2011, Fabris c/ France : *RDC* 2012/1, p. 32 et s., obs. J. Rochfeld.

(310) F. Brunet, *Le pouvoir modificateur du juge* : thèse Paris, 1973. – D. Mazeaud, *Le juge et le contrat. Variations optimistes sur un coupe « illégitime »*, in *Mél. J.-L. Aubert* : Dalloz, 2005, p. 235. – D. Mazeaud, *La révision du contrat : LPA* 30 juin 2005, p. 4 ; et in *Trav. Assoc. Capitant, Le contrat, Journées brésiliennes* : t. LV, 2005, p. 553. – Ph. Stoffel-Munck, *Les répliques contractuelles* : *RDC* 2010, 430.

(311) Les articles 4 et 16 de la DDHC interdisent au législateur de porter « aux contrats légalement conclus une atteinte qui ne soit pas justifiée par un motif d'intérêt général » : V. ainsi Cons. const., 19 nov. 2009, n°2009-592 : *JO* 25 nov. 2009, p. 20223.

(312) Sur l'impact potentiel du droit au respect de biens pour interdire une atteinte à la force obligatoire du contrat, V. CEDH, 18 nov. 2010 : *RDC* 2013/1, p. 23 et s., obs. J. Rochfeld. – Sur la possibilité de justifier le refus d'une protection rétroactive des droits fondamentaux par l'exigence de sécurité juridique, V. CEDH, 21 juill. 2011, préc. – Sur la condamnation d'un État permettant aux locataires de prolonger leur bail au même prix et sans limitation de durée, pour atteinte au droit de propriété du preneur, V. CEDH, 12 juin 2012 : *RDC* 2013/1, p. 31 et s., obs. J. Rochfeld.

(313) Pour le système retenu par le DCFR, V. Ph. Rémy, *Le juge et le contrat dans le projet européen de Cadre commun de référence, Mél. J. Beauchard* : LGDJ, 2013, p. 277 et s.

Mais pour préserver l'autre partie, il consacre de nouvelles règles pour prévenir ou remédier à une détermination abusive du prix. Il impose d'abord au titulaire de ce pouvoir de détermination unilatérale de justifier du montant du prix fixé en cas de contestation(314). Il renforce ensuite les sanctions : comme aujourd'hui, il permet à la victime d'une détermination abusive de prix de demander des dommages et intérêts ou la résolution du contrat ; mais il l'autorise aussi à saisir le juge afin que celui-ci révise le prix en fonction, notamment, des usages, des prix du marché et des attentes légitimes des parties. L'inspiration européenne est ici très forte et la solution bien plus audacieuse que celle du projet Catala, qui ne conférait aucun pouvoir de ce type au juge.

Non sans rapport, l'avant-projet de réforme envisage également l'hypothèse d'un prix déterminable par référence à un indice qui ferait défaut ou cesserait d'être accessible. Généralisant la solution jurisprudentielle retenue en matière de clause d'indexation (V. *infra*, n° 540), l'avant-projet prévoit en effet le remplacement de l'indice prévu au contrat par celui qui s'en rapproche le plus.

Art. 71. – Dans les contrats-cadre et les contrats à exécution successive, il peut être convenu que le prix de la prestation sera fixé unilatéralement par l'une des parties, à charge pour elle d'en justifier le montant en cas de contestation.

En cas d'abus dans la fixation du prix, le juge peut être saisi d'une demande tendant à voir réviser le prix en considération notamment des usages, des prix du marché ou des attentes légitimes des parties, ou à obtenir des dommages et intérêts et le cas échéant la résolution du contrat. ».

Art. 72. – Dans les contrats de prestation de service, à défaut d'accord des parties avant leur exécution, le prix peut être fixé par le créancier à charge pour lui d'en justifier le montant. A défaut d'accord, le débiteur peut saisir le juge afin qu'il fixe le prix en considération notamment des usages, des prix du marché ou des attentes légitimes des parties.

Art. 73. – Lorsque le prix ou tout autre élément du contrat doit être déterminé par référence à un indice qui n'existe pas ou a cessé d'exister ou d'être accessible, celui-ci est remplacé par l'indice qui s'en rapproche le plus.

1° Révision en cas de déséquilibre initial

500. – **Rappel et renvoi.** La justice contractuelle n'est pas une condition de validité des contrats si bien qu'un déséquilibre entre les prestations réciproques n'entraîne pas *ipso facto* la nullité de la convention. Même en matière de protection des consommateurs, « l'[in]adéquation du prix ou de la rémunération au bien vendu ou au service offert » n'est pas considérée comme abusive dès lors que la clause est rédigée de façon claire et compréhensive (C. consom., art. L. 132-1, al. 7). Néanmoins, une évolution s'est produite qui a accru la protection des faibles contre les forts et supprimé des occasions de lésion (V. *supra*, nos 307 et s.). Divers moyens sont offerts à ceux qui souffriraient d'un contrat déséquilibré dès l'origine.

Ainsi l'*action en rescision pour lésion* est accordée contre toute convention lésionnaire aux mineurs non émancipés, et aux majeurs placés sous sauvegarde de justice ou en curatelle, voire en tutelle. Elle est également ouverte dans certains types de conventions : au profit du vendeur dans la vente d'immeuble, en matière de partage, etc. (V. *supra*, nos 314 et s., pour l'énumération des cas).

(314) Même solution dans le projet Catala.

En principe, la lésion est sanctionnée par la nullité de l'acte, mais le plus souvent l'exercice, par le bénéficiaire de la lésion, d'une faculté de rachat conduit au maintien du contrat moyennant une révision du prix. La réduction du prix est d'ailleurs la formule que choisit le législateur pour sanctionner les cas de lésion nouvellement créés.

Bien que la liste de ces cas soit limitative, la jurisprudence procède parfois à des réductions de prix sur le fondement juridique de l'*absence de cause* prise au sens de *contrepartie* (V. *supra*, n°s 316 et 321 et s.) : tel est le cas lorsque certains professionnels, mandataires, avocats, agents d'affaires, réclament des honoraires excessifs. L'article 1134 est parfois invoqué pour justifier la révision des honoraires excessifs des mandataires, autres agents d'affaires, généalogistes[(315)], etc.

Enfin, de ces hypothèses on peut rapprocher l'*action estimatoire* qui permet à un acheteur de demander une réduction de prix[(316)] lorsque la marchandise livrée est affectée de vices cachés qui en diminuent l'intérêt et l'usage (C. civ., art. 1641), et l'action du consommateur fondée sur la garantie légale de conformité (C. consom., art. L. 211-10)[(317)].

501. – Le projet de réforme. L'avant-projet de réforme du droit des obligations renforce l'exigence d'équilibre contractuel (V. *supra*, n° 352). Certes, il reprend plusieurs solutions positives, qu'il se borne le cas échéant à expliciter : rejet de la lésion, sauf disposition contraire (art. 78)[(318)] ; nullité du contrat pour contrepartie illusoire ou dérisoire (art. 75)[(319)] ; sanction des clauses qui privent de sa substance l'obligation essentielle du débiteur (art. 76)[(320)]. Mais il va au-delà des solutions actuelles en donnant au juge le pouvoir de supprimer les clauses qui créent un déséquilibre significatif entre les droits et obligations des parties (art. 77).

Art. 77. – Une clause qui crée un déséquilibre significatif entre les droits et obligations des parties au contrat peut être supprimée par le juge à la demande du contractant au détriment duquel elle est stipulée.

L'appréciation du déséquilibre significatif ne porte ni sur la définition de l'objet du contrat ni sur l'adéquation du prix à la prestation.

2° Révision en cas de déséquilibre ultérieur

502. – L'imprévision. Cette hypothèse correspond à une situation assez différente de la précédente.

Lorsqu'il y a dès l'origine déséquilibre entre les prestations d'un contrat, cela s'explique le plus souvent par l'inexpérience de l'une des parties ou par une contrainte résultant d'un rapport de forces défavorable. On peut presque dire qu'il s'agit d'un

(315) Cass. 1re civ., 5 mai 1998 : *Bull. civ.* 1998, I, n° 168. – 23 mars 2011, n°10-11.586. – 23 nov. 2011 : *RDC* 2012/2, p. 396 et s., obs. Y.-M. Laithier ; *D.* 2012, 589, note M. Séjean.

(316) Comp. les actions permettant à l'acheteur de se prémunir d'un défaut de contenance : O. Barret, *Les recours offerts à l'acquéreur contre le vendeur en cas de superficie insuffisante de l'immeuble vendu* : *RTD civ.* 2012, 207.

(317) Comp. Cass. 3e civ., 6 juin 2012 : *RDC* 2012/4, p. 1180 et s., obs. Th. Genicon, autorisant l'acquéreur à invoquer le dol pour obtenir une réduction de prix. – *Contra* Cass. soc., 16 mai 2012 : *RDC* 2013/1, p. 74 et s., obs. Th. Genicon, refusant au juge le pouvoir d'augmenter la contrepartie de la clause de non-concurrence.

(318) Art. 78. – Dans les contrats synallagmatiques, le défaut d'équivalence des obligations n'est pas une cause de nullité du contrat, à moins que la loi n'en dispose autrement ».

(319) Art. 75. – Un contrat à titre onéreux est nul lorsque, lors de sa formation, la contrepartie convenue au profit de celui qui s'engage est illusoire ou dérisoire.

(320) Art. 76. – Toute clause qui prive de sa substance l'obligation essentielle du débiteur est réputée non écrite.

vice du consentement qui serait défini par son effet, la lésion, alors que les autres le sont par leur cause, l'erreur, le dol, la violence.

Au contraire, un déséquilibre survenant par la suite s'explique par un défaut de prévision[321]. Souvent, il s'agit d'un contrat de longue durée comportant des prestations réciproques, les unes en nature, les autres en argent, et le créancier des sommes d'argent n'a pas songé à se prémunir contre les effets de l'érosion monétaire. Ou encore un fabricant de produits finis, qui aura promis de livrer une quantité importante à un prix déterminé, va se trouver affecté par une hausse brutale des matières premières ou des taux de change si bien qu'au lieu de réaliser un bénéfice, il va devoir vendre à perte ; or, l'expérience démontre qu'il est malaisé de prévoir l'évolution des prix des matières premières, qu'il s'agisse de produits pétroliers, de l'acier ou de métaux rares, et tout autant des taux de change[322]. D'où le terme d'*imprévision* dont on qualifie les déséquilibres postérieurs à la conclusion du contrat[323].

En pratique, les hypothèses d'imprévision tenant aux variations de valeur de la monnaie ne se rencontrent plus guère de nos jours car l'érosion monétaire et la variation des taux de change ne sont plus des phénomènes imprévisibles contre lesquels on ne puisse se protéger.

Notamment, dans tout contrat de quelque importance comportant des prestations échelonnées dans le temps, les parties introduisent une clause d'indexation calquée sur la valeur de la prestation qui permet d'échapper aux conséquences néfastes de l'érosion monétaire (V. *supra*, n°s 537 et s., sur les clauses monétaires et leurs conditions de validité). Cette précaution est indispensable compte tenu de la position de la jurisprudence en cas d'imprévision.

Mais, outre l'érosion monétaire, de nombreux événements imprévus peuvent affecter l'équilibre du contrat, tel qu'il avait été voulu initialement par les parties, spécialement lorsque le contrat s'exécute sur une longue durée[324].

On note à cet égard une différence fondamentale entre la jurisprudence des juridictions de l'ordre judiciaire et la jurisprudence administrative. Toutefois cette différence semble aller s'estompant[325] ; tel est en tout cas le souhait tant de la doctrine[326] qui s'inspire des projets européens (V. *infra*, n° 505) que des praticiens,

(321) H. Lécuyer, *Le contrat, acte de prévision*, in *Mél. Terré, préc.*, p. 643.

(322) Cl. Ménard, *Imprévision et contrats de longue durée : un économiste à l'écoute du juriste*, in *Mél. Ghestin*, 2001, p. 661.

(323) P. Voirin, *De l'imprévision dans les rapports de droit privé* : thèse Nancy, 1922. – E. de Gaudin de Lagrange, *La crise du contrat et le rôle du juge* : thèse Montpellier, 1935. – Delmas Saint-Hilaire, *L'adaptation du contrat aux circonstances économiques*, in *La tendance à la stabilité du rapport contractuel*, 1960. – El Gamal, *L'adaptation du contrat aux circonstances économiques*, 1967 ; *Force majeure et imprévision* : éd. CCI, 1985. – D.-M. Philippe, *Changement de circonstances et bouleversement de l'économie contractuelle* : Bruxelles, 1986. – J.-M. Mousseron, *La gestion des risques par le contrat* : *RTD civ.* 1988, 481. – Ph. Stoffel-Munck, *Regards sur la théorie de l'imprévision. Vers une souplesse contractuelle en droit privé français contemporain*, préf. R. Bout : PU Aix-Marseille, 1994. – L. Grynbaum, *Le contrat contingent. L'adaptation du contrat par le juge sur habilitation du législateur* : LGDJ, 2004, préf. M. Gobeert. – L. Fin-Langer, *L'équilibre contractuel* : LGDJ, 2002. – L. Thibierge, *Le contrat face à l'imprévu* : Économica, 2011, préf. L. Aynès.

(324) Cl. Witz, *Force obligatoire et durée du contrat*, in *Les concepts contractuels français à l'heure des principes du droit européen des contrats* : Dalloz, 2003, p. 175.

(325) J. Antoine, *La mutabilité contractuelle née de faits nouveaux extérieurs aux parties. Analyse comparée entre droit des contrats administratifs et droit privé des obligations* : *RFDA* 2004, 80.

(326) B. Fages, *Quelques évolutions du droit français des contrats à la lumière des Principes de la Commission Lando* : *D.* 2003, 2386. – B. Fauvarque-Cosson, *Le changement de circonstances* : *RDC* 2004, 67.

notamment en matière de marchés de travaux[327]. Des auteurs ont également proposé une approche économique de l'imprévision[328].

503. – L'imprévision devant le juge judiciaire. L'imprévision n'étant envisagée par aucun texte, les tribunaux judiciaires ont appliqué purement et simplement le principe de la force obligatoire des conventions (V. *supra*, nos 419 et s.). Chacun doit exécuter la prestation promise, sans qu'il y ait lieu de s'attacher à cette circonstance que cela risque de conduire l'une des parties à la ruine ; on n'est pas dispensé d'exécuter par cela seul que l'exécution est devenue plus difficile par suite de circonstances imprévues[329]. Telle est la position retenue par la Cour de cassation dès 1876 dans le célèbre arrêt *Canal de Craponne*, position qui n'a jamais varié depuis.

> Mais, sur le premier moyen du pourvoi :
>
> – Vu l'article 1134 du Code civil ;
>
> – Attendu que la disposition de cet article n'étant que la reproduction des anciens principes constamment suivis en matière d'obligations conventionnelles, la circonstance que les contrats dont l'exécution donne lieu au litige sont antérieurs à la promulgation du Code civil ne saurait être, dans l'espèce, un obstacle à l'application dudit article ;
>
> – Attendu que la règle qu'il consacre est générale, absolue, et régit les contrats dont l'exécution s'étend à des époques successives de même qu'à ceux de toute autre nature ; Que, dans aucun cas, il n'appartient aux tribunaux, quelque équitable que puisse leur paraître leur décision, de prendre en considération le temps et les circonstances pour modifier les conventions des parties et substituer des clauses nouvelles à celles qui ont été librement acceptées par les contractants ;
>
> – Qu'en décidant le contraire et en élevant à 30 centimes de 1834 à 1874, puis à 60 centimes à partir de 1874, la redevance d'arrosage, fixée à 3 sols par les conventions de 1560 et 1567, sous prétexte que cette redevance n'était plus en rapport avec les frais d'entretien du canal de Craponne, l'arrêt attaqué a formellement violé l'article 1134 ci-dessus visé ;
>
> – Par ces motifs, casse, dans la disposition relative à l'augmentation du prix de la redevance d'arrosage, l'arrêt rendu entre les parties par la cour d'appel d'Aix le 31 décembre 1873.
>
> Cass. civ., 6 mars 1876 : *D.* 1876, 1, 193 ; *S.* 1876, 1, 161.

Cette jurisprudence, constante malgré les dévaluations successives de jadis, n'est pas à l'abri de toute critique sur le plan juridique et ne donne que d'amères satisfactions sur le plan de l'équité[330]. Toutefois, cette attitude des tribunaux peut se justifier d'un point de vue économique : dans la mesure où les variations monétaires sont des mécanismes d'une politique économique, le juge risquerait de les perturber si, de sa propre autorité, il posait un principe général de révision des contrats.

L'amorce d'une évolution s'est produite en 1992 avec l'arrêt *Huard*. Dans cette espèce où l'exploitant d'une station-service ne pouvait plus être compétitif du fait des prix du carburant pratiqués par son fournisseur exclusif dans le cadre d'un contrat de longue durée, la Cour de cassation a considéré que l'obligation de bonne foi devait conduire les parties à adapter le contrat aux

(327) S. Abbatucci, B. Sablier et V. Sablier, *Crise de l'acier : le retour de l'imprévision dans les marchés de travaux* : *AJDA* 2004, 2192.

(328) B. Deffains et S. Ferey, *Pour une théorie économique de l'imprévision en droit des contrats* : *RTD civ.* 2010, 719.

(329) Cass. civ., 6 mars 1876 : *D.* 1876, I, 193 ; *S.* 1876, 1, 161. – Cass. civ., 6 juin 1921 : *D.* 1921, 1, 73 et rapp. Colin ; *S.* 1921, 1, 193 et note Hugueney. – Cass. civ., 30 mai 1922 : *D.* 1922, 1, 69 ; *S.* 1922, 1, 289 et note Hugueney. – Cass. civ., 15 nov. 1933 : *Gaz. Pal.* 1934, 1, 58. – Cass. civ., 18 janv. 1950 : *D.* 1950, 1, 227. – Cass. com., 18 déc. 1979 : *JCP* 1980, IV, 89.

(330) Ch. Jamin, *Révision et intangibilité du contrat, ou la double philosophie de l'article 1134 du Code civil*, in *Que reste-t-il de l'intangibilité du contrat ?* : *Dr. et patrimoine* 1998, p. 50.

circonstances économiques nouvelles[(331)]. Mais, en dépit d'un autre arrêt allant dans le même sens[(332)], cette jurisprudence de la chambre commerciale est, à ce jour, restée isolée[(333)].

En revanche, dans une hypothèse où les circonstances économiques, et notamment l'augmentation du coût des matières premières et des matériaux avait déséquilibré l'économie générale d'un contrat, la chambre commerciale a admis, au visa de l'article 1131 du Code civil, que le contrat puisse être annulé, ce au motif que l'engagement du débiteur se trouvait privé de « toute contrepartie réelle »[(334)]. C'est donc sur le terrain de l'absence de cause, par un arrêt non publié au Bulletin mais qui a connu un important retentissement, que la cour s'est prononcée dans le sens de la nullité pour défaut de cause, sans remettre véritablement en question la jurisprudence classique écartant la révision du prix pour imprévision.

Cela dit, en dépit de son aspect quelque peu obsolète, la jurisprudence classique ne suscite plus désormais de gêne véritable du moins en ce qui concerne les variations monétaires. Toutefois, la difficulté subsiste dans certains contrats, notamment dans les marchés de construction à forfait lorsque surviennent des « sujétions imprévues » tenant par exemple à la nature inattendue du sol[(335)].

Les parties peuvent, il est vrai, se prémunir dans une certaine mesure contre ces événements imprévus en insérant soit une clause d'indexation pour se prémunir contre les variations monétaires (V. *supra*, n°s 537 et s.), soit plus généralement une clause dite de *hardship*, c'est-à-dire de renégociation en cas d'imprévision[(336)]. Mais,

(331) Cass. com., 3 nov. 1992 : *Bull. civ.* 1992, IV, n° 338 ; *JCP* G 1993, II, 22164, note G. Virassamy ; *RTD civ.* 1993, p. 124, obs. J. Mestre ; *Contrats, conc. consom.* 1993, comm. 45, obs. L. Leveneur.

(332) Cass. com., 24 nov. 1998 : *Defrénois* 1999, p. 371, obs. D. Mazeaud. – V. aussi CA Nancy, 26 sept. 2007 (qui invite les parties à renégocier le contrat au nom de la lutte contre les gaz à effet de serre) : *D.* 2008, 1120 et note M. Boutonnet ; *JCP* 2008, II, 10091 et note M. Lamoureux. – O. Cachard, *L'ombre de la révision judiciaire du contrat : Rev. Lamy dr. civ.* mai 2008, p. 6.

(333) V. cependant Cass. com., 26 oct. 1999 qui a été interprété par certains commentateurs comme posant une obligation de renégocier les contrats en cours déséquilibrés par une modification imprévue des circonstances économiques : *D.* 2000, 224 et note L. Aynès ; *JCP* 2000, II, 10320 et note J. Casey. – Ch. Larroumet, *L'acquéreur de l'immeuble et la caution du locataire : D.* 2000, chron. 155. – Mais en sens inverse : S. Piedelièvre : *Defrénois* 2000, art. 37151, p. 480. – J. Ghestin, Ch. Jamin et M. Billiau, *Les effets du contrat* : 3e éd., n° 1078. – V. aussi Cass. 1re civ., 16 mars 2004, qui a été interprété à tort comme posant le principe d'une obligation de renégocier : *D.* 2004, 1754 et note D. Mazeaud ; *RTD civ.* 2004, 290, obs. J. Mestre et B. Fages ; *JCP* 2004, I, 173, n°s 22-29, obs. J. Ghestin. – D. Houtcieff, *L'obligation de renégocier en cas de modifications imprévues des circonstances. Quand la première chambre civile manie l'art de la litote* (Cass. 1re civ., 16 mars 2004) : *Rev. Lamy dr. civ. juin* 2004, p. 5. – J. Ghestin, *L'interprétation d'un arrêt de la Cour de cassation : D.* 2004, chron. 2239.

(334) Cass. com., 29 juin 2010 : *JCP* 2010, 1056, note T. Favario ; *D.* 2010, 2481, note appr. D. Mazeaud et note crit. T. Génicon ; *RDC* 2011, 34, obs. E. Savaux.

(335) C. Samson, *La remise en cause du prix par les sujétions imprévues : oui mais... (Vers une régulation contractuelle du bouleversement de l'économie du marché) : Constr.-Urb.* avr. 2003, chron. 4.

(336) Cass. com., 31 mai 1988 : *Bull. civ.* 1988, IV, n° 189 ; *RTD civ.* 1989, 171, obs. J. Mestre. – B. Oppetit, *L'adaptation des contrats internationaux aux changements de circonstances : la clause de « hardship » : JDI* 1974, 474. – Ph. Fouchard, *L'adaptation des contrats à la conjoncture économique : Rev. arb.* 1979, p. 74. – *Fabre*, *Les clauses d'adaptation dans les contrats : RTD civ.* 1983, p. 1. – Cedras, *L'obligation de négocier : RTD com.* 1985, p. 265. – G. Rouhette, *La révision conventionnelle du contrat : RID comp.* 1986, 369. – C. Jarroson, *Les clauses de renégociation, de conciliation et de médiation*, in *Les principales clauses des contrats conclus entre professionnels* : PUAM, 1990, p. 141. – B. Fauvarque-Cosson, *Le changement de circonstances : RDC* 2004, p. 67. – F. Magard, *Ingénierie juridique : pratique des clauses de rencontre et renégociation : D.* 2010, 1959. – Y. Lequette, *De la difficulté des clauses de hardship, Liber amicorum Ch. Larroumet* : Economica, 2000, p. 267. – Pour d'autres clauses, V. L. Szuskin et J.-L. Juhan, *La clause dite de « benchmarking » dans les contrats de prestations de service ou comment rendre un contrat compétitif ? : Rev. Lamy dr. civ.* déc. 2004, p. 5. Mais une telle clause, si elle oblige à négocier, n'oblige pas nécessairement à aboutir à un accord : Cass. com., 3 oct. 2006 : *D.* 2007, p. 765 et note D. Mazeaud.

si elles ne le font pas, le juge français[(337)] s'interdit d'y suppléer[(338)]. Les dangers de cette rigueur expliquent que les juges du fond soient parfois favorables à une plus grande flexibilité de la loi contractuelle[(339)]. Dans le même sens, on observe que le Code de commerce, depuis la loi du 17 mars 2014 relative à la consommation, exige que certains types de contrats contiennent une clause de renégociation, pour limiter les risques liés aux fluctuations des prix des matières premières agricoles et alimentaires, et ce à peine de sanctions administratives (C. com., art. L. 441-8)[(340)].

504. - **L'imprévision devant le juge administratif.** On observera que la question se pose dans des termes voisins à propos des concessions de service public devant la juridiction administrative, et que cette dernière donne une solution différente. En effet, sans modifier le prix fixé par le contrat pour les fournitures aux particuliers, le Conseil d'État n'hésite pas à condamner l'autorité concédante à verser au concessionnaire une indemnité « pour charges extracontractuelles ayant bouleversé l'économie du contrat »[(341)]. Cette solution est dictée en partie par le souci de la continuité du service public, qui ne se retrouve pas pour les contrats de droit privé. L'État se trouve ainsi placé devant une alternative : ou bien il paie l'indemnité, ou bien il accepte un relèvement des tarifs.

Cette jurisprudence a été consacrée par une circulaire du 20 novembre 1974 relative à l'indemnisation des titulaires de marchés publics en cas d'accroissement imprévisible de leurs charges économiques (application de la théorie de l'imprévision)[(342)]. Plus récemment, un décret est venu poser les règles selon lesquelles les marchés publics peuvent tenir compte des variations des conditions économiques[(343)]. Une nouvelle évolution pourrait se produire avec les contrats de partenariat public-privé[(344)].

Ce n'est plus une question de droit, mais de politique économique. Dans cette perspective, le législateur intervient parfois lui-même pour réviser certains contrats par des dispositions soit permanentes : prix de certains loyers, SMIC ; soit particulières : revalorisation des rentes viagères.

505. - **Perspectives d'avenir de la théorie de l'imprévision.** Le droit comparé et l'étude des projets d'harmonisation européenne du droit du contrat laissent penser que tôt ou tard, la révision pour imprévision sera admise en droit français[(345)].

(337) V. pour le juge belge : C. cass. belge, 19 juin 2009 : *RDC* 2009, 737, obs. K. Szychowska ; *RDC* 2010, 1405, obs. B. Fauvarque-Cosson.

(338) Cass. 3e civ., 18 mars 2009 : *RDC* 2009, 1358, obs. D. Mazeaud ; *RDC* 2009, 1490, obs. J.-B. Seube.

(339) V. par ex. T. com. Lille, 7 sept. 2011 : *RDC* 2012/1, p. 143 et s., obs. M. Béhar-Touchais.

(340) M. Béhar-Touchais : *RDC* 2013/4, p. 1431 et s.

(341) CE, 30 mars 1916, *Gaz. de Bordeaux* : *D.* 1916, 3, 25 ; *S.* 1916, 3, 17 et note Hauriou. – CE, 9 déc. 1932, *Tramways de Cherbourg* : *D.* 1933, 3, 17 et note Pelloux : *S.* 1933, 3, 9 et note Laroque. – CE, 15 juill. 1949 : *S.* 1950, 3, 61 et note Mestre.

(342) *JO* 30 nov. 1974, p. 11971 ; *JCP* 1974, III, 42248 ; *Gaz. Pal.* 1974, 2, législ. 362.

(343) D. n° 2001-738, 23 août 2001 : *JO* 24 août 2001, p. 13593 ; *D.* 2001, législ. 2643.

(344) A. Ruellan et A. Huge, *Le partage des risques et la portée matérielle des théories de la force majeure, du fait du prince et de l'imprévision* : *AJDA* 2006, p. 1597.

(345) D. Tallon, *La révision pour imprévision au regard des enseignements récents du droit comparé*, in *Études à la mémoire d'Alain Sayag* : Litec, 1997, 403. – E. Savaux, *L'introduction de la révision ou de la résiliation pour imprévision* : *RDC* 2010, 1057. – M. Mekki, *Hardship et révision des contrats. 1. Quelle méthode au service d'une harmonisation entre les droits ?* : *JCP* 2010, 1219 ; *2. L'harmonisation souhaitable des conditions de la révision pour imprévision* : *JCP* 2010, 1257. – M. Almeida Prado, *Regards croisés sur les projets de règles relatifs à la théorie de l'imprévision en Europe* : *RID comp.* 2010, 863. – L. Thibierge, *Le contrat face à l'imprévu* : Economica, 2011. – Ch. Broche, *Bref aperçu sur le changement de circonstances dans la proposition de règlement* : *LPA* 24 déc. 2013, n° 256, p. 39. – R. Cabrillac, *Perspectives*

Certes, les Principes Unidroit et les Principes Lando affirment à titre de principe que les parties sont tenues de remplir leurs obligations quand bien même elles seraient devenues plus onéreuses.

Néanmoins, ils retiennent une exception importante quoique très encadrée : le *hardship* (Unidroit, art. 6.2.1 et s.) ou le *changement de circonstances* (PDEC, art. 6.111) qui se caractérisent par la survenance d'événements imprévisibles et postérieurs à la conclusion du contrat, altérant fondamentalement l'équilibre des prestations et rendant l'exécution onéreuse à l'excès, autorisant alors les parties à renégocier le contrat afin de parvenir à une adaptation équitable. Cette obligation de renégociation n'est pas sans rappeler la solution retenue par la Cour de cassation dans l'arrêt *Huard* (V. *supra*, n° 503).

Cependant, les Principes vont plus loin en admettant une véritable révision judiciaire pour imprévision : faute d'accord entre les parties, le tribunal peut alors, soit mettre fin au contrat, soit l'adapter en vue de rétablir l'équilibre des prestations.

L'avant-projet de l'Académie de Pavie semble quant à lui admettre également la possibilité de demander la renégociation dès lors que se sont produits des « événements extraordinaires et imprévisibles qui rendent excessivement onéreuse l'exécution » (Pavie, art. 97). À défaut d'accord, la partie qui voulait renégocier est alors obligée de saisir le juge qui adaptera le contrat ou y mettra fin (Pavie, art. 157.5). Tout est ainsi mis en œuvre pour sauver le contrat et permettre son exécution par les parties ; il semble dès lors que ces dispositions constituent une source essentielle d'inspiration dans la perspective d'une réforme du Code civil sur cette question largement débattue(346).

506. – La renégociation des contrats à exécution successive ou échelonnée dans le projet de réforme. Le Projet Catala s'était largement inspiré des projets européens(347) et avait sensiblement évolué à la suite d'une concertation avec les partenaires économiques.

Après avoir rappelé le principe de la force obligatoire des conventions (art. 1134) et sans pour autant employer le terme d'imprévision, le Projet envisageait les conséquences du bouleversement de l'équilibre initial des prestations survenu dans les contrats commutatifs « à exécution successive ou échelonnée »(348).

Il prévoyait tout d'abord que, dans de tels contrats, les parties peuvent introduire une clause de renégociation « pour le cas où il adviendrait que, par l'effet des circonstances, l'équilibre initial des prestations réciproques fût perturbé au point que le contrat perde tout intérêt pour l'une d'entre elles » (art. 1135-1, première version)

d'évolution du droit français en matière d'imprévision à la lumière du droit comparé, Mélanges en l'honneur de C. Jauffret-Spinosi : Dalloz, 2013, p. 227 et s. – Sur la proposition de règlement relatif à un droit commun européen de la vente, V. D. Mazeaud, C. Grimaldi, *Variations à quatre mains*, in *Mélanges en l'honneur de C. Jauffret-Spinosi* : Dalloz, 2013, p. 527 et s. – P. Jung, *Regard comparatiste sur la proposition de loi visant la renégociation d'un contrat en cas d'imprévision, Sur la proposition de règlement relatif à un droit commun européen de la vente*, in *Mélanges en l'honneur de C. Jauffret-Spinosi* : Dalloz, 2013, p. 695 et s. – Pour le système retenu par le DCFR, V. Ph. Rémy, *Le juge et le contrat dans le projet européen de Cadre commun de référence, Mél. J. Beauchard* : LGDJ, 2013, p. 277 et s.

(346) V. C. Witz, *Force obligatoire et durée du contrat*, in *Les concepts contractuels français à l'heure des Principes du droit européen des contrats*, ss dir. P. Rémy-Corlay et D. Fenouillet : Dalloz, 2003, p. 175. – B. Fauvarque-Cosson, *Le changement de circonstances* : *RDC* 2004, 67. – D. Mazeaud, *La révision du contrat, Travaux Assoc. Capitant* 2005, à paraître.

(347) P. Catala, *La renégociation des contrats*, in *Mél. Paul Didier* : Économica, 2008.

(348) Sur la version initiale, art. 136, V. D. Fenouillet, *Les effets du contrat entre les parties : ni révolution, ni conservation, mais un « entre-deux » perfectible* : *RDC* 2006, n° 1, p. 67, spéc. p. 73 et s. – Le texte initial avait été repris dans une proposition de loi d'avril 2011, sous la forme d'un alinéa à insérer dans l'article 1134 du Code civil

ou que son exécution soit devenue « excessivement onéreuse pour l'une des parties » (art. 1135-1, deuxième version). C'était là permettre conventionnellement à la partie « perdante » de remettre en cause les conditions de son engagement.

Ensuite, à défaut d'une telle clause ou d'un accord des parties à la suite d'une renégociation, la partie victime des circonstances qui ont rendu l'exécution du contrat « excessivement onéreuse » pouvait demander au président du tribunal de grande instance d'ordonner une médiation judiciaire (art. 1135-3). Et si la médiation échouait, chacune des parties pouvait demander au tribunal de prononcer la résiliation du contrat.

Le Projet Terré(349) procédait à une réception tout à la fois plus large et plus stricte, mais finalement très prudente, du changement de circonstances (art. 92) : « Les parties sont tenues de remplir leurs obligations même si l'exécution de celle-ci est devenue plus onéreuse (al. 1er). Cependant, les parties doivent renégocier le contrat en vue de l'adapter ou d'y mettre fin lorsque l'exécution devient excessivement onéreuse pour l'une d'elles par suite d'un changement imprévisible des circonstances et qu'elle n'a pas accepté d'en assumer le risque lors de la conclusion du contrat (al. 2). En l'absence d'accord des parties dans un délai raisonnable, le juge peut adapter le contrat en considération des attentes légitimes des parties ou y mettre fin à la date et aux conditions qu'il fixe ».

Non sans rapport, l'avant-projet de réforme (art. 104) impose une obligation de renégociation ; mais il ne donne au juge le pouvoir d'adapter le contrat qu'en cas d'accord des parties ; à défaut d'un tel accord, le juge peut seulement mettre fin au contrat dans les conditions qu'il fixe.

Art. 104. – Si un changement de circonstances imprévisible lors de la conclusion du contrat rend l'exécution excessivement onéreuse pour une partie qui n'avait pas accepté d'en assumer le risque, celle-ci peut demander une renégociation du contrat à son cocontractant. Elle continue à exécuter ses obligations durant la renégociation.

En cas de refus ou d'échec de la renégociation, les parties peuvent demander d'un commun accord au juge de procéder à l'adaptation du contrat. À défaut, une partie peut demander au juge d'y mettre fin, à la date et aux conditions qu'il fixe.

3° La révision du prix en cas d'inexécution contractuelle

507. – L'adaptation du contrat par le juge en cas de surendettement des particuliers(350). La loi du 31 décembre 1985, plusieurs fois modifiée (lois des 5 mars 2007, 1er juillet 2010, 22 octobre 2010, 22 décembre 2010, 28 janvier 2013, 26 juillet 2013, 1er août 2013, 24 mars 2014), a organisé une sorte de procédure collective en cas de surendettement des ménages ; il s'agit là d'une mesure de protection, non pas des créanciers, mais des débiteurs de bonne foi pour leurs dettes non professionnelles (C. consom., art. L. 330-1). Suivant cette disposition, il y a surendettement en cas d'« impossibilité manifeste pour le débiteur de bonne foi de faire face à l'ensemble de ses dettes non professionnelles exigibles et à échoir » ainsi qu'à

(349) D. Fenouillet, *Les effets du contrat entre les parties*, in *Pour une réforme du droit des contrats*, préc., p. 243 et s.

(350) S. Schiller, *L'effacement des dettes permet-il un nouveau départ ? Comparaison franco-américaine* : *RID comp.* 2004, 655. – S. Piedelièvre, *Les nouvelles règles relatives au surendettement des particuliers* : *JCP* 2010, 858. – V. Vigneau et A. Lauriat, *La réforme du droit du surendettement des particuliers par la loi du 1er juillet 2010* : *D.* 2010, 2593. – N. Sauphanor-Brouillaud, *La loi n° 2010-737 du 1er juillet 2010 portant réforme du crédit à la consommation (2e partie) : les dispositions relatives au surendettement* : *RDC* 2011, 142.

« l'engagement qu'il a donné de cautionner ou d'acquitter solidairement la dette d'un entrepreneur individuel ou d'une société ».

Au *surendettement actif*, dû à des achats à crédit inconsidérés, qui était principalement visé à l'origine, s'ajoute désormais le *surendettement passif* qui frappe les accidentés de la vie, c'est-à-dire les victimes de la maladie, des accidents et plus encore du chômage. Pour traiter le surendettement, la loi a mis en place une procédure à deux étapes.

Dans une première étape, la commission départementale de surendettement « a pour mission de concilier les parties en vue de l'élaboration d'un plan conventionnel de redressement approuvé par le débiteur et ses principaux créanciers », plan ne pouvant en principe excéder huit ans qui « peut comporter des mesures de report ou de rééchelonnement des paiements des dettes, de remise des dettes, de réduction ou de suppression du taux d'intérêt, de consolidation, de création ou de substitution de garantie » (art. L. 331-6). En cas d'approbation de ce plan, on se trouve en présence d'une modification du contrat par les parties elles-mêmes, qui ne porte donc pas atteinte au principe de la force obligatoire du contrat (V. *supra*, n° 448).

En cas d'échec de cette phase amiable de la procédure, la commission peut recommander, voire imposer, diverses mesures visées aux articles L. 331-7 et L. 331-1-1 : suspension de l'exigibilité des créances pendant deux ans ; rééchelonnement des paiements ; modification du taux d'intérêt ; etc. Elle peut même recommander l'effacement de la dette si la situation du surendetté ne s'est pas améliorée (art. L. 331-7-1). La décision finale appartiendra alors au juge du tribunal d'instance (art. L. 332-1 et s.)(351), qui est donc libre de modifier les obligations contractuelles initialement souscrites. Il s'agit là indéniablement d'un nouveau pouvoir accordé au juge de modifier un contrat, spécialement d'en modifier le prix, ou d'en reporter l'exigibilité(352).

Allant plus loin encore, la loi du 1er août 2003 a mis en place une procédure de rétablissement personnel, accompagnée ou non d'une liquidation judiciaire(353), selon que ses ressources ou son actif réalisable permettent des mesures de traitement du surendettement, ou selon que le débiteur se trouve « dans une situation irrémédiablement compromise caractérisée par l'impossibilité manifeste de mettre en œuvre des mesures de traitement » (art. L. 330-1, al. 3). Cette nouvelle procédure, qui relève du juge du tribunal d'instance, a pour finalité d'apurer le passif du débiteur et de lui permettre de prendre un « nouveau départ ». La procédure, régie par les articles L. 332-5 et suivants, est une transposition de la faillite civile en vigueur dans le droit local d'Alsace-Moselle : elle conduit à la liquidation du patrimoine du débiteur afin de désintéresser ses créanciers, si tant est que le débiteur dispose d'un patrimoine, et aboutit, en cas d'insuffisance d'actif, à l'effa-

(351) La compétence appartenait précédemment au juge de l'exécution, ce jusqu'au décret du 28 juin 2011. V. C. Bléry, *Transfert du contentieux du surendettement* : *JCP* 2011, 807.

(352) L. Grynbaum, *La mutation du droit des contrats sous l'effet du traitement du surendettement* : *Contrats, conc. consom.* 2002, chron. 16. – S. Gjidara, *Surendettement des particuliers* : *Contrats, conc. consom.* 2005, chron. 1.

(353) La mesure de rétablissement personnel sans liquidation judiciaire, qui ne porte pas atteinte au droit de propriété mais seulement aux conditions d'exercice de ce droit, est justifiée par un motif d'intérêt général et l'atteinte est proportionnée au but poursuivi : Cass. 2e civ., 19 déc. 2013 : *LPA* 28 avr. 2014, n° 84, p. 15, obs. T. Stefania.

cement de toutes les dettes non professionnelles du débiteur (art. L. 332-5-1)(354). À défaut de liquidation possible, le rétablissement personnel est immédiatement décidé (art. L. 332-5).

508. – La réduction du prix en cas d'inexécution. À cette hypothèse de révision judiciaire en cas de surendettement du débiteur, vient s'ajouter l'éventualité d'une réduction de prix liée à une inexécution contractuelle. En l'état actuel, et sauf disposition légale spéciale (par exemple art. 1644, offrant à l'acheteur victime d'un vice caché une action estimatoire, permettant d'obtenir la restitution d'une partie du prix, V. *supra*, n° 500), l'inexécution ne peut conduire directement à une réduction de prix. Mais elle peut y ressembler : ainsi lorsque l'inexécution partielle conduit à une résolution ne prenant effet que dans le futur (d'où résultera le paiement de la seule partie du prix correspondant à la prestation livrée) ; ainsi encore lorsque l'inexécution imparfaite donne lieu à l'attribution de dommages et intérêts sur le fondement d'une action en responsabilité contractuelle, d'où résulte, indirectement, une réduction de prix pour le débiteur de celui-ci. Dans tous ces cas, il n'y aura aucune réduction directe de prix, mais indirectement la résolution du conflit conduira bien au même résultat.

L'avant-projet de réforme de droit des obligations introduirait une réduction directe de prix(355). L'article 131 projeté donne en effet au créancier la faculté, s'il le souhaite, d'accepter une exécution imparfaite de l'obligation et de réduire proportionnellement le prix. Le texte lui impose seulement, s'il n'a pas encore payé, de notifier sa décision dans les meilleurs délais.

Art. 131. – Le créancier peut accepter une exécution imparfaite du contrat et réduire proportionnellement le prix.

S'il n'a pas encore payé, le créancier notifie sa décision dans les meilleurs délais.

B. – La révision du terme

509. – Caractère obligatoire du terme fixé au contrat. Le terme fixé pour l'exécution d'un contrat est un élément de la convention au même titre que le prix ; il est aussi obligatoire que le prix, même si parfois son importance est moindre dans l'esprit des parties(356).

Le cocontractant qui n'exécute pas à la date convenue commet donc une faute contractuelle susceptible d'engager sa responsabilité, si du moins il a été *mis en demeure* d'exécuter (V. *infra*, n° 515). En fait, il est assez fréquent dans le monde des affaires qu'un retard soit toléré par le créancier ; cette tolérance équivaut en pratique à un accord amiable par lequel créancier et débiteur conviennent d'un report du délai.

Les Principes Lando et les Principes Unidroit généralisent cette possibilité pour le créancier d'octroyer un délai supplémentaire au débiteur dans tous les cas d'inexécution. La particularité de ce délai supplémentaire est qu'il s'analyse finalement

(354) S. Ledan, *Analyse comparative de la procédure de surendettement des particuliers et celle relative à la sauvegarde des entreprises : Contrats, conc. consom.* 2006, étude 8 (1re partie) et étude 15 (2e partie).
(355) P. Rémy-Corlay, *La réduction de prix*, in *Pour une réforme du droit des contrats*, préc., p. 267.
(356) Sur les clauses de déchéance du terme, V. A.-S. Lucas-Puget : *Contrats, conc. consom.* 2014, formule 1.

davantage comme un sursis, un préalable à la résolution du contrat : en effet, le créancier peut *résoudre unilatéralement* le contrat à l'expiration du délai[(357)]. Par là, les Principes divergent du droit français qui permet certes au créancier l'octroi d'un délai supplémentaire mais n'y attache pas une telle sanction[(358)].

À défaut d'exécution dans le délai ou de report amiable du délai, le débiteur en retard peut être autorisé à surseoir au paiement, soit par les tribunaux, soit par la loi.

1° Le report du terme par les tribunaux

510. – **Les délais de l'article 1184.** Divers textes permettent aux juges d'accorder des délais à un débiteur en difficulté. Quelles que soient les conditions d'octroi, les effets sont toujours identiques : le débiteur bénéficie d'un nouveau délai pendant lequel les poursuites des créanciers seront suspendues. Ainsi, le juge saisi d'une demande en exécution forcée ou en résolution d'un contrat dispose d'un large pouvoir d'appréciation pour « accorder au défendeur un délai selon les circonstances » (C. civ., art. 1184, al. 3 ; V. *infra*, n° 528).

L'avant-projet de réforme du droit des obligations reconduit cette solution (art. 136 et art. 201).

Art. 136. – Le juge peut, selon les circonstances, constater ou prononcer la résolution, ou ordonner l'exécution du contrat, en accordant éventuellement un délai au débiteur.

511. – **Les délais de grâce.** Des *délais de grâce* peuvent être octroyés par le juge en application des articles 1244-1 et suivants du Code civil[(359)]. Ils peuvent être demandés à toute juridiction, y compris au juge des référés en cas d'urgence[(360)], en tout état de cause même en appel[(361)], et pour toute dette contractuelle ou non[(362)], sauf exception en matière de lettre de change, billet à ordre, chèque, dépôt, etc.

La matière a été réformée par la loi du 9 juillet 1991 relative aux procédures civiles d'exécution[(363)].

Précédemment l'article 1244 du Code civil édictait que les délais devaient être accordés « en considération de la position du débiteur et compte tenu de la situation économique ». Les juges disposaient ainsi, en fait, d'un pouvoir souverain d'appréciation, dont ils usaient avec modération. Une limite dans le temps y était toutefois apportée : si le délai devait emprunter sa mesure aux circonstances, il ne pouvait cependant excéder deux ans. En pratique, cette durée se trouvait parfois augmentée en matière d'expulsion en raison des sursis accordés par l'administration.

(357) PDEC, art. 8.105 ; Unidroit, art. 7.1.7.

(358) Les projets d'unification du droit du contrat admettent également que le débiteur puisse « corriger » l'inexécution si elle n'est pas essentielle (Sur quoi V. *infra*, n° 534) en faisant une offre nouvelle d'exécution conforme dans un délai raisonnable ; cette faculté de correction ne privant cependant pas le créancier de son droit à des dommages-intérêts moratoires. Ce droit, véritable droit de correction (PDEC, art. 8.104 ; Unidroit, art. 7.1.4), va plus loin que la simple possibilité offerte au juge par le Code civil d'accorder un délai au débiteur.

(359) G. Ripert, *Le droit de ne pas payer ses dettes* : *DH* 1936, 57. – A. Sériaux, *Réflexions sur les délais de grâce* : *RTD civ.* 1993, 789. – E. Putman, *Retour sur le droit de ne pas payer ses dettes, in memoriam G. Ripert* : *RRJ* 1994, 109. – Ph. Soustelle, *Les délais judiciaires différant l'exécution de l'obligation* : thèse Saint-Étienne, 1996.

(360) Ph. Soustelle, *Le retour de la compétence du juge des référés pour octroyer un délai de grâce* : *D.* 1999, chron. 517.

(361) Cass. 1re civ., 29 juin 2004 : *Bull. civ.* 2004, I, n° 187, p. 155.

(362) Par exemple pour les cotisations sociales impayées : Cass. soc., 19 juill. 2001 : *JCP* 2002, II, 10098 et note A. Bugada.

(363) H. Croze, *La loi n° 91-650 du 9 juillet 1991 portant réforme des procédures civiles d'exécution : le nouveau droit commun de l'exécution forcée* : *JCP* 1992, I, 3555 (V. n° 21).

Désormais, l'article 1244 est remplacé par quatre nouveaux articles (1244 à 1244-3). Les trois derniers concernent les délais de grâce, et mettent en place un système qui s'inspire de celui institué par la loi du 31 décembre 1989 sur le surendettement des particuliers et des familles.

Art. 1244-1. – Toutefois, compte tenu de la situation du débiteur et en considération des besoins du créancier, le juge peut, dans la limite de deux années, reporter ou échelonner le paiement des sommes dues.

Par décision spéciale et motivée, le juge peut prescrire que les sommes correspondant aux échéances reportées porteront intérêt à un taux réduit qui ne peut être inférieur au taux légal ou que les paiements s'imputeront d'abord sur le capital.

En outre, il peut subordonner ces mesures à l'accomplissement, par le débiteur, d'actes propres à faciliter ou à garantir le paiement de la dette.

Les dispositions du présent article ne s'appliquent pas aux dettes d'aliments.

Art. 1244-2. – La décision du juge, prise en application de l'article 1244-1, suspend les procédures d'exécution qui auraient été engagées par le créancier. Les majorations d'intérêts ou les pénalités encourues à raison du retard cessent d'être dues pendant le délai fixé par le juge.

Art. 1244-3. – Toute stipulation contraire aux dispositions des articles 1244-1 et 1244-2 est réputée non écrite.

De manière générale, les pouvoirs du juge se trouvent accrus, et ils demeurent discrétionnaires(364). Ainsi, il peut, non seulement accorder des délais, mais aussi échelonner le paiement des sommes dues, le tout dans la même limite de deux ans que précédemment. En cas de report des échéances, il peut, « par décision spéciale et motivée », réduire le taux d'intérêt jusqu'à la limite du taux légal, ou même décider de l'imputation des paiements sur le capital.

Sa décision devra être prise « compte tenu de la situation du débiteur et en considération des besoins du créancier » ; à ce dernier égard, c'est là une nouveauté appréciable qui devrait rendre le juge attentif au sort du créancier. Dans ce même intérêt du créancier, le juge peut subordonner les mesures ci-dessus à l'accomplissement, par le débiteur, d'actes propres à faciliter ou à garantir le paiement de la dette (art. 1244-1).

Quelle qu'elle soit, la décision prise par le juge entraîne suspension des procédures d'exécution qui auraient été engagées par le créancier, par exemple suspension de la réalisation et des effets d'une clause de résiliation(365) ; de même, les majorations d'intérêts ou les pénalités encourues à raison du retard cessent d'être dues pendant le délai fixé par le juge (art. 1244-2).

Enfin, l'ensemble de ce dispositif est d'ordre public, toute stipulation contraire étant réputée non écrite (art. 1244-3). Ce système, qui a vocation à s'appliquer de manière générale à toutes les dettes (sauf les dettes d'aliments(366)), y compris celles professionnelles, risque de soulever des problèmes de coordination avec les procédures collectives applicables aux professions commerciales, artisanales ou agricoles, et avec la procédure de redressement civil.

Ces diverses dispositions figurant aux articles 1244-1 à 1244-3 sont reprises à l'identique dans le Projet Catala, aux articles 1226-2 à 1226-4. Elles se retrouvent,

(364) Cass. 1re civ., 1er févr. 2001 : *Bull. civ.* 2001, I, n° 22. – Cass. 1re civ., 29 oct. 2002 : *Bull. civ.* 2002, I, n° 257. – Cass. 1re civ., 24 oct. 2006 : *Bull. civ.* 2006, I, n° 435 ; *RDC* 2007, p. 263, obs. D. Mazeaud.

(365) Cass. 3e civ., 2 avr. 2003 : *JCP* 2003, II, 10108, avis av. gén. O. Guérin (à la condition toutefois que la résiliation n'ait pas été constatée ou prononcée par une décision de justice ayant acquis l'autorité de la chose jugée).

(366) Cass. 2e civ., 10 avr. 2014 : *D.* 2014, n° 16, 928.

sous réserve de modifications de forme, à l'article 201 de l'avant-projet de réforme du droit des obligations.

Article 201. – Le paiement doit être fait sitôt que la dette devient exigible.

Toutefois et le juge peut, compte tenu de la situation du débiteur et en considération des besoins du créancier, reporter ou échelonner, dans la limite de deux années, le paiement des sommes dues.

Par décision spéciale et motivée, il peut ordonner que les sommes correspondant aux échéances reportées porteront intérêt à un taux réduit au moins égal au taux légal, ou que les paiements s'imputeront d'abord sur le capital.

Il peut subordonner ces mesures à l'accomplissement par le débiteur d'actes propres à faciliter ou à garantir le paiement de la dette.

La décision du juge suspend les procédures d'exécution qui auraient été engagées par le créancier. Les majorations d'intérêts ou les pénalités prévues en cas de retard ne sont pas encourues pendant le délai fixé par le juge.

Toute stipulation contraire est réputée non écrite.

Les dispositions du présent article reçoivent exception dans les cas prévus par la loi, notamment pour les dettes d'aliment.

512. – **La suspension des poursuites en cas de « faillite ».** Les articles 1244-1 et suivants du Code civil visent l'hypothèse d'une dette isolée et, par là même, son intérêt est moindre pour les professionnels que pour les autres personnes. En effet, lorsqu'un professionnel est en difficulté, il l'est pour toute une litanie de dettes, non pour une seule. C'est dans cette optique qu'une ordonnance du 23 septembre 1967 avait permis au juge de prononcer une *suspension provisoire des poursuites* au profit des « entreprises en situation financière difficile mais non irrémédiablement compromise, dont la disparition serait de nature à causer un trouble grave à l'économie nationale ou régionale et pourrait être évitée dans des conditions compatibles avec l'intérêt des créanciers ».

La loi du 25 janvier 1985 relative au redressement et à la liquidation judiciaire des entreprises a mis en place un système différent, mais qui comporte également suspension des poursuites individuelles à compter du jugement d'ouverture du redressement judiciaire. La solution subsiste à ce jour.

513. – **La suspension des poursuites et les reports et rééchelonnements en cas de surendettement des particuliers.** En cas de surendettement des particuliers, la loi prévoit la possibilité pour le juge d'adapter le contrat, adaptation qui peut aller jusqu'à la remise de dettes et même jusqu'à l'effacement des dettes en cas de rétablissement personnel. Corrélativement, la décision du juge emportera suspension provisoire des poursuites pour une durée ne pouvant excéder deux ans (C. consom., art. L. 331-3-1). Mais ce n'est là qu'une situation transitoire, dans l'attente de mesures définitives qui seront proposées par la Commission : parmi celles-ci figurent le report ou le rééchelonnement des dettes, et un moratoire pouvant aller jusqu'à deux ans (C. consom., art. L. 331-7).

2° Le report du terme par la loi

514. – Il arrive que le législateur intervienne dans des circonstances exceptionnelles pour accorder des *moratoires*, c'est-à-dire des délais de paiement. Ces mesures, qui ont toujours un caractère législatif, peuvent viser soit une catégorie de personnes, les rapatriés d'Algérie, par exemple, soit une catégorie de dettes, les loyers, par exemple.

En dehors de ces moratoires qui correspondent à des périodes troublées, le législateur est aussi intervenu d'une manière générale en matière de bail pour conférer au locataire en place, qu'il soit civil, commercial ou rural, le droit au *maintien dans les lieux* à l'expiration du contrat. C'est le terme extinctif du contrat qui se trouve ici repoussé *sine die*, et il en résulte une véritable transformation de la nature du droit du preneur : son droit ne s'exerce plus seulement à l'encontre du bailleur, mais directement sur les lieux loués.

§ 2. – Les remèdes à l'inexécution des contrats

515. – **Que faire en cas d'inexécution**[(367)] **?** En premier lieu, à supposer que le cocontractant n'ait pas déjà fourni sa prestation, il peut adopter une position d'attente ; et si son partenaire a le front de lui demander l'exécution, il invoquera l'*exception d'inexécution* pour s'y soustraire (V. *supra*, n°s 519 et s.). Mais une telle situation ne peut pas se prolonger indéfiniment. Une solution rapide est encore plus nécessaire si l'un a, sans attendre, exécuté ses obligations. Il peut alors poursuivre l'*exécution forcée* du contrat. Mais il peut aussi demander la *résolution du contrat*. Enfin, il lui est toujours loisible de demander *réparation* du dommage causé par l'inexécution.

Dans tous les cas, qu'il souhaite recourir à l'exécution forcée, obtenir la résolution du contrat ou demander la réparation des conséquences préjudiciables de l'inexécution, le créancier doit respecter une formalité préalable, la mise en demeure du débiteur : il doit formellement exiger de son débiteur l'exécution de l'obligation. La solution est la même dans l'avant-projet de réforme (art. 129, 133)[(368)].

516. – **Pouvoirs respectifs des parties et du juge.** Le droit français laisse traditionnellement au créancier le choix entre telle ou telle voie, à supposer bien sûr que les conditions prévues par la loi soient réunies.

La Cour de cassation semble lui reconnaître un véritable droit à l'exécution en nature[(369)], protégé le cas échéant par le juge des référés[(370)], et ce indépendamment de l'intérêt qu'il a à l'exécution et du coût qui en résulte pour le débiteur[(371)]. Certains critiquent une solution aussi radicale et qui s'avère le cas échéant peu conforme à l'utilité sociale, telle que l'analyse économique du droit

---

(367) J.-P. Gridel et Y.-M. Laithier, *Les sanctions civiles de l'inexécution du contrat imputable au débiteur : état des lieux* : *JCP* 2008, I, 143. – L'inopposabilité n'est pas, en principe, la sanction de l'inexécution du contrat. Mais elle a sa place en matière de transaction, en raison de la spécificité de cette figure juridique : Cass. 1re civ., 12 juill. 2012 : *Contrats, conc. consom.* 2012, comm. 250, L. Leveneur ; *D.* 2012, 2577, note P. Pailler ; *RDC* 2013/1, p. 83 et s., obs. Y.-M. Laithier ; *RTD civ.* 2012, 138, obs. P.-Y. Gautier, 169, obs. Ph. Théry.

(368) Adde art. 105, 203, 213 et 214, sur la charge des risques.

(369) Cass. 1re civ. 16 janv. 2007 : *RDC* 2007, p. 719 et s., obs. D. Mazeaud, p. 741 et s., obs. G. Viney. – V. Lonis-Apokourastos, *La primauté contemporaine du droit à l'exécution en nature* : PUAM, 2003. – N. Molfessis, *Force obligatoire et exécution : un droit à l'exécution en nature ?* : *RDC* 2005, p. 37 ; *La primauté de l'exécution en nature* : *Revue de droit Henri Capitant* 2012, n° 3, p. 9 à 188.

(370) M.-E. Pancrazi-Tian, *La protection judiciaire du lien contractuel* : PUAM, 1996. – B. Mélin-Soucramanian, *Le juge des référés et le contrat* : PUAM, 200. – A. Marais, *Le maintien forcé du contrat* : *LPA* 2 oct. 2002, p. 7. – Pour des illustrations, V. Cass. com., 29 janv. 2013 : *RDC* 2013/3, p. 907 et s., obs. O. Deshayes. – Cass. com., 3 mai 2012 : *Contrats, conc. consom.* 2012, comm. 173, obs. N. Mathey ; *JCP* 2012, 764, note F. Buy.

(371) « Une obligation contractuelle peut faire l'objet d'une exécution forcée indépendamment de la gravité du manquement contractuel » : Cass. 3e civ., 22 mai 2013 : *RDC* 2014/1, p. 22 et s., obs. Y.-M. Laithier ; *JCP* 2013, I, 974, n° 11, obs. P. Grosser.

l'entend. Des textes récents limitent d'ailleurs cette liberté[372]. L'avant-projet de réforme est également en ce sens, puisqu'il écarte le droit qu'a le créancier de demander l'exécution en nature dans le cas où celle-ci aurait un coût manifestement déraisonnable (art. 129).

Mais la place respective que la jurisprudence accorde à l'exécution en nature, à la réparation en nature, et à la réparation par équivalent semble à divers égards incertaine[373].

517. – Questions réservées : l'exécution forcée ; la responsabilité contractuelle. Les questions relatives à l'*exécution forcée* des contrats seront envisagées plus loin, dans le cadre de l'exécution des obligations en général (V. *infra*, n°s 880 et s.), l'idée étant que la nature contractuelle d'une obligation est sans grande influence, en droit français, sur ses modalités d'exécution. Il n'y a donc pas lieu de lui consacrer ici une place spéciale. Tel n'est pas le parti pris de l'avant-projet de réforme du droit des obligations : s'inspirant du Projet Terré[374], il rappelle que le créancier contractuel a droit à l'exécution en nature, par le créancier ou en tiers, sauf si c'est impossible ou que le coût est manifestement déraisonnable.

Article 129. – Le créancier d'une obligation peut, après mise en demeure, en poursuivre l'exécution en nature sauf si cette exécution est impossible ou si son coût est manifestement déraisonnable.

Article 130. – Après mise en demeure, le créancier peut aussi, dans un délai et à un coût raisonnables, faire exécuter lui-même l'obligation ou détruire ce qui a été fait en violation de celle-ci. Il peut en demander le remboursement au débiteur.

Il peut aussi saisir le juge pour que le débiteur avance les sommes nécessaires à cette exécution ou à cette destruction.

Dans la même perspective, on traitera plus loin des dommages-intérêts auxquels un débiteur contractuel négligent peut être condamné : la *responsabilité contractuelle* et la *responsabilité délictuelle* présentent en droit positif des similitudes qui expliquent qu'elles soient étudiées ensemble dans cet ouvrage (V. *infra*, n°s 554 et s.). Ce parti, également retenu par le Projet Catala[375], a été abandonné par le projet Terré[376], qui a consacré de nombreuses dispositions aux dommages et intérêts contractuels, dans le droit fil des systèmes européens qui conçoivent cette mesure comme un substitut de l'exécution. Parmi ces dispositions, certaines se contentent de reconduire le droit positif (condition du droit aux dommages et intérêts[377] ; montant de ceux-ci, selon qu'il s'agit de dommages et intérêts compensatoires ou moratoires[378] ; sort de la clause

(372) V. ainsi C. civ., art. 1642-1 et 1646-1 ; C. consom., art. L. 211-9. – Sur le pouvoir du juge en droit de la consommation, V. CJUE, 3 oct. 2013 : *RDC* 2014/1, p. 93 et s., obs. C. Aubert de Vincelles.

(373) V. Cass. com., 19 juin 2012 : *JCP* 2012, I, 1151, affirmant l'autonomie de l'action en réparation et des actions redhibitoire et estimatoire. – Comp. Cass. 3e civ., 28 sept. 2005 : *RDC* 2006, p. 818, obs. G. Viney, et Cass. 3e civ., 27 mars 2013 : *RDC* 2013/3, p. 890 et s., obs. Th. Genicon, p. 903 et s., obs. G. Viney ; *RDC* 2013/3, p. 974 et s., obs. J.-B. Seube ; *RTD civ.* 2013, 603, obs. H. Barbier ; *JCP* 2013, I, 974, n° 12, obs. P. Grosser. – Sur la question de la concentration des moyens, V. M. Reverchon-Billot, *Mél. J. Beauchard* : LGDJ, 2013, p. 287 et s.

(374) P. Rémy-Corlay, *L'exécution en nature*, in *Pour une réforme du droit des contrats*, préc., p. 263 et s.

(375) Pour une critique de ce choix, V. M. Faure-Abbad, *La présentation de l'inexécution contractuelle dans l'avant-projet Catala* : D. 2007, p. 165. – Ph. Le Tourneau, *Brefs propos critiques sur la « responsabilité contractuelle » dans l'avant-projet de réforme du droit de la responsabilité* : D. 2007, chron. 2180.

(376) Ph. Rémy, *Les dommages et intérêts*, in *Pour une réforme du droit des contrats*, préc., p. 284 et s.

(377) Art. 117 du Projet Terré.

(378) Art. 118, 119, 122 du Projet Terré : limitation aux dommages prévisibles et aux suites immédiates et directes de l'inexécution.

pénale[379]), quand d'autres constituent des innovations remarquables : admission de l'obligation de minimiser son dommage (art. 121, al. 2), consécration des dommages et intérêts restitutoires en cas d'inexécution dolosive (art. 120). L'avant-projet de réforme du droit des obligations a préféré s'abstenir prudemment et renvoyer ces questions à la réforme de la responsbailité civile. V. *infra*, n° 560.

518. - **Les suites de l'inexécution dans les projets de réforme.** L'article 125 du projet de réforme liste cinq actions possibles : « la partie envers laquelle l'engagement n'a pas été exécuté, ou l'a été imparfaitement, peut :

- suspendre l'exécution de sa propre obligation ;
- poursuivre l'exécution forcée en nature de l'engagement ;
- solliciter une réduction de prix ;
- provoquer la résolution du contrat ;
- demander réparation du préjudice causé par l'inexécution.

Les remèdes qui ne sont pas incompatibles peuvent être cumulés ; des dommages et intérêts peuvent s'ajouter à tous les autres remèdes ».

Le texte s'inspire du droit comparé et des différents projets d'unification du droit européen des contrats[380], et spécialement des Principes du droit européen du contrat, qui appréhendent eux aussi de manière globale et unitaire les différents moyens ou *remedies* ouverts à une partie en cas d'inexécution (PDEC, art. 8.101). Cette conception, inspirée de la *Common Law*, est en décalage avec le droit français qui envisage de façon éclatée les différentes sanctions de l'inexécution. La présentation des Principes Lando comme celle des Principes Unidroit apportent des éléments particulièrement intéressants de réflexion quant à la conception de la responsabilité contractuelle (V. *infra*, n° 560). Parallèlement, il convient de rappeler qu'il existe également un certain nombre de remèdes à l'inexécution du contrat en droit communautaire[381].

A. - L'exception d'inexécution

519. - **L'exception d'inexécution : conditions.** En dehors des hypothèses de résiliation conventionnelle ou unilatérale, le contrat s'impose aux parties avec toute sa force obligatoire. Les parties doivent loyalement coopérer en vue de l'exécution du contrat[382].

Toutefois, la bonne foi qui doit présider à l'exécution des contrats conduit à tempérer cette rigueur en certaines circonstances. Ainsi, lorsqu'un même contrat impose à chacun des obligations réciproques, la jurisprudence admet que l'exécution doit se faire trait pour trait, donnant-donnant. Dès lors, si l'un n'exécute pas, l'autre est en droit de s'en prévaloir pour différer l'accomplissement de sa prestation : par exemple, dans la vente au comptant, le vendeur n'est pas tenu de livrer la chose tant que l'acheteur n'en a pas payé le prix (C. civ., art. 1612). La jurisprudence

(379) Art. 123 du Projet Terré.

(380) G. Pignarre, L.-F. Pignarre, *L'inexécution essentielle et ses implications sur le sort du contrat dans la proposition de règlement relative au droit commun de la vente* : LPA 24 déc. 2013, n° 256, p. 48.

(381) C. Aubert de Vincelles et J. Rochfeld (ss dir.), *L'acquis communautaire. Les sanctions de l'inexécution du contrat* : Économica, 2006.

(382) M. Gendre, *Collaboration et assistance entre parties au contrat* : thèse Clermont, 1981. – Y. Picod, *Le devoir de loyauté dans l'exécution du contrat* : LGDJ, 1989 ; *L'obligation de coopération dans l'exécution du contrat* : JCP 1988, I, 3318.

a étendu cette solution à tous les contrats qui comportent des obligations réciproques, c'est-à-dire tous les contrats synallagmatiques.

On exprime cela en disant qu'une partie oppose l'*exception d'inexécution* à la demande de son cocontractant[383]. Cette suspension d'exécution suppose la réunion de trois conditions qui peuvent faire l'objet d'un contrôle judiciaire *a posteriori*[384] :

1. qu'il y ait une inexécution soit totale, soit partielle mais grave, de l'obligation principale de l'autre[385] car la bonne foi postule une certaine tolérance de la part du créancier ; ou encore qu'il y ait inexécution par anticipation, c'est-à-dire que le débiteur se soit mis dans l'impossibilité d'exécuter son obligation à terme[386] ;

2. qu'il s'agisse d'obligations réciproques nées du même contrat[387], ou de contrats distincts mais présentant un lien entre eux[388] ;

3. et que ces obligations réciproques soient toutes deux arrivées à échéance ; ainsi, on ne peut pas opposer l'exception à celui qui dispose d'un terme pour exécuter, par exemple à l'acheteur à crédit (V. *supra*, n° 437)[389].

Allant plus loin encore, la jurisprudence admet parfois que la victime d'une inexécution contractuelle peut obtenir la déchéance complète ou partielle du bénéfice de la créance que le responsable possédait contre elle en contrepartie de l'obligation mal exécutée[390]. Elle consacre ainsi l'existence d'une sanction de l'inexécution intermédiaire entre l'exception d'inexécution et la résolution du contrat.

520. – L'exception d'inexécution : rôles. L'exception d'inexécution, qui fait échec à la force obligatoire du contrat, joue deux rôles.

D'une part, elle est pour l'un une *garantie* contre l'insolvabilité de l'autre qui ne veut pas ou ne peut pas exécuter. En cela, elle se rapproche d'une institution voisine, le *droit de rétention*, désormais réglé par l'article 2286 du Code civil (Ord. 23 mars 2006)[391] qui vise quatre hypothèses : par exemple, droit du réparateur de retenir la chose réparée, droit du comptable ou de l'avocat de retenir le dossier du client, ou du détenteur sur la chose donnée à usage, etc.[392].

---

(383) R. Cassin, *De l'exception tirée de l'inexécution dans rapports synallagmatiques* : thèse Paris, 1914. – J.-F. Pillebout, *Recherches sur l'exception d'inexécution*, 1971. – H. Thuillier, *L'exception d'inexécution dans la formation du contrat de vente d'immeuble. De la suspension de la vente à sa caducité* : *JCP* N 1981, p. 337. – J. Roche-Dahan, *L'exception d'inexécution, une forme de résolution unilatérale du contrat synallagmatique* : *D.* 1994, chron. 255. – C. Malecki, *L'exception d'inexécution*, préf. J. Ghestin : LGDJ, 1999. – J. Rochfeld, *Résolution et exception d'inexécution*, in *Les concepts contractuels français à l'heure des principes du droit européen des contrats* : Dalloz, 2003, p. 213. – V. aussi sur les conditions de l'exception Cass. com., 27 janv. 1970 : *JCP* 1970, II, 16554, obs. A. Huet. – Cass. 1re civ., 5 mars 1974 : *JCP* 1974, II, 17707, obs. J. Voulet. – Cass. 1re civ., 1er déc. 1999 : *JCP* 2000, I, 237, nos 10 à 13, obs. F. Labarthe (qui laisse entendre que l'exception ne serait ouverte qu'en cas de clause contractuelle la prévoyant). – Cass. com., 29 janv. 2013 : *Contrats, conc. consom.* 2013, comm. 74.

(384) Ch. Atias, *Les « risques et périls » de l'exception d'inexécution (limites de la description normative)* : *D.* 2003, chron. 1103.

(385) Sur la charge de la preuve de l'exécution ou de l'inexécution, V. M. Buchberger, *Le rôle de l'article 1315 du Code civil en cas d'inexécution d'un contrat* : *D.* 2011, 465. – Sur la gravité de l'inexécution, V. Cass. 1re civ., 2 oct. 2013 : *D.* 2014, 349, S. Le Gach-Pech ; *D.* 2013, 2622, note C. Bahurel, 2812, note Y. Picod.

(386) Sur le simple risque d'inexécution, V. A. Pinna, *L'exception pour risque d'inexécution* : *RTD civ.* 2003, 31.

(387) Cass. 1re civ., 20 mai 2003 : *Bull. civ.* 2003, I, n° 120, p. 93.

(388) Cass. com. 12 juill. 2005 : *JCP* 2005, I, 194, n° 19, obs. A. Constantin ; *Defrénois*, 2006, 1, 610, art. 38365, n° 28, obs. R. Libchaber.

(389) Encore faut-il que l'exécution soit encore possible : Cass. 1re civ., 12 juin 2012 : *RTD civ.* 2012, 527, obs. B. Fages.

(390) Cass. 3e civ., 3 mai 2001 : *Bull. civ.* 2001, III, n° 57 ; *JCP* 2001, IV, 2142 ; *JCP* 2002, I, 122, n° 6, obs. G. Viney. – V. aussi G. Viney et P. Jourdain, *Les effets de la responsabilité* : 2e éd., n° 30-1. – Comp., en matière de clause de non-concurrence, Cass. soc., 2 nov. 2013 : *RDC* 2014, 23, obs. O. Deshayes.

(391) K. Luciano, *Analyse juridique du droit de rétention* : *Rev. proc. coll.* 2012, Études 29. – A. Aynès, *Le droit de rétention : unité ou pluralité* : Economica, 2005.

(392) Avant l'ordonnance de 2006 : F. Derrida, *Le fonctionnement du droit de rétention*, Alger, 1940. – N. Catala, *De la nature juridique du droit de rétention* : *RTD civ.* 1967, 9. – F. Chabas et F.-J. Claux, *Disparition et renaissance du droit*

D'autre part, elle est entre les mains d'une des parties un *moyen de contrainte*, ou tout du moins d'incitation de l'autre à exécuter son obligation. Ce n'est toutefois qu'une situation d'attente et, à supposer que le débiteur persiste dans son refus d'exécuter, le créancier qui invoquait l'exception devra recourir à des moyens plus énergiques. Comme nul ne peut se faire justice soi-même, le créancier s'adressera au juge pour faire sanctionner la violation du contrat : une option lui est offerte entre poursuivre l'*exécution forcée* de l'obligation (V. *infra*, n°s 880 et s.), si cette exécution demeure possible, ou bien demander qu'il soit mis fin au contrat (*résolution* : V. *infra*, n°s 523 et s.). Dans ce dernier cas, le recours au juge peut être évité si on a pris la précaution d'insérer dans le contrat une clause expresse de résolution automatique pour inexécution (V. *infra*, n° 529).

521. - **L'exception d'inexécution dans les projets européens.** Les différents projets européens visant à l'élaboration d'un droit commun des contrats en Europe, admettent comme le droit français qu'une partie puisse suspendre l'exécution de son obligation lorsque l'autre partie n'exécute pas ou n'offre pas d'exécuter ses propres prestations, dès lors que cette suspension n'est pas contraire à la bonne foi[(393)], et lorsqu'elle est raisonnable par rapport aux circonstances[(394)].

Mais les Principes Lando et les Principes Unidroit vont plus loin et consacrent une sorte d'exception d'inexécution anticipée. En effet, une partie a la possibilité de suspendre l'exécution de son obligation dès lors qu'il est « manifeste qu'il y aura inexécution à l'échéance »[(395)]. En outre, lorsqu'une inexécution essentielle peut être raisonnablement soupçonnée, le créancier peut exiger des « assurances suffisantes de bonne exécution » (garanties comparables aux mesures conservatoires connues du droit français) et suspendre l'exécution de ses obligations jusqu'à la fourniture de telles assurances[(396)].

Si le droit français a généralisé l'*exceptio non adimpleti contractus* sur le fondement de l'article 1612 du Code civil, il exige une inexécution grave. Allant plus loin et renforçant la finalité conservatoire de l'exception d'inexécution, les Principes Lando et les Principes Unidroit se contentent d'une inexécution raisonnablement prévisible, voire d'un simple risque d'inexécution comme l'admettent de nombreux droits étrangers et, dans une certaine mesure, certaines dispositions du droit français (C. civ., art. 1653).

522. - **L'exception d'inexécution dans l'avant-projet de réforme.** L'avant-projet de réforme du droit des obligations envisage l'exception d'inexécution dans les articles 127 et 128. Le premier texte est une codification à droit constant : l'exception d'inexécution suppose une inexécution d'une gravité suffisante[(397)]. Le

---

de rétention en cas de remise puis de restitution de la chose : D. 1972, chron. 19. – J. Mande-Djapou, *La notion étroite du droit de rétention* : JCP 1976, I, 2760. – Ch. Scapel, *Le droit de rétention en droit positif* : *RTD civ.* 1981, 539. – F. Alt-Maes, *Une évolution vers l'abstraction : de nouvelles applications de la détention* : *RTD civ.* 1987, 21. – Ph. Devesa, *La rétention de documents : contribution à la notion générale de rétention* : LPA 17 juin 1995, p. 11. – C. Pourquier, *La rétention du gagiste ou la supériorité du fait sur le droit* : *RTD com.* 2000, 569. – P.-M. Le Corre, *L'invincibilité du droit de rétention dans les procédures collectives de paiement* : D. 2001, doctr. 2815. – A. Ghozi, *Sur la dualité du droit de rétention*, in *Mél. Catala*, p. 719. Depuis l'ordonnance de 2006 : A. Aynès, *Consécration légale des droits de rétention* : D. 2006, chron. 1301. – N. Martial-Braz, *Grandeur et décadence du droit de rétention* : *Rev. Lamy dr. civ.* avr. 2011, p. 29.

(393) Pavie, art. 108.

(394) PDEC, art. 9.201 ; Unidroit, art. 7.1.3.

(395) PDEC, art. 9.201 ; Unidroit, art. 7.1.3.

(396) PDEC, art. 8.105 ; Unidroit, art. 7.3.4.

(397) Sur l'exception d'inexécution dans le Projet Catala, V. J. Rochfeld, *Inexécution des obligations*, in *Avant-projet de réforme du droit des obligations et de la prescription, Exposé des motifs* : La Documentation française, 2006, p. 52. – Sur

second est plus innovant : s'inspirant du Projet Terré (art. 103 et s.), et se rapprochant des projets européens, il admet l'exercice de l'exception par anticipation.

Art. 127. – Une partie peut refuser d'exécuter son obligation, alors même qu'elle est exigible, si l'autre n'exécute pas la sienne et si cette inexécution est suffisamment grave.

Art. 128. – Une partie peut suspendre l'exécution de sa prestation dès lors qu'il est manifeste que son cocontractant ne s'exécutera pas à l'échéance et que les conséquences de cette inexécution sont suffisamment graves pour elle. Cette suspension doit être notifiée dans les meilleurs délais.

B. – La résolution des contrats(398)

523. – **Résolution ou exécution forcée : option.** L'exception d'inexécution n'a pas pour vocation de durer, mais de contraindre le débiteur à s'exécuter et de conserver les droits du créancier, en lui évitant d'avoir à demander la restitution de sa prestation. Pour sortir de l'impasse, celui qui est disposé à exécuter a une option entre deux demandes judiciaires : ou bien il réclame l'*exécution forcée* de l'obligation de l'autre, en nature ou en équivalent, ou bien, choisissant la voie de la *résolution*, il requiert l'anéantissement du contrat et, le cas échéant, la restitution de sa prestation et des dommages-intérêts(399) (C. civ., art. 1184). Jusqu'à une date récente, il était admis que le cocontractant victime d'une inexécution avait la faculté de modifier son option tant qu'il n'avait pas été statué sur sa demande initiale par une décision passée en force de chose jugée(400) ; mais cette jurisprudence a été abandonnée(401).

524. – **Résolution. Généralités.** Comme la nullité, la résolution aboutit à un anéantissement, en principe rétroactif, du contrat (V. *supra*, n° 406). Mais ce même effet est dû à des causes différentes : le contrat sera résolu, non parce qu'il lui manque une condition de validité, mais tout simplement parce que l'une des parties ne veut pas ou ne peut pas l'exécuter.

L'action en résolution appartient au cocontractant victime de l'inexécution(402) ; mais elle peut aussi être exercée par ses créanciers agissant par la voie oblique (V. *infra*, n°s 893 et s.). En revanche un tiers au contrat ne saurait être admis à l'exercer(403).

---

l'exception d'inexécution dans le Projet Terré, V. D. Fenouillet, *L'exception d'inexécution*, in *Pour une réforme du droit des contrats*, préc., p. 261 et s.

(398) M. Picard et A. Prudhomme, *De la résolution judiciaire pour inexécution des obligations* : *RTD civ.* 1912, 61. – R. Cassin, *Réflexions sur la résolution judiciaire des contrats pour inexécution* : *RTD civ.* 1945, 159 ; *Les sanctions attachées à l'inexécution des obligations contractuelles*, in *Trav. Assoc. Capitant*, 1964, t. XVII. – R. Desgorces, *La combinaison des remèdes en cas d'inexécution du contrat imputable au débiteur*, in *Mél. D. Tallon*. – P. Grosser, *Les remèdes à l'inexécution du contrat : essai de classification* : thèse Paris I, 1999. – C. Rigalle, *La résolution partielle du contrat* : Dalloz, 2003. – J. Rochfeld, *Résolution et exception d'inexécution*, in *Les concepts contractuels français à l'heure des principes du droit européen des contrats* : Dalloz, 2003, p. 213. – T. Génicon, *La résolution du contrat pour inexécution* : LGDJ, 2007, préf. L. Leveneur.

(399) Ph. Rémy, *Observations sur le cumul de la résolution et des dommages-intérêts en cas d'inexécution du contrat*, in *Mél. P. Couvrat* : PUF, 2001, p. 122. – F. Rouvière, *L'envers du paiement* : *D.* 2006, chron. p. 481.

(400) Cass. 3e civ., 25 mars 2009 : *RDC* 2009, 1004, obs. T. Génicon ; *Defrénois* 2009, 1, 2319, art. 39040, n° 1, obs. E. Savaux (option entre résolution et exécution forcée d'une promesse synallagmatique de vente).

(401) Cass. 3e civ., 20 janv. 2010, n° 09-65272 : *RDC* 2010, 825, obs. crit. T. Génicon ; *RDC* 2010, 909, obs. J.-B. Seube ; *RDC* 2010, 935, obs. Y.-M. Serinet. – Cass. 2e civ., 8 sept. 2011 : *RTD civ.* 2011, 762, obs. B. Fages.

(402) Un arrêt a néanmoins admis la recevabilité de l'action exercée par un syndicat de copropriété en résolution du bail à usage d'habitation consenti par l'un des copropriétaires, dans un cas où le locataire y exerçait une activité professionnelle en contravention avec l'article L. 631-7 du Code de la construction et de l'habitation, disposition d'ordre public aux termes de laquelle les locaux à usage d'habitation ne peuvent être ni affectés à un autre usage ni transformés, sauf dérogation par autorisation administrative préalable et motivée : Cass. 3e civ., 15 janv. 2003 : *Bull. civ.* 2003, III, n° 8, p. 8.

(403) Cass. soc., 18 nov. 2009 : *RDC 2009*, p. 275, obs. Y.-M. Laithier.

En principe l'action en résolution est exercée pour mettre fin à un contrat en cours. Mais elle peut également être mise en œuvre alors que le contrat est déjà arrivé à son terme[(404)] ; cette possibilité, *a priori* singulière, s'explique par le fait que le créancier peut y avoir intérêt dans la mesure où les effets de la résolution se produiront au jour où le débiteur a cessé de tenir son engagement, c'est-à-dire à une date antérieure à la fin normale du contrat (V. *infra*, n° 532).

L'article 1184 n'étant pas d'ordre public, un contractant peut renoncer par avance au droit de demander la résolution judiciaire du contrat, et ce même si l'obligation inexécutée était une obligation essentielle ; mais pour être retenue, cette renonciation doit être dénuée de toute équivoque[(405)] ; des dispositions légales peuvent en outre limiter cette liberté (V. ainsi C. consom., art. R. 132-1, 7).

La fondamentalisation du droit n'épargne pas l'institution : la Cour européenne a accepté de juger de la conventionnalité de la résolution, analysée comme constituant une atteinte au droit au respect des biens du contractant qui la subit, en vérifiant sa proportionnalité aux objectifs légitimes poursuivis par l'auteur de la résolution unilatérale[(406)].

Art. 1184. – La condition résolutoire est toujours sous-entendue dans les contrats synallagmatiques, pour le cas où l'une des deux parties ne satisfera point à son engagement.

Dans ce cas, le contrat n'est point résolu de plein droit. La partie envers laquelle l'engagement n'a point été exécuté a le choix ou de forcer l'autre à l'exécution de la convention lorsqu'elle est possible, ou d'en demander la résolution avec dommages et intérêts.

La résolution doit être demandée en justice, et il peut être accordé au défendeur un délai selon les circonstances.

A. – Conditions d'exercice de la résolution

525. – **Fondement de la résolution.** La résolution ne peut intervenir que dans certains contrats, pour certaines causes, et à la suite d'une décision judiciaire.

Sur un plan théorique, trois explications ont été avancées pour justifier la résolution. L'explication historique est donnée par l'article 1184 du Code civil, texte qui figure dans une section consacrée aux conditions : « La condition résolutoire est toujours sous-entendue dans les contrats synallagmatiques, pour le cas où l'une des deux parties ne satisfera point à son engagement ». Mais cette explication par l'idée de condition, si elle est historiquement exacte, est inconciliable avec les termes du code qui exigent l'intervention du juge et lui accordent un large pouvoir d'appréciation. S'il s'agissait bien d'une condition résolutoire, son effet devrait être automatique.

C'est pourquoi les auteurs ont proposé d'autres explications : par suite de l'inexécution de l'une des obligations, l'autre perdrait sa *cause*, sa contrepartie et

(404) Cass. 3e civ., 19 sept. 2006 : *Contrats, conc. consom.* 2007, comm. 2, obs. L. Leveneur. – V. *contra* : Cass. soc., 20 déc. 2006 : *JCP* 2007, II, 10055 et note P. Lokiec (pour un contrat de travail).

(405) Cass. com., 7 mars 1984 : *JCP* 1985, II, 20407, note Ph. Delebecque. – Cass. 3e civ., 3 nov. 2011 : *Contrats, conc. consom.* 2012, comm. 36, obs. L. Leveneur ; *D.* 2012, 469, obs. S. et M. Mekki ; *Constr.-Urb.* 2012, comm. 74, obs. C. Sizaire ; *RTD civ.* 2012, 114, obs. B. Fages ; *RDC* 2012/2, p. 402 et s., obs. Y.-M. Laithier ; *LPA* 29 mai 2012, n° 107, p. 10, obs. O. Pignatari. – Rappr. Cass. com., 22 janv. 2008 et Cass. 3e civ., 19 mars 2008 : *RTD civ.* 2008, 294, obs. B. Fages. – A.-S. Lucas-Puget, *La clause de renonciation à la résolution judiciaire* : *Contrats, conc. consom.* 2013, formule 8.

(406) CEDH, 29 mars 2011, 30 août 2011 : *RDC* 2012/1, p. 186 et s., obs. J.-P. Marguénaud.

le contrat serait donc nul (H. Capitant) ; ou encore, l'idée, plus large et moins technique, d'une *interdépendance*(407) entre les obligations réciproques.

1° Les contrats susceptibles de résolution

526. – **Contrats synallagmatiques et contrats réels**(408). La résolution est fondée sur une idée de bon sens : l'obligation de l'un n'a plus de raison d'être lorsque l'autre n'en fournit pas la contrepartie convenue. Ce fondement permet de délimiter le champ d'application de cette sanction : elle a sa place naturelle pour tous les contrats comportant des obligations réciproques, et pour eux seuls.

Tel est bien le principe. Cela vise tous les contrats *synallagmatiques*, vente, louage, mandat, etc., sauf quelques rares exceptions motivées par des causes particulières : cession d'office ministériel, partage avec soulte, rente viagère.

Mais sont également concernés les *contrats réels* qui se forment par la remise d'une chose (V. *supra*, n° 65) ; bien qu'étant une condition de formation du contrat, cette remise de la chose introduit un élément de réciprocité qui justifie l'application éventuelle de la résolution(409).

Ainsi, en définitive, la plupart des contrats peuvent faire l'objet d'une résolution.

2° Les causes de résolution

527. – **Inexécution grave.** La bonne foi comme la sécurité des transactions postulent qu'un cocontractant ne puisse prendre prétexte de la moindre bavure dans l'exécution d'un contrat pour obtenir la résolution : il faut justifier d'une inexécution grave.

Faut-il, en outre, que l'inexécution soit imputable à faute au débiteur(410) ? Cette condition, souhaitée par la doctrine, n'est pas exigée par la jurisprudence qui prononce la résolution même dans le cas d'une inexécution non fautive, due à un cas de force majeure. En pratique, la querelle est plus terminologique que réelle car elle est sans influence sur les solutions : simplement les auteurs parlent alors de *théorie des risques* là où la jurisprudence parle de résolution.

La mise en œuvre de la résolution soulève des difficultés lorsque l'inexécution, au lieu d'être totale, n'est que partielle. Il appartient alors au juge d'apprécier dans chaque cas si l'inexécution est telle que la résolution doive être prononcée ou si, au contraire, la prestation fournie présente un intérêt suffisant pour le créancier, quitte à lui allouer des dommages-intérêts pour compenser la différence(411).

Tout ici est question d'espèce, et il est en conséquence difficile de poser des principes très fermes. Par exemple, un retard minime dans l'exécution d'un contrat peut être indifférent dans un cas, et revêtir une importance majeure dans un autre : il suffit de supposer un ordre de bourse exécuté avec retard, à un moment

(407) S. Bros, *L'interdépendance contractuelle* : thèse Paris II, 2001.

(408) Comp. en matière de transaction, Cass. 1re civ., 12 juill. 2012 : *Contrats, conc. consom.* 2012, comm. 250, L. Leveneur ; *D.* 2012, 2577, note P. Pailler ; *RDC* 2013/1, p. 83 et s., obs. Y.-M. Laithier ; *RTD civ.* 2012, 138, obs. P.-Y. Gautier, 169, obs. Ph. Théry.

(409) V. Larribau-Terneyre, *Le domaine de l'action résolutoire : recherches sur le contrat synallagmatique* : thèse Pau, 1988.

(410) B. Fages, *Le comportement du contractant*, préf. J. Mestre : PUAM, 1997. – C. Chabas, *L'inexécution licite du contrat* : LGDJ, 2002.

(411) Dans les contrats à exécution échelonnée, la jurisprudence décide que la résolution pour inexécution partielle atteint l'ensemble du contrat, ou certaines de ses tranches seulement, suivant que les parties ont voulu faire une convention indivisible ou fractionnée en une série de contrats (Cass. 1re civ., 3 nov. 1983 : *Bull. civ.* 1983, I, n° 252, p. 227 ; *Defrénois* 1984, 1, 1014, obs. J.-L. Aubert. – Cass. 1re civ., 13 janv. 1987 : *JCP* 1987, II, 20860, obs. G. Goubeaux). – Sur l'impact de l'indivisibilité de l'obligation de deux codébiteurs, V. Cass. 1re civ., 11 sept. 2013 : *RTD civ.* 2013, 841, obs. H. Barbier.

où les cours se seront peut-être effondrés. Ainsi, suivant les circonstances, une inexécution partielle en quantité ou en qualité, ou encore l'inexécution d'une obligation accessoire, pourront entraîner soit la résolution, soit seulement des dommages-intérêts.

Lorsque, dans un contrat de vente, l'inexécution tient à l'existence de *vices cachés*, la résolution est remplacée par une procédure plus spécialisée (C. civ., art. 1641 et s.) par laquelle l'acheteur peut demander, à son choix, la résolution de la vente (*action rédhibitoire*) ou la réduction du prix (*action estimatoire*).

3° Nécessité d'une décision judiciaire et résolution de plein droit

528. – **Les pouvoirs du juge.** Le principe est que la résolution ne découle pas automatiquement de l'inexécution ; elle doit être demandée au tribunal et elle n'est pas une issue inéluctable.

D'abord le créancier peut préférer poursuivre l'exécution forcée du contrat plutôt que demander la résolution. À supposer que cette dernière voie soit choisie, le débiteur peut encore l'éviter en offrant d'exécuter, même en cours d'instance.

Ensuite, en raison de son pouvoir d'appréciation, le juge n'est jamais contraint de prononcer la résolution.

Il peut accorder au débiteur « un délai selon les circonstances » (art. 1184, al. 3) pour exécuter et ce délai ne se confond pas avec les délais de grâce de l'article 1244-1 du Code civil. Il s'ensuit qu'ici le juge est libre d'accorder un délai pour l'exécution sans avoir à observer les règles des articles 1244-1 et suivants (V. *supra*, n° 520).

Il peut allouer des dommages-intérêts ou, ultime décision, prononcer la résolution avec ou sans indemnité. La condamnation à dommages-intérêts suppose que soient réunies les conditions de la responsabilité civile, à savoir une inexécution fautive (et non pas due à un cas de force majeure) ayant provoqué un préjudice que l'indemnité a précisément pour but de réparer.

En revanche le juge ne peut pas tout à la fois prononcer la résolution du contrat et condamner le débiteur à son exécution[(412)].

En pratique, la décision du juge dépend de la mesure de l'inexécution, et de la bonne ou mauvaise foi des parties. Il en résulte une certaine incertitude sur le sort du contrat, aggravée par les lenteurs inhérentes à toute procédure. Cet inconvénient est apparu gênant, notamment dans le droit des affaires. La jurisprudence a donc admis dans certains domaines des *causes péremptoires de résolution judiciaire*[(413)]. La pratique a également imaginé d'insérer dans les contrats des *clauses de résolution de plein droit*. Enfin, la jurisprudence a admis *la résolution unilatérale*.

Il est possible de renoncer par une clause du contrat à la résolution judiciaire (V. *supra*, n° 523)[(414)].

---

(412) Cass. 1re civ., 29 nov. 1989 : *Bull. civ.* 1989, I, n° 365. – Cass. 3e civ., 10 nov. 1992 : *Bull. civ.* 1992, III, n° 294. – Cass. 1re civ., 5 juill. 2005 : *Bull. civ.* 2005, I, n° 292 ; *Rev. Lamy dr. civ.* févr. 2007, p. 68 et note J.-M. de Carmo Silva.

(413) Ainsi en droit du travail, l'atteinte à la dignité du salarié (Cass. soc., 7 févr. 2012 : *JCP* 2012, I, 561, n° 12, obs. P. Grosser) ou la violation du principe de non-discrimination (Cass. soc., 23 mai 2013 : *JCP* 2013, I, 974, n° 14, obs. P. Grosser).

(414) A.-S. Lucas-Puget, *La clause de renonciation à la résolution judiciaire : Contrats, conc. consom.* 2013, formule 8.

529. – Les clauses de résolution de plein droit[415]. Ces clauses, qui s'analysent comme des conditions résolutoires en cas d'inexécution (V. *supra*, n° 445), sont en principe valables[416], sauf exception pour des motifs d'ordre social, par exemple dans le bail à ferme. S'il est stipulé en termes exprès que tel fait d'inexécution constaté de telle manière entraînera de plein droit la résolution du contrat, les effets de cette clause seront les suivants : le créancier, bénéficiaire de la clause, conserve le libre choix entre l'exécution forcée et la résolution ; s'il choisit la résolution, le débiteur ne peut l'éviter en proposant d'exécuter ou en excipant de sa bonne foi[417] ; le juge n'a pas à intervenir, sauf en cas de contestation sur le fait matériel de l'inexécution[418].

Toutefois, bien que la résolution s'opère alors de plein droit, la jurisprudence décide que, « sauf dispense expresse et non équivoque », la clause de résolution de plein droit « ne peut être acquise au créancier sans la délivrance préalable d'une mise en demeure restée sans effet »[419].

Une telle clause permet d'éviter l'aléa tenant au pouvoir d'appréciation du juge quant à la gravité suffisante du manquement. Il suffit pour cela de préciser le seuil, défaut de paiement du prix à telle date, ou inexécution de la prestation *x* jours après une mise en demeure par exemple, à partir duquel la résolution est encourue. Pour retenir la qualification de clause de résolution de plein droit, la jurisprudence exige que soit exprimée, de manière expresse et non équivoque, la commune intention des parties de mettre fin de plein droit à leur convention[420]. À défaut, il s'agirait d'une clause résolutoire simple, stipulée pour le cas de survenance de tel ou tel évènement, pour l'application de laquelle le juge conserve son pouvoir d'appréciation[421].

Bien souvent, les clauses résolutoires imposent au créancier de l'obligation inexécutée le respect d'une procédure (mise en demeure formelle, respect d'un délai, etc.). La sanction de leur inobservation est incertaine en jurisprudence[422].

Par ailleurs, la jurisprudence considère que la mise en œuvre de la clause résolutoire par une partie n'empêche ni cette partie, ni l'autre partie, d'exercer ultérieu-

(415) J. Borricand, *La clause résolutoire dans les contrats : RTD civ.* 1957, 433. – J. Viatte, *La clause de résiliation de plein droit dans les baux commerciaux : Gaz. Pal.* 1981, 1, doctr. 314. – C. Paulin, *La clause résolutoire* : LGDJ, 1996. – J.-A. Robert et Q. Charluteau, *Utilité et mise en œuvre des clauses résolutoires : Rev. Lamy dr. civ.* févr. 2010, p. 7. – D. Bakouche, *L'articulation des résolutions unilatérale et conventionnelle : JCP* 2014, I, 414.

(416) Cass. 1re civ., 25 sept. 2013 : *RTD civ.* 2013, 880, obs. M. Grimaldi.

(417) Cass. 3e civ., 24 sept. 2003 : *Contrats, conc. consom.* 2003, comm. 174, obs. L. Leveneur. – V. précédemment, en sens inverse : Cass. 3e civ., 13 avr. 1988 : *D.* 1989, 334 et note J.-L. Aubert. – Pour un exemple de contestation, V. Cass. 3e civ., 17 sept. 2013 : *Defrénois* 2013, n° 24, 114m7, obs. J. Mazure.

(418) Ainsi, le juge ne peut pas octroyer de délai (Cass. 3e civ., 26 avr. 1989 : *JCP* 1989, IV, 239), ni modérer l'effet de la clause résolutoire qui ne saurait être analysée comme une clause pénale au sens de l'article 1152 du Code civil (Cass. 3e civ., 20 juill. 1989 : *JCP* 1989, IV, 358). – V. F. Osman, *Le pouvoir modérateur du juge dans la mise en œuvre de la clause de résolution de plein droit : Defrénois* 1993, 1, 65, art. 35433).

(419) Cass. 3e civ., 29 juin 1977 : *Bull. civ.* 1977, III, n° 293. – Cass. 1re civ., 3 févr. 2004 : *Contrats, conc. consom.* 2004, comm. 55, obs. L. Leveneur.

(420) Cass. 3e civ., 7 déc. 1988 : *D.* 1988, inf. rap. p. 299. – Cass. 1re civ., 13 déc. 1988 : *JCP* 1989, II, 21349, obs. M. Béhar-Touchais. – Cass. 3e civ., 12 oct. 1994 : *JCP* 1994, IV, 2509 ; *JCP* 1995, I, 3828, nos 11 à 15, obs. Ch. Jamin.

(421) Cass. 3e civ., 26 janv. 2011, n° 08-21781. – V. ainsi Cass. com., 10 juill. 2012 : *RDC* 2013/1, p. 86 et s., obs. Y.-M. Laithier ; *JCP E* 2012, 1722, note D. Mainguy ; *D.* 2013, 391, obs. S. Amrani-Mekki et M. Mekki, écartant toute recherche judiciaire de la gravité de la faute dès lors qu'une clause autorise la résolution pour faute.

(422) Cass. com., 4 févr. 2004, n° 99-21.480. – Cass. com., 10 févr. 2009, n° 08-12.415. – Cass. 1re civ., 24 sept. 2009, n° 08-14.524. – Cass. com., 15 nov. 2011, n° 10-27838 : *RDC* 2012/3, p. 787 et s., obs. Th. Genicon.

rement l'action en résolution[(423)]. La généralisation de ces clauses de résolution de plein droit les fait parfois considérer comme abusives et a entraîné une réaction du législateur et des tribunaux[(424)]. C'est ainsi que, par exemple, en matière de bail, de vente d'immeuble à construire et de contrat de promotion immobilière, la loi reporte l'effet de ces clauses un ou deux mois après mise en demeure restée infructueuse et permet au défendeur de demander, pendant ce laps de temps , un délai de grâce qui peut atteindre deux ans[(425)].

530. - **Les clauses de résolution de plein droit dans les Projets Catala et Terré et dans l'avant-projet de réforme.** Comme le Projet Catala (art. 1159) et le Projet Terré (art. 112)[(426)], le projet de réforme (art. 133) consacre les clauses résolutoires et subordonne leur réception à une condition : il faut que la clause « désigne les engagements dont l'inexécution entraînera la résolution du contrat ». S'agissant de la mise en œuvre de ces clauses, il est opéré une distinction :

- s'il a été stipulé que la résolution résulterait du seul fait de l'inexécution, à rebours du droit positif, la mise en demeure n'est pas nécessaire et la résolution produit effet dès la réception par le débiteur de la notification faite par le créancier ;
- à défaut d'une telle précision, le créancier est obligé, avant de notifier la résolution au débiteur, de le mettre en demeure de s'exécuter et de lui rappeler la clause résolutoire « en termes apparents ».

531. - **Résolution unilatérale et de plein droit.** En dehors même de toute clause de ce genre, la résolution est aussi de plein droit dans certaines situations pour lesquelles une solution immédiate est nécessaire. Faute de pouvoir attendre l'issue d'un procès, on admet que le créancier est en droit de considérer le contrat comme résolu, sauf à reconnaître au débiteur le pouvoir de saisir le juge pour apprécier la légitimité de cette résolution unilatérale.

Ainsi, en matière de vente de marchandises avec stipulation que l'acheteur en prendra livraison dans un certain délai, le défaut de *retirement* à la date convenue entraîne la résolution automatique au profit du vendeur (C. civ., art. 1657). Dans le même esprit, et par une sorte de réciprocité, la jurisprudence permet à l'acheteur de marchandises non livrées dans le délai prescrit de « se remplacer » en achetant ailleurs, en cas d'urgence[(427)].

La résolution est également unilatérale et de plein droit dans les contrats fondés sur des *rapports de confiance,* dont la continuation pendant une procédure de résolution serait inconcevable : par exemple, le mandat (V. *supra*, n° 451).

Surtout, en dépit du caractère normalement judiciaire de la résolution, la jurisprudence admet aujourd'hui la validité d'une résolution unilatérale en cas de faute

(423) Cass. 3e civ., 4 mai 1994 : *JCP* 1995, II, 22380 et note B. Boccara. – Cass. 3e civ., 24 nov. 1999 : *Bull. civ.* 1999, III, n° 228, p. 159.
(424) G. Poissonnier, *Les clauses résolutoires abusives dans les contrats de crédit à la consommation* : D. 2006, chron. p. 370.
(425) Y. Picod, *La clause résolutoire et la règle morale* : *JCP* 1990, 1, 3447. – J.-M. Legrand, *La clause résolutoire n'est plus ce qu'elle était* : *Administrer* avr. 1990, p. 15. – A. Jacquin, *La modification des clauses résolutoires* : *Gaz. Pal.* 1990, doctr. 408. – Ch. Paulin, *La clause résolutoire dans les baux immobiliers. Étude de jurisprudence* : *Dr. et ville* 1998, n° 46, p. 203.
(426) C. Aubert de Vincelles, *La résolution pour inexécution*, in *Pour une réforme du droit des contrats*, préc., p. 269 et s.
(427) Cass. com., 12 nov. 1969 : *D.* 1970, somm. 103 (transport maritime paralysé par une grève et pèlerinage à une date fixe). – Colmar, 7 févr. 1975 : *D.* 1978, 169 et note P. Ortscheidt. – D. Plantamp, *Le particularisme du remplacement dans la vente commerciale* : *D.* 2000, doctr. 243. – C. Noblot, *La clause de remplacement* : *Contrats, conc. consom.* 2014, formule 3. – Cass. 3e civ., 23 mai 2013 : *JCP* 2013, I, 974, n° 13, obs. P. Grosser.

particulièrement grave de l'autre partie(428) (V. *supra*, n° 451). La fréquence de la solution conduit la doctrine à y voir aujourd'hui une sorte d' « alternative » à la résolution judiciaire(429). Dans ce cas, on se demande si l'existence d'une clause résolutoire prive ou non le créancier de la résolution unilatérale(430).

La loi a également consacré la résolution unilatérale en droit de la consommation : si le professionnel ne respecte pas le délai d'exécution prévu (délai de trente jours à défaut de stipulation d'un terme suspensif explicite, V. *supra*, n° 437), le consommateur peut résoudre unilatéralement le contrat, à condition d'avoir mis en demeure le professionnel de s'exécuter dans un délai supplémentaire raisonnable (art. L. 138-2).

Sur l'avenir de la résolution unilatérale dans le projet de réforme, V. *infra*, n° 535.

B. – Les effets de la résolution

532. – **Les règles générales.** L'exercice de l'action en résolution présente un intérêt tout particulier lorsqu'il s'agit d'une vente d'objets mobiliers à un commerçant en état de cessation de paiements. Si l'action est intentée avant que l'acheteur n'ait été déclaré en faillite, le vendeur pourra reprendre en nature les marchandises vendues et échappera ainsi aux conséquences de l'insolvabilité de son débiteur. La *clause de réserve de propriété* jusqu'à complet paiement du prix permet également d'échapper à l'insolvabilité de l'acheteur, et ce même en cas de faillite(431).

On enseigne que la résolution du contrat produit des effets identiques à ceux d'une annulation : il y a anéantissement rétroactif du contrat, et chacun restitue ce qu'il a reçu. Suivant la formule jurisprudentielle, « lorsqu'un contrat synallagmatique est résolu pour inexécution par l'une des parties de ses obligations, les choses doivent être remises au même état que si les obligations nées du contrat n'avaient jamais existé »(432).

Toutefois, la rétroactivité rencontre ici les mêmes obstacles qu'en matière de nullité, et elle est beaucoup plus contestée dans la mesure où le contrat a pu être exécuté de manière satisfaisante pendant un certain temps, jusqu'au jour de l'inexé-

(428) F. Terré, P. Simler et Y. Lequette : *Obligations*, n° 660. – J. Ghestin, Ch. Jamin et M. Billiau, *Les effets du contrat* : 3e éd., nos 472 et s. Pour une illustration en cas de promesse synallagmatique de vente, V. Cass. 3e civ., 20 juin 2012 : *RTD civ.* 2012, 724, obs. B. Fages.

(429) J. Flour, L. Aubert, E. Savaux, *Droit civil, Les obligations, Le rapport d'obligation* : Sirey, 2011, n° 261.

(430) Comp. Cass. com., 10 févr. 2009 : *RDC* 2010, 44, obs. Th. Genicon, et 3e civ., 9 oct. 2013 : *JCP* 2014, I, 115, n° 16, obs. P. Grosser ; *RDC* 2014, 181, obs. Th. Genicon ; Cass. com., 1er oct 2013, ibid.

(431) R. Houin, *L'introduction de la clause de réserve de propriété dans le droit français de la faillite* : *JCP* 1980, I, 2978. – F. Derrida, *La clause de réserve de propriété et le droit des procédures collectives* : *D.* 1980, chron. 293. – J. Ghestin, *Réflexions d'un civiliste sur la clause de réserve de propriété* : *D.* 1981, chron. 1. – Y. Chaput, *Les clauses de réserve de propriété (Commentaire de la loi n° 80-335 du 12 mai 1980)* : *JCP* 1981, I, 3017. – W. Garcin et J. Thieffry, *La clause de réserve de propriété*, 1981. – Y. Demoures, *La vente avec réserve de propriété et la loi du 12 mai 1980* : *RTD com.* 1982, 33. – Ph. Bénézéra, *Réserve de propriété et procédure collective. Contribution à la mise en œuvre du droit de revendication* : *Gaz. Pal.* 1989, 1, doctr. 1. – F. Pérochon, *La réserve de propriété dans la vente de meubles corporels*, préf. F. Derrida : Litec, 1988. – Th. Margellos, *La protection du vendeur à crédit d'objets mobiliers corporels à travers la clause de réserve de propriété (étude de droit comparé)*, préf. J.-M. Bischoff : LGDJ, 1990. – E. Robine, *La clause de réserve de propriété depuis la loi du 12 mai 1980* : Litec, 1991. – G. Ponceblanc et T. Monod, *La clause de réserve de propriété ou l'émergence des garanties « frustres » sur les garanties réelles* : *Gaz. Pal.* 12-13 août 1992. – F. Perochon, *La revendication favorisée (loi n° 94-475 du 10 juin 1994)* : *D.* 1994, chron. 251. – Cl. Ophele Rossetto, *Clause de réserve de propriété et protection pénale des biens* : *RTD com.* 1995, 87. – E. Charlery, *L'efficacité de la réserve de propriété en cas de redressement judiciaire de l'acquéreur (À propos de Cass. com., 9 janv. 1996)* : *JCP* 1997, I, 4013. – D. Voinot, *Le refus par l'acheteur de la clause de réserve de propriété en droit des procédures collectives* : *D.* 1997, chron. 312.

(432) Cass. 3e civ., 29 janv. 2003 : *JCP* 2003, II, 10116 et note Y.-M. Serinet. Sur les solutions jurisprudentielles, V. Th. Génicon, *op. cit.* nos 769 et s.

cution justifiant la résolution[(433)]. En pareil cas, la Cour de cassation décide que le contrat disparaît du jour de cette inexécution[(434)]. Si, en revanche, la résolution est prononcée pour absence d'exécution ou exécution imparfaite dès l'origine, il y aura anéantissement rétroactif du contrat[(435)]. Pour toutes les questions relatives aux restitutions on se reportera utilement à ce qui a été dit à propos des effets de la nullité (V. *supra*, n°s 406 et s.)[(436)].

L'avant-projet de réforme du droit des obligations adopte une solution différente. Si la résolution « met fin au contrat », la rétroactivité du mécanisme n'est pas posée comme un principe : le texte prévoit en effet que la résolution prend effet « selon les cas », soit dans les conditions prévues par la clause résolutoire, soit à la date de la réception par le débiteur de la notification faite par le créancier, soit à la date fixée par le juge, ou à défaut au jour de l'assignation en justice (art. 1371, al. 1 et 2).

S'agissant, par ailleurs des restitutions, le texte précise qu'il n'y a lieu à restitution que lorsque l'exécution des prestations n'a pas été conforme aux obligations respectives des parties ou lorsque l'économie du contrat le commande. Le texte renvoie alors au chapitre V du titre IV pour déterminer les conditions de ces éventuelles restitutions.

Enfin, et de manière plus générale, on admet également que certaines clauses survivent à la résolution[(437)]. La résolution n'atteint pas, ainsi, les clauses du contrat qui, ayant leur propre autonomie, peuvent être détachées des obligations essentielles du contrat : par exemple une clause compromissoire[(438)], ou une clause attributive de compétence[(439)]. Survivent également à la résolution les clauses qui ont pour objet de régler les conséquences de l'inexécution[(440)]. Tel est notamment le cas des *clauses pénales* qui ont précisément été établies pour le cas où le contrat ne serait pas exécuté ; si elles ne survivaient pas à la résolution du contrat, elles seraient le plus souvent inutiles, ce qui irait à l'encontre

(433) J. Ghestin, *L'effort rétroactif de la résolution des contrats à exécution successive*, in *Mél. P. Raynaud*, p. 203. – P. Ancel, *Force obligatoire et contenu obligationnel du contrat* : *RTD civ.* 1999, p. 771, n°s 44 et s. – R. Wintgen, *Regards comparatistes sur les effets de la résolution pour inexécution* : *RDC* 2006, p. 543.

(434) Cass. 3e civ., 28 janv. 1975 : *Bull. civ.* 1975, III, n° 33. – Cass. com., 28 janv. 1992 : *Bull. civ.* 1992, IV, n° 34. – Cass. 1re civ., 6 mars 1996 : *Bull. civ.* 1996, I, n° 118 ; *Defrénois* 1996, p. 1025, obs. Ph. Delebecque. – Cass. 3e civ., 27 janv. 1998 : *Bull. civ.* 1998, I, n° 29. – Cass. 3e civ., 1er oct. 2008 : *Defrénois* 2008, art. 38874, n° 1, obs. R. Libchaber ; *RDC* 2009, 70, obs. T. Génicon ; *RDC* 2009, 168, obs. J.-B. Seube. – Sur les conséquences de la résiliation en cas de chaîne de cessions de droits d'auteur, V. Cass. 1re civ., 29 mai 2013 : *D.* 2013, 1810, note A. Etienney de Sainte-Marie.

(435) Cass. 3e civ., 30 avr. 2003 : *Bull. civ.* 2003, III, n° 87 ; *JCP* 2004, II, 10031 et note Ch. Jamin ; *JCP* 2003, I, 170, n° 15, obs. A. Constantin ; *RTD civ.* 2003, 501, obs. J. Mestre et B. Fages ; *Defrénois* 2003, art. 37810, n° 91, obs. E. Savaux : « Attendu que si, dans un contrat synallagmatique à exécution successive, la résiliation judiciaire n'opère pas pour le temps où le contrat a été régulièrement exécuté, la résolution judiciaire pour absence d'exécution ou exécution imparfaite dès l'origine entraîne l'anéantissement rétroactif du contrat ».

(436) Le vendeur doit restituer le prix qu'il a reçu « sans diminution liée à l'utilisation de la chose vendue ou à l'usure en résultant » : Cass. 1re civ., 19 févr. 2014, n° 12-15.520. – Sur la question des restitutions en cas de pluralité de parties, V. Cass. com., 4 déc. 2012 : *RDC* 2013/3, p. 950 et s., obs. M. Latina. – Adde S. Pellet, *Restitutions consécutives à la résolution : à quoi bon ?* : *D.* 2014, 642.

(437) L. Bernheim-Vandecastell, *Survie de certaines clauses du contrat en cas de résolution pour inexécution, Brèves réflexions à la lumière de la jurisprudence récente* : *LPA* 15 févr. 2013, n° 34, p. 6.

(438) Cass. com., 12 nov. 1968 : *D.* 1969, 238.

(439) Cass. 2e civ., 11 janv. 1978 : *Bull. civ.* 1978, II, n° 13.

(440) V. en ce sens Cass. ch. mixte, deux arrêts, 23 nov. 1990 : *D.* 1991, 121 et note Ch. Larroumet : « Vu l'article 1184 du Code civil ; Attendu que la résolution du contrat de vente entraîne nécessairement la résiliation du contrat de crédit-bail, sous réserve de clauses ayant pour objet de régler les conséquences de cette résiliation. » V. aussi Cass. com., 22 mars 2011 : *D.* 2011, 2179 et note A. Hontebeyrie ; *RTD civ.* 2011, 345, obs. B. Fages.

de la volonté des parties qui, en stipulant de telles clauses, avaient en tête de les voir appliquer le moment venu[(441)]. Ces solutions sont également consacrées dans l'avant-projet de réforme : « la résolution n'affecte ni les clauses relatives au règlement des différends, ni celles destinées à produire effet même en cas de résolution, telles les clauses de confidentialité et de non concurrence » (art. 138). En revanche, la Cour de cassation a décidé qu'en cas de résolution, il n'y avait lieu d'appliquer ni les clauses limitatives de responsabilité[(442)] ni les clauses relatives à la résiliation du contrat[(443)].

533. – **La charge des risques de perte de la chose**[(444)]. Il convient de préciser la solution d'un cas particulier, bien qu'assez fréquent : celui où une chose, meuble ou immeuble, faisant l'objet d'un contrat translatif périt entre le jour de la vente et celui de la livraison. Comment faut-il régler les restitutions en pareille circonstance où, précisément, l'une des prestations a disparu ? L'acheteur qui n'a pas reçu livraison peut-il exiger qu'on lui restitue le prix payé ? Ou, en d'autres termes, sur qui pèsent les risques de perte de la chose ?

Art. 1136. – L'obligation de donner emporte celle de livrer la chose et de la conserver jusqu'à la livraison, à peine de dommages et intérêts envers le créancier.

Art. 1137. – L'obligation de veiller à la conservation de la chose, soit que la convention n'ait pour objet que l'utilité de l'une des parties, soit qu'elle ait pour objet leur utilité commune, soumet celui qui en est chargé à y apporter tous les soins d'un bon père de famille. Cette obligation est plus ou moins étendue relativement à certains contrats, dont les effets, à cet égard, sont expliqués sous les titres qui les concernent.

Art. 1138. – L'obligation de livrer la chose est parfaite par le seul consentement des parties contractantes.

Elle rend le créancier propriétaire et met la chose à ses risques dès l'instant où elle a dû être livrée, encore que la tradition n'en ait point été faite, à moins que le débiteur ne soit en demeure de la livrer ; auquel cas la chose reste aux risques de ce dernier.

Ces risques sont en principe à la charge du propriétaire de la chose au moment du sinistre, et c'est à lui qu'il appartient d'assurer la chose : assurance de dommages causés à la chose et assurance de responsabilité du fait de la chose. D'où l'intérêt de savoir à quel moment le transfert de propriété s'est opéré[(445)]. On sait que le changement de propriétaire s'accomplit pour les *corps certains* au moment même du contrat à moins qu'un terme n'ait été stipulé (V. *supra*, n° 437), et pour les *choses de genre* au moment de leur individualisation, c'est-à-dire le jour de la livraison le plus souvent.

Appliquant ces principes, on retiendra les solutions suivantes :

a) le vendeur de choses de genre, par exemple de marchandises, en demeure propriétaire tant qu'elles ne sont pas livrées. Si un sinistre les anéantit, la perte est

(441) Ch. Hugon, *Le sort de la clause pénale en cas d'extinction du contrat* : *JCP* 1994, I, 3790.

(442) Cass. com., 5 oct. 2010 : *RDC* 2011, 431, obs. T. Génicon.

(443) Cass. com., 3 mai 2012 : *D.* 2012, 1719, note A. Etienney de Sainte-Marie ; *D.* 2013, 391, obs. S. Amrani-Mekki et M. Mekki ; *RTD civ.* 2012, 327, obs. B. Farges ; *JCP* 2012, I, 1151, n° 13, obs. P. Grosser.

(444) Sur l'obligation de conservation de la chose, V. Cl. Pons-Brunetti, *L'obligation de conservation de la chose dans les contrats* : PUAM, 2003. – D. Desrayaux, *École de l'exégèse et interprétations doctrinales de l'article 1137 du Code civil* : *RTD civ.* 1993, 535. – M.-L. Morançais-Demeester, *La responsabilité des personnes obligées à restitution* : *RTD civ.* 1993, 757.

(445) J.-P. Chazal et S. Vicente, *Le transfert de propriété par l'effet des obligations dans le Code civil* : *RTD civ.* 2000, 477.

pour lui. En cas de résolution du contrat, le vendeur devra restituer le prix à l'acheteur si ce dernier a déjà payé ; et si l'acheteur n'a pas payé, il en sera dispensé ;

b) le vendeur de corps certains, par exemple d'immeubles, en perd la propriété du jour du contrat, à moins que le transfert de propriété n'ait été expressément retardé. Qu'un sinistre survienne et la perte est pour l'acheteur, sauf clause contraire (C. civ., art. 1138). En cas de résolution, le vendeur conservera le prix ; il n'en irait autrement que si la perte de la chose lui était imputable, s'il n'avait pas livré malgré une mise en demeure, ou encore si le sinistre était dû à sa propre faute. Il s'agirait alors d'une question de responsabilité.

L'avant-projet de réforme confirme le lien existant entre propriété et charge des risques, tout en réservant l'hypothèse d'une mise en demeure de livrer.

Article 105. – Dans les contrats ayant pour objet l'aliénation de la propriété ou d'un autre droit, le transfert s'opère dès la conclusion du contrat.

Ce transfert peut être différé par la volonté des parties, la nature des choses ou une disposition de la loi.

Le transfert de propriété emporte [en principe] transfert des risques de la chose, encore que la délivrance n'en ait été faite, à moins que le débiteur ne soit en demeure de la délivrer ; auquel cas la chose reste aux risques de ce dernier.

C. – Perspectives d'avenir

534. – **La résolution du contrat dans les projets européens d'harmonisation**. Les évolutions récentes du droit français en matière de résolution du contrat admettant notamment, sous certaines conditions, la résolution unilatérale d'un contrat à durée déterminée (V. *supra*, n° 451) se trouvent pour partie corroborées par les projets européens[446].

De manière générale les Principes Lando, largement conformes aux Principes Unidroit, diffèrent profondément du droit français de la résolution du contrat, tant quant à ses conditions que quant à ses effets[447].

En premier lieu, ils admettent à titre de principe la *résolution unilatérale* en permettant au créancier en cas « d'inexécution essentielle »[448] de résoudre le contrat par simple *notification* au débiteur dans un délai raisonnable[449]. L'avant-projet de Code européen des contrats de Pavie est quant à lui plus fidèle au modèle français en ce qu'il exige, en cas « d'inexécution d'importance notable »[450], que le créancier somme le débiteur d'exécuter son obligation dans un délai raisonnable ; toutefois, ce dernier projet admet comme les précédents un véritable « droit à la résiliation » puisqu'à l'issue de ce délai raisonnable, le contrat est résolu de plein droit.

(446) Sur la comparaison des droits français et allemand, V. *RDC* 2013/4, p. 1628 et s. – Sur la proposition de règlement relatif à un droit commun européen de la vente, V. D. Mazeaud, C. Grimaldi, *Variations à quatre mains*, in *Mélanges en l'honneur de C. Jauffret-Spinosi* : Dalloz, 2013, p. 527 et s.

(447) Pour le système retenu par le DCFR, V. Ph. Rémy, *Le juge et le contrat dans le projet européen de Cadre commun de référence, Mélanges J. Beauchard* : LGDJ, 2013, p. 277 et s.

(448) PDEC, art. 9.301 ; Unidroit, art. 7.3.1. La notion d'inexécution essentielle doit être distinguée de l'inexécution d'une obligation essentielle quoique les deux concepts puissent se recouper. L'inexécution essentielle est celle qui prive substantiellement le créancier de ce qu'il était en droit d'attendre du contrat, elle peut aussi être caractérisée quand l'exécution stricte de l'obligation est de l'essence du contrat ou, selon un critère plus subjectif, lorsque l'inexécution est volontaire (PDEC, art. 8.103 ; Unidroit, art. 7.3.1).

(449) PDEC, art. 9.302 ; Unidroit, art. 7.3.2.

(450) Pavie, art. 114.

L'intervention du juge est donc, sinon totalement supprimée, du moins déplacée, le créancier pouvant résoudre unilatéralement le contrat. L'on peut ainsi remarquer un « mouvement d'une résolution accident, maniée par le juge, vers une résolution prérogative, maniée par le créancier »[451]. On notera toutefois qu'une telle résolution unilatérale doit bien évidemment être réalisée de bonne foi[452].

Plus surprenant encore pour le juriste français, la résolution du contrat est également possible en cas d'*inexécution « anticipée »* : ainsi, une partie est fondée à résoudre le contrat si avant l'échéance il est manifeste qu'il y aura inexécution essentielle[453]. Par ailleurs, une partie qui soupçonne raisonnablement une inexécution essentielle future peut exiger des « assurances suffisantes d'exécution et suspendre l'exécution de ses propres obligations », le défaut de fourniture de telles « assurances » dans un délai raisonnable pouvant donner lieu lui aussi, à la résolution du contrat si le soupçon persiste[454]. Cette faculté de résolution en raison d'une inexécution future n'est pas sans rappeler les dispositions relatives à l'exception d'inexécution anticipée (V. *supra*, n° 521). En bref, les conditions de la résolution du contrat prévues par les projets européens répondent à un impératif d'efficacité économique et font une large place au pouvoir de la volonté unilatérale, rénovant ainsi en profondeur la conception de la force obligatoire du contrat.

En second lieu, les effets de la résolution divergent, du moins en apparence, de ceux prévus par le droit français. En effet, si l'avant-projet de Pavie adopte une solution proche du droit français en énonçant que seule la résolution des contrats à exécution successive ne produit d'effet que pour l'avenir[455], les Principes Lando et les Principes Unidroit disposent que, de manière générale, la résolution opère seulement pour le futur : la résolution n'a donc pas d'effet rétroactif[456]. Cette affirmation semble de prime abord rompre radicalement avec le droit interne. La non-rétroactivité peut sembler inéquitable lorsqu'une partie a exécuté sa prestation sans avoir reçu de contrepartie. Mais en réalité, les conséquences pratiques de la résolution découlant des règles des Principes européens mentionnés ou du droit français divergent peu : les parties peuvent demander restitution de ce qu'elles ont fourni pourvu qu'elles restituent simultanément ce qu'elles ont reçu[457].

535. – La résolution du contrat dans l'avant-projet de réforme[458]. Hors le cas d'une clause de résolution de plein droit (V. *supra*, n° 530), le Projet Catala regroupait et diversifiait les remèdes proposés au créancier d'une obligation inexécutée.

(451) J. Rochfeld, *Résolution et exception d'inexécution*, in *Les concepts contractuels français à l'heure des Principes du droit européen des contrats*, ss dir. P. Rémy-Corlay et D. Fenouillet : Dalloz, 2003, p. 217.

(452) V. PDEC, art. 9.303.

(453) PDEC, art. 9.304 ; Unidroit art. 7.3.3.

(454) PDEC, art. 8.105 ; Unidroit, art. 7.3.4 ; Pavie art. 91, quoique ce dernier texte ne sanctionne pas le défaut de fourniture de la garantie par la résolution mais se contente d'énoncer que « l'inexécution sera alors définitivement tenue pour certaine ».

(455) Art. 114, al. 5.

(456) PDEC, art. 9.305 ; Unidroit, art. 7.3.5. Les commentaires des Principes Lando justifient la mise à l'écart de la rétroactivité par le fait qu'elle ferait obstacle à la possibilité d'une demande de dommages-intérêts pour inexécution du contrat.

(457) PDEC, art. 9.306 et s. ; Unidroit, art. 7.3.6. – V. C. Prieto, in *Regards croisés sur les principes du droit européen du contrat et sur le droit français*, ss dir. C. Prieto : PUAM, 2003, p. 499.

(458) J. Rochfeld, *Inexécution des obligations*, in *Avant-projet de réforme du droit des obligations et de la prescription, Exposé des motifs* : La Documentation française, 2006, p. 52. – J. Rochfeld, *Remarques sur les propositions relatives à l'exé-*

Le créancier avait le choix entre trois options : poursuivre l'exécution forcée, provoquer la résolution du contrat ou réclamer des dommages et intérêts (art. 1158, al. 1)[(459)]. Ces solutions étaient offertes au créancier « dans tout contrat » et non pas seulement dans les contrats synallagmatiques et dans les contrats réels, ce qui est de nature à remettre en question les fondements proposés en doctrine afin de justifier la résolution pour inexécution[(460)].

À la différence de l'article 1184, alinéa 2 du Code civil qui lie la résolution du contrat et l'attribution des dommages et intérêts (« ... ou d'en demander la résolution avec dommages et intérêts »), l'allocation de dommages et intérêts était envisagée dans un article 1158, alinéa 1, comme une réponse autonome à l'inexécution contractuelle, réponse dont le Projet ne traitait pas au sein des dispositions relatives au contrat mais au titre de la responsabilité civile[(461)].

S'agissant de la mise en œuvre de la résolution pour inexécution, le Projet Catala consacrait l'« *imperium* du créancier » en lui reconnaissant un droit à la rupture[(462)] : le créancier pouvait en effet, soit s'adresser au juge, soit résoudre unilatéralement le contrat (art. 1158, al. 2), et ceci quelle que soit l'importance de l'inexécution puisque le Projet n'exigeait pas, contrairement aux solutions jurisprudentielles et aux projets européens, que l'inexécution soit totale, grave ou essentielle.

Mais si le créancier optait pour cette faculté de résolution unilatérale, il devait d'abord mettre le débiteur en demeure de s'exécuter dans un délai raisonnable, puis, si celle-ci demeurait infructueuse, lui adresser une notification motivée de la résolution. Le contrat était résolu à la date de sa réception (art. 1158, al. 3). À l'image des solutions européennes, l'article 1158-1 instituait un contrôle du juge *a posteriori*, le débiteur pouvant contester en justice cette résolution. Le juge pouvait soit la valider soit ordonner l'exécution du contrat, au besoin en accordant un délai au débiteur. Partant, si le Projet Catala ne posait pas *a priori* de seuil de gravité de l'inexécution justifiant la résolution unilatérale, par ce contrôle *a posteriori*, le juge pouvait limiter cette résolution aux seules inexécutions les plus graves[(463)].

S'agissant des effets de la résolution, le Projet Catala d'une part précisait qu'elle pouvait n'être que partielle lorsque l'exécution du contrat était divisible (art. 1160)

cution et à l'inexécution du contrat : la subjectivation du droit à l'exécution : RDC 2006, p. 113. – P. Ancel, *Quelques observations sur la structure des sections relatives à l'exécution et à l'inexécution des contrats* : RDC 2006, p. 105.

(459) La résolution préventive de la convention ne lui était en revanche pas offerte.

(460) En ce sens, J. Rochfeld, *Remarques sur les propositions relatives à l'exécution et à l'inexécution du contrat : la subjectivation du droit à l'exécution* : RDC 2006, p. 113.

(461) P. Ancel, *Quelques observations sur la structure des sections relatives à l'exécution et à l'inexécution des contrats* : RDC 2006, p. 105, spéc. p. 106. – P. Ancel, *La responsabilité contractuelle et ses relations avec la responsabilité extra-contractuelle : présentation des solutions de l'avant-projet*, in *L'avant-projet de réforme du droit de la responsabilité – Actes du colloque du 12 mai 2006* : RDC 2007, p. 19. – J. Huet, *Observations sur la distinction entre les responsabilités contractuelle et délictuelle dans l'avant-projet de réforme du droit des obligations*, in *L'avant-projet de réforme du droit de la responsabilité – Actes du colloque du 12 mai 2006* : RDC 2007, p. 31. – E. Savaux, *Brèves observations sur la responsabilité contractuelle dans l'avant-projet de réforme du droit de la responsabilité*, in *L'avant-projet de réforme du droit de la responsabilité – Actes du colloque du 12 mai 2006* : RDC 2007, p. 45. – M. Faure-Abbad, *La présentation de l'inexécution contractuelle dans l'avant-projet Catala* : D. 2007, chron. p. 165.

(462) En ce sens, J. Rochfeld, *Remarques sur les propositions relatives à l'exécution et à l'inexécution du contrat : la subjectivation du droit à l'exécution* : RDC 2006, p. 113. L'auteur relève une subjectivation de l'exécution contractuelle qui se manifeste sous deux aspects : la reconnaissance au profit du créancier d'un droit à la prestation, comme en atteste la généralisation de l'exécution forcée en nature et d'un droit à la rupture au travers de la consécration de la résolution unilatérale.

(463) En ce sens, B. Fauvarque-Cosson, *La réforme du droit français des contrats : perspective comparative* : RDC 2006, p. 147 et spéc. p. 156.

et d'autre part rapprochait la résolution de la résiliation en lui ôtant son caractère rétroactif. En effet, était affirmé dans l'article 1160-1 le principe selon lequel la résolution « libère les parties de leurs obligations », et ne vaut que pour l'avenir, que le contrat ait été partiellement exécuté ou totalement inexécuté. La seule exception concernait les contrats à exécution instantanée pour lesquels la résolution, rétroactive, conduisait à des restitutions réciproques.

L'avant-projet de réforme du droit des obligations a repris la plupart des innovations du projet Catala. Sous l'intitulé « Résolution » il traite de la clause résolutoire (V. *supra*, n° 530), de la résolution par notification unilatérale et de la résolution judiciaire, et ce en appliquant ces trois institutions à tout contrat.

S'agissant de la résolution judiciaire, il reprend les principes actuels : le juge pourra « selon les circonstances, constater ou prononcer la résolution ou ordonner l'exécution du contrat, en accordant éventuellement un délai au débiteur » (art. 136).

La véritable nouveauté est l'introduction d'une résolution par notification inspirée des projets européens. Mais cette faculté n'est ouverte qu'« en cas d'inexécution suffisamment grave » (art. 132) et le créancier doit au préalable « mettre en demeure le débiteur défaillant de satisfaire à son engagement dans un délai raisonnable » (art. 134) en mentionnant « en termes apparents » « qu'à défaut pour le débiteur de satisfaire à son engagement, le créancier sera en droit de résoudre le contrat » (art. 134, al. 2). Face à cette mise en demeure, le débiteur peut saisir un juge qui se prononcera sur le bien-fondé de la démarche engagée par le créancier (art. 134, al. 4) ; et ce n'est qu'à défaut tout à la fois d'exécution de l'engagement et de saisine d'un juge par le débiteur que le créancier pourra notifier « au débiteur la résolution du contrat et les raisons qui la motivent » (art. 134, al. 3). La notification étant faite par le créancier « à ses risques et périls » (art. 134, *in limine*), il faut comprendre que le débiteur ainsi notifié peut toujours contester en justice la résolution unilatérale faite par le créancier.

S'agissant des effets de la résolution, l'avant-projet précise qu'elle met fin au contrat, et prend effet à une date variable selon les cas : date prévue par la clause résolutoire, date de la réception par le débiteur de la notification faite au créancier, date fixée par le juge ou date de l'assignation en justice (art. 137). En outre, il prévoit la survie des clauses relatives au règlement des différends ainsi que celles justement destinées à s'appliquer en cas de résolution.

Art. 132. – La résolution résulte soit de l'application d'une clause résolutoire, soit, en cas d'inexécution suffisamment grave, d'une notification du créancier au débiteur ou d'une décision de justice.

Art. 133. – La clause résolutoire désigne les engagements dont l'inexécution entraînera la résolution du contrat.

La résolution est subordonnée à une mise en demeure infructueuse, s'il n'a pas été convenu que celle-ci résulterait du seul fait de l'inexécution. La mise en demeure mentionne la clause résolutoire en termes apparents.

La résolution prend effet par la notification qui en est faite au débiteur et à la date de sa réception.

Art. 13. – Le créancier peut, à ses risques et périls, résoudre le contrat par voie de notification. Il doit préalablement mettre en demeure le débiteur défaillant de satisfaire à son engagement dans un délai raisonnable.

La mise en demeure mentionne en termes apparents qu'à défaut pour le débiteur de satisfaire à son engagement, le créancier sera en droit de résoudre le contrat.

Lorsque l'inexécution persiste, le créancier notifie au débiteur la résolution du contrat et les raisons qui la motivent.

Le débiteur peut à tout moment saisir le juge pour contester la résolution. Le créancier doit alors prouver la gravité de l'inexécution.

Art. 135. – La résolution peut toujours être demandée en justice.

Art. 136. – Le juge peut, selon les circonstances, constater ou prononcer la résolution, ou ordonner l'exécution du contrat, en accordant éventuellement un délai au débiteur.

Art. 137. – La résolution met fin au contrat.

La résolution prend effet, selon les cas, soit dans les conditions prévues par la clause résolutoire, soit à la date de la réception par le débiteur de la notification faite par le créancier, soit à la date fixée par le juge ou, à défaut, au jour de l'assignation en justice.

Elle oblige à restituer les prestations échangées lorsque leur exécution n'a pas été conforme aux obligations respectives des parties ou lorsque l'économie du contrat le commande.

Les restitutions ont alors lieu dans les conditions prévues au chapitre V du titre IV.

Art. 138. – La résolution n'affecte ni les clauses relatives au règlement des différends, ni celles destinées à produire effet même en cas de résolution, telles les clauses de confidentialité et de non concurrence.

§ 3. – Les garanties de bonne exécution des contrats

536. – **Présentation générale.** Lorsque les contrats s'exécutent en un trait de temps, comme c'est le cas pour les actes de la vie courante, le contrat est exécuté en même temps qu'il est conclu et il n'y a pas lieu de se préoccuper de mettre en place des garanties de bonne exécution.

Il n'en va pas de même lorsque le contrat s'exécute dans le temps. Il y a alors deux risques de nature différente.

D'une part, le risque de l'inflation ou de l'érosion monétaire pour le cocontractant qui, en application du contrat, doit recevoir des sommes d'argent à des échéances échelonnées dans le temps. Pour pallier ce risque de dévaluation de la monnaie, on peut insérer au contrat des *clauses monétaires*.

D'autre part, le risque de l'insolvabilité du débiteur qui peut être limité par la mise en place de *garanties de paiement*, de sûretés.

A. – Les garanties contre l'érosion monétaire : les clauses monétaires(464)

537. – **Les clauses dans les paiements internationaux.** Pour se protéger des effets tant de l'érosion monétaire que des dévaluations, la pratique a imaginé des clauses d'indexation ou d'échelle mobile dont l'intérêt est évident pour tous les contrats comportant des paiements ou des restitutions en argent échelonnés dans le temps. L'exemple type est celui du contrat de prêt.

(464) M. Vasseur, *Le droit des clauses monétaires et les enseignements de l'économie politique* : *RTD civ.* 1952, 431. – P. Durand (ouvrage collectif ss dir.), *Influence de la dépréciation monétaire sur la vie juridique privée*. – J.-P. Doucet, *Les clauses d'indexation et les ordonnances du 30 déc. 1958 et du 4 déc. 1959*, 1965. – R. Savatier, *Dépréciation monétaire et vie juridique des contrats* : *D.* 1972, chron. 1 ; *Les effets de la dépréciation monétaire sur les rapports juridiques contractuels*, in *Trav. Assoc. H. Capitant*, 1971, t. XXIII. – E.-S. de la Marnierre, *Observations sur l'indexation comme mesure de valeur* : *RTD civ.* 1977, 54. – R. Tendler, *Indexation et ordre public. L'ordonnance du 30 décembre 1958 : majorité ou sénilité ?* : *D.* 1977, chron. 245. – J. Honorat, *Les indexations contractuelles et judiciaires*, in *Études Flour*, 1979, p. 251. – L. Boyer, *À propos des clauses d'indexation : du nominalisme monétaire à la justice contractuelle*, in *Mél. Marty*, p. 87. – P. Chauvel, *Indexation et baux commerciaux* : *RTD com.* 1986, 359.

Pour les *paiements internationaux*, la validité de ces clauses n'a jamais été mise en doute[(465)]. La solution contraire eût mis l'économie française dans une situation très désavantageuse dont les effets se seraient ressentis dans les contrats d'importation ou d'exportation et dans le placement à l'étranger des emprunts nationaux.

Sous réserve de la difficulté de définir ce qu'est un paiement international, toutes les clauses monétaires y sont permises. Peu importe qu'elles soient relatives à la monnaie de paiement : paiement en or (clause-or) ou en une quelconque monnaie étrangère ; ou à la monnaie de compte seulement, le paiement étant fait en argent français : clause valeur-or, clause de garantie de change. Il peut encore s'agir d'une *clause d'échelle-mobile* ou *d'indexation* en vertu de laquelle la somme due variera suivant un indice librement choisi par les parties : cours d'un produit ou d'un salaire, ou d'un indice publié par un organisme quelconque, etc.

La jurisprudence définit le paiement international comme « un mouvement de flux et de reflux ou dessus des frontières avec des conséquences réciproques dans un pays et dans un autre »[(466)] ou, suivant une formule plus récente comme « un paiement destiné à financer une opération du commerce international »[(467)].

À la suite de la mise en place de la zone euro, on peut se demander si les paiements entre États membres sont toujours des paiements internationaux, ou s'ils ne doivent pas être considérés comme des paiements internes au sens des ordonnances des 30 décembre 1958 et 4 février 1959.

538. – Les clauses dans les paiements internes. Les ordonnances de 1958-1959. Pour les *paiements internes* la question n'était jadis réglée par aucun texte, si ce n'est de manière indirecte par l'article 1895 du Code civil, toujours en vigueur et relatif au prêt d'argent : « l'obligation qui résulte d'un prêt en argent n'est toujours que de la somme énoncée au contrat ». En dépit de ce texte qui semblait condamner les clauses monétaires, la jurisprudence avait en définitive admis leur validité de principe, sauf pour les clauses-or ou monnaie étrangère.

Par deux ordonnances des 30 décembre 1958 et 4 février 1959, le législateur a interdit pour l'avenir « toute clause prévoyant des indexations fondées sur le salaire minimum de croissance, sur le niveau général des prix ou des salaires, ou sur les prix de biens, produits ou services n'ayant pas de relation directe avec l'objet (...) de la convention ou avec l'activité de l'une des parties ». L'érosion monétaire comme la dévaluation étant des éléments d'une politique économique, le gouvernement a voulu interdire aux particuliers et aux organisations syndicales d'insérer dans les contrats ou les conventions collectives des clauses susceptibles de perturber le jeu des mécanismes économiques et monétaires et d'accélérer les mouvements inflationnistes.

---

(465) Cass. civ., 17 mai 1927 : *DP* 1928, 1, 25, concl. Matter, et note Capitant ; S. 1927, 1, 289 et note Esmein. – Paris, 11 avr. 1972 : *JCP* 1973, IV, 312. – Cass. 1re civ., 15 juin 1983 : *JCP* 1984, II, 20123, obs. J.-Ph. Lévy. – Cass. 1re civ., 13 mai 1985 : *Gaz. Pal.* 1985, 2, pan. 361.

(466) Cass. civ., 17 mai 1927, préc.

(467) Cass. 1re civ., 11 oct. 1989 : *JCP* 1990, II, 21393 et note J.-Ph. Lévy ; *D.* 1990, 167 et note E.-S. de la Marnierre.

Cette prohibition est d'ordre public, et sanctionnée par la nullité absolue ; toute clause nulle n'est donc susceptible ni de confirmation, ni de ratification[468].

Sont ainsi interdites dans les contrats internes les clauses d'indexation sur une monnaie étrangère[469], ou les clauses de paiement en monnaie étrangère qui leur sont assimilées, ceci dans la mesure où de telles clauses d'indexation sont sans relation avec l'objet de la convention ou avec l'activité de l'une des parties[470] (V. *infra*, n° 540). On rappellera à cet égard que la monnaie française n'est plus le franc, mais l'euro (C. monét. fin., art. L. 111-1), lequel n'est donc pas une monnaie étrangère[471].

Code monétaire et financier

Art. L. 112-1. – Sous réserve des dispositions du premier alinéa de l'article L. 112-2 et des articles L. 112-3, L. 112-3-1 et L. 112-4, l'indexation automatique des prix de biens ou de services est interdite.

Est réputée non écrite toute clause d'un contrat à exécution successive, et notamment des baux et locations de toute nature, prévoyant la prise en compte d'une période de variation de l'indice supérieure à la durée s'écoulant entre chaque révision.

Est interdite toute clause d'une convention portant sur un local d'habitation prévoyant une indexation fondée sur l'indice « loyers et charges » servant à la détermination des indices généraux des prix de détail. Il en est de même de toute clause prévoyant une indexation fondée sur le taux des majorations légales fixées en application de la loi n° 48-1360 du 1er septembre 1948, à moins que le montant initial n'ait lui-même été fixé conformément aux dispositions de ladite loi et des textes pris pour son application.

Art. L. 112-2. – Dans les dispositions statutaires ou conventionnelles, est interdite toute clause prévoyant des indexations fondées sur le salaire minimum de croissance, sur le niveau général des prix ou des salaires, ou sur les prix de biens, produits ou services n'ayant pas de relation directe avec l'objet du statut ou de la convention ou avec l'activité de l'une des parties. Est réputée en relation directe avec l'objet d'une convention relative à un immeuble bâti toute clause prévoyant une indexation sur la variation de l'indice national du coût de la construction publié par l'Institut national des statistiques et des études économiques ou, pour des activités commerciales ou artisanales définies par décret, sur la variation de l'indice trimestriel des loyers commerciaux publié dans des conditions fixées par ce même décret par l'Institut national de la statistique et des études économiques.

Est également réputée en relation directe avec l'objet d'une convention relative à un immeuble toute clause prévoyant, pour les activités autres que celles visées au premier alinéa ainsi que pour les activités exercées par les professions libérales, une indexation sur la variation de l'indice trimestriel des loyers des activités tertiaires publié par l'Institut national de la statistique et des études économiques dans des conditions fixées par décret.

Les dispositions des précédents alinéas ne s'appliquent pas aux dispositions statutaires ou conventionnelles concernant les dettes d'aliments.

Doivent être regardées comme dettes d'aliments les rentes viagères constituées entre particuliers, notamment en exécution des dispositions de l'article 759 du Code civil.

Art. L. 112-3. – Par dérogation aux dispositions de l'article L. 112-1 et des premier et deuxième alinéas de l'article L. 112-2 et selon des modalités fixées par décret, peuvent être indexés sur le niveau général des prix :

1. (abrogé) ;

---

(468) Cass. com., 3 nov. 1988 : *D.* 1989, 93 et note Ph. Malaurie.

(469) Cass. civ., 12 janv. 1988 : *D.* 1989, 80 et note Ph. Malaurie. – Cass. 1re civ., 11 oct. 1989 : *JCP* 1989, II, 21393, obs. J.Ph. Lévy ; *D.* 1990, 167 et note E.-S. de la Marnierre. – Bordeaux, 1re ch., 8 mars 1990 : *D.* 1990, 550 et note Ph. Malaurie. – V. aussi A.-M. Morgan de Rivery-Guillaud, *Quel avenir pour les clauses monétaires ? À propos de l'arrêt de la Cour de cassation, première chambre civile, du 11 octobre 1989* : *Gaz. Pal.* 1991, 1, doctr. 249.

(470) Cass. 3e civ., 2 oct. 2007 : *Contrats, conc. consom.* 2008, comm. 35, obs. L. Leveneur.

(471) G. Gruber, *L'euro et les clauses d'indexation* : *D.* 1999, chron. 258. – Cass. 1re civ., 13 avr. 1999 : *D.* 1999, inf. rap. 135 ; *D.* 2000, somm. 365, obs. R. Libchaber (décision rendue à propos de l'écu). – N.-H. Aymeric, *L'incidence de l'euro sur le traitement juridique des devises* : *RTD com.* 2005, p. 197.

2. Les livrets A définis à l'article L. 221-1 ;

3. Les comptes sur livret d'épargne populaire définis à l'article L. 221-13 ;

4. Les livrets de développement durable définis à l'article L. 221-27 ;

5. Les comptes d'épargne-logement définis à l'article L. 315-1 du Code de la construction et de l'habitation ;

6. Les livrets d'épargne-entreprise définis à l'article 1er de la loi n° 84-578 du 9 juillet 1984 sur le développement de l'initiative économique ;

7. Les livrets d'épargne institués au profit des travailleurs manuels définis à l'article 80 de la loi de finances pour 1977 (n° 76-1232 du 29 décembre 1976) ;

8. Les prêts accordés aux personnes morales ainsi qu'aux personnes physiques pour les besoins de leur activité professionnelle.

9. Les loyers prévus par les conventions portant sur un local d'habitation ou sur un local affecté à des activités commerciales ou artisanales relevant du décret prévu au premier alinéa de l'article L. 112-2 ;

10. Les loyers prévus par les conventions portant sur un local à usage des activités prévues au deuxième alinéa de l'article L. 112-2 ;

11. Les rémunérations des cocontractants de l'Etat et de ses établissements publics ainsi que les rémunérations des cocontractants des collectivités territoriales, de leurs établissements publics et de leurs groupements, au titre des contrats de délégation de service public, des contrats de partenariat et des concessions de travaux publics conclus dans le domaine des infrastructures et des services de transport.

Art. L. 112-3-1. – Nonobstant toute disposition législative contraire, l'indexation des titres de créance et des contrats financiers mentionnés respectivement au 2 du II et au III de l'article L. 211-1 est libre.

Art. L. 112-4. – Est autorisée l'indexation du salaire minimum de croissance selon les règles fixées par les articles L. 3231-4 et L. 3231-5 du Code du travail.

On peut toutefois se demander si ces ordonnances de 1958-1959, aujourd'hui codifiées aux articles L. 112-1 et suivants du Code monétaire et financier, qui font partie du droit monétaire, ne devraient pas être abrogées ou devenir caduques par suite du transfert des compétences monétaires à l'autorité communautaire, laquelle n'a, à ce jour, édicté aucune limitation à la validité des clauses monétaires[472].

On observe que l'avant-projet de réforme se contente de préciser qu'il est possible de faire varier la somme due en stipulant une clause d'indexation.

Art. 196. – Le débiteur d'une obligation de somme d'argent se libère par le versement de son montant nominal.

Le montant de la somme due peut varieir en fonction d'une clause d'indexation.

Le débiteur d'une dette de valeur se libère par le versement de la somme d'argent résultant de sa liquidation.

539. – Les ordonnances de 1958-1959. Articles L. 112-1 et suivants du Code monétaire et financier. En l'état du droit positif, l'article L. 112-1, alinéa 1er, reprend pour l'essentiel les textes des ordonnances de 1958-1959. Il pose en principe que l'indexation automatique des prix de biens ou de services est interdite. Il n'y est dérogé que dans trois cas :

• pour les dispositions relatives aux dettes d'aliments car, pour remplir son office, le montant de ces dettes doit suivre l'évolution du coût de la vie (art. L. 112-2, al. 2) ;

(472) F. Dion et C. Thierache, *Faut-il abroger les ordonnances de 1958 et 1959 sur les indexations* : *D.* 1995, chron. 55. – G. Gruber, *L'euro et les clauses indexation* : préc. – N.-H. Aymeric, *L'incidence de l'euro sur le traitement juridique des devises*, préc.

• pour divers livrets d'épargne, pour les prêts accordés aux personnes physiques ou morales pour les besoins de leur activité professionnelle, pour les loyers relatifs à un local d'habitation, ainsi que pour certaines rémunérations des cocontractants de l'Etat, ou des collectivités territoriales, ou de leurs établissements publics ou groupements (art. L. 112-3) qui pourront être indexés sur le niveau général des prix[(473)] ;

• enfin, plus généralement, les ordonnances de 1958-1959 (art. L. 112-2, al. 1) réservent en termes exprès la validité des clauses d'indexation fondées sur le prix de biens, produits ou services lorsque l'indice choisi est *en relation directe avec soit l'objet du contrat*[(474)], *soit l'activité de l'une des parties*[(475)]. En pratique, cette formule offre un éventail très large aux cocontractants et leur permet d'échapper aux graves conséquences d'une dévaluation survenant en cours de contrat. Par exemple, tous les contrats de vente d'immeuble à construire étaient indexés sur le coût de la construction et le sont désormais sur l'indice bâtiment BT 01. De même, malgré l'article 1895 du Code civil, le contrat de prêt lui-même peut être indexé, non pas sur l'objet du contrat (qui est la monnaie) mais sur la profession de l'emprunteur, ou sur le niveau général des prix si le prix répond aux conditions de l'article L. 112-2, alinéa 1er.

De même, pour les conventions relatives aux immeubles bâtis, l'article L. 112-2 répute en relation directe avec l'objet du contrat l'indexation sur l'indice national du coût de la construction publié par l'INSEE. Mais, cet indice ayant subi des variations à la hausse jugées trop importantes, il lui a été substitué, pour les loyers des locaux d'habitation, l'indice de référence des loyers publié par l'INSEE. Corrélativement, les loyers des locaux d'habitation ont été ajoutés à la liste de l'article L. 112-3 comme pouvant être indexés par décret sur le niveau général des prix.

En toute hypothèse, les cocontractants seront bien avisés de stipuler une clause d'échelle mobile dans tout contrat s'exécutant dans la durée et susceptible en conséquence de ressentir les effets des variations monétaires. La même prudence doit conduire à choisir un indice dont le rapport avec l'objet du contrat ou l'activité des parties soit incontestable ; on évitera ainsi les aléas d'une interprétation judiciaire et les inconvénients d'une nullité de la clause qui pourrait entraîner la nullité de l'ensemble du contrat si le tribunal y voyait une condition déterminante et résolutoire (V. *supra*, n° 441).

540. – L'appréciation du lien entre l'indice choisi et l'objet du contrat ou l'activité de l'une des parties. S'agissant d'une question de pur fait, les juges du fond disposent d'un pouvoir d'appréciation souverain et échappent donc en cette matière à une éventuelle censure de la Cour de cassation.

La tendance jurisprudentielle générale est à une application bienveillante de la loi. C'est ainsi que la Cour suprême déclare que la loi doit être interprétée

(473) V. A. Couret, *Les dispositions de la loi n° 98-546 du 2 juillet 1998 portant DDOEF concernant le droit des sociétés : Bull. Joly Sociétés* 1998, p. 709. L'indice de référence des loyers est, à compter du 1er janvier 2008, « la moyenne, sur les douze derniers mois, de l'évolution des prix à la consommation hors tabac et hors loyers ».

(474) V. Cass. 3e civ., 6 juin 1972 : *JCP* 1972, II, 17255 ; *Defrénois* 1973, 1, 306 et note Ph. Malaurie. – Cass. 3e civ., 30 mai 1972 : *D.* 1973, 252 et note Ph. M. – Cass. 1re civ., 9 janv. 1974 : *JCP* 1974, II, 17806 et note J.-Ph. Lévy. – Cass. 3e civ., 16 juill. 1974 : *D.* 1974, 681 et note Ph. Malaurie. – Cass. 1re civ., 18 févr. 1976 : *JCP* ²1976, II, 18465, obs. J.-Ph. Lévy.

(475) V. Cass. 3e civ., 15 févr. 1972 : *JCP* 1972, II, 17094, obs. J.-Ph. Lévy ; *D.* 1973, 417 et note J. Ghestin ; *Defrénois* 1973, 1, 430 et note Ph. Malaurie. – Cass. 1re civ., 12 avr. 1972 : *JCP* 1972, II, 17235, obs. J.-Ph. Lévy. – Sur la notion d'activité, V. Cass. 1re civ., 18 juin 1980 : *JCP* 1980, IV, 332. – Cass. 1re civ., 6 juin 1984 : *JCP* 1985, II, 20471, obs. J.-Ph. Lévy. – Paris, 3e ch. B, 28 mars 1990 : *D.* 1990, inf. rap. p. 109.

restrictivement parce qu'elle déroge au principe de la liberté des conventions. Et les juges ont aussi, par interprétation de la volonté des parties, donné validité à des clauses dont l'indice était ou inexistant, ou caduc, ou même en partie nul[(476)]. De même, en cas de disparition de l'indice choisi par les parties, le juge peut lui substituer l'indice le plus conforme à la commune intention des parties[(477)].

La stipulation dans le contrat d'une clause d'indexation est une précaution d'autant plus élémentaire que le créancier de la somme d'argent ne serait pas admis à se prévaloir de son *imprévision* pour demander au juge la *révision* de la convention (V. *infra*, n° 503).

541. – **Les clauses d'indexation spécifiquement réglementées.** La réglementation issue des ordonnances de 1958-1959 est inspirée par un souci de lutter contre l'inflation et relève en conséquence de la politique monétaire de la France ou, aujourd'hui, de l'Union européenne.

À côté de cette réglementation de caractère général, le droit français a édicté un certain nombre d'interdictions ou de règles d'inspiration tout à fait différente puisqu'elles tendent à protéger la partie réputée faible dans le contrat. De ce fait elles ne relèvent pas de la compétence communautaire, mais du droit national.

C'est le cas notamment du bail d'habitation qui ne peut être indexé que sur l'indice de référence des loyers (L. 26 juill. 2005), indice récemment modifié, du bail rural qui ne peut évoluer qu'entre des maxima et des minima arrêtés par l'autorité administrative (C. rur. et pêche marit., art. L. 411-11), du prix du bail commercial dont la révision ne peut en principe excéder la variation de l'indice du coût de la construction ou, s'ils sont applicables, de l'indice des loyers commerciaux ou de l'indice trimestriel des loyers des activités tertiaires (C. com., art. L. 145-34), du prix dans le contrat de construction de maison individuelle et dans la vente d'immeuble à construire qui ne peut être indexé que sur l'indice BT 01 (CCH, art. L. 231-11 et L. 261-11-1)[(478)]; etc.

Dans d'autres cas le législateur prévoit directement l'indexation, notamment pour les rentes viagères ou pour les dettes alimentaires.

Toute cette réglementation, qui trouvait son origine dans l'inflation qui sévissait en France, a perdu une large part de son intérêt aujourd'hui où cette inflation est devenue très faible.

B. – Les garanties contractuelles de paiement : les sûretés

542. – **Obligations en nature et obligations de sommes d'argent.** Il est assez difficile de se prémunir contre l'inexécution d'une obligation stipulée en nature car

(476) Cass. 3e civ., 15 févr. 1972, préc. – Cass. 3e civ., 16 juill. 1974 : *D.* 1974, 681 et note Ph. Malaurie. – Cass. com., 7 janv. 1975 : *D.* 1975, 516 et note Ph. Malaurie ; *JCP* 1975, II, 18167, obs. J. Ghestin. – Cass. 3e civ., 19 avr. 1977 : *D.* 1977, inf. rap. 346. – Lyon (aud. sol.), 9 juill. 1990 : *D.* 1991, 47 et note Ph. Malaurie. – *Contra* Paris, 10 oct. 1972 : *D.* 1972, 485 et note Y. Lobin.

(477) Ph. Malinvaud, *L'affaire du BT 01 : RD imm.* 1982, 9. – Cass. 3e civ., 18 juill. 1985 : *Gaz. Pal.* 1985, 2, pan. 361, obs. A. Piedelièvre. – Lyon (aud. sol.), 9 juill. 1990 : préc. – Cass. 3e civ., 12 janv. 2005 : *Bull. civ.* 2005, III, n° 4 ; *RDC* 2005, p. 1018, obs. D. Mazeaud. – Cass. com., 16 nov. 2004 : *JCP* E 2005, II, 1441, note J. Stoufflet et S. Durox ; *RTD civ.* 2006, p. 117, obs. J. Mestre et B. Fages. – Cette solution est explicitée par l'avant-projet de réforme (article 73) : « Lorsque le prix ou tout autre élément du contrat doit être déterminé par référence à un indice qui n'existe pas ou a cessé d'exister ou d'être accessible, celui-ci est remplacé par l'indice qui s'en rapproche le plus ».

(478) Ph. Malinvaud, *La révision du prix des contrats de construction d'une maison individuelle et de vente d'immeuble à construire : RD imm.* 1984, 381.

on ne peut guère forcer les autres à faire ce qu'ils ne veulent pas. On ne dispose que de moyens indirects tels que l'insertion dans le contrat d'une *condition résolutoire* (V. *supra*, n° 445) ou d'une *clause pénale*, indemnité forfaitaire qu'on choisira élevée (V. *infra*, nos 797 et s.). Encore faut-il préciser que ces moyens n'aboutissent nullement à l'exécution en nature de la prestation promise. Finalement, la meilleure précaution tient beaucoup plus à un choix éclairé du cocontractant.

S'il s'agit au contraire d'une obligation en argent, d'une créance de somme d'argent, les garanties d'exécution sont plus faciles à trouver parce que tout, ou presque, peut se ramener à de l'argent, ce qui permet de donner au créancier une satisfaction équivalente. Au lieu de faire entière confiance au débiteur et de se contenter de son droit de gage général, le créancier peut subordonner son consentement à l'octroi d'une garantie de paiement, d'une sûreté réelle ou personnelle.

1° Les sûretés réelles

543. – Les *sûretés réelles* sont sans nul doute les plus efficaces puisque le créancier se voit consentir un *droit réel accessoire* de gage, hypothèque, etc., sur un bien de son débiteur ou d'un tiers. Si, à l'échéance, le débiteur ne paie pas sa dette, le créancier pourra saisir le bien en quelque main qu'il se trouve (*droit de suite*), le faire vendre et se payer sur le prix par préférence à tous les autres créanciers (*droit de préférence*).

Sur le plan de la technique juridique, la démarche consiste à conclure deux contrats, le premier pour donner naissance à l'obligation qui constitue l'objectif principal, le second pour garantir le paiement de la dette découlant du premier. Ceci étant, l'éventail des sûretés possibles est très large et, suivant les circonstances, on pourra préférer une garantie portant sur des biens meubles ou sur des immeubles.

Parmi les sûretés réelles, il faut faire une place particulière à la *clause de réserve de propriété* par laquelle le vendeur se réserve la propriété de la chose vendue jusqu'à complet paiement du prix. Cette clause, consacrée par une loi du 12 mai 1980, permet au vendeur de se protéger contre l'insolvabilité éventuelle, et même contre le redressement judiciaire de l'acquéreur ; elle est devenue d'usage courant dans le monde du commerce[(479)], et elle est désormais régie par les articles 2367 et suivants du Code civil, dus à l'ordonnance du 23 mars 2006 relative aux sûretés[(480)].

2° Les sûretés personnelles

544. – **Débiteurs principaux et débiteurs accessoires.** Les sûretés personnelles sont très pratiquées dans le monde des affaires. La garantie réside ici dans l'engagement de plusieurs débiteurs au paiement de la même dette, en dehors de toute affectation d'un bien : plus nombreux seront les débiteurs, plus grandes seront les chances d'être payé[(481)].

---

(479) Y. Chaput, *Les clauses de réserve de propriété (Commentaire de la loi n° 80-335 du 12 mai 1980)* : *JCP* 1981, I, 3017. – J. Ghestin, *Réflexions d'un civiliste sur la clause de réserve de propriété* : *D.* 1981, chron. 1. – F. Perochon, *La réserve de propriété dans la vente de meubles corporels*, préf. F. Derrida : Litec, 1988.

(480) P. Crocq, *La réserve de propriété*, in *Commentaire de l'ordonnance du 23 mars 2006 relative aux sûretés* : *JCP G* 17 mai 2006, suppl. au n° 20, p. 23. – Pour l'interrogation technique, V. D. R. Martin : *D.* 2014, 1081.

(481) M. Bourassin, *L'efficacité des garanties personnelles* : LGDJ, coll. « Droit privé », 2006.

Parfois, lorsque le contrat aura été passé avec plusieurs personnes[482], il y aura tout naturellement plusieurs codébiteurs entre lesquels le créancier aura intérêt à exiger la *solidarité* et l'*indivisibilité*. Mais, qu'il y ait un ou plusieurs codébiteurs, le créancier peut aussi subordonner son accord à l'engagement d'une ou plusieurs *cautions*, débiteurs secondaires dont il peut être stipulé qu'ils seront tenus solidairement avec le débiteur principal.

Ces diverses techniques, qui peuvent être cumulées, tendent au même but : étaler sur plusieurs débiteurs, principaux ou accessoires, les risques d'insolvabilité de l'un. Moins solides que les sûretés réelles puisque tous les codébiteurs peuvent s'avérer insolvables, les sûretés personnelles sont en général plus faciles à constituer et à mettre en œuvre.

a) Pluralité de débiteurs principaux

545. – **Obligations conjointes, solidaires, indivisibles**[483]. Lorsqu'une même obligation est due par plusieurs codébiteurs, par exemple quatre personnes ont contracté en commun un emprunt de *x* euros, le principe en droit civil est que chacun n'est tenu et ne peut être poursuivi en paiement que pour sa part, pour un quart dans l'exemple choisi ; aucun ne répondant de l'insolvabilité éventuelle de ses codébiteurs, on dit que l'obligation est *conjointe*[484].

Art. 1200. – Il y a solidarité de la part des débiteurs, lorsqu'ils sont obligés à une même chose, de manière que chacun puisse être contraint pour la totalité, et que le paiement fait par un seul libère les autres envers le créancier.

Art. 1201. – L'obligation peut être solidaire quoique l'un des débiteurs soit obligé différemment de l'autre au paiement de la même chose ; par exemple, si l'un n'est obligé que conditionnellement, tandis que l'engagement de l'autre est pur et simple, ou si l'un a pris un terme qui n'est point accordé à l'autre.

Art. 1202. – La solidarité ne se présume point ; il faut qu'elle soit expressément stipulée.

Cette règle ne cesse que dans les cas où la solidarité a lieu de plein droit, en vertu d'une disposition de la loi.

Art. 1203. – Le créancier d'une obligation contractée solidairement peut s'adresser à celui des débiteurs qu'il veut choisir, sans que celui-ci puisse lui opposer le bénéfice de division.

Art. 1204. – Les poursuites faites contre l'un des débiteurs n'empêchent pas le créancier d'en exercer de pareilles contre les autres.

Art. 1205. – Si la chose due a péri par la faute ou pendant la demeure de l'un ou de plusieurs des débiteurs solidaires, les autres codébiteurs ne sont point déchargés de l'obligation de payer le prix de la chose ; mais ceux-ci ne sont point tenus des dommages et intérêts.

Le créancier peut seulement répéter les dommages et intérêts tant contre les débiteurs par la faute desquels la chose a péri, que contre ceux qui étaient en demeure.

Art. 1206. – Les poursuites faites contre l'un des débiteurs solidaires interrompent la prescription à l'égard de tous.

Art. 1207. – La demande d'intérêts formée contre l'un des débiteurs solidaires fait courir les intérêts à l'égard de tous.

(482) R. Cabrillac, *L'acte juridique conjonctif en droit privé français*, préf. P. Catala : LGDJ, 1990.

(483) Les Principes Lando envisagent une autre catégorie d'obligation : *l'obligation commune*. L'obligation est commune lorsque tous les débiteurs sont tenus d'exécuter ensemble la prestation et que le créancier ne peut en réclamer l'exécution qu'à tous. Par exemple, l'exécution d'une œuvre musicale par un orchestre ne peut être exécutée que par tous les musiciens ensemble. Le droit français ignore ce type d'obligation, mais certains auteurs plaident pour sa reconnaissance sous le vocable d'obligation collective. V. Ph. Briand, *Éléments d'une théorie de la cotitularité des obligations*, ss dir. F. Collart-Dutilleul : thèse Nantes, 2000. – Adde l'Avant-projet de réforme, art. 57, *infra*, n° 548.

(484) M. Julienne, *Pour un réexamen du principe de division des dettes conjointes* : D. 2012, 1201.

Art. 1208. – Le codébiteur solidaire poursuivi par le créancier peut opposer toutes les exceptions qui résultent de la nature de l'obligation, et toutes celles qui sont communes à tous les codébiteurs.

Il ne peut opposer les exceptions qui sont purement personnelles à quelques-uns des autres débiteurs.

L'obligation est au contraire *solidaire*[(485)] lorsque, chacun répondant de l'insolvabilité éventuelle de tous les autres, le créancier peut s'adresser à l'un quelconque des codébiteurs pour la totalité de la dette (C. civ., art. 1200 et 1203). Celui qui aura ainsi payé le tout divisera son recours contre chacun des autres et les conséquences de l'insolvabilité de l'un seront réparties entre ceux qui sont solvables.

Cet effet est l'avantage principal de la solidarité ; elle produit aussi des effets secondaires qui tiennent à l'idée d'une représentation réciproque des codébiteurs (V. par ex., C. civ., art. 1206 et 1207).

En matière civile, la solidarité entre codébiteurs ne se présume pas ; elle doit être expressément stipulée[(486)] (C. civ., art. 1202). Ce principe est toutefois largement battu en brèche. Il ne s'applique en premier lieu qu'aux obligations volontaires, par opposition à celles légales, par exemple à celles nées d'un délit, d'un quasi-délit ou d'un quasi-contrat[(487)], ou encore aux obligations alimentaires[(488)]. En outre, et en second lieu, on admet depuis longtemps que la stipulation peut être expresse au sens de l'article 1202 dès l'instant qu'elle « ressort clairement et nécessairement du titre constitutif de l'obligation, alors même que celle-ci n'a pas été qualifiée de solidaire »[(489)]. Enfin, et en dernier lieu, en vertu d'une longue tradition, la règle est inverse en matière commerciale où la solidarité est au contraire présumée[(490)].

Au contraire de l'article 1202 du Code civil, l'avant-projet de Code européen des contrats de Pavie (art. 88) et les Principes du droit européen du contrat (PDEC, art. 10.102) présument que, lorsque le contrat prévoit que l'obligation est à la charge de plusieurs débiteurs, le créancier peut en demander l'exécution intégrale de la part de n'importe lequel des débiteurs en question, à son choix. Le principe est donc inversé : la solidarité (du moins la solidarité passive) est présumée de manière générale et non seulement pour les obligations commerciales[(491)].

(485) M. Mignot, *Les obligations solidaires et les obligations* in solidum *en droit privé français* : Dalloz, 2002. – D.-R. Martin, *L'engagement de codébiteur solidaire adjoint* : *RTD civ.* 1994, 49. – M. Oury-Brulé, *L'engagement du codébiteur solidaire non intéressé à la dette. Article 1216 du Code civil* : LGDJ, coll. « Droit privé », 2002. – A. Hontebeyrie, *Le fondement de l'obligation solidaire en droit privé* : Économica, 2004, préf. L. Aynès. – M. Mignot, *Les méfaits durables de la stipulation et l'obligation solidaire* : *D.* 2006, chron. p. 2696.

(486) V. par ex. pour les dettes nées du fonctionnement d'une indivision : Cass. 1re civ., 29 nov. 2005 : *Bull. civ.* 2005, I, n° 460 ; pour la dette de remboursement d'un prêt conclu par des concubins, Cass. 1re civ., 7 nov. 2012, n° 11-25.430.

(487) Cass. req., 4 mai 1869 : *S.* 1869, 1, 377. – Cass. req., 20 déc. 1910, 2 arrêts : *D.* 1911, 1, 377 et note M. Planiol. – Cass. com., 4 janv. 1967, *Bull. civ.* 1967, III, n° 14.

(488) Cass. civ., 27 nov. 1935 : *D.* 1936, 1, 25 et note A. Rouast. – Cass. soc., 28 oct. 1938 : *DH* 1938, 598. – Cass. 1re civ., 29 mai 1974 : *Bull. civ.* 1974, I, n° 166 ; *D.* 1975, 482 et note F. Magnin.

(489) Cass. 1re civ., 3 déc. 1974 : *Bull. civ.* 1974, I, n° 322. – Cass. 3e civ., 26 janv. 2005 : *Contrats, conc. consom.* 2005, comm. 83, obs. L. Leveneur. – Comp. Cass. 3e civ., 11 juill. 2012 : *RDC* 2013/1, p. 123 et s., obs. J. Klein, déduisant la solidarité passive des débiteurs de l'économie générale de l'opération de construction, quand l'indivisibilité des obligations aurait suffi à empêcher la division de la dette. – Comp. Cass. 1re civ., 7 nov. 2012 : *JCP* 2013, 47, note B. Waltz, refusant de déduire la solidarité de la destination des fonds empruntés et de la connaissance par le concubin des agissements frauduleux de la concubine.

(490) F. Derrida, *De la solidarité commerciale* : *RTD com.* 1953, 329. – B. Dondero, *La présomption de solidarité en matière commerciale : une rigueur à modérer* : *D.* 2009, 1097.

(491) Une autre divergence doit être relevée entre l'avant-projet de Pavie et le droit français : selon le projet européen, la sommation à exécuter l'obligation et toute autre communication ou déclaration concernant le sort de la dette, destinée à interrompre la prescription, doit être adressées à tous les débiteurs solidaires sous peine d'inefficacité.

Comme le caractère civil ou commercial d'un contrat est souvent incertain, la prudence doit conduire à toujours exprimer dans les termes du contrat la solidarité que l'on désire établir. En pratique, les clauses sont ainsi rédigées : « MM… s'engagent conjointement et solidairement… », l'adverbe conjointement étant d'ailleurs inutile en l'occurrence. On ajoutera souvent « et indivisément » pour renforcer les effets de la solidarité : en effet, l'indivisibilité[(492)] qui, à elle seule, ne produirait pas les effets secondaires de la solidarité, empêche, le cas échéant, la division de la dette entre les héritiers d'un débiteur décédé[(493)]. L'obligation des codébiteurs est alors à la fois *solidaire* et *indivisible*, et non plus *conjointe*.

Art. 1217. – L'obligation est divisible ou indivisible selon qu'elle a pour objet une chose qui, dans sa livraison, ou un fait qui, dans l'exécution, est ou n'est pas susceptible de division soit matérielle, soit intellectuelle.

Art. 1218. – L'obligation est indivisible, quoique la chose ou le fait qui en est l'objet soit divisible par sa nature, si le rapport sous lequel elle est considérée dans l'obligation ne la rend pas susceptible d'exécution partielle.

Art. 1219. – La solidarité stipulée ne donne point à l'obligation le caractère d'indivisibilité.

Art. 1222. – Chacun de ceux qui ont contracté conjointement une dette indivisible en est tenu pour le total, encore que l'obligation n'ait pas été contractée solidairement.

Art. 1223. – Il en est de même à l'égard des héritiers de celui qui a contracté une pareille obligation.

La solidarité résulte normalement d'une clause expresse ou tacite d'un contrat ; dans ce dernier cas, il appartient aux juges du fond de rechercher si elle ressort clairement et nécessairement du titre constitutif de l'obligation alors même que celle-ci n'a pas été qualifiée de solidaire[(494)].

Mais parfois elle est établie d'office par la loi, par exemple entre les co-emprunteurs d'une même chose (C. civ., art. 1887), ou entre les co-mandants (C. civ., art. 2002). De même, il est de principe que les associés dans les sociétés de personnes sont tenus solidairement des dettes de la société, et que les signataires d'un effet de commerce garantissent solidairement son paiement au dernier porteur. Ou encore la loi pénale prévoit que les coauteurs d'une infraction doivent solidairement le paiement des amendes, dommages et frais.

En l'absence de stipulation conventionnelle et de loi, la jurisprudence s'en tient à la division de la dette[(495)].

(492) J. Boulanger, *Usage et abus de la notion d'indivisibilité des actes juridiques* : *RTD civ.* 1950, 1. – J. Moury, *De l'indivisibilité entre les obligations et entre les contrats* : *RTD civ.* 1994, 255. – J.-B. Seube, *L'indivisibilité et les actes juridiques* : thèse Montpellier, 1998. – S. Amrani-Mekki, *Indivisibilité et ensembles contractuels : l'anéantissement en cascade des contrats* : *Defrénois* 2002, 1, 355, art. 37505. – Sur l'impact de l'indivisibilité sur la résolution en présence de co-débiteurs, V. Cass. 1re civ., 11 sept. 2013 : *RTD civ.* 2013, 841, obs. H. Barbier.

(493) Pour un exemple, V. F. Roussel, *Vertus et limites de l'indivisibilité du bail rural* : *D.* 2013, 1668. – Cass. 3e civ., 5 oct. 2013 : *D.* 2014, 357, note F. Roussel.

(494) Cass. 3e civ., 26 janv. 2005 : *D.* 2005, inf. rap. 597 ; *Contrats, conc. consom.* 2005, comm. 83, obs. L. Leveneur.

(495) Cass. 3e civ., 30 oct. 2013 : *Defrénois* 2014, n° 4, 115e3, obs. J.-B. S. ; *Contrats, conc. consom.* 2014, comm. 32, obs. L. Leveneur ; *RDC* 2014, 217, obs. J. Klein, 223, obs. J. -B. Seube. « Le bail ne stipulant pas la solidarité des preneurs et la dette de loyer n'étant pas par elle-même indivisible, la cour d'appel a violé les articles 1202 et 1222 du Code civil en accueillant l'action du bailleur en paiement de la totalité des loyers impayés contre un seul des locataires ». – Comp. Cass. 3e civ., 19 mars 2013, n° 11-25.266 ; *Resp. civ. ass.* 2013, comm. 233, écartant l'obligation, pour un architecte, de répondre à l'égard du maître de l'ouvrage des désordres imputables aux autres constructeurs, au motif que « Le juge est tenu de respecter les stipulations contractuelles excluant les conséquences de la responsabilité solidaire ou in solidum d'un constructeur à raison des dommages imputables à d'autres intervenants ».

546. – Obligation *in solidum*[496]. Par une interprétation extensive de cette dernière règle, la jurisprudence admet que les coresponsables d'un dommage sont, même en dehors de toute faute pénale, solidairement obligés au paiement des dommages-intérêts : il s'agit de ce qu'on appelle une obligation *in solidum*, se distinguant de la solidarité en ce qu'elle en produit seulement l'effet principal, c'est-à-dire la faculté pour le créancier de s'adresser pour le tout au codébiteur de son choix[497], ce dernier bénéficiant le cas échéant d'un recours en contribution contre les autre co-débiteurs[498]. Cette responsabilité *in solidum* sanctionne tant les dommages causés dans l'exécution d'un contrat que ceux survenant en dehors de tout contrat : par exemple, en cas d'effondrement d'un immeuble dû à une faute commune de l'architecte et de l'entrepreneur dans la construction[499].

547. – La pluralité de débiteurs principaux dans le Projet Catala[500]. Le Projet Catala comporte de nombreuses dispositions relatives aux obligations solidaires (art. 1197 à 1212) et indivisibles (art. 1213 à 1217) qui reprennent, en substance, les solutions de droit positif. Certains auteurs ont critiqué ce parti, considérant avec les projets européens que les obligations plurales devraient être en principe solidaires[501] ; mais d'autres souhaitent voir maintenu le principe actuel inverse du caractère simplement conjoint de l'obligation[502].

On notera toutefois que l'exception faite en matière commerciale au principe selon lequel la solidarité ne se présume pas est consacrée dans l'article 1202 de l'avant-projet[503], et que les obligations divisibles n'y sont pas traitées comme des modalités de l'obligation puisqu'elles constituent le principe en présence d'une pluralité de débiteurs.

Par ailleurs, tout en consacrant la solution jurisprudentielle selon laquelle les responsables d'un même dommage sont tenus solidairement de sa réparation, l'article 1378 abandonne la distinction entre obligation solidaire et obligation *in solidum* : « Tous les responsables d'un même dommage sont tenus solidairement à réparation ».

548. – La pluralité de débiteurs principaux dans l'avant-projet de réforme. l'avant-projet de réforme du droit des obligations a regroupé les textes relatifs à l'obligation conjointe (en abandonnant cette terminologie passablement ambiguë) et à l'obligation solidaire dans une sous-section 2 consa-

(496) M. Mignot, *Les obligations solidaires et les obligations* in solidum *en droit privé français* : Dalloz, 2002. – F. Rousseau, *De quelques réflexions sur la responsabilité collective. Aspects de droit civil et de droit pénal* : *D.* 2011, 1983.

(497) F. Chabas, *L'influence de la pluralité des causes sur le droit à réparation* : LGDJ, coll. « Droit privé », t. 78. – F. Chabas, *Remarques sur l'obligation* in solidum : *RTD civ.* 1967, 310. – J. Boré, *Le recours entre co-obligés* in solidum : *JCP* 1967, I, 2126. – P. Raynaud, *La nature de l'obligation des coauteurs d'un dommage. Obligation* in solidum *ou solidarité ?*, in *Mél. Vincent*, p. 317. – V. aussi Ph. Blondel, *De nouvelles perspectives pour le droit des obligations, notamment l'apport du droit européen (à partir de quelques exemples)*, in *Mél. Malinvaud* : Litec, 2007, p. 43 ; V. spéc, p. 61 et s.

(498) Cass. com., 11 déc. 2012 : *D.* 2013, 12.

(499) J. Huet, *L'obligation* in solidum *et le jeu de la solidarité dans la responsabilité des constructeurs* : *RD imm.* 1983, 11.

(500) P. Catala, *Obligations solidaires et indivisibles*, in *Avant-projet de réforme du droit des obligations et de la prescription, Exposé des motifs* : La Documentation française, 2006, p. 66.

(501) V. en ce sens, L. Aynès et N. Hontebeyrie, *Pour une réforme du Code civil, en matière d'obligation conjointe et d'obligation solidaire* : *D.* 2006, chron. p. 328.

(502) M. Mignot, *Les obligations solidaires et les obligations* in solidum *en droit privé français* : Dalloz, coll. « Bibl. thèses », 2002, préf. E. Loquin. – M. Mignot, *Les méfaits durables de la stipulation et l'obligation solidaire* : *D.* 2006, chron. p. 2696.

(503) Art. 1202 de l'avant-projet : « la solidarité ne se présume pas ; elle ne peut résulter que de la loi, d'une convention ou des usages du commerce. ».

crée à la pluralité de sujets et figurant, au sein du titre IV relatif au régime général des obligations, dans le chapitre Ier relatif aux modalités de l'obligation. Y figure aussi un texte relatif à « l'obligation à prestation indivisible », à raison des liens que l'indivisibilité de l'objet de l'obligation entretient avec la pluralité de sujets. L'avant-projet se révèle assez proche, au moins en la forme, du Projet Terré[(504)], à l'exception de « l'obligation à prestation collective », que le projet Terré suggérait de consacrer, en s'inspirant de certains droits étrangers[(505)] et que l'avant-projet a abandonnée.

Le projet reprend les solutions acquises en jurisprudence. L'obligation se divise en principe, que ce soit entre les créanciers ou les débiteurs ; sauf disposition légale contraire, la division a lieu par parts égales (art. 246). La solidarité ne se présume pas : elle ne peut résulter que de la loi ou de la volonté des parties (art. 176).

Existant entre créanciers, elle autorise chacun d'eux à demander et recevoir le paiement de toute la créance, le paiement fait à l'un d'eux libérant le débiteur à l'égard de tous, de même que la suspension ou l'interruption de la prescription à l'égard de l'un des créanciers profite à tous les créanciers (art. 177).

Existant entre débiteurs (art. 178 et s.), elle se traduit par l'obligation au tout de chacun, et permet au paiement de n'importe lequel d'entre eux de libérer les autres ; chaque débiteur peut se prévaloir des exceptions qui lui sont personnelles et de celles qui sont communes à tous ; il peut même se prévaloir de l'extinction de la part d'un codébiteur en diminution de la dette[(506)]. Le texte précise les conséquences d'une remise de solidarité, fixe la contribution de chacun dans la dette, et impute à tous l'obligation de répondre de l'inexécution de l'obligation.

S'agissant enfin de l'obligation à prestation indivisible, le projet reprend les solutions du droit positif, tout en marquant bien la différence entre cette obligation et l'obligation solidaire (art. 184).

Avant-projet de réforme

Art. 246. – L'obligation qui lie plusieurs créanciers ou débiteurs se divise de plein droit entre eux ainsi qu'entre leurs successeurs. Si elle n'est pas réglée autrement par la loi ou par le contrat, la division a lieu par parts égales.

Chacun des créanciers n'a droit qu'à sa part de la créance commune ; chacun des débiteurs n'est tenu que de sa part de la dette commune. Il n'en va autrement, dans les rapports entre les créanciers et les débiteurs, que si l'obligation est de surcroît solidaire ou si la prestation due est indivisible.

§ 1. – L'obligation solidaire

1° Dispositions préliminaires

Art. 176. – La solidarité entre débiteurs ou entre créanciers s'ajoute à la division de la dette ou de la créance commune. Il n'y a pas de solidarité entre les successeurs d'un créancier ou d'un débiteur solidaire.

---

(504) O. Deshayes, *De la pluralité de sujets, in Pour une réforme du régime général des obligations*, préc., p. 79 et s.

(505) Art. 57. – « La prestation est collective lorsque tous les débiteurs sont tenus de la fournir ensemble et qu'aucun d'eux ne peut la fournir seul. Le créancier ne peut réclamer l'exécution de l'obligation qu'à tous ». Art. 58. – « Le codébiteur auquel est imputable l'inexécution de l'obligation en répond pour le tout ; les autres n'en répondent que pour leur part, et sauf leur recours contre lui ». Ainsi de l'obligation de jouer une pièce de théâtre contractée conjointement par plusieurs comédiens.

(506) Elle joue même lorsque l'extinction provient d'une remise de dette consentie par le créancier à un co-débiteur. Comp. art. 52 du Projet Terré, procédant de l'idée selon laquelle la décision favorable prise par le créancier à l'égard d'un co-débiteur n'a pas à profiter aux autres.

La solidarité est légale ou conventionnelle ; elle ne se présume pas.

2° La solidarité entre créanciers

Art. 248[507]. – La solidarité entre créanciers permet à chacun d'eux d'exiger et de recevoir le paiement de toute la créance. Le paiement fait à l'un d'eux, qui en doit compte aux autres, libère le débiteur à l'égard de tous.

Le débiteur peut payer l'un ou l'autre des créanciers solidaires tant qu'il n'est pas poursuivi par l'un d'eux.

Art. 177. – Tout acte qui interrompt ou suspend la prescription à l'égard de l'un des créanciers solidaires, profite aux autres créanciers.

3° La solidarité entre débiteurs

Art. 178. – La solidarité entre les débiteurs contraint chacun d'eux à répondre de toute la dette. Le paiement fait par l'un d'eux les libère tous envers le créancier.

Le créancier peut demander le paiement au débiteur solidaire de son choix. Les poursuites exercées contre l'un des débiteurs solidaires n'empêchent pas le créancier d'en exercer de pareilles contre les autres.

Art. 179. – Le débiteur solidaire poursuivi par le créancier peut opposer les exceptions qui sont communes à tous les codébiteurs et celles qui lui sont personnelles. Il ne peut opposer les exceptions qui sont personnelles à d'autres codébiteurs, mais il peut se prévaloir de l'extinction de la part divise d'un codébiteur pour la faire déduire du total de la dette.

Art. 180. – Le créancier qui consent une remise de solidarité à l'un des codébiteurs solidaires conserve sa créance contre les autres, déduction faite de la part du débiteur qu'il a déchargé.

Art. 181. – Entre eux, chacun des codébiteurs solidaires ne contribue à la dette que pour sa part.

Celui qui a payé au-delà de sa part dispose d'un recours contre les autres à proportion de leur propre part.

Si l'un d'eux est insolvable, sa part se répartit, par contribution, entre les codébiteurs solvables, y compris celui qui a fait le paiement et celui qui a bénéficié d'une remise de solidarité.

Art. 182. – Si l'affaire pour laquelle la dette a été contractée solidairement ne concerne que l'un des codébiteurs, celui-ci est seul tenu de la dette à l'égard des autres. S'il l'a payée, il ne dispose pas d'un recours contre les autres codébiteurs. Si ceux-ci l'ont payée, ils disposent d'un recours contre lui.

Art. 183. – Les codébiteurs solidaires répondent solidairement de l'inexécution de l'obligation. La charge en incombe à titre définitif à ceux auxquels l'inexécution est imputable.

§ 2. – L'obligation à prestation indivisible

Art. 184. – Chacun des créanciers d'une obligation à prestation indivisible, par nature ou par contrat, peut en exiger et en recevoir le paiement intégral, sauf à rendre compte aux autres ; mais il ne peut seul disposer de la créance ni recevoir le prix au lieu de la chose.

Chacun des débiteurs d'une telle obligation en est tenu pour le tout ; mais il a ses recours en contribution contre les autres.

Il en va de même pour chacun des successeurs de ces créanciers et débiteurs.

b) Adjonctions de débiteurs accessoires[508]

549. – Le cautionnement[509]. Qu'il y ait un ou plusieurs débiteurs principaux, solidaires ou non, le créancier en position de force peut exiger une *sûreté personnelle*. Or, si la solidarité joue un peu ce rôle, seul le cautionnement en mérite le titre.

---

(507) Cette citation reprend la numérotation telle qu'établie dans la version de l'avant-projet d'octobre 2013.

(508) N. Rontchevsky, *La réforme du droit des sûretés. Les dispositions relatives au droit des sûretés personnelles* : D. 2006, chron. p. 1303. – D. Houtcieff, *Les sûretés personnelles*, in *Commentaire de l'ordonnance du 23 mars 2006 relative aux sûretés* : JCP G 17 mai 2006, suppl. au n° 20, p. 7.

(509) Ph. Simler, *Cautionnement et garanties autonomes* : Litec, 4e éd. 2008. – F. Buy, *Recodifier le droit du cautionnement (à propos du rapport sur la réforme du droit des sûretés)* : *Rev. Lamy dr. civ.* juill.-août 2005, p. 27. – D. Houtcieff, *La remise en cause du caractère accessoire du cautionnement* : RDBF 2012, Dossier, 38.

Du *cautionnement personnel*, on distingue le *cautionnement réel*(510), convention – qui n'est pas véritablement un cautionnement(511) – par laquelle un tiers à l'obligation va affecter l'un de ses biens à la garantie de son exécution.

Alors que la *solidarité* résulte de la loi ou d'une clause dans un contrat, le *cautionnement* est à lui seul un contrat par lequel un tiers s'engage à payer le créancier pour le cas où le débiteur principal manquerait à son obligation. L'opération se noue par deux contrats : l'un, entre le créancier et le débiteur, qui provoque la naissance d'une obligation ; l'autre, entre le créancier et la caution, qui assure la garantie du paiement ; enfin, dans les rapports entre le débiteur et la caution, c'est un service que la caution rend au débiteur, soit de manière désintéressée, soit à titre onéreux si par exemple la caution est un professionnel, notamment un banquier (C. civ., art. 2288 et s.)(512).

Au contrat de cautionnement, on ajoute en général une clause de solidarité qui en renforce les effets : de simple, le cautionnement devient alors solidaire. Par cette stipulation, la caution perd le droit d'invoquer tant le bénéfice de discussion que celui de division.

La caution simple dispose en effet du *bénéfice de discussion*. On entend par là que la caution peut retarder les poursuites en paiement contre elle en invitant le créancier à « discuter » au préalable (c'est-à-dire saisir) les immeubles libres, et territorialement proches, du débiteur principal (C. civ., art. 2298 et s.). Quant au *bénéfice de division*, qui suppose une pluralité de cautions simples, il permet à chacune d'exiger du débiteur qu'il divise ses poursuites entre toutes les cautions (C. civ., art. 2303 et s.). En pratique, ces deux règles n'ont guère l'occasion de jouer car la plupart des cautionnements sont stipulés solidaires.

550. – Les recours de la caution. La caution qui a dû payer pour le débiteur principal a un recours contre ce dernier(513). On dit qu'elle est *subrogée* dans les droits du créancier, par le seul effet de la loi (sur la *subrogation*, V. *infra*, n°s 849 et s.). À ce titre, la caution peut utiliser à son profit toutes les autres sûretés, sûretés réelles par exemple, hypothèque, gage, etc., qui garantissent le paiement de la dette et que le créancier doit lui transmettre. Si par hasard le créancier avait laissé disparaître ces

(510) F. Grua, *Le cautionnement réel* : *JCP* 1984, I, 3167. – J. François, *L'obligation de la caution réelle (À propos des arrêts rendus le 15 mai 2002 par la première chambre civile de la Cour de cassation)* : *Defrénois* 2002, 1, 1208, art. 37604. – V. Brémond, *Le cautionnement réel est aussi un cautionnement... personnel (À propos de Cass. 1re civ., 15 mai 2002, 3 arrêts)* : *JCP* N 2002, 1640. – J.-J. Ansault, *Le cautionnement réel* : Defrénois, coll. « Doctorat et notariat », 2009, t. 40, préf. P. Crocq.

(511) Cass. ch. mixte, 2 déc. 2005 : *JCP* 2005, II, 10183 et note Ph. Simler ; *D.* 2006, p. 61 et note V. Avena-Robardet ; *D.* 2006, p. 729, avis av. gén. Sainte-Rose et note L. Aynès ; *Contrats, conc. consom.* 2006, comm. 62, obs. L. Leveneur ; *LPA* 10 févr. 2006, p. 8 et note S. Prigent ; *Defrénois* 2006, 1, 586, art. 38365, n° 23, obs. R. Libchaber. – Cass. 1re civ., 7 févr. 2006 et Cass. com., 21 févr. 2006 : *D.* 2006, p. 1543 et note V. Bonnet. – M. Mignot, *Nature du cautionnement réel : quand la volonté de la Cour de cassation l'emporte sur celle des parties* : *Rev. Lamy dr. civ.* janv. 2006, p. 25 ; et *Cautionnement réel : un opportun retour à l'ordre* : *Rev. Lamy dr. civ.* févr. 2006, p. 3. – Ph. Simler, *Eppur, si muove (Galilée). Et pourtant, une sûreté réelle constituée en garantie de la dette d'un tiers est un cautionnement réel* : *JCP*2006, I, 172.

(512) Sur la gratuité du cautionnement, par rapport à l'assurance-crédit, V. V. Heuzé, *Assurance-crédit et suretés personnelles* : *D.* 2014, 493.

(513) Sur la compensation de créances entre la caution et le créancier, V. Cass. com., 13 mars 2012 : *JCP* 2012, II, 616, note Ph. Simler ; *JCP* E 2012, 1275, J. Barbiéri ; *RDBF* 2012, comm. 82, obs. D. Legeais ; *D.* 2012, 1218, obs. H. Guillou ; *D.* 2012, 1043, note A. Dadoun ; *RTD civ.* 2012, 1573, obs. P. Crocq. – N. Martial-Braz, *Compensation et cautionnement, les liaisons dangereuses* : *Rev. dr. banc. et fin.* 2012, dossier 42. – N. Martial-Braz, *Les recours de la caution au cœur de la tempête* : *D.* 2013, 935.

sûretés, la caution qui jouit du *bénéfice de subrogation* pourrait s'en prévaloir pour refuser de payer (C. civ., art. 2314)[(514)].

En matière commerciale, l'exemple le plus fréquent de cautionnement est l'*aval* des effets de commerce par lequel le signataire de l'aval garantit le paiement de la traite à l'échéance.

En pratique le cautionnement est très utilisé. Il a même donné lieu à des abus qui ont conduit le législateur à mettre en place des règles d'information et de protection des cautions personnes physiques (C. civ., art. 2293, al. 2 ; C. consom, art. L. 341-1 et s. ; C. monét. fin., art. L. 313-22)[(515)].

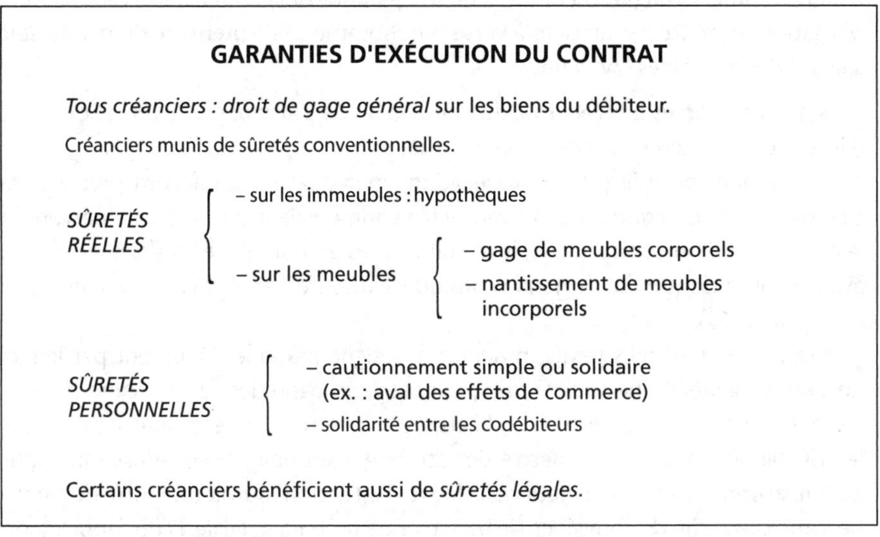
GARANTIES D'EXÉCUTION DU CONTRAT

Tous créanciers : droit de gage général sur les biens du débiteur.

Créanciers munis de sûretés conventionnelles.

SÛRETÉS RÉELLES
- sur les immeubles : hypothèques
- sur les meubles
  - gage de meubles corporels
  - nantissement de meubles incorporels

SÛRETÉS PERSONNELLES
- cautionnement simple ou solidaire (ex. : aval des effets de commerce)
- solidarité entre les codébiteurs

Certains créanciers bénéficient aussi de *sûretés légales*.

551. - Les garanties autonomes. Par opposition au cautionnement, la garantie autonome n'est pas accessoire au contrat principal ; elle est un engagement indépendant du contrat de base, si bien que le garant ne peut se prévaloir d'aucune exception tirée de ce contrat. Aussi la définissait-on comme « un engagement de payer une certaine somme, pris en considération d'un contrat de base et à titre de garantie de son exécution, mais constitutif d'une obligation

(514) E. Cordelier, *À propos de l'article 2037 du Code civil. Observations sur le droit préférentiel : RTD com.* 2004, 667. – D. Houtcieff, *Contribution à une théorie du bénéfice de subrogation de la caution : RTD civ.* 2006, p. 191. – Pour des illustrations récentes, Cass. com., 19 févr. 2013, 9 avr. 2013 : *RDC* 2013/4, p. 1454 et s., obs. A.-S. Barthez ; *RDBF* 2013, comm. 84, obs. A. Cerles ; *D.* 2013, 565, obs. A. Lienhard ; *RTD civ.* 2013, 416 et *D.* 2013, 1706, obs. P. Crocq ; *LPA* 7 août 2013, n° 157, p. 12 ; 9 juill. 2013, 19 nov. 2013 : *RDC* 2014, 227, obs. A. -S. Barthez.

(515) V. Avena-Robardet, *Réforme inopinée du cautionnement : D.* 2003, chron. 2083. – D. Houtcieff, *Les dispositions applicables au cautionnement issues de la loi pour l'initiative économique : JCP* 2003, I, 161. – Ch. Atias, *Propos sur l'article L. 341-4 du Code de la consommation. L'impossibilité de se prévaloir du bénéfice d'un engagement valable : D.* 2003, chron. 2620. – S. Piedelièvre, *La réforme de certains cautionnements par la loi du 1er août 2003 (loi pour l'initiative économique) : Defrénois* 2003, 1, 1371, art. 37827. – Ch. Albiges, *L'influence du droit de la consommation sur l'engagement de la caution*, in *Mél. Calais-Auloy* : Dalloz, 2003, p. 1. – D. Bakouche, *La proportionnalité dans le cautionnement à l'épreuve de la loi et de la jurisprudence : Contrats, conc. consom.* 2004, chron. 5. – O. Cuperlier et A. Gorny, *L'engagement disproportionné de la caution après la loi n° 2003-721 du 1er août 2003 pour l'initiative économique (Réflexions et statistiques) : JCP* N 2004, 1540. – A. Cerles, *Le cautionnement : du Code civil au Code de la consommation ou les illusions de la protection*, in *Études Ph. Simler* : Litec, 2006. – Y. Picod, *L'évolution de l'obligation d'information de la caution pendant l'exécution du contrat, ibid.* – G. Biardeaud et Ph. Florès, *Information annuelle de la caution et article 2293 du Code civil : mais où reste donc le contentieux ?, ibid.*- Adde D. Legeais, *Quelle protection pour la caution ? Propos introductifs*, et M. Mekki, *La protection de la caution, propos conclusifs : RDBF* 2012, Dossier, p. 37 et p. 43.

indépendante du contrat garanti et caractérisé par l'inopposabilité des exceptions tirées de ce contrat »[(516)].

Ce type de garantie est apparu d'abord dans les contrats internationaux et s'est étendu aux contrats de droit interne dans les années 1970. Sa spécificité a finalement été consacrée en 1982 par deux arrêts de la Cour de cassation[(517)].

Au plan terminologique, on a donné à ces garanties des appellations diverses dont les plus connues sont : garanties à première demande, garanties indépendantes, et désormais garanties autonomes[(518)].

La garantie autonome est aujourd'hui régie par l'article 2321 du Code civil qui la définit comme « l'engagement par lequel le garant s'oblige, en considération d'une obligation souscrite par un tiers, à verser une somme soit à première demande, soit suivant des modalités convenues ».

552. – **Les lettres d'intention, de confort ou de patronage.** Le terme de lettre d'intention est utilisé dans deux acceptions.

D'une part, on utilise cette appellation pour qualifier un accord précontractuel par lequel les contractants éventuels expriment leur intention de parvenir à la conclusion d'un contrat dont ils définissent les grandes lignes. Il s'agit alors d'un avant-contrat dont on se demande dans quelle mesure il engage ceux qui l'ont signé (V. *supra*, n° 63).

D'autre part, et plus fréquemment, on désigne par là le document par lequel un tiers, en général une société mère, expose à un banquier, futur créancier de sa filiale, son intention de soutenir sa filiale, de « faire tout le nécessaire » ou « tout le possible » afin de lui permettre de satisfaire à ses obligations. Ainsi, sans pour autant se porter caution, l'auteur de la lettre d'intention fournit une sorte de garantie « morale » afin de convaincre le banquier de prêter à sa filiale. D'où l'appellation alternative de lettre de confort ou de patronage[(519)].

La question est alors de savoir quelle est la portée de cet engagement. En cas de défaillance de la filiale débitrice, la société mère est-elle tenue de payer à sa place ? Pendant longtemps, la jurisprudence a analysé ces lettres d'intention comme constituant une simple obligation de moyens[(520)], mais elle y a vu par la suite une obligation de résultat[(521)].

(516) Ph. Simler, *op. cit.*, n° 857.

(517) Cass. com., 20 déc. 1982, deux arrêts : *Bull. civ.* 1982, IV, n° 417 ; *D.* 1983, 365 et note M. Vasseur ; *JCP* CI 1983, II, 14001, n° 116, obs. Ch. Gavalda et J. Stoufflet ; *RTD com.* 1983, 446, obs. M. Cabrillac et B. Teyssié.

(518) Ph. Simler, *op. cit.*, n°s 856 et s. – A. Prum, *Les garanties à première demande* : Litec, 1994, préf. B. Teyssié. – F. Jacob, *L'avenir des garanties autonomes en droit interne, 15 ans après*, in *Études Ph. Simler* : Litec, 2006. – A. Prüm, *La consécration légle des garanties autonomes, ibid.* – D. Houtcieff, *La garantie autonome souscrite par une personne physique : une sûreté en quête d'identité : Rev. Lamy dr. civ.* juill.-août 2006, p. 31.

(519) Ph. Simler, *op. cit.*, n°s 1008 et s. – I. Najjar, *L'autonomie de la lettre de confort : D.* 1989, chron. 217. – R. Baillod, *Les lettres d'intention : RTD com.* 1992, 547. – X. Barré, *La lettre d'intention. Technique contractuelle et pratique bancaire* : Économica, 1995. – D. Mazeaud, *Variations sur une garantie épistolaire et indemnitaire : la lettre d'intention*, in *Mél. Jeantin*, 3e partie. – M. Pariente, *Les lettres d'intention*, in *Mél. Y. Guyon* : Dalloz, 2003, p. 861.

(520) Cass. com., 26 janv. 1999 : *D.* 1999, 577 et note L. Aynès ; *JCP* E 1999, 674 et note D. Legeais ; *Defrénois* 1999, art. 37008, n° 38, obs. D. Mazeaud. – Cass. com., 18 avr. 2000 : *Contrats, conc. consom.* 2000, comm. 123 et note L. Leveneur.

(521) Cass. com., 26 févr. 2002 : *D.* 2002, 1273, obs. A. Lienhard ; *D.* 2002, somm. 3331, obs. L. Aynès. – Cass. com., 9 juill. 2002 : *JCP* 2002, II, 10166 et note G. François ; *D.* 2002, 2327, obs. A. Lienhard ; *D.* 2002, somm. 3332, obs. L. Aynès ; *D.* 2003, 545 et note B. Dondero ; *Defrénois* 2002, 1, 1614, art. 37644, n° 93, obs. R. Libchaber. – Cass. com., 17 mai 2011 : *D.* 2011, 1404, obs. X. Delpech ; *JCP* 2011, 863, note A. Dumery ; *Contrats, conc. concom.* 2011, comm. 185, obs. L. Leveneur.

La lettre d'intention est aujourd'hui consacrée par l'ordonnance du 23 mars 2006 relative aux sûretés qui la définit comme « l'engagement de faire ou de ne pas faire ayant pour objet le soutien apporté à un débiteur dans l'exécution de son obligation envers son créancier »[(522)] (C. civ., art. 2322).

(522) Ph. Simler, *Le nouvel article 2322 du Code civil et le régime de la lettre d'intention* : RJDA 2008, 739.

TITRE 2

LES OBLIGATIONS LÉGALES

553. – **Présentation générale.** En présentant les sources des obligations (V. *supra*, n°s 21 et s.), on a vu qu'elles pouvaient être ramenées à deux. Une personne peut être obligée, soit parce qu'elle l'a voulu, soit parce que la loi le lui impose.

Dans le premier cas, l'obligation est voulue par les parties et, sur le plan de la technique juridique, elle résulte le plus souvent d'un contrat (V. *supra*, titre 1, n°s 56 et s.) qui est la forme la plus répandue des *actes juridiques*.

Dans le second cas, l'obligation est imposée par la loi et elle est attachée d'office à certains *faits juridiques* dont il importe peu qu'ils aient été voulus ou non par ceux qui les ont accomplis. Par exemple, la loi assortit la filiation d'une obligation alimentaire entre parents et enfants ; et, dans un autre ordre d'idées, elle crée une obligation de réparer les préjudices injustement causés. Ces obligations découlent de la loi elle-même, sans qu'il y ait lieu de rechercher si les père et mère d'une part, l'auteur du fait dommageable d'autre part, ont entendu ou non les assumer.

Le point de vue est donc bien différent de celui qui anime la matière des contrats : peu importe ici la volonté des personnes, l'un devient créancier et l'autre débiteur par la seule force de la loi.

En pratique, les faits qui, par application de la loi, donnent naissance à des obligations, sont très nombreux et divers. Ils touchent tous les domaines, patrimonial, extrapatrimonial et de la famille, et il n'est pas question d'en dresser une liste exhaustive.

On retiendra seulement ici les obligations légales de nature patrimoniale qui revêtent une portée suffisamment générale pour intéresser toutes les branches de l'activité juridique et économique. Il s'agit essentiellement de l'obligation de réparer le dommage injustement causé à autrui et, à un moindre titre, de l'obligation de compenser l'avantage reçu injustement d'autrui. Dans la terminologie juridique, la première est connue sous le titre de « responsabilité civile » et la seconde sous celui, fort ambigu, de « quasi-contrat ».

CHAPITRE 1

L'OBLIGATION DE RÉPARER LE DOMMAGE INJUSTEMENT CAUSÉ À AUTRUI : LA RESPONSABILITÉ CIVILE

554. - **Du dommage en général et de sa réparation**[1]. La vie s'accompagne inéluctablement de dommages qui vont frapper telle ou telle personne.

C'est là une donnée de fait sur laquelle on peut agir dans une certaine mesure. Ainsi les mesures de *prévention* des accidents permettent d'éviter des dommages, qu'il s'agisse des accidents du travail, des accidents de la route, des accidents médicaux, etc. En ce sens on peut dire que la loi sur la « violence routière » est une loi sur la sécurité routière qui a permis et permettra d'économiser des vies humaines, de diminuer le nombre des blessés, donc de réduire globalement les dommages dus à la circulation routière. Mais, quelles que soient les précautions prises, on ne parviendra jamais au risque zéro. Il y aura toujours des dommages dont certains se trouveront être les victimes, plus ou moins innocentes suivant les cas.

Face à cette donnée de fait, la question est de savoir qui doit en supporter la charge. C'est à la loi qu'il incombe de le dire.

Si la loi ne dit rien, si elle ne prévoit aucun mécanisme d'indemnisation, le dommage qui s'est réalisé pèsera entièrement et exclusivement sur la victime. Or, si jadis on acceptait les coups du sort, la fatalité, dans le monde actuel, du moins le monde occidental, le dommage est ressenti comme inacceptable[2]. D'une manière ou d'une autre il faut indemniser la victime. Comment y procéder ?

On peut tout d'abord imaginer et mettre en place un mécanisme de solidarité nationale, en général sous l'égide de l'État[3]. C'est ainsi que sont réparés les *accidents du travail* et la *maladie* par le biais de la Sécurité sociale et, plus récemment, les

(1) Sur la terminologie dans ce domaine, V. Ph. Brun, *Les mots du droit de la responsabilité : esquisse d'abécédaire*, in *Mél. Le Tourneau* : Dalloz, 2007, p. 117. Sur les sources du droit en la matière, V. M. Mekki, *Retour aux sources du droit de la responsabilité civile* : *Rev. dr. Assas* févr. 2012, n° 5, p. 48.

(2) Sur ces questions, M. Mekki, *La cohérence sociologique du droit de la responsabilité civile, in Mél. G. Viney* : LGDJ, 2008, p. 741 et s.

(3) R. Garnier, *Les fonds publics de socialisation des risques* : *JCP* 2003, I, 143. – V. Bost-Lagier, *Responsabilité intégrale et solidarité nationale* : *LPA* 20 sept. 2005, p. 16. Sur les fonds d'indemnisation, V. J. Knetsch, *Le droit de la responsabilité et les fonds d'indemnisation* : LGDJ, 2013. – Adde, M. Mekki, *Les fonctions de la responsabilité civile à l'épreuve des fonds d'indemnisation* : LPA 12 janv. 2005, n° 8, p. 3.

dommages affectant les *victimes d'infractions*[4], les conséquences *des catastrophes naturelles* et des *catastrophes technologiques*[5]. De même, les lois des 4 mars 2002 et 30 décembre 2002 sur la responsabilité médicale disposent qu'ouvrent droit à réparation au titre de la *solidarité nationale*, notamment le préjudice subi par l'enfant né handicapé[6], et les dommages résultant d'infections nosocomiales[7] entraînant un taux d'incapacité permanente supérieur à 25 % ou *a fortiori* le décès. De manière plus générale on aura une tendance à se tourner vers l'État pour assurer la réparation des « dommages de masse »[8].

On peut également faire peser la charge de la réparation sur le *responsable* du dommage, à supposer bien évidemment que le dommage puisse être imputé à telle personne déterminée. Là encore, seule la loi et la jurisprudence peuvent déterminer les conditions de cette *responsabilité* : par exemple faut-il une faute ou un simple fait du responsable ? Dans la perspective d'assurer la réparation de ces dommages la loi a imposé une obligation d'*assurance de responsabilité* à ceux qui se livrent à certaines activités : assurance automobile, chasse, construction, etc.

Enfin, mais c'est là dans une large mesure de la prospective, on pourrait envisager que soit rendue obligatoire, non plus pour les auteurs mais pour les victimes potentielles de dommages, une *assurance de dommages* dans les domaines où le risque de dommages est le plus important[9]. C'est déjà le cas en matière de construction où la réparation des dommages est préfinancée par l'assurance dommages-ouvrage, l'assureur pouvant ensuite exercer un recours contre les éventuels responsables.

Dans le cadre du présent chapitre, on ne traitera que de la responsabilité qui, seule, est une source d'obligations. Cette matière a pendant longtemps été régie par les seuls articles 1382 à 1386 du Code civil. Depuis lors, de nombreuses lois particulières sont venues mettre en place divers régimes spéciaux, qui n'ont pas été intégrés au Code civil[10] à l'exception de la responsabilité du fait des produits défectueux (art. 1386-1 à 1386-18). La question s'est alors posée de savoir s'il n'y avait pas lieu de recodifier le droit de la responsabilité civile[11].

(4) H. Groutel, *L'indemnisation des victimes d'infraction et l'assurance de responsabilité civile*, in *Mél. Lapoyade-Deschamps*, 2003. – A. Schneider, *La faute de la victime devant la CIVI* : D. 2003, chron. 1185.

(5) J.-P. Boivin et S. Hercé, *La loi du 30 juillet 2003 sur les risques technologiques et naturels majeurs* : AJDA 2003, 1765. – B. Magois, *Risques technologiques* : JCP N 2004, 1170. – A. Guégan-Lécuyer, *Le nouveau régime d'indemnisation des victimes de catastrophes technologiques* : D. 2004, chron. 17.

(6) Y. Lambert-Faivre, *La loi n° 2002-303 du 4 mars 2002 relative aux droits des malades et à la qualité du service de santé, I, La solidarité envers les personnes handicapées* : D. 2002, chron. 1217. – C. Labrusse-Riou, *L'indemnisation du handicap de naissance et la question de l'eugénisme*, in *Mél. Lambert*, 2002. – P. Mistretta, *La loi n° 2002-303 du 4 mars 2002 relative aux droits des malades et à la qualité du service de santé. Réflexions critiques sur un droit en pleine mutation* : JCP 2002, I, 141. – Y. Lambert-Faivre, *La responsabilité médicale : la loi du 30 décembre modifiant la loi du 4 mars 2002* : D. 2003, chron. 361.

(7) Y. Lambert-Faivre, *La loi n° 2002-303 du 4 mars 2002 relative aux droits des malades et à la qualité du service de santé, III, L'indemnisation des accidents médicaux* : D. 2002, chron. 1367. – P. Mistretta, art. préc. – P. Sargos, *Le nouveau régime des infections nosocomiales. Loi n° 2002-303 du 4 mars 2002* : JCP 2002, act. 276. – D. Dendoncker, *Les infections nosocomiales, la jurisprudence et la loi n° 2002-303 du 4 mars 2002* : Gaz. Pal. 4-5 et 9-10 avr. 2003, doctr. – T. Olson, *Responsabilité, assurance et solidarité en matière sanitaire* : AJDA 2005, p. 2226. – D. Philopoulos, *La réparation des risques sanitaires au titre de la solidarité nationale* : D. 2007, chron. p. 1813.

(8) A. Guégan-Lécuyer, *Les dommages de masse et la responsabilité civile* : LGDJ, 2006.

(9) V. en ce sens Ch. Russo, *L'avance sur recours, une solution à l'indemnisation des victimes d'accidents médicaux ?* : D. 2001, chron. 3211.

(10) F. Leduc, *Le droit de la responsabilité civile hors le Code civil* : LPA 6 juill. 2005, p. 3.

(11) P. Jourdain, *Faut-il recodifier le droit de la responsabilité civile ?*, in *Mél. Ph. Jestaz* : Dalloz, 2006, p. 247.

Par ailleurs, le droit français de la responsabilité n'est pas sans subir l'influence de facteurs européens, et notamment de la Convention européenne des droits de l'homme[12].

555. – **Les perspectives de réforme de la responsabilité civile**[13]. Le Projet Catala de réforme du droit des obligations et de la prescription couvrait l'ensemble du droit des obligations et donc la question de la responsabilité civile. Reprenant la plupart des solutions jurisprudentielles, il consacre la distinction entre responsabilité contractuelle et responsabilité délictuelle (V. *infra*, n° 581). Par ailleurs il se montre novateur à certains égards, prévoyant notamment une responsabilité de plein droit du fait des activités anormalement dangereuses (art. 1362).

Ce projet, qui n'a pas manqué de susciter commentaires et critiques[14], a inspiré une proposition de loi portant réforme de la responsabilité civile ; cette proposition, déposée devant le Sénat le 9 juillet 2010, n'a pas connu de suites à ce jour.

Plus récemment un autre Projet de réforme a été présenté sous la direction du Professeur Terré[15]. Ce Projet est bâti sur trois thèses, au sens fort du terme, thèses qui sont fort minoritaires et qui s'éloignent largement du droit positif actuel. C'est ainsi que le Projet :

- prévoit une action permettant de prévenir ou de faire cesser tout trouble illicite ;
- écarte l'idée d'une responsabilité contractuelle ;
- propose d'écarter tant le principe de la responsabilité du fait d'autrui que celui de la responsabilité du fait des choses.

Il s'ensuit que, comme le reconnaissent et même le revendiquent les auteurs, il ne s'agit pas d'une codification à droit constant, mais d'une refonte complète du droit français, d'une codification au sens napoléonien du terme qui, suivant les auteurs, s'inspirerait des projets européens. Les propositions formulées par ce Projet ont été soumises par le ministère de la Justice à consultation publique[16]. En l'état actuel des choses, un projet de réforme de la responsabilité civile du 26 juillet 2012 élaboré par le ministère de la justice semble très inspiré des propositions du Projet dirigé par P. Catala et du Projet dirigé par Fr. Terré. Ce projet de réforme demeure un document de travail auquel il n'est cependant pas inutile de se référer. Notamment, la cessation de l'illicite serait consacrée et les dommages corporels

(12) F. Marchadier, *La réparation des dommages à la lumière de la Convention européenne des droits de l'homme* : *RTD civ.* 2009, p. 245. – Adde, B. Girard, *Responsabilité civile extracontractuelle et droits fondamentaux* : th. dactyl., 2013. Sur la confrontation du droit d'accès à un tribunal et des délais de prescription, V. J.-S. Borghetti, *La conformité aux droits fondamentaux des délais de prescription des actions en responsabilité civile* : *D.* 2014, p. 1019 (à propos de l'arrêt *Howald Moor et a. c/ Suisse* du 11 mars 2014).

(13) J.-S. Borghetti, *La réforme du droit de la responsabilité civile en France* : *LPA* 13 mars 2014, n° 52, p. 16. – D. Mazeaud, *Les projets français de réforme du droit de la responsabilité civile* : *LPA* 13 mars 2014, n° 52, p. 8.

(14) G. Viney, *Le droit de la responsabilité dans l'avant-projet Catala*, in *Mél. J. Boré*, p. 473. – M. Poumarède, *Les régimes particuliers de la responsabilité civile, ces oubliés de l'avant-projet Catala* : *D.* 2006, chron. p. 2420. – M. Faure-Abbad, *La présentation de l'inexécution contractuelle dans l'avant-projet Catala* : *D.* 2007, chron. p. 165. – A. Guégan-Lécuyer, *Vers un nouveau fait générateur de responsabilité civile : les activités dangereuses (Commentaire de l'article 1362 de l'avant-projet Catala)*, in *Mél. G. Viney* : LGDJ, 2008, p. 499. – Ph. Le Tourneau et J. Julien, *La responsabilité extracontractuelle du fait d'autrui dans l'avant-projet de réforme du Code civil*, in *Mél. G. Viney* : LGDJ, 2008, p. 579.

(15) *Pour une réforme du droit de la responsabilité civile* : Dalloz, 2011.

(16) Pour une réponse, V. Ph. Brun et Ch. Quézel-Ambrunaz, *Réforme de la responsabilité civile : regards impressionnistes sur un projet académique* : *Rev. Lamy dr. civ.* janv. 2012, p. 57.

relèveraient de la seule responsabilité extracontractuelle. En revanche, la responsabilité du fait des choses serait maintenue, ainsi que différents cas de responsabilité du fait d'autrui et la responsabilité contractuelle.

Corrélativement on peut s'interroger sur une éventuelle harmonisation du droit de la responsabilité civile au niveau européen[17].

556. – **Responsabilité civile et responsabilité pénale**[18]. Dans la mesure où on sera sans cesse amené à parler de responsabilité dans ce chapitre, il convient de régler d'entrée une question qui est source de nombreuses confusions. Il s'agit de la distinction entre la responsabilité pénale et la responsabilité civile.

En revanche, c'est par un abus de langage qu'on parle parfois de responsabilité de l'avenir pour désigner l'obligation de chacun de s'abstenir de tout acte ou comportement qui serait de nature à causer dans l'avenir à la collectivité d'éventuels dommages dont on ignore tout à ce jour[19] ; il s'agit finalement d'une application du principe de précaution (V. *infra*, n° 564).

557. – **L'objet de la responsabilité pénale.** Le droit pénal réprime un certain nombre de comportements asociaux ou antisociaux et édicte des peines destinées à châtier les coupables. Ces comportements répréhensibles sont déterminés et définis de manière limitative par la loi qui, dans le même temps, précise la peine applicable à chaque infraction considérée. Suivant la gravité de la peine retenue pour l'infraction, on sera en présence d'une *contravention*, d'un *délit* ou d'un *crime*, et la compétence pour en juger appartiendra au tribunal de police, au tribunal correctionnel ou à la cour d'assises. Ces infractions, qu'elles soient contre les biens (vol, escroquerie, abus de confiance, banqueroute, abus de biens sociaux, etc.), contre les personnes (assassinat, homicide, coups et blessures par imprudence, etc.), ou contre les mœurs (viol, exhibition sexuelle, agression sexuelle, etc.), engagent la responsabilité pénale de leurs auteurs.

Cette responsabilité pénale a pour seul et unique but de punir un coupable d'une peine, d'une sanction (prison, amende, par exemple), et non pas de réparer un préjudice causé à un particulier. Lorsqu'un individu est condamné à une peine de prison, cela donne peut-être une satisfaction morale à la victime, mais sans faire entrer un sou dans son escarcelle ; et de même pour les amendes, qui sont prononcées au profit de l'État. Ainsi, la responsabilité pénale ne répond pas du tout à l'idée d'une obligation de réparer un dommage injustement causé à autrui ; elle n'est pas

(17) G. Viney, *L'harmonisation des droits de la responsabilité civile en Europe*, in *Mél. Y. Lambert-Faivre et D.-C. Lambert* : Dalloz, 2002, p. 417. – Ph. Brun, *Regards hexagonaux sur les principes du droit européen de la responsabilité civile*, in *Mél. G. Viney* : LGDJ, 2008, p. 187. – O. Moréteau (ss dir.), *Principes du droit européen de la responsabilité civile* : *SLC*, coll. « Dr. privé comparé et européen », vol. 11.

(18) Sur la responsabilité civile, V. H. et L. Mazeaud, *Traité théorique et pratique de la responsabilité civile, délictuelle et contractuelle*, 6e éd., 4 vol. – R. Savatier, *Traité de la responsabilité civile en droit français civil, administratif, professionnel et procédural*, 2e éd., 2 vol. – Ph. Le Tourneau et a., *Droit de la responsabilité et des contrats* : Dalloz Action, 2008-2009. – G. Viney, *Introduction à la responsabilité*, 3e éd. 2008. – G. Viney et P. Jourdain, *Les conditions de la responsabilité*, 3e éd. 2006. – G. Viney et P. Jourdain, *Les effets de la responsabilité*, 3e éd. 2011. – Y. Chartier, *La réparation du préjudice*, 1983.

(19) C. Thibierge, *Libres propos sur l'évolution du droit de la responsabilité civile* : *RTD civ.* 1999, p. 561. – C. Thibierge, *Avenir de la responsabilité, responsabilité de l'avenir* : D. 2004, chron. 577. L'auteur suggère une trilogie au sein de la responsabilité : la responsabilité pénale tendant à punir un coupable, la responsabilité civile tendant à réparer un dommage, et la responsabilité « universelle » tendant à prévenir les risques de dommages majeurs à l'humanité (par ex., dommage écologique, OGM, etc.). – V. aussi L. Fonbaustier, *Les nouvelles orientations du principe de responsabilité environnementale sous la dictée du droit communautaire. À propos de la loi du 1er août 2008* : *JCP* 2008, act. 544.

une source d'obligations puisqu'une condamnation pénale n'établit pas un lien de créancier à débiteur entre la victime et le coupable[(20)].

558. – **L'objet de la responsabilité civile.** Parallèlement au droit pénal, le droit civil impose à celui qui cause un dommage à autrui l'obligation de le réparer. De ce point de vue, il ne se préoccupe nullement de châtier un coupable mais d'indemniser une victime, en lui allouant par exemple des dommages et intérêts qui ne doivent pas être compris comme une sanction (à la différence de l'amende) mais comme la juste et exacte réparation d'un préjudice.

Tel est l'objet de la responsabilité civile qui se propose l'indemnisation de tous les dommages injustes, qu'ils aient été causés par une infraction pénale ou, comme c'est le cas le plus souvent, par un comportement non réprimé par la loi pénale. Par exemple, en matière de contrats, celui qui n'exécute pas dans les délais, ou mal, ou pas du tout, cause un préjudice à son cocontractant sans encourir pour autant en général une condamnation pénale ; et de même, en dehors de tout contrat, l'entreprise qui émet des bruits ou des odeurs gênants pour les voisins, et celui qui cause des dégâts purement matériels à autrui. L'originalité de la responsabilité civile se marque en outre sur le plan de la procédure qui est profondément différente et qui se déroule en principe devant les juridictions civiles ou commerciales.

559. – **Les liens entre responsabilité civile et responsabilité pénale.** Maintenant que responsabilité civile et responsabilité pénale ont été clairement dissociées, il importe d'apporter quelques nuances[(21)].

D'abord, d'un point de vue historique, elles ont été à l'origine confondues et toute l'évolution a consisté dans la conquête progressive d'une indépendance réciproque.

Mais surtout, la plupart des infractions pénales entraînent un préjudice au détriment d'un particulier, si bien que les deux responsabilités sont encourues à la fois par la même personne. Compte tenu de la différence des règles des deux matières, cela n'est pas sans entraîner d'importantes interactions[(22)] au niveau de l'action en réparation. Notamment, la juridiction pénale sera souvent saisie à la fois de l'*action publique* tendant au prononcé d'une peine (responsabilité pénale) et de l'*action civile* en réparation du dommage (responsabilité civile). La confusion parfois commise dans le public entre ces deux types de responsabilité découle sans doute de cette faculté offerte à la victime de porter son action civile en réparation devant la juridiction pénale et de déclencher par là même l'action publique. Il n'en demeure pas moins que ce sont deux questions bien distinctes[(23)]. Ainsi il est fait interdiction au juge pénal de retenir une faute civile découlant de faits qui n'entrent pas dans les prévisions de l'infraction[(24)].

Le Projet Catala rend plus délicate encore la distinction entre responsabilité pénale et responsabilité civile en attribuant à cette dernière une fonction punitive[(25)].

(20) V. cependant une tendance différente dans la législation récente : M. Giaco-Pelli, *Libres propos sur la sanction-réparation* : D. 2007, p. 1551. – Adde, S. Fournier, *La peine de sanction-réparation : un hybride disgracieux (ou le danger du mélange des genres)*, in *Mél. J.-H. Robert* : Lexisnexis, 2012, p. 285. – J.-Chr. Saint-Pau, *La responsabilité pénale réparatrice et la responsabilité civile punitive ?* : *Resp. civ. et assur.* n° 5, mai 2013, dossier 23.

(21) B. de Lamy, *Responsabilité civile, responsabilité pénale* : *RDA*, février 2013, p. 52 et s.

(22) Y. Lambert-Faivre, *L'éthique de la responsabilité* : *RTD civ.* 1998, 1.

(23) L. Raschel, *L'option de la victime entre la voie civile et la voie pénale* : *Resp. civ. et assur.* n° 5, mai 2013, dossier 24.

(24) Cass. crim., 11 mars 2014, n° 12-88131.

(25) Pour une critique, V. Y. Lambert-Faivre, *Les effets de la responsabilité (Les articles 1367 à 1383 nouveaux du Code civil)*, in *L'avant-projet de réforme du droit de la responsabilité – Actes du colloque du 12 mai 2006* : éd. Le Manuscrit, p. 267.

En effet, l'article 1371 du Projet permet au juge, en cas de « faute manifestement délibérée, et notamment de faute lucrative » de condamner le responsable au paiement de *dommages intérêts punitifs*, c'est-à-dire au versement d'une somme destinée, non pas à réparer le préjudice subi par la victime mais à en sanctionner l'auteur (V. *infra*, n° 770)[26]. Le Projet Terré limite le champ de ces dommages et intérêts à la faute intentionnelle et au profit réalisé. La responsabilité civile se verrait ainsi attribuer une triple fonction : indemnitaire, punitive[27] mais également préventive[28].

560. – **Responsabilité contractuelle et responsabilité délictuelle**[29]. Au contraire, l'opposition faite, au sein de la responsabilité civile, entre responsabilité *contractuelle* et responsabilité *délictuelle* est loin d'avoir la même portée[30]. Il s'agit dans les deux cas d'une obligation de réparer, même s'il existe quelques différences tenant à ce que le fait dommageable est tantôt l'inexécution ou la mauvaise exécution d'un contrat, tantôt la violation du devoir général de ne pas nuire à autrui[31].

Il a toutefois été fait observer que la responsabilité contractuelle remplit une double fonction : d'une part elle a une fonction de *paiement* en ce qu'elle assure l'exécution par équivalent de l'obligation contractuelle inexécutée, et d'autre part une fonction de *réparation* en ce qu'elle réalise l'indemnisation des dommages causés par l'inexécution ou la mauvaise exécution du contrat[32].

Partant de là, certains auteurs ont soutenu que la responsabilité contractuelle n'était que *l'exécution forcée* de l'obligation inexécutée, même par équivalent, et non pas une réparation. En bref la prétendue responsabilité contractuelle serait un faux concept[33] ; telle est la position adoptée par le Projet Terré. L'opinion majoritaire n'est cependant pas en ce sens[34]. S'il est bien exact que la responsabilité contractuelle remplit une double fonction, la fonction d'exécution forcée s'opère par les techniques de la responsabilité et, allant au-delà de la simple exécution par équivalent, elle s'ouvre sur la réparation (V. cpdt. *infra*, n° 589).

Le Projet Catala se prononce nettement en ce dernier sens. En effet, d'une part, il fait le choix du maintien du concept de responsabilité contractuelle qu'il réglemente,

(26) Comp. amende civile prévue par l'article 56 du projet de réforme de la responsabilité civile du 26 juillet 2012.
(27) A. Jault, *La notion de peine privée* : LGDJ, coll. « Droit privé », 2005, t. 442, préf. F. Chabas.
(28) Sur ce dernier point, V. l'article 1344 du Projet Catala. La même disposition figure au projet de réforme de la responsabilité civile de la Chancellerie du 26 juillet 2012 (art. 6).
(29) C. Grare, *Recherches sur la cohérence de la responsabilité civile délictuelle* : thèse Paris II, 2003.
(30) Ph. Brun, *La distinction des responsabilités délictuelle et contractuelle. Comment tenter de faire baisser la fièvre du patient autrement qu'en le tuant* : RDA, février 2013, p. 60 et s.
(31) C. Beaudeux, *La causalité : frontière entre la responsabilité délictuelle et la responsabilité contractuelle* : LPA 25 avr. 2008, p. 8.
(32) J. Huet, *Responsabilité contractuelle et responsabilité délictuelle. Essai de délimitation entre les deux ordres de responsabilité* : thèse Paris II, 1978.
(33) D. Tallon, *L'inexécution du contrat : pour une autre présentation : RTD civ.* 1994, 223 ; *Pourquoi parler de faute contractuelle ?*, in *Mél. Cornu*, 1994, p. 429. – Ph. Rémy, *La « responsabilité contractuelle » : histoire d'un faux concept : RTD civ.* 1997, 323. – M. Faure-Abbad, *Le fait générateur de la responsabilité contractuelle*, LGDJ, 2004. – P. Rémy-Corlay, *Exécution et réparation : deux concepts ?* : RDC 2005, 13. – Ph. Le Tourneau, *Droit de la responsabilité et des contrats* : Dalloz Action, 2008-2009, n°s 802 et s. – R. Rolland, *Responsabilité contractuelle ou responsabilité à dommages contractuels ? La doctrine conservatrice face au Code civil* : RRJ 2004, p. 2199.
(34) P. Jourdain, *Réflexion sur la notion de responsabilité contractuelle*, in *Les métamorphoses de la responsabilité* : PUF, 1998, p. 65. – E. Savaux, *La fin de la responsabilité contractuelle ?* : *RTD civ.* 1999, 1. – Ch. Larroumet, *Pour la responsabilité contractuelle*, in *Mél. Catala*, p. 543. – G. Viney, *La responsabilité contractuelle en question*, in *Mél. Ghestin*, 2001, p. 921. – V. aussi P. Ancel, *La responsabilité contractuelle*, in *Les concepts contractuels français à l'heure des principes du droit européen des contrats* : Dalloz, 2003, p. 243. – E. Savaux et R.-N. Schütz, *Exécution par équivalent, responsabilité et droits subjectifs. Réflexions à partir du contrat de bail*, in *Mél. J.-L. Aubert* : Dalloz, 2005, p. 271.

avec la responsabilité extracontractuelle, au sein des dispositions sur la responsabilité civile et, d'autre part, il met en avant sa fonction indemnitaire comme en atteste l'exigence d'un dommage subi par le créancier du fait de l'inexécution du contrat[(35)].

L'avant-projet de réforme du droit des obligations à la date du 23 octobre 2013 ne se prononce pas sur cette question se contentant de prévoir une sous-section 5 intitulée « la réparation du préjudice causé par l'inexécution contractuelle » en précisant qu'il y aura « une reprise à droit constant, sous réserve d'aménagements, de la section IV du chapitre III du titre III (art. 1146 à 1155) ». En revanche, la proposition de loi « Béteille » du 9 juillet 2010 portant réforme de la responsabilité civile reconnaît l'existence de la responsabilité contractuelle[(36)]. Dans le même esprit, le projet de réforme de la responsabilité civile du 26 juillet 2012 conserve la fonction indemnisatrice de la responsabilité contractuelle[(37)].

Certains auteurs restent cependant dubitatifs quant à cette identité de nature des dommages-intérêts. Ils auraient en effet, en matière contractuelle, une seconde fonction, celle de satisfaire le créancier, d'assurer l'exécution par équivalent de l'obligation[(38)]. (Sur les rapports entre la responsabilité contractuelle et extracontractuelle dans le Projet Catala, V. *infra*, n° 581).

C'est à l'étude de la seule responsabilité civile, tant contractuelle que délictuelle, que sera consacré le présent chapitre, comme le marque bien l'intitulé choisi. La responsabilité pénale ne sera abordée que de manière latérale dans la mesure où ses règles rejaillissent sur l'action en réparation.

On remarquera toutefois que certaines dispositions récentes ont instauré des cas de responsabilité qui échappent à la distinction entre responsabilité contractuelle et responsabilité délictuelle. Tel est notamment le cas des articles 1386-1 et s. sur la responsabilité du fait des produits défectueux (V. *infra*, n°s 716 et s.) et, dans une certaine mesure, de la loi du 4 mars 2002 relative à la responsabilité médicale (V. not. CSP, art. 1111-2).

561. - **Fondement de l'obligation de réparer : faute et risque**[(39)]. Avec l'article 544 du Code civil qui définit le droit de propriété, le texte le plus connu du

(35) Art. 1340, al. 2 du Projet : « De même, toute inexécution d'une obligation contractuelle ayant causé un dommage au créancier oblige le débiteur à en répondre ».

Art. 1363 du Projet : « Le créancier d'une obligation issue d'un contrat valablement formé peut, en cas d'inexécution, demander au débiteur réparation de son préjudice sur le fondement des dispositions de la présente section ».

(36) C. Juillet, *La reconnaissance maladroite de la responsabilité contractuelle par la proposition de loi portant réforme de la responsabilité civile* : D. 2011, 259.

(37) Le projet évoque le principe de non-cumul (art. 2), traite des conditions communes aux deux responsabilités (art. 4 et s.) et consacre des dispositions propres à la responsabilité contractuelle (art. 40 et s.)

(38) Sur la question de la fonction des dommages-intérêts en matière contractuelle dans le Projet Catala, V. P. Ancel, *La responsabilité contractuelle et ses relations avec la responsabilité extra-contractuelle : présentation des solutions de l'avant-projet*, in *L'avant-projet de réforme du droit de la responsabilité – Actes du colloque du 12 mai 2006 : RDC* 2007, p. 19. – P. Ancel, *Quelques observations sur la structure des sections relatives à l'exécution et à l'inexécution des contrats : RDC* 2006, p. 105, spéc. p. 112. – E. Savaux, *Brèves observations sur la responsabilité contractuelle dans l'avant-projet de réforme du droit de la responsabilité*, in *L'avant-projet de réforme du droit de la responsabilité – Actes du colloque du 12 mai 2006 : RDC* 2007, p. 45. – J. Huet, *Observations sur la distinction entre les responsabilités contractuelle et délictuelle dans l'avant-projet de réforme du droit des obligations*, in *L'avant-projet de réforme du droit de la responsabilité – Actes du colloque du 12 mai 2006 : RDC* 2007, p. 31. – M. Faure-Abbad, *La présentation de l'inexécution contractuelle dans l'avant-projet Catala* : D. 2007, chron. p. 165.

(39) Sur la notion de risque en général, V. V. Lasserre, *Le risque* : D. 2011, 1632. – V. aussi M. Pariguet et O. Mansion, *Impasses et perspectives du risque en matière de responsabilité* : JCP 2011, 838. – J. Moury, *Le droit confronté à l'omniprésence du risque* : D. 2012, 1020. – V. aussi Rapp. C. cass. 2011.

Code civil est sans nul doute l'article 1382 aux termes duquel : « Tout fait quelconque de l'homme, qui cause à autrui un dommage, oblige celui par la faute duquel il est arrivé, à le réparer. »

Bien que ce principe général de responsabilité civile soit complété par quelques textes, relatifs les uns à la responsabilité pour inexécution des contrats, les autres à la responsabilité en dehors de tout contrat, des hésitations ont surgi quant aux conditions de l'obligation de réparer. Ces conditions dépendent pour une large part du fondement qu'on assigne à la responsabilité civile. Une évolution s'est faite et se poursuit qui tend à substituer à une responsabilité subjective fondée sur l'idée morale de faute, une responsabilité objective reposant sur une notion assez imprécise de garantie des risques (théorie du risque)[(40)].

Pendant très longtemps on a considéré qu'obliger les individus en dehors de leur volonté devait être exceptionnel ; il fallait une justification impérieuse qu'on s'accordait à trouver dans l'idée de faute, et dans elle seule. La démarche consistait à se tourner vers l'auteur du dommage et à porter une appréciation sur sa conduite. Tel était l'esprit du Code civil, et cette conception a donné pleine satisfaction pendant plus d'un siècle.

L'insuffisance de ce fondement est apparue sur un plan pratique avec la multiplication de dommages « anonymes » pour lesquels il est très difficile de discerner une faute au sens fort de ce mot.

Tel était plus spécialement le cas des accidents dus à des choses et consécutifs au machinisme, à l'industrialisation, etc. Dans ces diverses hypothèses, en l'absence de faute prouvable, la victime n'était pas indemnisée. Cela fut ressenti d'autant plus durement que notre époque se caractérise par un souci toujours accru de sécurité. Plutôt que de rechercher une faute en la personne de l'auteur du dommage, on se penche plus volontiers vers la victime, dans le désir de lui assurer une garantie d'indemnisation. Par là même, la responsabilité civile dont l'objet est de réparer un préjudice, s'éloigne de plus en plus de la responsabilité pénale, laquelle se propose de punir un coupable. On est en quelque sorte passé d'une dette de réparation à une créance d'indemnisation.

On peut schématiser cette opposition entre la théorie de la faute et celle du risque de la manière suivante : dans la première conception, seule la faute justifie que l'auteur d'un dommage soit rendu débiteur ; dans la seconde, le dommage à lui seul justifie que la victime soit rendue créancière.

Ainsi, suivant que l'on s'attache à l'auteur du dommage ou à la victime, la perspective change[(41)]. L'auteur ne peut être tenu responsable que si le dommage lui est imputable[(42)], mais la victime doit être indemnisée du seul fait qu'elle subit un préjudice injuste.

---

(40) F. Gény, *Risques et responsabilité, à propos de deux thèses récentes* : *RTD civ.* 1902, 812. – L. Bach, *Réflexions sur le problème du fondement de la responsabilité civile en droit français* : *RTD civ.* 1977, p. 17 et 221. Parmi les tenants de la responsabilité fondée sur le risque, V. B. Starck, *Essai d'une théorie générale de la responsabilité civile, considérée en sa double fonction de garantie et de peine privée* : thèse Paris, 1947. – *Domaine et fondement de la responsabilité sans faute* : *RTD civ.* 1958, 475. – Et parmi ceux de la responsabilité pour faute : H. Mazeaud, *La faute « objective » et la responsabilité sans faute* : *D.* 1985, chron. 13.

(41) Cl. Grare, *Recherches sur la cohérence de la responsabilité délictuelle. L'influence des fondements de la responsabilité sur la réparation* : Dalloz, coll. « Bibl. thèses », 2005, préf. Y. Lequette. – M. Robineau, *Contribution à l'étude du système responsabilité* : Defrénois, coll. « Thèses », 2006.

(42) P. Jourdain, *Recherche sur l'imputabilité en matière de responsabilité civile et pénale* : thèse Paris II, 1982.

À cet égard, on notera que la Convention européenne des droits de l'homme invite à prendre en considération les droits de la victime dans la mesure où, précisément, elle consacre certains droits dont la violation doit emporter responsabilité[43]. Spécialement, lorsqu'elle proclame que « Le droit de toute personne à la vie est protégé par la loi » et que « Toute personne physique ou morale a droit au respect de ses biens », elle ouvre une large voie à un développement de la responsabilité[44].

562. – **Glissement de la faute au risque.** Dans le droit positif actuel, ces deux fondements coexistent, la faute expliquant certaines solutions cependant que l'idée de risque ou de garantie en fonde d'autres. Il est certain que le domaine de la faute tend à se réduire au profit de celui du risque[45], mais on ne saurait pour autant considérer que la responsabilité peut être totalement détachée de l'idée de faute[46].

Cela se manifeste en législation où des textes de plus en plus nombreux édictent une obligation de réparer en l'absence même de faute, par exemple pour la responsabilité du fait des produits défectueux (C. civ., art. 1386-1 et s.). La même tendance guide la jurisprudence qui donne, des textes existants, une interprétation volontiers favorable à une indemnisation systématique des victimes, par exemple pour la responsabilité des parents du fait de leurs enfants mineurs. L'existence et la généralisation des assurances de responsabilité n'a fait qu'accentuer ce mouvement.

Il est très délicat d'établir une hiérarchie entre les deux fondements car cela dépend du point de vue auquel on se place. Sur un plan théorique, on peut encore dire qu'en droit commun une faute est nécessaire pour que soit engagée la responsabilité civile d'une personne ; mais il faut ajouter tout de suite que se multiplient les exceptions fondées sur l'idée de risque qui réduisent considérablement la portée de la règle de droit commun[47].

563. – **Cas de responsabilité pour risque.** Ainsi, en matière d'accidents du travail, le patron, c'est-à-dire l'entreprise, est responsable de plein droit, en dehors de toute faute, des dommages survenus aux salariés à l'occasion de leur travail (L. 9 avr. 1898, mod. 30 oct. 1946).

De même, les entreprises de transport aérien ont à leur charge, de plein droit, les dommages causés par les avions aux personnes ou aux biens se trouvant au sol ; de même pour les producteurs et utilisateurs d'énergie nucléaire, en cas de sinistre atomique ; de même pour les déments qui sont responsables des préjudices qu'ils occasionnent alors que leur inconscience est incompatible avec l'idée de faute.

Plus récemment cette évolution s'est concrétisée de manière éclatante dans la loi du 5 juillet 1985 tendant à l'amélioration de la situation des victimes d'accidents

(43) O. Lucas, *La Convention européenne des droits de l'homme et les fondements de la responsabilité civile* : *JCP* 2002, I, 111.
(44) Sur ce point, V. B. Girard : th. préc., spéc. p. 155 et s.
(45) Y. Lambert-Faivre, *L'évolution de la responsabilité civile d'une dette de responsabilité à une créance d'indemnisation* : *RTD civ.* 1987, 1. – C. Thibierge, *Libres propos sur l'évolution du droit de la responsabilité (vers un élargissement de la fonction de la responsabilité civile)* : *RTD civ.* 1999, 561.
(46) Y. Flour, *Faute et responsabilité civile : déclin ou renaissance ?* : *Droits* 1987, 29. – Ph. Le Tourneau, *La verdeur de la faute dans la responsabilité civile (ou de la relativité de son déclin)* : *RTD civ.* 1988, 505. – Ch. Radé, *L'impossible divorce de la faute et de la responsabilité civile* : *D.* 1998, chron. 301 ; *Réflexions sur les fondements de la responsabilité civile* : *D.* 1999, chron. 313 et 323. – Ph. Pierre, *La place de la responsabilité objective. Notion et rôle de la faute en droit français* : *Rev. Lamy dr. civ.* mai 2010, 16.
(47) G. Viney, *Pour ou contre un principe général de responsabilité pour faute ?*, in *Mél. Catala*, p. 555. – Ch. Radé, *Plaidoyer en faveur d'une réforme de la responsabilité civile* : *D.* 2003, chron. 2247.

de la circulation et à l'accélération des procédures d'indemnisation (V. *infra*, n°s 691 et s.)[48], et dans celle du 19 mai 1998 sur la responsabilité du fait des produits défectueux (C. civ., art. 1386-1 et s.) (V. *infra*, n°s 716 et s.).

À ces textes qui écartent la faute comme condition de la responsabilité civile, s'ajoutent tous ceux qui présument, de manière souvent irréfragable, l'existence de cette faute ou même de la responsabilité. Ainsi le gardien d'une chose, d'un bâtiment ou d'un animal, c'est-à-dire celui qui en a l'usage, la direction et le contrôle, est responsable des dommages causés par cette chose ; de même les patrons sont civilement responsables des actes dommageables de leurs salariés, les artisans de ceux de leurs apprentis, les parents de ceux de leurs enfants mineurs. En matière de contrat, l'inexécution d'une obligation de résultat est présumée fautive. Il s'ensuit qu'en pratique la plupart des jugements de condamnation sont obtenus sans qu'il soit nécessaire de faire la preuve d'une faute.

Le Projet Catala s'inscrit dans ce mouvement d'objectivation. En effet, si la faute reste un fait générateur de la responsabilité contractuelle (art. 1363 à 1366) ou extracontractuelle (art. 1352 et 1353), les hypothèses dans lesquelles le risque fonde l'obligation de réparer sont nombreuses[49]. Souvent le Projet ne fait que consacrer les solutions jurisprudentielles qui constituent aujourd'hui le droit positif, qu'il s'agisse de la responsabilité du fait des choses que l'on a sous sa garde (art. 1354 à 1354-4) ou de la théorie des troubles de voisinage (art. 1361). En revanche, faisant écho à la catastrophe d'AZF, il innove en créant un nouveau cas de responsabilité de plein droit : la responsabilité de « l'exploitant d'une activité anormalement dangereuse, même licite » (art. 1362)[50]. Le projet de réforme du 26 juillet 2012, dans le même sens, consacre la distinction entre l'obligation de moyens, faute prouvée, et l'obligation de résultat, responsabiité sans faute ou présomption mixte de faute (art. 41). Une clause générale de responsabilité pour faute est prévue à l'article 9 du projet suivi d'une série de cas de responsabilité de plein droit (fait d'autrui, art. 11 et s. ; fait des choses, art. 16, etc.).

564. – Le principe de précaution : principe à l'intention des autorités publiques. Le principe de précaution, qui trouve son origine dans une doctrine philosophique, est d'apparition récente. Face aux risques multiples auxquels les hommes se trouvent confrontés, et notamment aux risques de développement et à ceux susceptibles de porter atteinte à l'environnement, le principe devrait conduire d'abord à évaluer ces risques, puis à prendre les mesures de prévention nécessaires pour qu'ils ne se réalisent pas. Il s'agit donc d'un traitement de l'incertitude, en amont de la responsabilité qui serait encourue au cas où le risque redouté se matérialiserait par un dommage ; ce qu'un auteur a appelé la « responsabilité préventive »[51].

(48) A. Tunc et a., *Pour une loi sur les accidents de la circulation*, 1981. – A. Tunc, *Accidents de la circulation : faute ou risque* : D. 1982, chron. 103. – F. Chabas, *Le droit des accidents de la circulation après la réforme du 5 juillet 1985* : Litec, 2e éd. – G. Viney, *L'indemnisation des victimes d'accidents de la circulation* : LGDJ, 1992. – P. Jourdain, *Domaine et conditions d'application de la loi du 5 juillet 1985* : Gaz. Pal. 1995, 1, doctr. 18-20 juin.

(49) Y. Saint-Jours, *La part du risque dans le projet de réforme de la responsabilité civile* : D. 2006, chron. p. 2960.

(50) A. Guégan-Lécuyer, *Vers un nouveau fait générateur de responsabilité civile : les activités dangereuses (Commentaire de l'article 1362 de l'avant-projet Catala)*, in Mél. G. Viney : LGDJ, 2008, p. 499.

(51) C. Thibierge, *Libres propos sur l'évolution du droit de la responsabilité (vers un élargissement de la responsabilité civile ?)* : RTD civ. 1999, 561.

Sensibilisé par un certain nombre de sinistres emblématiques affectant les personnes (le drame du sang contaminé, l'amiante, la maladie de la vache folle), le grand public a très vite fait sien ce principe de précaution, ce qui s'est manifesté par une très grande réserve à l'égard du progrès technologique (les OGM, le vaccin contre la grippe H1N1, par exemple). Et l'émotion médiatique a très rapidement trouvé sa traduction dans la loi.

C'est tout naturellement qu'il s'est tout d'abord implanté dans le premier article du Code de l'environnement (art. L. 110-1), à propos de la protection, de la mise en valeur et de la gestion du « patrimoine commun de la nation » que constituent les « espaces, ressources et milieux naturels, les sites et paysages, la qualité de l'air, les espèces animales et végétales, la diversité et les équilibres biologiques ». Il y est précisé que les mesures à prendre s'inspirent, dans l'ordre, du principe de précaution, du principe d'action préventive et de correction des atteintes à l'environnement, du principe pollueur-payeur et du principe de participation[(52)].

Ce principe, inclus dans la Charte de l'environnement, a été ensuite érigé en principe constitutionnel par la loi constitutionnelle du 1er mars 2005 qui le définit un peu différemment de l'article L. 110-1 du Code de l'environnement.

Code de l'environnement

Art. L. 110-1. – (...) 1. Le principe de précaution, selon lequel l'absence de certitudes, compte tenu des connaissances scientifiques et techniques du moment, ne doit pas retarder l'adoption de mesures effectives et proportionnées visant à prévenir un risque de dommages graves et irréversibles à l'environnement à un coût économiquement acceptable ;

2. Le principe d'action préventive et de correction, par priorité à la source, des atteintes à l'environnement, en utilisant les meilleures techniques disponibles à un coût économiquement acceptable ; (...)

Charte de l'environnement

Art. 5. – Lorsque la réalisation d'un dommage, bien qu'incertain en l'état des connaissances scientifiques, pourrait affecter de manière grave et irréversible l'environnement, les autorités publiques veillent, par application du principe de précaution et dans leurs domaines d'attributions, à la mise en œuvre de procédures d'évaluation des risques et à l'adoption de mesures probatoires et proportionnées afin de parer à la réalisation du dommage.

A priori, ces dispositions qui dictent la conduite à tenir en cas d'incertitude sur la dangerosité d'une situation concernent les seuls risques de dommages à l'environnement et elles s'adressent aux seules autorités publiques qui sont invitées à mettre en œuvre le principe de précaution.

C'est ainsi que l'article R. 111-15 du Code de l'urbanisme impose que les permis de construire respectent les « préoccupations d'environnement » des articles L. 110-1 et L. 110-2 du Code de l'environnement, ce qui inclut le principe de précaution. Parallèlement, le Conseil d'État a considéré que ce principe devait être pris en considération pour la délivrance des autorisations d'urbanisme, en l'espèce pour l'autorisation de l'installation d'une antenne-relais[(53)].

565. – Le principe de précaution : extension aux personnes privées. Normalement, le principe ne visant que les « autorités publiques » (art. 5 de la Charte de l'environnement), il devrait être sans application aux personnes privées

(52) Ch. Cans (dir.), *La responsabilité environnementale. Prévention, imputation, réparation* : Dalloz, 2009.
(53) CE, 19 juill. 2010 : *AJDA* 2010, 2114 et note J.-B. Dubrulle ; *JCP* N 2011, 55, note Del Prete et J.-V. Borel.

et à leur responsabilité, laquelle tend, non à prévenir la survenance d'un dommage, mais à réparer un dommage réalisé. Ce principe est aujourd'hui menacé[54].

L'extension du principe au droit de la responsabilité civile a été et continue à être très discutée[55]. Il est souvent invoqué par les plaideurs à l'appui d'une action en responsabilité, et parfois reçu par les juridictions du fond, notamment à propos de l'implantation des antennes-relais de téléphonie mobile. La Cour de cassation en a implicitement consacré l'applicabilité à la responsabilité des personnes privées, en se référant à l'article L. 110-1 du Code de l'environnement ; dans une espèce où il était demandé au juge d'ordonner la fermeture d'un forage réalisé à proximité d'un captage d'eau minérale naturelle destinée à la consommation humaine, elle a approuvé la cour d'appel d'avoir écarté l'application du principe de précaution au motif qu'en l'occurrence le risque de pollution avait été formellement exclu par l'expert, ce qui laisse entendre qu'autrement le principe aurait été applicable[56].

En dehors même de toute référence au principe de précaution, toute personne privée qui cause un dommage à autrui faute d'avoir pris les précautions nécessaires pour agir commet une imprudence, c'est-à-dire une faute, et sa responsabilité pourra être engagée. À cela le principe de précaution apporte un élément de référence pour qualifier la faute : comme l'admet implicitement l'arrêt du 3 mars 2010, il y aurait faute à ne pas respecter le principe de précaution[57]. La difficulté tient au fait qu'il existe un grand « désordre jurisprudentiel »[58] lié à la conception que chaque juge se fait du principe de précaution : les uns font preuve d'un certain laxisme cependant que les autres s'efforcent d'appliquer strictement les conditions d'application du principe visées par les textes.

Mais le domaine d'élection du principe de précaution est celui des troubles de voisinage. C'est ainsi que les voisins d'une antenne-relais de téléphone mobile ont invoqué, sans succès[59], le principe de précaution devant la juridiction administrative pour demander son déplacement ou son démantèlement. Faute d'obtenir satisfaction devant la juridiction administrative, c'est en qualité de voisins que certains se sont présentés devant le juge civil en invoquant la théorie des troubles de voisi-

(54) Proposition de loi constitutionnelle adoptée au Sénat le 14 mai 2014 pour adjoindre un principe d'innovation ; proposition de loi constitutionnelle du 15 juin 2014 en vue de supprimer le principe de précaution.

(55) G. Viney et P. Kourilsky, *Le principe de précaution*, Rapport au Premier ministre, O. Jacob, 2000. – A. Guégan, *L'apport du principe de précaution au droit de la responsabilité civile : Rev. jur. env.* 2000, 147. – P. Jourdain, *Principe de précaution et responsabilité civile : LPA* 30 nov. 2000, 51. – D. Mazeaud, *Responsabilité civile et précaution*, in *Colloque sur la responsabilité à l'aube du XXIe siècle, bilan prospectif : Resp. civ. et assur.* juin 2001. – G.-J. Martin, *Principe de précaution, prévention des risques et responsabilité : quelle novation, quel avenir ?* : AJDA 2005, p. 2222. – M. Boutonnet, *Le principe de précaution en droit de la responsabilité civile* : LGDJ, coll. « Droit privé », 2005, préf. C. Thibierge. – G. Viney, *Principe de précaution et responsabilité civile des personnes privées : D.* 2007, 1542. – M. Boutonnet, *Bilan et avenir du principe de précaution en droit de la responsabilité civile : D.* 2010, 2662.

(56) « (...) la cour d'appel qui a retenu, à bon droit, que le risque de pollution ayant été formellement exclu par l'expert judiciaire, le principe de précaution ne pouvait trouver application, a pu en déduire que les époux X (...) n'avaient pas commis de faute » : Cass. 3e civ., 3 mars 2010 : *D.* 2010, 2419 et note E. Bouchet-Le Mappian. V. aussi N. Reboul-Maupin, *D.* 2010, 2186.

(57) V. également Cass. 3e civ., 18 mai 2011 : *RTD civ.* 2011, 540, obs. P. Jourdain ; *D.* 2011, 2089, note M. Boutonnet ; 2679, obs. A.-C. Monge ; *Rev. Lamy dr. civ.* oct. 2011, p. 19, note B. Parance ; *Resp. civ. et assur.* 2011, étude 1, par M. Bary ; *D.* 2012, 49, obs. Ph. Brun.

(58) L'expression est de Ph. Stoffel-Munck, *D.* 2009, 2817.

(59) CE, 2 juill. 2008 : *RD imm.* 2008, 493, obs. F.-G. Trébulle. – CE, 26 oct. 2011, n° 326492, *Cne de Saint-Denis : RD imm.* 2012, 153, note A. Van Lang. – CE, 30 janv. 2012, n° 344992, *Sté Orange France : RD imm.* 2012, 176, obs. P. Soler-Couteaux. – J. Raynaud, *Regard critique sur les réticences envers le principe de précaution : JCP E* 2008, 2532. – F. Rose-Dulcina, *L'implantation des antennes-relais de téléphonie mobile : la timidité du juge administratif face à l'audace du juge judiciaire : Constr.-Urb.* 2009, étude 23.

nage[60] ; certaines décisions des juges du fond ont accueilli de telles demandes[61], cependant que d'autres les ont écartées[62]. C'est là un dévoiement de la théorie des troubles de voisinage dans la mesure où on l'applique non pas au cas d'un trouble certain, mais à celui d'un risque incertain de trouble ou d'une appréhension sans fondement démontré face à une situation[63].

Mettant un terme à cette évolution[64], le Tribunal des conflits a décidé que la juridiction judiciaire n'avait pas compétence pour connaître des actions tendant à obtenir « l'interruption de l'émission, l'interdiction de l'implantation, l'enlèvement ou le déplacement d'une station radioélectrique régulièrement autorisée et implantée sur une propriété privée ou sur le domaine public, au motif que son fonctionnement serait susceptible de compromettre la santé des personnes vivant dans le voisinage ou de provoquer des brouillages »[65]. Malgré cette clarification des champs de compétence par le tribunal des conflits, la jurisprudence n'est pas toujours très claire sur les liens qui peuvent exister entre troubles anormaux du voisinage et antennes de téléphonie mobile. Pour preuve cet arrêt rendu par la première chambre civile de la Cour de cassation le 17 octobre 2012 à propos d'une femme se trouvant à proximité d'une antenne de téléphonie mobile et « hypersensible » aux ondes qui a pu obtenir au fondement des troubles anormaux du voisinage que l'on « blinde » sa porte et que l'on répare son préjudice moral[66].

Dans toutes ces hypothèses le principe de précaution est invoqué au soutien d'une action fondée sur la responsabilité civile[67] ou sur la théorie des troubles de voisinage et il est susceptible de conduire à l'allocation de dommages et intérêts et, le cas échéant, à ce qu'il soit mis fin aux troubles.

Il reste à savoir si, dans le cadre de nouveaux développements, le principe de précaution ne pourrait pas être invoqué à l'encontre des personnes privées afin de leur imposer des mesures de prévention qui, à ce jour, sortent du domaine de la responsabilité civile[68].

(60) D. Mazeaud, *La responsabilité du fait des ondes*, in *Mél. J.-L. Baudouin* : éd. Yvon-Blais, 2012, p. 869 et s.

(61) Versailles, 4 févr. 2009 : D. 2009, 819, obs. M. Boutonnet ; *RTD civ.* 2009, 327, obs. P. Jourdain. – J.-F. Feldman, *Le trouble voisinage du principe de précaution (sur l'arrêt de la Cour de Versailles du 4 février 2009, Bouygues Télécom c/ Lagouge)* : D. 2009, chron. 1369. – V. aussi *AJDA* 2009, 712 et note S. Bourillon. – TGI Créteil, 11 août 2009 : *JCP* 2009, n° 47, 455 et note J.-V. Borel. – Montpellier, 15 sept. 2011 : *D.* 2012, 53, obs. Ph. Brun ; *D.* 2012, 267, note B. Parance.

(62) Aix en Provence, 15 sept. 2008 : *JurisData* n° 2008-372567. – Chambéry, 4 févr. 2010 : *JCP* 2010, n° 531, note B. Parance. – Bastia, 21 juill. 2010 et Lyon, 3 févr. 2011, cités par Ph. Stoffel-Munck *in JCP JCP* 2011, 435, n° 5.

(63) V. en ce sens Ph. Stoffel-Munck, *La théorie des troubles de voisinage à l'épreuve du principe de précaution : observations sur le cas des antennes-relais* : D. 2009, 2817.

(64) Pour une vue d'ensemble, Ph. Brun, *Des antennes de téléphonie mobile, de la responsabilité civile y afférente et de quelques autres considérations : notations sommaires sur le contentieux « des ondes »*, in *Mél. G.-J. Martin* : éd. Frison-Roche, 2013, p. 75 et s.

(65) T. conflits, 14 mai 2012, 6 décisions, n° 3844, 3846, 3850, 3852, 3854. – Adde, cass. 3e civ., 19 déc. 2012, n° 11-23566.

(66) Cass. 1re civ., 17 oct. 2012, n° 10-26854 : « ses demandes avaient pour finalité non pas de contrarier ou de remettre en cause le fonctionnement des antennes-relais dont elle ne demandait ni l'interruption d'émission ni le déplacement ou le démantèlement mais d'assurer sa protection personnelle et la réparation de son préjudice (...) ».

(67) L. Mazeau, *La responsabilité civile du fait des activités à « risque électromagnétique »* : *RRJ* 2010, p. 711.

(68) V. en ce sens, C. Thibierge, *Libres propos sur l'évolution du droit de la responsabilité civile (vers un élargissement de la responsabilité civile ?)* : *RTD civ.* 1999, 561. – C. Bloch, *La cessation de l'illicite. Recherche sur une fonction méconnue de la responsabilité civile extracontractuelle* : Dalloz, 2008, préf. R. Bout et avant-propos Ph. Le Tourneau. – C. Sintez, *La sanction préventive en droit de la responsabilité civile* : thèse Orléans, 2010. – Contra, le bilan mitigé de G. Viney, *L'influence du principe de précaution sur le droit de la responsabilité civile à lal umière de la jurisprudence : beaucoup de bruit pour presque rien ?*, in *Mél. G.-J. Martin* : éd. Frison-Roche, 2013, p. 555 et s.

566. – Influence de l'assurance de responsabilité. La notion de faute paraît aujourd'hui d'autant plus obsolète que l'assurance de la responsabilité civile connaît un développement considérable. À la limite, tout le monde sera bientôt assuré contre les conséquences de sa responsabilité civile ; en revanche l'assurance de la responsabilité pénale n'est pas admise, même pour les amendes. La loi oblige à s'assurer là où le risque de sinistre est particulièrement important : ainsi pour les accidents du travail, les accidents de voiture et de chasse ; dans ces deux derniers cas, la loi a institué un fonds de garantie, alimenté par des prélèvements sur les primes versées, pour indemniser ceux qui seraient victimes d'automobilistes ou de chasseurs insolvables et non assurés. Plus récemment la loi du 4 janvier 1978 a rendu obligatoire l'assurance de responsabilité, et même l'assurance de dommage en matière de construction d'ouvrages.

L'assurance de responsabilité aboutit à faire supporter par la compagnie d'assurance, ou par la collectivité des assurés dans les mutuelles, les indemnités mises à la charge de chaque assuré, moyennant le paiement de primes. Un tel système de collectivisation ou de mutualisation des risques est excellent en ce qu'il garantit aux victimes l'indemnisation de leur préjudice, alors surtout que la loi leur accorde un droit direct contre l'assureur (V. *supra*, n° 489), mais il dilue la notion de responsabilité et efface son caractère individuel. Or, dès l'instant qu'on établit par le biais de l'assurance une collectivisation des risques, il apparaît injuste de conditionner sa mise en œuvre par l'existence d'une faute, et non pas seulement d'un dommage[(69)].

567. – Caractère judiciaire de la responsabilité civile. Lorsque deux personnes concluent un contrat, les obligations stipulées naissent du seul fait du contrat, en dehors de toute intervention judiciaire ; tout au plus faudra-t-il sacrifier à quelques formalités, par exemple établir un acte écrit afin de se réserver la preuve du contrat, ou passer l'acte par-devant notaire. S'il en est ainsi, c'est qu'une telle obligation est conventionnelle : elle découle de la volonté, non de la loi.

Au contraire, l'obligation de réparer imposée par la loi implique presque toujours un recours judiciaire pour sa constatation officielle. Sans doute peut-il en être autrement, surtout lorsque le dommage résulte de l'inexécution d'un contrat. En effet, libres de prévoir les termes de leur accord, les parties peuvent aussi décider quelles seront les conséquences d'un éventuel manquement au contrat ; elles peuvent par exemple évaluer d'avance et forfaitairement le préjudice dans une *clause pénale* (V. *infra*, n°s 797 et s.), ce qui évite les aléas d'une évaluation judiciaire. Ce peut être là une sage précaution. En outre, que le dommage soit intervenu ou non dans le cadre d'un contrat, auteur et victime peuvent convenir d'une réparation amiable par une *transaction* (V. *infra*, n° 799), sorte de contrat par lequel les parties, se faisant des concessions réciproques, terminent une contestation née ou préviennent une contestation à naître.

Mais, le plus souvent, les litiges de responsabilité civile se terminent devant le juge ; ce domaine est sans aucun doute l'un de ceux où on plaide le plus et il repré-

(69) G. Viney, *Le déclin de la responsabilité individuelle*, 1965. – G. Maitre, *La responsabilité civile à l'épreuve de l'analyse économique du droit* : LGDJ, 2005. – M. Robineau, *Contribution à l'étude du système responsabilité. Les potentialités du droit des assurances* : Defrénois, 2006, préf. M.-L. Demeester.

sente une part importante de l'activité judiciaire, même si la loi sur l'indemnisation des victimes d'accidents de la circulation a quelque peu allégé le contentieux.

568. – **Plan.** Il paraît nécessaire de présenter l'obligation de réparer dans son cadre naturel, qui est judiciaire. C'est ainsi que la responsabilité civile sera envisagée comme une action en justice (section 1), soumise à certaines conditions (section 2) et tendant à la réparation (section 3) d'un préjudice.

SECTION 1

L'ACTION EN RESPONSABILITÉ CIVILE

569. – **Nécessité d'une action en justice.** À défaut d'accord antérieur (clause pénale dans un contrat) ou postérieur à la réalisation du dommage (transaction), la victime ne peut obtenir satisfaction que par un recours judiciaire, en l'espèce une action en responsabilité civile. Cette procédure, quel qu'en soit l'intérêt pour un futur avocat ou magistrat, ne sera pas présentée ici dans sa technicité mais en ce qu'elle peut intéresser tout juriste[(70)].

Sans entrer dans des subtilités de procédure, on exposera les règles relatives aux parties à l'action, à la compétence, à la cause de la demande et à la prescription. Ces règles, qui normalement relèvent du droit commun de la procédure civile, se trouvent perturbées lorsque le fait dommageable constitue à la fois une infraction pénale et une cause de responsabilité civile.

§ 1. – Les parties à l'action

A. – Le demandeur

570. – **La victime.** Dans toute action en justice, il y a un demandeur et un défendeur. Le demandeur, dans l'action en responsabilité civile, est en principe la victime du dommage ; peu importe qu'il s'agisse d'une personne physique ou d'une personne morale, une société par exemple, cette dernière agissant par l'intermédiaire de son représentant légal, directeur général ou gérant suivant les cas.

Le même acte dommageable peut d'ailleurs faire plusieurs victimes. Il faut penser ici non seulement à l'événement qui entraîne la mort ou l'incapacité de plusieurs personnes, mais aussi à celui qui fait une *victime immédiate* et des *victimes par ricochet*. Par exemple, à supposer qu'un ingénieur, directeur d'un laboratoire de recherches, soit la victime immédiate d'un accident qui lui fasse perdre sa force de travail intellectuel, seront victimes par ricochet sa famille dont il était le soutien et aussi l'entreprise à laquelle il appartenait et qui mettra peut-être plusieurs mois avant de le remplacer. L'action en responsabilité civile est en principe ouverte à toutes les victimes, le seraient-elles *par ricochet* (V. *infra*, n° 597).

(70) S. Amrani-Mekki, *Le droit processuel de la responsabilité civile*, in *Mél. G. Viney*, LGDJ, 2008, p. 1.

571. – Les ayants cause de la victime. Outre les victimes elles-mêmes, peuvent se porter demandeurs ses héritiers le cas échéant, et toutes les personnes qui auraient été *subrogées* dans leurs droits (sur la *subrogation*, V. *infra*, n°s 849 et s.).

Cela vise tout d'abord les héritiers puisque la créance de réparation de la victime tombe dans leur patrimoine, et ce même lorsqu'il s'agit d'un préjudice non plus matériel, mais moral[(71)].

Quant aux personnes subrogées, ce sont celles qui auraient déjà indemnisé en tout ou en partie le préjudice subi et qui peuvent se retourner contre le responsable dans la limite des prestations versées : par exemple, la caisse de sécurité sociale qui a remboursé les frais médicaux ou pharmaceutiques d'un assuré accidenté par la faute d'un tiers, l'assureur qui garantissait un bien meuble ou immeuble incendié par suite d'une négligence d'un voisin, etc.

Enfin, l'obligation de réparer pouvant être cédée comme n'importe quelle autre créance, le *cessionnaire* de la créance, c'est-à-dire celui qui l'acquiert, peut aussi intenter l'action. Il en va de même des créanciers de la victime qui peuvent agir par la voie de *l'action oblique* (V. *infra*, n°s 893 et s.).

B. – Le défendeur

572. – Le défendeur en matière pénale. Le défendeur sera le responsable ; ce terme bien vague appelle quelques explications.

En matière pénale, où la responsabilité est en principe toujours personnelle puisqu'il s'agit assez largement de châtier un coupable, le responsable est celui qui a commis l'infraction et lui seul ; cela est si vrai que le décès de l'auteur de l'infraction éteint *l'action publique*. De toute évidence, la règle a été conçue pour les personnes physiques ainsi qu'en témoigne la peine d'emprisonnement prévue pour la majorité des infractions réprimées[(72)].

Sa transposition aux personnes morales a soulevé d'importantes difficultés, ce qui explique que la question soit restée longtemps en suspens en France. Tel n'est plus le cas aujourd'hui où l'article 121-2 du Code pénal retient le principe de la responsabilité pénale des personnes morales – à l'exception de l'État – pour les « infractions commises, pour leur compte, par leurs organes ou représentants ». Pendant longtemps cette responsabilité pénale n'a concerné que les infractions – à dire vrai fort nombreuses – pour lesquelles la loi le prévoyait expressément[(73)] ; elle est aujourd'hui devenue générale depuis la loi du 9 mars 2004 qui a modifié en ce sens l'article 121-2[(74)].

Bien entendu, le législateur a prévu un système de sanctions spécifiques, adaptées à la nature des personnes morales (C. pén., art. 131-37 et s.). Elles vont de l'amende (majorée par rapport aux personnes physiques) jusqu'à la dissolution,

(71) Cass. ch. mixte, 30 avr. 1976 : *Bull. civ.* 1976, ch. mixte, n° 2 ; *RTD civ.* 1976, p. 556, obs. G. Durry.

(72) Pour un cas de « responsabilité pénale du fait des choses » (C. route, art. L. 121-1 et L. 121-3), V. Cass. crim., 17 déc. 2013, n° 12-87646 ; *Dr. pén.*, n° 2, février 2014, comm. 25, obs. J.-H. Robert.

(73) B. Bouloc, Y. Guyon, G. Couturier et a., *La responsabilité pénale des personnes morales : Rev. sociétés* 1993, 229. – Cl. Mouloungui, *L'élément moral dans la responsabilité pénale des personnes morales : RTD com.* 1994, 441. – N. Ronstchevsky, *La responsabilité pénale des personnes morales*, in *La responsabilité, Aspects nouveaux : Trav. Assoc. H. Capitant*, t. L : LGDJ, 2003.

(74) N. Stolowy, *La disparition du principe de spécialité dans la mise en cause pénale des personnes morales. Loi n° 2004-204 du 9 mars 2004, dite Perben II* : JCP 2004, I, 138.

véritable mort civile de la personne morale, en passant par diverses interdictions, déchéances ou exclusions temporaires ou définitives.

On remarquera, pour terminer, que la loi nouvelle prévoit en outre que la responsabilité pénale des personnes morales « n'exclut pas celle des personnes physiques auteurs ou complices des mêmes faits » (C. pén., art. 121-2, al. 3).

573. – **Le défendeur en matière civile.** En matière civile, le responsable est en principe celui, personne physique ou morale, qui a accompli l'acte dommageable ; peu importe qu'il soit poursuivi pour son fait personnel ou pour le fait des choses, animaux, bâtiments, dont il a la garde.

Mais la loi offre parfois à la victime deux défendeurs possibles : l'auteur du dommage et une tierce personne, *civilement responsable* dit-on. Ainsi les parents sont civilement responsables du fait de leurs enfants mineurs, et les patrons ou les entreprises du fait de leurs salariés. Cette dualité de responsables constitue pour la victime une garantie de paiement et, en pratique, la victime poursuivra de préférence les parents ou l'employeur alors surtout que ce dernier sera toujours assuré.

Le décès du responsable, qui met fin à *l'action publique*, laisse subsister l'action en réparation qui sera alors dirigée contre ses héritiers, à moins qu'ils n'aient renoncé à la succession.

Enfin, si le responsable a assuré sa responsabilité civile, la victime dispose contre la compagnie d'assurance d'une action directe (V. *supra*, n° 489) qui lui permettra à coup sûr d'être indemnisé, en évitant le concours avec les autres créanciers de l'auteur du dommage.

§ 2. – Le tribunal compétent

574. – **Compétence d'attribution et compétence territoriale.** Les règles de compétence varient suivant que le comportement dommageable est ou non constitutif d'infraction pénale. Mais, en toute hypothèse, les questions de compétence se posent toujours à deux niveaux :

• d'une part la *compétence d'attribution* : quelle catégorie de tribunaux doit être saisie du litige ?

• d'autre part, la *compétence territoriale* : au sein de telle catégorie de tribunaux, lequel est territorialement compétent ?

A. – Le tribunal compétent en cas de responsabilité civile à l'état pur

575. – **Fait dommageable non constitutif d'une infraction pénale.** On raisonne ici sur l'hypothèse où le fait dommageable ne constitue pas une infraction pénale. Sur un plan quantitatif, cette situation est la plus fréquente, surtout lorsque le problème de responsabilité apparaît dans l'exécution d'un contrat.

La compétence d'attribution dépend de la *nature civile ou commerciale* du litige. S'il s'agit d'une responsabilité pour inexécution d'un contrat commercial, le litige ressortit en principe à la compétence du tribunal de commerce. En toute autre matière, responsabilité en dehors de tout contrat ou dans un contrat civil, la compétence appartient, conformément aux règles de procédure civile, soit au tribunal d'instance, soit au tribunal de grande instance suivant l'intérêt du litige. Toutefois certaines actions, notamment celles en réparation des dommages causés par un accident de la circulation, sont de la compétence exclusive du tribunal de grande instance.

Une fois déterminé le type de tribunal compétent, il faut choisir celui qui l'est territorialement[(75)].

L'article 46 du Code de procédure civile règle la question de la manière suivante :

« Le demandeur peut saisir à son choix, outre la juridiction du lieu où demeure le défendeur :

– en matière contractuelle, la juridiction du lieu de la livraison effective de la chose ou du lieu de l'exécution de la prestation de service ;

– en matière délictuelle, la juridiction du lieu du fait dommageable ou celle dans le ressort de laquelle le dommage a été subi ;

– (...) »

B. – Le tribunal compétent en cas de responsabilité civile mélangée de responsabilité pénale

576. – Fait dommageable constitutif d'une infraction pénale. L'hypothèse visée est celle où le fait dommageable est en même temps réprimé par la loi pénale. En pareil cas, le *ministère public* qui représente la société peut déclencher l'*action publique* et poursuivre l'auteur de l'infraction devant la juridiction pénale compétente, mais il peut aussi ne pas le faire s'il estime que des poursuites seraient inopportunes (*principe de l'opportunité des poursuites*). Parallèlement, la victime qui ne représente qu'elle-même, peut intenter l'*action civile*[(76)], c'est-à-dire l'action en réparation du dommage qui, normalement, relève de la compétence d'une juridiction civile. Ces deux actions, bien qu'elles poursuivent des buts différents, ne peuvent être totalement indépendantes puisqu'elles sont fondées sur un même fait ; cela se sent déjà sur le plan de la compétence.

Ainsi, alors que l'action publique ne peut être portée que devant la juridiction pénale, la victime est libre de saisir soit la juridiction civile (et alors sont applicables les règles exposées, V. *supra*, n° 575), soit la juridiction pénale. Dans ce dernier cas, si le ministère public a intenté l'action publique, la victime y joindra son action civile ; sinon, elle portera plainte et se constituera partie civile, ce qui aura pour effet de déclencher aussi l'action publique. À cet égard, la *constitution de partie civile* devant la juridiction pénale est, entre les mains de la victime, un moyen de forcer le ministère public à exprimer sa position sur la culpabilité de l'auteur d'une infraction[(77)]. De manière plus générale, le choix de la voie pénale présente certains intérêts (notamment sur le plan de la preuve) et inconvénients dont l'exposé n'a pas sa place dans un ouvrage de droit civil.

(75) Réserve faite ici de l'existence d'une clause attributive de juridiction, sur l'inopposabilité d'une telle clause dans une chaîne communautaire de contrats, V. Cass. 1re civ., 11 sept. 2013, n° 09-12442, FS-P+B+I : *D.* 2014, p. 121, note D. Mazeaud ; *RTD civ.*, 2013, p. 839, obs. H. Barbier. – Rappr. CJUE, 7 févr. 2013, n° C-543/10, *Refcomp SpA c/ Axa Corporate Solutions Assurance SA* : *D.* 2013, p. 1110, note S. Bollée ; *D.* 2013, p. 2293, note L. d'Avout et S. Bollée.

(76) Ph. Bonfils, *L'action civile. Essai sur la nature juridique d'une institution* : PUAM, 2001, préf. S. Cimamonti.

(77) Encore faut-il, s'il s'agit d'une association, qu'elle fasse partie des cas prévus aux articles 2-1 à 2-21, CPP. – V. par ex. Cass. crim., 29 oct. 2013, n° 12-84108.

Quant à la compétence territoriale, elle est celle exposée plus haut si l'action est portée devant la juridiction civile. En matière correctionnelle elle appartient au tribunal du lieu de l'infraction, ou de la résidence du prévenu, ou du lieu d'arrestation ou de détention de ce dernier, si c'est une juridiction pénale qui est saisie.

§ 3. – La cause de la demande en justice

577. – **La notion de cause de la demande.** On entend ici par *cause* de la demande le motif juridique invoqué et, plus précisément encore, le texte de loi ou l'article du code sur lequel se fonde la demande et qui sera expressément visé dans l'*assignation* et dans la décision rendue.

Telle est du moins la conception que l'on admettait classiquement de la cause de la demande. On en déduisait notamment qu'en matière de responsabilité civile, l'article 1147 en matière contractuelle, les articles 1382, 1384, alinéa 1, etc. constituaient autant de causes distinctes et qu'il suffisait d'invoquer un fondement différent pour échapper à l'autorité de la chose jugée d'une première décision. Toutefois, cette conception étroite de la notion de cause de la demande a été écartée par un arrêt de l'assemblée plénière de la Cour de cassation du 7 juillet 2006 dans une hypothèse où un demandeur, débouté sur le fondement d'une créance de salaire différé, avait formulé une nouvelle demande fondée sur la théorie de l'enrichissement sans cause. Alors qu'il s'agissait de deux causes différentes au sens classique du terme, la Cour suprême n'en a pas moins débouté le demandeur au motif de l'identité de cause des deux demandes, qui tendaient l'une comme l'autre « à obtenir paiement d'une somme d'argent à titre de rémunération d'un travail prétendu effectué sans contrepartie financière »(78). Ainsi le fondement invoqué à l'appui d'une demande n'en serait pas la cause, mais un simple *moyen*. Et l'arrêt en déduit que, à peine de se heurter à l'autorité de la chose jugée, le litigant doit présenter, dès l'instance relative à la première demande, l'ensemble des moyens qu'il estime de nature à fonder sa demande ou sa défense ; c'est le nouveau principe, dit de la « concentration des moyens », qui s'applique désormais devant toute juridiction civile, pénale ou même arbitrale(79). Il reste à déterminer les conséquences de cette jurisprudence dans le domaine de la responsabilité civile(80).

Au plan procédural, la mention des moyens ou de la cause de la demande présente une importance particulière dans le cas où il existe plusieurs fondements possibles, et plusieurs articles de loi ou de code entre lesquels il convient de choisir. Répondant par avance à l'invite de la jurisprudence, les praticiens

(78) Cass. ass. plén., 7 juill. 2006 : *Bull. civ.* 2006, ass. plén., n° 8 ; *D.* 2006, p. 2135 et note L. Weiller ; *RD imm.* 2006, p. 500, obs. Ph. Malinvaud.

(79) Cass. 1re civ. 16 janv. 2007 : *Bull. civ.* 2007, I, n° 18. – Cass. com., 20 févr. 2007 : *Bull. civ.* 2007, IV, n° 49 ; *JCP* 2007, II, 10070 et note G. Wiederkehr. – Cass. 2e civ., 25 oct. 2007 : *Bull. civ.* 2007, II, n° 241 ; *D.* 2007, act. jurispr. 2955 ; *RD imm.* 2008, 48, obs. Ph. Malinvaud. – Cass. 3e civ., 13 févr. 2008 : *JCP* 2008, II, 10052 et note L. Weiller ; *RD imm.* 2008, n° 5, obs. Ph. Malinvaud. – V. L. Miniato, *La jurisprudence contre la loi ? Vers une interprétation (encore) audacieuse de l'article 4 du Code de procédure pénale* : *LPA* 24 juill. 2008, p. 7.

(80) V. par ex. Cass. 2e civ., 22 mars 2012, n° 10-25.184 ; Procédures n° 5, mai 2013, 2, n° 6, obs. C. Bléry : « la demande de liquidation des différents chefs de préjudice corporel et la demande de paiement des intérêts majorés en raison de la tardiveté de l'offre d'indemnisation n'ont pas le même objet ».

éludent souvent la difficulté en invoquant à la fois tous les textes susceptibles de s'appliquer, laissant ainsi aux juges le soin de faire le tri. Toutefois, le problème ne se pose pas dans les mêmes termes devant le juge civil et devant le juge pénal.

A. – La cause de la demande devant le juge civil : responsabilité contractuelle et délictuelle

578. – **Principe du non-cumul de la responsabilité contractuelle et de la responsabilité délictuelle.** Lorsqu'un procès en responsabilité se présente devant le juge civil, deux séries de textes peuvent être invoquées :

- d'une part, les articles 1146 à 1155 du Code civil relatifs à la *responsabilité contractuelle* : « Des dommages et intérêts résultant de l'inexécution de l'obligation » dit le code ;
- d'autre part, les articles 1382 à 1386 du Code civil relatifs à la responsabilité en dehors de tout contrat : « Des délits et des quasi-délits » dit le code ; d'où l'expression classique de *responsabilité délictuelle et quasi délictuelle*, le terme de délit étant d'ailleurs très ambigu, puisqu'il désigne ici non pas l'infraction pénale du même nom, mais la faute civile.

En pratique, il est important de savoir si la responsabilité civile encourue est contractuelle ou délictuelle car les règles de l'une et de l'autre, si elles se rejoignent dans les principes, diffèrent parfois sur des points importants. Pour s'en tenir à l'essentiel, il faut signaler que la réparation du dommage est totale en matière délictuelle, limitée au *préjudice prévisible* (sauf faute intentionnelle) en matière contractuelle (C. civ., art. 1150) ; que les *clauses limitatives de responsabilité* ou de garantie ne sont valables que dans les contrats, et sous certaines conditions ; que la preuve du fait dommageable obéit à des règles différentes, etc.(81)

Suivant les circonstances de fait, cette diversité des règles donne un intérêt à la victime à invoquer tantôt la responsabilité contractuelle et tantôt la responsabilité délictuelle. Or, malgré les tentatives qui ont été faites en ce sens, la jurisprudence maintient ferme le principe que la victime n'a pas le choix entre les deux types de responsabilité : elle doit agir sur le fondement de la responsabilité contractuelle si le dommage est dû à l'inexécution d'une obligation du contrat(82). C'est le principe dit du non-cumul ou, devrait-on dire, de non-option ; en dépit des exceptions qui lui sont parfois apportées(83), il est toujours affirmé par la jurisprudence, ce qui donne

(81) H. Mazeaud, *Responsabilité contractuelle et responsabilité délictuelle* : *RTD civ.* 1929, 551. – A. Brun, *Rapports et domaines des responsabilités contractuelle et délictuelle* : thèse Lyon, 1931. – R. Rodière, *Étude sur la dualité des régimes de responsabilité* : *JCP* 1950, I, 861 et 868. – J. Huet, *Responsabilité contractuelle et responsabilité délictuelle. Essai de délimitation* : thèse Paris II, 1978. – G. Durry, *La distinction de la responsabilité contractuelle et de la responsabilité délictuelle*, Mac Gill, 1986. Sur la contestation de l'existence d'une responsabilité contractuelle, V. *supra*, n° 560 et les réf. citées.

(82) Mais cette règle est sans application si l'obligation inexécutée est une obligation légale, par exemple l'obligation pesant sur le dernier exploitant d'une installation classée de procéder à la remise en état des lieux ; le fait que ce dernier exploitant ait cédé le bien à un acquéreur n'en fait pas pour autant une obligation contractuelle : Cass. 3e civ., 16 mars 2005 : *Bull. civ.* 2005, III, n° 67 ; *JCP* 2005, II, 10118 et note F.-G. Trébulle ; *RTD civ.* 2005, p. 784, obs. P. Jourdain.

(83) L'option est ainsi possible en cas d'infraction pénale ; quelques décisions l'ont également admise jadis en cas de faute dolosive : V. Cass. 3e civ., 18 déc. 1972 : *D.* 1973, 272 et note J. Mazeaud. – Rappr. CE, 24 mai 1974 : *JCP* 1975, II, 17907, obs. G. Liet-Veaux.

tout son intérêt à une délimitation précise des domaines respectifs des deux responsabilités[84].

Ce principe du *non-cumul* ne s'applique que dans les rapports entre cocontractants, non dans les rapports entre un cocontractant et un tiers. Ainsi il n'interdit nullement à un cocontractant victime d'un dommage causé par un tiers, par exemple à un acheteur qui reçoit une marchandise abîmée en cours de transport, de rechercher la responsabilité délictuelle du transporteur qui n'est pas son cocontractant, mais celui du vendeur[85]. Et réciproquement le tiers victime de l'inexécution d'un contrat, par exemple une victime par ricochet, dispose d'une action de nature délictuelle (V. *supra*, n° 466).

En revanche, le principe s'applique en cas de chaîne de contrats translatifs de propriété. L'acheteur final recevant avec la chose les droits et actions qui lui sont attachés, son action en responsabilité ou en garantie contre le vendeur originaire est nécessairement contractuelle[86] ; il ne peut donc pas répudier cette action et invoquer sa qualité de tiers au contrat pour rechercher la responsabilité délictuelle du vendeur. La même règle existe pour les chaînes non translatives hétérogènes[87].

579. – **Distinction entre responsabilité contractuelle et responsabilité délictuelle.** À cet égard, on peut poser en règle que la responsabilité délictuelle et quasi délictuelle constitue le droit commun ; ne lui échappe que ce qui relève de la responsabilité contractuelle. Il suffit donc, pour trancher le problème de la délimitation, de définir cette dernière : la responsabilité contractuelle est celle qui résulte de l'inexécution d'un contrat valable entre l'auteur et sa victime. S'il manque une condition, s'il n'y a pas de contrat, ou pas de contrat valable, ou pas de contrat entre l'auteur et la victime, ou encore si le préjudice ne résulte pas de l'inexécution du contrat, alors la responsabilité est délictuelle[88].

Par exemple, pour prendre des hypothèses limites, sont délictuels le dol ou la violence commis dans la conclusion d'un contrat ; plus généralement la *responsabilité* dite *précontractuelle*, c'est-à-dire celle survenant pendant la période de négociation du contrat est une responsabilité délictuelle parce qu'il n'y a pas encore de contrat, si bien que la faute commise ne saurait être la violation d'une obligation résultant du contrat[89]. C'est ce que rappelle l'avant-projet de réforme du droit

(84) E.-N. Martine, *L'option entre la responsabilité contractuelle et la responsabilité délictuelle*, 1957. – M. Espagnon, *La règle du non-cumul des responsabilités délictuelle et contractuelle en droit civil français* : thèse Paris I, 1980. – O. Gout (dir.), Les concours de responsabilités : entre dialogue et conflits : *Resp. civ. et assur.*, 2012. – Parmi les arrêts récents, V. Cass. civ., 16 janv. 1951 : *JCP* 1951, II, 6163, obs. R. Rodière. – Cass. 1re civ., 9 oct. 1962 : *D.* 1963, 1 et note G. Liet-Veaux ; *JCP* 1962, II, 12910, obs. P. Esmein. – Cass. 1re civ., 30 oct. 1962 : *JCP* 1962, II, 12924, obs. R. Savatier. – Cass. 1re civ., 19 mars 2002 : *Contrats, conc. consom.* 2002, comm. 106 et note L. Leveneur. – Cass. 1re civ., 9 juill. 2002 : *Bull. civ.* 2002, I, n° 188, p. 145. – Cass. 1re civ., 8 févr. 2005 : *JCP* 2005, IV, 1608. – Cass. 2e civ., 13 juill. 2006 : *JCP* 2006, II, 10169 et note M. Brusorio ; *JCP* 2007, I, 115, n° 11, obs. Ph. Stoffel-Munck. – Cass. 1re civ., 28 juin 2012, n° 10-28.492, FS P+B+I : *JurisData* n° 2012-014211 ; JCP G, n° 41, 8 oct. 2012, 1069, note J. Dubarry ; LEDC, 4 sept. 2012, n° 8, p. 5, obs. M. Latina ; *LPA* 28 sept. 2012, n° 195, p. 10, note A. Bascoulergue ; *D.* 2013, pan., p. 42, obs. Ph. Brun ; *RTD civ.*, 2012, p. 729, obs. P. Jourdain ; *Gaz. Pal.* 27 sept. 2012, n° 271, p. 9, obs. M. Mekki.

(85) Cass. com., 9 juill. 2002 : *Contrats, conc. consom.* 2002, comm. 172 et note L. Leveneur.

(86) Cass. 1re civ., 9 oct. 1979 : *Bull. civ.* 1979, I, n° 241 ; *RTD civ.* 1980, 354, obs. G. Durry.

(87) Cass. ass. plén., 7 févr. 1986 : *Bull. civ.*, n° 2 ; GAJC 11e éd. : Dalloz, n° 252 ; JCP 1986, II, 20616 (2 arrêts), note Ph. Malinvaud.

(88) L. Leturmy, *La responsabilité délictuelle du contractant* : *RTD civ.* 1998, 839.

(89) J. Schmidt, *La sanction de la faute précontractuelle* : *RTD civ.* 1974, 46. – J. Schmidt-Szalewski, *La période précontractuelle en droit français* : *RID comp.* 1990, 545. – P. Mousseron, *Conduite des négociations contractuelles et responsa-*

des obligations du 23 octobre 2013 lorsqu'il prévoit à l'article 11, alinéa 2 que « la conduite ou la rupture fautive de ces négociations oblige son auteur à réparation sur le fondement de la responsabilité extracontractuelle ».

De même, la faute intervenue dans un contrat annulé par la suite n'est pas la violation d'une obligation contractuelle puisque le contrat a été rétroactivement annulé ; la responsabilité est donc délictuelle. De même encore, si un entrepreneur est contractuellement responsable à l'égard de son client, propriétaire de l'immeuble, il le sera délictuellement vis-à-vis des locataires ou des tiers qui souffriraient des travaux.

Le statut de l'arbitre, à la fois juge et prestataire de services, fait naître une dualité de régime(90). Il n'est responsable que de ses fautes caractérisées dans l'exercice de sa fonction juridictionnelle. En revanche, dans le cadre de « contrat arbitre », il engage sa responsabilité pour tout manquement(91). La distintion des deux missions ne sera pas simple.

On ajoutera que, dans la législation récente, certaines actions sont ouvertes à toute victime, qu'elle soit ou non liée par un contrat à l'auteur du dommage ; elles échappent de ce fait à la distinction traditionnelle contractuelle-délictuelle. Tel est notamment le cas de l'action en responsabilité du fait des produits défectueux introduite dans notre droit par la loi du 19 mai 1998 (C. civ., art. 1386-1 et s.).

Dans le même sens, et dans la perspective d'une harmonisation européenne, il a été suggéré de procéder à une fusion des régimes, ce qui enlèverait tout intérêt à la distinction(92).

580. – La cause de la demande en matière contractuelle et en matière délictuelle. En matière contractuelle, on serait tenté de dire qu'il y a une seule cause possible de la demande, l'article 1147 du Code civil, les autres articles n'en étant que le complément ; mais cela n'est exact que pour la responsabilité de droit commun. Or, à côté de la responsabilité contractuelle de droit commun, certains textes édictent des règles spécifiques. Par exemple, les articles 1792 à 1792-7 régissent de manière particulière la responsabilité des constructeurs à l'égard du maître de l'ouvrage(93) ; de même, les articles 1641 et suivants édictent des règles relatives à la garantie due par le vendeur. Avant l'arrêt de l'assemblée plénière du 7 juillet 2006 (V. *supra*, n° 577) c'étaient là autant de causes différentes possibles d'une demande en justice : ce qui, par exemple, avait été jugé sur le fondement de l'article 1792 n'empêchait pas d'exercer une nouvelle action sur le fondement de la responsabilité de droit commun.

---

bilité civile délictuelle : RTD com. 1998, 243. – D. Mazeaud, *Mystères et paradoxes de la période précontractuelle*, in *Mél. Ghestin*, 2000, p. 637. – Pour un exemple récent, V. Cass. com., 12 févr. 2002 : *Contrats, conc. consom.* 2002, comm. 90, obs. L. Leveneur. – CJCE, 17 sept. 2002, aff. C-334/000 : *JCP* 2003, I, 152, n° 8, obs. G. Viney.

(90) Cass. 1re civ., 15 janv. 2014, n° 11-17.196, P+B+I : *JurisData* n° 2014-000266 ; *JCP* G 2014, act. 89, obs. B. Le Bars ; concl. P. Chevalier ; *JCP* G 2014, 231.

(91) E. Loquin, *La dualité du régime de la responsabilité de l'arbitre : JCP* G, n° 8, 24 févr. 2014, doctr. 255.

(92) V. Wester-Ouisse, *Responsabilité délictuelle et responsabilité contractuelle : fusion des régimes à l'heure internationale : RTD civ.* 2010, 419. – Comp. sur l'avenir de cette distinction confrontée aux projets européens, P. Jourdain, *La distinction des responsabilités délictulle et contractuelle en droit positif français*, in *Le droit français de la responsabilité civile confronté aux projets européens d'harmonisation : IRJS*, 2012, p. 69.

(93) Pour une illustration, V. Cass. 3e civ., 11 sept. 2013, n° 12-19483 : *D.* 2013, 2173 ; *RD imm.* 2013, p. 536, note Ph. Malinvaud. – C. Charbonneau, *Responsabilité applicable à la réparation des désordres affectant le second œuvre : la fin du doute : Constr.-Urb.*, n° 11, nov. 2013, étude 11.

Il en allait de même en matière délictuelle. Les articles 1382 et 1383 (responsabilité du fait personnel), l'article 1384, alinéa 1er (responsabilité du fait des choses et du fait d'autrui), l'article 1384, alinéas 4 et 5 (responsabilité du fait des enfants mineurs et du fait des préposés), l'article 1385 (responsabilité du fait des animaux) et l'article 1386 (responsabilité du fait des bâtiments) étaient autant de causes différentes. Il s'ensuivait que la chose jugée sur l'un, par exemple, sur le fondement de l'article 1382 du Code civil, n'empêchait pas un second procès fondé sur l'article 1384, alinéa 1er. Mais cette solution était souvent critiquée.

À s'en tenir à la position de l'assemblée plénière du 7 juillet 2006, ces solutions doivent être considérées comme caduques[94].

En pratique, afin d'éviter toute erreur ou omission, il est fréquent que l'avocat du demandeur invoque cumulativement l'ensemble des textes susceptibles de trouver application en l'espèce. À supposer même que l'action ait été initiée sur une cause qui s'avère erronée, la jurisprudence considère que l'action en justice interrompt la prescription sur tous les fondements possibles dès l'instant que la demande formulée est la même[95].

Par ailleurs, le juge peut *relever d'office* des moyens de droit non invoqués par les parties[96], sauf à inviter celles-ci à présenter leurs observations afin de respecter le principe de la contradiction (CPC, art. 16, al. 3) ; mais il n'y est nullement tenu, sauf dans le cas où la loi le prévoit[97].

581. - **Responsabilité contractuelle et responsabilité extracontractuelle dans le Projet Catala**[98]. D'entrée on relèvera que, au plan de la terminologie, les rédacteurs du Projet ont substitué l'appellation de responsabilité extracontractuelle à celle de délictuelle qui était souvent critiquée. Cela dit, si contrairement au Projet Terré la distinction entre responsabilité contractuelle et responsabilité extracontractuelle est maintenue[99], les rapports qu'elles entretiennent appellent quelques commentaires. Au-delà du choix fait par les rédacteurs du texte d'en traiter au sein d'un même sous-titre[100], et de l'identité de fonction qui leur est assignée, à savoir, principalement, un rôle indemnitaire (V. *supra*, n° 560), le constat est celui d'un développement de leurs rapports et ceci à un double titre.

(94) Cass. 1re civ., 25 oct. 2007, 10 avr. 2008 et 28 mai 2008 : *RDC* 2008, 1143, obs. O. Deshayes.

(95) Cass. 3e civ., 22 juill. 1998 : *Constr.-Urb.* nov. 1998, p. 11 ; *RD imm.* 1999, 105. – Cass. 3e civ., 26 juin 2002 : *RD imm.* 2002, 419, obs. Ph. Malinvaud. – Cass. 3e civ., 22 sept. 2004 : *Bull. civ.* 2004, III, n° 152, p. 138 ; *RD imm.* 2004, 569, obs. Ph. Malinvaud. – Cass. 2e civ., 28 juin 2012, n° 11-20.011, P : *JurisData* n° 2012-014381 ; *JCP G*, n° 47, 19 nov. 2012, doctr., 1254, n° 5, obs. Y.-M. Serinet.

(96) C. Bléry, Office du juge : entre activité exigée et passivité permise – Réflexions à partir de la jurisprudence récente sur l'article 12 du Code de procédure civile : Procédures n° 11, nov. 2012, étude 6.

(97) Cass. ass. plén., 21 déc. 2007 : *Bull. civ.* 2007, ass. plén., n° 10 ; *JCP* 2008, II, 1006 et note L. Weiller ; *D.* 2008, act. jurispr. p. 228, obs. L. Dargent.

(98) P. Ancel, *La responsabilité contractuelle et ses relations avec la responsabilité extra-contractuelle : présentation des solutions de l'avant-projet*, in *L'avant-projet de réforme du droit de la responsabilité – Actes du colloque du 12 mai 2006 : RDC* 2007, p. 19. – J. Huet, *Observations sur la distinction entre les responsabilités contractuelle et délictuelle dans l'avant-projet de réforme du droit des obligations*, in *L'avant-projet de réforme du droit de la responsabilité – Actes du colloque du 12 mai 2006 : RDC* 2007, p. 31. – E. Savaux, *Brèves observations sur la responsabilité contractuelle dans l'avant-projet de réforme du droit de la responsabilité*, in *L'avant-projet de réforme du droit de la responsabilité – Actes du colloque du 12 mai 2006 : RDC* 2007, p. 45. – M. Faure-Abbad, *La présentation de l'inexécution contractuelle dans l'avant-projet Catala : D.* 2007, chron. p. 165.

(99) Pour une critique de ce choix, V. Ph. Le Tourneau, *Brefs propos critiques sur la « responsabilité contractuelle » dans l'avant-projet de réforme du droit de la responsabilité : D.* 2007, chron. p. 2180.

(100) Sous-titre III « De la responsabilité civile » (art. 1340 à 1386).

Le Projet Catala propose d'une part un rapprochement du régime des deux responsabilités. De nombreuses dispositions leur sont en effet communes, qu'elles soient relatives aux conditions(101) (l'exigence d'un préjudice réparable, le lien de causalité et les causes d'exonération sont identiques) ou aux effets de la responsabilité civile(102) (par exemple, les clauses limitatives ou élusives de réparation deviennent valables(103), sous certaines restrictions, en matière extracontractuelle comme en matière contractuelle [art. 1382], le délai de prescription de l'action en responsabilité est commun [art. 1384]). Un tel rapprochement des régimes est de nature à gommer l'intérêt de la distinction(104). Cependant celui-ci demeure puisque le Projet réserve certaines dispositions spécifiques à l'une et l'autre des responsabilités, notamment quant à leur(s) fait(s) générateur(s).

Le Projet Catala atteste d'autre part d'une certaine relativité de leurs domaines respectifs. D'abord il maintient des cas spéciaux de responsabilité qui transcendent ce clivage (indemnisation des victimes d'accident de la circulation [art. 1385] et responsabilité du fait des produits défectueux)(105). Ensuite s'il prévoit que la responsabilité contractuelle suppose un contrat valablement formé et un dommage lié à une obligation née du contrat (art. 1363), le Projet ne précise pas quelles sont ces obligations et laisse sans réponse la question de la nature des obligations accessoires(106).

Enfin, si le principe du non cumul est consacré (art. 1341, al. 1), au même titre que le projet de réforme de la responsabilité civile du 26 juillet 2012 (art. 2), deux exceptions lui sont apportées :

• la première concerne le dommage corporel subi par le cocontractant du fait de l'inexécution du contrat (art. 1341, al. 2). Dans cette hypothèse, la victime pourra « opter en faveur des règles qui lui sont plus favorables ». Cette disposition s'inscrit, plus généralement, dans un courant favorable à l'indemnisation du dommage corporel (V. *infra*, n° 775) ;

• la seconde concerne les tiers victimes de l'inexécution d'une obligation contractuelle, sans qu'une distinction soit faite entre ces tiers (victime par ricochet, membre d'un groupe de contrat ou tiers totalement étranger à la convention)(107). Le Projet ouvre à ces tiers une option, sous les conditions suivantes. Si l'inexécution du contrat est la cause directe de son dommage, le tiers peut rechercher la responsabilité du débiteur sur le fondement contrac-

(101) Chapitre II « Des conditions de la responsabilité » ; Section 1 « Dispositions communes aux responsabilités contractuelle et extra-contractuelle ».

(102) P. Jourdain, *Les effets de la responsabilité*, in *L'avant-projet de réforme du droit de la responsabilité – Actes du colloque du 12 mai 2006 : RDC* 2007, p. 141.

(103) D. Mazeaud, *Les conventions portant sur la réparation*, in *L'avant-projet de réforme du droit de la responsabilité – Actes du colloque du 12 mai 2006 : RDC* 2007, p. 149.

(104) V. Projet de réforme de la responsabilité civile, art. 76 : « Les contrats ayant pour objet d'exclure ou de limiter la réparation sont en principe valables, aussi bien en matière contractuelle qu'extracontractuelle ».

(105) Le Projet reprend littéralement les dispositions du Code civil relatives à la responsabilité du fait des produits défectueux, qui sont la transposition d'une directive européenne (art. 1386 à 1386-17).

(106) E. Savaux, *Brèves observations sur la responsabilité contractuelle dans l'avant-projet de réforme du droit de la responsabilité*, in *L'avant-projet de réforme du droit de la responsabilité – Actes du colloque du 12 mai 2006 : RDC* 2007, p. 4583. Aucune précision n'est apportée dans le projet de réforme de la responsabilité civile du 26 juillet 2012, article 40.

(107) Pour une critique de cette absence de distinction entre les tiers, V. E. Savaux, *Brèves observations sur la responsabilité contractuelle dans l'avant-projet de réforme du droit de la responsabilité*, in *L'avant-projet de réforme du droit de la responsabilité – Actes du colloque du 12 mai 2006 : RDC* 2007, p. 45.

tuel ; étant précisé que, corrélativement, il pourra se voir opposer les différentes clauses du contrat[108] (clause limitative de responsabilité, clause de compétence, clause relative à la loi applicable, etc.). Mais si le manquement contractuel constitue également un fait générateur de responsabilité extracontractuelle, par exemple une faute en dehors de tout contrat, le tiers pourra opter pour la responsabilité extracontractuelle, « à charge pour lui de rapporter la preuve » du fait générateur de cette responsabilité.

Cette option n'est pas reprise par l'article 3 du projet de réforme de la responsabilité civile du 26 juillet 2012 qui prévoit qu'en cas de dommage subi par un tiers causé directement par l'inexécution d'une obligation contractuelle, celui-ci ne peut en demander réparation au débiteur que sur le fondement de la « responsabilité extracontractuelle », à condition de prouver un des faits générateurs prévus en matière de responsabilité extracontractuelle. Le principe d'identité des fautes serait écarté.

Ce mécanisme mis en place par le Projet Catala se situe en retrait du droit positif, c'est-à-dire de la jurisprudence suivant laquelle « le tiers à un contrat peut invoquer, sur le fondement de la responsabilité délictuelle, un manquement contractuel dès lors que ce manquement lui a causé un dommage » (V. *supra*, n° 466) ; toute faute contractuelle ne constitue plus, dans le Projet, une faute délictuelle. Mais il permet de réaliser un meilleur équilibre entre le droit des parties au respect de leurs prévisions et la protection des tiers.

582. - **Responsabilité contractuelle et responsabilité extracontractuelle dans le projet de réforme.** Le projet de réforme du droit des obligations du 23 octobre 2013 ne traitant que du contrat et du régime général des obligations, il ne se prononce pas sur les rapports entre responsabilité contractuelle et responsabilité délictuelle. Il se borne à affirmer, sous l'intitulé « La réparation du préjudice causé par l'inexécution contractuelle », une « reprise à droit constant, sous réserve d'aménagements » des actuels articles 1146 à 1155 du Code civil.

B. – La cause de la demande devant le juge pénal

583. - **De l'identité à la distinction des fautes civile et pénale.** À l'inverse de la responsabilité civile qui peut être encourue en dehors de toute faute, notamment pour risque, la responsabilité pénale suppose en principe une faute que la jurisprudence criminelle qualifie de délictuelle, même si elle prend naissance dans un contrat. Ainsi en est-il des infractions à la personne, blessures ou homicide, qui pourront avoir été commis soit volontairement, soit par imprudence.

Par un arrêt du 19 décembre 1912, la jurisprudence avait posé le principe de l'identité des fautes civile et pénale, plus précisément de l'identité de la faute pénale

(108) Sur la question de l'articulation de cette disposition avec les articles 1382-3 et 1382-4 de l'avant-projet qui exigent, pour que la clause limitative ou élusive de réparation soit opposable, que le cocontractant (en matière contractuelle) ou le tiers (en matière extra contractuelle) en ait pris connaissance avant la formation du contrat ou l'ait accepté de manière non équivoque, V. D. Mazeaud, *Les conventions portant sur la réparation*, in *L'avant-projet de réforme du droit de la responsabilité – Actes du colloque du 12 mai 2006 :* RDC 2007, p. 149.

d'imprudence et de la faute civile d'imprudence visée à l'article 1383 du Code civil[109]. Il s'ensuivait des conséquences de fond et de procédure.

Au fond, le juge pénal a été amené à qualifier de faute toute négligence ou imprudence, même la plus légère, comme l'impliquait l'article 1383. Ceci a conduit à retenir, d'une manière qui a été ressentie comme tout à fait excessive, la responsabilité pénale des « décideurs » – c'est-à-dire des maires et des chefs d'entreprise – pour blessures ou homicide, alors que les dommages étaient dus à un dysfonctionnement du service ou à la faute de leurs subordonnés. Au plan procédural, le principe de l'identité des fautes entraînait de multiples conséquences, et spécialement la prééminence et l'autorité de la chose jugée au criminel sur le civil.

Ce principe est aujourd'hui écarté pour les délits par la loi du 10 juillet 2000 qui a modifié l'article 121-3 du Code pénal ; et la nouvelle définition de la faute pénale non intentionnelle a été étendue par un décret du 20 septembre 2001 « aux contraventions pour lesquelles le règlement exige une faute d'imprudence ou de négligence » (C. pén., art. R. 610-2). Désormais la faute pénale d'imprudence des « décideurs » n'est donc plus la faute de l'article 1383 du Code civil, mais une faute lourde, sinon même inexcusable[110].

Code pénal

Art. 121-3. – Il n'y a point de crime ou de délit sans intention de le commettre.

Toutefois, lorsque la loi le prévoit, il y a délit en cas de mise en danger délibérée de la personne d'autrui.

Il y a également délit, lorsque la loi le prévoit, en cas de faute d'imprudence, de négligence ou de manquement à une obligation de prudence ou de sécurité prévue par la loi ou le règlement, s'il est établi que l'auteur des faits n'a pas accompli les diligences normales compte tenu, le cas échéant, de la nature de ses missions ou de ses fonctions, de ses compétences ainsi que du pouvoir et des moyens dont il disposait.

Dans le cas prévu par l'alinéa qui précède, les personnes physiques qui n'ont pas causé directement le dommage, mais qui ont créé ou contribué à créer la situation qui a permis la réalisation du dommage ou qui n'ont pas pris les mesures permettant de l'éviter, sont responsables pénalement s'il est établi qu'elles ont, soit violé de façon manifestement délibérée une obligation particulière de prudence ou de sécurité prévue par la loi ou le règlement, soit commis une faute caractérisée et qui exposait autrui à un risque d'une particulière gravité qu'elles ne pouvaient ignorer.

Il n'y a point de contravention en cas de force majeure.

Code de procédure pénale

Art. 4-1. – L'absence de faute pénale non intentionnelle au sens de l'article 121-3 du Code pénal ne fait pas obstacle à l'exercice d'une action devant les juridictions civiles afin d'obtenir la réparation d'un dommage sur le fondement de l'article 1383 du Code civil si l'existence de la faute civile prévue par cet article est établie ou en application de l'article L. 452-1 du Code de la sécurité sociale si l'existence de la faute inexcusable prévue par cet article est établie.

L'article 4-1 du Code de procédure pénale en tire les conséquences au plan procédural[111]. Si le juge pénal ne retient pas l'existence d'une infraction à la charge du

(109) Cass. civ., 19 déc. 1912 : S. 1914, 1, 249 et note R.-L. Morel. – A. Pirovano, *Faute civile et faute pénale*, 1966.

(110) Ph. Salvage, *La loi n° 2000-647 du 10 juillet 2000 : Retour vers l'imprudence pénale* : JCP 2000, I, 281. – F. Desportes, *La responsabilité pénale en matière d'infractions non intentionnelles* : Rapp. C. cass. 2002, p. 185.

(111) Ch. Desnoyer, *L'article 4-1 du Code de procédure pénale. La loi du 10 juillet 2000 et les ambitions du législateur : l'esprit contrarié par la lettre* : D. 2002, chron. 979.

« décideur »[112], la victime est libre de demander réparation de son dommage devant le juge civil sur le fondement de l'article 1383, ou des articles 1384 et suivants, ou encore de l'article L. 452-1 du Code de la sécurité sociale[113] ; il n'y a en effet d'autorité de la chose jugée qu'en cas d'identité de parties, de cause et d'objet de la demande (C. civ., art. 1351). En revanche, en cas de condamnation, la décision pénale qui admet l'existence d'une faute pénale d'imprudence s'impose au juge civil[114]. La victime, ayant exercé l'action civile devant le juge répressif, semble en outre pouvoir demander réparation en poursuivant l'instance au pénal malgré la relaxe de la personne poursuivie[115].

Sur ce même thème, le Projet Catala (art. 1352, al. 2) précise qu'il n'y a pas faute de nature à engager la responsabilité extracontractuelle lorsque l'auteur se trouve dans une des situations prévues par les articles 122-4 à 122-7 du Code pénal, c'est-à-dire, précisément, lorsque l'acte était autorisé ou prescrit, lorsqu'il était commandé par l'autorité légitime dès lors toutefois que ce commandement n'est pas manifestement illégal ou lorsqu'existe un fait justificatif (légitime défense ou état de nécessité)[116].

§ 4. – La prescription de l'action

584. – Diversité des délais. Depuis la réforme du 17 juin 2008[117], toutes les actions personnelles ou mobilières se prescrivent par l'écoulement d'un délai qui est de cinq ans (C. civ., art. 2224), sauf pour certaines matières pour lesquelles la loi a prévu un délai plus bref ou plus long ; le délai est également de cinq ans en matière d'obligations nées à l'occasion de leur commerce entre commerçants ou entre commerçants et non-commerçants (C. com., art. L. 110-4). Ces règles s'appliquent aux actions en responsabilité civile.

Code civil

Art. 2224. – Les actions personnelles ou mobilières se prescrivent par cinq ans à compter du jour où le titulaire d'un droit a connu ou aurait dû connaître les faits lui permettant de l'exercer.

Art. 2226. – L'action en responsabilité née à raison d'un évènement ayant entraîné un dommage corporel, engagée par la victime directe ou indirecte des préjudices qui en résultent, se prescrit par dix ans à compter de la date de la consolidation du dommage initial ou aggravé.

---

(112) À propos d'une « simple mise en garde judiciaire » dépourvue de l'autorité de la chose jugée au pénal sur le civil, Cass. soc., 25 sept. 2013, n° 11-25942, F-D : *JCP S*, n° 49, 3 déc. 2013, 1467, note V. Cohen-Donsimoni.

(113) Cass. 1re civ., 30 janv. 2001 : *D.* 2001, inf. rap. p. 677 ; *D.* 2001, somm. 2232, obs. P. Jourdain ; *JCP* 2001, I, 338, n° 4, obs. G. Viney. – Cass. crim., 4 juin 2002 : *D.* 2002, 95 et note S. Petit. – Cass. 2e civ., 7 mai 2003 : *Bull. civ.* 2003, II, n° 140 ; *JCP* 2003, IV, 2152 ; *JCP* 2004, I, 101, n° 3, obs. G. Viney. – Cass. 2e civ., 16 sept. 2003 : *D.* 2004, 721 et note Ph. Bonfils.

(114) Mais, en sens inverse, la condamnation prononcée par le juge pénal pour une infraction volontaire n'impose pas au juge civil de reconnaître l'existence d'une faute intentionnelle : Cass. 1re civ., 27 mai 2003 : *Bull. civ.* 2003, I, n° 125 ; *JCP* 2003, IV, 2281 ; *JCP* 2004, I, 101, n° 4, obs. G. Viney. Il s'ensuit notamment que l'absence de faute pénale non intentionnelle relevée par le juge pénal n'exclut pas la reconnaissance par le juge civil d'une faute inexcusable : Cass. 2e civ., 10 mai 2012, n° 11-14739.

(115) Cass. crim., 5 févr. 2014, n° 12-80154, M. X. GRDSBR, FS-P+B+R+I (rejet pourvoi c/ CA St Denis de la Réunion, 14 déc. 2011), M. Louvel, prés. ; SCP Laugier et Caston ; SCP Fabiani et Luc-Thaler, av. : « (...) le dommage dont la partie civile, seule appelante d'un jugement de relaxe, peut obtenir réparation de la part de la personne relaxée résulte de la faute civile démontrée à partir et dans la limite des faits objet de la poursuite ». V. également, Cass. crim., 11 mars 2014, préc.

(116) Dans le même sens, article 47, alinéa 1er du projet de réforme de la responsabilité civile du 26 juillet 2012.

(117) G. Viney, *Les modifications apportées par la loi du 17 juin 2008 à la prescription extinctive des actions en responsabilité civile* : *RDC* 2009, 493. Il s'ensuit notamment que l'absence de faute pénale non intentionnelle relevée par le juge pénal n'exclut pas la reconnaissance par le juge civil d'une faute inexcusable. Cass. 2e civ., 10 mai 2012, n° 11-14739.

Toutefois, en cas de préjudice causé par des tortures ou des actes de barbarie, ou par des violences ou des agressions sexuelles commises contre un mineur, l'action en responsabilité civile est prescrite par vingt ans.

Code de commerce

Art. L. 110-4. – I. Les obligations nées à l'occasion de leur commerce entre commerçants ou entre commerçants et non-commerçants se prescrivent par cinq ans si elles ne sont pas soumises à des prescriptions spéciales plus courtes.

Le délai de cinq ans paraît suffisant en toutes circonstances compte tenu de son point de départ glissant : « cinq ans à compter du jour où le titulaire d'un droit a connu ou aurait dû connaître les faits lui permettant de l'exercer »(118). À la différence du régime antérieur, il s'applique tant à la responsabilité contractuelle qu'à la responsabilité extracontractuelle ; toutefois, en cas de dommage corporel, il est porté à dix ans à compter de la date de consolidation du dommage initial ou aggravé (art. 2226, al. 1).

En revanche, en matière pénale, l'action publique se prescrit par un an pour les contraventions, trois ans pour les délits et dix ans pour les crimes (CPP, art. 7 et s.).

Jadis la loi posait en principe que l'action civile ne pouvait plus être exercée lorsque l'action publique était éteinte. En vertu de ce principe de la *solidarité des prescriptions* civile et pénale, la victime d'une infraction devait donc intenter son action civile avant que ne soit expirée la prescription pénale, et ceci même devant la juridiction civile.

La loi du 23 décembre 1980 a mis fin à cette règle. Il n'y a plus désormais de solidarité des prescriptions, sauf lorsqu'un texte spécial le prévoit, comme en matière de presse, par exemple. L'action civile peut donc être exercée alors que l'action publique est éteinte, mais en pareil cas elle ne peut l'être que devant la juridiction civile(119).

Corrélativement, l'article 10 du Code de procédure pénale édictait que l'action civile exercée devant la juridiction pénale se prescrivait selon les règles du Code civil ci-dessus ; à la suite de la réforme du 17 juin 2008, ce texte a été modifié en ce sens que la prescription dépend de la juridiction saisie : prescription civile devant la juridiction civile et pénale devant la juridiction répressive.

SECTION 2

LES CONDITIONS DE LA RESPONSABILITÉ CIVILE

585. – Règles de preuve. Dans ce qui va suivre, il ne sera plus question de la responsabilité pénale, mais uniquement de la *responsabilité civile*, c'est-à-dire de la réparation des dommages injustement causés à autrui. Encore sera-t-il fait abstraction des interférences avec le droit pénal signalées à la section précédente et qui peuvent se manifester à d'autres égards, notamment sur le plan de la preuve. En effet, alors que devant la juridiction pénale la réunion des éléments de preuve (pour

(118) Précédemment, la prescription ne courait qu'à compter de la réalisation du dommage ou de la date à laquelle il était révélé à la victime si celle-ci établissait qu'elle n'en avait pas eu précédemment connaissance.
(119) M. Roger, *La réforme du délai de prescription de l'action civile* : D. 1981, chron. 175.

et contre) incombe à un magistrat et/ou aux enquêteurs, gendarmes ou policiers, devant la juridiction civile c'est à la victime qu'il appartient de démontrer que sont réunies les conditions de la responsabilité civile.

586. – **Le fait à prouver.** Les questions de preuve se posent ici en des termes qui diffèrent de la preuve des contrats. Cela tient à la nature même du fait à prouver, et aux circonstances qui ont présidé à sa naissance.

S'agissant d'un contrat, *acte juridique* entre plusieurs personnes, les parties ont eu tout le loisir de matérialiser sur support papier ou électronique les termes de leur accord de volonté. Du moins en est-il ainsi en matière civile, et c'est pourquoi l'article 1341 du Code civil pose en règle que les contrats doivent être prouvés par écrit (V. *supra*, n°s 367 et s.). Si, pour des motifs tenant à la nécessaire rapidité des transactions commerciales, la même exigence n'est pas imposée aux commerçants, on constate qu'en fait ils s'y soumettent spontanément pour éviter toute difficulté future (V. *supra*, n° 373). Il est donc exceptionnel que les parties fassent appel à des témoins, des présomptions ou indices.

C'est tout le contraire pour les *faits juridiques* (par opposition aux actes juridiques, aux contrats), dont la responsabilité civile est le meilleur exemple. Cela est évident pour la responsabilité délictuelle qui met face à face deux personnes étrangères l'une à l'autre, et que le hasard a fait se rencontrer : lorsque deux véhicules se percutent à un carrefour, on ne peut exiger de leurs conducteurs une preuve écrite qu'ils ne pouvaient préconstituer avant l'accident et que l'un d'eux refuse peut-être d'établir après coup. Et il en est de même pour la responsabilité contractuelle. Sans doute y a-t-il un contrat dont on pourra et devra faire la preuve écrite ; mais la violation du contrat, sa mauvaise exécution, si elle donne naissance à une responsabilité, est un fait matériel au même titre que le fait dommageable survenu en dehors de tout contrat. Un tel fait ne se prête pas à l'établissement préalable d'un écrit et nul n'acceptera, après la réalisation d'un dommage, de signer un écrit susceptible de servir de preuve contre lui.

587. – **Le principe de la liberté de la preuve et les conditions de la responsabilité.** Il s'ensuit qu'en matière de responsabilité la preuve est libre ; on dit qu'elle peut être faite *par tous moyens*. Le Projet Catala consacre cette règle dans le chapitre relatif à la preuve des obligations : c'est ainsi que l'article 1287, alinéa 1 dispose que « la preuve des faits est libre ; elle peut-être rapportée par tous les moyens. ». Le projet de réforme du droit des obligations du 23 octobre 2013 reprend à l'identique cette formule à l'article 270.

En pratique, ces moyens varient en fonction de l'objet de la preuve. S'il s'agit de démontrer l'étendue d'un *dommage*, la victime pourra demander au juge de désigner un huissier pour faire un *constat* ou, mieux encore, un expert ; suivant les cas, il s'agira d'un expert-comptable, d'un ingénieur, d'un architecte, d'un médecin, etc. S'il s'agit de prouver la *faute* ou, de manière plus générale, le *fait dommageable* et les circonstances dans lesquelles il est intervenu, on recourra tout naturellement à une enquête ordonnée par le juge pour entendre des témoins, ou encore à une expertise. Enfin *le lien de causalité* entre le fait et le dommage sera le plus souvent tiré de *présomptions ou indices* soumis à l'appréciation des magistrats.

Ces trois éléments : le dommage, le fait qui l'a provoqué, et le lien de causalité entre les deux, sont les conditions posées par la loi pour qu'une personne soit responsable, c'est-à-dire obligée à réparation.

De ces trois conditions, deux, le dommage et le lien de causalité, sont considérées comme des constantes de la responsabilité civile ; on veut dire par là qu'elles se présentent dans les mêmes termes, que la responsabilité soit fondée sur l'article 1147 (contractuelle) ou sur les articles 1382, 1383, 1384, etc. (extracontractuelle).

Au contraire, le « fait dommageable » est un terme plus imprécis qui recouvre des réalités variables suivant la cause de la demande (V. *supra*, n°s 578 et s.) : la responsabilité d'une personne sera retenue tantôt pour un fait qui lui est personnel, tantôt pour le fait d'une personne dont elle doit répondre, tantôt pour le fait d'une chose qu'elle a sous sa garde.

Le Projet Catala est très clairement en ce sens puisqu'il traite, au sein du chapitre sur les conditions de la responsabilité, d'abord de celles qui sont communes à la responsabilité contractuelle et extracontractuelle puis de celles qui leur sont spécifiques. Or tandis que le préjudice réparable, le lien de causalité et les causes d'exonération sont similaires, les faits générateurs de responsabilité diffèrent[(120)]. Par ailleurs, le Projet Catala propose ou consacre de nouveaux faits de nature à engager la responsabilité extracontractuelle de leur auteur.

SOUS-SECTION 1

LE DOMMAGE OU PRÉJUDICE[(121)]

588. – Règle générale : nécessité d'un dommage réparable. Les deux termes étant souvent considérés comme synonymes, on parle indifféremment de dommage ou de préjudice[(122)]. Toutefois, certains opèrent une distinction. Ainsi, tout en employant les deux termes, les rédacteurs du Projet Catala considèrent que leur signification est différente : le dommage désignerait « l'atteinte à la personne ou aux biens de la victime » tandis que le préjudice renverrait à « la lésion des intérêts patrimoniaux ou extrapatrimoniaux qui en résulte »[(123)]. Selon d'autres auteurs, le dommage relèverait de l'ordre du fait, et le préjudice de l'ordre du droit[(124)].

La responsabilité civile, qui est une obligation de réparer, ne peut naître que s'il y a un dommage à réparer : c'est là une condition première et essentielle, sur laquelle on ne saurait trop insister. Une faute, si grossière et répréhensible soit-elle, qui ne

(120) Le même découpage existe dans le projet de réforme de la responsabilité civile du 26 juillet 2012.

(121) X. Pradel, *Le préjudice dans le droit civil de la responsabilité* : LGDJ, 2004, préf. P. Jourdain. Dans une démarche de droit comparé, V. D. Mazeaud et M. Mekki (dir.), *Le préjudice : regards franco-japonais, travaux de l'IRDA et de l'Association henri capitant* : Lextenso, à paraître.

(122) A. Bascoulergue, *Les caractères du préjudice réparable. Réflexions sur la place du préjudice dans le droit de la responsabilité civile* : Thèse dactyl. Lyon III, 2011.

(123) *Avant-projet de réforme du droit des obligations et de la prescription, Exposé des motifs* : La Documentation française, 2006, p. 173.

(124) Y. Lambert-Faivre, *Les effets de la responsabilité (Les articles 1367 à 1383 nouveaux du Code civil)*, in *L'avant-projet de réforme du droit de la responsabilité – Actes du colloque du 12 mai 2006 : RDC 2007, p. 163.*

causerait aucun dommage, pourrait le cas échéant entraîner la responsabilité pénale de son auteur si elle constituait une infraction, mais sûrement pas sa responsabilité civile[125]. D'ailleurs, les dommages-intérêts étant destinés à compenser le dommage, comment pourrait-on les évaluer s'il n'y a pas de dommage ?

Cela dit, dans certains domaines comme la concurrence déloyale[126], la jurisprudence pose une présomption de dommage[127], soit de trouble commercial[128], soit de préjudice moral[129], mais qui tombe devant la preuve contraire[130].

Cette nécessité d'un dommage met en pleine lumière la fonction fondamentale de réparation en vue de laquelle est organisée la responsabilité civile.

589. – **Un dommage est-il nécessaire en matière contractuelle ?** À la différence de la première chambre civile de la Cour de cassation qui subordonne la responsabilité contractuelle à l'existence d'un dommage[131], et allant à l'encontre de la doctrine unanime[132], la troisième chambre civile a rendu plusieurs arrêts retenant la responsabilité contractuelle en l'absence d'un dommage[133]. Spécialement, dans le cas d'espèce tranché par l'arrêt du 30 janvier 2002 relatif à l'inexécution par le locataire des réparations locatives, les juges d'appel avaient écarté la responsabilité du locataire au motif que, l'immeuble précédemment loué ayant été vendu à un promoteur qui l'avait fait démolir pour reconstruire à sa place une résidence, le propriétaire vendeur n'avait subi aucun préjudice du fait de l'inexécution des réparations locatives ; l'arrêt est cassé, sous le visa des articles 1147 et 1731 du Code civil, au motif « qu'en statuant ainsi alors que l'indemnisation du bailleur en raison de l'inexécution par le preneur des réparations locatives prévues au bail n'est subordonnée ni à l'exécution de ces réparations, ni à la justification d'un préjudice, la cour d'appel a violé les textes susvisés ».

Revenant à l'orthodoxie, la troisième chambre civile a retenu la nécessité d'un préjudice dans un important arrêt du 3 décembre 2003 ; elle y affirme que « des dommages-intérêts ne peuvent être alloués que si le juge, au moment où il statue, constate qu'il est résulté un préjudice de la faute contractuelle »[134]. Cela dit, en matière contractuelle, le dommage est souvent présumé, ou plutôt impliqué par l'inexécution si bien qu'il n'y a pas lieu d'en faire la preuve, notamment en cas de

(125) V. par ex., Cass. 3e civ., 19 févr. 1980 : *JCP* 1980, IV, 177 (pour la responsabilité d'un avocat ou d'un médecin).

(126) V. égal. en matière médicale, Cass. 1re civ., 22 mars 2012 : *RTD civ.* 2012, p. 529, obs. P. Jourdain (perte d'une chance déduite de la faute médicale).

(127) « Un trouble commercial s'infère nécessairement d'un acte de concurrence déloyal » : Cass. com., 9 oct. 2001 : *Contrats, conc. consom.* 2002, comm. 6, obs. M. Malaurie-Vignal ; *RTD civ.* 2002, 304, obs. P. Jourdain. Pour une vue d'ensemble, L. Gratton, *Le dommage déduit de la faute* : *RTD civ.* 2013, p. 275.

(128) Cass. com., 22 oct. 1985 : *Bull. civ.* 1985, IV, n° 245. – Cass. com., 25 févr. 2002 : *Bull. civ.* 2002, IV, n° 88. – Cass. com., 18 oct. 1994 : *RJDA* 1995, n° 237. – Cass. com., 9 oct. 2001, préc.

(129) Cass. com., 9 nov. 1993 : *Bull. civ.* 1993, IV, n° 53 ; *JCP* E 1994, II, 945 et note C. Danglehant. – Cass. com., 22 févr. 2000 : *Contrats, conc. consom.* 2000, comm. 81, obs. M. Malaurie-Vignal.

(130) Cass. com., 25 févr. 1992, préc.

(131) Cass. 1re civ., 18 nov. 1997 : *Bull. civ.* 1997, I, n° 317 ; *Resp. civ. et assur.* 1998, comm. 53. – Cass. 1re civ., 26 févr. 2002 : *Bull. civ.* 2002, I, n° 68 ; *Defrénois* 2002, 758, obs. E. Savaux.

(132) V. notamment G. Viney, P. Jourdain et S. Carval, *Les conditions de la responsabilité*, 4e éd. : LGDJ, n° 247-1, p. 5.

(133) Cass. 3e civ., 13 nov. 1997 : *RTD civ.* 1998, 124 et 696, obs. P.-Y. Gautier. – Cass. 3e civ., 30 janv. 2002 : *Bull. civ.* 2002, III, n° 17 ; *D.* 2002, 888, obs. Y. Rouquet ; *D.* 2002, 2288 et note J.-L. Elhoueiss ; *LPA* 13 sept. 2002, note S. Beaugendre ; *RTD civ.* 2002, 321, obs. P.-Y. Gautier ; *RTD civ.* 2002, 816, obs. P. Jourdain ; *JCP* 2002, I, 186, n° 7, obs. G. Viney. – Cass. 3e civ., 22 oct. 2002 : *RD imm.* 2003, 95, obs. Ph. Malinvaud.

(134) Cass. 3e civ., 3 déc. 2003 : *Bull. civ.* 2003, III, n° 221 ; *Contrats, conc. consom.* 2004, comm. 38, obs. L. Leveneur ; *RTD civ.* 2004, 294, obs. P. Jourdain ; *JCP* 2004, I, 163, n° 2, obs. G. Viney ; *D.* 2004, inf. rap., p. 395.

violation d'une obligation de ne pas faire(135) ou en cas de voie de fait(136), et la jurisprudence s'en contente dans le cas où la preuve s'en avère trop difficile(137) ; mais si la preuve est rapportée de l'absence de dommage, la présomption de dommage tombe(138).

Ceci étant, il convient de distinguer soigneusement deux questions : le droit à l'exécution du contrat, et le droit à la réparation des conséquences de l'inexécution. En effet, le créancier a droit à *l'exécution forcée* du contrat sans avoir à faire la preuve d'un préjudice car c'est l'exécution de ce qui a été promis et non une question de responsabilité(139). En revanche, s'il demande réparation des conséquences de l'inexécution, il doit justifier de l'existence d'un dommage qui fournira la mesure de l'indemnisation(140).

Le Projet Catala se prononce très clairement dans ce sens. D'une part il fait du préjudice réparable une condition commune à la responsabilité contractuelle et extracontractuelle (art. 1340), d'autre part il multiplie les références au préjudice souffert par le créancier de l'obligation contractuelle inexécutée (art. 1363, 1365 et 1381). La même exigence d'un préjudice prouvé existe au sein des articles 5 et suivants du projet de réforme de la responsabilité civile du 26 juillet 2012.

§ 1. – Les différentes catégories de dommages réparables

590. – Généralisation de la réparation à tous les dommages. L'évolution générale a tendu vers une réparation de tous les dommages, à quelque catégorie qu'ils appartiennent, à la condition qu'ils présentent certains caractères. C'est à la victime qu'il incombe de démontrer l'existence d'un dommage répondant à ces caractères.

À cet égard, la jurisprudence a été amenée à se prononcer sur le point de savoir si la naissance d'un enfant, et spécialement d'un enfant handicapé, pouvait constituer un dommage susceptible de réparation(141). Cette question appelle quelques

(135) Ainsi, suivant la première chambre civile statuant au visa de l'article 1145 du Code civil, si l'obligation est de ne pas faire, celui qui y contrevient doit des dommages et intérêts par le seul fait de la contravention : Cass. 1re civ., 10 mai 2005 : *Bull. civ.* 2005, I, n° 201 ; *Contrats, conc. consom.* 2005, comm. 184, obs. L. Leveneur ; *Defrénois* 2005, 1, 1247, art. 38207, n° 57, obs. J.-L. Aubert. – Cass. 1re civ., 31 mai 2007 : *Bull. civ.* 2007, I, n° 212 ; *D.* 2007, p. 2784 et note C. Lisanti ; *Contrats, conc. consom.* 2007, comm. 230, obs. L. Leveneur ; *JCP* 2007, I, 185, n° 3, obs. Ph. Stoffel-Munck ; *D.* 2007, pan. 2974, obs. B. Fauvarque-Cosson ; *RTD civ.* 2007, 568, obs. B. Fages ; *RDC* 2007, 1118, obs. Y.-M. Laithier et 1140, obs. S. Carval. – Cass. 1re civ., 14 oct. 2010 : *RTD civ.* 2010, 781, obs. B. Fages ; *RDC* 2011, 452, obs. S. Carval ; *Rev. Lamy dr. civ.* avr. 2011, p. 7, note O. Pignatari. – V. aussi, C. Le Gallou, *Violation de la clause de non-concurrence et octroi automatique des dommages et intérêts : la punition d'une violation à part : Rev. Lamy dr. civ.* oct. 2007, p. 6. – A. Mairot, *L'obligation de ne pas faire, une obligation originale : Rev. Lamy dr. civ.* févr. 2012, p. 51. Cette jurisprudence est consacrée dans l'article 163 du projet de réforme : « La seule inobservation d'une obligation de ne pas faire peut donner lieu à des dommages et intérêts ».

(136) Cass. 3e civ., 9 sept. 2009 : *Bull. civ.* 2009, III, n° 185 ; *D.* 2010, 49, obs. Ph. Brun ; *JCP* 2010, 456, obs. C. Bloch.

(137) Cass. com., 9 oct. 2001 : *RTD civ.* 2002, 304.

(138) Cass. com., 25 févr. 1992 : *Bull. civ.* 1992, IV, n° 88.

(139) Par ex., démolition et reconstruction d'une maison individuelle qui avait été implantée 0,33 cm en dessous du niveau contractuellement convenu : Cass. 3e civ., 11 mai 2005 : *Bull. civ.* 2005, III, n° 103 ; *JCP* 2005, II, 10152 et note S. Bernheim-Desvaux ; *RD imm.* 2005, p. 299, obs. Ph. Malinvaud ; *Contrats, conc. consom.* 2005, comm. 187, obs. L. Leveneur ; *RTD civ.* 2005, p. 596, obs. J. Mestre et B. Fages. Ou encore coût de reprise de la non-conformité d'une maison aux normes parasismiques : Cass. 3e civ., 25 mai 2005 : *D.* 2005, inf. rap. 1586 ; *RD imm.* 2005, p. 297, obs. Ph. Malinvaud. – V. aussi Cass. 3e civ., 15 févr. 1978 : *Bull. civ.* 1978, III, n° 85.

(140) E. Savaux et R.-N. Schütz, *Exécution par équivalent, responsabilité et droits subjectifs. Réflexions à partir du contrat de bail*, in *Mél. J.-L. Aubert* : Dalloz, 2005, p. 271.

(141) V. en droit comparé : G. Demme et R. Lorentz, *Responsabilité civile et naissance d'un enfant. Aperçu comparatif : RID comp.* 2005, 103.

développements à raison de la vive controverse à laquelle elle a donné lieu et de la loi qu'elle a suscitée.

On énoncera ensuite les diverses classifications des dommages en signalant au passage les difficultés auxquelles ils donnent lieu.

591. – **Le dommage dû à la naissance d'un enfant handicapé : la jurisprudence « Perruche ».** Dans un premier temps, la Cour de cassation a écarté la demande d'une mère qui recherchait la responsabilité d'un médecin au motif qu'en dépit de l'interruption de grossesse pratiquée (et ratée) un enfant lui était né ; elle s'est alors fondée sur l'idée que, quelle que soit l'erreur du médecin, « l'existence de l'enfant qu'elle a conçue ne peut, à elle seule, constituer pour sa mère un préjudice juridiquement réparable »(142).

Mais en revanche, elle a admis l'action de la mère dans le cas où, par suite d'une erreur de diagnostic sur l'existence d'une rubéole, il n'avait pas été recouru à une interruption de grossesse et l'enfant était né handicapé(143) ; en pareil cas, la mère subissait en effet un préjudice dans la mesure où ce handicap de l'enfant entraînait d'évidence des coûts supplémentaires.

Puis, par deux arrêts du 26 mars 1996, et toujours à propos de la naissance d'enfants handicapés, la Cour de cassation a admis la réparation du préjudice subi, non seulement par la mère, mais aussi par l'enfant lui-même dont la vie se trouvait gâchée(144). Dans le même temps, le Conseil d'État écartait cette solution au motif qu'il n'y avait pas de *lien de causalité* entre l'erreur commise lors d'une amniocentèse et le préjudice souffert par un enfant trisomique(145).

Par suite de la rébellion de la cour de renvoi, l'une des affaires jugées le 26 mars 1996 allait revenir devant l'assemblée plénière de la Cour de cassation qui, reconnaissant l'existence d'un lien de causalité entre l'erreur de diagnostic de rubéole et la naissance d'un enfant handicapé, a admis l'action en responsabilité de ce dernier(146). C'est le fameux arrêt *Perruche* du 17 novembre 2000.

Cass. ass. plén., 17 nov. 2000

Vu les articles 1165 et 1382 du Code civil ; – Attendu qu'un arrêt rendu le 17 décembre 1993 par la cour d'appel de D a jugé, de première part, que M. Y, médecin, et le laboratoire de biologie médicale de B, aux droits duquel est M. A, avaient commis des fautes contractuelles à l'occasion de recherches d'anticorps de la rubéole chez Mme X alors qu'elle était enceinte, de deuxième part, que le préjudice de cette dernière, dont l'enfant avait développé de graves séquelles consécutives à une atteinte *in utero* par la rubéole, devait être réparé dès lors qu'elle avait décidé de recourir à une interruption volontaire de grossesse en cas d'atteinte rubéolique et que les fautes commises lui avaient fait croire à tort qu'elle était immunisée contre cette maladie, de troisième part, que le préjudice de l'enfant n'était pas en relation de causalité avec ces fautes ; que cet arrêt ayant été cassé en sa seule disposition relative au préjudice de l'enfant, l'arrêt attaqué de la cour de renvoi dit que « l'enfant N. X ne subit pas un préjudice indemnisable en relation de causalité avec les fautes commises » par des motifs tirés de la circonstance que les séquelles dont il était atteint avaient pour seule cause la rubéole transmise par sa

(142) Cass. 1re civ., 25 juin 1991 : *D.* 1991, 566 et note Ph. Le Tourneau ; *JCP* 1992, II, 21784 et note J.-F. Barbièri. – V. dans le même sens, CE, 2 juill. 1982 : *Rec. CE* 1982, p. 266 ; *Gaz. Pal.* 14 avr. 1983 et note F. Moderne.

(143) Cass. 1re civ., 16 juill. 1991 : *Bull. civ.* 1991, I, n° 248.

(144) Cass. 1re civ., 26 mars 1996 : *Bull. civ.* 1996, I, n° 155 et n° 156.

(145) CE, 14 févr. 1997 : *Rec. CE* 1997, p. 44 ; *RFDA* 1997, 374, concl. V. Pécresse et note Mathieu.

(146) Cass. ass. plén., 17 nov. 2000 : *JCP* 2000, II, 10438, rapp. P. Sargos, concl. J. Sainte-Rose et note F. Chabas ; *D.* 2001, 332, note D. Mazeaud et note P. Jourdain ; *Gaz. Pal.* 24-25 janv. 2001, rapp. P. Sargos, concl. J. Sainte-Rose et note J. Guigue.

mère et non ces fautes et qu'il ne pouvait se prévaloir de la décision de ses parents quant à une interruption de grossesse ;

Attendu, cependant, que dès lors que les fautes commises par le médecin et le laboratoire dans l'exécution des contrats formés avec Mme X avaient empêché celle-ci d'exercer son choix d'interrompre sa grossesse afin d'éviter la naissance d'un enfant atteint d'un handicap, ce dernier peut demander la réparation du préjudice résultant de ce handicap et causé par les fautes retenues.

(...)

Par ces motifs : – Casse et annule.

Cette décision a immédiatement soulevé une très vive polémique, au plan tant éthique et philosophique que juridique. Au plan juridique, l'arrêt a été critiqué au motif que l'erreur médicale n'était pas la cause du handicap et que la vie, même handicapée, n'était pas en soi un dommage ; au plan éthique et philosophique, on a pu y voir une invitation à l'avortement et à l'eugénisme(147).

En dépit de la polémique suscitée(148) et d'un projet de loi en préparation, la Cour de cassation allait à nouveau rendre le 13 juillet 2001 en assemblée plénière trois décisions affirmant le lien de causalité entre la faute médicale et le handicap et maintenant le principe de l'indemnisation de l'enfant handicapé, tout en l'écartant au motif qu'en l'espèce les conditions légales de l'interruption thérapeutique de grossesse n'étaient pas réunies(149).

Enfin, deux nouveaux arrêts de l'assemblée plénière du 28 novembre 2001 se prononçaient dans le même sens, indemnisant dans le premier cas les parents pour le préjudice matériel résultant du handicap de leur enfant, dans le second l'enfant lui-même(150).

Cette jurisprudence a été brisée par la loi n° 2002-303 du 4 mars 2002(151).

592. – Le dommage dû à la naissance d'un enfant handicapé : la loi du 4 mars 2002. La loi du 4 mars 2002 relative aux droits des malades et à la qualité du système de santé comporte un titre 1 qui n'était nullement prévu à l'origine et qui règle d'une manière autre que l'avait fait la Cour de cassation le cas des enfants nés handicapés(152). Ces dispositions ont été ajoutées à raison de l'émotion susci-

(147) F. Terré, *Le prix de la vie* : *JCP* 2000, act. 50, p. 2267. – G. Mémeteau, *L'action de vie dommageable* : *JCP* 2000, I, 279. – M. Gobert, *La Cour de cassation mérite-t-elle le pilori ?* : LPA 8 déc. 2000, p. 4. – G. Viney, *Brèves remarques à propos d'un arrêt qui affecte l'image de la justice dans l'opinion (Cass. ass. plén., 17 nov. 2000)* : *JCP* 2001, I, 286. – P.-Y. Gautier, *« Les distances du juge » à propos d'un débat éthique sur la responsabilité civile* : *JCP* 2001, I, 287. – J. Sainte-Rose, *La réparation du préjudice de l'enfant empêché de ne pas naître handicapé. Conclusions orales prises dans l'affaire P... :* D. 2001, 316. – J.-L. Aubert, *Indemnisation d'une existence handicapée qui, selon le choix de la mère, n'aurait pas dû être (à propos de l'arrêt de l'ass. plén. du 17 nov. 2000)* : D. 2001, chron. 489. – L. Aynès, *Préjudice de l'enfant né handicapé : la plainte de Job devant la Cour de cassation* : D. 2001, chron. 492. – B. Markesinis, *Réflexions d'un comparatiste anglais sur et à partir de l'arrêt* Perruche : *RTD civ.* 2001, 77. – P. Kayser, *Un arrêt de l'assemblée plénière de la Cour de cassation sans fondement juridique ?* : D. 2001, chron. 1889. – A. Sériaux, *« Perruche et autres ». La Cour de cassation entre mystère et mystification* : D. 2002, chron. 1996. – B. Edelman, *L'arrêt « Perruche » : une liberté pour la mort ?* : D. 2002, chron. 2349.

(148) Ph. Théry, *Un grand bruit de doctrine*, in *Mél. M. Gobert* : Économica, 2004, p. 113.

(149) Cass. ass. plén., 13 juill. 2001, trois arrêts : *JCP* 2001, II, 10601, concl. J. Sainte-Rose et note F. Chabas ; *D.* 2001, 2325 et note P. Jourdain.

(150) Cass. ass. plén., 28 nov. 2001, deux arrêts : *JCP* 2002, II, 10018, concl. J. Sainte-Rose et note F. Chabas ; *D.* 2001, inf. rap. 3587 et 3588.

(151) Ch. Radé, *Retour sur le phénomène Perruche : vrais enjeux et faux-semblants*, in *Mél. Lapoyade-Deschamps*, 2003, p. 231.

(152) Y. Lambert-Faivre, *La loi n° 2002-303 du 4 mars 2002 relative aux droits des malades et à la qualité du système de santé. I. – La solidarité envers les personnes handicapées* : D. 2002, chron. 1217 – G. Mémeteau, *La jurisprudence dite « Perruche ». Fallait-il légiférer ? Opinions très personnelles* : *Gaz. Pal.* 16-17 oct. 2002, 2, doctr. – P. Jourdain, *Loi anti-Perruche : une loi démagogique* : D. 2002, 891. – V. aussi Ch. Radé, *Retour sur le phénomène Perruche : vrais enjeux et faux-semblants*, in *Mél. Lapoyade-Deschamps*, 2003, p. 231.

tée par la jurisprudence *Perruche*, de la vive polémique à laquelle elle a donné lieu et surtout de la pression des assureurs qui refusaient d'assurer le risque découlant de cette jurisprudence, et des médecins qui, faute d'assurance, menaçaient d'abandonner cette spécialité.

Art. 1, I. – Nul ne peut se prévaloir d'un préjudice du seul fait de sa naissance.

La personne née avec un handicap dû à une faute médicale peut obtenir la réparation de son préjudice lorsque l'acte fautif a provoqué directement le handicap ou l'a aggravé, ou n'a pas permis de prendre les mesures susceptibles de l'atténuer.

Lorsque la responsabilité d'un professionnel ou d'un établissement de santé est engagée vis-à-vis des parents d'un enfant né avec un handicap non décelé pendant la grossesse à la suite d'une faute caractérisée, les parents peuvent demander une indemnité au titre de leur seul préjudice. Ce préjudice ne saurait inclure les charges particulières découlant, tout au long de la vie de l'enfant, de ce handicap. La compensation de ce dernier relève de la solidarité nationale.

Les dispositions du présent I sont applicables aux instances en cours, à l'exception de celles où il a été irrévocablement statué sur le principe de l'indemnisation.

II. – Toute personne handicapée a droit, quelle que soit la cause de sa déficience, à la solidarité de l'ensemble de la collectivité nationale.

La loi, dont l'article 1 a été inséré dans le Code de l'action sociale et des familles (art. L. 114-5), distingue donc entre le droit à réparation de l'enfant né handicapé, et celui de ses parents.

S'agissant de l'enfant, il ne peut demander réparation au praticien que si son handicap est « dû à une faute médicale », si « l'acte fautif a provoqué directement le handicap ou l'a aggravé ou n'a pas permis de prendre les mesures susceptibles de l'atténuer »(153). De telles hypothèses sont en fait fort rares, mais elles peuvent se rencontrer(154) ; en pareil cas, la réparation due par le praticien sera intégrale, c'est-à-dire couvrira tous les préjudices économiques ou moraux. À défaut d'une telle faute causale, la prise en charge des préjudices liés au handicap relève de la solidarité nationale. Cela concerne au premier chef les arrêts *Perruche et autres* où la faute médicale tenait à ce que le handicap ou le risque de handicap n'avait pas été diagnostiqué.

S'agissant des parents, la responsabilité du praticien est engagée dans le cas où, l'enfant étant né avec un handicap non décelé pendant la grossesse (hypothèse des arrêts *Perruche* et autres), ce défaut de diagnostic est dû à une « faute caractérisée » du praticien. La jurisprudence définit cette faute caractérisée de manière assez rigoureuse(155). Quant au préjudice ainsi réparé, il est considérablement limité puisqu'il ne peut comprendre « les charges particulières découlant, tout au long de

(153) Pour le cas où le handicap serait dû au comportement même de la femme enceinte, V. L. Neyret, *Handicaps congénitaux : tout risque d'action en responsabilité civile d'un enfant contre sa mère n'est pas écarté* : D. 2003, chron. 1711.

(154) CE, 27 sept. 1989 : *Rec. CE* 1989, p. 176 ; *D.* 1991, 80 et note Verpeaux ; *RFDA* 1991, 316, obs. P. Delvolvé. – Cass. 1re civ., 16 juill. 1991 : *JCP* 1992, II, 21947 et note Dorsner-Dolivet. – Cass. 1re civ., 26 mars 1996, deux arrêts : *Bull. civ.* 1996, I, nos 155 et 156 ; *D.* 1997, 35 et note J. Roche-Dahan.

(155) Pour un premier exemple, V. CE, 19 févr. 2003 : *JCP* 2003, II, 10107 et note P. Mistretta (arrêt suivant lequel l'inversion des résultats d'analyse de deux patientes constitue une faute caractérisée). – V. égal., Cass. 1re civ., 14 nov. 2013, n° 12-21576 : *JurisData* n° 2013-025523 ; *Gaz. Pal.* 23 janv. 2014, n° 23, p. 23, note N. Blanc ; *Resp. civ. et assur.* 2014, comm. 64 ; *JCP* G n° 51, 16 déc. 2013, 1334, note P. Sargos. – Adde, S. Hocquet-Berg, *Le dispositif « anti-Perruche » efficacement à l'œuvre* : *Resp. civ. et assur.* n° 2, février 2014, étude 2 : le fait de ne pas informer la mère du retard de croissance du fœtus lors de l'échographie et de ne pas entreprendre des investigations supplémentaires est une faute mais elle n'est pas caractérisée car elle « ne revêt les exigences d'évidence et d'intensité constitutives de la faute caractérisée ». Est, en revanche, une faute caractérisée le fait pour le médecin d'affirmer que les deux membres de l'enfant sont visibles alors que l'enfant est né avec une agénésie de l'avant-bras droit, Cass. 1re civ., 16 janv. 2013, n° 12-14.020 : *JurisData* n° 2013-000263 ; *JCP* G 2013, 375, note P. Mistretta ; *D.* 2013, p. 681, note S. Porchy-Simon.

la vie de l'enfant, de ce handicap » ; le plus souvent, il s'agira donc seulement de la réparation du préjudice moral subi par les parents.

Faisant une interprétation étroite de la loi, un arrêt en a écarté l'application dans le cas où la faute du médecin est intervenue avant même la conception et n'a pas permis aux parents d'éviter la conception d'un enfant handicapé(156).

Conformément au dernier alinéa de l'article 1er, I, ces dispositions devaient être appliquées aux instances en cours sans attendre qu'aient été déterminées les modalités de prise en charge par la solidarité nationale des personnes nées handicapées. On pouvait s'interroger sur le point de savoir si cette règle, qui conduisait à une application de la loi à des actes ou à des situations intervenues antérieurement, était bien conforme aux principes de la Convention européenne(157). Saisie de cette question, la Cour européenne a effectivement considéré que l'application de cette disposition aux instances en cours violait le droit au respect des biens consacré par l'article 1 du Protocole n° 1 de la Convention européenne de sauvegarde des droits de l'homme(158). Par trois arrêts du 24 janvier 2006, la Cour de cassation s'est prononcée dans le même sens(159), et le Conseil d'État s'est rallié à cette solution(160). Plus récemment ce dernier alinéa a été jugé non-conforme à la Constitution(161).

La Cour de cassation a opté pour l'interprétation selon laquelle la loi ne s'appliquait pas aux dommages survenus antérieurement à son entrée en vigueur, c'est-à-dire aux naissances survenues avant le 7 mars 2002, même si la date de la demande en justice était postérieure(162). Finalement, par un arrêt en date du 14 novembre 2013, la Cour de cassation a jugé que la compensation du handicap prévue par l'article L. 114-5, alinéa 1er du Code de l'action sociale et des familles est conforme à l'article 1er du premier protocole additionnel à la Convention européenne des droits de l'homme(163).

A. – Préjudice matériel et préjudice moral. Préjudice corporel

593. – **Diversité des préjudices.** On a longtemps opposé préjudice matériel et préjudice moral, par suite d'une controverse sur l'opportunité de réparer le dommage moral. Sur ces catégories classiques est venue s'en greffer une nouvelle, relative au préjudice corporel, qui participe de l'une et de l'autre. La nomenclature

(156) CA Paris, 24 juin 2003 : *D.* 2004, 983 et note A. Sériaux.

(157) Sur la compatibilité de ces dispositions avec la Convention européenne des droits de l'homme, V. l'avis du Conseil d'État du 6 décembre 2002 : Ph. Malaurie, *Le handicap de l'enfant : un droit désemparé. À propos de l'avis du Conseil d'État du 6 décembre 2002* : *JCP* 2003, I, 110.

(158) CEDH, 6 juill. 2004, décision sur la recevabilité, *Maurice et a. c/ France* : *RTD civ.* 2004, p. 797, obs. J.-P. Marguénaud. – Et sur le fond : CEDH, Gde ch., 6 oct. 2005, n° 1513/03, *Draon c/ France* et n° 11810/103, *Maurice c/ France* : *JCP* 2006, II, 10061 et note A. Zollinger ; *RTD civ.* 2005, p. 744, obs. J.-P. Marguénaud, et 798, obs. Th. Revet.

(159) Cass. 1re civ., 24 janv. 2006 : *D.* 2006, inf. rap. 325 ; *JCP* 2006, II, 10062, note A. Gouttenoire et S. Porchy-Simon ; *RDC* 2006, p. 685, obs. A. Marais. – Cass. 1re civ., 21 févr. 2006 : *Bull. civ.* 2006, I, n° 94 ; *JCP* 2006, II, 10062, 4e esp., note A. Gouttenoire et S. Porchy-Simon. – V. S. Monnier, *Les rapports antagonistes entre la jurisprudence et la loi dans le domaine de la réparation du préjudice lié à la naissance d'un enfant handicapé* : *LPA* 17 mars 2006, p. 6.

(160) CE, 24 févr. 2006, n° 250704, *M. et Mme L.* : *D.* 2006, inf. rap. 812 ; *AJDA* 2006, p. 1272 et note S. Hennette-Vauchez ; *RTD civ.* 2006, p. 263, obs. J.-P. Marguénaud.

(161) Cons. const., déc. 11 juin 2010, n° 2010-2 QPC : *D.* 2010, p. 1976 et note D. Vigneau ; et p. 1980, note V. Bernaud et L. Gay.

(162) Cass. 1re civ., 15 déc. 2011 : *JCP* 2012, 72, concl. P. Chevalier et note P. Sargos ; *D.* 2012, 323 et note D. Vigneau. – N. Maziau, *Constitutionnalité et conventionnalité au regard des motifs de la décision n° 2010-2 QPC du Conseil constitutionnel : à propos de l'arrêt rendu par la Cour de cassation, 1re chambre civile, le 15 décembre 2011 sur le dispositif transitoire de la législation « anti-Perruche »* : *D.* 2012, 297.

(163) Cass. 1re civ., 14 nov. 2013, n° 12-21576 : *JurisData* n° 2013-025523 ; *Gaz. Pal.* 23 janv. 2014, n° 23, p. 23, note N. Blanc ; *Resp. civ. et assur.* 2014, comm. 64 ; *JCP G* n° 51, 16 déc. 2013, 1334, note P. Sargos.

établie par J.-P. Dintilhac, à laquelle se réfèrent de plus en plus de décisions de justice, propose de rationaliser le droit du dommage corporel et une distinction entre les préjudices corporels de la victime directe, comprenant les préjudices patrimoniaux et extra-patrimoniaux, et les préjudices corporels des victimes indirectes, en distinguant les cas où la victime directe est décédée et ceux où elle a survécu[(164)].

594. - **Le préjudice matériel.** Le *préjudice matériel* peut être défini comme un dommage objectif portant atteinte au patrimoine, et susceptible d'être directement évalué en argent ; d'où le qualificatif de dommage *pécuniaire* qui lui est parfois donné. Il revêt diverses formes, suivant le point de vue auquel on se place[(165)].

Ainsi peut-il s'agir indifféremment d'une *perte* (*damnum emergens*) ou d'un *manque à gagner* (*lucrum cessans*) : en cas de destruction d'une machine, par exemple, le préjudice est à la fois de la valeur de la machine, et du bénéfice que celle-ci aurait permis de réaliser ; pour ce dernier on parlera de pertes d'exploitation[(166)]. L'article 1149 du Code civil le dit expressément pour la responsabilité contractuelle, mais la règle s'applique également en matière délictuelle.

Art. 1149. - Les dommages et intérêts dus au créancier sont, en général, de la perte qu'il a faite et du gain dont il a été privé, sauf les exceptions et modifications ci-après.

Le préjudice matériel peut découler d'une *atteinte à des biens :* dégâts matériels, vol, escroquerie, incendie, etc. ; ou *à des personnes :* frais médicaux, chirurgicaux et pharmaceutiques, incapacité de travail partielle ou totale, provisoire ou définitive ; ou même *à certains droits :* concurrence déloyale, publicité fausse ou de nature à induire en erreur, campagne de dénigrement, etc.

Ainsi défini, le préjudice matériel peut être évalué et traduit en argent sans trop de difficultés[(167)]. Il n'en va pas de même pour le préjudice moral.

595. - **Le préjudice moral.** Le *préjudice moral* est celui, subjectif, qui, ne portant pas atteinte au patrimoine, ne se prête guère à une évaluation en argent[(168)]. Il peut être causé non seulement à une personne physique mais aussi à une personne morale[(169)], notamment pour atteinte à l'environnement[(170)]. Dans ce dernier cas,

(164) Rapport du groupe de travail chargé d'élaborer une nomenclature des préjudices corporels, dirigé par J.- P. Dintilhac, juil. 2005.

(165) Ch. Lapoyade-Deschamps, *La réparation du préjudice économique pur en droit français : RID comp.* 1998, 367. – A. Vialard, *Le préjudice économique pur. Variations maritimistes*, in *Mél. Lapoyade-Deschamps*, 2003, p. 283. – F. Belot, *Pour une reconnaissance de la notion de préjudice économique en droit français : LPA* 28 déc. 2005, p. 8.

(166) Y. Chartier, *L'évaluation du préjudice en cas de perte de gains : RID comp.* 1986, 441.

(167) F. Bélot, *L'évaluation du préjudice économique : D.* 2007, chron. p. 1681. Spécialement en droit financier, M. Nussenbaum, *L'évaluation des préjudices économiques* : RD bancaire et fin. n° 3, mai 2013, étude 13.

(168) F. Givord, *La réparation du préjudice moral* : thèse Grenoble, 1939. – G. Ripert, *Le prix de la douleur : D.* 1948, chron. 1. – P. Esmein, *La commercialisation du dommage moral : D.* 1954, chron. 113. – R. Savatier, *Le dommage et la personne : D.* 1955, chron. 1. – G. Mémeteau. *La réparation du préjudice d'affection ou la pierre philosophale : Gaz. Pal.* 1978, 2, doctr. 400. – G. Mor, *Réparer la souffrance : Gaz. Pal.* 15 févr. 2014, n° 46, p. 18.

(169) V. Wester-Ouisse, *Le préjudice moral des personnes morales : JCP* 2003, I, 145. – Ph. Stoffel-Munck, *Le préjudice moral des personnes morales*, in *Mél. Ph. Le Tourneau* : Dalloz, 2007, p. 959. À titre d'exemple on peut citer le cas d'un jugement du tribunal de commerce de Paris qui a attribué à ce titre 30 millions d'euros à LVMH dans le litige qui l'opposait à Morgan Stanley ; la cour d'appel a infirmé cette décision sur le montant fixé et sursis sur son appréciation (CA Paris, 15e ch. B, 30 juin 2006 : *D.* 2006, act. jurispr. 2241, obs. X. Delpech ; *RTD com.* 2006, p. 875, obs. N. Rontchevsky) ; et les parties ont finalement transigé sur le montant de l'indemnisation. – Cass. com., 15 mai 2012 : *D.* 2012, 1403, obs. X. Delpech ; *JCP* G n° 46, 12 nov. 2012, doctr. 1224, n° 1, obs. C. Bloch ; Rev. sociétés, 2012, p. 620, note Ph. Stoffel-Munck ; *JCP* G n° 39, 24 sept. 2012, 1012, note V. Wester-Ouisse ; *JCP* E n° 36, 6 sept. 2012, 1510, note R. Mortier ; *D.* 2012, p. 2285, note B. Dondero ; *RTD civ.* 2013, p. 85, obs. J. Hauser. *Adde*, Cass. crim., 11 déc 2013, 12-83296, FP+B, *RTD* civ. 2014, p. 122, obs. P. Jourdain. Il n'en reste pas moins que ce préjudice doit être évalué par les juges au nom du principe de réparation intégrale, Cass.2e civ., 22 nov. 2012, n° 11-25988.

(170) M. Boutonnet et L. Neyret, *Préjudice moral et atteintes à l'environnement : D.* 2010, 912.

l'affaire « Erika » a franchi un cap important en consacrant la notion de « préjudice écologique pur » qui constitue « une atteinte directe ou indirecte portée à l'environnement », préjudice objectif distinct des préjudices subjectifs[171] (V. *infra*, n° 599).

Il résulte en principe d'une atteinte à un *droit extrapatrimonial*, par exemple, à l'honneur d'une personne, au droit qu'elle a sur son nom (par une usurpation), sur son image ou sur sa vie privée (par une publication ou une divulgation intempestives), etc., ou d'une atteinte à son intégrité corporelle (douleur physique ou psychique), ou encore, le plus souvent peut-être, d'une atteinte à ses sentiments d'affection (décès accidentel d'un être cher)[172]. Il peut également s'agir du préjudice d'agrément, qui se limite désormais à l'impossibilité de pratiquer une activité sportive ou de loisir[173], qui est complété par le déficit fonctionnel qui désigne la perte de certaines joies de la vie[174], ce qu'en droit italien on appelle le préjudice « existentiel »[175]. Plus récemment la jurisprudence a admis le préjudice moral d'anxiété ou d'angoisse[176], par exemple l'angoisse de contracter une maladie due à l'amiante[177] dont les conditions ont été largement assouplies[178], ou d'être victime de la défaillance d'une prothèse[179]. Le préjudice spécifique de contamination est également un chef de préjudice souvent invoqué[180]. Quant à l'indemnisation du préjudice spécifique d'accompagnement accordée aux proches en cas de décès de la victime directe, il est désormais conditionné à la preuve d'une communauté de vie affective qiu a été effective[181]. Ajoutons le très controversé « préjudice permanent exceptionnel » inspiré de la nomenclature Dintilhac[182].

En matière médicale, du manquement du médecin à son obligation d'information, indépendamment de la perte d'une chance lorsque le patient aurait pu refuser le traitement ou l'opération, peut résulter un préjudice moral tantôt rapproché

(171) Cass. crim., 25 sept. 2012, n° 10-82938, FP-P+B+R+I : *D.* 2012, p. 2711, obs. Ph. Delebecque ; Ibid, p. 2557, obs. F.-G. Trébulle ; *RTD civ.* 2013, p. 119, obs. P. Jourdain.

(172) Sur les dérives possibles d'un tel préjudice, V. TI Orléans, 11 févr. 2014, F. Rome, « Pour 1,34 dollar de plus… » : *D.* 2014, 417, qui reconnaît le préjudice d'affection des fans de M. Jackson et octroie un euro symbolique.

(173) M. Le Roy, *La réparation des dommages en cas de lésions corporelles : préjudice d'agrément et préjudice économique : D.* 1979, chron. 49. – M. Dangibeaud et M. Ruault, *Les désagréments du préjudice d'agrément : D.* 1981, chron. 157. – M. Bourrié-Quenillet, *Le préjudice sexuel : preuve, nature juridique et indemnisation : JCP* 1996, I, 3986. – Cass. 2e civ., 19 avr. 2005 : *Bull. civ.* 2005, II, n° 99. – Cass. 2e civ., 11 oct. 2005 : *Resp. civ. et assur.* 2005, comm. 345 ; *RTD civ.* 2006, p. 119, obs. P. Jourdain. Sur la variabilité de la notion de préjudice d'agrément, V. P. Jourdain, obs. *in RTD civ.* 2010, 559. Désormais, extension d'une conception restrictive au domaine des accidents du travail ; pour être indemnisée du préjudice d'agrément en raison de l'impossibilité de pratiquer une activité sportive ou de loisir, la victime doit justifier de l'exercice d'une telle activité avant la maladie, Cass. 2e civ., 28 juin 2012, n° 11-16120. – Cass. 2e civ., 28 févr. 2013, n° 11-21015, FP-B+R+I : *JCP* S n° 11, 12 mars 2013, act. 123.

(174) Cass. 2e civ., 28 mai 2009 : *JCP* G 2009, 248, n° 1, obs. C. Bloch.

(175) Pour une critique de l'inflation de ces préjudices reconnus réparables par la jurisprudence, V. M. Fabre-Magnan, *Le dommage existentiel : D.* 2010, 2376.

(176) Le préjudice d'anxiété fait partie des dommages garantis par l'AGS, Cass. soc., 25 sept. 2013, n° 12-20912.

(177) Cass. soc., 11 mai 2010 : *JCP* 2010, 733, note J. Colonna et V. Renaux-Personicic ; *D.* 2010, 2048, note C. Bernard ; *RTD civ.* 2010, 564, obs. P. Jourdain.

(178) Suppression de la condition d'un suivi médical, Cass. 2e civ., 4 déc. 2012, n° 11-26294 ; *Gaz. Pal.* 14 févr. 2013, n° 45, p. 19, obs. M. Mekki. Un rapprochement peut être fait avec le préjudice lié à la conscience de la mort imminente, Cass. crim., 29 av. 2014, n° 13-80693.

(179) Cass. 1re civ., 19 déc. 2006 : *JCP* 2007, II, 10052, note S. Hocquet-Berg ; *JCP* 2010, chron. 1015, 1, C. Bloch.

(180) Pas de préjudice spécifique de contamination lorsque la victime n'en avait pas connaissance, Cass. 2e civ., 22 nov. 2012, n° 11-21031 ; *Gaz. Pal.* 14 févr. 2013, n° 45, p. 19, obs. M. Mekki.

(181) Cass. 2e civ., 21 nov. 2013, n° 12-28168 ; *Gaz. Pal.* 9 janv. 2013, p. 5, note C. Quézel-Ambrunaz ; *Gaz. Pal.* 23 janv. 2014, n° 23, p. 15, obs. M. Mekki.

(182) *Cass. 2e civ., 16 janv. 2014, n° 13-10566, Fonds de garantie des victimes des actes de terrorisme et d'autres infractions c/ M. X, FS-P+B (cassation partielle CA Metz, 18 oct. 2012), Mme Flise, prés. ; SCP Boré et Salve de Bruneton, SCP Delaporte, Briard et Trichet, av.*

d'une violation d'un droit à l'information fondé sur les articles 16 et 16-3 du Code civil(183), tantôt rattaché à la notion de préjudice d'impréparation(184), le patient n'a pas été préparé au risque qui s'est finalement réalisé(185).

En l'absence de texte sur ce point, la jurisprudence et la doctrine ont été longtemps hostiles à la réparation en argent d'un tel préjudice, en raison du caractère inadéquat de l'indemnisation pécuniaire de la douleur. Cette hostilité reste visible au sein de l'avant-projet dirigé par François Terré (art. 68 et 69) qui souhaite réduire la réparation des préjudices extra-patrimoniaux à un montant symbolique et encourage la barémisation des préjudices extrapatrimoniaux résultant d'une atteinte à la personne (art. 56). Le principe de la réparation du préjudice moral a cependant été acquis, d'abord devant les juridictions judiciaires, puis devant les juridictions administratives(186). On considère en général que l'argent, s'il n'efface pas le dommage, constitue tout de même une satisfaction de remplacement pour la victime, et une sorte d'amende, de peine privée, pour l'auteur. On pourrait aussi envisager, là où c'est possible, une réparation plus adaptée et plus proche d'une réparation en nature(187).

En pratique, parce qu'une évaluation objective est impossible, les juges dosent souvent ces dommages-intérêts en fonction de la gravité de la faute commise.

596. – **Le préjudice corporel**(188). Le *préjudice corporel* ne s'oppose ni au préjudice matériel, ni au préjudice moral. Il emprunte aux deux puisque tout dommage corporel porte atteinte à la fois au patrimoine, frais médicaux, perte de gains ou salaires correspondant à l'incapacité de travail, et aux sentiments, souffrances physiques, morales, esthétiques. C'est ainsi qu'une multiplicité de préjudices relèvent de la notion de préjudice corporel(189). La tendance actuelle est de ranger le préjudice corporel dans une catégorie à part pour mettre en valeur sa fréquence et ses particularités, notamment du point de vue de l'évaluation (V. *infra*, n° 775).

B. – Préjudice immédiat et préjudice médiat ou par ricochet(190)

597. – **Le préjudice par ricochet.** En règle générale, le préjudice est *immédiat* en ce sens qu'il atteint la victime dans sa personne ou dans ses biens, sans intermédiaire. La réparation de ce préjudice a toujours été admise sans difficulté.

---

(183) Cass. 1re civ., 3 juin 2010, n° 09-13.591 ; *D.* 2011, 35, obs. P. Brun et O. Gout ; *RTD civ.* 2010, 571, obs. P. Jourdain. – Cass. 1re civ., 12 juin 2012, n° 11-18327 ; *D.* 2013, p. 40, obs. Ph. Brun et O. Gout.

(184) Cass. 1re civ., 23 janv. 2014, FP-P+B+R+I, n° 12-22.123 ; *D.* 2014, p. 584, avis, av. gén. Léonard Bernard de la Gatinais ; *D.* 2014, p. 590, note M. Bacache. – Rappr. CE, 10 oct. 2012, M. B. et Mme L, req. n° 350426 ; *D.* 2013, 2658, obs. M. Bacache, A. Guégan-Lécuyer et S. Porchy-Simon. – G. Viney, *L'indemnisation due en cas de manquement par le médecin à son devoir d'information*, Libres propos : *JCP* G n° 19, 12 mai 2014, 553.

(185) J. Penneau, *La responsabilité du médecin* : Dalloz, 2004, p. 35.

(186) Les juridictions judiciaires l'admettent depuis longtemps : V. par ex. Cass. civ., 13 févr. 1923 : *D.* 1923, 1, 52 et note Lalou ; *S.* 1926, 1, 325 ; dans une affaire qui a eu un certain retentissement à l'époque, il a même été admis que puisse être réparée la douleur causée par la perte d'un cheval (Cass. civ., 16 janv. 1962 : *D.* 1962, 199 et note R. Rodière ; *JCP* 1962, II, 12557) ou d'un chien (Cass. 1re civ., 27 janv. 1982 : *JCP* 1983, II, 19923, obs. F. Chabas). Les juridictions administratives l'admettent depuis l'arrêt *Letisserand* : CE, 24 nov. 1961 : *D.* 1962, 35 et concl. Heumann ; *JCP* 1962, II, 12425, obs. Luce ; *S.* 1962, 82, concl. Heumann et note Vignes.

(187) M.-D. Douaoui, *La réparation du trouble médiatique* : *D.* 2001, chron. 1333.

(188) L. Grynbaum, *Le préjudice corporel*, in *Trav. Assoc. H. Capitant*, t. LIV, 2004, p. 591.

(189) V. la nomenclature des préjudices corporels figurant dans le Rapport du groupe de travail mis en place à cet effet : *Bull. inf. C. cass.* 1er févr. 2006, p. 3.

(190) Y. Lambert-Faivre, *Le dommage par ricochet* : thèse Lyon, 1959. – J. Dupichot, *Des préjudices réfléchis nés de l'atteinte à la vie ou à l'intégrité corporelle*, 1969. – N. Gomaa, *La réparation du dommage et l'exigence d'un intérêt légitime juridiquement protégé* : *D.* 1970, chron. 145. – J. Vidal, *L'arrêt de la chambre mixte du 27 février*

Le préjudice est au contraire *médiat*, ou par *ricochet*, lorsqu'il est la conséquence d'un préjudice immédiat frappant une première personne. Exemple : une personne blessée ou tuée dans un accident subit un dommage immédiat évident ; mais du fait de ces blessures ou de ce décès, ses proches vont éprouver un dommage médiat à la fois matériel (perte du soutien de famille) et moral (atteinte aux sentiments d'affection portés à la victime).

À la suite d'une longue évolution marquée par le désir d'éviter une multiplication abusive des victimes par ricochet (tout le monde pourrait se prétendre atteint dans ses sentiments d'affection : les cousins éloignés, les amis, etc.)[(191)], la jurisprudence a fini par décider que la qualité de victime par ricochet n'était pas réservée aux parents, et n'était pas subordonnée à l'existence d'un lien de droit entre le défunt et le demandeur en indemnisation[(192)]. C'est à cette occasion que, dans un premier temps, la jurisprudence avait exigé que le demandeur victime justifie d'un *intérêt juridique légitimement protégé* (V. *infra*, n° 604).

Sont aujourd'hui admis à se présenter comme victimes par ricochet tous ceux qui peuvent justifier d'un préjudice matériel ou moral consécutif au décès d'une personne[(193)] : par exemple une fiancée, un compagnon ou une compagne, et plus généralement tous les proches. Il va sans dire qu'il en irait de même dans le cas de décès accidentel d'une personne liée par un pacte civil de solidarité.

Quant à la nature de la responsabilité, la jurisprudence écarte toute stipulation pour autrui implicite et retient que la victime par ricochet d'un accident relevant de la responsabilité contractuelle dispose d'une action en responsabilité délictuelle pour obtenir réparation de son propre préjudice ; ainsi la faute, contractuelle à l'égard de la victime immédiate, est délictuelle à l'égard de la victime par ricochet[(194)] (V. *supra*, n° 466). Corrélativement, dans une espèce où la victime immédiate s'était noyée lors d'un voyage au Cambodge, un arrêt a décidé que la loi applicable était celle du lieu où le dommage immédiat s'était produit, c'est-à-dire la loi cambodgienne qui ne reconnaît pas le préjudice médiat, et non pas celui du lieu où le préjudice moral était subi[(195)].

1970, *le droit à réparation de la concubine et le concept de dommage réparable* : *JCP* 1971, I, 2390. – G. Viney, *L'autonomie du droit à réparation de la victime par ricochet par rapport à celui de la victime initiale* : *D.* 1974, chron. 3. – M. Bourrie-Quenillet, *À propos d'une étude sur l'indemnisation des proches d'une victime décédée accidentellement* : *JCP* 1985, I, 3212. – *Le préjudice moral des proches d'une victime blessée : Dérive litigieuse ou prix du désespoir* : *JCP* 1998, I, 186.

(191) Pour un exemple de dérive, TI Orléances, juge de proximité, 11 févr. 2014, qui a reconnu à cinq personnes, fans de michael Jackson, un euro symobolique en réparation du préjudice d'affection causé par la mort de la pop-star causée par son médecin Conrad Murray.

(192) Le projet dirigé par Fr. Terré envisage de limiter la réparation des préjudices d'affection en dressant une liste limitative des victimes d'un tel préjudice (art. 63, al. 2 : « Le conjoint, les père et mère de la victime ainsi que ses enfants peuvent demander l'indemnisation de leur préjudice d'affection, ainsi que les autres proches de la victime habitant avec elle au moment du dommage ».

(193) V. Cass. 2e civ., 28 avr. 2011, n° 10-17380, qui admet l'indemnisation des conséquences économiques d'un préjudice d'affection par ricochet (double ricochet). Sur le préjudice par ricochet subi par un tiers du fait de la rupture d'une relation commerciale établie, V. Cass. com., 6 sept. 2011 : *RTD civ.* 2011, 763, obs. B. Fages.

(194) Cass. 2e civ., 23 oct. 2003 : *Bull. civ.* 2003, II, n° 330, p. 268 ; *JCP* 2004, II, 10187 et note I. Tricot-Chamard ; *JCP* 2004, I, 163, n° 11, obs. G. Viney ; *Defrénois* 2004, art. 37894, n° 27, obs. R. Libchaber ; *LPA* 4 août 2004, p. 13 et note M. Azavant.

(195) Cass. 1re civ., 28 oct. 2003 : *Bull. civ.* 2003, I, n° 219, p. 172 ; *JCP* 2004, II, 10006 et note G. Lardeur ; *D.* 2004, 233 et note Ph. Delebecque ; *Contrats, conc. consom.* 2004, comm. 1, obs. L. Leveneur ; *RTD civ.* 2004, 96, obs. P. Jourdain ; *JCP* 2004, I, 163, n° 13, obs. G. Viney ; *D.* 2003, inf. rap. p. 2731.

C. – Préjudice individuel et préjudice collectif

598. – Le préjudice collectif[196]. Le préjudice *individuel*, sur lequel on a implicitement raisonné jusqu'ici, est celui éprouvé par une ou plusieurs personnes déterminées. L'expression de préjudice *collectif* vise le dommage éprouvé par un groupement, en dehors de tout individu déterminé. Une distinction s'impose donc avec « l'action de groupe » qui permet d'indemniser un ensemble d'individus et constitue en ce sens la réparation d'une addition de préjudices individuels[197]. La loi « Hamon » n° 2014-344 du 17 mars 2014 a en effet introduit une action de groupe à la française. En vertu du nouvel article L. 423-1 du Code de la consommation, figurant dans un chapitre intitulé « Action de groupe », « une association de défense des consommateurs, représentative au niveau national et agréée en application de l'article L. 411-1, peut agir devant une juridiction civile afin d'obtenir la réparation des préjudices individuels subis par des consommateurs placés dans une situation similaire ou identique et ayant pour origine commune un manquement d'un ou des mêmes professionnels à ses obligations légales ou contractuelles »[198]. Si la réparation du préjudice individuel ne fait pas de difficultés, il n'en va pas de même pour le dommage, notamment le dommage moral, invoqué par une collectivité qui, par exemple, se prétendrait atteinte dans les buts qu'elle poursuit.

Certains cas sont réglés par la loi. Ainsi, les syndicats, comme les ordres professionnels[199], ont le droit d'agir en réparation de tout préjudice, direct ou indirect, porté à l'intérêt collectif de la profession qu'ils représentent. Et de même pour certaines associations familiales, ou de défense des consommateurs ou de la moralité, ou de lutte contre l'alcoolisme, la pollution, etc.

En dehors de ces hypothèses spécialement prévues et autorisées, la jurisprudence est très restrictive sur la possibilité pour les associations de demander en justice la réparation d'un préjudice moral. Cette réserve s'explique sans peine : il est apparu en effet que de nombreuses associations à but vertueux invoquaient un prétendu préjudice moral (l'euro symbolique de dommages-intérêts) devant la juridiction pénale à seule fin de se substituer au ministère public et de déclencher de manière systématique l'action publique contre tous les auteurs d'infractions aux mœurs (V. *supra*, n° 576). C'est pourquoi on exige des associations qu'elles justifient d'un *préjudice personnel* directement causé par l'infraction et qui soit distinct du préjudice social dont le ministère public a la charge de poursuivre la réparation[200].

(196) C. Dreveau, *Réflexions sur le préjudice collectif* : *RTD civ.* 2011, 249.

(197) Sur cette action de groupe mise en place en cas de manquement des entreprises au Code de la consommation ou en cas de pratiques anticoncurrentielles, V. D. Mainguy et M. Depincé, *L'introduction de l'action de groupe en droit français* : *JCP* E n° 12, 20 mars 2014, 1144 ; K. Haeri et B. Javaux, *L'action de groupe à la française, une curiosité* : *JCP* G n° 13, 31 mars 2014, 375. – *Adde*, I. Omarjee et L. Sinopoli (dir.), *Les actions en justice au-delà de l'intérêt personnel* : Dalloz, Thèmes et commentaires, Actes, 2014.

(198) Cette action de groupe est régie par une trentaine d'articles intégrés au code de la consommation (C. consom., art. L. 423-1 à L. 423-26 et art. L. 211-15). L'action de groupe est limitée au préjudice subi par des consommateurs et repose sur une procédure simple réservée aux associations agréées de consommateurs.

(199) Cl. Campredon, *L'action collective ordinale* : *JCP* 1979, I, 2943.

(200) R. Vouin, *De la recevabilité de l'action « syndicale » des associations* : *JCP* 1955, I, 1207. – J. Audinet, *La protection judiciaire des fins poursuivies par les associations* : *RTD civ.* 1955, 213. – J. Larguier, *L'action publique menacée* : D. 1958, chron. 30. – L. Boré, *La défense des intérêts collectifs par les associations devant les juridictions administratives et judiciaires*, préf. G. Viney : LGDJ, 1977.

Cette situation aurait pu évoluer si on avait octroyé aux associations de consommateurs l'action de groupe connue aux États-Unis[201] ; il s'agit d'une action collective aboutissant à une condamnation en faveur de l'ensemble des consommateurs lésés, dont chacun pourrait individuellement recueillir le bénéfice. Certains en avaient émis le vœu[202] ; un projet de loi en ce sens avait été déposé devant le Parlement[203]. Finalement l'action de groupe a été consacrée par la loi Hamon du 17 mars 2014 aux articles L. 423-1 à L. 423-26 du Code de la consommation et à l'article L. 211-15 du Code de la consommation (V. *supra*, n° 224 et 598). On rappellera également que la loi du 18 janvier 1992 a institué au profit des associations de consommateurs une action en représentation conjointe[204] qui déroge à la règle que « nul ne plaide par procureur » (V. *supra*, n° 223).

599. – **Le préjudice environnemental.** Parmi les préjudices collectifs, il faut citer le préjudice « environnemental », c'est-à-dire résultant d'atteintes à l'environnement, ainsi que l'envisage la directive n° 2004/35/CE et la loi du 1er août 2008 relative à la responsabilité environnementale[205]. Il a été également dressé une nomenclature de ces préjudices environnementaux[206]. La chambre correctionnelle de la cour d'appel de Nouméa, dans un arrêt du 25 février 2014, s'inspire formellement de la Nomencature des préjudices environnementaux pour apprécier le préjudice écologique et le préjudice collectif[207].

Pour l'instant, la jurisprudence ne fournit que peu d'exemples de tels préjudices[208], mais la situation pourrait s'inverser avec la loi du 1er août 2008, alors surtout que la Charte de l'environnement adossée à la Constitution en 2005 édicte que « toute personne doit contribuer à la réparation des dommages qu'elle cause à l'en-

(201) C. Le Gallou, *Les* class actions *en droit américain* : *Rev. Lamy dr. civ.* nov. 2011, p. 69.

(202) R. et J. Martin, *L'action collective* : *JCP* 1984, I, 3162. – F. Caballero, *Plaidons par procureur ! De l'archaïsme procédural à l'action de groupe* : *RTD civ.* 1985, 247. – R. Martin, *Le recours collectif au Québec et prospective pour la France* : *JCP* 1986, I, 3255. – N.-J. Mazen, *Le recours collectif : réalité québécoise et projet français* : *RID comp.* 1987, 373.

(203) D. Mainguy, *À propos de l'introduction de la* class action *en droit français* : *D.* 2005, point de vue, p. 1282. – S. Guinchard, *Une class action à la française ?* : *D.* 2005, chron. 2180. – D. Mainguy et a., *L'introduction en droit français des class actions* : *LPA* 22 déc. 2005, p. 6. – V. Rapport sur l'action de groupe : *www.justice.gouv.fr/publicat/rapport/rapportactiondegroupe.pdf*.

(204) S. Guinchard, *L'action de groupe en procédure civile française* : *RID comp.* 1990, 599. – R. Martin, *L'action en représentation conjointe des consommateurs* : *JCP* 1994, I, 3756. – L. Boré, *L'action en représentation conjointe : class action française ou action mort-née ?* : *D.* 1995, chron. 267.

(205) I. Doussan, *Le droit de la responsabilité civile français à l'épreuve de la « responsabilité environnementale » instaurée par la directive du 21 avril 2004* : *LPA* 25 août 2005, p. 3. – G.-J. Martin, *Le préjudice écologique*, in *Trav. Assoc. H. Capitant*, 2004. – C. Hermont, *La réparation du dommage écologique. Les perspectives ouvertes par la directive du 21 avril 2004* : *AJDA* 2004, 1792. – L. Neyret, *La réparation des atteintes à l'environnement par le juge judiciaire* : *D.* 2008, chron. 170. – M. Boutonnet et L. Neyret, *Préjudice moral et atteinte à l'environnement* : *D.* 2010, chron. 912. – M.-P. Camproux-Duffrène, *Le contentieux de la réparation civile des atteintes à l'environnement après la loi du 1er août 2008 sur la responsabilité environnementale* : *Rev. Lamy dr. civ.* mai 2010, 57. – M. Bary, *Le droit à un environnement sain* : *Rev. Lamy dr. civ.* mai 2010, 65. – G. Godfrin, *Trouble de voisinage et responsabilité environnementale* : *Constr.-Urb.* 2010, étude 16. – C. Quezel-Ambrunaz, *L'exemple d'un modèle de responsabilité hybride : la responsabilité environnementale* : *Resp. civ. et assur.* févr. 2012, p. 60.

(206) L. Neyret et G.-J. Martin, *De la nomenclature des préjudices environnementaux* : *JCP* 2012, 567.

(207) CA Nouméa, ch. corr., 25 févr. 2014, n° 11/001187 : *JurisData* n° 2014-008164 ; *JCP G* n° 19, 12 mai 2014, 557, note M. Boutonnet.

(208) L. Neyret, *Naufrage de l'Érika : vers un droit commun de la réparation des atteintes à l'environnement* : *D.* 2008, chron. p. 2681. – Paris, pôle 4, ch. 11 E, 30 mars 2010 : *D.* 2010, act. 967, obs. S. Lavric. – V. Rebeyrol, *Où en est la réparation du préjudice écologique ?* : *D.* 2010, 1804. – L. Neyret, *L'affaire Erika : moteur d'évolution des responsabilités civile et pénale* : *D.* 2010, 2238. – M. Boutonnet, *La classification des catégories de préjudices à l'épreuve de l'arrêt Erika* : *Rev. Lamy dr. civ.* juill. 2010, p. 18. – C. Grare-Didier, *La responsabilité civile pour atteinte à l'environnement*, in *Le droit et l'environnement* : Dalloz, 2010, p. 149. Pour le droit américain, V. V. Rebeyrol, *La marée noire dans le golfe du Mexique : le temps du droit* : *JCP* 2011, 157.

vironnement » (art. 4). Un rapport « pour la réparation du préjudice écologique » présenté à la garde des sceaux le 17 septembre 2013 propose, d'ailleurs l'introduction dans le Code civil du préjudice écologique pur[209]. Selon le rapport le « préjudice écologique résulte d'une atteinte anormale aux éléments et aux fonctions des écosystèmes ainsi qu'aux bénéfices collectifs tirés par l'homme de l'environnement »[210]. Il faut avouer qu'il sera bien difficile de distinguer le préjudice écologique pur et le préjudice moral des associations[211].

600. – **Les préjudices réparables dans le Projet Catala.** Alors que le Code civil restait muet sur ce point, le Projet Catala définit le préjudice réparable dans ses articles 1343 à 1346[212]. Ce projet a beaucoup inspiré le projet de réforme de la responsabilité civile du 26 juillet 2012.

L'avant-projet pose tout d'abord le principe général qu'« est réparable tout préjudice certain consistant dans la lésion d'un intérêt licite, patrimonial ou extrapatrimonial, individuel ou collectif » (art. 1343)[213].

En visant le préjudice collectif, les rédacteurs du Projet entendent permettre l'indemnisation des dommages de masse, et notamment du préjudice écologique, mais ils ne se prononcent pas sur les modalités de l'action en responsabilité[214]. Cette disposition s'inscrit ainsi dans la logique du texte consacrant la responsabilité de plein droit de l'exploitant d'une activité anormalement dangereuse (art. 1362).

S'agissant du dommage corporel[215], si le Projet n'en fait pas mention dans l'article 1343, il lui consacre par la suite de nombreuses dispositions sous l'intitulé « Règles particulières à la réparation des préjudices résultant d'une atteinte à l'intégrité physique » (art. 1379 à 1379-8). Il en pose de manière détaillée les principes dans l'article 1379, en distinguant le préjudice direct du préjudice par ricochet.

La victime directe a droit :

- « à la réparation de ses préjudices économiques et professionnels correspondant notamment aux dépenses exposées et aux frais futurs, aux pertes de revenus et aux gains manqués ;
- ainsi qu'à la réparation de ses préjudices non économiques et personnels tels que le préjudice fonctionnel, les souffrances endurées, le préjudice esthétique, le préjudice spécifique d'agrément, le préjudice sexuel et le préjudice d'établissement ».

---

(209) G.-J. Martin, Le rapport « pour la réparation du préjudice écologique » présenté à la garde des sceaux le 17 septembre 2013 : *D.* 2013, p. 2347. – Adde, Fr. Rousseau, *Réflexion sur la répression civile des atteintes à l'environnement. – À propos du rapport remis au garde des sceaux le 17 septembre 2013 relatif à la réparation du préjudice écologique* : Environnement n° 3, mars 2014, étude 3. – M. Lucas, *Préjudice écologique et responsabilité. Pour l'introduction légale du préjudice écologique dans le droit de la responsabilité administrative* : Environnement n° 4, avril 2014, étude 6.

(210) Définition qui serait intégrée dans le Code civil, à l'instar de ce que proposait la proposition de loi du sénateur B. Retailleau déposée le 23 mai 2012.

(211) M. Bacache, *Quelle réparation pour le préjudice écologique ?* : Environnement n° 3, mars 2013, étude 10.

(212) Le projet Fr. Terré consacre une section IV intitulée « de la réparation » (art. 49 à 69).

(213) Le projet Fr. Terré propose une définition générale du dommage à l'article 8 : « Constitue un dommage toute atteinte certaine à un intérêt de la personne reconnu et protégé par le droit. L'atteinte à un intérêt collectif, telle l'atteinte à l'environnement, est réparable dans les cas et aux conditions déterminés par la loi ».

(214) V. en ce sens, *Avant-projet de réforme du droit des obligations et de la prescription*, La Documentation française, 2006, p. 173. – Pour une proposition, V. G. Viney, *Quelques propositions de réforme du droit de la responsabilité civile* : *D.* 2009, chron. 2944, III.

(215) C. Lienhard, *Réparation intégrale des préjudices en cas de dommage corporel : la nécessité d'un nouvel équilibre indemnitaire* : *D.* 2006, chron. p. 2485. Le projet Fr. Terré pose le principe d'une « barémisation » de la réparation des atteintes à l'intégrité physique ou psychique (art. 56).

Quant aux victimes par ricochet, elles « ont droit à la réparation de leurs préjudices économiques consistant en des frais divers et pertes de revenus ainsi que de leurs préjudices personnels d'affection et d'accompagnement ».

La consécration du dommage corporel emporte d'autres conséquences spécifiques. Ainsi,

• les clauses limitatives ou élusives de réparation sont nulles lorsque le dommage est corporel (art. 1382-1) ;

• la victime d'un tel dommage qui est partie à un contrat dispose d'un choix quant au fondement de son action (art. 1341, al. 2) (V. *supra*, n° 581) ;

• ou bien encore une faute grave de la victime sera exigée pour exonérer partiellement de sa responsabilité l'auteur d'un dommage corporel (art. 1351).

Par ailleurs, le Projet maintient la règle de l'article 1150 limitant la réparation en matière contractuelle au seul préjudice prévisible : « Sauf dol ou faute lourde de sa part, le débiteur n'est tenu de réparer que les conséquences de l'inexécution raisonnablement prévisibles lors de la formation du contrat. ».

Enfin, dans le droit fil de la disposition imposant à la victime une obligation de minimiser son dommage (art. 1373) (V. *infra*, n° 772), le Projet dispose que les dépenses exposées pour prévenir, éviter l'aggravation ou réduire les conséquences d'un dommage, constituent un préjudice réparable « dès lors qu'elles ont été raisonnablement engagées » (art. 1344).

§ 2. – Les caractères généraux du dommage réparable

601. – Préjudice direct. Énonçant les caractères généraux du dommage réparable, on dit souvent que, pour être réparable, le dommage doit être *direct*, et *certain*. À ces caractères, dont le premier est contesté, il faut ajouter que le dommage ne doit pas avoir été déjà réparé par une autre source juridique.

Quand on dit que le dommage doit être *direct*, cela signifie qu'il doit découler directement du fait dommageable. En définitive, ce n'est pas là une qualité particulière du préjudice, mais le rappel du *lien de causalité* qui doit exister entre la faute et le dommage (sur le lien de causalité, V. *infra*, n° 740)[(216)].

602. – Préjudice certain : le cas du préjudice futur. Le dommage doit être *certain*[(217)]. La condition est sans nul doute remplie lorsque le préjudice est actuel, déjà réalisé. À la certitude dans le présent peut être assimilée la certitude dans l'avenir : aussi répare-t-on le préjudice *futur* s'il apparaît comme la prolongation certaine et directe d'un état de choses actuel ; par exemple, en cas d'incapacité permanente d'un accidenté, on réparera tout de suite un préjudice – la perte de salaires – qui n'apparaîtra que mois après mois.

Au préjudice futur dont la réalisation à venir est certaine, on oppose le préjudice *éventuel*, c'est-à-dire de réalisation incertaine, qui ne sera réparé que s'il sur-

(216) A. Joly, *Essai sur la distinction du préjudice direct et du préjudice indirect* : thèse Caen, 1939. V. Cass. crim., 29 av. 2014, n° 13-80693, à propos du paiement des droits de mutation.

(217) Le dommage est certain même si la victime dispose contre un tiers d'une action susceptible d'assurer la réparation de son préjudice : Cass. 1re civ., 7 mai 2002 : *D.* 2003, 998 et note J. Fisher ; *JCP* 2003, I, 152, n° 20, obs. G. Viney.

vient effectivement. Par exemple, le propriétaire qui, pour l'entretien des câbles aériens qui traversent sa propriété, doit souffrir le passage des agents de l'EDF à époques régulières, éprouve un préjudice futur ; mais le risque de chute des câbles ou d'incendie est un préjudice seulement éventuel. En revanche, les dépenses destinées à prévenir un risque de dommages ou un danger sont en soi un préjudice certain[(218)].

Le Projet Catala admet également la réparation du préjudice futur « lorsqu'il est la prolongation certaine et directe d'un état des choses actuel » (art. 1345, al. 1)[(219)]. Mais, généralisant une solution jurisprudentielle admise au profit des victimes séropositives menacées par le sida[(220)], il étend la réparation au cas où « la certitude du préjudice dépend d'un évènement futur et incertain » ; en pareil cas, « le juge peut condamner immédiatement le responsable en subordonnant l'exécution de sa décision à la réalisation de cet évènement » (art. 1345, al. 2).

La question du préjudice futur soulève un problème particulièrement délicat en matière de responsabilité des constructeurs. En effet, suivant l'article 1792 du Code civil, les constructeurs sont tenus des dommages « qui compromettent la solidité de l'ouvrage ou qui, l'affectant dans l'un de ses éléments constitutifs ou l'un de ses éléments d'équipement, le rendent impropre à sa destination » ; et cette responsabilité est enfermée dans un délai de prescription de dix ans à compter de la réception de l'ouvrage. Que décider lorsque des désordres affectent l'ouvrage dans les dix ans (par exemple la dégradation des toitures ou des façades), mais vont se poursuivre au-delà, alors que la prescription sera acquise ? S'agissant de dommages évolutifs, la jurisprudence fait ici une subtile distinction : si les dommages revêtaient ou devaient à coup sûr revêtir dans les dix ans la gravité requise par l'article 1792, ils seront réparés y compris pour les désordres qui surviendront postérieurement à la prescription ; si, à l'inverse, les dommages ne revêtaient pas ou ne devaient pas revêtir dans les dix ans la gravité requise par l'article 1792, ils ne seront pas réparés au titre de ce texte[(221)], mais ils pourraient l'être en application de la responsabilité contractuelle de droit commun[(222)].

603. – **Préjudice certain : le cas de la perte d'une chance.** La jurisprudence considère comme un préjudice certain la *perte d'une chance*, car cette chance – de gagner un procès, de réussir un examen, d'enlever un marché, etc. – constitue à elle seule une valeur patrimoniale susceptible d'évaluation par un calcul de probabilités[(223)]. La première chambre civile de la Cour de cassation en a donné une

(218) Cass. 2e civ., 15 mai 2008 : *JCP* 2008, I, 186, n° 1, obs. Ph. Stoffel-Munck ; *RTD civ.* 2008, 679, obs. P. Jourdain, pour la mise en place d'une parade confortative afin de prévenir le risque d'éboulement d'une falaise dû à des travaux.

(219) Dans le même sens avec une formule identique, Projet de réforme du 26 juillet 2012 (art. 5).

(220) V. en ce sens, *Avant-projet de réforme du droit des obligations et de la prescription* : La Documentation française, 2006, p. 174.

(221) Rappr. Cass. 3e civ., 23 oct. 2013, n° 12-24201, FSP+B : *Constr.-Urb.*, n° 12, déc. 2013, comm. 174, obs. M.-L. Pagès de Varenne.

(222) Cass. 3e civ., 25 sept. et 23 oct. 2002 : *RD imm.* 2003, 87, obs. Ph. Malinvaud. – Cass. 3e civ., 3 déc. 2002 et 29 janv. 2003 (trois arrêts) : *RD imm.* 2003, 185, obs. Ph. Malinvaud ; *JCP* 2003, II, 10077, avis av. gén. D. Guérin ; *JCP* 2003, I, 152, n° 26, obs. G. Viney. Sur l'ensemble de la question, V. Ph. Malinvaud, in *Dalloz Action Droit de la construction*, 2013, n° 473-420 et n° 476-430. – Adde, Fr. Dieu, *Retour sur la jurisprudence récente relative à la garantie décennale des constructeurs* : *JCP* E, n° 26, 27 juin 2013, 1381.

(223) A. Bénabent, *La chance et le droit* : LGDJ, 1973. – M. Laroque, *La réparation de la perte de chances* : *Gaz. Pal.* 1985, doctr. 607.

définition en matière contractuelle : « seule constitue une perte de chance réparable, la disparition actuelle et certaine d'une éventualité favorable[(224)] » ; définition reprise ensuite en matière extracontractuelle[(225)].

Cette question de la perte d'une chance donne lieu à de très nombreux litiges. La jurisprudence a admis à ce titre la réparation de la perte d'une chance de survie découlant de l'insuffisance des soins donnés à un malade[(226)] ou de toute autre cause[(227)], de la perte d'une chance de gain aux courses à la suite d'une faute d'un jockey[(228)], de la perte d'une chance d'obtenir une aide alimentaire d'une victime qui aurait pu avoir un bel avenir[(229)], de la perte d'une chance de gagner un procès[(230)], perte de chance de mieux investir[(231)] et même la perte de chance de ne pas contracter[(232)].

À la perte d'une chance, la jurisprudence a récemment assimilé le risque de dommage[(233)], ce afin de pallier les incertitudes pesant sur l'existence du lien de causalité[(234)]. La perte d'une chance en cas de manquement du médecin à son obligation d'information peut également être analysée en ce sens. Le patient a perdu une chance d'éviter le risque réalisé. Elle est cependant exclue dans l'hypothèse où l'intervention chirurgicale était nécessaire et le refus du patient peu probable[(235)].

Bien évidemment, la réparation doit être mesurée à la chance perdue, même si elle est très faible[(236)], et non à l'avantage qu'aurait procuré cette chance[(237)] si elle s'était réalisée[(238)]. S'agissant par exemple de la perte d'une chance de réussite d'une

(224) Cass. 1re civ., 21 nov. 2006 : *Bull. civ.* 2006, I, n° 498 ; *JCP* 2006, IV, 3475 ; *JCP* 2007, I, 115, n° 2, obs. Ph. Stoffel-Munck ; *RDC* 2007, p. 266, obs. D. Mazeaud. – Cass. 1re civ., 22 mars 2012, n° 11-10935.

(225) Cass. 1re civ., 4 juin 2007 : *Bull. civ.* 2007 ; I, n° 217 ; *JCP* 2007, I, 185, n° 2, obs. Ph. Stoffel-Munck.

(226) F. Descorps Declère, *La cohérence de la jurisprudence de la Cour de cassation sur la perte de chance consécutive à une faute du médecin* : *D.* 2005, chron. 742. – Cass. 1re civ., 27 janv. 1970, 2 arrêts : *JCP* 1970, II, 16422, obs. A. Rabut. – Cass. 1re civ., 27 mars 1973 : *D.* 1973, 595 et note J. Penneau ; *JCP* 1974, II, 17643, 1re esp., obs. R. Savatier. – Cass. 1re civ., 2 mai 1978 : *JCP* 1978, II, 18966, obs. R. Savatier. – Cass. 1re civ., 8 janv. 1985 : *D.* 1986, 390, 1er esp. et note J. Penneau. – Cass. 1re civ., 7 juin 1989 : *D.* 1991, 158 et note J.-P. Couturier. – Cass. 1re civ., 10 juill. 2002 : *Bull. civ.* 2002, I, n° 197, p. 151.

(227) Cass. 1re civ., 14 oct. 2010 (au visa de l'article L. 1142-1, I, du Code de la santé publique) : *D.* 2010, 2682 et note P. Sargos ; *D.* 2011, 37, obs. O. Gout ; *RDC* 2011, 77, obs. J.-S. Borghetti.

(228) Cass. 2e civ., 25 janv. 1973 : *JCP* 1974, II, 17641, obs. A. Bénabent ; *D.* 1974, 230 et note P. Porcher.

(229) Cass. crim., 24 févr. 1970 : *JCP* 1970, II, 16456, obs. Ph. Le Tourneau. – Cass. crim., 23 nov. 1971 : *D.* 1972, 225 et rapp. P. Lecourtier. – Cass. 2e civ., 22 janv. 1975 : *Gaz. Pal.* 1975, 1, 373. – Cass. crim., 3 nov. 1983 : *JCP* 1985, II, 20360, 2e esp., obs. Y. Chartier.

(230) Cass. 1re civ., 18 oct. 1978 : *Gaz. Pal.* 1979, 1, 118 et note A. Damien. – Cass. 1re civ., 4 avr. 2001 : *JCP* 2001, II, 10640 et note C. Noblot. – Cass. 1re civ., 6 oct. 2011 : *JCP* 2011, 1380, note N. Gerbay ; *Gaz. Pal.* 9 févr. 2012, n° 40, p. 11, obs. M. Mekki.

(231) Cass. com., 4 févr. 2014, n° 13-10630.

(232) Cass. com., 20 oct. 2009 : *D.* 2009, 2607, obs. X. Delpech, et 2971, note D. Houtcieff ; *JCP* 2009, 422, obs. L. Dumoulin, et 482, note S. Piedelièvre ; *RDC* 2010, p. 610, obs. J.-S. Borghetti. – Cass. 3e civ., 3 déc. 2013, n° 12-23.918, *inédit : JurisData n° 2013-027983.*

(233) Cass. 1re civ., 14 janv. 2010 : *JCP* 2010, 413, note L. Rachel ; *Rev. Lamy dr. civ.* 2010, 19 et note Ph. Pierre, revenant sur Cass. 1re civ., 16 juin 1998 : *Bull. civ.* 1998, I, n° 216 ; *Contrats, conc. consom.* 1998, comm. 129, obs. L. Leveneur, qui y voyait un préjudice seulement éventuel. Rappr. Cass. 3e civ., 7 oct. 2009 : *RD imm.* 2009, 150, obs. Ph. Malinvaud ; *RDC* 2010, p. 605, obs. G. Viney.

(234) Cass. 1re civ., 28 janv. 2010 : *JCP* 2010, 474, note S. Hocquet-Berg ; *D.* 2010, 947 et note G. Maître ; *RTD civ.* 2010, 330, obs. crit. P. Jourdain. – Adde, à propos de l'erreur d'un diagnostiqueur immobilier, Cass. 1re civ., 20 mars 2013, n° 12-14.711, F-D, *Sté Covea Risks et a. c/ X : JurisData n° 2013-005187* ; *Contrats, conc. consom.* n° 6, juin 2013, comm. 127.

(235) Cass. 1re civ., 3 juin 2010, n° 09-13.591 : *D.* 2011, 35, obs. P. Brun et O. Gout ; *RTD civ.* 2010, 571, obs. P. Jourdain.

(236) Cass. 2e civ., 1er juill. 2010 : *RDC* 2011, 83, obs. S. Carval. Dans le même sens, Cass. 1re civ., 16 janv. 2013, n° 12-14439 ; *D.* 2013, p. 243 ; *Gaz. Pal.* 6 juin 2013, n° 157, p. 19, obs. M. Mekki ; RCA, avr. 2013, n° 4, comm. 108, obs. F. Leduc ; *Gaz. Pal.* 23 avr. 2013, p. 14, A. Guégan-Lécuyer ; *LPA* 28 mars 2013, p. 9, A. Bascoulergue ; *RTD civ.* 2013, p. 380, obs. P. Jourdain.

(237) Sur l'exclusion de la « perte de chance de vie », Cass. 2e civ., 18 avr. 2013, n° 12-18199, F-D et Cass. crim., 26 mars 2013, n° 12-82600, F-P+B : *Resp. civ. et assur.* n° 6, juin 2013, comm. 167, obs. L. Bloch.

(238) Cass. 1re civ., 15 janv. 2002 : *Contrats, conc. consom.* 2002, comm. 73, obs. L. Leveneur. – Cass. 1re civ., 9 avr. 2002 : *D.* 2002, inf. rap. 1469. – V. J. Boré, *L'indemnisation pour les chances perdues : une forme d'appréciation quantitative de la causalité d'un*

action en justice, le caractère réel et sérieux de la chance perdue doit s'apprécier au regard de la probabilité de succès de cette action[(239)]. Finalement, l'évaluation de la chance et par là même du dommage réparable relève de l'appréciation souveraine des juges du fond[(240)].

Ces solutions sont consacrées dans le Projet Catala qui prévoit l'indemnisation de la perte d'une chance, laquelle est soigneusement distinguée « de l'avantage qu'aurait procuré cette chance si elle s'était réalisée » (art. 1346)[(241)].

604. – **Préjudice légitime : de la légitimité à la licéité de l'intérêt lésé.** Cette condition a évolué dans le temps. Elle est apparue dans les années 1960 à propos de la concubine victime par ricochet d'un accident mortel survenu à son concubin, concubine dont l'action a longtemps été écartée au motif qu'elle ne justifiait pas « de la lésion d'un intérêt légitime juridiquement protégé »[(242)].

Tranchant l'opposition de jurisprudence entre la deuxième chambre civile et la chambre criminelle de la Cour de cassation, l'arrêt de la chambre mixte du 27 février 1970 a admis qu'une concubine puisse obtenir réparation en cas de décès accidentel de son concubin lorsque le concubinage « offrait des garanties de stabilité et ne présentait pas de caractère délictueux », c'est-à-dire n'impliquait pas d'adultère[(243)]. Par la suite la jurisprudence de la chambre criminelle a évolué dans le sens d'une prise en considération du dommage même en cas d'adultère[(244)], alors surtout qu'il n'est plus une infraction pénale depuis la loi du 11 juillet 1975.

La question de l'intérêt légitime ne se pose donc plus aujourd'hui pour la concubine. Mais, même s'il règne une grande incertitude en jurisprudence, la condition de légitimité n'a pas pour autant disparu ainsi qu'en témoigne un arrêt de la deuxième chambre civile du 24 janvier 2002. Dans cette espèce, relative à la réparation d'un accident de la circulation dont avait été victime une femme de ménage, la cour d'appel avait indemnisé la perte des revenus de la victime, y compris les heures de travail qu'elle accomplissait « au noir ». L'arrêt a été cassé, au visa de l'article 1382, au motif de principe suivant : « Attendu qu'une victime ne peut obtenir la réparation de la perte de ses rémunérations que si celles-ci sont licites »[(245)].

Il reste à définir le critère justifiant le refus de réparation. Ce critère semble tenir, non au simple fait que la victime serait en situation irrégulière ou se livrerait à une

---

fait dommageable : *JCP* 1974, I, 2620. – O. Deshayes, *Perte de chance ; dommage certain ; causalité ; déception* : *RDC* 2009, 1032. – Cass. 1re civ., 9 déc. 2010, 2e esp. : *RDC* 2011, 446, obs. O. Deshayes. – Cass. soc., 18 mai 2011 : *D.* 2011, 1955, note M. Robineau.

(239) Cass. 1re civ., 4 avr. 2001, préc. – Sur la position du Conseil d'État, V. CE, 5 juill. 2006, n° 275637, *Hudelot* : *JCP* 2007, I, 115, n° 3, obs. Ph. Stoffel-Munck.

(240) Cass. 1re civ., 10 juill. 2002 : *Bull. civ.* 2002, I, n° 197, p. 151.

(241) L'article 9 du Projet Fr. Terré semble plus restrictif (art. 9 : « L'interruption d'un processus à l'issue incertaine ne peut constituer un dommage que s'il existait des chances réelles et sérieuses qu'il aboutisse à un résultat favorable ».

(242) Sur l'approche de la responsabilité civile sous l'angle d'une hiérarchie entre les intérêts, Chr. Quézel-Ambrunaz : *RTD civ.* 2012, p. 251. – Rappr. du projet Fr. Terré qui aborde la responsabilité civile à l'aune d'une hiérarchie entre les intérêts.

(243) Cass. ch. mixte, 27 févr. 1970 : *D.* 1970, 201 et note R. Combaldieu ; *JCP* 1970, II, 19972, obs. Ph. Le Tourneau. – Cass. crim., 2 mars 1982 : *JCP* 1983, II, 19972, obs. Ph. Le Tourneau. Il y avait au contraire précarité en cas de pluralité de concubines (Cass. crim., 8 janv. 1985 : *JCP* 1986, II, 20588, obs. G. Endréo).

(244) Cass. crim., 20 avr. 1972 : *JCP* 1972, II, 17278, obs. J. Vidal. – Cass. crim., 14 juin 1973 : *D.* 1973, 585 et note P.M. – Cass. crim., 19 juin 1975 : *D.* 1975, 679 et note A. Tunc. – Paris, 10 nov. 1976 : *JCP* 1978, II, 18859, obs. R. Savatier ; *D.* 1978, 458 et note J. Bosquet-Denis.

(245) Cass. 2e civ., 24 janv. 2002 : *JCP* 2002, II, 10118 et note Ch. Boillot ; *D.* 2002, somm. 621 ; *Defrénois* 2002, 1, 786, art. 37558, obs. R. Libchaber ; *Dr. et patrimoine* 2002, n° 3061, p. 92, obs. F. Chabas ; *RTD civ.* 2002, 306, obs. P. Jourdain ; *JCP* 2003, I, 152, n° 22, obs. G. Viney. – Rappr. Cass. 2e civ., 27 mai 1999 : *RTD civ.* 1999, 637.

activité illicite au moment de l'accident, mais au lien existant entre cette situation irrégulière ou illicite et le préjudice subi.

Sont ainsi indemnisés les dommages corporels subis par un voyageur sans billet[(246)], du passager d'un véhicule volé[(247)], de la prostituée victime d'un accident sur son lieu de travail[(248)], ou du toxicomane blessé alors qu'il venait acheter sa drogue[(249)], parce qu'il n'y a pas de lien direct entre le dommage et l'activité irrégulière.

En revanche, ne sera pas indemnisée la privation de revenus tirés d'une activité illicite par un commerçant étranger en situation irrégulière expulsé par son bailleur[(250)], ou par un forain non autorisé empêché d'étaler son éventaire par le propriétaire d'un immeuble[(251)], ou par un joueur interdit de casino[(252)].

En exigeant la « lésion d'un intérêt licite » (art. 1343) et non plus celle d'un intérêt légitime, le Projet Catala consacre cette évolution de la jurisprudence[(253)].

605. – **Préjudice non déjà réparé.** Enfin, parce qu'on ne répare pas deux fois le même préjudice, le dommage ne doit pas avoir été déjà indemnisé par une autre source juridique. La situation se rencontre lorsque les conséquences d'un accident ont été, en tout ou en partie, couvertes par des prestations versées par l'État, les organismes de sécurité sociale ou les assurances.

En ce qui concerne l'État (pensions d'invalidité ou de retraite proportionnelle) ou la sécurité sociale (remboursements, rente d'accident du travail, capital décès), on admet qu'ils sont subrogés dans les droits de la victime à concurrence des prestations versées à titre indemnitaire. Suivant la jurisprudence, ce recours ne pouvait s'exercer que « dans les limites de la part d'indemnité qui répare l'atteinte à l'intégrité physique de la victime, à l'exclusion de celle, de caractère personnel, correspondant aux souffrances physiques ou morales par elle endurées et au préjudice esthétique et d'agrément »[(254)]. Modifiant cette règle jurisprudentielle, l'article 25 de la loi du 21 décembre 2006 décide que les recours des tiers payeurs « s'exercent poste par poste sur les seules indemnités qu'ils ont pris en charge, à l'exclusion des préjudices à caractère personnel[(255)] ». En toute hypothèse, la victime ne pourra pas cumuler les indemnités, et le responsable sera poursuivi par l'État ou l'organisme en paiement des prestations allouées, et par la victime pour le surplus du dommage non indemnisé par les prestations[(256)].

(246) Cass. 2e civ., 19 févr. 1992 : *JCP* 1993, II, 22170 et note Casile-Hugues.

(247) Cass. 1re civ., 17 nov. 1993 : *RTD civ.* 1994, 115.

(248) Cass. 2e civ., 7 juill. 1993 : *Resp. civ. et assur.* 1993, comm. 300.

(249) Cass. 2e civ., 2 févr. 1994 : *Resp. civ. et assur.* 1994, comm. 176.

(250) Cass. 2e civ., 30 janv. 1959 : *Bull. civ.* 1959, II, n° 116.

(251) Cass. 2e civ., 18 nov. 1959 : *Bull. civ.* 1959, II, n° 754.

(252) Cass. 2e civ., 22 févr. 2007 : *Bull. civ.* 2007, II, n° 49 ; *D.* 2007, 2709 et note C. Golhen ; *D.* 2007, act. jurispr. p. 798, obs. E. Pahlawan-Sentilhes ; *JCP* 2007, II, 10099 et note M. Brusorio-Aillaud ; *Contrats, conc., consom.* 2007, comm. 142, obs. L. Leveneur ; *JCP* 2007, I, 185, n° 1, obs. Ph. Stoffel-Munck ; *RTD civ.* 2007, 572, obs. P. Jourdain.

(253) Comp. « intérêt reconnu et protégé par le droit », article 8 du projet Fr. Terré. – Comp. « intérêt juridiquement protégé » de l'article 4 du projet de réforme de la responsabilité civile du 26 juillet 2012.

(254) Cass. ass. plén., 19 déc. 2003 : *JCP* 2004, II, 10008 et note P. Jourdain ; *D.* 2004, 161 et note Y. Lambert-Faivre.

(255) P. Jourdain, *La réforme des recours des tiers payeurs : des victimes favorisées* : *D.* 2007, chron. p. 454. – Ph. Casson, *Le recours des tiers payeurs : une réforme en demi-teinte* : *JCP* 2007, I, 144. Sur l'application dans le temps de cette disposition, V. Cass., avis, 29 oct. 2007 : *JCP* 2007, II, 10194 et note P. Jourdain.

(256) Cass. 2e civ., 13 janv. 2012 : *D.* 2012, 1051, note J. Bourdoiseau. Sur l'existence d'un principe de préférence de la victime lorsque la perte subie par la victime est supérieure à la dette du responsable, Cass. 2e civ., 24 sept. 2009, n° 08-14515 ; *RTD civ.* 2010, p. 122, obs. P. Jourdain. – Cass. 2e civ., 13 juin 2013, FS-P+B, n° 12-10145 ; *D.* 2013, 1547 ; *ibid.* 2058, chron. H. Adida-Canac, R. Salomon, L. Leroy-Gissinger et F. Renault-Malignac ; *ibid.* 2658, obs. M. Bacache, A. Guégan-Lécuyer et S. Porchy-Simon ; *RTD civ.* 2013, p. 348, obs. P. Jourdain.

En matière d'assurance, la règle est différente. Pour les *assurances de personnes*, la victime cumule le bénéfice de son assurance-vie ou de son assurance individuelle accident et l'indemnité due par le responsable. La subrogation de l'assureur dans les droits de la victime est ici interdite. Elle est au contraire licite, et même d'usage, pour les *assurances de choses* : lorsqu'une chose, assurée pour sa valeur, est détruite par la faute d'un tiers, le propriétaire sera indemnisé par son propre assureur, lequel se retournera contre le tiers responsable ou l'assureur de ce dernier.

SOUS-SECTION 2

LE FAIT DOMMAGEABLE

606. – **La notion de fait dommageable.** Tous les régimes de responsabilité civile, sur quelque texte qu'ils soient fondés, requièrent l'existence d'un dommage. Mais tous n'exigent pas vraiment une faute, avec toute la coloration morale dont ce mot demeure chargé dans notre langue. C'est pourquoi, sans qu'il soit besoin d'entrer dans la controverse relative au fondement de la responsabilité civile (faute ou risque ? V. *supra*, n°s 561 et s.), on a préféré employer le terme, plus neutre, de fait dommageable.

Ce fait est exigé pour que soit engagée tant la responsabilité contractuelle que celle délictuelle. Mais il n'a pas toujours la même définition. Suivant l'admirable formule de l'article 1384, alinéa 1er, du Code civil, « on est responsable non seulement du dommage que l'on cause par son propre fait, mais encore de celui qui est causé par le fait des personnes dont on doit répondre, ou des choses que l'on a sous sa garde ».

À la vérité, cette formule relative aux délits et quasi-délits ne peut être transposée telle quelle à la responsabilité contractuelle. Dans le cadre d'un contrat, on n'est responsable que de son propre fait, ou du fait des subordonnés ou des sous-traitants chargés d'exécuter le contrat, mais en principe pas du fait des choses qu'on a sous sa garde ; en pratique, cette différence est très estompée en raison des règles applicables à la preuve de la faute contractuelle.

Sous le bénéfice de cette observation, le fait dommageable sera envisagé dans ses divers aspects : le fait personnel, le fait d'autrui, le fait des choses. Le Projet Catala reprend ces trois faits générateurs de responsabilité auxquels il adjoint les troubles du voisinage (V. *infra*, n°s 611 et 688) et les activités dangereuses(257).

§ 1. – Le fait personnel : la faute

607. – **Présentation générale.** Dans notre droit positif, le fait personnel ne peut être que la faute(258). Cette responsabilité constitue aujourd'hui encore le droit

(257) Le projet de réforme de la responsabilité civile du 26 juillet 2012 évoque pour la responsabilité extracontractuelle la faute, le fait d'autrui puis il aborde les « principaux régimes spéciaux » au sein desquels figurent le fait des choses, les troubles anormaux de voisinage, le fait des véhicules terrestres à moteur et le fait des produits défectueux. – Comp. Projet Fr. Terré qui ajoute le fait de l'activité médicale (art. 43).

(258) O. Descamps, *Les origines de la responsabilité pour faute personnelle dans le Code civil de 1804* : LGDJ, coll. « Droit privé », 2005. – O. Descamps, *L'esprit de l'article 1382 du Code civil, ou de la consécration du principe général de responsabilité du fait personnel* : Droits 2005, n° 41, p. 91.

commun en matière délictuelle comme en matière contractuelle[(259)]. Mais ce droit commun est de plus en plus souvent battu en brèche par l'instauration de régimes spéciaux si bien qu'on a pu se demander si, du moins en matière extracontractuelle, l'application de l'article 1382 ne risquait pas d'être réduite à la portion congrue[(260)].

Art. 1147. – Le débiteur est condamné, s'il y a lieu, au payement de dommages et intérêts, soit à raison de l'inexécution de l'obligation, soit à raison du retard dans l'exécution, toutes les fois qu'il ne justifie pas que l'inexécution provient d'une cause étrangère qui ne peut lui être imputée, encore qu'il n'y ait aucune mauvaise foi de sa part.

Art. 1382. – Tout fait quelconque de l'homme, qui cause à autrui un dommage, oblige celui par la faute duquel il est arrivé, à le réparer.

On envisagera successivement la définition de la faute, puis ses variétés et sa preuve.

A. – Définition de la faute

608. – **Les deux éléments de la faute.** La loi n'ayant pas défini la faute, il appartient à l'interprète de le faire, de manière que chacun sache quels sont les actes susceptibles d'entraîner sa responsabilité. Malgré les incertitudes qui planent sur la notion de faute, on peut la cerner en distinguant en elle deux éléments, l'un objectif, l'autre subjectif.

1° L'élément objectif : le fait illicite[(261)]

609. – **Les critères de la faute.** La définition de cet élément objectif soulève des difficultés quasi insurmontables. À la vérité, il faut se méfier des formules qui ne fournissent pas de critère précis, et elles foisonnent dans cette matière, sans parvenir à y apporter toute la clarté désirable. Il faut peut-être en conclure qu'il n'y a pas de critère précis de la faute et que la marge d'appréciation laissée au juge est plus large ici qu'ailleurs.

Suivant les auteurs, la faute est définie comme un *fait illicite*, ou comme *la violation d'une obligation préexistante*, ou encore comme *une erreur de conduite*[(262)]. L'ambiguïté n'est pas pour autant levée. Qu'est-ce qu'un fait illicite ? Quelles sont les obligations préexistantes ? Quelle est la conduite de référence ? Dans l'absolu, la difficulté n'est pas résolue, mais reportée.

1) En pratique, ces définitions permettent dans la plupart des cas de décider s'il y a faute : en effet, le droit pose un grand nombre de règles de conduite et toute violation d'une règle constitue une faute.

Ainsi en est-il des règles contractuelles auxquelles les parties se sont volontairement soumises : il y a faute à ne pas respecter les engagements souscrits et les obligations qui en découlent. Sans doute les contrats ne prévoient-ils pas toutes les situations, mais ce n'est là qu'affaire d'interprétation (V. *supra*, n°s 423 et s.).

(259) G. Viney, *Pour ou contre un « principe général » de responsabilité civile pour faute ? Une question posée à propos de l'harmonisation des droits civils européens*, in *Mél. P. Catala* : Litec, 2001, p. 555. – F. Chabas, *L'article 1382 du Code civil peau de vair ou peau de chagrin*, in *Mél. J. Dupichot* : Bruylant, 2004.

(260) J. Traulle, *L'éviction de l'article 1382 du Code civil en matière extracontractuelle* : LGDJ, coll. « Droit privé », 2007, préf. P. Jourdain.

(261) P. Esmein, *La faute et sa place dans la responsabilité civile* : *RTD civ.* 1949, 481. – G. Marty, *Illicéité et responsabilité*, in *Mél. Julliot de la Morandière*, p. 339. – M. Puech, *L'illicéité dans la responsabilité civile extracontractuelle* : LDGJ, 1973.

(262) Rappr. Projet Fr. Terré, article 1 , alinéa 1er : « Constitue un délit civil tout dommage causé illicitement à autrui ».

Par ailleurs, de très nombreuses règles légales imposent des devoirs aux particuliers dans les domaines les plus divers. Peu importe que ces règles figurent dans des lois, des décrets ou des arrêtés. Toute violation d'un texte impératif est une faute susceptible d'engager la responsabilité de son auteur s'il en résulte un dommage. Cela vise toutes les lois pénales, les lois sociales, celles relatives à la constitution et au fonctionnement des sociétés, aux banques, à l'épargne publique, les règles en matière économique, etc., et, de la même manière, le Code de la route ou les multiples arrêtés municipaux.

Il existe aussi des règles coutumières, des usages professionnels ou commerciaux, des règles du jeu pour les sports[(263)], des règles de déontologie[(264)], de conscience, de loyauté, de bonnes mœurs[(265)], etc., auxquels chacun est tenu de se conformer.

2) Outre ces règles précises et faciles à connaître, on admet qu'existe dans notre droit un devoir général de ne pas nuire à autrui, sanctionné par l'article 1382 du Code civil.

Le soin de déterminer l'étendue de ce devoir appartient aux tribunaux qui disposent à cet égard d'un large pouvoir d'appréciation pour décider s'il y a faute. En pratique, il n'est pas toujours aisé de tracer la frontière entre le licite et l'illicite. Par exemple la publicité faite pour un dentifrice a été considérée comme licite alors qu'elle mentionnait le pouvoir détachant de ce dentifrice à l'égard d'un certain produit alimentaire, la cour ayant considéré qu'il n'y avait pas là dénigrement dudit produit alimentaire, mais simple information objective[(266)]. En revanche, le *parasitisme économique*, et notamment le fait pour un fabricant d'imiter ou de copier un objet non protégé par un droit de propriété intellectuelle, ou une marque, est constitutif d'une faute[(267)].

Par ailleurs, la jurisprudence considère que les abus de la liberté d'expression prévus et réprimés par la loi du 29 juillet 1881 sur la liberté de la presse, ne peuvent être réparés sur le fondement de l'article 1382 du Code civil[(268)] ; cette solution, que

(263) V. par ex. pour le karaté, Cass. 2e civ., 23 sept. 2004 : *D.* 2005, 551 et note B. Brignon. Mais l'appréciation de l'arbitre ne lie pas le juge : Cass. 2e civ., 10 juin 2004 : *JCP* 2004, II, 10175 et note F. Buy ; *RTD civ.* 2005, 137, obs. P. Jourdain (pour le polo).

(264) Sur le point de savoir si le manquement à une règle déontologique constitue une faute civile, V. J. Moret-Bailly, *Règles déontologiques et fautes civiles : D.* 2002, chron. 2820. La Chambre commerciale par un arrêt du 10 septembre 2013, opérant un revirement de jurisprudence, consacre l'autonomie de la faute civile et de la règle déontologique : la violation d'une règle déontologique ne constitue pas nécessairement un acte de concurrence déloyale, Cass. com., 10 sept. 2013, n° 12-19.356, FS-P+B+R, *SARL Gescore c/ O.* : JurisData n° 2013-018905 ; *JCP* E n° 49, 5 déc. 2013, 1676, obs. J.- M. Brigant ; *Contrats, conc. consom.* n° 11, nov. 2013, obs. M. Malaurie-Vignal. Sur la jurisprudence antérieure, V. Cass. com., 12 juill. 2011 : *D.* 2011, 2782, note A. Robert.

(265) Il a toutefois été jugé que le seul fait d'entretenir une liaison avec un homme marié ne constituait pas une faute de nature à engager la responsabilité de son auteur à l'égard de l'épouse ; mais il pourrait en aller différemment dans le cas où l'amante aurait par ses manœuvres détourné le mari de son épouse ou aurait créé du scandale (Cass. 2e civ., 5 juill. 2001 : *JCP* 2001, IV, 2624).

(266) Cass. com., 15 janv. 2002 : *Bull. civ.* 2002, IV, n° 9 ; *JCP* 2002, I, 186, n° 14, obs. G. Viney. Si en revanche le produit mis en cause avait été un produit concurrent, par exemple un autre dentifrice, la question aurait été réglée par application des règles sur la publicité comparative.

(267) Cass. com., 30 janv. 1996 : *D.* 1997, 232 et note Y. Serra. – Cass. com., 30 janv. 2001 : *Bull. civ.* 2001, IV, n° 27 ; *JCP* 2001, I, 340, n° 29, obs. G. Viney, cassant Paris, 18 oct. 2000 : *D.* 2001, 850 et note J. Passa. – V. en faveur de la responsabilité : Ph. Le Tourneau, *Le parasitisme* : Litec, 1998. – *Retour sur le parasitisme* : *D.* 2000, chron. 403. – C. Hueber et S. Binn, *Comment sauver la théorie du parasitisme : Contrats, conc. consom.* 2000, chron. 13. – Ph. Le Tourneau, *Le bon vent du parasitisme : Contrats, conc. consom.* 2001, chron. 1 ; *Peut-on entonner le requiem du parasitisme ? : D.* 2001, chron. 1226. – V. en sens contraire : J. Passa, *Propos dissidents sur la sanction du parasitisme économique : D.* 2000, chron. 297. – Pour l'imitation d'une marque, V. Cass. com., 11 mars 2003 : *JCP* 2004, II, 10034 et note O. Debat. Sur le détournement d'un savoir-faire singulier et confidentiel constitutif d'une faute, Cass. com., 10 sept. 2013, n° 12-20.933, F-D, *Sté Serop Concept c/ Charroux* : JurisData n° 2013-018951 ; *Contrats, conc. consom.* n° 12, déc. 2013, comm. 263, obs. M. Malaurie-Vignal.

(268) Cass. ass. plén., 12 juill. 2000 : *Bull. civ.* 2000, ass. plén., n° 8. – Cass. 2e civ., 23 janv. 2003 : *Bull. civ.* 2003, II, n° 16, p. 13. – Cass. 2e civ., 6 févr. 2003 : *Bull. civ.* 2003, II, n° 32, p. 29. – Cass. 2e civ., 9 oct. 2003 : *D.* 2004, p. 590 et note E. Dreyer. –

la jurisprudence interprète de manière restrictive(269), a suscité de nombreuses critiques mais aussi quelques approbations(270). Il a en revanche été jugé que ces abus peuvent être poursuivis sur le fondement de l'article 9 du Code civil relatif à la protection de la vie privée(271), ou encore sur celui de l'article 9-1 du Code civil en ce qui concerne les atteintes à la présomption d'innocence(272).

Le Projet Catala consacre cette dualité de la faute(273). En effet, après avoir rappelé que « toute faute oblige son auteur à réparer le dommage qu'il a causé », ce qui semble inclure la faute de commission comme celle d'omission, l'article 1352 définit la faute de manière duale comme « la violation d'une règle de conduite imposée par une loi ou un règlement ou le manquement au devoir général de prudence et de diligence »(274).

610. – L'abus du droit. Enfin, il peut même y avoir faute dans l'exercice d'un droit, lorsqu'il y a *abus du droit*(275).

En effet, bien qu'il n'y ait aucun texte sur cette question, la jurisprudence considère que, si quelques rares droits sont discrétionnaires(276), d'autres plus nombreux ne

---

Cass. 2e civ., 13 nov. 2003 : *Bull. civ.* 2003, II, n° 334, p. 272. – Cass. 2e civ., 20 nov. 2003 : *Bull. civ.* 2003, II, n° 347, p. 283. – Cass. 2e civ., 10 mars 2004 : *D.* 2004, inf. rap. 925. – Cass. 1re civ., 27 sept. 2005 : *Bull. civ.* 2005, I, n° 348 ; *D.* 2006, p. 485 et note Th. Hassler ; *D.* 2006, p. 768 et note G. Lécuyer ; *RTD civ.* 2006, p. 126, obs. P. Jourdain. – Cass. 1re civ., 29 nov. 2005 : *Bull. civ.* 2005, I, n° 453. – Cass. 1re civ., 7 févr. 2006 : *Bull. civ.* 2006, I, n° 57. – Cass. 1re civ., 12 déc. 2006 : *D.* 2007, p. 541 et note crit. E. Dreyer. – Cass. 1re civ., 25 janv. 2007 : *Bull. civ.* 2007, I, n° 19 ; *RTD civ.* 2007, 354, obs. P. Jourdain. – Adde, Cass. 1re civ., 16 oct. 2013, n° 12-21309 : *JurisData* n° 2013-022845 et n° 12-26696. – Cass. 1re civ., 22 janv. 2014, n° 12-35264, publié au Bulletin, qui se fonde sur l'article 10 de la Conv. EDH. – Mais, V. plus en retrait : Cass. 1re civ., 30 oct. 2008 : *Bull. civ.* 2008, I, n° 244 ; *JCP* 2008, II, 10006 et note E. Dreyer ; *RTD civ.* 2009, 331, obs. P. Jourdain. – V. G. Lécuyer, *Liberté d'expression et responsabilité* : Dalloz, coll. « Bibl. thèses », 2006, préf. L. Cadiet. – E. Dreyer, *Disparition de la responsabilité civile en matière de presse* : *D.* 2006, chron. p. 1337. – G. Viney, *Le particularisme des relations entre le civil et le pénal en cas d'abus de la liberté d'expression*, in *Mél. B. Bouloc* : Dalloz, 2006, p. 1187. – E. Dreyer, *Où va la Cour de cassation en matière de presse ?* : *JCP* 2010, 833.

(269) Par exemple il a été jugé qu'elle ne s'applique qu'en cas d'atteintes aux personnes, pas en cas de critiques de produits ou de services : Cass. 1re civ., 8 avr. 2008 : *JCP* 2008, II, 10106 et note C. Hugon. – Cass. com., 8 avr. 2008 : *RTD civ.* 2008, 487, obs. P. Jourdain. – Comp. Cass. 1re civ., 27 nov. 2013, n° 12-24.651, P+B+I, M. X. : *JurisData* n° 2013-027337 ; *Gaz. Pal.* 23 janv. 2014, n° 23, p. 17, obs. A. Guegan-Lécuyer : dénigrement de produits et abus dans l'exercice de la liberté d'expression sanctionné sur le fondement de l'article 10 de la Conv. EDH et non sur celui de l'article 1382 du C. civ.

(270) B. de Lamy, *Les tribulations de l'article 1382 du Code civil au pays de la liberté d'expression*, in *Mél. Ph. Le Tourneau* : Dalloz, 2007, p. 275.

(271) Cass. 1re civ., 7 févr. 2006 : *Bull. civ.* 2006, I, n° 59. – Cass. 1re civ., 20 mars 2007 : *D.* 2007, act. jurispr. p. 1023 ; *JCP* 2007, IV, n° 1861.

(272) Cass. 1re civ., 20 mars 2007 (2 arrêts) : *JCP* 2007, II, 10141 et note E. Derieux. – Cass. 1re civ., 28 juin 2007 : *Bull. civ.* 2007, I, n° 247.

(273) F. Leduc, *La responsabilité du fait personnel – La responsabilité du fait des choses*, in *L'avant-projet de réforme du droit de la responsabilité – Actes du colloque du 12 mai 2006* : *RDC* 2007, p. 67, et éd. Le Manuscrit, p. 123. – F. Chabas, *Observations sur les dispositions du projet portant sur la responsabilité du fait personnel et du fait des choses*, in *L'avant-projet de réforme du droit de la responsabilité. – Actes du colloque du 12 mai 2006* : *RDC* 2007, p. 73, et éd. Le Manuscrit, p. 135. – C. Radé, *L'avant-projet de réforme du droit des obligations dans ses dispositions relatives à la responsabilité du fait personnel et du fait des choses. Brefs propos sur une réforme en demi-teinte*, in *L'avant-projet de réforme du droit de la responsabilité – Actes du colloque du 12 mai 2006* : *RDC* 2007, p. 77, et éd. Le Manuscrit, p. 141.

(274) L'article 10 du projet de réforme de la responsabilité civile du 26 juillet 2012 reprend mot pour mot cette définition. Dans le même esprit V. art. 5 du projet Fr. Terré : « Un fait est illicite quand il contrevient à une règle de conduite imposée par la loi ou par le devoir général de prudence et de diligence ».

(275) J. Charmont, *L'abus du droit* : *RTD civ.* 1902, 113. – H. Capitant, *Sur l'abus du droit* : *RTD civ.* 1928, 365. – L. Josserand, *De l'esprit des droits et de leur relativité (théorie dite de l'abus des droits)*, 1929. – G. Ripert, *Abus ou relativité des droits* : *Rev. crit. lég. et jurispr.* 1929, 33. – H. de la Massüe, *Responsabilité contractuelle et responsabilité délictuelle sous la notion de l'abus de droit* : *RTD civ.* 1948, 27. – A. Pirovano, *La fonction sociale des droits : réflexions sur le destin des théories de Josserand* : *D.* 1972, chron. 67. – Rotondi, *Le rôle de la notion de l'abus du droit* : *RTD civ.* 1980, 66. – J. Karila de Van, *Le droit de nuire* : *RTD civ.* 1995, 533. – R. Nicoleta Ionescu, L'abus de droit de l'Union européenne : Bruylant, 2012.

(276) A. Rouast, *Les droits discrétionnaires et les droits contrôlés* : *RTD civ.* 1944, 1. – D. Roets, *Les droits discrétionnaires : une catégorie juridique en voie de disparition ?* : *D.* 1997, doctr. 92.

sont que relatifs et donc susceptibles d'abus. Tel est le cas du droit de propriété[277], du droit d'ester en justice[278], du droit de ne pas contracter, du droit de résilier un contrat à durée indéterminée (V. *supra*, n° 451), du droit de rompre un contrat de concession[279] et même du droit d'exiger la stricte exécution du contrat[280].

Reste à déterminer à quel moment l'exercice d'un droit cesse d'être légitime pour devenir abusif ; car il ne suffit pas, pour engager la responsabilité, que l'exercice d'un droit entraîne un dommage : encore faut-il que cet exercice soit fautif.

La faute est patente si le droit a été exercé dans le seul but de nuire à autrui ; c'est ce que rappelle l'article 535 de la proposition de réforme du droit des biens à propos du droit de propriété que « nul ne peut exercer (...) dans l'intention de nuire à autrui ». L'hypothèse est fréquente en ce qui concerne la propriété, par exemple constructions ou plantations destinées à gêner les voisins, la preuve de l'intention de nuire résultant de l'inutilité pour le propriétaire des travaux accomplis ; de même en ce qui concerne le droit de résiliation d'un contrat de travail exercé à tort pour des motifs politiques ou syndicaux, ou celui d'ester en justice.

Dans d'autres hypothèses, la jurisprudence se contente d'une faute, même d'imprudence, dans l'exercice d'un droit pour engager la responsabilité de son auteur : ainsi le fait de résilier à contretemps un contrat de travail ou un contrat de société à durée indéterminée.

611. – La théorie des troubles de voisinage. Il faut rappeler ici qu'en dehors de toute idée de faute, celui qui cause à ses voisins un trouble (bruits, odeurs, etc.) excédant la mesure des *obligations ordinaires du voisinage* doit le faire cesser ou le réparer ; cette jurisprudence trouve bien souvent application en matière d'entreprises industrielles et commerciales et en matière de construction[281].

(277) R. Martin, *De l'usage des droits et particulièrement du droit de propriété* : *RTD civ.* 1975, 52. – Cass. req., 3 août 1915 : *D.* 1917, 1, 79. – Cass. 1re civ., 20 janv. 1964 : *D.* 1964, 518. – TGI Paris, 6 févr. 1976 : *D.* 1976, 459 et note G. Liet-Veaux.

(278) R. Martin, *De l'abus du droit d'action à l'article 700 du nouveau Code de procédure civile* : *JCP* 1976, IV, 287. – J. Viatte, *L'amende civile pour abus du droit de plaider* : *Gaz. Pal.* 1978, 1, doctr. 305. – Y. Desdevises, *L'abus du droit d'agir en justice avec succès* : *D.* 1979, chron. 21. – F.-J. et M. Pansier, *Abus de procédure, Nouveau Code de procédure civile, article 700, et référé* : *JCP* 1983, I, 3105. – M. Raimon, *L'abus du droit d'action dans les litiges internationaux* : *JCP* 2000, I, 256. – Cass. crim., 13 nov. 1969 : *D.* 1970, 208 ; *JCP* 1970, II, 16292, obs. P. Chambon.

(279) Cass. com., 8 oct. 2013, n° 12-22952 : *D.* 2013, 2617, note D. Mazeaud ; *D.* 2014, Panorama, p. 638, obs. S. Amrani-Mekki et M. Mekki ; *Gaz. Pal.* 23 janv. 2014, n° 23, p. 13, obs. S. Gerry-Vernières.

(280) J. Ghestin, *L'abus dans les contrats* : *Gaz. Pal.* 20 août 1981. – P. Stoffel-Munck, *L'abus dans le contrat, Essai d'une théorie* : LGDJ, 2000, préf. R. Bout. – A. Karimi, *Les clauses abusives et l'abus du droit* : LGDJ, 2001, préf. Ph. Simler. – Cass. 3e civ., 12 oct. 1971 : *JCP* 1972, II, 16966. – Paris, 27 sept. 1977 : *D.* 1978, 690 et note H. Souleau. – V. aussi Cass. 2e civ., 13 déc. 1972 : *D.* 1973, 493 et note Ch. Larroumet. – À propos de l'obligation pour les pompistes de restituer en nature les cuves fournies par les pétroliers, V. Cass. com., 22 juill. et 18 déc. 1986, 6 janv. et 10 févr. 1987 : *D.* 1988, somm. 21 et note D. Ferrier. – Paris, 5e ch. B, 13 mai 1987 : *D.* 1987, inf. rap. 149. – Paris, 1re ch. A, 5 mai 1988 : *Gaz. Pal.* 1988, 2, 578, note O. Douvreleur et J.-P. Marchi.

(281) C.-P. Yocas, *Les troubles de voisinage* : thèse Paris, 1964. – J.-B. Blaise, *Responsabilité et obligations coutumières dans les rapports de voisinage* : *RTD civ.* 1965, 261. – J.-P. Théron, *Responsabilité pour trouble anormal de voisinage en droit public et en droit privé* : *JCP* 1976, I, 2802. – M.-F. Nicolas, *La protection du voisinage* : *RTD civ.* 1976, 675. – F. Caballero, *Essai sur la notion juridique de nuisance* : LGDJ, 1981. – M.-C. Lambert-Pieri, *Construction immobilière et dommages aux voisins* : Économica, 1982. – R. Mevoungou Nsana, *Le préjudice causé par un ouvrage immobilier : réparation en nature ou par équivalent ?* : *RTD civ.* 1995, 733. – A. Lepage, *Le voisinage* : *Defrénois* 1999, 1, 257, art. 36943. – F. Chenot, *La protection contre les troubles de voisinage en droit privé* : thèse Poitiers, 1999. – V. Jaworski, *Les bruits de voisinage* : LGDJ, 2004, préf. M.-J. Littmann-Martin et G. Wiederkehr. – V. Aix, 17 févr. 1966 : *D.* 1966, 281 et note F. Derrida, et, sur pourvoi, Cass. 2e civ., 8 mai 1968 : *JCP* 1968, II, 15595, obs. M. de Juglart et E. du Pontavice (rendu à propos de l'aéroport de Nice). – CE, 10 janv. 1969 : *Gaz. Pal.* 1969, 2, 161. – Cass. 2e civ., 30 mai 1969 : *JCP* 1969, II, 16069, obs. L. Mourgeon. – Cass. 3e civ., 4 févr. 1971 : *JCP* 1971, II, 16781, 1re esp., obs. R. Lindon.

Depuis un arrêt du 13 novembre 1986[282], les décisions en la matière ne sont plus rendues sous le visa de l'article 1382 comme elles l'étaient initialement, mais sous celui d'un nouveau principe général du droit selon lequel « Nul ne doit causer à autrui un trouble anormal de voisinage. » Il s'agit donc désormais d'une source autonome de responsabilité qui repose sur la *théorie des troubles de voisinage*[283].

Débordant le domaine habituel des troubles de voisinage, certaines juridictions du fond en ont fait application en cas de simple risque de trouble, risque certain de trouble[284] voire risque incertain de trouble représenté par la présence proche d'antennes de téléphonie mobile[285], extension aujourd'hui remise en cause par le tribunal des conflits (V. *supra*, n° 565).

La théorie des troubles de voisinage est ainsi une limitation apportée au droit de propriété tel que défini par l'article 544 du Code civil et protégé par l'article 1 du Premier protocole additionnel à la Convention européenne des droits de l'homme ; mais il a été jugé que cette restriction ne constituait pas une atteinte disproportionnée au droit protégé par ladite Convention[286].

Prenant acte de cette évolution jurisprudentielle, l'avant-projet de réforme du droit des obligations présente le trouble de voisinage comme une source de responsabilité autonome : « Le propriétaire, le détenteur ou l'exploitant d'un fonds, qui provoque un trouble excédant les inconvénients normaux du voisinage, est de plein droit responsable des conséquences de ce trouble » (art. 1361)[287]. Il en va de même de la proposition de réforme du droit des biens qui pose en règle le principe jurisprudentiel : « Nul ne doit causer à autrui un trouble excédant les inconvénients normaux du voisinage » (art. 629). Ce faisant, ces travaux consacrent les solutions jurisprudentielles, mais à l'exclusion toutefois de la solution de la troisième chambre civile de la Cour de cassation suivant laquelle l'entrepreneur, considéré comme un voisin occasionnel, est responsable des dommages causés aux voisins du maître de l'ouvrage[288] (en ce sens, V. art. 630).

2° L'élément subjectif : l'imputabilité[289]

612. - **Nécessité de l'élément subjectif ?** Dans l'opinion générale, un fait illicite ne suffit pas à constituer une faute ; il faut en outre qu'il soit imputable à son auteur.

(282) Cass. 3e civ., 13 nov. 1986 : *Bull. civ.* 1986, III, n° 172. – Cass. 3e civ., 28 juin 1995 : *Bull. civ.* 1995, III, n° 222. – Cass. 1re civ., 18 sept. 2002 : *RD imm.* 2003, 96, obs. Ph. Malinvaud.

(283) Sur ce débat, F. Rouvière, *La pseudo-autonomie des troubles anormaux de voisinage*, in *Ph. Tricoire (dir.), Variations sur le thème du voisinage* : PUAM, 2012, p. 73 et s.

(284) Cass. 2e civ., 24 févr. 2005, n° 04-10362. – Cass. 2e civ., 10 juin 2004 : *Bull. civ.* 2004, II, n° 291 ; *RTD civ.* 2004, p. 738, obs. P. Jourdain.

(285) CA Versailles, 4 févr. 2009 : *Resp. civ. et assur.* 2009, comm. 75, obs. G. Courtieu ; *RTD civ.* 2009, 327, obs. P. Jourdain.

(286) Cass. 2e civ., 23 oct. 2003 : *Bull. civ.* 2003, II, n° 318, p. 258 ; *JCP* 2004, I, 125, n° 2, obs. H. Périnet-Marquet. – H. Boucard, *Troubles anormaux de voisinage et Convention européenne des droits de l'homme* : *AJDI* 2004, 189.

(287) Rappr. Projet Fr. Terré, article 24 : « Le propriétaire, le détenteur, l'occupant ou l'exploitant d'un fonds à l'origine d'un trouble de voisinage répond du dommage excédant les inconvénients normaux du voisinage ».

(288) P. Villien, *Vers une unification des régimes de responsabilité en matière de troubles de voisinage dans la construction immobilière* : *RD imm.* 2000, 275. – Ph. Malinvaud, *Les dommages aux voisins dus aux opérations de construction* : *RD imm.* 2001, 479. – Ph. Malinvaud, *La responsabilité du maître de l'ouvrage à l'égard des voisins* : *RD imm.* 2002, p. 492. – H. Périnet-Marquet, *Remarques sur l'extension du champ d'application de la théorie des troubles de voisinage* : *RD imm.* 2005, p. 161. – Ph. Malinvaud, *Vers un nouveau régime de la responsabilité des constructeurs pour trouble de voisinage* : *RD imm.* 2006, p. 251. – V. aussi Ph. Malinvaud, in *Dalloz Action Droit de la construction*, 2014/2015, nos 477-330 et s.

(289) P. Jourdain, *Recherche sur l'imputabilité en matière de responsabilité civile et pénale* : thèse Paris II, 1982. – H. Mazeaud, *La « faute objective » et la responsabilité sans faute* : *D.* 1985, chron. 13.

Cette imputabilité suppose en principe chez l'auteur du dommage *la conscience et la liberté de ses actes*, car on ne saurait reprocher à quelqu'un un comportement inconscient ou auquel il a été contraint.

En fait, cette conception de la faute, qui est celle de la morale, est largement démentie sur le premier point (la conscience) par le droit positif français ; mais elle subsiste sur le second.

613. - **Responsabilité des déments.** La *conscience* de ses actes n'est pas nécessaire pour engager sa responsabilité.

L'article 489-2 du Code civil, dû à la loi du 3 janvier 1968, le proclamait expressément pour les déments(290) ; la règle est aujourd'hui reprise à l'identique dans l'article 414-3 (L. 5 mars 2007).

Art. 414-3. - Celui qui a causé un dommage à autrui alors qu'il était sous l'empire d'un trouble mental, n'en est pas moins obligé à réparation.

Ce texte fait peser sur ces personnes ce qu'on appelle volontiers une responsabilité objective, dénuée de tout fondement moral et qui, en pratique, oblige l'entourage à contracter au nom du dément une assurance de responsabilité. La jurisprudence a été amenée à préciser que l'article 489-2 n'instituait aucune responsabilité nouvelle et qu'il s'appliquait en conséquence à toutes les responsabilités relevant des articles 1382 et suivants du Code civil(291).

614. - **La responsabilité de l'*infans*.** En l'absence de texte, la solution était discutée pour les enfants en bas âge qui causent des dommages aux tiers, en dehors de tout contrat bien entendu. La jurisprudence était hostile à la responsabilité de l'*infans* sans discernement et elle avait refusé d'étendre l'application de l'article 489-2 à cette hypothèse. Cette solution a été renversée par la Cour de cassation qui, dans cinq arrêts rendus en assemblée plénière le 9 mai 1984, a décidé que l'*infans* pouvait commettre une faute, ou être gardien d'une chose, même en l'absence de discernement(292). C'est dire qu'il n'est nul besoin d'avoir conscience de ses actes pour engager sa responsabilité ; la faute devient alors une notion objective, et s'apprécie par référence au comportement d'un homme normal. Il serait souhaitable que cette responsabilité, qui peut s'avérer extrêmement lourde, soit couverte par un système

(290) R. Savatier, *Le risque, pour l'homme, de perdre l'esprit et ses conséquences en droit civil* : D. 1968, chron. 109. – J.-J. Burst, *La réforme du droit des incapables majeurs et ses conséquences sur le droit de la responsabilité civile extracontractuelle* : JCP 1970, I, 2307. – G. Viney, *Réflexions sur l'article 489-2 du Code civil* : *RTD civ.* 1970, 251. – N. Gomaa, *La réparation du préjudice causé par les malades mentaux* : *RTD civ.* 1971, 29. – Ph. Le Tourneau, *La responsabilité civile des personnes atteintes d'un trouble mental* : JCP 1971, I, 2401. – J.-F. Barbièri, *Inconscience et responsabilité dans la jurisprudence civile : l'incidence de l'article 489-2 du Code civil après une décennie* : JCP 1982, I, 3057. – M. Daury-Fauveau, *Trouble mental et responsabilité : la faute de l'aliéné et le contrat* : JCP 1998, I, 160.

(291) Cass. 1re civ., 20 juill. 1976 : *JCP* 1978, II, 18793, 1re esp., obs. N. Dejean de la Bâtie. – Cass. 2e civ., 4 mai 1977 : *D.* 1978, 393 et note R. Legeais. – Cass. 2e civ., 21 avr. 1982 : *D.* 1982, 403 et note Ch. Larroumet. – Cass. 1re civ., 17 mai 1982 : *Gaz. Pal.* 12 avr. 1983, note P. Jourdain. – Cass. 1re civ., 9 nov. 1983 : *D.* 1984, 139 et note F. Derrida ; *JCP* 1984, II, 20316, obs. P. Jourdain. – Cass. 2e civ., 24 juin 1987 : *JCP* 1987, IV, 304.

(292) Cass. ass. plén., 9 mai 1984, 5 arrêts : *D.* 1984, 525, concl. Cabannes et note F. Chabas ; *JCP* 1984, II, 20255 et obs. N. Dejean de la Bâtie, 20256 et obs. P. Jourdain, 20291 et rapp. Fedou ; *RTD civ.* 1984, 508, obs. J. Huet. – R. Legeais, *Un gardien sans discernement. Progrès ou régression dans le droit de la responsabilité civile ?* : *D.* 1984, chron. 237. – H. Mazeaud, *La « faute objective » et la responsabilité sans faute* : *D.* 1985, chron. 13. – G. Viney, *La réparation des dommages causés sous l'empire d'un état d'inconscience : un transfert nécessaire de la responsabilité vers l'assurance* : *JCP* 1985, I, 3189. – R. Legeais, *Responsabilité civile des enfants et responsabilité civile des parents* : *Defrénois* 1985, 1, 557, art. 33508. – F. Alt- Maes, *Les nouveaux droits reconnus à la victime d'un mineur* : *JCP* 1992, I, 3627. – R. Legeais, *Le mineur et la responsabilité civile. À la recherche de la véritable portée des arrêts de l'assemblée plénière du 9 mai 1984*, in *Mél. Cornu*, p. 253.

d'assurance de manière à ne pas obérer l'avenir de l'*infans* tenu responsable. Il serait également opportun que la faute de l'infans victime ne soit plus appréciée de manière objective[(293)].

La solution est la même, *a fortiori*, pour les jeunes en âge de comprendre la portée de leurs actes ; leur minorité ne les empêche pas d'être responsables au même titre que les majeurs, y compris pour l'inexécution des contrats, lorsque ceux-ci ont été valablement passés.

615. – Les personnes privées de discernement dans le Projet Catala. Le Projet Catala rappelle ce principe de responsabilité des personnes privées de discernement et lui donne une portée générale en l'insérant dans le chapitre I relatif aux dispositions préliminaires : « Celui qui a causé un dommage à autrui alors qu'il était privé de discernement n'en est pas moins obligé à réparation » (art. 1340-1). En revanche, l'article 1351-1 du Projet fait du discernement une condition pour pouvoir retenir la faute de la victime et diminuer son indemnisation (V. *infra*, n° 755 sur les causes d'exonération dans l'avant-projet)[(294)]. Cette distinction peut se justifier par la différence d'objectif poursuivi. Lorsqu'on recherche la faute de l'auteur du dommage, l'objectif d'indemnisation de la victime tend à rendre « l'imputabilité subjective » de la faute indifférente[(295)] ; à l'inverse, lorsqu'on recherche la faute de la victime, il s'agit de la priver de réparation, de lui infliger une peine privée, si bien que son discernement doit être exigé pour lui infliger cette peine privée.

616. – La responsabilité des personnes morales[(296)]. Bien que les *personnes morales* n'aient pas, à proprement parler, conscience des actes accomplis par leurs organes, la jurisprudence admet que la faute des dirigeants est celle de la société et que cette dernière peut en conséquence être poursuivie sur le fondement de l'article 1382 du Code civil, par exemple[(297)].

Cette responsabilité n'exclut évidemment pas celle personnelle des dirigeants sociaux, même si, pour des raisons de solvabilité, les victimes recherchent plus volontiers la responsabilité de la personne morale[(298)]. En pratique, le plus souvent, la responsabilité de la personne morale sera recherchée de préférence sur le fondement de l'article 1384, alinéa 5, du Code civil (responsabilité du fait des préposés : V. *infra*, n°s 644 et s.).

Cela dit, une faute quelconque du dirigeant ne suffit pas à engager sa responsabilité à l'égard des tiers. Suivant la jurisprudence, « la responsabilité personnelle

(293) Sur cette conception plus stricte de la faute de l'infans victime, V. not. Cass. 2e civ., 4 oct. 2012, n° 10-21.612, D : JurisData n° 2012-022426 ; *JCP G* n° 17, 22 avr. 2013, doctr. 484, n° 3, obs. Ph. Stoffel-Munck.

(294) Dans le même sens, V. art. 46 du projet de réforme de la responsabilité civile du 26 juillet 2012 : « La faute de la victime privée de discernement n'a pas d'effet exonératoire ». – Adde, Projet Fr. Terré, art. 47, al. 2.

(295) Certains auteurs militent cependant en faveur de l'abandon de la responsabilité de l'auteur d'un dommage privé de discernement. En ce sens, V., C. Radé, *L'avant-projet de réforme du droit des obligations dans ses dispositions relatives à la responsabilité du fait personnel et du fait des choses. Brefs propos sur une réforme en demi-teinte*, in *L'avant-projet de réforme du droit de la responsabilité – Actes du colloque du 12 mai 2006 : RDC* 2007, p. 77.

(296) A. Bories, *La responsabilité civile des personnes morales : RRJ* 2006, 1329. – Adde, D. Dechenaud, *Les concours de responsabilité civile et de responsabilité pénale : Resp. civ. et assur.* n° 2, Février 2012, Dossier 5.

(297) V. cep. la solution différente au fondement de l'article L. 651-1 du C. com. (action pour insuffisance d'actif). – Cass. com., 19 nov. 2013, n° 12-16.099, FS-P+B, G. *Kampf c/ C. Guyot* : JurisData n° 2013-026202.

(298) F. Descorps-Declère, *Pour une réhabilitation de la responsabilité civile des dirigeants sociaux : RTD com.* 2003, 25. – J.-F. Barbièri, *Responsabilité de la personne morale ou responsabilité de ses dirigeants ? La responsabilité personnelle à la dérive*, in *Mél. Guyon*, 2003, p. 41.

d'un dirigeant à l'égard des tiers ne peut être retenue que s'il a commis une faute séparable de ses fonctions ; il en est ainsi lorsque le dirigeant commet intentionnellement une faute d'une particulière gravité incompatible avec l'exercice normal des fonctions sociales »[(299)].

À la différence du Code civil, le Projet Catala consacre une disposition relative à la faute de la personne morale. Celle-ci « s'entend non seulement de celle qui est commise par un représentant, mais aussi de celle qui résulte d'un défaut d'organisation ou de fonctionnement » (art. 1353). Sur ce dernier point, le Projet transpose en droit civil la notion de « défaut d'organisation ou de fonctionnement » couramment admise par les juridictions administratives[(300)].

617. - **Pas de responsabilité en cas de cause étrangère.** La *liberté* de ses actes est en revanche une condition d'existence de la faute.

Il n'y a pas faute si l'auteur du dommage s'est trouvé, par suite des circonstances, dans l'impossibilité absolue de respecter les règles contractuelles, ou légales, ou autres qui s'imposaient à lui. Ainsi en est-il d'une grève sauvage ou d'une maladie brutale qui empêche l'exécution d'un contrat, d'un phénomène naturel (tempête, séisme, etc.) ou de toute autre cause (fait d'un tiers ou faute de la victime) *imprévisible* et *irrésistible* ; on est alors en présence d'un *cas de force majeure.*

En pareille hypothèse, l'auteur matériel du dommage n'en a été que l'instrument mais non la cause, qui lui est étrangère. C'est en définitive un problème de *causalité* plus que de faute : en dépit des apparences, le dommage est dû à une *cause étrangère.* Il s'ensuit que toute personne, convaincue d'avoir accompli un fait objectivement illicite, peut s'exonérer de sa responsabilité en démontrant qu'elle a agi sous la contrainte d'un cas de force majeure (V. *infra*, nos 742 et s.).

Dans le même sens, le Projet Catala ajoute qu'il n'y a pas de faute lorsque l'auteur peut invoquer l'un des faits justificatifs prévus par les articles 122-4 à 122-7 du Code pénal (art. 1352, al. 3) : état de nécessité, légitime défense, acte résultant d'un commandement de l'autorité légitime dès lors que ce commandement n'est pas manifestement illégal[(301)].

B. – Les diverses catégories de fautes

618. - **Classifications.** On peut classer les fautes suivant divers critères : leur origine (contractuelle ou extracontractuelle), leur forme (faute de commission et faute par omission), leur gravité (fautes intentionnelle et non intentionnelle).

---

(299) Cass. com., 20 mai 2003 : *D.* 2003, 1502, obs. A. Lienhard ; *D.* 2003, 2623 et note B. Dondero ; *D.* 2004, somm. 266, obs. J.-Cl. Hallouin ; *JCP* 2004, II, 10178 et note S. Reifegerste ; *RTD com.* 2003, 741, obs. Cl. Champaud et D. Danet ; *LPA* 7 nov. 2003, p. 13 et note S. Messaï ; *JCP* 2004, I, 101, n° 21, obs. G. Viney. – V. aussi Cass. com., 28 avr. 1998 : *JCP* 1998, II, 10177 et note D. Ohl ; *RTD com.* 1998, 623, obs. B. Petit et Y. Reinhard. – V. M.-C. Guérin, *La faute intentionnelle de celui qui agit pour le compte d'autrui* : *LPA* 11 janv. 2006, p. 6. – E. Nicolas, *La notion de faute séparable des fonctions des dirigeants à la lumière de la jurisprudence récente* : *D.* 2013, p. 535. Cette faute détachable est possible même lorsque le dirigeant agit dans les limites de ses attributions (conception subjective de la faute), Cass. com., 18 juin 2013, n° 12-17.195, *Société Étoiles de nuit c/ David* : JurisData n° 2013-012523 ; Droit des sociétés n° 11, novembre 2013, comm. 184, obs. D. Gallois-Cochet.

(300) Dans le même sens, V. art. 7, alinéa 1 du Projet Fr. Terré : « La faute de la personne morale résulte de l'acte fautif de ses organes ou d'un défaut d'organisation ou de fonctionnement ».

(301) Rappr. art. 47 projet de réforme de la responsabilité civile du 26 juillet 2012. – Comp. art. 45 Projet Fr. Terré.

1° Faute contractuelle et faute extracontractuelle

619. – Définitions. Est une faute *contractuelle* l'inexécution ou la mauvaise exécution d'une obligation résultant d'un contrat valable. Toute autre faute, notamment en dehors de tout contrat, est extracontractuelle ; de manière traditionnelle quoique fort ambiguë, on lui donne le nom de *délit* ou *quasi-délit* (à ne pas confondre avec le délit du droit pénal). La nature, contractuelle ou extracontractuelle, de la faute est l'un des éléments qui permettent de dire si s'appliqueront les règles de la responsabilité contractuelle ou celles de la responsabilité extracontractuelle (V. *supra*, n° 578).

On rappellera à cette occasion que la faute intervenant au cours de la période de formation du contrat, n'étant pas la violation d'une obligation contractuelle, relève de la responsabilité extracontractuelle(302) (V. *supra*, n° 579).

2° Faute de commission et faute par omission

620. – La faute de *commission*, c'est-à-dire celle qui s'accomplit par un acte positif, ne soulève pas de réel problème. Il ne fait pas de doute qu'elle engage la responsabilité de son auteur dès l'instant qu'elle contrevient à une obligation de ne pas faire, légale ou contractuelle.

On s'est au contraire demandé si une *omission*, une simple abstention, pouvait constituer une faute. Une réponse affirmative s'impose si cette abstention viole une règle faisant obligation d'agir. De telles obligations d'agir sont fréquentes dans les contrats, par exemple l'obligation d'information : celui qui n'accomplit pas cette obligation de faire commet indiscutablement une faute ; et il doit en outre l'accomplir loyalement. Elles sont à l'inverse l'exception en dehors des contrats car il est rare que la loi impose aux particuliers l'accomplissement de prestations positives(303) ; aussi, hormis les cas expressément prévus (par ex., obligation de porter secours aux personnes en danger), les tribunaux recherchent dans chaque cas si l'omission constitue ou non une erreur de conduite : par exemple, omission d'un hôtel sur une liste établie par un syndicat d'initiative(304).

3° Faute intentionnelle et faute non intentionnelle

a) La faute intentionnelle(305)

621. – Définition. La faute intentionnelle est appelée *délit* en matière extracontractuelle et *dol* ou faute dolosive en matière contractuelle. Il s'agit bien évidemment du *dol dans l'exécution du contrat* et non pas du *dol dans la conclusion du contrat* qui est une cause de nullité (V. *supra*, n°s 189 et s.).

---

(302) J. Schmidt, *La sanction de la faute précontractuelle : RTD civ.* 1974, 46. – P. Mousseron, *Conduite des négociations contractuelles et responsabilité civile délictuelle : RTD com.* 1998, 243. – D. Mazeaud, *Mystères et paradoxes de la période précontractuelle*, in *Mél. J. Ghestin* : LGDJ, 2001, p. 637.

(303) P. Appleton, *L'abstention fautive en matière délictuelle, civile et pénale : RTD civ.* 1912, 693. – J. Carbonnier, *Le silence et la gloire : D.* 1951, chron. 119. – N. Kasirer, *Agapé : RID comp.* 2001, 575.

(304) V. pour des abstentions fautives : Cass. 1re civ., 27 févr. 1951 : *D.* 1951, 329 et note Desbois ; *JCP* 1951, II, 6793, obs. Mihura. – TGI Lyon, 7 nov. 1973 : *JCP* 1974, II, 17665, obs. R.-L. ; et, pour des abstentions non fautives : Cass. 2e civ., 17 juill. 1953 : *D.* 1954, 533 et note J. Carbonnier ; *JCP* 1953, II, 7751. – Cass. 1re civ., 3 déc. 1968 : *D.* 1969, 253 et note P. Couvrat ; *JCP* 1969, II, 15787, obs. R.-L.

(305) G. Viney, *Remarques sur la distinction entre faute intentionnelle, faute inexcusable et faute lourde : D.* 1975, chron. 263. – A. Vignon-Barrault, *Intention et responsabilité civile* : PUAM, 2004. De manière plus générale, L. Sichel, *La gravité de la faute en droit de la responsabilité civile* : thèse dactyl. Paris I, 2011.

La définition de la faute intentionnelle diffère suivant qu'elle est intervenue ou non dans le cadre d'un contrat.

En dehors de tout contrat, il y a *faute intentionnelle ou délit* lorsque l'auteur a accompli l'acte illicite avec l'intention de produire le dommage ; il a voulu non seulement l'acte, mais aussi son résultat (sinon, ce ne serait qu'un quasi-délit) : par exemple, le dénigrement des produits fabriqués par un concurrent.

Au contraire, la *faute intentionnelle ou dol* dans l'exécution d'un contrat n'exige pas une véritable intention de nuire ; suivant la jurisprudence, il y a dol d'un cocontractant lorsque, « de propos délibéré, il se refuse à exécuter ses obligations contractuelles, même si ce refus n'est pas dicté par l'intention de nuire ». Telle est la notion que retient la jurisprudence de manière générale, notamment lorsqu'il s'agit de définir la faute dolosive faisant échec à une clause limitative de responsabilité(306). C'est cette notion qu'a également retenue la Cour de cassation en matière de responsabilité des constructeurs(307) alors que, précédemment, elle exigeait la volonté de réaliser le dommage(308), ou même l'intention de nuire(309).

Mais elle revient à la notion classique – faute commise avec l'intention de produire le dommage – en matière d'assurance pour l'application de l'article L. 113-1 du Code des assurances : « Toutefois l'assureur ne répond pas des pertes et dommages provenant d'une faute intentionnelle ou dolosive de l'assuré »(310). Ici, l'appréciation du caractère intentionnel de la faute de l'assuré semblait relever du pouvoir souverain des juges du fond(311), mais dans ses derniers arrêts la Cour de cassation a réaffirmé son intention d'exercer son contrôle(312).

---

(306) Ségur, *La notion de faute contractuelle en droit civil français* : thèse Paris, 1954. – D. Nguyen Thanh-Bourgeais, *Contribution à l'étude de la faute contractuelle : la faute dolosive et sa place actuelle dans la gamme des fautes : RTD civ.* 1973, 496. – Cass. 1re civ., 4 févr. 1969 : *D.* 1969, 601 et note J. Mazeaud ; *JCP* 1969, II, 16030 et note Prieur. – Cass. 1re civ., 22 oct. 1975 : *D.* 1976, 151 et note J. Mazeaud. – Cass. com., 4 mars 2008 : *Contrats, conc. consom.* 2008, comm. 172, obs. L. Leveneur.

(307) Cass. 3e civ., 27 juin 2001 : *JCP* 2001, II, 10626 et note Ph. Malinvaud ; *D.* 2001, 2995, concl. J.-F. Weber et note J.P. Karila ; *JCP* 2002, I, 124, n° 18, obs. G. Viney.

(308) Cass. 3e civ., 26 mai 1988 : *JCP* 1988, IV, 267. – Cass. 3e civ., 7 févr. 2001 : *RD imm.* 2001, 176, obs. Ph. Malinvaud.

(309) Cass. 1re civ., 18 déc. 1996 : *Bull. civ.* 1996, I, n° 239 ; *D.* 1997, somm. 289, obs. Ph. Delebecque ; *RD imm.* 1997, 243, obs. Ph. Malinvaud.

(310) G. Brière de l'Isle, *La faute intentionnelle (à propos de l'assurance de la responsabilité civile professionnelle) : D.* 1973, chron. 259. – J. Ghestin, *La faute intentionnelle du notaire dans l'exécution de ses obligations contractuelles et l'assurance responsabilité : D.* 1974, chron. 31. – H. Margeat et A. Favre-Rochex, *Faute intentionnelle en assurance et péripéties jurisprudentielles : Gaz. Pal.* 1976, 2, doctr. 569. – G. Brière de l'Isle, *La faute dolosive, Tentative de clarification : D.* 1980, chron. 133 ; *La faute intentionnelle ou cent fois sur le métier... (Réflexions à propos d'un arrêt : Cass. 1re civ., 17 déc. 1991) : D.* 1993, chron. 75. – R. Bigot, *La faute intentionnelle ou le phoenix de l'assurance de responsabilité professionnelle : Rev. Lamy dr. civ.* avr. 2009, p. 72. – A. d'Hauteville, *Retour sur la distinction faute intentionnelle ou dolosive exclue de l'assurance et infraction pénale intentionnelle* in *Mélanges en l'honneur du professeur Jean Bigot : LGDJ, 2010, p. 179, spéc. p. 189.* – Cass. 1re civ., 15 oct. 1975 : *D.* 1976, 149 et note J.-L. Aubert. – Cass. 1re civ., 25 mars et 7 mai 1980 : *D.* 1981, 21 et note G. Brière de l'Isle. – Cass. 1re civ., 20 janv. 1981 : *D.* 1981, 605 et note G. Brière de l'Isle. – Cass. 1re civ., 27 mai 2003 : *Bull. civ.* 2003, I, n° 125 ; *JCP* 2004, I, 101, n° 14, obs. G. Viney. – CA Toulouse, 3e ch., 1re sect., 10 déc. 2013, n° 12/01884 : *JurisData* n° 2013-031414 ; *JCP* G n° 8, 24 février 2014, 254 : « La faute intentionnelle suppose que son auteur ait voulu causer le dommage et une personne atteinte d'une grave altération de ses facultés mentales ne peut commettre une faute intentionnelle susceptible de la priver, sur le fondement de l'article L. 113-1, alinéa 2, du Code des assurances, du bénéfice de l'assurance souscrite ». V. cep. Un retour à une conception élargie de la faute dolosive retenue même en l'absence d'intention de causer le dommage, Cass. 2e civ., 12 sept. 2013, n° 12-24.650, F-P+B, *L. c/ SA GAN assurances IARD* : JurisData n° 2013-013030 ; *Gaz. Pal.* 14 nov. 2013, n° 318, p. 18, obs. M. Mekki ; *Resp. civ. et assur.* n° 11, nov. 2013, étude 8, note D. Bakouche.

(311) Cass. 1re civ., 4 juill. 2000 : *Bull. civ.* 2000, I, n° 203, p. 133 ; *JCP* 2000, I, 340, n° 30, obs. crit. G. Viney. – Cass. 3e civ., 9 janv. 2002 : *Bull. civ.* 2002, III, n° 1, p. 1 ; *JCP* 2002, I, 186, n° 16, obs. crit. G. Viney.

(312) Cass. 1re civ., 27 mai 2003, préc. – Cass. 2e civ., 23 sept. 2004 : *Bull. civ.* 2004, II, n° 410 ; *JCP* 2005, I, 132, n° 3, obs. G. Viney. – Cass. 3e civ., 9 nov. 2005 : *RD imm.* 2006, p. 40. Sur ce contrôle de la motivation, V. Cass. 2e civ., 11 sept. 2013, préc.

622. – **Assimilation de la faute lourde au dol.** Pour écarter une clause limitative de responsabilité, il n'est même pas nécessaire de qualifier de faute intentionnelle l'inexécution délibérée d'un contrat. Il suffit d'y voir une *faute lourde*, car, en matière contractuelle, la faute lourde, c'est-à-dire celle si grossière qu'elle paraît faite exprès[(313)], est suivant une longue tradition équipollente au dol pour certains effets, et spécialement pour écarter tant les clauses limitatives de garantie que la limitation de réparation prévue par l'article 1150 du Code civil. Cette assimilation est reprise dans le Projet Catala : « Un contractant ne peut exclure ou limiter la réparation du dommage causé à son cocontractant par une faute dolosive ou lourde ou par le manquement à l'une de ses obligations essentielles »[(314)] (art. 1382-2, al. 1)[(315)]. S'il n'y avait cette assimilation, les cocontractants malhonnêtes pourraient trop facilement invoquer une prétendue incurie pour échapper aux conséquences de leur mauvaise foi. Ils pourraient se « cacher derrière le masque de la bêtise »[(316)].

Il en va toutefois autrement en matière de responsabilité des constructeurs où, « si lourde que soit la faute », l'assimilation au dol est écartée[(317)] ; cette solution particulière, dont il n'est pas certain qu'elle subsiste à ce jour, s'explique par le souci d'éviter que la prescription de dix ans de l'article 1792-4-1 ne soit systématiquement écartée au motif que la faute d'un professionnel serait toujours une faute lourde.

En pratique, la définition de la faute lourde varie suivant le domaine dans lequel on se trouve. Ainsi, s'agissant de la responsabilité de l'État pour mauvais fonctionnement du service de la justice, la jurisprudence décide que constitue une faute lourde « toute déficience caractérisée par un fait ou une série de faits traduisant l'inaptitude du service public de la justice à remplir la mission dont il est investi »[(318)].

S'agissant de la responsabilité du transporteur, « la faute lourde s'entend d'une négligence d'une extrême gravité, confinant au dol et dénotant l'inaptitude du transporteur, maître de son action, à l'accomplissement de la mission contractuelle qu'il a acceptée »[(319)]. Mais cette jurisprudence est devenue caduque depuis la loi du 8 décembre 2009[(320)].

(313) V. par ex. : Cass. com., 3 avr. 1990 : *D.* 1990, inf. rap. p. 114.

(314) Sur ce dernier point, le Projet Catala va au-delà de la jurisprudence actuelle qui, en principe, ne retient pas le manquement à une obligation contractuelle, fût-elle essentielle, comme équivalant à la faute lourde.

(315) On remarquera une conception plus stricte du projet de réforme de responsabilité civile du 26 juillet 2012 qui exige une clause contredisant la portée de l'obligation essentielle, art. 79, al. 1 : « En matière contractuelle, les clauses limitatives ou exclusives de réparation n'ont point d'effet en cas de dol ou de faute lourde du débiteur, ou lorsqu'elles contredisent la portée de l'obligation essentielle souscrite ».

(316) L. Mazeaud, *L'assimilation de la faute lourde au dol* : *DH* 1933, chron. 49. – R. Roblot, *De la faute lourde en droit privé français* : *RTD civ.* 1943, 1. – R. Jambu-Merlin, *Dol et faute lourde* : *D.* 1955, chron. 84. – G. Viney, *Remarques sur la distinction entre faute intentionnelle, faute inexcusable et faute lourde* : *D.* 1975, chron. 263. – D. Mazeaud, *Clauses limitatives de réparation : les quatre saisons* : *D.* 2008, chron. p. 1776.

(317) Cass. 3e civ., 12 oct. 1994 : *Bull. civ.* 1994, III, n° 171. – Cass. 3e civ., 18 juill. 1984 : *RD imm.* 1985, 65, obs. Ph. Malinvaud. – Cass. 1re civ., 28 nov. 1967 : *Bull. civ.* 1967, I, n° 349 ; *D.* 1968, 199. – Cass. 1re civ., 30 mai 1978 : *D.* 1978, inf. rap. p. 228.

(318) Cass. ass. plén., 23 févr. 2001 : *D.* 2001, 1752 et note Ch. Debbasch ; *JCP* 2001, I, 340, nos 26-28, obs. G. Viney. – O. Renard-Payen et Y. Robineau, *La responsabilité de l'État pour faute du fait du fonctionnement défectueux du service public de la justice judiciaire et administrative*, Rapp. C. cass. 2002, p. 59. – Comp. La faute dolosive, faute lourde, fraude et déni de justice pour engager la responsabilité civile de l'arbitre au regard du contenu de sa sentence, Cass. 1re civ., 15 janv. 2014, n° 11-17196 ; *D.* 2014, p. 219, obs. X. Delpech ; *JCP* G n° 8, 24 févr. 2014, doctr. 255, note E. Loquin ; *JCP* G n° 8, 24 févr. 2014, 231, Avis de l'avocat général P. Chevalier.

(319) Cass. com., 28 juin 2005 : *JCP* 2005, II, 10150 et note E. Tricoire ; *Contrats, conc. consom.* 2005, comm. 201, obs. L. Leveneur. – Cass. com., 9 déc. 2008 : *Bull. civ.* 2008, IV, n° 204. – Cass. com., 10 mars 2009 : *RDC* 2009, 1044, obs. S. Carval.

(320) Cette loi a inséré dans le Code de commerce un article L. 133-8 aux termes duquel « seule est équipollente au dol la faute inexcusable du voiturier ou du commissionnaire de transport ». – V. O. Deshayes : *RDC* 2010, p. 615.

S'agissant du contrat-type de messagerie Chronopost, suivant un arrêt de la chambre commerciale de la Cour de cassation, la faute lourde de nature à tenir en échec la limitation « ne saurait résulter du seul manquement à une obligation contractuelle, fût-elle essentielle, mais doit se déduire de la gravité du comportement du débiteur »[(321)], formule également utilisée pour la responsabilité du transporteur[(322)]. Mais dans une autre espèce, la chambre commerciale avait décidé à l'inverse que le seul manquement à une obligation essentielle peut faire échec à une clause limitative de responsabilité, retenant ainsi une conception objective de la faute lourde[(323)].

Ce faisant, la chambre commerciale semblait s'éloigner de la définition retenue, non seulement par la première chambre civile, mais par les arrêts de la chambre mixte du 22 avril 2005 suivant lesquels la faute lourde se caractérise par « une négligence d'une extrême gravité confinant au dol et dénotant l'inaptitude du débiteur de l'obligation à l'accomplissement de sa mission contractuelle »[(324)]. Finalement, par un arrêt rendu le 29 juin 2010, la Cour de cassation confirme définitivement la conception subjective de la faute lourde distincte de l'atteinte à l'obligation essentielle[(325)].

623. – Conséquences communes aux responsabilités contractuelle et extracontractuelle. Si toute faute engage la responsabilité de son auteur, la faute intentionnelle ou dolosive est, dans certains cas, considérée avec plus de sévérité que la faute simple.

Certaines différences concernent tant la responsabilité extracontractuelle que celle contractuelle. Ainsi, les dommages découlant d'une faute intentionnelle sont toujours à la charge personnelle du responsable sans qu'il puisse s'en faire couvrir par une assurance (C. assur., art. L. 113-1, al. 2) ; l'assurance de responsabilité ne peut jouer que pour les conséquences d'une faute non intentionnelle : quasi-délit en dehors de tout contrat, faute simple ou même lourde dans un contrat.

Allant encore plus loin, le Projet Catala prévoit la faculté pour le juge de prononcer des dommages-intérêts punitifs à l'encontre de « l'auteur d'une faute délibérée, et notamment d'une faute lucrative » (art. 1371). La même faute lucrative pourrait être sanctionnée dans le cadre d'une atteinte à l'environnement selon la proposition du rapport dirigé par Y. Jégouzo. Un article 1386-23 pourrait ainsi être rédigé : « lorsque l'auteur du dommage a commis intentionnellement une faute grave, notamment lorsque celle-ci a engendré un gain ou une économie pour son auteur, le juge peut le condamner, par décision spécialement motivée, au paiement d'une amende civile »[(326)].

---

(321) Cass. com., 13 juin 2006 : *JCP* 2006, II, 10123 et note G. Loiseau ; *RDC* 2006, p. 694, obs. D. Mazeaud ; *RTD civ.* 2006, p. 773, obs. P. Jourdain.

(322) Cass. com., 21 févr. 2006 : *D.* 2006, act. jurispr. p. 717 ; *RTD civ.* 2006, p. 322, obs. J. Mestre et B. Fages. – Cass. com., 7 juin 2006 : *D.* 2006, act. jurispr. p. 1680, obs. X. Delpech.

(323) Cass. com., 13 févr. 2007, n° 05-17407.

(324) Cass. ch. mixte, 22 avr. 2005 : *Bull. civ.* 2005, ch. mixte, n°s 3 et 4 ; *D.* 2005, 1864 et note J.-P. Tosi ; *JCP* 2005, II, 10066 et note G. Loiseau ; *Contrats, conc. consom.* 2005, comm. 150, obs. L. Leveneur ; *RTD civ.* 2005, p. 604, obs. P. Jourdain ; *RDC* 2005, p. 651, avis av. gén. De Gouttes et p. 673, obs. D. Mazeaud. – Cass. 1re civ., 19 sept. 2007 : *D.* 2008, p. 395 et note S. Nadaud ; *Contrats, conc. consom.* 2008, comm. 1, obs. L. Leveneur.

(325) Cass. com., 29 juin 2010, n° 09-11.841, FP-P+B+R+I, *SAS Faurecia Sièges d'automobile c/ SAS Oracle France* : JurisData n° 2010-010628.

(326) G. Martin, *Le rapport « pour la réparation du préjudice écologique » présenté à la garde des Sceaux le 17 septembre 2013* : *D.* 2013, p. 2347.

624. – Conséquences propres à la responsabilité contractuelle. D'autres différences n'intéressent que la responsabilité contractuelle.

Ainsi, en matière extracontractuelle, le dommage est toujours réparé dans son entier, qu'il soit dû à un délit ou à un quasi-délit. En matière contractuelle, au contraire, la réparation n'est complète qu'en cas de dol ou de faute lourde équipollente au dol ; si la faute est légère, l'article 1150 du Code civil limite l'indemnisation au *dommage prévisible* lors du contrat (V. *infra*, n° 780).

De même, les clauses limitatives de responsabilité, qui peuvent être insérées dans certains contrats (V. *infra*, n°s 789 et s.), ne permettent pas de s'exonérer des conséquences dommageables de ses fautes intentionnelles ou lourdes ; il est en effet admissible de stipuler par avance l'absolution de ses maladresses ou imprudences, mais pas de sa mauvaise foi[327].

La jurisprudence fait une application sévère de cette règle aux fabricants et aux vendeurs professionnels ; ces professionnels étant « censés connaître les vices » des produits qu'ils fabriquent ou qu'ils vendent, et même « tenus de les connaître », ils ne peuvent éluder leur responsabilité par des clauses limitatives, sauf à l'égard d'autres *professionnels de même spécialité*[328]. Cette jurisprudence a été consacrée en matière de vente aux consommateurs dans l'article R. 132-1 du Code de la consommation, qui interdit comme abusive « la clause ayant pour objet ou pour effet » « de supprimer ou réduire le droit à réparation préjudice subi par le non-professionnel ou le consommateur en cas de manquement par le professionnel à l'une quelconque de ses obligations » (V. *supra*, n° 340).

Cette même règle a également été reprise par l'ordonnance du 17 février 2005 transposant la directive du 25 mai 1999 sur certains aspects de la vente et des garanties des biens de consommation (C. consom., art. L. 211-17 réputant non écrites les clauses écartant ou limitant les obligations du vendeur).

Dans le même esprit, le Projet Catala décide que, « en l'absence de contrepartie réelle, sérieuse et clairement stipulée, un professionnel ne peut exclure ou limiter son obligation de réparer le dommage contractuel causé à un non-professionnel ou consommateur » (art. 1382-2, al. 2). Quant au projet de réforme du droit des obligations du 23 octobre 2013, il prévoit, dans un article 76, que « Toute clause qui prive de sa substance l'obligation essentielle du débiteur est réputée non écrite ».

625. – Suite : la faute inexcusable. Dans un ordre d'idées voisin, il arrive que la loi elle-même tienne quitte certains contractants de leur faute légère pour ne retenir que leur faute lourde, ou encore leur faute inexcusable.

(327) Le Projet Catala admet la validité des clauses limitatives ou élusives de responsabilité « aussi bien en matière contractuelle qu'extracontractuelle » (art. 1382), mais leur régime diffère suivant le domaine dans lequel on se trouve. En matière extracontractuelle, la clause est écartée en cas de faute (art. 1382-4, al. 1), cependant qu'en matière contractuelle elle ne tombe qu'en cas de faute dolosive ou lourde, ou de manquement à une obligation essentielle (art. 1382-2, al. 1). Dans le même sens, V. articles 78 et 79 projet de réforme de la responsabilité civile du 26 juillet 2012.

(328) Cass. 3e civ., 22 janv. 1974 : *D.* 1974, 288. – Cass. com., 29 janv. 1974 : *D.* 1974, 268. – Ph. Malinvaud, *Pour ou contre la validité des clauses limitatives de la garantie des vices cachés dans la vente* : *JCP* 1975, I, 2690. Il en va différemment en matière de vente internationale de marchandises : K. Missaoui, *La validité des clauses aménageant la garantie des vices cachés dans la vente internationale de marchandises* : *JCP* 1996, I, 3927. La jurisprudence assimile les vendeurs « castor », qui ont réalisé eux-mêmes des travaux, aux vendeurs professionnels, Cass. 3e civ., 9 févr. 2011, n° 09-71.498. – Cass. 3e civ., 10 juill. 2013, n° 12-17.149, FS-PB.

Ainsi, en matière de *transport aérien*, la responsabilité des compagnies en cas de décès accidentel des passagers est limitée par la loi à un forfait, à moins que l'accident ne soit dû à une *faute inexcusable*, c'est-à-dire une « faute délibérée qui implique (objectivement)[329] la conscience de la probabilité du dommage et son acceptation téméraire sans raison valable »[330]. Cette définition a été reprise de manière générale pour les transporteurs dans l'article L. 133-8 du Code de commerce (L. 8 déc. 2009). Il en va de même en matière d'*accidents de la circulation* où seule la faute inexcusable de la victime est une cause d'exonération de la responsabilité du conducteur (V. *infra*, n° 711).

Également, en matière d'*accidents du travail*, les salariés indemnisés forfaitairement par la Sécurité sociale bénéficient d'indemnités complémentaires dues par l'employeur en cas de « faute inexcusable de l'employeur ou de ceux qu'il s'est substitué dans la direction »[331] (CSS, art. L. 452-1). En droit social, la faute inexcusable avait jadis été définie comme « une faute d'une gravité exceptionnelle, dérivant d'un acte ou d'une omission volontaire, de la conscience du danger que devait en avoir son auteur, de l'absence de toute cause justificative et se distinguant par le défaut d'un élément intentionnel de la faute visée au § 1 de la loi du 9 avril 1898[332] ». Élargissant la notion de faute inexcusable, la jurisprudence considère que l'employeur est tenu envers le salarié d'une obligation de sécurité de résultat et que le manquement à cette obligation constitue une faute inexcusable lorsque « l'employeur avait ou aurait dû avoir conscience du danger auquel était exposé le salarié et qu'il n'a pas pris les mesures nécessaires pour l'en préserver »[333]. Pareille faute peut être retenue par le juge civil alors même que le juge pénal aurait relaxé l'employeur au motif qu'il n'avait pas commis de faute pénal non intentionnelle[334].

Enfin, et en dehors de toute règle de droit, les tribunaux, d'une manière générale, usent de leur pouvoir d'appréciation dans le sens d'une plus grande sévérité à l'encontre de celui qui commet une faute intentionnelle. Cette tendance se manifeste notamment dans l'évaluation du préjudice moral, qui est souvent fonction de la gravité de la faute commise (V. *supra*, n° 595 et *infra*, n° 773), et en matière de partage de responsabilités.

(329) Cass. 1re civ., 2 oct. 2007, 2 arrêts, qui se prononce dans le sens d'une appréciation objective de la faute inexcusable (*JCP* 2007, II, 10190 et note Ph. Delebecque).

(330) G. Brière de l'Isle, *La faute inexcusable* : *D.* 1970, chron. 73. – R. Rodière, *La faute inexcusable du transporteur aérien* : *D.* 1978, chron. 31. – A. Cœuret, *La faute inexcusable et ses applications jurisprudentielles* : *Gaz. Pal.* 19 déc. 1987. – G. de Monteynard, *Responsabilité et limitation en droit des transports*, Rapp. C. cass. 2002, p. 247. – Cass. 1re civ., 24 juin 1968 : *D.* 1968, 569 ; *JCP* 1969, II, 15704, obs. M. de Juglart et E. du Pontavice.

(331) P. Sargos, *La saga triséculaire de la faute inexcusable* : *D.* 2011, 768. Sur l'application dans le temps, Cass. 2e civ., 13 févr. 2014, n° 13-10.548, F-P+B, *M. C. c/ Sté David Jean-Luc et a.*

(332) Cass. ch. réunies, 15 juin 1941 : *DC* 1941, p. 117 et note A. Rouast ; *JCP* 1941, II, 1705 et note J. Mihura.

(333) Cass. soc., 21 févr. 2002 (6 arrêts) : *JCP* 2002, II, 10053 et concl. A. Benmakhlouf ; *Gaz. Pal.* 2002, 1, 5-7 mai, concl. Benmakhlouf et note S. Petit ; *D.* 2002, 2696, 1re esp. et note X. Pretot ; *RTD civ.* 2002, 310, obs. P. Jourdain. – Cass. 2e civ., 6 avr. 2004 : *Bull. civ.* 2004, II, n° 153, p. 129 (pour les maladies professionnelles dues à l'amiante). – Cass. 2e civ., 11 avr. 2002 : *D.* 2002, 2215 et note Y. Saint-Jours ; *D.* 2002, 2696, 2e esp. et note X. Pretot (pour les accidents du travail). – Cass. ass. plén., 24 juin 2005 : *D.* 2005, p. 2375 et note Y. Saint-Jours. – Sur l'ensemble de la question, V. G. Viney, *La responsabilité de l'employeur pour atteinte à la sécurité des salariés : la faute inexcusable* : *JCP* 2002, I, 186, nos 23 et s. – P. Sargos, *L'évolution du concept de sécurité au travail et ses conséquences en matière de responsabilité* : *JCP* 2003, I, 104. – P. Ollier, *La responsabilité de l'employeur en matière d'accidents du travail et de maladies professionnelles*, Rapp. C. cass. 2002, p. 109. – L. Neyret, *L'actualité du recours pour faute inexcusable de l'employeur dans le contentieux de l'amiante* : *Rev. Lamy dr. civ.* juill.-août 2008, p. 17.

(334) Cass. 2e civ., 20 mai 2012, n° 11-14739.

Dans la mesure où la faute intentionnelle se caractérise par des éléments psychologiques internes à son auteur, l'intention de nuire, la mauvaise foi, elle doit être recherchée et appréciée par référence à celui qui l'a commise, *in concreto* dit-on. Cette appréciation relève du pouvoir souverain des juges du fond[(335)].

b) La faute non intentionnelle

626\. – **Le principe.** Cette faute est appelée *quasi-délit* en matière extracontractuelle, et *faute* en matière contractuelle.

On la définit comme la maladresse, l'imprudence ou la négligence ; la définition est la même, qu'il y ait ou non contrat. Ce sera, par exemple, la livraison négligente de marchandises défectueuses, le retard d'un paiement par suite d'oubli, etc.

Si on se place sur un plan moral, ces actes ont une moindre gravité que les précédents puisqu'ils ne sont chargés d'aucune mauvaise foi ou intention de nuire. Ils ne sont que des manifestations de légèreté.

Le droit pénal tient compte de cette différence parce que l'intention est un élément constitutif de toute infraction pénale. Chacun sait par exemple qu'il y a une gradation entre l'homicide par imprudence, le meurtre et l'assassinat alors que le résultat, le décès de la victime, est pourtant le même dans les trois hypothèses. Mais, s'il est naturel que la *sanction* pénale soit fonction de la gravité de la faute, en revanche la *réparation* civile due à la victime ne doit être fonction que du préjudice subi. C'est pourquoi, hormis les quelques différences citées précédemment, la responsabilité civile est la même, que la faute soit ou non intentionnelle.

Il en va différemment dans le Projet Catala qui introduit des dommages-intérêts punitifs en cas de faute délibérée, notamment de faute lucrative (V. *infra*, n° 770)[(336)].

627\. – **Applications.** La solution ne fait aucun doute pour la responsabilité délictuelle : elle est engagée pour toute faute, même très légère, car la diligence exigée des tiers en dehors de tout contrat est toujours maximale. Tel est du moins le principe mais, en pratique, les juges usent parfois de leur pouvoir d'appréciation pour nier l'existence d'une faute, lorsque celle-ci paraît très minime[(337)].

Il en est de même en matière de contrats, à ceci près que la diligence exigée du cocontractant aura pu être fixée conventionnellement à un niveau plus ou moins élevé. Il conviendra donc de se reporter aux clauses du contrat pour savoir si le comportement dommageable constitue ou non une faute par rapport à ce qui a été prévu ; si, par exemple, la convention ne requiert du débiteur qu'une diligence moyenne, celle dont il fait preuve dans ses propres affaires notamment, on ne saurait lui imputer à faute une inattention très légère[(338)].

Ces principes trouvent une conséquence quant à l'appréciation de la faute. Pour savoir si un acte dommageable constitue ou non une faute, il faut le rapprocher,

(335) Cass. 1re civ., 4 juill. 2000 : *Bull. civ.* 2000, I, n° 203, p. 133.

(336) Dans le même esprit, V. art. 56 du projet de réforme de la responsabilité civile, 26 juillet 2012. – Comp. la conception plus restrictive du Projet Fr. Terré limité à la faute lucrative, art. 54.

(337) V. par ex. Cass. com., 23 oct. 2001 : *JCP* 2002, II, 10013 et note L. de Gentilini-Picard ; *JCP* 2002, I, 186, n° 12, obs. crit. G. Viney (qui a écarté la qualification de faute pour la négligence imputable à une banque pour avoir omis de déclarer sa créance en temps utile au passif de la liquidation judiciaire du codébiteur, ce qui « ne révélait de sa part ni un manquement à son obligation de bonne foi, ni une manifestation de déloyauté à l'égard de ses cocontractants »).

(338) R. Rodière, *Une notion menacée : la faute ordinaire dans les contrats : RTD civ.* 1954, 201.

non pas des capacités ou aptitudes du fautif considéré, mais d'une *norme*. Cette norme de référence est soit celle fixée au contrat (diligence variable, suivant les cas), soit, en dehors de tout contrat, le type abstrait que constitue un homme normalement prudent et diligent placé dans les mêmes circonstances. Pour désigner ce modèle idéal, le code recourt à la notion de *bon père de famille, standard menacé par un amendement introduit lors des débats sur la loi relative à l'égalité entre les femmes et les hommes*(339) ; d'où certaines expressions familières aux juristes : se comporter, ou jouir, en bon père de famille, etc.(340) Il existe aussi des normes spécifiques à certains domaines, par exemple dans le domaine du sport(341).

C. – La preuve de la faute

628. – **Détermination de l'obligation violée.** La faute étant l'inexécution d'une obligation, il va de soi que la victime doit d'abord démontrer l'existence de l'obligation. Cette première exigence n'a de portée que pour les obligations résultant d'un contrat, lequel devra être prouvé conformément aux règles exposées lors de l'étude de la forme du contrat (V. *supra*, n°s 364 et s.).

Quant aux obligations légales, elles n'ont pas besoin d'être prouvées ; il suffit d'indiquer le texte ou le principe d'où elles découlent.

629. – **Charge de la preuve en matière extracontractuelle.** Une fois démontrée l'existence de l'obligation, il reste à prouver le caractère fautif de l'inexécution. Qui doit rapporter cette preuve ? C'est le problème de la charge de la preuve ; il se pose en des termes différents suivant que la responsabilité est extracontractuelle ou contractuelle.

Lorsqu'un dommage survient en dehors d'un contrat, c'est en principe à la victime de démontrer que l'auteur a manqué au devoir général de ne pas nuire à autrui inscrit à l'article 1382 ; à elle seule, la réalisation d'un préjudice ne fait pas présumer la faute. Cette règle, qui paraît sévère pour la victime, est en fait tempérée par l'existence de *présomptions de responsabilité* – responsabilité du fait d'autrui et du fait des choses – qui renversent la charge de la preuve (V. *infra*, n°s 634 et s.).

630. – **Charge de la preuve en matière contractuelle : obligations de moyens et obligations de résultat.** En matière contractuelle, le texte de base en matière de responsabilité est l'article 1147 suivant lequel, en cas d'inexécution ou de mauvaise exécution de l'obligation, il appartient au débiteur de justifier « que l'inexécution provient d'une cause étrangère qui ne peut lui être imputée, encore qu'il n'y ait aucune mauvaise foi de sa part ». Ici, la responsabilité est présumée et la charge de la preuve pèse sur celui qui n'a pas exécuté ou a mal exécuté.

Mais d'autres dispositions du Code civil, et notamment l'article 1137 relatif à « l'obligation de veiller à la conservation de la chose », édicte que le débiteur est tenu d'y apporter « tous les soins d'un bon père de famille ». Ici, c'est au créancier

(339) Amendement n° 249, du 16 janvier 2014 : le vocable « bon père de famille » serait remplacé par l'adverbe « raisonnablement ». – J.-L. Halpérin, *La suppression de l'expression « bon père de famille »* : *D.* 2014, chron., p. 536. – J. Huet, *Adieu bon père de famille* : *D.* actualité, 28 févr. 2014.
(340) N. Dejean de la Bâtie, *Appréciation* in abstracto *et appréciation* in concreto *en droit civil français*, 1965.
(341) P. Jourdain, *À propos de la faute en matière sportive*, in *Mél. J. Foyer* : Économica, 2007, p. 559.

de l'obligation de démontrer que le débiteur n'a pas agi en bon père de famille, en bref qu'il a commis une faute.

À partir de ces textes, la doctrine a dégagé au cours du XXe siècle la distinction des obligations de moyens et des obligations de résultat[342].

Si le cocontractant n'a pas promis un résultat mais seulement de mettre en œuvre les moyens tendant à l'obtenir, alors la règle est la même qu'en matière extra-contractuelle : il appartient à la victime de prouver que l'inexécution est due à la faute du débiteur. Si, au contraire, c'est le résultat lui-même qui a été promis, le fait qu'il n'ait pas été atteint suffit à constituer le débiteur en faute puisqu'il est d'ores et déjà démontré qu'il a manqué à ses obligations.

En pratique, la difficulté tient à ce que ni les contractants, ni la loi à titre supplétif, ne précisent si les obligations souscrites sont de moyens ou de résultat.

Parfois, la solution relève de l'évidence. Ainsi, toutes les *obligations de donner* ou *de ne pas faire* sont des obligations de résultat parce qu'a été promis un résultat absolu, non susceptible de plus ou de moins : transférer la propriété, ne pas faire concurrence, ne pas se servir ailleurs, etc.

Au contraire, les *obligations de faire* peuvent être, suivant les cas, de moyens ou de résultat. L'exemple classique est celui qui oppose l'obligation du transporteur à celui du médecin : le transporteur s'engage (ou est censé s'engager) à transporter d'un point à un autre un voyageur sain et sauf ; le médecin s'engage non pas à guérir, mais à mettre en œuvre tous les moyens propres à améliorer l'état du malade, compte tenu de l'état actuel de la science. Mais à ce schéma de base il convient d'apporter des nuances. Ainsi, l'obligation du transporteur n'est de résultat que pendant la durée du trajet, pas avant l'embarquement ni après le débarquement ; et de même, la jurisprudence puis la loi ont fait peser sur le médecin une obligation de résultat pour une fraction de son activité, par exemple pour les matériels qu'il utilise, les produits qu'il emploie, ou pour les infections nosocomiales[343]. La jurisprudence demeure, en matière médicale, difficile à cerner[344]. Concernant l'obligation principale des professionnels de santé, la responsabilité demeure subjective et une faute doit être établie (CSP, art. 1142-1). Le Code de santé publique prévoit pour le médecin une responsabilité de plein droit pour le défaut d'un produit de santé.

(342) G. Marton, *Obligations de résultat et obligations de moyens : RTD civ.* 1935, 499. – H. Mazeaud, *Essai de classification des obligations : RTD civ.* 1936, 1. – A. Tunc, *Distinction des obligations de moyens et des obligations de diligence : JCP* 1945, I, 449. – P. Esmein, *Remarques sur de nouvelles classifications des obligations*, in *Études Capitant*, p. 235. – J. Frossard, *La distinction des obligations de moyens et des obligations de résultat* : LGDJ. – A. Plancqueel, *Obligations de moyens, obligations de résultat : RTD civ.* 1972, 334. – J. Bellissent, *Contribution à l'analyse de la distinction des obligations de moyens et des obligations de résultat* : LGDJ, 2001. – V. Malabat, *De la distinction des obligations de moyens et des obligations de résultat*, in *Mél. Lapoyade-Deschamps*, 2003. – M. Mekki, *La distinction entre les obligations de moyens et les obligations de résultat : esquisse d'un art : Revue de droit d'Assas* févr. 2013, p. 77.

(343) Les lois des 4 mars et 30 décembre 2002 mettent désormais ces infections nosocomiales pour partie à la charge de la « solidarité nationale » : V. Y. Lambert-Faivre, *La responsabilité médicale : la loi du 30 décembre modifiant la loi du 4 mars 2002 : D.* 2003, chron. 361. – D. Duval-Arnould, *La responsabilité civile des professionnels de santé et des établissements de santé privés à la lumière de la loi du 4 mars 2002*, Rapp. C. cass. 2002, p. 213. Il s'agit d'une responsabilité non pas subsidiaire des établissements de santé mais exclusive. Au-delà du seuil légal, seul l'ONIAM prend en charge les infections nosocomiales, sans action de la victime possible contre la clinique quel que soit le fondement, à charge pour l'ONIAM d'engager une action récursoire contre l'établissement de santé en cas de faute, en ce sens, Cass. 1re civ., 19 juin 2013, n° 12-20433, PB ; RDC 2013/4, p. 1367, obs. A. Guégan-Lécuyer.

(344) S. Hocquet-Berg, *La sécurité des produits de santé dans la tourmente de la jurisprudence judiciaire : Resp. civ. et assur.* nov. 2012, n° 11, étude 8.

La loi du 4 mars 2002 s'inspirait tant de la loi sur les produits défectueux du 19 mai 1998 que de l'arrêt rendu par la première Chambre civile de la Cour de cassation du 9 novembre 1999[(345)] qui avait consacré une obligation de sécurité de résultat pour le dommage causé par un produit défectueux. Un arrêt du 12 juillet 2012, inspiré d'une décision CJUE du 21 décembre 2011, relance le débat sous l'angle de la responsabilité du fait des produits défectueux. La Cour de cassation a en effet jugé que les prestataires de services de soins, qui ne peuvent pas être assimilés à des distributeurs de produits ou dispositifs médicaux et dont les prestations visent essentiellement à faire bénéficier les patients des traitements et techniques les plus appropriés à l'amélioration de leur état, ne sont responsables qu'en cas de faute lorsqu'ils ont recours aux produits, matériels et dispositifs médicaux nécessaires à l'exercice de leur art ou à l'accomplissement d'un acte médical[(346)]. Cette décision est difficilement compatible avec l'article L. 1142-1 du CSP qui réserve toujours le cas d'une responsabilité de plein droit pour le matériel utilisé par le médecin. La Cour de cassation adopte ainsi une interprétation extensive de l'arrêt rendu par la CJUE le 21 décembre 2011 qui avait refusé d'appliquer la directive relative aux produits défectueux aux simples « utilisateurs » réservant cette responsabilité aux « producteurs et fournisseurs ». La Cour de cassation préfère ne pas reprendre cette distinction, difficile à mettre en œuvre en matière médicale, et exclut globalement tous les prestataires de soins médicaux sans distinction dont la responsabilité ne peut être recherchée désormais en cas de dommages causés par les produits de santé qu'en prouvant une faute[(347)].

L'arrêt du 12 juillet 2012 a été confirmé et étendu au cas d'un prothésiste dentaire, par une décision de la Cour de cassation du 20 mars 2013[(348)]. Alors que les juges opéraient autrefois une distinction entre la qualité de la prothèse, obligation de résultat, et la pause de la prothèse ainsi que le traitement relevant d'une obligation de moyens, désormais seule la faute, s'agissant d'un prestataires de soins, engagera la responsabilité du chirurgien-prothésiste.

Affinant encore la distinction, la jurisprudence a ajouté, notamment en ce qui concerne les obligations de sécurité, des obligations de moyens renforcées ou de résultat atténuées, ce qui permet d'écarter la responsabilité en faisant la preuve de l'absence de faute[(349)].

(345) Cass. 1re civ., 9 nov. 1999 : *JCP* G 2000, II, 10251, note Ph. Brun.

(346) Cass. 1re civ., 12 juill. 2012, n° 11-17.510 : JurisData n° 2012-015717 ; Resp. civ. et assur. 2012, comm. 314 ; *D.* 2012, p. 2277, note M. Bacache ; *JCP* G 2012, note 1036, P. Sargos. – Rappr. CJUE, 21 déc. 2011, aff. C-495/10, *CHU de Besançon c/ Thomas Dutrueux, CPAM du Jura*, consid. 39 ; *D.* 2012, p. 926, note J.-S. Borghetti ; *D.* 2012, p. 1558, note P. Véron et F. Vialla ; *AJDA* 2011, p. 2505 ; *AJDA* 2012, p. 306, chron. M. Aubert, E. Broussy et F. Donnat ; *RTD civ.* 2012, p. 329, obs. P. Jourdain ; *JCP* A 2012, p. 2078, obs. H. Oberdoff ; Dr. adm. 2012, comm. 42, note C. Lantero.

(347) Sur cette analyse, S. Hocquet-Berg, *op. cit.*, spéc. n° 4 et s. – L. Bloch, *Produits de santé défectueux : désordre au sommet des ordres* : *Resp. civ. et assur.* n° 1, janv. 2014, étude 1.

(348) Cass. 1re civ., 20 mars 2013, n° 12-12.300, FS-P+B+I : JurisData n° 2013-004818 ; *Res. Civ. et assur.* n° 6, juin 2013, comm. 195, obs. S. Hocquet-Berg.

(349) V. par ex., Cass. 1re civ., 16 oct. 2001 : *JCP* 2002, II, 10194 et note Ch. Lièvremont ; *RTD civ.* 2002, 107, obs. P. Jourdain (obligation de moyens renforcée à la charge du moniteur d'un sport dangereux, en l'espèce le pilote de l'avion remorquant un planeur). Sur le cas particulier du garagiste réparateur, tenu d'une obligation de résultat allégée en ce qu'elle emporte une présomption simple de faute et suppose de la victime qu'elle prouve cependant le lien entre son intervention et la défaillance invoquée, Cass. 2e civ., 17 oct. 2012, n° 11-17.964, *F-D, P. c/ SA Claverie automobiles* : JurisData n° 2012-023616. – Cass. 1re civ., 31 oct. 2012, n° 11-24.324, F-P+I, *H. c/ SAS Saint-Charles automobiles* : JurisData n° 2012-024280. – Cass. 2e civ., 25 oct. 2012, n° 11-20.762, F-D, *SAS Loisircars c/ F.* : JurisData n° 2012-024137. – V. égal. application du principe de « causalité alternative » au garagiste, Cass. 1re civ., 5 févr. 2014, n° 12-23.467, F P+B+I : JurisData n° 2014-001612 ; *JCP* G 17 févr. 2014, n° 7, 189, obs. S. Hocquet-Berg.

631. – Obligations de moyens et obligations de résultat. Critère de distinction. Il n'y a évidemment pas de problème si la loi précise elle-même l'intensité de l'obligation, ce qui est infiniment rare. À défaut, les parties peuvent également le faire, mais c'est assez rare et, en outre, la qualification retenue par les parties ne lie pas le juge. En définitive, c'est donc le plus souvent le juge saisi d'un litige qui aura à se prononcer sur l'étendue de l'obligation.

Le critère premier est celui de l'*aléa*. Si l'obligation souscrite n'est soumise à aucun aléa particulier, on dira qu'on est en présence d'une obligation de résultat. Tel est le cas de l'obligation du *transporteur*, ou du *constructeur*, car dans l'un et l'autre cas le risque est – ou devrait être – faible sinon inexistant.

En second lieu, on prend en considération le *rôle actif ou passif de la victime*. Ainsi, on opposera le touriste que l'on juche sur un âne pour la visite d'un site escarpé dont le rôle est purement passif, au cavalier expérimenté qui loue un cheval dans un manège, qui conduit l'animal à son gré et joue donc un rôle actif.

632. – La distinction des obligations de moyens et de résultat dans le Projet Catala. À la différence du projet de réforme qui ignore cette distinction, le Projet Catala la consacre expressément. Après en avoir présenté une définition dans la section relative aux diverses espèces d'obligations (art. 1149), il reprend la distinction dans les dispositions relatives au fait générateur de responsabilité contractuelle pour établir la charge de la preuve de l'inexécution du contrat (art. 1364).

Ainsi, lorsque le débiteur s'est engagé à procurer un résultat, le seul fait qu'il ne soit pas atteint caractérise l'inexécution de telle sorte que ce sera ensuite au débiteur de justifier d'une cause étrangère pour s'exonérer de sa responsabilité.

Dans tous les autres cas, ce qui atteste du caractère ouvert de la catégorie des obligations de moyens(350), le débiteur ne sera responsable « que s'il n'a pas effectué toutes les diligences nécessaires », preuve qui incombe au créancier.

Ce faisant, le Projet consacre les solutions du droit positif ; mais il ne se prononce pas sur le critère de distinction des obligations de moyen et de résultat(351).

À l'inverse, on observera que le projet de réforme du droit des contrats ne fait pas mention de la distinction. Mais cela ne signifie nullement qu'il la condamne ; ce silence peut s'expliquer pour partie par le souci d'éviter de mettre dans la loi des définitions et des distinctions, et pour partie par le fait que cette distinction typiquement française trouvait mal sa place dans un projet qui se veut tourné vers l'Europe. On peut penser que, même si elle n'était pas consacrée dans une éventuelle réforme, la jurisprudence continuera à l'utiliser.

633. – Modes de preuve. Quant aux modes de preuve, ils sont libres (V. *supra*, n° 587). Ainsi pourra-t-on faire entendre des témoins dans le cadre d'une enquête, ou demander une expertise pour éclairer le tribunal, etc.

(350) En ce sens, P. Ancel, *La responsabilité contractuelle et ses relations avec la responsabilité extra-contractuelle : présentation des solutions de l'avant-projet*, in *L'avant-projet de réforme du droit de la responsabilité – Actes du colloque du 12 mai 2006 : RDC* 2007, p. 19, et éd. Le Manuscrit, p. 35, spéc. p. 43 et 44.

(351) En ce sens, J. Huet, *Observations sur la distinction entre les responsabilités contractuelle et délictuelle dans l'avant-projet de réforme du droit des obligations*, in *L'avant-projet de réforme du droit de la responsabilité – Actes du colloque du 12 mai 2006 : RDC* 2007, p. 31, et éd. Le Manuscrit, p. 59, spéc. p. 70.

À supposer que la faute soit ainsi prouvée, la responsabilité contractuelle ou extracontractuelle sera établie à moins que l'auteur ne puisse dénier l'existence d'un lien de causalité entre sa faute et le dommage. Ainsi pourra-t-il échapper à sa responsabilité si sa faute n'a pas été la cause du dommage ou encore si son acte illicite lui a été imposé par un cas de force majeure (V. *infra*, n°s 742 et s. à propos du lien de causalité).

§ 2. – Le fait d'autrui

A. – Le principe général de responsabilité du fait d'autrui

634. – **L'article 1384 du Code civil.** En matière pénale où la responsabilité est toujours personnelle, nul ne saurait en principe être condamné à une peine pour une infraction commise par autrui (sous réserve de certains cas tels que la responsabilité pénale des chefs d'entreprise). Ce principe ne se retrouve pas en matière civile où l'article 1384 pose une règle inverse dans ses alinéas 1er, 4 et 5.

Art. 1384. – On est responsable non seulement du dommage que l'on cause par son propre fait, mais encore de celui qui est causé par le fait des personnes dont on doit répondre, ou des choses que l'on a sous sa garde.

(...)

Le père et la mère, en tant qu'ils exercent l'autorité parentale, sont solidairement responsables du dommage causé par leurs enfants mineurs habitant avec eux.

Les maîtres et les commettants, du dommage causé par leurs domestiques et préposés dans les fonctions auxquelles ils les ont employés ;

Les instituteurs et les artisans, du dommage causé par leurs élèves et apprentis pendant le temps qu'ils sont sous leur surveillance.

La responsabilité ci-dessus a lieu, à moins que les père et mère et les artisans ne prouvent qu'ils n'ont pu empêcher le fait qui donne lieu à cette responsabilité.

En ce qui concerne les instituteurs, les fautes, imprudences ou négligences invoquées contre eux comme ayant causé le fait dommageable, devront être prouvées, conformément au droit commun, par le demandeur, à l'instance.

Ainsi, un père peut être condamné à réparer le préjudice causé par son enfant mineur, et un patron celui provoqué par ses ouvriers et employés.

Qu'un chauffeur en état d'ébriété cause un grave accident entraînant le décès d'une personne, la situation se présentera de la manière suivante : sur le plan pénal, seul le chauffeur pourra encourir une peine de prison ou d'amende et il la purgera personnellement ; sur le plan civil, la victime pourra, à son choix, demander réparation (dommages et intérêts) soit au chauffeur lui-même pour son fait personnel[352], soit à l'entreprise pour le fait de son chauffeur, soit aux deux ensemble[353].

(352) Cass. ass. plén., 14 déc. 2001 : *JCP* 2002, II, 10026 et note M. Billiau. Cet arrêt retient la responsabilité civile du préposé à l'égard des tiers lorsqu'il fait l'objet d'une condamnation pénale. À défaut d'une telle condamnation pénale, la responsabilité civile du préposé à l'égard des tiers est écartée si le préposé a agi « sans excéder les limites de la mission qui lui a été impartie par son commettant » : Cass. ass. plén., 25 févr. 2000 : *JCP* 2000, II, 10295, concl. R. Kessous et note M. Billiau ; *D.* 2000, 673 et note Ph. Brun ; *Gaz. Pal.* 23-24 août 2000 et note F. Rinaldi ; *RTD civ.* 2000, 582, obs. P. Jourdain. – G. Viney, obs. *JCP* 2000, I, 241, n°s 16 et s. – V. *infra*, n° 649.

(353) Sur les concours de responsabilité et d'actions, V. H. Laroche, *Les concours de responsabilité* : thèse dactyl. Tours, mars 2014.

Originairement, et parfois encore, cette responsabilité du fait d'autrui trouve son fondement dans l'*obligation de surveillance*[354]. Mais, le plus souvent, le but poursuivi est d'offrir à la victime, outre un éventuel recours contre l'auteur du dommage, un second recours contre une personne supposée plus solvable que la première et qui jouera un rôle de garantie à l'égard des tiers[355]. Il convient d'ajouter que le garant condamné à payer pour autrui peut dans certains cas, se retourner contre le véritable responsable ; en pratique, pour des motifs divers, insolvabilité du responsable, assurance du garant excluant le recours, il est rare que cette action récursoire soit mise en œuvre.

La responsabilité du fait d'autrui se rencontre tant en matière extracontractuelle qu'en matière contractuelle[356]. Il faut noter que si le projet P. Catala maintient le fait d'autrui comme un fait générateur de responsabilité, il en va différemment du projet Fr. Terré (art. 13 et s.) qui le conçoit, à l'instar du projet de réforme de la responsabilité civile du 26 juillet 2012[357], comme un mode d'imputation du dommage à autrui[358].

635. – **Responsabilité extracontractuelle du fait d'autrui.** En matière extracontractuelle, la jurisprudence a très longtemps considéré que l'article 1384, alinéa 1er, s'il exprimait un principe général de responsabilité du fait des choses, ne posait aucunement un principe général de responsabilité du fait d'autrui.

Elle en déduisait que ce texte n'avait pas de portée propre en matière de responsabilité du fait d'autrui, qu'il annonçait seulement les cas énoncés aux alinéas suivants, lesquels étaient en conséquence considérés comme limitatifs. Ainsi, les seules personnes responsables du fait d'autrui étaient les parents du fait de leurs enfants mineurs, les artisans du fait de leurs apprentis, et surtout les commettants, c'est-à-dire les patrons, du fait de leurs préposés. À cela il faut ajouter que l'État est responsable du fait de ses fonctionnaires et agents, sauf en cas de faute personnelle, détachable du service.

Compte tenu de la formulation de l'article 1384, alinéa 1er, il paraissait pourtant difficile – sinon même contradictoire – d'interpréter ce texte d'une manière tantôt extensive, et tantôt restrictive, suivant qu'il s'agissait de responsabilité du fait des choses ou de responsabilité du fait d'autrui.

636. – **Suite : l'arrêt « Blieck » et la jurisprudence récente.** Cette situation a cependant duré près de 190 ans, jusqu'à l'arrêt *Blieck* de l'assemblée plénière de la Cour de cassation du 29 mars 1991[359].

(354) C. Coulon, *L'obligation de surveillance. Essai sur la prévention de fait d'autrui* : thèse Lille, 2001.

(355) P. Jourdain, *La responsabilité du fait d'autrui à la recherche de ses fondements*, in *Mél. Lapoyade-Deschamps*, CERDAC, 2003, p. 67.

(356) S. Prigent, *La responsabilité civile du fait d'autrui : essai d'une théorie* : *RRJ* 2008, 953.

(357) Sous-section 2 – « L'imputation du dommage causé par autrui », articles 11 et suivants.

(358) Sur ce point, J.-S. Borghetti et D. Mazeaud, *Imputation du dommage causé à autrui*, in *Fr. Terré (dir.), Pour une réforme du droit de la responsabilité civile* : Dalloz, coll. Thèmes et commentaires, 2011, p. 149.

(359) Cass. ass. plén., 29 mars 1991 : *JCP* 1991, II, 21673, concl. D. Dontenwille et note J. Ghestin ; *D.* 1991, 324 et note Ch. Larroumet ; *Defrénois* 1991, 1, 729, art. 35062, n° 44, obs. J.-L. Aubert ; *Gaz. Pal.* 5-6 août 1992 et note F. Chabas. – G. Viney, *Vers un élargissement de la catégorie des « personnes dont on doit répondre » : la porte entrouverte sur une nouvelle interprétation de l'article 1384, al. 1er, du Code civil* : *D.* 1991, chron. 157. – H. Groutel, *La responsabilité du fait d'autrui : un arrêt (à moitié) historique* : *Resp. civ. et assur.* avr. 1991, chron.

LA COUR ; – Sur le moyen unique : Attendu, selon l'arrêt confirmatif attaqué (C. Limoges, 1re ch., 23 mars 1989), que Joël Weevauters, handicapé mental, placé au Centre d'aide par le travail de Sornac, a mis le feu à une forêt appartenant aux consorts Blieck ; que ceux-ci ont demandé à l'Association des centres éducatifs du Limousin, qui gère le centre de Sornac, et à son assureur, la réparation de leur préjudice ;

Attendu qu'il est fait grief à l'arrêt d'avoir condamné ces derniers à des dommages-intérêts par application de l'article 1384, alinéa 1er, C. civ., alors qu'il n'y aurait de responsabilité du fait d'autrui que dans les cas prévus par la loi et que la cour d'appel n'aurait pas constaté à quel titre l'association devrait répondre du fait des personnes qui lui sont confiées ;

Mais attendu que l'arrêt relève que le centre géré par l'association était destiné à recevoir des personnes handicapées mentales, encadrées dans un milieu protégé, et que Joël Weevauters était soumis à un régime comportant une totale liberté de circulation dans la journée ; qu'en l'état de ces constatations, d'où il résulte que l'association avait accepté la charge d'organiser et de contrôler, à titre permanent, le mode de vie de ce handicapé, la cour d'appel a décidé, à bon droit, qu'elle devait répondre de celui-ci, au sens de l'art. 1384, alinéa 1er, C. civ., et qu'elle était tenue de réparer les dommages qu'il avait causés ; d'où il suit que le moyen n'est pas fondé ;

Par ces motifs, rejette.

À la vérité, cet arrêt ne décidait pas expressément que l'alinéa 1er de l'article 1384 posait un principe général de responsabilité du fait d'autrui. Mais la solution était nécessairement implicite dans la mesure où la Cour suprême approuvait les juges du fond d'avoir décidé qu'une association gérant un centre d'aide par le travail devait répondre, au sens de l'article 1384, alinéa 1er, des dommages causés par un handicapé mental sous sa garde. En bref, la liste des responsables du fait d'autrui figurant à l'article 1384 n'est pas limitative.

Depuis lors, la Cour de cassation a retenu, par application de l'article 1384, alinéa 1er, la responsabilité des associations sportives du fait de leurs membres(360) à l'occasion d'une compétition ou même d'un simple entraînement(361), de la personne physique ou morale assurant la garde d'un mineur en danger(362), même lorsqu'il réside chez ses parents(363), des services éducatifs qui accueillent des mineurs délinquants(364), du département assurant la tutelle d'un mineur(365) ou encore du tuteur du fait du mineur à lui confié(366). De l'ensemble de ces décisions il semble résulter

(360) Cass. 2e civ., 22 mai 1995 : *JCP* 1995, II, 22550 et note J. Mouly ; *Gaz. Pal.* 7-9 janv. 1996 et note F. Chabas : *D.* 1996, somm. 29 et note F. Alaphilippe. – Cass. 2e civ., 3 févr. 2000 : *JCP* 2000, II, 10316 et note J. Mouly ; *D.* 2000, 862 et note S. Denoix de Saint-Marc ; *D.* 2000, somm. 465, obs. P. Jourdain ; *Defrénois* 2000, p. 724, art. 37188, n° 44 et note D. Mazeaud. – V. aussi pour une association de majorettes : Cass. 2e civ., 12 déc. 2002 : *Bull. civ.* 2002, II, n° 289 ; *JCP* 2003, IV, 1220 ; *JCP* 2003, I, 154, n° 49, obs. G. Viney. – J.-P. Vial, *Responsabilité des groupements sportifs amateurs du fait de leurs membres. Plaidoyer pour un retour à l'article 1384, al. 5, du Code civil* : *D.* 2011, 397. – J.-P. Vial, *De la responsabilité civile des clubs sportifs* : *RLDC* 2013, p. 109.

(361) Cass. 2e civ., 21 oct. 2004 : *Bull. civ.* 2004, II, n° 477 ; *D.* 2004, p. 40 et note J.-B. Laydu ; *RTD civ.* 2005, p. 412, obs. P. Jourdain.

(362) Cass. crim., 10 oct. 1996 : *JCP* 1997, II, 22833 et note F. Chabas ; *D.* 1997, 309 et note M. Huyette. – Cass. 2e civ., 20 janv. 2000 : *D.* 2000, 571 et note M. Huyette. – Cass. crim., 15 juin 2000 : *D.* 2001, 653 et note Huyette. – Cass. 2e civ., 7 mai 2003 : *Bull. civ.* 2003, II, n° 129 ; *D.* 2003, 2256 et note M. Huyette ; *JCP* 2004, I, 101, n° 19, obs. G. Viney.

(363) Cass. 2e civ., 6 juin 2002, 2 arrêts : *D.* 2002, 2750 et note M. Huyette ; *JCP* 2003, II, 10068, notes A. Gouttenoire-Cornut et N. Roget ; *RTD civ.* 2002, 825, obs. P. Jourdain ; *JCP* 2003, I, 154, nos 37 et s., obs. G. Viney. – Cass. crim., 8 janv. 2008, n° 07-81725.

(364) Cass. 2e civ., 7 mai 2003 : *D.* 2003, 2256 et note M. Huyette. – CE, sect., 11 févr. 2005 : *AJDA* 2005, 663 ; *D.* 2005, p. 1762 et note F. Lemaire ; *JCP* 2005, II, 10070, concl. Ch. Devys et note M.-C. Rouault ; *RFDA* 2005, p. 595, concl. Ch. Devys et note P. Bon ; *LPA* 1er juin 2005, p. 8 et note E. Matutano. – CE, 1er févr. 2006 : *D.* 2006, p. 2301 et note F.-X. Fort ; *AJDA* 2006, p. 586, obs. C. Landais et F. Lénica ; *RFDA* 2006, p. 602, concl. M. Guyomar. – CE, 13 févr. 2009 : *D.* 2009, act. jurispr. 631, obs. J.-M. Pastor ; *JCP* 2009, II, 10059 et note P. Tifine. – N. Droin, *Réflexions sur le concept de « garde », nouveau fondement de la responsabilité sans faute de l'État* : *JCP* 2010, 455.

(365) Cass. 2e civ., 7 oct. 2004 : *Bull. civ.* 2004, II, n° 453, p. 385 ; *D.* 2005, 819 et note M. Huyette ; *JCP* 2005, I, 132, n° 6, obs. G. Viney.

(366) Cass. crim., 28 mars 2000 : *JCP* 2001, II, 10457 et note C. Robaczewski ; *JCP* 2000, I, 241, nos 9 et s., obs. G. Viney ; *D.* 2000, somm. 466, obs. D. Mazeaud. – *Contra* : Cass. 2e civ., 25 févr. 1998 : *D.* 1998, 315, concl. R. *Kessous* ; *JCP* 1998, II,

que la responsabilité du fait des mineurs et des handicapés incombe à la personne ou à l'organisme qui dispose du pouvoir d'organisation, de direction et de contrôle du mode de vie de l'auteur[367] ; ce qui limite d'autant la responsabilité des parents du fait de leurs enfants (V. *infra*, n°s 638 et s.).

En revanche un syndicat ne saurait être tenu des fautes de ses membres, notamment à l'occasion de manifestations, car il n'a ni pour objet, ni pour mission d'organiser, de diriger et de contrôler l'activité de ses adhérents au cours de mouvements ou manifestations auxquels ces derniers participent[368].

On peut ainsi considérer que, dans un certain domaine, la jurisprudence consacre un principe général de responsabilité du fait d'autrui[369], étant précisé que cette responsabilité de plein droit ne tombe pas devant la preuve de l'absence de faute[370] du présumé responsable. En revanche, il reste à préciser si cette responsabilité suppose une faute de la personne gardée, ou un simple fait causal comme en matière de responsabilité des parents du fait de leurs enfants mineurs[371].

S'agissant de la responsabilité des associations sportives, un arrêt de l'assemblée plénière[372] a fait sienne la position de la deuxième chambre civile qui exigeait toujours la preuve d'une faute du joueur, faute consistant en une violation des règles du jeu[373].

10149 et note G. Viney, pour un majeur en tutelle. – A.-M. Galliou-Scanvion, *L'article 1384, alinéa 1er, et la responsabilité du fait d'autrui : un fardeau non transférable sur les épaules du tuteur : D.* 1998, chron. 240.

(367) Un tel pouvoir ne découle pas automatiquement du fait qu'une association se voit confier une mesure d'assistance éducative en milieu ouvert à l'égard d'un mineur en danger : Cass. 2e civ., 19 janv. 2008 : *D.* 2008, act. jurispr. 1899, obs. I. Gallmeister ; *D.* 2008, 2205 et note M. Huyette ; *D.* 2009, 769, obs. Cl. Nicoletis ; *JCP* 2008, II, 10203 et note F. Boulanger ; *RTD civ.* 2008, 682, obs. P. Jourdain. – V. Ch. Guettier, *Homogénéisation du droit applicable : Rev. Lamy dr. civ.* juill.-août 2008, suppl. p. 24. – B. Waltz, *Regard critique sur les critères de désignation du responsable du fait d'autrui : Resp. civ. et assur.* n° 11, nov. 2012, étude 9. Cette acceptation d'organiser, de diriger et de contrôler le mode de vie fait défaut lorsqu'un locataire prête son appartement à un occupant qui est à l'origine d'un incendie, Cass. 2e civ., 6 févr. 2014, n° 13-10889, inédit : *JCP G* n° 18, 5 mai 2014, 533, note L. Perdrix.

(368) Cass. 2e civ., 26 oct. 2006 : *Bull. civ.* 2006, II, n° 299 ; *JCP* 2007, II, 10004 et note J. Mouly ; *D.* 2007, p. 204 et note J.-B. Laydu ; *LPA* 3 janv. 2007, p. 15 et note M. Brusorio ; *LPA* 23 janv. 2007, p. 11 et note J.-F. Barbièri ; *JCP* 2007, I, 115, n° 5, obs. Ph. Stoffel-Munck ; *RTD civ.* 2007, 357, obs. P. Jourdain.

(369) J.-P. Gridel, *Glose d'un article imaginaire inséré dans le Code civil en suite de l'arrêt* Blieck : « Chacun répond, de plein droit, du dommage causé par celui dont il avait mission de régler le mode de vie ou contrôler l'activité », in *Mél. Drai*, 2000. – M. Josselin-Gall, *La responsabilité du fait d'autrui sur le fondement de l'article 1384, alinéa 1er, Une théorie générale est-elle possible ? : JCP* 2000, I, 268. – J. Julien, *La responsabilité civile du fait d'autrui. Rupture et continuités* : PUAM, 2001, préf. Ph. Le Tourneau. – M. Poumarède, *L'avènement de la responsabilité du fait d'autrui*, in *Mél. Ph. Le Tourneau* : Dalloz, 2007, p. 839.

(370) Cass. crim., 26 mars 1997 : *JCP* 1997, II, 22868, rapp. F. Desportes ; *D.* 1997, 496 et note P. Jourdain ; *JCP* 1997, I, 4070, n°s 19 et s., obs. G. Viney.

(371) Sur l'aspect européen, V. L. Clerc-Renaud, *La responsabilité du fait d'autrui dans les projets européens*, in *Le droit français de la responsabilité civile confronté aux projets européens d'harmonisation, recueil des travaux du GRERCA : IRJS*, 2012, p. 311.

(372) Cass. ass. plén., 29 juin 2007 : *Bull. civ.* 2007, ass. plén., n° 7 ; *JCP* 2007, II, 10150 et note J.-M. Marmayou ; *D.* 2007, 2455 ; *LPA* 13 sept. 2007, p. 9 et note M. Brusorio-Aillaud ; *ibid.* 24 sept. 2007, p. 3 et note J. Mouly ; *D.* 2007, pan. 2903, obs. Ph. Brun ; *RTD civ.* 2007, 782, obs. B. Fages. – M. Mekki, *La responsabilité délictuelle des clubs sportifs du fait de leurs adhérents : les jeux sont faits… rien ne va plus : Rev. Lamy dr. civ.* oct. 2007, p. 17. Sur la portée de cet arrêt, notamment quant à la responsabilité des parents du fait de leur enfant mineur, V. J. François, *Fait générateur de la responsabilité du fait d'autrui : confirmation ou évolution ? : D.* 2007, chron. 2408.

(373) CA Aix-en-Provence, 27 févr. 2002 : *JCP* 2003, II, 10097 et note C. Bloch. – Cass. 2e civ., 20 nov. 2003 : *Bull. civ.* 2003, II, n° 356, p. 292 ; *D.* 2003, 300 et note G. Bouché ; *JCP* 2004, II, 10017 et note J. Mouly ; *RTD civ.* 2004, 106, obs. P. Jourdain (joueur de rugby blessé en l'absence de toute faute d'un autre joueur). – Cass. 2e civ., 8 avr. 2004 : *Bull. civ.* 2004, II, n° 194, p. 164 ; *JCP* 2004, II, 10131 et note M. Imbert ; *D.* 2004, 2601 et note Y.-M. Serinet ; *RTD civ.* 2004, 517, obs. P. Jourdain (joueur de football blessé à la suite d'un tacle imprudent et maladroit). – Cass. 2e civ., 13 mai 2004 : *Bull. civ.* 2004, II, n° 232, p. 197 (joueur de rugby blessé sans faute). – Cass. 2e civ., 21 oct. 2004 : *Bull. civ.* 2004, II, n° 477, p. 404 ; *D.* 2005, 40 ; *JCP* 2004, IV, 3316. – Cass. 2e civ., 13 janv. 2005 : *JCP* 2005, IV, 1355. – Cass. 2e civ., 22 sept. 2005 : *Bull. civ.* 2005, II, n° 234 ; *JCP* 2006, II, 10000, 2e esp. et note D. Bakouche. – Cass. 2e civ., 5 oct. 2006 : *Bull. civ.* 2006, II, n° 257. – J. Mouly, *Les paradoxes du droit de la responsabilité civile dans le domaine des activités sportives : JCP* 2005, I, 134. – V. F. Millet,

La reconnaissance d'un tel principe général revêt un grand intérêt, notamment pour le cas où des jeunes, des malades, des handicapés, des délinquants, etc., sont placés de manière temporaire ou continue sous la garde d'institutions[(374)]. En revanche, le principe ne s'appliquerait pas dans le cas où le placement n'est pas d'origine judiciaire ou légale, mais résulterait d'un contrat[(375)].

637. - **Responsabilité contractuelle du fait d'autrui.** Certains textes édictent également une responsabilité du fait d'autrui en matière contractuelle pour les dommages causés à un cocontractant. Cela vise le cas où l'exécution d'un contrat, confiée à un représentant ou préposé par l'un des contractants, a entraîné un préjudice pour l'autre.

Ainsi, un locataire est responsable à l'égard du propriétaire du fait des sous-locataires ou autres occupants (C. civ., art. 1735)[(376)] ; un entrepreneur est responsable vis-à-vis de son client du fait des personnes qu'il emploie (C. civ., art. 1797) ; de même un hôtelier est responsable des vols commis par ses employés au détriment des clients (C. civ., art. 1953) ; un gynécologue obstétricien est responsable des dommages causés par son anesthésiste[(377)] ; et, à l'égard du mandant, le mandataire du fait des sous-mandataires (C. civ., art. 1994).

À partir de ces exemples, certains auteurs considèrent qu'il y a un principe général de responsabilité contractuelle du fait d'autrui[(378)]. Cette position se trouve aujourd'hui grandement confortée par la jurisprudence instituant un principe général de responsabilité du fait d'autrui en matière extracontractuelle.

Le principal intérêt de la question est relatif aux entreprises dont les membres, dirigeants ou employés, peuvent causer des préjudices à des cocontractants de l'entreprise dans l'exécution d'un contrat[(379)]. En pareil cas, la responsabilité de l'entreprise ne fait aucun doute, même en l'absence de texte précis ; on transpose en général les règles édictées par l'article 1384, alinéa 5, du Code civil pour les dommages causés par les préposés à des tiers[(380)].

Sans passer en revue tous les cas de responsabilité du fait d'autrui, on présentera ici les hypothèses qui demeurent les plus courantes et les plus typiques[(381)].

L'acceptation des risques réhabilitée ? Une application aux responsabilités du fait d'autrui : D. 2005, p. 2830 (qui explique la condition de faute par l'idée d'acceptation des risques du sport).

(374) L. Perdrix, *La garde d'autrui* : LGDJ, coll. « Droit privé », t. 521, 2010, préf. G. Viney.

(375) Cass. 1re civ., 15 déc. 2011 : *JCP* 2012, 205, note D. Bakouche ; *D.* 2012, 539, 2e esp., note M. Develay (pensionnaire d'une maison de retraite atteint de la maladie d'Alzheimer ayant gravement blessé un autre pensionnaire).

(376) Ou réciproquement la responsabilité du bailleur du fait de ses locataires : Cass. 3e civ., 19 mai 2004, deux arrêts : *Bull. civ.* 2004, III, nos 99 et 100 ; *JCP* 2005, I, 132, n° 7, obs. G. Viney.

(377) Cass. 1re civ., 16 mai 2013, n° 12-21.338 : *D.* 2013, 1271 ; *RDSS* 2013, 741, obs. F. Arhab-Girardin ; *JCP* 2013, n° 762, note P. Sargos ; *RTD civ.* 2013, p. 619, obs. P. Jourdain : ce qui n'empêche pas l'anesthésiste fautif de répondre de ses propres fautes.

(378) E. Becqué, *De la responsabilité du fait d'autrui en matière contractuelle* : *RTD civ.* 1914, 251. – R. Rodière, *Y a-t-il une responsabilité contractuelle du fait d'autrui ?* : *D.* 1952, chron. 79. – G. Baumet, *La responsabilité contractuelle du fait d'autrui* : thèse Nice, 1977.

(379) Cass. soc., 10 mai 2001 : *D.* 2002, 1167 et note I. Desbarats (responsabilité de l'employeur du fait des personnes qui exercent, de fait ou de droit, une autorité sur les salariés).

(380) S. Picasso, *La responsabilité contractuelle du fait d'autrui dans la jurisprudence récente, en particulier dans le domaine du droit médical* : *Gaz. Pal.* 2004, 1, doctr. 5-6 mai. Pour des exemples, V. Cass. 1re civ., 13 nov. 2008 : *D.* 2009, 399, obs. E. Poillot ; *RDC* 2009, 515, obs. O. Deshayes. – Cass. 3e civ., 19 nov. 2008 : *D.* 2008, 3004, obs. Y. Rouquet ; *RTD civ.* 2009, 132, obs. P.-Y. Gautier ; *RDC* 2009, 515, obs. O. Deshayes.

(381) Le cas de la responsabilité de l'État qui se substitue à l'instituteur fautif pour les dommages causés par les élèves sous sa surveillance ne sera pas traité, pour une illustration récente, Cass. 2e civ., 16 janv. 2014, n° 12-22619, inédit.

B. – La présomption de responsabilité des parents et des artisans

638. – Évolution : d'une présomption de faute à une présomption de responsabilité. Cette responsabilité du fait d'autrui est longtemps restée très proche de la responsabilité du fait personnel. Elle reposait sur l'idée que l'acte dommageable de l'enfant ou de l'apprenti laisse supposer chez les parents[(382)] ou les artisans une faute soit de surveillance, soit d'éducation (pour les parents seulement)[(383)].

Depuis l'arrêt *Bertrand* du 19 février 1997 la jurisprudence en a fait une présomption de responsabilité déconnectée de toute idée de faute présumée des parents, et reposant uniquement sur la garde[(384)].

La victime pourra intenter l'action en responsabilité contre le mineur ou l'apprenti sur le fondement des articles 1382 ou 1383 du Code civil[(385)]. Mais elle pourra en outre rechercher la garantie des parents ou des artisans en vertu de l'article 1384, alinéas 4, 6 et 7 du Code civil ; cette garantie est toutefois subordonnée à certaines conditions.

1° Conditions de la présomption

639. – Responsabilité personnelle de l'enfant ? S'il s'agit de garantie, la responsabilité des parents ne saurait être engagée que si celle de l'enfant mineur ou de l'apprenti l'est également. Cela suppose donc qu'il y ait un dommage, un fait dommageable et un lien de causalité entre les deux.

Pendant longtemps, la jurisprudence a exigé une faute de l'enfant. Puis, elle s'est contentée d'un fait objectivement illicite, sans connotation morale : peu importe donc qu'il s'agisse d'un enfant en bas âge, privé de discernement (arrêt *Fullenwarth*)[(386)] ; il suffit même que l'enfant soit responsable en dehors de toute faute prouvée, par exemple, en tant que gardien, sur le fondement de l'article 1384, alinéa 1er (arrêt *Gabillet*)[(387)].

---

(382) Cette responsabilité suppose bien évidemment la qualité de parent, donc l'existence d'un lien de filiation ; tel n'est pas le cas du prétendu père si sa reconnaissance a été annulée : Cass. crim., 8 déc. 2004 : *D.* 2005, p. 2267 et note A. Paulin ; *JCP* 2005, IV, 1315 ; *JCP* 2005, I, 132, n° 4, obs. G. Viney ; *LPA* 18 juill. 2005, p. 17 et note I. Corpart-Oulerich.

(383) P.-D. Ollier, *La responsabilité civile des père et mère. Étude critique de son régime légal (C. civ., art. 1384, al. 4 et 7)*, 1961. – L. Martin, *La responsabilité des parents du fait de leurs enfants mineurs* : *JCP* 1963, I, 1755. – R. Legeais, *La responsabilité civile introuvable ou les problèmes de la réparation des dommages causés par les mineurs*, in *Mél. Marty*, p. 775. – B. Puill, *Vers une réforme de la responsabilité des père et mère du fait de leurs enfants ?* : *D.* 1988, chron. 185. – Ch. Lapoyade-Deschamps, *Les petits responsables (Responsabilité civile et responsabilité pénale de l'enfant)* : *D.* 1988, chron. 229. – F. Alt-Maes, *Les nouveaux droits reconnus à la victime d'un mineur* : *JCP* 1992, I, 3627.

(384) Cass. 2e civ., 19 févr. 1997 : *JCP* 1997, II, 22848, concl. R. Kessous et note G. Viney ; *D.* 1997, 265 et note P. Jourdain. – Ch. Radé, *Le renouveau de la responsabilité du fait d'autrui (apologie de l'arrêt* Bertrand*) (Cass. 2e civ., 19 févr. 1997)* : *D.* 1997, chron. 279. – F. Boulanger, *Autorité parentale et responsabilité des père et mère des faits dommageables de l'enfant mineur après la réforme du 4 mars 2002. Réflexions critiques* : *D.* 2005, chron. p. 2245. – M.-C. Lebreton, *Le fait dommageable de l'enfant : à la recherche d'une cohérence entre les divers cas de responsabilité* : *LPA* 11 avr. 2007, p. 6. – F. Leduc, *L'objectivation de la responsabilité parentale* : *Rev. Lamy dr. civ.* juill.-août 2008, suppl. p. 5. – A. Vignon-Barrault, *L'autorité, critère d'identification du responsable* : *Rev. Lamy dr. civ.* juill.-août 2008, suppl. p. 13.

(385) J. Castaignède, *Les petits responsables. Réflexions sur la responsabilité pénale et la responsabilité civile du mineur*, in *Mél. Lapoyade-Deschamps*, 2003.

(386) Cass. ass. plén., 9 mai 1984 : *D.* 1984, 525, concl. Cabannes et note F. Chabas ; *JCP* 1984, II, 20255 et note N. Dejean de la Bâtie ; 20256 et note P. Jourdain : « Attendu que, pour que soit présumée, sur le fondement de l'article 1384, alinéa 4, du Code civil, la responsabilité des père et mère d'un mineur habitant avec eux, il suffit que celui-ci ait commis un acte qui soit la cause directe du dommage invoqué par la victime ; que par ce motif de pur droit, substitué à celui critiqué par le moyen, l'arrêt se trouve légalement justifié. ».

(387) Cass. 1re civ., 20 déc. 1960 : *D.* 1961, 141 et note P. Esmein ; *JCP* 1961, II, 12031, obs. A. Tunc. – Cass. 2e civ., 10 févr. 1966 : *D.* 1966, 333 et concl. Schmelck ; *JCP* 1968, II, 15506, obs. A. Plancqueel. – Cass. 2e civ., 8 avr. 1976 : *JCP* 1976, IV,

Poursuivant cette évolution, la deuxième chambre civile a, dans un arrêt du 10 mai 2001 (arrêt *Levert*), retenu la responsabilité des parents pour l'accident causé par leur enfant à un autre, en dehors de toute faute, à l'occasion d'une partie de rugby amicale entre collégiens : « Attendu que la responsabilité de plein droit encourue par les père et mère du fait des dommages causés par leur enfant mineur habitant avec eux n'est pas subordonnée à l'existence d'une faute de l'enfant »[(388)].

Cette position se trouve aujourd'hui confirmée par deux arrêts de l'assemblée plénière du 13 décembre 2002[(389)] :

> Vu l'article 1384, alinéas 1er, 4 et 7 du Code civil ;
>
> Attendu que, pour que la responsabilité de plein droit des père et mère exerçant l'autorité parentale sur un mineur habitant avec eux puisse être recherchée, il suffit que le dommage invoqué par la victime ait été directement causé par le fait, même non fautif, du mineur ; que seule la cause étrangère ou la faute de la victime peut exonérer les père et mère de cette responsabilité.

Il s'ensuit que désormais les parents sont garants de tous les dommages causés par leurs enfants mineurs, que ces dommages résultent d'un acte anormal[(390)] (faute objective de l'enfant, fait de la chose dont il est gardien, accident avec un véhicule volé)[(391)] ou d'un acte normal (l'exercice d'un sport de contact par l'enfant, tout en respectant les règles du jeu)[(392)].

640. – Condition de minorité. En ce qui concerne les parents, la présomption pèse sur le père et la mère, solidairement, en tant qu'ils exercent le droit de garde[(393)], aujourd'hui *l'autorité parentale*[(394)], à l'exclusion de toute autre personne, et ce même s'ils sont incapables majeurs[(395)]. Cette autorité parentale appartient en principe aux père et mère jusqu'à la majorité ou l'émancipation de l'enfant (C. civ., art. 371-1), mais elle peut n'appartenir qu'à l'un d'entre eux dans certaines circonstances, notamment en cas de décès ou de séparation des parents (C. civ., art. 372 et s.). En toute hypothèse, la présomption disparaît donc en même temps que l'autorité parentale, le jour de l'émancipation ou, au plus tard, de la majorité.

Nulle autre personne ne peut être poursuivie sur le fondement de l'article 1384, alinéa 4. Par exemple, les grands-parents ou le tuteur ne pourraient être poursuivis que pour une faute prouvée[(396)], sauf dans la mesure où la jurisprudence leur appliquerait le principe général de responsabilité du fait d'autrui (V. *supra*, n° 636).

---

180. – J. Boré, *La responsabilité des parents pour le fait des choses ou des animaux dont leur enfant mineur a la garde* : *JCP* 1968, I, 2180.

(388) Cass. 2e civ., 10 mai 2001 : *JCP* 2001, II, 10613 et note J. Mouly ; *D.* 2001, 2851, rapp. P. Guerder et note O. Tournafond ; *RTD civ.* 2001, 602, obs. P. Jourdain ; *JCP* 2002, I, 124, n° 20, obs. G. Viney. – V. aussi E. Savaux : *Defrénois* 2001, art. 37423.

(389) Cass. ass. plén., 13 déc. 2002 : *D.* 2002, 231 et note P. Jourdain ; *JCP* 2003, II, 10010 et note A. Hervio-Lelong.

(390) J.-Ch. Saint-Pau, *Responsabilité civile et anormalité*, in *Mél. Lapoyade-Deschamps*, 2002.

(391) Cass. crim., 8 févr. 2011 : *JCP* 2011, 555, note L. Perdrix.

(392) Cass. 2e civ., 3 juill. 2003 : *JCP* 2004, II, 10009 et note R. Desgorces ; *D.* 2003, inf. rap. 2207. – V. cependant J. François, *Fait générateur de la responsabilité du fait d'autrui : confirmation ou évolution ?* : *D.* 2007, chron. p. 2408.

(393) F. Alt-Maes, *La garde, fondement de la responsabilité du fait des mineurs* : *JCP* 1998, I, 154. – Cass. 2e civ., 18 sept. 1996 : *D.* 1998, 118 et note M. Rebourg.

(394) J.-B. Thierry, *Le rôle de l'autorité parentale dans la responsabilité des parents du fait de leurs enfants mineurs* : *LPA* 7 janv. 2008, p. 4.

(395) CA Caen, 2 févr. 2006 : *D.* 2006, p. 2016 et note G. Raoul-Cormeil.

(396) Cass. 1re civ., 7 févr. 1967 : *D.* 1967, 367. – Cass. 2e civ., 2 nov. 1971 : *D.* 1972, 75. – Cass. 2e civ., 18 sept. 1996 : *D.* 1998, 118 et note M. Rebourg. – G. Blanc, *À propos de la responsabilité des grands parents... (brève contribution à la réflexion sur la responsabilité du fait d'autrui)* : *D.* 1997, chron. 327.

641. – La condition de cohabitation[397]. Suivant l'article 1384, alinéa 4, les parents ne répondent que des dommages causés par « leurs enfants mineurs habitant avec eux ». C'est la condition de cohabitation qui était traditionnellement exigée et qui était liée à l'idée initiale que les parents sont tenus d'une obligation de surveillance sur leurs enfants mineurs, obligation qui cessait lorsque l'enfant était à l'école ou confié à ses grands parents, etc.

Atténuant singulièrement la portée de cette condition, la jurisprudence décide désormais qu'elle résulte de la résidence habituelle de l'enfant au domicile de ses parents ou de l'un d'eux, et qu'elle ne cesse pas du fait que l'enfant a été confié à ses grands parents[398] même pour une très longue durée[399], ou qu'il est dans un établissement scolaire[400], même en régime d'internat[401], ou dans un organisme de vacances non chargé d'organiser et de contrôler à titre permanent le mode de vie de l'enfant[402]. Il en va différemment toutefois dans le cas où l'enfant a été confié à un organisme qui dispose du pouvoir d'organisation du mode de vie de cet enfant (V. *supra*, n° 636 et la jurisprudence citée).

La Chambre criminelle a cependant jugé par un arrêt du 6 novembre 2012 que la responsabilité d'un père divorcé, exerçant conjointement l'autorité parentale, mais chez qui l'enfant n'avait pas sa résidence habituelle[403], ne peut pas être responsable au fondement de l'article 1384, al. 4, marquant ainsi le retour, du moins pour les couples divorcés, de la condition de cohabitation[404]. Le parent chez qui l'enfant n'aurait pas sa résidence habituelle serait responsable pour faute[405].

À la vérité, dès l'instant qu'il s'agit d'une responsabilité déconnectée de toute idée de faute dans l'éducation ou la surveillance, la condition de cohabitation posée par l'article 1384, alinéa 4, n'a plus aucune justification.

642. – Responsabilité du fait des apprentis. La présomption de responsabilité pèse également sur celui, artisan, commerçant ou industriel, qui donne une formation professionnelle à un apprenti (par opposition à un ouvrier ou à un employé, même mineur). Et elle est limitée dans le temps à la période pendant laquelle l'apprenti est sous la surveillance du maître ; dans la conception actuelle de l'apprentissage où l'apprenti ne loge que rarement chez son patron, cela ne vise plus guère que les heures de travail.

(397) A. Ponseille, *Le sort de la condition de cohabitation dans la responsabilité civile des père et mère du fait dommageable de leur enfant mineur : RTD civ.* 2003, 645.

(398) Cass. 2e civ., 20 janv. 2000 : *D.* 2000, somm. 469, obs. D. Mazeaud ; *JCP* 2000, I, 241, n° 20 (enfant confié dix jours à sa grand-mère). – Cass. 2e civ., 5 févr. 2004 : *Bull. civ.* 2004, II, n° 50, p. 41 (enfant en vacances chez son grand-père).

(399) Cass. crim., 8 févr. 2005 : *JCP* 2005, II, 10049 et note M.-F. Steinlé-Feuerbach ; *D.* 2005, inf. rap. 918 (enfant de treize ans vivant chez ses grands-parents depuis l'âge de un an).

(400) Cass. 2e civ., 4 juin 1997 : *D.* 1997, inf. rap. 159. – Cass. 2e civ., 20 avr. 2000 : *D.* 2000, somm. 468, obs. P. Jourdain.

(401) Cass. 2e civ., 16 nov. 2000 : *Resp. civ. et assur.* 2001, comm. 37 ; *JCP* 2001, I, 340, n° 18, obs. G. Viney. – Cass. 2e civ., 29 mars 2001 : *Bull. civ.* 2001, II, n° 69 ; *JCP* 2002, II, 10071 et note S. Prigent : *D.* 2001, inf. rap. 1285. – Cass. crim., 18 mai 2004 : *D.* 2004, inf. rap. 1937 ; *RTD civ.* 2005, 140, obs. P. Jourdain.

(402) Cass. crim., 29 oct. 2002 : *Bull. crim.* 2002, n° 197 ; *D.* 2003, 2112 et note L. Mauger-Vielpeau ; *RTD civ.* 2003, 101, obs. P. Jourdain.

(403) Cass. crim., 6 nov. 2012, n° 11-86.857, P+B : JurisData n° 2012-024917 ; Resp. civ. et assur. 2013, comm. 47 ; *JCP G* n° 17, 22 avr. 2013, doctr. 484, n° 6, obs. C. Bloch ; *Gaz. Pal.* 14 févr. 2013, n° 45, p. 21, obs. M. Mekki. – S. Moracchini-Zeidenberg, *Le responsable du fait du mineur : Resp. civ. et assur.* n° 2, février 2013, étude 2. – Conf. Cass. crim., 29 avr. 2014, n° 13-84207, F-P+B+I.

(404) V. C. Siffrein-Blanc, *Vers une réforme de la responsabilité civile des parents : RTD civ.* 2011, p. 479.

(405) V. not. Cass. crim., 29 avr. 2014, préc.

À l'origine, les solutions retenues pour les pères et mères s'appliquaient de la même manière aux artisans, notamment en ce qui concerne la force de la présomption. Mais en pratique, l'absence de jurisprudence relative à la responsabilité du fait des apprentis ne permet pas de se prononcer sur le point de savoir si l'évolution constatée en matière de responsabilité des parents doit être étendue ici.

2° Force de la présomption

643. – Force majeure ou faute de la victime. Parce qu'elle reposait sur une présomption de faute, cette responsabilité s'effaçait devant la preuve de l'absence de faute. Suivant les termes mêmes de l'article 1384, alinéa 7, du Code civil, « la responsabilité ci-dessus a lieu, à moins que les père et mère et les artisans ne prouvent qu'ils n'ont pu empêcher le fait qui donne lieu à cette responsabilité ». La jurisprudence s'est longtemps montrée bienveillante envers les parents dont la preuve se trouvait ainsi facilitée[406].

Cette époque est désormais révolue. Écartant la présomption simple impliquée par l'article 1384, alinéa 7, la Cour de cassation a posé en principe dans l'arrêt *Bertrand* qu'il s'agissait d'une « responsabilité de plein droit » ne tombant que devant la preuve de « la force majeure ou la faute de la victime »[407] ; étant précisé que les caractères de la force majeure doivent être appréciés par référence aux parents tenus de la présomption[408]. Cette solution a été maintes fois reprise depuis lors, notamment par l'arrêt de l'assemblée plénière du 13 décembre 2002 (V. *supra*, n° 639).

Bertrand c/ Domingues et a. – arrêt

Attendu qu'il est fait grief à l'arrêt d'avoir retenu la responsabilité de M. Jean-Claude Bertrand, alors, selon le moyen, que la présomption de responsabilité des parents d'un enfant mineur prévue à l'article 1384, alinéa 4, du Code civil, peut être écartée non seulement en cas de force majeure ou de faute de la victime mais encore lorsque les parents rapportent la preuve de n'avoir pas commis de faute dans la surveillance ou l'éducation de l'enfant ; qu'en refusant de rechercher si M. Jean-Claude Bertrand justifiait n'avoir pas commis de défaut de surveillance au motif que seule la force majeure ou la faute de la victime pouvait l'exonérer de la responsabilité de plein droit qui pesait sur lui, la cour d'appel a violé l'article 1384, alinéa 4, du Code civil ;

Mais attendu que, l'arrêt ayant exactement énoncé que seule la force majeure ou la faute de la victime pouvait exonérer M. Jean-Claude Bertrand de la responsabilité de plein droit encourue du fait des dommages causés par son fils mineur habitant avec lui, la cour d'appel n'avait pas à rechercher l'existence d'un défaut de surveillance du père ;

D'où il suit que le moyen n'est pas fondé ;

Cass. 2e civ., 19 févr. 1997 : *JCP* 1997, II, 22848, concl. R. Kessous et note G. Viney ; *D.* 1997, 265 et note P. Jourdain ; *Gaz. Pal.* 1997, 572 et note F. Chabas.

Par suite de cette évolution la présomption de responsabilité des parents est devenue d'abord une responsabilité objective, et désormais une véritable garantie

(406) Cass. 2e civ., 2 nov. 1960 et 8 juin 1961 : *D.* 1961, 770 ; *JCP* 1962, II, 12499, obs. P. Esmein. – Cass. 2e civ., 29 avr. 1976 : *JCP* 1978, II, 18793, 2e esp., obs. N. Dejean de la Bâtie. – R. Rodière, *La disparition de l'alinéa 4 de l'article 1384* : *D.* 1961, chron. 207.

(407) Cass. 2e civ., 19 févr. 1997, : *JCP* 1997, II, 22848, concl. R. Kessous et note G. Viney ; *D.* 1997, 265 et note P. Jourdain ; *D.* 1997, 265 et note P. Jourdain ; *Gaz. Pal.* 1997, 572 et note F. Chabas. – Ch. Radé, *Le renouveau de la responsabilité du fait d'autrui (apologie de l'arrêt* Bertrand*)* (Cass. 2e civ., 19 févr. 1997) : *D.* 1997, chron. 279. – Ch. Caron, *La force majeure : talon d'Achille de la responsabilité des père et mère ?* : *Gaz. Pal.* 9-10 sept. 1998, doctr. – Cass. 2e civ., 2 déc. 1998 : *JCP* 1999, II, 10165 et note M. Josselin-Gall. – Cass. 2e civ., 20 avr. et 18 mai 2000 : *D.* 2000, somm. 468, obs. P. Jourdain. La faute de la victime sera partiellement exonératoire sans avoir à revêtir un caractère volontaire : Cass. 2e civ., 29 avr. 2004 : *Bull. civ.* 2004, II, n° 202, p. 170 ; *JCP* 2004, IV, 2250.

(408) Cass. 2e civ., 17 févr. 2011 : *D.* 2011, 1117, note M. Bouteille ; *JCP* 2011, 519 et note D. Bakouche ; *Resp. civ. et assur.* 2011, comm. 164, obs. F. Leduc ; *RTD civ.* 2011, 544, obs. P. Jourdain.

parentale des dommages causés par l'enfant[409] qui devrait être couverte par une assurance de responsabilité obligatoire[410]. À cet égard, on a pu noter que les arrêts de l'assemblée plénière du 13 décembre 2002 ont été rendus sous le visa, non seulement des alinéas 4 et 7, mais aussi de l'alinéa 1er de l'article 1384, ce qui pourrait laisser penser que la Cour de cassation entend traiter de la même manière tous les cas de responsabilité du fait d'autrui[411].

En pratique, cette garantie se trouve amoindrie du fait de l'abaissement de l'âge de la majorité à dix-huit ans et de la possibilité d'émanciper les enfants à seize ans. Les victimes n'ont alors d'autre issue que de s'adresser à l'adolescent lui-même ou à l'apprenti sur le fondement des articles 1382 et 1383 du Code civil.

C. – La présomption de responsabilité des commettants du fait de leurs préposés

644. – **Comparaison avec la responsabilité de l'État du fait de ses agents.** Les maîtres et commettants, c'est-à-dire les patrons, sont responsables du dommage causé par leurs domestiques et préposés dans les fonctions auxquelles ils les ont employés (C. civ., art. 1384, al. 5)[412].

Inscrite dans le Code civil au chapitre des délits et quasi-délits, cette règle ne concerne que les patrons du secteur privé par opposition à l'État ou à ses émanations, et que les dommages causés par les employés et ouvriers à des tiers par opposition aux cocontractants. Néanmoins, le principe de la responsabilité des patrons du fait de leurs préposés a été généralisé[413].

C'est ainsi que le droit administratif a établi une responsabilité de l'État pour les dommages causés par ses fonctionnaires et agents. Cette responsabilité obéit à des règles, différentes de celles du droit privé, qu'il serait trop long d'exposer ici. Signalons seulement que le caractère de responsabilité pour autrui y est plus accentué puisque l'État conserve à sa charge définitive les conséquences des *fautes de service* ; il ne peut exercer d'action récursoire contre le fonctionnaire ou l'agent public qu'en cas de *faute personnelle* détachable du service, c'est-à-dire une faute intentionnelle ou lourde[414]. Cette distinction de la faute personnelle et de la faute de service est spéciale à la responsabilité de l'Administration[415] ; elle

(409) J.-Ch. Saint-Pau, *La responsabilité du fait d'autrui est-elle devenue une responsabilité personnelle et directe ? : Resp. civ. et assur.* 1998, chron. 22. – D. Mazeaud, *Famille et responsabilité (Réflexions sur quelques aspects de « l'idéologie de la réparation »)*, in *Mél. Catala*, 2001, p. 569. – J.-C. Bizot, *La responsabilité civile des père et mère du fait de leur enfant mineur : de la faute au risque*, Rapp. C. cass. 2002, p. 157. – C. Siffrein-Blanc, *Vers une réforme de la responsabilité civile des parents : RTD civ.* 2011, 479.

(410) Dans son rapport pour l'année 2002 (p. 23), la Cour de cassation suggère l'instauration d'une assurance obligatoire et d'un fonds de garantie intervenant en cas d'absence d'assurance ou de déchéance de garantie.

(411) V. en ce sens, G. Viney : *JCP* 2003, I, 154, n° 47.

(412) J. Flour, *Les rapports de commettant à préposé dans l'article 1384 du Code civil* : thèse Caen, 1933. – E. Bertrand, *Les aspects nouveaux de la notion de préposé ; l'idée de représentation dans l'article 1384, § 5 du Code civil* : thèse Aix, 1935. – M.-Th. Rives-Lange, *Contribution à l'étude de la responsabilité des maîtres et commettants (pour une nouvelle approche de la question) : JCP* 1970, I, 2309.

(413) Dans une démarche comparative, V. J. Antippas, *La responsabilité civile des préposés et des commettants à la lumière du droit comparé interne : D.* 2013, p. 2928.

(414) J.-P. Maublanc et L.-V. Fernandez-Maublanc, *La faute personnelle de l'agent public : une notion juridique indéfinissable*, in *Mél. Lapoyade-Deschamps*, 2003. – Adde, B. Delaunay, *Le point de vue du publiciste : la faute de service de l'agent public : Resp. civ. et assur.* mars 2013, n° 3, Dossier 17.

(415) V. par ex. CE, 17 févr. 2014, n° 374227 : *AJDA* 2014, p. 421.

n'a pas à ce jour d'application en droit privé, mais certains auteurs l'appellent de leurs vœux[416].

645. - **Dommages causés aux tiers et aux cocontractants.** La responsabilité des patrons du fait de leurs préposés a également été étendue au cas de dommages causés par les préposés ou agents non plus à des tiers, mais à des cocontractants de l'entreprise. Dans toute entreprise de quelque importance, les contrats sont exécutés par des employés qui, dans l'accomplissement de leur mission, peuvent causer des dommages aux cocontractants. Il est évident, et de bonne justice, que l'entreprise doit être responsable de tous les actes dommageables causés par les préposés dans l'exercice de leurs fonctions, sans qu'il y ait lieu de distinguer suivant la qualité – cocontractant ou tiers – de la victime. À supposer, par exemple, qu'un chauffeur d'une entreprise de transport en commun cause par imprudence un accident, il est normal que l'entreprise garantisse toutes les conséquences de l'accident, tant sur le plan contractuel (les dommages causés aux passagers : inexécution d'un contrat de transport, C. civ., art. 1147) que sur le plan extracontractuel (les dommages causés à des tiers victimes de la collision : inexécution du devoir général de ne pas nuire à autrui, C. civ., art. 1382 et 1383).

On s'accorde ainsi à reconnaître, parallèlement à la responsabilité extracontractuelle des patrons du fait de leurs préposés (C. civ., art. 1384, al. 5), une responsabilité contractuelle du fait d'autrui que la jurisprudence tend à calquer sur la première[417] (V. *supra*, n° 637).

Le plus souvent, toute victime contractuelle ou extracontractuelle d'un préposé néglige l'action en responsabilité contre ce dernier, supposé peu solvable, et dirige son recours contre le commettant, le chef d'entreprise ou l'entreprise elle-même si elle est une personne morale[418].

1° Conditions de la présomption

a) Existence d'un lien de subordination (ou de préposition)

646. - **Critère de l'autorité**[419]**.** La condition de subordination se présente comme une lapalissade : la responsabilité des commettants du fait de leurs préposés suppose que les premiers soient bien des *commettants*, et les seconds des *préposés*. Il n'y aurait pas lieu d'insister sur ce point si le lien de commettant à préposé était clairement défini, ce qui n'est pas le cas[420].

En l'absence de texte, la jurisprudence considère que ce lien est caractérisé lorsqu'existent entre deux personnes des *rapports d'autorité et de subordination*, ou encore suivant une autre formule, de dépendance économique et sociale. D'une manière plus précise, est un commettant toute personne qui a le *droit ou le pouvoir* de donner à une autre des ordres et instructions relatifs à la fois au but à atteindre

(416) G. Viney : *JCP* 2000, I, 241, n°s 16 et s. – B. Puill, *Les fautes du préposé : s'inspirer de certaines solutions du droit administratif ? : JCP* 1996, I, 3939.
(417) F. Chabas, *Cent ans de responsabilité civile : Gaz. Pal.* 23-24 août 2000, doctr. 68 et 69.
(418) O. Sabard, *Responsabilité civile et personne morale, entre prise de liberté et artifice : RLDC*, 2013, p. 106.
(419) D. Mazeaud, *Autorité du commettant et responsabilité : approche de droit civil : Rev. Lamy dr. civ.* juill-août 2008, suppl. p. 33.
(420) L. Leveneur, *Le lien de préposition, in responsabilité civile : le fait du préposé : Resp. civ. et assur.*, mars 2013, p. 8.

et aux moyens à employer. Cela dit, l'existence d'un lien de préposition n'implique pas nécessairement chez le commettant les connaissances techniques pour pouvoir donner des ordres avec compétence[(421)]. En tout état de cause, la victime ne peut agir contre le commettant qu'à la condition qu'il existe au moins une apparence de lien de préposition. La croyance de la victime en ce lien doit être légitime[(422)].

Compte tenu de cette définition, toutes les personnes liées par un *contrat de travail* sont toujours dans un rapport de commettant à préposé : ainsi les patrons au regard des salariés, ouvriers ou employés. À l'inverse, l'entrepreneur ou l'artisan, si modeste soit-il, le médecin[(423)], le comptable, le notaire[(424)], etc., ne sont pas en principe des préposés de leurs clients parce que, leur assignerait-on le but à atteindre, ils demeureraient libres des moyens à employer[(425)]. Il en va de même du sous-traitant qui n'est pas le préposé de l'entrepreneur principal[(426)].

Le cas du médecin est assez révélateur des hésitations. En principe, il exerce son art en toute liberté et en toute autonomie[(427)]. Cependant, lorsque son activité est exercée dans un contexte salarial, l'article 1384, alinéa 5 a pu être appliqué au fondement d'une action exercée contre la clinique du fait du médecin[(428)]. Le plus souvent, cependant, la responsabilité de l'établissement est recherchée sur le fondement de la responsabilité contractuelle. L'établissement doit répondre de la faute médicale commise par le médecin[(429)].

Entre ces deux extrêmes se situent les mandataires et représentants de l'entreprise à propos desquels il peut y avoir incertitude[(430)]. Mais, s'agissant des mandataires sociaux et des organes des sociétés, il est admis qu'ils représentent la personne morale et qu'à ce titre leur faute est celle de la société elle-même. En pratique, on pourra poursuivre la société soit pour son fait personnel (elle s'identifie alors à ses organes), soit pour le fait de ses organes (considérés comme des préposés extérieurs à elle).

647. – **Cas de fractionnement de l'autorité.** Des difficultés surgissent parfois, tenant à un fractionnement de l'autorité entre plusieurs commettants sur un même préposé. L'exemple classique est celui du préposé mis à la disposition d'un tiers : personnel intérimaire, ou personnel mis en commun entre plusieurs entreprises, ou encore en matière de location de voiture avec chauffeur. La question sera tran-

(421) Cass. 2e civ., 11 oct. 1989 : *JCP* 1989, IV, 397.

(422) Cass. 2e civ., 7 févr. 2013, n° 11-25582 : *D.* 2013, p. 433 ; *D.* 2014, p. 47, obs. O. Gout.

(423) V. pour un médecin salarié : Cass. crim., 5 mars 1992 (*JCP* 1993, II, 22013 et note F. Chabas ; *RTD civ.* 1993, 137, obs. Jourdain) qui décide que l'indépendance professionnelle dont jouit le médecin dans l'exercice de son art n'est pas incompatible avec l'état de subordination qui résulte d'un contrat de louage de services le liant à un tiers, en l'espèce à la Croix-Rouge. – V. aussi Cass. 1re civ., 13 nov. 2002 : *D.* 2003, inf. rap. 40. – A. Hontebeyrie, *La responsabilité des cliniques du fait des médecins : D.* 2004, chron. 81.

(424) Sauf dans un contexte salarial, CA Paris, 29 oct. 1984 : *D.* 1985, p. 288, note J.-L. Aubert. Aujourd'hui, art. 6, D. n° 93-82 du 15 janvier 1993, pour les notaires salariés.

(425) Toutefois, la Cour de cassation a admis la qualité de préposé pour un arbitre sportif, bien qu'il soit un travailleur indépendant : Cass. 2e civ., 5 oct. 2006 : *D.* 2007, 2004 et note J. Mouly.

(426) Cass. 3e civ., 8 sept. 2009 : *D.* 2010, 239 et note crit. N. Dissaux. – Cass. 3e civ., 22 sept. 2010 : *Contrats, conc. consom.* 2010, comm. 267, obs. L. Leveneur.

(427) Ce qui justifie d'ailleurs qu'il ne soit pas lié par le diagnostic établi antérieurement par un confrère et l'oblige à apprécier, personnellement et sous sa responsabilité, le résultat des examens et investigations pratiquées, Cass. 1re civ., 30 avr. 2014, FS-P+B+I, n° 13-14288 (l'erreur de diagnostic du second médecin n'a pas été sanctionnée au regard des données acquises de la science de l'époque).

(428) Cass. crim., 5 mars 1992, préc.

(429) V. not. Cass. 1re civ., 17 févr. 2011 : *Bull. civ.*, I, n° 29 ; *RTD civ.* 2011, p. 356, obs. P. Jourdain.

(430) A. Gilson, *Mandat et responsabilité civile* : thèse dactyl. Reims, nov. 2013.

chée en fonction du critère d'autorité : sera présumé responsable le commettant qui avait l'autorité effective sur le préposé au moment où la faute ou le fait dommageable s'est produit[431].

648. – **Cas du préposé occasionnel**[432]. Outre le cas de ces préposés liés au commettant par un contrat, la jurisprudence retient aussi la responsabilité des commettants du fait d'un préposé « occasionnel », c'est-à-dire d'une personne qui, en dehors de tout contrat, va se trouver momentanément placée sous l'autorité d'une autre ; aussi le conducteur qui confie le volant à l'un de ses passagers, ou celui à qui son voisin rend un service d'ami[433].

b) Responsabilité personnelle du préposé ?[434]

649. – **Condition de faute du préposé.** La responsabilité des commettants jouant un rôle de garantie à l'égard des tiers de l'activité dommageable des préposés, on en déduisait classiquement que la responsabilité des patrons du fait de leurs préposés ne pouvait être recherchée que si celle du préposé était elle-même engagée à l'égard du tiers demandeur, et qui plus est sur le fondement de la faute (art. 1382 et 1383), non sur celui de la garde d'une chose (art. 1384, al. 1er).

En effet, suivant la jurisprudence, le préposé, se servant de la chose suivant les instructions de son patron, ne saurait être gardien, faute de disposer de la liberté nécessaire à la qualité de gardien : on exprime cela en disant que les qualités de préposé et de gardien sont incompatibles[435]. Le commettant demeure donc gardien de la chose, par exemple du véhicule dont il confie l'usage à son préposé ; il s'ensuit qu'en cas d'accident causé par le préposé conducteur, le commettant en est responsable en sa qualité de gardien du véhicule (art. 1384, al. 1er), et non pas en qualité de commettant du conducteur (art. 1384, al. 5) (V. *infra*, n° 674).

On enseigne en conséquence que la présomption de responsabilité du commettant suppose que le dommage soit dû à une faute – intentionnelle ou non – commise par le préposé et prouvée conformément aux règles de la responsabilité du fait personnel[436] (V. *supra*, nos 628 et s.) ; il peut s'agir aussi d'une faute au sens de l'article 414-3 commise par un préposé en état de démence (V. *supra*, n° 613). Il doit également y avoir un lien de causalité entre la faute et le dommage[437].

---

(431) Cass. req., 1er mai 1930 : *D.* 1930, 1, 137 et note R. Savatier (chauffeur bénévole). – Cass. 1re civ., 15 nov. 1955 : *D.* 1956, 113 et note R. Savatier ; *JCP* 1956, II, 9006, obs. R. Rodière (infirmière). – Cass. com., 22 mai 1970 : *JCP* 1972, II, 17032, obs. M. Boitard (commis d'agent de change). – Cass. crim., 29 nov. 1973 : *D.* 1974, 194 et note B. Dauvergne (personnel intérimaire). – Cass. com., 26 janv. 1976 : *D.* 1976, 449, rapp. J. Mérimée. – Cass. crim., 10 mai 1976 : *Gaz. Pal.* 1976, 2, 587. – Orléans, 21 avr. 1986 : *Gaz. Pal.* 1986, 628 et note F. Lévy. – Cass. 1re civ., 18 janv. 1989 : *JCP* 1989, IV, 104. – F. Gaudu, *La responsabilité civile du prêteur de main-d'œuvre* : *D.* 1988, chron. 235.

(432) G. Durand-Pasquier, *Préposé de fait et responsabilité* : *Rev. Lamy dr. civ.* juill-août 2008, suppl. p. 49. – J. Gaté, *Le lien de préposition révélé : collaborateur occasionnel du service public et responsabilité* : *eod. loc.*, p. 57.

(433) Cass. 2e civ., 20 juill. 1970 : *Gaz. Pal.* 17 nov. 1970, somm. – Cass. 2e civ., 26 févr. 1986 : *Gaz. Pal.* 1986, 1, pan. 109. – Cass. crim., 14 juin 1990 : *D.* 1990, inf. rap. 208.

(434) G. Viney, *La responsabilité personnelle du préposé*, in *Mél. Lapoyade-Deschamps*, 2003. – C. Benoît-Renaudin, *La responsabilité du préposé* : LGDJ, coll. « Droit privé », t. 520, 2010, préf. Ph. Delebecque.

(435) M.-A. Peano, *L'incompatibilité entre la qualité de gardien et de préposé* : *D.* 1991, chron. 51. – V. cep. un arrêt dans lequel la Cour de cassation, malgré le moyen du pourvoi en ce sens, n'aborde pas cette question d'incompatibilité, Cass. 2e civ., 12 avr. 2012, n° 10-20831 et 10-21094 : *JCP* G 12 nov. 2012, n° 46, doctr. 1224, obs. C. Bloch.

(436) D. Bakouche, *Le fait du préposé de nature à engager la responsabilité du commettant*, in *Responsabilité civile : le fait du préposé* : *Resp. civ. et assur.* mars 2013, p. 13.

(437) D. Bakouche (dir.), *Responsabilité civile : le fait du préposé* : *Resp. civ. et asur.* mars 2013, dossier n° 11-20.

Cette solution classiquement admise se trouve partiellement remise en cause par la jurisprudence récente qui écarte la responsabilité du préposé à l'égard des tiers dans le cas où ce préposé a agi « sans excéder les limites de la mission qui lui a été impartie par son commettant » (arrêt *Costedoat*). Désormais il faut dire que la responsabilité du commettant suppose une faute du préposé, mais une faute qui n'engage pas nécessairement la responsabilité du préposé à l'égard des tiers. La responsabilité du commettant est donc désormais déconnectée de la responsabilité personnelle du préposé.

On relèvera que la solution est différente en ce qui concerne le principe général de responsabilité du fait d'autrui, du moins en ce qui concerne les associations sportives dont la responsabilité n'est encourue qu'en cas de faute du joueur consistant en une violation des règles du jeu (V. *supra*, n° 636).

650. – La responsabilité personnelle du préposé à l'égard du tiers victime. Un arrêt de la chambre commerciale du 12 octobre 1993 avait tout d'abord écarté cette responsabilité au motif que le préposé n'avait pas outrepassé les limites de sa mission si bien « qu'aucune faute personnelle susceptible d'engager » sa responsabilité n'était caractérisée à l'encontre de ce préposé(438). C'était là une invitation à distinguer, comme le fait la juridiction administrative, entre la *faute personnelle* qui engage son auteur et la *faute de service* dont les conséquences dommageables sont à la seule charge de l'Administration.

Plus récemment, un arrêt de l'assemblée plénière de la Cour de cassation du 25 février 2000 (*Costedoat*), relatif à la responsabilité du pilote de l'hélicoptère à l'égard d'un propriétaire victime du traitement herbicide des rizières, a décidé « que n'engage pas sa responsabilité à l'égard des tiers le préposé qui agit sans excéder les limites de la mission qui lui a été impartie par son commettant »(439). La même motivation a été reprise par la première chambre civile de la Cour de cassation pour écarter l'action d'un patient contre une sage-femme et un médecin salariés(440).

Il reste à définir le critère de la faute personnelle qui permet à la victime d'engager la responsabilité personnelle du préposé(441).

À cet égard, l'arrêt *Cousin* de l'assemblée plénière du 14 décembre 2001 a apporté une première précision, ou rectification, en décidant que « le préposé condamné pénalement pour avoir intentionnellement commis, fût-ce sur l'ordre du commettant, une infraction portant préjudice à un tiers, engage sa responsabilité civile à l'égard de celui-

(438) Cass. com., 12 oct. 1993 : *D.* 1994, 125 et note G. Viney ; *JCP* 1995, II, 22494 et note F. Chabas ; *RTD civ.* 1994, 111, obs. P. Jourdain. – V. M.-Th. Rives-Lange, *Contribution à l'étude de la responsabilité des maîtres et commettants (Pour une nouvelle approche de la question)* : *JCP* 1970, I, 2309.

(439) Cass. ass. plén., 25 févr. 2000 : *JCP* 2000, II, 10295, concl. R. Kessous et note M. Billiau ; *D.* 2000, 673 et note Ph. Brun. – G. Viney, obs. *in JCP* 2000, I, 241, n°s 16 et s. ; *Gaz. Pal.* 23-24 août 2000 et note F. Rinaldi ; *RTD civ.* 2000, 582, obs. P. Jourdain. – V. aussi Ch. Radé, *Les limites de l'immunité civile du préposé* : *Resp. civ. et assur.* 2000, chron. 22. – R. Kessous et F. Desportes, *Les responsabilités civile et pénale du préposé et l'arrêt de l'assemblée plénière du 25 février 2000*, Rapp. C. cass. 2000, p. 257. – G. Durry, *Plaidoyer pour une révision de la jurisprudence* Costedoat *(ou : une hérésie facile à abjurer)*, in *Mél. M. Gobert* : Économica, 2004, p. 549. – N. Rias, *Regard rétrospectif sur l'immunité du préposé agissant dans les limites de sa mission* : *RRJ* 2008, 1957. – V. aussi CA Lyon, 19 janv. 2006 : *D.* 2006, 1516 et note A. Paulin. – Pour un conducteur préposé, V. Cass. 2e civ., 28 mai 2009 : *D.* 2009, act. jurispr. 1606, obs. I. Gallmeister ; *D.* 2009, 2667 et note N. Pierre ; *JCP* 2009, n° 28, p. 18 et note J. Mouly.

(440) Cass. 1re civ., 9 nov. 2004, 2 arrêts : *Bull. civ.* 2004, I, n°s 260 et 262 ; *D.* 2005, 253 et note F. Chabas ; *JCP* 2005, II, 10020, rapp. D. Duval-Arnould et note S. Porchy-Simon ; *JCP* 2005, I, 132, n° 9, obs. G. Viney ; *RTD civ.* 2005, 143, obs. P. Jourdain. – C. Riot, *L'exercice « subordonné » de l'art médical* : *D.* 2006, chron. p. 111.

(441) J. Mouly, *Quelle faute pour la responsabilté civile du salarié ?* : *D.* 2006, chron. p. 2756 : l'auteur propose de retenir comme critère la faute inexcusable, de préférence à la faute intentionnelle. – *Adde*, J. Mouly, *La responsabilité civile des salariés*, in *N. Ferrier et A. Pélissier (dir.), L'entreprise face aux évolutions de la responsabilité civile* : Economica, 2012, p. 25.

ci »[(442)]. En l'espèce, le préposé, comptable salarié d'une société, avait bien agi dans la limite de sa mission mais, ce faisant, il avait commis une faute d'une particulière gravité en réalisant des faux afin de permettre à sa société d'obtenir des subventions destinées à financer de faux contrats de qualification. Faut-il voir dans cet arrêt une invitation à distinguer suivant que l'infraction est intentionnelle ou non intentionnelle ?

On inclinerait plutôt à penser que c'est la nature et la gravité de la faute qui ont conduit la Cour de cassation à y voir une faute personnelle[(443)] ; pour employer la terminologie du droit administratif, on dirait qu'il s'agissait d'une *faute personnelle non dépourvue de tout lien avec le service*[(444)].

Toutefois, dans une hypothèse où l'action civile seule était exercée devant la juridiction pénale, la chambre criminelle a repris la formule de l'arrêt *Cousin* et décidé que le préposé qui a intentionnellement commis une infraction ayant porté préjudice à un tiers engage sa responsabilité civile à l'égard de celui-ci[(445)]. Plus récemment, la chambre criminelle a étendu la même solution au préposé, titulaire d'une délégation de pouvoir, auteur non d'une faute véritablement intentionnelle, mais « d'une faute qualifiée au sens de l'article 121-3 du Code pénal », et décidé que ce préposé « engage sa responsabilité civile à l'égard du tiers victime de l'infraction, celle-ci fût-elle commise dans l'exercice de ses fonctions »[(446)].

En revanche, la deuxième chambre civile est revenue à la motivation de l'arrêt *Costedoat* et a cassé un arrêt d'appel qui avait retenu la distinction entre infraction pénale volontaire et involontaire[(447)].

Une telle faute du préposé permet la mise en jeu de la responsabilité personnelle du préposé à l'égard de la victime. Mais elle n'exclut nullement une action de la victime contre le commettant.

651. – L'influence de cette jurisprudence sur le recours du commettant contre le préposé. Tant que la responsabilité du commettant supposait la responsabilité personnelle du préposé, on considérait que, au même titre que le tiers victime, le commettant pouvait exercer un recours contre son préposé fautif, même en l'absence d'une faute lourde[(448)].

Dès lors que, désormais, la responsabilité du commettant suppose seulement un fait illicite du préposé, même si ce fait n'engage pas la responsabilité du préposé à l'égard du tiers victime, le recours du commettant contre le préposé ne peut plus être ouvert de manière automatique. En bonne logique, le commettant condamné

---

(442) Cass. ass. plén., 14 déc. 2001 : *JCP* 2002, II, 10026 et note M. Billiau ; *JCP* 2002, I, 124, n° 22, obs. G. Viney ; *D.* 2002, 1230 et note J. Julien ; *D.* 2002, somm. p. 1317, obs. D. Mazeaud ; *D.* 2002, 2117, obs. B. Thuillier ; *Bull. inf. C. cass.* mars 2002, p. 4, concl. av. gén. M. de Gouttes ; *RTD civ.* 2002, 109, obs. P. Jourdain ; *JCP* 2003, II, 10096 et note M. Billiau. – Cass. 2e civ., 21 févr. 2008 : *D.* 2008, 2125 et note J.-B. Laydu.

(443) Dans une situation voisine, la chambre commerciale avait mis hors de cause un VRP et un responsable régional d'une société, dans l'action dirigée contre celle-ci pour utilisation illicite de marques et concurrence déloyale, au motif que ces salariés, ayant agi dans le cadre de la mission qui leur avait été impartie par leur employeur et sans en outrepasser les limites, n'avaient commis aucune faute personnelle susceptible d'engager leur responsabilité : Cass. com., 12 oct. 1993 : *D.* 1994, 124 et note G. Viney ; *JCP* 1995, II, 22493 et note F. Chabas ; *RTD civ.* 1994, 111, obs. P. Jourdain.

(444) B. Puill, *Les fautes du préposé : s'inspirer de certaines solutions du droit administratif ?* : *JCP* 1996, I, 3939.

(445) Cass. crim., 7 avr. 2004 : *D.* 2004, inf. rap. 1563. – V. aussi M.-C. Guérin, *La faute intentionnelle de celui qui agit pour le compte d'autrui* : *LPA* 11 janv. 2006, p. 6.

(446) Cass. crim., 28 mars 2006 : *JCP* 2006, II, 10188 et note J. Mouly ; *RTD civ.* 2007, p. 135, obs. P. Jourdain.

(447) Cass. 2e civ., 12 mai 2011 : *D.* 2011, 1412, obs. I. Gallmeister ; *D.* 2011, 1938, note O. Gout ; *JCP* 2011, 860, note N. Rias.

(448) Cass. 1re civ., 20 mars 1979 : *D.* 1980, 29 et note Ch. Larroumet.

à l'égard d'un tiers ne devrait pouvoir se retourner contre son préposé que dans le cas où ce dernier a commis une faute personnelle engageant sa responsabilité à l'égard du tiers.

La jurisprudence est assez difficile à interpréter[(449)]. Dans une espèce où une clinique et un médecin salarié avaient été condamnés à l'égard d'une victime, la première sur le fondement de la responsabilité contractuelle, le second pour faute extracontractuelle (maladresse fautive), la première chambre civile de la Cour de cassation a admis le recours de la clinique contre le praticien, au motif que la cour d'appel avait retenu la responsabilité de la clinique sur le fondement contractuel et non sur celui de l'article 1384, alinéa 5[(450)]. Plus récemment, cette même solution a été reprise, mais sur un motif différent tiré de l'indépendance du corps médical : « si l'établissement de santé peut être déclaré responsable des fautes commises par un praticien salarié à l'occasion d'actes médicaux d'investigation et de soins pratiqués sur un patient, ce principe ne fait pas obstacle au recours de l'établissement de santé et de son assureur, en raison de l'indépendance professionnelle intangible dont bénéficie le médecin, même salarié, dans l'exercice de son art »[(451)].

En pratique, si le commettant est assuré, la loi écarte le recours de l'assureur contre le préposé, sauf en cas de malveillance (C. assur., art. L. 121-12, al. 3) ; toutefois, de manière assez étrange, un arrêt a admis que l'assureur de la clinique qui a indemnisé la victime pouvait exercer son recours subrogatoire contre l'assureur de responsabilité du médecin, alors que la responsabilité de ce dernier avait été écartée en application de la jurisprudence *Costedoat*[(452)]. Enfin, ce recours est en toute hypothèse rendu le plus souvent illusoire par la distorsion existant entre la solvabilité du salarié et le montant des dommages qu'il est susceptible de causer dans l'exercice de ses fonctions[(453)].

c) Fait dommageable commis dans l'exercice des fonctions

652. – La condition posée par l'article 1384, alinéa 5. Les maîtres et les commettants sont responsables « du dommage causé par leurs domestiques et préposés dans les fonctions auxquelles ils les ont employés ».

La condition que le dommage ait été causé par le préposé dans les fonctions auxquelles il était employé se justifie aisément. Il est normal que le patron assume la garantie des dommages causés par ses préposés dans l'exercice de leurs fonctions, puisque ces fonctions sont accomplies dans l'intérêt de l'entreprise et pour le plus

(449) V. notamment Cass. 2e civ., 20 déc. 2007 : *Bull. civ.* 2007, II, n° 274 ; *RTD civ.* 2008, 315, obs. P. Jourdain.

(450) Cass. 1re civ., 9 avr. 2002 : *Bull. civ.* 2002, I, n° 114 ; *Resp. civ. et assur.* 2002, chron. 13 et note Ch. Radé ; *JCP* 2002, I, 186, n° 20, obs. G. Viney ; *RTD civ.* 2002, 516, obs. J. Mestre et B. Fages.

(451) Cass. 1re civ., 13 nov. 2002 : *D.* 2003, 580 et note S. Deis-Beauquesne ; *D.* 2003, somm. 459, obs. P. Jourdain ; *JCP* 2003, II, 10096 et note M. Billiau. Décision remise en cause, Cass. 1re civ., 9 nov. 2004 (2 arrêts) : *D.* 2005, p. 253, note Fr. Chabas ; *JCP* G, 2005, II, 10020, rapp. D. Duval-Arnould, note S. Porchy-Simon. – V. A. Hontebeyrie, *La responsabilité des cliniques du fait des médecins : à propos de deux solutions singulières* : *D.* 2004, chron. 81.

(452) Cass. 1re civ., 12 juill. 2007 : *D.* 2007, 2908 et note S. Porchy-Simon ; *JCP* 2007, II, 10162 et note S. Hoquet-Berg ; *RTD civ.* 2008, 109, obs. P. Jourdain.

(453) À l'inverse, le préposé ne dispose pas d'action en garantie contre le commettant, Cass. 1re civ., 6 févr. 2013, n° 12-12683 ; *Resp. civ. et assur.* avr. 2013, n° 4, comm. 111, obs. S. Hocquet-Berg : « le préposé qui a été condamné n'avait pas qualité pour exercer sur le fondement de l'article 1384, alinéa 5, du Code civil une action en garantie contre son commettant ».

grand bénéfice du patron. Aucun motif, en revanche, ne justifierait qu'il ait à sa charge les conséquences dommageables des activités extraprofessionnelles de ses salariés.

Si le principe ne fait pas difficulté, il n'en va pas de même de sa mise en œuvre. Sans doute y a-t-il des hypothèses où l'hésitation n'est pas permise ; tel est le cas lorsque l'acte préjudiciable se situe dans l'accomplissement de la mission : par exemple, accident de la circulation provoqué par un livreur au cours de ses livraisons ; ou, à l'inverse, lorsqu'il n'a strictement aucun rapport avec les fonctions du préposé : par exemple, accident de la circulation provoqué par un salarié pendant ses vacances.

Mais, entre les deux, il y a une marge où se situe l'*abus des fonctions*[(454)]. La plupart des cas qui se présentent devant les tribunaux sont relatifs soit à des accidents de voiture consécutifs à des « emprunts » de véhicules par des préposés infidèles, soit à des infractions pénales, détournements de fonds, coups et blessures ou homicides à la suite de rixes sur le lieu ou au temps de travail.

Cette question a fait l'objet depuis 1960 de plusieurs arrêts de l'assemblée plénière de la Cour de cassation qui ont marqué l'évolution de la jurisprudence, sans pour autant parvenir à des solutions absolument certaines.

653. – **L'abus de fonctions : l'arrêt des chambres réunies du 9 mars 1960.** Il existait en cette matière une opposition de tendance entre les juridictions civile et criminelle qui, toutes deux, peuvent avoir à connaître de tels litiges. La chambre criminelle de la Cour de cassation considérait que le patron était responsable dès l'instant que le préposé avait commis une faute *à l'occasion de ses fonctions* ou par *abus de fonctions*. À l'opposé, la chambre civile, plus restrictive, exigeait qu'il y ait un *lien de causalité ou de connexité* entre la faute commise et les fonctions du préposé.

L'arrêt des chambres réunies de la Cour de cassation du 9 mars 1960, qui tendait à briser cet antagonisme, a distingué suivant que l'acte dommageable était ou non « indépendant du rapport de préposition qui l'unissait à son employeur »[(455)]. Dans cette espèce, à l'insu de son patron, un ouvrier agricole non titulaire du permis de conduire s'était emparé de la camionnette de son patron et avait causé un accident. L'arrêt rejette le pourvoi contre l'arrêt d'appel qui avait écarté la responsabilité de l'employeur.

Malheureusement, cet arrêt ne mit pas fin au conflit entre les deux chambres de la Cour de cassation. La chambre civile et la chambre criminelle ont en fait maintenu leurs solutions antérieures, mais en les habillant de la formulation retenue par les chambres réunies : le patron est ou non responsable suivant que l'acte dommageable du préposé est dépendant ou « indépendant du rapport de préposition qui l'unissait à l'employeur ».

654. – **L'abus de fonctions (suite) : l'arrêt de l'assemblée plénière du 10 juin 1977.** La Cour de cassation statuant en assemblée plénière est à nouveau intervenue en 1977, mais sur la question, limitée, de l'utilisation par le préposé d'un véhicule de fonctions à des fins personnelles. Se prononçant en faveur d'une interprétation restrictive, la cour a décidé que « le commettant n'est pas responsable du

(454) Ph. Brun, *L'abus de fonctions du préposé*, in *Responsabilité civile : le fait du préposé : Resp. civ. et assur.* mars 2013, Dossier n° 15, p. 22.

(455) Cass. ch. réunies, 9 mars 1960 : *D.* 1960, 329 et note R. Savatier ; *JCP* 1960, II, 11559, obs. R. Rodière.

dommage causé par le préposé qui utilise, sans autorisation, à des fins personnelles, le véhicule à lui confié pour l'exercice de ses fonctions »[(456)].

Cet arrêt n'a mis fin à l'antagonisme entre les deux chambres de la Cour de cassation que pour l'hypothèse limitée sur laquelle il avait statué[(457)] ; pour les autres hypothèses, la chambre criminelle a continué à faire preuve de bienveillance à l'égard des victimes[(458)].

655. – L'abus de fonctions (suite) : l'arrêt de l'assemblée plénière du 17 juin 1983. Un nouvel arrêt de l'assemblée plénière rendu le 17 juin 1983 a décidé qu'il n'y a pas lieu à responsabilité du commettant « en cas de dommages causés par le préposé qui, agissant, sans autorisation, à des fins étrangères à ses attributions, s'est placé hors des fonctions auxquelles il était employé »[(459)].

Dans un premier temps, cette décision a été suivie tant par la chambre criminelle que par la chambre civile de la Cour de cassation[(460)]. Puis la chambre criminelle a repris sa motivation antérieure, ce qui a fait douter de l'unification de la jurisprudence[(461)].

656. – L'abus de fonctions (suite) : l'arrêt de l'assemblée plénière du 19 mai 1988. Face à cette ambiguïté, l'assemblée plénière a repris sa motivation de 1983 dans un arrêt du 15 novembre 1985[(462)]. Et elle est intervenue à nouveau, pour préciser le sens de la solution retenue, par un arrêt du 19 mai 1988[(463)].

De cette décision, il résulte que, pour écarter la présomption de responsabilité, trois conditions doivent être cumulativement réunies :

- le préposé a agi « hors des fonctions auxquelles il était employé » : par exemple, il a accompli un acte étranger à ses fonctions, sans rapport avec celles-ci[(464)] ;
- le préposé a agi « sans autorisation » : par exemple, il a utilisé un véhicule autre que celui autorisé par l'employeur ;
- le préposé a agi « à des fins étrangères à ses attributions », c'est-à-dire le plus souvent à des fins personnelles[(465)].

---

(456) Cass. ass. plén., 10 juin 1977 : *D.* 1977, 465 et note Ch. Larroumet ; *JCP* 1977, II, 18730, concl. P. Gulphe ; *Gaz. Pal.* 1977, 2, 441.

(457) Cass. crim., 15 mars 1978 : *D.* 1978, 412. – Cass. crim., 18 juill. 1978 : *JCP* 1978, IV, 304. – Cass. 2e civ., 7 mars 1979 : *JCP* 1979, IV, 170.

(458) V. par ex. Cass. crim., 20 juill. 1977 : *JCP* 1977, IV, 254. – Cass. crim., 18 juill. 1978 : *JCP* 1978, IV, 304. – Cass. crim., 3 mai 1979 : *JCP* 1979, IV, 219. – Th. Hassler, *La responsabilité des commettants. La jurisprudence de la chambre criminelle depuis l'arrêt de l'assemblée plénière du 10 juin 1977* : *D.* 1980, chron. 125.

(459) Cass. ass. plén., 17 juin 1983 : *JCP* 1983, II, 20120, concl. Sadon et note F. Chabas ; *D.* 1984, 134 et note D. Denis.

(460) Cass. crim., 27 oct. 1983 et Cass. 2e civ., 7 déc. 1983 : *D.* 1984, 170 et note Ch. Larroumet.

(461) Cass. crim., 28 févr. 1984 : *Bull. crim.* 1984, n° 82. – Cette décision semble toutefois être un accident de parcours, la jurisprudence postérieure se conformant à la jurisprudence de l'assemblée plénière, soit de 1977 (Cass. crim., 4 août 1984 : *Bull. crim.* 1984, n° 270), soit de 1983 (Cass. crim., 2 mai 1984 : *Bull. crim.* 1984, n° 152).

(462) Cass. ass. plén., 15 nov. 1985 : *D.* 1986, 81 et note J.-L. Aubert : *JCP* 1986, II, 20568, obs. G. Viney ; *Defrénois* 1986, I, 386, obs. J.-L. Aubert. – Y. Lambert-Faivre, *L'abus de fonctions (à propos de l'arrêt de l'assemblée plénière du 15 novembre 1985)* : *D.* 1986, chron. 143. – M. Delmas-Marty, *Le droit pénal, l'individu et l'entreprise : culpabilité « du fait d'autrui » ou du « décideur »* : *JCP* 1985, I, 3218.

(463) Cass. ass. plén., 19 mai 1988 : *D.* 1988, 513 et note Ch. Larroumet ; *Gaz. Pal.* 1988, 640, concl. Dorwling-Carter.

(464) Tel n'est pas le cas de la préposée d'un agent général d'assurance qui commet des détournements au profit de la compagnie en agissant au temps et au lieu de son travail à l'occasion de ses fonctions et avec le matériel informatique mis à sa disposition : Cass. 2e civ., 19 juin 2003 : *Bull. civ.* 2003, II, n° 202, p. 169.

(465) V. par ex., Cass. 2e civ., 6 févr. 2003 : *JCP* 2003, II, 10120 et note C. Castets-Renard (« prêtre de l'Église néo-apostolique » qui commet une escroquerie dans le cadre, non de son ministère religieux, mais de son activité professionnelle en matière de construction immobilière). – Cass. 2e civ., 3 juin 2004 : *Bull. civ.* 2004, II, n° 275, p. 233 ; *RTD civ.* 2004, 742, obs. P. Jourdain (salarié qui « emprunte » une voiture en stationnement). – Cass. 2e civ.,16 juin 2005 : *Bull. civ.* 2005, II, n° 158 ; *D.* 2005, inf. rap. p. 1806 (l'abus de faiblesse commis par la gardienne d'une résidence pour personnes âgées à l'encontre d'une pensionnaire est accompli dans l'exercice de ses fonctions).

657. - **Suite, mais pas fin...** Ainsi l'assemblée plénière a maintenu une interprétation plus étroite que la chambre criminelle dont la tendance était d'étendre largement le champ d'application de la présomption.

Depuis ce dernier arrêt la chambre criminelle reprend fidèlement la formule de l'assemblée plénière et décide que « le commettant ne s'exonère de sa responsabilité qu'à la triple condition que son préposé ait agi en dehors des fonctions auxquelles il était employé, sans autorisation et à des fins étrangères à ses attributions »(466). Mais, en dépit de sa précision, cette formule laisse une certaine marge d'appréciation dont les juridictions pénales profitent souvent pour décider qu'il n'y a pas abus de fonctions et qu'il y a donc lieu à responsabilité du commettant dans des circonstances où le préposé semble pourtant avoir agi « hors des fonctions, auxquelles il était employé, sans autorisation, et à des fins étrangères à ses attributions ». On ne saurait donc considérer que la jurisprudence est définitivement fixée(467).

Ces règles, dégagées par la jurisprudence en matière extracontractuelle, ne s'appliquent pas lorsque le préposé a causé un dommage à un cocontractant de son employeur(468).

Quant au fondement de la responsabilité des commettants du fait des préposés, il résulte de l'arrêt de l'assemblée plénière du 25 février 2000 (V. *supra*, n° 650) que la présomption de responsabilité de l'article 1384, alinéa 5, ne repose plus sur la seule idée de garantie. La jurisprudence semble s'orienter vers l'idée que le commettant – c'est-à-dire le plus souvent l'entreprise – doit être directement responsable des conséquences dommageables de son activité, et qu'il doit prendre l'assurance couvrant ce risque.

En pratique, le plus souvent, les véritables intéressés sont les compagnies d'assurances ; pour échapper au paiement de l'indemnité, elles tentent de démontrer que les conditions de la responsabilité du commettant ne sont pas réunies et, notamment, que l'acte dommageable du préposé n'a pas été commis dans l'exercice de ses fonctions.

2° Force de la présomption

658. - **Présomption irréfragable.** En l'absence de texte sur ce point, la jurisprudence décide que la présomption de responsabilité, qui pèse automatiquement sur le commettant lorsque les conditions précisées plus haut sont réunies, est irréfragable.

Ainsi, les commettants ne peuvent échapper à leur responsabilité par la preuve de l'absence de faute ; de même, à la différence des parents ou des artisans, ils ne peuvent invoquer un cas de force majeure.

---

(466) Cass. crim., 23 juin 1988 (9 arrêts) : *Gaz. Pal.* 1989, 13 et note J.-P. Doucet ; *JCP* 1988, IV, 310 ; *D.* 1988, inf. rap. 236 et 243. – Cass. crim., 6 févr. 1999 : *Bull. crim.* 1999, n° 23 ; *RTD civ.* 1999, 409, obs. P. Jourdain. *JCP* 2000, I, n° 11, obs. G. Viney.

(467) N. Molfessis, *La jurisprudence relative à la responsabilité des commettants du fait de leurs préposés ou l'irrésistible enlisement de la Cour de cassation*, in *Mél. M. Gobert* : Économica, 2004, p. 495. – V. aussi G. Viney, obs. ss Cass. 2e civ., 3 juin 2004, préc : *JCP* 2005, I, 132, n° 5. – V. par ex. Cass. 2e civ., 17 mars 2011 : *D.* 2011, 1530, note D. Sindres, qui retient la responsablité du commettant dans le cas où son préposé, professeur de musique, a pratiqué des viols et agressions sexuelles sur ses élèves dans l'enceinte de l'établissement et pendant les cours. – Adde, Cass. crim., 28 mai 2013, n° 11-99009, F-P+B : *Resp. civ. et assur.* n° 9, sept. 2013, comm. 246 : un commettant ne peut s'exonérer de sa responsabilité dans l'hypothèse d'un préposé condamné pénalement pour harcèlement moral sur un autre préposé.

(468) Cass. 1re civ., 11 et 18 janv. 1989 : *JCP* 1989, II, 21326, obs. Ch. Larroumet.

Le seul moyen possible est de démontrer que les conditions de la présomption ne sont pas réunies : soit que le préposé n'a pas commis de fait illicite dommageable, soit qu'il n'y a pas de lien de subordination, soit que le fait dommageable n'a pas été commis dans l'exercice des fonctions.

Ce caractère irréfragable conduit à affirmer que la responsabilité des patrons n'est pas fondée sur une idée de faute, faute de surveillance, ou dans le choix du préposé, comme on le soutenait jadis. Elle repose sur l'idée que les commettants, profitant de l'activité de leurs préposés, doivent garantir les conséquences de leurs actes dommageables.

Cette fonction de garantie est elle-même remise en cause par l'arrêt *Costedoat* du 25 février 2000 dans la mesure où il peut y avoir responsabilité des commettants là où il n'y a pas de responsabilité personnelle du préposé (V. *supra*, n°s 649 et s.). La jurisprudence semble ainsi s'orienter vers l'idée que le commettant – c'est-à-dire le plus souvent l'entreprise – doit être directement responsable des conséquences dommageables de son activité, et qu'il doit prendre l'assurance couvrant ce risque.

En pratique, c'est ce que font les commettants en contractant une assurance qui les couvre des condamnations encourues. Dès lors, le recours possible contre le préposé responsable demeure très théorique. Il semble devoir être écarté dans le cas où le préposé a bien agi dans les limites de sa mission : si, en pareil cas, il n'est pas responsable à l'égard des tiers, il ne saurait l'être non plus à l'égard de son commettant (V. *supra*, n° 651).

D. – La responsabilité du fait d'autrui dans le Projet Catala[(469)]

659. – Les principes. Le Projet Catala[(470)] modifie et réorganise les règles relatives à la responsabilité du fait d'autrui. Cette question y est traitée au sein des dispositions propres à la responsabilité extra contractuelle ce qui conduit à s'interroger sur la position du Projet quant à la question de la responsabilité contractuelle du fait d'autrui[(471)].

Quant aux conditions, une personne ne saurait être responsable du fait d'autrui que si l'auteur direct du dommage a commis un fait qui aurait été de nature à engager sa responsabilité personnelle (art. 1355, al. 2)[(472)].

Quant aux effets, il s'agit – sauf exception – d'une responsabilité de plein droit dont le présumé responsable ne peut s'exonérer en démontrant son absence de faute.

(469) G. Viney, *Présentation des textes*, in *L'avant-projet de réforme du droit de la responsabilité – Actes du colloque du 12 mai 2006 : RDC 2007*, p. 9. – P. Brun, *L'avant-projet de réforme du droit des obligations : le fait d'autrui*, in *L'avant-projet de réforme du droit de la responsabilité – Actes du colloque du 12 mai 2006 : RDC 2007*, p. 103. – P. Le Tourneau, *Les responsabilités du fait d'autrui dans l'avant-projet de réforme*, in *L'avant-projet de réforme du droit de la responsabilité – Actes du colloque du 12 mai 2006 : RDC 2007*, p. 109. – B. Fages, *Responsabilité du fait d'autrui : adieu les majorettes, bonjour les sociétés mères !*, in *L'avant-projet de réforme du droit de la responsabilité – Actes du colloque du 12 mai 2006 : RDC 2007*, p. 115. – Ph. Le Tourneau et J. Julien, *La responsabilité extracontractuelle du fait d'autrui dans l'avant-projet de réforme du Code civil*, in *Mél. G. Viney* : LGDJ, 2008, p. 579.

(470) Le projet Catala étant le premier en date et ayant servi de modèle ou ayant inspiré les propositions plus récentes, il a été jugé opportun de le prendre comme référent pour mieux comparer les différentes propositions.

(471) Même interrogation à propos du projet de réforme de la responsabilité civile du 26 juillet 2012 qui n'y fait aucune référence. Même silence gardé par le Projet Fr. Terré.

(472) Rappr. projet de réforme de la responsabilité civile du 26 juillet 2012, art. 11, al. 2 : « Cette responsabilité suppose la preuve d'un fait de nature à engager la responsabilité de l'auteur direct du dommage ». Le Projet Fr. Terré, art. 13, précise que cette responsabilité « n'a lieu que lorsqu'est caractérisé un délit civil au sens du présent chapitre ».

Enfin, quant au domaine d'application de la responsabilité du fait d'autrui, le Projet écarte implicitement tout principe général d'une telle responsabilité[(473)] ; il ne consacre donc pas la jurisprudence actuelle. Il ne reprend pas non plus les cas particuliers que sont la responsabilité des artisans du fait de leurs apprentis ou des instituteurs du fait de leurs élèves. En revanche, il propose deux types de responsabilité du fait d'autrui (art. 1355, al. 1) : celle qui pèse sur les personnes qui règlent le mode de vie d'autrui et celle qui pèse sur les personnes qui organisent, encadrent ou contrôlent l'activité d'autrui dans leur intérêt propre[(474)].

660. – **Responsabilité des personnes qui règlent le mode de vie d'autrui.** Ce premier modèle de responsabilité du fait d'autrui recouvre trois hypothèses, qui sont visées aux articles 1356, 1357 et 1358 : responsabilité du fait des dommages causés par l'enfant mineur, du fait des majeurs qui nécessitent une surveillance particulière, et responsabilité de celui qui assume à titre professionnel une mission de surveillance d'autrui[(475)].

S'agissant des dommages causés par les mineurs (art. 1356), le Projet précise que deux séries de personnes peuvent être responsables :

• d'une part les « père et mère en tant qu'ils exercent l'autorité parentale », ou en cas de décès de ceux-ci, le tuteur ; la condition de cohabitation disparaît ;

• d'autre part, la personne physique ou morale (associations éducatives, organismes divers, établissement scolaire dans lequel le mineur est placé en pension, etc.) chargée par décision judiciaire ou administrative ou par convention, de régler le mode de vie du mineur[(476)] ; cette responsabilité peut se cumuler avec celle des parents ou du tuteur[(477)].

S'agissant des dommages causés par certains majeurs (art. 1357), le Projet consacre l'évolution jurisprudentielle et engage la responsabilité des personnes physiques ou morales qui ont reçu par convention[(478)] ou par décision judiciaire ou administrative, la mission de régler le mode de vie de certains majeurs. Il s'agit de ceux dont l'état ou la situation nécessite une surveillance particulière notamment parce qu'ils sont affectés d'un handicap ou parce qu'ils sont incarcérés ou sous contrôle judiciaire.

Mais le Projet propose de retenir, plus généralement, la responsabilité de celui qui assume à titre professionnel une mission de surveillance d'autrui (art. 1358), ce

(473) En effet, l'article 1355 du Projet est présenté par ses rédacteurs comme un texte d'annonce dépourvu de portée normative. L'avant-projet ne propose donc pas d'introduire dans le Code civil un principe général de responsabilité du fait d'autrui mais de régir des cas spéciaux de responsabilité de telle sorte que certaines solutions actuelles seraient abandonnées : V. en ce sens notamment, B. Fages, *Responsabilité du fait d'autrui : adieu les majorettes, bonjour les sociétés mères !*, in *L'avant-projet de réforme du droit de la responsabilité – Actes du colloque du 12 mai 2006 : RDC* 2007, p. 115.

(474) Le projet de réforme de la responsabilité civile du 26 juillet 2012 envisage quatre cas, art. 12 et s. : la responsabilité du fait du mineur, la responsabilité de celui qui organise et contrôle de manière permante le mode vie d'autrui, ceux qui sont responsables pour faute présumée en cas de surveillance d'autrui et la responsabilité du commettant du fait de son préposé.

(475) Ces trois hypothèses figurent dans le projet de réforme du 26 juillet 2012, articles 12, 13 et 14 du projet. Dans le même sens, Projet Fr. Terré, art. 14 et s.

(476) Dans le même sens, Projet Fr. Terré, art. 14. Le projet de réforme du 26 juillet 2012 exclut le cas de la convention.

(477) Différence notable également du projet Catala avec le projet Fr. Terré (art. 14 dernier al.) et avec le projet de réforme du 26 juillet 2012 (art. 12 dernier al.) qui énoncent formellement que « ces responsabilités sont alternatives ».

(478) Dans le même sens, Projet Terré, art. 15. L'article 13 du projet de réforme du 26 juillet 2012 exclut le cas d'un placement par convention.

qui permettrait selon ses auteurs, d'engager la responsabilité des assistantes maternelles, des centres de loisirs, etc. Le régime de cette dernière responsabilité diffère fondamentalement des autres hypothèses ; en effet, il ne s'agit pas d'une responsabilité de plein droit mais d'une responsabilité pour faute présumée puisque le responsable peut s'en exonérer en prouvant son absence de faute(479). Certains auteurs proposent donc de l'analyser comme un cas de responsabilité du fait personnel pour faute de surveillance plutôt que comme un cas de responsabilité du fait d'autrui(480).

661. – **Responsabilité des personnes qui organisent, encadrent ou contrôlent l'activité d'autrui dans leur intérêt propre.** Ce second modèle de responsabilité du fait d'autrui recouvre d'une part la responsabilité des commettants du fait de leurs préposés et d'autre part la responsabilité de ceux qui encadrent ou organisent l'activité de professionnels non préposés ou bien qui contrôlent l'activité d'un professionnel qui, sans être préposé, se trouve en situation de dépendance.

S'agissant de la responsabilité des commettants du fait de leurs préposés, le Projet consacre certaines solutions jurisprudentielles mais il apporte aussi certaines modifications.

Du côté des consécrations, l'avant-projet écarte la responsabilité du commettant lorsque le préposé a agi en dehors de ses fonctions, sans autorisation et à des fins étrangères à ses attributions, ou bien encore lorsque la victime ne pouvait pas raisonnablement croire que le préposé agissait pour le compte du commettant (art. 1359, al. 2)(481). Le cas de la faute intentionnelle du préposé n'est pas expressément visé(482) mais on peut penser que c'est une cause d'exclusion de la responsabilité du commettant(483).

Du côté des modifications, le Projet retient d'abord une définition plus étroite du commettant : c'est « celui qui a le pouvoir de donner des ordres ou instructions en relation avec l'accomplissement des fonctions du préposé » (art. 1359, al. 1)(484). Il permet ensuite à la victime d'engager la responsabilité personnelle du préposé, mais seulement à titre subsidiaire, pour le cas où la victime démontre « qu'elle n'a pu obtenir du commettant ni de son assureur réparation de son dommage » (art. 1359-1)(485).

(479) Dans le même sens, article 14 du projet de réforme du 26 juillet 2012. Même rédaction pour le Projet Fr. Terré, art. 16.

(480) En ce sens, P. Le Tourneau, *Les responsabilités du fait d'autrui dans l'avant-projet de réforme*, in *L'avant-projet de réforme du droit de la responsabilité – Actes du colloque du 12 mai 2006 : RDC* 2007, p. 109.

(481) Dans le même sens, art. 15, al. 3 du projet de réforme du 26 juillet 2012. Au contraire, le Projet Fr. Terré limite le raisonnement aux seuls « employeurs » et définit l'abus de fonction de manière plus restrictive excluant l'une des conditions (le fait d'agir « hors de ses fonctions »), article 17. La responsabilité du commettant est traité à l'article 18, al. 1 : « Dans les cas où le lien de préposition ne procède pas d'un contrat de travail, le commettant répond du fait commis dans le cadre de sa mission par la personne physique qui lui est préposée. Le commettant s'exonère en prouvant qu'il n'a pas commis de faute ». Al. 2 : « Le préposé non salarié répond toujours de sa faute ».

(482) V. projet Fr. Terré qui l'évoque expressément pour le cas du salarié, art. 17, al. 2.

(483) C. Radé, *L'avant-projet de réforme du droit des obligations dans ses dispositions relatives à la responsabilité du fait personnel et du fait des choses*, in *L'avant-projet de réforme du droit de la responsabilité – Actes du colloque du 12 mai 2006 : RDC* 2007, p. 77.

(484) Même définition dans le projet de réforme du 26 juillet 2012, article 15, al. 1.

(485) Pour une critique de cette solution, V. C. Radé, *L'avant-projet de réforme du droit des obligations dans ses dispositions relatives à la responsabilité du fait personnel et du fait des choses*, in *L'avant-projet de réforme du droit de la responsabilité – Actes du colloque du 12 mai 2006 : RDC* 2007, p. 77. – Comp. art. 15, al. 4 du projet de réforme du 26 juillet 2012 : « Le préposé n'engage pas sa responsabilité personnelle s'il a agi sans excéder les limites de sa mission, hors le cas où le préjudice de la victime résulte de sa faute intentionnelle ou d'une infraction pénale ».

Au-delà de la responsabilité des commettants, le Projet reconnaît la responsabilité du fait d'autrui de certains professionnels en l'absence de liens de préposition. Deux hypothèses sont visées[(486)].

C'est d'abord le cas du professionnel non préposé mais dont l'activité est organisée et encadrée par une autre personne qui en tire un avantage économique (art. 1359-2, al. 1). Le Projet cite à titre d'exemple le médecin salarié d'un établissement de soins. Dans cette hypothèse, celui qui encadre l'activité sera responsable du dommage causé par ce professionnel non préposé dans l'exercice de cette activité.

C'est ensuite le cas du professionnel qui bien qu'agissant pour son propre compte, se trouve en situation de dépendance et voit son activité économique ou patrimoniale contrôlée par autrui (art. 1359-2, al. 2). Le Projet cite à titre d'exemple la responsabilité des sociétés mères du fait de leurs filiales[(487)] ou celle des concédants du fait de leurs concessionnaires.

Dans ce cas, si le dommage est en relation avec l'exercice du contrôle[(488)], la responsabilité de celui qui l'opère pourra être engagée.

§ 3. – Le fait des choses

662. – **L'évolution.** « *On est responsable* non seulement du dommage que l'on cause par son propre fait, mais encore de celui qui est causé par le fait des personnes dont on doit répondre, ou *des choses que l'on a sous sa garde.* »[(489)] Cette proclamation inscrite à l'article 1384, alinéa 1er du Code civil, n'était pour les rédacteurs du Code civil qu'un chapeau sans valeur propre, une formule destinée à annoncer divers cas particuliers de responsabilité du fait d'autrui ou du fait des choses.

Cela est si vrai qu'on lui a longtemps dénié toute valeur de principe en ce qui concerne la responsabilité du fait d'autrui : le revirement jurisprudentiel sur ce point ne date que de 1991 (V. *supra*, n° 636).

L'évolution a été plus rapide pour la responsabilité du fait des choses[(490)]. À l'origine, l'article 1384, alinéa 1er, n'était qu'une introduction aux articles 1385 et 1386 du Code civil, qui édictaient et édictent aujourd'hui encore une présomption de responsabilité du fait des animaux et des bâtiments. C'était suffisant en 1804 où peu nombreuses étaient les choses susceptibles de produire des dommages. Et tous les autres litiges étaient tranchés par application des règles de la responsabilité du fait personnel.

(486) Ces cas n'existent pas dans le projet de réforme du 26 juillet 2012. Ces hypothèses sont également absentes du Projet Fr. Terré.

(487) Sur la question du cumul de cette responsabilité du fait d'autrui avec la responsabilité de plein droit de l'exploitant d'une activité dangereuse, V. B. Fages, *Responsabilité du fait d'autrui : adieu les majorettes, bonjour les sociétés mères !*, in *L'avant-projet de réforme du droit de la responsabilité – Actes du colloque du 12 mai 2006 : RDC* 2007, p. 115.

(488) Pour une critique de l'imprécision de ce critère, V. B. Fages, *Responsabilité du fait d'autrui : adieu les majorettes, bonjour les sociétés mères !*, in *L'avant-projet de réforme du droit de la responsabilité – Actes du colloque du 12 mai 2006 : RDC* 2007, p. 115.

(489) La possibilité d'engager la responsabilité du fait des choses n'exclut pas pour autant le fondement de la responsabilité du fait personnel, Cass. 2e civ., 18 oct. 2012, n° 11-23585 : *Resp. civ. et assur.* 2013, comm. 8, obs. H. Groutel.

(490) Dans une démarche d'harmonisation européenne, V. P. Widmer, *La responsabilité pour choses et activités dangereuses dans les projets européens*, in *Le droit français de la responsabilité civile confronté aux projets européens d'harmonisation : IRJS*, 2012, p. 251.

Ce système a donné satisfaction jusqu'à ce que la France entre dans l'ère du machinisme. Avec l'industrialisation se sont multipliés les accidents anonymes dus à des machines, pour lesquels il était impossible de démontrer l'existence d'une faute de quiconque. Ainsi en était-il en matière d'accidents du travail : les ouvriers n'étaient pas indemnisés faute de pouvoir rapporter la preuve d'une faute du patron.

663. – La consécration d'un principe général. C'est à cette époque (1896) et pour cette raison que la jurisprudence donna une valeur propre à l'article 1384, alinéa 1er, et y vit un principe général de responsabilité du fait des choses[491]. Bien que les accidents du travail aient été dès 1898 soumis à une législation spéciale, les applications de l'article 1384, alinéa 1er, se sont multipliées à un point tel que la responsabilité du fait personnel est passée au second plan.

Dès l'instant qu'une chose a participé à la réalisation d'un dommage, la victime a meilleur compte à invoquer la responsabilité du fait des choses plutôt que celle du fait personnel : elle évite ainsi la charge de la preuve d'une faute (V. *supra*, n° 629). Par exemple, tous les accidents dus à des véhicules relevaient de la responsabilité du fait des choses jusqu'à ce qu'intervienne la loi du 5 juillet 1985 relative à l'indemnisation des victimes d'accidents de la circulation ; cela demeure exact pour les machines autres que les véhicules à moteur.

Contrairement à certaines prévisions, ces diverses lois spéciales, si elles ont limité le contentieux, n'ont pas pour autant vidé de son intérêt la responsabilité du fait des choses[492]. Un auteur a néanmoins récemment proposé qu'il y soit mis fin[493], proposition qui a immédiatement suscité une très vive réaction[494].

Le Projet Catala maintient la responsabilité du fait des choses[495] et consacre les solutions jurisprudentielles en reprenant le principe général de responsabilité du fait des choses (à la différence du Projet Terré[496]) : « On est responsable de plein droit des dommages causés par le fait des choses que l'on a sous sa garde » (art. 1354). En revanche, il supprime les cas spéciaux de responsabilité du fait de la ruine d'un bâtiment[497] et de la communication d'incendie[498] qui paraissent aujourd'hui obsolètes.

664. – *Quid* en matière de contrats ? Toutefois, parce qu'elle est stipulée à l'article 1384 du Code civil relatif aux délits et quasi-délits, la responsabilité du fait des choses n'est pas applicable dans les rapports entre contractants.

(491) Cass. civ., 16 juin 1896 : *D.* 1897, I, 433, note Saleilles et concl. Sarrut ; *S.* 1897, I, 17 et note A. Esmein. – Saleilles, *Les accidents du travail et la responsabilité civile*. – L. Josserand, *De la responsabilité du fait des choses inanimées*, 1897.

(492) V. la démonstration faite par G. Durry, *L'irremplaçable responsabilité du fait des choses*, in *Mél. Fr. Terré*, 1999, p. 707.

(493) J.-S. Borghetti, *La responsabilité du fait des choses, un régime qui a fait son temps : RTD civ.* 2010, 1.

(494) Ph. Brun, *De l'intemporalité du principe de responsabilité du fait des choses : RTD civ.* 2010, 487.

(495) F. Leduc, *La responsabilité du fait personnel – La responsabilité du fait des choses*, in *L'avant-projet de réforme du droit de la responsabilité – Actes du colloque du 12 mai 2006 : RDC* 2007, p. 67. – F. Chabas, *Observations sur les dispositions du projet portant sur la responsabilité du fait personnel et du fait des choses*, in *L'avant-projet de réforme du droit de la responsabilité – Actes du colloque du 12 mai 2006 : RDC* 2007, p. 73. – C. Radé, *L'avant-projet de réforme du droit des obligations dans ses dispositions relatives à la responsabilité du fait personnel et du fait des choses*, in *L'avant-projet de réforme du droit de la responsabilité – Actes du colloque du 12 mai 2006 : RDC* 2007, p. 77.

(496) Le Projet Fr. Terré limite la responsabilité du fait des choses aux seules atteintes à l'intégrité physique ou psychique (art. 20). Le projet Fr. Terré sur certains cas spéciaux (art. 21 à 42) : les animaux, les bâtiments, les installations classées, les troubles anormaux du voisinage, les véhicules terrestres à moteur et les produits défectueux.

(497) V. Depadt-Sebag, *Faut-il abroger l'article 1386 du Code civil ? : D.* 2006 p. 2113.

(498) S. Retif, *Faut-il abroger le régime spécial de responsabilité de la communication d'incendie ? : Resp. civ. et assur.* oct. 2006, n° 10, alerte 38.

Par exemple, s'il survient un accident de train à un passage à niveau, seuls les tiers au contrat de transport, les piétons blessés ou les occupants d'un véhicule percuté, pourront invoquer l'article 1384 contre la SNCF, non les passagers blessés. La solution doit être généralisée à tous les contrats[499].

En pratique, cette différence, qui se situe au plan de la preuve, a été estompée par la jurisprudence qui interprète bon nombre de contrats comme comportant une obligation de sécurité. Ainsi en est-il pour le contrat de transport : l'obligation de sécurité y est une obligation de résultat : le seul fait d'un accident constitue une présomption de responsabilité du transporteur à l'égard des passagers transportés (V. *supra*, n° 630), et la présomption ne tombe que devant la démonstration d'un cas de force majeure[500].

Ainsi, par le biais de l'interprétation, la jurisprudence introduit dans les contrats des obligations de sécurité qui équivalent en fait à une responsabilité contractuelle du fait des choses. Le Projet Catala limite également la responsabilité du fait des choses au domaine extracontractuel comme en atteste l'insertion des dispositions au sein des règles propres à ce type de responsabilité mais reconnaît, dans certains contrats, l'existence d'une obligation de sécurité (art. 1150).

Sous le bénéfice de ces observations, on étudiera d'abord le principe général, puis les cas particuliers de responsabilité du fait des choses.

A. – Le principe général de responsabilité du fait des choses

665. – **Plan.** En vertu de ce principe énoncé à l'article 1384, alinéa 1er, du Code civil et développé par la jurisprudence, le gardien d'une chose est présumé responsable du fait dommageable de cette chose. C'est donc à nouveau une présomption de responsabilité dont il convient de déterminer les conditions et la force.

1° Conditions de la présomption de responsabilité

666. – **Interprétation de l'article 1384, alinéa 1er.** Alors que l'article 1384, alinéa 1er du Code civil n'avait d'autre sens que celui d'une phrase introductive, la jurisprudence en a fait l'exégèse pour dégager les conditions de cette présomption. Partant de ce texte, et lui appliquant une interprétation sans cesse extensive, la jurisprudence a suivi une évolution dont on ne décrira que le point d'arrivée. À ce jour, pour qu'il y ait responsabilité du fait des choses, il suffit d'une chose quelconque, d'un fait dommageable de cette chose, et d'un gardien qui sera le responsable.

a) Une chose quelconque

667. – Il ne reste pas grand-chose aujourd'hui du désir originaire de limiter le domaine d'application quant aux choses. N'échappent au principe que les choses

(499) V. cependant Cass. 1re civ., 17 janv. 1995 : *D.* 1995, 350 et note P. Jourdain ; *JCP* 1995, I, 3853, n° 9, obs. G. Viney. – P. Rémy, *Nouveaux développements de la responsabilité civile : RGAT* 1995, 529. – F. Leduc, *La spécificité de la responsabilité contractuelle du fait des choses : D.* 1996, chron. 164. – *Contra* : Cass. 1re civ., 25 févr. 1997 : *Gaz. Pal.* 1997, 1, 273. – Cass. 1re civ., 9 nov. 1999 : *Gaz. Pal.* 8 févr. 2000.

(500) V. par ex. Cass. 1re civ., 3 juill. 2002 : *D.* 2002, 2631 et note J.-P. Gridel (responsabilité de la SCNF à l'égard de la passagère d'un train blessée et dépouillée de ses bijoux par un individu non identifié, agression non imprévisible contre laquelle la SNCF n'avait pris aucune mesure de prévention).

qui en ont été expressément exclues pour être soumises à un régime particulier (V. *infra*, nos 683 et s.) : les animaux (C. civ., art. 1385 ; mais leur régime est le même que celui des choses), les bâtiments tombant en ruine (C. civ., art. 1386), les bateaux en cas d'abordage(501), les aéronefs, les téléphériques, l'énergie nucléaire et aujourd'hui les véhicules terrestres à moteur.

Ceci étant, l'article 1384, alinéa 1er, du Code civil s'applique à toutes les choses, sans distinction aucune ; le terme est suffisamment large pour comprendre tout ce qu'on peut imaginer.

Peu importe notamment que la chose soit *un meuble ou un immeuble*. Pour le cas où il s'agirait d'un immeuble, ne sont exclus que les dommages résultant de la ruine d'un bâtiment, qui relèvent de l'article 1386 du Code civil et dont la jurisprudence s'est employée à limiter le champ d'application (V. *infra*, n° 685). S'il n'y a pas ruine(502), ou s'il ne s'agit pas d'un bâtiment(503), ou si la personne assignée n'est pas le propriétaire(504), le principe général reprend son empire. On a ainsi appliqué la responsabilité du fait des choses à l'éboulement d'une falaise(505) ou de rochers(506), à un glissement de terrain(507), à l'effondrement de chambres minières(508), etc. En matière de meubles, l'article 1384, alinéa 1er, peut s'appliquer à toutes sortes de choses, sans aucune limitation(509).

Peu importe également que la chose soit *dangereuse ou non*. Sans doute les choses dangereuses nécessitent-elles une surveillance plus attentive, mais ce ne saurait être un argument en faveur d'une exonération de responsabilité pour les choses non dangereuses ; d'ailleurs, le fait de provoquer un dommage démontre *a posteriori* que la chose était en fait dangereuse(510).

On s'interroge en revanche sur le point de savoir s'il pourrait y avoir une responsabilité du fait des *choses immatérielles*(511), et notamment du fait de l'information(512).

---

(501) Ainsi une collision entre deux motos des mers (ou jet-ski) relève de la loi du 5 juillet 1934 relative à l'abordage en navigation intérieure : Cass. com., 5 nov. 2003 : *JCP* 2004, II, 10166 et note Ch. Lièvremont ; *D.* 2003, inf. rap. 2869.

(502) L'article 1384, alinéa 1er, est inapplicable en cas de ruine d'un bâtiment qui constitue le domaine d'application de l'article 1386 : Cass. 2e civ., 12 juill. 1966 : *JCP* 1967, II, 15185, obs. N. Dejean de la Bâtie.

(503) Si les conditions de l'article 1386 ne sont pas réunies, il est même désormais possible d'agir contre le propriétaire sur le fondement de l'article 1384, al. 1er. – Cass. 2e civ., 22 oct. 2009, n° 08-16.766 : JurisData n° 2009-049967 ; Resp. civ. et assur. 2010, comm. 37, obs. L. Bloch ; *Gaz. Pal.* 11 mars 2010, p. 14, obs. M. Mekki ; *D.* 2010, p. 413, note B. Duloum ; *JCP* G 2010, chron. Ph. Stoffel-Munck et C. Bloch, spéc. n° 8.

(504) Cass. 2e civ., 23 mars 2000 : *JCP* 2000, II, 10379 et note Y. Dagorne-Labbé.

(505) Cass. civ., 25 juin 1952 : *D.* 1952, 614 ; *JCP* 1952, II, 7338, obs. P. Esmein. – Cass. 2e civ., 29 nov. 1967 : *JCP* 1968, II, 15446 et note L. Mourgeon. – Cass. 2e civ., 26 sept. 2002 : *D.* 2002, 1257 et note O. Audic ; *JCP* 2003, I, 154, nos 34 et s., obs. G. Viney (dommage tenant à la cessation de l'exploitation d'un hôtel ordonnée par arrêté municipal à raison du risque d'éboulement d'une falaise, ce qui peut apparaître comme une application du principe de précaution). C'est parfois le fondement des troubles anormaux du voisinage qui est retenu, Cass. 3e civ., 24 avr. 2013, n° 10-28.344, FS-D : JurisData n° 2013-008083 ; *Resp. civ. et assur.* n° 7, juill. 2013, comm. 223, obs. H. Groutel.

(506) Cass. 2e civ., 27 févr. 1991 : *D.* 1991, inf. rap. 88.

(507) Cass. 2e civ., 20 nov. 1968 : *JCP* 1970, II, 16567, obs. N. Dejean de la Bâtie. Suivant un récent arrêt, les dommages provoqués par un glissement de terrain ne peuvent être réparés que sur le fondement de l'article 1384 et non sur celui de la théorie des troubles de voisinage : Cass. 2e civ., 19 juin 2003 : *Bull. civ.* 2003, II, n° 200, p. 168 ; *JCP* 2003, IV, 2426 ; *D.* 2003, inf. rap. 2053.

(508) Cass. 2e civ., 17 oct. 1990 : *JCP* 1990, IV, 403.

(509) V. par ex. une application récente à l'amiante : Caen, 20 nov. 2001 : *JCP* 2002, II, 10045 et note F.-G. Trébulle (responsabilité de l'entreprise du mari en cas d'asbestose contractée par la femme par suite des poussières d'amiante dans les vêtements du mari).

(510) Cass. ch. réunies, 13 févr. 1930 : *D.* 1930, I, 57, note G. Ripert et concl. Matter ; *S.* 1930, 1, 121 et note P. Esmein (automobile). – Cass. 2e civ., 26 juin 1953 : *D.* 1954, 181 et note R. Savatier ; *S.* 1954, 1, 41 et note H. Mazeaud ; *JCP* 1953, II, 7801, obs. R. Rodière (bouteille de vin). – V. P. Esmein, *Le diable dans la bouteille* : *JCP* 1954, I, 1163.

(511) A. Lucas, *La responsabilité du fait des « choses immatérielles »*, in *Études P. Catala* : Litec, 2001, p. 817. – E. Tricoire, *La responsabilité du fait des choses immatérielles*, in *Mél. Ph. Le Tourneau* : Dalloz, 2007, p. 983.

(512) G. Danjaume, *La responsabilité du fait de l'information* : *JCP* 1996, I, 3895.

Le Projet Catala n'apporte pas de précision quant à la nature de la chose visée par le principe général de responsabilité qu'il pose[513]. On notera toutefois que le texte s'applique aux animaux (art. 1354-4), qu'est supprimé le régime spécial de responsabilité du fait des bâtiments[514] et que sont maintenus hors du Code civil un certain nombre de cas particuliers : responsabilité des compagnies aériennes pour les dommages causés au sol par les appareils, responsabilité des exploitants de téléphériques, responsabilité en cas d'accident du travail, etc.

b) Un fait quelconque de la chose

Sur ce point encore, les tentatives d'interprétation restrictive ont été vaines.

668. – **Peu importe que la chose ait été ou non affectée d'un vice interne.** C'est ainsi que, contrairement à l'un des tout premiers arrêts (1896) qui avait lié la responsabilité au vice d'une chaudière, peu importe désormais que le fait dommageable soit dû ou non à un vice inhérent à la chose[515].

Cette solution aurait dû demeurer inchangée en dépit de l'introduction en droit français d'une responsabilité du fait des produits défectueux (art. 1386-1 et s.) ; la victime d'un produit défectueux aurait dû pouvoir agir sur le fondement soit de l'article 1384, alinéa 1er, soit de l'article 1386-1. La jurisprudence la plus récente consacre une exclusivité de la responsabilité du fait des produits défectueux lorsque les conditions sont réunies (V. *infra*, nos 716 et s.). Cette indifférence à l'égard de la nature du vice est également consacrée par le Projet Catala : le vice de la chose n'est pas une cause d'exonération du gardien (art. 1354-3).

669. – **Peu importe que la chose ait été ou non actionnée par l'homme.** Pendant longtemps, les dommages causés par des choses actionnées par l'homme, spécialement par les véhicules automobiles, ont été traités sous l'angle de la responsabilité du fait personnel du conducteur. Mais, depuis le célèbre arrêt *Jand'heur* du 13 février 1930, on y a vu un cas de responsabilité du fait des choses, ce qui constitue un avantage et une faveur pour les victimes. Peu importe donc que la chose soit ou non actionnée par l'homme.

LA COUR ; – Statuant toutes chambres réunies ; – Sur le moyen du pourvoi : – Vu l'art. 1384, al. 1er, C. civ. ; Attendu que la présomption de responsabilité établie par cet article à l'encontre de celui qui a sous sa garde la chose inanimée qui a causé un dommage à autrui ne peut être détruite que par la preuve d'un cas fortuit ou de force majeure ou d'une cause étrangère qui ne lui soit pas imputable ; qu'il ne suffit pas de prouver qu'il n'a commis aucune faute ou que la cause du fait dommageable est demeurée inconnue ; – Attendu que, le 22 avril 1925, un camion automobile appartenant à la Société Aux Galeries belfortaises a renversé et blessé la mineure Lise Jand'heur ; que l'arrêt attaqué a refusé d'appliquer le texte susvisé par le motif que l'accident causé par une automobile en mouvement, sous l'impulsion et la direction de l'homme, ne constituait pas, alors qu'aucune preuve n'existe qu'il soit dû à un vice propre de la voiture, le fait de la chose que l'on a sous sa garde dans les termes de l'art. 1384, § 1er, et que, dès lors, la victime était tenue, pour obtenir réparation du préjudice, d'établir à la charge du conducteur une faute qui lui fût imputable ; – Mais attendu que la loi, pour l'application de la présomption qu'elle édicte, ne distingue pas suivant que la chose qui a causé

(513) Le projet de réforme du 26 juillet 2012 limite la responsabilité du fait des choses aux « choses corporelles » (art. 16). Le Projet Fr. Terré traite également de la « chose corporelle ».

(514) Il est maintenu dans le projet Fr. Terré, art. 22.

(515) Cass. civ., 16 nov. 1920 : *D.* 1920, I, 169 et note R. Savatier.

le dommage était ou non actionnée par la main de l'homme ; qu'il n'est pas nécessaire qu'elle ait un vice inhérent à sa nature et susceptible de causer le dommage, l'art. 1384 rattachant la responsabilité à la garde de la chose, non à la chose elle-même ; – D'où il suit qu'en statuant comme il l'a fait, l'arrêt attaqué a interverti l'ordre légal de la preuve et violé le texte de loi susvisé ; – Par ces motifs, casse..., renvoie devant la cour d'appel de Dijon.

Cass. ch. réunies, 13 févr. 1930, *Jand'heur* : S. 1930, I, 121, note P. Esmein ; *DP* 1930, 1, 57, note G. Ripert, concl. Matter.

Faute de précision sur ce point dans le Projet Catala qui se borne à dire que le trouble physique du gardien ne constitue pas une cause d'exonération (art. 1354-3)(516), on doit penser que cette solution y est maintenue.

670. – **Peu importe que la chose ait été ou non en contact avec la victime.** Il importe peu que le dommage ait été causé par un contact matériel avec la chose, ou en dehors de tout contact. Certes, le plus souvent, le dommage sera dû à un choc, une collision. Mais il peut tout aussi bien se produire en l'absence de contact : par exemple, l'accident s'est produit parce que la victime a voulu éviter un obstacle, ou a été éblouie par les phares du véhicule venant en sens inverse, et ce sans que ce dernier soit matériellement intervenu dans la collision(517).

En revanche, le Projet Catala prend en compte cet élément au plan de la preuve. C'est ainsi qu'il décide que « le fait de la chose est établi dès lors que celle-ci, en mouvement, est entrée en contact avec le siège du dommage » ; à défaut, « il appartient à la victime de prouver le fait de la chose, en établissant soit le vice de celle-ci, soit l'anormalité de sa position ou de son état » (art. 1354-1)(518). Le projet Terré exclut toute présomption puisqu'il appartient au demandeur de prouver le fait de la chose (art. 20, al. 2).

La *communication d'incendie*, dont on peut se demander si elle s'opère avec ou sans contact direct, suit des règles spéciales (C. civ., art. 1384, al. 2), depuis que la loi du 7 novembre 1922 a subordonné la responsabilité à la preuve d'une faute(519). Cette dérogation au principe général a suscité d'importantes critiques (V. aussi *infra*, n° 683), notamment de la part de la Cour de cassation qui en a suggéré l'abrogation dans tous ses rapports annuels depuis 1991 et toujours sans succès à raison de l'opposition de certains départements ministériels, si bien que la proposition a été retirée dans le rapport 2003(520). On la retrouve à nouveau dans le rapport 2004(521). Sur ce point l'appel à réforme de la Cour de cassation a trouvé un écho dans le Projet Catala qui supprime ce régime spécial(522).

(516) Sur la question du rôle exonératoire du trouble psychique : V. F. Chabas, *Observations sur les dispositions du projet portant sur la responsabilité du fait personnel et du fait des choses*, in *L'avant-projet de réforme du droit de la responsabilité – Actes du colloque du 12 mai 2006 : RDC* 2007, p. 73.

(517) Cass. civ., 2 févr. 1940 : *DC* 1941, 101 et note R. Savatier. – Cass. req., 19 juin 1945 : *JCP* 1946, II, 3009, obs. R. Rodière. – Cass. 2e civ., 10 mars 1971 : *D.* 1971, 540. – V. cependant, Lyon, 12 janv. 1972 : *D.* 1972, 739 et note C. et Ch. Bryon.

(518) Dans le même sens, article 16, al. 2 et 3 du projet de réforme du 26 juillet 2012, à une différence près. L'article 16, al. 3 évoque l'anormalité de sa position, de son état ou « de son comportement ».

(519) Ph. Casson, *La communication d'incendie : une législation en attente d'abrogation : LPA* 15 juill. 1996. La règle de l'alinéa 1er est écartée au profit de celle de l'alinéa 2 de l'article 1384 dès l'instant que l'incendie est né dans l'immeuble ou les biens mobiliers de celui-ci, « peu important que l'incendie soit lié à une chose dont l'occupant a la garde » : Cass. 2e civ., 24 juin 1999 : *JCP* 2001, I, 10483 et note J.-Y. Maréchal. – Cass. 2e civ., 13 mars 2003 : *Bull. civ.* 2003, II, n° 62, p. 54 ; *D.* 2003, inf. rap. 1009 (dans le cas d'une communication souterraine).

(520) V. Rapp. 2003, p. 12.

(521) Rapp., p. 12.

(522) S. Retif, *Faut-il abroger le régime spécial de responsabilité de la communication d'incendie ? : Resp. civ. assur.* oct. 2006, n° 10, alerte 38. Le Projet Fr. Terré et le projet de réforme du 26 juillet 2012 n'y font pas non plus référence.

671. – **Peu importe que la chose ait été inerte ou en mouvement.** Certes, en règle générale, les choses en mouvement causent plus d'accidents que les choses inertes : une voiture en mouvement est plus dangereuse qu'une voiture en stationnement. Mais il est toujours possible de trébucher sur une marche d'escalier, de heurter une porte vitrée, de glisser sur un morceau de journal, une feuille de salade ou autre détritus sur le sol d'un magasin ou sur le trottoir. Là encore il y a place pour une responsabilité du fait des choses[(523)].

Toutefois, le comportement de la chose n'est pas indifférent, si bien que la distinction ci-dessus reprend son intérêt au plan de la causalité (V. *infra*, n° 673). De la même manière dans le Projet Catala, il n'est pas nécessaire que la chose ait été en mouvement pour que la responsabilité du gardien puisse être engagée mais cet élément influe sur la preuve du fait de la chose (art. 1354-1).

672. – **Nécessité d'un lien de causalité entre la chose et le dommage.** En définitive, il y a fait de la chose dès l'instant qu'elle est intervenue d'une manière quelconque dans la production du dommage.

En ce qui concerne la preuve, la question se dédouble : on distingue la preuve de *l'intervention matérielle de la chose* et celle de son *rôle causal*.

C'est à la victime qu'il incombe de démontrer que la chose est matériellement intervenue dans la production du dommage[(524)]. Cette preuve facile une fois rapportée, on soutient généralement que la chose est présumée être la cause génératrice du dommage[(525)]. Ainsi présume-t-on non seulement la faute du gardien, mais aussi le lien de causalité entre cette faute présumée et le dommage : c'est pourquoi on parle de présomption de causalité.

Il y a effectivement présomption de causalité lorsque, comme c'est le plus souvent le cas, on est en présence d'une chose en mouvement et que cette chose est entrée en contact avec la personne blessée ou la chose endommagée.

La situation est plus complexe dans le cas d'une *chose inerte*, et également dans l'hypothèse où le dommage s'est produit sans contact avec la chose. À la vérité la jurisprudence est assez confuse si bien qu'il est difficile de dire si la question se présente sur le terrain de la *preuve de la causalité* ou sur celui des *causes d'exonération*.

673. – **La question du rôle actif ou passif de la chose.** Un arrêt du 19 juin 1941 avait initialement posé en principe que « la chose est présumée être la cause génératrice du dommage dès lors qu'inerte ou non, elle est intervenue dans sa réalisation » ; en l'espèce, il s'agissait d'une cliente d'un établissement de bains brûlée par une canalisation d'eau chaude sur laquelle elle était tombée.

Mais par la suite, écartant cette présomption de causalité, la jurisprudence a exigé que la victime fasse la preuve du *rôle actif* de la chose, en pratique qu'elle démontre une *anomalie* ou une *anormalité* tenant soit à un défaut de la chose[(526)],

(523) Cass. civ., 24 févr. 1941 : S. 1941, 1, 201 et note P. Esmein ; *DC* 1941, 85 et note J. Flour. – Cass. 2e civ., 4 mai 1966 : *JCP* 1967, II, 13139, obs. E. Bloch. – Cass. 2e civ., 28 avr. et 30 juin 1971 : *D.* 1972, 461 et note A.-D. – Cass. 2e civ., 16 mars 1994 : *Bull. civ.* 1994, II, n° 94. – Cass. 2e civ., 11 janv. 1995 : *Bull. civ.* 1995, II, n° 18.

(524) Cass. 2e civ., 5 mai 1993 : *Bull. civ.* 1993, II, n° 168.

(525) Cass. civ., 30 oct. 1957 : *D.* 1958, 280.

(526) Fragilité d'une paroi vitrée de grande dimension : Cass. 2e civ., 16 nov. 1978 : *Bull. civ.* 1978, II, n° 240. – Cass. 2e civ., 7 mars 1979 : *Bull. civ.* 1979, II, n° 75. – Cass. 2e civ., 24 févr. 2005 : *JCP* 2005, IV, 1739 ; *D.* 2005, 1395, 1re esp., note N. Damas.

soit à sa dangerosité[527], soit à sa position[528]. À défaut d'une telle preuve, on conclut « qu'il n'est pas établi que la chose ait été *l'instrument du dommage* »[529].

Cela dit, dans le même temps, dans des hypothèses où il n'était relevé aucune anomalie ni de la chose, ni de son comportement ou de sa position, d'autres décisions ont conclu de manière radicalement inverse que la chose avait été l'instrument du dommage[530].

D'autres arrêts enfin se placent au plan des causes d'exonération et considèrent que le gardien peut s'exonérer de cette présomption en démontrant que la chose n'a joué qu'un *rôle passif* ou, suivant une autre formule, que la chose a eu un *comportement normal*[531].

Mis à part le cas d'une baie vitrée qui se brise après avoir été heurtée, la présomption pouvant se comprendre par le fait qu'en se brisant lors d'un choc normal, elle est nécessairement viciée, on a plus de mal à expliquer les autres hypothèses où, bien qu'étant dans le cas d'une chose inerte (boîte aux lettres, plot en béton) en position normale, le fait de la chose semble présumé. La règle voudrait qu'en présence d'une chose inerte ou en l'absence de contact, c'est à la victime qu'il appartiendrait de prouver le « rôle actif de la chose » à savoir son vice ou sa position anormale[532].

(527) Verrière, invisible à raison de la poussière, ayant cédé sous le poids de la victime : Cass. 2e civ., 16 mars 1994 : *Bull. civ.* 1994, II, n° 94 ; *D.* 1994, inf. rap. 88. – Cass. 2e civ., 26 sept. 2002 : *Bull. civ.* 2002, II, n° 198 ; *RTD civ.* 2003, 100, obs. P. Jourdain (risque d'éboulement d'une falaise ayant nécessité des travaux de confortement et ayant entraîné, par voie d'arrêté municipal, la fermeture d'un établissement en contrebas).

(528) Cass. 2e civ., 22 nov. 1984, deux arrêts : *JCP* 1985, II, 20477, obs. N. Dejean de la Bâtie (distinction suivant que la voiture est en stationnement ou en mouvement).

(529) Cass. 2e civ., 7 mai 2002 : *JCP* 2002, IV, 2037 ; *D.* 2003, somm. 462, obs. P. Jourdain (chute dans l'escalier d'un hôtel dont les marches ne présentaient aucun caractère dangereux). – Cass. 2e civ., 11 juill. 2002 : *Bull. civ.* 2002, II, n° 175, p. 139 ; *D.* 2003, somm. 462, obs. P. Jourdain ; *JCP* 2002, IV, 2547 (chute sur une rampe inclinée ne présentant ni défaut d'entretien, ni vice interne). – V. aussi Cass. 2e civ., 8 juill. 1971 : *D.* 1971, 690 (ouvrier travaillant en bordure d'une voie ferrée, blessé lors du passage d'un train). – Cass. 2e civ., 24 févr. 2005 : *JCP* 2005, IV, 1738 ; *RTD civ.* 2005, p. 407, obs. P. Jourdain (utilisation sciemment anormale d'un tremplin). – Cass. 2e civ., 29 mars 2012, n° 10-27553 ; *D.* 2012, 1008 ; *JCP* 2012. 701, note A. Dumery (heurt sur un muret placé en position normale). – F.-X. Train, *Le fait de la chose inerte : retour à l'anormal : Rev. Lamy dr. civ.* oct. 2005, p. 17. – P. Lalande, *L'anormalité dans la responsabilité du fait des choses : Rev. Lamy dr. civ.* janv. 2006, p. 75. – E. Pierroux, *Le fait des choses inertes. Esquisse de bilan des dernières « arabesques » de la jurisprudence : RRJ* 2004, 2279.

(530) Cass. 2e civ., 15 juin 2000 : *Bull. civ.* 2000, II, n° 103 ; *D.* 2001, 886 et note G. Blanc ; *Resp. civ. et assur.* 2000, comm. 292, obs. H. Groutel ; *RTD civ.* 2000, 849, obs. P. Jourdain (blessure par une paroi latérale en verre qui ne présentait ni vice, ni défaut d'entretien, ni aucune anomalie). – Cass. 2e civ., 25 oct. 2001 : *D.* 2002, 1450 et note C. Prat ; *JCP* 2002, I, 122, n° 9, obs. G. Viney ; *RTD civ.* 2002, 108, obs. P. Jourdain (passant s'étant blessé sur une boîte aux lettres conforme à la réglementation des PTT, et occupant une position normale, sans débordement excessif sur le trottoir). – Cass. 2e civ., 18 sept. 2003 : *JCP* 2004, II, 10013 et note Cl. Le Tertre ; *D.* 2004, 25 et note N. Damas ; *JCP* 2004, I, 101, n° 14, obs. G. Viney (cliente d'un magasin blessée sur un plot en ciment délimitant un passage piéton). – Cass. 2e civ., 11 déc. 2003 : *D.* 2004, 2181 et note S. Godechot ; *JCP* 2004, IV, 1275 (chute sur un parquet ciré). – Cass. 2e civ., 25 nov. 2004 : *Bull. civ.* 2004, II, n° 507, p. 434 ; *D.* 2005, inf. rap. 114 (chute dans un escalier).

(531) H. Mazeaud, *Le fait actif de la chose*, in *Études Capitant*, p. 517. – M. Vray, *À propos d'un petit bonhomme prématurément enterré : le rôle passif en matière de responsabilité du fait des choses : Gaz. Pal.* 1968, 1, doctr. 131. – Cass. civ., 19 févr. 1941 : *DC* 1941, 85 et note J. Flour. – Cass. req., 13 févr. 1942 : *JCP* 1942, II, 2037, obs. R. Rodière. – Cass. civ., 23 janv. 1945 : *DC* 1945, 317 et note R. Savatier ; *S.* 1946, 1, 57 et note Hebraud. – Cass. 2e civ., 31 mai 1965 : *JCP* 1966, II, 14672, obs. J. Boré. – Cass. 2e civ., 28 avr. et 30 juin 1971 : *D.* 1972, 461 et note A.D. – Cass. 2e civ., 16 janv. 1985 : *Gaz. Pal.* 1985, pan. 140. – Cass. 2e civ., 28 mai 1986 : *JCP* 1986, IV, 228. – Cass. 2e civ., 13 oct. 1982 : *JCP* 1983, IV, 7. – Cass. 2e civ., 14 déc. 2000, deux arrêts : *JCP* 2001, I, 338, n° 13, obs. G. Viney ; *Resp. civ. et assur.* 2001, comm. 16, obs. H. Groutel. Mais certains arrêts dénient le caractère exonératoire du rôle passif : Cass. 2e civ., 12 mai 1980 : *JCP* 1981, II, 19684, obs. N. Dejean de la Bâtie.

(532) A. Vignon-Barrault, L'anormalité dans la responsabilité du fait des choses inertes : épilogue ? (À propos de Cass. 2e civ., 29 mars 2012, n° 10-27553) : *Resp. civ. et assur.* n° 10, oct. 2012, étude 7. – V. par ex. Cass. 2e civ., 29 mars 2012, n° 10-27553 : *JCP* G n° 24, 11 juin 2012, 701, note A. Dumery. – Cass. 2e civ., 13 déc. 2012, n° 11-22.582, FS-P+B, *Cts B. c/ Épx C.* : JurisData n° 2012-029221 (à propos d'une tige en métal servant de tuteur) ; *LPA* 28 févr. 2013, n° 43, p. 11, note A.-M. Romani. – Cass. 2e civ., 13 sept. 2012, n° 11-19.941, FS-D, *Cne d'Erstein et a. c/ H. et a.* : JurisData n° 2012-021121 (à propos d'une pollution de la nappe phréatique par du tétrachlorure de carbone déversé d'un camion).

En bref, compte tenu de la diversité de la jurisprudence, on ne saurait dire à ce jour si, s'agissant des dommages imputés à des choses inertes ou à des choses sans contact matériel :

• il y a ou non présomption de causalité, présomption que la chose a été l'instrument du dommage ;

• et, s'il y a présomption, si elle peut être renversée par la preuve du rôle passif de la chose qui démontrerait qu'elle n'a pas été l'instrument du dommage.

Pour dissiper ces ambiguïtés, le Projet Catala propose une distinction dans son article 1354-1 : soit la chose était en mouvement et est rentrée en contact avec le siège du dommage et dans ce cas le fait de la chose est établi, soit il manque une de ces deux conditions et c'est alors à la victime d'en rapporter la preuve. Elle le pourra de deux manières : soit en établissant un vice de la chose, soit en prouvant que son état ou sa position étaient anormales.

Il semble donc que le Projet pose dans le premier cas une présomption de causalité et la question est alors de savoir si et comment le gardien pourra s'exonérer. Et dans le second cas il se place au plan de la preuve du lien de causalité et l'on peut donc légitimement penser que, puisque c'est à la victime de rapporter la preuve que le fait de la chose est la cause du dommage, le gardien ne pourra ensuite s'exonérer en démontrant son rôle passif (V. *infra*, n° 681).

c) *Le gardien de la chose*

674. – La notion de garde. La notion de garde(533) est une notion juridique sans rapport avec le sens de ce terme dans la langue courante. Il convient donc de prêter attention à cette difficulté de terminologie.

Dans le langage courant, un gardien est un employé auquel aura été confié le soin de veiller sur une chose. En droit, un employé ne peut jamais être gardien d'une chose de son patron ; c'est ce dernier qui le demeure parce qu'il conserve l'autorité. On exprime cela en disant que *les qualités de préposé et de gardien s'excluent*(534) (V. *supra*, n° 649).

Il suffit de prendre un exemple pour le comprendre. À supposer qu'un ouvrier d'une entreprise provoque un dommage en faisant tomber une échelle, le tiers victime peut intenter diverses actions :

• contre l'ouvrier : l'action en responsabilité du fait personnel, s'il a excédé les limites de la mission qui lui a été impartie par son commettant ou s'il a commis une infraction pénale (V. *supra*, n° 650), mais pas l'action en responsabilité du fait des choses parce que la garde de la chose demeure entre les mains du patron ;

• contre le chef d'entreprise : soit l'action en responsabilité du fait d'autrui (C. civ., art. 1384, al. 5), qui suppose un fait illicite du préposé (V. *supra*, n° 650) ;

(533) A. Besson, *La notion de garde dans la responsabilité du fait des choses* : thèse Dijon, 1927. – B. Goldman, *La détermination du gardien responsable du fait des choses inanimées* : thèse Lyon, 1946. – A. Tunc, *La détermination du gardien dans la responsabilité du fait des choses inanimées* : JCP 1960, I, 1592. – D. Mayer, *La « garde » en commun* : RTD *civ.* 1975, 197.

(534) Jurisprudence constante. V. en dernier Cass. 3e civ., 24 janv. 1973 : *JCP* 1973, IV, 95. – V. aussi Cass. civ., 30 déc. 1936 : *D.* 1937, 1, 5 et note R. *Savatier* ; *S.* 1937, 1, 137 et note H. Mazeaud. – M.-A. Peano, *L'incompatibilité entre les qualités de gardien et de préposé* : *D.* 1991, chron. 51.

soit l'action en responsabilité du fait des choses (C. civ., art. 1384, al. 1er) parce qu'il est le gardien de l'échelle.

Cette solution jurisprudentielle a été édictée dans le souci de permettre à la victime de rechercher directement la responsabilité du commettant, pris en sa qualité de gardien de la chose.

675. – Définition du gardien. La définition du gardien au sens de l'article 1384, alinéa 1er du Code civil, a été établie par la Cour de cassation dans l'arrêt *Franck* du 2 décembre 1941 : a la garde d'une chose celui qui en a l'*usage*, la *direction* et le *contrôle*. Un tel pouvoir confère en effet à celui qui le détient la possibilité de contrôler la chose et d'empêcher qu'elle n'entraîne des dommages à autrui.

Cet arrêt a mis fin à la controverse sur le point de savoir s'il fallait s'attacher à la *garde juridique*, c'est-à-dire au caractère régulier du pouvoir exercé sur la chose, ou à la *garde matérielle*, c'est-à-dire à la simple détention matérielle de la chose ; mais en retenant comme critère le pouvoir, régulier ou non, exercé sur la chose, il n'épouse vraiment ni l'une ni l'autre théorie.

LA COUR ; – Sur le moyen unique pris en sa première branche : – Attendu qu'il résulte des énonciations de l'arrêt attaqué que, dans la nuit du 24 au 25 décembre 1929, une voiture automobile, appartenant au docteur Franck, et que celui-ci avait confiée à son fils Claude, alors mineur, a été soustraite frauduleusement par un individu demeuré inconnu, dans une rue de Nancy où Claude Franck l'avait laissée en stationnement ; qu'au cours de la même nuit, cette voiture, sous la conduite du voleur, a, dans les environs de Nancy, renversé et blessé mortellement le facteur Connot ; que les consorts Connot, se fondant sur les dispositions de l'art. 1384, al. 1er, C. civ., ont demandé au docteur Franck réparation du préjudice résultant pour eux de la mort de Connot ; – Attendu que, pour rejeter la demande des consorts Connot, l'arrêt déclare qu'au moment où l'accident s'est produit, Franck, dépossédé de sa voiture par l'effet du vol, se trouvait dans l'impossibilité d'exercer sur ladite voiture aucune surveillance ; qu'en l'état de cette constatation, de laquelle il résulte que Franck, privé de l'usage, de la direction et du contrôle de sa voiture, n'en avait plus la garde et n'était plus dès lors soumis à la présomption de responsabilité édictée par l'art. 1384, al. 1er, C. civ., la cour d'appel, en statuant ainsi qu'elle l'a fait, n'a point violé le texte précité ;

Sur le moyen pris en sa seconde branche : (...)

Par ces motifs, déclare le moyen mal fondé dans sa première branche et, pour être statué sur la seconde branche dudit moyen, renvoie la cause et les parties devant la chambre civile.

Cass. ch. réunies, 2 déc. 1941 : *DC* 1942, 25 et note G. Ripert ; S. 1941, 1, 217 et note H. Mazeaud.

En pratique, le propriétaire est présumé gardien[535] et il le demeure lorsqu'il confie la chose à un préposé. On considère ici, de manière quelque peu artificielle, que le préposé, s'il a bien l'usage de la chose, exerce cet usage sous la direction et le contrôle de son commettant. Cette solution s'applique également au préposé occasionnel, par exemple au cas où le propriétaire d'un véhicule confie le volant à l'un de ses passagers qui le relaie[536]. Cela dit, peu importe que ce propriétaire soit mineur ou même dément, ou encore enfant en bas âge[537].

(535) J.-M. Florand, *La présomption de garde* : thèse Paris XII, 1985. Il y a cependant des limites naturelles à la présomption ; ainsi la propriétaire d'un immeuble n'est pas gardienne des gravats provenant de l'explosion de son habitation que son mari séparé de corps a fait sauter par explosifs et qui ont endommagé un immeuble voisin : Cass. 2e civ., 4 mars 1998 : *D.* 1999, 217 et note Y. Dagorne-Labbé.

(536) Cass. 1re civ., 8 nov. 1989 : *Bull. civ.* 1989, I, n° 344.

(537) Cass. ass. plén., 9 mai 1984 : *D.* 1984, 525, 3e esp., concl. Cabannes et note F. Chabas. – Cass. 2e civ., 24 mai 1991 : *JCP* 1991, IV, 278. – R. Legeais, *Un gardien sans discernement. Progrès ou régression dans le droit de la responsabilité civile* : *D.* 1984, chron. 237.

Dans certains cas, il faudra tenir compte des usages ; par exemple, en matière de course en mer, le gardien est le skipper car il a le commandement du voilier, chacun de ses coéquipiers effectuant sa tâche à la place qui lui a été affectée dans l'équipe, sous le contrôle et la direction du skipper(538).

Pour échapper à cette présomption, le propriétaire réputé gardien doit rapporter la preuve qu'il n'avait pas la maîtrise de la chose au moment du fait dommageable par suite, soit d'un fait matériel (par ex. un vol), soit d'un acte juridique emportant transfert de la garde, soit pour toute autre cause(539).

676. - Le transfert de la garde. Le propriétaire peut transférer la garde à une tierce personne. Tel est le cas lorsque, par un contrat de prêt ou de louage(540), il investit son cocontractant des pouvoirs d'usage, de direction et de contrôle de telle sorte que ce dernier a « toute possibilité de prévenir lui-même le préjudice que la chose peut causer(541).

Il y aura ainsi transfert de la garde au locataire d'un appartement(542), ou d'un camion(543) ; à l'entrepreneur de construction qui a la maîtrise du chantier(544) ; à l'ami ou au parent qui, dans le cadre d'une convention d'assistance, utilise une échelle(545) ou un outil de bûcheronnage(546) ; au client d'un supermarché qui utilise un chariot(547), etc. En revanche, il n'y aura pas transfert de la garde d'un immeuble à l'entreprise qui en assure la surveillance(548), ou des cuves au pompiste(549), ou des gravats contenant un détonateur à l'ouvrier qui y jette les siens propres(550), et ce parce qu'ils n'ont pas le contrôle et la direction de la chose. De même, l'alpiniste n'est pas gardien de la pierre sur laquelle il prend prise ou marche, et qui, se

(538) Cass. 2e civ., 8 mars 1995 : *JCP* 1995, II, 22499 et note J. Gardach. – Adde, Cass. 2e civ., 12 avr. 2012, n° 10-20.831 et 10-21.094, FS-D, *Assoc. Navi-Club RATP et a. c/ P. et a.* : JurisData n° 2012-007660 ; *Resp. civ. et assur.* n° 7, juill. 2012, comm. 195, obs. H. Groutel : « au moment de l'accident, M. N. assumait les fonctions de *skipper* et manoeuvrait la barre et qu'il a été à l'origine de la manoeuvre d'empannage et du mouvement du palan ; que l'exercice de cette fonction et la réalisation des manoeuvres, dont il a pris seul la décision, faisait de lui, conformément aux usages et aux règles applicables en matière de course en mer, le gardien exclusif du voilier en tant que commandant de bord ».

(539) Il suffit que le propriétaire démontre avoir perdu la garde, même s'il ne peut démontrer à qui elle a été transférée : Cass. 2e civ., 7 oct. 2004 : *Bull. civ.* 2004, II, n° 448, p. 381.

(540) J.-M. Florand, *La détermination du gardien d'une chose prêtée, louée ou déposée* : LPA 5 nov. 1986.

(541) Cass. 2e civ., 11 juin 1953 : *D.* 1954, 21 et note R. Rodière ; *JCP* 1953, II, 7825, obs. A. Weill. – Cass. ch. mixte, 26 mars 1971 : *JCP* 1972, II, 16957, obs. N. Dejean de la Bâtie. – Cass. 1re civ., 16 oct. 1990 : *D.* 1990, inf. rap. 254. – Cass. 1re civ., 9 juin 1993 : *JCP* 1994, II, 22202 et note G. Viney ; *D.* 1994, 80 et note Y. Dagorne-Labbé. Tel n'est pas en revanche le cas lorsque le propriétaire confie la chose, en l'occurrence une tondeuse à gazon, à un tiers pour un court laps de temps : Cass. 2e civ., 19 juin 2003 : *Bull. civ.* 2003, II, n° 201, p. 169 ; *JCP* 2003, IV, 2424 ; *D.* 2003, inf. rap. 1881.

(542) Cass. 2e civ., 12 déc. 2002 : *D.* 2003, 454 et note N. Damas.

(543) Mais il en va différemment dans le cas où le bailleur a conservé la maîtrise du potentiel dangereux de la chose, le preneur ne profitant que de l'usage de celle-ci (Cass. 2e civ., 19 oct. 2006 : *RTD civ.* : 2007, p. 133, obs. P. Jourdain ; *Resp. civ. et assur.* 2007, comm. 15, note H. Groutel ; *JCP* 2007, I, 115, n° 7, obs. Ph. Stoffel-Munck.

(544) Cass. 3e civ., 10 déc. 1970 : *Bull. civ.* 1970, III, n° 690. – Cass. 3e civ., 20 oct. 1971 : *D.* 1972, 444 et note Lapoyade-Deschamps. – Cass. 2e civ., 17 janv. 1985 : *Bull. civ.* 1985, II, n° 15, p. 11. – V. cependant Cass. 3e civ., 17 mars 1999 : *JCP* 2000, II, 10427 et note V. Lasbordes.

(545) Cass. 2e civ., 10 juin 1998 : *JCP* 1999, II, 10042 et note F. Mandin.

(546) Cass. 2e civ., 28 nov. 2002 : *Bull. civ.* 2002, II, n° 273, p. 214.

(547) Cass. 2e civ., 14 janv. 1999 : *JCP* 2000, II, 10245 et note S. Reifegerste. – Cass. 2e civ., 13 janv. 2012 : *Contrats, conc. consom.* 2012, comm. 85, obs. L. Leveneur.

(548) Cass. 1re civ., 16 juin 1998 : *Bull. civ.* 1998, I, n° 217 ; *RTD civ.* 1998, 917, obs. P. Jourdain.

(549) Cass. 1re civ., 9 juin 1993 : *JCP* 1994, II, 22202 et note G. Viney. – Cass. 1re civ., 12 oct. 2000 : *Resp. civ. et assur.* 2000, comm. 357 ; *JCP* 2001, I, 338, n° 15, obs. G. Viney.

(550) Cass. 2e civ., 23 janv. 2003 : *Bull. civ.* 2003, II, n° 19, p. 15.

détachant, va blesser un autre alpiniste(551). Souvent les juges usent d'un faisceau d'indices pour établir ce transfert de la garde(552).

On admet également qu'il y a transfert de la garde pour certains contrats comme le dépôt(553) ou le contrat de transport(554), alors que dépositaire et transporteur n'ont pas l'usage de la chose, mais seulement la direction et le contrôle.

En cas de dépossession involontaire de la chose(555), vol par exemple, la garde passe du propriétaire à l'usurpateur : ainsi le propriétaire d'une machine volée n'est pas responsable en tant que gardien de dommages causés par le voleur(556).

677. – La garde collective ou garde en commun. Lorsque plusieurs personnes se servent dans le même temps de la même chose et que cette chose produit un dommage, la jurisprudence admet que la garde puisse être exercée collectivement, *en commun*, par les divers participants(557).

L'intérêt de la solution est que, chacun des co-gardiens étant tenu à la réparation intégrale du dommage, la victime – qui peut être un membre du groupe – a une meilleure chance d'obtenir réparation effective de son préjudice.

La jurisprudence en a fait application à un groupe de chasseurs qui se voit reconnaître la garde collective des fusils ou de la gerbe de plombs, lorsque l'auteur du coup de fusil malheureux ne peut être identifié(558) ; et, plus souvent encore aux enfants qui se livrent à des activités ou à des jeux collectifs et dangereux(559).

Mais il n'y a plus garde en commun lorsqu'au moment du dommage il n'y a plus véritablement activité collective : ainsi en est-il du briquet qui, après avoir servi à un jeu collectif (faire des ronds de fumée !), est ensuite utilisé par un seul enfant qui provoque un incendie(560), ou de la torche qui, au moment de l'embrasement, est entre les mains d'un seul enfant(561) ; ou encore dans le cas d'un jeu inspiré du base-

(551) Cass. 2e civ., 24 avr. 2003 (2 arrêts) : *D.* 2003, inf. rap. 1340 ; *JCP* 2004, II, 10049 et note E. Gavin-Millan-Oosterlynck ; *Gaz. Pal.* 2004, 1, 5-6 mai, et note A. Bolze.

(552) V. par ex., Cass. 2e civ., 14 juin 2012, n° 11-10.531, FS-D ; *Resp. civ. et assur.* n° 10, oct. 2012, comm. 260 : « pour condamner Mme Florence A., sur le fondement de l'article 1384, alinéa 1er, du Code civil, à réparer les préjudices subis par Mme G. et par ses enfants l'arrêt retient qu'elle a emmené, à deux reprises, des parents et des amis découvrir la salle contiguë à sa propre cave ; que, pour y parvenir, elle a dû ôter les plaques ondulées qui en interdisaient l'entrée ; que, le 11 avril 2004, elle a invité notamment son beau-frère à visiter les lieux ; qu'en s'y introduisant ainsi au moins à trois reprises, en prenant l'initiative d'inviter des proches à s'y rendre, et en déplaçant le système d'obstruction de son accès, elle s'est comportée en gardien de la cavité ».

(553) Cass. 2e civ., 13 oct. 1965 : *JCP* 1966, II, 14503 et note P. Esmein. – Cass. 2e civ., 21 nov. 1973 : *Bull. civ.* 1973, II, n° 303.

(554) Cass. civ., 16 nov. 1920 : S. 1922, 1, 97 et note L. Hugueney ; *DP* 1920, 1, 169 et note R. Savatier. – Cass. civ., 15 mars 1921 : S. 1922, 1, 100 ; *DP* 1922, 1, 25 et note G. Ripert. – Cass. 2e civ., 9 nov. 1966 : *Bull. civ.* 1966, II, n° 895.

(555) Pour le cas d'un caddie détourné de sa fonction et dont le centre commercial a ainsi été dépossédé et n'était plus le gardien, Cass. 2e civ., 13 janv. 2012, n° 11-11.047, F-D, *Sté Sammar-La Prévoyante et a. c/ SAS Carrefour Hypermarchés* : JurisData n° 2012-000829 ; *Resp. civ. et assur.* n° 4, avr. 2012, comm. 98.

(556) En revanche, le propriétaire conserve la garde de la chose (en l'espèce du carburant) dans le cas où des personnes non identifiées se sont introduites par effraction dans les locaux d'une entreprise et ont laissé s'écouler 16 000 litres de gazole qui ont pollué une rivière : Cass. 2e civ., 22 mai 2003 : *Bull. civ.* 2003, II, n° 155, p. 131.

(557) D. Mayer, *La « garde » en commun : RTD civ.* 1975, 197. – J.-M. Florand, *Bilan des applications jurisprudentielles de la théorie de la co-garde* : LPA 19 mai 1986. – F. Rousseau, *De quelques réflexions sur la responsabilité collective. Aspects de droit civil et de droit pénal : D.* 2011, 1983.

(558) Cass. 2e civ., 5 févr. 1960 : *D.* 1960, 365 et note H. Aberkane. – Cass. 2e civ., 11 févr. 1966 : *D.* 1966, 228 et note R. Schmelck. – Cass. 2e civ., 13 mars 1975 : *D.* 1975, inf. rap. 124, obs. G. Durry ; *RTD civ.* 1975, 543.

(559) Cass. 2e civ., 15 déc. 1980 : *D.* 1981, 455 et note E. Poisson-Drocourt. – Cass. 2e civ., 14 juin 1984 : *Gaz. Pal.* 1984, pan. 299 et note F.C. – Cass. 2e civ., 7 nov. 1988 : *JCP* 1989, IV, 14. – Lyon, 16 nov. 1989 : *D.* 1990, 207 et note A. Vialard. – Cass. 2e civ., 24 mai 1991 : *JCP* 1991, IV, 278.

(560) Cass. 2e civ., 11 juill. 2002 : *D.* 2002, 3297 et note Y. Dagorne-Labbé ; *RTD civ.* 2002, 823, obs. P. Jourdain.

(561) Cass. 2e civ., 19 oct. 2006 : *Bull civ.* 2006, II, n° 281 ; *JCP* 2007, II, 10030 et note M. Mekki ; *JCP* 2007, I, 115, n° 6, obs. Ph. Stoffel-Munck ; *RTD civ.* 2007, p. 130, obs. P. Jourdain.

ball où la balle de tennis envoyée par l'un des joueurs blesse l'autre à l'œil[(562)] ; ou du joueur qui tape dans un ballon[(563)].

De même, l'idée de garde collective a été écartée pour un voilier en régate car les règles et usages en la matière confèrent la direction et le contrôle, donc la garde, au seul skipper[(564)] (V. *supra*, n° 675).

678. - **Garde de la structure et garde du comportement.** Suivant en cela une suggestion doctrinale[(565)], la jurisprudence a également admis, pour certaines choses, un fractionnement de la garde entre deux personnes : elle oppose ainsi la garde de la structure interne de la chose et la garde de son utilisation[(566)]. L'idée est que le fabricant demeure gardien de la structure de la chose vendue, cependant que l'acquéreur n'aurait que la garde du comportement.

Cela vise en fait les choses dangereuses susceptibles de provoquer des dommages en raison soit d'une modification spontanée de leur structure interne (le *dynamisme propre*), soit de la manière dont elles sont utilisées. Par exemple, on dira qu'en cas d'explosion d'une bouteille d'oxygène liquide en cours de transport, le gardien responsable sera ou le transporteur ou le propriétaire, suivant que l'explosion aura été due à des conditions de transport ou de manutention défectueuses, ou à un vice de la bouteille[(567)].

Cet affinement de la notion de garde procède de l'idée qu'il serait inéquitable de présumer la responsabilité d'un gardien (ici, le transporteur) lorsque l'origine du dommage ne peut manifestement pas lui être imputée à faute. Par cela, on s'aperçoit que la responsabilité du fait des choses, tout en étant fondée sur une idée de garantie des risques, demeure encore teintée par la faute.

Ce fractionnement de la garde, qui a eu son heure de gloire dans les années 1970, a été par la suite très critiqué en doctrine en ce qu'il invitait le juge à une délicate casuistique et qu'il compliquait inutilement la situation de la victime. Même si on en trouve encore quelques applications[(568)], cette jurisprudence peut être considérée comme étant sur son déclin[(569)], sinon même tombée en désuétude[(570)].

---

(562) Cass. 2e civ., 28 mars 2002 : *D.* 2002, 3237 et note D. Zerouki ; *RTD civ.* 2002, 520, obs. J. Mestre et B. Fages.

(563) Cass. 2e civ., 13 janv. 2005 : *Resp. civ. et assur.* 2005, comm. 78 ; *RTD civ.* 2005, p. 410, obs. P. Jourdain.

(564) Cass. 2e civ., 9 mai 1990 : *D.* 1991, 367 et note Y. Dagorne-Labbé. – Cass. 2e civ., 8 mars 1995 : *JCP* 1995, II, 22499 et note J. Gardach. Dans le même sens, même si la question du lien de préposition aurait pu se poser, Cass. 2e civ., 12 avr. 2012, préc.

(565) B. Goldman, *La détermination du gardien responsable du fait des choses inanimées* : thèse Lyon, 1946. – *Garde de la structure et garde du comportement*, in *Mél. Roubier*, t. II, p. 51. – A. Tunc, *Garde du comportement et garde de la structure dans la responsabilité du fait des choses inanimées* : *JCP* 1957, I, 1384. – P. Dupichot, *La garde de la structure et la garde du comportement dans la responsabilité civile* : thèse Paris XII, 1984.

(566) Cass. com., 30 juin 1953 : *JCP* 1953, II, 7811, obs. R. Savatier. – Cass. 2e civ., 10 juin 1960 : *D.* 1960, 609 et note R. Rodière ; *JCP* 1960, II, 11814, obs. P. Esmein. – Cass. 1re civ., 12 nov. 1975, et Paris, 5 déc. 1975 : *JCP* 1976, II, 18479, obs. G. Viney. – V. aussi obs. G. Durry : *RTD civ.* 1970, p. 361 ; *ibid.* 1971, p. 151 ; *ibid.* 1972, p. 139.

(567) *Affaire de l'Oxygène liquide* : Cass. 2e civ., 5 janv. 1956 : *D.* 1957, 261 et note R. Rodière ; *JCP* 1956, II, 9085, obs. R. Savatier.

(568) Cass. 2e civ., 21 janv. 1981 : *Gaz. Pal.* 1981, pan. 184 et 29 avr. 1982 ; *Gaz. Pal.* 1982, pan. 331 et note F. Chabas (pour une bombe aérosol). – Cass. 2e civ., 20 juill. 1981 : *JCP* 1982, II, 19848, obs. F. Chabas, et 4 juin 1984 : *Gaz. Pal.* 16 oct. 1984 et note F. Chabas (pour une bouteille de boisson gazeuse). – Cass. 2e civ., 30 nov. 1988 : *D.* 1989, 381 et note Ph. Malaurie (pour l'implosion d'un téléviseur). – CA Bordeaux, 3 sept. 2008 : *JCP* 2009, IV, 1281 (pour l'incendie d'un sèche-linge).

(569) V. par ex. Orléans, 10 sept. 2001 : *JCP* ²2002, II, 10133 et note B. Daille-Duclos et Cass. 2e civ., 20 nov. 2003 : *D.* 2003, 2902, concl. R. Kessous et note L. Grynbaum ; *JCP* 2004, II, 10004 et note B. Daille-Duclos ; *D.* 2004, somm. 1346, obs. D. Mazeaud (qui a écarté l'application du fractionnement de la garde dans un cas où les parents d'une victime d'un cancer du poumon recherchaient la responsabilité de la SEITA comme gardien de la structure du tabac).

(570) Cass. 2e civ., 5 oct. 2006 : *RTD civ.* 2007, p. 132, obs. P. Jourdain.

À cela il faut ajouter qu'il y a désormais un autre moyen juridique de reporter la responsabilité sur la tête du fabricant. En effet, transposant la directive européenne sur la responsabilité du fait des produits défectueux, la loi du 19 mai 1998 permet de rechercher la responsabilité du fabricant dans le cas où le dommage est causé par un produit défectueux, c'est-à-dire un produit qui « n'offre pas la sécurité à laquelle on peut légitimement s'attendre » (C. civ., art. 1386-1 et s. ; V. *infra*, n°s 716 et s.).

679. – **Le gardien de la chose dans le Projet Catala.** Le Projet Catala adopte une conception unitaire et matérielle de la garde[(571)] : « le gardien est celui qui a la maîtrise de la chose au moment du fait dommageable » (art. 1354-2, al. 1)[(572)]. En posant en règle dans l'alinéa 2 que « le propriétaire est présumé gardien », il admet implicitement que celui-ci pourra démontrer qu'il n'avait pas la maîtrise de la chose au moment du fait dommageable, donc que la garde a été transférée à un tiers. Il n'opère pas de distinction entre garde de la structure et garde du comportement[(573)].

Par ailleurs, l'avant-projet reprend les solutions jurisprudentielles relatives à la garde en commun dans l'article 1348, au titre non de la responsabilité du fait des choses mais du lien de causalité. Il s'agit donc d'une solution commune à tous les cas de responsabilité civile et selon laquelle « lorsque un dommage est causé par un membre indéterminé d'un groupe, tous les membres identifiés en répondent solidairement sauf pour chacun d'eux à démontrer qu'il ne peut en être l'auteur »[(574)].

2° Force de la présomption

680. – **Preuve de l'absence de faute (non).** Pas plus qu'elle n'indique la force de la présomption de responsabilité des commettants (V. *supra*, n° 658), la loi ne précise celle de la présomption de responsabilité du fait des choses. C'est la jurisprudence qui a dû se prononcer à cet égard.

Il est admis depuis longtemps (1919) que la preuve de l'absence de faute du gardien est inopérante. Il faut toutefois réserver l'hypothèse où l'auteur du dommage a agi en état de légitime défense, auquel cas son absence de faute conduit à écarter la responsabilité fondée sur la garde de l'arme[(575)].

Cette solution laisse penser que la responsabilité du fait des choses n'est pas fondée sur une faute présumée du gardien[(576)]. Dans l'opinion générale, cette responsabilité trouverait son fondement dans l'idée de risque : celui qui, par intérêt ou par

(571) F. Leduc, *La responsabilité du fait personnel – la responsabilité du fait des choses*, in *L'avant-projet de réforme du droit de la responsabilité – Actes du colloque du 12 mai 2006 : RDC* 2007, p. 67, et C. Radé, *L'avant-projet de réforme du droit des obligations dans ses dispositions relatives à la responsabilité du fait personnel et du fait des choses*, in *L'avant-projet de réforme du droit de la responsabilité – Actes du colloque du 12 mai 2006 : RDC* 2007, p. 77.

(572) Comp. Projet de réforme du 26 juillet 2012, art. 16, al. 4 : « Le gardien est celui qui a l'usage, le contrôle et la direction de la chose au moment du fait dommageable (...) ». Le projet Fr. Terré (art. 20, al. 3) définit le gardien comme « celui qui avait ou aurait dû avoir l'usage et la maîtrise de la chose au moment du fait dommageable (...) ».

(573) La même présomption existe dans le projet de réforme du 26 juillet 2012 (art. 16, al. 4 *in fine*) et dans le Projet Fr. Terré (art. 20, al. 3, *in fine*).

(574) La règle est très proche de celle qui a été retenue, y compris dans la partie relative à la causalité, par le Projet Fr. Terré (art. 12) qui, rappelons-le, n'envisage la responsabilité du fait des choses que pour les seules atteintes à l'intégrité physique ou psychique. Le projet de réforme du 26 juillet 2012 utilise la même formule dans la partie consacrée à la causalité mais précise qu'il s'agit uniquement du dommage corporel (art. 8-1).

(575) Cass. 2e civ., 22 avr. 1992 : *D.* 1992, 353 et note J.-F. Burgelin.

(576) H. Mazeaud, *La faute dans la garde : RTD civ.* 1925, 793.

plaisir, utilise des choses susceptibles d'entraîner des dommages, fait courir à autrui des risques dont il doit assumer les conséquences[577].

La preuve de l'absence de faute ne devrait pas non plus permettre au gardien de s'exonérer de sa responsabilité dans le Projet Catala puisque sa responsabilité est une responsabilité de plein droit (art. 1354)[578]. À cet égard, le Projet se borne à préciser que ni le vice de la chose ni le trouble physique du gardien n'est une cause d'exonération (art. 1354-3).

681. – **Rôle passif de la chose.** Selon une jurisprudence, le gardien peut échapper à sa responsabilité s'il démontre que la chose n'a eu qu'un *rôle passif* dans la production du dommage ou, suivant une autre formule, que la chose a eu un *comportement normal.* Cette jurisprudence s'applique tout particulièrement au cas où le dommage a été causé par une chose inerte, le sol par exemple, ou encore lorsqu'il n'y a pas eu de contact matériel entre la chose et la victime du dommage. Tel est par exemple le cas du passant qui, sans raison apparente, fait une chute et se blesse sur le sol ou sur une bordure de trottoir, etc. Le sol, ou tout autre objet de même nature, n'a eu ici qu'un rôle passif, un comportement normal.

L'opinion générale en doctrine est que la question doit être traitée au plan de la preuve de la causalité, et non pas à celui des causes d'exonération. Selon certains auteurs il n'y a pas de présomption de causalité lorsqu'il s'agit d'une chose inerte ou d'une chose qui n'est pas entrée en contact avec l'objet du dommage ; il appartiendrait à la victime de démontrer que la chose a eu un rôle actif dans la production du dommage, qu'elle a été l'instrument du dommage (V. *supra*, n° 673).

Mais la situation est beaucoup moins nette en jurisprudence, et certains arrêts considèrent qu'il y a présomption de causalité tout en faisant du rôle passif une cause d'exonération. À supposer qu'il s'agisse bien d'une cause d'exonération, elle est assez ambiguë en ce qu'elle se rapproche fâcheusement de l'absence de faute : démontrer que la chose a eu un rôle passif ou un comportement normal, n'est-ce pas prouver que le gardien n'a commis aucune faute ? Pour éviter cette ambiguïté, il est préférable de traiter la question sous l'angle du lien de causalité qui doit exister entre le fait et le dommage, et d'imposer à la victime d'une chose inerte la charge de prouver que cette chose a joué un rôle actif et, de ce fait, a été le véritable instrument du dommage.

C'est dans cette voie que s'est engagé le Projet Catala en décidant que la victime doit faire la preuve « du fait de la chose », c'est-à-dire de son rôle causal, lorsque la chose était inerte ou si elle n'est pas entrée en contact avec le siège du dommage. Et cette preuve sera faite en établissant soit le vice de la chose, soit l'anormalité de sa position ou de son état (art. 1354-1).

682. – **La cause étrangère.** La présomption de responsabilité de l'article 1384, alinéa 1er, tombe devant la preuve de la *cause étrangère*. Il incombe alors au gardien de prouver que, en dépit des apparences, le dommage est dû en tout ou en partie

(577) R. Rodière, *De l'obligation de sécurité due par le gardien d'une chose inanimée et de ses degrés : RTD civ.* 1947, 406. – J. Déjardin, *Le fondement de l'article 1384, alinéa 1er, et la théorie du risque créé : RTD civ.* 1949, 491.

(578) Le projet de réforme du 26 juillet 2012 qualifie cette responsabilité de responsabilité de plein droit (art. 16, al. 1) au même titre que le projet Fr. Terré (art. 20, al. 1).

à un cas de force majeure, ou au fait d'un tiers, ou à la faute de la victime[(579)]. Cette solution est maintenue dans le Projet Catala.

Cette question sera développée à propos du lien de causalité qui est le troisième élément de la responsabilité civile (V. *infra*, n°s 741 et s.).

B. – Les cas particuliers de responsabilité du fait des choses

683. – **Diversité des cas.** Toutes les choses qui causent un dommage à autrui peuvent en principe entraîner la responsabilité de leur gardien. N'y échappent que les choses qui n'ont pas de gardien : l'air, l'eau, la neige, les animaux sauvages, etc.

Ainsi, une personne victime d'une chose peut toujours se placer sur le terrain de la responsabilité du fait des choses et éviter la charge de prouver une faute du propriétaire. Il n'y est fait exception que pour la *communication d'incendie* par une chose, qui, en vertu de l'article 1384, alinéa 2, doit être traitée sur le plan de la responsabilité du fait personnel du propriétaire ou gardien[(580)]. Il s'agit là d'une survivance vivement critiquée[(581)], mais toujours maintenue (V. *supra*, n° 670), du moins en l'état du droit positif, puisque l'avant-projet ne reprend pas ce cas spécial de responsabilité du fait des choses.

Ceci étant, il existe des cas particuliers de responsabilité du fait des choses qui échappent au principe général précédemment étudié pour être soumis à des règles propres. Les uns datent du Code civil et sont en retrait par rapport au principe général ; d'autres sont dus à des lois récentes intervenues pour protéger les particuliers contre des risques nouveaux. Dans l'avant-projet de réforme, ces cas spéciaux, ou bien sont supprimés comme c'est le cas pour la responsabilité du fait de la ruine d'un bâtiment (V. *infra*, n° 685), ou bien sont maintenus hors du Code civil[(582)] (responsabilité des compagnies aériennes pour les dommages causés au sol par les appareils, responsabilité des exploitants de téléphériques [V. *infra*, n° 686], des exploitants de réacteurs nucléaires [V. *infra*, n° 687], etc.).

On se bornera à présenter les cas les plus importants, sans prétendre à l'exhaustivité. On laissera notamment de côté les dispositions relatives à la réparation des dommages liés à l'exploration ou à l'exploitation minière et, plus récemment, des dommages consécutifs aux catastrophes technologiques[(583)] ou encore la responsabilité des producteurs, exploitants ou propriétaires en matière de sites et sols pollués[(584)].

(579) Cass. 2e civ., 4 juill. 2013, n° 12-23.562, F-D, *Société nationale des chemins de fer français (SNCF) c/ M.* : JurisData n° 2013-013864 ; *Resp. civ. et assur.* n° 11, nov. 2013, comm. 335 : Absence de force majeure mais faute de la victime entraînant une réduction du montant de l'indemnisation.

(580) Mais il suffit de toute faute résultant d'une maladresse, imprudence, inattention ou négligence : Cass. 2e civ., 7 mai 2003 : *Bull. civ.* 2003, II, n° 140, p. 120. – Cass. 2e civ., 25 oct. 2007 : *D.* 2008, 1532 et note V. Egea. – V. A. Donnier, *Fondements de la responsabilité civile du preneur à l'égard du bailleur et des tiers en cas d'incendie des lieux loués* : Loyers et copr. n° 5, mai 2013, étude 7.

(581) G. Courtieu, *Communication d'incendie : une loi à éteindre* : *Gaz. Pal.* 1995, 1, doctr. 4-8 juin. – Ph. Casson, *La communication d'incendie : une législation en attente d'abrogation* : *LPA* 15 juill. 1996, p. 20.

(582) M. Poumarède, *Les régimes particuliers de responsabilité civile, ces oubliés de l'avant-projet Catala* : *D.* 2006, chron. p. 2420.

(583) J.-P. Boivin et S. Hercé, *La loi du 30 juillet 2003 sur les risques technologiques et naturels majeurs* : *AJDA* 2003, 1765. – B. Magois, *Risques technologiques* : *JCP N* 2004, 1170. – F.-G. Trébulle et L. Fonbaustier, *Réflexions autour de la loi relative à la prévention des risques technologiques et naturels* : *RD imm.* 2004, 23. – A. Guégan-Lécuyer, *Le nouveau régime d'indemnisation des victimes de catastrophes technologiques* : *D.* 2004, chron. 17.

(584) M. Boutonnet et M. Mekki, *Plaidoyer en faveur d'une extension des responsables de la dépollution immobilière* : *D.* 2013, p. 1290. La loi ALUR du 24 mars 2014 a consacré la responsabilité subsidiaire pour faute prouvée du propriétaire détenteur (C. envir., art. L 556-3, II).

1° La responsabilité du fait des animaux

684. – La responsabilité du fait des *animaux* n'est citée que pour mémoire(585). Elle était déjà prévue en 1804 en des termes qui n'ont pas changé :

C. civ., art. 1385. – Le propriétaire d'un animal, ou celui qui s'en sert pendant qu'il est à son usage, est responsable du dommage que l'animal a causé, soit que l'animal fût sous sa garde, soit qu'il fût égaré ou échappé.

En fait, cette hypothèse qui a pu jadis apparaître comme un cas particulier est devenue aujourd'hui une simple application du principe général. Il suffit donc de renvoyer à celui-ci, sauf à préciser que sont concernés seulement les *animaux appropriés*(586), par opposition à ceux qui vivent à l'état sauvage, comme le gibier pour lesquels il existe un régime particulier de réparation en cas de dommages causés aux cultures(587).

Se pose donc le problème de détermination du gardien et du transfert de la garde, la solution variant suivant les circonstances de fait et le type d'animal(588). Ainsi que le précise l'article 1385, la responsabilité est encourue même si l'animal échappe à la surveillance de son gardien(589). On rencontre également la question de la garde commune, lorsque le dommage est causé par un groupe d'animaux appartenant à plusieurs propriétaires(590).

Cette présomption tombe devant la preuve de la cause étrangère, notamment la faute de la victime(591).

2° La responsabilité du fait de la ruine d'un bâtiment

685. – La responsabilité du fait de la ruine des *bâtiments*(592) qui, avec la précédente, était la seule hypothèse de responsabilité du fait des choses prévue en 1804, est demeurée un cas particulier(593).

L'article 1386 du Code civil l'exprime en ces termes :

C. civ., art. 1386. – Le propriétaire d'un bâtiment est responsable du dommage causé par sa ruine, lorsqu'elle est arrivée par une suite du défaut d'entretien ou par le vice de sa construction.

(585) Grouzel, *La responsabilité du fait des animaux dans la doctrine classique* : *RTD civ.* 1923, 23. – J.-P. Marguénaud, *L'animal en droit privé* : PUF.

(586) Ce qui inclut les pigeons d'un pigeonnier, par opposition aux pigeons sauvages : Cass. 2e civ., 24 mai 1991 : *D.* 1991, inf. rap. 181. – Ou les abeilles d'une ruche : Cass. 2e civ., 6 mai 1970 : *D.* 1970, 528. Pour un exemple original, Cass. 2e civ., 18 avr. 2013, n° 11-28.809, F-D, *SCEA du Virfolet c/ Caisse régionale d'assurances mutuelles agricoles Bretagne Pays de la Loire – Groupama et a.* : JurisData n° 2013-007563 ; *Dr. rur.* n° 416, oct. 2013, comm. 187, obs. D. Krajeski : le stagiaire n'est pas responsable de la contamination par le ténia.

(587) Cass. 2e civ., 9 janv. 1990 : *JCP* 1991, IV, 86. – Cass. 2e civ., 13 déc. 2012, n° 11-27.538, P+B : *JurisData* n° 2012-029216 c/ CA Pau, 1re ch., 9 sept. 2011 (Cassation sans renvoi) (articles L. 426-1 à 426-8 du Code de l'environnement).

(588) Pour la responsabilité de l'attributaire d'un lot, qualifié de gardien des vaches parquées sur un lot communal alors qu'il n'en avait ni la propriété ni l'usage, Cass. 2e civ., 8 mars 2012, n° 11-13.455, F-D : JurisData n° 2012-011465.

(589) Cass. 2e civ., 5 mars 1953 : *D.* 1953, 473 et note R. Savatier. – Cass. 2e civ., 1er mars 1972 : *D.* 1972, 467. – Cass. 2e civ., 9 janv. 1990 : *JCP* 1991, IV, 86. – Cass. 2e civ., 24 mai 1991 : *D.* 1991, inf. rap. 181. Une personne morale peut être gardien d'un animal : Cass. 2e civ., 22 févr. 1984 : *D.* 1985, 19 et note E. Agostini.

(590) Cass. 2e civ., 14 déc. 1983 : *Bull. civ.* 1983, II, n° 197 ; *RTD civ.* 1984, 316, obs. G. Durry. – Cass. 2e civ., 15 mars 2001 : *D.* 2001, inf. rap. 1145 ; *JCP* 2002, I, 122, n° 11, obs. crit. G. Viney. – V. aussi TGI Draguignan, 11 juill. 2000 : *D.* 2001, 3004 et note A. Bugada (responsabilité *in solidum* de dix-huit villageois ayant acquis un couple de paons pour les nuisances causées aux voisins).

(591) Cass. crim., 15 sept. 1986 : *Gaz. Pal.* 28 mars 1987 et note F.C. – Cass. 2e civ., 8 févr. 1989, deux arrêts : *Gaz. Pal.* 1989, 1, somm. 90. – Cass. 2e civ., 1er avr. 1999 : *JCP* 1999, II, 10218 et note R. Reboul. – Cass. 2e civ., 15 avr. 1999 : *JCP* 2000, II, 10317 et note D. Antoine (acceptation des risques).

(592) La notion de bâtiment a été entendue au sens large par la jurisprudence : par exemple, mur de clôture (Cass. 3e civ., 1er juill. 1971 : *D.* 1971, 672), pont (Angers, 4 nov. 1971 : *D.* 1972, 169 et note J.L.).

(593) R. Roubier, *L'article 1386, C. civ. et sa portée dans le droit contemporain* : *JCP* 1949, I, 768. – Ph. Casson, *La responsabilité du fait des bâtiments* : *LPA* 19 et 26 juin 1995. – *Adde*, Chr. Desnoyer, *La jurisprudence relative à l'articulation des articles 1386 et 1384, alinéa 1er, du Code civil. L'instrumentalisation de la règle Specialia generalibus derogant* : *RTD civ.* 2012, p. 461.

La force de cette présomption est la même que celle relative au principe général (V. *supra*, n°s 680 et s.), mais ses conditions sont plus étroites à deux points de vue.

D'une part, la présomption pèse exclusivement sur le *propriétaire* pris en cette qualité, non sur le gardien ; il s'ensuit que le gardien non propriétaire d'un bâtiment, en l'espèce simple titulaire d'un droit d'usage, ne peut voir sa responsabilité recherchée que sur le fondement de l'article 1384, alinéa 1er[594].

D'autre part, le fait de la chose susceptible d'entraîner la présomption doit être la *ruine* du bâtiment. La ruine s'entend « non seulement de sa destruction totale, mais encore de la dégradation partielle de toute partie de la construction et de tout élément mobilier ou immobilier qui y est incorporé de façon intégrale et permanente »[595] ; mais elle implique nécessairement la chute d'un élément de construction[596].

En outre, la ruine doit être due exclusivement à un *défaut d'entretien* ou à un *vice de construction*[597]. La responsabilité du propriétaire du bâtiment étant subordonnée à la preuve du défaut d'entretien ou du vice, la victime de la ruine d'un bâtiment se trouve moins bien traitée qu'en droit commun où il suffit de démontrer qu'il y a eu fait de la chose ; et, pour conserver un domaine d'application à l'article 1386, la jurisprudence a interdit à la victime d'invoquer l'article 1384, alinéa 1er, lorsqu'elle se trouvait dans le champ d'application de l'article 1386 (V. *supra*, n° 667)[598].

Mais l'article 1384, alinéa 1, retrouve son empire en cas de dommages non imputables à la ruine du bâtiment ; et il en va de même lorsque la ruine n'est pas due à l'une des deux causes visées à l'article 1386, ce qui finalement enlève tout intérêt à cette disposition particulière[599]. Le propriétaire peut alors être condamné sur ce fondement, si du moins il est gardien du bâtiment[600].

La survie de ce régime, moins favorable aux victimes que le droit commun de l'article 1384, alinéa 1er, est aujourd'hui très souvent critiquée par la doctrine[601]. Son abrogation a été suggérée par la Cour de cassation dans son rapport pour l'année 2000[602], et à nouveau dans son rapport pour l'année 2005[603] mais il n'y a pas été donné suite à ce jour, si ce n'est dans le Projet Catala.

3° Responsabilité du fait des aéronefs et des téléphériques

686. – La responsabilité du fait des *aéronefs* et des *téléphériques* obéit à des règles spéciales.

(594) Cass. 2e civ., 23 mars 2000 : *JCP* 2000, II, 10379 et note Y. Dagorne-Labbé ; *D.* 2000, somm. 467, obs. D. Mazeaud ; *D.* 2001, 586 et note N. Garçon. – V. précédemment *contra* : Cass. 2e civ., 30 nov. 1988 : *JCP* 1989, II, 21319, obs. C. Giraudel (pour un locataire).

(595) Cass. 2e civ., 4 mai 1972 : *JCP* 1972, IV, 159.

(596) Cass. 2e civ., 3 mars 1993 : *JCP* 1993, IV, 1172 (ce qui n'est pas le cas de simples fissures dans un conduit de cheminée). – Cass. 1re civ., 11 oct. 1967 : *D.* 1968, 106 (chute de la balustrade d'un balcon).

(597) Cass. 2e civ., 28 nov. 1968 : *JCP* 1969, IV, 12 ; *D.* 1969, somm. 71. – Cass. 2e civ., 10 juill. 1978 : *JCP* 1978, IV, 294. – Cass. 2e civ., 15 mars 2000 : *JCP* 2000, IV, 1794.

(598) Cass. 2e civ., 12 juill. 1966 : *JCP* 1967, II, 15185, obs. N. Dejean de la Bâtie. – Cass. 2e civ., 26 avr. 1972 : *JCP* 1972, IV, 144 ; *D.* 1972, somm. 150.

(599) Cass. 2e civ., 22 oct. 2009 : *D.* 2009, act. jurispr. 2684, obs. I. Gallmeister ; *D.* 2010, 413 et note B. Duloum ; *Rev. Lamy dr. civ.* févr. 2010, p. 15 et note J. Julien ; *JCP* 2010, 456, n° 8, obs. C. Bloch ; *RTD civ.* 2010, 115, obs. P. Jourdain ; *Constr.-Urb.* 2009, comm. 160, obs. C. Sizaire.

(600) Cass. 2e civ., 16 mars 1994 : *Bull. civ.* 1994, II, n° 94. – Cass. 2e civ., 16 oct. 2008 : *D.* 2008, act. jurispr. 2720 ; *Constr.-Urb.* 2008, comm. 185, obs. Ch. Sizaire ; *D.* 2009, 772, n° 15, obs. C. Nicoletis ; *RTD civ.* 2009, 128, obs. P. Jourdain.

(601) V. Depadt-Sebag, *La justification du maintien de l'article 1386 du Code civil* : LGDJ, coll. « Droit privé », t. 344, 2000.

(602) Rapp., p. 13.

(603) Rapp., p. 12.

La *responsabilité contractuelle* du transporteur aérien de personnes est limitée par la convention internationale de Varsovie du 12 octobre 1929[604] à un forfait de *x* – par personne décédée (V. *infra*, n° 783, à propos des limitations au principe de la réparation intégrale du dommage), à moins que l'accident ne soit dû à une faute inexcusable qui est définie comme celle impliquant la conscience de la probabilité du dommage et son acceptation téméraire sans raison valable (V. *supra*, n° 625).

En matière extracontractuelle, le législateur s'est montré plus sévère. Les compagnies aériennes sont responsables de plein droit des « dommages causés par les évolutions de l'appareil ou par les objets qui s'en détacheraient aux personnes et aux biens situés à la surface » (C. transports, art. L. 6131-2). Et il en va de même pour les constructeurs et exploitants de téléphériques pour les « dommages causés aux personnes et aux biens par le passage des câbles et cabines ou par les objets qui s'en détachent » (L. 8 juill. 1941, art. 6).

Cette présomption de responsabilité est plus forte que celle du droit commun : elle ne tombe pas devant la preuve de la force majeure (tempête, foudre) ou du fait d'un tiers ; elle ne s'efface que devant *la faute de la victime*. Ces règles ont notamment été appliquées aux dégâts causés par les bangs supersoniques ainsi qu'aux troubles apportés aux riverains des aérodromes par les avions à réaction[605].

4° Responsabilité du fait de l'énergie nucléaire

687. – La responsabilité du fait de l'*énergie nucléaire* a été réglementée de manière spéciale pour les *exploitants de navires et d'installations nucléaires*. Cette responsabilité est de plein droit, c'est-à-dire automatique, tout en demeurant limitée par un plafond. Elle ne disparaît que devant la faute intentionnelle de la victime et certains cas de force majeure.

Cette responsabilité répond à l'idée de risque. Sur le plan de la technique de réparation, elle est à rapprocher de la législation sur les accidents du travail : la responsabilité de celui qui fait courir des risques à autrui est automatique dès l'instant que le risque se réalise, mais la réparation du dommage est forfaitaire ou limitée par un plafond[606].

5° Responsabilité pour troubles de voisinage

688. – La théorie des troubles de voisinage[607]**.** On rappellera ici la jurisprudence relative aux *troubles de voisinage* (V. *supra*, n° 611) : on sait que toute

(604) La Convention, qui régissait les transports internationaux, a été étendue aux transports internes par la loi du 2 mars 1957 (C. aviation, art. L. 321-3).

(605) J.-P. Ezano, *Les conséquences soniques de la navigation aérienne en droit français* : thèse Paris, 1967. – J. Causse et R. Combaldieu, *Les « bangs supersoniques » et leurs effets nocifs* : *D.* 1967, chron. 65. – Cass. 2e civ., 13 oct. 1971 : *D.* 1972, 117 ; *JCP* 1972, II, 17044, obs. M. de Juglart et E. du Pontavice. – Cass. 2e civ., 17 déc. 1974, 2 arrêts : *D.* 1975, 441 et note Ch. Larroumet. – Cass. 2e civ., 17 déc. 1974, 2 arrêts : *D.* 1975, 462 et note Ch. Larroumet.

(606) L. n° 90-488 du 16 juin 1990 modifiant la loi n° 68-943 du 30 octobre 1968 relative à la responsabilité civile dans le domaine de l'énergie nucléaire : *JO* 17 juin 1990 ; *Gaz. Pal.* 1990, L. 375 ; *JCP* 1990, III, 63946. – J. Deprimoz, *Les innovations apportées par la loi n° 90-488 du 16 juin 1990 à la mise en jeu de la responsabilité civile des exploitants nucléaires* : *JCP* 1990, I, 3467. L'ordonnance n° 212-6 du 5 janvier 2012 : *JO* 6 janv. 2012 intègre la responsabilité civile dans le domaine de l'énergie nucléaire au Chapitre VII du Code de l'environnement.

(607) C.-P. Yocas, *Les troubles de voisinage* : thèse Paris, 1964. – J.-B. Blaise, *Responsabilité et obligations coutumières dans les rapports de voisinage* : *RTD civ.* 1965, 261. – M.-F. Nicolas, *La protection du voisinage* : *RTD civ.* 1976, 675. – F. Caballero, *Essai sur la notion juridique de nuisance* : LGDJ, 1981. – H. Mayer, *Les rapports de voisinage dans les immeubles divisés par appartements, notamment dans les grands ensembles* : LGDJ, 1982. – M.-Cl. Lambert-Pieri, *Construction immobilière et dommages aux voisins* : Économica, 1982 ; *La responsabilité envers les voisins du fait de la*

personne, et notamment les entreprises industrielles et commerciales, qui cause à ses voisins un préjudice (bruits, odeurs, fumées, retombées, etc.) *excédant la mesure des obligations ordinaires du voisinage*, doit le réparer ou, mieux encore, le faire cesser, même s'il n'y a pas faute de sa part.

Il s'agit là d'une source de *responsabilité autonome*(608) que la jurisprudence rattachait initialement à l'article 1382 du Code civil et pour laquelle elle a édicté un nouveau principe sous le visa duquel sont désormais rendues les décisions : « Vu le principe suivant lequel nul ne doit causer à autrui un trouble anormal de voisinage »(609). Cette restriction au droit de propriété n'a pas été considérée comme constituant une atteinte disproportionnée au droit à la protection des biens établi par la Convention européenne des droits de l'homme(610) (art. 1er du Premier protocole additionnel).

Toutefois, ce principe subit une exception fort importante au profit des « activités agricoles, industrielles, artisanales, commerciales ou aéronautiques » déjà en place avant l'arrivée des voisins susceptibles d'être gênés par les troubles de voisinage qui en résultent. En vertu de cette règle, dite de la préoccupation, posée par l'article L. 112-16 du Code de la construction et de l'habitation, la responsabilité des exploitants de ces activités ne peut être recherchée sur le fondement de la théorie des troubles de voisinage, dès lors du moins que « ces activités s'exercent en conformité avec les dispositions législatives ou réglementaires en vigueur et qu'elle se sont poursuivies dans les mêmes conditions ». En bref, ceux qui s'installent dans le voisinage d'activités productrices de troubles de voisinage ne sauraient se plaindre ; ce qui revient à instaurer à la charge des terrains voisins une sorte de servitude de voisinage(611).

La constitutionnalité de cette disposition a été critiquée au regard, notamment, de la Charte de l'environnement (art. 1 à 4). Mais le Conseil constitutionnel a considéré que l'article L. 112-16 du Code de la construction et de l'habitation est compatible avec les articles 1 à 4 de la Charte de l'environnement dès l'instant que cette disposition « ne fait pas obstacle à une action en responsabilité fondée sur la faute ». Ainsi, la responsabilité des exploitants n'est pas écartée, mais elle ne peut être recherchée que sur un fondement autre que la théorie des troubles de voisinage, et notamment sur le fondement de la faute(612).

La théorie des troubles de voisinage est consacrée par le Projet Catala en ces termes : « Le propriétaire, le détenteur ou l'exploitant d'un fonds, qui provoque un trouble excédant les inconvénients normaux du voisinage, est de plein droit responsable des conséquences de ce trouble » (art. 1361) (V. *supra*, n° 611). On remarquera qu'il n'y est pas traité comme un cas de responsabilité du fait des choses mais comme un fait

---

construction : RD imm. 1980, 367. – A. Lepage, *Le voisinage : Defrénois* 1999, 1, 257, art. 36943. – Ph. Malinvaud, *Les dommages aux voisins dus aux opérations de construction : RD imm.* 2001, 479.

(608) V. contra, F. Rouvière, *La pseudo-autonomie des troubles anormaux de voisinage*, in *Ph. Tricoire (dir.), Variations sur le thème du voisinage* : PUAM, 2012, p. 73.

(609) Cass. 2e civ., 19 nov. 1986 : *Bull. civ.* 1986, II, n° 172.

(610) Cass. 2e civ., 23 oct. 2003 : *Bull. civ.* 2003, II, n° 318 ; *JCP* 2004, I, 125, n° 2, obs. H. Périnet-Marquet.

(611) G. Endréo, *La théorie des troubles de voisinage après les lois du 31 décembre 1976 et du 4 juillet 1980 : RD imm.* 1981, 460. – Y. Trémorin, *Le bénéfice de préoccupation et la réparation des troubles de voisinage. Examen critique du droit de nuisance consacré par l'article L. 112-16 du Code de la construction et de l'habitation : JCP N* 2004, p. 1125, 1162 et 1206.

(612) Cons. const., déc. 8 avr. 2011, n° 2011-116 QPC. – V. F. Le Fichant, *Trouble anormal de voisinage et antériorité d'occupation : Administrer* févr. 2012, n° 451, p. 18.

générateur autonome, susceptible de mettre à la charge d'une personne une obligation de réparer au même titre que le fait personnel, le fait d'autrui ou le fait des choses[613].

Il est repris en des termes quelque peu différents dans la proposition de réforme du droit des biens. Après avoir posé le principe que « nul ne doit causer à autrui un trouble excédant les inconvénients ordinaires du voisinage » (art. 629), la proposition précise que « les actions découlant de l'article précédent sont ouvertes aux propriétaires, locataires et bénéficiaires d'un titre ayant pour objet principal de les autoriser à occuper ou à exploiter le fonds. Elles ne peuvent être exercées que contre eux » (art. 630).

Cette source nouvelle de responsabilité avait été utilisée afin de faire démonter des antennes de téléphonie mobile suspectées, au nom du principe de précaution, de constituer un risque de dommages pour la santé des voisins[614] (V. *supra*, n° 565).

6° Responsabilité pour activités dangereuses

689. – La responsabilité pour activités dangereuses dans les projets de réforme[615]. Le Projet Catala propose de créer un nouveau cas de responsabilité extracontractuelle, distinct des autres cas de responsabilité, et susceptible de se combiner avec les textes spéciaux[616]. Il s'agit d'un cas de responsabilité de plein droit pesant sur l'exploitant d'une activité anormalement dangereuse et visant principalement à faire face aux catastrophes industrielles et à réparer les dommages de masse : « Sans préjudice de dispositions spéciales, l'exploitant d'une activité anormalement dangereuse, même licite, est tenu de réparer le dommage consécutif à cette activité » (art. 1362, al. 1). Cette disposition fait écho à l'article 1343 de ce même projet qui prévoit la possibilité de réparer les dommages collectifs.

Aux termes de l'alinéa 2, « est réputée anormalement dangereuse l'activité qui crée un risque de dommages graves pouvant affecter un grand nombre de personnes simultanément ». Si cette activité cause un dommage et quand bien même elle serait licite, son exploitant sera responsable. Il ne pourra s'en « exonérer qu'en établissant l'existence d'une faute de la victime... » (al. 3) (V. *infra*, n° 755) ; toute autre cause d'exonération est donc exclue.

Le Projet Terré reprend la même idée mais, considérant que la notion d'activités dangereuses est trop imprécise, il l'applique aux installations classées au sens du Code de l'environnement. Dans ce projet l'exploitant ne peut « s'exonérer qu'en prouvant la faute inexcusable de la victime ou le fait intentionnel d'un tiers présentant les caractères de la force majeure » (art. 23). En fait cette extension à toutes les installations classées paraît extrêmement large dans la mesure où il y a plus de 550 000 installations classées en France.

(613) Comp. article 17 du projet de réforme du 26 juillet 2012, plus précis traitant également des maîtres d'ouvrage (al. 1) et abordant les pouvoirs limités du juge judiciaire (al. 2). – Comp. article 24 du Projet Fr. Terré.

(614) D. Mazeaud, *La responsabilité du fait des ondes*, in *Mél. J.-L. Baudouin* : éd. Yvon Blais, 2012, p. 880. – G. Viney, *Le contentieux des antennes-relais* : *D.* 2013, chron. p.1489. – Ph. Brun, *Des antennes de téléphonie mobile, de la responsabilité civile y afférente et de quelques autres considérations : notations sommaires sur le contentieux des ondes*, in *Mél. G.-J. Martin* : éd. Frison-Roche, 2013, p. 75.

(615) F. Leduc, *La responsabilité du fait personnel – la responsabilité du fait des choses*, in *L'avant-projet de réforme du droit de la responsabilité – Actes du colloque du 12 mai 2006 : RDC 2007*, p. 67. – C. Radé, *L'avant-projet de réforme du droit des obligations dans ses dispositions relatives à la responsabilité du fait personnel et du fait des choses*, in *L'avant-projet de réforme du droit de la responsabilité – Actes du colloque du 12 mai 2006 : RDC 2007*, p. 77.

(616) Par ex., sur la difficulté d'articulation de ce texte avec la responsabilité des sociétés mères du fait de leurs filiales, V. B. Fages, *Responsabilité du fait d'autrui : adieu les majorettes, bonjour les sociétés mères !*, in *L'avant-projet de réforme du droit de la responsabilité – Actes du colloque du 12 mai 2006 : RDC 2007*, p. 115.

690. – Autres hypothèses. Outre les hypothèses ci-dessus dont le champ d'application est relativement limité, il convient de citer d'une part la loi du 5 juillet 1985 instituant un régime spécial d'indemnisation des *accidents de la circulation*, d'autre part la loi du 19 mai 1998 qui a transposé en droit français la directive relative à la *responsabilité du fait des produits défectueux*.

Le Projet Catala intègre ou maintient ces deux régimes spéciaux de responsabilité ou d'indemnisation dans le Code civil. Cependant, alors qu'il apporte quelques modifications à la loi du 5 juillet 1985 relative aux accidents de la circulation (art. 1385 à 1385-5), il reprend à l'identique les articles relatifs à la responsabilité du fait des produits défectueux (art. 1386 à 1386-17) au motif que, cette législation résultant de la transposition d'une directive communautaire, le législateur français n'a pas la liberté de la réviser[617].

À raison de leur importance, ces deux régimes feront l'objet d'une étude particulière (V. *infra*, n°s 691 et s.).

C. – L'indemnisation des victimes d'accidents de la circulation[618][619]

Loi n° 85-677 du 5 juillet 1985 tendant à l'amélioration de la situation des victimes d'accidents de la circulation et à l'accélération des procédures d'indemnisation

Art. 1er. – Les dispositions du présent chapitre s'appliquent, même lorsqu'elles sont transportées en vertu d'un contrat, aux victimes d'un accident de la circulation dans lequel est impliqué un véhicule terrestre à moteur ainsi que ses remorques ou semi-remorques, à l'exception des chemins de fer et des tramways circulant sur des voies qui leur sont propres.

Art. 2. – Les victimes, y compris les conducteurs, ne peuvent se voir opposer la force majeure ou le fait d'un tiers par le conducteur ou le gardien d'un véhicule mentionné à l'article 1er.

Art. 3. – Les victimes, hormis les conducteurs de véhicules terrestres à moteur, sont indemnisées des dommages résultant des atteintes à leur personne qu'elles ont subis, sans que puisse leur être opposée leur propre faute à l'exception de leur faute inexcusable si elle a été la cause exclusive de l'accident.

Les victimes désignées à l'alinéa précédent, lorsqu'elles sont âgées de moins de seize ans ou de plus de soixante-dix ans, ou lorsque, quel que soit leur âge, elles sont titulaires, au moment de l'accident, d'un titre leur reconnaissant un taux d'incapacité permanente ou d'invalidité au moins égal à 80 p. 100, sont, dans tous les cas, indemnisées des dommages résultant des atteintes à leur personne qu'elles ont subis.

Toutefois, dans les cas visés aux deux alinéas précédents, la victime n'est pas indemnisée par l'auteur de l'accident des dommages résultant des atteintes à sa personne lorsqu'elle a volontairement recherché le dommage qu'elle a subi.

Art. 4. – La faute commise par le conducteur du véhicule terrestre à moteur a pour effet de limiter ou d'exclure l'indemnisation des dommages qu'il a subis.

Art. 5. – La faute, commise par la victime a pour effet de limiter ou d'exclure l'indemnisation des dommages aux biens qu'elle a subis. Toutefois, les fournitures et appareils délivrés sur

(617) En ce sens, G. Viney, *De la responsabilité civile – Exposé des motifs*, in *Avant-projet de réforme du droit des obligations et de la prescription* : La Documentation française, 2006, p. 161. Le projet de réforme du 26 juillet 2012 est également en ce sens. Le Projet Fr. Terré a modifié essentiellement l'ordre des dispositions.

(618) Cette partie, relative à l'indemnisation des victimes d'accidents de la circulation, a été initialement rédigée par Mme M.-Cl. Lambert-Pieri, professeur à l'université de Dijon, auteur de cette rubrique au *Répertoire civil Dalloz*, que l'auteur remercie vivement pour sa collaboration.

(619) F. Chabas, *Le droit des accidents de la circulation après la réforme du 5 juillet 1985* : Litec, 2e éd. 1988. – H. Groutel, *Le droit à indemnisation des victimes d'un accident de la circulation* : éd. Assurance Française. – R. Legeais, *Circulation routière, Indemnisation des victimes d'accidents. Commentaire de la loi du 5 juillet 1985 et des textes qui l'ont complétée* : Sirey, 1986. – Y. Chartier, *Accidents de la circulation. Accélération des procédures d'indemnisation : D.* 1986, n° spécial. – G. Viney, *L'indemnisation des victimes d'accidents de la circulation* : LGDJ, 1992. – F. Chabas, *Les accidents de la circulation* : Dalloz, coll. « Connaissance du droit », 1995. – M.-Cl. Lambert-Pieri, *Responsabilité. Régime des accidents de la circulation* : *Rép. civ.* Dalloz 2002.

prescription médicale donnent lieu à indemnisation selon les règles applicables à la réparation des atteintes à la personne.

Lorsque le conducteur d'un véhicule terrestre à moteur n'en est pas le propriétaire, la faute de ce conducteur peut être opposée au propriétaire pour l'indemnisation des dommages causés à son véhicule. Le propriétaire dispose d'un recours contre le conducteur.

Art. 6. – Le préjudice subi par un tiers du fait des dommages causés à la victime directe d'un accident de la circulation est réparé en tenant compte des limitations ou exclusions applicables à l'indemnisation de ces dommages.

691. – **La loi du 5 juillet 1985.** Pour améliorer et accélérer l'indemnisation des victimes d'accidents de la circulation dans lesquels est intervenu un véhicule terrestre à moteur (VTAM), la loi du 5 juillet 1985 a instauré au profit de ces victimes un régime d'indemnisation spécifique qui leur permet d'engager, du seul fait du VTAM impliqué dans l'accident, la responsabilité du conducteur ou du gardien de ce véhicule et qui impose à l'assureur couvrant cette responsabilité d'adresser dans un bref délai une offre d'indemnité aux victimes[(620)].

On examinera d'abord le champ d'application de ce régime d'indemnisation puis la responsabilité du fait du véhicule impliqué.

1° Champ d'application du régime d'indemnisation instauré par la loi du 5 juillet 1985

692. – Ce régime d'indemnisation s'applique « même lorsqu'elles sont transportées en vertu d'un contrat, aux victimes d'un accident de la circulation dans lequel est impliqué un VTAM ainsi que ses remorques ou semi-remorques, à l'exception des chemins de fer et des tramways circulant sur des voies qui leur sont propres » (art. 1).

Ce régime exige ainsi pour son application la réunion d'un certain nombre de conditions dont certaines sont relatives aux événements et les autres aux personnes.

a) Conditions d'application relatives aux événements

693. – La loi du 5 juillet 1985 ne peut être invoquée par les victimes que si un VTAM tel qu'il est visé par l'article 1er est *impliqué* dans un accident de la *circulation*.

694. – **VTAM concerné.** La notion de VTAM doit s'entendre, par référence au droit des assurances, d'un engin circulant sur le sol, muni d'une force motrice et pouvant transporter des choses ou des personnes. Sont donc notamment concernés, et quand bien même leur moteur serait au moment de l'accident à l'arrêt ou en panne[(621)], les automobiles, autobus, camions, vélomoteurs, tracteurs agricoles, engins de chantier, tondeuses à gazon « autoportées »[(622)], etc.

Aux VTAM, la loi du 5 juillet 1985 a assimilé les remorques ou semi-remorques.

N'entrent pas en revanche dans le domaine d'application de la loi, les chemins de fer et tramways circulant sur des voies qui leur sont propres, et ce parce qu'ils

(620) D. Loriferne et G. Thouvenin (dir.), *Accidents de la circulation : la loi Badinter, aujourd'hui et demain : Resp. civ. et assur.* mai 2012, p. 7.

(621) Cass. 2e civ., 21 juill. 1986 : *Gaz. Pal.* 1986, 2, 651, note F. Chabas ; *JCP* 1987, II, 20769, note G. Durry. – Cass. 2e civ., 14 janv. 1987 : *JCP* 1987, II, 20768, obs. F. Chabas. – Cass. 2e civ., 25 mai 1994 : *Bull. civ.* 1994, II, n° 132.

(622) Cass 2e civ., 24 juin 2004 : *Bull. civ.* 2004, II, n° 308 ; *D.* 2004, inf. rap. 2197.

font alors courir aux particuliers moins de risques que lorsqu'ils sont mêlés à la circulation de ceux-ci[(623)].

Le Projet Catala consacre une définition plus large des VTAM puisque, s'il rappelle qu'il faut y assimiler les remorques ou quasi-remorques, il n'exclut pas comme le fait l'article 1 de la loi de 1985, donc il inclut les chemins de fer et les tramways (art. 1385, al. 1)[(624)].

695. – **Accident de la circulation**[(625)]. La notion d'accident soulève une difficulté. Suivant en cela l'opinion doctrinale majoritaire, la jurisprudence décide qu'il n'y a pas accident de la circulation si le dommage subi par la victime et dans lequel est intervenu un VTAM est la conséquence directe ou indirecte d'une action volontaire de la part du défendeur ou d'un tiers[(626)].

En revanche, il n'est pas contesté que la condition de circulation est remplie lorsqu'au moment de l'accident le VTAM, soit se déplaçait sur une voie publique[(627)] ou dans un lieu privé, même pour y effectuer un travail[(628)], soit se trouvait à l'arrêt ou stationnait[(629)] dans un lieu public[(630)] ou, mais à la condition qu'il s'agisse d'un emplacement destiné au stationnement[(631)], dans un lieu privé[(632)].

---

(623) La Cour suprême a eu l'occasion de préciser que même à un passage à niveau un train circulait sur des voies qui lui sont propres (Cass. 2e civ., 17 mars 1986 : *Bull. civ.* 1986, II, n° 40 ; *D.* 1987, 49, note H. Groutel ; *RTD civ.* 1987, 329 obs. J. Huet). – Cass. 2e civ., 19 mars 1997 : *Bull. civ.* 1997, II, n° 78. Mais il en va différemment du tramway qui traverse un carrefour ouvert aux autres usagers de la route : Cass. 2e civ., 16 juin 2011 : *D.* 2011, 1756, obs. I. Gallmeister ; *D.* 2011, 2184, note H. Kobina-Gaba ; *RTD civ.* 2011, 774, obs. P. Jourdain.

(624) Même notion extensive du VTAM dans le projet de réforme du 26 juillet 2012, article 18. Dans le même esprit, on peut lire l'article 25 du Projet Fr. Terré.

(625) A. Vignon-Barrault, *Variations sur la notion d'accident de la circulation* : *Rev. Lamy dr. civ.* mars 2007, p. 57.

(626) Cass. crim., 10 juin 1987 : *Gaz. Pal.* 1988, I, somm. 73. – Cass. 2e civ., 6 déc. 1991 : *Bull. civ.* 1991, II, n° 328. – Cass. 2e civ., 5 oct. et 30 nov. 1994 : *Bull. civ.* 1994, II, nos 191 et 243. – Cass. 2e civ., 30 nov. 2000 : *JCP* 2001, IV, 1152. – Cass. 2e civ., 15 mars 2001 : *Bull. civ.* 2001, II, n° 50 ; *Resp. civ. et assur.* 2001, comm. 186, obs. H. Groutel ; *RTD civ.* 2001, 606, obs. P. Jourdain. – Cass. 2e civ., 12 déc. 2002 : *JCP* 2003, IV, 1217. – Cass. 2e civ., 23 janv. 2003 : *JCP* 2003, IV, 1429.

(627) Cass. 2e civ., 30 mai 2013, n° 12-20.273, F-D, *Sté Screg Sud-Est c/ G. et a.* : *JurisData* n° 2013-010338 ; *Resp. civ. et assur.* n° 9, sept. 2013, comm. 252, obs. H. Groutel : la route dont l'accès était limité aux véhicules des riverains en raison de travaux est une voie ouverte à la circulation publique.

(628) Cass. 2e civ., 26 mars 1997 : *Bull. civ.* 1997, II, n° 90. – Cass. 2e civ., 31 mai 2000 : *Resp. civ. et assur.* 2000, comm. 295. – Cass. 2e civ., 12 juill. 2012, n° 11-20.123, FS-P+B, *S. c/ Sté Entreprise de Transports Michelena* : JurisData n° 2012-015562 ; *Resp. civ. et assur.* n° 9, sept. 2012, comm. 225, obs. H. Groutel : « (...) lorsque l'accident du travail est survenu à l'occasion de la conduite d'un véhicule sur une voie ouverte à la circulation publique, les dispositions de l'article L. 455-1-1 du Code de la sécurité sociale, qui accordent au salarié victime le bénéfice du régime de réparation de la loi n° 85-677 du 5 juillet 1985, n'excluent pas l'application de la législation prévue au chapitre II du titre V du livre IV du Code de la sécurité sociale, lorsque ce même accident est dû à la faute inexcusable de l'employeur (...) ».

(629) Est un accident de la circulation, le véhicule mis en route par mégarde par un passager qui voulait seulement allumer la radio, Cass. 2e civ., 28 mars 2013, n° 12-17.548, FS-P+B, *V. c/ Sté Pacifica et a.* : JurisData n° 2013-005526 ; *Resp. civ. et assur.* juin 2013, n° 6, comm. 182, obs. H. Groutel.

(630) Cass. 2e civ., 22 nov. 1995 : *Bull. civ.* 1995, II, nos 285, 286 et 287 ; *D.* 1996, 163 et note Jourdain (1re esp) ; *JCP* 1996, II, 22656 et note J. Mouly (2e esp). – Cass. 2e civ., 14 déc. 2000 : *Resp. civ. et assur.* 2001, comm. 82, obs. H. Groutel (véhicule immobilisé dans le parc de stationnement d'un centre commercial).

(631) Ainsi la loi de 1985 ne s'applique-t-elle pas à l'incendie provoqué par un cyclomoteur stationnant dans le hall d'un immeuble d'habitation (Cass. 2e civ., 26 juin 2003 : *Bull. civ.* 2003, II, n° 206 ; *Resp. civ. et assur.* 2003, chron. 24, H. Groutel ; *RGDA* 2003, 721 et note Landel ; *RTD civ.* 2003, 720, obs. P. Jourdain). Mais relève de cette loi l'accident dans lequel est intervenu un VTAM en stationnement dans le parking d'un immeuble (Cass. 2e civ., 18 mars 2004 : *Bull. civ.* 2004, II, n° 128).

(632) Toutefois, lorsqu'au moment de l'accident le VTAM utilisé pour effectuer un travail était immobilisé et que seule une partie étrangère à sa fonction de déplacement a provoqué l'accident, la qualification d'accident de la circulation est écartée (Cass. 2e civ., 13 janv. 1988 : *Bull. civ.* 1988, II, n° 12. – Cass. 2e civ., 9 juin 1993 : *Bull. civ.* 1993, II, n° 98. – Cass. 2e civ., 5 nov. 1998 : *Bull. civ.* 1998, II, n° 256 ; *D.* 1999, 256 et note J. Mouly. – Cass. 2e civ., 8 mars 2001 : *Bull. civ.* 2001, II, nos 42 et 43 ; *Resp. civ. et assur.* 2001, comm. 184 et 185 ; *RTD civ.* 2001, 607, obs. P. Jourdain. – Cass. 1re civ., 8 juill. 2003 : *Bull. civ.* 2003, I, n° 160 ; *JCP* 2004, I, 137, n° 7, obs. A. Favre-Rochex. – Rappr. Cass. 2e civ., 23 oct. 2003 : *Bull. civ.* 2003, II, n° 315 ; *RGDA* 2004, 80 et note Landel). En revanche, si ne sont pas réunies ces deux conditions, l'accident

Quant aux accidents résultant de l'incendie ou de l'explosion d'un VTAM ils sont traités comme n'importe quel autre accident de la circulation dans lequel est impliqué un VTAM[(633)] à condition que l'origine de l'incendie ne soit pas étrangère à la fonction de déplacement du véhicule[(634)]. Ne fait pas non plus sortir du domaine d'application de la loi du 5 juillet 1985 la circonstance que ce soit au cours d'une compétition sportive qu'ait eu lieu l'accident dans lequel est intervenu le VTAM d'un concurrent, si la victime est un spectateur[(635)], alors que cette loi est écartée entre les concurrents d'une telle compétition[(636)].

696. - Implication du VTAM dans l'accident de la circulation. L'implication d'un VTAM dans l'accident de la circulation est une condition nécessaire à l'application du régime d'indemnisation instauré par la loi du 5 juillet 1985, mais elle constitue aussi, comme cela sera précisé ultérieurement (V. *infra*, n° 703), le fait générateur de la responsabilité du conducteur ou du gardien du VTAM précisément impliqué dans l'accident de la circulation.

La loi n'ayant pas défini la notion d'implication, la jurisprudence en a retenu une conception à la fois matérielle et pragmatique.

C'est ainsi que la jurisprudence a consacré l'indépendance de la notion d'implication par rapport à celle de la causalité juridique et à celle de rôle actif du VTAM. Un VTAM peut ainsi être considéré comme impliqué dans un accident de la circulation, même si ce dernier est dû à un cas de force majeure[(637)], au fait d'un tiers[(638)], ou au fait de la victime imprévisible et irrésistible[(639)], ou même si le VTAM n'a joué aucun rôle actif dans l'accident[(640)].

697. - La jurisprudence, renonçant à donner une définition précise de l'implication, a résolu les problèmes y relatifs de façon pragmatique, en distinguant suivant qu'il y a eu ou non contact entre le VTAM et le siège du dommage.

---

dans lequel intervient un tel véhicule reste un accident de la circulation : Cass. 2e civ., 19 févr. 1997 : *Bull. civ.* 1997, II, n° 42. – Cass. 2e civ., 26 mars 1997 : *Bull. civ.* 1997, II, n° 271. – Cass. 2e civ., 6 juin 2002 : *D.* 2002, inf. rap. 2029. – Cass. 2e civ., 25 oct. 2007 (véhicule sur un pont élévateur dans un atelier de réparation) : *Bull. civ.* 2007, II, n° 236 ; *D.* 2008, 660, n° 16, obs. C. Nicoletis.

(633) Cass. 2e civ., 8 janv. 1992 : *Bull. civ.* 1992, II, n° 5 ; *D.* 1993, 375 et note Y. Dagorne-Labbé ; *RTD civ.* 1992, 401, obs. P. Jourdain. – Cass. 2e civ., 22 nov. 1995, 3 arrêts : *Bull. civ.* 1995, II, nos 285, 286 et 287 ; *D.* 1996, 164 et note P. Jourdain ; *JCP* 1996, II, 22656 et note J. Mouly. – Cass. 2e civ., 21 juin 2001 : *D.* 2001, inf. rap. 2243 ; *RTD civ.* 2001, 901, obs. P. Jourdain.

(634) Cass. 2e civ., 13 sept. 2012, n° 11-13.139, FS-P+B, SAS *Ellan Bretagne c/ H. et a.* : JurisData n° 2012-020023 ; *Resp. civ. et assur.* n° 12, déc. 2012, comm. 346, obs. H. Groutel.

(635) Cass. 2e civ., 13 janv. 1988 : *Bull. civ.* 1988, II, n° 11. – Cass. 2e civ., 10 mars 1988 : *Bull. civ.* 1988, II, n° 59 ; *D.* 1988, inf. rap. p. 87. – La loi a été jugée également applicable aux « spectateurs » (personnel de l'équipe de tournage) lors d'un accident intervenu au cours d'une cascade automobile réalisée au cours du tournage d'un film, Cass. 2e civ., 14 juin 2012, n° 11-13347 : *D.* 2012, p. 1922, note J. Mouly ; *RTD civ.* 2012, p. 543, obs. P. Jourdain ; *Gaz. Pal.* 27 sept. 2012, n° 271, p. 9, note M. Mekki. Solution critiquable car il ne s'agit pas d'un accident de la circulation proprement dit et cela est contraire à l'esprit de la loi marqué par l'idée de sécurité routière.

(636) Cass. 2e civ., 28 févr. 1996 : *Bull. civ.* 1996, II, n° 37 ; *D.* 1996, 438 et note Mouly ; *Resp. civ. et assur.* 1996, comm. 168 et chron. 22 par H. Groutel ; *RTD civ.* 1996, 641, obs. P. Jourdain. – Cass. 2e civ., 19 juin 2003 : *Bull. civ.* 2003, II, n° 197 ; *D.* 2003, somm. 2540, obs. F. Lagarde ; *Resp. civ. et assur.* 2003, chron. 24, H. Groutel ; *RGDA* 2003, 719 et note Landel. Sur cette question, F. Leduc, *La loi du 5 juillet 1985 s'applique-t-elle entre participants à une compétition de sport mécanique ?* : *Resp. civ. et assur.* 2012, étude 10.

(637) Cass. 2e civ., 6 nov. 1985 : *Bull. civ.* 1985, II, n° 166. – Cass. 2e civ., 17 mars 1986, *ibid.*, II, n° 38.

(638) Cass. 2e civ., 6 nov. 1985 : *Bull. civ.* 1985, II, n° 167. – Cass. 2e civ., 16 mars 1988 : *Gaz. Pal.* 1988, 2, 560, note Archambaud. – Cass. soc., 28 mars 1996 : *D.* 1996, 544 et note Ch. Radé.

(639) Cass. 2e civ., 23 oct. 1985 : *Bull. civ.* 1985, II, n° 158. – Cass. 2e civ., 5 févr. 1986 : *JCP* 1986, IV, 103.

(640) Cass. 2e civ., 19 févr. 1986 : *Bull. civ.* 1986, II n° 19 ; *Defrénois* 1986, art. 33795, n° 84, obs. J.-L. Aubert ; *RTD civ.* 1987, 331, obs. J. Huet. – Cass. 2e civ., 20 janv. 1993 : *Bull. civ.* 1993, II, n° 19 ; *D.* 1994, somm. 17, obs. J.-L. Aubert.

Lorsqu'il y a eu contact, ou choc, la jurisprudence a toujours considéré que tout VTAM en mouvement était nécessairement « impliqué » dans l'accident[(641)]. La difficulté a porté sur le point de savoir si le VTAM à l'arrêt ou en stationnement peut également être « impliqué », et à quelles conditions. Après avoir, dans un premier temps, subordonné l'implication à la condition que le VTAM ait perturbé la circulation, la Cour de cassation admet désormais qu'est impliqué dans l'accident tout véhicule qui a été heurté, « qu'il soit à l'arrêt ou en mouvement »[(642)]. Il n'y a donc plus lieu de distinguer suivant que le VTAM est en mouvement ou à l'arrêt.

S'il n'y a pas eu contact, il peut néanmoins y avoir implication. Mais la victime doit alors prouver que le VTAM, en mouvement ou non, a « joué un rôle » dans l'accident[(643)] ; toutefois, la condition est entendue largement, en ce sens que le VTAM doit être intervenu « à quelque titre que ce soit » dans la survenance de l'accident[(644)]. Tel sera le cas si le VTAM, par sa présence[(645)] ou par son comportement – même normal – a eu un rôle quelconque dans l'accident (effet de surprise chez la victime, éblouissement, etc.)[(646)]. Mais tel n'est pas le cas de l'explosion à partir d'un camion citerne en livraison dès lors que le camion était immobile au moment du sinistre et que seul était en cause un élément d'équipement utilitaire étranger à sa fonction de déplacement[(647)].

Le Projet Catala exige également que le VTAM soit impliqué dans l'accident et s'il ne définit pas positivement l'implication, il précise que n'est pas un accident de la circulation celui qui résulte de l'utilisation d'un véhicule d'une part immobile et d'autre part dans une fonction étrangère au déplacement (art. 1385, al. 2)[(648)].

b) Conditions d'application relatives aux personnes

698. – Le régime d'indemnisation instauré par la loi du 5 juillet 1985 régit les rapports de la victime d'un accident de la circulation avec l'auteur de l'accident qui était conducteur ou gardien d'un VTAM impliqué dans cet accident[(649)].

699. – Conditions relatives aux victimes. Les dispositions de la loi du 5 juillet 1985 qui créent un régime spécifique d'indemnisation s'appliquent, même

(641) Cass. 2e civ., 19 févr. 1986 : *Bull. civ.* 1986, II, n° 19. – Cass. 2e civ., 20 avr. 1988 : *Bull. civ.* 1988, II, n° 89.

(642) Cass. 2e civ., 25 janv. 1995 : *Bull. civ.* 1995, II, n° 27 ; *Gaz. Pal.* 1995, 1, 315 et note F. Chabas ; *RTD civ.* 1995, 382, obs. P. Jourdain.

(643) Cass. 2e civ., 25 mai 1994 : *Bull. civ.* 1994, II, n° 133.

(644) Cass. 2e civ., 15 janv. 1997 : *JCP* 1997, II, 22883 et note F. Chabas. – Cass. 2e civ., 24 janv. 1998 : *Bull. civ.* 1998, II, n° 205. – Cass. 2e civ., 1er avr. 1999 : *Bull. civ.* 1999, II, n° 62. – Cass. 2e civ., 6 janv. 2000 : *Bull. civ.* 2000, II, n° 1 ; *RTD civ.* 2000, 348, obs. P. Jourdain. – Cass. 2e civ., 24 févr. 2000 : *Bull civ.* 2000, II, nos 30 et 31. – Cass. 2e civ., 14 nov. 2002 : *JCP* 2003, IV, 1014. – Cass. 2e civ., 8 mars 2012, n° 11-11.532, FS-D, *Sté Wimmer et Sohne GmbH et a. c/ P.* : JurisData n° 2012-011506 ; *Resp. civ. et assur.* n° 6, juin 2012, comm. 163, obs. S. Hocquet-Berg (véhicule immobilisé sur le toit sur le terre-plein central d'une autoroute).

(645) Comp. cep., Cass. 2e civ., 13 déc. 2012, n° 11-19.696, FS-P+B, *Sté La Garantie mutuelle des fonctionnaires dite GMF c/ Cts Z.* : JurisData n° 2012-029277 ; *Resp. civ. et assur.* n° 3, mars 2013, comm. 84, obs. H. Groutel ; *Gaz. Pal.* 14 févr. 2013, n° 45, p. 24, note M. Mekki : « la seule présence d'un véhicule sur les lieux d'un accident de la circulation ne suffit pas à caractériser son implication au sens » de l'article 1er de la loi du 5 juillet 1985.

(646) Ainsi est impliquée la balayeuse municipale qui a projeté des gravillons devant le domicile d'une personne qui en les balayant a glissé et s'est blessée (Cass. 2e civ., 24 avr. 2003 : *Bull. civ.* 2003, II, n° 104 ; *RTD civ.* 2003, 515, obs. P. Jourdain). Mais n'est pas retenue l'implication d'un car scolaire dont est descendu un enfant qui, s'étant éloigné du car pour traverser la chaussée, a été renversé par une voiture (Cass. 2e civ., 13 mai 2004 : *Bull. civ.* 2004, II, n° 225).

(647) Cass. 2e civ., 19 oct. 2006 : *Bull. civ.* 2006, II, n° 275. – Comp. Cass. 2e civ., 13 sept. 2012, préc.

(648) Dans le même sens, article 18, al. 3 du projet de réforme du 26 juillet 2012. Le Projet Fr. Terré se contente de la condition d'implication sans autre précision (art. 25 *in fine*).

(649) En cas de garde collective du seul véhicule impliqué et en l'absence de conducteur identifié, éviction de la loi du 5 juillet 1985, Cass. 2e civ., 22 mai 2014, n° 13-10561.

lorsqu'elles sont transportées en vertu d'un contrat, aux victimes d'un accident de la circulation dans lequel est impliqué un VTAM autre qu'un chemin de fer ou tramway circulant sur des voies qui leur sont propres (art. 1).

Aussi bien, et plus généralement, la réalisation d'un accident de la circulation dans le cadre de l'exécution d'un contrat ne constitue pas, sauf si l'accident est soumis à une législation spéciale, un obstacle à l'application de la loi de 1985[(650)]. Bénéficient ainsi de ce régime d'abord les victimes initiales de l'accident de circulation, et ce, qu'elles aient été au moment de l'accident à l'extérieur d'un VTAM, comme un piéton, un cycliste, ou qu'elles se soient trouvées dans ou sur un VTAM en tant que conducteurs, gardiens ou passagers de ce véhicule.

Mais profitent également de ce même régime, comme le confirme l'article 6 de la loi, les tiers qui subissent un préjudice du fait du dommage causé à ces victimes initiales, autrement dit les victimes par ricochet[(651)].

Ces solutions sont reprises dans le Projet Catala : les dispositions relatives à l'indemnisation des victimes d'accidents de la circulation s'appliquent même aux victimes transportées en vertu d'un contrat (art. 1385, al. 1)[(652)] et aux victimes par ricochet (art. 1385-4)[(653)]. Par ailleurs ces textes s'appliquent lorsque la victime est le gardien ou le conducteur de l'unique véhicule impliqué dans l'accident (art. 1385, al. 4).

700. – Conditions relatives à l'auteur de l'accident. La victime d'un accident de la circulation dans lequel est impliqué un VTAM ne peut se prévaloir du régime spécifique d'indemnisation que contre « le conducteur ou le gardien » (art. 2 de la loi) du VTAM impliqué dans l'accident[(654)]. Il est en effet désormais bien acquis en jurisprudence que l'implication d'un VTAM dans un accident de la circulation n'autorise pas la victime à invoquer les dispositions de la loi du 5 juillet 1985 contre un coauteur de l'accident qui n'était pas conducteur ou gardien d'un VTAM impliqué. Contre un tel coauteur, la victime ne peut alors se prévaloir que des principes du droit commun de la responsabilité[(655)]. Cette solution est reprise dans le Projet Catala.

Il en résulte notamment que la victime d'un accident de la circulation dans lequel est seul impliqué le VTAM dont elle était à la fois conducteur et gardien n'a d'action en réparation contre l'auteur de l'accident, par hypothèse ni conducteur ni gardien d'un VTAM, mais par exemple, piéton[(656)] ou cycliste, que fondée sur le droit

(650) Cass. 2e civ., 21 juin 2001 : *Bull. civ.* 2001, II, n° 122 ; *RTD civ.* 2001, 901, obs. P. Jourdain : condamnation sur le fondement de la loi de 1985, du preneur à ferme qui en effectuant des travaux d'ensilage avec un tracteur, a provoqué l'incendie du bâtiment du bailleur.

(651) Refus d'indemniser le préjudice relatif à la « perte de chance de vie », Cass. crim., 26 mars 2013, n° 12-82600.

(652) Article 28 du Projet Fr. Terré est en ce sens. Rappr. article 18 projet de réforme du 26 juillet 2012.

(653) Rien n'est formellement prévu dans le Projet Fr. Terré ou dans le projet de réforme du 26 juillet 2012.

(654) Dans un contrat de location, c'est le locataire qui est considéré comme gardien, Cass. 2e civ., 13 déc. 2012, n° 11-28.181, F-D, *SA Covea fleet c/ SA Axa France IARD et a.* : JurisData n° 2012-029542 ; *Resp. civ. et assur.* n° 3, mars 2013, comm. 83.

(655) Cass. 2e civ., 17 mars 1986 : *D.* 1987, 49, note H. Groutel ; *RTD civ.* 1987, 329, obs. J. Huet. – Cass. 2e civ., 4 mars 1992 : *D.* 1993, 396, 2e esp. et note Y. Dagorne-Labbé ; *JCP* 1992, II, 21941 et note N. Dejean de la Batie ; *Gaz. Pal.* 1993, 1, 204 et note F. Chabas. – Cass. 2e civ., 4 mars 1999 : *Bull. civ.* 1999, II, n° 36. – Cass. 2e civ., 13 juill. 2000 : *Bull. civ.* 2000, II, n° 126 ; *Resp. civ. et assur.* 2000, comm. 324, obs. H. Groutel ; *RTD civ.* 2000, 847, obs. P. Jourdain.

(656) Cass. 2e civ., 17 févr. 1993 : *Bull. civ.* 1993, II, n° 64. – Cass. 2e civ., 15 mars 2007 : *Bull. civ.* 2007, II, n° 67.

commun de la responsabilité[657]. De même, la loi de 1985 est sans application dans le cas où le gardien a été blessé par son propre véhicule, seul impliqué dans l'accident[658].

La loi de 1985 est également écartée lorsque le conducteur en cause est un préposé qui agit dans les limites de la mission qui lui a été impartie, ce qui est une application au préposé conducteur de la jurisprudence *Costedoat*[659] (V. *supra*, n° 650).

Limité ainsi aux seuls rapports des victimes d'accident de la circulation avec le conducteur ou le gardien d'un VTAM impliqué dans cet accident, le régime d'indemnisation instauré par cette loi fait peser sur ce conducteur ou gardien une responsabilité du fait du VTAM impliqué. Cette solution est confirmée par le Projet Catala, l'article 1385, alinéa 1, ne faisant référence qu'au conducteur ou au gardien du VTAM impliqué dans l'accident de la circulation[660].

2° La responsabilité du fait du VTAM impliqué

701. – Il convient de préciser les conditions de cette responsabilité avant d'envisager les causes d'exonération.

a) Conditions de la responsabilité du fait du VTAM impliqué

702. – L'implication du VTAM dans l'accident de circulation entraîne à l'égard de la victime de cet accident la responsabilité de celui qui, au moment de l'accident, était le conducteur ou le gardien du véhicule[661].

703. – **Implication du VTAM dans l'accident et imputabilité du dommage.** L'implication, dont la notion a déjà été précisée (V. *supra*, n°s 696 et 697), constitue le fait générateur de la responsabilité que le conducteur ou le gardien du VTAM ainsi impliqué dans l'accident de circulation encourt envers la victime de cet accident[662].

La responsabilité qui pèse ainsi en raison de l'implication dans l'accident du VTAM sur son conducteur ou gardien repose sur le risque créé par la circulation de ce véhicule et elle est indépendante des principes du droit commun de la responsabilité.

(657) Cass. 2e civ., 28 janv. 1987 : *Bull. civ.* 1987, II, n° 28. – Cass. 2e civ., 7 oct. 1987 : *ibid.* II, n° 181. – Cass. 2e civ., 11 mars 1987 : *D.* 1987, inf. rap. 69. – Cass. 2e civ., 2 avr. 1997 : *Bull. civ.* 1997, II, n° 110. – Cass. 2e civ., 18 mars 1998 : *Bull. civ.* 1998, II, n° 87. – Cass. 2e civ., 4 mars 1999 : *D.* 1999, inf. rap. 90. Mais la victime gardienne au moment de l'accident, et non conducteur du véhicule impliqué, peut invoquer les dispositions de la loi du 5 juillet 1985 contre le conducteur (Cass. 2e civ., 3 oct. 1990 : *Bull. civ.* 1990, II, n° 174 ; *RTD civ.* 1991, 129, obs. P. Jourdain. – Cass. 2e civ., 10 juin 1998 : *Bull. civ.* 1998, II, n° 178 ; *RTD civ.* 1999, 123, obs. P. Jourdain. – Cass. 1re civ., 29 févr. 2000 : *Bull. civ.* 2000, I, n° 61 ; *RTD civ.* 2000, 589, obs. P. Jourdain). Et, de la même façon, la victime qui lors de l'accident était conducteur mais non gardien du seul VTAM impliqué est admise à se prévaloir de la loi du 5 juillet 1985 contre le gardien (Cass. 2e civ., 2 juill. 1997 : *Bull. civ.* 1997, II, n° 209 ; *D.* 1997, 448 et note H. Groutel ; *RTD civ.* 1997, 959, obs. P. Jourdain. – Cass. 2e civ., 28 janv. 1998 : *Bull. civ.* 1998, II, n° 32. – Cass. 2e civ., 10 juin 1999 : *Resp. civ. et assur.* 1999, comm. 291. – Mais *contra* : Cass. crim., 29 juin 1999 : *Bull. crim.* 1999, n° 156 ; *JCP* 2000, II, 10290 et note Abravanel-Joly ; *Resp. civ. et assur.* 1999, chron. 27, obs. H. Groutel ; *RTD civ.* 2000, 131, obs. P. Jourdain).

(658) Cass. 2e civ., 13 juill. 2006 : *Bull. civ.* 2006, II, n° 199 ; *RTD civ.* 2006, p. 780, obs. P. Jourdain ; *Resp. civ. et assur.* 2006, étude 12, par H. Groutel ; *JCP* 2007, I, 115, n° 10, obs. Ph. Stoffel-Munck.

(659) Cass. 2e civ., 28 mai 2009 : *D.* 2009, act. jurispr., obs. I. Gallmeister ; *D.* 2009, 2667 et note N. Pierre ; *JCP* 2009, n° 28, p. 18 et note J. Mouly. – V. déjà précédemment Cass. 2e civ., 11 avr. 2002 : *Bull. civ.* 2002, II, n° 72 ; *D.* 2002, inf. rap. 1598 ; *JCP* 2002, I, 186, n° 33, obs. G. Viney ; *Resp. civ. et assur.* 2002, chron. 9, par H. Groutel ; *RTD civ.* 2002, 519, obs. P. Jourdain. Mais le préposé conducteur du VTAM impliqué dans l'accident de la circulation en est considéré comme le gardien, dès lors qu'il avait agi sans autorisation, à des fins étrangères à ses attributions et en dehors de ses fonctions (Cass. 2e civ., 3 juin 2004 : *Bull. civ.* 2004, II, n° 275 ; *Resp. civ. et assur.* 2004, comm. 50, obs. H. Groutel ; *RTD civ.* 2004, 742, obs. P. Jourdain).

(660) Le Projet Fr. Terré et le projet de réforme du 26 juillet 2012 sont également en ce sens.

(661) Et dans le cas où précisément les deux qualités se trouveraient dissociées au moment de l'accident, le conducteur et le gardien du VTAM impliqué sont tenus *in solidum* envers la victime : Cass. 2e civ., 6 juin 2002 : *Bull. civ.* 2002, II, n° 114 ; *D.* 2002, inf. rap. 2029.

(662) Cass. 2e civ., 28 mai 1986 : *Bull. civ.* 1986, II, n° 83 ; *D.* 1987, 160, note H. Groutel.

La Cour suprême en effet a consacré le caractère autonome et exclusif de la responsabilité du fait du VTAM impliqué, en affirmant que l'action en réparation exercée par la victime d'un accident de la circulation contre le gardien ou le conducteur de VTAM impliqué dans cet accident ne saurait être fondée sur les articles 1382, 1384, alinéas 1er et suivants, ou 1147 du Code civil(663). La responsabilité du conducteur ou du gardien de VTAM se trouve ainsi subordonnée à la preuve, qui pèse alors sur les victimes(664), de l'implication de son VTAM dans l'accident, et elle ne saurait être subordonnée à la démonstration de la faute du conducteur ou du rôle causal dans l'accident du VTAM du gardien.

Toutefois la responsabilité du conducteur ou du gardien de VTAM impliqué dans l'accident suppose que les dommages dont la victime lui demande réparation aient un lien de causalité avec cet accident(665). L'exigence d'un tel lien, au demeurant largement entendu par la jurisprudence(666), implique que le conducteur ou le gardien d'un VTAM intervenu dans l'accident ne peut être tenu de l'obligation de réparer des dommages qui ne sont pas imputables à cet accident(667).

Mais précisément l'imputabilité du dommage a soulevé deux difficultés différentes.

La première concerne le moment de la survenance du dommage. Si, en effet, l'implication du VTAM fait présumer que le dommage contemporain de l'accident ou qui survient dans un bref délai est imputable à l'accident(668), cette présomption ne joue pas si le dommage intervient après l'écoulement d'un certain temps depuis l'accident(669) ou si le dommage n'apparaît pas comme une conséquence normalement prévisible de l'accident(670) ; et il appartient alors à la victime de démontrer que son dommage est imputable à l'accident.

---

(663) Cass. 2e civ., 4 mai 1987 : *D.* 1987, inf. rap. 144 ; *Gaz. Pal.* 1987, 2, 428, note F. Chabas. – Cass. 2e civ., 29 janv. 1997 : *Bull. civ.* 1997, II, n° 23. – Cass. 2e civ., 7 mai 2002 : *JCP* 2002, IV, 2035. – Cass. 2e civ., 23 janv. 2003 : *JCP* 2003, IV, 1430.

(664) Cass. 2e civ., 21 juill. 1986 : *D.* 1987, 160, note H. Groutel. – Cass. 2e civ., 5 déc. 1990 : *Bull. civ.* 1990, II, n° 251. – Cass. 2e civ., 25 mai 1994 : *Bull. civ.* 1994, II, n° 133.

(665) Cass. 2e civ., 24 févr. 2005 : *D.* 2005, inf. rap. 671 : l'accident de la circulation à la suite duquel la victime est restée handicapée n'est pas la cause du préjudice moral subi par les enfants nés par la suite de cette personne handicapée.

(666) Ainsi l'accident de circulation a été considéré comme la cause du dommage (cécité, ou contamination par le virus de l'hépatite C) résultant pour la victime de l'intervention chirurgicale ou de la transfusion sanguine, rendue nécessaire par l'accident : Cass. 2e civ., 27 janv. 2000 : *Bull. civ.* 2000, II, n° 20 ; *JCP* 2000, II, 10363 et note Ph. Conte ; *JCP* 2000, I, 241, n° 7, obs. G. Viney ; *D.* 2001, 2073 et note L. Chakirian ; *RTD civ.* 2000, 335, obs. P. Jourdain. – Cass. 1re civ., 4 déc. 2001 : *Bull. civ.* 2001, I, n° 310 ; *D.* 2002, 3044 et note M. de Lambertye-Autrand ; *JCP* 2002, I, 186, n° 10, obs. G. Viney ; *JCP* 2002, II, 10198 et note O. Gout ; *Resp. civ. et assur.* 2002, comm. 126, obs. H. Groutel ; *RTD civ.* 2002, 308, obs. P. Jourdain. – Cass. 1re civ., 2 juill. 2002 : *JCP* 2002, IV, 2476. – Cass. 1re civ., 16 mai 2013, n° 12-11.768 et n° 12-16.556, FS- D, *Société hospitalière d'assurances mutuelles (SHAM) c/ V. et a.* : *JurisData* n° 2013-003558 (l'arrêt intéresse aussi la contribution à la dette).

(667) Cass. 2e civ., 28 juin 1989 : *Bull. civ.* 1989, II, n° 141 ; *Gaz. Pal.* 1989, 2, 858, note Chabas ; *JCP* 1990, II, 21508, note Montanier. – Cass. 2e civ., 8 nov. 1989 : *Bull. civ.* 1989, II, n° 200 ; *RTD civ.* 1990, 94, obs. P. Jourdain. – V. aussi, H. Groutel, *L'extension du rôle de l'implication du véhicule* : *D.* 1990, chron. 264. – Ph. Conte, *Le législateur, le juge, la faute et l'implication* : *JCP* 1990, I, 3471. – M. Behar-Touchais, *Observations sur l'exigence de l'imputabilité du dommage à l'accident* : *JCP* 1991, I, 3492. – R. Raffi, *Implication et causalité dans la loi du 5 juillet 1985* : *D.* 1994, chron. 158. – P. Jourdain, *Implication et causalité dans la loi du 5 juillet 1985* : *JCP* 1994, I, 3794.

(668) Cass. 2e civ., 16 oct. 1991 : *Bull. civ.* 1991, II, n° 253 ; *D.* 1992, somm. 273, obs. J.-L. Aubert ; *JCP* 1992, II, 21934 et note Ph. Conte ; *Gaz. Pal.* 1992, 2, somm. 283, obs. F. Chabas ; *Resp. civ. et assur.* 1992, comm. 16 et chron. 4 par H. Groutel ; *RTD civ.* 1992, 125, obs. P. Jourdain. – Cass. 2e civ., 19 févr. 1997 : *Bull. civ.* 1997, II, n° 41 ; *D.* 1997, 384 et note Ch. Radé ; *JCP* 1998, II, 10005 et note Ph. Brun ; *Resp. civ. et assur.* 1997, comm. 163, obs. H. Groutel.

(669) Cass. 2e civ., 24 janv. 1996 : *Bull. civ.* 1996, II, n° 15 ; *D.* 1997, somm. 30, obs. D. Mazeaud ; *Resp. civ. et assur.* 1996, comm. 131 et chron. 18 par H. Groutel ; *RTD civ.* 1996, 406, obs. P. Jourdain. – Cass. 2e civ., 6 nov. 1996 : *Resp. civ. et assur.* 1997, comm. 18.

(670) Cass. 2e civ., 13 nov. 1991 : *Resp. civ. et assur.* 1992, comm. 16 et chron. 4 par H. Groutel ; *RTD civ.* 1992, 125, obs. P. Jourdain. – Cass. crim., 13 juin 1991 : *Bull. crim.* 1991, n° 250 ; *Resp. civ. et assur.* 1991, comm. 283 et chron. 26 par H. Groutel ; *RTD civ.* 1992, 125, obs. P. Jourdain.

La deuxième difficulté est apparue à propos des collisions en chaîne, carambolages ou accidents successifs comme dans l'hypothèse où un piéton est retrouvé mort après avoir été heurté par un premier puis par un second véhicule[671]. Le problème s'est en effet posé de savoir si le véhicule du défendeur devait alors être impliqué non pas seulement dans *l'accident*, mais aussi dans *le dommage* dont la victime lui demande réparation.

Dans un premier temps, la jurisprudence a divisé *l'accident complexe* en une série d'accidents distincts, en considérant que le véhicule du défendeur devait être impliqué dans *l'accident particulier* d'où était résulté le dommage, c'est-à-dire être impliqué dans le dommage dont la victime demandait réparation[672].

Puis la jurisprudence a retenu une conception globale de l'accident complexe. Celui-ci est désormais analysé comme un accident unique dans lequel se trouvent impliqués tous les VTAM intervenus à quelque titre que ce soit dans une de ses séquences et auquel se rattachent toutes les conséquences dommageables envers la victime[673]. Celle-ci peut donc demander à n'importe quel conducteur ou gardien, du seul fait de l'implication de son véhicule dans l'accident complexe[674], réparation du dommage imputable à cet accident[675]. Il importe peu à cet égard que l'un des véhicules ne soit intervenu qu'après la survenance du dommage[676]. Il suffit donc qu'il y ait implication d'un véhicule dans l'accident, en dehors de toute causalité directe[677].

704. – Implication du VTAM dans l'accident et imputabilité du dommage dans le Projet Catala. Si le Projet exige que le VTAM soit impliqué dans l'accident de la circulation, il impose également que le dommage soit imputable à l'accident (art. 1385, al. 1).

Mais le Projet est quelque peu ambigu en ce qui concerne les accidents complexes. En effet, il précise que dans cette hypothèse, « chaque véhicule intervenu à quelque titre que ce soit dans la survenance de l'accident y est impliqué » (art. 1385, al. 3). Il traite donc ici de l'implication dans l'accident de la circulation mais occulte la question de l'imputabilité du dommage au véhicule. Faut-il considérer que chaque conduc-

(671) H. Groutel, *Les accidents complexes* : *Resp. civ. et assur.* n° 5, mai 2012, dossier 19.

(672) Cass. 2e civ., 28 juin 1989 : *Bull. civ.* 1989, II, n° 141 ; *JCP* 1990, II, 21501 et note Montanier ; *Gaz. Pal.* 1989, 1, 898 et note F. Chabas ; *Resp. civ. et assur.* 1989, comm. 304 par H. Groutel ; *RTD civ.* 1990, 94, obs. P. Jourdain. – Cass. 2e civ., 16 mars 1994 : *Bull. civ.* 1994, II, n° 90 ; *JCP* 1994, I, 3773, n° 16, obs. G. Viney. – Cass. 2e civ., 7 févr. 1996 : *Bull. civ.* 1996, II, n° 32 ; *RTD civ.* 1996, 406, obs. P. Jourdain.

(673) Cass. 2e civ., 21 nov. 2013, n° 12-26.401, F-D, *Sté Monceau générale assurances c/ Sté Mutuelle assurance des commerçants et industriels de France et des cadres et salariés de l'industrie et du commerce* : JurisData n° 2013-026700 ; *Resp. civ. et assur.* n° 2, févr. 2014, comm. 51, obs. H. Groutel.

(674) Si l'accident est un et indivisible, le conducteur éjecté lors du premier choc demeure un conducteur tout au long de l'enchaînement des accidents, V. Cass. 2e civ., 8 mars 2012, n° 10-28.755, FS-D, *SA GAN assurances c/ P.* : JurisData n° 2012-011498 ; *Resp. civ. et assur.* n° 6, juin 2012, comm. 61, obs. H. Groutel.

(675) Cass. 2e civ., 24 juin 1998 : *Bull. civ.* 1998, II, n° 205 ; *JCP* 1998, I, 187, n° 35, obs. G. Viney ; *Resp. civ. et assur.* 1998, chron. 19 par H. Groutel ; *RTD civ.* 1998, 922, obs. P. Jourdain. – Cass. 2e civ., 6 janv. 2000 : *Bull. civ.* 2000, II, n° 1 ; *RTD civ.* 2000, 748, obs. P. Jourdain. – Cass. 2e civ., 24 févr. 2000, deux arrêts : *Bull. civ.* 2000, II, nos 30 et 31 ; *RTD civ.* 2000, 348, obs. P. Jourdain. – Cass. 2e civ., 12 oct. 2000 : *Resp. civ. et assur.* 2001, comm. 16 par H. Groutel. – Cass. 2e civ., 11 janv. 2001 : *Resp. civ. et assur.* 2001, comm. 81 par H. Groutel. – Cass. 2e civ., 27 sept. 2001 : *Resp. civ. et assur.* 2001, comm. 361. – Cass. 2e civ., 20 juin 2002 : *Resp. civ. et assur.* 2002, comm. 288 ; *RTD civ.* 2002, 827, obs. P. Jourdain. – Cass. 2e civ., 11 juill. 2002 : *Resp. civ. et assur.* 2002, comm. 331 ; *JCP* 2002, IV, 2546. – Cass. 2e civ., 13 mai 2004 : *Bull. civ.* 2004, II, n° 224 ; *D.* 2005, pan. 191, obs. P. Jourdain ; *RTD civ.* 2004, 744, obs. P. Jourdain.

(676) Cass. 2e civ., 2 oct. 2008 : *Resp. civ. et assur.* 2008, comm. 323 ; *RTD civ.* 2009, 335, obs. P. Jourdain.

(677) Il arrive que la Cour de cassation fasse appel à la notion d'accident complexe sans que les faits s'y prêtent réellement, V. Cass. 2e civ., 24 mai 2012, n° 11-19.339, FS-D, *Sté mutuelle d'assurance du bâtiment et des travaux publics (SMABTP) c/ SA Axa France et a.* : JurisData n° 2012-014402 ; *Resp. civ. et assur.* juill. 2012, n° 7, comm. 203, obs. H. Groutel.

teur ou gardien du véhicule peut se voir imputer le dommage causé à la victime en cas d'accident complexe ? La réponse se trouve peut-être dans un texte figurant, non dans les dispositions sur l'indemnisation des victimes d'accident de la circulation, mais dans celles communes à tous les cas de responsabilité et selon lequel « lorsque le dommage est causé par un membre indéterminé d'un groupe, tous les membres identifiés en répondent solidairement sauf pour chacun d'eux à démontrer qu'il ne peut en être l'auteur. » (art. 1348). Le Projet consacrerait ainsi les solutions jurisprudentielles relatives à l'imputation du dommage en cas d'accident complexe : tous les conducteurs ou gardiens des véhicules impliqués dans l'accident devraient répondre solidairement du dommage sauf pour eux à prouver que le dommage n'est pas imputable à leur véhicule. Tel est le sens de la jurisprudence la plus récente qui, sur ce point, s'est peut-être inspirée du Projet Catala (V. *supra*, n° 683 *in fine*). Le Projet organise d'ailleurs les recours subrogatoires entre les conducteurs et gardiens des différents VTAM impliqués (art. 1385-5).

705. - Les qualités de conducteur et de gardien du VTAM impliqué. Parce qu'elle trouve son fondement dans le risque que crée la circulation des VTAM, la responsabilité du fait du VTAM impliqué pèse sur ceux qui créent ce risque, c'est-à-dire sur celui qui, au moment de l'accident, était soit le conducteur soit le gardien du VTAM impliqué dans l'accident.

La qualité de conducteur de VTAM doit, selon la jurisprudence, être reconnue à celui qui au moment de l'accident se trouvait aux commandes du VTAM dont il avait la maîtrise[(678)], peu important que ce véhicule ait alors été ou non en mouvement[(679)] ou même remorqué[(680)].

La qualité de gardien du VTAM s'interprète – bien que la responsabilité du fait du VTAM impliqué soit indépendante de la responsabilité du fait des choses – par référence aux critères que la jurisprudence a dégagés pour préciser, dans le cadre de cette responsabilité, cette notion de gardien (V. *supra*, n°s 674 et s.).

b) Causes d'exonération

706. - En principe, aucune cause étrangère, sauf la faute de la victime quand elle peut lui être opposée[(681)], n'exonère le conducteur ou le gardien de la responsabilité qu'il encourt du fait du VTAM impliqué.

1) Inopposabilité des causes étrangères autres que la faute de la victime

707. - Contrairement au droit commun de la responsabilité du fait des choses, l'article 2 de la loi du 5 juillet 1985 interdit au conducteur ou au gardien du VTAM impliqué dans l'accident de circulation de s'exonérer de sa responsabilité par la

(678) Ce critère joue un rôle déterminant. Ainsi, si la maîtrise du véhicule est conservée par un passager qui donne une leçon de conduite à une personne se trouvant aux commandes du véhicule, c'est le premier qui demeure conducteur : Cass. 2e civ., 27 nov. 1991 : *Bull. civ.* 1991, II, n° 321. – Cass. 2e civ., 29 juin 2000 : *Bull. civ.* 2000, II, n° 205 ; *Resp. civ. et assur.* 2000, comm. 294 par H. Groutel ; *JCP* 2001, II, 10571 et note D. Bailloeuil. Mais a seul la qualité de conducteur le mineur, stagiaire, au volant d'un tracteur à l'arrière duquel est monté, sans avoir aucun moyen de direction et de contrôle du véhicule, son maître de stage : Cass. 2e civ., 22 mai 2003 : *Bull. civ.* 2003, II, n° 157 ; *D.* 2004, somm. p. 1342, obs. P. Jourdain.

(679) Cass. 2e civ., 13 janv. 1988 : *Bull. civ.* 1988, II, n° 14 ; *D.* 1988, inf. rap. 32. – Cass. crim., 10 janv. 2001 : *D.* 2001, inf. rap. 982.

(680) Cass. 2e civ., 14 janv. 1987 : *Bull. civ.* 1987, II, n° 2 ; *JCP* 1987, II, 20768, note F. Chabas.

(681) Sur le rejet de toute obligation de minimiser le dommage pour la victime d'un accident de la circulation, Cass. 2e civ., 25 oct. 2012 : *D.* 2013, p. 415, note A. Guégan.

preuve que l'accident trouve sa cause dans un cas de force majeure ou dans le fait d'un tiers.

Cette interdiction profite, quelle que soit la nature de leurs dommages, à toutes les victimes de l'accident de circulation, qu'il s'agisse des victimes initiales (et ce même si elles étaient elles-mêmes au moment de l'accident conductrices ou gardiennes d'un VTAM) ou des victimes par ricochet.

Toutefois la loi a apporté une exception à l'inopposabilité à la victime du fait d'un tiers : lorsque le conducteur d'un VTAM n'en était pas le propriétaire, la faute de ce conducteur peut être opposée au propriétaire pour l'indemnisation des dommages causés à son véhicule, le propriétaire disposant alors d'un recours contre le conducteur de son véhicule (art. 5, al. 2). Cette disposition vise en fait le cas du propriétaire qui confie la conduite de son véhicule à un tiers. En cas d'accident, le conducteur de l'autre VTAM pourra opposer au propriétaire qui lui demande l'indemnisation des dommages à son véhicule, la faute du tiers[(682)] ; et il appartiendra alors à ce propriétaire d'exercer contre ce tiers un recours sur le fondement du droit commun.

Ces solutions sont reprises dans le Projet Catala : le principe reste celui de l'inopposabilité des causes étrangères autre que la faute de la victime (art. 13851) tandis que l'exception du tiers conducteur du VTAM qui n'en est pas le propriétaire est maintenue. Ainsi la faute de ce conducteur peut être opposée au propriétaire pour l'indemnisation des dommages causés à son véhicule. Ce dernier pourra cependant agir contre le conducteur sur le fondement du droit commun (art. 1385-3, al. 3 qui reprend exactement les termes de l'article 5, alinéa 2 de la loi du 5 juillet 1985).

2) La faute de la victime, cause éventuelle d'exonération

708. – Les articles 3 à 6 de la loi du 5 juillet 1985 ont précisé les conséquences que la faute de la victime initiale pouvait avoir d'une part sur l'indemnisation de ses propres dommages, d'autre part sur l'indemnisation des dommages subis par les victimes par ricochet.

709. – Influence de la faute de la victime initiale sur l'indemnisation de ses dommages. Le législateur a opéré, au sein des victimes fautives, une distinction lorsqu'elles demandent au conducteur ou gardien du VTAM impliqué réparation des dommages résultant d'atteintes à leur personne ; en revanche, aucune discrimination n'est faite parmi les victimes fautives lorsqu'elles lui demandent l'indemnisation des dommages aux biens.

710. – Influence de la faute de la victime initiale sur l'indemnisation des dommages résultant d'atteintes à sa personne. Selon qu'elles étaient ou non conducteurs d'un VTAM au moment de l'accident, les victimes qui ont commis une faute sont traitées différemment lorsqu'elles recherchent la responsabilité du conducteur ou du gardien du VTAM impliqué dans l'accident pour obtenir réparation des dommages résultant d'atteintes à leur personne[(683)].

(682) V. par ex., Cass. 2e civ., 4 déc. 1985 : *Bull. civ.* 1985, II, n° 186 ; *Defrénois* 1986, art. 33795, n° 85, obs. J.-L. Aubert. – Cass. 2e civ., 28 juin 1995 : *Bull. civ.* 1995, II, n° 203.

(683) Aux dommages à la personne, l'article 5 de la loi assimile les dommages aux fournitures et appareils délivrés sur prescription médicale.

711. – **Suite : la faute de la victime non conducteur.** Les *victimes non conducteurs* de VTAM lors de l'accident ne peuvent en effet, aux termes de l'article 3, alinéa 1er, de la loi, se voir opposer leur faute, par le défendeur conducteur ou gardien du VTAM impliqué, sauf dans deux hypothèses où leur comportement exonère alors totalement ce défendeur.

La première hypothèse est celle où la victime a volontairement recherché le dommage qu'elle a subi, ce qui correspond en pratique au suicide ou à la tentative de suicide (art. 3, al. 3)[(684)].

La seconde hypothèse est celle où la victime a commis une faute inexcusable qui est en outre la cause exclusive de l'*accident*. Une telle faute ne peut pas cependant être opposée à la victime qui en est l'auteur si, au moment de l'accident, elle avait moins de seize ans ou plus de soixante-dix ans, ou si elle était titulaire d'un titre lui reconnaissant un taux d'incapacité permanente ou d'invalidité au moins égal à 80 %.

La faute inexcusable n'ayant pas été définie par la loi, la Cour suprême a précisé qu'il s'agissait d'une « faute volontaire d'une exceptionnelle gravité, exposant sans raison valable son auteur à un danger dont il aurait dû avoir conscience »[(685)]. L'exigence de l'exceptionnelle gravité aboutit le plus souvent à nier le caractère inexcusable de la faute de la victime[(686)].

Quant au rôle exclusivement causal dans l'accident de la faute inexcusable de la victime, il supposerait non seulement qu'aucune autre cause, telle que la faute du défendeur, n'ait participé à l'accident, mais encore que la faute inexcusable de la victime ait été soit imprévisible, soit irrésistible pour le défendeur, conducteur ou gardien du VTAM impliqué dans l'accident[(687)].

---

(684) Cass. 2e civ., 24 févr. 1988 : *Bull. civ.* 1988, II, n° 49. – Cass. 2e civ., 21 juill. 1992 : *Bull. civ.* 1992, II, n° 218 ; *D.* 1993, somm. 212, obs. J.-L. Aubert. – Cass. 2e civ., 24 juin 1996 : *D.* 1998, inf. rap. 191. – Cass. 2e civ., 24 juin 1998 : *Bull. civ.* 1998, II, n° 204. – Cass. 2e civ., 31 mai 2000 : *Bull. civ.* 2000, II, n° 90 ; *JCP* 2001, II, 10577 et note Ch. Butruille-Cardew ; *D.* 2001, inf. rap. 185.

(685) Cass. 2e civ., 20 juill. 1987, 10 arrêts : *Bull. civ.* 1987, II, nos 160 et 161 ; *Gaz. Pal.* 1988, 1, 26, note F. Chabas ; *Defrénois* 1987, art. 34049, n° 73, obs. J.-L. Aubert ; *D.* 1987, inf. rap. 194. – Cass. ass. plén., 10 nov. 1995 ; *D.* 1995, 633 et rapp. Y. Chartier ; *JCP* 1996, II, 22564, concl. M. Jeol et note G. Viney. – Cass. 2e civ., 28 mars 2013, F-P+B, n° 12-14.522 : Une victime, en s'allongeant volontairement sur une voie de circulation fréquentée, en état d'ébriété, de nuit, et en un lieu dépourvu d'éclairage public, a commis une faute inexcusable. L'état d'ébriété n'aurait-il pas dû exclure toute faute volontaire et toute conscience de s'exposer à un danger ?

(686) V. par ex. : Cass. 2e civ., 12 nov. 1987 : *Bull. civ.* 1987, II, n° 122. – Cass. 2e civ., 20 avr. 1988 : *Bull. civ.* 1988, II, n° 86. – Cass. 2e civ., 10 mai 1989 : *Gaz. Pal.* 1989, 2, somm. 462, obs. F.-C. – Cass. 2e civ., 10 avr. 1991, 10 mai 1991, 24 mai 1991 : *D.* 1992, somm. comm. 209, obs. Couvrat et Massé. – Cass. 2e civ., 22 janv. 1992 : *Bull. civ.* 1992, II, n° 22 ; *D.* 1992, inf. rap. 71. – Cass. 2e civ., 7 févr. 1996 : *Bull. civ.* 1996, II, n° 33. – Cass. 2e civ., 20 mars 1996 : *Bull. civ.* 1996, II, n° 68. – Cass. 2e civ., 6 nov. 1996 : *Bull. civ.* 1996, II, n° 240. – Cass. 2e civ., 28 janv. 1998 : *Bull. civ.* 1998, II, n° 31. – Cass. 2e civ., 1er avr. 1998 : *Bull. civ.* 1998, II, n° 112. – Cass. 2e civ., 14 janv. 1999 : *Resp. civ. et assur.* 1999, comm. 66. – Cass. 2e civ., 20 janv. 2000 : *Bull. civ.* 2000, II, n° 13. – Cass. 2e civ., 11 avr. 2002 : *Bull. civ.* 2002, IV, 1912. – Cass. 2e civ., 3 juill. 2003 : *Bull. civ.* 2003, II, n° 223 ; *Resp. civ. et assur.* 2003, chron. 24, H. Groutel. – Cass. 2e civ., 7 oct. 2004 : *Bull. civ.* 2004, II, n° 436. – Cf. ayant retenu une faute inexcusable : Cass. 2e civ., 15 juin 1988, 2 arrêts : *Bull. civ.* 1988, II, n° 138. – Cass. 2e civ., 28 juin 1989 : *Bull. civ.* 1989, II, n° 137. – Cass. 2e civ., 7 juin 1990 : *Bull. civ.* 1990, II, n° 123. – Cass. 2e civ., 13 févr. 1991 : *Bull. civ.* 1991, II, n° 50. – Cass. 2e civ., 8 janv. 1992 : *Bull. civ.* 1992, II, n° 11 ; *D.* 1992, somm. comm. 208, obs. Couvrat et Massé. – Cass. 2e civ., 27 oct. 1993 : *Bull. civ.* 1993, II, n° 295. – Cass. 2e civ., 25 oct. 1995 : *D.* 1995, inf. rap. 253. – Cass. 2e civ., 6 déc. 1995 : *JCP* 1995, IV, 258. – Cass. 2e civ., 19 nov. 1997 : *D.* 1998, inf. rap. 15. – Cass. 2e civ., 10 déc. 1998 : *Resp. civ. et assur.* 1999, comm. 66. – Cass. 2e civ., 27 mai 1999 : *Bull. civ.* 1999, II, n° 99. – Cass. 2e civ., 15 nov. 2000 : *Resp. civ. et assur.* 2001, comm. 41, par H. Groutel. – Cass. 2e civ., 5 juin 2003 : *Bull. civ.* 2003, II, n° 167 ; *Resp. civ. et assur.* 2003, chron. 24, H. Groutel ; *RTD civ.* 2003, 721, obs. P. Jourdain. – Cass. 2e civ., 5 févr. 2004 : *Bull. civ.* 2004, II, n° 40. – Cass. 2e civ., 30 juin 2005 : *Bull. civ.* 2005, II, n° 174. – Cass. 2e civ., 28 mars 2013, n° 12-14522 (faute inexcusable d'une victime qui s'est allongée volontairement sur une voie de circulation fréquentée, en état d'ébriété, de nuit, en un lieu peu éclairé). – V. S. Bories, *Les confins de l'irresponsabilité de la victime d'un accident de la circulation ou la faute inexcusable devant le juge du premier degré* : *Gaz. Pal.* 1992, 2, doctr. 18 sept.

(687) Cass. 2e civ., 2 déc. 1987 : *Bull. civ.* 1987, II, n° 253. – Cass. 2e civ., 17 févr. 1988 : *Gaz. Pal.* 1988, 1, pan. 97. – Cass. 2e civ., 7 juin 1989 : *D.* 1989, 559, note J.-L. Aubert. – Cass. 2e civ., 7 mars 1990 : *JCP* 1990, IV, 175. – Cass. 2e civ., 9 janv. 1991 : *Bull.*

712. – Suite : la faute de la victime conducteur. La *victime conducteur* de VTAM au moment de l'accident, et qui a commis une faute, se trouve traitée beaucoup plus sévèrement par le législateur que la victime non conducteur[(688)].

En effet, aux termes de l'article 4 de la loi, la faute de la victime conducteur de VTAM limite ou exclut l'indemnisation des dommages, autrement dit exonère partiellement ou totalement le conducteur ou gardien de VTAM de la responsabilité qu'il encourt du fait de l'implication de son VTAM dans l'accident. La faute du conducteur victime n'est toutefois retenue que si elle est en relation de causalité avec le *dommage*[(689)] ; ainsi l'alcoolémie du conducteur, tout en constituant une faute, peut ne pas avoir joué de rôle causal dans l'accident survenu[(690)] ; et de même le défaut de permis de conduire[(691)].

Il s'ensuit que, en l'absence de preuve de la faute de la victime conducteur de VTAM, le défendeur conducteur, ou gardien d'un VTAM impliqué dans l'accident, doit intégralement indemniser cette victime de ses dommages[(692)]. En revanche il sera totalement ou partiellement libéré de cette obligation de réparation s'il démontre la faute de cette victime, dont il lui incombe alors de prouver qu'elle avait lors de l'accident la qualité de conducteur[(693)].

Mais suivant quel critère va-t-on décider que l'exonération doit être totale et non partielle ?

---

civ. 1991, II, n° 1. – Cass. 2ᵉ civ., 13 févr. 1991 : *Bull. civ.* 1991, II, n° 50 ; *D.* 1992, somm. comm. 208, obs. Couvrat et Massé. – Cass. 2ᵉ civ., 8 nov. 1993 : *Bull. civ.* 1993, II, n° 316. – Cass. 2ᵉ civ., 6 déc. 1995 : *JCP* 1996, IV, 258. – Cass. 2ᵉ civ., 19 nov. 1997 : *D.* 1998, inf. rap. 15. – Cass. 2ᵉ civ., 27 mai 1999 : *Bull. civ.* 1999, II, n° 99.

(688) F. Chabas, *La situation faite au conducteur fautif de véhicule terrestre à moteur* : *Gaz. Pal.* 2-3 févr. 1994, doctr. – H. Groutel, *La faute du conducteur victime, dix ans après (plaidoyer pour l'absent de la fête)* : *D.* 1995, chron. 335 ; *Le conducteur rétabli dans ses droits* : *D.* 1997, chron. 18. – B. Lelièvre-Boucharat, *Le régime québécois d'indemnisation des victimes d'accidents de la route est-il un exemple à suivre pour le droit français ?* : *RID comp.* 2003, 177.

(689) Selon la Cour suprême, la faute de la victime conducteur de VTAM a une incidence sur son droit à indemnisation dès lors qu'elle a contribué à la réalisation du *dommage* (par ex. : absence du port d'un casque pour un cyclomotoriste souffrant, à la suite d'une collision avec un VTAM, d'un traumatisme crânien) : Cass. 2ᵉ civ., 16 oct. 1991 : *Bull. civ.* 1991, II, n° 254 ; *D.* 1992, somm. comm. 275, obs. J.-L. Aubert. – V. aussi : Cass. 2ᵉ civ., 2 déc. 1987 : *Bull. civ.* 1987, II, n° 254. – Cass. 2ᵉ civ., 5 oct. 1994 : *Bull. civ.* 1994, II, n° 187 ; *RTD civ.* 1995, 385, obs. P. Jourdain. – Cass. 2ᵉ civ., 18 mars 1998 : *Bull. civ.* 1998, II, n° 85. – Cass. 2ᵉ civ., 27 janv. 2000 : *Bull. civ.* 2000, II, n° 16. – Cass. 2ᵉ civ., 4 juill. 2002 : *D.* 2003, 859 et note H. Groutel ; *RTD civ.* 2002, 829, obs. P. Jourdain. – Cass. 2ᵉ civ., 13 oct. 2005 : *JCP* 2006, II, 10004 et note G. Kessler (conduite d'une moto sous l'emprise d'un état alcoolique et de stupéfiants).

(690) Cass. ass. plén., 6 avr. 2007, 2 arrêts : *JCP* 2007, II, 10078 et note P. Jourdain ; *D.* 2007, p. 1199, obs. I. Gallmeister ; *D.* 2007, 1839 et note H. Groutel ; *JCP* 2007, I, 185, n° 9, obs. Ph. Stoffel-Munck ; *LPA* 21 nov. 2007, p. 11 et note Y. Dagorne-Labbé. – F. G'sell-Magrez, *La faute du conducteur victime et la causalité* : *Rev. Lamy dr. civ.* juill.-août 2007, p. 17 ; *D.* 2007, pan. p. 2906, obs. Ph. Brun ; *RTD civ.* 2007, 789, obs. P. Jourdain.

(691) Cass. crim., 27 nov. 2007 : *JCP* 2008, II, 10022 et note D. Bakouche.

(692) Cass. 2ᵉ civ., 12 mai 1986 : *Bull. civ.* 1986, II, n° 74. – Cass. 2ᵉ civ., 24 juin 1987 : *Bull. civ.* 1987, II, n° 136.

(693) Cass. 2ᵉ civ., 9 juill. 1986 : *D.* 1987, 1 et note H. Groutel ; *JCP* 1987, II, 20747 et note F.C. – Cass. crim., 21 mars 1991 : *Bull. crim.* 1991, n° 137 ; *Resp. civ. et assur.* 1991, comm. 183, H. Groutel. – Cass. 2ᵉ civ., 6 nov. 1996 : *Bull. civ.* 1996, II, n° 241. Dans l'hypothèse où les circonstances ne permettent pas de déterminer qui parmi les occupants du VTAM était conducteur, chaque occupant est considéré comme non conducteur, y compris celui qui était gardien ou propriétaire du véhicule : Cass. 2ᵉ civ., 21 juill. 1987 : *RGAT* 1987, 572 et note F. Chapuisat. – Cass. crim., 21 mars 1991, préc. – Cass. 2ᵉ civ., 14 juin 1995 : *Resp. civ. et assur.* 1995, comm. 298 et chron. 42 par H. Groutel. – Cass. 2ᵉ civ., 19 juin 2003 : *Bull. civ.* 2003, II, n° 198 ; *D.* 2003, inf. rap. 2414 et les obs. – Cass. 2ᵉ civ., 4 nov. 2004 : *D.* 2004, inf. rap. 3118. En cas d'éjection du véhicule qu'elle conduisait il a d'abord été jugé que la victime qui est heurtée après un certain laps de temps par un autre véhicule, n'a plus la qualité de victime conducteur lors de ce second accident (Cass. 2ᵉ civ. 11 déc. 1991 : *JCP* 1993, II, 21987 et note Y. Dagorne-Labbé. – Cass. 2ᵉ civ., 29 avr. 1998 : *Bull. civ.* 1998, II, n° 129. – Cass. crim., 9 mars 2004 : *D.* 2004, inf. rap. 1645). Puis il a été décidé que reste conducteur la victime dont l'éjection du véhicule qu'elle conduisait et le heurt avec une autre véhicule se réalisent en un seul trait de temps (Cass. 2ᵉ civ., 4 oct. 1989 : *JCP* 1991, II, 21600 et note Y. Dagorne-Labbé. – Cass. 2ᵉ civ., 6 févr. 2003 : *Bull. civ.* 2003, II, n° 26. – Cass. 2ᵉ civ., 5 juin 2003 : *Bull. civ.* 2003, II, n° 168. – Cass. 2ᵉ civ., 21 déc. 2007 : *Resp. civ. et assur.* 2007, comm. 87, obs. Groutel. – Cass. 2ᵉ civ., 8 oct. 2009 : *D.* 2009, act. jurispr. 2488). La victime qui court sur la chaussée en poussant son cyclomoteur pour le faire démarrer n'est pas un conducteur car elle n'a pas pris place sur le cyclomoteur (Cass. 2ᵉ civ., 7 oct. 2004 : *D.* 2005, 938 et note C. Maury). En revanche, il est un conducteur lorsque, bien qu'arrêté sur la chaussée, il chevauche son cyclomoteur et il met son casque (Cass. 2ᵉ civ., 29 mars 2012 : *D.* 2012, 1006).

La jurisprudence a d'abord considéré que la faute de la victime conductrice était de nature à la priver de toute indemnisation lorsque cette faute avait été la cause exclusive de son dommage[(694)] : ce qui supposait, dans ses premiers arrêts, l'imprévisibilité et l'irrésistibilité, pour le défendeur, de la faute de cette victime et dans les arrêts postérieurs, que la faute de la victime ait été la seule cause fautive, autrement dit l'absence de faute du défendeur[(695)]. Finalement, la Cour suprême a affirmé que les juges, pour décider de supprimer ou réduire l'indemnisation de la victime conducteur fautive, devaient faire abstraction du comportement du défendeur[(696)], et n'avaient pas non plus à rechercher si la faute de la victime conducteur avait été la cause exclusive de l'accident, et qu'ils étaient – à condition de ne pas recourir à de tels motifs – souverains pour apprécier si la faute de la victime conductrice devait exclure ou limiter son indemnisation[(697)].

713. – **Influence de la faute de la victime initiale sur l'indemnisation des dommages aux biens subis par elle.** Le législateur a traité d'égale manière les victimes fautives qui demandent au conducteur ou gardien du VTAM impliqué dans l'accident réparation de leurs dommages aux biens[(698)].

Quels que soient la qualité, l'âge, le handicap de la victime, sa faute, si elle a contribué à la réalisation de son *préjudice*[(699)], limite ou exclut l'indemnisation de cette catégorie de dommages (art. 5).

Mais, là encore, suivant quel critère va-t-on décider que l'exonération doit être totale, et non partielle ? Après avoir distingué suivant que la faute de la victime était ou non la cause exclusive de l'accident[(700)], la Cour de cassation s'en remet désormais au pouvoir souverain des juges du fond[(701)].

714. – **Influence de la faute de la victime initiale sur l'indemnisation de ses dommages dans le Projet Catala.** S'agissant de l'influence de la faute de la victime initiale sur l'indemnisation de ses dommages, le Projet opère également une distinction entre le dommage causé à sa personne et le dommage causé à ses biens. Pour autant, il propose de modifier l'état du droit positif en alignant le

(694) Cass. 2e civ., 23 avr. 1986 : *Bull. civ.* 1986, II, n° 58 ; *D.* 1987, somm. 89, 3e esp., obs. H. Groutel. – Cass. 2e civ., 14 janv. 1987 : *Bull. civ.* 1987, II, n° 2 ; *JCP* 1987, II, 20768, note F. Chabas.

(695) V. notamment exigeant l'imprévisibilité de la faute de la victime pour la qualification de cause exclusive : Cass. 2e civ., 27 mai 1988 : *Bull. civ.* 1988, II, n° 119. – Cass. 2e civ., 21 nov. 1990 : *Bull. civ.* 1990, II, n° 137. – Cass. 2e civ., 13 févr. 1991 : *Bull. civ.* 1991, II, n° 50. – V. notamment requérant l'absence de faute du défendeur : Cass. 2e civ., 10 oct. 1985 : *Bull. civ.* 1985, II, n° 150. – Cass. 2e civ., 22 janv. 1992 : *Bull. civ.* 1992, II, n° 21.

(696) Cass. 2e civ., 22 nov. 2012, n° 11-25489, F-P+B.

(697) Cass. crim., 22 mai 1996 : *D.* 1997, 138 et note F. Chabas ; *RTD civ.* 1997, 153, obs. P. Jourdain. – Cass. ch. mixte, 28 mars 1997 : *Bull. civ.* 1997, ch. mixte, n° 1 ; *D.* 1997, 294 et note H. Groutel ; *D.* 1997, somm. 291, obs. D. Mazeaud ; *JCP* 1997, I, 4025, n° 25, obs. G. Viney ; *RTD civ.* 1997, 681, obs. P. Jourdain. – Cass. 2e civ., 4 juin, 3 et 9 juill. 1997 : *Bull. civ.* 1997, II, nos 163, 214 et 216. – Cass. 2e civ., 14 janv., 28 janv. (3 arrêts), et 5 nov. 1998 : *Bull. civ.* 1988, II, nos 7, 26, 27, 28 et 254. – Cass. 2e civ., 15 nov. 2001 : *D.* 2001, inf. rap. 3588. – Cass. 2e civ., 20 juin 2002 : *JCP* 2002, IV, 2392 ; *RTD civ.* 2002, 827, obs. P. Jourdain. – Cass. 2e civ., 11 juill. 2002 : *D.* 2003, 859 et note H. Groutel. – Cass. 2e civ., 14 nov. 2002 : *D.* 2002, inf. rap. 3245. – Cass. 2e civ., 5 juin 2003 : *Bull. civ.* 2003, II, n° 168. – Cass. 2e civ., 9 oct. 2003 : *Bull. civ.* 2003, II, n° 291. – Cass. 2e civ., 18 mars 2004 : *Bull. civ.* 2004, II, n° 127 ; *Resp. civ. et assur.* 2004, comm. 18, obs. H. Groutel. – Cass. 2e civ., 10 mai 2004 : *Bull. civ.* 2004, II, n° 224 ; *RTD civ.* 2004, 744, obs. P. Jourdain. – Cass. 2e civ., 10 juin 2004 : *Bull. civ.* 2004, II, n° 277 ; *Resp. civ. et assur.* 2004, comm. 257, obs. H. Groutel.

(698) Le dommage aux biens désigne le dommage causé à des biens matériels, et non le préjudice économique ou moral résultant d'une atteinte à la personne (Cass. 2e civ., 24 janv. 1990 : *JCP* 1990, II, 21581, obs. Barbièri. – Cass. 2e civ., 24 oct. 1990 : *JCP* 1991, II, 21769, obs. Barbièri).

(699) Cass. 2e civ., 28 janv. 1988 : *Bull. civ.* 1988, II, n° 30.

(700) Cass. 2e civ., 12 nov. 1986 : *D.* 1987, 160, 3e esp., note H. Groutel. – Cass. 2e civ., 11 oct. 1989 : *Bull. civ.* 1989, II, n° 159. – Cass. 2e civ., 16 janv. 1991 : *Bull. civ.* 1991, II, n° 16.

(701) Cass. 2e civ., 28 janv. 1998 : *Bull. civ.* 1998, II, n° 30. – Cass. 2e civ., 25 mars 1998 : *JCP* 1998, IV, 2154.

sort de toutes les victimes initiales, quels que soient leur qualité (conducteur ou non), leur âge (mineur, majeur) et leur état de santé (incapable, handicapé,...)[702].

S'agissant des atteintes à la personne de la victime initiale, le Projet précise que l'indemnisation sera exclue dans deux hypothèses : d'abord lorsque sa faute sera à la fois inexcusable et cause exclusive de l'accident (art. 1385-2, al. 1), ensuite lorsque la victime aura volontairement recherché le dommage (art. 1385-2, al. 2)[703].

S'agissant des dommages causés à ses biens, le Projet prévoit que sa faute exclura ou limitera l'indemnisation en fonction de la gravité de la faute, étant précisé que l'exclusion de l'indemnisation devra être spécialement motivée (art. 1385-3, al. 1). Reprenant la solution de l'article 5, alinéa 1 de la loi du 5 juillet 1985, le Projet réserve un sort particulier aux fournitures et appareils délivrés sur prescription médicale : l'indemnisation des dommages causés à ces biens aura lieu selon les règles relatives aux dommages causés à la personne (art. 1385-3, al. 2)[704].

715. – **Influence de la faute de la victime initiale sur l'indemnisation des préjudices subis par la victime par ricochet.** Aux termes de l'article 6 de la loi « le préjudice subi par un tiers du fait des dommages causés à la victime directe d'un accident de la circulation est réparé en tenant compte des limitations ou exclusions applicables à l'indemnisation de ces dommages. »

Il s'ensuit que le défendeur, conducteur ou gardien d'un VTAM impliqué dans l'accident de circulation, pourra opposer aux victimes par ricochet la faute de la victime initiale, dans la mesure seulement où cette faute pouvait être opposée à cette victime initiale.

En bref, l'action en réparation de la victime par ricochet se trouve calquée sur celle de la victime initiale[705].

Le problème s'est posé cependant de savoir si la faute commise par la victime par ricochet, notamment en tant que coauteur de l'accident de circulation subi par la victime initiale, pouvait limiter ou exclure l'indemnisation de son préjudice par ricochet. La Cour de cassation a d'abord écarté cette solution en se fondant sur l'article 6 de la loi[706] ; elle l'admet désormais, du moins dans le cas où la victime par ricochet était elle-même conducteur d'un VTAM impliqué dans l'accident[707].

Le Projet Catala permet également à la victime par ricochet d'obtenir indemnisation de son préjudice et reprend ces solutions de droit positif de telle sorte que la faute de la victime initiale comme celle de la victime par ricochet peut lui être

(702) Il n'existe pas un tel alignement des régimes dans le projet de réforme du 26 juillet 2012 qui distingue encore selon le type de victimes, article 20.

(703) Rappr. article 26 du Projet Fr. Terré. Sur la faute intentionnelle cause d'exonération V. égal. projet de réforme du 26 juillet 2012, article 19.

(704) Dans le même sens, projet de réforme du 26 juillet 2012, article 21.

(705) Cass. 2e civ., 4 nov. 1987 : *Bull. civ.* 1987, II, n° 217. – Cass. 2e civ., 21 mai 1990 : *Bull. civ.* 1990, II, n° 112. – Cass. crim., 10 janv. 2001 : *D.* 2001, inf. rap. 982. – Cass. 2e civ., 7 avr. 2011, n° 10-30566.

(706) Par ex., une mère, dont l'enfant en traversant brusquement la rue est tué par un VTAM, peut-elle lorsqu'elle demande réparation au conducteur ou gardien de ce VTAM impliqué se voir opposer la faute de surveillance qu'elle a commise ? La Cour de cassation a répondu par la négative (Cass. 2e civ., 8 mars 1989 : *D.* 1990, 245, note J.-L. Aubert. – V. aussi, Cass. 2e civ., 6 déc. 1989 : *D.* 1991, 205, et note Ph. Durnerin. – Cass. 2e civ., 11 déc. 1991 : *Bull. civ.* 1991, II, n° 336).

(707) Cass. crim., 15 mars 1995 : *Bull. crim.* 1995, n° 103. – Cass. ch. mixte, 28 mars 1997 : *Bull. civ.* 1997, ch. mixte, n° 1 ; *D.* 1997, 294 et note H. Groutel ; *JCP* 1997, I, 4025, nos 32 et s., obs. G. Viney ; *RTD civ.* 1997, 681, obs. P. Jourdain. – Cass. 2e civ., 5 nov. 1998 : *Bull. civ.* 1998, II, n° 254 ; *Resp. civ. et assur.* 1999, comm. 9.

opposée par le défendeur conducteur ou gardien du véhicule impliqué (art. 13854). Les conditions précitées (V. *supra*, n° 714) devront cependant être respectées.

D. – La responsabilité du fait des produits défectueux[708]

716. – **La loi du 19 mai 1998.** Cette loi est la transposition, intervenue avec plus de dix ans de retard[709], d'une directive communautaire du 25 juillet 1985 qui, suivant l'un de ses considérants, tendait à « un rapprochement des législations des États membres en matière de responsabilité du producteur pour les dommages causés par le caractère défectueux de ses produits » de manière à remédier à une disparité « susceptible de fausser la concurrence, d'affecter la libre circulation des marchandises... et d'entraîner des différences dans le niveau de protection du consommateur contre les dommages causés à sa santé et à ses biens par un produit défectueux »[710].

Elle est aujourd'hui codifiée aux articles 1386-1 à 1386-18 du Code civil.

La loi est applicable aux produits dont la mise en circulation est postérieure à la date d'entrée en vigueur de la loi (23 mai 1998), même s'ils ont fait l'objet d'un contrat antérieur. Cette règle d'application dans le temps a été reprise par la loi du 9 décembre 2004 de simplification du droit qui, pour tenir compte de la condamnation de la France par la Cour de justice des Communautés européennes pour transposition incorrecte, a modifié les articles 1386-2, 1386-7 et 1386-12. En un sens on peut donc dire qu'il y a rétroactivité de la loi nouvelle[711], mais cette rétroactivité se trouve commandée par la nécessité de rendre le droit français

(708) J.-Cl. Montanier, *Les produits défectueux* : Litec, 2000. La loi du 19 mai 1998 a fait l'objet de très nombreux commentaires : G. Raymond, *Premières vues sur la loi n° 98-389 du 19 mai 1998 relative à la responsabilité du fait des produits défectueux* : *Contrats, conc. consom.* 1998, chron. 7. – J. Ghestin, *Le nouveau titre IV bis du Livre III du Code civil « De la responsabilité du fait des produits défectueux ». L'application en France de la directive sur la responsabilité du fait des produits défectueux après l'adoption de la loi n° 98-389 du 19 mai 1998* : *JCP* 1998, I, 148. – P. Storrer, *Bon an mal an, la loi relative à la responsabilité du fait des produits défectueux* : *Rev. Lamy dr. aff.* juill. 1998, n° 7, p. 3. – G. Viney, *L'introduction en droit français de la directive européenne du 25 juillet 1985 relative à la responsabilité du fait des produits défectueux* : *D.* 1998, chron. 291. – F.-X. Testu et J.-H. Moitry, *La responsabilité du fait des produits défectueux. Commentaire de la loi n° 98-389 du 19 mai 1998* : *D. affaires* 16 juill. 1998. – F. Chabas, *La responsabilité pour défaut de sécurité des produits dans la loi du 19 mai 1998* : *Gaz. Pal.* 1998, 2, doctr. 9-10 sept. – Ch. Larroumet, *La responsabilité du fait des produits défectueux après la loi du 19 mai 1998* : *D.* 1998, chron. 311. – P. Jourdain, *Aperçu rapide sur la loi n° 98-389 du 19 mai 1998 relative à la responsabilité du fait des produits défectueux* : *JCP* N 1998, I, 1055. – Y. Dagorne-Labbé, *La loi du 19 mai 1998 relative à la responsabilité du fait des produits défectueux* : *Defrénois* 1998, 1, 1265, art. 36888. – Ch. Larroumet, A. Outin-Adam, D. Mazeaud, N. Molfessis et L. Leveneur, *La responsabilité du fait des produits défectueux*, Colloque Paris-II, 27 oct. 1998 : *LPA* 28 déc. 1998, n° 155. – P. Jourdain, *Commentaire de la loi n° 98-389 du 19 mai 1998 relative à la responsabilité du fait des produits défectueux* : *JCP* N 1999, 1089. – J.-P. Beraudo, *L'application internationale des nouvelles dispositions du Code civil sur la responsabilité du fait des produits défectueux* : *JCP* 1999, I, 140. – G. Viney, *La mise en place du système français de responsabilité des producteurs pour le défaut de sécurité de leurs produits*, in *Mél. J.-L. Aubert* : Dalloz, 2005, p. 329. – P. Oudot, *L'application et le fondement de la loi du 19 mai 1998 instituant la responsabilité du fait des produits défectueux : les leçons du temps* : *Gaz. Pal.* 14-15 nov. 2008, p. 6. – J. Bigot, *Les ambiguités de la responsabilité et de l'assurance du fait des produits défectueux* : *JCP* 2010, 1014. – L. Bloch, *Produits de santé défectueux : désordre au sommet des ordres* : *Resp. civ. et assur.* n° 1, janv. 2014, étude 1. – D. Duval-Arnould, *Quelles responsabilités pour les professionnels et les établissements de santé en cas de défectuosité d'un produit de santé ?* : *JCP* G n° 44, 28 oct. 2013, doctr. 1151. – M. Bacache, *La responsabilité du fait des produits défectueux* : *LPA* 13 mars 2013, n° 52, p. 24. – B. Baysal, *La responsabilité civile pour risque et la responsabilité du fait des produits défectueux dans le nouveau Code des obligations turc* : *LPA* 13 mars 2014, n° 52, p. 20.

(709) La transposition devait en effet intervenir avant le 31 juillet 1988, ce qui a valu à la France d'être condamnée par les instances européennes.

(710) S. Taylor, *L'harmonisation communautaire de la responsabilité du fait des produits défectueux. Étude comparative du droit anglais et du droit français* : LGDJ, coll. « Droit privé », 2001. – J.-S. Borghetti, *La responsabilité du fait des produits. Étude de droit comparé* : LGDJ, 2005, préf. G. Viney.

(711) La loi du 9 décembre 2004 précise toutefois que les nouvelles dispositions « ne s'appliquent pas aux litiges ayant donné lieu à une décision de justice définitive à la date de publication de la présente loi ».

conforme à la norme européenne ; la loi nouvelle se trouve ainsi assimilée à une loi interprétative.

Pour éviter une nouvelle condamnation, la loi du 5 avril 2006[(712)] a réécrit l'alinéa 1 de l'article 1386-7 que la Commission européenne jugeait non conforme à la directive.

L'avant-projet de réforme se contente de modifier la numérotation de ces textes – les articles 1386-1 à 1386-18 actuels du Code civil devenant les articles 1386 à 1386-17 – sans y apporter aucune modification au motif que résultant de la transposition d'une directive, le législateur français n'est pas en droit de les réformer[(713)].

717. – **Caractères de la nouvelle action : ni contractuelle, ni extracontractuelle.** Comme la directive elle-même, l'article 1386-1 précise que « le producteur est responsable du dommage causé par un défaut de son produit, qu'il soit ou non lié par un contrat avec la victime »[(714)]. Il faut ici comprendre que, comme en matière d'accidents de la circulation, l'action nouvelle échappe à la distinction classique qui oppose responsabilité contractuelle et responsabilité extracontractuelle : les mêmes règles s'appliqueront, quelle que soit la qualité de la victime. C'est là un progrès dont on ne peut que se réjouir.

À cet égard, l'action nouvelle est très proche de celle reposant sur l'*obligation de sécurité* instituée par la jurisprudence qui, dans son dernier état, l'exprime en ces termes : « tout producteur est responsable des dommages causés par un défaut de son produit, tant à l'égard des victimes immédiates que des victimes par ricochet, sans qu'il y ait lieu de distinguer selon qu'elles ont la qualité de partie contractante ou de tiers »[(715)]. Au lendemain de la loi, on a pu se demander si cette jurisprudence, fondée sur « les articles 1147 et 1384, alinéa 1er, du Code civil, interprétés à la lumière de la directive CEE n° 85/374 du 25 juillet 1985 », ne devait pas se fondre dans la loi nouvelle et, par là même, perdre son autonomie[(716)]. D'autres raisons conduisent aujourd'hui à la même conclusion (V. *infra*, n° 718).

718. – **Caractères de la nouvelle action : action supplémentaire. CJCE, 25 avr. 2002, aff. C-183/00.** En principe, la directive ouvrait une action nouvelle aux victimes, tout en leur laissant la possibilité de recourir au droit commun national. En effet, l'article 13 de la directive laissait aux personnes lésées la faculté d'invoquer, à la place de la loi de transposition, le « droit de la responsabilité contractuelle ou délictuelle » ou « un régime spécial de responsabilité existant au moment de la notification de la directive ». Le législateur français a consacré cette latitude dans l'article 1386-18.

Mais, répondant à une question préjudicielle posée par une juridiction espagnole, un arrêt de la Cour de justice du 25 avril 2002 (aff. C-183/00)[(717)] a décidé que « l'article 13 de la directive (...) doit être interprété en ce sens que les droits conférés

(712) Loi dont l'objet principal était de ratifier l'ordonnance du 17 février 2005 transposant en droit français la directive du 25 mai 1999 relative à la garantie de conformité dans la vente.

(713) G. Viney, *Avant-projet de réforme du droit des obligations et de la prescription* : La Documentation française, 2006, p. 161.

(714) Sur son champ d'application, V. J.-S. Borghetti, *La responsabilité civile des exploitants agroalimentaires* : Dr. rur. n° 420, févr. 2014, étude 1.

(715) Cass. 1re civ., 3 mars 1998 : *JCP* 1998, II, 10049, rapp. P. Sargos.

(716) V. J. Ghestin, préc. : *JCP* 1998, I, 148, nos 26 et 27. – G. Viney, préc., *D.* 1998, chron. 291, n° 25.

(717) CJCE, 5e ch., 25 avr. 2002, *Maria Victoria Gonzalez Sanchez c/ Medecina Asutriana SA* : *D.* 2002, 2462 et note Ch. Larroumet ; *D.* 2002, somm. 2937, obs. J.-P. Pizzio ; *RTD civ.* 2002, 523, obs. J. Mestre et B. Fages ; et 868, obs. J. Raynard.

par le législateur d'un État membre aux victimes d'un dommage causé par un produit défectueux, au titre d'un régime général de responsabilité ayant le même fondement que celui mis en place par la directive peuvent se trouver limités ou restreints à la suite de la transposition de celle-ci dans l'ordre juridique interne dudit État ». Précisant sa pensée, la Cour de justice des Communautés européennes ajoutait que, s'il « n'exclut pas l'application d'autres régimes de responsabilité contractuelle ou extracontractuelle reposant sur des fondements différents, tels que la garantie des vices cachés ou la faute », « l'article 13 ne saurait être interprété comme laissant aux États membres la possibilité de maintenir un régime général de responsabilité du fait des produits défectueux différent de celui prévu par la directive » et reposant sur le même fondement. Ce faisant, la Cour de justice des Communautés européennes invitait clairement le juge espagnol à ne pas appliquer la loi espagnole de protection des consommateurs et à s'en tenir à la loi de transposition qui était moins favorable[(718)].

Appliquée au droit français, la solution de cet arrêt conduit à dire que, si la victime peut invoquer l'action en garantie des vices cachés des articles 1641 et suivants, ou la responsabilité contractuelle[(719)] pour faute, en revanche, il est fort douteux qu'elle puisse invoquer *l'obligation de sécurité* instituée par la jurisprudence à la charge des vendeurs et fabricants pour manquement à « l'obligation de livrer un produit exempt de tout vice ou de tout défaut de nature à créer un danger pour les personnes ou pour les biens »[(720)]. En bref, il est à craindre que la Cour de justice des Communautés européennes ait sonné le glas de l'obligation de sécurité du fabricant[(721)], et probablement celle du vendeur professionnel[(722)] (V. *infra*, n° 724) alors surtout que la jurisprudence la distingue soigneusement de l'action en garantie des vices[(723)(724)].

De même, on peut se demander si l'appréciation de la causalité peut être faite suivant le droit français ou suivant les règles de la directive[(725)].

---

(718) C. Brynfogel, *La mise en œuvre de la directive sur la responsabilité du fait des produits défectueux. Heurs et malheurs de l'harmonisation européenne* : *Gaz. Pal.* 2003, 1, doctr. 18-20 mai.

(719) Mais pas pour la responsabilité délictuelle : Cass. com., 26 mai 2010 : *D.* 2010, 1483 ; *Contrats, conc. consom.* 2010, comm. 198, obs. L. Leveneur.

(720) Cass. 1re civ., 20 mars 1989 : *D.* 1989, 381 et note Ph. Malaurie. – Cass. 1re civ., 22 janv. 1991 : *Bull. civ.* 1991, I, n° 30. – Cass. 1re civ., 11 juin 1991 : *Bull. civ.* 1991, I, n° 201. – Cass. 1re civ., 27 janv. 1993 : *Bull. civ.* 1993, I, n° 44. – Cass. 1re civ., 15 oct. 1996 : *Bull. civ.* 1996, I, n° 354. – Cass. 1re civ., 3 mars 1998 : *JCP* 1998, II, 10049 et rapp. P. Sargos ; *D.* 1999, 36, note C. Pignarre et Ph. Brun. Sur l'obligation de sécurité, V. les travaux du colloque publié *in Gaz. Pal.* 21-23 sept. 1997.

(721) G. Viney, *L'interprétation par la CJCE de la directive du 25 juillet 1985 sur la responsabilité du fait des produits défectueux* : *JCP* 2002, I, 177. – J. Calais-Auloy, *Menace européenne sur la jurisprudence française concernant l'obligation de sécurité du vendeur professionnel (CJCE, 25 avr. 2002)* : *D.* 2002, chron. 2458. – P. Oudot, *L'obligation de sécurité et la responsabilité du distributeur* : *Contrats, conc. consom.* 2003, chron. 8. – T. Riehm, *Produits défectueux : quel avenir pour les droits communs ? L'influence communautaire sur les droits français et allemand* : *D.* 2007, chron. 2749. – V. pour des décisions rendues antérieurement sur l'obligation de sécurité : TGI Montpellier 9 juill. 2002 : *JCP* 2002, II, 10158 et note F. Vialla ; *RTD civ.* 2002, 818, obs. P. Jourdain (à propos de l'hormone de croissance). – TGI Nanterre 24 mai 2002 : *D.* 2002, inf. rap. 1885 (décision rendue sur le fondement de l'article L. 221-1 du Code de la consommation, à propos du distilbène). – V. N. Jonquet, A.-C. Maillols et F. Vialla, *Les victimes de produits de santé épargnées par la CJCE* : *D.* 2003, point de vue, 1299, qui soutiennent que l'obligation de sécurité pourrait survivre pour les produits de santé.

(722) V. en ce sens Cass. 1re civ., 15 mai 2007 : *D.* 2007, act. jurispr. 1593 ; *D.* 2007, pan. 2906, obs. Ph. Brun ; *RDC* 2007, 1147, obs. J.-S. Borghetti.

(723) Cass. 1re civ., 14 juin 2000 : *Contrats, conc. consom.* 2000, comm. 158, obs. L. Leveneur. – Cass. 1re civ., 16 oct. 2001 : *Contrats, conc. consom.* 2002, comm. 4, obs. L. Leveneur.

(724) La question a été soumise à la Cour de justice des Communautés européennes pour l'hypothèse d'un dommage survenu avant que la directive n'ait été transposée en droit français : Cass. com., 24 juin 2008 : *D.* 2008, 2318 et note J.- S. Borghetti ; *JCP* 2008, I, 186, n° 7, obs. Ph. Stoffel-Munck ; *RTD civ.* 2008, 685, obs. P. Jourdain.

(725) F. Paul, *La causalité en matière de produits défectueux : une question de pur droit interne ou tributaire de l'harmonisation totale ?* : *Contrats, conc. consom.* 2004, chron. 2. – S. Le Gac-Pech, *La place confortée des présomptions en matière de responsabilité du fait des produits* : *JCP* E n° 36, 5 sept. 2013, 1480.

Par ailleurs, on s'était demandé si la directive s'opposait au maintien de la jurisprudence *Marzouk* suivant laquelle les établissements de santé sont tenus, même en dehors de toute faute, de réparer les dommages causés par la défaillance des produits et appareils qu'ils utilisent. Saisie par le Conseil d'État de deux questions préjudicielles à cet effet[(726)], la Cour de justice de l'Union européenne a répondu que la directive n° 85/374/CEE ne s'opposait pas à cette jurisprudence, sous réserve toutefois que soit préservée la faculté pour la victime et/ou par l'établissement de santé de mettre en cause la responsabilité du producteur si les conditions prévues par la directive se trouvaient remplies[(727)]. Le Conseil d'État en a immédiatement tiré les conséquences[(728)]. La Cour de cassation a, au contraire du Conseil d'État[(729)], fait basculer la responsabilité des prestataires de soins, sans précision quant à leur qualité d'utilisateur pourtant seul critère utilisé par la CJUE, dans le régime de la responsabilité pour faute[(730)]. Par un arrêt rendu le 12 juillet 2012, la première Chambre civile de la Cour de cassation évince toute application de la responsabilité du fait des produits défectueux aux prestataires de soins, chirurgien pourtant « fournisseur » d'une prothèse en l'espèce[(731)]. Elle opère un deuxième revirement de jurisprudence en précisant que seule la responsabilité pour faute peut désormais être engagée en cas dommages causés par d'éventuels produits ou matériels défectueux[(732)]. Il est désormais impossible de se prévaloir du manquement à une obligation de sécurité de résultat. Il faut alors s'interroger sur l'avenir de l'article L. 1142-1 du Code de santé publique, applicable aux services publics hospitaliers et aux établissements privés, prévoyant une responsabilité de plein droit des personnels de santé pour les dommages causés par un défaut d'un produit de santé[(733)].

719. – Condamnation de la transposition faite par la France. CJCE, 25 avr. 2002 (aff. C-52/00). D'abord critiquée par la Commission européenne[(734)], la

(726) CE, 4 oct. 2010 : *D.* 2011, 213 et note J.-S. Borghetti.

(727) CJUE, 21 déc. 2011, aff. C-495/10, *Centre hospitalier universitaire de Besançon* : *AJDA* 20 févr. 2012 ; *D.* 2012, 926, note J.-S. Borghetti. Notons que l'éviction de la CJUE est clairement délimitée : elle évince uniquement « la responsabilité susceptible d'incomber à un utilisateur qui (...) fait usage, dans le cadre d'une prestation de soins prodiguée à un patient, d'un produit ou d'un matériel (...) tel qu'un matelas chauffant ».

(728) CE, 12 mars 2012, n° 327449. *JCP* 2012, 623, note P. Tifine. Cet arrêt amène à distinguer suivant que l'établissement de santé intervient en qualité de fournisseur ou en celle de prestataire de services utilisateur du produit défectueux. – V. P. Veron et F. Vialla, *La nouvelle lecture de l'article L. 1142-1 du Code de la santé publique à la lumière des évolutions jurisprudentielles relatives aux produits défectueux* : *D.* 2012, 1558. Dans le même sens, CE, sect. cont., 25 juill. 2013, n° 339922 : *JurisData* n° 2013-015783 ; *Resp. civ. et assur.* n° 1, janv. 2014, comm. 23 ; Falempin : *D.* 2013, 2438, note M. Bacache ; *AJDA* 2013, 1597 et 1972, chron. X. Domino et A. Bretonneau ; *RDSS* 2013, 881, note J. Peigné ; *D.* 2014, p. 47 et s., obs. O. Gout.

(729) L. Bloch, *Produits de santé défectueux : désordre au sommet des ordres* : *Resp. civ. et assur.* n° 1, janv. 2014, étude 1. – S. Hocquet-Berg, *La sécurité des produits de santé dans la tourmente de la jurisprudence judiciaire* : *Resp. civ. et assur.* n° 11, nov. 2012, étude 8. – L. Bacache, *Prothèses défectueuses : quelle responsabilité ?* : *D.* 2013, p. 2438.

(730) D. Duval-Arnould, *Quelles responsabilités pour les professionnels et les établissements de santé en cas de défectuosité d'un produit de santé ?* : *JCP* G n° 44, 28 oct. 2013, doctr. 1151.

(731) Cass. 1re civ., 12 juill. 2012, n° 11-17.510 (pourvoi principal), P+B+I : JurisData n° 2012-015717 ; *JCP* G 2012, note 1036, P. Sargos ; *Resp. civ. et assur. 2012, étude 8, S. Hocquet-Berg* ; *D.* 2012, p. 2277, note M. Bacache ; *D.* 2013, p. 40, obs. O. Gout ; *RTD civ.* 2012, p. 737, obs. P. Jourdain ; *RDC* 2013, p. 111, note G. Viney ; *Gaz. Pal.* 27 sept. 2012, n° 271, p. 9, obs. M. Mekki : il s'agissait en l'espèce de la pose d'une prothèse défectueuse. Par le passé, la Cour de cassation qualifiait le chirurgien de fournisseur de la prothèse et non d'utilisateur.

(732) A. Chausfoin et C. Hollestelle, *La responsabilité du chirurgien ayant posé une prothèse défectueuse* : *JCP* G n° 37, 9 sept. 2013, doctr. 948.

(733) L'arrêt du 12 juillet 2012 a été depuis lors confirmé, Cass. 1re civ. 20 mars 2013, n° 12-12300, FS-P+B+I : JurisData n° 2003-004818, Resp. civ. et assur. n° 6, juin 2013, comm. 195, obs. S. Hocquet-Berg (à propos de la conception et de la délivrance d'une prothèse dentaire ; absence de faute imputable).

(734) V. Ch. Laporte, *Responsabilité du fait des produits défectueux : la France à nouveau épinglée* : *Contrats, conc. consom.* 2000, chron. 11. – G. Viney : *JCP* 2000, I, 280, n° 25.

transposition faite par la France et par la Grèce a été condamnée par deux autres décisions du 25 avril 2002[735]. Finalement, la Cour de justice des Communautés européennes reprochait à la France d'être allée au-delà des exigences de la directive, ce dans un souci de meilleure protection du consommateur[736]. Dans son dispositif, l'arrêt relevait que la France a manqué à ses obligations en s'écartant des dispositions de la directive sur trois points :

• « en incluant, dans l'article 1386-2 du Code civil français, les dommages inférieurs à 500 € ;

• en considérant, à l'article 1386-7, premier alinéa, du même code, que le distributeur d'un produit défectueux est responsable dans tous les cas et au même titre que le producteur, et

• en prévoyant, à l'article 1386-12, second alinéa, dudit code, que le producteur doit prouver qu'il a pris les dispositions propres à prévenir les conséquences d'un produit défectueux afin de pouvoir se prévaloir des causes d'exonération prévues à l'article 7, sous d) et e), de la directive... »

À l'appui de cette condamnation, la Cour de justice des Communautés européennes invoquait le fait que la directive a été arrêtée par le Conseil sur le fondement de l'article 100 du traité CEE « relatif au rapprochement de dispositions législatives, réglementaires et administratives des États membres qui ont une incidence directe sur l'établissement et le fonctionnement du Marché commun », base juridique qui, à la différence de l'article 100 A, « ne prévoit aucune faculté, pour les États membres de maintenir ou d'établir des dispositions s'écartant des mesures d'harmonisation communautaires »[737].

En bref, il s'agit d'un ordre public communautaire tendant « à assurer une concurrence non faussée entre les opérateurs économiques, à faciliter la libre circulation des marchandises et à éviter les différences dans le niveau de protection des consommateurs ».

Prenant acte de cette condamnation, la loi du 9 décembre 2004 de simplification du droit a modifié en conséquence les articles 1386-2, 1386-7 et 1386-12[738].

Toutefois, considérant que la modification apportée à l'article 1386-7 laissait subsister une différence avec la directive, la Commission a introduit un nouveau recours contre la France. Pour échapper aux conséquences financières d'une nouvelle condamnation[739], la loi du 5 avril 2006 a réécrit l'alinéa 1 de cet article de manière à assurer sa parfaite conformité avec la directive[740].

---

(735) CJCE, 25 avr. 2002, *Commission c/ République française* : *D.* 2002, 1670 et note C. Rondey ; *Contrats, conc. consom.* 2002, comm. 117 et note G. Raymond ; *D.* 2002, 2462 et note Ch. Larroumet ; *D.* 2002, somm. 2935, obs. J.-P. Pizzio ; *D.* 2002, somm. 463, obs. D. Mazeaud ; *RTD civ.* 2002, 523, obs. J. Mestre et B. Fages ; et 868, obs. J. Raynard. – V. aussi, G. Viney, art. préc. – Ch. Laporte, *Responsabilité du fait des produits défectueux : la France condamnée : Contrats, conc. consom.* 2002, chron. 20.

(736) Sur la transposition de la directive dans les pays de l'Union, V. La responsabilité du fait des produits défectueux, Recueil des travaux du GRERCA : *IRJS*, 2013.

(737) V. dans le même sens CJCE, 5 juill. 2007, aff. C-327/05, *Commission c/ Danemark* : *RDC* 2008, 306, obs. J.-S. Borghetti.

(738) Ph. Stoffel-Munck : *JCP* 2006, I, 166, n° 11. – P. Rémy-Corlay : *RTD civ.* 2006, p. 265.

(739) CJCE, Gde ch., 14 mars 2006, aff. C-177-04 : *D.* 2006, inf. rap. p. 1334.

(740) L. Grynbaum, *Responsabilité du fait des produits défectueux : restriction de responsabilité pour les fournisseurs* : *JCP* 2006, act. 185.

1° Champ d'application de la loi

a) Quant aux produits

720. – Les produits. La responsabilité nouvelle s'applique au cas où le dommage a été causé par un produit défectueux mis en circulation ; chacun de ces éléments appelle quelques précisions.

La notion de produit est définie de manière très large par l'article 1386-3[(741)] : « Est un produit tout bien meuble, même s'il est incorporé dans un immeuble, y compris les produits du sol, de l'élevage, de la chasse et de la pêche. L'électricité est considérée comme un produit. »

La loi s'applique donc à tous les produits mobiliers, quels qu'ils soient, sans distinction entre les produits naturels[(742)] et ceux industriels, les produits finis et ceux composites, et même les produits du corps humain (arg. art. 1386-12).

D'un arrêt de la Cour de justice des Communautés européennes du 10 mai 2001, on peut inférer que la responsabilité du fait des produits défectueux est applicable à la fabrication et à l'utilisation par les médecins de produits défectueux à des fins thérapeutiques ; auquel cas il resterait à s'interroger sur la compatibilité de la jurisprudence et de la loi française sur la responsabilité médicale avec la directive[(743)].

721. – La notion de défectuosité. La notion de défectuosité, qui est nouvelle dans notre droit, est définie par l'article 1386-4[(744)] : « Un produit est défectueux au sens du présent titre lorsqu'il n'offre pas la sécurité à laquelle on peut légitimement s'attendre[(745)]. »

De la formule employée il résulte que la défectuosité doit être appréciée de manière abstraite, par référence au public en général. La loi apporte néanmoins quelques éléments complémentaires : « Pour l'appréciation de la sécurité à laquelle on peut légitimement s'attendre, il doit être tenu compte de toutes les circonstances et notamment de la présentation du produit[(746)], de l'usage qui peut en être

(741) Ch. André, *La cohérence de la notion de produit* : *RRJ* 2003, 751. – O. Sabard, *Les produits*, in *La responsabilité du fait des produits défectueux, op. cit.*, p. 93.

(742) La loi devrait s'appliquer aux matières premières agricoles : Dir. n° 99/34/CE. – V. J.-Ph. Buenicourt, J.-S. Borghetti et F. Collart-Dutilleul, *Le droit civil de la responsabilité à l'épreuve du droit spécial de l'alimentation : premières questions* : *D.* 2010, chron. 1099.

(743) CJCE, 5e ch., 10 mai 2001 : *D.* 2001, 3065 et note P. Kayser ; *JCP* 2002, II, 10141 et note H. Gaumont-Prat (préparation d'un rein en vue de sa transfusion avec un liquide défectueux). – V. aussi A. Laude, *La responsabilité des produits de santé* : *D.* 1999, chron. 189.

(744) B. Dubuisson, *La notion de défaut dans la diretive et la législation des États membres, Rapport de synthèse*, in *La responsabilité du fait des produits défectueux, Recueil des travaux du GRERCA* : *IRJS*, 2013, p. 173.

(745) A. Laude, *La responsabilité des produits de santé* : *D.* 1999, chron. 189. – P. Sargos, *L'information sur les médicaments. Vers un bouleversement majeur de l'appréciation des responsabilités* : *JCP* 1999, I, 144. – J. Calais-Auloy, *L'attente légitime : une nouvelle source de droit subjectif ?*, in *Mél. Y. Guyon* : Dalloz, 2003, p. 171. – J.-A. Robert et A. Regniault, *Les effets indésirables des médicaments : information et responsabilités* : *D.* 2004, chron. 510. – A. Laude, *Aperçu de la jurisprudence nationale en matière de responsabilité du fait des médicaments défectueux* : *RD sanit. soc.* 2005, p. 743. – L. Clerc-Renaud, *Quelle responsabilité en cas de dommages causés par des produits de santé ?* : *Rev. Lamy dr. civ.* janv. 2007, p. 15.

(746) La défectuosité résultera par exemple de l'absence sur le conditionnement de mentions restreignant l'usage d'un médicament vétérinaire (Cass. 1re civ., 21 juin 2005 : *Bull. civ.* 2005, I, n° 275 ; *D.* 2006, p. 565 et note S. Lambert) ou de l'insuffisance des informations et mises en garde relatives à l'utilisation d'un béton (Cass. 1re civ., 7 nov. 2006 : *Bull. civ.* 2006, I, n° 467 ; *JCP* 2006, IV, 3348 ; *RD imm.* 2007, p. 94, obs. Ph. Malinvaud ; *Contrats, conc. consom.* 2007, comm. 60, obs. G. Raymond, et comm. 64, obs. L. Leveneur ; *RTD civ.* 2007, p. 140, obs. P. Jourdain) ; *RDC* 2007, p. 312, obs. J.- S. Borghetti. – Dans cette dernière hypothèse, la même solution avait été précédemment rendue sur le fon-

raisonnablement attendu et du moment de sa mise en circulation. »[(747)] Le dernier alinéa ajoute de manière opportune qu'« un produit ne peut être considéré comme défectueux par le seul fait qu'un autre, plus perfectionné, a été mis postérieurement en circulation » ; en bref, l'obsolescence n'est pas un défaut. Il n'est pas non plus défectueux par cela seul qu'il contiendrait certains principes actifs dangereux[(748)]. La Cour de cassation a précisé, à propos des produits de santé, que l'absence de défaut d'un produit de santé ne saurait se déduire du seul fait qu'il existe un bilan « risques/bénéfices » positif, solution rendue à propos du vaccin contre l'hépatite B[(749)].

La notion de défectuosité diffère de celle de vice à laquelle les juristes français sont habitués. La démonstration du vice suppose une analyse de la chose vicieuse, ce qui requiert souvent une expertise, alors que la défectuosité résulte d'une donnée objective : vicieuse ou non, la chose n'offre pas la sécurité à laquelle on peut légitimement s'attendre[(750)]. Encore faut-il toutefois que le défaut soit intrinsèque au produit[(751)].

722. - **La mise en circulation.** Quant à la notion de mise en circulation, elle est définie par l'article 1386-5 : « Un produit est mis en circulation lorsque le producteur s'en est dessaisi volontairement »[(752)].

Dans la mesure où la loi ne s'applique qu'aux professionnels (V. *infra*, n° 723), on peut dire que la mise en circulation équivaut à la mise sur le marché, à la commercialisation[(753)]. C'est en ce sens que s'est prononcée la Cour de justice des Communautés européennes suivant laquelle « un produit est mis en circulation

---

dement de l'article L. 111-1 du Code de la consommation (Cass. 1re civ., 1er mars 2005 : *Bull. civ.* 2005, I, n° 109 ; *JCP* 2005, II, 10164 et note Bazin ; *Contrats, conc. consom.* 2005, comm. 142, obs. G. Raymond ; *RDC* 2005, p. 1051, obs. D. Fenouillet). – V. aussi, pour un produit de traitement des rides : Cass. 1re civ., 22 nov. 2007 : *JCP* 2007, IV, 3312 ; *JCP* 2008, I, 125, n° 9-10, obs. Ph. Stoffel-Munck ; *Resp. civ. et assur.* 2008, comm. 30, note C. Radé ; *Contrats, conc. consom.* 2008, comm. 64, obs. L. Leveneur. – Et pour un vaccin : Cass. 1re civ., 9 juill. 2009 : *Bull. civ.* 2009, I, n° 176 ; *JCP* 2010, 456, obs Ph. Stoffel-Munck ; *Contrats, conc. consom.* 2009, comm. 262, obs. L. Leveneur ; *RTD civ.* 2009, 735, obs. P. Jourdain. Il en ira différemment si le risque encouru et réalisé était mentionné dans la documentation : Cass. 1re civ., 24 janv. 2006 : *Bull. civ.* 2006, I, n° 33 ; *D.* 2006, p. 1273 et note L. Neyret ; *JCP* 2006, II, 10082, 1re esp. et note L. Grynbaum ; *JCP* 2006, I, 166, n° 15, obs. Ph. Stoffel-Munck ; *Contrats, conc. consom.* 2006, comm. 77, obs. L. Leveneur.

(747) Il faut, semble-t-il, en déduire que le tabac n'est pas un produit défectueux puisque, tout paquet de cigarettes devant porter la mention « le tabac tue », le fumeur ne peut légitimement attendre aucune sécurité. V. A. Bogada, *Nul n'est censé ignorer les méfaits du tabac* : *D.* 2004, chron. 653. – Rappr. Cass. 2e civ., 20 nov. 2003 : *Bull. civ.* 2003, II, n° 355 ; *D.* 2003, 2909, concl. R. Kessous et note L. Grynbaum ; *JCP* 2003, II, 10004 et note B. Daille-Duclos ; *JCP* 2004, I, 163, nos 36 et s., obs. G. Viney. – B. Daille-Duclos, *Le rejet général des actions en responsabilité engagées contre les fabricants de tabac par les juridictions européennes* : *LPA* 5 avr. 2005, p. 6.

(748) Arg. Cass. 1re civ., 5 avr. 2005 : *Bull. civ.* 2005, I, n° 178 ; *D.* 2005, p. 2256 et note A. Gorny ; *JCP* 2005, II, 10085, note L. Grynbaum et J.-M. Job ; *LPA* 21 juin 2005, p. 9, note Ch. Henin et A.-C. Maillols ; *LPA* 12 juill. 2005, p. 16 et note V. Rebeyrol ; *RTD civ.* 2005, p. 607, obs. P. Jourdain ; *D.* 2006, pan. p. 1938, obs. Ph. Brun (à propos d'un médicament).

(749) Cass. 1re civ., 26 sept. 2012, n° 11-17738 ; *JCP* G 2012, n° 46, 1199, note C. Quézel-Ambrunaz ; *D.* 2012, 2304, obs. I. Gallmeister ; *D.* 2013, pan. p. 49, obs. Ph. Brun ; *D.* 2013, p. 2853, note J.-S. Borghetti ; *RTD civ.* 2013, p. 131, obs. P. Jourdain. Dans le même sens, Cass. 1re civ., 10 juill. 2013, n° 12-21314 ; *JCP* G n° 40, 2013, 1012, note B. Parance ; *Resp. civ. et asur.* 2013, étude 6, D. Bakouche ; *D.* 2013, p. 2306, concl. C. Melotee ; *D.* 2013, p. 2312, note Ph. Brun ; *D.* 2013, p. 2315, note J.-S. Borghetti.

(750) TGI Aix-en-Provence, 2 oct. 2001 : *D.* 2001, inf. rap. 3092. Suivant un auteur, si défaut n'est pas synonyme de dommage, le risque de dommage résultant d'un vaccin peut être un défaut s'il atteint un degré de gravité suffisant pour porter atteinte à l'attente légitime de sécurité de celui qui utilise ce produit : G. Viney, obs. ss Cass. 1re civ., 23 sept. 2003 : *JCP* 2004, I, 101, nos 28 et s.

(751) Cass. 1re civ., 22 oct. 2009, n° 08-15.171.

(752) Ph. Brun, *La mise en circulation, rapport de synthèse*, in *La responsabilité du fait des produits défectueux, Recueil des travaux du GRERCA* : *IRJS*, 2013, p. 281. – *Adde*, A. Guegan, *La mise en circulation. Rapport français, op. cit.*, p. 287.

(753) Pour l'arrêt de la CJCE du 10 mai 2001, préc, « un produit défectueux (en l'espèce un liquide de perfusion destiné au rinçage d'un rein) est mis en circulation lorsqu'il est utilisé à l'occasion d'une prestation de service concrète, de nature médicale, consistant à préparer un organe humain en vue de sa transplantation et que le dommage causé à celui-ci est consécutif à cette préparation ».

lorsqu'il est sorti du processus de fabrication mis en œuvre par le producteur et qu'il est entré dans un processus de commercialisation dans lequel il se trouve en l'état offert au public aux fins d'être utilisé ou consommé[(754)] ».

L'alinéa 2 précise qu'un « produit ne fait l'objet que d'une seule mise en circulation », laquelle intervient donc au moment où le producteur met sur le marché le produit même qui a causé le dommage. En pratique, la notion de mise en circulation est très importante en ce qu'elle est tout à la fois une condition de la responsabilité et le point de départ de la prescription[(755)].

b) Quant aux responsables

723. – **Les professionnels producteurs.** La loi ne s'applique qu'aux professionnels, qu'ils soient producteurs, fournisseurs ou assimilés.

La loi s'applique d'abord au producteur, que l'article 1386-6 définit comme « le fabricant d'un produit fini, le producteur d'une matière première, le fabricant d'une partie composante ». Ce même texte assimile au producteur, « toute personne agissant à titre professionnel » :

• qui, bien que n'étant pas le producteur lui-même, se présente en fait comme tel en apposant sur le produit son nom, sa marque ou tout autre signe distinctif ;

• ou qui importe un produit dans la Communauté européenne en vue d'une vente, d'une location ou de toute autre forme de distribution.

En revanche, le dernier alinéa prend bien soin de préciser que « ne sont pas considérées comme producteurs (...) les personnes dont la responsabilité peut être recherchée sur le fondement des articles 1792 à 1792-6 et 1646-1 »[(756)], c'est-à-dire les constructeurs au sens de l'article 1792-1 et le vendeur d'immeuble à construire. L'idée est que ces constructeurs d'immeubles ou assimilés, dont la responsabilité relève de textes spécifiques en droit français, et qui ne sont pas des producteurs de meubles, doivent échapper à la loi nouvelle lorsqu'ils incorporent un meuble dans un immeuble.

724. – **Les professionnels fournisseurs.** Initialement la loi visait également et de manière générale le simple fournisseur, qu'il s'agisse d'un vendeur, d'un loueur (à l'exception du crédit-bailleur) ou de tout autre fournisseur professionnel (art. 13867)[(757)]. Cette extension ayant été condamnée par l'arrêt de la Cour de justice des Communautés européennes du 25 avril 2002 pour son caractère général (V. *supra*, n° 719), l'article 1386-7 a été modifié par une loi du 9 décembre 2004 pour en limiter l'application au cas où « le producteur demeure inconnu ».

---

(754) CJCE, 1re ch. 9 févr. 2006, aff. C-127/04, *Declan O'Byrne c/ Sanofi Pasteur MSD Ltd* : *D.* 2006, p. 1937, obs. Ph. Brun ; *JCP* 2006, II, 10083 et note J.-C. Zarka ; *RTD civ.* 2006, p. 265, obs. J.-P. Marguénaud, et p. 331, obs. P. Jourdain. – V. aussi Cass. 1re civ., 24 janv. 2006 : *LPA* 3 mars 2006, p. 6, avis av. gén. J.-D. Sarcelet ; *JCP* 2006, I, 166, n° 14, obs. Ph. Stoffel-Munck.

(755) J.-Ph. Confino, *La mise en circulation dans la loi du 19 mai 1998 sur la responsabilité du fait des produits défectueux* : *Gaz. Pal.* 2001, 1, doctr. 2-3 févr.

(756) On peut en revanche penser que la responsabilité du producteur d'éléments d'équipements visés à l'article 1792-7 est susceptible d'être engagée sur le fondement des articles 1386-1 et suivants (bien que l'article 1792-7 ait été édicté postérieurement à l'article 1386-6).

(757) C'est ainsi qu'un boucher chevalin ayant vendu de la viande affectée par des larves de trichine a pu être considéré comme producteur au sens des articles 1386-6 et 1386-7 (Toulouse, 22 févr. 2000 : *JCP* 2000, II, 10429 et note Ph. Le Tourneau ; *Contrats, conc. consom.* 2001, comm. 52, obs. G. Raymond). – (Toulouse, 14 déc. 2004 : *JCP* 2005, IV, 2318. – Rappr. Cass. 1re civ., 15 mai 2007 : *D.* 2007, act. jurispr. p. 1593, obs. I. Gallmeister ; *JCP* 2007, IV, 2241.

Cette modification étant apparue insuffisante aux yeux de la Commission européenne pour répondre aux exigences de la directive, l'alinéa 1 de l'article 1386-7 a été à nouveau modifié par une loi du 5 avril 2006(758). Désormais, le professionnel fournisseur d'un produit dont le producteur ne peut être identifié ne peut être poursuivi sur le fondement de la responsabilité des producteurs que « s'il ne désigne pas son propre fournisseur ou le producteur, dans un délai de trois mois à compter de la date à laquelle la demande de la victime lui a été notifiée »(759).

En pareil cas, le fournisseur dont la responsabilité est recherchée par la victime peut exercer sur le même fondement un recours contre le producteur, dans l'année suivant la date de sa citation en justice (art. 1386-7, al. 2) ; ce qui suppose que le producteur prétendu inconnu soit en fait connu du vendeur qui a commercialisé son produit.

On peut se demander si cette condamnation par la Cour de justice des Communautés européennes ne pourrait pas s'étendre à l'importateur assimilé au producteur qui apparaît bien comme un « distributeur » au sens de cet arrêt ; il n'échapperait alors à la censure de la Cour européenne que dans l'hypothèse exactement visée par la directive.

725. - **Les professionnels incorporateurs.** La loi s'applique enfin à l'incorporateur, c'est-à-dire à celui qui incorpore une partie composante défectueuse dans un produit qu'il va commercialiser ; en pareil cas, si un dommage est causé par le défaut du produit incorporé, « le producteur de la partie composante et celui qui a réalisé l'incorporation sont solidairement responsables » (art. 1386-8). Cette disposition soulève des difficultés importantes dans le cas où le meuble a été incorporé dans un immeuble, car il faut alors concilier cette règle avec celle de l'article 1386-6, dernier alinéa, qui dénie la qualité de producteur aux constructeurs dont la responsabilité peut être recherchée sur le fondement des articles 1792 et suivants(760).

On peut penser que, à la différence d'un simple fournisseur, l'incorporateur est un producteur d'un produit dans lequel il intègre des parties composantes(761). En tout cas, il ne s'est pas attiré les foudres de la Cour de justice des Communautés européennes.

c) Quant aux dommages

726. - **Dommages à la personne et dommages autres que ceux causés au produit défectueux lui-même.** Allant plus loin que la directive transposée,

(758) L. Grynbaum, *Responsabilité du fait des produits défectueux : restriction de responsabilité pour les fournisseurs : JCP* 2006, act. 185. – Ph. Stoffel-Munck : *JCP* 2006, I, 166, n° 11. – P. Rémy-Corlay : *RTD civ.* 2006, p. 265. – Ph.-B. : *D.* 2006, pan. p. 1936. – P. Jourdain : *RTD civ.* 2006, p. 833.

(759) S'il a désigné son propre fournisseur ou le producteur, la responsabilité du fournisseur relèvera du droit commun, à ceci près que la jurisprudence écarte l'obligation de sécurité de résultat du vendeur professionnel, ce pour respecter la directive : Cass. 1re civ., 15 mai 2007 : *JCP* 2007, I, 185, n° 8, obs. Ph. Stoffel-Munck ; *Contrats, conc. consom.* 2007, comm. 233, obs. L. Leveneur ; *D.* 2007, act. jurispr. 1593, obs. I. Gallmeister ; *D.* 2007, pan. 2906, obs. Ph. Brun ; *RTD civ.* 2007, 580, obs. P. Jourdain ; *RDC* 2007, 1147, obs. J.-S. Borghetti. – Sur la difficulté d'identifier le producteur dans le délai de la prescription, V. CJUE, 2 déc. 2009, aff. C-358/08, *Aventis Pasteur* : *D.* 2010, 624 et note J.-S. Borghetti.

(760) Ph. Malinvaud, *La loi du 19 mai 1998 relative à la responsabilité du fait des produits défectueux et le droit de la construction* : *D.* 1999, 85. – A. Valdès, *L'incidence de la loi n° 98-389 du 19 mai 1998 relative à la responsabilité du fait des produits défectueux sur la responsabilité des constructeurs* : *Administrer* juill. 2000, n° 324, p. 8. – V. en faveur de l'application des articles 1386-1 et suivants à la responsabilité des fabricants à l'égard des maîtres d'ouvrage, C. Laronde-Clérac, *La nature toujours controversée de la responsabilité dans les chaînes contractuelles* : *Contrats, conc. consom.* 2003, chron. 6.

(761) E. Pourcel, *Des fabricants non constructeurs et de leurs responsabilités à l'égard du maître de l'ouvrage... : Constr.-Urb.* mars 2014, n° 3, étude 3.

l'article 1386-2 décidait que cette responsabilité particulière s'appliquait « à la réparation du dommage qui résulte d'une atteinte à la personne ou à un bien autre que le produit défectueux lui-même ». Peu importe donc que les biens endommagés soient des biens destinés à l'usage ou à la consommation privés (cas visé par la directive) ou des biens à caractère professionnel[(762)].

Cette extension a été critiquée par la Commission européenne, mais elle n'a été condamnée par l'arrêt de la Cour de justice des Communautés européennes du 25 avril 2002 que sur un point : la réparation des dommages à un bien autre que le produit défectueux en dessous de la limite de 500 € fixée par la directive. Pour se mettre en conformité avec la directive, l'article 1386-2 a été légèrement modifié : un premier alinéa vise la réparation du dommage qui résulte d'une atteinte à la personne, cependant que le second prévoit la réparation du dommage à un bien autre que le produit défectueux lui-même, mais au-delà d'un seuil à fixer par décret ; ce seuil a été fixé à 500 € par un décret du 11 février 2005.

Dans sa rédaction actuelle, l'article 1386-2 va encore au-delà de la directive qui visait « le dommage causé à une chose ou la destruction d'une chose, autre que le produit défectueux lui-même ». La Cour de cassation en a fait application au cas de vol d'effets personnels dans le coffre d'une voiture dont la fermeture avait été jugée défectueuse[(763)]. Et dans cette affaire la cour a appliqué la franchise de 500 € au visa de l'article 9, 1er alinéa sous *b)* de la directive, et non de l'article 1386-2 nouveau qui n'était pas encore applicable à la date des faits[(764)].

727. – **Exclusion des dommages causés au produit défectueux lui-même.** Sont écartés du domaine de la loi les dommages causés au produit défectueux lui-même, dommages dont la réparation relèvera du droit commun, c'est-à-dire le plus souvent de la garantie des vices cachés des articles 1641 et suivants du Code civil[(765)] ou de la nouvelle garantie de conformité du bien au contrat édictée par les articles L. 211-1 et suivants du Code de la consommation, ou encore de l'obligation de sécurité du vendeur professionnel[(766)].

Il en va de même désormais des dommages d'un montant inférieur à 500 € résultant d'une atteinte à un bien autre que le produit défectueux lui-même (C. civ., art. 1386-2, al. 2 nouveau).

(762) En réponse à une question posée par la Cour de cassation, la Cour de justice des Communautés européennes a répondu que « la directive ne fait pas obstacle à l'existence d'un régime de responsabilité, fondé lui aussi sur le défaut du produit, mais qui autorise contrairement au texte communautaire la réparation du dommage causé à une chose destinée à l'usage professionnel et utilisée pour cet usage ». – V. Cass. com., 24 juin 2008, *Bull. civ.* 2008, IV, n° 128 ; *D.* 2008, 2318 et note J.-S. Borghetti ; *RTD civ.* 2008, 685. – CJCE, 4 juin 2009 : *D.* 2009, 1731 et note Borghetti ; *RTD civ.* 2009, 738, obs. P. Jourdain. – Cass. com., 26 mai 2010, n° 07-11744.

(763) Cass. 1re civ., 3 mai 2006 : *RDC* 2006, p. 1239, obs. crit. J.-S. Borghetti.

(764) V. obs. P. Jourdain : *RTD civ.* 2007, p. 137.

(765) V. par ex. Cass. 1re civ., 9 juill. 2003 : *JCP* 2003, IV, 2565 (joints de mastic défectueux dont il n'était pas démontré qu'ils avaient causé un dommage à une personne ou à un bien autre que le produit défectueux lui-même).

(766) CJCE, 4 juin 2009, aff. C-285/08, *Moteurs Leroy Somer c/ Dakia France* : *JCP* 2009, n° 27, 82 et note P. Jourdain ; *D.* 2009, 1731 et note J.-S. Borghetti ; *RDC* 2009, 1381, obs. G. Viney ; *RDC* 2009, 1448, obs. C. Aubert de Vincelles ; *RTD civ.* 2009, 738, obs. P. Jourdain. – Cass. com., 26 mai 2010 : *D.* 2010, 2628 et note J.-S. Borghetti ; *RTD civ.* 2010, 787, obs. P. Jourdain ; *RDC* 2010, 1262, obs. S. Carval. – J. Rochfeld, *Les ambiguïtés des directives d'harmonisation totale : la nouvelle répartition des compétences communautaire et interne* : *D.* 2009, chron. 2047. – O. Gout : *D.* 2010, 55.

2° Régime de la responsabilité

728. – **Responsabilité de plein droit et preuve à rapporter.** À propos des causes d'exonération, l'article 1386-11 énonce que « le producteur est responsable de plein droit à moins qu'il ne prouve... ». De cette formule on pourrait conclure qu'il s'agit d'une présomption de responsabilité ; cette conclusion doit toutefois être relativisée dans la mesure où l'article 1386-9 décide que « le demandeur doit prouver le dommage, le défaut et le lien de causalité entre le défaut et le dommage »(767).

L'obligation de prouver le dommage et le lien de causalité existe également en droit commun, même en présence d'une présomption de responsabilité. L'originalité tient ici à l'obligation de prouver le défaut du produit, c'est-à-dire qu'il « n'offre pas la sécurité à laquelle on peut légitimement s'attendre ».

Suivant les cas, le demandeur devra donc prouver soit le vice caché du produit (comme pour l'application des articles 1641 et suivants), soit l'inadéquation entre les caractéristiques du produit et l'attente légitime de sécurité, soit encore le lien de causalité(768). À cet égard, le lien de causalité est insuffisant s'il y a eu plusieurs causes cumulatives(769). Fort heureusement, la jurisprudence se montre en général favorable aux victimes, spécialement aux victimes de médicaments et de vaccins quant à l'administration de la preuve(770). S'agissant du contentieux de la vaccination contre l'hépatite B et les cas de sclérose en plaques, la Cour de cassation a jugé que l'absence de preuve d'un lien de causalité scientifique n'exclut pas l'existence d'une causalité juridique établie au moyen d'indices précis, graves et concordants, présomptions du fait de l'homme de l'article 1353 du Code civil(771). L'existence d'indices précis, graves et concordants établissant le lien de causalité vaut également pour la condition relative au défaut(772). Il faut regretter que la rigueur de l'appréciation de ces indices varie, sans grande cohérence, selon les affaires(773). Une nouvelle condition semble avoir fait son apparition. À côté de la preuve du défaut et du lien de causalité, certains arrêts de la Cour de cassation exigent la preuve d'une condition préalable implicite nécessaire à l'exclusion éventuelle d'autres causes possibles du dommage : la participation

(767) Toutefois, la jurisprudence a décidé qu'une telle preuve peut résuter de présomptions pourvu qu'elles soient graves, précises et concordantes : Cass. 1re civ., 24 janv. 2006 : *Bull. civ.* 2006, I, n° 35. – Cass. 1re civ., 22 mai 2008 : *Bull. civ.* 2008, I, n° 147 ; *D.* 2008, 1544, obs. I. Gallmeister ; *RTD civ.* 2008, 492. – V. aussi Rapp. C. cass. 2009, p. 411.

(768) Défaut de preuve de la causalité entre l'injection d'un vaccin contre l'hépatite B et le déclenchement d'une sclérose en plaques : Cass. 1re civ., 23 sept. 2003 : *JCP* 2003, II, 10179, note N. Jonquet, A.-C. Maillols, D. Mainguy et E. Terrier ; *D.* 2004, 898, note Y.-M. Serinet et R. Mislawski ; *LPA* 16 janv. 2004, p. 14 et note A. Gossement ; *LPA* 22 avr. 2004 et note G. Mémeteau ; *JCP* 2004, I, 101, nos 23 et s., obs. G. Viney ; *D.* 2004, somm. 1345, obs. D. Mazeaud. – Cass. 1re civ., 24 janv. 2006 : *JCP* 2006, II, 10082, 2e esp. et note L. Grynbaum. – V. aussi F. Paul, *La sécurité des produits et les affres de la causalité : Contrats, conc. consom.* 2003, repère 10. – Cass. 1re civ., 25 nov. 2010, n° 09-16556. – F. Paul, *La causalité en matière de produits défectueux : une question de pur droit interne ou tributaire de l'harmonisation totale ? : Contrats, conc. consom.* 2004, chron. 2.

(769) Cass. 1re civ., 22 oct. 2009, n° 08-15.171 ; *Contrats, conc. consom.* 2010, comm. 61, obs G. Raymond ; *RDC* 2010, p. 619, obs. J.-S. Borghetti.

(770) G. Viney, *La responsabilité des fabricants de médicaments et de vaccins : les affres de la preuve : D.* 2010, chron. 391. – Cass. 1re civ., 9 juill. 2009 : *D.* 2010, 50, obs. Ph. Brun ; *JCP* 2009, 308 et note P. Sargos ; *RDC* 2010, 79, obs. J.-S. Borghetti.

(771) Cass. 1re civ., 22 mai 2008, n° 06-10.967 : JurisData n° 2008-043968 ; *Bull. civ.* 2008, I, n° 149 ; JCP G 2008, I, 186, n° 6, obs. Ph. Stoffel-Munck.

(772) Cass. 1re civ., 10 juill. 2013, n° 12-21314 ; *D.* 2013, p. 2312, note Ph. Brun (note approbative) ; *D.* 2013, p. 2315, note J.-S. Borghetti (note critique). – O. Gout, *De la preuve du lien de causalité à celle de la défectuosité dans le contentieux de la vaccination contre l'Hépatite B : RLDC* 2012/99, n° 4888.

(773) Car la question relève de l'appréciation souveraine des juges du fond, V. not. Cass. 1re civ., 26 sept. 2012, préc.

du produit à la survenance du dommage. Cette condition vient compliquer l'action des victimes[774].

729. – Causes d'exonération de droit commun. En droit commun, la responsabilité est écartée en tout ou en partie en cas de force majeure, de faute de la victime, et de fait d'un tiers.

La loi nouvelle ne cite pas expressément la *force majeure*, mais elle en retient deux applications qui figurent dans les causes spécifiques d'exonération : l'ordre de la loi (art. 1386-11, 5°) et le risque de développement (art. 1386-11, 4°). Bien que la liste apparaisse limitative, on peut se demander si cela interdit au juge de retenir comme exonératoire tout autre cas de force majeure ; mais c'est peut-être là une question d'école.

Suivant l'article 1386-14, le *fait d'un tiers* n'est pas une cause d'exonération de la responsabilité du producteur : « La responsabilité du producteur envers la victime n'est pas réduite par le fait d'un tiers ayant concouru à la réalisation du dommage. » Cela dit, l'article 1386-14 vise le cas où le dommage a été causé cumulativement par le défaut du produit et par le fait du tiers ; la solution serait différente, et il pourrait y avoir exonération si le producteur démontrait que le dommage n'est nullement dû à un défaut de son produit, mais au seul fait d'un tiers. D'ailleurs l'article 1386-11 en fournit lui-même un exemple lorsqu'il permet au producteur d'une partie composante de s'exonérer en démontrant que le défaut n'est pas dû à lui, mais à l'incorporateur.

Quant à la *faute de la victime*, l'article 1386-13 en fait une cause d'exonération, tout en laissant au juge une large marge d'appréciation : « La responsabilité du producteur peut être réduite ou supprimée, compte tenu de toutes les circonstances, lorsque le dommage est causé conjointement par un défaut du produit et par la faute de la victime ou d'une personne dont la victime est responsable. »

Enfin, confirmant la solution du droit commun, l'article 1386-10 rappelle que n'est pas une cause d'exonération le fait « que le produit a été fabriqué dans le respect des règles de l'art ou de normes existantes ou qu'il a fait l'objet d'une autorisation administrative ».

730. – Causes d'exonération spécifiques. Six causes d'exonération figurent à l'article 1386-11. Cinq d'entre elles n'appellent pas de commentaire particulier : « Le producteur est responsable de plein droit à moins qu'il ne prouve : »

– « 1° Qu'il n'avait pas mis le produit en circulation ; »

– « 2° Que, compte tenu des circonstances, il y a lieu d'estimer que le défaut ayant causé le dommage n'existait pas au moment où le produit a été mis en circulation par lui ou que ce défaut est né postérieurement ; »

– « 3° Que le produit n'a pas été destiné à la vente ou à toute autre forme de distribution[775] ; »

(774) Cass. 1re civ., 29 mai 2013, n° 12-20903, FS-P+B+I. – A. Gorny et M. Merckx, *Imputabilité et responsabilité du fait des produits de santé : rien de nouveau sous le soleil ?* : *JCP E* n° 38, 19 sept. 2013, 1517.

(775) Cette cause d'exonération est l'application de l'article 7, sous *c)*, de la directive. Sur ce point, l'arrêt de la Cour de justice des Communautés européennes du 10 mai 2001 a jugé, à propos d'un produit utilisé pour perfuser un rein avant sa transplantation, que l'article 7, sous *c)*, « doit être interprété en ce sens que l'exonération de responsabilité pour absence d'activité dans un but économique ou d'activité professionnelle ne s'applique pas au cas d'un produit

– « 5° Ou que le défaut est dû à la conformité du produit avec des règles impératives d'ordre législatif ou réglementaire. » Cette dernière cause était, comme celle attachée au risque de développement, subordonnée par l'article 1386-12, alinéa 2, à une obligation de suivi qui a été condamnée par la Cour de justice des Communautés européennes et qui a été en conséquence supprimée par la loi du 9 décembre 2004. »

– « Le producteur de la partie composante n'est pas non plus responsable s'il établit que le défaut est imputable à la conception du produit dans lequel cette partie a été incorporée ou aux instructions données par le producteur de ce produit. »

731. – **Causes d'exonération spécifiques (suite) : le risque de développement.** Beaucoup plus intéressante est la quatrième cause visée par l'article 1386-11 : « 4° Que l'état des connaissances scientifiques et techniques, au moment où il a mis le produit en circulation, n'a pas permis de déceler l'existence d'un défaut. » En bref, le risque de développement est une cause d'exonération de la responsabilité du fait des produits défectueux[(776)].

Suivant la Cour de justice des Communautés européennes, l'appréciation du risque de développement doit être faite « en considération de l'état objectif des connaissances scientifiques et techniques dont le producteur est présumé être informé ; ce dernier aspect laisse subsister des difficultés d'interprétation que, en cas de litige, le juge national devra trancher en faisant, le cas échéant, usage de l'article 177 du traité CE »[(777)].

Un premier arrêt s'est montré plus sévère en considérant, à propos d'un boucher chevalin ayant vendu de la viande affectée de trichinose, que l'appréciation des connaissances scientifiques et techniques devait être faite de façon *purement objective*, sans tenir compte des qualités et des aptitudes du producteur, et que l'état de ces connaissances était celui situé au niveau mondial le plus avancé tel qu'il existait au moment où le produit en cause avait été mis en circulation[(778)]. Ceci étant, eu égard à la nouvelle rédaction de l'article 1386-7, alinéa 1er, un boucher ne serait pas considéré comme un producteur, sauf si ce dernier ne peut être identifié et si le boucher ne désigne pas « son propre fournisseur ou le producteur, dans un délai de trois mois à compter de la date à laquelle la demande de la victime lui a été notifiée » ; c'est dire qu'il incombera aux vendeurs de s'assurer de l'origine exacte des produits qu'ils commercialisent, ce qui risque de s'avérer parfois difficile pour ce qui est de la chaîne alimentaire.

défectueux qui a été fabriqué et utilisé dans le cadre d'une prestation médicale concrète qui est entièrement financée par des fonds publics et pour laquelle le patient ne doit verser aucune contrepartie » (CJCE, 5e ch., 10 mai 2001 : *D.* 2001, 3065 et note P. Kayser ; *JCP* 2002, II, 10141 et note H. Gaumont-Prat).

(776) Sur l'application dans le temps de cette cause d'exonération, V. Ph. Stoffel-Munck : *JCP* 2007, I, 185, n° 7, et Cass. 1re civ., 15 mai 2007 : *Bull. civ.* 2007, I, n° 185 ; *RDC* 2007, 1147, obs. J.-S. Borghetti. – V. également Cass. 1re civ., 15 mai 2007 : *D.* 2007, act. jurispr. p. 1592, obs. I. Gallmeister ; *JCP* 2007, IV, 2242 et Cass. 1re civ., 9 juill. 2009 : *Contrats, conc. consom.* 2009, comm. 261, obs. L. Leveneur (qui, après avoir rappelé que le juge national était tenu d'interpréter son droit interne à la lumière du texte et de la finalité de la directive, y met une limite dans l'hypothèse où la directive laisse à l'État membre une faculté d'option, ce qui est précisément le cas du risque de développement).

(777) CJCE, 29 mai 1997 : *D.* 1998, 488 et note A. Penneau.

(778) Toulouse, 22 févr. 2000, préc.

En toute hypothèse, la loi nouvelle est moins protectrice des intérêts de la victime que le droit commun, c'est-à-dire en fait la jurisprudence qui, le plus souvent, écarte le risque de développement comme cause d'exonération[779]. Ainsi la victime aura meilleur compte à invoquer le droit commun plutôt que la loi nouvelle, option que lui permet l'article 1386-18. Il reste toutefois à se demander si ce droit commun jurisprudentiel ne tombe pas sous le coup de la condamnation de l'arrêt de la Cour de justice des Communautés européennes du 25 avril 2002 (V. *supra*, n° 718).

L'article 1386-12 met une limite à l'admission du risque de développement. Cette cause d'exonération est écartée « lorsque le dommage a été causé par un élément du corps humain ou par les produits issus de celui-ci », exception qui vise notamment l'hypothèse du Sida d'origine transfusionnelle.

En revanche, la seconde limite édictée par l'article 1386-12, alinéa 2, tenant au respect par le producteur d'une obligation de suivi de ses produits a été condamnée par l'arrêt de la Cour de justice des Communautés européennes du 25 avril 2002 (V. *supra*, n° 719) et supprimée par la loi du 9 décembre 2004.

732. – **Les clauses relatives à la responsabilité.** L'article 1386-15 pose en son alinéa 1er le principe que « les clauses qui visent à écarter ou à limiter la responsabilité du fait des produits défectueux sont interdites et réputées non écrites ». Mais l'alinéa 2 y apporte immédiatement une exception en décidant que : « pour les dommages causés aux biens qui ne sont pas utilisés par la victime principalement pour son usage ou sa consommation privée, les clauses stipulées entre professionnels sont valables. »

Il faut donc distinguer suivant que la victime, dont on rappellera qu'elle peut ne pas être le cocontractant du producteur, est ou non un professionnel.

Si elle est un profane, et notamment un consommateur, la clause limitative ne s'appliquera pas parce qu'elle sera réputée non écrite. À cet égard, la règle fait doublon avec celle de l'article R. 132-1, 6°, du Code de la consommation qui déclare abusive « la clause ayant pour objet ou pour effet (...) de supprimer ou de réduire le droit à réparation du non-professionnel ou consommateur en cas de manquement par le professionnel à l'une quelconque de ses obligations. »

Si la victime est un professionnel, la clause relative à la responsabilité s'appliquera, mais seulement pour les dommages causés aux biens utilisés à des fins autres que l'usage et la consommation privée. Cette solution quelque peu complexe semble en lien avec la notion jurisprudentielle de consommateur, tout professionnel étant considéré comme consommateur sauf pour les « contrats de fournitures de biens ou de services qui ont un rapport direct avec [son] activité professionnelle » (V. *supra*, n° 336).

733. – **Prescription.** Suivant en cela fidèlement la directive, la loi instaure deux délais[780] qu'une décision de la Cour européenne des droits de l'homme du 11 mars 2014 pourraient remettre en question spécialement en présence d'un médicament

(779) V. O. Berg, *La notion de risque de développement en matière de responsabilité du fait des produits défectueux* : JCP 1996, I, 3945. – P. Oudot, *Le risque de développement. Contribution au maintien du droit à réparation* : éd. Univ. Dijon, 2005. – V. par ex. Cass. 1re civ., 9 juill. 1996, 2e esp. : D. 1996, 610 et note Y. Lambert-Faivre (arrêt rendu avant transposition de la directive et qui écarte le risque de développement comme cause d'exonération).

(780) R. Wintgen, *La mise en œuvre de la technique du double délai de prescription extinctive* : RDC 2007, 907.

défectueux[781]. Le délai de péremption de dix ans pourrait être jugé insuffisant pour garantir l'effectivité du droit d'accès au juge lorsqu'il s'agit de médicaments défectueux.

D'une part, l'article 1386-17 édicte un *délai de prescription* de l'action en réparation : « L'action en réparation fondée sur les dispositions du présent titre se prescrit dans un délai de trois ans à compter de la date à laquelle le demandeur a eu ou aurait dû avoir connaissance du dommage, du défaut et de l'identité du producteur »[782]. On observera à cet égard qu'en matière de garantie des vices cachés, le délai est de deux ans à compter de la découverte du vice (art. 1648). C'est parfois à l'issue d'une expertise judiciaire que la connaissance du défaut est établie et constitue le point de départ du délai de trois ans[783].

D'autre part, les auteurs de la directive ont considéré que la sévérité du régime de responsabilité imposé au producteur devait être compensée par une limitation dans le temps, alors surtout que nombre de produits perdent inéluctablement leurs qualités avec le temps. D'où la règle de l'article 1386-16 suivant laquelle « sauf faute du producteur, la responsabilité de celui-ci (le producteur), fondée sur le présent titre, est éteinte dix ans après la mise en circulation du produit même qui a causé le dommage à moins que, durant cette période, la victime n'ait engagé une action en justice ». Il s'agit là d'une sorte de *délai de forclusion*. Autrement dit, si le défaut apparaît plus de dix ans après la mise en circulation (V. *supra*, n° 722) (ou si la victime n'exerce pas son action dans ce délai), la responsabilité du producteur ne peut plus être recherchée sur le fondement des articles 1386-1 et suivants[784] ; en revanche, elle peut encore l'être sur le fondement de la responsabilité de droit commun, à supposer que la prescription de l'article 1648 (ou celle de l'article 2224) ne soit pas acquise.

Cette possibilité de recourir au droit commun rend sans intérêt la réserve « sauf faute du producteur » exprimée par l'article 1386-16.

734. - **Solidarité et recours.** Lorsque la loi désigne plusieurs responsables pour le même dommage ceux-ci sont tenus *in solidum* à l'égard de la victime, conformément au droit commun. En l'occurrence, la responsabilité *in solidum* aurait pu s'appliquer au cas où le producteur et le fournisseur auraient été tenus responsables ; mais cette situation ne devrait pas se rencontrer, le fournisseur ayant été écarté de la liste des responsables par l'arrêt de la Cour de justice des Communautés européennes du 25 avril 2002 et par les lois du 9 décembre 2004 et du 5 avril 2006 (V. *supra*, n°s 719 et 724). En revanche, dans le cas d'un dommage causé par le défaut d'un produit incorporé dans un autre, l'article 1386-8 prévoit que le producteur et l'incorporateur seront tenus *solidairement*.

(781) CEDH, *Howald Moor et a. c/ Suisse*, 11 mars 2014, n° 52067/10 et 41072/11. Sur cette décision, J.-S. Borghetti, *La conformité aux droits fondamentaux des délais de prescription des actions en responsabilité civile : D.* 2014, p. 1019.

(782) Pour un dommage survenu avant l'entrée en vigueur de la loi du 19 mai 1998, Cass. 1re civ., 26 sept. 2012, n° 11-18.117, P+B+I : JurisData n° 2012-021497 ; Resp. civ. et assur. 2012, comm. 338, A. Guégan : « l'action en responsabilité extracontractuelle dirigée contre le fabricant d'un produit défectueux mis en circulation avant la loi n° 98-389 du 19 mai 1998 transposant la directive du 24 juillet 1985, en raison d'un dommage survenu entre l'expiration du délai de transposition de cette directive et l'entrée en vigueur de ladite loi de transposition, se prescrit, selon les dispositions de droit interne alors en vigueur, par dix ans à compter de la manifestation du dommage ».

(783) Cass. 1re civ., 10 juill. 2013, n° 12-23.499, FD ; *RTD com.* 2013, p. 798, obs. B. Bouloc ; *LPA* 26 févr. 2014, n° 41, p. 13, note N. Haoulia.

(784) CJUE, 2 déc. 2009, aff. C-358/08 : *D.* 2010, 624, note J.-S. Borghetti ; *JCP* 2010, 268, note V.-A. Christianos ; *RTD civ.* 2010, 340, obs. P. Jourdain.

La loi règle également, dans l'article 1386-7, le recours du fournisseur contre le producteur ; ce recours sera fondé sur la responsabilité de plein droit édictée par les articles 1386-1 et suivants en faveur de la victime, mais il devra être exercé « dans l'année suivant la date de sa citation en justice ». En pratique un tel recours devrait être exceptionnel puisque le fournisseur n'est tenu que dans l'hypothèse où le producteur ne peut être identifié : comment pourrait-on poursuivre un producteur non identifié ?

Les autres recours seront régis par le droit commun, notamment ceux entre le producteur de l'ensemble et celui de la partie composante, qui susciteront probablement d'importantes difficultés.

Bien que le Projet Catala n'ait pas apporté de retouches au régime de la responsabilité du fait des produits défectueux, ses rédacteurs ont néanmoins pensé que l'article 1348 pourrait être invoqué dans l'hypothèse où un produit étant commercialisé par plusieurs entreprises, il est impossible de déterminer laquelle a vendu le produit défectueux[(785)]. Ce texte prévoit en effet que lorsque le dommage est causé par un membre indéterminé d'un groupe, tous en sont solidairement responsables sauf à prouver qu'ils ne peuvent en être l'auteur.

SOUS-SECTION 3

LE LIEN DE CAUSALITÉ

735. – L'exigence d'un lien de causalité. L'exigence d'un *lien de causalité* – ou *de cause à effet* – entre le fait et le dommage est une condition de bon sens[(786)]. Elle n'est d'ailleurs qu'implicitement rappelée par les textes, lorsque ceux-ci parlent du dommage *causé* par le fait personnel, ou le fait d'autrui, ou le fait des choses. Chacun est donc responsable du dommage qu'il cause, et de celui-là seulement[(787)].

C'est ce que rappelle l'avant-projet de réforme dans son article 1347 : « La responsabilité suppose établi un lien de causalité entre le fait imputé au défendeur et le dommage »[(788)].

Cela dit, les circonstances dans lesquelles est survenu un dommage ne sont pas toujours très claires. Plusieurs personnes ont pu être impliquées, plusieurs choses ont pu intervenir, entre lesquelles il va falloir choisir ou partager.

En pratique, le problème de la causalité, comme le dommage et le fait dommageable, se pose en des termes de preuve. C'est en principe à la victime qu'il appar-

(785) G. Viney, *Avant-projet de réforme du droit des obligations et de la prescription* : La Documentation française, 2006, p. 161.

(786) Même en présence d'une obligation de résultat allégée, la victime doit prouver le lien de causalité, V. à propos du garagiste réparateur, Cass. 1re civ., 31 oct. 2012, n° 11-24324.

(787) G. Marty, *La relation de cause à effet comme condition de la responsabilité civile* : *RTD civ.* 1939, 685. – A. Joly, *Vers un critère juridique du rapport de causalité au sens de l'art. 1384, al. 1er, C. civ.* : *RTD civ.* 1942, 257. – P. Esmein, *Le nez de Cléopâtre ou les affres de la causalité* : *D.* 1964, chron. 205. – F. Chabas, *Bilan de quelques années de jurisprudence en matière de rôle causal* : *D.* 1970, chron. 113. – R. Barrot et B. Nicourt, *Le lien de causalité*, Masson, 1986. – Y. Lambert-Faivre, *De la poursuite à la contribution : quelques arcanes de la causalité* : *D.* 1992, chron. 311. – G. Canselier, *De l'explication causale en droit de la responsabilité civile délictuelle* : *RTD civ.* 2010, 41.

(788) La référence formelle à cette condition est même définie dans le Projet Fr. Terré (art. 10, al. 1er : « Constitue la cause du dommage tout fait propre à le produire selon le cours ordinaire des choses et sans lequel il ne serait pas advenu (...) »). Le projet de réforme du 26 juillet 2012 ne prévoit aucune définition mais se réfère à cette condition (art. 8).

tient de rapporter cette preuve en matière de responsabilité du fait personnel[(789)] ; au contraire, la causalité est présumée dès l'instant qu'une chose est intervenue dans la production d'un dommage.

Mais, dans la réalité judiciaire, chacun prouve ce qu'il peut. À supposer qu'un litige soit circonscrit sur ce point, l'un cherchera à établir la causalité (§ 1), l'autre tentera d'y échapper en démontrant que le dommage est dû, en tout ou en partie, à une cause étrangère (§ 2).

§ 1. – Définition et preuve de la causalité

736. – Il est impossible de définir de manière abstraite et mathématique le lien de causalité parce qu'il s'y mêle toujours des considérations de fait ou d'opportunité morale[(790)]. En vérité, un dommage est toujours dû à une conjonction fâcheuse de plusieurs causes entre lesquelles le juge est invité à choisir[(791)]. À cet égard, il aura une tendance naturelle à trouver la causalité du côté où est la faute : la faute montre du doigt le responsable ; mais ce guide ne lui sera plus d'aucune utilité dans les cas de responsabilité sans faute et, en particulier, de responsabilité du fait des choses.

Celui qui doit faire la preuve du lien de causalité peut rencontrer deux types de problèmes, suivant que le dommage est dû à plusieurs causes concomitantes ou à plusieurs causes successives[(792)].

A. – Pluralité de causes concomitantes

737. – **Causalité adéquate ou équivalence des conditions ?** De manière imagée, on peut dire que tout dommage résulte d'une rencontre de deux personnes, ou de deux événements, ou de deux choses, ou d'une personne et d'une chose, etc. Par exemple, un passager attendant son train au bord du quai est effrayé par deux jeunes voyous se battant un peu plus loin et, faisant un écart tombe sur la voie au moment où le train arrive. Il y a ici conjonction de plusieurs facteurs : les deux jeunes voyous qui se rencontrent et se battent sur le quai, le passager qui prend peur et chute sur la voie, et le train qui survient au même moment.

Parmi ces causes possibles, le juge doit-il choisir, et dans l'affirmative, comment ? En l'absence de texte précisant un critère, la doctrine a dégagé deux conceptions possibles : la causalité adéquate et l'équivalence des conditions.

---

(789) V. par ex. Cass. 1re civ., 20 mars 2014, PB, n° 13-12287 (exigence pour la responsabilité du notaire d'un lien de causalité entre le manquement au devoir d'assurer l'efficacité de l'acte instrumenté et le préjudice).

(790) E. G'Sell-Macrez, *Recherches sur la notion de causalité dans la responsabilité juridique* : thèse Paris I, 2005 ; *Les distorsions du lien de causalité en droit de la responsabilité*, colloque 15-16 déc. 2006, Rennes : *Rev. Lamy dr. civ.* juill.-août 2007, suppl. – J. Fischer, *Causalité, imputation, imputabilité : les liens de la responsabilité civile*, in *Mél. Ph. Le Tourneau* : Dalloz, 2007, p. 383. – C. Radé, *Les présomptions d'imputabilité en droit de la responsabilité civile*, in *Mél. Ph. Le Tourneau* : Dalloz, 2007, p. 885. – C. Quezel-Ambrunaz, *Essai sur la causalité en droit de la responsabilité civile* : Dalloz, coll. « Bibl. thèses », t. 99, 2010. – Th. Fossier et Fr. Lévêque, *Le « presque vrai » et le « pas tout à fait faux » : probabilités et décision juridictionnelle* : *JCP G* 2 avr. 2012, n° 14, doctr. 427.

(791) V. not. P. Thieffry, *La causalité, enjeu ultime de la responsabilité environnementale et sanitaire* : *Env.* juill. 2013, n° 7, étude 18.

(792) P. Esmein, *Trois problèmes de responsabilité civile : causalité, concours de responsabilités, conventions d'irresponsabilité* : *RTD civ.* 1934, 317. – F. Chabas, *L'influence de la pluralité de causes sur le droit à réparation* : thèse Paris, 1965.

La *théorie de l'équivalence des conditions* consiste à placer sur un pied d'égalité toutes les conditions qui ont concouru à la production du dommage et à dire que chacune d'entre elles a été la cause du dommage. Elle repose sur cette constatation très simple que, si l'une des conditions avait manqué, le dommage ne se serait pas produit ; on en déduit que, objectivement, toutes les conditions sont équivalentes[793]. Cette théorie conduit à ouvrir très largement l'éventail des responsables potentiels : dans l'exemple choisi, le piéton, les deux jeunes voyous et la SNCF.

La théorie de la causalité adéquate consiste à retenir, parmi les causes, la *cause génératrice* du dommage, c'est-à-dire l'événement qui était de nature à produire normalement le dommage et qui a joué un rôle prépondérant dans sa réalisation : dans l'exemple choisi, les deux jeunes voyous qui ont eu un comportement anormal[794].

On enseigne généralement que les décisions recherchent le plus souvent la cause génératrice du dommage et que, de ce fait, elles consacrent implicitement la théorie de la causalité adéquate. En fait, les juges ne font presque jamais[795] référence à l'une ou à l'autre théorie, probablement de manière à se laisser la plus grande marge possible d'appréciation. Il s'ensuit que, si certaines décisions semblent s'inspirer de la causalité adéquate, d'autres retiendront comme équivalentes les diverses causes possibles[796]. En pratique, tout dépend des circonstances et de l'appréciation ponctuelle qu'en fera le juge[797].

738. – Cas où la causalité peut être établie. En ce qui concerne la preuve, la causalité peut être établie par de simples présomptions, à la condition qu'elles soient précises et concordantes[798]. Si la causalité est établie à l'égard d'un seul, c'est celui-là seulement qui sera tenu pour responsable[799] ; si c'est la victime, elle conservera l'entier dommage à sa charge.

Si elle est établie à l'égard de plusieurs qui ont contribué à causer le même dommage à un tiers, le tribunal condamnera les coresponsables *in solidum*[800] ; il s'en-

(793) Sur la question du lien de causalité entre un rapport d'expertise judiciaire homologué erroné et le dommage, H. Heugas-Darraspen, *Quelle responsabilité civile délictuelle pour un expert judiciaire dont le rapport a été homologué ?* : *AJDI* 2013, p. 448.

(794) La notion de causalité adéquate n'est pas utilisée mais celle de cause directe en est parfois la traduction, V. par ex. Cass. com., 22 mai 2013, n° 12-22843 : Dalloz actualité 22 mai 2013, obs. X. Delpech (soutien abusif de crédit sous l'ancien régime antérieur à la loi du 26 juillet 2005). – Adde, Cass. 2e civ., 15 mars 2012, n° 10-15503 et Cass. 1re civ., 22 mars 2012, n° 11-11237 : *RDC* 1er juill. 2012, n° 3, p. 813, obs. S. Carval.

(795) Pour un arrêt se référant à la théorie de l'équivalence des conditions, V. : Cass. 2e civ., 27 mars 2003 : *Bull. civ.* 2003, II, n° 76 ; *JCP* 2003, IV, 1935 ; *JCP* 2004, I, 101, n° 13, obs. G. Viney.

(796) V. par ex. Cass. soc., 31 oct. 2002 : *D.* 2003, 644 et note Y. Saint-Jours, qui retient la responsabilité de l'employeur pour faute inexcusable, même si elle n'a pas été la cause déterminante de l'accident, dès l'instant qu'elle en a été une cause nécessaire et alors même que d'autres fautes auraient concouru au dommage. V. aussi *infra*, n° 740 et les références citées en note.

(797) Cass. 2e civ., 28 avr. 2011 : *RTD civ.* 2011, 538, obs. P. Jourdain.

(798) Cass. 1re civ., 22 mai 2008 : *D.* 2008, 1544, obs. I. Gallmeister ; *RTD civ.* 2008, 492, obs. P. Jourdain. – À propos de la vaccination contre l'hépatite B, éventuelle cause de maladies dégénératives : Cass. 1re civ., 25 juin 2009 : *D.* 2009, act. jurispr. 1895 ; *RTD civ.* 2009, 723, obs. P. Jourdain. – V. en revanche Cass. 1re civ., 22 janv. 2009 : *JCP* 2009, II, 10031, obs. P. Sargos ; *RTD civ.* 2009, 329, obs. P. Jourdain ; *RDC* 2009, 1028, obs. O. Deshayes. Sur le lien de causalité entre la vaccination contre l'hépatite B et la survenance de la sclérose en plaques : Cass. 1re civ., 25 nov. 2010 : *D.* 2010, 2909, obs. I. Gallmeister. – Ph. Brun, *Raffinements ou faux-fuyants ? Pour sortir de l'ambiguïté dans le contentieux du vaccin contre le virus de l'hépatite B (à propos d'un arrêt de la Cour de cassation du 25 novembre 2010)* : *D.* 2011, 316. – V. aussi J.-S. Borghetti : *RDC* 2008, 1186.

(799) V. par ex. la causalité établie (ou plutôt présumée) de la contamination par l'hépatite C à la suite de transfusions sanguines, lorsque la victime ne présente aucun mode de contamination qui lui soit propre : Cass. 1re civ., 9 mai 2001 : *D.* 2001, 2150 et rapp. P. Sargos. – Cass. 1re civ., 17 juill. 2001 : *JCP* 2001, IV, 2731. – Cass. 1re civ., 10 juill. 2002 : *Contrats, conc. consom.* 2002, comm. 171 et note L. Leveneur. – V. Y. Lambert-Faivre, *L'hépatite C post-transfusionnelle et la responsabilité civile* : *D.* 1993, chron. 291. – V. aussi Cass. 1re civ., 24 janv. 2006, 2 arrêts : *Resp. civ. et assur.* 2006, comm. 89 et 90, obs. C. Radé ; *RTD civ.* 2006, p. 323, obs. P. Jourdain.

(800) Cass. 2e civ., 28 juin 2007 : *D.* 2007, act. jurispr. p. 2031. – F. Chabas, *L'influence de la pluralité des causes sur le droit à réparation* : LGDJ, coll. « Droit privé », 1967. – F. Chabas, *Remarques sur l'obligation* in solidum : *RTD civ.*

suit que la victime pourra s'adresser pour le tout à l'un des responsables, lequel fera son affaire des recours contre les autres(801). L'obligation *in solidum* ne joue toutefois que dans le cas où un dommage unique est dû à l'action conjuguée et indissociable des co-auteurs, chacun ayant contribué à causer le dommage dans son entier(802) ; il en va différemment dans le cas, par exemple, où plusieurs désordres affectant le même bien sont attribuables distinctement à l'action des divers co-auteurs(803). Le Projet Catala prévoit en ce sens des dispositions relatives à l'incidence de la pluralité de responsables (art. 1378 et 1378-1)(804).

Enfin, la responsabilité peut aussi être partagée entre l'auteur et la victime du dommage s'ils ont l'un et l'autre participé à sa production ; en pratique, ce partage se traduira par une indemnisation partielle, la victime conservant à sa charge la part de dommage qui lui est imputable.

739. – **Cas où la causalité ne peut être établie.** À l'inverse, il peut arriver que la causalité soit impossible à établir avec certitude. L'exemple-type est celui de l'accident de chasse lorsque plusieurs chasseurs ont tiré en même temps et que le plomb reçu par la victime n'a pas pu être identifié. Pour assurer néanmoins l'indemnisation de la victime dans ces accidents de groupe, les tribunaux admettent volontiers l'idée soit d'une mauvaise organisation de la chasse ou du jeu, soit d'une garde en commun et donc d'une responsabilité collective(805) (V. *supra*, n° 677). S'agissant des accidents de chasse, le problème a perdu de son acuité depuis la création d'un fonds de garantie (D. 19 févr. 1968).

La question se pose également pour les dommages causés par des vaccins ou, plus généralement, par des médicaments dangereux(806). Elle s'est notamment posée pour les victimes du distilbène qui était produit par deux laboratoires différents ; la Cour de cassation a ici donné satisfaction aux victimes en renversant la charge de la preuve de

1967, 310. – P. Raynaud, *La nature de l'obligation des coauteurs d'un dommage. Obligation* in solidum *ou solidarité ?*, in *Mél. Vincent*, p. 317. – M. Mignot, *Les obligations solidaires et les obligations* in solidum *en droit privé français* : Dalloz, 2002.

(801) Cass. 2e civ., 23 avr. 1971 : *JCP* 1972, II, 17086, 3e esp., obs. J. Boré. – J. Boré, *Le recours entre co-obligés* in solidum : *JCP* 1967, I, 2126. – Ce recours soulève des difficultés particulières en matière d'accidents du travail : B. Lambert, *La solidarité des auteurs d'accidents du travail. Un revirement de la Cour suprême (Cass. ass. plén. 22 déc. 1988)* : *Gaz. Pal.* 1989, doctr. 401. – N. Dejean de la Bâtie, *La responsabilité du tiers coauteur d'un accident du travail* : *JCP* 1989, I, 3402. – H. Groutel, *Les recours entre coauteurs (suite et fin ?), Cass. ass. plén. 31 oct. 1991* : *D.* 1992, chron. 19. – Cass. com., 11 déc. 2012, n° 11-25493, F-P+B ; *Resp. civ. et assur.* n° 3, mars 2013, comm. 75.

(802) Cass. 3e civ., 23 sept. 2009 : *RD imm.* 2009, 600, obs. Ph. Malinvaud. – Cass. 1re civ., 19 nov. 2009, n° 08-15.937 : *D.* 2009, act. jurispr., obs. I. Gallmeister.

(803) Cass. 3e civ., 23 sept. 2009 : *RD imm.* 2009, 600, obs. Ph. Malinvaud.

(804) Le projet Fr. Terré prévoit également en son article 12 le cas d'un « dommage causé par un membre indéterminé d'un groupe de personnes agissant de concert ». Dans ce cas, « chacune en répond pour le tout, sauf à démontrer qu'elle ne peut l'avoir causé ». Le projet de réforme du 26 juillet 2012 prévoit un article 8-1 assez proche.

(805) Cass. 2e civ., 5 juin 1957 : *D.* 1957, 493 et note R. Savatier ; *JCP* 1957, II, 10205, obs. P. Esmein. – Cass. 2e civ., 5 févr. 1960 : *D.* 1960, 305 et note Aberkane. – Cass. 2e civ., 12 juill. 1971 : *D.* 1972, 227. – Cass. 2e civ., 19 mai 1976 : *D.* 1976, 629 et note D. Mayer ; *JCP* 1978, II, 18773, obs. N. Dejean de la Bâtie ; *Gaz. Pal.* 1977, 1, 79 et note E. Alauze. – Cass. 2e civ., 15 déc. 1980 : *D.* 1981, 455 et note E. Poisson-Drocourt. – Cass. 2e civ., 14 juin 1984 : *Gaz. Pal.* 1984, pan. 299 et note F.-C. – Cass. 2e civ., 7 nov. 1988 : *JCP* 1989, IV, 14. – Lyon, 16 nov. 1989 : *D.* 1990, 207 et note A. Vialard. – Cass. 2e civ., 24 mai 1990 : *JCP* 1991, IV, 278. – Cass. 2e civ., 2 avr. 1997 : *JCP* 1997, IV, 1156. – I.-E. Postacioglu, *Faits simultanés et le problème de la responsabilité collective* : *RTD civ.* 1954, 438. – H. Aberkane, *Du dommage causé par une personne indéterminée dans un groupe déterminé de personnes* : *RTD civ.* 1958, 516. – D. Mayer, *La « garde » en commun* : *RTD civ.* 1975, 197. – J.-M. Florand, *Bilan des applications jurisprudentielles de la théorie de la co-garde* : LPA 19 mai 1986. – F. Rousseau, *De quelques réflexions sur la responsabilité collective. Aspects de droit civil et de droit pénal* : *D.* 2011, 1983.

(806) Ch. Radé, *Causalité juridique et causalité scientifique : de la distinction à la dialectique* : *D.* 2012, 112. – Fr.-G. Trébulle, *Expertise et causalité entre santé et environnement* : *Env.* juill. 2013, n° 7, étude 19.

la causalité ; c'est aux laboratoires qu'incombe la charge de prouver que ce n'est pas leur produit qui a été prescrit, mais celui de leur concurrent[(807)]. De même, lorsqu'une maladie nosocomiale a été contractée et que le patient a séjourné dans deux établissements différents, c'est à ces établissements qu'incombe la charge de la preuve de la non-contamination[(808)]. Il est alors question d'une « causalité alternative ».

Afin de régler cette difficulté, le Projet Catala se propose d'insérer dans le Code civil une disposition générale destinée à appréhender les hypothèses dans lesquelles le dommage a été causé par un membre indéterminé d'un groupe. Il prévoit alors d'engager la responsabilité solidaire de tous les membres du groupe sauf pour chacun d'eux, à prouver qu'il ne peut en être l'auteur ; c'est finalement la solution dont s'est inspirée la Cour de cassation dans l'affaire du distilbène (art. 1348).

Enfin, il est un problème très controversé ; c'est celui de savoir ce qu'il faut décider lorsque l'une des causes du dommage est un événement de force majeure (V. *infra*, n° 749).

B. – Pluralité de causes successives

740. – Le dommage qui est la suite immédiate et directe. Il arrive parfois qu'un préjudice final soit dû à une série de causes s'enchaînant les unes les autres dans le temps. Par exemple, par suite de la défaillance d'un fournisseur, une entreprise ne peut faire face à ses engagements vis-à-vis d'un client important, perd ce client, d'où elle est contrainte à s'endetter pour poursuivre et, compte tenu à la fois d'un incendie volontaire commis par un employé licencié et de la conjoncture économique soudain défavorable, elle cesse ses paiements et tombe en faillite, etc.

Parmi ces causes successives, le juge ne doit-il retenir que la dernière, la plus proche du dommage ? Ou peut-il remonter de quelques degrés dans l'échelle des causes ?

Art. 1151. – Dans le cas même où l'inexécution de la convention résulte du dol du débiteur, les dommages et intérêts ne doivent comprendre à l'égard de la perte éprouvée par le créancier et du gain dont il a été privé, que ce qui est une suite immédiate et directe de l'inexécution de la convention.

La solution est donnée par l'article 1151 du Code civil *en matière contractuelle*, mais on s'accorde à l'étendre à la responsabilité en dehors des contrats : seuls sont réparés les dommages qui sont la suite immédiate et directe du fait dommageable. C'est cela qu'on veut dire lorsqu'on déclare que, pour être réparé, le préjudice doit être *direct* (V. *supra*, n° 601).

Il suffit de retourner la formule pour raisonner en termes de causalité : ne peut être retenue comme cause que celle dont le dommage est la *suite immédiate et directe*, ou encore la *suite nécessaire*. C'est une invitation à retenir soit le dernier événement (*la suite immédiate*), soit un événement antérieur dont le rôle causal serait particulièrement marqué (*la suite nécessaire*)[(809)], soit les deux.

(807) Cass. 1re civ., 24 sept. 2009 : *JCP* 2009, n° 44, p. 18 ; *RTD civ.* 2010, 111, obs. P. Jourdain ; *RDC* 2010, 90, obs. J.- S. Borghetti ; *JCP* 2010, 456, n° 5, obs. Ph. Stoffel-Munck. – B. Daille-Duclos, *Responsabilité du fait des produits défectueux : la fin justifie-t-elle les moyens ? : JCP* E 2009, n° 48, p. 22, 2113. – C. Quezel-Ambrunaz, *La fiction de la causalité alternative. Fondement et perspectives de la jurisprudence « Distilbène » : D.* 2010, chron. 1162.

(808) Cass. 1re civ., 17 juin 2010 : *D.* 2010, 1625, obs. I. Gallmeister ; *D.* 2011, 283, note C. Bonnin ; *JCP* 2010, 870, note O. Gout ; *RTD civ.* 2010, 567, obs. P. Jourdain ; *RDC* 2010, 1247, note G. Viney.

(809) V., par ex., certaines décisions relatives à un Sida contracté à la suite de transfusions rendues nécessaires par un accident : Versailles, 1re ch., 30 mars 1989 : *JCP* 1990, II, 21505, obs. A. Dorsner-Dolivet. – Paris, 20e ch. B, 7 juill. 1989 :

Si les principes sont bien fixés, leur application soulève parfois de grandes difficultés[(810)].

Par exemple, dans un arrêt très critiqué, la Cour de cassation a reconnu l'existence d'un lien de causalité entre l'erreur commise par un laboratoire et un médecin sur la protection immunitaire d'une femme contre la rubéole et la naissance d'un enfant handicapé, la femme ayant conçu un enfant et contracté la rubéole au cours de sa grossesse[(811)] (V. *supra*, n° 591).

On s'interroge également sur le point de savoir si les prédispositions de la victime, par exemple son tempérament suicidaire, doivent ou non être retenues comme l'une des causes du dommage ; on admet généralement que la responsabilité de l'auteur du dommage n'est pas diminuée du fait des prédispositions de la victime[(812)]. Cette solution est expressément reprise dans le Projet Catala en ce qui concerne le dommage corporel : les prédispositions de la victime ne sont pas prises en compte pour l'évaluation du dommage corporel à moins qu'elles aient eu des conséquences préjudiciables avant que se soit produit le fait dommageable (art. 1379-2)[(813)].

§ 2. – La preuve de la non-causalité : la cause étrangère

741. – **La cause étrangère.** Lorsqu'il y a un dommage et que le fait dommageable (suivant les cas, la faute, le fait d'autrui ou le fait des choses) est établi, le responsable en puissance ne peut s'exonérer de sa responsabilité qu'en déniant le lien de causalité[(814)]. Il lui faut pour cela démontrer qu'au-delà d'apparences trompeuses le dommage est dû, en tout ou en partie, à une cause étrangère qui ne lui est pas

Gaz. Pal. 1989, 30 sept. et concl. av. gén. G. Pichot. – Rennes, 7e ch., 23 oct. 1990 : *Gaz. Pal.* 7-9 avr. 1991. – Cass. 1re civ., 17 févr. 1993 : *JCP* 1994, II, 22226 et note A. Dorsner-Dolivet. – Cass. 1re civ., 4 déc. 2001 : *Bull. civ.* 2001, I, n° 310, p. 197 ; *D.* 2002, 3044 et note M.-Ch. de Lambertye-Autrand ; *JCP* 2002, II, 10198 et note O. Gout ; *RTD civ.* 2002, 308, obs. P. Jourdain ; *JCP* 2002, I, 186, n° 10, obs. G. Viney ; *Gaz. Pal.* 21-23 avr. 2002 et note C. Caseau-Roche ; *Resp. civ. et assur.* 2002, comm. 126, obs. H. Groutel. – Cass. 1re civ., 20 oct. 2005 : *RTD civ.* 2006, p. 122, obs. P. Jourdain. Mais la chambre criminelle se montre beaucoup plus restrictive et se prononce en sens contraire : Cass. crim., 5 oct. 2004 : *D.* 2004, inf. rap. p. 2972. – Rappr. Cass. 2e civ., 24 févr. 2005 : *D.* 2005, inf. rap. p. 671 ; *JCP* 2005, IV, 1737.

(810) Par ex. : accident consécutif à un vol facilité par la négligence du propriétaire : Cass. 2e civ., 20 févr. 1963 : *JCP* 1963, II, 13199. – Cass. 2e civ., 20 déc. 1972 : *JCP* 1973, II, 17541, obs. N. Dejean de la Bâtie. – Cass. 2e civ., 27 oct. 1975 : *Gaz. Pal.* 1976, 1, 169 et note A. Plancqueel. – Cass. 2e civ., 17 mars 1977 : *D.* 1977, 631 et note A. Robert ; *JCP* 1978, II, 18828, obs. Cl. et Ch. Bryon. – Ou décès consécutif à une intervention chirurgicale nécessitée par un accident : Cass. 1re civ., 16 juin 1969 : *D.* 1969, 586 ; *JCP* 1970, II, 16402, obs. Savatier. – Ou hépatite C contractée à l'occasion d'une transfusion sanguine rendue nécessaire par un accident : Cass. 1re civ., 4 déc. 2001, préc.

(811) Cass. ass. plén., 17 nov. 2000 : *JCP* 2000, II, 10438, rapp. P. Sargos, concl. J. Sainte-Rose et note F. Chabas.

(812) Cass. ass. plén., 27 nov. 1970 : *D.* 1971, 181 et concl. R. Lindon ; *JCP* 1972, II, 17063, obs. J.-P. Brunet (rendu en matière d'accident du travail). V. écartant le lien de causalité entre l'accident et le suicide de la victime : Cass. 2e civ., 13 mai 1969 : *JCP* 1970, II, 16470, obs. N. Dejean de la Bâtie. – Et l'admettant : Cass. crim., 14 janv. 1971 : *D.* 1971, 164 et rapp. Robert. – Cass. 2e civ., 26 oct. 1972 : *D.* 1973, somm. p. 51. – Contre la prise en considération des prédispositions de la victime : Cass. crim., 10 avr. 1973 : *Gaz. Pal.* 9 oct. 1973. – Cass. crim., 29 avr. 1981 : *JCP* 1981, IV, 251. – Cass. 2e civ., 13 janv. 1982 : *JCP* 1983, II, 20025, obs. N. Dejean de la Bâtie. – V. aussi Nayral de Puybusque et Melennec, *Suicide, traumatisme et prédispositions* : *Gaz. Pal.* 2 déc 1975, doctr. – J. Nguyen Thanh Nha, *L'influence des prédispositions de la victime sur l'obligation à réparation du défendeur à l'action en responsabilité* : *RTD civ.* 1976, 1. – A. Marais, *La prédisposition génétique* : thèse Paris II, 2000. Sur les prédispositions de la victime et la perte de chance, Cass. 1re civ., 28 nov. 2012, n° 11-24022 et n° 12-11819, P+B ; *RDC*, 1er avr. 2013, n° 2, p. 549, obs. S. Carval. En matière contractuelle, V. Cass. 2e civ., 28 févr. 2013, n° 11-25539 : *Gaz. Pal.* 22 juin 2013, n° 173, p. 36, obs. Cl. Bernfeld et Fr. Bibal.

(813) Dans le même sens, V. art. 57, al. 2 du Projet Fr. Terré et art. 58 du projet de réforme du 26 juillet 2012.

(814) A. Dumery, *Absence de causalité et force majeure : réflexions autour d'une dissonance* : *RRJ* 2009, 629.

imputable. Le Code civil pose la règle en matière de responsabilité contractuelle, mais on s'accorde à y voir une règle générale.

Art. 1147. – Le débiteur est condamné, s'il y a lieu, au payement de dommages et intérêts, soit à raison de l'inexécution de l'obligation, soit à raison du retard dans l'exécution, toutes les fois qu'il ne justifie pas que l'inexécution provient d'une cause étrangère qui ne peut lui être imputée, encore qu'il n'y ait aucune mauvaise foi de sa part.

Art. 1148. – Il n'y a lieu à aucuns dommages et intérêts lorsque, par suite d'une force majeure ou d'un cas fortuit, le débiteur a été empêché de donner ou de faire ce à quoi il était obligé, ou a fait ce qui lui était interdit.

Cette cause étrangère peut être soit la force majeure, soit le fait d'un tiers, soit la faute de la victime. Le Projet Catala consacre ces trois causes étrangères exonératoires et en propose un régime commun à la matière contractuelle et extra contractuelle (art. 1349 à 1351-1)(815). Il apporte cependant certaines modifications au droit positif.

Pour être parfaitement exact, il faut préciser que parfois la preuve de l'absence de faute suffit : c'était le cas jadis pour la responsabilité des parents du fait de leurs enfants ; et que d'autres fois la preuve de la force majeure est insuffisante : responsabilité des commettants du fait de leurs préposés, responsabilité du fait des aéronefs et de l'énergie nucléaire.

A. – La force majeure(816)

1° Les caractères de la force majeure

742. – **Définition de la force majeure.** La *force majeure* et le *cas fortuit* sont présentés comme une cause d'exonération en matière contractuelle par l'article 1148 du Code civil ; la solution a été étendue ensuite en matière extracontractuelle. Aujourd'hui les deux termes de cas fortuit et force majeure sont devenus synonymes.

On définit généralement la force majeure comme étant un événement imprévisible, irrésistible, et extérieur à l'activité du débiteur. Il peut s'agir de phénomènes naturels, par exemple le verglas qui est à l'origine d'un accident(817), un cyclone(818), des chutes de neige jamais vues(819), un glissement de terrain(820), etc. ; ou encore d'autres événements tels que la grève ou une décision administrative constitutive d'un « fait du prince »(821), ou un bogue informatique(822).

(815) Comp. Projet Fr. Terré qui aborde ces trois cas d'exonération totale lorsqu'ils présentent les caractères de la force majeure pour les seuls délits spéciaux, art. 46, puisque le projet exclut toute « responsabilité contractuelle ».

(816) R. Savatier, *L'état de nécessité et la responsabilité civile extracontractuelle*, in *Études Capitant*, p. 729. – A. Tunc, *Force majeure et absence de faute en matière contractuelle* : *RTD civ.* 1945, 235. – A. Tunc, *Force majeure et absence de faute en matière délictuelle* : *RTD civ.* 1946, 171. – P.-H. Antonmattei, *Contribution à l'étude de la force majeure* : LGDJ, coll. « Droit privé », t. 220, 1992.

(817) Avant la loi sur les accidents de la circulation le verglas était retenu ou non comme cause d'exonération suivant qu'il était imprévisible (Cass. crim., 18 déc. 1978 : *JCP* 1980, II, 19261, obs. N. Alvarez. – Cass. 2e civ., 6 févr. 1980 : *JCP* 1980, IV, 157) ou prévisible (Cass. 2e civ., 30 juin 1971 : *D.* 1971, somm. p. 135. – Cass. 2e civ., 18 oct. 1972 : *D.* 1973, somm. p. 4).

(818) TA Fort-de-France, 29 nov. 1980 : *JCP* 1981, II, 19653 et concl. Schwarz. – Cass. 3e civ., 29 juin 1988 : *JCP* 1988, IV, 318 ; *D.* 1988, inf. rap. p. 216. – Mais pas une simple tempête : Cass. 2e civ., 17 avr. 1975 : *D.* 1975, 465 et note A.D.

(819) Cass. 3e civ., 7 mars 1979 : *D.* 1979, inf. rap. p. 380. – Cass. 3e civ., 28 oct. 1992 : *Gaz. Pal.* 1er avr. 1993, pan.

(820) Cass. 3e civ., 20 nov. 2013, n° 12-27.876 : Constr.-Urb. n° 2, févr. 2014, comm. 34, obs. M.-L. Pagès-de Varenne : JurisData n° 2013-030674 (force majeure retenue dans le cadre d'une responsabilité décennale du constructeur).

(821) F. Luxembourg, *Le fait du prince : convergence du droit privé et du droit public* : *JCP* 2008, I, 119. – A.-C. Aune, *Le « fait du prince » en droit privé* : *Rev. Lamy dr. civ.* mars 2008, p. 71.

(822) Cass. 3e civ., 17 févr. 2010 : *D.* 2010, act. jurispr. 653 ; *RDC* 2010, 818, obs. T. Génicon, et 847, obs. S. Carval. Pour une application de la force majeure à un process penal dispensant de la presence d'un avocet, Cass. crim., 23 mai 2013, n° 12-83.721, P+B : JurisData n° 2013-010005 ; *JCP* G n° 35, 26 août 2013, 875, note A. Bolze.

En matière contractuelle, les parties sont libres de définir les évènements qui seront constitutifs de force majeure pour l'exécution du contrat, ou d'en attribuer la charge autrement que ne le ferait le droit commun[(823)]. C'est notamment une pratique courante dans les marchés de construction où sont définies les « causes légitimes d'allongement du délai »[(824)], qui ne seraient pas nécessairement considérées en droit commun comme des cas de force majeure[(825)].

Mais on notera aussi que, contrairement à une opinion répandue, la déclaration de *catastrophe naturelle* par un arrêté préfectoral n'implique pas nécessairement qu'il y ait force majeure[(826)] ; pareille déclaration a seulement pour effet de déclencher la prise en charge du sinistre par l'assurance au titre des catastrophes naturelles.

Jadis on exigeait le cumul des trois caractères – imprévisibilité, irrésistibilité et extériorité – pour qu'il y ait exonération. Puis la jurisprudence est devenue beaucoup plus incertaine. D'une part, la jurisprudence appréciait différemment les caractères de la force majeure suivant qu'on était en matière extracontractuelle ou en matière contractuelle. D'autre part et surtout, l'irrésistibilité a été retenue par certains arrêts de la première chambre civile comme le critère fondamental de l'exonération pour cause de force majeure, même dans des cas où il n'y avait peut-être pas imprévisibilité et extériorité (V. *infra*, n° 744).

Finalement, par deux arrêts d'assemblée plénière du 14 avril 2006, la Cour de cassation a réaffirmé l'exigence cumulative des conditions d'imprévisibilité et d'irrésistibilité, dont l'appréciation serait – semble-t-il – identique en matière tant contractuelle qu'extracontractuelle[(827)] ; mais il a fallu un certain temps pour que ces décisions mettent un point final aux divergences jurisprudentielles[(828)]. Finalement, la première chambre civile s'est rangée à la règle rappelée par l'assemblée plénière en décidant, dans un litige qui relevait de la responsabilité contractuelle, que « seul un évènement présentant un caractère imprévisible lors de la conclusion, et irrésistible dans son exécution, est constitutif d'un cas de force majeure »[(829)]. Et la chambre sociale en a fait de même en matière de rupture de contrat de travail[(830)].

---

(823) Cass. 3e civ., 31 oct. 2006 : *JCP* 2006, IV, 3281 ; *JCP* 2007, I, 115, n° 13, obs. Ph. Stoffel-Munck.

(824) V. G. Durand-Pasquier, *Du délai de l'ivraison dans la vente en l'état futur d'achèvement* : Constr.-Urb. n° 6, juin 2013, alerte 51. – Comp. pour une prévision contractuelle rejaillissant sur la notion de force majeure, Cass. 3e civ., 27 nov. 2012, n° 11-22.047 : JurisData n° 2012-033842 ; Dr. rur. n° 413, mai 2013, comm. 82, obs. F. Barthe.

(825) Maladie du preneur dans un bail rural l'ayant contraint à sous-louer en toute illégalité, Cass. 3e civ., 22 janv. 2014, n° 12-28246 ; Dr. rur., n° 421, mars 2014, comm. 39, obs. S. Crevel : la Cour de cassation ne rejette pas la force majeure mais reproche aux juges du fond de ne pas l'avoir caractérisée, laissant ouverte la possibilité de retenir dans ces circonstances un cas de force majeure.

(826) F. Leduc, *Catastrophe naturelle et force majeure* : *RGDA* 1997, n° 2, p. 409. – Ph. Malinvaud, *L'eau, facteur de responsabilité et facteur d'exonération*, Les entretiens de la Citadelle, 1er déc. 2006. – Cass. 3e civ., 24 mars 1993 : *JCP* 1993, IV, 1379. – Cass. 3e civ., 14 févr. 1996 : *RD imm.* 1996, 239, obs. G. Leguay. – Cass. 3e civ., 18 déc. 2001 : *RD imm.* 2002, 152. – Cass. 3e civ., 10 déc. 2002 : *D.* 2002, inf. rap. p. 106 ; *Defrénois* 2003, 1, 262, art. 37676, obs. E. Savaux.

(827) Cass. ass. plén., 14 avr. 2006, 2 arrêts : *Bull. civ.* 2006, ass. plén., n° 5 et n° 6 ; *JCP* 2006, II, 10087 et note P. Grosser ; *D.* 2006, p. 1577 et note P. Jourdain ; *LPA* 6 juill. 2006 et note Y. Le Margueresse ; *RTD civ.* 2006, p. 775, obs. P. Jourdain ; *RDC* 2006, p. 1083, obs. Y.-M. Laithier, et p. 1207, obs. G. Viney ; *Contrats, conc. consom.* 2006, comm. 152, obs. L. Leveneur ; *Rev. Lamy dr. civ.* juill.-août 2006, p. 17 et note M. Mekki ; *Defrénois* 2006, p. 1212, obs. E. Savaux. – V. dans le même sens Cass. crim., 15 nov. 2006 : *JCP* 2007, II, 10062 et note J.-Y. Maréchal.

(828) V. obs. P. Jourdain *in RTD civ.* 2007, 574.

(829) Cass. 1re civ., 30 oct. 2008 : *D.* 2008, act. jurispr. p. 2935, obs. I. Gallmeister ; *JCP* 2008, II, 10198 et note P. Grosser ; *Defrénois* 2008, art. 38874, obs. E. Savaux ; *RTD civ.* 2009, 126, obs. P. Jourdain ; *RDC* 2009, 62, obs. T. Génicon.

(830) Cass. soc., 16 mai 2012, n° 10-17726.

Quant aux projets d'unification du droit européen des contrats, s'ils ne visent pas tous expressément la notion de force majeure, ils n'en comportent pas moins des notions équivalentes. Ainsi, l'article 8 : 108 des Principes Lando exonère le débiteur en cas « d'empêchement » qui lui échappe et qui est insurmontable[831]. La même définition figure dans les Principes Unidroit, à l'article 7.1.7 mais sous l'intitulé « force majeure ». En fait, la parenté des concepts est évidente derrière la divergence des expressions[832].

743. – **Le caractère d'imprévisibilité.** L'imprévisibilité de l'événement s'oppose à ce qu'on puisse reprocher à quiconque de n'avoir pas pris les précautions utiles : nul ne saurait en effet se prémunir contre ce qui est imprévisible[833].

En matière contractuelle l'imprévisibilité doit en principe être absolue, c'est-à-dire à l'égard de tout le monde. Si l'événement était prévisible, il appartenait au débiteur, qui doit être particulièrement prévoyant, soit de ne pas s'engager, soit de prendre les mesures nécessaires pour éviter la réalisation du dommage. Par exemple, une grève ne justifiera pas l'inexécution d'un contrat, à moins qu'il ne s'agisse d'une grève « sauvage » tout à fait imprévisible[834] ; et de même pour la maladie[835], ou pour une agression dans un moyen de transport[836]. S'agissant de contrat de construction, l'élévation de la nappe phréatique entraînant des désordres dans les sous-sols d'une construction n'est jamais retenue comme force majeure, car jamais imprévisible et irrésistible[837] ; et de même pour des pluies ou des sécheresses exceptionnelles[838]. Comme l'a rappelé l'assemblée plénière, l'imprévisibilité s'apprécie ici lors de la conclusion du contrat, et non pas lors de l'accident comme en matière extracontractuelle[839].

Pour mémoire, on rappellera que, avant les arrêts de l'assemblée plénière du 14 avril 2006, la première chambre civile avait décidé que « l'irrésistibilité de l'événement est, à elle seule, constitutive de la force majeure, lorsque sa prévision ne saurait permettre d'en empêcher les effets, sous réserve que le débiteur ait pris toutes les mesures requises pour éviter la réalisation de l'événement »[840].

---

(831) Principes contractuels communs, Association Henri Capitant et Société de législation comparée, p. 653, qui propose un article modifié, art. 9 :107 (p. 661).

(832) Ch. Radé, *La force majeure*, in *Les concepts contractuels français à l'heure des principes du droit européen des contrats* : Dalloz, 2003, p. 201.

(833) Pour une analyse transversale de la notion d'imprévisibilité du fait, V. J. Heinich, *Le droit face à l'imprévisibilité du fait* : thèse dactyl. Aix, 2013, spéc. n° 129 et s.

(834) Cass. com., 12 nov. 1969 et Paris, 13 févr. 1970 : *JCP* 1971, II, 16791, obs. M. de Juglart et E. du Pontavice. – Cass. soc., 8 mars 1972 : *D.* 1972, 340. – Cass. ch. mixte, 4 déc. 1981 : *D.* 1982, 365, concl. J. Cabannes et note F. Chabas ; *JCP* 1982, II, 19748, obs. H. Mazeaud. – Cass. ch. mixte, 4 févr. 1983 : *Gaz. Pal.* 1983, pan. 163 et note F. Chabas ; *D.* 1983, inf. rap. p. 267. – Cass. 1re civ., 10 févr. 1998 : *D.* 1998, 539 et note D. Mazeaud.

(835) Cass. 1re civ., 23 janv. 1968 : *JCP* 1968, II, 15422. – Cass. 1re civ., 2 oct. 2001 : *Contrats, conc. consom.* 2002, comm. 24 et note L. Leveneur. – Comp. Cass. 3e civ., 22 janv. 2014, n° 12-28246 ; Dr. rur., n° 421, mars 2014, comm. 39, obs. S. Crevel.

(836) Ainsi l'agression mortelle d'un voyageur dans un train peut constituer un cas de force majeure si la victime a été poignardée par un passager qui n'avait fait précéder son geste de la moindre parole ou de la manifestation d'une agitation anormale : Cass. 1re civ., 23 juin 2011 : *D.* 2011, 1817 ; *RDC* 2011, 1183, obs. O. Deshayes.

(837) Cass. 3e civ., 15 juin 1988 : *Bull. civ.* 1988, III, n° 109, p. 61.

(838) Cass. 3e civ., 27 juin 2001 : *RD imm.* 2001, 524.

(839) V. sur ce point G. Viney, obs. ss Cass. ass. plén., 14 avr. 2006 : *RDC* 2006, p. 1207.

(840) Cass. 1re civ., 9 mars 1994 : *Bull. civ.* 1994, I, n° 91 ; *JCP* 1994, I, 3773, n° 6, obs. G. Viney ; *RTD civ.* 1994, 871, obs. P. Jourdain. – Cass. 1re civ., 7 mars 1996 : *JCP* 1966, II, 14878 et note J. Mazeaud. – Cass. 1re civ., 17 nov. 1999 : *Bull. civ.* 1999, I, n° 307, p. 199. – P.-H. Antonmattei, *Ouragan sur la force majeure* : *JCP* 1996, I, 3907.

En matière extracontractuelle, les tribunaux se montrent en général moins sévères et admettent comme suffisante une imprévisibilité normale(841). Mais, là aussi, la condition d'imprévisibilité n'était parfois même plus requise lorsqu'en toute hypothèse l'événement était irrésistible(842).

744. – **Le caractère d'irrésistibilité.** L'*irrésistibilité* s'entend de l'impossibilité d'exécuter l'engagement souscrit ou de se conformer au devoir légal. Comme l'imprévisibilité, l'irrésistibilité doit être en principe absolue, surtout en matière contractuelle. En tout cas, le fait que l'exécution soit plus difficile que prévu ne suffirait pas à constituer l'irrésistibilité ; sans cela, il serait trop facile d'échapper à ses engagements(843).

Le caractère d'irrésistibilité semblait devenu le critère essentiel, sinon même unique, de la force majeure, tout du moins pour la première chambre civile qui statue en matière de responsabilité contractuelle. Suivant la formule utilisée par cette chambre, « la seule irrésistibilité de l'événement caractérise la force majeure »(844), mais à la condition toutefois que, suivant certains autres arrêts de la même chambre, « sa prévision ne saurait permettre d'en empêcher les effets, sous réserve que le débiteur ait pris toutes les mesures requises pour éviter la réalisation de l'événement ». En revanche, la deuxième chambre civile retenait toujours la définition classique de la force majeure et semblait maintenir la condition d'imprévisibilité(845).

C'est dans ce dernier sens qu'a tranché l'assemblée plénière dans ses arrêts du 14 avril 2006 en rappelant le caractère cumulatif des conditions d'imprévisibilité et d'irrésistibilité (V. *supra*, n° 742).

745. – **Le caractère d'extériorité.** L'*extériorité*, enfin, empêche que le débiteur puisse se prévaloir d'un événement qui serait lié à son activité. Par exemple, la défaillance d'une machine, qui entraîne un arrêt de la production, n'exonère pas l'entreprise de sa responsabilité à l'égard des clients qui ne sont pas livrés à temps. De même, avant la loi sur les accidents de la circulation, l'éclatement d'un pneu ne pouvait être invoqué comme cause d'exonération de la responsabilité encourue vis-à-vis d'éventuelles

---

(841) Cass. 2e civ., 28 oct. 1965 : *D.* 1966, 137 et note A. Tunc. – Cass. 2e civ., 18 oct. 1972 : *D.* 1973, somm. p. 4 (verglas). – Cass. 2e civ., 4 mars 1976 : *D.* 1977, 95 ; *JCP* 1977, II, 18544, 3e esp., obs. L. Mourgeon (glissement de terrain). – Cass. 2e civ., 12 déc. 2002 : *JCP* 2003, IV, 1219 ; *Contrats, conc. consom.* 2003, comm. 53, 2e esp., obs. L. Leveneur (glissement de terrain).

(842) Cass. 2e civ., 21 janv. 1981 : *JCP* 1982, II, 19814, obs. N. Dejean de la Bâtie. – Lyon, 30 juin 1981 : *JCP* 1982, IV, 224. – Rappr. Cass. 2e civ., 4 mars 1976 : *JCP* 1977, II, 18544, 3e esp., obs. L. Mourgeon ; *D.* 1977, 95.

(843) Ainsi est irrésistible un cyclone (Cass. 3e civ., 29 juin 1988 : *D.* 1988, inf. rap. p. 216 ; *JCP* 1988, IV, 318) par opposition à une simple tempête (Cass. 2e civ., 17 avr. 1975 : *D.* 1975, 465 et note A.-D.) ; des bactéries corrodant les tuyaux sans traitement préventif connu (Cass. 3e civ., 10 oct. 1972 : *D.* 1973, 378 et note J.M. ; *RTD civ.* 1974, 161, obs. G. Durry) par opposition aux capricornes du bois pour lesquels il existe un traitement préventif (Cass. 3e civ., 31 janv. 1969 : *JCP* 1969, II, 15937, obs. G. Liet-Veaux). Ne sont pas irrésistibles des événements ne présentant pas un caractère exceptionnel, par exemple, des grands froids (TGI Angers, 11 mars 1986 : *JCP* 1987, II, 20789, obs. J.-P. Gridel), ou des pluies importantes (Cass. 2e civ., 7 oct. 1987 : *Gaz. Pal.* 1987, pan. 287).

(844) Cass. 1re civ., 20 janv. 1998 : *Bull. civ.* 1998, I, n° 20, p. 13. – Cass. 1re civ., 10 févr. 1998 : *Bull. civ.* 1998, I, n° 53, p. 34. – Cass. 1re civ., 8 déc. 1998 : *Bull. civ.* 1998, I, n° 346, p. 238. – Cass. 1re civ., 17 nov. 1999 : *Bull. civ.* 1999, I, n° 307, p. 199. – Cass. 1re civ., 12 juill. 2001 : *Bull. civ.* 2001, I, n° 216, p. 136. – Cass. 1re civ., 3 juill. 2002 : *Bull. civ.* 2002, I, n° 183, p. 141. – Cass. 1re civ., 6 nov. 2002 : *Bull. civ.* 2002, I, n° 258, p. 201 ; *Contrats, conc. consom.* 2003, comm. 53, 1re esp., obs. L. Leveneur ; *RDC* 2003, 59, obs. Ph. Stoffel-Munck (voyage culturel annulé à raison de l'indisponibilité de la conférencière due à une intervention chirurgicale). V. aussi les arrêts cités *supra*, n° 743. V. P.-H. Antonmattei, art. préc. et J. Moury, *Force majeure : éloge de la sobriété* : *RTD civ.* 2004, 471.

(845) Cass. 2e civ., 12 déc. 2002 : *Bull. civ.* 2002, II, n° 287 ; *JCP* 2003, IV, 1219. – Cass. 2e civ., 23 janv. 2003 : *Bull. civ.* 2003, II, n° 17 ; *JCP* 2003, IV, 1431. – V. obs. G. Viney : *JCP* 2003, I, 152, nos 31 et s.

victimes(846). De même encore, le vice caché ayant provoqué l'effondrement de la voûte d'un sous-sol n'a pas l'extériorité nécessaire pour être un cas de force majeure(847).

Mais la portée de cette condition a toujours été très controversée et il semble qu'elle doive être limitée au cas où la responsabilité mise en jeu est une responsabilité du fait d'autrui ou du fait des choses ; en ce cas, le responsable ne peut invoquer des défaillances propres aux personnes dont il répond ou aux choses dont il a la garde pour échapper à sa responsabilité(848).

La jurisprudence récente abandonne parfois la condition d'extériorité, spécialement en matière contractuelle(849) alors surtout qu'en toute hypothèse l'événement était irrésistible. Par exemple, il a été jugé que la maladie d'un élève, bien que non extérieure à lui, constituait un cas de force majeure dès lors qu'elle était irrésistible et que, de ce fait, elle lui interdisait de suivre les cours dispensés par un établissement d'enseignement privé(850) ; ou que la grève, bien qu'interne à l'entreprise, était un cas de force majeure parce qu'inévitable(851) ; ou que le vice indécelable de l'immeuble est une cause étrangère pour l'entrepreneur qui exécute des travaux sur cet immeuble(852). Cette jurisprudence se trouve aujourd'hui confirmée par l'un des arrêts de l'assemblée plénière du 14 avril 2006 ; dans cette espèce la cour a considéré qu'il y avait force majeure « lorsque le débiteur a été empêché d'exécuter par la maladie, dès lors que cet évènement [présentait] un caractère imprévisible lors de la conclusion du contrat et irrésistible dans son exécution »(853).

746. – La cause étrangère dans le Projet Catala. L'article 1349, alinéa 1, réaffirme la règle que « la responsabilité n'est pas engagée lorsque le dommage est dû à une cause étrangère présentant les caractères de la force majeure » ; et il énonce dans l'alinéa 2 que cette cause étrangère « peut provenir d'un cas fortuit, du fait de la victime ou du fait d'un tiers dont le défendeur n'a pas à répondre ».

Au plan de la terminologie, on observera que, à la différence de l'acception actuelle qui assimile cas fortuit et force majeure, le Projet opère une distinction : le cas fortuit est l'une des trois causes étrangères, cependant que la force majeure désigne les caractéristiques que ces causes doivent revêtir pour conduire à l'exonération de responsabilité.

Suivant l'article 1349, alinéa 3, « la force majeure consiste en un évènement irrésistible que l'agent ne pouvait prévoir ou dont on ne pouvait éviter les effets par des mesures appropriées ». Cette définition appelle trois observations.

En premier lieu, elle est identique en matière contractuelle et en matière extracontractuelle, l'article 1349 figurant parmi les dispositions communes aux deux

(846) Cass. 2e civ., 18 déc. 1964 : *D.* 1965, 191, concl. Schmelck et note P. Esmein ; *JCP* 1965, II, 14304, obs. N. Dejean de la Bâtie. – Cass. 2e civ., 11 déc. 1968 : *D.* 1969, somm. 50.

(847) Cass. 3e civ., 2 avr. 2003 : *D.* 2003, inf. rap. p. 1135.

(848) V. obs. P. Jourdain ss Cass. 1re civ., 3 févr. 1993 et 6 oct. 1993 : *RTD civ.* 1994, 873. – V. aussi Cass. 1re civ., 14 oct. 2010 : *RDC* 2011, 454, obs. G. Viney : le caractère criminel d'un incendie ne suffit pas à caractériser la force majeure, à moins qu'il ne soit démontré que l'incendie est dû à des personnes extérieures à la société propriétaire.

(849) V. G. Viney, obs. ss Cass. ass. plén., 14 avr. 2006 : *RDC* 2006, p. 1207.

(850) Cass. 1re civ., 10 févr. 1998 : *D.* 1998, 539 et note D. Mazeaud.

(851) Cass. 1re civ., 6 oct. 1993 : *JCP* 1993, II, 22154 et note P. Waquet ; *Contrats, conc. consom.* 1994, comm. 3, obs. L. Leveneur ; *JCP* 1994, I, 3773, n° 7, obs. G. Viney ; *RTD civ.* 1994, 873, obs. P. Jourdain.

(852) Cass. 3e civ., 26 févr. 2003 : *RD imm.* 2003, 281, obs. Ph. Malinvaud.

(853) D. Noguéro, *La maladie du débiteur cas de force majeure* : *D.* 2006, chron. p. 1566. – Comp. Cass. 3e civ., 22 janv. 2014, n° 12-28246, *op. cit.*

responsabilités. Ensuite, elle donne la primauté à la condition d'irrésistibilité qui constitue le socle, cependant que la condition d'imprévisibilité devient alternative : il y aura force majeure si l'évènement irrésistible était imprévisible, ou si ses effets étaient inévitables. En cela, le Projet se rapproche de la jurisprudence dominante à l'époque de sa rédaction, et s'écarte de la conception retenue par les arrêts postérieurs de l'assemblée plénière du 14 avril 2006. Enfin, s'il ne reprend pas explicitement la condition d'extériorité, celle-ci transparaît notamment dans les dispositions relatives à la responsabilité du fait des choses (le trouble physique du gardien ainsi que le vice de la chose ne lui permettent pas de s'exonérer).

Dans l'avant-projet de réforme du 23 octobre 2013, la force majeure est bicéphale : elle est à la fois une cause d'exonération de responsabilité et une cause de libération du débiteur de ses obligations. La force majeure est ainsi liée à la théorie des risques et se rattache au contrat comme instrument de gestion des risques. Cette spécificité contractuelle de la force majeure réside dans sa définition même. Selon l'article 126, « Il y a force majeure en matière contractuelle lorsqu'un événement échappant au contrôle du débiteur, qui ne pouvait être raisonnablement prévu lors de la conclusion du contrat et dont les effets ne peuvent être évités par des mesures appropriées, empêche l'exécution de son obligation par le débiteur ». L'alinéa 2 ajoute « Si l'inexécution n'est pas irrémédiable, le contrat peut être suspendu. Si l'inexécution est irrémédiable, le contrat est résolu de plein droit et les parties sont libérées de leurs obligations dans les conditions prévues aux articles 213 et 214 »[854]. Il convient d'établir un événement non raisonnablement prévisible au stade de la conclusion du contrat et dont les effets n'ont pu être évités empêchant l'exécution de ses obligations par le débiteur. Cette définition convient mieux que la « fausse » définition unitaire que propose la Cour de cassation dans ses deux arrêts rendus en assemblée plénière le 14 avril 2006[855]. Le projet du 23 octobre 2013 a fait le choix de reprendre le principe selon lequel le risque pèse sur le débiteur (res perit debitori)[856]. Le lien avec la force majeure et la question de l'imputation des risques dans le contrat[857] est encore plus flagrant à la lecture de l'article 213 de l'avant-projet auquel renvoie l'article 126 : « L'impossibilité d'exécuter la prestation libère le débiteur à due concurrence lorsqu'elle procède d'un cas de force majeure et qu'elle est irrémédiable, à moins qu'il n'ait convenu de s'en charger ou qu'il ait été mis en demeure ». Il est manifestement question de prévisibilité en matière contractuelle : à l'impossible nul n'est tenu. On remarquera également l'absence de référence à l'irrésistibilité pour une définition propre à la sphère contractuelle. Le projet de réforme de la responsabilité civile propose en son article 44 une définition inspirée du projet Catala et du projet Terré. La force majeure renvoie, à l'instar de Catala, aux caractères de l'événement exonératoire et est ainsi distingué du cas fortuit. L'alinéa 3 renvoie à

(854) Ces deux alinéas sont identiques à l'article 134 du projet de mai 2009.

(855) Ass. plén. 14 avr. 2006, n° 04-18.902 P, *Brugiroux c/ RATP* et n° 02-11.168 P, *Mittenaere c/ Lucas* : *Bull. civ. Ass. plén.* n° 5 ; *JCP* 2006, II, 10087, note P. Grosser ; *D.* 2006, p. 1566, chron. D. Noguéro ; *Contrats, conc. consom.* 2006, comm. 152, obs. L. Leveneur ; *Gaz. Pal.* 9-11 juill. 2006, concl. R de Gouttes ; Defrénois, 2006, 1212, obs. E. Savaux.

(856) Dans le même sens, article 109 du Projet Fr. Terré.

(857) Sur une application jurisprudentielle de cette idée, Cass. 3e civ., 31 oct. 2006 : *JCP G* 2007, I, 115, n° 13. – V. not. M. Mekki, *La définition de la force majeure ou la magie du clair- obscur* : *RLDC*, 2006, n° 29, p. 17 s.

une définition de la force majeure propre à la matière contractuelle (« en matière contractuelle, la force majeure est définie par l'article 131 ». La définition dualiste de la force majeure est clairement consacrée[(858)].

2° Les effets de la force majeure

747. – En principe, celui qui justifie avoir été contraint par une force majeure échappe à toute responsabilité : à l'impossible, nul n'est tenu. Cette solution doit cependant être nuancée suivant que la force majeure empêche l'exécution d'un contrat ou explique la survenance d'un dommage en dehors de tout contrat.

748. – **En matière d'exécution des contrats.** La force majeure peut entraîner une inexécution soit momentanée, soit définitive.

Si l'inexécution est *momentanée*, par exemple maladie constitutive de force majeure, on pourra admettre que le contrat est seulement suspendu, si son exécution tardive présente encore un intérêt pour le créancier[(859)].

Si l'inexécution est *définitive*, le contrat n'ayant plus d'objet disparaît : pour les contrats à obligations réciproques, il y aura lieu à résolution (V. *supra*, n°s 515 et s.). Le débiteur se trouve ainsi dégagé de son obligation, sans encourir de responsabilité, c'est-à-dire sans avoir à payer des dommages-intérêts (C. civ., art. 1148). Il n'en irait autrement que si, avant l'arrivée de la force majeure, le débiteur avait été mis en demeure d'exécuter (C. civ., art. 1302).

De la même manière, en cas d'inexécution du contrat due à un cas de force majeure ou autre cause légitime, le Projet Catala opère une distinction suivant que l'inexécution est irrémédiable, auquel cas le contrat est résolu (art. 1158) ou temporaire, auquel cas l'exécution peut-être suspendue (art. 1157, al. 2).

Ces règles, toutefois, ne sont pas d'ordre public. Les cocontractants sont donc libres de stipuler dans le contrat que le débiteur répondra de toute inexécution, y compris de celle due à la force majeure.

Le projet Terré prévoit ainsi un article 101 alinéa 2 qui dispose que « si l'impossibilité d'exécuter est provisoire, le contrat est suspendu, sauf si le retard qui en résulterait constitue par lui-même une inexécution grave ». L'article 126 alinéa 2 de l'avant-projet de 2013 précise, en cas de force majeure, que « si l'inexécution n'est pas irrémédiable, le contrat peut être suspendu (...) », version très proche de l'article 134 alinéa 2 du Projet de mai 2009. La formule est heureuse, car en permettant dans l'hypothèse d'un événement de force majeure de suspendre l'exécution du contrat, le Code civil confirme que la force majeure n'est pas seulement une cause d'exonération de responsabilité mais relève aussi de la force obligatoire du contrat. Le contrat peut être affaire de réparation ou d'exécution. L'événement de force majeure écarte toute indemnisation et toute exécution forcée. Heureuse encore car le projet de 2013 à l'instar du projet de mai 2009 n'a pas limité cet effet suspensif aux seuls contrats synallagmatiques. La technique est fort utile dans les contrats unilatéraux. Principe heureux, enfin, car il contribue à préserver un lien contractuel qui demeure économiquement utile.

---

(858) En faveur d'une telle définition dualiste, V. not. M. Mekki, *op.* et *loc. cit.*

(859) Cass. 3e civ., 22 févr. 2006 : *D.* 2006, p. 2978 et note S. Beaugendre ; *RTD civ.* 2006, p. 764, obs. J. Mestre et B. Fages ; *RDC* 2006, p. 1087, obs. Y.-M. Laithier.

Dans les projets européens, les effets de « l'empêchement » exonératoire (PDEC, art. 8 : 108 ; Unidroit, art. 7.1.7) sont identiques à ceux de la force majeure de l'article 1148 du Code civil à la seule nuance près que les projets européens exigent du débiteur qu'il notifie au créancier l'existence de l'empêchement dans un délai raisonnable pour que celui-ci produise ses effets. Le créancier a droit à des dommages-intérêts pour le préjudice qui pourrait résulter du défaut de réception de cette notification.

749. – **En dehors de tout contrat.** Il faut ici distinguer :

• si la force majeure est la *cause unique* du dommage, il y aura exonération totale de l'auteur apparent ; il en serait de même si le dommage était dû, pour le tout, au fait d'un tiers ou à la faute de la victime (V. *infra*, n°s 750 et s.).

Toutefois, il est dérogé à cette règle par la loi relative à l'indemnisation des victimes d'accidents de la circulation, laquelle prévoit que ces victimes, « y compris les conducteurs, ne peuvent se voir opposer la force majeure ou le fait d'un tiers par le conducteur ou le gardien d'un véhicule » terrestre à moteur (V. *supra*, n° 707) ; cette solution est reprise dans l'article 1385-1 du Projet Catala[(860)]. De la même manière, dans ce Projet, l'exploitant d'une activité dangereuse ne peut s'exonérer de la responsabilité de plein droit en rapportant la preuve d'un cas fortuit ; seule la faute de la victime est exonératoire (art. 1362, al. 3) ;

• si le dommage est dû pour une part à la force majeure et pour une autre part à la faute prouvée ou présumée de l'auteur, une jurisprudence admet que la responsabilité de ce dernier sera atténuée en conséquence : il y a alors *force majeure partielle.* C'est le fameux arrêt *Lamoricière*, navire victime d'un naufrage dû à une tempête exceptionnelle mais qui n'aurait peut-être pas été fatale si le charbon du navire avait été de meilleure qualité[(861)]. Cette jurisprudence opère ici une sorte de partage de responsabilité entre l'auteur du dommage et la force majeure, étant entendu qu'en définitive la part de la force majeure n'est payée par personne… sinon par la victime qui la garde à sa charge. Mais la solution demeure douteuse car elle est vivement critiquée en doctrine[(862)] et, en outre, la jurisprudence dominante se prononce en sens contraire[(863)].

B. – Le fait d'un tiers

750. – **Effets sur la responsabilité.** Une personne dont la responsabilité – contractuelle ou extracontractuelle – est mise en cause peut y échapper en démontrant que le dommage est imputable en tout ou en partie au fait d'un tiers. Peu importe que ce fait soit ou non fautif[(864)].

Par tiers, il faut entendre toute *personne étrangère* à l'activité du responsable, par opposition aux personnes dont il doit répondre. Il s'ensuit qu'un entrepreneur ne

(860) Dans le même sens, article 19 du projet de réforme du 26 juillet 2012.

(861) Cass. com., 19 juin 1951, 2 arrêts : *D.* 1951, 717 et note G. Ripert ; *JCP* 1951, II, 6426, obs. E. Becqué ; S. 1952, 1, 89 et note R. Nerson. – Cass. 2e civ., 13 mars 1957 : *D.* 1958, 73 et note J. Radouant ; *JCP* 1957, II, 10084, obs. P. Esmein. – V. aussi Cass. com., 14 févr. 1973 : *JCP* 1973, II, 17451, obs. B. Starck. – Chambéry, 24 nov. 1980 : *JCP* 1982, II, 19777, obs. J.-Ch. Detharre.

(862) B. Starck, *La pluralité des causes de dommage et la responsabilité civile* : *JCP* 1970, I, 2339. – F. Chabas : thèse préc., et *Bilan de quelques années de jurisprudence en matière de rôle causal* : D. 1970, chron. 113. – J. Boré, *La causalité partielle en noir et blanc ou les deux visages de l'obligation* in solidum : *JCP* 1971, I, 2369.

(863) V. par ex. Cass. 2e civ., 18 mars 1998 : *Bull. civ.* 1998, II, n° 97.

(864) Cass. 2e civ., 12 mai 1971 : *JCP* 1972, II, 17086, 4e esp., obs. J. Boré.

saurait, pour échapper à sa responsabilité, invoquer comme fait d'un tiers le fait de l'un de ses *préposés*, ou celui d'un *sous-traitant*[(865)], *ou encore d'un fournisseur*. Par exemple, en cas d'accident ferroviaire, la SNCF ne pourrait se retrancher derrière la faute d'un aiguilleur, d'un conducteur ou d'un garde-barrière[(866)].

À demeurer sur un plan général, on peut admettre les principes suivants.

Si le fait du tiers a été imprévisible et irrésistible, il constitue une variété de force majeure et exonère totalement celui qui était poursuivi comme responsable, quel que soit le fondement de la responsabilité. C'est en effet la preuve qu'il n'avait pas commis de faute causale, ou que la présomption de responsabilité qui pesait sur lui n'était pas justifiée.

Si le fait du tiers ne revêt pas les caractères de la force majeure, il faut distinguer suivant que la responsabilité du défendeur est recherchée sur le fondement de la faute ou sur celui de la responsabilité du fait des choses.

Si la responsabilité est recherchée sur le fondement de la faute, la situation se présente ainsi. *À l'égard de la victime*, chacun est censé avoir concouru à la production du dommage en son entier, si bien que les coauteurs seront tenus *in solidum* en matière extracontractuelle (V. *supra*, n° 546). Celle-ci pourra donc poursuivre pour le tout l'un des coauteurs sans qu'aucun ne puisse invoquer la faute du tiers comme une cause d'exonération partielle de sa responsabilité. En revanche, *dans les rapports entre coauteurs*, celui qui a indemnisé la victime disposera d'un recours contre l'autre[(867)]. En définitive, la responsabilité sera partagée entre ce tiers et le défendeur, partage que la jurisprudence opère en *fonction de la gravité des fautes respectives*.

Si la responsabilité est recherchée sur le fondement de la garde des choses, le fait d'un tiers, que ce tiers soit ou non identifié[(868)], n'exonère le gardien de sa responsabilité que s'il constitue un cas de force majeure[(869)]. À défaut, le défendeur est responsable pour le tout à l'égard de la victime, mais il pourra exercer un recours contre le tiers sur le fondement de la faute, et le partage s'opérera en fonction de la gravité des fautes respectives ; et, si le tiers était lui aussi responsable sur le fondement de la garde, le partage se fera par moitié.

Là encore la loi relative à l'indemnisation des victimes d'accidents de la circulation déroge à ces principes et décide que le conducteur ou le gardien d'un véhicule terrestre à moteur ne peut opposer le fait d'un tiers aux victimes, y compris aux conducteurs victimes (V. *supra*, n° 707). Cette solution a été reprise par la loi du 19 mai 1998 relative à la responsabilité du fait des produits défectueux (art. 1386-14 ; V. *supra*, n° 729).

(865) L'article 1er de la loi du 31 décembre 1975 définit d'ailleurs la sous-traitance comme « l'opération par laquelle un entrepreneur confie par un sous-traité, et *sous sa responsabilité*, à une autre personne appelée sous-traitant l'exécution de tout ou partie du contrat d'entreprise… ».

(866) Cass. 1re civ., 3 oct. 1967 : *JCP* 1968, II, 15365, obs. Durand. – Cass. 2e civ., 24 oct. 1973 : *Gaz. Pal.* 1974, 1, 105 et note A. Plancqueel. – Y. Brard, *À propos de la notion de fait du tiers* : *JCP* 1980, I, 2976.

(867) Cass. 2e civ., 15 juin 1977 : *JCP* 1978, II, 18780, obs. J. Baudoin. – Cass. 2e civ., 11 juill. 1977 : *D.* 1978, 581 et note E. Agostini. – Cass. 1re civ., 10 avr. 2013, n° 12-14219, F-PBI : *LEDC* juin 2013, n° 6, p. 3, note G. Guerlin ; *D.* 2013, p. 995, note P. Véron ; *RDSS* 2013, p. 551, note D. Cristol ; *Gaz. Pal.* 2013, n° 150, p. 15, note N. Guerrero ; *RDC* 2013/4, p. 1254, note A. Guégan-Lécuyer.

(868) Cass. 2e civ., 15 mars 2001 : *D.* 2001, inf. rap. p. 1145.

(869) Cass. 2e civ., 15 juin 1977, préc. – Cass. 2e civ., 11 juill. 1977 : *D.* 1978, 581 et note E. Agostini. – Cass. 2e civ., 29 mars 2001 : *D.* 2001, inf. rap. p. 1285. – Cass. 2e civ., 13 mars 2003 : *Bull. civ.* 2003, II, n° 65, p. 57 ; *JCP* 2003, IV, 1829 (personne heurtée et renversée par une valise lâchée par une autre dans un escalator d'une gare).

C. – La faute de la victime

751. – **La notion de faute de la victime**[870]. La faute de la victime s'apprécie de la même manière que la faute de l'auteur du dommage. C'est dire qu'il y a faute même si la victime n'est pas consciente de ses actes, notamment à raison de son jeune âge. Cette solution apparaît particulièrement sévère lorsque la victime est un enfant en bas âge mais, en dépit d'un certain assouplissement, la jurisprudence maintient la règle[871].

Cette faute peut résider dans *l'acceptation des risques*[872], par exemple le fait de participer à une compétition sportive[873]. Ou encore, en matière de construction, il y aura faute du maître de l'ouvrage en cas d'acceptation délibérée des risques inhérents à telle modification qu'il a imposée à son constructeur en connaissance de cause[874]. Toutefois, à la suite d'un revirement de jurisprudence, la Cour de cassation a décidé que l'acceptation des risques ne pouvait être opposée à la victime d'un dommage causé par une chose agissant contre le gardien sur le fondement de l'article 1384, alinéa 1, du Code civil[875] ; ce qui limitait d'autant le champ d'application de l'acceptation des risques. Mais cette initiative jurisprudentielle a été rapidement neutralisée par le législateur qui a inscrit dans l'article L. 321-3-1 du Code du sport que « les pratiquants ne peuvent être tenus pour responsables des dommages matériels causés à un autre pratiquant par le fait d'une chose qu'ils ont sous leur garde au sens de l'article 1384, alinéa 1, du Code civil à l'occasion de l'exercice d'une pratique sportive, au cours d'une manifestation sportive ou d'un entraînement en vue de cette manifestation sportive sur un lieu réservé de manière permanente ou temporaire à cette pratique »[876].

Cela dit, la faute de la victime ne sera retenue que dans la mesure où elle a joué un rôle causal dans l'accident[877]. Tel n'est pas le cas par exemple du voyageur

(870) Ch. Lapoyade-Deschamps, *La responsabilité de la victime* : thèse Bordeaux, 1975. – F. Chabas, *Fait ou faute de la victime* : *D.* 1973, chron. 207. – A. Tunc, *Les causes d'exonération de la responsabilité de plein droit de l'article 1384, al. 1er, du Code civil* : *D.* 1975, chron. 83. – Th. Ivainer, *La faute du piéton, source d'exonération de responsabilité du gardien* : *JCP* 1975, I, 2703. – A. Tunc, *Les paradoxes du régime actuel de la responsabilité de plein droit (ou Derrière l'écran des mots)* : *D.* 1976, chron. 13. – M. Eloi, C. de Jacobet de Nombel, M. Rayssac et J. Sourd, *La faute de la victime dans la responsabilité civile extracontractuelle*, in *Mél. Lapoyade-Deschamps*, 2003. – Y. Le Magueresse, *Des comportements fautifs du créancier et de la victime en droit des obligations* : thèse Paris XI, 2005.

(871) Cass. 2e civ., 28 févr. 1996 : *D.* 1996, 602 et note F. Duquesne. – Cass. 2e civ., 19 févr. 1997 : *JCP* 1997, IV, 833.

(872) P. Esmein, *De l'influence de l'acceptation des risques par la victime éventuelle d'un accident* : *RTD civ.* 1938, 387. – J. Honorat, *L'idée d'acceptation des risques dans la responsabilité civile* : LGDJ, 1969. – F. Millet, *L'acceptation des risques réhabilitée ? Une application aux responsabilités du fait d'autrui* : *D.* 2005, chron. p. 2830. – N. Craipeau, *De l'« idée » au « principe », pour fonder l'acceptation des risques* : *RRJ* 2009, 641.

(873) Cass. 2e civ., 16 nov. 2000 : *D.* 2000, inf. rap. p. 307. Mais l'idée d'acceptation des risques est exclue dans le cas où l'accident de jeu est survenu dans le cadre d'une activité pédagogique sous l'autorité et la surveillance d'un moniteur : Cass. 2e civ., 4 juill. 2002 : *D.* 2003, 519 et note E. Cordelier.

(874) Cass. 3e civ., 14 nov. 1991 : *Bull. civ.* 1991, III, n° 272, p. 160 ; *RD imm.* 1992, 73. – Cass. 3e civ., 25 janv. 1995 : *Bull. civ.* 1995, III, n° 28, p. 17. – Cass. 3e civ., 25 févr. 1998 : *Bull. civ.* 1998, III, n° 45, p. 30. – Cass. 3e civ., 6 mai 1998 : *Bull. civ.* 1998, III, n° 89, p. 61. – Cass. 3e civ., 20 mars 2002 : *RD imm.* 2002, 236, obs. Ph. Malinvaud. – Cass. 3e civ., 29 oct. 2003 : *RD imm.* 2004, 123, obs. Ph. Malinvaud.

(875) Cass. 2e civ., 4 nov. 2010 : *D.* 2010, 2772, obs. I. Gallmeister ; *JCP* 2011, 12, note D. Bakouche ; *JCP* 2011, 435, n° 6, obs. C. Bloch ; *RTD civ.* 2011, 137, obs. P. Jourdain. – J. Mouly, *L'abandon de la théorie de l'acceptation des risques en matière de responsabilité du fait des choses. Enjeux et perspectives* : *D.* 2011, 690.

(876) L. 12 mars 2012. – D. Bakouche, *La loi de la course* : *JCP* 2012, 397. – J. Bolle et A. Boisgrollier, *Le législateur au secours du sport* : *JCP* 2012, 507. – J. Mouly, *Le nouvel article L. 321-3-1 du Code du sport : une rupture inutile avec le droit commun* : *D.* 2012, 1070.

(877) Précisons, également, qu'une faute de la victime est sans incidence sur la responsabilité pénale de l'auteur du dommage, Cass. crim., 11 mars 2013, F-P+B+I, n° 12-86.769.

victime d'un accident de train qui voyageait sans billet[(878)], ou du maître de l'ouvrage victime de désordres de construction pour lesquels il a omis de s'assurer[(879)] ; en effet, le défaut de billet ou d'assurance n'est pas la cause de l'accident. Également, il a été jugé qu'une relation amoureuse avec l'amie de son agresseur, dans le cadre d'un trafic de stupéfiants, ne suffit pas à caractériser le lien de causalité direct et certain entre la faute de la victime et le dommage subi (violences volontaires)[(880)].

Pendant un temps, la faute de la victime n'était jamais prise en considération lorsque l'auteur avait commis une infraction pénale intentionnelle contre les biens[(881)]. Un arrêt rendu par la Chambre criminelle de la Cour de cassation du 19 mars 2014[(882)], rendu dans la célèbre affaire du courtier Jérôme Kerviel contre la Société générale, a opéré un revirement de jurisprudence, considérant que la faute de la victime doit être prise en considération dans la détermination du montant de l'indemnisation, en l'occurence en présence d'une infraction pénale intentionnelle contre les biens.

752. – **La faute de la victime constitutive d'un cas de force majeure.** Suivant la formule de la jurisprudence, « la faute de la victime n'exonère totalement le gardien de la chose que si elle constitue un cas de force majeure »[(883)], ce qui suppose que l'action de la victime ait été imprévisible et irrésistible[(884)], auquel cas elle est la cause exclusive du dommage. La règle est la même dans le cas où la responsabilité du défendeur est recherchée sur le fondement de la faute.

À cet égard, la jurisprudence se montre très exigeante, notamment à l'égard de la SNCF qui se voit implicitement reprocher de ne pas avoir prévu le comportement parfois bien imprudent de ses clients[(885)].

753. – **La faute de la victime non constitutive d'un cas de force majeure.** Ici, il faut distinguer suivant que la responsabilité de l'auteur du dommage est recherchée sur le fondement de la faute, ou sur celui d'une présomption de responsabilité.

1) Si l'auteur du dommage est poursuivi sur le fondement d'une *faute prouvée*, il y aura partage de responsabilité au prorata de la *gravité respective des fautes*. Cela

(878) Cass. 2e civ., 5 oct. 1988 : *Bull. civ.* 1988, II, n° 189. – Cass. 2e civ., 19 févr. 1992 : *JCP* 1993, II, 22170 et note Casile-Hugues.

(879) Cass. 3e civ., 30 mars 1994 : *Bull. civ.* 1994, III, n° 67, p. 40. – Cass. 3e civ., 12 juill. 1995 : *Bull. civ.* 1995, III, n° 177, p. 121. – Cass. 3e civ., 17 déc. 2003 : *RD imm.* 2004, 198, obs. Ph. Malinvaud.

(880) Cass. 2e civ., 28 févr. 2013, F-P+B, n° 12-15.634 : quelques jours avant l'agression, la victime commençait une relation amoureuse avec l'amie de l'agresseur. Le couple, après avoir consommé des produits stupéfiants, avait livré du cannabis à l'auteur du dommage. C'est à ce moment qu'il a été agressé.

(881) Cass. 2e civ., 19 juin 2003 [2 arrêts] : D. 2003, 2326, note J.-P. Chazal ; *ibid.* 2004, 1346, obs. D. Mazeaud ; *RTD civ.* 2003, 716, obs. P. Jourdain ; *Dr. et patr.* nov. 2003, p. 82 et 83, obs. F. Chabas. – Cass. crim., 7 nov. 2001, n° 01-80.592 : *D.* 2002, 138, et les obs. ; *RTD civ.* 2002, 314, obs. P. Jourdain. – 10 mars 2004 : *Bull. crim.*, n° 64. – Contra, pour les atteintes à la personne, Cass., ch. mixte, 28 janv. 1972 : *RTD civ.* 1972, 406, obs. G. Durry.

(882) Cass. crim., 19 mars 2013, FP-P+B+R+I, n° 12-87.416.

(883) Cass. 2e civ., 11 juill. 2002 : *D.* 2002, inf. rap. p. 2454. – Cass. 1re civ., 11 juill. 2002 : *Bull. civ.* 2002, I, n° 174, p. 138. – Cass. 2e civ., 27 mars 2003 : *D.* 2003, inf. rap. p. 1078.

(884) La Cour de cassation exerce un contrôle sur la qualification de force majeure : Cass. 2e civ., 23 oct. 2003 : *Bull. civ.* 2003, II, n° 329, p. 267 ; *JCP* 2003, IV, 2958 ; *D.* 2003, inf. rap. p. 2670.

(885) Cass. 2e civ., 25 juin 1998 : *JCP* 1998, II, 10191 et note B. Fromion-Hébrard ; *D.* 1999, 416 et note Ch. Lapoyade-Deschamps (usager qui se tient trop près du bord du quai à l'arrivée d'un train). – Cass. 2e civ., 23 janv. 2003 : *Bull. civ.* 2003, II, n° 18, p. 14 (usager s'étant engagé dans un passage à niveau alors que les demi-barrières étaient fermées). – Cass. 2e civ., 23 janv. 2003 : *Bull. civ.* 2003, II, n° 17 ; *D.* 2003, 2465 et note V. Depadt-Sebag. – Cass. 2e civ., 27 févr. 2003 : *Bull. civ.* 2003, II, n° 45, p. 38 (usager descendant d'un train en marche). – Cass. 2e civ., 15 déc. 2005 : *JCP* 2006, IV, 1095 ; *D.* 2006, inf. rap. p. 101 (usager en état d'imprégnation alcoolique qui descend sur la voie ferrée et s'agenouille sur le ballast face à la voie). – Cass. 2e civ., 13 juill. 2006 : *Bull. civ.* 2006, II, n° 216 ; *JCP* 2007, I, 115, n° 8, obs. Ph. Stoffel-Munck.

revient à dire que l'indemnité attribuée à la victime sera réduite de la quote-part mise à sa charge[(886)]. À supposer que la victime soit décédée, les dommages-intérêts alloués à ses parents ou héritiers seraient amputés dans la même proportion ; la jurisprudence admet en effet que la faute de la victime leur est opposable[(887)].

2) Si au contraire l'auteur du dommage était poursuivi sur le fondement d'une *présomption de responsabilité* (art. 1384, al. 1er, 1385 ou 1386), la jurisprudence décidait depuis l'arrêt *Desmares*[(888)] que toute exonération partielle fondée sur la faute de la victime était exclue. La faute de la victime n'était prise en considération que si elle était constitutive de force majeure – c'est-à-dire imprévisible et irrésistible – et elle entraînait alors une exonération totale de responsabilité de l'auteur du dommage.

Ainsi la jurisprudence *Desmares* instaurait un système du tout ou rien lorsque la responsabilité de l'auteur du dommage était recherchée sur le fondement de l'article 1384, alinéa 1er : ou bien la victime avait commis une faute constitutive d'un cas de force majeure, et elle ne recevait aucune indemnisation ; ou bien sa faute n'était pas imprévisible et irrésistible, et cette faute n'avait aucun effet sur la réparation du dommage qui était alors entière. Cette jurisprudence du tout ou rien initiée par la deuxième chambre civile de la Cour de cassation constituait en fait une provocation et une incitation en vue d'une réforme réglant le problème des accidents de la circulation par une responsabilité objective. La réforme a été accomplie par la loi n° 85-677 du 5 juillet 1985 (V. *supra*, nos 691 et s.)[(889)].

Les motivations profondes de la jurisprudence *Desmares* ayant ainsi disparu, la Cour de cassation l'a abandonnée par trois arrêts du 6 avril 1987[(890)] qui posaient en principe que « le gardien de la chose instrument du dommage est partiellement exonéré de sa responsabilité s'il prouve que la faute de la victime a contribué au dommage ».

Ainsi, à la suite de ces arrêts, la faute de la victime, non imprévisible ni irrésistible, pouvait entraîner une exonération partielle de l'auteur du dommage, que sa responsabilité soit recherchée sur le fondement d'une faute prouvée ou

(886) Cass. crim., 29 juin 2010, n° 09-87463.

(887) J. Fossereau, *L'incidence de la faute de la victime sur le droit à réparation de ses ayants cause agissant à titre personnel : RTD civ.* 1963, 7. – Cass. ch. réunies, 25 nov. 1964, 2 arrêts : *D.* 1964, 733 et concl. Aydalot ; *JCP* 1964, II, 13972, obs. P. Esmein. Après dissidence de la deuxième chambre civile (25 oct. 1978 : *JCP* 1979, II, 19193, obs. F. Chabas), l'assemblée plénière a réaffirmé le principe de l'opposabilité de la faute de la victime immédiate aux victimes par ricochet : Cass. ass. plén., 19 juin 1981 : *D.* 1981, 641 et note Ch. Larroumet ; *D.* 1982, 85, concl. Cabannes et note F. Chabas ; *JCP* 1982, II, 19712 et rapp. A. Ponsard.

(888) Cass. 2e civ., 21 juill. 1982 : *D.* 1982, 449, concl. Charbonnier et note Ch. Larroumet ; *JCP* 1982, II, 19861, obs. F. Chabas. Cette jurisprudence de la Cour de cassation a suscité de vives résistances des juridictions du fond (V. par ex., Paris, 9 et 15 déc. 1982 : *D.* 1983, 153 et note Ch. Larroumet) et de vives critiques de la doctrine : G. Viney, *L'indemnisation des victimes des dommages causés par le « fait d'une chose » après l'arrêt de la Cour de cassation, 2e ch. civ., du 21 juillet 1982 : D.* 1982, chron. 201. – Y. Lambert-Faivre, *Aspects juridiques, moraux et économiques de l'indemnisation des victimes fautives : D.* 1982, chron. 207. – J. Bigot, *L'arrêt* Desmares *: retour au néolithique : JCP* 1982, I, 3090. – E. Bloch, *Est-ce le glas du partage de responsabilité ? : JCP* 1982, I, 3091. – J.-L. Aubert, *L'arrêt* Desmares *: une provocation… à quelles réformes ? : D.* 1983, chron. 1. – Y. Lambert-Faivre, *Pour un nouveau regard sur la responsabilité civile : D.* 1983, chron. 102. – B. Puill, *Gravité ou causalité de la faute de la victime en responsabilité civile : D.* 1984, chron. 58. – G. Viney, *La faute de la victime d'un accident corporel : le présent et l'avenir : JCP* 1984, I, 3155. – S. Bories, *Les victimes de l'arrêt* Desmares *: JCP* 1984, I, 3157. – E. Serverin et M.-C. Rondeau-Rivier, *Un essai d'évaluation du changement du droit : la mesure des incidences de l'arrêt* Desmares *: D.* 1985, chron. 227.

(889) Pour une illustration dans le cadre d'une action civile exercée devant le juge répressif, Cass. crim., 11 mars 2013, F-P+B+I, n° 12-86.769.

(890) Cass. 2e civ., 6 avr. 1987 : *JCP* 1987, II, 20828, obs. F. Chabas ; *D.* 1988, 32 et note Ch. Mouly. – H. Margeat et J. Landel, *Desmares est mort : Gaz. Pal.* 1987, doctr. 591.

d'une présomption de responsabilité[891] (sauf en matière d'accidents de la circulation).

Cette jurisprudence, qui était devenue constante, a été contredite par un arrêt de la première chambre civile qui a décidé, en matière de responsabilité contractuelle du transporteur de personnes, que la faute de la victime, si elle emporte exonération totale lorsqu'elle est constitutive d'un cas de force majeure, ne saurait entraîner d'exonération partielle dans le cas contraire[892]. C'est là un retour, dans ce domaine, à la jurisprudence *Desmares*. Il semble toutefois que cette exception au principe de l'exonération partielle s'applique à la seule responsabilité contractuelle du transporteur, ce que paraît impliquer un arrêt d'une chambre mixte[893], ou encore à la seule matière contractuelle en présence d'une obligation de sécurité de résultat[894].

754. – **La faute de la victime en matière contractuelle dans les projets européens.** Selon l'avant-projet de l'Académie de Pavie, les Principes Lando et Unidroit[895], une partie ne peut recourir à aucun moyen prévu en cas d'inexécution dans la mesure où cette inexécution de l'autre partie est imputable à un acte de sa part (action ou omission mais aussi selon les Principes Unidroit, tout événement dont le créancier supporte le risque). Le fait du créancier exonère donc le débiteur ; l'exonération peut être totale ou partielle en fonction du comportement du créancier. Mais ces projets vont plus loin que le droit français puisqu'il n'est pas exigé que le fait du créancier présente les caractères de la force majeure pour produire son effet exonératoire.

755. – **La faute de la victime dans le Projet Catala.** S'agissant de la faute de la victime, le Projet envisage trois hypothèses[896].

Elle sera d'abord totalement exonératoire lorsque la victime a volontairement recherché le dommage (art. 1350).

Elle sera partiellement exonératoire dans les autres cas dès lors qu'elle aura concouru à la production du dommage ; toutefois, en cas d'atteinte à l'intégrité physique, une faute grave de la victime sera exigée (art. 1351).

Elle ne permettra enfin aucune exonération si la victime était privée de discernement (art. 1351-1)[897].

(891) V. par ex. Cass. 2e civ., 22 mai 2003 : *D.* 2004.523, 1re esp. et note S. Beaugendre. – Cass. 2e civ., 19 févr. 2004 : *Bull. civ.* 2004, II, n° 75, p. 64 ; *JCP* 2004, IV, 1745. – Cass. 2e civ., 18 mars 2004 : *D.* 2005, 125 et note I. Corpart.

(892) Cass. 1re civ., 13 mars 2008 : *D.* 2008, 1582, 1re esp. et note G. Viney ; *JCP* 2008, II, 10085 et note P. Grosser.

(893) Cass. ch. mixte, 28 nov. 2008 : *D.* 2008, 3079, obs. I. Gallmeister ; *JCP* 2009, II, 10011 et note P. Grosser ; *D.* 2009, 460 et note G. Viney ; *RTD civ.* 2009, 129, obs. P. Jourdain ; *RDC* 2009, 487, obs. T. Génicon.

(894) V. obs. P. Jourdain, *in RTD civ.* 2008, 313.

(895) PDEC, art. 8.101 en général et 9.504 sur les dommages-intérêts ; Unidroit, art. 7.1.2 et art. 7.4.7 sur les dommages-intérêts ; Pavie, art. 82 et 167 sur les dommages-intérêts.

(896) Comp. le projet de réforme de la responsabilité civile du 26 juillet 2012 : « La faute de la victime ou d'une personne dont la victime doit répondre est partiellement exonératoire lorsqu'elle a contribué à la réalisation du dommage. En cas de dommage corporel, seule une faute grave peut entraîner l'exonération partielle ».

(897) art. 46 du projet de réforme du 26 juillet 2012 : « La faute de la victime privée de discernement n'a pas d'effet exonératoire ». – V. égal. Art. 47 du Projet Fr. Terré.

SECTION 3

LA RÉPARATION[898]

756. – **Présentation générale. Plan.** Si les conditions de la responsabilité sont établies, le juge saisi du litige rendra une décision par laquelle il attribuera la responsabilité à une ou plusieurs personnes. Le principe de la responsabilité une fois retenu, le dommage devra être chiffré ; un ou plusieurs experts pourront être désignés pour éclairer les magistrats le cas échéant.

Ces considérations techniques mises à part, la matière est dominée par le principe de la réparation intégrale du préjudice. Applicable sans réserve en dehors de tout contrat, ce principe souffre des limitations légales dans le domaine de la responsabilité contractuelle et il n'interdit pas de conclure, soit entre les parties, soit avec des tiers, certaines conventions relatives à la responsabilité.

§ 1. – Le principe de la réparation intégrale

757. – **Fondement du principe.** Le principe de la réparation intégrale du préjudice n'est pas inscrit dans les textes de manière expresse, mais on s'accorde à reconnaître qu'il est partout sous-entendu. Ainsi, lorsqu'il est dit à l'article 1382 du Code civil que « tout fait quelconque de l'homme qui cause à autrui un dommage, oblige celui par la faute duquel il est arrivé, à le réparer », il est permis de supposer que la loi invite le juge à réparer tout le préjudice[899].

Le principe est consacré par la jurisprudence qui considère que la responsabilité civile a pour objet de « replacer la victime dans la situation où elle se serait trouvée si l'acte dommageable ne s'était pas produit »[900] ; mais il n'implique pas de contrôle sur l'utilisation des fonds alloués à la victime qui est libre de les affecter comme elle l'entend, soit à la réparation effective du dommage causé, soit à toute satisfaction de remplacement[901].

Le Projet Catala pose le principe d'une réparation intégrale[902] (art. 1368) en matière contractuelle[903] comme en matière extracontractuelle, et ceci qu'elle soit

(898) L. Ripert, *La réparation du préjudice dans la responsabilité délictuelle* : thèse Paris, 1933. – M.-E. Roujou de Bourée, *Essai sur la notion de réparation* : LGDJ, 1974. – Y. Chartier, *La réparation du préjudice*, Dalloz, 1983. – Y. Lambert-Faivre, *L'évolution de la responsabilité civile d'une dette de responsabilité à une créance d'indemnisation* : *RTD civ.* 1987, 1.

(899) D. Boustani, *La réparation intégrale et les règles de procédure : principe prétendu ou droit effectif ?* : *D.* 2014, p. 389.

(900) V. par ex. Cass. 2e civ., 7 déc. 1978 : *Bull. civ.* 1978, II, n° 269. – Cass. 2e civ., 9 juill. 1981 : *Bull. civ.* 1981, II, n° 156. – Cass. crim., 10 déc. 2013, n° 13-80.954, F-P+B, Caisse primaire d'assurance maladie de l'Hérault : JurisData n° 2013-031253.

(901) Cass. 2e civ., 8 juill. 2004 : *D.* 2004, inf. rap. p. 2087.

(902) Pour une critique de la réparation intégrale au profit d'une réparation satisfactoire s'agissant des préjudices non économiques : Y. Lambert-Faivre, *Les effets de la responsabilité (les articles 1367 à 1383 nouveaux du Code civil)*, in *L'avant-projet de réforme du droit de la responsabilité – Actes du colloque du 12 mai 2006* : *RDC* 2007, p. 163. L'article 49 du projet de réforme de la responsabilité civile du 26 juillet 2012 pose également un tel principe : « Sous réserve de dispositions ou de clauses contraires, la réparation doit avoir pour objet de replacer la victime autant qu'il est possible dans la situation où elle se serait trouvée si le fait dommageable n'avait pas eu lieu. Il ne doit en résulter pour elle ni perte ni profit ». – V. égal. Article 49, alinéa 2 du Projet Fr. Terré : « La réparation tend à placer le demandeur dans la situation où il se trouverait si le dommage ne lui avait pas été causé ; il ne peut en principe en résulter pour lui ni perte ni profit ». Mais si le rapport Fr. Terré consacre le principe, les tempéraments sont très nombreux, V. Cl. Bernfeld, Rapport Fr. Terré. Feu la réparation intégrale : *JCP G* n° 1, 9 janv. 2012, doctr. 30.

(903) E. Savaux, *Brèves observations sur la responsabilité contractuelle dans l'avant-projet de réforme du droit de la responsabilité*, in *L'avant-projet de réforme du droit de la responsabilité – Actes du colloque du 12 mai 2006* : *RDC* 2007, p. 45.

en nature (art. 1369) ou par équivalent (art. 1370). Il permet par ailleurs au juge, en cas de circonstances particulières, d'affecter les dommages-intérêts à « une mesure de réparation spécifique » (art. 1377) ; si le Projet ne définit pas lesdites circonstances, ses rédacteurs donnent comme exemple les atteintes à l'environnement[(904)].

Ce principe a des incidences en ce qui concerne le point de départ du droit à réparation et la forme de cette réparation ; mais son terrain d'élection est l'évaluation des dommages-intérêts.

A. – Le point de départ du droit à réparation

758. – **La naissance du droit à réparation.** Entre le jour du dommage et celui de la décision définitive, il s'écoule toujours un certain délai qui, dans les plus mauvaises circonstances, peut se chiffrer par années. Il est alors intéressant de savoir à quel moment exact est né le droit à réparation, car c'est à partir de cette date que seront calculés les dommages-intérêts moratoires réparant le retard mis à exécuter un contrat ou à effacer le préjudice. S'il va sans dire que l'auteur du dommage doit supporter les conséquences de ce retard, encore faut-il préciser à quel moment il commence[(905)].

Il s'agit donc de savoir, non pas quel est le montant de l'indemnité, mais à partir de quelle date ce montant alloué par le juge va être productif d'intérêts. La question porte ainsi sur les intérêts des dommages-intérêts, et elle est commune aux deux types de responsabilité.

Mais, en matière contractuelle, il se pose une question préalable et complémentaire : le dommage résultant de l'inexécution du contrat, quelle date doit-on retenir comme étant celle de l'inexécution ? De la réponse dépend l'évaluation du montant des dommages-intérêts.

1° Les intérêts des dommages-intérêts. La date de la créance de réparation

759. – **Jour du dommage ou jour du jugement ?** Lorsqu'un dommage est causé en dehors de tout contrat, deux dates sont concevables pour la naissance du droit à réparation : le jour du dommage ou celui du jugement.

Sur un plan théorique, le choix dépend de la conception que l'on se fait du rôle du juge. Ou bien le juge ne fait que vérifier l'existence des conditions de la responsabilité, et alors il doit constater, *déclarer* que la responsabilité existe depuis le jour où ces conditions étaient réunies, c'est-à-dire au jour du dommage. Ou bien le juge apporte quelque chose de plus, il *constitue* un état de droit nouveau dont le point de départ ne peut être que le jugement. Le choix entre ces deux conceptions est un problème bien connu des juristes sous l'intitulé de *caractère déclaratif ou constitutif des jugements de condamnation.*

À ce problème quasi philosophique, la jurisprudence donne une réponse tout à fait pragmatique et nuancée.

(904) V. en ce sens, *Avant-projet de réforme du droit des obligations et de la prescription* : La Documentation française, 2006, p. 182.

(905) P. Jourdain, *La date de naissance de la créance d'indemnisation* : LPA 9 nov. 2004, p. 49. – V. R. Noirot, *La date de naissance de la créance* : thèse dactyl. Paris V, 2013. – P.-E. Audit, *La naissance des créances. Approche critique du conceptualisme juridique* : thèse dactyl. Paris II, 2013.

Elle admet que la créance potentielle de dommages-intérêts peut être transmise aux héritiers de la victime ou cédée à des tiers avant le jugement, ce qui suppose donc que *le principe du droit à réparation est né au jour du dommage*[906]. Tel est le principe que retient le Projet Catala dans son article 1367 : « La créance de réparation naît du jour de la réalisation du dommage ou, en cas de dommage futur, du jour où sa certitude est acquise »[907].

Mais, en sens contraire, la jurisprudence décide que la créance née d'un délit ou quasi-délit ne peut produire d'*intérêts moratoires*, c'est-à-dire pour le retard, que du jour du jugement[908]. Et c'est aussi à la date du jugement qu'il faudra se placer pour évaluer et chiffrer le montant du dommage (V. *infra*, n° 774)[909].

Cette jurisprudence se trouve aujourd'hui confirmée par une loi du 5 juillet 1985, insérée dans l'article 1153-1 du Code civil. Ce texte précise d'abord qu'« en toute matière » (c'est-à-dire contractuelle ou extracontractuelle) « la condamnation à une indemnité emporte intérêts au *taux légal* même en l'absence de demande ou de disposition spéciale du jugement ». Puis il édicte que « sauf disposition contraire de la loi, ces intérêts courent à compter du prononcé du jugement à moins que le juge n'en décide autrement ».

Le principe est donc que les intérêts courent du jour du jugement[910], le juge ayant toutefois le pouvoir d'en décider autrement, sans d'ailleurs avoir à motiver sa décision de ce chef[911]. Il s'agit là des intérêts des dommages-intérêts.

L'article 1153-1, alinéa 2, règle le cas où il a été fait appel de la décision de condamnation, et il distingue alors suivant que l'arrêt d'appel a confirmé purement et simplement ou non le jugement. Dans le premier cas, les intérêts courent du jour de la décision de première instance ; dans le second, ils ne courent que du jour de l'arrêt d'appel. Mais ces règles ne sont pas impératives, le juge d'appel étant libre d'y déroger.

2° Le calcul des dommages-intérêts en matière contractuelle. La mise en demeure

760. – Le principe : nécessité d'une mise en demeure. En matière de contrats, l'article 1146 du Code civil pose une règle particulière qui doit être combinée avec celle de l'article 1153-1 relative aux intérêts des dommages-intérêts : « Les dommages-intérêts ne sont dus que lorsque le débiteur est en demeure de remplir son obligation... » Cela signifie que, dans les rapports entre cocontractants, le dommage résultant d'un retard dans l'exécution est légitime tant que le débiteur n'a pas été officiellement invité à s'exécuter par une *mise en demeure*[912].

---

(906) A. Pinna, *La mobilisation de la créance indemnitaire* : *RTD civ.* 2008, p. 229.

(907) La même formule est utilisée dans le projet de réforme de la responsabilité civile du 26 juillet 2012, article 48 : « La créance de réparation naît du jour de la réalisation du dommage ou, en cas de dommage futur, du jour où sa certitude est acquise ».

(908) F. Greau, *Recherche sur les intérêts moratoires* : thèse Paris XII, 2004.

(909) Article 53 du projet de réforme du 26 juillet 2012 lui-même très proche de l'article 52 du Projet Fr. Terré.

(910) Cass. civ., 12 nov. 1941 : *DC* 1942, 97 et note Nast. – Cass. crim., 30 oct. 1968 : *D.* 1969, 451 et note R. Meurisse. – Cass. 2e civ., 24 févr. 1972 : *JCP* 1972, IV, 91. – Cass. crim., 1er déc. 1976 : *Gaz. Pal.* 1978, 1, 61, 1re esp. et note A. Solal.

(911) Cass. ass. plén., 3 juill. 1992 : *JCP* 1992, II, 21898, concl. D.-H. Dontenwille et note A. Perdriau. – V. A. Bénabent, *Le désintérêt des intérêts*, in *Mél. Ghestin*, 2000, p. 113.

(912) N.-H. Mograbi, *La mise en demeure* : thèse Paris II, 1976. – D. Allix, *Réflexions sur la mise en demeure* : *JCP* 1977, I, 2844. – X. Lagarde, *Remarques sur l'actualité de la mise en demeure* : *JCP* 1996, I, 3974. – Pour une application, V. Cass. 1re civ., 27 mai 2003 : *JCP* 2003, IV, 2281.

On observera qu'à l'inverse les Principes du droit européen du contrat et les Principes Unidroit ne conditionnent pas l'obligation du débiteur de payer des dommages-intérêts à l'existence d'une mise en demeure.

Art. 1139. – Le débiteur est constitué en demeure, soit par une sommation ou par autre acte équivalent (L. n° 91-650, 9 juill. 1991, art. 84) « telle une lettre missive lorsqu'il ressort de ses termes une interpellation suffisante, » soit par l'effet de la convention, lorsqu'elle porte que, sans qu'il soit besoin d'acte et par la seule échéance du terme, le débiteur sera en demeure.

Art. 1146. – Les dommages et intérêts ne sont dus que lorsque le débiteur est en demeure de remplir son obligation, excepté néanmoins lorsque la chose que le débiteur s'était obligé de donner ou de faire ne pouvait être donnée ou faite que dans un certain temps qu'il a laissé passer. *(L. n° 91-650, 9 juill. 1991, art. 85)* « La mise en demeure peut résulter d'une lettre missive, s'il en ressort une interpellation suffisante ».

Il s'agit d'une sommation par huissier ou tout autre acte équivalent (C. civ., art. 1139). On a toujours admis à ce titre une demande en justice ou, dans les rapports commerciaux, une lettre recommandée[913]. Modifiant sur ce point les articles 1139 et 1146, la loi du 9 juillet 1991 admet comme équivalent une simple lettre missive « lorsqu'il ressort de ses termes une interpellation suffisante », c'est-à-dire lorsqu'elle manifeste une volonté claire du créancier d'exiger son dû sans délai. Quant au projet de réforme du 23 octobre 2013, il édicte que « Le débiteur est mis en demeure soit par une sommation ou un acte portant interpellation suffisante, soit, si le contrat le prévoit, par la seule exigibilité de l'obligation » (art. 202).

Cette formalité marque le point de départ des *intérêts moratoires*, c'est-à-dire ceux dus pour le retard mis à exécuter ; le cocontractant responsable en sera donc débiteur dès le jour de la mise en demeure, bien avant le jour du jugement. En revanche, s'agissant des dommages-intérêts *compensatoires*[914], l'arrêt d'une chambre mixte du 6 juillet 2007 décide que la mise en demeure est inutile[915]. Cela dit, certains commentateurs de l'arrêt concluent, comme le Projet Catala (art. 1365), que l'exigence d'une mise en demeure préalable devrait être maintenue « chaque fois que cette formalité est nécessaire pour caractériser l'inexécution ».

Par ailleurs, lorsque la mise en demeure concerne l'obligation de livrer consécutive à la vente d'une chose déterminée, elle a également pour effet de mettre à la charge du vendeur négligent les risques de perte ou de détérioration des objets vendus (V. *supra*, n° 533, *in fine*).

Le Projet Catala, à l'inverse des principes européens, maintient l'exigence d'une mise en demeure pour faire courir les intérêts moratoires tandis que celle-ci n'est pas nécessaire en principe pour faire courir les intérêts compensatoires (art. 1365

---

(913) Cass. 3e civ., 31 mars 1971 : *D.* 1971, somm. p. 131. – B. Debray, *La lettre recommandée dans la procédure civile et commerciale : D.* 1968, chron. 155. – Sur l'incertitude de la lettre recommandée comme mode d'acheminement d'une information, V. M. Dagot, *Les illusions de la lettre recommandée : JCP* N 2003, inf. 1266.

(914) A. Weill, *Dommages-intérêts compensatoires et mise en demeure : Rev. crit. législ. et jurispr.* 1939, 203. – M.-J. Pierrard, *La mise en demeure et les dommages-intérêts compensatoires : JCP* 1944, I, 466. – R. Meurisse, *Dommages-intérêts compensatoires, dommages-intérêts moratoires et mise en demeure : JCP* 1947, I, 667.

(915) Cass. ch. mixte, 6 juill. 2007 : *D.* 2007, 2642 et note G. Viney ; *JCP* 2007, II, 10175 et note M. Mekki ; *Defrénois* 2007, 1, 1442, art. 38667, n° 59, obs. E. Savaux ; *D.* 2007, pan. 2974, obs. B. Fauvarque-Cosson ; *Rev. Lamy dr. civ.* nov. 2007, p. 6 et note E. Garaud ; *RDC* 2007, 1115, obs. D. Mazeaud ; *Contrats, conc. consom.* 2007, comm. 295, obs. L. Leveneur ; *JCP* 2008, I, 25, n° 12, obs. Ph. Stoffel-Munck ; *LPA* 1er-2 nov. 2007, p. 14 et not J.-D. Pellier, et 25 janv. 2008, p. 15, note M. Latina.

et 1381). La mise en demeure a également pour effet d'opérer transfert des risques à la charge du débiteur d'une obligation de livrer un corps certain (art. 1152-2). Les modalités de la mise en demeure (art. 1152-3) ainsi que ses exceptions (art. 1154-1 notamment) sont également reprises. Le projet de réforme du 23 octobre 2013 est également en ce sens. La demeure de délivrer une chose met les risques à la charge du débiteur (art. 203). Les articles 204 et suivants traitent de la mise en demeure du créancier et des différentes modalités de la mise en demeure.

761. - **Exceptions.** L'exigence d'une mise en demeure n'est ni générale, ni d'ordre public.

Elle est tout d'abord écartée par l'article 1145 pour les *obligations de ne pas faire* : « Si l'obligation est de ne pas faire, celui qui y contrevient doit des dommages et intérêts par le seul fait de la contravention ». Mais la question demeure de savoir si le créancier demandeur est pour autant dispensé d'établir le principe et le montant de son préjudice[(916)] (V. *supra*, n° 589).

Elle est également écartée par l'article 1146 dans le cas de l'inexécution d'une obligation de donner ou de faire qui ne pouvait être exécutée que dans un délai déjà écoulé. Généralisant cette hypothèse, on considère que le créancier est dispensé de procéder à une mise en demeure lorsqu'une inexécution irréversible rend cette formalité sans objet[(917)].

Enfin, la règle de l'article 1146 n'étant pas d'ordre public, il peut être stipulé dans le contrat que *l'arrivée du terme* fixé pour l'exécution vaudra mise en demeure. C'est là une sage précaution, très protectrice des intérêts du créancier[(918)].

B. – La forme de la réparation

762. - **Réparation en nature et réparation en équivalent.** Le souci d'assurer à la victime une réparation intégrale doit normalement conduire à préférer une réparation *en nature* parce que, remettant les choses dans leur état antérieur, elle efface le préjudice. Cela dit, la victime est libre de demander une réparation en équivalent, auquel cas le juge ne saurait lui imposer la réparation en nature offerte par son cocontractant, un constructeur, auteur du dommage[(919)].

En fait, le juge est souvent contraint d'accorder une réparation *en équivalent*, c'est-à-dire en argent ; la monnaie, qui représente la liquidité parfaite, est

(916) Cass. 1re civ., 26 févr. 2002 : *Bull. civ.* 2002, I, n° 68, p. 51 ; *RTD civ.* 2002, 809, obs. J. Mestre et B. Fages. – Et en sens contraire : Cass. 1re civ. 10 mai 2005 : *Bull. civ.* 2005, I, n° 201 ; *JCP* 2006, I, 111, n° 3, obs. Ph. Stoffel-Munck ; *Defrénois* 2005, p. 1247, obs. J.-L. Aubert ; *RTD civ.* 2005, p. 594, obs. J. Mestre et B. Fages, et 600, obs. P. Jourdain.

(917) Cass. ch. mixte, 6 juill. 2007, préc.

(918) Lorsque l'obligation est légale, la mise en demeure n'est pas nécessaire, v. par ex. en matière de sites pollués, Cass. 3e civ., 16 janv. 2013, n° 11-27.101 (n° 6 FS-P+B+R) (à propos de l'article 34 du décret n° 77-1134 du 21 septembre 1977). – Cass. 3e civ., 11 sept. 2013, n° 12-15.425 : Env. n° 12, déc. 2013, comm. 83, note M. Boutonnet.

(919) Cass. 3e civ., 28 sept. 2005 : *JCP* 2006, II, 10010 et note C. Noblot ; *RD imm.* 2005, p. 458, obs. Ph. Malinvaud ; *RTD civ.* 2006, p. 129, obs. P. Jourdain, et p. 311, obs. J. Mestre et B. Fages. Il en va toutefois différemment dans le cas où les dommages à réparer relèvent de la garantie de parfait achèvement de l'article 1792-6. – V. cep. Cass. 3e civ., 27 mars 2013, n° 12-13734, PB : *RDC* 2013/3, p. 974, note J.-B. Seube ; RDC 2013, p. 890, note T. Genicon et p. 903, note G. Viney ; *Gaz. Pal.* 6 juin 2013, n° 157, p. 17, note M. Mekki : « *Mais attendu que le preneur à bail de locaux à usage d'habitation, qui recherche la responsabilité du bailleur pour défaut d'exécution de son obligation d'entretien, ne pouvant refuser l'offre de ce dernier d'exécuter son obligation en nature, la cour d'appel, qui a constaté que l'OPAC offrait de réaliser les travaux, a pu en déduire, sans modifier l'objet du litige, que le locataire ne pouvait demander une réparation en équivalent* ».– Comp. Article 51, al. 3 du projet Fr. Terré : « Le défendeur peut offrir la réparation en nature plutôt que des dommages et intérêts ».

en effet le substitut de tout : sans doute n'efface-t-elle pas le préjudice, mais elle le compense.

Le Projet Catala reprend ces deux formes de réparation (art. 1368) pour leur consacrer des développements spécifiques (art. 1369 et 1369-1 pour la réparation en nature, art. 1370 à 1377 pour les dommages-intérêts).

Art. 1142. – Toute obligation de faire ou de ne pas faire se résout en dommages et intérêts en cas d'inexécution de la part du débiteur.

Art. 1143. – Néanmoins le créancier a le droit de demander que ce qui aurait été fait par contravention à l'engagement, soit détruit ; et il peut se faire autoriser à le détruire aux dépens du débiteur, sans préjudice des dommages et intérêts, s'il y a lieu.

Art. 1144. – Le créancier peut aussi, en cas d'inexécution, être autorisé à faire exécuter lui-même l'obligation aux dépens du débiteur. Celui-ci peut être condamné à faire l'avance des sommes nécessaires à cette exécution.

1° La réparation en nature[920]

763. – **Cas où elle est possible.** C'est la réparation la plus adéquate *a priori*, du moins pour le préjudice matériel.

Parfois, la loi elle-même prévoit que la réparation interviendra en nature. Tel est notamment le cas des désordres affectant une construction lorsqu'ils ont fait l'objet de réserves dans le procès-verbal de réception ou lorsque, survenant par la suite, ils ont été dénoncés dans l'année de la réception (C. civ., art. 1792-6).

Mais qu'en est-il pour les cas où la loi ne s'est pas prononcée ? La jurisprudence laisse ici au juge la *liberté de choisir* entre réparation en nature et réparation en équivalent, sous la forme d'une indemnité. La pratique fournit de nombreux exemples de réparation en nature.

Ainsi, le juge peut-il condamner une entreprise bruyante ou malodorante à faire cesser le trouble de voisinage apporté aux voisins. Par exemple, il peut ordonner l'exécution de travaux destinés à mettre fin aux troubles[921], ou l'arrêt de l'activité génératrice de troubles, ou même la démolition de la construction source du trouble[922]. Ou encore, celui qui aura édifié sur le terrain d'autrui ou au-delà de la hauteur réglementaire, ou en contravention avec le cahier des charges, pourra être condamné à procéder aux rectifications ou démolitions utiles.

De même, on peut concevoir que le salarié licencié à tort soit réintégré dans l'entreprise, que la carrière d'un fonctionnaire soit reconstituée, etc.[923]

Dans le même esprit, celui qui aura été diffamé par voie de presse, radio ou télévision, pourra obtenir la publication ou l'annonce du jugement de condamnation dans le même journal ou à la même émission[924]. Celui qui est victime d'une contrefaçon ou d'une concurrence déloyale pourra en faire ordonner la cessation[925], etc.

(920) N. Molfessis, *Force obligatoire et exécution : un droit à l'exécution en nature ?* : *RDC* 2005, 37.

(921) Cass. 2e civ., 15 avr. 1975 : *D.* 1976, 221, 2e esp., note Agostini et Lamarque. – Cass. 2e civ., 9 oct. 1996 : *Bull. civ.* 1996, II, n° 231. – Cass. 3e civ., 12 nov. 1997 : *Bull. civ.* 1997, III, n° 273.

(922) Cass. 3e civ., 22 mai 1997 : *Bull. civ.* 1997, III, n° 113 ; *JCP* 1997, IV, 1473 ; *JCP* 1997, I, 4060, n° 2, obs. H. Périnet-Marquet. – Cass. 3e civ., 30 sept. 1998 : *D.* 1998, inf. rap. p. 230.

(923) J. Mestre, *Rupture abusive et maintien du contrat* : *RDC* 2005, 99. – Ch. Bourgeon, *Rupture abusive et maintien du contrat : observations d'un praticien* : *RDC* 2005, 109. – Y. Reinhard, *Exécution en nature des pactes d'actionnaires* : *RDC* 2005, 115. – E. Brochier, *Exécution en nature des pactes entre actionnaires : observations d'un praticien* : *RDC* 2005, 125.

(924) M.-D. Douaoui, *La réparation du trouble médiatique* : *D.* 2001, chron. 1333.

(925) Cass. com., 19 avr. 1980 : *Bull. civ.* 1980, IV, n° 166.

Le Projet Catala consacre cette liberté du juge de choisir entre réparation en nature ou par équivalent (art. 1368). Il ne fournit pas de liste des mesures de réparation en nature mais il en précise l'objet : elle « doit être spécifiquement apte à supprimer, réduire ou compenser le dommage » (art. 1369)[926], ou encore, « lorsque le dommage est susceptible de s'aggraver, de se renouveler ou de se perpétuer », la mesure doit être « propre à éviter ces conséquences, y compris au besoin la cessation de l'activité dommageable » (art. 1369-1).

764. - **Cas où elle est impossible.** En pratique, la réparation en nature n'est pas toujours possible.

Parfois, des *raisons matérielles* s'y opposent : par exemple, pour le préjudice corporel irréversible. On ne rattrape pas en nature une incapacité de travail permanente.

D'autres fois, c'est à des *motifs juridiques* qu'on se heurte, notamment à la règle de l'article 1142 du Code civil. Ce texte interdit en principe aux juges de condamner un débiteur à exécuter en nature une prestation nécessitant son activité personnelle. Pour tourner cette interdiction d'une exécution forcée en nature de certaines obligations, la jurisprudence a créé de toutes pièces des modes indirects, tels que l'astreinte (sur l'ensemble de la question, V. *infra*, nos 884 et s., à propos de l'exécution forcée des obligations)[927].

On peut enfin autoriser un créancier de marchandises à se fournir en nature chez un tiers, en faisant payer la différence de prix à son cocontractant en retard. Ainsi réalise-t-on au profit de la victime une satisfaction en nature tout en mettant à la charge du responsable une réparation en équivalent.

765. - **Le droit à l'exécution en nature dans les projets d'unification du droit des contrats.** Les divers projets d'unification du droit des contrats, Principes Lando, Principes Unidroit, avant-projet de Code européen des contrats de Pavie, admettent le principe d'un véritable droit à l'exécution en nature au profit du créancier[928]. Celui-ci a le droit d'exiger[929] dans un délai raisonnable l'exécution en nature de toute obligation, y compris la correction d'une exécution défectueuse, et non pas seulement d'une obligation de paiement d'une somme d'argent ; aucune distinction n'est faite selon la nature de l'obligation : obligation de faire, de donner (V. *infra*, nos 883 et s.).

Dans ces projets, il semble bien que le juge n'ait pas de pouvoir d'appréciation sur la mesure à ordonner si le créancier exige l'exécution en nature. Toutefois, ce droit à l'exécution en nature supporte des exceptions : tel est le cas si elle est objectivement impossible ou illicite, si elle emporte des efforts ou des dépenses déraisonnables, si l'obligation en cause présente un caractère personnel, ou si le créancier peut raisonnablement obtenir l'exécution par un autre moyen. Lorsque l'exécution en nature est impossible, le créancier conserve bien entendu la possibilité de demander des dommages-intérêts.

En définitive, sous des aspects novateurs, ces dispositions ne sont pas très éloignées du droit français et elles conduisent à des solutions tout à fait comparables.

(926) L'article 51 du Projet Fr. Terré est dans le même sens.

(927) B. Puig, *Les techniques de préservation de l'exécution en nature* : *RDC* 2005, 85.

(928) PDEC, art. 9.101 et s. ; Unidroit, art. 7.2.1 et s. ; Pavie, art. 111 et 112 et 166.2 qui fait clairement primer l'exécution sous forme spécifique sur la réparation par le versement d'une somme d'argent.

(929) Dans le Projet de l'Académie de Pavie, il ne s'agit que du droit de demander au juge d'ordonner l'exécution en nature.

766. – Exécution en nature et réparation en nature du dommage contractuel dans le Projet Catala et dans le projet de réforme du droit des contrats. Le Projet Catala reconnaît au créancier un véritable droit à l'exécution en nature du contrat, y compris pour les obligations de faire[930] (art. 1154) et considère les dommages-intérêts comme une forme de réparation du préjudice subi davantage que comme un mode d'exécution par équivalent (sur la nature des dommages-intérêts en matière contractuelle, V. *supra*, n° 560).

Le Projet Catala consacre, même en matière contractuelle, la liberté pour le juge de réparer le dommage souffert par le créancier sous forme pécuniaire ou par le prononcé d'une mesure de réparation en nature. Cela dit, il convient de distinguer cette dernière de l'exécution en nature. La distinction ne tient pas tant à la mesure prise par le juge mais aux conditions de son prononcé. En effet, à la différence de l'exécution en nature, la réparation en nature suppose que l'inexécution du contrat cause un préjudice au créancier[931]. L'on peut cependant penser que la place faite à la réparation en nature en matière contractuelle sera réduite[932].

Quant au projet de réforme du 23 octobre 2013, l'exécution forcée en nature peut être par principe demandée par le créancier à son débiteur. Selon l'article 129 « le créancier d'une obligation peut, après mise en demeure, en poursuivre l'exécution en nature sauf si cette exécution est impossible ou si son coût est manifestement déraisonnable ». Notons qu'aucune distinction n'est opérée entre les obligations concernées et laisse entrevoir une application des limites aux obligations de ne pas faire[933]. Cette exécution forcée en nature est désormais formellement inscrite au sein du Code civil. Elle n'était pas inconnue du droit français. L'article L. 111-1 du Code de procédure civile d'exécution dispose en ce sens que « Tout créancier peut, dans les conditions prévues par la loi, contraindre son débiteur défaillant à exécuter ses obligations à son égard ». Autre nouveauté, le créancier peut également faire exécuter le contrat par un tiers. Ce qu'on appelle une faculté de remplacement n'a apparemment rien d'original (C. civ., art. 1143 et 1144)[934]. En revanche, les conditions de mise en œuvre sont considérablement assouplies car l'autorisation préalable du juge n'est plus exigée. L'article 130 prévoit en effet que « après mise en demeure, le créancier peut aussi, dans un délai et à un coût raisonnables, faire exécuter lui-même l'obligation ou détruire ce qui a été fait en violation de celle-ci. Il peut en demander le remboursement au débiteur. Il peut aussi saisir le juge pour que le débiteur avance les sommes nécessaires

(930) J. Rochfeld, *Remarques sur les propositions relatives à l'exécution et à l'inexécution du contrat : la subjectivation du droit à l'exécution* : *RDC* 2006, p. 113.

(931) En ce sens, P. Ancel, *La responsabilité contractuelle et ses relations avec la responsabilité extra-contractuelle : présentation des solutions de l'avant-projet*, in *L'avant-projet de réforme du droit de la responsabilité – Actes du colloque du 12 mai 2006* : *RDC* 2007, p. 191 : « La notion de réparation en nature se trouve ainsi consacrée, y compris en matière contractuelle. Il convient cependant de bien distinguer cette réparation en nature qui s'inscrit dans le cadre de la responsabilité civile de l'exécution en nature, à laquelle a droit le créancier contractuel sans avoir à prouver qu'il a subi un préjudice ».

(932) En ce sens, P. Ancel, *La responsabilité contractuelle et ses relations avec la responsabilité extra-contractuelle : présentation des solutions de l'avant-projet*, in *L'avant-projet de réforme du droit de la responsabilité – Actes du colloque du 12 mai 2006* : *RDC* 2007, p. 19.

(933) Sur ces interrogations à propos du projet 2008, Ph. Stoffel-Munck, *op. cit.*, spéc. n° 9.

(934) V. égal. articles 9.506 PDEC, 7.4.5 Principes Unidroit, et III-3 :706 DCFR.

à cette exécution ou à cette destruction ». Les articles 129 et 130 de l'avant-projet sont à ce titre très proches des articles 105 et 106 du projet Terré[935].

2° La réparation en équivalent

767. - **Les dommages-intérêts.** Il s'agit d'une satisfaction de remplacement, d'une somme d'argent allouée à titre de compensation, de dommages-intérêts (ou dommages et intérêts) dit-on couramment[936].

On distingue à cet égard deux types de dommages-intérêts.

En matière contractuelle, les dommages-intérêts *moratoires* indemnisent la victime du retard dont elle a souffert dans l'exécution. Ils peuvent se rencontrer isolément si, à l'issue du retard, le contrat a été exécuté. Ils peuvent aussi s'ajouter aux dommages-intérêts *compensatoires.* Ces derniers ont pour objet l'indemnisation du préjudice causé par l'inexécution définitive du contrat, qu'elle soit partielle ou totale.

Cette distinction des intérêts moratoires et compensatoires en matière contractuelle est reprise par le Projet Catala sans pour autant que celui-ci emploie ces termes. Il traite des intérêts moratoires dans l'article 1381, qui reprend les règles figurant actuellement à l'article 1153 du Code civil. Quant au projet de réforme, il reprend purement et simplement, en les renumérotant, les articles 1146 à 1155 du Code civil.

768. - **Capital ou rente.** Quant à sa forme, l'indemnité compensatoire peut être un capital ou une rente.

Le plus souvent, il s'agit d'un *capital,* versé en une seule fois, et qui correspond au montant du dommage indemnisé.

En revanche, la *rente* apparaît comme le mode le plus adéquat pour réparer un dommage qui s'étend dans le temps, par exemple une incapacité de travail résultant d'un dommage corporel ; elle remplace alors tout ou partie d'un salaire qui était lui-même mensuel.

Toutefois, pour être équitable, cette formule suppose une *indexation* des rentes que la Cour de cassation a d'abord condamnée au motif que la majoration des rentes ne pouvait relever que de l'État. Malgré cette attitude de la Cour suprême, un mouvement s'est développé parmi les juges du fond qui ont recommencé à prononcer des rentes viagères indexées ; et finalement le principe de leur validité a été admis par la Cour de cassation[937].

(935) V. P. Rémy-Corlay, in Pour une réforme du droit des contrats…, *op. cit.*, p. 277 et s. L'article 162 du projet de 2008 pose également le principe de l'exécution forcée en nature et envisage également à côté de l'impossibilité le cas du « coût (…) manifestement déraisonnable ». Dans le même sens, article 137 du projet de mai 2009.

(936) O. Saedi, *Dommages-intérêts ou dommages et intérêts. Celle-ci ou celle-là ; ou bien les deux ? : LPA* 8 juin 2005, p. 5.

(937) Cass. ch. mixte, 6 nov. 1974 : *JCP* 1975, II, 17978, concl. Gégout et obs. R. Savatier ; *Gaz. Pal.* 1974, 2, 868. – G.L. Pierre-François, *L'indexation judiciaire des rentes viagères allouées en réparation d'un préjudice de responsabilité délictuelle* : D. 1972, chron. 229. – M. Mignon, *La révision des rentes indemnitaires à durée indéterminée* : D. 1973, chron. 129. – S. Brousseau, *L'indexation des rentes indemnitaires* : *JCP* 1973, I, 2562. – M. Gaudet et G. Monin, *À propos de la revalorisation des rentes indemnitaires en cas de fluctuations monétaires* : *JCP* 1974, I, 2633. – M. Le Roy et H. Margeat, *Indexation et revalorisation des rentes de droit commun allouées en réparation d'un accident* : *Gaz. Pal.* 1975, 1, doctr. 131. – S. Brousseau, *Le point sur l'indemnisation par rentes indexées* : *JCP* 1977, I, 2855. – J. Honorat, *Les indexations contractuelles et judiciaires*, in *Études Flour*, 1979, p. 251. – Pour des modalités autres que l'indexation, V. Cass. 2e civ., 17 avr. 1975 : *D.* 1976, 152 et note A. Sharaf Eldine. – Cass. 1re civ., 12 mai 1976 : *JCP* 1976, IV, 223.

À la suite de l'intervention des compagnies d'assurances, le législateur a consacré et réglementé l'indexation des rentes viagères indemnitaires par une loi du 27 décembre 1974, mais seulement en ce qui concerne la réparation « des préjudices causés par un véhicule terrestre à moteur ». Ce texte, modifié par la loi du 5 juillet 1985, ne s'applique que dans le domaine ci-dessus précisé ; il s'ensuit que la jurisprudence antérieure conserve toute sa valeur pour les dommages ayant une autre cause.

L'indexation, automatique dans le cas de la loi de 1985, doit donc être expressément prévue par le juge hors de ce domaine.

Le Projet Catala consacre, de la même manière, la possibilité pour le juge d'allouer des dommages-intérêts sous forme de capital ou de rente (art. 1376). Cette liberté est cependant limitée pour la réparation de certains préjudices (gain professionnel manqué, perte de soutien matériel et assistance d'une tierce personne) qui, sauf décision spécialement motivée, ne peut que prendre la forme d'une rente indexée (art. 1379-3). Le Projet prévoit en outre que le juge est libre du choix de l'indice (art. 1379-3), ce qui devrait selon ses rédacteurs, entraîner l'abrogation de la loi de 1974[(938)].

Le Projet permet également au juge de prévoir une révision de la rente en cas de diminution ou d'aggravation du dommage (art. 1379-3).

C. – L'étendue de la réparation

1° Le principe de la réparation intégrale. Discussions

769. – **Tout le préjudice, mais rien que le préjudice.** La réparation devant être intégrale, il convient de réparer tout le préjudice, mais rien au-delà. Cette conception semble aujourd'hui menacée par une conception extensive de la notion de « satisfaction équitable » de la Cour européenne des droits de l'homme remettant par ce biais en cause la réparation pourtant jugée intégrale par les autorités judiciaires d'un Etat signataire[(939)].

Tout le préjudice : cela comprend toutes les formes de préjudice, préjudice matériel, préjudice moral ou préjudice corporel (V. *supra*, n°s 593 et s.). En matière contractuelle, l'article 1149 prévoit que « les dommages et intérêts dus au créancier sont, en général, de la perte qu'il a faite et du gain dont il a été privé, sauf les exceptions et modifications prévues ci-après », ce qui couvre tout à la fois la *perte* (*damnum emergens*) et le *manque à gagner* (*lucrum cessans*). Mais la jurisprudence retient la même règle en matière extracontractuelle.

Rien que le préjudice car la responsabilité civile a une fonction de réparation, non de sanction. Notamment le droit français ne connaît pas les *dommages-intérêts punitifs*, institution consacrée dans les pays anglo-saxons[(940)] (V. toutefois *infra*, n° 770 *in fine*).

(938) V. en ce sens, *Avant-projet de réforme du droit des obligations et de la prescription* : La Documentation française, 2006, p. 184.

(939) CEDH, 25 juin 2013, n° 30812/07, *Trévalec c/ Belgique* : D. 2013, 2139, obs. L. Sadoun-Jarin, note O. Sabard ; *ibid.* 2106, point de vue P.-Y. Gautier; *ibid.* 2658, obs. M. Bacache, A. Guégan-Lécuyer et S. Porchy-Simon ; RTD civ. 2013, p. 807, note J.-P. Marguénaud.

(940) C. Jauffret-Spinosi, *Les dommages-intérêts punitifs dans les systèmes de droit étrangers* : LPA 20 nov. 2002, p. 8. – J. Ortscheidt, *Les dommages et intérêts punitifs en droit de l'arbitrage international* : LPA 20 nov. 2002,

Dans la recherche d'une exacte évaluation du dommage, les juges des tribunaux et cours d'appel ont un large pouvoir d'appréciation[(941)] qui a souvent matière à s'exercer malgré l'existence de règles générales[(942)].

Le Projet Catala tend à limiter ce pouvoir d'appréciation. En effet, s'il rappelle que pour évaluer le préjudice le juge doit tenir compte de toutes les circonstances et de son évolution prévisible[(943)] (art. 1372), il lui impose d'évaluer distinctement les différents chefs de préjudice[(944)] dont il ordonne la réparation (art. 1374)[(945)].

770. – **Les dommages-intérêts punitifs dans le Projet Catala.** Après avoir posé dans l'article 1370, le principe de la réparation intégrale du préjudice, et précisé qu'il « ne doit en résulter pour [la victime] ni perte ni profit », le Projet se propose d'introduire en droit français les dommages-intérêts punitifs, ce qui atteste des fonctions dissuasive et punitive qui peuvent être conférées à la responsabilité civile[(946)].

La faculté de prononcer des dommages-intérêts punitifs n'est ouverte au juge qu'à l'encontre de l'auteur « d'une faute manifestement délibérée[(947)], notamment d'une faute lucrative[(948)] », c'est-à-dire de celle qui est commise précisément parce que l'avantage escompté par son auteur est supérieur à la sanction encourue (art. 1371)[(949)].

Ces dommages-intérêts, qui ne sont pas assurables, seront en principe attribués à la victime, mais il est laissé au juge « la faculté [d'en] faire bénéficier pour une part le Trésor public ».

p. 17. – J.- L. Baudouin, *Les dommages punitifs : un exemple d'emprunt réussi à la Common law*, in *Mél. Malinvaud* : Litec, 2007, p. 1. – A. Levasseur, *Quels dommages… en droit louisianais ?*, in *Mél. Malinvaud* : Litec, 2007, p. 353.

(941) Th. Ivainer, *Le pouvoir souverain du juge dans l'appréciation des indemnités réparatrices* : D. 1972, chron. 7.

(942) Dans le même sens, on observera que l'article 168 de l'avant-projet de Code européen des contrats de l'Académie des privatistes de Pavie prévoit une « évaluation équitable du dommage » autorisant le juge, en tenant compte du comportement, de l'intérêt et des conditions économiques du créancier, à limiter, en cas de faute légère, les dommages-intérêts si la réparation intégrale se révèle disproportionnée et crée pour le débiteur des conséquences manifestement insoutenables au vu de sa situation économique et que l'inexécution ne résulte pas de sa mauvaise foi.

(943) P. Jourdain, *Les effets de la responsabilité, in L'avant-projet de réforme du droit de la responsabilité – Actes du colloque du 12 mai 2006 : RDC 2007*, p. 141.

(944) Dans le même sens, v. art. 53 du projet de réforme de la responsabilité civile du 26 juillet 2012.

(945) Dans le Projet Fr. Terré, ce pouvoir d'appréciation est également limité puisque, notamment en matière de préjudices extra-patrimoniaux, le juge doit se référer à un référentiel dont il ne peut s'écarter que par une décision motivée (art. 58, comp. art. 61 du projet du 26 juillet 2012). Quant aux dommages corporels ils sont indemnisés par référence à un barème médical règlementaire (art. 56 comp. art. 60 projet du 26 juillet 2012).

(946) Ph. Brun, *Les peines privées*, in *Trav. Assoc. H. Capitant*, 2004. – Y. Lambert-Faivre, *Les effets de la responsabilité (les articles 1367 à 1383 nouveaux du Code civil)*, in *L'avant-projet de réforme du droit de la responsabilité – Actes du colloque du 12 mai 2006 : RDC 2007*, p. 163. – P. Jourdain, *Les effets de la responsabilité*, in *L'avant-projet de réforme du droit de la responsabilité – Actes du colloque du 12 mai 2006 : RDC 2007*, p. 141. – S. Carval, *Vers l'introduction en droit français des dommages-intérêts punitifs* : RDC 2006, p. 822. – M. Chagny, La *notion de dommages et intérêts punitifs et ses répercussions sur le droit de la concurrence. – Lectures plurielles de l'article 1371 de l'avant-projet de réforme du droit des obligations : JCP* 2006, I, 149. – D. Fasquelle et R. Mésa, *La sanction de la concurrence déloyale et du parasitisme économique et le rapport Catala* : D. 2005, chron. p. 2666. – Ph. Pierre, *L'introduction des dommages et intérêts punitifs en droit des contrats : RDC* 2010, 1117. – J.-Chr. Saint-Pau, *La responsabilité pénale réparatrice et la responsabilité civile punitive ?* : *Resp. civ. et assur.* n° 5, mai 2013, dossier 23.

(947) Sur la distinction de la faute délibérée et de la faute intentionnelle : M. Chagny, *La notion de dommages et intérêts punitifs et ses répercussions sur le droit de la concurrence. – Lectures plurielles de l'article 1371 de l'avant-projet de réforme du droit des obligations : JCP* 2006, I, 149.

(948) D. Fasquelle, *L'existence de fautes lucratives en droit français : LPA* 20 nov. 2002, p. 27. – J. Meadel, *Faut-il introduire la faute lucrative en droit français ? : LPA* 17 avr. 2007, p. 6. – R. Mesa, *Précisions sur la notion de faute lucrative et son régime*, *JCP* 2012, 625.

(949) L'article 56 du projet de réforme du 26 juillet 2012 prévoit un article 56 détaillant le principe et le régime d'une amende civile en cas de faute intentionnelle lucrative. Dans le même esprit, l'article 54 du Projet Fr. Terré prévoit d'attribuer au demandeur le profit retiré par le défendeur en cas de faute intentionnelle lucrative.

Le texte précise que « la décision du juge d'octroyer de tels dommages-intérêts doit être spécialement motivée et leur montant distingué de celui des autres dommages-intérêts accordés à la victime », c'est-à-dire des dommages-intérêts moratoires et compensatoires. En revanche, le texte reste muet quant au mode de calcul des dommages-intérêts punitifs : devront-ils être proportionnés à la gravité de la faute, au profit retiré par l'auteur du préjudice ou encore à ses facultés contributives[(950)] ?

Poursuivant la réflexion menée par le Groupe de travail, Mme Viney propose de manière intéressante d'opérer une distinction suivant qu'on est en présence d'une faute lucrative (sanctionnée par la restitution ou la confiscation du profit illicite) ou d'une faute délibérée et grave (sanctionnée par des dommages et intérêts punitifs)[(951)].

Pour l'heure, on signalera seulement que, saisie d'une demande d'*exequatur* d'une décision étrangère prononçant des dommages et intérêts punitifs, la Cour de cassation a considéré que « le principe d'une condamnation à des dommages et intérêts punitifs n'est pas en soi, contraire à l'ordre public », mais qu'il le devient « lorsque le montant alloué est disproportionné au regard du préjudice subi et des manquements aux obligations contractuelles du débiteur »[(952)]. À l'avenir l'intégration de l'action de groupe en France et la question du préjudice écologique[(953)] devraient relancer le débat.

771. – **Y a-t-il en droit positif une obligation de minimiser son dommage ?** C'est là une question que la doctrine moderne se pose[(954)]. Le principe d'une modération du dommage existait déjà dans l'Ancien droit[(955)]. Mais il n'a pas été repris dans le Code civil de 1804. Il ne faudrait cependant pas en déduire que le droit français ignore cette obligation que, faute de texte particulier, on rattache habituellement à la théorie de la causalité, c'est-à-dire à l'article 1151 du Code civil.

Outre que certaines dispositions sont inspirées par l'idée que la victime doit minimiser son dommage[(956)], la jurisprudence en a fait également application.

---

(950) En faveur d'une limitation du pouvoir d'appréciation du juge quant au montant et au calcul des dommages-intérêts punitifs, V. notamment : S. Carval, Vers l'introduction en droit français des dommages-intérêts punitifs : RDC 2006, p. 822. – P. Jourdain, Les effets de la responsabilité, in L'avant-projet de réforme du droit de la responsabilité – Actes du colloque du 12 mai 2006 : RDC 2007, p. 141. – M. Chagny, La notion de dommages et intérêts punitifs et ses répercussions sur le droit de la concurrence. – Lectures plurielles de l'article 1371 de l'avant-projet de réforme du droit des obligations : JCP 2006, I, 149. Le Projet Fr. Terré prévoit de calculer les dommages et intérêts par référence au profit retiré, article 54. L'article 56, al. 2 du projet de réforme du 26 juillet 2012 est plus précis encore : « Cette amende est proportionnée à la gravité de la faute commise, aux facultés contributives de l'auteur ou aux profits qu'il en aura retirés ».

(951) G. Viney, *Quelques propositions de réforme du droit de la responsabilité civile : D.* 2009, chron. 2944, I.

(952) Cass. 1re civ., 1er déc. 2010 : *D.* 2011, 24, obs. I. Gallmeister ; *D.* 2011, 423, note F.-X. Licari ; *JCP* 2011, 140, note J. Juvénal ; *JCP* 2011, 435, n° 11, obs. Ph. Stoffel-Munck ; *RTD civ.* 2011, 122, obs. B. Fages ; *RTD civ.* 2011, 317, obs. P. Rémy-Corlay ; *RDC* 2011, 459, obs. S. Carval. – V. aussi V. Wester-Ouisse, *La Cour de cassation ouvre la porte aux dommages et intérêts punitifs ! : Resp. civ. et assur.* 2011, étude 5.

(953) M. Teller, Faut-il créer des dommages et intérêts punitifs ? : *Dr. env.* 2012, dossier 10. – Fr. Rousseau, *Réflexion sur la répression civile des atteintes à l'environnement. A propos du rapport remis au garde des Sceaux le 17 septembre 2013 relatif à la réparation du préjudice écologique* : Env. n° 3, mars 2014, étude 3.

(954) S. Reifegerste, *Pour une obligation de minimiser le dommage* : thèse Paris I, 1999. – A. Laude, *L'obligation de minimiser son propre dommage existe-t-elle en droit privé français ? : LPA* 20 nov. 2002, p. 55. – M. Deguergue, *L'obligation de minimiser son propre dommage existe-t-elle en droit public français ? : LPA* 20 nov. 2002, p. 61.

(955) Ainsi, dès 1745, Domat écrivait que, pour déterminer l'étendue de la réparation, il fallait prendre en considération le fait que la victime avait eu ou non la possibilité de minimiser sa perte (*Les lois civiles dans leur ordre naturel*, 1745, t. 1, Livre III, titre V, sect. III, § 162).

(956) Ainsi, en matière d'assurance, l'article L. 172-23 du Code des assurances dispose que « l'assuré doit contribuer au sauvetage des objets assurés et prendre toutes les mesures conservatoires de ses droits contre les tiers responsables »,

Ainsi la jurisprudence l'avait admis en matière médicale pour la réparation du préjudice corporel. Elle décidait en effet que, si on ne peut reprocher à la victime d'avoir refusé une intervention chirurgicale lourde ou douloureuse, elle commet une faute en refusant une intervention bénigne ou plus généralement des soins qui auraient amélioré son état et diminué son préjudice[(957)]. C'était par là même consacrer l'obligation pour la victime de se soumettre à certains traitements, ou même à certaines interventions bénignes, afin de minimiser son préjudice.

Mais cette solution a été remise en cause par l'article 16-3 du Code civil, en vertu duquel « il ne peut être porté atteinte à l'intégrité du corps humain qu'en cas de nécessité médicale pour la personne... »[(958)]. C'est en ce sens que s'est prononcée la deuxième chambre civile dans un arrêt du 19 juin 2003 en décidant que la victime d'un accident de la circulation lui ayant provoqué des troubles psychiques « n'avait pas l'obligation de se soumettre aux actes médicaux préconisés par ses médecins » (rééducation orthophonique et psychologique), qu'elle « n'est pas tenue de limiter son préjudice dans l'intérêt du responsable » et qu'en refusant les soins, elle n'avait pas commis de faute justifiant une réduction de son indemnisation[(959)].

Par un second arrêt du même jour, la deuxième chambre civile s'est prononcée dans le même sens et avec la même motivation à propos d'un boulanger victime d'un accident de la circulation qui avait laissé péricliter son commerce alors qu'il avait la possibilité de le faire exploiter par un tiers[(960)].

On peut donc se demander si ces décisions ne rendent pas caduque l'importante jurisprudence suivant laquelle une part de responsabilité doit être laissée à la charge de la victime lorsque, par sa faute, elle a aggravé son préjudice[(961)]. On observera toutefois que ces deux décisions, rendues au visa de l'article 1382, sont relatives à la responsabilité extracontractuelle ; il est donc possible que la

---

à défaut de quoi « il est responsable envers l'assureur du dommage causé par l'inexécution de cette obligation résultant de sa faute ou de sa négligence ». De même, en matière de vente d'immeuble à construire, les articles 1642-1 et 1646-1 écartent le droit de l'acquéreur de demander la résolution ou la diminution du prix « si le vendeur s'oblige à réparer le vice », réparation dont on peut penser qu'elle sera moins coûteuse. Mais la jurisprudence n'en étend pas l'application aux risques non couverts par l'assurance (V. Cass. 3e civ., 13 janv. 2010 : *RD imm.* 2010, 167, obs. G. Leguay).

(957) Cass. 2e civ., 13 janv. 1966 : *Gaz. Pal.* 1966, I, 375.

(958) V. Cass. 2e civ., 19 mars 1997 : *Bull. civ.* 1997, II, n° 86 ; *RTD civ.* 1997, 632, obs. J. Hauser ; et 675, obs. P. Jourdain.

(959) Cass. 2[e] civ., 19 juin 2003 : *Bull. civ.* 2003, II, n° 203, p. 171 ; *D.* 2003, 2326, 1[re] esp. et note J.-P. Chazal ; *JCP* 2003, II, 10170 et note C. Castets-Renard ; *LPA* 17 oct. 2003, 2[e] esp., p. 16 et note S. Reifegerste ; *JCP* 2004, I, 101, n°s 9 et s., obs. G. Viney.

(960) Cass. 2e civ., 19 juin 2003 : *D.* 2003, 2326, 2e esp. et note crit. J.-P. Chazal ; *LPA* 17 oct. 2003, 1re esp., p. 16 et note crit. S. Reifegerste ; *Gaz. Pal.* 8-9 oct. 2003, 1, note E. Rosenfeld et Ch. Bouchez ; *Defrénois* 2003, 1, 1574, art. 37845, n° 121, obs. crit. J.-L. Aubert ; *LPA* 31 déc. 2003, p. 17 et note Y. Dagorne-Labbé ; *JCP* 2004, I, 101, n°s 9 et s., obs. G. Viney ; *D.* 2004, somm. 1346, obs. crit. D. Mazeaud. – V. également dans le même sens Cass. 2e civ., 22 janv. 2009 : *D.* 2009, 1114 et note R. Loir (qui croit y voir une certaine évolution) ; *RTD civ.* 2009, 334, obs. P. Jourdain. – Cass. 3e civ., 19 mai 2009 : *RDC* 2010, 52, obs. Y.-M. Laithier. – V. égal. Cass. 2e civ., 25 oct. 2012, n° 11-25.511 : JurisData n° 2012-005889 ; *D.* 2013, p. 415, note A. Guégan-Lécuye. – Cass. 3e civ., 5 févr. 2013, n° 12-12.124, F-D : JurisData n° 2013-001863. – Cass. 2e civ., 28 mars 2013, n° 12-15373, ECLI :FR :CCASS, 2013 : C200475, *Consorts X c/ M. Y et a.*, D. (cassation partielle CA Douai, 24 nov. 2011), Mme Flise, prés. ; SCP Boré et Salve de Bruneton, SCP Rocheteau et Uzan-Savaro, av. En matière contractuelle, V. Cass. 3e civ., 10 juill. 2013, n° 12-13851 : *RDC* mars 2014, n° 1, p. 27, obs. O. Deshayes.

(961) Cass. 3e civ., 14 juin 1995 : *Bull. civ.* 1995, III, n° 143. – Cass. 3e civ., 26 mars 1997 : *Bull. civ.* 1997, III, n° 69. – Cass. 1re civ., 17 févr. 1998 : *Bull. civ.* 1998, I, n° 61. – Cass. 3e civ., 10 janv. 2001 : *Bull. civ.* 2001, III, n° 2. – V. J.-L. Aubert, *La victime peut-elle être obligée de minimiser son dommage ?* : *RJDA* 4/2004, chron. p. 355. – Cass. 1re civ., 2 oct. 2013, n° 12-19887.

Cour de cassation se prononce en un sens différent en matière de responsabilité contractuelle[962].

En tout cas, la doctrine est très largement favorable à la prise en considération de cette obligation de minimiser son dommage[963], qui est par ailleurs consacrée dans tous les projets européens.

772. – **L'obligation de minimiser son dommage : perspectives d'avenir**[964]. Cette obligation est en passe de devenir un principe général du droit de la responsabilité, au moins au plan européen.

On la trouve dans la *Convention de Vienne* du 11 avril 1980 instituant un droit uniforme sur les ventes internationales de marchandises dont la Cour de cassation a jugé qu'elle constitue le droit substantiel français de la vente internationale d'objets mobiliers corporels[965] : « La partie qui invoque la contravention au contrat doit prendre les mesures raisonnables, eu égard aux circonstances, pour limiter la perte, y compris le gain manqué, résultant de la contravention. Si elle néglige de le faire, la partie en défaut peut demander une réduction des dommages-intérêts égale au montant de la perte qui aurait dû être évitée »[966].

Elle figure également dans les Principes relatifs aux contrats du commerce international établis par Unidroit[967], dans les Principes du droit européen du contrat[968] et dans l'Avant-Projet de Code européen des contrats de l'Académie des privatistes de Pavie[969]. On la retrouve aussi dans un certain nombre de codes récents.

On la retrouve en outre dans le Projet Catala, à l'article 1373 qui en consacre le principe et y apporte une exception : « Lorsque la victime avait la possibilité, par des moyens sûrs, raisonnables et proportionnés, de réduire l'étendue de son préjudice ou d'en éviter l'aggravation, il sera tenu compte de son abstention par une réduction de son indemnisation, sauf lorsque les mesures seraient de nature à porter atteinte à son intégrité physique ». Ce faisant, les rédacteurs du Projet ont fait ici application du principe de proportionnalité : la victime doit minimiser son dommage lorsque les moyens pour y parvenir sont sans risque ; tel n'est pas le cas si les mesures adéquates à prendre touchent à l'intégrité physique de la personne. Cette limite vise certainement toute intervention chirurgicale, mais pas un simple traitement médical si celui-ci est sans danger.

(962) V. Cass. 2e civ., 24 nov. 2011 : *D.* 2012, 141 et note H. Adida-Canac (qui interprête l'arrêt en ce sens) : *JCP* 2012, 170 et note V. Rebeyrol ; *JCP* 2012, 530, n° 3, obs. Ph. Stoffel-Munck.

(963) V. outre les commentateurs des deux arrêts ci-dessus, D. Gency-Tandonnet, *L'obligation de modérer le dommage dans la responsabilité extracontractuelle* : *Gaz. Pal.* 2004, 1, doctr. 5-6 mai. – S. Pimont, *Remarques complémentaires sur le devoir de minimiser son propre dommage* (1re partie) : *Rev. dr. civ. Lamy* oct. 2004, p. 15 ; (2e partie) : *Rev. Lamy dr. civ.* nov. 2004, p. 5. – Y.-M. Laithier, *Étude comparative des sanctions de l'inexécution du contrat* : LGDJ, 2004.

(964) O. Deshayes, *L'introduction de l'obligation de modérer son dommage en matière contractuelle* : *RDC* 2010, 1139.

(965) Cass. 1re civ., 26 juin 2001 : *Bull. civ.* 2001, I, n° 289.

(966) C. Witz, *L'obligation de minimiser son propre dommage dans les conventions internationales : l'exemple de la Convention de Vienne sur la vente internationale* : *LPA* 20 nov. 2002, p. 55.

(967) Art. 7.4.8 (atténuation du préjudice). 1) Le débiteur ne répond pas du préjudice dans la mesure où le créancier aurait pu l'atténuer par des moyens raisonnables. 2) Le créancier peut recouvrer les dépenses raisonnablement occasionnées en vue d'atténuer le préjudice.

(968) Art. 4.504 – Préjudice imputable au créancier.

(969) Art. 167 – Fait du créancier.

1. Aucune réparation n'est due pour le dommage qui ne se serait pas produit si le créancier avait adopté les mesures nécessaires de son ressort avant qu'il ne se produise.
2. L'alourdissement du dommage que le créancier aurait pu empêcher après qu'il se soit produit en adoptant les mesures nécessaires, n'est pas, lui, réparable.

Le projet de réforme de la responsabilité civile du 26 juillet 2012 lui consacre un article 54 limité à la seule matière contractuelle : « En matière contractuelle, le juge pourra réduire les dommages et intérêts lorsque la victime n'aura pas pris les mesures sûres et raisonnables, notamment au regard de ses facultés contributives, propres à éviter l'aggravation de son préjudice ».

Pareille convergence devrait inciter la jurisprudence à appliquer plus largement ce principe[970], sans attendre qu'il ne soit officiellement consacré dans un texte.

2° La mise en œuvre du principe

773. – **Indifférence de la gravité de la faute ?** La première manifestation du principe est que l'évaluation des dommages et intérêts doit être fonction de l'étendue du préjudice, et non pas de la gravité de la faute commise. La raison en tient à ce que la responsabilité civile a un simple rôle de *réparation* ; s'attacher à la gravité de la faute aboutirait soit à une *répression* qui relève de la seule responsabilité pénale (V. *supra*, n° 557), soit à une *pénalité civile* relevant des dommages-intérêts punitifs (V. *supra*, n° 770).

L'expérience prouve cependant qu'un certain sens de l'équité pousse les magistrats à apprécier plus sévèrement les conséquences dommageables des fautes graves que celles des fautes légères.

Cette tendance se marque surtout en ce qui concerne l'évaluation du préjudice moral qui, par sa nature même, est rebelle à toute règle rigide. On a pu dire que les dommages-intérêts alloués à ce titre revêtaient le caractère d'une amende au profit de la victime, d'une peine privée.

Il en va de même lorsque le juge doit opérer un partage de responsabilité. La détermination du rôle causal de chaque comportement étant le plus souvent impossible, les magistrats fondent volontiers le partage sur la gravité respective des fautes commises.

Dans le Projet Catala, la prise en compte de la faute dans l'évaluation des dommages intérêts est pour une part accrue en ce qu'il institue des dommages-intérêts punitifs (V. *supra*, n° 770) et pour une autre part officialisée en ce qu'il consacre la jurisprudence relative au partage de la responsabilité entre co-auteurs d'un même dommage.

Sous l'intitulé « Incidence de la pluralité de responsables », l'article 1378 du Projet règle l'obligation à la dette, et la contribution finale. S'agissant de l'obligation à la dette, la faute des responsables n'est pas prise en compte puisque tous sont solidairement (et non plus seulement *in solidum*) tenus à l'égard de la victime. S'agissant de la contribution à la dette, la gravité de la faute de chacun des coauteurs détermine la répartition finale de la charge de l'indemnisation[971] ; il n'en va différemment que dans le cas où la responsabilité des coauteurs est retenue sans faute, sur le fondement d'une présomption, auquel cas la contribution s'opère par parts égales.

(970) V. en ce sens Versailles, 26 nov. 1986 : *Gaz. Pal.* 1987, 2, somm. 402 (à propos de la résolution avec dommages-intérêts d'un équipement de reproduction non conforme, la cour décide que l'appréciation du préjudice « doit être tempérée par le fait que l'acheteur n'a pas tout mis en œuvre, en ayant recours à des solutions intermédiaires, pour pallier la carence du vendeur et en limiter les conséquences »). – Douai 15 mars 2001 : *D.* 2002, 307 et note C. André ; *JCP* E 2001, 1861 et note M. Pédamon ; *Contrats, conc. consom.* 2001, comm. 125 et note M. Malaurie ; *RTD civ.* 2002, 296, obs. J. Mestre et B. Fages.

(971) Pour une application originale en cas de répartition entre constructeur et sous-traitant, 90 % pour le premier et 10 % pour le second. C'est le rôle causal et non la gravité de la faute qui semble l'avoir emporté, faute de surveillance pour le constructeur, faute de compétence pour le sous-traitant, Cass. 3e civ., 11 sept. 2013, n° 12-19483, FS-PB ; *RDC* 2014/1, p. 33 et s., obs. A. Guégan-Lécuyer ; *RDI* 2013, p. 536, note P. Malinvaud et p. 544, note P. Dessuet.

774. – Évaluation au jour du jugement. La seconde manifestation du principe est relative à la date d'évaluation du dommage et, par suite, des dommages-intérêts. Ici, on peut hésiter entre la date de la réalisation du préjudice et celle du jugement.

Dans le but d'assurer une réparation intégrale, et afin d'éviter à la victime d'avoir à souffrir des lenteurs de la procédure, la jurisprudence considère que le principe de la réparation intégrale impose de se placer *au jour du jugement définitif* pour l'évaluation du préjudice, et non à celui de la réalisation du dommage. Cette règle a été consacrée par la Cour de cassation d'abord en matière extracontractuelle(972), puis en matière contractuelle(973). Elle permet en effet d'éviter à la victime les conséquences néfastes de l'érosion monétaire pendant la durée de la procédure ; il serait injuste que la longueur du procès profite au responsable(974). S'agissant, par exemple, de la perte de gains professionnels, les juges du fond doivent procéder à l'actualisation au jour de leur décision de l'indemnité allouée en réparation de ce préjudice en fonction de l'évolution d'un indice(975) ou de la dépréciation monétaire(976).

La règle a été reprise dans le Projet Catala, à l'article 1372 : « Le juge évalue le préjudice au jour où il rend sa décision, en tenant compte de toutes les circonstances qui ont pu l'affecter dans sa consistance comme dans sa valeur, ainsi que de son évolution raisonnablement prévisible »(977).

Toutefois, la règle est écartée par la jurisprudence dans deux hypothèses, où elle perd sa justification. C'est d'abord le cas où la victime a procédé à la réparation en cours de procédure ; l'indemnité sera alors du coût de la réparation, auquel il convient d'ajouter les intérêts de la somme(978). C'est en second lieu le cas où la victime s'est opposée à l'exécution des travaux de réparation ; ici l'évaluation sera faite à la date de son refus(979).

3° Les difficultés relatives à la réparation du préjudice corporel(980)

775. – Règles générales. Même en excluant le cas du préjudice moral dont l'évaluation ne peut obéir à des règles précises (V. *supra*, nos 595 et 773), la réparation du préjudice corporel soulève de multiples difficultés(981).

---

(972) Cass. req., 24 mars 1942 : *DA* 1942, 118.

(973) Cass. civ., 16 févr. 1948 : S. 1949, I, 69 et note Jambu-Merlin.

(974) Cass. com., 16 févr. 1954 : *D.* 1954, 534 et note R. Rodière ; *JCP* 1954, II, 8062. – Cass. 2e civ., 27 juin 1984 : *D.* 1985, 321, 1re esp., et note Y. Chartier. – Cass. 1re civ., 27 janv. 1987 : *D.* 1987, inf. rap. 30. – V. cependant, Cass. 1re civ., 20 nov. 1990 : *D.* 1991, 455 et note J.-L. Aubert. – L. Mazeaud, *L'évaluation du préjudice et la hausse des prix en cours d'instance* : *JCP* 1947, I, 650. – F. Derrida, *L'évaluation du préjudice au jour de la réparation* : *JCP* 1951, I, 968. – M. Gendrel, *Influence de la dépréciation monétaire sur le droit de la responsabilité civile*, in *L'influence de la dépréciation monétaire sur la vie juridique privée*, p. 143.

(975) Cass. com., 2 nov. 1993 : *Bull. civ.* 1993, IV, n° 380 ; *D.* 1994. somm. p. 212, obs. Delebecque ; *RTD civ.* 1994, 622, obs. P. Jourdain.

(976) Cass. 2e civ., 12 mai 2010 : *D.* 2010, act. 1346, obs. I. Gallmeister ; *RTD civ.* 2010, 576, obs. P. Jourdain, revenant sur Cass. 2e civ., 8 juill. 1992 : *Bull. civ.* 1992, II, n° 202.

(977) Le projet Fr. Terré (art. 52) et le projet de réforme du 26 juillet 2012 (art. 53) sont également en ce sens.

(978) Cass. 3e civ., 10 mai 1989 : *Bull. civ.* 1989, III, n° 107, p. 59.

(979) Cass. 3e civ., 8 déc. 1971 : *Bull. civ.* 1971, III, n° 606, p. 433.

(980) Y. Lambert-Faivre, *Droit du dommage corporel. Systèmes d'indemnisation*, Dalloz, 4e éd. 2002. – V. aussi Ch. Radé, *Plaidoyer en faveur d'une réforme de la responsabilité civile* : *D.* 2003, chron. 2247. – L. Grynbaum, *Responsabilité et contrat : l'union libre. Variations sur la responsabilité contractuelle, le préjudice corporel et les groupes de contrats*, in *Mél. Ph. Le Tourneau*, Dalloz, 2007, p. 409. – J. Bourdoiseau, *L'influence perturbatrice du dommage corporel en droit des obligations*, préf. F. Leduc : LGDJ, coll. « Droit privé », 2009.

(981) M. Le Roy, *L'évaluation de l'incapacité permanente : le problème des barèmes* : *D.* 1982, chron. 57. – G. Viney et B. Markesinis, *La réparation du dommage corporel. Essai de comparaison des droits français et anglais* : Économica, 1985. – J.-P. Chauchard, *La transaction dans l'indemnisation du préjudice corporel* : *RTD civ.* 1989, 1 ; *Méthodologie*

Si les frais médicaux, chirurgicaux, pharmaceutiques, etc., peuvent être aisément chiffrés, il n'en va pas de même de l'incapacité permanente de travail, partielle (IPP) ou totale (IPT). La solution d'un litige de ce genre nécessite une expertise médicale visant à déterminer le taux d'incapacité permanente. La pratique a établi des barèmes officieux auxquels il n'est jamais fait référence dans les décisions judiciaires sous peine de cassation(982), mais qui permettent de réaliser une certaine homogénéité dans la jurisprudence(983). Les magistrats qui les utilisent sont amenés à les corriger et les adapter dans chaque cas particulier, en fonction des facteurs personnels à l'invalide considéré (profession, salaire, etc.).

La question des barèmes et référentiels, qui ne seraient qu'indicatifs, sont l'objet de vives discussions et ont donné lieu à une réponse ministérielle plutôt favorable(984). Les avocats et associations de victimes s'inquiètent d'un nivellement par le bas(985). La création de référentiels pour les préjudices corporels est aujourd'hui encouragée par un rapport du Sénat du 30 octobre 2013(986) et par le rapport de M. Pierre Delmas-Goyon de décembre 2013(987).

D'autres difficultés peuvent apparaître en cas d'évolution du préjudice de la victime. L'aggravation antérieure à la décision judiciaire est automatiquement prise en considération puisque l'évaluation du dommage est faite au jour du jugement. Si l'état de la victime n'est pas consolidé et s'il se produit une aggravation postérieure à la décision définitive, on admet que, malgré l'autorité de la chose jugée, elle peut fonder une nouvelle demande en justice(988). Dans le même sens, la jurispru-

d'évaluation du dommage corporel : *Gaz. Pal.* 1991, doctr. 335 ; *Le droit et la morale dans l'indemnisation des dommages corporels* : *D.* 1992, chron. 165. – J.-L. Evade, *La réparation du préjudice résultant de l'état végétatif du blessé* : *Gaz. Pal.* 1991, doctr. 339. – V. Varese, *Le dédommagement de la personne en cas de lésions successives* : *Gaz. Pal.* 1991, doctr. 371. – M. Margeat, *L'indemnisation des victimes gravement handicapées* : *Gaz. Pal.* 1991, doctr. 375. – M. Quenillet-Bourrié, *L'évaluation monétaire du préjudice corporel : pratique judiciaire et données transactionnelles* : *JCP* 1995, I, 3818 ; *Pour une réforme conférant un statut à la réparation du préjudice corporel* : *JCP* 1996, I, 3919. – J.-L. Fagnart, *Vers un droit européen du dommage corporel ?*, in *Mél. Lambert*, 2002. – M. Le Roy et autres, *L'évaluation du préjudice corporel* : Litec, 19e éd. 2011. – M. Bourrié-Quenillet, *Droit du dommage corporel et prix de la vie humaine* : *JCP* 2004, I, 136. – L. Grynbaum, *Le préjudice corporel*, in *Trav. Assoc. H. Capitant*, 2004. – C. Lienhard, *Réparation intégrale des préjudices en cas de dommage corporel : la nécessité d'un nouvel équilibre indemnitaire* : *D.* 2006, chron. p. 2485. – V. aussi *Livre blanc sur l'indemnisation du dommage corporel de l'Association Française de l'Assurance (AFA)*, avr. 2008. – P. Sargos, *Le point sur la réparation des préjudices corporels, et notamment le préjudice d'agrément, après deux arrêts rendus le 8 avril 2010* : *D.* 2010, 1089. – G. Mor et B. Heurton, *Évaluation du préjudice corporel* : Delmas, 2011-2012. – T. Papart et N. Simah, *Regards croisés sur l'indemnisation du préjudice corporel en France et en Belgique* : *Rev. Lamy dr. civ.* juill./août 2013, p. 67.

(982) Pour un exemple de cassation, Cass. 2e civ., 22 nov. 2012, n° 11-25.988 : *JurisData n° 2012-026770* ; *Resp. civ. et assur. 2013, comm.* 50 ; *Resp. civ. et assur. 2013, repère* 2, H. Groutel. – Rappr. Cass. 1re civ., 23 oct. 2013, n° 12-25.301, FS-P+B+I : JurisData n° 2013-023208 : Cassation de l'arrêt de la cour d'appel au motif que, en fondant sa décision sur une table de référence, fût-elle annexée à une circulaire, les juges d'appel, auxquels il incombait de fixer le montant de la contribution litigieuse en considération des seules facultés contributives des parents de l'enfant et des besoins de celui-ci, ont violé l'article 371-2 du Code civil.

(983) H. Adida-Canac, *Le contrôle de la nomenclature Dintilhac par la Cour de cassation* : *D.* 2011, 1497.

(984) Réponse ministérielle, mars 2013, par laquelle la ministre de la justice a affirmé que « la réflexion porte actuellement sur un référentiel seulement indicatif, élaboré à partir des décisions judiciaires, et qui ne serait donc qu'un outil de travail » (*Resp. civ. et assur.* 2013, alerte 14, S. Moracchini-Zeidenberg). Pour une vue d'ensemble, I. Sayn (dir.), *Le droit mis en barèmes ?* : Dalloz, Thèmes et commentaires, Actes, 2014.

(985) C. Bernfeld, *Bilan positif et menaces à venir – Un carrefour dangereux* : Resp. civ. et assur. 2012, dossier 23, spéc. n° 15. – Comp. L. Bloch, *Barèmes et tables de référence : chut... c'est interdit* : *Resp. civ. et assur.* n° 12, déc. 2013, alerte 41.

(986) Chr. Béchu et Ph. Kaltenbach (sénateurs), 31 propositions pour une meilleure indemnisation des victimes d'infractions pénales.

(987) Proposition 39 proposant un référentiel pour que les justiciables aient une meilleure connaissance de leurs droits et puissent plus facilement trouver un arrangement amiable, P. Delmas-Goyon, *Le juge du XXIe siècle. Un citoyen, un acteur, une équipe de justice*, déc. 2013.

(988) Cass. soc., 24 févr. 1955 : *JCP* 1955, II, 8699. Mais l'autorité de la chose jugée s'oppose à la prise en considération d'une amélioration de l'état de la victime : Cass. 2e civ., 12 oct. 1972 : *D.* 1974, 536 et note Ph. Malaurie ; *JCP* 1974, II, 17609, obs. S. Brousseau. – Cass. 2e civ., 24 oct. 1984 : *JCP* 1985, II, 20386, obs. Y. Chartier. – Cass. 2e civ., 29 mars 2012, n° 11-10.235, FS-P+B ; *D.* 2012, 1014 ; *RCA* 2012. comm. 164 ; *RTD* civ., 2012, p. 535, obs.

dence a décidé que le délai de prescription ne courrait que du jour de la consolidation[(989)], solution qui a été expressément consacrée par la loi du 17 juin 2008 dans l'article 2226.

776. – **Les règles établies dans le Projet Catala.** Le Projet Catala comporte de nombreuses dispositions relatives à la réparation des préjudices résultant d'une atteinte à l'intégrité corporelle (art. 1379 et s.). En avant-propos, les rédacteurs précisent que ces dispositions « ont pour objet de donner un véritable cadre juridique à l'indemnisation du dommage corporel qui est aujourd'hui à peu près abandonnée au pouvoir souverain des juges du fond. Elles visent à restaurer dans ce domaine à la fois la sécurité juridique, l'égalité entre les justiciables et l'efficacité de la réparation ». En bref, ils ont eu l'ambition de mettre en place un statut de la réparation des dommages corporels, statut qui fait cruellement défaut[(990)].

L'article 1379 dresse tout d'abord une liste des dommages indemnisables, en distinguant suivant qu'il s'agit de la victime directe ou des victimes par ricochet (V. *supra*, n° 597).

L'article 1379-1 légalise l'usage d'un barème d'invalidité puisqu'il prévoit que le préjudice fonctionnel sera évalué selon un barème fixé par décret.

L'article 1379-2 rappelle le principe de la non prise en compte des prédispositions de la victime dans la détermination du montant de la réparation ; mais il y apporte une exception dans le cas où ces prédispositions auraient déjà eu des conséquences préjudiciables lorsque s'est produit le fait dommageable[(991)].

Enfin, le Projet comporte de nombreuses dispositions relatives aux recours subrogatoires exercés par les tiers payeurs après indemnisation du préjudice corporel (art. 1379-4 à 1379-9).

Poursuivant la réflexion du groupe de travail, Mme G. Viney a formulé des propositions précises tendant à remédier à l'insécurité qui règne en ce domaine[(992)].

777. – **L'indemnisation des victimes d'infractions et d'actes de terrorisme.** Venant au secours des victimes d'infractions commises par des auteurs inconnus ou insolvables, la loi du 3 janvier 1977 (mod. L. 8 juill. 1983 et L. 6 juill. 1990) a garanti

---

P. Jourdain. – La jurisprudence a également admis la réparation des frais engagés par la suite par la victime pour améliorer son état, ce qui paraît une violation flagrante de l'autorité de la chose jugée : Cass. ass. plén., 9 juin 1978 : *Bull. civ.* 1978, ass. plén., n° 3. – L. Clerc-Renaud, *Questions-clés autour de l'aggravation du dommage corporel : Gaz. Pal.* 15-16 févr. 2013, p. 5.

(989) Cass. 2e civ., 4 mai 2000 : *Bull. civ.* 2000, II, n° 75 ; *Resp. civ. et assur.* 2000, comm. 221, obs. H. Groutel. – Cass. 2e civ., 11 juill. 2002 : *Bull. civ.* 2002, II, n° 177, p. 141.

(990) C. Lienhard, *Réparation intégrale des préjudices en cas de dommage corporel : la nécessité d'un nouvel équilibre indemnitaire* : D. 2006, chron. p. 2485. Dans le même esprit, le Projet Fr. Terré propose de distinguer les préjudices résultant d'une atteinte à l'intégrité physique ou psychique et les préjudices résultant d'une atteinte aux biens, art. 56 et s.

(991) V. article 57, al. 2 du Projet Fr. Terré.

(992) G. Viney, *Quelques propositions de réforme du droit de la responsabilité civile* : D. 2009, chron. 2944, II. – V. aussi P. Sargos, *L'amélioration de l'indemnisation des victimes d'un accident de la circulation* : D. 2010, 273 (à propos de la nomenclature « Dintilhac »). – M. Robineau, *Le statut normatif de la nomenclature Dintilhac des préjudices*, JCP 2010, 612. – V. aussi V. Porchy-Simon, *Plaidoyer pour une construction rationnelle du droit du dommage corporel* : D. 2011, 2742.

dans une certaine mesure l'indemnisation de ces victimes (CPP, art. 706-3 et s.)[(993)]. Ce dispositif a été également complété au profit des victimes d'actes de terrorisme[(994)].

4° Les difficultés relatives à la réparation des dommages aux biens

778. – **Règles générales.** En cas de destruction d'un bien, la réparation doit être du *prix de remplacement*, déterminé par les cours du marché ou par expert.

À supposer que le bien détruit, usagé, ait été remplacé par un neuf, il conviendrait normalement de faire la *déduction du vieux au neuf*, faute de quoi la réparation excéderait le dommage ; mais tel n'est pas le sens de la jurisprudence[(995)]. La question se pose régulièrement en matière de dommages aux constructions où, par définition même, la réfection ou la réparation sera faite en matériaux neufs. Si un mur a été détruit, il sera reconstruit à neuf ; si un sinistre oblige à refaire les peintures, ou toute autre partie, ce sera encore du neuf. Néanmoins une jurisprudence constante refuse d'appliquer ici un coefficient de vétusté, car pareille déduction « ne replacerait pas la victime dans la situation où elle se serait trouvée si l'acte dommageable ne s'était pas produit, puisqu'elle supporterait alors injustement une dépense supplémentaire rendue nécessaire par la faute d'un tiers »[(996)].

Si toutefois il s'agit d'une épave, au lieu d'opérer la déduction du prix de la ferraille, elle sera *laissée pour compte* au responsable qui subira les aléas de sa vente.

Lorsque le bien a subi seulement une dégradation, la réparation doit s'entendre de la *remise en état*. Il peut arriver cependant qu'une remise en état soit plus onéreuse que la valeur de la chose : par exemple, le montant de la réparation d'un véhicule peut dépasser le prix de l'Argus ; l'indemnité est alors limitée à la valeur de remplacement, sauf si le remplacement est impossible[(997)].

(993) P.-J. Doll, *Le « petit Noël » des victimes impécunieuses ayant subi des dommages corporels causés par des auteurs inconnus ou insolvables* : *Gaz. Pal.* 1977, 1, doctr. 120. – E. Deghilage, *La loi n° 77-5 du 3 janvier 1977 garantissant les victimes de certains dommages corporels et ses décrets d'application* : *JCP* 1977, I, 2854. – J.-C. Maestre, *Un nouveau cas de responsabilité publique : l'indemnisation de certaines victimes de dommages corporels résultant d'une infraction* : *D.* 1977, chron. 145. – J. Pradel, *Un nouveau stade dans la protection des victimes d'infractions (Commentaire de la loi n° 83-608 du 8 juillet 1983)* : *D.* 1983, chron. 241. – Y. Chartier, *L'indemnisation des victimes d'infractions pénales* : *Gaz. Pal.* 1985, chron. 346. – J.- L. Froment, *L'action civile devant le juge pénal en matière d'homicide et de blessures involontaires depuis la loi du 8 juillet 1983 relative à la protection des victimes d'infractions* : *Gaz. Pal.* 1986, doctr. 40. – J. Favard et J.-M. Guth, *La marche vers l'uniformisation ? La quatrième réforme du droit à indemnisation des victimes d'infractions. Art. 706-3 à 706-15, CPP* : *JCP* 1990, I, 3466. – *L'indemnisation des victimes de la violence*, 1991. – D. Garreau et D. Laurier, *L'indemnisation des victimes d'infractions selon la loi du 6 juillet 1990. Les premières décisions de la Cour de cassation* : *Gaz. Pal.* 13-14 nov. 1992, doctr. – Ph. Melin, *La commission d'indemnisation des victimes d'infractions et l'appel. Perspective de réforme* : *JCP* 1999, I, 127.

(994) L. n° 86-1020, 9 sept. 1986 relative à la lutte contre le terrorisme et aux atteintes à la sûreté de l'État (art. 9). – J.- F. Rénucci, *L'indemnisation des victimes d'actes de terrorisme* : *D.* 1987, chron. 197.

(995) Il n'y a pas lieu d'opérer la déduction du vieux au neuf dans le cas où le remplacement ne pouvait pas être fait autrement qu'en neuf : Cass. 2e civ., 9 mai 1972 : *D.* 1972, somm. 167. – Cass. 2e civ., 28 avr. 1975 : *Bull. civ.* 1975, II, n° 121. La jurisprudence la plus récente pose l'interdiction de la déduction du vieux au neuf (par ex. Cass. ch. mixte, 25 avr. 1975 : *Bull. civ.* 1975, II, n° 3. – Cass. 2e civ., 8 juill. 1987 : *Gaz. Pal.* 1989, 181. – Cass. 2e civ., 3 oct. 1990 : *JCP* 1990, IV, 378). – V. aussi J. Barbancey, *Valeur à neuf et enrichissement* : *Gaz. Pal.* 1988, doctr. 28. – M. Amouroux, *Évaluation et indemnisation des dommages causés aux véhicules automobiles* : *Gaz. Pal.* 1989, 1, doctr. 95. – *De l'indemnisation confisquée à la reconnaissance de la valeur de remplacement : la révolution silencieuse de l'assurance automobile* : *Gaz. Pal.* 1991, doctr. 185.

(996) Cass. 2e civ., 16 déc. 1970 : *Bull. civ.* 1970, II, n° 346, p. 265 ; *RTD civ.* 1971, 660, obs. G. Durry. – Cass. 2e civ., 9 janv. 1991 : *Bull. civ.* 1991, III, n° 12, p. 8. – Cass. 2e civ., 6 mai 1998 : *Bull. civ.* 1998, III, n° 91, p. 62. – Cass. 2e civ., 5 juill. 2001 : *JCP* 2001, IV, 2626. – Cass. 2e civ., 23 janv. 2003 : *Bull. civ.* 2003, II, n° 20, p. 16 ; *JCP* 2003, II, 10110 et note J.- F. Barbièri. – V. P. Jourdain, *La réparation des dommages immobiliers et l'enrichissement de la victime* : *RD imm.* 1995, 51. – A. Hontebeyrie, *Un cas d'enrichissement dans la responsabilité civile délictuelle : à propos de la vétusté dans l'évaluation du dommage aux biens* : *D.* 2007, chron. p. 675. – V. cependant Cass. 3e civ., 8 avr. 2010 : *RTD civ.* 2010, 578, obs. P. Jourdain.

(997) Cass. 2e civ., 28 oct. 1954 : *JCP* 1955, II, 8765 et note R. Savatier ; *RTD civ.* 1955, p. 324, obs. H. et L. Mazeaud. – Cass. crim., 22 sept. 2009 : *Bull. crim.* 2009, n° 157 ; *Resp. civ. et assur.* 2010, comm. 8, obs. S. Hocquet-Berg ; *JCP* 2010, 456, n° 4, obs. C. Bloch ; *RTD civ.* 2010.338, obs. P. Jourdain.

Le Projet Catala consacre l'ensemble de ces solutions jurisprudentielles dans ses articles 1380 à 1380-2[(998)].

Au prix de remplacement ou de remise en état s'ajouteront le cas échéant des indemnités accessoires, notamment pour réparer la perte d'usage et le manque à gagner éventuel, et la TVA[(999)].

S'agissant de la TVA, la Cour de cassation pose deux principes, qui ne sont contradictoires qu'en apparence. S'agissant de *l'obligation à la dette*, elle décide que, pour permettre à la victime de faire exécuter les travaux, l'indemnité allouée doit comprendre la TVA à verser aux professionnels chargés de réparer les dommages[(1000)]. Mais, s'agissant de la *contribution à la dette*, elle décide que la TVA ne constitue un élément du préjudice que dans la mesure où elle reste définitivement à la charge de la victime du dommage, c'est-à-dire dans le cas où cette dernière, n'étant pas elle-même assujettie à la TVA, ne peut pas la « récupérer »[(1001)]. Quant à la charge de la preuve de la possibilité de récupérer la TVA, la jurisprudence est incertaine : certains arrêts décident que c'est à la victime de faire la preuve qu'elle ne peut pas récupérer la TVA[(1002)], mais d'autres se prononcent en sens contraire[(1003)].

§ 1. – Les limitations légales au principe de la réparation intégrale

779. – Quand on parle de la réparation intégrale, il est toujours sous-entendu qu'elle s'applique au préjudice réparable tel qu'il a été défini à propos des conditions de la responsabilité civile (V. *supra*, n°s 588 et s. sur le dommage et n°s 735 et s. sur le lien de causalité). Il suffit à cet égard de rappeler que certains préjudices, notamment ceux éventuels ou indirects, ne sont jamais pris en considération.

Ce sont d'autres limites qu'il faut ici envisager. À supposer que le dommage soit réparable au sens précédemment indiqué, la loi, dans certaines hypothèses, fait échec au principe de la réparation intégrale, en instaurant, par exemple, un forfait ou un plafond.

Ces limitations sont édictées en matière de contrats : les unes sont générales, les autres spéciales à certains contrats.

(998) Dans le même esprit, V. les articles 66 et s. du projet de réforme du 26 juillet 2012 et les articles 65 et s. du Projet Fr. Terré.

(999) E. Kornprobst, *La TVA et la fixation des dommages-intérêts* : *RD imm.* 1995, 237.

(1000) Cass. 3e civ., 24 juin 1987 : *Bull. civ.* 1987, III, n° 130, p. 76. – Cass. 3e civ., 16 févr. 1994 : *Bull. civ.* 1994, III, n° 22, p. 14. – Comp. Cass. 3e civ., 5 févr. 2014, n° 13-10174, indemnité d'éviction et prise en compte de la taxe sur la valeur ajoutée.

(1001) Cass. com., 4 janv. 1994 : *Bull. civ.* 1994, IV, n° 9, p. 7. – Cass. 3e civ., 27 mars 1996 : *Bull. civ.* 1996, III, n° 85, p. 55. – Cass. 3e civ., 25 juin 1997 : *Bull. civ.* 1997, III, n° 151, p. 101. – Cass. 3e civ., 19 févr. 2002 : *RD imm.* 2002, 240, obs. Ph. Malinvaud.

(1002) Cass. 1re civ., 15 janv. 2002 : *Bull. civ.* 2002, I, n° 9, p. 7. – Cass. 3e civ., 23 juin 2004 : *RD imm.* 2004, 454, 2e esp. – Cass. 3e civ., 6 déc. 2006 : *RD imm.* 2007, p. 164, obs. Ph. Malinvaud.

(1003) Cass. 3e civ., 7 avr. 2004 : *RD imm.* 2004, 454, 1re esp. – Cass. 3e civ., 16 févr. 2005 : *RD imm.* 2005, p. 225.

A. – Les limitations d'ordre général en matière de contrats

1° Le cas du préjudice imprévisible

780. – Le principe de la réparation intégrale postule que soit réparé tout le préjudice.

Telle est bien la règle en matière délictuelle, mais non en matière contractuelle où l'article 1150 du Code civil édicte une règle différente.

Art. 1150. – Le débiteur n'est tenu que des dommages et intérêts qui ont été prévus ou qu'on a pu prévoir lors du contrat, lorsque ce n'est point par son dol que l'obligation n'est point exécutée.

Ainsi, sauf dol dans l'exécution, un cocontractant défaillant n'est tenu d'indemniser que le seul préjudice *prévisible* lors de la conclusion du contrat(1004) ; on explique cette disposition par une intention présumée des parties de limiter leur responsabilité aux risques qui étaient prévisibles au moment du contrat(1005).

L'exemple classique est celui du colis confié à un transporteur, sans mention particulière relative à son contenu. En pareil cas, le transporteur peut prévoir que le colis sera perdu, mais non qu'il contient des bijoux. Si cette information lui avait été donnée, il aurait pu soit refuser d'effectuer le transport, soit prendre une assurance pour le cas de perte.

La prévisibilité dont s'agit doit s'entendre non seulement des causes possibles de dommage mais de son étendue(1006). Toutefois, la limitation concerne seulement la prévisibilité des éléments constitutifs du dommage (dans l'exemple ci-dessus, les bijoux), et non l'équivalent monétaire destiné à le réparer (la valeur exacte des bijoux)(1007). Cela dit, les parties sont libres de fixer conventionnellement le montant du préjudice prévisible, par exemple d'évaluer les bijoux à un certain prix(1008). L'appréciation du caractère prévisible ou non du dommage relève du contrôle de la Cour de cassation(1009).

Cette limitation s'efface devant le dol du débiteur, auquel traditionnellement on assimile la faute lourde(1010). En pareil cas, le droit commun, c'est-à-dire le principe de la réparation intégrale, reprend son empire.

(1004) I. Souleau, *La prévisibilité du dommage contractuel* : thèse Paris II, 1979. – O. Bustin, *Les présomptions de prévisibilité du dommage contractuel* : D. 2012, 238. – F. Rome, *rien (ou presque) n'est prévisible !!!* : D. 2012, p. 2649.

(1005) Les juges du fond n'ont cependant pas à relever d'office le caractère imprévisible du dommage. En d'autres termes, c'est au débiteur de soulever ce moyen, Cass. 1re civ., 2 avr. 2014, n° 13-16038, F-P+B+I.

(1006) Cass. civ., 7 juill. 1924 : S. 1925, 1, 321 et note Lescot ; *D.* 1927, 1, 119.

(1007) Cass. 1re civ., 6 déc. 1983 : *JCP* 1984, IV, 53 ; *D.* 1984, inf. rap. p. 124.

(1008) Cass. 1re civ., 17 juill. 1990 : *JCP* 1991, II, 21674, obs. G. Paisant.

(1009) Cass. 1re civ., 28 avr. 2011 (prévisibilité du dommage causé par le retard d'un train, en l'espèce manquement d'un vol aérien) : *JCP* 2011, 752, note L. Bernheim-Van de Casteele ; *D.* 2011, 1725 et note M. Bakache ; *Rev. Lamy dr. civ.* sept. 2011, p. 7, note E. Garaud ; *RTD civ.* 2011, 547, obs. P. Jourdain ; *D.* 2012, 48, obs. O. Gout ; *D.* 2012, 468, obs. S. Amrani-Mekki et M. Mekki ; *RDC* 2011, 1156, obs. Y.-M. Laithier et 1163, obs. G. Viney. – Cass. 1re civ., 26 sept. 2012, n° 11-13.177, FS-P+B+I, *Sté nationale des chemins de fer français (SNCF) c/ G.* : JurisData n° 2012-021553 ; *Resp. civ. et assur.* n° 12, déc. 2012, comm. 330, note S. Hocquet-Berg. – Cass. 1re civ., 2 oct. 2013, n° 12-26.975, F-D, *Société nationale des chemins de fer français (SNCF) c/ A.* : JurisData n° 2013-021573 ; *Resp. civ. et assur.* n° 1, janv. 2014, comm. 4 : la Cour de cassation reproche au juge de proximité de ne pas avoir expliqué en quoi la SNCF pouvait lors de la conclusion du contrat prévoir que la destination finale de la demanderesse n'était pas le terme du voyage en train et qu'elle avait conclu un contrat de transport aérien. – Comp. CA Douai, 2e ch., 1re sect., 4 juill. 2013, n° 12/02536 : JurisData n° 2013-015436 : il en va différemment lorsque le contrat est conclu entre la SNCF et un organisateur de voyages.

(1010) Sur l'assimilation de la faute lourde au dol, V. Cass. req., 24 oct. 1932 : *D.* 1932, I, 176 et note E.-P. ; S. 1933, 1, 289 et note P. Esmein. V. aussi *supra*, n° 622. Sur l'appréciation subjective et restrictive de la faute lourde, V. par ex. Cass. com., 1er avr. 2014, n° 12-14418.

Les Principes Lando, tout comme les Principes Unidroit ou l'avant-projet de Code européen des contrats de l'Académie de Pavie adoptent des solutions très comparables à celle de l'article 1150 du Code civil. Le dommage réparable est en effet le dommage raisonnablement prévisible[1011], et ce dommage-là seulement. Ces textes, tout comme le droit interne admettent la réparation des dommages physiques, matériels mais aussi moraux ; ils tiennent compte de la perte subie et du gain manqué, de la perte de chance dans la mesure de la probabilité de sa réalisation. Mais, la limite de la réparation du dommage prévisible est écartée en cas de dol ou de faute lourde (PDEC, art. 9.503 ; Pavie, art. 162).

Le Projet Catala prévoit également une limitation de la réparation en matière contractuelle dans son article 1366 : « Sauf dol ou faute lourde de sa part, le débiteur n'est tenu de réparer que les conséquences de l'inexécution raisonnablement prévisibles lors de la formation du contrat ». Ce faisant, le Projet reprend la règle posée à l'article 1151 du Code civil, mais avec une différence quant à l'objet de la prévisibilité. Ce qui doit être « raisonnablement prévisible » dans le Projet, c'est, au-delà du montant même du préjudice, « les conséquences de l'inexécution du contrat » ; il s'ensuit que la limitation s'étend aux chefs de préjudice susceptibles de se produire et d'être indemnisés[1012].

Quant au projet de réforme, il reprend à l'identique l'article 1150, en le renumérotant (art. 176).

2° Le cas des intérêts moratoires des dettes de sommes d'argent

781. – La limitation à l'intérêt légal. L'hypothèse visée est celle où, une dette de sommes d'argent étant impayée, une mise en demeure[1013] fait courir les dommages-intérêts moratoires (V. *supra*, n°s 760 et 767).

L'article 1153 du Code civil édicte alors une indemnisation forfaitaire du retard qui est un pourcentage de la somme due ; c'est, dit-on, l'*intérêt légal*. Cette règle est reprise dans le Projet Catala (art. 1381, al. 1) et dans le projet de réforme (art. 179).

Pendant longtemps, le taux de l'intérêt légal a été fixé par décret en Conseil d'État. En pratique, compte tenu de l'inflation et du taux de l'argent sur le marché à l'époque, cette indemnisation forfaitaire (de 4 % en matière civile et 5 % en matière commerciale) apparaissait le plus souvent comme une limitation apportée au principe de la réparation intégrale, ce qui n'était nullement le but poursuivi.

C'est pourquoi une loi du 11 juillet 1975 est venue modifier le mode de fixation du taux de l'intérêt légal, de telle manière qu'il se rapproche le plus possible de la réalité. À cette fin, le législateur a, dans un premier temps, indexé le taux de l'intérêt légal sur le taux de l'escompte pratiqué par la Banque de France[1014].

(1011) PDEC, art. 9.503 ; Unidroit, art. 7.4.4 ; Pavie, art. 162.4.

(1012) En ce sens : P. Ancel, *La responsabilité contractuelle et ses relations avec la responsabilité extra-contractuelle : présentation des solutions de l'avant-projet*, in *L'avant-projet de réforme du droit de la responsabilité – Actes du colloque du 12 mai 2006 : RDC* 2007, p. 19. La même définition figure au sein de l'article 43 du projet de réforme de la responsabilité civile du 26 juillet 2012.

(1013) Les intérêts ne courent que du jour de la mise en demeure : Cass. 1re civ., 7 mai 2002 : *JCP* 2002, II, 10182 et note F. Khodri-Benamrouche.

(1014) M. Vion, *L'intérêt légal depuis la loi du 11 juillet 1975 : Defrénois* 1975, I, 1089, art. 30973. – A. Solal, *Le nouveau régime de l'intérêt légal (L. 11 juill. 1975) : Gaz. Pal.* 1975, 2, doctr. 726. – Y. Lobin, *Le point de départ des intérêts légaux après une décision de condamnation : D.* 1978, chron. 13. – A. Solal, *Les conditions d'application du taux de l'intérêt légal*

Depuis une loi du 23 juin 1989 ce taux « est égal, pour l'année considérée, à la moyenne arithmétique des douze dernières moyennes mensuelles des taux de rendement actuariel des adjudications de bons du Trésor à taux fixe à treize semaines ». En application de ce texte, il a été fixé par décret à 2,27 % pour l'année 2004, 2,05 % pour l'année 2005, 2,11 % pour l'année 2006, 2,95 % pour l'année 2007, 3,79 % pour l'année 2008, 0,65 % pour 2010, 0,38 % pour 2011, 0,71% pour 2012 et 0,04 en 2013 et 2014.

Enfin, en cas de condamnation, ce taux est majoré de cinq points mais à l'expiration d'un délai de deux mois à compter du jour où la décision de justice est devenue exécutoire, fût-ce par provision[(1015)] ; toutefois, le juge de l'exécution peut, en considération de la situation du débiteur et sur sa demande (ou sur celle du créancier) exonérer celui-ci de cette majoration ou en réduire le montant (C. monét. fin., art. L. 313-3).

L'*anatocisme*, c'est-à-dire la *capitalisation des intérêts* (les intérêts des intérêts), est régi par l'article 1154 du Code civil, texte repris par l'article 1225-3 du Projet Catala et l'article 198 du projet de réforme du 23 octobre 2013.

782. – Exceptions. Ce forfait s'impose au débiteur comme au créancier sans que l'un ou l'autre soit admis à démontrer que le dommage a été moindre ou plus grand ; il s'impose également au juge qui ne saurait y substituer une indexation[(1016)]. Il y a cependant des exceptions à cette fixation forfaitaire des dommages et intérêts.

Tout d'abord, cette limitation à l'intérêt légal est écartée en matière commerciale par les articles L. 441-3 et L. 441-6 du Code de commerce qui instituent pour les transactions commerciales et professionnelles un régime dérogatoire en ce qui concerne tant le taux des intérêts que leur point de départ. Ces dispositions, qui sont impératives et pénalement sanctionnées, trouvent leur origine dans la directive n° 2000/35/CE du 29 juin 2000 concernant la lutte contre le retard de paiement dans les transactions commerciales. Le principe est que toute somme facturée et impayée produit automatiquement des « pénalités de retard » à compter du lendemain de l'échéance, mais en fait ces « pénalités » prennent la forme d'un intérêt produit par la somme impayée et sont donc un substitut à l'intérêt légal. Le taux retenu par l'article L. 441-6 est le taux appliqué par la BCE « à son opération de refinancement la plus récente majoré de dix points », « sauf disposition contraire qui ne peut toutefois fixer un taux inférieur à trois fois le taux d'intérêt légal ».

De même l'évaluation des dommages-intérêts moratoires devient libre en matière de lettre de change (C. com., art. L. 511-62 et s.), d'apport en société (C. civ., art. 1843-3), de cautionnement (C. civ., art. 2305, al. 3).

D'une manière plus générale, des dommages-intérêts supplémentaires peuvent être obtenus par le créancier, à la double condition de justifier d'un préjudice indépendant du retard, et de la mauvaise foi du débiteur (C. civ., art. 1153, al. 4). Cette

---

et de sa majoration aux condamnations à des dommages-intérêts ou à une indemnité : *Gaz. Pal.* 1978, 1, doctr. 127. – M. Lombard, *Les intérêts des condamnations prononcées en matière civile* : *Gaz. Pal.* 17-18 mai 1995, doctr.

(1015) Ce qui oblige à signifier la décision pour faire courir le délai de deux mois : Cass. 2e civ., 4 avr. 2002 : *D.* 2002, 1484, obs. A. Lienhard.

(1016) Cass. 1re civ., 16 févr. 1988 : *D.* 1988, inf. rap. p. 62. – Cass. 1re civ., 11 janv. 1989 : *Bull. civ.* 1989, I, n° 8 ; *D.* 1989, inf. rap. p. 31 ; *JCP* 1989, IV, 93.

règle est reprise dans le Projet Catala, mais sous la seule condition que le retard ait causé « un préjudice supplémentaire » (art. 1381, al. 3).

En outre, parce que l'article 1153 du Code civil n'est pas d'ordre public, les parties au contrat peuvent y déroger, soit en dispensant de la mise en demeure, soit en fixant un taux d'intérêt plus élevé (sauf à ne pas dépasser la limite au-delà de laquelle il y aurait usure), soit les deux.

En dehors des contrats, la question ne se présente pas de la même manière parce que les intérêts ne sont dus que du jour du jugement, non de la mise en demeure (V. *supra*, n° 759). Si, par exception, le tribunal veut attribuer des intérêts pour la période antérieure au jugement, il ne peut le faire qu'en application de l'article 1153-1 du Code civil, à titre compensatoire.

B. – Les limitations spéciales à certains contrats

783. – Dans certains contrats, la loi a institué un plafond qui se traduit par une limitation de la réparation ; les dommages-intérêts alloués par le juge peuvent être inférieurs au plafond, jamais supérieurs.

Ainsi en est-il dans le contrat d'hôtellerie sous réserve de certaines distinctions (C. civ., art. 1952 et s.)[(1017)], dans le contrat postal (limitation aux seules valeurs régulièrement déclarées), etc., et surtout dans les divers contrats de transport.

De telles limitations se rencontrent dans les transports internes et internationaux de personnes par air, dans les transports internationaux de personnes par mer, dans les transports internes et internationaux de marchandises par mer et par air, et dans les transports internationaux de marchandises par voie ferrée et par route. Certaines de ces limitations s'effacent devant la *faute inexcusable* du transporteur, notamment en matière de transport aérien ou maritime de personnes (V. *supra*, n° 625).

Ces plafonds de responsabilité sont opposables à la victime, et à ses héritiers lorsqu'ils se présentent en cette qualité. Par faveur pour les victimes, une jurisprudence s'était instaurée permettant aux héritiers de se présenter en qualité de tiers par rapport au contrat de transport et d'échapper ainsi à la limitation[(1018)]. Cette jurisprudence a suscité une nouvelle intervention du législateur qui, sous la pression des compagnies aériennes et maritimes, a rendu la limitation opposable à tous de manière absolue dans le transport aérien et maritime de personnes.

§ 3. – Les conventions relatives à la responsabilité

A. – Les conventions antérieures à la réalisation du dommage

784. – Les différentes conventions possibles. Toute personne exerçant une activité susceptible d'engager sa responsabilité peut, dans une certaine mesure, se

(1017) J.-P. Couturier, *Le contrat d'hôtellerie* : thèse Dijon, 1967. – L. Moret, *Le contrat d'hôtellerie : RTD civ.* 1973, 663. – J.- P. Dumas, *La loi du 24 décembre 1973 relative à la responsabilité des hôteliers : D.* 1974, chron. 104. – L. Bihl, *La notion de dépôt d'hôtelier : JCP* 1974, I, 2616. – J.-L. Bergel, *Les responsabilités des hôteliers : Gaz. Pal.* 1977, 1, doctr. 62.

(1018) Cass. 2e civ., 23 janv. 1959 : *Gaz. Pal.* 1959, 1, 183 (3 arrêts) ; *JCP* 1959, II, 11002 (2 arrêts), obs. M. de Juglart ; *D.* 1959, 101 et note R. Savatier ; *D.* 1959, 281 et note R. Rodière.

prémunir contre les conséquences pécuniaires de ses actes dommageables. Chacun peut en effet assurer sa responsabilité pour les dommages qu'il cause dans l'exécution d'un contrat ou en dehors de tout contrat. En outre, mais en matière de contrats seulement, du moins en l'état du droit positif (V. *infra*, n° 796), il est possible de stipuler dans une convention une clause limitative ou exonératoire de responsabilité, sauf dans certains contrats.

Réciproquement, celui qui redoute d'être victime d'un dommage peut en toutes matières recourir à l'assurance : il assurera, non plus sa responsabilité, mais les risques de dommages qui menacent ses biens corporels (vol, incendie, dégâts des eaux, dommages aux véhicules, etc.) ou sa personne (maladie, invalidité, décès). Également, mais cette fois-ci en matière de contrats, il pourra demander l'insertion à l'acte d'une clause aggravant la responsabilité du débiteur ou, plus souvent, d'une clause pénale (stipulation forfaitaire de dommages-intérêts).

1° L'assurance de responsabilité

785. – **Les assurances de choses et de personnes.** L'assurance est le contrat par lequel l'assureur prend à sa charge un risque dont la réalisation menace l'assuré, moyennant le paiement par ce dernier d'une prime ou cotisation[1019].

On ne fera ici que mentionner les assurances de choses ou de personnes auxquelles chacun peut recourir, mais qui n'ont pas de rapport nécessaire avec la responsabilité. Par exemple, l'assurance-vie ou l'assurance individuelle accidents, que les entreprises prennent parfois au profit de leurs cadres, couvrent tous les risques de décès ou d'invalidité, que la responsabilité d'un tiers soit ou non engagée. De même, en cas de vol, incendie, dégâts des eaux, grêle, etc., l'assurance paiera, même si aucune responsabilité n'est établie.

En bref, les assurances de choses ou de personnes garantissent contre tous les risques de dommages, sans distinction entre ceux qui ouvrent un recours en responsabilité contre une tierce personne, et les autres.

786. – **L'assurance de responsabilité.** L'assurance de responsabilité garantit l'assuré contre la responsabilité qu'il est susceptible d'encourir en raison de dommages causés à des tiers : l'assureur paiera les dommages-intérêts aux lieu et place de l'assuré reconnu responsable.

Par un tel contrat, on peut assurer indifféremment sa responsabilité contractuelle ou sa responsabilité extracontractuelle. Par exemple, l'entrepreneur assurera aussi bien sa responsabilité contractuelle à l'égard du client que sa responsabilité extracontractuelle pour les troubles occasionnés aux voisins ; il en va de même pour le transporteur de personnes ou de marchandises et, d'une manière générale, pour tous ceux dont l'activité peut nuire ou à des contractants ou à des tiers.

L'assurance de responsabilité présente des avantages évidents pour tout le monde. Pour l'assuré, qui échappe aux risques et sait par avance au centime près ce que lui coûte sa responsabilité : le montant de la prime, qui peut être aisément comptabilisé et répercuté sur le prix de vente. À cette sécurité est assignée une limite raisonnable : l'assurance ne joue que pour les fautes légères ou

(1019) Ph. Pierre, *L'incidence de l'assurance sur le droit français de la responsabilité civile* : LPA 13 mars 2014.

lourdes, mais non pour les *fautes intentionnelles* qui demeurent à la charge de l'assuré (V. *supra*, n° 621, et n° 770 pour les dommages-intérêts punitifs prévus par le Projet Catala qui ne sont pas assurables). La victime y trouve aussi son compte : l'assurance est pour elle une garantie de solvabilité, et même de paiement puisque la loi lui confère une action directe contre l'assureur du responsable (V. *supra*, n° 489).

Ces divers avantages expliquent que la loi ait rendu obligatoire l'assurance de responsabilité dans certains domaines : accidents de chasse, accidents causés par les véhicules terrestres à moteur ; pour les constructeurs de bâtiments, les exploitants de remontées mécaniques, de navires nucléaires, les organisateurs d'épreuves sportives, les syndicats de copropriétaires etc.

Dans un ordre d'idées voisin, et bien qu'il ne s'agisse plus d'assurance au sens strict, il faut ici rappeler que les employeurs ont l'obligation de déclarer à la Sécurité sociale les salariés qu'ils emploient, et d'acquitter en conséquence les diverses cotisations, maladie, accident du travail, etc., au paiement desquelles ils sont tenus.

2° Les clauses limitatives ou exonératoires de responsabilité[(1020)]

787. – On a déjà vu (V. *supra*, n° 783) que, dans certains contrats, la loi fixe des plafonds de responsabilité. À la vérité, il s'agit là bien souvent d'une consécration législative de clauses conventionnelles qui étaient devenues d'usage dans certains domaines et notamment celui du transport[(1021)].

Il existe ainsi un problème plus général qui peut être formulé de la manière suivante : dans quelle mesure est-il possible de stipuler des clauses limitant la responsabilité contractuelle ou extracontractuelle[(1022)] ? En l'absence de textes, la jurisprudence a admis la validité de ces clauses pour la seule responsabilité contractuelle, sauf à lui apporter des exceptions qui vont se multipliant.

a) Validité limitée au domaine contractuel

788. – **Nullité en matière extracontractuelle.** *A priori*, on voit mal comment le problème de la validité de ces clauses a pu être soulevé à propos de la responsabilité extracontractuelle. S'agissant par définition d'un acte dommageable survenu en dehors de tout contrat, donc entre deux personnes étrangères l'une à l'autre, comment auraient-elles pu prévoir, pour la limiter, cette responsabilité ? En dépit des apparences, ce n'est cependant pas une hypothèse d'école. Par exemple, en cas

(1020) P. Durand, *Des conventions d'irresponsabilité* : Paris, 1931. – P. Robino, *Les conventions d'irresponsabilité dans la jurisprudence contemporaine : RTD civ.* 1951, 1. – B. Starck, *Observations sur le régime juridique des clauses de non-responsabilité ou limitatives de responsabilité : D.* 1974, chron. 157. – J. Pellerin, *Les clauses relatives à la répartition des risques financiers entre contractants* : thèse Paris II, 1977. – M. Al Jondi, *Le juge et les clauses exonératoires et limitatives de la responsabilité contractuelle* : thèse Paris II, 1979. – A.-S. Muzuaghi, *Le déclin des clauses d'exonération de responsabilité sous l'influence de l'ordre public nouveau*, 1981. – Ph. Delebecque, *Les clauses allégeant les obligations dans les contrats*, thèse Aix, 1981. – Ph. Delebecque et D. Mazeaud, *Les clauses de responsabilité : clauses de non-responsabilité, clauses limitatives de réparation, clauses pénales*, in *Les sanctions de l'inexécution des obligations contractuelles. Études de droit comparé* : LGDJ, 2001. – Y.-M. Laithier, *L'avenir des clauses limitatives et exonératoires de responsabilité contractuelle : RDC* 2010, 1091. – V. Lasbordes-de Virville, *Le point sur les clauses limitatives et exclusives de réparation en droit des contrats : Rev. Lamy dr. civ.* mai 2011, p. 7.

(1021) V. égal. E. Garot, *Clause limitative de responsabilité en matière de vente immobilière : Resp. civ. et assur.* mars 2014, n° 3, form. 3.

(1022) La question se pose dans les mêmes termes pour les clauses aggravant la responsabilité, qui sont en fait très rares.

de transport bénévole, qui n'est pas considéré comme un contrat, on peut imaginer que le propriétaire du véhicule convienne avec son passager d'une exonération de responsabilité. De même, en cas d'installation d'une entreprise dans un quartier calme, le nouvel arrivant pourrait convenir avec ses voisins qu'ils supporteront sans se plaindre les éventuelles nuisances suscitées par l'exploitation.

C'est dans des circonstances de ce genre que les tribunaux ont eu à connaître de clauses limitant la responsabilité extracontractuelle. Suivant une jurisprudence constante, elles sont nulles parce qu'elles dérogent aux articles 1382 et suivants du Code civil qui sont considérés comme étant d'ordre public[(1023)]. La jurisprudence établit ainsi, sans aucun appui dans les textes, une différence entre la responsabilité extracontractuelle qui serait d'ordre public, et la responsabilité contractuelle qui ne le serait pas. On observera que cette jurisprudence n'est pas consacrée par le Projet Catala qui, à l'instar d'un certain nombre de droits étrangers, autorise ces clauses « aussi bien en matière contractuelle qu'extracontractuelle » (art. 1382)[(1024)].

Cela dit, l'opposition est moins tranchée qu'il n'y paraît. En effet, la validité de principe des clauses limitatives en matière contractuelle est largement battue en brèche par les exceptions qui lui sont apportées.

789. - **Validité en matière contractuelle**[(1025)]. Après d'assez longues hésitations, la Cour de cassation a admis que, dans les rapports entre contractants, les clauses limitatives ou même exonératoires de responsabilité étaient valables[(1026)].

Toutefois, pendant longtemps la jurisprudence a limité l'effet de ces clauses à un simple renversement de la charge de la preuve : en cas de dommage, le débiteur n'avait pas à faire la preuve de son absence de faute, mais il n'était pas exonéré de sa responsabilité qui demeurait entière si le créancier rapportait la preuve de sa faute. Désormais, la jurisprudence reconnaît plein effet à ces clauses, ce qui explique leur floraison dans de multiples contrats[(1027)].

Les clauses peuvent revêtir diverses formes. Certaines suppriment expressément l'une des obligations du contrat : par exemple, il sera indiqué que le propriétaire d'un parking n'en assure pas la surveillance. D'autres, plus fréquentes, laissent intactes les obligations inhérentes au contrat, mais suppriment ou limitent la responsabilité en

(1023) Cass. 2e civ., 17 févr. 1955 : *D.* 1956, 17 et note P. Esmein ; *JCP* 1955, II, 8951, obs. R. Rodière. – Cass. 2e civ., 28 nov. 1962 : *D.* 1963, 465 et note Borricand ; *JCP* 1964, II, 13710, obs. M. de Juglart. – En matière extracontractuelle, la loi du 21 décembre 1984 (*D.* 1985, législ. 26) a admis l'exonération de responsabilité du fait des navires sauf « intention de provoquer un tel dommage, ou commis témérairement et avec conscience qu'un tel dommage en résulterait probablement. ».

(1024) Le même principe existe dans le projet de réforme du 26 juillet 2012 (art. 76 et 77 : exclusion en cas de faute et en cas de dommage corporel) et au sein du projet Fr. Terré (art. 48 : toute limitation est exclue en cas de faute et, dans les autres cas, en cas d'atteinte à l'intégrité physique ou psychique).

(1025) Ph. Delebecque, *Pour ou contre les clauses limitatives de réparation : RDC* 2008, 979. – T. Génicon, *Le régime des clauses limitatives de réparation : état des lieux et perspectives : RDC* 2008, 982. – O. Deshayes, *Clauses limitatives de responsabilité contractuelle et répartition des risques d'inexécution : RDC* 2008, 1008. – D. Houtcieff, *Le régime des clauses limitatives de* responsabilité : *RDC* 2008, 1020. – D. Mainguy, *Pour une analyse objective et utilitariste des clauses limitatives de réparation et des clauses abusives dans les contrats : RDC* 2008, 1030. – D. Mazeaud, *Clauses limitatives de réparation : les quatre saisons : D.* 2008, chron. 1776.

(1026) Pour la validité de principe en matière contractuelle, V. récemment, à propos du loto, Cass. 1re civ., 19 janv. 1982 : *D.* 1982, 457 et note Ch. Larroumet ; *JCP* 1984, II, 20215, obs. F. Chabas ; à propos de la perte de pellicules photographiques, Cass. 1re civ., 17 juill. 1990 : *JCP* 1991, II, 21676, obs. G. Paisant.

(1027) À condition que la clause soit inscrite ou du moins visée dans le contrat, Cass. 1re civ., 19 juin 2013, n° 11-22.375, F-D, *Société nationale des chemins de fer français (SNCF) c/ Épx C.* : JurisData n° 2013-0205.

cas d'inexécution. Par exemple, il sera mentionné par un fabricant d'appareils ménagers que la garantie est limitée à un an, ou qu'elle sera limitée au remplacement de l'appareil, à l'exclusion de tous dommages et intérêts, etc. En pratique, que la clause limite les obligations ou la responsabilité, le résultat est le même : la responsabilité sera écartée ou limitée. Bien qu'hésitante(1028), la jurisprudence les traite le plus souvent de la même manière(1029).

En se déchargeant de tout ou partie de leur responsabilité, les contractants évitent le paiement d'une prime d'assurance, ce qui leur permet d'abaisser le prix de revient et, le cas échéant, le prix de vente. Sur un plan économique, cela revient à transférer du débiteur sur le créancier la charge de certains risques, quitte pour ce dernier à souscrire l'assurance dont le débiteur a fait l'économie.

Ce principe de la validité des clauses limitatives ou exonératoires de responsabilité en matière contractuelle souffre de nombreuses exceptions qui se multiplient à un point tel qu'elles risquent de remettre en cause le principe lui-même.

Par ailleurs, il est parfois soutenu que, même valables, ces clauses devraient être soumises au pouvoir de révision des juges, au même titre que les clauses pénales(1030).

b) Les exceptions au principe

790. – Nullité dans les contrats entre professionnels et consommateurs. On rappellera tout d'abord que le législateur est intervenu très tôt pour interdire les clauses limitatives dans les contrats entre professionnels d'une part et non professionnels ou consommateurs d'autre part, tout du moins dans le contrat de vente (C. consom., art. R. 132-1, 6°) (V. *supra*, n° 340) ; et la même interdiction a été récemment reprise pour la garantie de la conformité du bien au contrat due par le vendeur au consommateur (C. consom., art. L. 211-17).

En revanche, ces clauses demeurent en principe valables dans les rapports entre particuliers, ou encore dans les rapports entre professionnels, tout du moins lorsqu'ils sont de même spécialité(1031). Mais encore faut-il ne pas se trouver dans l'un des cas ci-après.

(1028) Cass. ch. mixte, 23 mars 1973 : *D.* 1973, 305 et concl. Schmelck. – Mais V. *contra* Cass. ass. plén., 30 juin 1998 : *JCP* 1998, II, 10146 et note Ph. Delebecque ; *Contrats, conc. consom.* 1998, comm. 143 et note L. Leveneur.

(1029) Cass. 1re civ., 15 nov. 1988 : *D.* 1989, 349 et note Ph. Delebecque.

(1030) Y. Gontier, *Plaidoyer pour une révision judiciaire des clauses limitatives de responsabilité*, préf. J. Mestre, éd. Y. Gontier, 2005. V. aussi *infra*, n° 798.

(1031) M. Albertini, *Validité et efficacité des clauses limitatives entre professionnels* : *JCP* E n° 50, 13 déc. 2012, 1760. – La jurisprudence admet le principe de la validité de ces clauses entre professionnels de même spécialité : Cass. com., 18 janv. 1972 : *JCP* 1972, II, 17072. – Cass. com., 8 oct. 1973 : *JCP* 1975, II, 17927, obs. J. Ghestin. – Cass. com., 8 juill. 1975 : *JCP* 1976, II, 18332 ; *Gaz. Pal.* 1976, 1, 329 et note A. Plancqueel. – Cass. 3e civ., 30 oct. 1978 : *JCP* 1979, II, 19178, obs. J. Ghestin. – Cass. com., 18 avr. 1980 : *Bull. civ.* 1980, IV, n° 170. – Cass. com., 4 nov. 1980 : *Bull. civ.* 1980, IV, n° 365. – Cass. 1re civ., 21 juill. 1987 : *Bull. civ.* 1987, I, n° 241. – Cass. 1re civ., 9 févr. 1998 ; *D.* 1998, 455 et note J. Revel. – J. Ghestin, *Conformité et garanties dans la vente*, nos 273 et s. – Cass. com., 19 mars 2013, n° 11-26.566, FP-P+B, *Sté Goss International Montataire c/ Sté Groupe La Dépêche du Midi* : JurisData n° 2013-004789 ; *Contrats, conc. consom.* n° 6, juin 2013, comm. 129, obs. L. Leveneur (un fabricant de rotatives n'est pas de la même spécialité qu'un éditeur de journal). – V. aussi Ph. Malinvaud, *Pour ou contre la validité des clauses limitatives de la garantie des vices cachés dans la vente* : *JCP* 1975, I, 2690. – J. Bigot, *Plaidoyer pour les clauses limitatives de garantie et de responsabilité dans les contrats de vente et de fourniture entre professionnels* : *JCP* 1976, I, 2755. – B. Mercadal, *La limitation de la garantie des vices cachés dans la vente des produits fabriqués* : *JCP* CI 1976, 12157. – P. Ancel, *La garantie conventionnelle des vices cachés dans les conditions générales de vente en matière mobilière* : *RTD com.* 1979, 203. – J. Ghestin et B. Desché, *La vente*, nos 963 et s. – J. Huet, *Responsabilité du vendeur et garantie contre les vices cachés*, nos 571 et s. – V. aussi *Les clauses abusives entre professionnels* : Économica, 1998.

791. – Le cas de dol ou de faute lourde. En premier lieu, la jurisprudence dénie toute efficacité aux clauses limitatives en cas de *dol*, c'est-à-dire de faute intentionnelle, du responsable ou de ses préposés (V. *supra*, n° 624). La règle est saine ; sans elle, l'exécution du contrat dépendrait du seul bon vouloir du débiteur, donc d'une *condition purement potestative* (V. *supra*, n° 442). Au dol, il faut ici assimiler la *faute lourde*, qui fait échec à la limitation de responsabilité (V. *supra*, n° 622)[1032].

Des clauses relatives à la responsabilité doivent être rapprochées les clauses limitatives ou exonératoires de garantie. Ces dernières doivent tout de même être distinguées des clauses limitatives de responsabilité car la Cour de cassation a jugé qu'elles ne relevaient pas de la responsabilité contractuelle[1033]. Ces clauses relatives à la garantie sont presque devenues de style dans les contrats de vente. Ces clauses par lesquelles le vendeur tente de s'exonérer de la garantie des vices cachés (C. civ., art. 1643) ne jouent qu'au profit du vendeur de « bonne foi », c'est-à-dire celui qui ignorait les vices de la chose. Mais, même dans ce cas, la jurisprudence les a rendues sans intérêt pour les fabricants et vendeurs professionnels, assimilés à des vendeurs de mauvaise foi, parce que censés connaître ou même tenus de connaître les vices des choses qu'ils font profession de fabriquer ou vendre[1034].

Cette condamnation jurisprudentielle n'a pas entraîné *ipso facto* la disparition des clauses limitatives de garantie qui ont parfois continué à figurer dans les contrats-types et dans les conditions générales de vente des fabricants et des vendeurs professionnels. Cette persistance explique que le législateur soit intervenu pour réitérer cette interdiction des clauses limitatives entre professionnels d'une part, et non-professionnels ou consommateurs d'autre part (V. *supra*, n° 790).

792. – Le cas de l'obligation essentielle[1035]**.** En second lieu, la jurisprudence écarte également la validité de la clause limitative qui aboutirait à écarter l'*obligation essentielle* du contrat, et qui en fait viderait le contrat de toute sa substance[1036].

La solution n'est pas nouvelle. Ainsi, à une époque (avant la loi de 1978) où la jurisprudence admettait la validité des clauses limitant la garantie de dix ans due par les constructeurs, elle annulait les clauses qui aboutissaient à la suppression des

(1032) Cass. civ., 29 juin 1948 : *JCP* 1949, II, 4660, obs. R. Rodière. – Cass. civ., 25 juin 1959 : *D.* 1960, 97 et note R. Rodière. – Cass. com., 22 avr. 1975 : *D.* 1975, somm. 92. – Cass. 1re civ., 22 oct. 1975 : *D.* 1976, 151 et note J. Mazeaud. – Cass. 1re civ., 22 nov. 1978 : *JCP* 1979, II, 19139, obs. G. Viney. – Cass. ass. plén., 30 juin 1998, préc. – Ainsi, tout plafond conventionnel de réparation est écarté en cas de faute lourde (pour le contrat de La Poste) : Cass. com., 9 sept. 2010 : *JCP* 2010, 998, note Ph. Delebecque ; *D.* 2010, 2515, obs. X. Delpech.

(1033) Cass. com., 19 mars 2013, n° 11-26.566, P+B : JurisData n° 2013-004789 ; *RDI* 2014, p. 112, note Ph. Malinvaud ; JCP G 2013, 705, G. Pillet ; *RDC* 2013, p. 967, obs. J. Le Bourg et Ch. Quezel-Ambrunaz ; Contrats, conc. consom. 2013, comm. 129, L. Leveneur ; *D.* 2013, p. 1947, A. Hontebeyrie ; *JCP* G n° 49, 2 déc. 2013, doctr. 1291, n° 5, obs. Ph. Stoffel-Munck.

(1034) Jurisprudence constante : Cass. com., 16 oct. 1972 : *D.* 1973, 290 et note J. Hemard. – Cass. com., 28 janv. 1974 : *JCP* 1974, II, 17852, obs. H.-T.

(1035) C. Aubert de Vincelles, *Plaidoyer pour un affinement réaliste du contrôle des clauses limitatives de réparation portant sur les obligations essentielles* : *RDC* 2008, 1034. – N. Cardoso-Roulot, *Les obligations essentielles en droit privé des contrats* : L'Harmattan, coll. « Logiques jur. », 2008. – C. Grimaldi, *Les clauses portant sur une obligation essentielle* : *RDC* 2008, 1095.

(1036) Ph. Jestaz, *L'obligation et la sanction : à la recherche de l'obligation fondamentale*, in *Mél. P. Raynaud*, 1985, p. 273 ; et *Autour du droit civil* : Dalloz, 2005, p. 325.

obligations essentielles[1037] ou qui ramenaient le délai de garantie à une durée symbolique de quelques mois[1038].

Mais elle a acquis la notoriété avec l'arrêt *Chronopost* par lequel, considérant que la délivrance des plis dans le délai promis était une obligation essentielle du contrat, la cour annulait la clause limitant l'indemnisation du retard au remboursement des frais d'envoi[1039]. Du fait de la suppression de l'obligation essentielle le contrat était ici considéré comme dépourvu de cause (V. *supra*, n° 323).

En l'espèce, la nullité de la clause du contrat *Chronopost* a conduit à l'application du contrat-type messagerie de La Poste, lequel comprenait une clause limitative du même genre, à ceci près qu'elle ne pouvait tomber qu'en cas de faute lourde[1040], laquelle n'a pas été reconnue en l'espèce au motif que la faute lourde ne pouvait résulter du seul manquement de La Poste à ses obligations contractuelles, même essentielles[1041], et qu'en l'occurrence elle ne revêtait pas la qualité requise[1042].

Mais là où le contrat-type de La Poste n'est pas applicable, la clause limitative peut être déclarée nulle pour défaut de cause[1043]. Encore faut-il, suivant un arrêt, que la clause ait « pour effet de vider de toute sa substance l'obligation essentielle », ce qui suppose une appréciation *in concreto* du juge saisi[1044]. Cette solution a été récemment confirmée par l'arrêt *Faurécia 2* : « seule est réputée non écrite la clause limitative de réparation qui contredit la portée de l'obligation essentielle souscrite par le débiteur »[1045].

(1037) Cass. 3e civ., 22 mai 1969 : *D.* 1969, 653. – Cass. 3e civ., 24 janv. 1973 : *Gaz. Pal.* 1973, 1, 418 ; *RTD civ.* 1974, 434, obs. G. Cornu.

(1038) Par exemple, réduction du délai à six mois (Cass. 3e civ., 11 janv. 1984 : *RD imm.* 1984, 191), ou à un an (Cass. 3e civ., 23 mai 1984 : *Gaz. Pal.* 1984, 2, pan. 309), ou même à deux ans (Cass. 3e civ., 20 juin 1990 : *JCP* 1990, IV, 316).

(1039) Cass. com., 22 oct. 1996 : *JCP* 1997, II, 22881 et note D. Cohen ; *D.* 1997, 121 et note A. Sériaux ; *Defrénois* 1997, 1, 333 et note D. Mazeaud ; *D.* 1997, somm. p. 175 et note Ph. Delebecque ; *Contrats, conc. consom.* 1997, comm. 24 et note L. Leveneur ; *JCP* 1997, I, 4002, n° 1, obs. M. Fabre-Magnan ; *Gaz. Pal.* 22-26 août 1997 et note R. Martin. – Ch. Larroumet, *Obligation essentielle et clause limitative de responsabilité* : *D.* 1997, chron. 145. – V. aussi Cass. 1re civ., 23 févr. 1994 : *JCP* 1994, IV, 1124 ; *JCP* 1994, I, 3809, n° 15, obs. G. Viney. – Cass. com., 17 juill. 2001 : *JCP* 2002, I, 148, n° 17, obs. G. Loiseau.

(1040) Cass. com., 9 juill. 2002 : *JCP* 2002, II, 10176, note G. Loiseau et M. Billiau ; *D.* 2002, 2329, obs. E. Chevrier ; *JCP* 2002, I, 184, n° 14, obs. J. Rochfeld ; *Contrats, conc. consom.* 2003, comm. 2 et note L. Leveneur ; *D.* 2003, somm. 457, obs. D. Mazeaud. – Cass. ch. mixte, 22 avr. 2005, 2 arrêts : *Bull. civ.* 2005, ch. mixte, nos 3 et 4 ; *D.* 2005, act. jurispr. p. 1224, note E. Chevrier, et p. 1864, note J.-P. Tosi ; *JCP* 2005, II, 10066 et note G. Loiseau ; *RTD civ.* 2005, p. 604, obs. P. Jourdain ; *RDC* 2005, p. 651, avis av. gén. R. de Gouttes, et p. 673, obs. D. Mazeaud. – V. aussi Cass. ass. plén., 30 juin 1998 : *JCP* 1998, II, 10146 et note Ph. Delebecque ; *Contrats, conc. consom.* 1998, comm. 143 et note L. Leveneur.

(1041) Cass. com., 21 févr. 2006 : *D.* 2006, p. 717, obs. E. Chevrier. – Cass. com., 7 juin 2006 : *D.* 2006, act. jurispr. p. 1680, obs. X. Delpech. – Cass. com., 13 juin 2006 : *JCP* 2006, II, 10123 et note G. Loiseau.

(1042) La Cour de cassation définit ici la faute lourde comme « une négligence d'une extrême gravité confinant au dol et démontrant l'inaptitude du débiteur de l'obligation à l'accomplissement de sa mission contractuelle » (Cass. ch. mixte, 22 oct. 2005, préc.) ou, plus simplement, comme celle qui caractérise « l'inaptitude de La Poste à l'accomplissement de sa mission » (Cass. 1re civ., 19 sept. 2007 : *Contrats, conc. consom.* 2008, comm. 1, obs. L. Leveneur).

(1043) Cass. com., 30 mai 2006 : *D.* 2006, p. 1599, obs. X. Delpech, et p. 2288, note D. Mazeaud ; *RTD civ.* 2006, p. 773, obs. P. Jourdain.

(1044) Cass. com., 18 déc. 2007 : *Bull. civ.* 2007, IV, n° 165 ; *D.* 2008, 154, obs. X. Delpech ; *RTD civ.* 2008, 310, obs. P. Jourdain ; *JCP* 2008, I, 125, n° 13, obs. Ph. Stoffel-Munck ; *RDC* 2008, 262, obs. T. Génicon, et 287, obs. G. Viney.

(1045) Cass. com., 29 juin 2010 : *JCP* 2010, 787 et note D. Houtcieff ; *D.* 2010, 1707, obs. X. Delpech ; *D.* 2010, 1382 et note D. Mazeaud ; *Contrats, conc. consom.* 2010, comm. 220, obs. L. Leveneur ; *RTD civ.* 2010, 555 ; *LPA* 30 sept. 2010, p. 6, note C. Barnaud ; *Rev. Lamy dr. civ.* nov. 2010, p. 16 et note S. Pimont ; *D.* 2011, 482, obs. B. Fauvarque-Cosson ; *RDC* 2010, 1253, obs. O. Deshayes, et 1220, obs. Y.-M. Laithier. – Cass. 3e civ., 23 mai 2013 : *D.* 2013, p. 2142, note D. Mazeaud.

Cela dit, au-delà de l'arrêt *Chronopost*, cette jurisprudence a vocation à s'appliquer de manière générale à tout contrat[(1046)]. Ainsi, la Cour de cassation en a fait application au contrat de transport de marchandises[(1047)].

793. – **Le cas de dommages corporels.** En troisième lieu, selon de nombreux auteurs, les clauses limitatives seraient sans valeur lorsqu'elles portent sur la réparation des dommages causés à l'intégrité physique de la personne, au motif que la matière est d'ordre public.

À l'appui de cette opinion on relèvera que figurait en *a)* de la liste des clauses pouvant être déclarées abusives, jadis annexée à l'article L. 132-1 du Code de la consommation, la clause ayant pour objet ou pour effet « d'exclure ou de limiter la responsabilité légale du professionnel en cas de mort d'un consommateur ou de dommages corporels causés à celui-ci, résultant d'un acte ou d'une omission de ce professionnel ». Le juge pouvait donc déclarer abusive une telle clause dans les rapports entre un professionnel et un non-professionnel ou consommateur, mais il n'y était pas contraint. On peut raisonnablement penser que, en application de l'article R. 132-1, 6°, cette clause doit être présumée abusive, et ce de manière irréfragable.

Cela dit, l'interdiction des clauses limitatives en matière de dommages corporels répond effectivement au sentiment général et aux règles tant européennes que nationales qui régissent le droit au respect de la vie et de l'intégrité physique. Elle est par ailleurs reprise dans le Projet Catala (art. 1382-1) et dans le projet Terré (art. 48).

On notera toutefois que la nullité de telles clauses se trouve démentie par la loi qui a consacré des limitations dans certains contrats de transport, et par une partie de la jurisprudence[(1048)].

794. – **Le cas de certains contrats.** En quatrième lieu, le législateur est intervenu dans certains domaines pour prohiber les clauses de non-responsabilité.

Ainsi en est-il pour *le transport de personnes par air ou par mer* pour lequel il est fixé un plafond légal (V. *supra*, n° 783) ; ce plafond s'impose à tout le monde, y compris aux compagnies de transport qui ne sauraient fixer un chiffre moindre. Quant au *transport de personnes par terre*, la jurisprudence prohibe toute clause limitative au motif que la matière est d'ordre public. Des règles identiques existent en matière de transport de marchandises.

Également, on rappellera que, dans *les contrats de consommation*, l'article R. 132-1, 6° du Code de la consommation interdit comme abusive toute clause ayant pour objet ou pour effet de supprimer ou de réduire le droit à réparation du non-professionnel ou consommateur en cas de manquement par le professionnel vendeur à l'une quelconque de ses obligations (V. *supra*, n° 340).

(1046) Cass. com., 13 févr. 2007 : *D.* 2007, act. jurispr. p. 654, obs. X. Delpech ; *JCP* 2007, II, 10063 et note Y.-M. Serinet ; *Defrénois* 2007, 1, 1042, n° 50, obs. R. Libchaber ; *JCP* 2007, I, 185, n° 10, obs. Ph. Stoffel-Munck ; *RDC* 2007, 707, obs. D. Mazeaud, et 746, obs. G. Viney ; *RTD civ.* 2007, 567, obs. B. Fages. – G. Loiseau, *Le crépuscule des clauses limitatives de réparation : Rev. Lamy dr. civ.* mai 2007, p. 6.

(1047) Cass. com., 5 juin 2007 : *D.* 2007, 1720, obs. X. Delpech ; *JCP* 2007, II, 10145 et note D. Houtcieff ; *RDC* 2007, 1121, obs. D. Mazeaud, et 1144, obs. S. Carval. – Cass. com., 9 juin 2009 : *RDC* 2009, 1359, obs. D. Mazeaud.

(1048) Cass. 1re civ., 3 juin 1970 : *D.* 1971, 373 et note Chauveau. – V. aussi P. Esmein, *Méditation sur les conventions d'irresponsabilité en cas de dommage causé à la personne*, in *Mél. Savatier*, p. 271. – R. Rodière, *Validité des clauses limitatives de responsabilité dans les transports terrestres : D.* 1954, chron. 125.

Cette même interdiction des clauses limitatives ou exonératoires a été reprise dans l'ordonnance du 17 février 2005 relative à la garantie de la conformité du bien au contrat due par le vendeur au consommateur ; elle figure désormais à l'article L. 211-17 du Code de la consommation : « Les conventions qui écartent ou limitent directement ou indirectement les droits résultant du présent chapitre, conclues entre le vendeur et l'acheteur avant que ce dernier n'ait formulé de réclamation, sont réputées non écrites. »

De même encore, *en matière de construction d'ouvrages*, l'article 1792-5 répute non écrite toute clause d'un contrat ayant pour objet d'exclure ou de limiter les responsabilités et garanties dues par les constructeurs au titre des articles 1792 et suivants. La règle est la même pour le *vendeur d'immeuble à construire* (C. civ., art. 1646-1), pour le promoteur immobilier, pour le constructeur de maisons individuelles, etc.

Ce ne sont là que les exemples les plus frappants, dont la liste n'est nullement exhaustive. Il s'ensuit que le principe de la validité des clauses limitatives voit son domaine très largement réduit[(1049)].

795. – Les clauses limitatives ou exonératoires de responsabilité dans les projets de droit européen des contrats. Chacun des projets d'unification du droit européen des contrats reconnaît la validité de principe des clauses limitatives ou exonératoires de responsabilité, désignées par des termes divers : « clauses excluant ou limitant les moyens »[(1050)], « clauses exonératoires »[(1051)], « clauses de non-responsabilité et limitatives de responsabilité »[(1052)].

Cependant, ces textes prévoient des limites à l'efficacité de telles clauses. L'avant-projet de Pavie, comme le droit français, réserve les cas de dol et faute « grave », cette dernière s'apparentant en fait à la faute lourde du droit français ; il prohibe également une clause qui interdirait d'opposer une « exception de nullité, d'annulabilité, ou de rescision du contrat ». Les Principes Unidroit interdisent de se prévaloir d'une « clause permettant de fournir une prestation substantiellement différente de celle à laquelle on peut raisonnablement s'attendre, si eu égard au but du contrat il serait manifestement inéquitable de le faire ». Enfin, les Principes Lando, dans une formulation des plus générales, reconnaissent la validité de ces clauses « à moins qu'il ne soit contraire aux exigences de la bonne foi d'invoquer l'exclusion ou la limitation » des moyens.

Équité, bonne foi, ces concepts généraux, ces standards chers aux projets d'uniformisation du droit des contrats, ont finalement pour effet d'apporter au principe de la validité des clauses limitatives ou exonératoires des restrictions comparables à celles définies par la jurisprudence française.

796. – Les clauses limitatives ou élusives de réparation dans le Projet Catala. Le Projet Catala consacre un paragraphe aux « conventions excluant ou limitant la réparation ». L'innovation majeure tient à l'extension de la validité de ces clauses à la respon-

(1049) Ph. Delebecque, *Que reste-t-il du principe de validité des clauses limitatives de responsabilité ?* : *D. affaires* 1997, 235.
(1050) PDEC, art. 8.109.
(1051) Unidroit, art. 7.1.6.
(1052) Pavie, art. 106.

sabilité extracontractuelle : « Les conventions ayant pour objet d'exclure ou de limiter la réparation sont en principe valables, aussi bien en matière contractuelle qu'extra-contractuelle » (art. 1382). De nombreuses limites et conditions sont cependant posées.

Une exclusion, commune à toutes les hypothèses, concerne le préjudice corporel : « Nul ne peut exclure ou limiter la réparation d'un dommage corporel dont il est responsable » (art. 1382-1). C'est là la consécration d'une solution qui, sans être affirmée explicitement par la jurisprudence, est admise presque unanimement en doctrine.

Certaines règles sont spécifiques au domaine contractuel. Tout d'abord, une clause ne saurait être opposée à un cocontractant victime que si ce dernier a « pu en prendre connaissance avant la formation du contrat » (art. 1382-3) ; en bref, elle doit avoir été acceptée, au moins implicitement, lors de la formation du contrat, ce qui suppose qu'elle ait pu être connue. Par ailleurs, l'article 1382-2 édicte une double limitation à son effet. D'une part, confirmant les solutions actuelles du droit positif, il dénie toute efficacité aux clauses limitatives ou exonératoires en cas de « faute dolosive ou lourde » ou de manquement par le contractant « à l'une de ses obligations essentielles ». D'autre part, et c'est là une innovation, un « professionnel ne peut exclure ou limiter son obligation de réparer le dommage contractuel causé à un non-professionnel ou consommateur » que moyennant une « contrepartie réelle, sérieuse et clairement stipulée ».

Enfin, en matière extracontractuelle, la clause ne peut pas permettre d'écarter une responsabilité pour faute (art. 1382-4, al. 1), ce qui limite donc son efficacité aux hypothèses où la responsabilité est encourue sur le fondement d'une présomption de responsabilité ou d'une responsabilité de plein droit telle que celle résultant de la théorie des troubles de voisinage. Par ailleurs, ce même article (al. 2) subordonne l'effet de la convention de non-responsabilité à la preuve que la victime « l'avait acceptée de manière non équivoque ».

3° La clause pénale(1053)

797. – **Caractère forfaitaire.** La clause pénale, régie par les articles 1152 et 1226 à 1233 du Code civil, est celle par laquelle les parties à un contrat déterminent par avance et forfaitairement les dommages-intérêts en cas d'inexécution de la convention(1054). Son intérêt principal est de prévenir toute difficulté d'évaluation. Par exemple, dans les contrats de construction il est d'usage de prévoir des *pénalités de retard*, qui sont une variété de clause pénale(1055) : en cas de retard dans la livraison de l'ouvrage, le débiteur devra payer tant par jour de retard(1056).

Ces clauses peuvent être insérées dans tout contrat, sauf là où la loi l'interdit, notamment dans le contrat de travail et dans le contrat de bail d'habitation (L. 6 juill. 1989, art. 4, i))(1057).

(1053) D. Mazeaud, *La notion de clause pénale* : LGDJ, 1992. – J.-S. Borghetti, *La qualification de clause pénale* : RDC 2008, 1158.

(1054) Cass. 3e civ., 26 janv. 2011 : *RDC* 2011, 817, obs. Y.-M. Laithier.

(1055) Cass. 3e civ., 6 nov. 1986 : *JCP* 1987, IV, 17.

(1056) En revanche, en dépit de leur dénomination, les « pénalités de retard » dans le paiement des sommes d'argent visées par l'article L. 441-6 du Code de commerce ne sont pas des clauses pénales ; il s'agit d'intérêts de retard régis par la loi qui ne sont pas susceptibles d'être réduits par le juge : Cass. com., 2 nov. 2011 : *D.* 2011, 2788, obs. E. Chevrier.

(1057) G. Paisant, *Les clauses pénales sont-elles encore licites dans les contrats de bail et de travail ?* : *JCP* 1986, I, 3238. – J.- M. Gélinet, *Clause pénale et contrat de louage* : *Administrer* nov. 1988, n° 195, p. 2.

La clause pénale peut jouer un rôle différent suivant le chiffre retenu à titre de dommages-intérêts. S'il est inférieur au montant réel du dommage, la clause apparaît comme *limitative de responsabilité* et on lui applique les règles énoncées aux numéros précédents. Si, comme il arrive souvent, le chiffre choisi est considérable, alors elle constitue un *moyen de pression* très fort sur le débiteur ; en cela, elle est à rapprocher de l'*astreinte* qui, prononcée par le juge, poursuit un but identique (V. *infra*, n°s 884 et s.).

Parce qu'il s'agit de *dommages-intérêts*, la clause pénale ne peut être mise en œuvre que si se trouvent réalisées les conditions de la responsabilité contractuelle : inexécution imputable au débiteur, et non pas due à la force majeure. En revanche, suivant un arrêt, « la clause pénale, sanction du manquement d'une partie à ses obligations, s'applique du seul fait de cette inexécution », même si en définitive le créancier de l'obligation inexécutée n'en a subi aucun préjudice[1058]. Cette solution doit toutefois être combinée avec la faculté de révision qui permet au juge de modérer la peine, si elle est manifestement excessive (art. 1152, al. 2).

Parce qu'il s'agit d'un *forfait* librement accepté, le juge ne peut en principe le modifier.

Art. 1152. – Lorsque la convention porte que celui qui manquera de l'exécuter payera une certaine somme à titre de dommages-intérêts, il ne peut être alloué à l'autre partie une somme plus forte, ni moindre.

Néanmoins, le juge peut, même d'office, modérer ou augmenter la peine qui avait été convenue, si elle est manifestement excessive ou dérisoire. Toute stipulation contraire sera réputée non écrite.

Art. 1226. – La clause pénale est celle par laquelle une personne, pour assurer l'exécution d'une convention, s'engage à quelque chose en cas d'inexécution.

Art. 1227. – La nullité de l'obligation principale entraîne celle de la clause pénale.

La nullité de celle-ci n'entraîne point celle de l'obligation principale.

Art. 1228. – Le créancier, au lieu de demander la peine stipulée contre le débiteur qui est en demeure, peut poursuivre l'exécution de l'obligation principale.

Art. 1229. – La clause pénale est la compensation des dommages et intérêts que le créancier souffre de l'inexécution de l'obligation principale.

Il ne peut demander en même temps le principal et la peine, à moins qu'elle n'ait été stipulée pour le simple retard.

Art. 1230. – Soit que l'obligation primitive contienne, soit qu'elle ne contienne pas un terme dans lequel elle doive être accomplie, la peine n'est encourue que lorsque celui qui s'est obligé soit à livrer, soit à prendre, soit à faire, est en demeure.

Art. 1231. – Lorsque l'engagement a été exécuté en partie, la peine convenue peut même d'office être diminuée par le juge à proportion de l'intérêt que l'exécution partielle a procuré au créancier, sans préjudice de l'application de l'article 1152. Toute stipulation contraire sera réputée non écrite.

Cette impossibilité pour le juge de modifier le forfait était jadis imposée par l'article 1152 de manière absolue. L'article 1231 y faisait exception pour le seul cas où le contrat avait été en partie exécuté par le débiteur[1059] ; mais la pratique neutrali-

(1058) Cass. 3e civ., 20 déc. 2006 : *Bull. civ.* 2006, III, n° 256 ; *JCP* 2007, II, 10024 et note D. Bakouche. – V. précédemment, Cass. 3e civ., 2 oct. 1974 : *Bull. civ.* 1974, III, n° 323 ; *RTD civ.* 1975, p. 130, obs. G. Cornu. – Cass. 3e civ., 12 janv. 1994 : *Bull. civ.* 1994, III, n° 5 ; *Defrénois*, 1994, p. 804, obs. D. Mazeaud ; *RTD civ.* 1994, p. 605, obs. J. Mestre. Mais *contra*, Cass. 1re civ., 16 juill. 1991 : *D.* 1992, p. 365 et note D. Mazeaud. – Ce qui explique que l'agent immobilier qui s'en prévaut n'a pas à prouver la perte du droit à rémunération, Cass. 1re civ., 2 oct. 2013, n° 12-22343.

(1059) V. B. Boccara, *La liquidation de la clause pénale et la querelle séculaire de l'article 1231 du Code civil* : *JCP* 1970, I, 2294. – E. Alfandari, *Le contrôle des clauses pénales par le juge* : *JCP* 1971, I, 2395.

sait souvent cette exception en insérant dans les contrats une clause contraire dont la jurisprudence avait admis la validité.

Cette intangibilité du forfait avait donné lieu à des abus manifestes de la part de certains créanciers qui inséraient systématiquement dans les contrats des clauses pénales draconiennes pour les débiteurs défaillants. De tels abus se rencontraient notamment dans les contrats de *crédit-bail*, où il était stipulé que, à défaut de paiement d'une mensualité du loyer, le contrat serait résolu et le débiteur défaillant devrait, à titre de pénalité, le montant total des loyers restant à courir. Liés par les textes, les tribunaux ne pouvaient faire autrement que valider ces clauses léonines[(1060)].

798. – **Pouvoir modérateur du juge.** Pour mettre un terme à ces excès, le législateur est intervenu par une loi du 9 juillet 1975 qui a modifié les articles 1152 et 1231[(1061)].

D'une part, l'article 1231 précise qu'en cas d'exécution partielle « la peine convenue peut, même d'office, être diminuée par le juge à proportion de l'intérêt que l'exécution partielle a procuré au créancier » ; et, surtout, cette faculté du juge ne peut plus désormais être écartée par une clause contraire.

D'autre part, et d'une manière plus générale, le juge se voit accorder par l'article 1152 le pouvoir de « modérer ou augmenter la peine qui avait été convenue, si elle est manifestement excessive ou dérisoire ». Il peut y procéder « même d'office », c'est-à-dire en dehors de toute demande des parties (L. 11 oct. 1985), sauf bien entendu à instituer un débat contradictoire sur ce point[(1062)]. Là encore, la loi précise que toute clause contraire sera réputée non écrite.

Lorsqu'il use de la faculté qui lui est ainsi offerte, le juge du fond doit s'expliquer sur le caractère excessif ou dérisoire de la clause pour permettre le contrôle de la Cour de cassation[(1063)]. S'il maintient la clause, il n'a pas à motiver spécialement sa décision[(1064)].

Pour l'exercice de son pouvoir modérateur, le juge ne doit tenir compte que de la disproportion entre l'importance du préjudice effectivement subi et le montant conventionnellement fixé, et non du comportement du débiteur[(1065)] ou des facultés financières des parties[(1066)]. Il doit se placer à la date de sa décision pour apprécier cette disproportion[(1067)].

Lorsqu'il réduit une peine excessive, le juge n'est pas contraint de l'abaisser au niveau des dommages et intérêts[(1068)], mais il ne peut allouer moins que le

(1060) Cass. 3e civ., 30 juin 1971 : *JCP* 1972, II, 16860, obs. E.M.B. – Cass. com., 14 avr. 1972 : *JCP* 1972, II, 17269, obs. E. Alfandari. – B. Boubli, *Réflexions sur la clause pénale dans les contrats de* leasing *et de* renting : *Rec. gén. lois et jurisp.* 1971, 641. – Ph. Malaurie, notes *in D.* 1972, 582, 728, 730, 732.

(1061) À noter que le juge administratif s'est reconnu le droit de modérer ou augmenter les pénalités de retard « par application des principes dont s'inspire l'article 1152 du Code civil, si ces pénalités atteignent un montant manifestement excessif ou dérisoire eu égard au montant du marché : CE, 29 déc.2008, n° 296930, *OPHLM Puteaux* : *AJDA* 2009, 268 et note J.-D. Dreyfus.

(1062) Cass. com., 23 mars 1993 : *Bull. civ.* 1993, IV, n° 114.

(1063) Cass. ch. mixte, 20 janv. 1978 : *D.* 1978, 349. – O. Kraf, *Clauses pénales. À quel niveau les réduire ou les augmenter ?* : *Gaz. Pal.* 3-7 avr. 1994, doctr. – F. Pasqualini, *La révision des clauses pénales* : *Defrénois* 1995, 1, 769, art. 36106.

(1064) Cass. 3e civ., 26 avr. 1978 : *D.* 1978, 349. – Cass. 3e civ., 17 janv. 1979 : *JCP* 1979, IV, 98. – Cass. 3e civ., 14 janv. 1987 : *D.* 1987, inf. rap. p. 18 ; *JCP* 1987, IV, 92. – Cass. 3e civ., 12 janv. 2001 : *D.* 2001, inf. rap. p. 2360 ; *JCP* 2001, IV, 2560.

(1065) Cass. com., 11 févr. 1997 : *Bull. civ.* 1997, IV, n° 47.

(1066) Cass. 1re civ., 14 nov. 1995 : *Bull. civ.* 1995, I, n° 412.

(1067) Cass. 1re civ., 10 mars 1998 : *Bull. civ.* 1998, I, n° 98, p. 65.

(1068) Cass. com., 29 janv. 1991 : *Bull. civ.* 1991, IV, n° 43.

préjudice[1069]. Réciproquement, lorsqu'il augmente une peine dérisoire, il ne doit pas dépasser le montant du préjudice[1070].

À la suite de cette réforme, on peut affirmer que la clause pénale a pour une large part perdu son caractère forfaitaire ; son intérêt, comme moyen de pression contre les débiteurs défaillants, s'en trouve sensiblement amoindri[1071]. C'est dire que la réforme s'inspire plus de l'idée d'équité et de clémence pour le débiteur malheureux que du souci de l'efficacité[1072].

Afin de bénéficier de cette clémence, les débiteurs essaient parfois de faire qualifier de clause pénale certaines clauses qui ne méritent pas cette qualification, par exemple les clauses de dédit[1073] et les indemnités d'immobilisation[1074], ou les clauses de résiliation unilatérale[1075], ou encore les clauses limitatives de responsabilité[1076].

En principe, la clause pénale devrait s'éteindre avec le contrat dans lequel elle est stipulée[1077]. Il en va toutefois différemment en cas de résolution car survivent alors les clauses qui ont pour objet de régler les conséquences de l'inexécution (V. *supra*, n° 532)[1078]. Tel est notamment le cas des clauses pénales qui ont précisément été établies pour le cas où le contrat ne serait pas exécuté[1079].

(1069) Cass. 1re civ., 24 juill. 1978 : *D.* 1979, inf. rap. p. 151, obs. Landraud. – Cass. com., 3 févr. 1982 : *Bull. civ.* 1982, IV, n° 44 ; *JCP* 1982, IV, 139. – Cass. com., 8 juill. 1986 : *JCP* 1986, IV, 275. On peut toutefois se demander si, en l'absence de préjudice, le juge peut purement et simplement annuler la clause pénale, ce qui irait à l'encontre de la jurisprudence suivant laquelle « la clause pénale, sanction du manquement d'une partie à ses obligations, s'applique du seul fait de cette inexécution », même si en définitive le créancier de l'obligation inexécutée n'en a subi aucun préjudice (Cass. 3e civ., 20 déc. 2006 : *JCP* 2007, II, 10024 et note D. Bakouche.

(1070) O. Kraf, art. préc. – F. Pasqualini, art. préc.

(1071) Sauf, peut-être, pour assurer le respect des conditions suspensives et s'assurer la diligence du débiteur, Cass. 3e civ., 20 nov. 2013, n° 12-29.021, FS P+B+I : *JurisData* n° 2013-026229 ; *JCP G* n° 14, 7 avr. 2014, 420, note M. Ranouil : le débiteur qui ne respecte pas les termes de la promesse entrainant la caducité de la promesse permet de considérer la condition comme réputée accomplie et autorise le jeu de la clause pénale.

(1072) B. Boccara, *La réforme de la clause pénale : conditions et limites de l'intervention judiciaire* : *JCP* 1975, I, 2742. – Ph. Malaurie, *La révision judiciaire de la clause pénale* : *D.* 1976, chron. 229. – F. Steinmetz, *Observations sur le pouvoir modificateur du juge en matière de clause pénale, depuis la loi du 9 juillet 1975* : *Rec. gén. lois* 1976, 405. – B. Boubli, *La mort de la clause pénale ou le déclin du principe d'autonomie de la volonté* : *Journ. not.* 1976, 945, art. 53048. – S. Sanz, *La consécration du pouvoir judiciaire par la loi du 9 juillet 1975 et ses incidences sur la théorie générale de la clause pénale* : *RTD civ.* 1977, 268. – Ph. Nectoux, *La révision judiciaire des clauses pénales. Bilan des premières années d'application de la loi du 9 juillet 1975 par l'informatique juridique* : *JCP* 1978, I, 2913. – G. Paisant, *Dix ans d'application de la réforme des articles 1152 et 1231 du Code civil relative à la clause pénale (L. 9 juill. 1975)* : *RTD civ.* 1985, 647.

(1073) Cass. 3e civ., 9 janv. 1991 : *D.* 1991, 481 et note G. Paisant. – Cass. com., 14 oct. 1997 : *D.* 1998, 103 et note Ch. Willmann. – Cass. com., 18 janv. 2011 : *JCP* 2011, 492 et note V. da Silva ; *Contrats, conc. consom.* 2011, comm. 86, obs. L. Leveneur ; *RTD civ.* 2011, 122, obs. B. Fages ; *RDC* 2011, 812, obs. E. Savaux.

(1074) A. Benet, *Indemnité d'immobilisation, dédit et clause pénale* : *JCP* 1987, I, 3274. – Cass. 3e civ., 5 déc. 1984, 2 arrêts : *D.* 1985, 544 et note F. Benac-Schmidt ; *JCP* 1986, II, 20555, obs. G. Paisant ; *Defrénois* 1986, 1, 126, art. 33653, note J.M. Olivier. – Cass. 3e civ., 10 déc. 1986 : *JCP* 1987, II, 20857, obs. G. Paisant. – Cass. 3e civ., 30 avr. 2002 : *Bull. civ.* 2002, III, n° 90, p. 79 ; *Defrénois* 2002, 1, 1257, art. 37607, n° 67, obs. E. Savaux. – Cass. 3e civ., 24 sept. 2008 : *D.* 2008, 2497 et note G. Forest.

(1075) Cass. 1re civ., 6 mars 2001 : *D.* 2001, somm. 3243, obs. Ph. Delebecque.

(1076) Ph. Malinvaud, *De l'application de l'article 1152 du Code civil aux clauses limitatives de responsabilité*, in *Mél. Terré*, 1999, p. 689. – Sur l'application de la réglementation des clauses abusives aux clauses pénales, V. G. Paisant, *Clauses pénales et clauses abusives après la loi n° 95-96 du 1er février 1995* : *D.* 1995, chron. 223.

(1077) Cass. 1re civ., 27 nov. 2013, n° 12-13897, FS-P+B+I, R. 2013, p. 2845 : lorsque la vente n'a pas été effectivement réalisée, l'agent immobilier ne peut pas se prévaloir d'une clause pénale.

(1078) A. Etienney, *Menace sur les clauses ayant vocation à survivre à la résolution du contrat* : *D.* 2012, p. 1719.

(1079) Cass. ch. mixte, 23 nov. 1990, deux arrêts : *D.* 1991, 121 et note Ch. Larroumet. – Cass. 3e civ., 26 janv. 2011 : *Contrats, conc. consom.* 2011, comm. 87, obs. L. Leveneur. – Cass. com., 22 mars 2011 : *D.* 2011, 1012, obs. X. Delpech ; *D.* 2011, 2179, note A. Hontebeyrie ; *RDC* 2011, 826, obs. E. Savaux. – V. aussi Ch. Hugon, *Le sort de la clause pénale en cas d'extinction du contrat* : *JCP* 1994, I, 3790. – Cass. 3e civ., 20 nov. 2013, n° 12-29.021, FS P+B+I : *JurisData* n° 2013-026229, préc.

Les projets d'uniformisation du droit européen des contrats reconnaissent la validité des clauses pénales et admettent tous également le pouvoir du juge de modérer la somme prévue conventionnellement si celle-ci est manifestement excessive par rapport au préjudice subi du fait de l'inexécution et aux circonstances (PDEC, art. 9.509 ; Unidroit, art. 7.4.13). L'avant-projet de Code européen des contrats de Pavie prohibe toutefois la stipulation de telles clauses dans tous les contrats « où prend part un consommateur » (Pavie, art. 170).

Quant au Projet Catala, il propose de supprimer les articles 1226 à 1230, 1232 et 1233 du Code civil et de conserver, en les réunissant, les articles 1152 et 1231 relatifs à la révision judiciaire des clauses pénales. On retrouve ainsi dans l'article 1383 du Projet les dispositions de ces deux articles, à l'exception toutefois de la faculté de révision à la hausse des clauses pénales dont le montant serait manifestement dérisoire[(1080)].

On peut regretter que l'avant-projet de réforme du 23 octobre 2013 n'aie pas abordé la question de la clause pénale, renvoyant certainement à la future réforme de la responsabilité civile.

B. – La transaction, convention postérieure à la réalisation du dommage

799. – Le terme de transaction a plusieurs sens. Dans le langage courant, ce mot désigne, de manière assez vague, toute opération commerciale ou boursière. Dans la terminologie juridique, c'est le contrat par lequel deux personnes mettent fin à un litige né ou latent en se consentant des concessions réciproques (C. civ., art. 2044 et s.)[(1081)], concessions qui peuvent n'être qu'indirectes[(1082)].

Pareille convention trouve un terrain de choix en matière de responsabilité. Renonçant à une instance judiciaire, auteur et victime du dommage peuvent se mettre d'accord et transiger.

Cette pratique est très usitée par les compagnies d'assurance qui, pour paralyser tout recours judiciaire, font signer à la victime une transaction dans laquelle il est stipulé que l'indemnité versée est forfaitaire et répare tous les préjudices, mêmes imprévus, qui seraient la conséquence de l'accident[(1083)]. Il s'ensuit de nombreux litiges lorsque survient par la suite une aggravation du préjudice. Les tribunaux prononcent assez volontiers la nullité des transactions de cette sorte, pour erreur sur l'objet de la contestation[(1084)], ou pour dol[(1085)], pour absence de réciprocité dans

(1080) Le projet de réforme des contrats de Fr. Terré propose de supprimer les articles 1226 à 1232 du Code civil et de conserver l'article 1152, alinéas 1 et 2.

(1081) X. Lagarde, *Transaction et ordre public* : *D.* 2000, chron. 217. – Y. Desdevises, *Les transactions homologuées : vers des contrats juridictionnalisables ?* : *D.* 2000, chron. 284. – Ch. Boillot, *La transaction et le juge* : LGDJ, 2003, préf. P. Le Cannu. – L. Poulet, *La transaction* : LGDJ, coll. « Droit privé », 2005. – B. Mallet-Bricout et C. Nourissat (ss dir.), *La transaction dans toutes ses dimensions* : Dalloz, coll. « Thèmes et commentaires », 2006. – G. Deharo, *La transaction : sécurité et confidentialité ?* : *LPA* 9 oct. 2008, n° 201.

(1082) Cass. com., 25 oct. 2011 : *D.* 2011, 2727 ; *Rev. sociétés* 2012, 25, note T. Massart ; *RTD civ.* 2012, 128, obs. P.-Y. Gautier.

(1083) J.-P. Chauchard, *La transaction dans l'indemnisation du préjudice corporel* : *RTD civ.* 1989, 1. – X. Lagarde, *Transaction et ordre public*, préc.

(1084) Cass. 1re civ., 8 mars 1966 : *JCP* 1966, II, 14664, concl. R. Lindon. – Cass. 1re civ., 27 févr. 1967 : *D.* 1967, 246 et note G.C.M. – Cass. 1re civ., 11 oct. 1967 : *D.* 1968, 135 ; *JCP* 1967, II, 15315.

(1085) Cass. 1re civ., 17 déc. 2002 : *JCP* 2003, II, 10081 et note H. Kenfack.

les concessions[1086] ou encore refusent de lui faire produire ses effets, autorité de la chose transigée, en cas d'inexécution[1087].

En revanche, la transaction ne peut être attaquée pour erreur de droit (art. 2052, al. 2)[1088].

(1086) Ch. Jarrosson, *Les concessions réciproques dans la transaction* : *D.* 1997, chron. 267. – D. Baugard, *La transaction de la loi du 5 juillet 1985 confrontée aux concessions réciproques* : *Rev. Lamy dr. civ.* mars 2007, p. 17. – P. Larrieu, *Les concessions dans la transaction* : *Rev. Lamy dr. civ.* juin 2007, p. 59. – CA Aix-en-Provence, 14 avr. 2004 : *D.* 2004, 2959 et note C. Bloch.

(1087) Cass. 1re civ., 12 juill. 2012, n° 09-11.582, à paraître au Bulletin ; *D.* 2012, 2577, note P. Pailler ; *RTD civ.* 2013, p. 169, obs. P. Thery ; *Contrats, conc. consom.* 2012, n° 250, note L. Leveneur ; *RTD civ.* 2013, p. 138, obs. P.-Y. Gautier.

(1088) V. cependant Cass. 1re civ., 22 mai 2008 : *Rev. Lamy dr. civ.* nov. 2008, p. 7 et note B. Mallet-Bricout.

CHAPITRE 2

L'OBLIGATION DE COMPENSER L'AVANTAGE INJUSTEMENT REÇU D'AUTRUI : LES QUASI-CONTRATS

800. - Comparaison avec la responsabilité. Jusqu'à une date récente, on enseignait qu'il n'y avait pas lieu d'établir de parallèle entre cette obligation de compenser l'avantage injustement reçu d'autrui et l'obligation de réparer le préjudice injustement causé, leur seul point commun étant que l'une et l'autre sont établies par la loi.

On est désormais obligé de nuancer le propos depuis que, par un arrêt d'une chambre mixte du 6 septembre 2002, la Cour de cassation a institué en quasi-contrat le fait de faire miroiter des gains mirifiques aux yeux de destinataires prétendus tirés au sort. Alors que cette question des loteries publicitaires était traitée sous l'angle de la responsabilité délictuelle, ou de l'engagement contractuel ou unilatéral, la jurisprudence veut maintenant y voir un quasi-contrat (V. *infra*, n°s 817 et s.). Ce faisant, la jurisprudence noie dans un certain flou la frontière qui séparait la responsabilité civile des quasi-contrats et, au-delà même, la frontière entre l'acte juridique et le fait juridique.

Cela dit, au plan de leur importance pratique respective, il n'y a pas de commune mesure. Autant la *responsabilité civile* est d'application courante, quotidienne, autant les *quasi-contrats*, même si on y ajoute le cas des loteries publicitaires, sont une catégorie résiduelle(1).

De quoi s'agit-il donc ?

Il est bien évident que la loi n'interdit pas de s'enrichir ; or, tout enrichissement, mis à part les gains de productivité, est peu ou prou reçu d'autrui, quand il ne lui est pas pris. Mais la loi ne voit pas du même œil tous les enrichissements. Les uns paraissent sinon justes, du moins justifiés ; les autres appellent une compensation.

Ne retenant que ces derniers, il faut encore distinguer.

(1) H. Vizioz, *La notion de quasi-contrat* : thèse Bordeaux, 1912. – J. Honorat, *Rôle effectif et rôle concevable des quasi-contrats en droit actuel* : *RTD civ.* 1969, 653. – M. Douchy, *La notion de quasi-contrat en droit positif français*, préf. A. Sériaux : Économica, 1997. – Ph. Le Tourneau et A. Zabalalza, *Le réveil des quasi-contrats (à propos des loteries publicitaires)* : *Contrats, conc. consom.* 2002, chron. 22. – F. Chénedé, *Charles Toullier, le quasi-contrat* : *RDC* 2011, 305. – E. Descheemaeker, *Quasi-contrats et enrichissement injustifié en droit français* : *RTD civ.* 2013, p. 1.

La plupart des enrichissements injustes procèdent d'un comportement coupable de l'enrichi, par exemple, d'un vol, d'une escroquerie, d'un abus de confiance, ou même d'une faute civile qui ne serait pas sanctionnée pénalement ; dans toutes ces hypothèses, il ne s'agit pas de compenser un avantage mais de réparer un préjudice : c'est un problème de responsabilité (V. *supra*, n°s 554 et s.).

Les autres enrichissements injustes relèvent du domaine du quasi-contrat[(2)]. Mais, là encore, la jurisprudence sur les loteries publicitaires jette un certain flou sur la fonction de quasi-contrat et amène à nuancer. Désormais, le critère de l'obligation de compenser ne réside plus seulement dans l'avantage indûment reçu d'autrui à la suite d'un fait volontaire spontané et désintéressé ; dans le cas des loteries publicitaires il tient à l'illusion créée chez autrui à la suite d'un fait volontaire délibéré et intéressé. Ainsi que le relève justement un auteur, « traditionnellement appréhendé comme un mécanisme de compensation ou de restitution en faveur de l'auteur d'un fait profitable d'autrui, il constitue désormais aussi une technique de sanction des promesses sans lendemain »[(3)]. On ajoutera cependant que cette seconde fonction apparaît mineure au regard de la première.

801. – Quasi-contrats, enrichissement sans cause et autres. Sous l'intitulé « Des engagements qui se forment sans convention », le Code civil traite « Des quasi-contrats » (art. 1371 à 1381) et « Des délits et des quasi-délits » (art. 1382 à 1386), c'est-à-dire de la responsabilité civile (V. *supra*, n°s 554 et s.).

S'agissant des quasi-contrats du Code civil, ils sont au nombre de deux : la gestion d'affaires et le paiement de l'indu. L'un et l'autre ont pour objet d'assurer la compensation d'avantages reçus d'autrui à la fois sans justification suffisante et sans faute de l'enrichi. Parce que les situations ainsi réglées s'apparentent, bien que d'assez loin, à des situations contractuelles, on a conservé l'habitude de langage du droit romain, lequel disait que l'obligation naît *quasi ex contractu*, comme s'il y avait un contrat ; d'où le terme de quasi-contrat, aujourd'hui fort ambigu, pour désigner ces hypothèses.

À côté de ces quasi-contrats qui sont au nombre de deux, on rencontre dans le Code civil divers textes épars qui tendent à rétablir un équilibre rompu entre deux patrimoines ; à partir de ces textes la jurisprudence a posé un principe général de réparation de l'*enrichissement sans cause*. Les quasi-contrats d'origine jurisprudentielle viennent de s'enrichir d'une nouvelle catégorie, qui concerne une hypothèse très limitée, celle des *loteries publicitaires*. Et certains auteurs y rattachent les obligations qui découlent de la *théorie de l'apparence*[(4)]. D'autres s'interrogent sur le point de savoir si l'article 1370 ne pourrait pas servir de tremplin pur la création de quasi-contrats innomés[(5)].

802. – Les quasi-contrats dans le Projet Catala[(6)]. Dans son chapitre préliminaire consacré aux sources des obligations, le Projet Catala, fidèle à la proposition du

(2) F. Goré, *L'enrichissement aux dépens d'autrui, éléments d'ordre juridique et d'ordre moral* : Paris, 1949.

(3) D. Mazeaud, note ss Cass. ch. mixte, 6 sept. 2002 : *D.* 2002, 2963.

(4) A. Bénabent, *Les obligations*, 12e éd., n°s 500 et s. – V. *contra* : Cass. 3e civ., 15 mars 2006 : *JCP* 2006, IV, n° 1795.

(5) A. Bugada, *La justiciabilité de l'article 1370 du Code civil*, in *Mél. J. Foyer* : Économica, 2007, p. 195.

(6) G. Cornu, *Source des obligations*, in *Avant-projet de réforme du droit des obligations et de la prescription, Exposé des motifs* : La Documentation française, 2006, p. 25. – G. Cornu, *Quasi-contrats*, in *Avant-projet de réforme du droit des obligations et de la prescription, Exposé des motifs* : La Documentation française, 2006, p. 75.

Doyen Carbonnier, distingue nettement au sein des faits juridiques, ceux qui procurent « à autrui un avantage auquel il n'a pas droit » et qui constituent des quasi-contrats et ceux qui causent « sans droit un dommage à autrui » et qui relèvent de la responsabilité civile (art. 1101-2). La même idée a été reprise dans l'article 3, alinéa 2, du projet de réforme du droit des contrats : « Les obligations qui naissent d'un fait juridique sont régies, selon les cas, par le sous-titre relatif aux quasi-contrats ou le sous-titre relatif à la responsabilité civile ».

Si le Projet Catala reprend les deux quasi contrats du Code civil que sont la gestion d'affaire et le paiement de l'indu, il reprend en partie les solutions prétoriennes en la matière puisqu'il reconnaît l'existence d'un troisième quasi contrat : l'enrichissement sans cause, dont il consacre le caractère subsidiaire : « Les quasi-contrats sont des faits purement volontaires, comme la gestion sans titre de l'affaire d'autrui, le paiement de l'indu ou l'enrichissement sans cause dont il résulte, un engagement de celui qui en profite sans y avoir droit, et parfois un engagement de leur auteur envers autrui. » (art. 1327).

En revanche, il n'entend pas traiter le cas des loteries publicitaires sur le fondement quasi contractuel.

Le Projet terré propose un article 1 dans lequel il dispose que « Les obligations naissent des contrats, des délits, de l'avantage indûment reçu d'autrui ou de la gestion d'affaires ; ces obligations forment la matière du présent livre ». Il propose de supprimer toute référence à la catégorie des quasi-contrats pour évoquer les « autres sources d'obligations » au sein desquelles figurent « l'avantage indument reçu d'autrui » (l'enrichissement sans cause et la répétition de l'indu) et la gestion d'affaires.

L'avant-projet de réforme du 23 octobre 2013 propose également un sous-titre III intitulé « autres sources d'obligations » composé de trois chapitres respectivement consacrés à la gestion d'affaires, au paiement indu et à l'enrichissement injustifié. L'article 139 qui introduit les trois chapitres, très inspiré du projet Catala, définit les quasi-contrats comme « des faits purement volontaires dont il résulte, un engagement de celui qui en profite sans y avoir droit, et parfois un engagement de leur auteur envers autrui ». Il exclut donc apparemment le cas singulier des sociétés de loterie.

SECTION 1

LES QUASI-CONTRATS DU CODE CIVIL

§ 1. – La gestion d'affaires(7)

803. – Définition. Là encore, on bute sur un problème de terminologie. Dans le langage courant le gérant d'affaires est celui à qui une personne confie la direction ou la surveillance de certaines affaires, par un contrat de mandat. Or, en droit, la

(7) M. Picard, *La gestion d'affaires dans la jurisprudence contemporaine* : *RTD civ.* 1921, 419 et 1922, 3. – F. Goré, *Le fondement de la gestion d'affaires, source autonome d'obligations* : *D.* 1953, chron. 39. – H. Sinay, *La fortune nouvelle de la gestion d'affaires* : *Gaz. Pal.* 1946, 2, doctr. 13. – R. Bout, *La gestion d'affaires en droit français contemporain*, 1972.

gestion d'affaires est le fait pour une personne – le gérant – d'accomplir un ou plusieurs actes dans l'intérêt d'une autre personne – le géré ou maître de l'affaire – sans y avoir été invitée. Suivant la formule, tout à fait éclairante, des rédacteurs du Projet Catala, c'est « la gestion sans titre de l'affaire d'autrui ». La même idée réside dans la définition proposée par l'article 140 de l'avant-projet du 23 octobre 2013 qui renvoie à « celui qui, sans y être tenu, gère l'affaire d'autrui, à l'insu ou sans opposition du maître de cette affaire, est soumis, dans l'accomplissement des actes juridiques et matériels de sa gestion, à toutes les obligations d'un mandataire ». La gestion d'affaires se distingue donc du mandat en ce qu'elle est spontanée, et non pas consécutive à un contrat.

En bref, la gestion d'affaires, telle qu'elle est réglementée aux articles 1372 et suivants, n'est pas un contrat ; bien au contraire, c'est un ensemble de règles légales qui dictent des solutions pour le cas où, en dehors de tout contrat exprès ou tacite, une personne s'est occupée des affaires d'autrui.

Art. 1372. – Lorsque volontairement on gère l'affaire d'autrui, soit que le propriétaire connaisse la gestion, soit qu'il l'ignore, celui qui gère contracte l'engagement tacite de continuer la gestion qu'il a commencée, et de l'achever jusqu'à ce que le propriétaire soit en état d'y pourvoir lui-même ; il doit se charger également de toutes les dépendances de cette même affaire.

Il se soumet à toutes les obligations qui résulteraient d'un mandat exprès que lui aurait donné le propriétaire.

Art. 1373. – Il est obligé de continuer sa gestion, encore que le maître vienne à mourir avant que l'affaire soit consommée, jusqu'à ce que l'héritier ait pu en prendre la direction.

Art. 1374. – Il est tenu d'apporter à la gestion de l'affaire tous les soins d'un bon père de famille.

Néanmoins les circonstances qui l'ont conduit à se charger de l'affaire peuvent autoriser le juge à modérer les dommages et intérêts qui résulteraient des fautes ou de la négligence du gérant.

Art. 1375. – Le maître dont l'affaire a été bien administrée, doit remplir les engagements que le gérant a contractés en son nom, l'indemniser de tous les engagements personnels qu'il a pris, et lui rembourser toutes les dépenses utiles ou nécessaires qu'il a faites.

Ces règles sont dominées par deux idées. D'une part, si la gestion a été utile et bien menée, il est naturel que le géré tienne compte au gérant de l'enrichissement réalisé. D'autre part, il ne convient pas d'encourager des immixtions inutiles ou déplacées dans les affaires d'autrui.

En pratique, il n'y aura lieu de recourir aux règles de la gestion d'affaires qu'en cas de conflit entre un gérant qui prétend se faire indemniser et un géré qui, désapprouvant à tort ou à raison l'action menée par le gérant, refuse de ratifier la gestion. En effet, si celui dont l'affaire a été gérée – bien ou mal – ratifiait la gestion en cours ou terminée, l'opération se trouverait rétroactivement transformée en mandat et devrait être réglée par application des règles du mandat.

Enfin, la gestion d'affaires ne doit pas servir à contourner l'application de dispositions d'ordre public. Tel est le cas d'un agent immobilier qui, dépourvu de mandat écrit, tenterait d'être indemnisé pour son intermédiation en ayant recours à la gestion d'affaires[8].

804. – **Conditions de la gestion d'affaires.** Quand peut-on dire qu'il y a gestion d'affaires ? C'est-à-dire à quelles situations va-t-on appliquer les articles 1372 et suivants ?

(8) Cass. 1re civ., 22 mars 2012, F-P+B+I, n° 11-13000.

En premier lieu, *le gérant doit avoir eu l'intention de gérer l'affaire d'autrui* et non pas la sienne propre, car il serait alors mal venu à réclamer une indemnisation de ses peines et soins[9]. Mais le désintéressement total n'est pas une condition nécessaire et la jurisprudence a admis l'application des règles de la gestion d'affaires à la gestion d'une affaire commune : par exemple, un co-indivisaire qui agit au nom de tous (C. civ., art. 815-4) ou dans les rapports entre un usufruitier et un nu-propriétaire[10]. Ces solutions sont reprises dans le Projet Catala. Ainsi, après avoir stipulé qu'il y a gestion d'affaires lorsqu'une personne « se charge, à titre bénévole, de l'affaire d'autrui » (art. 1328), il décide que « les règles de la gestion d'affaires s'appliquent semblablement lorsque la gestion est entreprise non dans l'intérêt exclusif d'autrui mais dans l'intérêt commun d'autrui et du gérant » (art. 1329, al. 1). Mais, dérogeant à cet égard aux règles générales de la gestion d'affaires, il prévoit qu'en pareil cas « la charge des engagements, des dépenses et des pertes se répartit à proportion des intérêts de chacun » (art. 1329, al. 2). Dans le même esprit, l'article 144 de l'avant-projet du 23 octobre 2013 prévoit que « l'intérêt personnel du gérant à se charger de l'affaire d'autrui n'exclut pas l'application des règles de la gestion d'affaires » l'alinéa 2 apporte une limite similaire : « Dans ce cas, la charge des engagements, des dépenses et des dommages se répartit à proportion des intérêts de chacun dans l'affaire commune ».

En second lieu, *le gérant doit avoir effectivement géré l'affaire d'autrui*. Cette gestion peut viser indifféremment des *actes juridiques*, par exemple contrat avec un entrepreneur en vue de travaux urgents de clôture ou de toiture, ou des *actes matériels* tels qu'éteindre un commencement d'incendie ou aller au secours d'un accidenté ou d'une personne en passe de se noyer[11]. Et, s'agissant d'actes juridiques, après quelques hésitations dues à la formule de l'article 1375 « le maître dont l'affaire a été bien *administrée...* », on admet qu'ils peuvent être soit des *actes d'administration*, soit même des *actes de disposition* « si l'initiative est justifiée » : par exemple, la vente de denrées périssables, un acte de licenciement[12], soit encore une *action en justice*[13]. Là encore, le Projet Catala précise que la gestion peut consister en actes juridiques ou matériels (art. 1328), au même titre que l'article 140 de l'avant-projet du 23 octobre 2013, mais sans indication quant à leur nature d'actes d'administration ou de disposition.

En troisième lieu, *la gestion ne doit être faite ni en vertu d'un contrat* (ou d'un accord quelconque[14]) car alors il faudrait appliquer les dispositions de ce contrat[15], *ni contre la volonté exprimée du géré* car ce serait une faute source de

(9) TI Paris, 21 oct. 1970 : *D.* 1971, somm. 36 (voiture volée déposée dans un parking payant). – Cass. 1re civ., 7 janv. 1971 : *D.* 1971, 288 ; *JCP* 1971, II, 16670 et Cass. 1re civ., 26 janv. 1988 : *D.* 1989, 405 et note D. Martin ; *JCP* 1989, II, 21217, obs. Y. Dagorne-Labbé (client d'un grand magasin poursuivant un voleur). – Cons. prud'h. Rouen, 16 déc. 1970 : *JCP* 1971, II, 16623 (à propos des accords de Grenelle).

(10) Cass. civ., 1er juill. 1901 : S. 1905, 1, 510. – Cass. civ., 28 oct. 1942 : *DC* 1943, 29 et note P.L.P. – Cass. 1re civ., 12 janv. 2012 : *JCP* 2012, 362, note Ph. Casson ; *D.* 2012, 1592, note A. Gouëxel ; *RTD civ.* 2012, 115, obs. B. Fages.

(11) Cass. 1re civ., 28 janv. 2010 : *JCP* 2010, 532, note A. Dumery.

(12) Cass. soc., 29 janv. 2013, n° 11-23267 ; *JCP* E n° 9, 28 févr. 2013, 1141, note Fr. Duquesne ; *JCP* S n° 16, 16 avr. 2013, 1172, note E. Jeansen ; *JCP* G n° 35, 26 août 2013, doctr. 897, n° 1, obs. G. Loiseau : (dégradation de l'état de santé de l'employeur et décision de licenciement valable prise par un gérant d'affaires).

(13) Cass. 1re civ., 21 déc. 1981 : *Gaz. Pal.* 1982, 2, 398 et note R. Perrot ; *JCP* 1983, II, 19961, obs. J.-P. Verschave. – V. cependant TGI Rouen, 16 avr. 1987 : *JCP* 1988, II, 20970, obs. P. Courbe ; et *contra* : Cass. 3e civ., 27 oct. 2004 : *Bull. civ.* 2004, III, n° 183, p. 166.

(14) La gestion doit avoir « été entreprise spontanément » : Cass. 1re civ., 22 oct. 2009, n° 08-18.331.

(15) Sur la frontière parfois poreuse entre convention tacite d'assistance bénévole et gestion d'affaires, Cass. 2e civ., 12 sept. 2013, n° 12-23.530, F-D, *SA Axa France IARD c/ Épx F.* : JurisData n° 2013-019289 ; *Resp. civ. et assur.* n° 11, nov. 2013, comm. 330, note S. Hocquet-Berg (application de la convention d'assistance bénévole).

responsabilité[16], ni en application d'une obligation légale[17]. Comme l'écrit l'article 1328 du Projet Catala, elle est faite « spontanément », « à l'insu ou sans opposition du maître » de l'affaire. Il est assez fréquent, cependant, qu'on applique les règles de la gestion d'affaires à un mandataire ayant excédé la limite de ses pouvoirs[18] (V. *supra*, n° 102). Par un arrêt du 19 février 2014, la Cour de cassation a précisé que « peu importe que le maître dont l'affaire a été administrée ait connu ou ignoré la gestion litigieuse »[19]. L'arrêt se range à l'avis d'une partie de la doctrine selon laquelle la connaissance ne suffit pas car il faut des actes dépourvus d'équivoque[20].

Enfin, on ajoute toujours que *la gestion doit avoir été utile*. Mais l'utilité de la gestion ne conditionne que les obligations du géré, non pas celles du gérant. Sur ce point, le Projet Catala reprend ce critère de l'utilité de la gestion qui conditionne l'obligation du maître de l'affaire de respecter les engagements contractés en son nom et d'indemniser le gérant des dépenses faites et des pertes subies (art. 1328-3).

Précisons que si les conditions de la gestion d'affaire ne sont pas réunies mais que l'action du gérant a néanmoins tourné au profit du géré, le Projet Catala prévoit (art. 1329-1) que celui-ci devra l'indemniser sur le fondement de l'enrichissement sans cause, ce qui atteste du caractère subsidiaire conféré à ce quasi contrat (sur l'enrichissement sans cause, V. *infra*, n°s 811 et s.). L'article 145 de l'avant-projet du 23 octobre 2013 est également en ce sens.

805. – **Effets de la gestion d'affaires.** Comment se règle la gestion d'affaires ?

Le Code civil impose des obligations au gérant et au géré, comme s'il s'agissait d'un contrat synallagmatique.

Tout d'abord, le fait de s'occuper des affaires d'autrui sans y être convié entraîne diverses *obligations à la charge du gérant* : obligation de mener à son terme la gestion commencée, de lui consacrer tous les soins d'un « bon père de famille »[21], obligation enfin de rendre compte comme un mandataire[22]. Le Projet Catala met pareillement à la charge du gérant les obligations qui auraient pesé sur lui s'il avait reçu mandat (art. 1328) ainsi que l'obligation, sous certaines conditions, de continuer la gestion (art. 1328-1). En cas de gestion défectueuse les dommages intérêts qu'il pourrait devoir peuvent être modérés par le juge selon les circonstances qui l'ont conduit à se charger de l'affaire (art. 1328-2). Les mêmes règles figurent au sein de l'article 141 de l'avant-projet de réforme du 23 octobre 2013.

(16) Y. Le Magueresse, *Des comportements fautifs du créancier et de la victime en droit des obligations* : thèse Paris XI, 2005, n°s 338 et s.

(17) Cass. 1re civ., 22 mars 2012, n° 11-10616 (obligation qui n'existait pas en l'espèce).

(18) Un arrêt a même appliqué les règles de la gestion d'affaires à des dirigeants d'une association sportive qui avaient effectué de leurs deniers personnels des paiements pour le compte de l'association, au lieu de suivre les règles statutaires en la matière : Cass. 1re civ., 29 mai 2001 : *RJDA* 2002, n° 10 ; *RTD civ.* 2002, 298, obs. crit. J. Mestre et B. Fages.

(19) Cass. 3e civ., 19 févr. 2014, n° 12-24113 ; LEDC avril 2014, n° 4, p. 4, obs. G. Guerlin.

(20) A. Bénabent, *Les obligations : Montchrestien*, 2013, n° 462. – Contra, J. Carbonnier, *Les obligations* : PUF, coll. Quadrige, 2007, n° 398.

(21) Y. Le Magueresse, *op. cit.*, n°s 343 et s.

(22) D. Aquarone, *La nature juridique de la responsabilité civile du gérant d'affaire dans ses rapports avec le maître de l'affaire* : *D.* 1986, chron. 21. – M. Lecene-Marénaud, *Le rôle de la faute dans les quasi-contrats* : *RTD civ.* 1994, 515, V. art. 35681 ; V. n°s 45 et s.

En contrepartie, si la gestion a été bien menée, le géré doit :

• à l'égard des tiers : « remplir les engagements que le gérant a contractés en son nom » (C. civ., art. 1375) ;

• à l'égard du gérant : « l'indemniser de tous les engagements personnels qu'il a pris et lui rembourser toutes les dépenses utiles ou nécessaires qu'il a faites »[23] (C. civ., art. 1375), mais à l'exclusion de toute rémunération[24] ; ces diverses solutions sont reprises dans l'article 1328-3 du Projet Catala qui y ajoute le remboursement des pertes subies par le gérant, au même titre que l'article 142 alinéa 2 de l'avant-projet de réforme du 23 octobre 2013.

Toutefois, ces obligations du géré sont subordonnées soit à la ratification de la gestion[25], ce qui la transforme en mandat, soit à l'utilité de la gestion. Cette *condition d'utilité* a pour but de décourager les gestions inutiles ou menées par des gens incompétents, et elle fait l'objet d'assez nombreux litiges. La jurisprudence a eu l'occasion de préciser que l'utilité devait être appréciée au moment de l'acte de gestion et qu'il importait donc peu qu'elle ait disparu par suite de circonstances postérieures.

§ 2. – Le paiement de l'indu[26]

806. – **Présentation générale. Les textes.** Payer l'indu, les mots parlent d'eux-mêmes, c'est payer ce qui n'était pas dû. Il s'ensuit un enrichissement sans cause de celui qui a reçu le paiement ; or, « ce qui a été payé sans être dû est sujet à répétition » (C. civ., art. 1235), c'est-à-dire à restitution au profit de celui qui s'est acquitté par erreur. L'avant-projet de réforme du 23 octobre 2013 reprend exactement les mêmes termes (art. 146, al. 2).

Ce paiement de l'indu, simple fait juridique, peut, s'agissant d'un quasi-contrat, être prouvé par tous moyens en application de l'article 1348 du Code civil[27].

L'obligation de compenser l'avantage injustement reçu d'autrui apparaît plus clairement dans cette hypothèse que dans la précédente ; elle est sanctionnée par l'action en répétition de l'indu, que le Code civil réglemente aux articles 1376 à 1381.

Art. 1235. – Tout payement suppose une dette : ce qui a été payé sans être dû est sujet à répétition.

La répétition n'est pas admise à l'égard des obligations naturelles qui ont été volontairement acquittées.

Art. 1376. – Celui qui reçoit par erreur ou sciemment ce qui ne lui est pas dû s'oblige à le restituer à celui de qui il l'a indûment reçu.

Art. 1377. – Lorsqu'une personne qui, par erreur, se croyait débitrice, a acquitté une dette, elle a le droit de répétition contre le créancier.

---

(23) Par exemple, une société effectuant des travaux pour le compte d'une autre en qualité de gérant d'affaires n'a droit qu'au remboursement des travaux à prix coûtant, et encore à la condition qu'elle n'ait pas agi dans son propre intérêt : Cass. 1re civ., 18 avr. 2000 : *Bull. civ.* 2000, I, n° 113, p. 76 ; *Defrénois* 2000, 1, 1384, art. 37270, obs. Ph. Delebecque.

(24) Cass. com., 15 déc. 1992 : *Defrénois* 1994, 1, 50, art. 35681.

(25) Article 143 de l'avant-projet de réforme du 23 octobre 2013 : « La ratification de la gestion par le maître vaut mandat ».

(26) J. Chevallier, *La répétition de l'indu. Notes sur la théorie générale des obligations*. – Ph. Derouin, *Le paiement de la dette d'autrui. Répétition de l'indu et enrichissement sans cause* : *D.* 1980, chron. 199. – St. de Saint-Didier-Nizard, *La répétition de l'indu* : thèse Paris II, 1998. – B Thunhart, *Le paiement de l'indu en droit comparé français, allemand, autrichien et suisse* : *RID comp.* 2001, 183.

(27) Cass. 1re civ., 29 janv. 1991 : *Bull. civ.* 1991, I, n° 36 ; *RTD civ.* 1991, 281, obs. J. Mestre ; *D.* 1991, inf. rap. p. 54.

Néanmoins ce droit cesse dans le cas où le créancier a supprimé son titre par suite du payement, sauf le recours de celui qui a payé contre le véritable débiteur.

Art. 1378. – S'il y a eu mauvaise foi de la part de celui qui a reçu, il est tenu de restituer, tant le capital que les intérêts ou les fruits, du jour du payement.

Art. 1379. – Si la chose indûment reçue est un immeuble ou un meuble corporel, celui qui l'a reçue s'oblige à la restituer en nature, si elle existe, ou sa valeur, si elle est périe ou détériorée par sa faute ; il est même garant de sa perte par cas fortuit, s'il l'a reçue de mauvaise foi.

Art. 1380. – Si celui qui a reçu de bonne foi a vendu la chose, il ne doit restituer que le prix de la vente.

Art. 1381. – Celui auquel la chose est restituée, doit tenir compte, même au possesseur de mauvaise foi, de toutes les dépenses nécessaires et utiles qui ont été faites pour la conservation de la chose.

L'avant-projet de réforme du 23 octobre 2013 (art. 146 et s.) distingue l'indu objectif (art. 147) de l'indu subjectif (art. 147).

En pratique le paiement de l'indu est souvent le fait d'une Administration, de la Sécurité sociale ou d'une banque ; les erreurs doivent être assez fréquentes si on en juge par l'importance du contentieux. Cela dit, les textes ci-dessus s'appliquent à deux séries de situations.

807. – **Cas du paiement fait par erreur.** Il y a tout d'abord lieu à répétition de l'indu lorsqu'un paiement a été fait par erreur. C'est l'hypothèse la plus fréquente, même s'il peut apparaître étrange qu'une personne procède à tort à un paiement. En pratique, deux situations peuvent se présenter.

Ou bien on a payé une dette qui n'existait pas et on parle alors *d'indu objectif*(28) : par exemple, on a payé plus qu'il n'était dû, ou une dette acquittée, ou une dette imaginaire ; mais la restitution serait exclue si l'obligation exécutée était une obligation naturelle, par exemple, une dette de jeu, ou une dette prescrite (C. civ., art. 1235, al. 2, repris à l'article 1220 du Projet Catala) (V. *supra*, n°s 28 et s.). La répétition de l'indu est également exclue au cas où la restitution créerait un cas d'enrichissement sans cause(29).

Ou bien, on a payé une dette qui existait, mais entre d'autres personnes et on parlera alors *d'indu subjectif* : par exemple, le débiteur a payé à un autre que le créancier (C. civ., art. 1376), ou le créancier a reçu paiement d'un autre que le débiteur(30) (C. civ., art. 1377)(31).

Dans toutes ces hypothèses, celui qui a payé à tort doit-il pour se faire restituer, justifier de l'erreur qu'il a commise ? Doit-il démontrer que son geste n'a pas été

(28) Cass. 1re civ., 16 mai 2013, n° 12-12207, P-B+I : en vertu de l'article 221 du Code civil, chacun des époux a le pouvoir d'encaisser sur son compte personnel le montant d'un chèque établi à son ordre et à celui du conjoint pourvu que celui-ci l'ait endossé. Il n'y a donc pas de paiement indu. – Cass. 3e civ., 29 févr. 2012, n° 10-15.128 : JurisData n° 2012-003125 ; à paraître au bull. ; Resp. civ. et assur. 2012, comm. 143, obs. H. Groutel ; *JCP* G n° 36, 3 sept. 2012, doctr. 945, n° 7, obs. M. Billiau : Celui qui reçoit d'un assureur une indemnité correspondant au paiement d'une créance qu'il détient contre un responsable ne bénéficie pas d'un paiement indu.

(29) CJUE, 7e ch., 16 mai 2013, aff. C-191/12, Alakor Gabonatermelo és Forgalmazó Kft ; Europe n° 7, juillet 2013, comm. 295, obs. J. Dupont-Lassale (TVA indument perçue mais non restituable car récupérée par ailleurs). Dans le même sens, CE, 19 juin 2013, n° 358240, SA Bouygues Télécom : JurisData n° 2013-012775 ; *JCP* A n° 27, 1er juill. 2013, act. 572.

(30) V. cependant une curieuse jurisprudence qui considère que « celui qui reçoit d'un assureur le paiement d'une indemnité à laquelle il a droit, ne bénéficie pas d'un paiement, le vrai bénéficiaire de ce paiement étant celui dont la dette se trouve acquittée par quelqu'un qui ne la doit pas », et qui rejette en conséquence le recours du *solvens* contre l'accipiens (Cass. 1re civ., 23 sept. 2003 : *D.* 2004, 3165 et note A. Harmand-Luque. – Cass. 3e civ., 26 avr. 2007 : *AJDI* 2008, 115, obs. S. Beaugendre).

(31) Lenoan, *Du recours du véritable créancier contre celui qui a reçu indûment un paiement à sa place : RTD civ.* 1923, 925. En revanche les articles 1376 et suivants sont sans application dans le cas où le paiement critiqué est bien intervenu entre le débiteur et le créancier, mais où le débiteur, se trompant sur l'ordre des privilèges, a payé un créancier avant d'autres qui lui étaient préférables (Cass. com., 30 oct. 2000 : *D.* 2000, act. jurispr. 430 et note P. Pisoni).

volontaire, qu'il n'a pas été dicté par une intention libérale ou par le désir de payer pour un tiers ? (V. *infra*, n°s 849 et s., à propos du paiement fait pour un tiers avec subrogation).

La condition d'erreur du *solvens*(32), c'est-à-dire de celui qui a payé, n'est littéralement exigée que par l'article 1377, alinéa 1er, qui vise le cas d'un paiement fait par un non-débiteur au véritable créancier, c'est-à-dire un cas d'indu subjectif. Dans un premier temps la jurisprudence a étendu cette condition à toutes les hypothèses, sauf celle où le paiement est indu par suite de l'annulation ou la résolution d'un contrat. La jurisprudence récente limite l'application de la condition d'erreur du *solvens* au cas de l'indu subjectif. Elle l'écarte en cas d'indu objectif(33) si bien que, dans ce cas, la restitution sera ordonnée sauf si le paiement a été fait volontairement, en connaissance de cause, auquel cas il apparaît comme une libéralité(34) ; la jurisprudence applique alors le seul article 1376 du Code civil(35).

Lorsque la preuve d'une erreur est exigée, peu importe qu'elle soit une erreur de fait ou de droit, une erreur banale ou grossière(36). En revanche, la faute du *solvens* semblait jusqu'ici devoir entraîner la perte du droit à répétition ; s'il est permis de se tromper, il n'est pas admissible de payer sans prendre les précautions commandées par la prudence(37). Revenant sur cette jurisprudence, un arrêt a posé en principe que « l'absence de faute de celui qui a payé ne constitue pas une condition de mise en œuvre de l'action en répétition de l'indu, sauf à déduire, le cas échéant, de la somme répétée, les dommages et intérêts destinés à réparer le préjudice en résultant pour l'*accipiens* de la faute commise par le *solvens* »(38). À l'erreur il faut assimiler la contrainte, par exemple celle que subit un débiteur qui a déjà payé mais qui, faute de pouvoir présenter la quittance du premier paiement, est obligé de payer une seconde fois indûment(39). Confirmant cette jurisprudence, le Projet Catala assimile la contrainte à l'erreur commise par le *solvens* ; dans l'un et l'autre cas, l'article 1332 dudit Projet permet au *solvens* de se faire rembourser « soit par le véritable débiteur, soit par le créancier, sauf si celui-ci, par suite du paiement, a supprimé son titre ou abandonné une sûreté » (art. 1332). La même solution se retrouve dans l'article 148 de l'avant-prjet du 23 octobre 2013.

(32) Y. Loussouarn, *La condition d'erreur du solvens dans la répétition de l'indu : RTD civ.* 1949, 212. – J. Ghestin, *L'erreur du* solvens*, condition de la répétition de l'indu : D.* 1972, chron. 277.

(33) Cass. 1re civ., 17 juill. 1984 : *D.* 1985, 298 et note P. Chauvel. – Cass. 1re civ., 11 avr. 1995 : *JCP* 1995, II, 22485 et note A. Seriaux. – Cass. soc., 31 janv. 1996 : *D.* 1997, 306 et note B. Thuillier. – J.-F. Kamden, *L'évolution du régime de l'action en répétition de l'« indu objectif » : JCP* 1997, I, 4018.

(34) Cass. com., 24 févr. 1987 : *D.* 1987, 244 et note A. Bénabent. Sur l'analyse de la jurisprudence, V. I. Defrénois-Souleau, *La répétition de l'indu objectif : RTD civ.* 1989, 243.

(35) Sur l'application des articles 1376 et 1377 par la juridiction administrative, V. CAA Paris, 20 oct. 2004 : *D.* 2005, 416 et concl. B. Folscheid.

(36) V. Cass. soc., 24 nov. 1971, 21 mars et 13 avr. 1972 : *JCP* 1973, II, 17343 *bis* ; et chron. Ghestin : *JCP* 1973, I, 2528. – Cass. soc., 3 nov. 1972 : *JCP* 1974, II, 17692, obs. J. Ghestin.

(37) Sur la faute, V. A.-M. Romani, *La faute de l'appauvri dans l'enrichissement sans cause et dans la répétition de l'indu : D.* 1983, chron. 127. – M. Lecène-Marénaud, *Le rôle de la faute dans les quasi-contrats : RTD civ.* 1994, 515. – V. Cass. com., 23 avr. 1976 : *D.* 1977, 562 et note G. Vermelle. – Cass. com., 22 nov. 1977 : *JCP* 1978, II, 18997, obs. M. Gegout. – Cass. com., 12 janv. 1988 : *Bull. civ.* 1988, IV, n° 22 et note A. Rouiller. – Cass. com., 30 oct. 2000 : *Bull. civ.* 2000, IV, n° 169 ; *D.* 2001, 1527 et note S. Pierre.

(38) Cass. 1re civ., 17 févr. 2010 : *D.* 2010, 864, obs. N. Dissaux ; *JCP* 2010, 685, note Y. Dagorne-Labbé. – Cass. soc., 17 mai 2011 : *JCP* 2011, 1030, spéc. p. 1723, obs. M. Billiau. – V. article 218, alinéa 2 de l'avant-projet de réforme du 23 octobre 2013.

(39) Cass. com., 16 juin 1981 : *Bull. civ.* 1981, IV, n° 279, p. 221.

En revanche, le Projet Catala comme l'avant-projet de réforme ne semblent envisager que l'hypothèse de l'indu subjectif, c'est-à-dire celle dans laquelle la dette existe mais entre d'autres personnes. En effet, alors que le Code civil fait référence à celui qui se croyant débiteur « a acquitté une dette », ce qui permet d'inclure l'indu objectif, les deux projets évoquent celui qui par erreur ou contrainte « a acquitté la dette d'autrui ».

Quant à l'étendue de la restitution, elle dépend de la bonne ou mauvaise foi de celui qui a reçu le paiement indu (C. civ., art. 1378 et s.) ; la charge de la preuve de la bonne foi incombe à l'*accipiens*, celui qui a reçu le paiement indu(40). Le Projet Catala (art. 1333 à 1335) et l'avant-projet de réforme (art. 218) reprennent, à quelques nuances près, ces dispositions.

808. – Cas de l'annulation ou de la résolution de la dette. Il y a également lieu à répétition chaque fois que, postérieurement au paiement de la dette, celle-ci a été annulée ou résolue. Ici, au moment du paiement personne n'a commis d'erreur mais, par suite de l'annulation ou de la résolution du contrat, et donc de la dette, on constate *a posteriori* qu'a été payée à tort une dette qui, par suite de l'effet rétroactif de l'annulation ou de la résolution, n'existait pas.

C'est le problème des restitutions consécutives aux annulations et aux résolutions des contrats. Sur ce point il suffira de se reporter à ce qui a été dit (V. *supra*, n°s 406 et s. et n° 532). L'avant-projet de réforme du 23 octobre 2013 renvoie au chapitre V du titre IV consacré aux « restitutions » (art. 257 et s.).

Cette solution est reprise et étendue dans l'article 1331 du Projet Catala : « Il y a lieu à restitution lorsque la dette qui avait justifié le paiement est par la suite annulée ou résolue, ou perd d'une autre façon sa cause »(41).

809. – L'action en répétition de l'indu. L'action va opposer le *solvens*(42) qui a payé à tort et l'*accipiens* qui a reçu ce qui ne lui était pas dû ; plus précisément, le *solvens* ne peut diriger son action que contre le créancier (indu subjectif) ou contre celui qui a reçu le paiement (indu objectif), et non pas contre celui pour le compte duquel le paiement a été effectué(43). En cas de décès de l'un ou de l'autre, l'action passe à sa succession(44). Conformément au droit commun, la charge de la preuve pèse sur le demandeur, c'est-à-dire sur le *solvens* qui demande la restitution des sommes versées. S'agissant d'un fait juridique, la preuve peut en être faite par tous moyens(45).

L'action en répétition porte sur les sommes indûment reçues ; à ces sommes s'ajoutent les intérêts au taux légal que le possesseur de bonne foi doit à compter

(40) V. par ex. Cass. com., 13 mars 2001 : *D.* 2002, 3113 et note V. Saint-Gérand (titulaire d'un compte bancaire que la banque avait crédité par erreur d'un montant de 147 000 F).

(41) En ce sens : P. Ancel, *Quelques observations sur la structure des sections relatives à l'exécution et à l'inexécution des contrats* : *RDC* 2006, p. 105, spéc. p. 106.

(42) Au *solvens* doivent être assimilés ses cessionnaires ou subrogés, ou encore celui pour le compte de qui et au nom duquel le paiement a été fait : Cass. 3e civ., 25 janv. 2012, n° 10-25475.

(43) Cass. soc. 6 mai 1993 : *Bull. civ.* 1993, V, n° 131 ; *RTD civ.* 1994, 104, obs. J. Mestre. – Cass. 3e civ., 24 sept. 2003 : *Bull. civ.* 2003, III, n° 163. – Cass. 1re civ., 9 mars 2004 : *Bull. civ.* 2004, I, n° 81. – Cass. 3e civ., 2 avr. 2008 : *D.* 2008, 2743, n° 2, obs. A.-C. Monge. – V. cependant en sens contraire : Cass. 1re civ., 9 déc. 2009, n° 08-20.083 suivant lequel l'action « doit être exercée contre celui pour le compte duquel les fonds ont été indûment versés, qui en est le bénéficiaire, et non contre celui qui les a reçus en qualité de mandataire ».

(44) Cass. ch. mixte, 12 mai 2000 : *D.* 2001, 1210 et note V. Mikalef-Toudic.

(45) Cass. 1re civ., 29 janv. 1991 : *Bull. civ.* 1991, I, n° 36 ; *RTD civ.* 1991, 281, obs. J. Mestre.

de la demande ou du jour où il a cessé de posséder de bonne foi[46]. En revanche, l'action en répétition de l'indu ne permet pas au débiteur ayant conclu un contrat avec un créancier de mauvaise foi d'empêcher ce dernier d'obtenir paiement de sa créance car la sanction de la bonne foi ne permet pas de porter atteinte à la substance même des droits et obligations des parties[47].

Quant à la prescription de l'action, la question s'est posée de savoir s'il fallait se référer à celle applicable à la créance payée à tort, par exemple à des salaires ou à une pension payés par erreur (prescription de cinq ans), ou s'il fallait appliquer la prescription de droit commun. La première solution jadis retenue a été abandonnée au profit de la prescription de droit commun qui est ainsi consacrée par la jurisprudence comme étant la prescription de l'action en répétition de l'indu[48]. La Cour de cassation relève à cet effet que l'action n'est pas une demande en paiement de pensions, de loyers, etc., mais une demande en répétition des sommes indûment versées à ce titre. Cela dit, cette question a perdu une large part de son intérêt depuis que la prescription de droit commun a été ramenée à cinq ans par la loi du 17 juin 2008 (art. 2224) ; mais elle se pose encore pour les courtes prescriptions qui s'appliquent à certaines créances, notamment à la prescription de deux ans en matière d'assurance (C. assur., art. L. 114-1)[49], ou à celle d'un an de l'article L. 133-6 du Code de commerce[50].

SECTION 2

LES QUASI-CONTRATS D'ORIGINE JURISPRUDENTIELLE

810. – Jusqu'à une date récente, et si on laisse de côté la théorie de l'apparence qu'un auteur classe dans les quasi-contrats[51], la jurisprudence n'avait institué qu'un seul quasi-contrat, l'enrichissement sans cause.

Tel n'est plus le cas aujourd'hui où, depuis l'arrêt d'une chambre mixte du 6 septembre 2002, la Cour de cassation a érigé en quasi-contrat le fait pour l'organisateur de loterie publicitaire de faire miroiter comme acquis des gains aussi mirifiques qu'illusoires. Mais, autant la théorie de l'enrichissement sans cause a de nombreuses occasions de s'appliquer, autant le quasi-contrat de loterie publicitaire est limité quant à son objet. De surcroît, il est vraisemblable que, prenant acte de cette jurisprudence sévère pour eux, les organisateurs de loteries publicitaires renonceront à

(46) Cass. 1re civ., 22 mars 2005 : *Bull. civ.* 2005, I, n° 152.

(47) Cass. 3e civ., 26 mars 2013, n° 12-14870, inédit ; *RTD civ.* 2013, p. 606, obs. H. Barbier.

(48) Cass. 2e civ., 22 nov. 2001 : *Bull. civ.* 2001, II, n° 170 ; *D.* 2002, inf. rap. p. 45 (arrérages de pension alimentaire versés à tort). – Cass. ch. mixte, 12 avr. 2002 : *JCP* 2002, II, 10100 et note M. Billiau ; *D.* 2002, 2433 et note C. Aubert de Vincelles ; *Defrénois* 2002, 1, 1265, art. 37607, n° 69, obs. R. Libchaber (charges locatives accessoires au loyer). – Cass. 2e civ., 16 déc. 2003 : *D.* 2004, 2686 et note B. Bouloc ; *JCP* 2004, IV, 1342 (prestations de retraite complémentaire versées à tort). – Cass. 1re civ., 1er mars 2005 : *Bull. civ.* 2005, I, n° 110 ; *D.* 2005, inf. rap. p. 797 ; *JCP* 2005, IV, 1826 (intérêts d'un prêt). – Cass. 1re civ., 21 févr. 2006 : *Bull. civ.* 2006, I, n° 98. – Cass. 2e civ., 30 mai 2013, n° 12-17964.

(49) Cass. 3e civ., 27 mai 2010 : *D.* 2010, 2892 et note S. Pierre-Maurice. – Cass. 2e civ., 4 juill. 2013, n° 12-17.427, P+B : JurisData n° 2013-013886 ; *JCP G* n° 35, 26 août 2013, doctr. 897, n° 13, obs. M. Billiau ; *Resp. civ. et assur.* n° 11, nov. 2013, comm. 361, obs. H. Groutel. – Fr. de La Vaissière, *Action en répétition de l'indu : prescription de l'action* : *AJDI* 2013, p. 825.

(50) Cass. com., 3 mai 2011 : *JCP* 2011, 1030, p. 1723, obs. M. Billiau.

(51) A. Bénabent, *Les obligations*, 12e éd., nos 500 et s.

leurs pratiques, limitant de ce fait l'application de cette jurisprudence. On observera à cet égard que ni le Projet Catala, ni le projet de réforme ne reprennent à leur compte ce nouveau cas de quasi-contrat.

§ 1. – L'enrichissement sans cause (ou injustifié)[52]

811. – **Le principe posé par la jurisprudence.** Il arrive qu'un même fait se traduise par l'appauvrissement d'une personne et l'enrichissement corrélatif d'une autre[53]. Que faut-il décider lorsque ce transfert de valeur d'un patrimoine à un autre ne constitue ni un cas de responsabilité civile, ni un quasi-contrat ? Faut-il néanmoins ordonner que celui qui s'est enrichi sans justification devra indemniser l'appauvri ?

Il n'existe en droit français aucun texte général sur ce point alors que le Projet Catala lui consacre 4 articles (art. 1336 à 1339) et l'avant-projet de réforme du 23 octobre 2013 5 articles (art. 149 à 153). On y trouve cependant quelques applications particulières. Les règles sur la gestion d'affaires et le paiement de l'indu en sont un bon exemple. D'autres hypothèses peuvent être citées. Ainsi celui qui, propriétaire du sol, bénéficie par voie d'*accession* des constructions ou plantations qui y auraient été faites par un tiers de bonne foi, doit dédommager ce dernier (C. civ., art. 554 et 555). De même, dans les rapports entre époux, celui qui a avancé des frais pour l'autre en recevra « *récompense* » lors de la dissolution du régime matrimonial (C. civ., art. 1412, 1416, 1433 et 1468). Ou encore, les descendants d'un exploitant agricole, qui ont travaillé sur la ferme sans être rémunérés, recevront lors du partage une compensation à titre de « salaire différé ».

En présence de ces textes qui réparent un déséquilibre survenu entre deux patrimoines, on s'est demandé s'il ne convenait pas, au nom de l'équité, de généraliser ces solutions. C'est en ce sens que la jurisprudence s'est prononcée dès 1892. Il s'agissait en l'espèce de la demande d'un marchand d'engrais qui, non payé par un fermier expulsé pour défaut de paiement des fermages, s'adressait au propriétaire, lequel, par suite de l'expulsion, recouvrait des terres engraissées.

Dans cette décision, la Cour de cassation accueillait de manière très large, trop large même, l'action *de in rem verso*, c'est-à-dire l'action fondée sur l'enrichissement sans cause[54].

« Attendu que cette action, dérivant du principe d'équité qui défend de s'enrichir aux dépens d'autrui, et n'ayant été réglementée par aucun texte de nos lois, son exercice n'est soumis à aucune condition déterminée ; qu'il suffit pour

(52) G. Ripert et Teisseire, *Essai d'une théorie de l'enrichissement sans cause en droit civil français* : *RTD civ.* 1904, 727. – A. Rouast, *L'enrichissement sans cause et la jurisprudence civile* : *RTD civ.* 1922, 33. – F. Goré, *L'enrichissement aux dépens d'autrui* : thèse Paris, 1945. – J. Chevallier, *Observations sur la répétition des enrichissements non causés*, in *Études Ripert*, t. 2, p. 237. – V. aussi M.-F. Furet, *L'enrichissement sans cause dans la jurisprudence administrative* : *D.* 1967, chron. 265.

(53) H. Boucard, *Les conséquences de l'anéantissement du contrat : restitutions et enrichissement sans cause* : *RDC* 2013/4, p. 1669.

(54) Cass. req., 16 juin 1892 : *D.* 1892, 1, 596 ; *S.* 1893, I, 281 et note Labbé. La théorie de l'enrichissement sans cause a été par la suite consacrée par la jurisprudence administrative, d'abord implicitement en 1938 (CE, 24 juin 1938, *Cne d'Huos* : *Rec. CE* 1938, p. 577 ; *D.* 1939, 3, 25 et note Pépy), puis explicitement comme principe général du droit : CE, 14 avr. 1961, *Sté Sud-Aviation* : *Rec. CE* 1961, p. 236 ; *JCP* 1961, II, 12255 et note de Lanversin.

la rendre recevable que le demandeur allègue et offre d'établir l'existence d'un avantage qu'il aurait, par un sacrifice ou un fait personnel, procuré à celui contre lequel il agit... ».

Depuis cette date, tout l'effort de la jurisprudence a tendu à préciser les conditions à remplir pour intenter cette action fondée sur l'enrichissement sans cause.

A. – Les conditions d'exercice de l'action

812. – **Enrichissement et appauvrissement corrélatif.** En premier lieu, il faut qu'il y ait un *enrichissement* et un *appauvrissement corrélatif*(55). Le Projet Catala reprend ces conditions matérielles en son article 1336, tout en abandonnant la référence à leur caractère corrélatif : « Quiconque s'enrichit sans cause au détriment d'autrui doit à celui qui s'en trouve appauvri une indemnité égale à la moindre des deux sommes auxquelles s'élèvent l'enrichissement et l'appauvrissement ». L'avant-projet du 23 octobre 2013 consacre un article 149 qui dispose que « celui qui bénéficie d'un enrichissement injustifié au détriment d'autrui doit, à celui qui s'en trouve appauvri, une indemnité égale à la moindre des deux valeurs de l'enrichissement et de l'appauvrissement ».

L'enrichissement doit s'entendre soit d'un gain positif, soit d'une dépense évitée, soit même d'un avantage moral s'il est appréciable en argent. Quant à l'appauvrissement, il peut s'agir soit d'une perte, soit d'un service rendu et non rémunéré. Tel est par exemple le cas du locataire entrant qui bénéficie du combustible (gaz) approvisionné par le locataire sortant(56).

Une interprétation large ayant ainsi prévalu, l'action *de in rem verso* a été reconnue sous certaines réserves à celui ou celle qui, époux ou concubin, travaille sans rémunération dans l'entreprise de l'autre(57) ; ou encore à celui qui, à la place des parents, a fait les frais d'instruction d'un enfant.

À côté de ces *conditions matérielles*, la jurisprudence a posé des *conditions juridiques* qui sont venues restreindre le domaine de l'enrichissement sans cause. Mais ces restrictions ne vont pas sans une certaine ambiguïté.

813. – **Absence de cause.** C'est ainsi, en second lieu, que la jurisprudence a exigé comme condition de l'action que tant l'enrichissement que l'appauvrissement soient *sans cause*, c'est-à-dire sans justification juridique. La charge de la preuve de cette absence de cause pèse sur le demandeur à l'action(58).

À cet égard, un *contrat* entre enrichi et appauvri, fut-il un simple contrat verbal(59), ou même entre l'enrichi et un tiers (comme dans l'affaire de 1892)(60), consti-

(55) À défaut de corrélation entre les deux, il n'y a pas enrichissement sans cause : Cass. 3e civ., 31 mars 2010, n° 09-11969.

(56) Cass. 3e civ., 29 nov. 2006 : *Bull. civ.* 2006, III, n° 239.

(57) M. Burgard, *L'enrichissement sans cause au sein du couple ; quelles différences de régime entre époux, partenaires et concubins ? : RRJ* 2009, p. 315.

(58) Cass. 1re civ., 24 oct. 2006 : *Bull. civ.* 2006, I, n° 439 ; *Defrénois* 2007, 1, 454, art. 38562, n° 30, obs. R. Libchaber (preuve de l'absence d'intention libérale de l'appauvri).

(59) Cass. 1re civ., 5 nov. 2009, suivant lequel le bénéficiaire d'un droit d'usage et d'habitation, même verbal, ne peut se faire rembourser les travaux qu'il a effectués conformément à son engagement : *D.* 2009, act. jurispr. p. 2749, obs. S. Bigot de la Touanne ; *JCP* 2009, n° 51, 561 et note N. Dupont.

(60) Cass. 3e civ., 28 mai 1986 : *Bull. civ.* 1986, III, n° 83. En revanche, l'action d'une maison de retraite à l'encontre des enfants d'un pensionnaire décédé, tendant au paiement des frais de séjour impayés de ce dernier, est recevable ; en effet, si le contrat entre la maison de retraite et son pensionnaire justifie son appauvrissement, il ne justifie pas l'enri-

tue une juste cause d'enrichissement[61] ; et il en va de même si l'enrichissement résulte de l'application pure et simple d'une *règle de droit* telle que, par exemple, la prescription extinctive qui vient éteindre une dette[62]. La question a beaucoup été débattue à propos de la perte de clientèle en cas de rupture d'un contrat de franchise relatif à la distribution d'abonnements de téléphonie mobile. La Cour de cassation juge qu'il n'y a pas d'enrichissement sans cause car l'appauvrissement et l'enrichissement allégués trouvent leur cause dans l'exécution ou dans la cessation de la convention conclue entre les parties[63].

Quant à l'appauvrissement, il peut trouver sa cause dans une obligation du débiteur, par exemple dans le devoir moral des enfants de subvenir aux besoins de leurs parents ; mais si les prestations ainsi fournies excèdent les exigences de la piété filiale, il y aura alors enrichissement sans cause justifiant le remboursement du surplus[64]. De même, la jurisprudence considère l'appauvrissement justifié s'il y a eu recherche par l'appauvri de son intérêt personnel[65], par exemple dans le cas du concubin qui finance les travaux de rénovation de la résidence du couple appartenant à la concubine[66].

814. – **Absence de cause (suite) : la faute de l'appauvri.** La jurisprudence est plus incertaine en ce qui concerne la faute de l'appauvri, certaines décisions considérant que cette faute est la cause de l'appauvrissement, cependant que d'autres accordent le bénéfice de l'action ; il s'en est suivi une controverse doctrinale[67]. Il semble qu'en fait les solutions dépendent de la gravité de la faute commise. La faute grossière ou intentionnelle, par exemple la faute d'un locataire qui entreprend des travaux dans l'immeuble au lieu de déférer à une ordonnance d'expulsion[68], ou

chissement corrélatif des enfants pris en leur qualité de débiteurs alimentaires : Cass. 1re civ., 25 févr. 2003 : *Bull. civ.* 2003, I, n° 55, p. 42 ; *JCP* 2003, II, 10124 et note P. Lipinski ; *D.* 2004, 1766 et note M.-P. Peis.

(61) Rép. min. n° 1935, Minéfi : *JOAN* 16 oct. 2012, p. 5725 ; Constr.-Urb. n° 12, déc. 2012, alerte 83 : il n'y a pas enrichissement sans cause d'une copropriété lorsque les travaux qui lui profitent sont réalisés par une collectivité en application d'une convention. – Comp. Cass. 3e civ., 29 oct. 2013, n° 12-23596 ; *AJDI* 2014, p. 148.

(62) Cass. civ., 18 juill. 1910 : *D.* 1911, 1, 355. – Cass. civ., 17 mai 1944 : *S.* 1944, 1, 132. – Cass. req., 22 févr. 1939 et Cass. civ., 28 févr. 1939 : *D.* 1940, 1, 5 et note Ripert.

(63) Cass. com., 23 oct. 2012, n° 11-21.978, FS-P+B, Sté ETE : JurisData n° 2012-023935 (1re esp.) ; Cass. com., 23 oct. 2012, n° 11-25.175, FS-P+B, Sté LNP : JurisData n° 2012-023923 (2e esp.), sur ces deux arrêts ; *Contrats, conc. consom.* n° 1, janv. 2013, comm. 6, obs. N. Mathey ; *JCP* E n° 5, 31 janv. 2013, 1068, obs. D. Sassolas ; *D.* 2012, 2862, note N. Dissaux ; *D.* 2013, 732, obs. D. Ferrier.

(64) Cass. 1re civ., 12 juill. 1994 : *JCP* 1995, II, 22425 et note A. Sériaux ; *D.* 1995, 623 et note M. Tchendjou. – Cass. 1re civ., 23 janv. 2001 : *Bull. civ.* 2001, I, n° 9, p. 6 ; *JCP* 2001, IV, 1483 ; *Defrénois* 2001, 719, art. 37365, n° 46, obs. R. Libchaber. – Cass. 1re civ., 3 nov. 2004 : *Bull. civ.* 2004, I, n° 248, p. 206. – Cass. 1re civ., 14 nov. 2007 : *D.* 2008, 1259 et note J.-P. Couturier.

(65) Paris, 2e ch. A, 15 janv. 2002 : *D.* 2002, inf. rap. p. 694.

(66) Cass. 1re civ., 24 sept. 2008 (2 arrêts, en sens inverse en fonction de l'intérêt personnel) : *D.* 2008, act. jurispr. 2430, obs. I. Gallmeister ; *Defrénois* 2008, art. 38874, obs. E. Savaux ; *D.* 2009, 140 et note J.-J. Lemouland ; *Dr. et patrimoine* févr. 2009, p. 42, obs. V. Edel. – Cass. 1re civ., 2 oct. 2013, n °12-22.129 ; Revue juridique Personnes et famille, 2013, 12. – M. Burgard, *L'enrichissement sans cause au sein du couple ; quelles différences de régime entre époux, partenaires et concubins ?* : *RRJ* 2009, p. 315.

(67) F. Goré, *Les lois modernes sur les baux et la réparation de l'enrichissement aux dépens d'autrui* : *D.* 1949, chron. 69. – G. Bonet, *La condition d'absence d'intérêt personnel et de faute chez l'appauvri pour le succès de l'action « de in rem verso »*, in *Mél. Hébraud*, p. 59. – H. Périnet-Marquet, *Le sort de l'action « de in rem verso » en cas de faute de l'appauvri* : *JCP* 1982, I, 3075. – A.-M. Romani, *La faute de l'appauvri dans l'enrichissement sans cause et dans la répétition de l'indu* : *D.* 1983, chron. 127. – Ph. Conte, *Faute de l'appauvri et cause de l'appauvrissement : réflexions hétérodoxes sur un aspect controversé de la théorie de l'enrichissement sans cause* : *RTD civ.* 1987, 223. – M. Lecene-Marénaud, *Le rôle de la faute dans les quasi-contrats* : *RTD civ.* 1994, 515, V. nos 6 et s. – S. Moisdon-Chataigner, *La nouvelle appréciation du comportement fautif de l'appauvri dans l'enrichissement sans cause* : *RRJ* 2005, 1291.

(68) Cass. 1re civ., 6 mai 1953 : *D.* 1953, 609 et note Goré. – Cass. soc., 15 nov. 1957 : *JCP* 1958, II, 10666, obs. Joly. – Cass. 1re civ., 22 oct. 1974 : *JCP* 1976, II, 18331, obs. H. Thuillier. – Cass. 1re civ., 19 oct. 1976 : *JCP* 1976, IV, 361. – Cass. com., 16 juill. 1985 : *D.* 1986, 393 et note J.-L. A. – Cass. com., 24 févr. 1987 : *JCP* 1987, IV, 150. – Cass. soc., 3 juill. 1990 : *Bull. civ.*

celle d'un garagiste qui effectue sur un véhicule des travaux non commandés[(69)], interdit à l'appauvri de bénéficier de l'action de *in rem verso*, cependant que « la seule imprudence ou négligence de celui qui a enrichi autrui en s'appauvrissant ne le prive pas de son droit d'invoquer l'enrichissement sans cause »[(70)]. À l'inverse, la bonne foi de l'enrichi n'exclut pas l'action en restitution[(71)]. L'avant-projet du 23 octobre 2013 ne fait pas de la faute une cause d'irrecevabilité mais une cause de réduction du montant de la restitution (art. 151, al. 2).

Reprenant à son compte les solutions jurisprudentielles sur l'absence de cause, le Projet Catala précise que « L'enrichissement est sans cause lorsque la perte subie par l'appauvri ne procède ni de son intention libérale en faveur de l'enrichi, ni de l'accomplissement des obligations dont il est tenu envers lui, en vertu de la loi, du jugement ou du contrat, ni de la poursuite d'un intérêt purement personnel » (art. 1337). Et de même, il écarte l'action de l'appauvri « quand les autres recours dont il disposait se heurtent à des obstacles de droit comme la prescription, ou lorsque son appauvrissement résulte d'une faute grave de sa part » (art. 1338). L'avant-projet du 23 octobre 2013 prévoit des dispositions assez proches (art. 150 à 153).

815. - Caractère subsidiaire de l'action. En dernier lieu, et la condition fait pour une large part double emploi avec la précédente, de nombreux arrêts déclarent que cette action est *subsidiaire* : elle n'est ouverte que si l'appauvri ne jouit « pour obtenir ce qui lui est dû d'aucune autre action naissant d'un contrat, d'un quasi-contrat, d'un délit ou d'un quasi-délit »[(72)].

Par ces termes, on veut exprimer que le domaine de l'action *de in rem verso* est limité aux hypothèses dans lesquelles aucune autre possibilité d'agir n'est ou n'a été ouverte. La réparation de l'enrichissement sans cause a été instaurée par la jurisprudence pour les cas où la loi n'a rien prévu, et non pas pour faire échec à certaines dispositions légales. Il s'agit là, au plan procédural, d'une condition inhérente à l'action et non pas d'une fin de non-recevoir au sens de l'article 122 du Code de procédure civile[(73)].

Par exemple, on sait que le droit français ne considère pas la *lésion* dans les contrats comme une cause générale de nullité ; seuls les contrats conclus par les incapables et certains contrats spéciaux (vente d'immeuble, par exemple) peuvent

1990, V, n° 337. – Cass. 1re civ., 15 déc. 1998 : *D.* 1999, 425 et note J.-Ch. Saint-Pau. – Cass. com., 19 mai 1998 : *D.* 1999, 406 et note M. Ribeyrol-Subrenat. – Cass. com., 18 mai 1999 : *Bull. civ.* 1999, IV, n° 104. – V. pour la critique de ce dernier arrêt : J. Djoudi, *La faute de l'appauvri : un pas de plus vers une subjectivisation de l'enrichissement sans cause (à propos de Cass. com., 18 mai 1999, Crédit du Nord c/ TP Trouville-sur-Mer)* : *D.* 2000, chron. 60.

(69) Cass. 1re civ., 24 mai 2005 : *Bull. civ.* 2005, I, n° 224 ; *D.* 2005, inf. rap. p. 1656 ; *JCP* 2005, IV, n° 2539 ; *Contrats, conc. consom.* 2005, comm. 164, obs. L. Leveneur.

(70) Cass. 1re civ., 11 mars 1997 : *D.* 1997, 407 et note M. Billiau. – Cass. 1re civ., 3 juin 1997 : *JCP* 1998, II, 10102 et note G. Viney. – Cass. 1re civ., 25 mars 2003 : *Defrénois* 2003, art. 37767, n° 58, obs. J.-L. Aubert. – Cass. 1re civ., 13 juill. 2004 : *Bull. civ.* 2004, I, n° 208, p. 174 ; *D.* 2004, inf. rap. p. 2083 ; *JCP* 2004, IV, 2957 ; *RTD civ.* 2005, 120, obs. J. Mestre et B. Fages. – Cass. 1re civ., 19 déc. 2006 : *Bull. civ.* 2006, I, n° 557. – Cass. 1re civ., 27 nov. 2008 : *D.* 2009, 1122 et note Y. Dagorne-Labbé.

(71) Cass. 1re civ., 11 mars 2014, n° 12-29.304.

(72) Cass. civ., 12 mai 1914 : S. 1918, 1, 41 et note Naquet. – Cass. req., 11 sept. 1940 : *DH* 1940, 150 ; S. 1941, 1, 122 et note P. Esmein. – Cass. com., 8 juin 1968 : *JCP* 1969, II, 15724, obs. R. Prieur. – Cass. com., 10 oct. 2000 : *D.* 2000, 409 et note V. Avena-Robardet (dans le cas où il existe des cautions solvables). – V. Ph. Drakidis, *La « subsidiarité », caractère spécifique et international de l'action d'enrichissement sans cause* : *RTD civ.* 1961, 577.

(73) Cass. 1re civ., 4 avr. 2006 : *Bull. civ.* 2006, I, n° 194.

être rescindés (V. *supra*, n°s 310 et s. et n° 500). À supposer que les conditions de la rescision pour lésion ne soient pas réunies, celui qui se prétend lésé ne saurait tourner la difficulté en fondant son action sur l'enrichissement sans cause. De même, celui qui ne parvient pas à faire la preuve d'un prêt qu'il aurait consenti ne saurait contourner les règles de preuve des contrats en invoquant l'enrichissement sans cause[(74)]. Et de même encore pour une dette prescrite ainsi que le rappelle le Projet Catala dans son article 1338 qui consacre ici le caractère subsidiaire de l'action au même titre que l'article 152 de l'avant-projet de réforme du 23 octobre 2013. En revanche, à soi seul, le rejet de la demande sur un fondement n'exclut pas la possibilité d'une demande subsidiaire fondée sur l'enrichissement sans cause[(75)].

De même, certains arrêts récents écartent la condition de subsidiarité, notamment en ouvrant l'action *de in rem verso* à celui qui, par erreur, a payé la dette d'autrui sans être subrogé dans les droits du créancier[(76)]. Or ce *solvens* bénéficiait par ailleurs de l'action fondée sur la répétition de l'indu. Il semble ainsi que la condition de subsidiarité doive être largement relativisée[(77)].

B. – Les effets de l'action

816. – L'indemnisation de l'appauvri. À supposer que l'action soit recevable et bien fondée, l'enrichi sera condamné à indemniser l'appauvri. Quant à son montant, l'indemnisation est enfermée dans une *double limite*, qui est reprise à l'article 1336 du Projet Catala et à l'article 149 de l'avant-projet : ce montant ne peut être ni plus élevé que l'enrichissement car alors c'est l'enrichi qui s'appauvrirait, ni plus élevé que l'appauvrissement pour éviter que l'appauvri soudain ne s'enrichisse[(78)].

C'est, en principe, au jour de la demande en justice qu'il faudra se placer pour apprécier l'existence d'un enrichissement[(79)], sinon son montant qu'il serait plus juste d'évaluer au jour du jugement comme en matière de responsabilité.

Quant à l'appauvrissement, il s'apprécie au jour de sa réalisation, sans qu'il soit possible de le réévaluer pour tenir compte de l'érosion monétaire[(80)].

L'article 153 du Code civil de l'avant-projet de loi du 23 octobre 2013 prévoit que « L'appauvrissement constaté dans le patrimoine au jour de la dépense, et l'enrichissement tel qu'il subsiste au jour de la demande, sont évalués au jour du juge-

(74) Cass. 1re civ., 2 avr. 2009 : *JCP* 2009, n° 39, 259 et note Y. Dagorne-Labbé ; *RTD civ.* 2009, 321, obs. B. Fages ; *RDC* 2009, 1177, obs. S. Gaudemet ; *Defrénois* 2009, 1285, obs. E. Savaux. – Cass. 1re civ., 31 mars 2011, n° 09-13966.

(75) Cass. 1re civ., 4 avr. 2006 : *D.* 2006, inf. rap. 186. – Cass. 1re civ., 25 juin 2008 : *D.* 2008, act. jurispr. 1997 ; *Defrénois* 2008, art. 38838, obs. R. Libchaber ; *RDC* 2008, 1138, obs. Y.-M. Laithier. – V. toutefois en sens contraire Cass. 1re civ., 23 juin 2010 (*JCP* 2010, 749, obs. H. Bosse-Platière ; *RDC* 2010, 1370) qui écarte l'action fondée sur l'enrichissement sans cause qui tendait à obtenir l'équivalent d'une prestation compensatoire jugée irrecevable.

(76) Cass. 1re civ., 1er avr. 2001 : *D.* 2001, 1824 et note M. Billiau ; *JCP* 2002, I, 134, n°s 18 et s., obs. A.-S. Barthez. – V. aussi précédemment Cass. 1re civ., 13 oct. 1998 : *Bull. civ.* 1998, I, n° 299 ; *D.* 1999, 500 et note D. Martin ; *D.* 1999, somm. p. 116, obs. L. Aynès. – Cass. 1re civ., 14 mars 1995 : *JCP* 1995, II, 22516 et note Roussel ; *RTD civ.* 1996, 160, obs. J. Mestre. – Cass. 1re civ., 3 juin 1997 : *JCP* 1998, II, 10102 et note G. Viney ; *RTD civ.* 1997, 657, obs. J. Mestre.

(77) C'est ainsi que la jurisprudence admet une autre dérogation au principe de subsidiarité dans le cas où l'action dont l'appauvri disposait ne peut aboutir du fait de l'insolvabilité du débiteur : Cass. req., 11 sept. 1940 : *S.* 1941, 1, 122 et note Esmein. – Cass. com., 10 oct. 2000 : *D.* 2000, act. jurispr. 409, obs. Avena-Robardet.

(78) Cass. 1re civ., 16 déc. 1953 : *D.* 1954, 145. – Cass. 1re civ., 15 déc. 1976 : *Bull. civ.* 1976, I, n° 408, p. 319.

(79) Cass. 1re civ., 18 janv. 1960 : *D.* 1960, 753 et note Esmein ; *JCP* 1961, II, 11994, obs. Goré. – Cass. 1re civ., 15 déc. 1976 : *JCP* 1977, IV, 32.

(80) Cass. 3e civ., 18 mai 1982 : *Bull. civ.* 1982, III, p. 86. – V. *contra* : Cass. 1re civ., 26 oct. 1982 : *JCP* 1983, II, 19992 et note F. Terré.

ment. En cas de mauvaise foi de l'enrichi, l'indemnité due est égale à la plus forte de ces deux valeurs ». Cet article diffère de l'article 1339 du Projet Catala qui prévoit que l'enrichissement et l'appauvrissement s'apprécient au jour de la demande. « Toutefois, en cas de mauvaise foi de l'enrichi, l'enrichissement s'appréciera au temps où il en a bénéficié ».

§ 2. – L'enrichissement manqué : le cas des loteries publicitaires

817. – **Le miroir aux alouettes : comment sanctionner ?** Pour appâter le client, certaines sociétés de vente par correspondance adressent par publipostage à des consommateurs des documents leur laissant croire qu'ils ont gagné un lot très important à un tirage publicitaire[(81)]. Confrontés à cette pratique contestable, la plupart des consommateurs jettent ces publicités à la corbeille mais d'autres, séduits et trompés ou faisant semblant de l'être, réclament l'attribution du lot auquel ils estiment avoir droit.

Face à de telles demandes, les juges ont été tentés de sanctionner cette pratique agressive, mais la réponse a varié[(82)], hésitant entre trois fondements[(83)].

Dans un premier temps, on y a vu un *engagement unilatéral* de payer la somme d'argent promise[(84)], ce qui venait nourrir la théorie de l'engagement unilatéral (V. *supra*, n° 57). Puis, toujours en restant dans le domaine des actes juridiques, certains arrêts ont considéré qu'il y avait *contrat* car rencontre d'une offre et d'une acceptation : offre de l'entreprise annonçant la nouvelle du gain et acceptation du consommateur par l'envoi de son bulletin[(85)]. Dès lors, le refus de l'entreprise de payer apparaissait comme l'inexécution d'un contrat, source de responsabilité contractuelle.

Pour le consommateur sollicité, l'intérêt de ces deux fondements est de conduire au paiement intégral d'un gain, non plus illusoire, mais bien réel. L'objection se situe au plan du droit : peut-on considérer que la volonté de l'organisateur de la loterie s'est manifestée de manière suffisamment ferme pour valoir engagement unilatéral ou offre[(86)] ? Il est permis d'en douter, alors surtout que, d'évidence, l'organisateur n'a pas voulu s'engager.

(81) La loi n° 2014-344 du 17 mars 2014 relative à la consommation (*JCP* G 2014, 376, aperçu rapide par D. Ferrier et A.-C. Martin) a renforcé les sanctions contre les loteries publicitaires trompeuses : C consom., art. L. 121-36-1 *et s.*, sanctionné par des amendes administratives C. consom., art. L. 121-41 mod.

(82) Il ne faut pas oublier le volet pénal, V. par ex. Cass. crim., 22 mai 2013, n° 12-85975 : *RDC* 2014/1, p. 86 et s., obs. V. Malabat (infraction de pratiques commerciales trompeuses, C. consom., art. L. 121-41).

(83) Ph. Brun, *Loteries publicitaires trompeuses. La foire aux qualifications pour une introuvable solution*, in *Mél. Calais-Auloy* : Dalloz, 2003, p. 191.

(84) Cass. 1re civ., 28 mars 1995 : *D.* 1996, 180, 1re esp. et note J.-L. Mouralis ; *D.* 1997, somm. 227, obs. Ph. Delebecque ; *RTD civ.* 1995, 886, obs. J. Mestre. – V. aussi, Cass. 1re civ., 19 oct. 1999 : *JCP* 2000, II, 10347 et note. F. Mehrez ; *D.* 2000, somm. 357, obs. D. Mazeaud ; *JCP* 2000, I, 241, obs. G. Viney.

(85) Cass. 2e civ., 11 févr. 1998 : *JCP* 1998, II, 10156 et note G. Carducci ; *D.* 1999, somm. 109, obs. R. Libchaber ; *Defrénois* 1998, 1044, obs. D. Mazeaud ; *JCP* 1998, I, 155, obs. M. Fabre-Magnan et 185, obs. G. Viney. – Cass. 2e civ., 12 juin 2001 : *JCP* 2002, II, 10104 et note D. Houtcieff ; *D.* 2002, somm. 1316, obs. D. Mazeaud ; *JCP* 2002, I, 122, n° 5, obs. G. Viney.

(86) D. Autem, *Quel fondement pour la responsabilité des sociétés de vente par correspondance en matière de loterie avec prétirage ? : Contrats, conc. consom.* 1999, chron. 11.

Aussi bien d'autres arrêts ont préféré se placer au plan de la *responsabilité extracontractuelle* en considérant qu'en faisant miroiter un espoir de gains mirifiques, l'entreprise avait commis une faute. Mais, en règle générale, le préjudice est limité à la déception éprouvée ; or la déception a-t-elle un prix, et quel prix ? En toute hypothèse, il ne peut s'agir que d'un montant modeste, sans rapport avec la valeur du lot promis(87). C'est dire que, compte tenu du coût de toute action en justice, le consommateur victime ne sera guère incité à rechercher la responsabilité de l'organisateur, et finalement l'opération publicitaire aura réussi à moindre coût.

On relèvera que la Cour de justice des Communautés européennes a été amenée à se prononcer sur la nature de l'action en responsabilité pour décider quelles étaient les règles de compétence judiciaire applicables à cette action ; et elle a décidé qu'elle était de nature contractuelle au sens de l'article 13, alinéa 1er, point 3, de la Convention du 27 septembre 1968(88).

818. – **Les arrêts d'une chambre mixte du 6 septembre 2002.** Deux arrêts ont été rendus ce même jour par la Cour de cassation sur la responsabilité des organisateurs de loteries publicitaires. Dans l'un et l'autre cas, les arrêts d'appel avaient été rendus sur le fondement de la responsabilité extracontractuelle.

Dans la première espèce, l'arrêt d'appel n'avait pas alloué de dommages-intérêts au consommateur au motif « que son attitude faisait ressortir qu'il n'avait pu se croire gagnant de telle sorte qu'il n'avait pu souffrir d'aucun préjudice ». En bref, le consommateur n'avait pas été dupe. Dans son pourvoi, il soutenait que « le seul fait de se voir privé d'un gain qui paraissait acquis suffit à établir l'existence d'un préjudice » qu'il évaluait à 30 000 F (pour un lot de 105 750 F). Le pourvoi est rejeté au motif « que l'arrêt, ayant relevé souverainement l'absence de préjudice (...), est, par ce seul motif, légalement justifié »(89).

Dans la deuxième espèce où le consommateur crédule trompé demandait la délivrance du lot de 105 750 F, la cour d'appel lui avait alloué 5 000 F à titre de dommages-intérêts sur le fondement de l'article 1382. Soulevant d'office un moyen de pur droit, la Cour de cassation casse l'arrêt au visa de l'article 1371 du Code civil en ces termes(90) :

Vu l'article 1371 du Code civil :

Attendu que les quasi-contrats sont les faits purement volontaires de l'homme dont il résulte un engagement quelconque envers un tiers ;

(87) Cass. 2e civ., 3 mars 1988 : *JCP* 1989, II, 21313 et note G. Virassamy ; *D.* 1988, somm. 405, obs. J.-L. Aubert. – Cass. 2e civ., 28 juin 1995 : *D.* 1996, 180, 2e esp., et note J.-L. Mouralis. – Cass. 2e civ., 19 janv. 1999 : *JCP* 2000, II, 10347. – Cass. 2e civ., 26 oct. 2001 : *Defrénois* 2001, 693, obs. E. Savaux. – V. B. Lecourt, *Les loteries publicitaires. La déception a-t-elle un prix ?* : *JCP* 1999, I, 155.

(88) CJCE, 6e ch., 11 juill. 2002, aff. C-96/00, *Gabriel* : *JCP* 2003, II, 10055 et note H. Claret. – Sur la compétence du juge français pour statuer sur une action en paiement contre l'organisateur étranger d'une loterie publicitaire, V. Cass. 1re civ., 7 mai 2010 : *JCP* 2010, 753, note A. Devers.

(89) Cass. ch. mixte, 6 sept. 2002 : *JCP* 2002, II, 10173, 1re esp., et note S. Reifegerste ; *Contrats, conc. consom.* 2002, comm. 151, 1re esp., et note G. Raymond.

(90) Cass. ch. mixte, 6 sept. 2002 : *JCP* 2002, II, 10173, 2e esp., et note S. Reifegerste ; *JCP* E 2002, 1687 et note G. Viney ; *Contrats, conc. consom.* 2002, comm. 151, 2e esp., et note G. Raymond ; *D.* 2002, 2531, obs. A. Lienhard ; *D.* 2002, 2963 et note D. Mazeaud. – V. aussi Ph. Le Tourneau et A. Zabalza, *Le réveil des quasi-contrats (à propos des loteries publicitaires)* : *Contrats, conc. consom.* 2002, chron. 22. – C. Asfar, *Vers un élargissement de la catégorie des quasi-contrats ou une nouvelle interprétation de l'article 1371 du Code civil* : *Dr. et patrimoine* 2002, n° 104, p. 28 et s. – M. Tchendjou, *La responsabilité civile des organisateurs de loteries publicitaires*, in *Mél. J.-L. Aubert* : Dalloz, 2005, p. 311.

Attendu que pour condamner la société à payer une certaine somme à titre de dommages-intérêts à M. Bossa, l'arrêt retient qu'en annonçant de façon affirmative une simple éventualité, la société avait commis une faute délictuelle constituée par la création de l'illusion d'un gain important et que le préjudice ne saurait correspondre au prix que M. Bossa avait cru gagner ; qu'en statuant ainsi, alors que l'organisateur d'une loterie qui annonce un gain à une personne dénommée sans mettre en évidence l'existence d'un aléa s'oblige, par ce fait purement volontaire, à le délivrer, la cour d'appel a violé le texte susvisé ;

Par ces motifs, casse et annule...

Ce faisant, la Cour de cassation donnait un nouveau fondement à la responsabilité des organisateurs de loteries publicitaires en recourant à la notion de quasi-contrat.

819. - Le quasi-contrat, nouveau fondement de la responsabilité des organisateurs de loteries publicitaires. Par cet arrêt du 6 septembre 2002 la Cour de cassation institue un nouveau fondement à la responsabilité des organisateurs de loteries publicitaires, qui se substitue à l'engagement unilatéral, au contrat et à la responsabilité extracontractuelle. L'intérêt de ce nouveau fondement est double. D'une part, il permet d'allouer au consommateur dupé la totalité du gain qu'on lui avait fait miroiter et non pas des dommages-intérêts d'un montant symbolique peu dissuasif pour l'entreprise de publicité. D'autre part, il dispense le juge d'avoir à porter une appréciation sur le caractère suffisamment ferme de la volonté de s'engager de l'organisateur.

Cela dit, ce double avantage est chèrement payé au plan de la cohérence juridique. Jusqu'ici il y avait en effet une notion unitaire du quasi-contrat : fait volontaire et désintéressé d'une personne entraînant pour une autre un avantage injustifié que la loi a précisément pour objet de compenser. Or, le nouveau quasi-contrat(91) se caractérise par un fait volontaire et intéressé n'entraînant aucun avantage pour autrui ; et la loi, loin de compenser un avantage injuste, va au contraire instaurer cet avantage, en quelque sorte à titre de sanction d'un comportement jugé déloyal(92).

Il ne s'agit pas ici d'un élargissement de la notion de quasi-contrat, mais de la mise en place d'une catégorie fourre-tout dans laquelle on pourrait faire entrer toutes les institutions, mécanismes et jurisprudences qui n'entrent pas exactement dans les critères du contrat, de l'engagement par volonté unilatérale ou de la responsabilité civile. C'est ainsi que, comme l'a relevé un auteur(93), il a été « suggéré de baptiser de quasi-contrat l'acte d'assistance, le transport bénévole, la procréation d'enfant hors mariage, le dépôt nécessaire, les pourparlers contractuels, la théorie de l'apparence et, tout récemment, même le contrat de travail ». Si on devait s'orienter en ce sens, il resterait à découvrir une cohérence dans cet inventaire à la Prévert et à faire une théorie juridique du quasi-contrat(94).

En tout cas, la jurisprudence initiée par cet arrêt a été adoptée par la première chambre civile pour retenir à nouveau la responsabilité de l'organisateur d'une

(91) M. Burgard, *Les loteries publicitaires : le nouveau visage du quasi-contrat ?* : LPA 5 nov. 2010, p. 6.

(92) Pour une autre explication, V. C. Grimaldi, *Quasi-engagement et engagement en droit privé. Recherches sur les sources de l'obligation* : Defrénois, coll. « Thèses », 2006, préf. Y. Lequette.

(93) Ph. Le Tourneau et A. Zabalza, art. préc.

(94) E. Terrier, *La fiction au secours des quasi-contrats ou l'achèvement d'un débat juridique* : D. 2004, chron. 1179.

loterie publicitaire[95] ; ce dernier n'échappera à cette sanction que s'il a mis en évidence, dès l'annonce du gain, l'existence de l'aléa affectant l'attribution du prix[96].

En définitive, on peut se demander si la sanction des pratiques abusives des organisateurs de loteries publicitaires justifie de bouleverser les catégories juridiques et si elle ne relève pas plutôt du législateur. Comme le suggère un auteur[97], pour moraliser les pratiques en la matière, il suffirait d'ajouter un alinéa à l'article L. 121-36 du Code de la consommation qui réglemente déjà la matière. À cet article qui autorise de telles loteries sous réserve qu'elles « n'imposent aux participants aucune contrepartie financière ni dépense sous quelque forme que ce soit », il pourrait être ajouté que le message publicitaire doit mentionner explicitement que l'attribution du lot dépend d'un aléa dont la nature devrait être précisée de manière parfaitement claire et intelligible, le tout à peine de délivrance du lot. La loi du 17 mars 2014 a renforcé le dispositif encadrant les pratiques des sociétés de loterie publicitaire mais il y a peu de précisions sur le contenu du message (C. consom., art. L. 121-36 à L. 121-41). L'article L. 121-37 précise cependant que « les documents présentant l'opération publicitaire ne doivent pas être de nature à susciter la confusion avec un document administratif ou bancaire libellé au nom du destinataire ou avec une publication de la presse d'information ».

820. – Le régime du nouveau quasi-contrat. L'essentiel du régime de ce nouveau quasi-contrat demeure jurisprudentiel. Des décisions rendues, on peut tirer trois conditions. Pour qu'il y ait quasi-contrat, il faut :

- l'annonce d'un gain à une personne dénommée ;
- l'absence de mention mettant clairement en évidence, dès l'annonce du gain, l'existence d'un aléa (par exemple tirage au sort de X personnes parmi les Y personnes ayant répondu) ;
- la croyance légitime du destinataire dans la réalité du gain annoncé, cette condition découlant d'ailleurs de la précédente[98].

C'est dire que, comme le pressentait un auteur[99], la discussion risque de se déplacer vers la question de savoir si l'aléa affectant l'attribution du lot promis a été ou non clairement annoncé.

En revanche, il ne devrait pas y avoir lieu de faire la preuve d'un préjudice et de son montant ; sinon il ne s'agirait plus de quasi-contrat, mais de responsabilité délictuelle. Ce devrait un système du tout ou rien : ou bien le destinataire de l'annonce n'a pas été dupe, et il ne lui est rien dû ; ou bien il a été trompé, et il aura gagné son lot. C'est dire qu'il y aura intérêt à être crédule ou à faire semblant de l'être…

(95) Cass. 1re civ., 18 mars 2003 : *Bull. civ.* 2003, I, n° 85, p. 64 ; *D.* 2003, 1009 ; *JCP* 2003, IV, 1876 ; *Contrats, conc. consom.* 2003, comm. 100 et obs. G. Raymond ; *Defrénois* 2003, art. 37810, obs. R. Libchaber. – V. aussi CA Montpellier, 18 oct. 2005 : *Contrats, conc. consom.* 2006, comm. 58, obs. G. Raymond.

(96) Cass. 1re civ., 13 juin 2006 : *D.* 2006, inf. rap. p. 1772 ; *JCP* 2006, IV, n° 2503 ; *Contrats, conc. consom.* 2006, comm. 222, obs. L. Leveneur ; *RDC* 2006, p. 1115, obs. D. Fenouillet ; *JCP* 2007, I, 104, n° 18 et s., obs. N. Sauphanor-Brouillaud. – Cass. 1re civ., 25 févr. 2010 : *Contrats, conc. consom.* 2010, comm. 172, obs. G. Raymond. – CA Paris, 28 nov. 2013, n° 10/17538, *SAS Senior et Compagnie Bleu Bonheur c/ Yves M.* : JurisData n° 2013-028046 ; *Contrats, conc. consom.* n° 3, mars 2014, comm. 82, obs. G. Raymond : l'aléa doit apparaître à la première lecture.

(97) G. Raymond, note préc.

(98) V. M.-P. Peis-Hitier, *De la croyance légitime comme critère de définition des quasi-contrats* : *LPA* 26 janv. 2006, p. 8.

(99) D. Mazeaud, note préc., n° 15.

Enfin, s'agissant de l'exécution d'un quasi-contrat, et non d'un contrat, la cour de cassation en a tiré les conséquences au plan procédural en écartant l'application de l'article 46, alinéa 2, du Code de procédure civile, si bien que le « gagnant » devra assigner l'organisateur de la loterie au domicile de ce dernier(100).

Pour conclure sur ce nouveau quasi-contrat, on rappellera que les nombreuses critiques adressées à cette jurisprudence ont trouvé un écho auprès des rédacteurs tant de l'avant-projet de réforme du 23 octobre 2013 que du Projet Catala qui n'ont finalement pas retenu cette idée, intéressante à certains égards mais dangereuse pour la cohérence de la catégorie des quasi-contrats.

(100) Cass. 2e civ., 7 juin 2006 : *RDC* 2006, p. 1117, obs. crit. D. Fenouillet, et *RDC* 2007, p. 319, obs. A. Bénabent.

DEUXIÈME PARTIE

LES RÈGLES DE MISE EN ŒUVRE COMMUNES À TOUTES LES OBLIGATIONS

821. – **Plan.** Jusqu'ici, on a décrit les engagements ou obligations sous l'angle de leur origine. Ainsi a-t-on étudié le contrat et la responsabilité civile en tant que sources d'obligations, conventionnelles pour le premier, légales pour la seconde.

S'agissant du contrat, ont été envisagées les conditions de sa formation, ses effets entre les parties comme à l'égard des tiers et les avatars qu'il peut connaître : interprétation, révision, et résolution. Mais tout contrat comporte par définition même des obligations, le plus souvent réciproques, qui ont une valeur économique et comptable, et dont la vocation naturelle est d'être exécutées. Or, ces problèmes de mise en œuvre n'ont pas encore été abordés.

Il en va de même pour les obligations d'indemniser un préjudice, ou de compenser un avantage, à ceci près que ces obligations découlent de la loi et que leur forme définitive, leur montant chiffré, leur seront donnés par un jugement de condamnation, une sentence arbitrale ou une transaction. Là encore, il reste à suivre l'obligation jusqu'à sa disparition naturelle par son accomplissement.

À cet égard, qu'elles soient conventionnelles ou légales, les obligations diffèrent peu. Il suffit, pour s'en convaincre, de prendre l'exemple simple d'une obligation de somme d'argent ; qu'elle soit née d'un contrat ou d'un jugement de condamnation, les problèmes seront les mêmes.

Parce qu'elle est chiffrée, qu'elle peut entrer en comptabilité et s'inscrire dans un bilan, elle apparaît clairement comme une valeur économique à porter au crédit de l'un – créance – et au débit de l'autre – dette. Elle constitue un bien et à ce titre peut donc être transmise, au moins sous son aspect créance (chapitre 1).

Transmise ou conservée par ses titulaires originaires, l'obligation appelle une exécution : volontaire, ce sera un paiement ; ou forcée, ce sera l'huissier... (chapitre 2).

Enfin, à côté de cette exécution, qui éteint l'obligation, il existe d'autres modes d'extinction des obligations (chapitre 3).

CHAPITRE 1

LA TRANSMISSION DES OBLIGATIONS

822. - **Transmission des créances et des dettes.** L'obligation est, on le sait, le lien qui unit un créancier à son débiteur. Par là même, ce lien revêt un *caractère personnel* : ne qualifie-t-on pas le droit qui en résulte de *droit personnel*, par opposition aux *droits réels* qui portent sur des choses. Néanmoins, ce caractère n'entraînant pas un véritable assujettissement du débiteur au créancier, on a de tout temps admis qu'en cas de décès, tant du débiteur que du créancier, l'obligation était transmise à leurs héritiers. Recueillant par succession le patrimoine de leur auteur, les héritiers y trouvent, outre des biens corporels, meubles ou immeubles, des biens incorporels, créances et dettes ; c'est ce que rappelait le projet de réforme du droit des contrats dans sa version initiale : « les droits et obligations d'une personne défunte, lorsqu'ils ne s'éteignent pas par le fait de son décès, sont transmis à ses héritiers (...) » (art. 147). L'avant-projet, en l'état, ne contient aucune disposition en ce sens, ce qui s'explique car la question relève du droit des successions et non du régime général des obligations. Parce que l'obligation constitue une valeur économique, un bien comme un autre(1), elle devrait également pouvoir faire l'objet d'une transmission entre personnes vivantes, *entre vifs*, dit-on. Ce n'est qu'en partie vrai ; il faut en effet distinguer la transmission des créances de celles des dettes(2).

Transmettre une créance, c'est, en définitive, changer la personne du créancier : le créancier originaire sera remplacé par le *cessionnaire* de la créance. Mais qu'importe au débiteur de devoir à l'un plutôt qu'à l'autre dès l'instant que sa dette n'est pas modifiée. Aussi la libre transmission des créances est-elle admise : elle se réalise par une *cession de créance*, soit celle du Code civil, soit celles simplifiées qui sont organisées pour certaines créances.

Transmettre une dette soulève un tout autre problème car cela se traduit par un changement de débiteur. Or, la personnalité du débiteur est loin d'être indifférente au créancier : on ne saurait lui imposer un autre débiteur, à la place de celui à qui il a fait crédit. C'est pourquoi il n'existe pas en droit positif français une cession de dette symétrique de la cession de créance et pour laquelle suffirait le double consentement de l'ancien et du nouveau débiteurs.

(1) V. Egéa, *La circulation d'une créance non monétaire, L'exemple de la délivrance* : D. 2012, 2111.
(2) J. Ghestin, *La transmission des obligations en droit positif français*, in *La transmission des obligations*, Travaux des IXe Journées Jean Dabin, 1980. – M. Billiau, *La transmission des créances et des dettes* : LGDJ, 2002.

Parce qu'elle nécessite l'accord du créancier, la transmission des dettes ne peut être réalisée que d'une manière indirecte, par le biais d'une *novation* ou d'une *délégation*, c'est-à-dire d'une transformation de l'obligation.

823. – La transmission dans les projets européens et français. Non sans lien avec le Projet Catala[(3)], et dans le droit fil du Projet Terré[(4)], l'avant-projet de réforme du droit des obligations traite de la cession de créance, de la novation et de la délégation dans un chapitre relatif à la modification du rapport d'obligation (Chapitre IV du Titre IV). Tous traitent également de la cession de contrat (V. *supra*, n° 836). L'avant-projet de réforme du droit des obligations accueille en outre la cession de dette, en s'inspirant des projets européens et du Projet Terré.

L'avant-projet de Pavie prévoit que le transfert d'une dette peut se faire moyennant deux voies : par « succession » ou par l'extinction conventionnelle de l'obligation originaire et la constitution simultanée d'une nouvelle obligation ayant un sujet passif différent[(5)]. L'on reconnaît alors la délégation, qui selon cet avant-projet peut être parfaite ou imparfaite selon que le créancier libère expressément le débiteur originaire ou non[(6)], et la novation qui ne se présume pas. Les régimes de la novation et de la délégation exposés dans l'avant-projet sont comparables à ceux prévus en droit français à la différence notable près que le délégué peut opposer au délégataire toutes les exceptions qu'avait le délégant[(7)].

Les Principes Unidroit organisent également la cession de dette d'une manière qui s'apparente à la délégation. L'obligation peut être cédée soit par une convention entre un ancien débiteur et un nouveau, le consentement du créancier étant alors nécessaire, soit par une convention entre le créancier et le nouveau débiteur[(8)]. Le créancier peut alors libérer le débiteur originaire ou le conserver au cas où le nouveau débiteur n'exécuterait pas son obligation.

Quant aux Principes Lando, ils visent la « substitution de débiteur »[(9)], substitution qui ne s'apparente pas vraiment à la novation : en effet, la substitution de débiteur, libératoire du débiteur originel, n'est pas extinctive de l'obligation, si bien qu'il n'y a pas novation. Il semble possible d'analyser la substitution de débiteur en une délégation mais seulement une délégation parfaite car les Principes ne prévoient pas l'hypothèse où le créancier ne libère pas le débiteur originel. Toutefois, comme l'avant-projet de Pavie et les Principes Unidroit, les Principes Lando autorisent le nouveau débiteur à opposer au créancier les exceptions que le débiteur originel aurait pu lui opposer[(10)].

(3) Cession de créance, subrogation personnelle, novation et délégation étaient traitées dans un seul chapitre consacré aux opérations sur créances : Livre troisième – Titre III « Les obligations » – Sous-titre I « Du contrat et des obligations conventionnelles en général » (art. 1102 à 1326-2) – Chapitre VI « Des opérations sur créances ». – H. Synvet, *Opérations sur créances*, in *Avant-projet de réforme du droit des obligations et de la prescription, Exposé des motifs* : La Documentation française, 2006, p. 70. – P. Catala, *Cession de créance et subrogation personnelle dans l'avant-projet de réforme du droit des obligations*, in *Mél. Le Tourneau* : Dalloz, 2007, p. 213.

(4) Un Chapitre IV intitulé Des opérations sur obligations envisageait cession de créance, cession de dette, cession de contrat, novation, délégation. L. Andreu, *Les opérations translatives (cession de créance, cession de dette, cession de contrat)*, Ph. Simler, *De la novation et de la délégation*, préc., p. 123 et s. et p. 133 et s.

(5) Pavie, art. 125.

(6) Pavie, art. 126.

(7) Pavie, art. 127.

(8) Unidroit, art. 9.2.1.

(9) PDEC, art. 12.101 et 12.102.

(10) Les Principes Unidroit font cependant une exception : le nouveau débiteur ne peut pas exercer à l'encontre du créancier un droit de compensation dont disposait l'ancien débiteur à l'égard du créancier (art. 9.2.7).

À la différence du Projet Catala, silencieux sur l'institution, le Projet Terré a consacré cinq articles à la cession de dette (art. 141 à 145)(11). Non sans rapport, l'avant-projet de réforme accueille l'institution, ce de façon originale, en en faisant une technique distincte de la novation et de la délégation. La cession de dette par le débiteur est autorisée, à condition que le créancier y consente(12). Le principe est que le cédant n'est pas libéré : il garantit la dette du cessionnaire et le créancier conserve le bénéfice des garanties consenties par des tiers. Le créancier peut toutefois consentir à la libération du débiteur initial : les éventuels codébiteurs solidaires de ce dernier restent alors tenus, déduction faite de sa part dans la dette ; les garanties consenties par des tiers peuvent également survivre, mais à condition que les tiers y consentent. Le cessionnaire et le cédant peuvent tous deux opposer au créancier les exceptions inhérentes à la dette et chacun d'eux peut également se prévaloir des exceptions qui lui sont personnelles(13).

Article 241. – Un débiteur peut céder sa dette à une autre personne, avec l'accord de son créancier.

Le cédant n'est libéré que si le créancier y consent expressément. A défaut, le cédant est simplement garant des dettes du cessionnaire.

Article 242. – Le cessionnaire et le cédant, s'il reste tenu, peuvent opposer au créancier les exceptions inhérentes à la dette. Chacun peut aussi opposer les exceptions qui lui sont personnelles.

Article 243. – Lorsque le cédant n'est pas déchargé par le créancier, les garanties subsistent.

Dans le cas contraire, les garanties consenties par des tiers ne subsistent qu'avec leur accord.

Si le cédant est déchargé, ses codébiteurs solidaires restent tenus déduction faite de sa part dans la dette.

SECTION 1

LA TRANSMISSION DES CRÉANCES

§ 1. – La cession de créance dans le Code civil

A. – Conditions

824. – **Les créances susceptibles de cession.** La cession de créance est, pour les créances, ce que la vente et la donation sont pour les biens corporels : c'est le contrat par lequel un créancier, appelé *cédant*, transmet sa créance à son cocontractant, appelé *cessionnaire* ; le consentement du *débiteur cédé* n'est pas nécessaire (C. civ., art. 1689 et s.).

Art. 1689. – Dans le transport d'une créance, d'un droit ou d'une action sur un tiers, la délivrance s'opère entre le cédant et le cessionnaire par la remise du titre.

(11) Sur quoi, V. L. Andreu, *Les opérations translatives (cession de créance, cession de dette, cession de contrat), in Pour une réforme du régime général des obligations*, du F. Terré : Dalloz, Thèmes et commentaires, 2013, p. 123s.

(12) Le Projet Terré allait plus loin : « Le débiteur peut, sans l'accord du créancier, céder sa dette, à moins qu'elle ait été stipulée incessible ou qu'elle ne puisse être exécutée que par lui » (art. 141). « Le créancier peut invoquer la cession dès qu'il en a connaissance, mais elle peut être révoquée tant qu'il n'a pas consenti à la libération du cédant ou accepté le nouveau débiteur » (art. 143).

(13) Comp. art. 144 du Projet Terré.

Art. 1690. – Le cessionnaire n'est saisi à l'égard des tiers que par la signification du transport faite au débiteur.

Néanmoins, le cessionnaire peut être également saisi par l'acceptation du transport faite par le débiteur dans un acte authentique.

Art. 1691. – Si, avant que le cédant ou le cessionnaire eût signifié le transport au débiteur, celui-ci avait payé le cédant, il sera valablement libéré.

Reprenant à quelques détails de forme près la définition des Projets Catala (art. 1251) et Terré (art. 135), l'avant-projet de réforme du droit des obligations définit la cession de créance comme « un contrat par lequel le créancier cédant transmet, à titre onéreux ou gratuit, tout ou partie de sa créance contre le débiteur cédé à un tiers appelé cessionnaire » (art. 235).

Bien que la cession de créance puisse être faite à titre gratuit, le plus souvent il s'agit d'une opération à titre onéreux, sinon même spéculative. C'est notamment une manière pour un créancier dont la créance n'est pas encore arrivée à terme, de se procurer des liquidités immédiates. L'exemple-type est celui de l'*escompte* des *effets de commerce* : l'effet, qui est stipulé à terme, est vendu par le porteur à une banque moyennant un prix inférieur au nominal de la créance, mais qui est payé tout de suite ; la différence entre le nominal et ce prix est la rémunération du service rendu par la banque.

Cette opération peut porter sur toutes sortes de créances. Ainsi peut-on céder de cette manière des créances de sommes d'argent, des créances de fournitures ou de services, des parts sociales de société, une garantie de passif(14), etc.(15) Elle peut porter indifféremment sur des créances existantes ou sur des créances futures(16). À cet égard on signalera que les Principes du droit européen du contrat, les Principes Unidroit et l'avant-projet de Code européen des contrats de Pavie admettent expressément la cession de créances futures(17). Il en va de même des Projets Catala et Terré, ainsi que de l'avant-projet de réforme du droit des obligations suivant lequel « la cession peut porter sur tout ou partie d'une ou plusieurs créances présentes ou futures, déterminées ou déterminables » (art. 235, al. 2), étant précisé que « le transfert d'une créance future n'a lieu qu'au jour de sa naissance, tant entre les parties qu'entre les tiers » (art. 237, al. 3).

Certaines catégories de créances font cependant exception : les *créances incessibles et insaisissables* (L. 9 juill. 1991, art. 14) que sont, par exemple, les provisions, sommes et pensions *à caractère alimentaire*, la fraction *insaisissable* du salaire, etc. ; de même ne se transmettent pas par cession de créance les droits intellectuels ou

(14) Cass. com., 9 oct. 2012 : *D.* 2012, p. 3020, note N. Borga ; *RDC* 2013/2, p. 568 et s., obs. J. Klein ; *RTD civ.* 2013, 114, obs. B. Fages ; *JCP* 2013, I, 124, n° 11, obs. A.-S. Barthez ; *JCP* E 2012, 1654, note P. Mousseron : « l'absence de stipulation, dans l'acte de cession initial, d'une faculté de transmission de la garantie contractuelle ne fait pas par elle-même obstacle à ce que le bénéficiaire de celle-ci cède la créance en résultant au sous-acquéreur de ses droits sociaux ».

(15) En revanche, il a été jugé que l'exercice de la clause de substitution insérée dans une promesse de vente n'est pas une cession de créance : Cass. 3e civ., 12 avr. 2012, n° 11-14279 ; *JCP* 2012, 760, note Y. Dagorne-Labbé ; *Defrénois* 2012, n° 12, p. 611 et s., 40532, obs. C. Grimaldi.

(16) Cass. 1re civ., 20 mars 2001 : *D.* 2001, 3110 et note L. Aynès, qui semble en outre admettre implicitement la cession de créance à titre de garantie.

(17) PDEC, art. 11.102 : « Une créance qui naîtra d'un contrat actuel ou futur est cessible à condition qu'elle puisse être identifiée comme faisant partie de la cession au moment où elle viendra à exister ou à tout autre moment convenu entre les parties. » ; Unidroit, art. 9.1.5 : « Une créance future est réputée cédée au moment de la convention, à condition que la créance lorsqu'elle naît puisse être identifiée comme la créance cédée. » ; Pavie, art. 121 : « Une créance naissant du contrat (…) peut être transférée à un tiers même si elle n'est pas encore exigible ou est future ».

monopoles d'exploitation (fonds de commerce, droits de propriété littéraire ou artistique, ou industrielle : brevets, marques, etc.) qui obéissent à des règles particulières. L'avant-projet de réforme du droit des obligations prévoit quant à lui que « le consentement du débiteur n'est pas requis, à moins que la personne du créancier soit pour lui déterminante ou que la créance ait été stipulée incessible » (art. 235, al. 4).

Les *titres négociables* font également l'objet d'un régime spécial.

Par ailleurs, la jurisprudence a récemment précisé que, en dehors des cas prévus par la loi, une créance ne peut pas être cédée en pleine propriété à titre de garantie[18] ; le cessionnaire ne peut être que créancier nanti[19]. Sur ce point, elle tranche avec les différents projets européens, avec les Principes Unidroit (art. 9.1.1), avec le Projet Catala (art. 1257-1) qui tous reconnaissent la validité d'une cession de créance à titre de garantie. Toutefois, au plan pratique, la cession de créance à titre de garantie peut être réalisée, mais soit par une cession Loi Dailly (V. *infra*, n° 834), soit par le biais de la fiducie introduite en droit français par la loi du 19 février 2007[20] (C. civ., art. 2011 et s.).

825. - Les formalités de la cession. Pour son efficacité, la cession de créance nécessite l'accomplissement de deux formalités :

– d'une part, la *remise du titre* (C. civ., art. 1689), c'est-à-dire de l'instrument de preuve qui constate la créance : par exemple, une reconnaissance de dette, une part de société ;

– d'autre part, mais seulement pour être opposable aux tiers, la cession doit faire l'objet d'une *signification* dans les termes de l'article 1690 du Code civil.

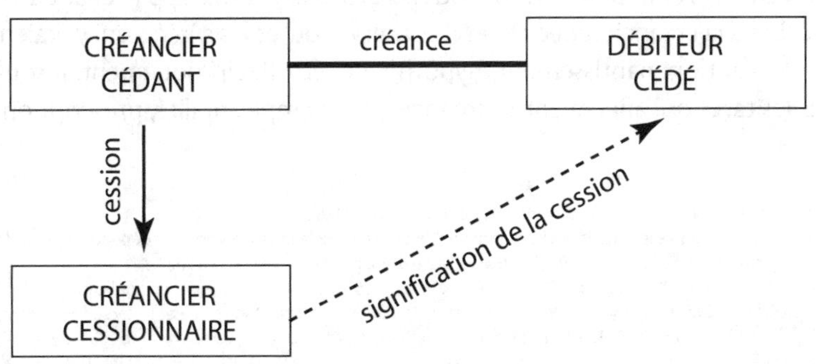

(18) Cass. com., 19 déc. 2006 : *D.* 2007, p. 76, obs. X. Delpech ; *D.* 2007, p. 344 et note Ch. Larroumet ; *JCP* 2007, II, 10067, rapp. M. Cohen-Branche et note D. Legeais ; *Defrénois* 2007, 1, 448, art. 38562, n° 29, obs. E. Savaux ; *RTD civ.* 2007, p. 160, obs. crit. P. Crocq ; *LPA* 27 févr. 2006, p. 10 et note S. Prigent ; *JCP* 2007, I, 161, n°s 16 et s., obs. A.S. Barthez ; *RDC* 2007, p. 273, obs. Y.-M. Laithier. – Pour une critique de cette jurisprudence, V. L. Aynès, *La cession de créance à titre de garantie : quel avenir ? : D.* 2007, chron. p. 961. – V. aussi R. Damman et G. Podeur, *Cession de créances à titre de garantie : la révolution n'a pas eu lieu : D* 2007, p. 319. – D. Houtcieff, *À la recherche de la cession de créance réalisée à titre de garantie... : Rev. Lamy dr. civ.* mars 2007, p. 29.

(19) Cass. com., 26 mai 2010 : *D.* 2010, act. 1340, obs. A. Lienhard ; *RDC* 2010, 1338, obs. A. Aynès ; *Dr. et patrimoine* 2010, n° 195, p. 96, obs. Ph. Dupichot.

(20) P. Crocq, *Lacunes et limites de la loi au regard du droit des sûretés* : *D.* 2007, chron. p. 1354. – R. Damman et G. Podeur, *Fiducie-sûreté et droit des procédures collectives : évolution ou révolution ?* : *D.* 2007, chron. p. 1359. – P. Bloch, *Vers un renforcement de la cession de créances à titre de garantie ?*, in *Mél. Tricot* : Litec-Dalloz, 2011, p. 3.

Empruntant au Projet Catala (art. 1253 et s.) et au Projet Terré (art. 236 et s.), l'avant-projet de réforme du droit des obligations modifie en profondeur les formalités de la cession de créance. La cession de créance devient un contrat solennel : elle « doit être constatée par écrit, à peine de nullité » (art. 236)(21). Quant à son opposabilité, elle est réglée différemment selon qu'il s'agit des tiers ou du débiteur : « le débiteur peut invoquer la cession dès qu'il en a connaissance, mais elle ne peut lui être opposée que si elle lui a été notifiée ou s'il l'a acceptée » (art. 240) (V. *infra*, n° 829) ; la cession est en revanche opposable aux tiers dès l'établissement de l'acte écrit la constatant (art. 237), le texte précisant qu' « en cas de contestation, la preuve de la date de la cession incombe au cessionnaire qui peut l'apporter par tout moyen ».

B. – Les effets entre les parties

826. – Le transfert de la créance. Garantie. Transposant ici les règles relatives à la vente, on dira que, dans les rapports entre cédant et cessionnaire, la cession est parfaite dès qu'il y a *accord sur la créance cédée et sur son prix*(22).

L'effet fondamental est de transférer au cessionnaire la créance même qui appartenait au cédant et qui va conserver son identité et ses caractères, comme dans une vente, où la chose vendue reste ce qu'elle était. À part la personne du créancier, rien d'autre n'est changé.

Le cessionnaire recueille la créance telle qu'elle existait, civile ou commerciale, chiffrée ou non, à terme ou au comptant, etc. Quel que soit le prix payé, il devient créancier pour le montant nominal de la créance ; il bénéficie de tous les *accessoires* de la créance(23), et notamment de tous les droits et actions appartenant au cédant et attachés à la créance cédée(24) ; et il conserve toutes les *sûretés* qui y étaient attachées(25) : caution, nantissement, hypothèque, etc. Réciproquement, il souffre de toutes les tares qui affectaient la créance, par exemple, nullité, prescription(26) ; et

(21) Les art. 135 et s. du Projet Terré écartent cette condition de validité.

(22) Dans les rapports entre le cédant et le cessionnaire, le transfert de la créance s'opère indépendamment de sa signification au débiteur cédé : Cass. com., 9 juill. 2013 : *RDC* 2014/1, p. 49 et s., obs. M. Latina.

(23) Cass. 1re civ., 10 janv. 2006 : *Bull. civ.* 2006, I, n° 6 ; *D.* 2006, p. 365, obs. X. Delpech. Ainsi, en application de l'article 1692 du Code civil, la cession de créance emporte transfert de la clause compromissoire : Cass. 1re civ., 6 févr. 2001 : *JCP* 2001, II, 10657 et note C. Legros ; *D.* 2001, somm. 1135, obs. Ph. Delebecque ; *Contrats, conc. consom.* 2001, comm. 82 et note L. Leveneur ; *RTD com.* 2001, 413, obs. E. Loquin. – Cass. 1re civ., 12 juill. 2001 : *D.* 2001, somm. 3246, obs. Ph. Delebecque. – Cass. 2e civ., 20 déc. 2001 : *Bull. civ.* 2001, II, n° 198 ; *RTD com.* 2002, 279, obs. E. Loquin ; *Rev. arb.* 2002, 379 et note C. Legros. – Cass. 2e civ., 17 déc. 2009, n° 09-11.612 : *RDC* 2010, p. 601, obs. S. Carval. – V. aussi X. Pradel, *Cession de créance et transfert de la clause compromissoire (à propos de l'arrêt de la deuxième chambre civile de la Cour de cassation du 20 décembre 2001)* : *D.* 2003, chron. 569. – M.-E. Mathieu-Bouyssou, *La transmission de la clause compromissoire au cessionnaire de la créance* : *JCP* 2003, I, 116. – Cass. com., 8 oct. 2013 : *JCP* 2014, I, 155, n° 18, obs. A.-S. Barthez. – *Adde*, sur la notion d'accessoire de la créance, M. Cabrillac, *Les accessoires de la créance*, in *Mél. A. Weill* : Dalloz-Litec, 1983, p. 107. – Ch. Juillet, *Les accessoires de la créance* : *Defrénois* 2009, préf. Ch. Larroumet.

(24) Par exemple l'action en responsabilité contractuelle ou délictuelle qui en est l'accessoire, fondée sur la faute antérieure d'un tiers : Cass. 1re civ., 24 oct. 2006 : *Bull. civ.* 2006, I, n° 433 ; *JCP* 2006, IV, 3229 ; *RDC* 2007, p. 291, obs. G. Viney. – Cass. 1re civ., 19 juin 2007 : *D.* 2007, act. jurispr. 1958, obs. X. Delpech ; *Contrats, conc. consom.* 2007, comm. 270, obs. L. Leveneur.

(25) A.-X. Briatte, *Circulation des créances, transfert des sûretés réelles et pratique notariale* : *RDBF* 2014, Étude 3.

(26) Ainsi, en cas de cession de créance, le débiteur peut invoquer contre le cessionnaire les exceptions inhérentes à la dette, même si elles sont apparues postérieurement à la signification, dès lors qu'elles existaient au moins en germe à cette date : Cass. com., 12 janv. 2010 : *D.* 2010, act. jurispr. 266, obs. X. Delpech ; *Contrats, conc. consom.* 2010, comm. 87, obs. L. Leveneur ; *RDC* 2010, 834, obs. Y.-M. Laithier. – F. Danos, *La notion d'exception inhérente à la dette en matière de cession de créance* : *Rev. Lamy dr. civ.* juill.-août 2010, p. 7.

de tous les droits qui l'obéraient[27], par exemple, si la créance servait elle-même de gage.

Art. 1692. – La vente ou cession d'une créance comprend les accessoires de la créance, tels que caution, privilège et hypothèque.

Art. 1693. – Celui qui vend une créance ou autre droit incorporel doit en garantir l'existence au temps du transport, quoiqu'il soit fait sans garantie.

Art. 1694. – Il ne répond de la solvabilité du débiteur que lorsqu'il s'y est engagé, et jusqu'à concurrence seulement du prix qu'il a retiré de la créance.

Art. 1695. – Lorsqu'il a promis la garantie de la solvabilité du débiteur, cette promesse ne s'entend que de la solvabilité actuelle, et ne s'étend pas au temps à venir, si le cédant ne l'a expressément stipulé.

La loi assortit cette cession d'une garantie quant à *l'existence de la créance* (C. civ., art. 1693). En revanche, la *solvabilité* actuelle ou, *a fortiori*, future du débiteur n'est pas garantie, sauf clause expresse du contrat (C. civ., art. 1694 et s.). Ces solutions renforcent l'idée qu'il s'agit d'une opération spéculative, les risques d'insolvabilité et les aléas du recouvrement étant à la charge du cessionnaire.

Bien entendu, les parties à la cession de créance peuvent stipuler des modifications, en plus ou en moins, de la garantie légale. C'est ainsi que le cédant peut garantir la solvabilité soit présente, soit même future du débiteur, dans la limite du prix d'achat de la créance par le cessionnaire (C. civ., art. 1694 et s.)[28]. À l'inverse, la cession peut aussi être faite sans garantie aucune, sauf cependant la garantie du fait personnel du cédant.

Comme les Projets Catala (art. 1254 et s.) et Terré (art. 135 et s.), l'avant-projet de réforme du droit des obligations reprend pour une bonne part les dispositions du Code civil relatives aux effets de la cession entre les parties. Il prévoit que la cession produit son effet translatif « dès l'établissement de l'acte » écrit (art. 237, al. 1er), à l'exception de la cession de créance future, qui ne prend effet qu'au jour de la naissance de cette créance (art. 237, al. 3). Il précise que la cession de créance s'étend aux accessoires de la créance, mais ce « sauf clause contraire » (art. 235, al. 3). Il consacre également les dispositions du Code civil relatives à l'obligation de garantie pesant sur le cédant[29], tout en précisant explicitement qu'une disposition expresse est nécessaire pour qu'il soit garant de la solvabilité future du débiteur cédé (art. 239). Le concours entre des cessionnaires successifs est réglé par l'article 238, qui fait prévaloir « le premier en date », et lui donne un recours contre celui auquel le débiteur aurait fait de bonne foi un paiement. Les frais occasionnés par la cession sont, sauf clause contraire, à la charge du cessionnaire (art. 240, al. 3).

827. – **La garantie dans le cas des cessions de parts sociales.** L'absence relative de garantie dans la cession de créance a soulevé un problème particulier et intéres-

(27) Cass. com., 2 juill. 2013 : *RDBF* 2013, comm. 156, obs. A. Cerles ; *D.* 2013, 2255, note L. Bougerol-Prud'homme : le cessionnaire d'une créance ne peut être tenu d'une dette née d'un manquement du cédant, antérieur à la cession, sauf connexité avec la créance cédée. Tel n'est pas le cas d'une créance de dommages et intérêts fondée sur une faute commise par le cédant à l'encontre de la caution garantissant le paiement de la créance cédée.

(28) Paris, 12 déc. 1973 : *D.* 1974, 570.

(29) Art. 239 : « Celui qui cède une créance à titre onéreux garantit l'existence de la créance et de ses accessoires (al. 1er) ». « Il ne répond de la solvabilité du débiteur que lorsqu'il s'y est engagé, et jusqu'à concurrence du prix qu'il a pu retirer de la cession de sa créance (al. 2)». « Lorsque le cédant a garanti la solvabilité du débiteur, cette garantie ne s'entend que de la solvabilité actuelle ; elle peut toutefois s'étendre à la solvabilité à l'échéance, mais à la condition que le cédant l'ait expressément spécifié (al. 3)».

sant à propos des sociétés de construction en vue de l'attribution des locaux à leurs associés. La commercialisation des immeubles construits sous cette forme juridique se faisant par voie de cession de parts sociales, on a longtemps débattu du point de savoir si les cédants devaient seulement la garantie de l'existence de la créance ou s'ils devaient, en outre, la garantie des vices qui pouvaient affecter l'immeuble, comme s'ils étaient des vendeurs.

La Cour de cassation s'est finalement prononcée en faveur de la solution la plus classique, mais aussi la moins favorable aux acheteurs, en rejetant l'application des articles 1641 et suivants relatifs à la garantie des vices due par le vendeur[30]. Une décision s'était prononcée en sens contraire, au prix d'une motivation assez ambiguë[31], mais la Cour de cassation est depuis lors revenue à sa solution initiale[32]. En faisant peser cette garantie directement sur le promoteur, l'article 1831-1 du Code civil a remédié aux inconvénients pratiques évidents de cette jurisprudence.

La question s'est posée dans des termes comparables en matière de cessions de parts sociales[33] . Pour éviter les surprises fâcheuses, la pratique a instauré ici des clauses de garantie de passif qui donnent souvent lieu à un contentieux délicat[34].

C. – Les effets à l'égard des tiers[35]

828. – La signification de la cession ou son acceptation. La cession de créance n'est opposable aux tiers que du jour où sont accomplies les formalités de publicité de l'article 1690 du Code civil. Cette publicité consiste dans la *signification* de la cession au débiteur, par exploit d'huissier. En effet, le principal intéressé, et le seul qu'on puisse efficacement prévenir, est le *débiteur cédé* qui, jusqu'ici, ignorait, ou était en droit d'ignorer, une cession intervenue en dehors de lui. À cette signification, le Code civil assimile l'*acceptation* du débiteur par acte authentique.

Le terme d'acceptation employé dans l'article 1690 ne doit cependant pas faire illusion : il n'est pas synonyme d'adhésion ou d'accord du débiteur car il importe peu que le débiteur soit ou non d'accord sur la cession ; par acceptation, il faut entendre l'acte par lequel le débiteur reconnaît qu'il est au courant de la cession intervenue. Et cette acceptation doit avoir lieu par acte authentique pour que la date en soit incontestable.

(30) Cass. 3e civ., 15 mai 1970 : *Bull. civ.* 1970, III, n° 340. – Cass. 3e civ., 11 janv. 1977 : *Bull. civ.* 1977, III, n° 10. – Cass. 3e civ., 21 mai 1979 : *Bull. civ.* 1979, III, n° 111 ; *JCP* 1979, IV, 249. – V. aussi : C. Jauffret, *La transparence civile et la protection des associés d'une société de construction* : *JCP* 1967, I, 2065. – Ph. Malinvaud, *La garantie des vices par le vendeur-promoteur de constructions immobilières. Unité ou diversité* : *JCP* 1969, I, 2284. – A. Blaise, *Essai sur la nature des droits des associés des sociétés d'attribution (Contribution à l'étude de la théorie des droits réels et des droits personnels)* : thèse Paris II, 1979.

(31) Cass. 3e civ., 5 mai 1981 : *Bull. civ.* 1981, III, n° 90. – V. F. Magnin, *Le point sur la garantie due par le cédant de parts de sociétés civiles immobilières de construction-attribution* : *RD imm.* 1982, 474.

(32) Cass. 3e civ., 12 janv. 2000 : *Bull. civ.* 2000, III, n° 7.

(33) Cass. com., 23 janv. 1990 : *D.* 1991, 333 et note G. Virassamy.

(34) G. Notté, *Les clauses dites « de garantie de passif » dans les cessions de droits sociaux* : *JCP* 1985, I, 3193. – D. Danet, *Cession de droits sociaux : information préalable ou garantie des vices ?* : *RTD com.* 1992, 315. – Ch. Freyria, *Réflexions sur la garantie conventionnelle dans les actes de cession de droits sociaux* : *JCP* 1992, I, 3600. – V. par ex. Cass. 1re civ., 20 sept. 2012 : *RDC* 2013/3, p. 10005 et s., obs.A.-S. Barthez.

(35) Sur le retrait litigieux, V. Cass. com., 15 févr. 2011 : *RTD civ.* 2012, 369, obs. Ph. Théry. – 31 janv. 2012 : *RDC* 2012/3, p. 838 et s., obs. R. Libchaber. – 19 juin 2012 : *RTD civ.* 2012, 545, obs. P.-Y. Gautier. – Cass. com., 15 janv. 2013, 26 mars 2013 : *RDC* 2013/3, p. 933 et s., obs. R. Libchaber, p. 997 et s., obs. S. Pellet ; *Contrats, conc. consom.* 2013, comm. 71, L. Leveneur ; *JCP* 2013, I, 974, n° 15, obs. A.-S. Barthez ; *JCP* 2013, II, 380, obs. Y. Dagorne-Labbe ; *D.* 2013, 542, obs. X. Delpech.

Dans la pratique, la signification est très importante. En rendant la cession *opposable aux tiers*, elle permet à l'acheteur de la créance d'éviter des mésaventures très désagréables[(36)].

Ces tiers à qui il s'agit d'opposer la cession, c'est tout d'abord le débiteur cédé qui, tant qu'il n'est pas officiellement prévenu, est en droit de payer celui qu'il croit être son créancier, c'est-à-dire le cédant, et de s'opposer aux poursuites du cessionnaire[(37)]. La connaissance effective de la cession ne suffit pas à la rendre opposable au débiteur cédé[(38)].

Ce peut être aussi, à supposer qu'un créancier malhonnête cède deux fois la même créance, un second cessionnaire ; or, le conflit entre deux cessionnaires tenant leurs droits du même cédant se règle, non par la date respective des deux cessions, mais par la date respective des significations[(39)] (comme en matière de publicité foncière : V. *supra*, n° 470).

Sont également des tiers les créanciers du cédant ; libres de saisir tous les biens du cédant, ils peuvent exercer ce droit sur la créance cédée tant que la cession n'a pas été signifiée.

Tous ces dangers latents doivent inciter le cessionnaire à faire opérer la signification avec la plus grande célérité. Cette formalité constitue une gêne qui est écartée dans les cas où sont applicables des modes simplifiés de cession de créance.

À l'opposé, les cessions de créances hypothécaires sont soumises par la loi du 15 juin 1976 à un régime encore plus contraignant que celui du droit commun[(40)].

829. – Les effets de la cession de créance à l'égard des tiers dans l'avant-projet de réforme[(41)]. L'avant-projet de réforme modifie les effets de la cession de créance à l'égard des tiers. La cession n'est opposable au débiteur cédé que si elle lui a été notifiée ou s'il l'a acceptée, mais il peut l'invoquer dès qu'il en a connaissance (art. 240, al. 1er, V. *supra*, n° 825). En outre, elle est opposable aux tiers dès l'établissement de l'acte écrit

(36) En revanche, l'absence de signification d'une cession de créance au débiteur principal n'affecte pas l'existence de la dette ; il s'ensuit qu'elle ne saurait avoir pour effet de libérer la caution solidaire qui a elle-même reçu signification de cette cession de créance (Cass. 1re civ., 4 mars 2003 : *Defrénois* 2003, 1, 1151, art. 37809 et note B. Roman).

(37) Une fois la signification ou l'acceptation intervenue, le paiement fait au cessionnaire est en principe libératoire. – V. toutefois Cass. com., 11 oct. 2011 : *Bull. civ.* IV, n° 155. – A. Hontebeyrie, *Du risque de double paiement couru par le débiteur cédé en cas d'annulation de la cession de créance* : D. 2012, 1107.

(38) Cass. 1re civ., 22 mars 2012 : *D.* 2012, 877 ; D.2012, 1524, note G. Ansaloni ; *Contrats, conc. consom.* 2012, com. 144, obs. L. Leveneur ; *RDC* 2012/3, p. 835 et s., obs. D. Mazeaud ; *JCP* E 2013, 1479, obs. M. Asselain : *Defrénois* 2012, n° 11, p. 555, 40518, obs. M. Julienne. En revanche, les projets européens d'unification du droit des contrats retiennent la solution contraire : en effet, en vertu de l'article 11.303 (4) des PDEC et de l'article 122.4 de l'avant-projet de Pavie, la cession prend effet envers le débiteur cédé lorsqu'elle lui est notifiée ou lorsqu'il l'accepte mais, avant la notification ou l'acceptation, le débiteur n'est pas libéré s'il paye au cédant, dans le cas où le cessionnaire prouve que le débiteur lui-même était au courant de la cession advenue.

(39) Sur ce point, les Principes du droit européen du contrat tiennent compte de la connaissance réelle de la cession pour régler le litige entre deux cessionnaires successifs de la même créance : la cession qui doit primer est celle signifiée en premier, comme en droit français, mais si le second cessionnaire avait connaissance de la première cession, et bien qu'il ait notifié en premier, c'est la première cession qui doit être payée par préférence à la seconde cession notifiée (PDEC, art. 1.401).

(40) M. Dagot, *La transmission des créances hypothécaires* : *JCP* 1976, I, 2820. – M. Vion, *La suppression des grosses au porteur et le régime des copies exécutoires à ordre* : *Defrénois* 1976, 1, 1081, art. 31203.

(41) Sur les Projets Catala et Terré, V. P. Catala, *Cession de créance et subrogation personnelle dans l'avant-projet de réforme du droit des obligations*, in *Mél. Ph. Le Tourneau* : Dalloz, 2007, p. 213. – F. Petit, *Réflexions sur la sécurité dans la cession de créance dans l'avant-projet de réforme du droit des obligations* : D. 2006, chron. p. 2819. – V. aussi Ph. Emy, *À propos de l'opposabilité d'une cession de créance. Réflexions sur l'avant-projet de réforme du droit des obligations* : D. 2008, chron. p. 2886. – L. Andreu, *Les opérations translatives (cession de créance, cession de dette, cession de contrat)*, *in Pour une réforme du régime général des obligations* : Dalloz, Thèmes et commentaires, 2013, p. 123 et s.

constatant la cession (art. 237, al. 2) ; la preuve de la date de la cession, essentielle en cas de contestation, incombe au cessionnaire, qui peut la rapporter par tout moyen (art. 237, al. 2). L'avant-projet précise enfin le régime de l'opposabilité des exceptions au cessionnaire (art. 240, al. 2) : le débiteur peut opposer d'une part les exceptions inhérentes à la dette (telles la nullité, l'exception d'inexécution, la compensation des dettes connexes), d'autre part celles qui sont nées de ses rapports avec le cédant avant que la cession lui soit devenue opposable (telles l'octroi d'un terme, la remise de dette, la compensation de dettes connexes).

Art. 235. – La cession de créance est un contrat par lequel le créancier cédant transmet, à titre onéreux ou gratuit, tout ou partie de sa créance contre le débiteur cédé à un tiers appelé le cessionnaire.

Elle peut porter sur tout ou partie d'une ou plusieurs créances présentes ou futures, déterminées ou déterminables.

Sauf clause contraire, elle s'étend aux accessoires de la créance.

Le consentement du débiteur n'est pas requis, à moins que la personne du créancier soit pour lui déterminante ou que la créance ait été stipulée incessible.

Art. 236. – La cession de créance doit être constatée par écrit, à peine de nullité.

Art. 237. – Entre les parties, la transmission de la créance s'opère dès l'établissement de l'acte.

La cession est opposable aux tiers dès ce moment. En cas de contestation, la preuve de la date de la cession incombe au cessionnaire qui peut l'apporter par tout moyen.

Toutefois, le transfert d'une créance future n'a lieu qu'au jour de sa naissance, tant entre les parties qu'entre les tiers.

Art. 238. – Le concours entre cessionnaires successifs d'une créance se résout en faveur du premier en date ; il dispose d'un recours contre celui auquel le débiteur aurait fait de bonne foi un paiement.

Art. 239. – Celui qui cède une créance à titre onéreux garantit l'existence de la créance et de ses accessoires.

Il ne répond de la solvabilité du débiteur que lorsqu'il s'y est engagé, et jusqu'à concurrence du prix qu'il a pu retirer de la cession de sa créance.

Lorsque le cédant a garanti la solvabilité du débiteur, cette garantie ne s'entend que de la solvabilité actuelle ; elle peut toutefois s'étendre à la solvabilité à l'échéance, mais à la condition que le cédant l'ait expressément spécifié.

Art. 240. – Le débiteur peut invoquer la cession dès qu'il en a connaissance, mais elle ne peut lui être opposée que si elle lui a été notifiée ou s'il l'a acceptée.

Le débiteur peut opposer au cessionnaire les exceptions inhérentes à la dette, telles que la nullité, l'exception d'inexécution, ou la compensation des dettes connexes. Il peut également opposer les exceptions nées de ses rapports avec le cédant avant que la cession lui soit devenue opposable, telles que l'octroi d'un terme, la remise de dette ou la compensation de dettes non connexes.

Le cédant et le cessionnaire sont solidairement tenus de tous les frais supplémentaires occasionnés par la cession dont le débiteur n'a pas à faire l'avance. Sauf clause contraire, la charge de ces frais incombe au cessionnaire.

§ 2. – Les modes simplifiés de cession de créance

830. – **Les titres négociables.** Parlant de ces modes simplifiés, on dit souvent que ce sont des modes commerciaux. La formule est dangereuse en ce qu'elle invite à penser que la cession de créance serait toujours de nature civile et les modes simplifiés toujours commerciaux. En fait, leur domaine respectif d'application dépend, non de la nature de la créance, mais de la forme qu'elle revêt.

Les créances de type classique se transmettent par la cession de créance, quelle que soit leur nature civile ou commerciale. Réciproquement, les modes simplifiés s'appliquent aux créances constatées par des titres négociables.

Comme leur nom l'indique, ce sont des titres revêtant une forme particulière facilitant leur négociabilité, tout en conférant au cessionnaire une sécurité plus grande que dans la cession de créance traditionnelle. Ils permettent notamment d'échapper à la formalité de la *signification* (V. *supra*, n° 828) qui constitue une entrave à la rapidité des transactions. En pratique, il est certain que le titre négociable est une forme courante en matière commerciale, et peu usitée en matière civile.

La technique utilisée est la suivante. En droit commun, une créance est constatée par un *acte instrumentaire*, un titre, dont la seule fonction est de servir de preuve (V. *supra*, n°s 364 et s.). Au contraire, le titre négociable est beaucoup plus qu'un instrument de preuve : il est lui-même un *bien corporel*, la matérialisation de la créance ; on dit que la créance est incorporée dans le titre et circule avec lui. Peu importe que cette créance soit une somme d'argent (par exemple une *traite*, un *chèque*) ou le droit de se faire remettre une marchandise en cours de transport (*connaissement*) ou entreposée dans un magasin général (*récépissé*), ou tout simplement une créance contre une société (*action*, *obligation*).

Toutefois, le régime des valeurs mobilières françaises, nominatives ou au porteur, cotées ou non, a été complètement transformé par la loi sur la *dématérialisation* qui a remplacé les titres – les instruments matériels – par des *inscriptions en compte* soit chez des intermédiaires habilités (titres au porteur), soit auprès de la société émettrice (titres nominatifs)[(42)].

Ces divers titres négociables peuvent revêtir trois formes différentes : titres nominatifs, titres à ordre, titres au porteur. On y ajoutera les titres issus de la loi du 2 janvier 1981, dite loi *Dailly*.

831. – Les titres nominatifs. Les titres nominatifs sont en principe émis par l'État ou par des sociétés pour constater leurs *emprunts*. Ce sont donc des *obligations* ; mais il arrive aussi que des *actions* de société revêtent la forme nominative.

Jadis, le nom du créancier figurait à la fois sur le titre et sur les registres que la société devait tenir. Le transfert de ces titres s'opérait par une inscription modificative sur le registre, suivie de la délivrance d'un nouveau titre.

Cette formule se trouve désormais modifiée par suite de la dématérialisation des titres, lesquels ne sont plus représentés que par des inscriptions en compte auprès de la société émettrice qui en connaîtra les titulaires. La cession s'opérera par une modification de l'inscription, un virement de compte à compte.

832. – Les titres à ordre. Les titres à ordre tirent leur nom de la formule « Payez à l'ordre de... » qui y est apposée. Cette formule invite le débiteur à payer soit au créancier, soit à toute autre personne désignée par celui-ci. C'est le cas de la *lettre de change*, du *billet à ordre* et même du *chèque* bien que le législateur ait, pour éviter l'évasion fiscale, considérablement limité l'utilisation du chèque comme titre à ordre endossable.

(42) A. Raynouard, *La dématérialisation des titres. Étude sur la forme scripturale* : thèse Paris II, 1998.

Le transfert de ces titres est d'une grande simplicité : la cession de créance s'opère par *endossement*, c'est-à-dire qu'au dos du titre qui lui est remis, le créancier inscrira de payer à l'ordre de telle autre personne et signera. Ainsi, un chèque ou une traite pourront passer entre les mains de plusieurs porteurs qui sont autant de créanciers successifs, avant d'être présentés au paiement.

Outre la rapidité de l'endossement, ce mode présente un avantage supplémentaire : il confère au cessionnaire une sécurité très supérieure à celle de la cession de créance, sécurité qui tient à la règle de l'*inopposabilité des exceptions*. On veut dire par là que le porteur du chèque ou de la traite ne peut pas se voir opposer par le débiteur des exceptions tenant à une tare originaire (par ex., nullité) de la créance. C'est là un avantage considérable, qui était une nécessité dans le monde du commerce : ces titres constituent en effet des *effets de commerce*, instruments de crédit auxquels les commerçants doivent pouvoir faire entière confiance.

833. – **Les titres au porteur.** Les titres au porteur étaient traditionnellement assimilés à des *meubles corporels* et se transmettaient comme tels, c'est-à-dire par simple remise de la main à la main, par *tradition* (de *tradere* : livrer), dit-on. Le transfert du titre était ainsi opposable à tous lorsque le cessionnaire était mis en possession (V. *supra*, n° 473).

Sont des titres au porteur tous ceux qui ont été établis au porteur, par exemple une lettre de change au porteur ou, en matière civile, un billet de loto(43) ou un ticket de PMU qui, eux aussi, sont payables au porteur. Mais, pour l'essentiel, il s'agit des actions de société qui sont le plus souvent au porteur, et non pas nominatives.

La cession d'un titre au porteur est d'une grande simplicité puisqu'elle s'opère par la remise du titre à un nouveau porteur qui, de ce fait, devient le titulaire de la créance et peut présenter le titre au paiement. En contrepartie, le risque est celui de la perte ou du vol.

En ce qui concerne les *actions de société*, par suite de la dématérialisation les instruments matériels qu'étaient les titres au porteur ont disparu pour être remplacés par des *inscriptions en compte* chez des intermédiaires habilités. Ces inscriptions en compte ne sauraient évidemment être considérées comme des meubles corporels, et la transmission ne pourra plus s'opérer par la remise du titre mais par une modification de l'inscription en compte, comme pour les titres nominatifs à cette différence près que les titulaires pourront rester inconnus de la société émettrice.

834. – **Les cessions Loi Dailly.** La loi du 2 janvier 1981, dite loi *Dailly*, a fait apparaître un nouveau titre, représentatif d'une créance incorporée en lui, créance d'une entreprise contre ses clients. Ce titre, le *bordereau* Dailly, est négociable en ce sens qu'il peut être cédé à un établissement bancaire, en contrepartie d'une ouverture de crédit. On l'analyse en général comme une cession de créance en propriété, même si elle n'est faite qu'à titre de garantie du crédit ouvert(44).

---

(43) Cass. 1re civ., 10 janv. 1995 : *Bull. civ.* 1995, I, n° 26.

(44) J. Stoufflet et Y. Chaput, *L'allégement de la forme des transmissions de créances liées à certaines opérations de crédit* : JCP 1981, I, 3044. – M. Vasseur, *L'application de la loi Dailly. Escompte ? Cession de créance en propriété à titre de garantie ? Ou bien l'un ou l'autre suivant les cas ?* : D. 1982, chron. 273. – D. Schmidt, M. Hemmele, *Loi Dailly et le crédit aux entreprises* : Gaz. Pal. 1984, 1, doctr. 76. – F. Grua, *À propos des cessions de créances par transmission d'effets* : D. 1986, chron. 261. – S. Schreiber, *La cession et le nantissement des créances contenues dans les actes unilatéraux de droit public dans le cadre de la loi Dailly* :

À cet égard, on relèvera que, comme le Projet Catala (art. 1257-1), le projet de réforme du régime des obligations proposait, dans sa version initiale, de généraliser la cession de créance à titre de garantie : l'article 112 prévoyait expressément qu'« une créance peut être cédée en propriété à titre de garantie ». Le texte précisait qu'en pareil cas la créance cédée reviendrait au cédant « si le cessionnaire a été payé ou si l'obligation garantie est éteinte pour une autre cause ». La cession de créance se voyait ainsi conférer une fonction autre que celle, traditionnelle, de la vente d'un bien incorporel. Cette solution a disparu dans la dernière version de l'avant-projet.

Les cessions Dailly, qui sont aujourd'hui régies par les articles L. 313-23 et suivants du Code monétaire et financier, ne s'opèrent que dans les rapports entre les entreprises et leurs banquiers. Et elles ne portent que sur des créances résultant d'une activité professionnelle, créances qui seront listées de manière précise dans un *bordereau* signé des parties qui sera remis à l'établissement de crédit[(45)].

835. – **Conclusion : les modes indirects de transmission des créances.** Aux modes de transmission directe des créances, il convient d'ajouter deux techniques qui, de manière indirecte, aboutissent au même résultat. La première, assez fréquente, résulte du paiement avec *subrogation* (V. *infra*, n°s 849 et s.). La seconde, exceptionnelle, découle de la *novation* (V. *infra*, n°s 837 et s.), procédé auquel on recourt plus volontiers pour réaliser une cession de dette qu'une cession de créance.

SECTION 2

LA TRANSMISSION DES DETTES PAR NOVATION OU DÉLÉGATION

836. – **Le problème de la cession de dettes[(46)] et de la cession de contrat.** S'il est sans importance de changer le créancier sans l'accord du débiteur, il serait inadmissible de changer le débiteur sans le consentement du créancier car la personnalité du débiteur, et notamment sa solvabilité, revêt un intérêt considérable. C'est pourquoi le Code civil n'a pas organisé une cession de dette symétrique de la cession de créance.

Or, en dépit des apparences, il est un certain nombre d'hypothèses dans lesquelles elle pourrait rendre des services. Ainsi en est-il lorsqu'une entreprise veut céder à une autre un marché, c'est-à-dire un contrat comportant à la fois des créances et des dettes. La loi autorise à y procéder directement pour certains contrats : par exemple, le bail en cas d'échange de logement, ou la cession par l'acquéreur des droits qu'il tient d'une vente d'immeuble à construire (C. civ., art. 1601-4) ou d'un

D. 1987, chron. 295. – M. Cabrillac, *Les conflits entre les cessionnaires d'une même créance transmise par bordereau* : D. 1990, chron. 127. – A.S. Hocquet-De Lajartre, *La protection des droits du débiteur cédé dans la cession Dailly* : *RTD com.* 1996, 211.

(45) Bien évidemment ces cessions échappent aux formalités de l'article 1690 du Code civil. V. F.K. Deckon, *La notification de la cession de créances professionnelles* : *RTD com.* 2005, p. 649.

(46) E. Gaudemet, *Étude sur le transport de dettes à titre particulier* : Paris, A. Rousseau, 1898. – F. Chénédé et E. Gaudemet, *Le transport de dettes* : *RDC* 2010, p. 363. – L. Andreu, *Du changement au débiteur* : Dalloz, coll. « Bibl. thèses », 2010, préf. D.-R. Martin.

contrat de promotion immobilière (C. civ., art. 1831-3) ou du contrat de location-accession (L. 12 juill. 1984) ; dans ces hypothèses, un nouveau débiteur est substitué au précédent et imposé au créancier.

En dehors de ces cas particuliers, la loi n'organise pas la cession de contrat[47]. Toutefois, la *novation* ou la *délégation*[48] permettent de parvenir à ce but, mais avec le consentement du créancier, et non pas seulement son autorisation[49]. On en rencontre des exemples en jurisprudence[50].

En revanche, les projets d'harmonisation du droit européen des contrats organisent la cession de contrat de manière générale. Les PDEC et les Principes Unidroit analysent la cession de contrat comme une cession de dette et une cession de créance combinées (PDEC, art. 12.201 ; Unidroit, art. 9.3.1 et s.) ; le projet de Pavie régit de manière plus précise la cession de contrat (art. 118, 119 et 120), mais en pratique les solutions sont très proches.

De la même manière, le Projet Catala réglemente le transfert de contrat et en adopte une conception unitaire. En effet, il ne fait pas référence au transfert d'une dette et d'une créance mais à la cession de la qualité de partie au contrat (art. 1165-4 et 1165-5). De même encore, l'avant-projet de réforme du droit des obligations consacre le principe de la cession de contrat, sous condition de l'accord exprès ou tacite du contractant ; il prévoit que la cession ne libèrera le contractant cédant que si le contractant cédé l'a expressément déclaré (art. 244). Sur la substitution de contractant et la cession de contrat, V. *supra*, n° 491 et s.

§ 1. – La novation[51]

837. – Objet. La novation est une convention entre créancier et débiteur par laquelle il est décidé d'éteindre l'obligation originaire pour la remplacer par une *nouvelle obligation*, différente de la précédente par l'un de ses éléments. Il ne s'agit donc pas d'une modification[52] de l'obligation originaire, mais de son remplacement par une autre obligation. Suivant certains, la novation pourrait également s'appliquer aux contrats[53].

Réglementée aux articles 1271 et suivants du Code civil, la novation peut réaliser autre chose qu'une cession de dettes. Jadis, on l'utilisait pour opérer une cession de

(47) J. Becqué, *La cession de contrat*, Études de droit contemporain, t. 2, 1959, p. 89. – Ph. Malaurie, *La cession de contrat : Defrénois* 1976, 1, 1009, art. 31194. – L. Aynès, *La cession de contrat et les opérations juridiques à trois personnes*, 1984. – M. Billiau, *Cession de contrat ou délégation de contrat ? (Étude du régime juridique de la prétendue « cession conventionnelle du contrat »)* : *JCP* 1994, I, 3758. – M.-L. Izorche, *Information et cession de contrat* : *D.* 1996, chron. 347. – E. Jeullan, *Proposition de distinction entre la cession de contrat et la substitution de personne* : *D.* 1998, chron. 356. – Ch. Lachièze, *L'autonomie de la cession conventionnelle de contrat* : *D.* 2000, chron. 184. – Ph. Le Tourneau, *Quelques remarques terminologiques autour de la vente*, in *Mél. Catala*, p. 469. – G. Audebrand, *De l'incessibilité du contrat* : thèse Paris II, 2002.

(48) La cession conventionnelle de contrat est alors soumise au régime de la délégation de l'article 1275 du Code civil : Cass. 3e civ., 12 déc. 2001 : *D.* 2002, 984, note M. Billiau et Ch. Jamin.

(49) Cass. civ., 12 mars 1946 : *JCP* 1946, II, 3114 et note R.C. ; *D.* 1946, 268. – Cass. com., 6 mai 1997, deux arrêts : *Bull. civ.* 1997, IV, nos 117 et 118 ; *D.* 1997, 588, note M. Billiau et Ch. Jamin ; *Contrats, conc. consom.* 1997, comm. 146, obs. L. Leveneur ; *Defrénois* 1997, 1, 977, art. 36633, obs. D. Mazeaud. – Cass. 1re civ., 30 avr. 2009 : *D.* 2009, 2400 et note L. Andreu ; *RDC* 2009, 1363, obs. D. Mazeaud. – V. Ch. Jamin, *Cession de contrat et consentement du cédé* : *D.* 1995, chron. 131. – Ch. Jamin et M. Billiau, *Cession conventionnelle du contrat : la portée du consentement du cédé* : *D.* 1998, chron. 145. – L. Aynès, *Cession de contrat : nouvelles précisions sur le rôle du cédé* : *D.* 1998, chron. 25.

(50) A été ainsi analysée en une cession de contrat, et non en une cession de clientèle, la cession d'un portefeuille d'assurances : Cass. 1re civ., 5 févr. 2009 : *D.* 2009, 561, obs. X. Delpech ; *D.* 2009, 842 et note L. Aynès.

(51) Ch. Pactet, *De la réalisation de la novation* : *RTD civ.* 1975, 435 et 643.

(52) A. Ghozi, *La modification de l'obligation* : LGDJ, 1980.

(53) D. Cholet, *La novation de contrat* : *RTD civ.* 2006, p. 467.

créance, lorsque cette institution n'existait pas encore. Et aujourd'hui, on y recourt aussi pour modifier l'objet ou la cause d'une obligation. En bref, par ses multiples possibilités, la novation apparaît comme une sorte de « joker » juridique.

L'avant-projet de réforme du droit des obligations reprend les trois formes de novation visées aujourd'hui par l'article 1271 (V. *infra*, n° 840).

Art. 1271. – La novation s'opère de trois manières :

1° Lorsque le débiteur contracte envers son créancier une nouvelle dette qui est substituée à l'ancienne, laquelle est éteinte ;

2° Lorsqu'un nouveau débiteur est substitué à l'ancien qui est déchargé par le créancier ;

3° Lorsque, par l'effet d'un nouvel engagement, un nouveau créancier est substitué à l'ancien, envers lequel le débiteur se trouve déchargé.

Art. 1272. – La novation ne peut s'opérer qu'entre personnes capables de contracter.

Art. 1273. – La novation ne se présume point ; il faut que la volonté de l'opérer résulte clairement de l'acte.

Art. 1274. – La novation par la substitution d'un nouveau débiteur peut s'opérer sans le concours du premier débiteur.

Art. 1277. – La simple indication, faite par le débiteur, d'une personne qui doit payer à sa place, n'opère point novation.

Il en est de même de la simple indication faite, par le créancier, d'une personne qui doit recevoir pour lui.

Art. 1278. – Les privilèges et hypothèques de l'ancienne créance ne passent point à celle qui lui est substituée, à moins que le créancier ne les ait expressément réservés.

Art. 1279. – Lorsque la novation s'opère par la substitution d'un nouveau débiteur, les privilèges et hypothèques primitifs de la créance ne peuvent point passer sur les biens du nouveau débiteur.

Les privilèges et hypothèques primitifs de la créance peuvent être réservés, avec le consentement des propriétaires des biens grevés, pour la garantie de l'exécution de l'engagement du nouveau débiteur.

Art. 1280. – Lorsque la novation s'opère entre le créancier et l'un des débiteurs solidaires, les privilèges et hypothèques de l'ancienne créance ne peuvent être réservés que sur les biens de celui qui contracte la nouvelle dette.

Art. 1281. – Par la novation faite entre le créancier et l'un des débiteurs solidaires, les co-débiteurs sont libérés.

La novation opérée à l'égard du débiteur principal libère les cautions.

Néanmoins, si le créancier a exigé, dans le premier cas, l'accession des codébiteurs, ou, dans le second, celle des cautions, l'ancienne créance subsiste, si les codébiteurs ou les cautions refusent d'accéder au nouvel arrangement.

A. – Conditions de la novation

838. – La novation suppose un accord entre toutes les parties intéressées. Elle nécessite la réunion de quatre conditions.

a) En premier lieu, l'article 1272 précise, s'il en était besoin, que la novation ne peut intervenir qu'*entre personnes capables*.

b) En second lieu, il doit y avoir remplacement d'une *obligation ancienne valable* par une obligation nouvelle également valable. Si l'obligation nouvelle était nulle, l'obligation ancienne revivrait[54].

(54) Cass. 3e civ., 5 mai 1970 : *JCP* 1970, IV, 166. – Cass. 3e civ., 30 avr. 1975 : *Gaz. Pal.* 1975, 2, 587 et note A. Plancqueel. – Cass. com., 14 mai 1996 : *JCP* 1997, II, 22895 et note F. Jacob (dans un cas où le créancier savait pourtant que l'obligation nouvelle était annulable de son propre fait).

c) Ensuite, l'*obligation nouvelle* doit être *différente* de la précédente, sinon elle ne serait qu'une simple confirmation. Cette différence peut porter sur l'un des trois éléments de l'obligation : le créancier, le débiteur ou la dette[(55)].

• La novation par changement de créancier n'est plus utilisée de nos jours. Si elle permet, en effet, d'obtenir un résultat comparable à celui d'une cession de créance, elle présente, par rapport à celle-ci, un double inconvénient : elle nécessite l'accord du débiteur et non pas une simple signification ; et surtout, il n'y a pas transmission de la créance avec ses accessoires, mais création d'une nouvelle créance sans les garanties attachées à la précédente.

• La novation peut aussi être par changement de dette. C'est ainsi que la modification pourra porter sur l'objet de la dette : on remplacera, par exemple, une somme d'argent par un bien quelconque, auquel cas la novation se rapproche d'une dation en paiement (V. *infra*, n° 863) ; ou sur la cause de la dette : par exemple, il est convenu que le débiteur d'un prix de vente conservera la somme à titre de prêt ; ou sur les modalités de la dette, que l'on pourra affecter d'une condition qui n'existait pas auparavant. En revanche, la remise d'un chèque en paiement n'entraîne pas novation ; il s'ensuit que la créance originaire subsiste jusqu'au paiement du chèque, avec toutes les garanties qui y sont attachées (C. monét. fin., art. L. 131-67).

• Enfin, la novation peut être par changement de débiteur. Elle peut s'opérer de deux façons. Ou bien, un tiers prend la place du débiteur d'accord avec le créancier et le débiteur qui réalise ainsi une cession de dette. Ou bien, un tiers s'engage, vis-à-vis du créancier, à le désintéresser si ce dernier décharge le débiteur, en dehors de tout concours de ce dernier (C. civ., art. 1274). Dans l'un comme dans l'autre cas, le créancier est libre d'accepter ou non le nouveau débiteur, qui ne peut pas lui être imposé. Et, corrélativement, le débiteur originaire se trouve libéré de son engagement[(56)] ;

d) En dernier lieu, il n'y a novation que s'il y a *intention de nover*, c'est-à-dire de substituer une obligation nouvelle à l'ancienne. Elle ne se présume pas (C. civ., art. 1273) ; notamment, elle ne résulte pas de la seule création d'une obligation nouvelle, car les effets de la novation peuvent être si défavorables au créancier qu'on ne peut présumer son consentement[(57)]. Sans qu'aucune formule sacramentelle ne soit nécessaire, il faut que la volonté d'opérer la novation résulte clairement soit de l'acte soit des circonstances de fait extrinsèques à l'acte[(58)].

B. – Effets de la novation

839. – Les effets de la novation sont exprimés dans sa définition ; la novation entraîne l'extinction de l'obligation ancienne et la création corrélative de l'obligation nouvelle, l'une étant la cause de l'autre.

---

(55) E. Jeuland, *Essai sur la substitution de personne dans un rapport d'obligation*, préf. L. Cadiet : LGDJ, 1999.

(56) M. Dagot, *La novation par changement de débiteur et le droit hypothécaire* : *JCP* 1975, I, 2693.

(57) Cass. 1re civ., 20 nov. 1967 : *D.* 1969, 321 et note N. Gomaa. – Cass. com., 3 juin 1969 : *D.* 1970, 88. – Cass. soc., 5 juill. 1973 : *JCP* 1973, IV, 317. – Cass. com., 22 mai 1984 : *JCP* 1984, IV, 245. – Cass. 1re civ., 20 mai 2003 : *JCP* 2003, IV, 2236.

(58) Cass. 1re civ., 11 févr. 1986 : *JCP* 1986, IV, 108. – Cass. com., 24 sept. 1984 : *Bull. civ.* 1984, IV, n° 245 ; *RTD civ.* 1985, 732, obs. J. Mestre. – Cass. 1re civ., 2 déc. 1997 : *D.* 1998, 549 et note Ch. Caron.

Il s'ensuit une conséquence fondamentale : les sûretés qui pouvaient garantir la créance originaire vont disparaître avec elle au lieu d'assortir la nouvelle créance. Cet effet peut cependant être écarté par une clause contraire qui nécessite l'accord de ceux, débiteurs ou non, qui ont le pouvoir de maintenir les garanties (C. civ., art. 1278 et s.).

Mais, bien entendu, les parties peuvent aussi préférer abandonner toutes les caractéristiques et les sûretés de l'ancienne créance et modeler la nouvelle à leur gré, avec ou sans intérêts, avec ou sans sûretés, à telle échéance ou à telle autre, etc.

Certains arrêts récents amènent toutefois à s'interroger sur l'effet extinctif de la novation. En effet, la loi n'édicte expressément cet effet que pour les sûretés (C. civ., art. 1278) ; à partir de là, la jurisprudence et la doctrine ont étendu le domaine de cet effet à l'ensemble de l'obligation originaire. Cette solution pourrait être remise en question. Un arrêt a, par exemple, maintenu pour le nouveau contrat la clause compromissoire qui figurait dans le précédent(59). Plus récemment, un autre arrêt a décidé que, faute d'avoir été annulée lors de la novation, la clause de résiliation unilatérale figurant dans le contrat de concession exclusive originaire n'avait pas été effacée par la novation de ce contrat en un mandat d'intérêt commun(60).

840. - L'avant-projet de réforme. Comme le Projet Catala, l'avant-projet de réforme du régime des obligations ne reprend pas la condition tenant à la capacité des parties, mais c'était inutile puisque celle-ci est déjà exigée en application du droit commun. En revanche il rappelle les trois autres conditions de validité de la novation. Ainsi l'obligation ancienne et l'obligation nouvelle doivent d'abord être valables, étant toutefois précisé que la novation peut précisément avoir pour objet de substituer un engagement valable à un engagement vicié (art. 246). Elle peut résulter d'un changement d'objet, d'un changement de débiteur ou bien encore d'un changement de créancier (art. 245, al. 2). Sur ce dernier point on relèvera que l'avant-projet de réforme maintient la novation *ex parte creditoris* et précise qu'elle peut avoir lieu si le débiteur a accepté par avance que son créancier désigne le nouveau créancier (art. 249). Enfin, l'intention de nover reste requise. L'article 247 du projet de réforme reprend presque littéralement la condition posée par l'article 1273 du Code civil : « La novation ne se présume pas ; la volonté de l'opérer doit résulter clairement de l'acte » ; et il ajoute que « la preuve peut en être apportée par tout moyen ».

S'agissant des effets de la novation, l'avant-projet de réforme, comme les Projets Catala et Terré(61), retient des solutions différentes sur certains points. C'est ainsi que l'article 250, tout en soulignant expressément que la novation emporte extinction des sûretés garantissant l'obligation, étend cet effet extinctif à tous les accessoires de la créance. Mais il réserve la possibilité de convention contraire : en cas de novation par changement de débiteur, le consentement des titulaires des droits grevés des sûretés réelles d'origine suffira au maintien de ces sûretés ; dans les autres cas, le consentement de tous les intéressés devra intervenir.

(59) La solution pourrait s'expliquer par l'autonomie de la clause compromissoire, mais cette explication n'est pas reprise par la Cour de cassation qui se réfère à la novation : Cass. 1re civ., 10 mai 1988 : *Bull. civ.* 1988, I, n° 139.
(60) Cass. com., 3 juill. 2001 : *Bull. civ.* 2001, IV, n° 131 ; *JCP* 2002, I, 134, nos 10 et s., obs. G. Virassamy.
(61) Ph. Simler, *De la novation et de la délégation*, in *Pour une réforme du régime général des obligations*, préc., p. 133 et s.

L'avant-projet envisage ensuite les effets de la novation en présence de codébiteurs solidaires ou de cautions. S'agissant des codébiteurs solidaires, le projet reprend les dispositions du Code civil en rappelant que la novation faite entre le créancier et l'un d'eux libère les autres (art. 251, al. 1). S'agissant des cautions, il consacre les solutions jurisprudentielles en décidant que la novation faite entre le créancier et la caution ne libère pas le débiteur principal (art. 251, al. 2), et qu'elle ne libère les autres cautions que pour la part contributive de celle dont l'obligation a été novée (art. 251, al. 3).

Art. 245. – La novation est un contrat qui a pour objet de substituer à une obligation, qu'elle éteint, une obligation nouvelle qu'elle crée.

Elle peut avoir lieu par substitution d'obligation entre les mêmes parties, par changement de débiteur ou par changement de créancier.

Art. 246. – La novation n'a lieu que si l'obligation ancienne et l'obligation nouvelle sont l'une et l'autre valables, à moins qu'elle n'ait pour objet déclaré de substituer un engagement valable à un engagement entaché d'un vice.

Art. 247. – La novation ne se présume pas ; la volonté de l'opérer doit résulter clairement de l'acte. La preuve peut en être apportée par tout moyen.

Art. 248. – La novation par changement de débiteur peut s'opérer sans le concours du premier débiteur.

Art. 249. – La novation par changement de créancier peut avoir lieu si le débiteur a, par avance, accepté que le nouveau créancier soit désigné par le premier.

Art. 250. – L'extinction de l'obligation ancienne s'étend à tous ses accessoires, y compris les sûretés qui la garantissent.

Par exception, lorsque la novation s'opère par changement de débiteur, les sûretés réelles d'origine peuvent être réservées avec le consentement des titulaires des droits grevés.

Dans les autres cas, le maintien des sûretés, tant réelles que personnelles, requiert le consentement de tous les intéressés.

Art. 251. – La novation convenue entre le créancier et l'un des codébiteurs solidaires libère les autres.

La novation convenue à l'égard du débiteur principal libère les cautions.

La novation convenue entre le créancier et une caution ne libère pas le débiteur principal. Elle libère les autres cautions à concurrence de la part contributive de celle dont l'obligation a fait l'objet de la novation.

§ 2. – La délégation[62]

841. – **Définition. Utilités.** La délégation est une opération qui, à la différence de la précédente, a pour seul but de réaliser une *cession de dette* (C. civ., art. 1275 et s.). Son schéma peut être défini de la manière suivante : un débiteur (le *délégant*) présente à son créancier (le *délégataire*) une personne acceptant de le remplacer (le *délégué*) ; le créancier l'agrée. Par ce mécanisme, le délégué va s'engager à payer personnellement au délégataire la dette d'une autre personne, le délégant[63].

(62) M. Billiau, *La délégation de créance. Essai d'une théorie juridique de la délégation en droit des obligations* : LGDJ, 1989. – J. François, *Les opérations triangulaires attributives (stipulation pour autrui et délégation de créances)* : thèse Paris II, 1994. – M. Mignot, *De la difficile qualification de la délégation* : *Rev. Lamy dr. civ.* nov. 2005, p. 63. – A. Danis-Fatôme, *La délégation de créance, Essai d'une typologie nouvelle* : *D.* 2012, 2469. – D. Houtcieff, *De la paralysie de la créance du délégant : petite métaphysique d'une pragmatique sanction, Liber amicorum Ch. Larroumet* : Economica, 2010, p. 227.

(63) La stipulation d'un ordre de paiement du délégant n'est ni une condition de validité ni un élément constitutif de la délégation, mais une de ses modalités d'exécution : Cass. 3e civ., 19 déc. 2012 : *JCP* 2013, 230, note R. Boffa.

Art. 1274. – La novation par la substitution d'un nouveau débiteur peut s'opérer sans le concours du premier débiteur.

Art. 1275. – La délégation par laquelle un débiteur donne au créancier un autre débiteur qui s'oblige envers le créancier, n'opère point de novation, si le créancier n'a expressément déclaré qu'il entendait décharger son débiteur qui a fait la délégation.

Art. 1276. – Le créancier qui a déchargé le débiteur par qui a été faite la délégation, n'a point de recours contre ce débiteur, si le délégué devient insolvable, à moins que l'acte n'en contienne une réserve expresse, ou que le délégué ne fût déjà en faillite ouverte, ou tombé en déconfiture au moment de la délégation.

Ainsi exposée, la délégation apparaît comme une opération quelque peu irréelle : comment une personne peut-elle accepter de payer une dette à la place d'une autre ? Voilà qui paraît singulier. À cela il peut y avoir diverses explications :

- ou bien il s'agit d'un geste gratuit inspiré par une *intention libérale*, d'une donation indirecte faite par le délégué qui accepte de payer la dette d'autrui ;
- ou bien il s'agit d'un débiteur qui, pour se libérer de sa dette, va payer non pas son créancier, mais un créancier de son créancier. Par exemple, le *maître de l'ouvrage* qui fait construire sa maison et qui doit en payer le prix à son *entrepreneur*, peut s'engager à payer les *sous-traitants* de cet entrepreneur qui ont participé à l'édification de la maison. Ici, l'entrepreneur (délégant) délègue le maître de l'ouvrage (délégué) au sous-traitant (délégataire) ; cette hypothèse est expressément prévue par la loi du 31 décembre 1975 (art. 14) relative à la sous-traitance comme une garantie conférée au sous-traitant. Autre exemple, celui qui emprunte à un établissement de crédit pour acheter un immeuble peut déléguer ses locataires à son banquier : en payant les loyers au banquier, les locataires délégués acquitteront en même temps leur propre dette à l'égard de leur propriétaire, et la dette de ce dernier à l'égard de son banquier[(64)]. La délégation s'explique ici non par une intention libérale, mais par le désir de payer sa propre dette ;
- ou bien il s'agit du banquier du débiteur qui, parce qu'il s'est engagé à ouvrir un crédit ou à fournir une garantie à ce débiteur, va accepter de payer la dette moyennant une rémunération et certaines garanties[(65)]. Encore faut-il qu'il s'engage personnellement à payer le montant de la dette, et non pas seulement pour le compte de son client. Par exemple, en matière de cartes bancaires, le banquier s'engage personnellement à payer le créancier jusqu'à un certain seuil, même s'il n'y a pas la *provision* nécessaire au compte de son client : il s'agit d'une délégation ; mais au-delà de ce seuil il ne paiera que dans la limite de la provision : il s'agit d'une simple *indication de paiement* (régie par l'article 1277), c'est-à-dire indication que le paiement sera effectué par telle banque[(66)]. De même, l'autorisation de prélèvement donnée sur un compte bancaire de créances diverses (téléphone, eau, électricité, etc.) n'est pas une délégation car le banquier s'engage non à payer personnellement, mais à prélever sur un compte déterminé, donc dans la limite des sommes qui y figurent ; là encore il s'agit d'une simple *indication de paiement*.

(64) V. par ex. Cass. com., 29 avr. 2002 : *JCP* 2003, II, 10154 et note A.S. Barthez.

(65) Cette garantie peut notamment résulter d'une délégation dans un contrat d'assurance-vie : A. Gourio, *Garanties sur assurance-vie : le choix est-il encore possible ?* : *JCP* N 2003, 1478.

(66) L. Godon, *La distinction entre délégation de paiement et indication de paiement* : *Defrénois* 2000, 1, 193, art. 37103. – J.-M. Jude, *Le règlement par carte bancaire et par chèque : unité ou dualité ? (au juriste de lire les cartes)* : *D.* 2004, chron. 2675.

Autre exemple encore : dans le cas où un appartement, dont l'achat avait été financé par un crédit toujours en cours, est vendu à une tierce personne, cette dernière peut vouloir bénéficier de la fin de ce crédit, auquel cas, afin de reprendre à son compte le prêt, il se fera déléguer par son vendeur au banquier prêteur. La délégation permet ici de réaliser une cession de contrat, en l'espèce d'un contrat de prêt.

C'est dans cette perspective que le Code civil traite de la délégation : il envisage l'hypothèse qui est la plus courante où la délégation intervient entre trois personnes qui sont liées, deux à deux, par des rapports juridiques préexistants.

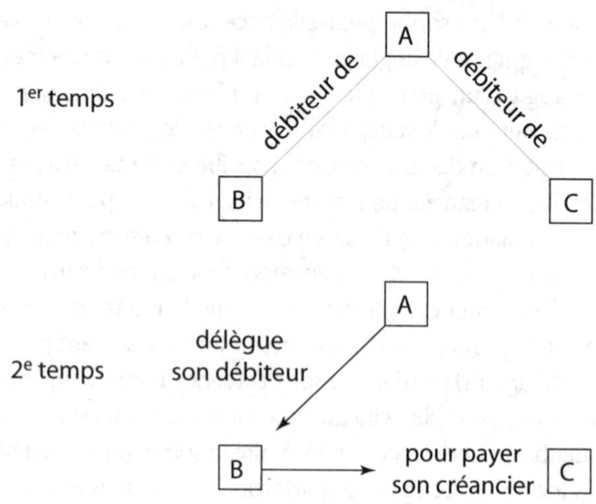

842. – Les effets de la délégation : les rapports entre le délégué et le délégataire. À partir de ce schéma, il convient de préciser les effets de la délégation au regard du délégué, puis du délégant.

Le délégué B, qui jusqu'ici était débiteur de A, s'est engagé à payer C. Il pourra opposer à C les exceptions dont A pouvait se prévaloir à l'égard de C, tout du moins en cas de délégation imparfaite[67]. En revanche, il ne pourra pas opposer les exceptions qu'il aurait pu faire valoir contre A[68] : par exemple, il ne pourra pas refuser de payer C au motif que sa dette envers A était nulle. On exprime souvent cette solution en disant que l'engagement du délégué est abstrait, détaché de sa cause. Cette solution suppose toutefois que la délégation soit « certaine », c'est-à-dire que le délégué se soit engagé à l'égard du délégataire sans se référer à la dette qu'il assume à l'égard du délégant. Dans le cas contraire, il ne sera tenu à l'égard du délégataire que dans la limite de ce qu'il doit au délégant[69]. On parle alors de délégation « incertaine »[70].

(67) Cass. 1re civ., 17 mars 1992 : *JCP* 1992, II, 21922, 1re esp. et note M. Billiau ; *D.* 1992, 481, note L. Aynès. – *Contra* : 25 févr. 1992 : *JCP* 1992, II, 21922, 2e esp., note M. Billiau.

(68) Cass. com., 22 avr. 1997 : *JCP* 1998, II, 10050 et note Ch. Lachièze.

(69) Dans ce cas, la délégation n'est pas une garantie au sens de l'article L. 225-35 du Code de commerce et n'a donc pas à être autorisée par le conseil d'administration : Cass. com., 15 janv. 2013 : *D.* 2013, 1183, note A. Hontebeyrie ; *JCP* 2013, II, 345, A. Bascoulergue ; *RTD civ.* 2013, 116, obs. B. Fages, 376, obs. H. Barbier ; *RDC* 2013/3, p. 940 et s., obs. J. Klein ; *RDC* 2014/1, p. 68 et s., obs. A.-S. Barthez ; *JCP* 2013, I, 897, n° 8, obs. M. Billiau ; *RDBF* 2013, comm. 121, obs. F.-J. Crédot et T. Samin ; *LPA* 12 avr. 2013, n° 74, p. 4, obs. A. Elmejri.

(70) J. François, *Traité de droit civil, t. IV, Les obligations, Régime général*, n° 512. – Sur la délégation incertaine « renforcée », V. Cass. com., 11 avr. 2012 : *LPA* 26 sept. 2012, n° 193, p. 10, obs. L. Andreu, M. Julienne.

843. - **Les effets de la délégation : les rapports entre le délégant et le délégataire.** S'agissant maintenant du délégant A, qui a délégué B pour payer C à sa place, est-il libéré de sa dette ? Tout dépend de la convention des parties et, plus précisément, de la décision de C, le délégataire, qui peut rendre la délégation parfaite ou imparfaite.

a) *Délégation parfaite.* On dit qu'il y a délégation parfaite lorsque C, le délégataire, a libéré expressément le délégant, car alors il y a substitution totale :

- de débiteur : B se substitue à A comme débiteur ;
- et de créancier : C se substitue à A comme créancier.

En présence d'une telle *déclaration expresse*, il y a une double novation, par changement de débiteur et par changement de créancier, ce qui explique que le Code civil traite de la délégation dans la section consacrée à la novation.

Une telle délégation parfaite suppose une *déclaration expresse* par laquelle le délégataire C décharge son débiteur, le délégant. En pareil cas, le délégataire perd tout recours contre le délégant, sauf réserve expresse dans la convention ou sauf faillite déjà ouverte du délégué au moment où est intervenue la délégation(71) (C. civ., art. 1276).

À constater ces effets, il apparaît clairement que le délégataire n'a aucun intérêt à la délégation parfaite puisqu'il y perd un débiteur. Ceci explique qu'en pratique on ne rencontre guère d'hypothèses de délégation parfaite.

b) *Délégation imparfaite.* La délégation est dite imparfaite ou « simple » lorsque, tout en agréant le délégué comme débiteur, le délégataire ne libère pas pour autant son débiteur originaire ; pour lui, cette formule ne présente que des avantages puisque désormais il aura deux débiteurs au lieu d'un, d'où une sûreté supplémentaire(72).

À défaut d'une stipulation expresse qui est nécessaire pour qu'il y ait novation, la délégation sera toujours supposée imparfaite(73). Suivant la formule de la jurisprudence, « la délégation par laquelle un débiteur donne au créancier un autre débiteur qui s'oblige envers le créancier n'opère point novation, si le créancier n'a expressément déclaré qu'il entendait décharger son débiteur qui a fait la délégation » ; il s'ensuit que « la seule acceptation par le créancier de la substitution d'un nouveau débiteur au premier, même si elle n'est assortie d'aucune réserve, n'implique pas, en l'absence de déclaration expresse, qu'il ait entendu décharger le débiteur originaire de sa dette »(74).

844. - **Les effets de la délégation : les rapports entre le délégant et le délégué.** Quant à la créance du délégant sur le délégué, elle s'éteint, non pas du fait de l'acceptation par le délégataire de l'engagement du délégué à son égard, mais seulement par le fait de l'exécution effective de la délégation(75).

---

(71) Cass. com., 12 oct. 2010 : *RDC* 2011, 469, obs. D. Mazeaud.

(72) S. Rézek, *Délégation de paiement et voies d'exécution* : *JCP* N 2003, 1357. – Ch. Lachièze, *La délégation-sûreté* : *D.* 2006, chron. p. 234. – J.-D. Pellier, *La nature juridique de la délégation imparfaite* : *D.* 2014, 92.

(73) Cass. 2e civ., 5 juin 1970 : *D.* 1970, 727. – Cass. com., 17 juill. 1980 : *Gaz. Pal.* 1981, 1, 39, note J. Dupichot. – Lyon, 20 avr. et 25 févr. 1982 : *D.* 1983, 586, note D. Landraud. – Cass. com., 22 juin 1983 : *JCP* 1983, IV, 276. – Cass. com., 12 déc. 1995 : *Contrats, conc. consom.* 1996, comm. 36 et note L. Leveneur. – Cass. 3e civ., 5 mars 2008, n° 06-19237.

(74) Cass. 3e civ., 12 déc. 2001 : *Bull. civ.* 2001, III, n° 153, p. 120 ; *D.* 2002, 984, note M. Billiau et Ch. Jamin ; *Defrénois* 2002, 1, 775, art. 37558, obs. R. Libchaber. – Cass. com., 25 janv. 2005 : *Contrats, conc. consom.* 2005, comm. 80, obs. L. Leveneur.

(75) Cass. com., 16 avr. 1996 : *D.* 1996, 571 et note Ch. Larroumet. – I. Dauriac, *Le sort de la créance du délégant envers le délégué au cours de la délégation (Réflexion à propos de Cass. com., 16 avr. 1996)* : *Defrénois* 1997, 1, 1169, art. 36664.

C'est dire que cette créance subsiste dans le patrimoine du délégant, avec toutes les conséquences que cela emporte en cas de liquidation judiciaire de ce délégant(76). Toutefois, la chambre commerciale de la Cour de cassation a décidé que la créance du délégué était insaisissable tant que la délégation était pendante(77).

845. – **La délégation dans les Projets Catala(78) et Terré(79) et dans l'avant-projet de réforme du droit des obligations.** Le Projet Catala traite de la délégation au sein d'un chapitre relatif aux opérations sur créances (art. 1275 à 1282), et non pas des règles relatives à la novation. Le Projet Terré quant à lui envisage la délégation dans de nombreuses dispositions qui reprennent, dans l'ensemble, les solutions de droit positif. Il en va de même de l'avant-projet de réforme.

S'agissant des conditions de validité de la délégation, l'avant-projet de réforme (art. 252) rappelle que celle-ci suppose l'engagement du délégué envers le délégataire qui l'accepte comme débiteur, et que le seul fait que le débiteur indique une autre personne devant payer à sa place n'emporte pas délégation (art. 256). S'agissant des effets de la délégation, l'avant-projet de réforme opère des distinctions en fonction des situations, selon que le délégant est débiteur du délégataire ou non (art. 253, *in limine, a contrario*), et selon que le délégué est débiteur du délégant ou non (art. 255, *in limine, a contrario*), et suivant que la délégation est parfaite (changement de débiteur, art. 253 et 255, al. 3) ou imparfaite (adjonction d'un second débiteur, art. 254, et 255, al. 1 et 2). Pour exposer les effets de la délégation, il convient de distinguer suivant les rapports en cause.

Dans les *rapports entre délégué et délégataire*. Le délégué ne peut, sauf convention contraire, opposer au délégataire aucune des exceptions qu'il aurait pu faire valoir à l'encontre du délégant (art. 252, al. 2 de l'avant-projet). Il ne peut pas non plus opposer au délégataire, sauf convention contraire, les exceptions dont le délégant aurait pu se prévaloir à l'encontre du délégataire (art. 252, al. 2 de l'avant-projet). Le texte prévoit toutefois que le paiement du délégataire par le délégant libère le délégué à l'égard du délégataire, ce à due concurrence du paiement (art. 254, al. 2).

Dans les *rapports entre délégant et délégataire*. Le délégant reste tenu à l'égard du délégataire, s'il n'a pas été déchargé de la dette à laquelle il était tenu à l'égard du délégataire (art. 253) ; le paiement fait par le délégué libèrera alors le délégant à l'égard du délégataire (art. 254, al. 2). C'est seulement lorsque la délégation a pour objet un changement de débiteur que le délégant est libéré : mais le texte précise que cette novation n'existe que si « la volonté du délégataire de décharger le délégant résulte clairement de l'acte » (art. 253). En outre, le délégant peut néanmoins rester tenu envers le délégataire dans deux cas : soit parce que le délégant s'est engagé à garantir la solvabilité future du délégué, soit parce que le délégué se trouve soumis à une procédure d'apurement de ses dettes lors de la délégation (art. 253 de l'avant-projet de réforme).

(76) Cass. com., 29 avr. 2002 : *Bull. civ.* 2002, IV, n° 72, p. 77 ; *Defrénois* 2002, 1, 1239, art. 37607, n° 63, obs. R. Libchaber. – Ph. Simler, *L'énigmatique sort de l'obligation du délégué envers le délégant tant que l'opération de délégation n'est pas dénouée*, in *Mél. J.-L. Aubert* : Dalloz, 2005, p. 295.

(77) Cass. com., 14 févr. 2006 : *JCP* 2006, II, 10145 et note M. Roussille.

(78) P. Catala, *La délégation dans l'avant-projet de réforme du droit des obligations*, in *Études offertes au Doyen Philippe Simler* : Dalloz-Litec, 2006, p. 555. – M. Mignot, *Regards critiques sur l'avant-projet de loi relatif à la délégation de personne* : *Rev. Lamy dr. civ.* févr. 2007, p. 27.

(79) Ph. Simler, *De la novation et de la délégation*, préc., p. 133 et s.

Dans les *rapports entre délégué et délégant.* L'avant-projet de réforme du droit des obligations consacre un article 255 aux relations entre le délégant et le délégué. Lorsque le délégant est créancier du délégué, l'extinction de la créance n'a lieu que par l'exécution, par le délégué, de l'obligation souscrite à l'égard du délégataire. L'avant-projet précise que jusqu'à cette exécution, la créance du délégant sur le délégué ne peut être cédée, que le délégant ne peut demander le paiement au délégué ou recevoir le paiement du délégué que pour la part excédant l'engagement du délégué à l'égard du délégataire, et que le délégant ne recouvre ses droits contre le délégué qu'en exécutant lui-même son obligation envers le délégataire. Le texte excepte la délégation parfaite, ie avec libération du délégant par le délégataire : en ce cas, le délégué est lui-même libéré à l'égard du délégant, à concurrence du montant de son engagement envers le délégataire (art. 255).

Art. 252. – La délégation est l'opération par laquelle une personne, le délégant, obtient d'une autre, le délégué, qu'elle s'oblige envers une troisième, le délégataire, qui l'accepte comme débiteur.

Le délégué ne peut, sauf stipulation contraire, opposer au délégataire aucune exception tirée de ses rapports avec le délégant ou des rapports entre ce dernier et le délégataire.

Art. 253. – Lorsque le délégant est débiteur du délégataire et que la volonté du délégataire de décharger le délégant résulte clairement de l'acte, la délégation opère novation.

Toutefois, le délégant demeure tenu s'il s'est engagé à garantir la solvabilité future du délégué ou si ce dernier se trouve soumis à une procédure d'apurement de ses dettes lors de la délégation.

Art. 254. – Lorsque le délégant est débiteur du délégataire mais que celui-ci ne l'a pas déchargé de sa dette, la délégation donne au délégataire un second débiteur.

Le paiement fait par l'un des deux débiteurs libère l'autre, à due concurrence.

Art. 255. – Lorsque le délégant est créancier du délégué, l'extinction de sa créance n'a lieu que par l'exécution de l'obligation du délégué envers le délégataire et à due concurrence.

Jusque-là, la créance du délégant sur le délégué ne peut être cédée, et le délégant ne peut en exiger ou en recevoir le paiement que pour la part qui excèderait l'engagement du délégué. Il ne recouvre ses droits qu'en exécutant sa propre obligation envers le délégataire.

Toutefois, si le délégataire a libéré le délégant, le délégué est lui-même libéré à l'égard du délégant, à concurrence du montant de son engagement envers le délégataire.

Art. 256. – La simple indication faite par le débiteur d'une personne désignée pour payer à sa place n'emporte ni novation, ni délégation. Il en est de même de la simple indication faite, par le créancier, d'une personne désignée pour recevoir le paiement pour lui.

CHAPITRE 2

L'EXÉCUTION DES OBLIGATIONS

À défaut d'exécution volontaire (section 1), de paiement, le créancier pourra sous certaines conditions recourir à l'exécution forcée (section 2) contre le débiteur en utilisant les garanties d'exécution (section 3) dont il dispose.

SECTION 1

L'EXÉCUTION VOLONTAIRE : LE PAIEMENT

846. – **Les différentes manières de payer.** Dans la terminologie juridique, paiement est synonyme d'exécution d'une obligation quelconque[1]. Peu importe que le paiement ait pour objet une somme d'argent ou l'exécution d'une prestation en nature. Le sens de ce terme est donc plus large que dans le langage courant.

Ainsi compris, le paiement est un acte volontaire dont le résultat sera l'extinction de la créance. Comme l'article 1235 du Code civil, et à la suite des Projets Catala[2] et Terré[3], l'avant-projet de réforme du droit des obligations fait figurer le paiement au premier rang des causes d'extinction des obligations et il le définit comme « l'exécution de la prestation due » (art. 185).

En principe, l'exécution de l'obligation met face à face le créancier et le débiteur. Mais ce n'est pas inéluctable et on peut concevoir que le créancier soit désintéressé par une tierce personne ; ce tiers sera le plus souvent *subrogé* dans les droits du créancier et aura à ce titre un recours contre le débiteur.

De même, si le paiement doit avoir pour objet l'exécution même de ce qui a été promis, il peut être remplacé par une *dation en paiement* ou une *compensation*.

Art. 1235. – Tout paiement suppose une dette : ce qui a été payé sans être dû est sujet à répétition.

La répétition n'est pas admise à l'égard des obligations naturelles qui ont été volontairement acquittées.

Art. 1236. – Une obligation peut être acquittée par toute personne qui y est intéressée, telle qu'un coobligé ou une caution.

(1) F. Grua, *L'obligation et son paiement*, in *Mél. Y. Guyon* : Dalloz, 2003, p. 479. – V. pour l'opinion contraire A. Sériaux, *Conception juridique d'une obligation économique : le paiement* : *RTD civ.* 2004, 225.

(2) J. François et R. Libchaber, *Extinction des obligations*, in *Avant-projet de réforme du droit des obligations et de la prescription, Exposé des motifs* : La Documentation française, 2006, p. 67.

(3) D.-R. Martin, *De la libération du débiteur, in Pour une réforme du régime général des obligations*, préc., p. 93 et s.

L'obligation peut être acquittée par un tiers qui n'y est point intéressé, pourvu que ce tiers agisse au nom et en l'acquit du débiteur, ou que, s'il agit en son nom propre, il ne soit pas subrogé aux droits du créancier.

Art. 1237. – L'obligation de faire ne peut être acquittée par un tiers contre le gré du créancier, lorsque ce dernier a intérêt qu'elle soit remplie par le débiteur lui-même.

Art. 1238. – Pour payer valablement, il faut être propriétaire de la chose donnée en paiement, et capable de l'aliéner.

Néanmoins, le paiement d'une somme en argent ou autre chose qui se consomme par l'usage ne peut être répété contre le créancier qui l'a consommée de bonne foi, quoique le paiement en ait été fait par celui qui n'en était pas propriétaire ou qui n'était pas capable de l'aliéner.

Art. 1239. – Le paiement doit être fait au créancier, ou à quelqu'un ayant pouvoir de lui, ou qui soit autorisé par justice ou par la loi à recevoir pour lui.

Le paiement fait à celui qui n'aurait pas pouvoir de recevoir pour le créancier, est valable, si celui-ci le ratifie ou s'il en a profité.

Art. 1240. – Le paiement fait de bonne foi à celui qui est en possession de la créance est valable, encore que le possesseur en soit par la suite évincé.

Art. 1241. – Le paiement fait au créancier n'est point valable, s'il était incapable de le recevoir, à moins que le débiteur ne prouve que la chose payée a tourné au profit du créancier.

Art. 1242. – Le paiement fait par le débiteur à son créancier, au préjudice d'une saisie ou d'une opposition, n'est pas valable à l'égard des créanciers saisissants ou opposants : ceux-ci peuvent, selon leur droit, le contraindre à payer de nouveau sauf, en ce cas seulement, son recours contre le créancier.

On envisagera successivement les parties au paiement, l'objet du paiement et les modalités du paiement.

§ 1. – Les parties au paiement

A. – Le créancier

847. – **Le paiement fait au créancier.** « Le paiement doit être fait au créancier, ou à quelqu'un ayant pouvoir de lui, ou qui soit autorisé par justice ou par la loi à recevoir pour lui » (C. civ., art. 1239, al. 1er).

Par créancier, il faut entendre celui qui l'est au moment du paiement. Ce peut être le créancier originaire, mais aussi un *cessionnaire* de la créance, ou un héritier. En matière commerciale, et pour les dettes de sommes d'argent, le créancier sera souvent un cessionnaire, par exemple, le dernier porteur d'une lettre de change.

Il faut, en outre, que le créancier ait la capacité juridique nécessaire ; à défaut, le paiement serait nul, « à moins que le débiteur ne prouve que la chose payée a tourné au profit du créancier » (C. civ., art. 1241). Cette règle, qui fait supporter au débiteur les conséquences d'une dilapidation du paiement par l'incapable, est une incitation à vérifier la capacité du créancier et à ne payer, le cas échéant, qu'entre les mains de son représentant légal (V. *supra*, n° 96).

Le paiement fait à un tiers est nul. Par exception, il est valable dans deux cas : si le créancier l'a ratifié ou en a profité, ce qui peut viser le paiement adressé au conjoint du créancier (C. civ., art. 1239, al. 2), ou si le paiement a été fait, de bonne foi, au possesseur de la créance, c'est-à-dire à un créancier *apparent* (C. civ., art. 1240)[4].

(4) Cass. com., 11 oct. 2011 : *Bull. civ.* IV, n° 155. – A. Hontebeyrie, *Du risque de double paiement couru par le débiteur cédé en cas d'annulation de la cession de créance* : D. 2012, 1107.

Enfin, le paiement fait au créancier, au mépris d'une saisie-attribution de la créance, s'il est valable entre les parties, n'est pas opposable aux créanciers saisissants : par suite, ces derniers sont en droit de poursuivre la saisie entre les mains du débiteur comme si le paiement n'était pas intervenu.

Telles sont les conditions pour qu'un paiement soit libératoire ; elles sont sanctionnées par la nullité du paiement irrégulier, avec toutes les conséquences que cela implique et que l'on résume dans une formule frappante : « Qui paie mal, paie deux fois. »

L'avant-projet de réforme reprend ces solutions (art. 187 et 188)[5].

848. – Le refus du créancier de recevoir paiement. Les offres réelles. Il peut arriver que le débiteur, désireux de se libérer, se heurte à un refus du créancier de recevoir paiement. En pratique, cette attitude du créancier s'explique par une contestation sur le montant de la somme due, ou sur l'existence même du contrat.

Dans de telles circonstances, celui à qui le paiement est adressé le refuse pour éviter que son acceptation puisse ensuite être utilisée contre lui comme une reconnaissance de l'existence du contrat ou du montant de la dette. Le débiteur n'est pas démuni de tout moyen pour faire échec à ce refus. Le Code civil organise à cet effet la procédure des *offres réelles* qui est réglementée par les articles 1257 et suivants[6]. Cette procédure consiste en une offre de paiement faite officiellement par un huissier au créancier ; à défaut d'acceptation de ce dernier, le débiteur *consignera* la somme ou la chose offerte et devra assigner le créancier récalcitrant en validation des offres réelles.

Ces offres réelles tiennent lieu de paiement, mais seulement si elles sont suivies de la consignation de la somme offerte, auquel cas il y aura arrêt du cours des intérêts moratoires[7].

Art. 1257. – Lorsque le créancier refuse de recevoir son paiement, le débiteur peut lui faire des offres réelles, et au refus du créancier de les accepter, consigner la somme ou la chose offerte.

Les offres réelles suivies d'une consignation libèrent le débiteur ; elles tiennent lieu à son égard de paiement, lorsqu'elles sont valablement faites, et la chose ainsi consignée demeure aux risques du créancier.

Art. 1258. – Pour que les offres réelles soient valables, il faut :

1° Qu'elles soient faites au créancier ayant la capacité de recevoir, ou à celui qui a pouvoir de recevoir pour lui ;

2° Qu'elles soient faites par une personne capable de payer ;

3° Qu'elles soient de la totalité de la somme exigible, des arrérages ou intérêts dus, des frais liquidés, et d'une somme pour les frais non liquidés, sauf à la parfaire ;

4° Que le terme soit échu, s'il a été stipulé en faveur du créancier ;

5° Que la condition sous laquelle la dette a été contractée soit arrivée ;

(5) Art. 187. – « Le paiement doit être fait au créancier ou à son représentant (al. 1). Le paiement fait à un créancier incapable n'est pas valable, s'il n'en a tiré profit (al. 2). Le paiement fait à une personne qui n'avait pas qualité pour représenter le créancier est néanmoins valable si le créancier le ratifie ou s'il en a profité (al. 3) ». Art. 188. – « Le paiement fait de bonne foi à un créancier apparent est valable ».

(6) C. Robin, *La mora creditoris* : *RTD civ.* 1998, 607.

(7) Cass. 1re civ., 11 juin 2002 : *Bull. civ.* 2002, I, n° 162 ; *RTD civ.* 2002, 813, obs. J. Mestre et B. Fages. – V. J. Courrouy, *La consignation d'une somme d'argent après offres réelles est-elle un paiement ?* : *RTD civ.* 1990, 23.

6° Que les offres soient faites au lieu dont on est convenu pour le paiement, et que, s'il n'y a pas de convention spéciale sur le lieu du paiement, elles soient faites ou à la personne du créancier, ou à son domicile, ou au domicile élu pour l'exécution de la convention ;

7° Que les offres soient faites par un officier ministériel ayant caractère pour ces sortes d'actes.

Art. 1259. – *(Abrogé, D. n° 81-500, 12 mai 1981, art. 1er).*

Art. 1260. – Les frais des offres réelles et de la consignation sont à la charge du créancier, si elles sont valables.

Art. 1261. – Tant que la consignation n'a point été acceptée par le créancier, le débiteur peut la retirer ; et, s'il la retire, ses codébiteurs ou ses cautions ne sont point libérés.

Art. 1262. – Lorsque le débiteur a lui-même obtenu un jugement passé en force de chose jugée, qui a déclaré ses offres et sa consignation bonnes et valables, il ne peut plus, même du consentement du créancier, retirer sa consignation au préjudice de ses codébiteurs ou de ses cautions.

Art. 1263. – Le créancier qui a consenti que le débiteur retirât sa consignation après qu'elle a été déclarée valable par un jugement qui a acquis force de chose jugée, ne peut plus, pour le paiement de sa créance, exercer les privilèges ou hypothèques qui y étaient attachés ; il n'a plus d'hypothèque que du jour où l'acte par lequel il a consenti que la consignation fût retirée aura été revêtu des formes requises pour emporter l'hypothèque.

Art. 1264. – Si la chose due est un corps certain qui doit être livré au lieu où il se trouve, le débiteur doit faire sommation au créancier de l'enlever, par acte notifié à sa personne ou à son domicile, ou au domicile élu pour l'exécution de la convention. Cette sommation faite, si le créancier n'enlève pas la chose et que le débiteur ait besoin du lieu dans lequel elle est placée, celui-ci pourra obtenir de la justice la permission de la mettre en dépôt dans quelque autre lieu.

Sur ce point, l'avant-projet de réforme opte pour une modification assez profonde du droit positif, en reprenant la proposition faite par le Projet Catala(8) de simplifier la procédure de consignation et d'offrir au créancier plus de garantie qu'actuellement, notamment en obligeant le débiteur à consigner préalablement la chose (art. 204 à 207)(9).

B. – Le débiteur ou un tiers. Le paiement avec subrogation(10)

849. – **Paiement par le débiteur ou par un tiers.** Celui qui paie est normalement le débiteur(11) ; il est le principal intéressé au paiement de la dette, et souvent même le seul. Comme le créancier, il doit en avoir la capacité juridique ; en outre, si

(8) V. P. Théry, *De la consignation avec offre de paiement*, in *Avant-projet de réforme du droit des obligations et de la prescription, Exposé des motifs* : La Documentation française, 2006, p. 70. – Sur le Projet Terré, V. D.-R. Martin, *art.* préc.

(9) Art. 204. – « Lorsque le créancier refuse, à l'échéance et sans motif légitime, de recevoir le paiement qui lui est dû ou l'empêche par son fait, le débiteur peut le mettre en demeure d'en accepter ou d'en permettre l'exécution (al. 1). La mise en demeure du créancier arrête le cours de l'intérêt dû par le débiteur et met les risques de la chose à la charge du créancier (al. 2). Elle n'interrompt pas la prescription (al. 3) ». Art. 205. – « Lorsque l'obligation porte sur la livraison d'une chose ou sur une somme d'argent, et si l'obstruction n'a pas pris fin dans les deux mois de la mise en demeure, le débiteur peut [consigner, séquestrer ou déposer] l'objet de la prestation auprès d'un gardien professionnel (al. 1). Si la consignation, le séquestre ou le dépôt de la chose est impossible ou trop onéreux, le juge peut en autoriser la vente amiable ou aux enchères publiques. Déduction faite des frais de la vente, le prix en est [consigné ou mis sous séquestre] (al. 2). La consignation, le séquestre ou le dépôt libère le débiteur à compter de leur notification au créancier (al. 3) ». Art. 206. – « Lorsque l'obligation porte sur un autre objet, le débiteur est libéré si l'obstruction n'a pas cessé dans les deux mois de la mise en demeure ». Art. 207. – « Les frais de la demeure et de la consignation, du séquestre ou du dépôt sont à la charge du créancier ».

(10) J. Mestre, *La subrogation personnelle*, 1979. – P. Chaumette, *La subrogation personnelle sans paiement ?* : *RTD civ.* 1986, 33. – Cl. Mouloungui, *L'admissibilité du profit dans la subrogation* : LGDJ, coll. « Droit privé », 1995.

(11) Sur le devoir de vérification du notaire qui paie pour son client, V. Cass. 1re civ., 29 mai 2013, 30 mai 2013 : *Defrénois* 2013, n° 17, p. 869, 113p0, obs. Y. Dagorne-Labbé, n° 19, p. 977, 113w1, obs.J.-F. S.

l'exécution de l'obligation suppose le transfert d'un droit réel sur une chose, il doit être propriétaire de ce bien (C. civ., art. 1238, al. 1er).

Un tiers peut également payer la dette, soit par intention libérale, soit surtout parce qu'il a un intérêt personnel au paiement : par exemple, s'il est codébiteur ou caution de la dette (C. civ., art. 1236)(12). Cette solution est reprise par l'avant-projet de réforme du droit des obligations : « Le paiement peut être fait même par une personne qui n'y est pas tenue, sauf refus légitime du créancier ou opposition justifiée du débiteur » (art. 186).

En pareil cas, celui qui a payé pour autrui a deux actions possibles contre le débiteur : l'une propre, l'autre par subrogation. Une action fondée sur le motif juridique au nom duquel il a payé lui est propre, sauf à faire la preuve du titre en vertu duquel il a payé(13) : action de mandat, s'il a agi comme mandataire, ou action dérivant de la gestion d'affaires(14) (V. *supra*, n° 805) ; ce faisant, il se présente comme un simple créancier chirographaire, démuni de toute sûreté.

C'est ici qu'apparaît l'intérêt de la subrogation.

850. – **Intérêt de la subrogation.** Celui qui paie la dette d'autrui a tout intérêt à être *subrogé* dans les droits du créancier qu'il a payé, à être mis à sa place et à bénéficier ainsi des sûretés qui pouvaient être attachées à la créance.

Si, par exemple, une caution a été obligée d'acquitter une dette qui était en outre garantie par une hypothèque sur un immeuble du débiteur, elle aura évidemment tout intérêt à être subrogée dans cette hypothèque qui lui permettra d'être payée par préférence aux autres créanciers.

Ainsi, par suite de la subrogation, tout se passe comme si le tiers avait acheté la créance : bien que le but poursuivi soit différent, le paiement par un tiers avec subrogation se rapproche beaucoup d'une cession de créance. C'est pourquoi le Projet Catala avait choisi d'en traiter au sein des dispositions relatives aux opérations sur créances(15) (Projet Catala, art. 1258 à 1264-2). Plus classiquement, et comme le Projet Terré(16), l'avant-projet de réforme du droit des obligations l'envisage, en l'état, dans la section relative au Paiement (art. 208 à 212).

En l'état du droit positif, la subrogation n'est pas attachée automatiquement à tout paiement fait par un tiers ; elle résulte soit d'une convention, soit de la loi (C. civ., art. 1249) : suivant les cas, la subrogation est donc tantôt conventionnelle, tantôt légale. On exposera les cas et les effets de la subrogation, avant de présenter l'avant-projet de réforme.

(12) Dans le cas où le tiers a payé par erreur, et sans subrogation, un arrêt avait admis son recours contre le débiteur « du seul fait du paiement » : Cass. 1re civ., 15 mai 1990 : *JCP* 1991, II, 21628, obs. B. Petit ; *D.* 1991, 538 et note G. Virassamy. Cette solution est aujourd'hui caduque, la jurisprudence exigeant désormais que le *solvens* fasse la preuve du titre en vertu duquel il a payé. V. Cass. 1re civ., 4 avr. 2001 : *D.* 2001, 1824 et note M. Billiau ; *JCP* 2002, I, 134, nos 18 et s., obs. A.-S. Barthez. V. *supra*, n° 815. – V. O. Salvat, *Le recours du tiers contre la personne dont il a payé la dette* : *Defrénois* 2004, 1, 105, art. 37863.

(13) Cass. 1re civ., 30 mars 2004 : *Contrats, conc. consom.* 2004, comm. 92, obs. L. Leveneur. – Cass. 1re civ., 9 févr. 2012, n° 10-28475 : *RDC* 2012/3, p. 831 et s., obs. J. Klein.

(14) Cass. 1re civ., 12 janv. 2012 : *D.* 2012, 639, obs. C. Creton ; *D.* 2012, 1592, note A. Gouëzel.

(15) P. Catala, *Cession de créance et subrogation personnelle dans l'avant-projet de réforme du droit des obligations*, in *Mél. Le Tourneau* : Dalloz, 2007, p. 213.

(16) D.-R. Martin, *De la libération du débiteur*, préc., p. 93 et s.

1° Les cas de subrogation

851. – La subrogation conventionnelle. Deux situations de fait sont possibles : la subrogation peut être consentie par le créancier, ou même par le débiteur (C. civ., art. 1250).

Art. 1249. – La subrogation dans les droits du créancier au profit d'une tierce personne qui le paye, est ou conventionnelle ou légale.

Art. 1250. – Cette subrogation est conventionnelle :

1° Lorsque le créancier recevant son paiement d'une tierce personne la subroge dans ses droits, actions, privilèges ou hypothèques contre le débiteur : cette subrogation doit être expresse et faite en même temps que le paiement ;

2° Lorsque le débiteur emprunte une somme à l'effet de payer sa dette, et de subroger le prêteur dans les droits du créancier. Il faut, pour que cette subrogation soit valable, que l'acte d'emprunt et la quittance soient passés devant notaires ; que dans l'acte d'emprunt il soit déclaré que la somme a été empruntée pour faire le paiement, et que dans la quittance il soit déclaré que le paiement a été fait des deniers fournis à cet effet par le nouveau créancier. Cette subrogation s'opère sans le concours de la volonté du créancier.

852. – La subrogation conventionnelle par le créancier. La *subrogation par le créancier* représente la situation la plus usuelle. Trop heureux d'être payé, le créancier sera tout prêt à subroger le tiers payant dans ses droits et à lui transmettre toutes les sûretés attachées à la créance.

Quant à ses conditions, la subrogation doit être à la fois *expresse*(17) (art. 1250) *et consentie en même temps que le paiement*. En pratique, elle sera constatée par une *quittance subrogative*, soumise à enregistrement en vue de son opposabilité aux tiers(18). Ces diverses exigences ont pour but de protéger les autres créanciers contre une collusion frauduleuse entre le créancier désintéressé et le tiers subrogé. Il en est fait application en matière d'affacturage(19).

Toutefois, la condition de concomitance de la subrogation au paiement a été ici largement assouplie par la jurisprudence ; elle décide en effet qu'elle « peut être remplie lorsque le subrogeant a manifesté expressément, fût-ce dans un document antérieur, sa volonté de subroger son cocontractant dans ses créances à l'instant même du paiement »(20), ce qui constitue une promesse de subrogation. Ce faisant, la jurisprudence admet que la subrogation puisse être antérieure au paiement, ses effets demeurant subordonnés au paiement(21) ; mais elle ne saurait lui être postérieure(22).

853. – La subrogation conventionnelle par le débiteur. La *subrogation par le débiteur* procède d'une démarche bien différente. Par exemple, il peut s'agir d'un débiteur dont la dette a été stipulée à un intérêt très élevé ou dont le créancier désire provoquer la faillite. À supposer que le débiteur trouve à emprunter à un intérêt moindre auprès d'un créancier plus complaisant, il paiera le créancier ori-

(17) Cass. 1re civ., 3 mars 1997 : *Bull. civ.* 1997, I, n° 83. – Cass. 1re civ., 28 mai 2002 : *Bull. civ.* 2002, I, n° 154. – Cass. 1re civ., 18 oct. 2005 : *Bull. civ.* 2005, I, n° 374 ; *Defrénois* 2006, 1, 614, art. 38365, n° 29, obs. R. Libchaber.

(18) L. Galliez et F. Pouzenc, *La quittance subrogative : comment réduire le coût du financement* : *JCP* N 2011, 1185.

(19) V. notes Gavalda : *JCP* 1968, II, 15610 et 15637. – Cass. 1re civ., 7 et 28 juin 1978 : *D.* 1979, 333 et note J. Mestre.

(20) Cass. com., 29 janv. 1991 : *Bull. civ.* 1991, IV, n° 48 ; *RTD civ.* 1991, 530, obs. J. Mestre. – Cass. com., 2 févr. 1993 : *Bull. civ.* 1993, IV, n° 38. – Cass. 1re civ., 28 mai 2002 : *Bull. civ.* 2002, I, n° 154, p. 117. – V. P. Chaumette, *La subrogation personnelle sans paiement ?* : *RTD civ.* 1986, 33, V. nos 34 et s. – Cl. Mouloungui, *Le recul de la règle subordonnant la subrogation à un paiement préalable* : *Contrats, conc. consom.* 1996, chron. 9.

(21) Cass. com., 14 juin 1994 : *Bull. civ.* 1994, IV, n° 219. – Cass. 1re civ., 11 juin 2008 : *D.* 2008, act. jurispr., obs. X. Delpech.

(22) Cass. 1re civ., 28 mai 2008, n° 07-13437 : *RTD civ.* 2008, 481, obs. B. Fages.

ginaire avec la somme empruntée, et il subrogera le nouveau créancier dans les droits du précédent, de telle sorte que les sûretés qui assortissaient le prêt initial soient reportées sur le nouveau prêt. Pareille subrogation permet ainsi à celui qui a contracté un prêt à une époque où les taux étaient élevés, de bénéficier de la baisse des taux d'intérêt intervenue par la suite[23].

Cette opération est licite et elle ne lèse pas le créancier puisqu'il est désintéressé ; mais il convient d'éviter les fraudes possibles à l'égard d'autres créanciers, l'acte d'emprunt et la quittance de remboursement doivent donc être établis par un notaire et contenir la double déclaration de l'origine et de la destination des fonds. Comme dans le cas précédent, la fraude à redouter est l'antidate d'une subrogation qui permettrait à un nouveau créancier d'acquérir indûment un rang préférable à celui des créanciers déjà en place. Ce risque est évité par l'obligation de recourir à un notaire pour établir l'acte d'emprunt et la quittance de remboursement.

854. – **La subrogation légale.** La subrogation légale diffère de la subrogation conventionnelle, non par ses effets qui sont identiques, mais parce qu'elle se produit de plein droit au profit du tiers payant, en dehors de tout consentement du créancier ou du débiteur. Elle résulte du fait même du paiement si bien que, tant que le paiement n'est pas intervenu, elle ne se produit pas. Par exemple, le maître de l'ouvrage condamné pour les troubles causés par sa construction à l'immeuble de son voisin ne pourra exercer son recours subrogatoire contre ses constructeurs avant d'avoir indemnisé le voisin ; on dit qu'il n'y a pas ici de *subrogation in futurum*[24].

Divers cas sont énoncés, soit à l'article 1251 du Code civil, soit par des lois spéciales, dans lesquels la subrogation est automatique et découle du seul fait d'avoir payé la dette d'autrui. Dans certains cas, le *solvens* qui paie la dette d'autrui était lui-même tenu de cette dette, si bien qu'il paie en même temps sa dette et celle d'autrui ; dans d'autres, il n'était pas tenu au paiement de la dette, et son intervention s'explique par d'autres raisons.

855. – **Les cas de subrogation légale de l'article 1251.** L'article 1251 prévoyait autrefois quatre cas de subrogation légale. La réforme du droit des successions du 23 juin 2006 a modifié le quatrième cas et ajouté un cinquième.

• En premier lieu, la subrogation joue au profit de celui qui, étant lui-même créancier, paie un autre créancier qui dispose de sûretés meilleures que les siennes : par exemple, un créancier hypothécaire de dernier rang peut avoir intérêt à payer celui de premier rang qui s'apprête à provoquer une saisie et une vente à un moment où le marché est mauvais ; prenant la place du premier, il attendra une

(23) J. Huet, *Un bienfait de l'histoire : la subrogation opérée par le débiteur pour le remboursement anticipé d'un prêt d'argent en cas de baisse des taux d'intérêts (art. 1250, 2°, C. civ.)* : *D.* 1999, chron. 303.

(24) Cass. 3e civ., 21 juill. 1999 : *Bull. civ.* 1999, III, n° 182, p. 125 : *RD imm.* 1999, 656, obs. Ph. Malinvaud. – P. Villien, *Vers une unification des régimes de responsabilité en matière de troubles de voisinage dans la construction immobilière* : *RD imm.* 2000, 275. Pour une critique de cette règle, V. P. Jourdain, obs. ss Cass. 3e civ., 31 oct. et 28 nov. 2001 : *RTD civ.* 2002, 315. – V. aussi, pour le recours de l'assureur : Cass. 1re civ., 24 mars 1992 : *Bull. civ.* 1992, I, n° 91. – H. Groutel, *Réflexions sur la subrogation anticipée* : *D.* 1987, chron. 283. Si la subrogation ne s'opère qu'une fois le paiement effectué à la victime, l'assureur peut néanmoins valablement exercer avant paiement un recours en garantie contre les responsables : Cass. 1re civ., 18 juin 1985 : *Bull. civ.* 1985, I, n° 187. – Cass. 3e civ., 29 mars 2000 : *Bull. civ.* 2000, III, n° 67. – Cass. 1re civ., 9 oct. 2001 : *Resp. civ. et assur.* 2001, comm. 381. – Cass. 3e civ., 10 déc. 2003 : *RD imm.* 2004, 53, obs. L. Grynbaum.

période plus favorable et accroîtra par là même ses chances d'être payé pour le tout (C. civ., art. 1251-1°).

• De même, la subrogation se produit en faveur de celui qui, étant tenu avec d'autres (par ex., des codébiteurs solidaires, ou *in solidum*, ou indivisibles : V. *supra*, n° 545) ou pour d'autres (comme les cautions : V. *supra*, n° 549), avait intérêt à acquitter la dette. Par suite, le codébiteur ou la caution qui a payé pour le tout bénéficie de la subrogation pour se retourner contre le débiteur principal ou les autres codébiteurs (C. civ., art. 1251-3°)[25]. Allant au-delà de ces hypothèses, un récent arrêt a admis la subrogation, non seulement dans le cas d'une obligation indivisible, ou solidaire ou *in solidum*, mais également dans le cas d'obligations dont la cause est distincte[26].

• L'article 1251-2° fait une application particulière de l'hypothèse précédente à un débiteur tenu pour d'autres. Il s'agit de l'acquéreur d'un immeuble hypothéqué qui, étant tenu comme le vendeur qui lui a transmis son droit, paie les créanciers hypothécaires. Il a en effet intérêt à désintéresser les créanciers « les plus préférables » et à être subrogé dans leurs droits si l'immeuble est hypothéqué pour plus que sa valeur ; car alors les créanciers de dernier rang, n'ayant aucune chance d'être payés en cas de vente forcée de l'immeuble, ne prendront pas la responsabilité de provoquer cette vente.

• L'article 1251-4° faisait aussi jouer la subrogation « au profit de l'héritier bénéficiaire qui a payé de ses deniers les dettes de la succession » ; pour tenir compte de la réforme du droit des successions, la formule a été modifiée et vise désormais « l'héritier acceptant à concurrence de l'actif net qui a payé de ses deniers les dettes de la succession ». En effet, cet héritier a intérêt à cette subrogation si en définitive la succession s'avère déficitaire ; comme il n'est tenu des dettes successorales qu'à concurrence de l'actif net, la subrogation lui permettra de récupérer lors de la liquidation l'avance de deniers qu'il a faite.

• Dans le même esprit, la subrogation a lieu également de plein droit « au profit de celui qui a payé de ses deniers les frais funéraires pour le compte de la succession ».

Art. 1251. – La subrogation a lieu de plein droit :

1° Au profit de celui qui, étant lui-même créancier, paye un autre créancier qui lui est préférable à raison de ses privilèges ou hypothèques ;

2° Au profit de l'acquéreur d'un immeuble, qui emploie le prix de son acquisition au paiement des créanciers auxquels cet héritage était hypothéqué ;

3° Au profit de celui qui, étant tenu avec d'autres ou pour d'autres au paiement de la dette, avait intérêt de l'acquitter ;

4° Au profit de l'héritier acceptant à concurrence de l'actif net qui a payé de ses deniers les dettes de la succession.

5° Au profit de celui qui a payé de ses deniers les frais funéraires pour le compte de la succession.

Art. 1252. – La subrogation établie par les articles précédents a lieu, tant contre les cautions que contre les débiteurs : elle ne peut nuire au créancier lorsqu'il n'a été payé qu'en partie ; en ce cas, il peut exercer ses droits, pour ce qui lui reste dû, par préférence à celui dont il n'a reçu qu'un paiement partiel.

(25) M. Meurisse, *Une institution pleine d'avenir : la subrogation de l'article 1251, 3°, C. civ.* : *Gaz. Pal.* 1968, 1, doctr. 67. – Amiens, 12 janv. 1970 : *JCP* 1971, II, 16872, obs. M. Dagot et P. Spiteri. – pour une illustration, V. Cass. 1re civ., 12 juill. 2012 : *Resp. civ. assur.* 2012, comm. 312, obs. H. Groutel.

(26) Cass. 1re civ., 25 nov. 2009 : *D.* 2010, 802 et note A. Hontebeyrie.

856. - **Les autres cas de subrogation légale.** Divers textes épars prévoient d'autres cas de subrogation légale.

Ainsi, celui qui, sans y être tenu, paie par intervention une lettre de change (C. com., art. L. 511-71) ou un billet à ordre (C. com., art. L. 512-3) est subrogé dans les droits du porteur contre les autres débiteurs de cet effet de commerce.

De même, l'État, les organismes de Sécurité sociale (L. n° 85-677, 5 juill. 1985, art. 28 et s.), et l'assureur de dommages (C. assur., art. L. 121-12), qui ont versé à un accidenté les prestations indemnitaires prévues par la loi ou le contrat, sont subrogés dans ses droits contre le débiteur, c'est-à-dire contre le responsable de l'accident(27).

2° Les effets du paiement avec subrogation

857. - **Comparaison avec la cession de créance.** Que la subrogation soit conventionnelle ou légale, elle produit dans les deux cas le même effet translatif : le subrogé est mis aux lieu et place du créancier ; c'est dire que non seulement les sûretés attachées à la créance, mais la créance elle-même avec tous ses caractères est transmise à celui qui a payé par subrogation. Il s'ensuit par exemple que celui qui est subrogé dans les droits de la victime d'un dommage dispose de l'action même de cette victime(28), avec la prescription qui lui est applicable(29). Cet effet translatif s'apparente à celui d'une cession de créance et il est usuel de comparer le paiement avec subrogation avec la cession de créance et de relever les différences qui les séparent. Toutefois, si le créancier n'a été payé que pour partie, il prime le subrogé pour ce qui lui reste dû par le débiteur(30).

Quant à leurs *conditions*, ces deux opérations se distinguent sur deux points : d'une part, la cession de créance est toujours consentie par le créancier, alors que la subrogation peut être automatique, légale, ou même émaner du débiteur ; d'autre part et surtout, la cession de créance doit faire l'objet d'une *signification* au débiteur, qui est tout à fait inutile pour la subrogation.

Quant à leurs *effets*, les différences sont tout aussi nettes et tiennent à ce que l'effet translatif de la subrogation est plus limité que celui de la cession de créance. C'est ainsi que la subrogation ne joue que dans la mesure du paiement réellement effectué entre les mains du créancier(31) ; au contraire, un cessionnaire peut se faire payer le nominal de la créance, même s'il l'a achetée à vil prix, et les intérêts conventionnels qui ont pu être stipulés, alors que le subrogé a droit aux seuls intérêts au taux légal(32), qui courent du jour de la mise en demeure du débiteur(33). De même,

(27) Y. Lambert-Faivre, *Le lien entre la subrogation et le caractère indemnitaire des prestations des tiers payeurs* : *D.* 1987, chron. 97. – *Adde* art. 706-11 CPP, relatif au recours subrogatoire de l'assureur ayant indemnisé la victime contre l'auteur de l'infraction.

(28) Cass. 3e civ., 7 juill. 2010 : *RDC* 2011, 113, obs. D. Mazeaud. La clause de conciliation est opposable au subrogé, même s'il n'en a pas eu personnellement connaissance : Cass. 3e civ., 28 avr. 2011 : *RDC* 2012/3, p. 882 et s., obs. C. Pelletier.

(29) Cass. 1re civ., 4 févr. 2003 : *Bull. civ.* 2003, I, n° 30, p. 25 ; *D.* 2003, inf. rap. p. 534. – Cass. 2e civ., 7 juill. 2011 : *LPA* 5 mars 2012, n° 46, p. 9, obs. J.-D. Pellier.

(30) Cass. 1re civ., 27 févr. 2007 : *JCP* 2007, IV, n° 1711 (dans le cas où l'assureur qui a versé à la victime l'indemnité correspondant au plafond de garantie, et où il est subrogé dans ses droits, il est néanmoins primé par la victime subrogeante pour le solde du préjudice, non pris en charge par l'assurance).

(31) Cass. 1re civ., 21 févr. 2006 : *Bull. civ.* 2006, I, n° 99 ; *D.* 2006, p. 1873 et note I. Gallmeister.

(32) F. Auckenthaler, *Le droit du subrogé aux intérêts de la créance* : *D.* 2000, doctr. 171. – Cass. 1re civ., 13 janv. 1981 : *Bull. civ.* 1981, I, n° 12. – Cass. 1re civ., 29 oct. 2002 et 18 mars 2003 : *D.* 2003, 1092, obs. V. Avena-Robardet ; *JCP* 2003, II, 10105 et note M. Billiau. – Cass. 1re civ., 15 févr. 2005 : *JCP* 2005, IV, 1667 ; *Defrénois* 2005, 1, 1236, art. 38207, n° 53, obs. R. Libchaber. – V. aussi C. Simler, *Le droit aux intérêts du créancier subrogé* : *JCP* 2009, I, 113 (qui suggère des solutions de contournement).

(33) Cass. 1re civ., 7 mai 2002 : *Defrénois* 2002, 1274, obs. J.-L. Aubert ; *RTD civ.* 2002, 813, obs. J. Mestre et B. Fages.

à la différence d'un cessionnaire, le subrogé ne bénéficie d'aucune garantie d'existence de la créance ; s'il a payé une dette inexistante, il pourra seulement exercer l'action en répétition de l'indu. D'autres différences peuvent être relevées en cas de paiement partiel, donc de subrogation partielle, où le subrogeant se paie avant le subrogé ; etc. Mais, comme dans la cession de créance, le débiteur est recevable à opposer au subrogé les exceptions qu'il aurait pu opposer au créancier originaire[34].

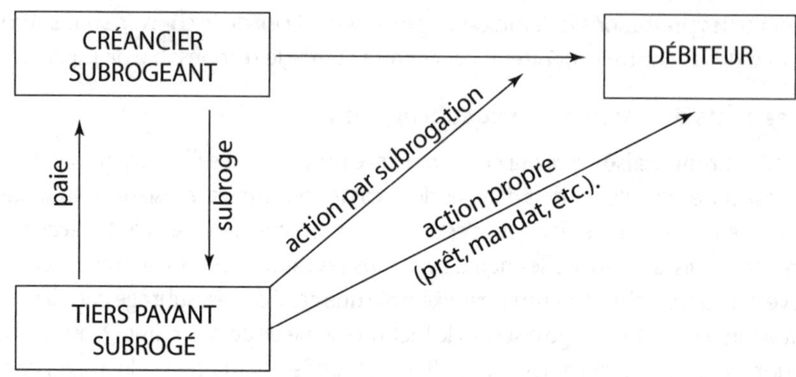

En sens inverse, outre l'action fondée sur la subrogation, le subrogé dispose contre le débiteur d'un autre recours fondé sur le titre en vertu duquel il a payé : par exemple, à titre de prêt, de mandat, de gestion d'affaires, ou encore recours fondé sur le seul fait du paiement, etc.

858. – La subrogation dans l'avant-projet de réforme du droit des obligations. Alors que le Projet Catala (art. 1258 à 1264-2) avait pour l'essentiel repris le droit positif, en traitant du mécanisme au sein du chapitre relatif aux opérations sur créances[35], l'avant-projet de réforme du droit des obligations appréhende classiquement la subrogation comme un éventuel effet du paiement pour autrui[36], tout en procédant à une réforme assez profonde de l'institution, en s'inspirant essentiellement du Projet Terré[37].

S'agissant des cas de subrogation, l'avant-projet accueille subrogation légale[38] et subrogation conventionnelle. Mais la première est élargie : la subrogation joue désormais « au profit de celui qui paie dès lors que son paiement libère envers le créancier celui sur qui doit peser la charge définitive de tout ou partie de la dette » (art. 208), sous réserve d'une opposition justifiée du débiteur au paiement du tiers (art. 186, *in fine* ; V. *supra*, n° 849). Parallèlement, l'avant-projet supprime la subrogation conventionnelle du fait du créancier[39] et n'admet la subrogation conventionnelle du fait du

(34) Cass. 1re civ., 18 oct. 2005 : *Bull. civ.* 2005, I, n° 375.

(35) H. Synvet, *Opérations sur créances*, in *Avant-projet de réforme du droit des obligations et de la prescription, Exposé des motifs* : La Documentation française, 2006, p. 70. – P. Catala, *Cession de créance et subrogation personnelle dans l'avant-projet de réforme du droit des obligations*, in *Mél. Le Tourneau* : Dalloz, 2007, p. 213.

(36) D'où son maintien au sein des dispositions relatives au paiement.

(37) D.-R. Martin, *art.* préc., spéc. p. 102 et s.

(38) Le Projet Catala (art. 1259) reprenait les quatre cas de subrogation légale existant avant la réforme du droit des successions et prévoyait des cas spéciaux de subrogation personnelle, notamment au profit des tiers payeurs ayant versé certaines prestations limitativement énumérées à la victime d'un dommage corporel (art. 1379-4 à 1379-8).

(39) À la différence du Projet Catala : art. 1260.

débiteur qu'au profit du prêteur de deniers (art. 209)[40]. Il en va ainsi lorsque le débiteur, empruntant une somme à l'effet de payer sa dette, consent une subrogation avec le concours du créancier : la subrogation doit être expresse et l'origine des fonds doit être mentionnée par la quittance donnée par le créancier. La subrogation peut également être consentie par le débiteur sans le concours du créancier, mais seulement si la dette est échue ou affectée d'un terme en faveur du débiteur : l'acte d'emprunt et la quittance doivent alors être passés devant notaire ; l'acte d'emprunt doit déclarer que la somme a été empruntée pour payer ; pareillement, la quittance doit indiquer que le paiement a été fait des deniers fournis à cet effet par le nouveau créancier.

Les effets actuels de la subrogation sont assez largement reconduits (transmission au bénéficiaire de la créance et de ses accessoires, opposabilité des exceptions par le débiteur au subrogé, préservation des droits du créancier en cas de paiement partiel), à quelques exception près : le texte prévoit notamment que la subrogation n'est pas opposable au débiteur qui n'en a pas connaissance.

Art. 208. – La subrogation a lieu par le seul effet de la loi au profit de celui qui paie dès lors que son paiement libère envers le créancier celui sur qui doit peser la charge définitive de tout ou partie de la dette.

Art. 209. – La subrogation a lieu également lorsque le débiteur, empruntant une somme à l'effet de payer sa dette, subroge le prêteur dans les droits du créancier avec le concours de celui-ci. En ce cas, la subrogation doit être expresse et la quittance donnée par le créancier doit indiquer l'origine des fonds.

La subrogation peut être consentie sans le concours du créancier, mais à la condition que la dette soit échue ou que le terme soit en faveur du débiteur. Il faut alors que l'acte d'emprunt et la quittance soient passés devant notaire, que dans l'acte d'emprunt il soit déclaré que la somme a été empruntée pour faire le paiement, et que dans la quittance il soit déclaré que le paiement a été fait des deniers fournis à cet effet par le nouveau créancier.

Art. 210. – La subrogation ne peut nuire au créancier lorsqu'il n'a été payé qu'en partie ; en ce cas, il peut exercer ses droits, pour ce qui lui reste dû, par préférence à celui dont il n'a reçu qu'un paiement partiel.

Art. 211. – La subrogation transmet à son bénéficiaire, dans la limite de ce qu'il a payé, la créance et ses accessoires, à l'exception des droits exclusivement attachés à la personne de celui-ci.

[Le subrogé n'a droit qu'à l'intérêt légal à compter d'une mise en demeure, s'il n'a convenu avec le débiteur d'un nouvel intérêt. Ces intérêts sont garantis par les sûretés attachées à la créance.]

Art. 212. – La subrogation est opposable aux tiers dès le paiement qui la produit ; elle n'est pas opposable au débiteur qui n'en a pas connaissance.

Le débiteur peut opposer au créancier subrogé toutes les exceptions inhérentes à la dette et se prévaloir à son encontre de la compensation des dettes connexes dans ses rapports avec le créancier primitif.

Il peut également lui opposer l'extinction de la dette pour toute cause antérieure à la subrogation.

§ 2. – L'objet du paiement

A. – Les principes du paiement en général

859. – La règle de l'identité de l'objet du paiement[41].

Art. 1243. – Le créancier ne peut être contraint de recevoir une autre chose que celle qui lui est due, quoique la valeur de la chose offerte soit égale ou même plus grande.

(40) Comp. art. 1261 du Projet Catala.

(41) L. Bougerol-Prud'homme, *Réflexions sur le paiement à l'épreuve de la monnaie scripturale* : *RTD civ.* 2012, 439.

Art. 1245. – Le débiteur d'un corps certain et déterminé est libéré par la remise de la chose en l'état où elle se trouve lors de la livraison, pourvu que les détériorations qui y sont survenues ne viennent point de son fait ou de sa faute, ni de celle des personnes dont il est responsable, ou qu'avant ces détériorations il ne fût pas en demeure.

Art. 1246. – Si la dette est d'une chose qui ne soit déterminée que par son espèce, le débiteur ne sera pas tenu, pour être libéré, de la donner de la meilleure espèce ; mais il ne pourra l'offrir de la plus mauvaise.

En vertu de la règle de l'*identité* de l'objet du paiement et de l'objet de l'obligation, le débiteur doit payer exactement ce qui a été promis, et rien d'autre (C. civ., art. 1243, 1245 et 1246).

S'il a promis de faire quelque chose (*obligation de faire*), d'accomplir une prestation, il doit s'y conformer, faute de quoi sa responsabilité pourrait être engagée. S'il a promis une abstention, par exemple de ne pas faire concurrence (*obligation de ne pas faire*), il doit se garder de tout ce qui y contreviendrait.

S'il s'est engagé à transférer la propriété d'un bien (*obligation de donner*), il doit y souscrire dans les conditions qui ont été prévues, qu'il s'agisse d'un corps certain ou d'une chose de genre.

Parmi ces obligations de donner, il faut faire une place à part à celles qui portent sur des sommes d'argent. Leur fréquence est considérable en matière contractuelle, et encore plus en matière délictuelle où la plupart des condamnations revêtent la forme de dommages-intérêts, c'est-à-dire de sommes d'argent.

Appliquant au paiement de ces dettes la règle de l'identité, on dira qu'il doit être du *montant nominal*(42) prévu au contrat ou dans la décision judiciaire, augmenté des *intérêts* le cas échéant. À cette occasion, il convient de rappeler que les parties peuvent, sous certaines réserves, insérer dans les contrats des *clauses d'indexation* ou d'échelle mobile (V. *supra*, nos 537 et s.) qui permettent d'échapper aux conséquences de la dévaluation ou de l'érosion monétaires.

Il est toutefois une hypothèse où la règle de l'identité peut être mise en échec ; c'est en cas de dation en paiement (V. *infra*, nos 862 et s.).

Comme les Projets Catala et Terré, le projet de réforme conserve d'une part le principe de l'identité de l'objet du paiement (art. 185) et sa spécificité s'agissant des obligations monétaires (art. 196 à 201) et d'autre part l'exception tenant à la dation en paiement (art. 189, al. 2).

860. – La règle de l'indivisibilité du paiement.

Art. 1244. – Le débiteur ne peut point forcer le créancier à recevoir en partie le paiement d'une dette, même divisible.

Art. 1244-1. – Toutefois, compte tenu de la situation du débiteur et en considération des besoins du créancier, le juge peut, dans la limite de deux années, reporter ou échelonner le paiement des sommes dues.

Par décision spéciale et motivée, le juge peut prescrire que les sommes correspondant aux échéances reportées porteront intérêt à un taux réduit qui ne peut être inférieur au taux légal ou que les paiements s'imputeront d'abord sur le capital.

En outre, il peut subordonner ces mesures à l'accomplissement, par le débiteur, d'actes propres à faciliter ou à garantir le paiement de la dette.

Les dispositions du présent article ne s'appliquent pas aux dettes d'aliments.

(42) Principe du nominalisme monétaire, repris à l'article 196 du projet de réforme, lequel consacre également la notion de dette de valeur.

En vertu de la règle de l'*indivisibilité* du paiement, le créancier n'est jamais contraint de recevoir un paiement partiel, même lorsque par sa nature la dette est divisible, une dette de somme d'argent, par exemple (C. civ., art. 1244).

Cette règle, n'étant pas d'ordre public, peut être écartée par les parties au paiement. Elle supporte en outre des exceptions. Ainsi, en octroyant des *délais de grâce* au débiteur, le juge peut lui permettre d'exécuter en plusieurs fois (C. civ., art. 1244-1) (V. *supra*, n° 511) ; ou encore, le créancier pourra être indirectement forcé d'accepter un paiement partiel si son débiteur invoque la *compensation* (V. *infra*, n°s 865 et s.) avec une créance réciproque d'un montant plus faible. Enfin, en cas de décès du débiteur, il y aura divisibilité de la dette, chacun des *héritiers* n'étant tenu que pour partie de la dette, sauf les exceptions visées à l'article 1221.

Les différents projets d'harmonisation du droit des contrats apportent d'autres tempéraments au principe de l'indivisibilité du paiement : si, comme en droit français, le créancier peut refuser l'exécution partielle, il en va différemment s'il « n'a aucun intérêt à le faire »[(43)] ou si « la loi ou les usages en disposent autrement »[(44)].

L'avant-projet de réforme ne reprend pas ces solutions européennes ; comme les Projets Catala et Terré, il rappelle le principe de l'indivisibilité du paiement (art. 189) ainsi que la possibilité d'octroyer judiciairement des délais de grâce (art. 201), la division de la dette entre héritiers du débiteur (art. 246 curieusement placé entre les articles 175 et 176) ou en cas de compensation partielle (art. 223).

861. - Les modes de paiement des dettes de sommes d'argent. Son montant une fois déterminé, la dette peut être payée en *espèces* ayant *cours légal*[(45)], billets de banque ou monnaie métallique[(46)]. Mais, dans le monde actuel et surtout en matière de commerce, les dettes sont souvent acquittées en *monnaie scripturale* : chèques, traites, billets à ordre, virements, etc. Le règlement en monnaie scripturale a même été rendu obligatoire en certaines matières ou au-delà d'un certain montant.

En ce qui concerne les chèques, ce sont sans discussion possible des *instruments de paiement* (quant au point de savoir si la date du paiement est celle de la remise du chèque ou celle de son encaissement V. *infra*, n° 873). Il en va de même du paiement par *carte bancaire*[(47)].

Quant aux effets de commerce, traites, billets à ordre, ils apparaissent plus comme des *instruments de crédit* que comme des modes de paiement puisque leur paiement ne pourra en être réclamé qu'à l'échéance du terme.

Les règles ci-dessus doivent désormais tenir compte de l'apparition d'une nouvelle forme de monnaie, la *monnaie électronique*, à la suite de la transposition en droit français des directives CE n° 2000-28 et n° 2000-46 du 18 septembre 2000

(43) Unidroit, art. 6.1.3.

(44) Pavie, art. 77.

(45) Sous réserve de l'éventuelle interdiction de payer en espèces. V. ainsi art. L. 112-6 CMF ; CE, 10 mai 2012 : *D.* 2012, 2289, note C. Kleiner.

(46) Comme les Projets Catala (art. 1226) et Terré (art. 73) l'avant-projet de réforme reprend cette solution en son article 199 : « Le paiement, en France, d'une obligation de somme d'argent s'effectue dans la monnaie qui y a cours. Toutefois, le paiement peut avoir lieu en une autre devise si l'obligation ainsi libellée procède d'un contrat international ou d'un jugement étranger ».

(47) En revanche il y a discussion sur l'analyse juridique du paiement par carte bancaire que certains auteurs présentent comme une délégation : J.-M. Jude, *Le règlement par carte bancaire et par chèque : unité ou dualité ? (au juriste de lire les cartes)* : *D.* 2003, chron. 2675.

concernant l'accès à l'activité des établissements de monnaie électronique et son exercice ainsi que la surveillance prudentielle de ces établissements. Par arrêté du 10 janvier 2003, le Gouvernement a homologué le règlement du Comité de réglementation bancaire et financière relatif à la monnaie électronique qui en a donné une définition : « La monnaie électronique est composée d'unités de valeur, dites unités de monnaie électronique. Chacune constitue un titre de créance incorporé dans un instrument électronique et accepté comme moyen de paiement, au sens de l'article L. 311-3 du Code monétaire et financier, par des tiers autres que l'émetteur. » Pourraient répondre à cette définition le porte-monnaie électronique et certains procédés de paiement en ligne[48].

B. – La dation en paiement[49]

862. – **Présentation.** On dit qu'il y a dation en paiement lorsque le débiteur transfère la propriété d'un de ses biens à son créancier, qui accepte de le recevoir à la place et en paiement de la prestation due. En bref, il y a dation en paiement lorsque, écartant le principe de l'identité du paiement, les parties conviennent qu'il sera remis au créancier autre chose que l'objet même de la dette (C. civ., art. 1243). Il s'agit donc d'un accord de volontés des parties au paiement, d'un acte juridique dont le juge doit constater l'existence[50].

Bien souvent cette formule sera utilisée par un débiteur de sommes d'argent impécunieux qui, faute de liquidités, proposera un bien en échange au créancier qui le presse de payer ; et ce dernier sera trop content d'accepter (souvent même il sera l'instigateur de l'opération) s'il redoute que le débiteur ne soit insolvable ou ne tombe en faillite. Il y a là, à l'égard des autres créanciers, un risque de fraude que le législateur a écarté en déclarant nulles les dations en paiement intervenues depuis la date de cessation des paiements fixée par le jugement prononçant le redressement judiciaire (C. com., art. L. 632-1)[51].

Par exemple, lorsque Van Gogh payait sa pension en remettant des tableaux à son logeur, il faisait une dation en paiement. De même, dans un ordre d'idées tout à fait différent, les héritiers peuvent régler les droits de succession dus à l'État sous la forme de remise de tableaux, meubles ou objets d'art (CGI, art. 1716 *bis*) ; c'est là encore une dation en paiement[52].

La dation en paiement n'est pas réglementée par le Code civil qui y fait une simple allusion dans les articles 1243, 1581 et 2315. Il s'ensuit des hésitations sur le point de savoir quand il y a dation en paiement, et quels en sont les effets.

(48) M. Vasseur, *Le paiement électronique. Aspects juridiques* : *JCP* 1985, I, 3206. – J. Huet, *Aspects juridiques du télépaiement* : *JCP* 1991, I, 3524. – M. Espagnon, *Le paiement d'une somme d'argent sur Internet : évolution ou révolution du droit des moyens de paiement ?* : *JCP* 1999, I, 131. – C. Lucas de Leyssac et X. Lacaze, *Le paiement en ligne* : *JCP* 2001, I, 302. – D.-R. Martin, *Aspects de la monnaie électronique* : D. 2013, 117 ; *Que sont les notions devenues ?* : D. 2014. 164. – B. Fatier, *Services de paiement et monnaie électronique, Les conditions juridiques du succès* : LPA 19 févr. 2013, n° 36, p. 4.

(49) F. Bicheron, *La dation en paiement*, éd. Panthéon-Assas, 2006. – J.M. Ohnet, *Quelques points d'interrogation relatifs à certains effets de la dation en paiement*, in *Études Simler* : Litec, 2006.

(50) Cass. 3e civ., 15 avr. 2005 : *Contrats, conc. consom.* 2005, comm. 147, obs. L. Leveneur ; *RTD civ.* 2005, p. 783, obs. J. Mestre et B. Fages.

(51) Cass. ass. plén., 22 avr. 1974 : *D.* 1974, 613 et note F. Derrida ; *JCP* 1974, II, 17876, obs. A. Bénabent.

(52) R. Gouyet, *Un mode alternatif d'extinction de la dette d'impôt : la dation en paiement* : *JCP* N 2002, 1549.

De la même manière, et comme les Projets Catala et Terré, le projet de réforme ne fait que rappeler la possibilité de faire exception au principe de l'identité du paiement en ayant recours à une dation en paiement (art. 189, al. 2), mais il ne la réglemente pas[(53)].

1° Quand y a-t-il dation en paiement ?

863. – Distinction avec la novation. La question se pose lorsque dans un paiement un objet est substitué à un autre : est-ce une novation par changement d'objet (V. *supra*, n° 838) ou une dation en paiement ? Sauf dans le cas où les parties ont expressément choisi la qualification de novation, les tribunaux considèrent qu'il s'agit d'une dation en paiement. Plus précisément encore, la jurisprudence analyse cette opération comme une vente, moyennant un prix du même montant que la créance, et suivie d'une compensation entre ce prix de vente et la créance[(54)].

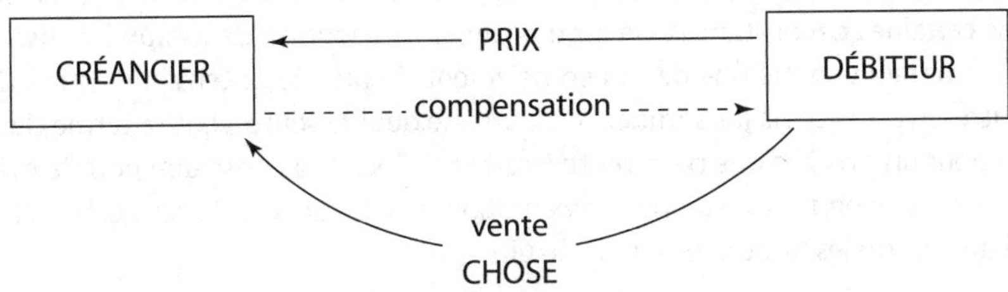

Ainsi, dans l'analyse retenue par la jurisprudence, la dation en paiement suppose qu'il y ait à la fois :

- transfert immédiat de la propriété de la chose ;
- et tradition, c'est-à-dire livraison immédiate ;

car c'est à cette double condition que peut se produire la compensation entre le montant de la dette et le prix de la chose.

Ce résultat est très différent de celui qu'on obtiendrait par une novation ; en effet, une novation éteindrait tout de suite la dette originaire et la remplacerait par une autre obligation, celle de transférer la propriété, qui resterait à accomplir.

La jurisprudence admet toutefois que la dation en paiement porte sur une chose future, auquel cas le transfert de propriété ne peut s'opérer que lorsque la chose est en mesure d'être livrée[(55)].

2° Quels sont les effets de la dation en paiement ?

864. – Effets du paiement et de la vente. Étant à la fois un paiement et une sorte de vente, la dation en paiement va emprunter ses effets à l'un et à l'autre.

(53) Le créancier « peut accepter de recevoir en paiement autre chose que ce qui est dû » : art. 189, al. 2.

(54) D. Leoty, *La nature juridique de la dation en paiement. La dation en paiement, paiement pathologique ? : RTD civ.* 1975, 12. – F. Bicheron, *La dation en paiement* : thèse Paris II, 2003. – D. Hiez, *La nature juridique de la dation en paiement. Une modification de l'obligation aux fins du paiement : RTD civ.* 2004, 199.

(55) Cass. 3e civ., 12 juill. 1976 : *Bull. civ.* 1976, III, n° 311. – Cass. 3e civ., 22 sept. 2010, n° 09-15781.

Parce qu'elle est un paiement, elle suppose la capacité de l'accomplir chez celui qui s'acquitte. Également, au cas où la dette payée n'existait pas, on appliquera les règles de la répétition de l'indu : celui qui a payé indûment reprendra la chose qui a fait l'objet de la dation. De même encore, si le créancier est évincé de la chose qui lui a été donnée en paiement, on considérera que le paiement est nul et qu'en conséquence la créance revit avec toutes ses garanties, à l'exception des cautions que l'article 2315 déclare libérées.

Parce qu'elle est aussi une vente, la dation en paiement suppose chez celui qui la fait la capacité d'aliéner, et la qualité de propriétaire ; on appliquera en outre toutes les règles relatives à la vente de la chose considérée : privilège du vendeur en cas de soulte, garantie des vices, action en rescision pour lésion de plus des 7/12e pour les immeubles, droit de préemption, etc.[56].

Parmi les hypothèses pratiques de dation en paiement, on peut citer par exemple la reprise d'un véhicule usagé, à valoir sur la vente d'un neuf, du moins lorsque cette reprise a été convenue postérieurement à la vente du véhicule neuf[57]. De même, dans certaines circonstances, on a pu analyser l'attribution de locaux à construire sur un terrain comme une dation en paiement du prix de ce terrain[58] ; mais dans d'autres hypothèses la jurisprudence y a vu une double vente, vente à terme du terrain pour un prix X d'une part, vente à terme de locaux à construire pour le même prix X d'autre part, suivie d'une *compensation* lors de l'arrivée du terme, lequel sera fixé au jour où les locaux seront construits.

C. – La compensation[59]

1° Technique de la compensation

865. – Définition et rôles. La compensation est une opération courante dans la vie des affaires. Réglementée par les articles 1289 et suivants du Code civil, elle vise l'hypothèse où deux personnes ont l'une envers l'autre des *dettes réciproques*. C'est le cas de tous ceux qui sont en rapports d'affaires constants.

Survenant dans ces circonstances, la compensation se définit comme l'extinction des deux dettes réciproques, à concurrence de la plus faible. Le principe en est repris dans les mêmes termes dans les Projets Catala (art. 1240) et Terré (art. 90) et on le retrouve dans l'avant-projet de réforme du droit des obligations (art. 218 et s.).

C'est un *procédé de règlement simplifié* très pratique et répandu, par exemple, en matière bancaire. Ainsi, tous les chèques tirés sur les multiples établissements bancaires français ne font pas chacun l'objet d'un transfert de fonds d'une agence à une autre. Une chambre de compensation fait, à l'échelon national, le compte de chaque banque, et seul le solde après compensation fait l'objet d'un règlement[60]. La

(56) Cass. 3e civ., 4 avr. 1968 : *JCP* 1968, II, 15586, obs. Ourliac et M. de Juglart. – Cass. 3e civ., 4 juill. 1968 : *JCP* 1968, IV, 149.
(57) Cass. com., 20 juin 1972 : *D.* 1973, 325 et note J. Hémard. – Cass. 1re civ., 2 nov. 1972 : *D.* 1973, 341 et note J.H.
(58) Cass. 3e civ., 12 juill. 1976 : *JCP* 1977, II, 18688, obs. M. Dagot. – Cass. 2e civ., 9 janv. 1991 : *JCP* 1992, II, 21846 et note F. Steinmetz.
(59) R. Mendegris, *La nature juridique de la compensation*, 1969. – N.Cl. Ndoko, *Les mystères de la compensation* : *RTD civ.* 1991, 661. – L. Andreu, *Réflexions sur la nature juridique de la compensation* : *RTD com.* 2009, 655.
(60) A.-V. Delozière-Le Fur, *La compensation dite multilatérale*, éd. Panthéon-Assas, 2004. – M. Roussille, *La compensation multilatérale* : Dalloz, coll. « Nouvelle Bibl. thèses », 2006, préf. J. Béguin.

même technique permet d'expliquer le fonctionnement du *compte courant* entre un banquier et son client[61].

En pratique, la compensation joue deux rôles complémentaires.

D'une part, elle est un *double paiement*, réglé par un jeu d'écritures. Si les deux dettes sont du même montant, elles sont éteintes l'une et l'autre, avec toutes les sûretés qui y étaient attachées. Si elles sont d'un montant différent, la plus faible est éteinte pour le tout, la plus forte ne l'est que pour partie : l'un des créanciers n'aura ainsi reçu qu'un paiement partiel, ce qui est mettre en échec la règle de l'indivisibilité du paiement (V. *supra*, n° 860).

À vrai dire, dans ce double paiement, un seul est volontaire. En effet, à moins que les parties ne se soient mises d'accord pour compenser (compensation conventionnelle), celui seul qui invoque la compensation a voulu le paiement ; l'autre s'y trouve contraint, sans qu'on puisse y voir, toutefois, une véritable *exécution forcée*. C'est ici qu'apparaît la seconde fonction de cette opération.

D'autre part, la compensation constitue une *sûreté* à la disposition des créanciers réciproques. Chacun peut se protéger contre l'insolvabilité de l'autre, du moins dans la mesure de la dette la plus faible, en opposant à toute demande en paiement un moyen de défense tiré de la compensation. Par cette fonction la compensation risque de porter atteinte aux droits des tiers[62].

2° Les différentes sortes de compensations

866. – Ainsi définie, la compensation est soumise par la loi à certaines conditions. À côté de la compensation, dite légale, qui est seule réglementée par les textes, sont apparues une compensation conventionnelle et une compensation judiciaire qui trouvent leur place là où les conditions de la première ne sont pas réunies.

867. – Compensation légale. Pour que la compensation joue, il faut que soient remplies diverses conditions, les unes positives, les autres négatives :

Art. 1289. – Lorsque deux personnes se trouvent débitrices l'une envers l'autre, il s'opère entre elles une compensation qui éteint les deux dettes, de la manière et dans les cas ci-après exprimés.

Art. 1290. – La compensation s'opère de plein droit par la seule force de la loi, même à l'insu des débiteurs ; les deux dettes s'éteignent réciproquement, à l'instant où elles se trouvent exister à la fois, jusqu'à concurrence de leurs quotités respectives.

Art. 1291. – La compensation n'a lieu qu'entre deux dettes qui ont également pour objet une somme d'argent, ou une certaine quantité de choses fongibles de la même espèce et qui sont également liquides et exigibles.

Les prestations en grains et denrées, non contestées, et dont le prix est réglé par les mercuriales, peuvent se compenser avec des sommes liquides et exigibles.

Art. 1292. – Le terme de grâce n'est point un obstacle à la compensation.

Art. 1293. – La compensation a lieu, quelles que soient les causes de l'une ou l'autre des dettes, excepté dans le cas :

1° De la demande en restitution d'une chose dont le propriétaire a été injustement dépouillé ;

2° De la demande en restitution d'un dépôt et du prêt à usage ;

3° D'une dette qui a pour cause des aliments déclarés insaisissables.

---

(61) P. Esmein, *Essai sur la théorie juridique du compte courant* : RTD civ. 1920, 79. – R. Desgorces, *Relecture de la théorie du compte courant* : RTD com. 1997, p. 383.

(62) G. Dubosc, *La compensation et les droits des tiers*, préf. J.-L. Mouralis : LGDJ, 1989.

Art. 1294. – La caution peut opposer la compensation de ce que le créancier doit au débiteur principal ;

Mais le débiteur principal ne peut opposer la compensation de ce que le créancier doit à la caution.

Le débiteur solidaire ne peut pareillement opposer la compensation de ce que le créancier doit à son débiteur.

Art. 1295. – Le débiteur qui a accepté purement et simplement la cession qu'un créancier a faite de ses droits à un tiers ne peut plus opposer au cessionnaire la compensation qu'il eût pu, avant l'acceptation, opposer au cédant.

À l'égard de la cession qui n'a point été acceptée par le débiteur, mais qui lui a été signifiée, elle n'empêche que la compensation des créances postérieures à cette notification.

Art. 1296. – Lorsque les deux dettes ne sont pas payables au même lieu, on n'en peut opposer la compensation qu'en faisant raison des frais de la remise.

Art. 1297. – Lorsqu'il y a plusieurs dettes compensables dues par la même personne, on suit, pour la compensation, les règles établies pour l'imputation par l'article 1256.

Art. 1298. – La compensation n'a pas lieu au préjudice des droits acquis à un tiers. Ainsi celui qui, étant débiteur, est devenu créancier depuis la saisie faite par un tiers entre ses mains ne peut, au préjudice du saisissant, opposer la compensation.

Art. 1299. – Celui qui a payé une dette, qui était, de droit, éteinte par la compensation, ne peut plus, en exerçant la créance dont il n'a point opposé la compensation, se prévaloir, au préjudice des tiers, des privilèges ou hypothèques qui y étaient attachés, à moins qu'il n'ait eu une juste cause d'ignorer la créance qui devait compenser sa dette.

868. – Conditions positives. Les créances doivent être *réciproques* entre les mêmes personnes. Par exemple, une société ne peut pas compenser sa dette envers son salarié avec une dette de ce dernier envers une filiale de la société[(63)].

Elles doivent être *fongibles* entre elles, c'est-à-dire porter sur des choses de même nature, pouvant être indifféremment remplacées les unes par les autres[(64)]. La fongibilité des créances réciproques enlève ainsi tout intérêt à leur exécution. L'exemple-type est celui des créances de sommes d'argent qui, en pratique, sont le domaine d'élection de la compensation : rien n'est plus simple que de soustraire l'une de l'autre.

Elles doivent, pour la même raison, être *liquides*, c'est-à-dire à la fois certaines dans leur principe et déterminées dans leur montant. On ne peut en effet comparer que ce qui est chiffré avec certitude. Par exemple, une créance de dommages-intérêts n'est pas liquide tant que le jugement de condamnation n'est pas rendu[(65)].

Elles doivent être *exigibles*[(66)], c'est-à-dire arrivées à terme, car le paiement, et donc la compensation d'une dette, ne peut être exigé du débiteur avant l'échéance. Toutefois, le délai de grâce obtenu par un débiteur devant le tribunal ne fait pas obstacle à la compensation (C. civ., art. 1292).

En pratique, il est fréquent que l'une ou l'autre de ces deux dernières conditions ne soit pas remplie, auquel cas la compensation ne se produit pas de plein droit.

(63) Paris, 29 nov. 1962 : *D.* 1963, 649 et note Verdier. – Cass. com., 28 mai 1991 : *Bull. civ.* 1991, IV, n° 182. Il n'en irait différemment que s'il y avait en réalité « confusion de patrimoines » entre les différentes sociétés du groupe : Cass. com., 9 mai 1995 : *D.* 1996, 322 et note G. Loiseau. – V. aussi Cass. soc., 5 déc. 2012. – Cass. com., 5 févr. 2013 : *JCP* 2013, I, 897, n° 9, obs. G. Loiseau.

(64) Cass. 1re civ., 10 juin 1987 : *Bull. civ.* 1987, I, n° 187 ; *JCP* 1987, IV, 283.

(65) Cass. soc., 16 nov. 1988 : *Bull. civ.* 1988, V, n° 605. En revanche, les Principes du droit européen du contrat ne font pas de la liquidité des créances une condition de la compensation. Des créances mêmes incertaines dans leur existence ou leur montant, peuvent se compenser (PEDC, art. 13-101 et 13-102).

(66) J.-Ch. Boulay, *Réflexion sur la notion d'exigibilité de la créance* : *RTD com.* 1990, 339.

En pareil cas, il appartient à celui qui voudrait bénéficier de la compensation d'en demander le bénéfice au juge : il s'agit alors d'une compensation, non plus légale, mais judiciaire (V. *infra*, n° 871).

869. – Conditions négatives. Les conditions positives seraient-elles remplies, certaines créances échappent encore à la compensation.

L'article 1293 dresse en effet une liste d'exceptions qui sont autant de conditions négatives. Il en est ainsi notamment des *créances insaisissables* entre lesquelles il n'est pas possible de compenser ; dans le même esprit, le Code du travail interdit en principe la compensation entre le salaire dû à l'ouvrier et les fournitures qui lui ont été faites par l'employeur. De même, pour des raisons de moralité, un créancier ne peut opposer la compensation à celui qui demande la restitution soit d'un bien dont il a été injustement dépouillé, soit d'un dépôt ou d'un prêt à usage.

D'autres textes écartent le jeu de la compensation postérieurement au jugement d'ouverture de la procédure de redressement ou de liquidation judiciaire des entreprises (C. com., art. L. 622-7). En effet il s'agit là d'une procédure collective dans laquelle tous les créanciers sont sur un pied d'égalité ; permettre la compensation à l'un d'eux serait lui conférer un privilège. Il n'y est fait exception qu'en cas de *dettes connexes*, issues du même contrat[67] (C. com., art. L. 622-7, al. 1er). Toutefois, si les conditions de la compensation légale étaient réunies avant le commencement de la procédure collective, la compensation s'est opérée de plein droit (V. *infra*, n° 870) même s'il n'y avait aucune connexité entre les dettes réciproques[68].

De même, la compensation est impossible avec une créance qui a fait l'objet d'une saisie avant que ne soient réunies les conditions de la compensation (art. 1298)[69].

Enfin, il est également interdit de compenser avec l'État, pour des motifs tenant à l'organisation administrative ; cette raison explique que la compensation redevienne possible lorsque les dettes réciproques concernent un seul et même service[70].

870. – Effets de la compensation légale. La compensation légale produit un *effet extinctif* : elle éteint les dettes réciproques à concurrence de la plus faible, ce qui équivaut à un *double paiement* ; corrélativement, elle entraîne *l'extinction des sûretés* attachées aux dettes, ce que le Code civil prévoit explicitement au profit de la caution (C. civ., art. 1294). S'il y a pluralité de dettes compensables, on appliquera les règles relatives à l'imputation des paiements (V. *infra*, n° 875).

Selon l'article 1290, cet effet est *automatique* : « La compensation s'opère de plein droit par la seule force de la loi, même à l'insu des débiteurs ; les deux dettes s'éteignent réciproquement, à l'instant où elles se trouvent exister à la fois, jusqu'à concurrence de leurs quotités respectives. » Il en va ainsi même si les dettes ne sont pas connexes[71].

(67) Cass. com., 2 mars 1993 : *D.* 1993, 426, 1re esp. et note M. Pédamon. – M. Pédamon et O. Carmet, *La compensation dans les procédures collectives de règlement du passif* : *D.* 1976, chron. 123. – G. Dubosc, *La compensation et les droits des tiers* : LGDJ, 1989. – J.-F. Montredon, *La compensation de dettes connexes après le jugement déclaratif peut-elle survivre à la loi du 25 janvier 1985 ?* : *JCP* 1991, I, 3480. – J.-Ch. Ranc, *La compensation pour dettes connexes dans les procédures collectives* : thèse Paris II, 1996.

(68) Cass. com., 18 févr. 1975 : *Bull. civ.* 1975, IV, n° 50. – Cass. com., 8 janv. 2002 : *RTD civ.* 2002, 302, obs. J. Mestre et B. Fages. – Encore faut-il que le créancier ait déclaré sa créance à la procédure collective : Cass. com., 1er oct. 2013, n° 12-23102. – Encore faut-il que la condition de réciprocité soit réunie : Cass. com., 5 févr. 2013 : *JCP* E 2013, 1259, note C. Lebel.

(69) P. Japy, *Des effets limités de la compensation selon l'article 1298 du Code civil* : *Gaz. Pal.* 1977, 1, doctr. 303.

(70) Ch. Meyer, *La compensation en matière fiscale, la mise en ordre du Conseil d'État* : *AJPI* 1997, 552.

(71) Cass. com., 8 janv. 2002 : *RTD civ.* 2002, 302. – Cass. com., 27 sept. 2011 : *RTD civ.* 2011, 764, obs. B. Fages.

Cette automaticité se vérifie sur trois points :

• la compensation joue même contre les incapables ;

• elle produit son effet le jour où ses conditions étaient réunies, non le jour, par définition plus tardif, où elle a été invoquée ; il s'ensuit que, si les conditions de la compensation étaient réunies avant le jugement prononçant l'ouverture d'une procédure collective de redressement judiciaire, la compensation peut être invoquée même après le jugement parce qu'elle s'est produite de plein droit(72) ; de même la compensation interrompt la prescription du jour où les conditions sont réunies(73) ;

• en cas de renonciation à la compensation, la créance renaît avec ses sûretés, mais celles-ci ne peuvent plus être opposées aux tiers (C. civ., art. 1299)(74).

Toutefois, en dépit de la formule très forte de l'article 1290, l'automaticité souffre de larges exceptions :

• d'une part, il n'y aura compensation que si l'une des parties en invoque le bénéfice, car le juge ne peut pas relever le moyen d'office(75) ; on peut ainsi dire que, même légale ou judiciaire, la compensation est toujours volontaire, en ce sens qu'elle ne se déclenche pas automatiquement mais par la volonté de celui qui en demande l'application(76) ;

• d'autre part, il est toujours loisible d'y renoncer, expressément ou tacitement : c'est le cas de celui qui paie volontairement une dette compensable, de celui qui n'oppose pas la compensation à une demande en paiement, ou encore de celui qui acquiesce à la cession d'une dette compensable (C. civ., art. 1295).

En revanche, l'automaticité est écartée dans les projets européens. Les Principes Lando, ceux d'Unidroit et l'avant-projet de Pavie exigent que la compensation soit *notifiée à l'autre partie* (PDEC, art. 13.104 ; Unidroit, art. 8.3), qu'elle soit *réclamée par une déclaration inconditionnelle* et sans délai communiquée à l'autre partie ou formulée en justice (Pavie, art. 132).

871. – La compensation conventionnelle et la compensation judiciaire. Si la loi ne prévoit pas la *compensation conventionnelle*, elle ne l'interdit pas non plus. Dès lors, le principe de l'autonomie de la volonté conduit à dire qu'elle est possible, dans la limite où elle ne contrevient pas à l'ordre public. Par suite, deux débiteurs réciproques sont libres de convenir que leurs dettes se compenseront, même si elles ne répondent pas aux conditions exigées pour la compensation légale(77). Il en va de même dans les projets européens. En effet, si la compensation conventionnelle

(72) Cass. com., 6 déc. 1978 : *Bull. civ.* 1978, IV, n° 296. – Cass. com., 29 nov. 1988 : *Bull. civ.* 1988, IV, n° 325 ; *D.* 1989, somm. 235, obs. J.-L. Aubert. – Cass. com., 22 févr. 1994 : *JCP* 1994, II, 22267, rapp. Rémery ; *D.* 1995, 27, note Honorat et Romani. – Cass. 1re civ., 25 mai 2004 : *Bull. civ.* 2004, I, n° 143, p. 118. – Cass. com., 27 sept. 2011 : *RTD civ.* 2011, 764, obs. B. Fages.

(73) Cass. com., 30 mars 2005 : *D.* 2005, 1024, obs. E. Chevrier ; *LPA* 18 mai 2005, p. 14 et note J.-P. Tosi ; *Defrénois* 2005, 1, 1249, art. 38207, n° 58, obs. R. Libchaber ; *RDC* 2005, p. 1021, obs. Ph. Stoffel-Munck (solution qui revient sur Cass. com., 6 févr. 1996 : *Bull. civ.* 1996, IV, n° 42 ; *D.* 1998, 87 et note G. Brémond ; *D.* 1996, somm. 336, obs. Ph. Delebecque ; *RTD com.* 1996, 518, obs. B. Bouloc).

(74) Ph. Drakidis, *Des effets à l'égard des tiers, de la renonciation à la compensation acquise* : *RTD civ.* 1955, 238. – P. Japy, *Des effets limités de la compensation selon l'article 1298 du Code civil*, préc. – G. Dubosc, *La compensation et les droits des tiers* : LGDJ, 1989.

(75) N'étant pas d'ordre public, la compensation ne peut être invoquée pour la première fois devant la Cour de cassation : Cass. 1re civ., 6 mai 1969 : *Bull. civ.* 1969, I, n° 166.

(76) A. Colin, *Du caractère volontaire du déclenchement de la compensation* : *RTD civ.* 2010, 229.

(77) Cass. soc., 18 déc. 1967 : *JCP* 1968, IV, 14. – A.M. Toledo, *La compensation conventionnelle. Contribution plus particulièrement à la recherche de la nature juridique de la compensation conventionnelle* in futurum : *RTD civ.* 2000, 265.

n'est visée expressément ni par les Principes Lando ni par les Principes Unidroit, les commentaires officiels de ces principes tout comme l'avant-projet de Pavie (Pavie, art. 132.6) précisent qu'il est évident que la compensation peut avoir lieu par la volonté des parties même lorsque les conditions prévues par les dispositions précédentes ne sont pas remplies.

La *compensation judiciaire*[78] est apparue dans d'autres circonstances. À l'occasion d'une demande en paiement formulée par un créancier, il arrive que le débiteur invoque à titre de compensation une créance réciproque non encore liquidée, découlant, par exemple d'une demande en dommages-intérêts en cours d'instance judiciaire. En pareil cas, le juge peut être invité à liquider la créance litigieuse et à l'admettre en compensation de la créance réciproque préexistante[79]. C'est à cette opération qu'on donne le nom de compensation judiciaire ; elle est facultative pour le juge, à moins que les dettes ne soient connexes.

S'il y a connexité, le juge ne peut écarter la demande en compensation au motif que l'une d'entre elles ne réunit pas les conditions de liquidité et d'exigibilité requises ; il est tenu de constater le principe de cette compensation, sauf à ordonner toutes mesures pour parvenir à l'apurement des comptes[80]. Et, suivant la jurisprudence, il y a connexité lorsque les deux créances découlent du même rapport de droit[81] ou encore d'un même « ensemble contractuel »[82]. La compensation jouera ici, même postérieurement à l'ouverture d'une procédure collective de redressement ou liquidation judiciaire[83] (C. com., art. L. 622-7, al. 1er) ; elle produit alors effet rétroactivement. En effet, suivant la jurisprudence de la chambre commerciale[84], à laquelle s'est ralliée la première chambre civile[85], en présence de créances réciproques connexes, l'effet extinctif de la compensation judiciairement ordonnée est réputé s'être produit au jour de l'exigibilité de la première créance.

S'il n'y a pas connexité, le juge est libre de prononcer ou non la compensation[86], laquelle est toutefois écartée en cas de procédure collective affectant l'une des parties.

Sur ce point le droit français diffère des projets européens. En effet, les Principes Lando ne distinguent pas compensation judiciaire et compensation légale ; la compensation ne se produit jamais de plein droit, elle s'opère toujours par la notification d'une partie. En outre, le recours à la compensation judiciaire et à la compensation

(78) F. Chabas, *Réflexions sur la compensation judiciaire* : *JCP* 1966, I, 2026.

(79) S'il est saisi d'une demande principale et d'une demande reconventionnelle, en paiement de sommes d'argent, le juge doit « se prononcer sur chacune des deux demandes, principale et reconventionnelle,... avant de procéder, le cas échéant, à la compensation entre créances réciproques » : Cass.1re civ., 8 mars 2012, p. n° 10-21.239.

(80) Cass. 1re civ., 18 janv. 1967 : *D.* 1967, 358 et note J. Mazeaud ; *JCP* 1967, II, 15005 *bis*, obs. J.A. – Cass. 1re civ., 25 oct. 1972 : *JCP* 1973, II, 17498, obs. J. Ghestin. – Cass. com., 17 mai 1989 : *JCP* 1989, IV, 266.

(81) Cass. com., 4 juill. 1973 : *D.* 1974, 425 et note J. Ghestin. – Cass. com., 20 janv. 1987 : *Bull. civ.* 1987, IV, n° 22. – Cass. com., 2 mars 1993 : *JCP* 1993, II, 22169 ; *D.* 1993, 426, 1re esp., et note M. Pédamon.

(82) Cass. com., 5 avr. 1994 : *Bull. civ.* 1994, IV, n° 142. – Cass. com., 9 mai 1995 : *JCP* 1995, II, 22448 et note Rémery ; *D.* 1996, 322 et note G. Loiseau. – Pas de connexité entre une dette délictuelle et une dette contractuelle : Cass. com., 18 déc. 2012 : *JCP* 2013, I, 897, obs. G. Loiseau.

(83) V. par ex. Cass. com., 2 mars 1993, préc. – Cass. com., 28 sept. 2004 : *RD bancaire et fin.* 2005, n° 58, obs. F.-X. Lucas. – Cass. com., 28 avr. 2009 : *D.* 2009, act. jurispr. 1353. – Cass. com., 30 juin 2009 : *D.* 2009, act. jurispr. 1892 ; *RTD civ.* 2009, 721, obs. B. Fages. – Sur l'obligation de déclarer la créance à la procédure collective : Cass. com., 3 mai 2011 : *RTD civ.* 2012, 1573, obs. P. Crocq. – Cass. com., 19 juin 2012 : *D.* 2012, 1669.

(84) Cass. com., 20 févr. 2007, cité par B. Fages : *RTD civ.* 2007, 570.

(85) Cass. 1re civ., 25 nov. 2009, n° 08-19.791 : *D.* 2009, act. jurispr., obs. S. de la Touanne.

(86) Cass. 2e civ., 14 juin 1989 : *JCP* 1989, IV, 302. – Cass. 1re civ., 30 juin 1993 : *Bull. civ.* 1993, I, n° 235.

de dettes connexes est largement inutile puisque les Principes Lando admettent la compensation de dettes non encore liquides. En revanche, les Principes Unidroit, qui à la différence des premiers maintiennent la condition de liquidité de la créance, admettent logiquement la compensation des dettes issues d'un même contrat alors même qu'elles ne seraient pas encore certaines dans leur existence ou dans leur montant[(87)].

872. – **La compensation dans l'avant-projet de réforme du droit des obligations.** Comme les Projets Catala[(88)] et Terré[(89)], l'avant-projet de réforme considère la compensation plus comme un mode d'extinction de l'obligation que comme une forme particulière de paiement. En atteste le fait qu'il traite de la compensation (art. 218 et s.), au même titre que le paiement, après la remise de dette et avant la confusion, dans le chapitre relatif à l'extinction des obligations. Toutefois, en cas de pluralité de dettes compensables, l'avant-projet renvoie aux règles d'imputation du paiement (art. 222). Sur le fond, et de manière générale, l'avant-projet de réforme est très inspiré du Projet Terré.

La distinction des trois sortes de compensation, légale, judiciaire et conventionnelle, n'est pas explicitement annoncée, à la différence du Projet Catala (art. 1241) ; mais elle demeure au fond.

Les quatre conditions de la compensation légale demeurent : la réciprocité, la fongibilité, la liquidité et l'exigibilité des créances sont nécessaires (art. 218 et 219), étant précisé que le terme de grâce n'y fait pas obstacle (art. 221). L'exception relative à la connexité est reconduite (art. 228) et l'avant-projet rappelle que certaines créances ne peuvent se compenser (art. 220).

Les effets que la compensation produit en droit positif sont repris avec quelques modifications : la compensation a un effet extinctif de l'obligation et de ses accessoires (art. 218). La date de cet effet varie suivant le type de compensation. La compensation légale, même si elle doit être invoquée par le débiteur, produit son effet extinctif dès que ses conditions sont réunies (art. 223)[(90)]. La compensation judiciaire opère quant à elle à la date de la décision de justice (art. 227). Enfin, la compensation conventionnelle produit effet à la date de l'accord des parties ou, s'il s'agit d'obligations futures, à la date de leur coexistance (art. 229). Le fonctionnement de la compensation au profit du débiteur cédé (art. 224), de la caution ou du codébiteur solidaire (art. 225) est précisé.

Sous-section 1 : **Règles générales**

Art. 218. – La compensation est l'extinction simultanée d'obligations réciproques entre deux personnes.

Art. 219. – Sous réserve des règles particulières prévues à la sous-section suivante, la compensation n'a lieu qu'entre deux obligations fongibles, liquides et exigibles.

(87) Unidroit, art. 8.1, V. comm. ss cet article, spéc. n°s 7 et 8.

(88) Sur la compensation dans le projet Catala, V. J. François et R. Libchaber, *Extinction des obligations*, in *Avant-projet de réforme du droit des obligations et de la prescription, Exposé des motifs* : La Documentation française, 2006, p. 67, spéc. p. 69.

(89) Sur quoi, V. D.-R. Martin, *De la libération du débiteur*, préc., p. 104 et s.

(90) L'avant-projet écarte ainsi l'expression ambiguë du Code civil selon lequel la compensation a lieu « de plein droit ».

Sont fongibles les obligations de somme d'argent, même en différentes devises, pourvu qu'elles soient convertibles, ou celles qui ont pour objet une quantité de choses de même genre.

Art. 220. – Les créances insaisissables et les obligations de restitution d'un dépôt, d'un prêt à usage ou d'une chose dont le propriétaire a été injustement dépouillé ne sont compensables que si le créancier y consent.

Art. 221. – Le délai de grâce ne fait pas obstacle à la compensation.

Art. 222. – S'il y a plusieurs dettes compensables, les règles d'imputation des paiements sont transposables.

Art. 223. – La compensation éteint les obligations à due concurrence, à la date où ses conditions se trouvent réunies.

Art. 224. – Le débiteur qui a accepté sans réserve la cession de la créance ne peut opposer au cessionnaire la compensation qu'il eût pu opposer au cédant.

Article 225. – Le codébiteur solidaire et la caution peuvent opposer au créancier la compensation intervenue entre ce dernier et leur coobligé.

Art. 226. – La compensation ne préjudicie pas aux droits acquis par des tiers.

Sous-section 2 : **Règles particulières**

§ 1. – Règles particulières à la compensation judiciaire

Art. 227. – La compensation peut être prononcée en justice, même si l'une des obligations n'est pas encore liquide ou exigible. À moins qu'il n'en soit décidé autrement, la compensation produit alors ses effets à la date de la décision.

Art. 228. – Le juge ne peut refuser la compensation de dettes connexes aux seuls motifs que l'une des obligations ne serait pas liquide ou exigible.

Dans ce cas, la compensation est réputée s'être produite au jour où les créances ont coexisté.

Dans le même cas, l'acquisition de droits par un tiers sur l'une des obligations n'empêche pas son débiteur d'opposer la compensation.

§ 2. – Règles particulières à la compensation conventionnelle

Art. 229. – Les parties peuvent librement convenir d'éteindre toutes obligations réciproques, présentes ou futures, par une compensation ; celle-ci prend effet à la date de leur accord ou, s'il s'agit d'obligations futures, à celle de leur coexistence.

§ 3. – Les modalités de paiement

A. – Le temps du paiement

873. – **Applications pratiques : espèces, chèque, virement.** À défaut de clause contraire, le paiement est exigible sur-le-champ, car on sous-entend qu'il a été stipulé comptant. Si au contraire, il a été fixé un terme, le paiement sera reporté à l'échéance (V. *supra*, n° 437).

En ce qui concerne le moment du paiement, une difficulté a surgi à propos des paiements par *chèque*. Pour apprécier si le paiement a été fait à temps ou non, faut-il s'attacher au moment où le chèque a été envoyé par le débiteur, reçu par le créancier, ou effectivement encaissé par ce dernier ou son banquier ? Il ne s'agit pas là d'une question d'école ; sa solution a un intérêt évident chaque fois que le retard est sanctionné par une pénalité ou une déchéance, par exemple, en matière fiscale, en sécurité sociale ou en assurance.

La solution traditionnelle est que la simple remise d'un chèque ne vaut pas paiement ; celui-ci s'accomplit seulement au jour de l'encaissement effectif par le bénéficiaire ou son banquier. Incontestable sur le plan du droit, cette solution n'est pas sans inconvénient dans la mesure où le retard peut être le fait du créancier qui, ayant reçu le chèque à temps, ne l'aura présenté à l'encaissement qu'après l'expiration du terme. Pour éviter au débiteur de subir alors des pénalités ou déchéances qui ne lui seraient pas imputables, la jurisprudence considère que le débiteur est réputé avoir acquitté sa dette à la date de la remise du chèque, sous réserve qu'il soit ultérieurement honoré(91).

En revanche, un virement ne vaut paiement qu'au jour de l'inscription de son montant au compte du bénéficiaire(92), ou au jour de la réception des fonds par le banquier du bénéficiaire qui les détient pour le compte de son client(93).

De nouvelles difficultés surgissent aujourd'hui relativement à de nouveaux modes de paiement consécutifs au développement de la technique(94).

En pratique, les termes fixés ne sont pas toujours respectés ; en matière contractuelle, le retard n'est en principe condamnable qu'à partir de la mise en demeure d'exécuter (V. *supra*, n°s 760 et 761), tandis qu'en matière délictuelle, il faudra attendre le jour du jugement pour que la créance soit liquidée.

À cela, il faut ajouter que le juge peut accorder au débiteur des délais de grâce allant jusqu'à deux ans (V. *supra*, n°s 511 et s., à propos de ces délais, de la suspension provisoire des poursuites, et des moratoires).

Le projet de réforme reprend ces solutions relatives au temps du paiement sans se prononcer sur les questions relatives au paiement par chèque ou virement bancaire (art. 201).

B. – Le lieu du paiement

874. – Paiement quérable ou portable ? Bien que secondaire sur un plan théorique, la question du lieu du paiement peut à l'occasion présenter des intérêts pratiques importants.

Par exemple, pour la compétence territoriale en matière contractuelle, le tribunal du lieu de la livraison effective de la chose ou du lieu de l'exécution de la prestation de service – c'est-à-dire du lieu du paiement – est l'une des options possibles ouvertes au demandeur. Et lorsque le paiement consiste dans la livraison d'une chose, le lieu du paiement désigne celui de la livraison ; suivant que cette livraison aura lieu chez le client ou chez le fournisseur, la charge des frais de transport sera ou non incluse dans le prix fixé au contrat.

Le choix du lieu du paiement est laissé à la latitude des parties(95).

---

(91) CE, 25 nov. 1968 : *JCP* 1970, II, 16337, obs. M. Cozian. – Cass. 1re civ., 2 déc. 1968 : *JCP* 1969, II, 15775, concl. R. Lindon et note A. Besson. – Cass. soc., 17 mai 1972 : *D.* 1973, 129 et note Ch. Gavalda. – Cass. soc., 11 janv. 1973 : *Gaz. Pal.* 1973, 1, 345 et note Juttard. – Cass. 3e civ., 20 févr. 1991 : *Bull. civ.* 1991, III, n° 62. – Cass. 3e civ., 1er juill. 2009 : *Contrats, conc. consom.* 2009, comm. 242, obs. L. Leveneur. – G. Durry, *Le « paiement » de la prime d'assurance au moyen d'un chèque sans provision : JCP* 1984, I, 3161.

(92) Cass. 1re civ., 23 juin 1993 ; *D.* 1994, 27 et note D. Martin. Cette solution a été reprise à propos d'un virement qui avait été inscrit au compte du bénéficiaire le jour même de l'ouverture de son règlement judiciaire, si bien que le banquier ne pouvait plus opérer de compensation avec sa propre créance : Cass. com., 18 sept. 2007 : *D.* 2007, act. jurispr. 2464, obs. V. Avena-Robardet.

(93) Cass. com., 3 févr. 2009 : *D.* 2009, act. jurispr., obs. V. Avena-Robardet ; *JCP* 2009, II, 10045 et note J.J. Barbièri ; *Contrats, conc. consom.* 2009, comm. 95, obs. L. Leveneur.

(94) Th. Verbiest et E. Wéry, *Commerce électronique par téléphonie mobile (m.commerce) : un cadre juridique mal défini : D.* 2004, chron. 2981.

(95) Cass. 1re civ., 25 janv. 1961 : *Bull. civ.* 1961, I, n° 62.

Art. 1247. – (Ord. n° 58-1298, 23 déc. 1958, art. 35) Le payement doit être exécuté dans le lieu désigné par la convention. Si le lieu n'y est pas désigné, le payement, lorsqu'il s'agit d'un corps certain et déterminé, doit être fait dans le lieu où était, au temps de l'obligation, la chose qui en fait l'objet.

Les aliments alloués en justice doivent être versés, sauf décision contraire du juge, au domicile ou à la résidence de celui qui doit les recevoir.

Hors ces cas, le paiement doit être fait au domicile du débiteur.

À défaut de stipulation conventionnelle sur ce point, la loi précise, dans l'article 1247 du Code civil, des règles destinées à pallier le silence des parties. Le principe est alors que le créancier doit aller chercher son paiement au domicile du débiteur ; on dit que le paiement est *quérable*(96). L'article 1247 y fait exception dans deux cas : pour les dettes alimentaires qui doivent être portées (le paiement est *portable*) au domicile du créancier(97) ; pour les corps certains ou choses non fongibles dont livraison doit être prise là où ils se trouvent. La mise en demeure ne change pas le caractère quérable du paiement(98).

Les Principes élaborés par la commission Lando ainsi que l'avant-projet de Code européen des contrats de l'Académie de Pavie opèrent quant à eux une distinction selon que la dette est une dette de somme d'argent ou non : à défaut de stipulation conventionnelle, le paiement d'une dette de somme d'argent est portable alors que les autres dettes doivent être payées au domicile, au lieu d'établissement du débiteur(99).

L'avant-projet de réforme reprend cette distinction : l'article 191, qui figure parmi les dispositions générales, dispose que « à défaut d'une autre désignation par la loi, le juge ou le contrat, le paiement de l'obligation doit être fait au domicile du débiteur » ; l'article 200, disposition particulière aux obligations de sommes d'argent, précisant quant à lui que, « à défaut d'une autre désignation par la loi, le juge ou le contrat, le lieu du paiement de l'obligation de somme d'argent est le domicile du créancier ».

C. – L'imputation des paiements

875. – **Pluralité de dettes. Comment imputer un paiement ?** La question de l'imputation des paiements se pose lorsqu'un débiteur, tenu de plusieurs dettes différentes à l'égard du même créancier, effectue un paiement insuffisant pour les éteindre toutes. Sur quelle dette faut-il imputer le paiement intervenu ?

Ce problème – qui peut se présenter, par exemple, entre des commerçants en rapports d'affaires ou entre un banquier et son client – présente un intérêt pratique lorsque les diverses dettes portent un intérêt différent ou sont assorties de sûretés inégales. Diverses règles sont posées par les articles 1253 à 1256 du Code civil(100), mais ces règles ne sont que supplétives de volonté et les parties peuvent y déroger, même implicitement(101).

Art. 1253. – Le débiteur de plusieurs dettes a le droit de déclarer, lorsqu'il paye, quelle dette il entend acquitter.

(96) Tel est notamment le cas des loyers qui sont quérables et non portables : Cass. 3e civ., 24 nov. 2004 : *JCP* 2005, II, 10048 et note G. Kessler.

(97) Ch. Boullez, *Les créances portables* : *Gaz. Pal.* 3-7 avr. 1994, doctr.

(98) Cass. com., 16 avr. 2013 : *JCP* 2013, I, 897, n° 6, obs. G. Loiseau.

(99) PDEC, art. 7.101.

(100) J. Vallansan, *L'application des règles d'imputation des paiements* : *Defrénois* 1989, 1, 321, art. 34466.

(101) Cass. 1re civ., 29 oct. 2002 : *Bull. civ.* 2002, I, n° 252, p. 193 (prise en considération des décomptes produits par le créancier dont il résulte que les parties ont affecté les versements du débiteur sur les échéances les plus récentes).

Art. 1254. – Le débiteur d'une dette qui porte intérêt ou produit des arrérages, ne peut point, sans le consentement du créancier, imputer le paiement qu'il fait sur le capital par préférence aux arrérages ou intérêts ; le paiement fait sur le capital et intérêts, mais qui n'est point intégral, s'impute d'abord sur les intérêts.

Art. 1255. – Lorsque le débiteur de diverses dettes a accepté une quittance par laquelle le créancier a imputé ce qu'il a reçu sur l'une de ces dettes spécialement, le débiteur ne peut plus demander l'imputation sur une dette différente, à moins qu'il n'y ait eu dol ou surprise de la part du créancier.

Art. 1256. – Lorsque la quittance ne porte aucune imputation, le paiement doit être imputé sur la dette que le débiteur avait pour lors le plus d'intérêt d'acquitter entre celles qui sont pareillement échues ; sinon, sur la dette échue, quoique moins onéreuse que celles qui ne le sont point.

Si les dettes sont d'égale nature, l'imputation se fait sur la plus ancienne ; toutes choses égales, elle se fait proportionnellement.

1° Le principe est que le débiteur de plusieurs dettes est libre de choisir l'imputation de son paiement (C. civ., art. 1253). Il aura donc intérêt à choisir d'imputer d'abord sur la dette la plus lourde par son taux d'intérêt ou par ses sûretés.

Cette liberté du débiteur souffre cependant quelques réserves légitimes (C. civ., art. 1254). Ainsi, le débiteur doit-il imputer son paiement en premier sur les dettes échues avant celles qui ne le sont pas encore, et sur les intérêts de la dette avant le capital. Il doit en outre imputer d'abord sur les dettes égales ou inférieures au montant du paiement, plutôt que sur celles supérieures ; sinon il y aurait un paiement partiel contraire à la règle de l'indivisibilité (V. *supra*, n° 860).

2° Si le débiteur n'a pas usé de l'option qui lui est offerte, le créancier peut faire lui-même l'imputation dans la *quittance*. En fait, il s'agit là d'une imputation conventionnelle car elle suppose l'acquiescement du débiteur. Ainsi, si le débiteur a accepté la quittance, il ne pourra se plaindre de l'imputation choisie par le créancier qu'en cas de dol (C. civ., art. 1255).

3° Enfin, à défaut d'imputation fixée par le débiteur ou le créancier, la loi pose dans l'article 1256 des règles supplétives(102).

876. – **Imputation des paiements dans l'avant-projet de réforme du droit des obligations.** Alors que le Projet Catala avait pour l'essentiel repris les solutions positives (art. 1228 et s.), l'avant-projet de réforme innove sur certains points, en s'inspirant du Projet Terré (art. 69)(103).

Art. 195. – Le débiteur de plusieurs dettes de même nature peut indiquer, lorsqu'il paie, celle qu'il entend acquitter.

À défaut d'indication par le débiteur, l'imputation a lieu comme suit : d'abord sur les dettes échues ; parmi celles-ci, sur les dettes que le débiteur avait le plus d'intérêt d'acquitter. À égalité d'intérêt, l'imputation se fait sur la plus ancienne ; toutes choses égales, elle se fait proportionnellement.

Art. 197. – Lorsque l'obligation de somme d'argent porte intérêt, le débiteur se libère en versant le principal et les intérêts. Le paiement partiel s'impute d'abord sur les intérêts.

D. – La preuve du paiement

1° Charge de la preuve

877. – **La charge de la preuve incombe au débiteur.** En cas de contestation sur le paiement, c'est-à-dire sur l'exécution de l'obligation, le principe est

(102) Le créancier ne peut contourner les dispositions de texte : Cass. 3e civ., 12 juin 2014, n° 13-18595.
(103) D.-R. Martin, *De la libération du débiteur*, préc., p. 93 et s.

qu'il appartient au débiteur de démontrer qu'il a acquitté sa dette : « Celui qui réclame l'exécution d'une obligation doit la prouver. Réciproquement, celui qui se prétend libéré doit justifier le paiement ou le fait qui a produit l'extinction de son obligation » (C. civ., art. 1315)[104]. Le fardeau de la preuve est en fait plus ou moins lourd suivant que l'obligation accomplie est de moyens ou de résultat[105].

Si le débiteur a promis une *obligation de résultat*, par exemple payer une somme d'argent, le principe joue à plein : il doit prouver qu'il a atteint le résultat.

Si, au contraire, l'obligation promise était *de moyens*, donc susceptible d'une exécution plus ou moins bonne en qualité, le principe s'atténue : le débiteur doit prouver le fait matériel de l'exécution, mais c'est au créancier qu'il appartient de démontrer que cette exécution est mauvaise.

Signalons qu'à ces règles, il est apporté une exception : il y a présomption de paiement en cas de remise volontaire du titre de créance au débiteur (C. civ., art. 1282 et projet de réforme, art. 194 ; V. *infra*, n° 908).

2° Modes de preuve[106]

878. – Preuve écrite : la quittance. Dans l'opinion dominante, on considère que le paiement, s'il n'est pas une convention, est en tout cas un acte juridique[107] et qu'à ce titre il est donc soumis à la règle de la preuve écrite (V. *supra*, n°s 367 et s.). En outre, et quelle que soit la nature juridique du paiement, on observera que la règle de la preuve écrite figure dans le Code civil sous l'intitulé « De la preuve des obligations et de celle du paiement ». Aussi bien la Cour de cassation a-t-elle longtemps décidé que celui qui excipe du paiement d'une somme d'argent doit en rapporter la preuve conformément aux règles édictées par les articles 1341 et suivants[108]. Cette solution traditionnelle a été renversée par un arrêt de la première chambre civile qui pose désormais en principe que « la preuve du paiement, qui est un fait, peut être rapportée par tous moyens »[109] ; depuis lors la deuxième chambre civile a retenu la même solution[110]. Comme le Projet Catala (art. 1231), l'avant-projet de réforme se prononce dans le même sens dans son article 193 : « le paiement se prouve par tous moyens ». Cependant, pour prévenir tout litige, le débiteur a intérêt à exiger du créancier un titre prouvant qu'il a bien exécuté ce qui était promis.

Ce titre revêt des formes différentes suivant que la dette avait pour objet une somme d'argent ou une prestation en nature.

---

(104) Sur la preuve dans le dépôt, V. G. Lardeux : *D.* 2013, 209.

(105) La doctrine suggère la reconnaissance, au-delà des obligations de résultat, de véritables « garanties » : A.-S. Lucas-Puget, *L'objet du contrat* : LGDJ ; N. Bargue, *La notion de garantie* : th. Paris I, 2008 ; E. Netter, *Les garanties indemnitaires* : th. Strasbourg, 2010.

(106) M.-J. Pierrard, *Les procédés de preuve du paiement* : *RTD civ.* 1948, 429.

(107) V. *contra* N. Catala, *La nature juridique du paiement* : LGDJ, 1961. – C. Quétant-Finet, *La nature juridique du paiement : ce que la controverse nous apprend* : *D.* 2013, 942.

(108) Cass. 1re civ., 5 oct. 1976 : *Bull. civ.* 1976, I, n° 582. – Cass. 1re civ., 19 mars 2002 : *D.* 2002, inf. rap. p. 1324. – Cass. soc., 11 janv. 2006 : *D.* 2007, pan. p. 1906, obs. Ph. Delebecque.

(109) Cass. 1re civ., 6 juill. 2004 : *Bull. civ.* 2004, I, n° 202, p. 169 ; *RDC* 2005, 286, obs. Ph. Stoffel-Munck. – Cass. 1re civ., 16 sept. 2010 : *D.* 2010, 2156, obs. X. Delpech ; *D.* 2011, 483, obs. B. Fauvarque-Cosson ; *Contrats, conc. consom.* 2010, comm. 266, obs. L. Leveneur ; *RDC* 2011, 103, obs. R. Libchaber.

(110) Cass. 2e civ., 17 déc. 2009 : *RTD civ.* 2010, 325, obs. B. Fages.

Il est d'usage de constater le paiement des sommes d'argent par une *quittance* ou un *reçu*(111). Le créancier payé ne peut refuser de la délivrer. Il convient toutefois de la rédiger avec la plus grande attention, notamment dans le cas où il y a plusieurs dettes et un paiement insuffisant pour les éteindre toutes ; il sera alors prudent d'exprimer dans la quittance l'imputation du paiement et de faire toutes réserves utiles relativement aux autres dettes (V. *supra*, n° 875). Outre ce rôle, la quittance peut aussi subroger un tiers payant dans les droits du créancier ; il s'agit alors d'une quittance subrogative (V. *supra*, n° 852).

Bien que la quittance soit un *acte sous seing privé*, on admet que, même non enregistrée, sa date fait foi à l'égard des tiers ; cette solution, contraire à la règle générale (V. *supra*, n° 379), est dictée par cette considération qu'il n'est pas d'usage de faire enregistrer les quittances. En revanche, dans la mesure où elle est un acte sous seing privé, la quittance ne peut être contestée que dans les termes des articles 1341 et suivants du Code civil(112).

879. – **Autres modes.** D'autres titres que les quittances peuvent servir de preuve du paiement : par exemple, les factures acquittées que doivent établir les vendeurs et acheteurs de marchandises(113), les inscriptions sur le titre de créance ; la remise volontaire du titre de créance au débiteur constitue même une présomption légale de paiement (V. *infra*, n° 908). On peut également songer aux bulletins de salaires, aux titres de transport (billets SNCF ou autres), etc.

Il est aussi d'usage de constater par un titre le paiement consistant dans la remise de certaines choses. Ainsi, de nombreux commerçants demandent aux clients de signer un récépissé lors de la livraison de la marchandise commandée ; l'administration des Postes en fait de même pour les lettres recommandées et les paquets ; et de même les transporteurs, etc.

Parallèlement, en matière de travaux cette fois-ci, il est d'usage de dresser un procès-verbal de réception lors de la livraison d'une construction ; et cet usage immémorial a finalement été consacré dans l'article 1792-6 du Code civil.

La règle de la liberté de la preuve permet de faire la preuve du paiement non seulement par un écrit, mais aussi par témoins ou par présomptions.

SECTION 2

L'EXÉCUTION FORCÉE(114)

880. – **Le droit à l'exécution forcée.** Le droit à l'exécution forcée est exprimé par l'article 1er de la loi du 9 juillet 1991 portant réforme des procédures civiles d'exécu-

(111) L. Siguoirt, *La preuve du paiement des obligations monétaires*, préf. G. Loiseau : LGDJ, coll. « Droit privé », 2010.

(112) Cass. 1re civ., 4 nov. 2011 : *D.* 2012, 63, note crit. J. François ; *RTD civ.* 2012, 118, obs. B. Fages.

(113) R. Savatier, *La facture et la polyvalence de ses rôles juridiques en droit contemporain* : *RTD com.* 1973, 1.

(114) Ph. Théry, *L'exécution forcée*, in *Les concepts contractuels français à l'heure des principes du droit européen des contrats* : Dalloz, 2003, p. 235. – A.-S. Dupré-Dallemagne, *La force contraignante du rapport d'obligation (Recherche sur la notion d'obligation)* : PUAM, 2004.

tion en termes solennels, étant précisé que cette disposition a été intégrée dans le Code des procédures civiles d'exécution à l'article L. 111-1 :

Art. L. 111-1. – Tout créancier peut, dans les conditions prévues par la loi, contraindre son débiteur défaillant à exécuter ses obligations à son égard.

Tout créancier peut pratiquer une mesure conservatoire pour assurer la sauvegarde de ses droits.

L'exécution forcée et les mesures conservatoires ne sont pas applicables aux personnes qui bénéficient d'une immunité d'exécution.

Parlant ici de l'exécution forcée, on entend cette expression dans son sens fort d'exécution *en nature*, c'est-à-dire l'accomplissement forcé de l'obligation même qui a été stipulée par le contrat ou ordonnée par la décision judiciaire. Cela exclut un certain nombre de questions qui, d'ailleurs, ont déjà été vues.

Qui dit exécution exclut d'abord tout ce qui a trait à la *résolution* du contrat (V. *supra*, n°s 523 et s.). Aux termes de l'article 1184 du Code civil, « la partie envers laquelle l'engagement n'a point été exécuté, a le choix ou de forcer l'autre à l'exécution de la convention, lorsqu'elle est possible, ou d'en demander la résolution avec dommages et intérêts ». Celui qui, face à un contrat inexécuté, choisit d'en demander la résolution, renonce par là même à l'autre branche de l'alternative qui est l'exécution forcée.

Qui dit exécution forcée en nature exclut aussi ce qu'on appelle l'exécution forcée *en équivalent*, qui ressemble à s'y méprendre à la mise en œuvre de la responsabilité civile (V. *supra*, n° 560). Quand le juge condamne à dommages-intérêts celui qui n'a pas livré, ou pas livré à temps, la marchandise promise, ou celui qui a renversé un piéton avec sa voiture, il est artificiel de parler d'exécution forcée. Il y a simplement compensation pécuniaire d'une inexécution provisoire (dommages-intérêts moratoires) ou définitive (dommages-intérêts compensatoires), c'est-à-dire réparation d'un dommage injustement causé. En revanche, c'est bien d'exécution forcée qu'il s'agira si le débiteur de dommages-intérêts ne s'exécute pas spontanément (sur la distinction entre l'exécution forcée en nature et la réparation en nature dans les projets de réforme, V. *supra*, n° 766).

De cette exécution forcée, on envisagera les conditions et la mise en œuvre.

§ 1. – Conditions de l'exécution forcée

881. – L'exécution forcée n'est possible qu'à certaines conditions.

Il faut d'abord que l'on soit en présence d'une obligation civile et non d'une obligation naturelle : dans le cas contraire, seule une promesse d'exécution du débiteur sera susceptible d'exécution forcée (sur quoi, V. *supra*, n° 28 et s.)(115).

Il faut aussi que la créance invoquée soit *certaine* et *exigible*(116), c'est-à-dire arrivée à échéance. S'il s'agit d'une créance de sommes d'argent, elle doit en outre être *liquide*, ce qui suppose qu'elle soit évaluée en argent ou que le titre contienne tous les éléments permettant son évaluation (L. 9 juill. 1991, art. 4, désormais intégré aux articles L. 111-2 et s. du Code des procédures civiles d'exécution).

(115) Cass. 1re civ., 17 oct. 2012 : *LPA* 21 mars 2013, n° 58, p. 9, obs. Y. Guenzoui.

(116) J.-Ch. Boulay, *Réflexion sur la notion d'exigibilité de la créance* : *RTD com.* 1990, 339.

Art. L. 111-2. – Le créancier muni d'un titre exécutoire constatant une créance liquide et exigible peut en poursuivre l'exécution forcée sur les biens de son débiteur dans les conditions propres à chaque mesure d'exécution.

Art. L. 111-3. – Seuls constituent des titres exécutoires :

Les décisions des juridictions de l'ordre judiciaire ou de l'ordre administratif lorsqu'elles ont force exécutoire, ainsi que les accords auxquels ces juridictions ont conféré force exécutoire ;

Les actes et les jugements étrangers ainsi que les sentences arbitrales déclarés exécutoires par une décision non susceptible d'un recours suspensif d'exécution ;

Les extraits de procès-verbaux de conciliation signés par le juge et les parties ;

Les actes notariés revêtus de la formule exécutoire ;

Le titre délivré par l'huissier de justice en cas de non-paiement d'un chèque ;

Les titres délivrés par les personnes morales de droit public qualifiés comme tels par la loi, ou les décisions auxquelles la loi attache les effets d'un jugement.

Art. L. 111-4. – L'exécution des titres exécutoires mentionnés aux 1° à 3° de l'article L. 111-3 ne peut être poursuivie que pendant dix ans, sauf si les actions en recouvrement des créances qui y sont constatées se prescrivent par un délai plus long.

Le délai mentionné à l'article 2232 du Code civil n'est pas applicable dans le cas prévu au premier alinéa.

Art. L. 111-6. – La créance est liquide lorsqu'elle est évaluée en argent ou lorsque le titre contient tous les éléments permettant son évaluation.

La créance doit en outre être constatée par un *titre exécutoire* tel que défini par l'article L. 111-3 ; en fait, il s'agira le plus souvent soit d'un *acte notarié*, soit d'une *décision judiciaire*. Cette condition donne un intérêt tout particulier à la rédaction du contrat par un notaire : cette démarche évite en effet l'inconvénient auquel sont soumis les contrats sous seing privé, d'avoir à diligenter une procédure judiciaire pour obtenir un titre exécutoire. Cette condition est exigée parce que la force publique, huissiers ou commissaires de police, dont l'intervention est nécessaire pour l'exécution forcée, n'intervient que sur le vu de la *formule exécutoire* apposée au bas des titres exécutoires[117].

Il faut ensuite, mais seulement en matière contractuelle, que le débiteur ait été officiellement invité à exécuter par une *mise en demeure* (V. *supra*, n°s 760 et 761) qui connaît ici son troisième effet : outre qu'elle fait courir les dommages-intérêts moratoires, qu'elle met la chose à livrer aux risques du débiteur, elle est aussi un préalable à l'exécution forcée. Cette condition peut cependant être supprimée par la convention des parties. La solution est reconduite par l'avant-projet de réforme : Le débiteur est mis en demeure, soit par une sommation ou un acte portant interpellation suffisante, soit, si le contrat le prévoit, par la seule exigibilité de l'obligation (art. 202).

Enfin, il est bon de rappeler que, dans les contrats à obligations réciproques (contrats synallagmatiques), celui qui demande l'exécution forcée doit avoir rempli son obligation ou, pour le moins, être disposé à le faire (V. *supra*, n°s 515 et s.).

§ 2. – La mise en œuvre de l'exécution forcée

882. – Exécution sur les biens, non sur la personne. La loi a instauré divers moyens de contrainte en vue d'assurer une exécution forcée des obligations[118].

(117) Le créancier ayant un titre créatoire ne peut saisir le juge aux fins de liquidation de la créance ainsi constatée : Cass. 1re civ., 16 oct. 2013, *RDC* 2014, 209, obs. R. Lihaber

(118) En marge de la voie officielle de l'exécution forcée par les tribunaux et les agents de l'autorité publique, il existe des organismes privés de recouvrement de créances qui proposent leurs services aux créanciers en vue de faire payer

Dans le système français actuel, ces moyens ont un point commun : la contrainte s'exerce sur les biens, mais non sur la personne même du débiteur. Ainsi a-t-on renoncé, en matière civile, à la contrainte par corps qui était une sorte de prison pour dettes ; ce procédé, peu efficace d'ailleurs, était apparu comme une atteinte intolérable à la liberté individuelle.

Le fait que la contrainte soit limitée aux biens entraîne des conséquences au plan de l'exécution forcée. Autant il est simple d'exécuter sur le patrimoine du débiteur des obligations de sommes d'argent, autant il est difficile sinon impossible d'y parvenir pour les obligations en nature ; c'est pourquoi le créancier d'une prestation en nature n'a souvent d'autre ressource que de demander au juge sa traduction en dommages et intérêts, c'est-à-dire en argent.

A. – L'exécution forcée des dettes de sommes d'argent

883. – Il n'y a pas lieu de faire de différence suivant que la dette de somme d'argent résulte d'un contrat ou d'une décision judiciaire, d'une condamnation à dommages et intérêts ou à restitution, par exemple.

Le créancier dispose de tout un arsenal de voies d'exécution sur le patrimoine du débiteur : *saisie des rémunérations* sur les salaires ; *saisie-attribution* sur les comptes en banque, ou sur toute autre créance du débiteur ; *saisie-vente* sur les meubles ; *saisie immobilière* sur les immeubles du débiteur. Toutes les saisies tendent à faire vendre les biens du débiteur et à se payer sur le prix. Certaines peuvent être faites à titre conservatoire. Le créancier a le choix des mesures propres à assurer l'exécution de sa créance(119).

Certaines sommes ou biens sont cependant insaisissables. Il s'agit pour l'essentiel des pensions et créances à caractère alimentaire, des biens mobiliers nécessaires à la vie et au travail du saisi et de sa famille, et de la partie insaisissable des rémunérations et des comptes en banque(120). En bref, sous réserve que le débiteur soit solvable, l'exécution forcée en nature des dettes de sommes d'argent est toujours possible.

Il existe toutefois une particularité en cas de cessation des paiements d'un commerçant ou de surendettement d'un particulier, ces situations conduisant, le cas échéant, à la suspension des poursuites individuelles (V. *supra*, n° 512 et 513).

B. – L'exécution forcée des obligations en nature. L'astreinte

884. – L'exécution forcée en nature soulève des difficultés inégales suivant qu'il s'agit d'obligations de donner, de faire, ou de ne pas faire(121).

---

les débiteurs récalcitrants, et dont l'action a pu parfois être jugée excessive. V. Ph. Gerbay, *Moyens de pression privés et exécution du contrat* : thèse Dijon, 1976.

(119) Cass. 2e civ., 15 mai 2014, n° 13-16016.

(120) Il est également possible à tout entrepreneur de faire échapper certains biens immobiliers, notamment sa résidence principale, à l'action de ses créanciers pour les dettes professionnelles (V. Introduction, n° 376). Il en va de même dans le cas d'une entreprise individuelle à responsabilité limitée (V. Introduction, n° 377).

(121) F. Bellivier et R. Sefton-Green, *Force obligatoire et exécution en nature du contrat en droit français et en droit anglais : bonnes et mauvaises surprises du comparatisme*, in *Mél. Ghestin*, 2000, p. 91. – I. Cornesse, *L'exécution forcée en nature des obligations contractuelles* : RRJ 4/2003, 2433. – N. Molfessis, *Force obligatoire et exécution : un droit à l'exécution en nature ?* : RDC 2005, 37. – Y.M. Laithier, *La prétendue primauté de l'exécution en nature* : RDC 2005, 161. – P. Puig, *Les techniques de préservation de l'exécution en nature* : RDC 2005, 85. – Ch. Hugon, *Regards sur le droit des voies*

885. – L'exécution forcée des obligations de donner. *Les obligations de donner*, c'est-à-dire de transférer la propriété, peuvent, dans une assez large mesure, faire l'objet d'une exécution forcée(122).

Pour les corps certains, il n'y a même pas de problème puisque, en principe, le transfert de propriété s'opère entre les parties par le seul fait du contrat, de l'échange des consentements(123). Une difficulté n'apparaît que si le transfert a été retardé et si le débiteur se refuse à l'accomplir. Il s'agira, par exemple, d'une vente d'immeuble pour laquelle le transfert aura été repoussé au jour de la signature d'un acte notarié. Si, au jour dit, le vendeur se refuse à signer, on ne peut l'y contraindre *manu militari*, mais l'exécution forcée demeure néanmoins possible : le juge saisi rendra une décision qui vaudra titre translatif de propriété et qui sera publiée à la Conservation des hypothèques afin de rendre le transfert opposable aux tiers (V. *supra*, n°s 469 et 470).

Pour les choses de genre, le transfert de propriété est subordonné à l'*individualisation* de la chose, c'est-à-dire à la livraison qui constitue une obligation de faire. Mais, précisément, l'obligation de livrer occupe une place à part parmi les obligations de faire : on admet que l'exécution forcée en est possible parce qu'elle n'implique aucune contrainte sur la personne du débiteur ; il suffit qu'il s'abstienne pour que le créancier prenne livraison.

886. – L'exécution forcée des obligations de faire et de ne pas faire. *Les obligations de faire et de ne pas faire* se prêtent moins bien à l'exécution forcée(124).

L'article 1142 pose pour les obligations de faire ou de ne pas faire un principe qui paraît exclure en la matière la possibilité même d'une exécution forcée en nature(125). Fort heureusement, ce principe est loin d'avoir une portée absolue ; sinon le débiteur pourrait, par sa seule inertie, transformer ses obligations en nature en obligations de sommes d'argent, ce qui serait inadmissible. Ce qu'a voulu dire le législateur, c'est qu'il est interdit de contraindre par la force, par des moyens violents, un débiteur à accomplir une prestation qui suppose sa participation personnelle, physique même : on ne peut, par exemple, obliger un peintre à faire votre portrait, un médecin à vous ausculter, etc., car ce serait une atteinte intolérable à la liberté individuelle.

Art. 1142. – Toute obligation de faire ou de ne pas faire se résout en dommages et intérêts en cas d'inexécution de la part du débiteur.

Art. 1143. – Néanmoins, le créancier a le droit de demander que ce qui aurait été fait par contravention à l'engagement soit détruit : et il peut se faire autoriser à le détruire aux dépens du débiteur, sans préjudice des dommages et intérêts s'il y a lieu.

Art. 1144. – Le créancier peut aussi, en cas d'inexécution, être autorisé à faire exécuter lui-même l'obligation aux dépens du débiteur. *(L. n° 91-650, 9 juill. 1991, art. 82)* « Celui-ci peut être condamné à faire l'avance des sommes nécessaires à cette exécution. »

---

d'exécution : RDC 2005, 183. – J. Coulet, *L'exécution forcée en nature* : thèse Paris II, 2007. – E. Garaud, *De gré ou de force : l'exécution contractuelle en nature : Rev. Lamy dr. civ.* avr. 2010, 7.

(122) A. Comaty, *Du mode d'exécution forcée des obligations de donner et de faire* : thèse Toulouse, 1976.

(123) J.-P. Chazal et S. Vicente, *Le transfert de propriété par l'effet des obligations dans le Code civil : RTD civ.* 2000, 477.

(124) A. Comaty : thèse préc. – W. Jeandidier, *L'exécution forcée des obligations contractuelles de faire : RTD civ.* 1976, 700. – B. Fauvarque-Cosson, *Regards comparatistes sur l'exécution forcée en nature : RDC* 2006, p. 529. – C. Boillot, *L'obligation de ne pas faire : étude à partir du droit des affaires : RTD com.* 2010, 243. – A. Mairot, *L'obligation de ne pas faire, une obligation originale : Rev. Lamy dr. civ.* févr. 2012, p. 51.

(125) O. Saedi, *Retard et inexécution au regard de l'article 1142 du Code civil : Dr. et patrimoine* févr. 2010, p. 39.

Mais l'exécution des obligations de faire ou de ne pas faire ne nécessite pas toujours la participation personnelle du débiteur, et il n'y a plus alors de raison qui s'oppose à une exécution forcée en nature.

On en trouve une application dans l'article 1143 qui, par dérogation au principe posé à l'article précédent, précise que « néanmoins le créancier a le droit de demander que ce qui aurait été fait par contravention à l'engagement soit détruit ; et il peut se faire autoriser à le détruire aux dépens du débiteur, sans préjudice des dommages et intérêts, s'il y a lieu ». C'est ce que décident régulièrement les tribunaux pour les constructions édifiées en violation d'un cahier des charges(126) ; plus encore, il s'agit là pour le juge d'une obligation, et non pas d'une simple faculté(127).

De même, en matière de construction, l'article 1792-6 édicte à la charge de l'entrepreneur une *garantie de parfait achèvement* qui s'étend à la réparation de tous les désordres signalés par le maître de l'ouvrage soit lors de la réception des travaux, soit dans l'année de cette réception. Ce faisant, la loi consacre ici une exécution forcée en nature du contrat de construction ; et, à défaut d'exécution dans le délai prévu, les travaux de reprise nécessaires pourront, après mise en demeure restée infructueuse, « être exécutés aux frais et risques de l'entrepreneur défaillant ».

De même encore, et de manière plus générale, si la prestation promise peut être exécutée par une tierce personne, l'article 1144 prévoit que le juge peut autoriser le créancier à y recourir aux frais du débiteur défaillant. C'est ce que l'on appelle la *faculté de remplacement*(128) ; ici, elle suppose une autorisation préalable du juge(129), lequel peut en outre condamner le débiteur à faire l'avance des sommes nécessaires à cette exécution.

Généralisant ces hypothèses, la jurisprudence permet de recourir à l'exécution forcée des obligations de faire ou de ne pas faire chaque fois que cette exécution ne nécessite pas la participation personnelle du débiteur(130) ou qu'elle ne se heurte pas à une impossibilité(131), généralisant ainsi le primat de l'exécution en nature(132). L'impact de la faute du créancier est discuté(133).

Cette question est âprement discutée, en doctrine, à propos de la sanction des avant-contrats. La jurisprudence juge que la révocation d'une promesse unilatérale de vente fait obstacle à la conclusion du contrat et que le promettant ne peut être condamné qu'à des dommages et intérêts(134) ; mais de nombreux auteurs consi-

(126) Cass. 3e civ., 5 nov. 1970 : *JCP* 1970, IV, 308. – Cass. 3e civ., 21 janv. 1971 : *JCP* 1971, IV, 49. – Cass. 3e civ., 18 mars 1974 : *JCP* 1974, IV, 168. – Cass. 3e civ., 18 juin 1975 : *JCP* 1975, IV, 257. – Cass. 3e civ., 7 janv. 1976 : *JCP* 1976, IV, 68. – Cass. 3e civ., 23 mai 1978 : *JCP* 1978, IV, 228.

(127) Cass. 3e civ., 18 févr. 1981 : *Bull. civ.* 1981, III, n° 38. – Cass. 3e civ., 19 mai 1981 : *Bull. civ.* 1981, III, n° 101. – Cass. 3e civ., 3 avr. 1996 : *Bull. civ.* 1996, III, n° 91. – Cass. 3e civ., 11 mai 2005 : *Contrats, conc. consom.* 2005, comm. 187, obs. L. Leveneur ; *RTD civ.* 2005, p. 596, obs. J. Mestre et B. Fages ; *RDC* 2006, p. 323, obs. D. Mazeaud.

(128) D. Plantamp, *Le particularisme du remplacement dans la vente commerciale* : D. 2000, doctr. 243. – G. Lardeux, *Plaidoyer pour un droit contractuel efficace* : D. 2006, chron. p. 1406.

(129) Cass. soc., 5 juin 1953 : *D.* 1953, 601. – Cass. 3e civ., 29 nov. 1972 : *Bull. civ.* 1972, III, n° 642, p. 473. – Cass. 3e civ., 16 juill. 1997 : *Contrats, conc. consom.* 1997, comm. 175, obs. L. Leveneur.

(130) A. Lebois, *Les obligations contractuelles de faire à caractère personnel* : *JCP* 2008, I, 210.

(131) Cass. 1re civ., 27 nov. 2008 : *RDC* 2009, 613, obs. J.-B. Seube.

(132) Cass. 1re civ., 16 janv. 2007 : *D.* 2007, p. 1119 et note O. Gout ; *Bull. civ.* 2007, I, n° 19 ; *JCP* 2007, I, 161, nos 6 et s., obs. M. Mekki ; *Contrats, conc. consom.* 2007, comm. 144, obs. L. Leveneur ; *RTD civ.* 2007, 342, obs. J. Mestre et B. Fages ; *RDC* 2007, 719, obs. D. Mazeaud.

(133) V. ainsi Cass. 1re civ., 2 oct. 2013, *RDC* 2014, 171, obs. Th. Genicon.

(134) Cass. 1re civ., 15 déc. 1993, n° 91-10.199. – Cass. 3e civ., 28 oct. 2003, n° 02-14.459, 11 mai 2011, n° 10-12.875. – Cass. com., 13 sept. 2011, n° 10-19.526.

dèrent que le promettant a d'ores et déjà donné son consentement et proposent de priver d'effet cette révocation et de donner au bénéficiaire le droit de conclure le contrat (sur quoi, V. *supra*, n° 124 et *infra* n° 465)[135]. Sur la sanction du pacte de préférence, V. *supra*, n° 465. À tout le moins est-il possible de stipuler une clause d'exécution forcée en nature[136].

887. – **L'exécution forcée dans les projets de réforme.** Le Projet Catala avait entériné l'évolution jurisprudentielle multipliant les exceptions au principe de l'article 1142 du Code civil et consacré par la même « un droit à la prestation »[137]. En effet, tout en reprenant en substance l'article 1143 du Code civil, le Projet allait au-delà. Renversant la règle posée par l'article 1142 du Code civil, l'article 1154 dudit Projet posait en effet très fermement le principe de l'exécution forcée en nature de toutes les obligations, y compris des obligations de faire, dès lors que la prestation attendue n'avait pas un caractère éminemment personnel et que cette exécution en nature ne portait pas atteinte à la liberté ou la dignité du débiteur. Le Projet Terré avait adopté une perspective comparable en posant un droit à l'exécution en nature du créancier (art. 20 du Projet Contrats), notamment contractuel (art. 105 et s. du Projet Régime général des obligations), et en renforçant la sanction des promesses de contrat et pactes de préférence (art. 29 et 31 du Projet Contrats).

Il en va de même de l'avant-projet de réforme du droit des obligations.

S'agissant d'abord de l'obligation de faire, le texte pose le principe que le créancier contractuel « peut en poursuivre l'exécution en nature » (art. 129), avec une double réserve : « sauf si cette exécution est impossible ou si son coût est manifestement déraisonnable ». Il envisage également l'exécution par un tiers.

Article 129. – Le créancier d'une obligation peut, après mise en demeure, en poursuivre l'exécution en nature sauf si cette exécution est impossible ou si son coût est manifestement déraisonnable.

Article 130. – Après mise en demeure, le créancier peut aussi, dans un délai et à un coût raisonnables, faire exécuter lui-même l'obligation ou détruire ce qui a été fait en violation de celle-ci. Il peut en demander le remboursement au débiteur.

Il peut aussi saisir le juge pour que le débiteur avance les sommes nécessaires à cette exécution ou à cette destruction.

S'agissant ensuite de la promesse unilatérale de contrat, il renforce sa force obligatoire. Alors que la conclusion du contrat promis avec un tiers en violation de la promesse unilatérale de contrat ne donne aujourd'hui lieu qu'à des dommages et intérêts, sur le fondement de la responsabilité contractuelle à l'égard du promettant et délictuelle à l'égard du tiers, l'avant-projet permet au bénéficiaire d'obtenir, le cas échéant, la nullité du contrat conclu en violation de la promesse et la formation du contrat promis par le promettant (sans préjudice, naturellement, de la possibilité qu'aurait le bénéficiaire de demander la réparation du dommage subi, en complément ou en substitution des sanctions envisagées).

---

(135) Sur la discussion, V. *Jurisprudence et doctrine : quelle efficacité pour les avant-contrats ?* : *RDC* 2012/2, p. 617 et s. – D. Mainguy, *À propos de « l'affaire de la rétractation de la promesse de contracter »* : *JCP* 2012, I, 808.

(136) A.-S. Lucas-Puget, *La clause d'exécution forcée en nature* : *Contrats, conc. consom.* 2013, formule 3.

(137) J. Rochfeld, *Remarques sur les propositions relatives à l'exécution du contrat : la subjectivation du droit à l'exécution* : *RDC* 2006, p. 113.

Article 24. – La promesse unilatérale est le contrat par lequel une partie, le promettant, consent à l'autre, le bénéficiaire, le droit, pendant un certain temps, d'opter pour la conclusion d'un contrat dont les éléments essentiels sont déterminés.

La révocation de la promesse pendant le temps laissé au bénéficiaire pour opter ne peut empêcher la formation du contrat promis.

Le contrat conclu en violation de la promesse unilatérale avec un tiers qui en connaissait l'existence est nul.

S'agissant du pacte de préférence enfin, l'avant-projet renforcerait tout à la fois la protection du bénéficiaire et la sécurité des tiers : il suffirait au bénéficiaire du pacte de prouver la connaissance par le tiers de l'existence du pacte de préférence pour obtenir la nullité du contrat conclu en violation de son droit de préférence ou la substitution dans le contrat conclu ; de son côté, le tiers pourrait demander au bénéficiaire de confirmer l'existence d'un tel pacte.

Article 25. – Le pacte de préférence est le contrat par lequel une partie s'engage à proposer prioritairement à son bénéficiaire de traiter avec lui pour le cas où elle se déciderait de contracter.

Lorsque, en violation d'un pacte de préférence, un contrat a été conclu avec un tiers qui en connaissait l'existence, le bénéficiaire peut agir en nullité ou demander au juge de le substituer au tiers dans le contrat conclu. Le bénéficiaire peut également obtenir la réparation du préjudice subi.

Lorsque le tiers présume l'existence d'un pacte de préférence, il peut en demander confirmation par écrit au bénéficiaire dans un délai raisonnable.

Cet écrit mentionne en termes apparents qu'à défaut de réponse, le bénéficiaire du pacte de préférence ne pourra plus solliciter sa substitution au contrat conclu avec le tiers, ni la nullité du contrat.

Ces dispositions ne s'appliquent pas si le pacte de préférence contient une clause de confidentialité.

888. – **L'astreinte. Origine et consécration.** Parmi les obligations de faire et de ne pas faire, il est des prestations dont le caractère personnel est si accentué que l'exécution forcée en paraît impossible : par exemple, la prestation d'un artiste célèbre ou d'un architecte, etc.

Pour toutes ces hypothèses où l'exécution forcée est impossible, les tribunaux ont conçu et mis sur pied, dès le XIXe siècle, un moyen de contrainte indirect, l'*astreinte*, dont le principe est le suivant : le juge condamne le débiteur à exécuter la prestation promise et l'assortit d'une astreinte, c'est-à-dire d'une condamnation au profit du créancier, à tant par jour de retard dans l'exécution de la décision. L'astreinte s'apparente ainsi à la *clause pénale* (V. *supra*, nos 797 et 798) par laquelle les parties à un contrat déterminent, par avance, le montant de la réparation en cas d'inexécution. Il est évident que, comme pour la clause pénale, plus le montant de l'astreinte sera élevé, plus l'incitation à exécuter sera forte pour le débiteur. Mais elle en diffère en ce que l'astreinte est indépendante des dommages et intérêts.

Cette institution d'origine jurisprudentielle a soulevé de grandes difficultés. Outre que sa validité même pouvait être sérieusement contestée en l'absence de texte, on s'interrogeait sur sa nature : s'agissait-il de dommages et intérêts ou d'une peine privée ? ; sur ses formes : pouvait-elle être provisoire ou définitive ? ; sur sa liquidation par le juge, etc.[138] Ces incertitudes ont désormais disparu.

(138) A. Esmein, *L'origine et la logique de la jurisprudence en matière d'astreintes* : *RTD civ.* 1903, 5. – M. Fréjaville, *L'astreinte* : *D.* 1949, chron. 1, et *La valeur pratique de l'astreinte* : *JCP* 1951, I, 910. – P. Kayser, *L'astreinte judiciaire et la responsabilité civile* : *RTD civ.* 1953, 209. – J. Boré, *La liquidation de l'astreinte comminatoire* : *D.* 1966,

Dans un premier temps, la loi du 5 juillet 1972, relative à la réforme de la procédure civile, a donné une consécration et une réglementation législative à l'astreinte(139). Par la suite, ces textes ont fait l'objet d'un toilettage substantiel par la loi du 9 juillet 1991(140) et son décret d'application du 31 juillet 1992 ; ils figurent désormais aux articles L. 131-1 et suivants du Code des procédures civiles d'exécution.

Art. L. 131-1. – Tout juge peut, même d'office, ordonner une astreinte pour assurer l'exécution de sa décision.

Le juge de l'exécution peut assortir d'une astreinte une décision rendue par un autre juge si les circonstances en font apparaître la nécessité.

Art. L. 131-2. – L'astreinte est indépendante des dommages-intérêts.

L'astreinte est provisoire ou définitive. L'astreinte est considérée comme provisoire, à moins que le juge n'ait précisé son caractère définitif.

Une astreinte définitive ne peut être ordonnée qu'après le prononcé d'une astreinte provisoire et pour une durée que le juge détermine. Si l'une de ces conditions n'a pas été respectée, l'astreinte est liquidée comme une astreinte provisoire.

Art. L. 131-3. – L'astreinte, même définitive, est liquidée par le juge de l'exécution, sauf si le juge qui l'a ordonnée reste saisi de l'affaire ou s'en est expressément réservé le pouvoir.

Art. L. 131-4. – Le montant de l'astreinte provisoire est liquidé en tenant compte du comportement de celui à qui l'injonction a été adressée et des difficultés qu'il a rencontrées pour l'exécuter.

Le taux de l'astreinte définitive ne peut jamais être modifié lors de sa liquidation.

L'astreinte provisoire ou définitive est supprimée en tout ou partie s'il est établi que l'inexécution ou le retard dans l'exécution de l'injonction du juge provient, en tout ou partie, d'une cause étrangère.

Ces textes apportent un certain nombre de précisions en ce qui concerne tant le prononcé de l'astreinte que sa liquidation.

889. – Le prononcé de l'astreinte. Allant sur ce point à l'encontre du projet gouvernemental, la loi a confirmé la solution traditionnelle précédemment retenue par la jurisprudence, puis par la loi de 1972 : « l'astreinte est indépendante des dommages-intérêts » (art. L. 131-2, al. 1) ; elle a pour objet, non de réparer un dommage, mais de menacer et de punir le cas échéant celui qui ne se soumet pas à l'ordre du juge(141). Il s'ensuit qu'astreinte et dommages et intérêts peuvent se cumuler(142).

Ainsi, quant à sa nature, l'astreinte constitue un *instrument de contrainte* laissé à la discrétion du juge et destiné à garantir le respect de sa décision ; elle est aussi une *peine privée* dans la mesure où cette sorte d'amende tombe dans l'escarcelle du créancier, en sus des dommages-intérêts, au lieu d'être versée à l'État comme certains l'avaient suggéré(143).

chron. 159. – M.L. Rassat, *L'astreinte définitive* : *JCP* 1967, I, 2069. – E. Viot-Coster, *Les astreintes* : thèse Rennes, 1966.

(139) F. Chabas, *La réforme de l'astreinte (loi du 5 juillet 1972)* : *D.* 1972, chron. 271. – J. Boré, *La collaboration du juge et du législateur dans l'astreinte judiciaire*, in *Mél. Ancel*, t. 1. – Denis, *L'astreinte judiciaire. Nature et évolution* : thèse Paris II, 1973. – Y. Lobin, *L'astreinte en matière civile depuis la loi du 5 juillet 1972*, in *Mél. Kayser*, t. 2, p. 131.

(140) R. Perrot, *L'astreinte. Ses aspects nouveaux* : *Gaz. Pal.* 20-21 déc. 1991, doctr. – D. Talon, *L'astreinte* : *Gaz. Pal.* 5-6 juin 1992, doctr. – H. Croze, *La loi n° 90-650 du 9 juillet 1991 portant réforme des procédures civiles d'exécution : le nouveau droit commun de l'exécution forcée* : *JCP* 1992, I, 3555, V. n°s 35 à 40. – F. Chabas, *La réforme de l'astreinte* : *D.* 1992, chron. 299. – J. Buffet, *La réforme de l'astreinte : premières applications*, Rapp. C. cass. 1997, p. 67.

(141) Cass. civ., 20 oct. 1959 : *D.* 1959, jurispr. 537 et note Holleaux ; *JCP* 1960, II, 11449 et note Mazeaud ; *RTD civ.* 1959, 778, obs. Hebraud ; *ibid.* 1960, 116, obs. Mazeaud. – Cass. 2e civ., 17 avr. 2008, n° 07-10065.

(142) Cass. 2e civ., 30 janv. 2003, n° 01-12749. – Cass. soc., 17 déc. 2003, n° 01-44565.

(143) E. du Rusquec, *La nature juridique de l'astreinte en matière civile* : *JCP* 1993, I, 3699.

Suivant les dispositions réglementaires, « l'astreinte prend effet à la date fixée par le juge, laquelle ne peut pas être antérieure au jour où la décision portant obligation est devenue exécutoire »[(144)] ; « toutefois, elle peut prendre effet dès le jour de son prononcé si elle assortit une décision qui est déjà exécutoire ». Par ailleurs, s'agissant d'une mesure de contrainte à caractère personnel, elle pèse sur celui-là seul qui est condamné sous astreinte, sans qu'il puisse exercer de recours contre un garant[(145)] ou un assureur[(146)].

Comme par le passé, le pouvoir d'ordonner une astreinte, même d'office, appartient à tout juge « pour assurer l'exécution de sa décision » (art. L. 131-1) ; ce pouvoir peut donc être exercé non seulement par le tribunal de grande instance, mais aussi par le tribunal d'instance, par une cour d'appel, par une juridiction pénale, ou encore par le juge des référés, etc.[(147)]. Le *juge de l'exécution* lui-même a le pouvoir, *a priori* inhabituel, d'assortir d'une astreinte une décision rendue par un autre juge « si les circonstances en font apparaître la nécessité ».

Plus classiquement, la distinction entre astreinte provisoire et astreinte définitive est maintenue ; mais les conditions pour le prononcé de cette dernière sont modifiées.

Le pouvoir du juge d'ordonner une *astreinte provisoire* demeure entièrement libre. L'article L. 131-2, alinéa 2, reprend à cet égard la règle antérieure suivant laquelle l'astreinte doit être considérée comme provisoire, « à moins que le juge n'ait précisé son caractère définitif ».

Dans le passé, on avait pu mettre en doute la validité de l'*astreinte définitive* par laquelle le juge s'interdit de revenir sur le chiffre qu'il a déterminé. C'est, en effet, là une décision d'une gravité particulière, de caractère coercitif, dont les conséquences peuvent s'avérer très dures pour le débiteur. Néanmoins, la loi de 1972 avait validé l'astreinte définitive. La loi de 1991, aujourd'hui l'article L. 131-2, alinéa 3, y met deux conditions, à défaut desquelles l'astreinte sera considérée comme provisoire : l'astreinte définitive ne peut être ordonnée « qu'après le prononcé d'une astreinte provisoire et pour une durée que le juge détermine ».

Ainsi, non seulement elle doit être limitée dans le temps, mais elle suppose comme préalable qu'une astreinte provisoire ait été prononcée et soit restée inefficace. Ce n'est donc qu'en dernier recours que le juge peut ordonner une astreinte définitive.

890. – La liquidation de l'astreinte. La question de la liquidation de l'astreinte se pose lorsque la décision judiciaire, assortie d'astreinte, a finalement été exécutée ou lorsqu'il apparaît qu'elle ne le sera jamais, auquel cas l'astreinte a manqué son but[(148)].

(144) Cass. 2e civ., 11 juin 1997 : *D.* 1997, 536, 1re esp. et note P. Julien. – Cass. 2e civ., 9 déc. 1997 : *D.* 1998, inf. rap. p. 35. – Cass. 2e civ., 22 mars 2001 : *D.* 2001, inf. rap. p. 1213. – Cass. 2e civ., 8 avr. 2004 : *Bull. civ.* 2004, II, n° 168, p. 142. – Cass. 2e civ., 14 sept. 2006 : *Bull. civ.* 2006, II, n° 219.

(145) Cass. 1re civ., 4 avr. 2002 : D. 2002, inf. rap. p. 1464. – Cass. 2e civ., 30 avr. 2002 : *Bull. civ.* 2002, II, n° 83, p. 67. – Cass. 2e civ., 14 sept. 2006 : *Bull. civ.* 2006, II, n° 218.

(146) Cass. 1re civ., 20 mars 1989 : *Bull. civ.* 1989, I, n° 122. – Cass. 1re civ., 3 avr. 2002 : *Bull. civ.* 2002, I, n° 104, p. 81 ; *RTD civ.* 2002, 812, obs. J. Mestre et B. Fages.

(147) La loi du 16 juillet 1980 a également instauré l'astreinte en matière administrative : E. Baraduc-Bénabent, *L'astreinte en matière administrative* : D. 1981, chron. 95.

(148) En cas de cession de la créance d'astreinte, la liquidation pourra être demandée par le cessionnaire : Cass. 2e civ., 7 juill. 2011 : *JCP* 2011, 1030, n° 6, obs. M. Billiau ; *RDC* 2012, 109, obs. D. Mazeaud.

Dans les deux cas, il faudra revenir devant un juge pour *liquider l'astreinte*, c'est-à-dire pour en déterminer le montant final qui viendra s'ajouter aux dommages-intérêts s'il en a été prononcé. Jadis, on décidait que la compétence à cet effet appartenait au juge qui avait prononcé l'astreinte ; mais la jurisprudence avait abandonné ce principe. Désormais, la loi attribue compétence au *juge de l'exécution*, sauf si le juge qui a ordonné l'astreinte « reste saisi de l'affaire ou s'en est expressément réservé le pouvoir »[(149)] (art. L. 131-3) ; en pareil cas, le juge doit statuer sur la liquidation[(150)] et, en cas de saisine d'un autre juge, l'incompétence doit être relevée d'office par le juge saisi d'une demande en liquidation[(151)].

Les pouvoirs du juge varient suivant la nature de l'astreinte prononcée.

Par sa nature même, *l'astreinte provisoire est révisable*. La loi de 1972 accordait déjà la plus grande liberté d'appréciation en déclarant qu'« il appartient au juge de modérer ou de supprimer l'astreinte provisoire, même au cas d'inexécution constatée ». Cette liberté d'appréciation se retrouve aujourd'hui dans l'article L. 131-4 suivant lequel le montant de l'astreinte doit être liquidé « en tenant compte du comportement de celui à qui l'injonction a été adressée et des difficultés qu'il a rencontrées pour l'exécuter », formule que la jurisprudence interprète strictement en écartant tout autre critère[(152)]. C'est une invitation non déguisée à distinguer entre les débiteurs et à se montrer plus clément à l'égard des débiteurs malheureux ou malchanceux. Mais en toute hypothèse le montant de l'astreinte liquidée ne peut être supérieur à celui de l'astreinte fixée par le juge qui l'a ordonnée[(153)].

Si, à l'inverse, l'astreinte est *définitive*, la liquidation n'est qu'une opération mathématique qui consiste à multiplier le chiffre de l'astreinte par le nombre de jours de retard, dans la limite de la durée déterminée initialement par le juge. Cette immutabilité du taux de l'astreinte est réaffirmée clairement par l'article L. 131-4, alinéa 2. En revanche, bien que qualifiée définitive par le juge, l'astreinte qui n'a pas été précédée d'une astreinte provisoire doit être liquidée comme une astreinte provisoire, ainsi que le prévoit l'article L. 131-2, alinéa 3[(154)]. Par ailleurs, l'astreinte étant indépendante des dommages et intérêts, le juge de l'exécution peut allouer des dommages et intérêts en cas de résistance abusive du débiteur à l'exécution de l'obligation assortie d'une astreinte[(155)].

891. – Autres règles. De manière plus générale, l'article L. 131-4, alinéa 3, donne au juge une directive valable pour les deux formes de l'astreinte. Celle-ci doit être : « supprimée en tout ou partie s'il est établi que l'inexécution ou le retard dans l'exécution de l'injonction du juge provient, en tout ou partie, d'une cause étrangère ».

Ainsi, le débiteur sera déchargé du montant de l'astreinte correspondant à la cause étrangère[(156)]. De même, l'astreinte étant une mesure accessoire à la condam-

(149) Cass. 1re civ., 21 mars 2000 : *Bull. civ.* 2000, I, n° 98, p. 66. – Cass. 2e civ., 15 févr. 2001 : *JCP* 2001, IV, 1644 ; *D.* 2001, inf. rap. p. 904. – Cass. 2e civ., 21 févr. 2008, n° 07-17160.

(150) Cass. 2e civ., 21 févr. 2008 : *D.* 2008, act. jurispr. 791.

(151) Cass. soc., 9 mai 2007 : *D.* 2008, 585, note M. Foulon et Y. Strickler.

(152) Cass. 2e civ., 15 mai 2003 : *JCP* 2003, IV, 2200. – Cass. 2e civ., 7 juin 2012 : *LPA* 8 août 2012, n° 158, p. 7, obs. M. Richevaux.

(153) Cass. 2e civ., 11 mai 2006 : *D.* 2006, inf. rap. p. 1702.

(154) Cass. 1re civ., 11 et 25 juin 1997 : *D.* 1997, 536 et note P. Julien.

(155) Cass. 2e civ., 11 févr. 2010, n° 08-21787.

(156) Mais à l'exclusion de toute autre cause, et notamment de la bonne foi du défendeur et de la gravité des conséquences de l'exécution de l'obligation sous astreinte : Cass. 2e civ., 7 mai 2008 : *D.* 2008, act. jurispr. 1489.

nation qu'elle assortit, la réformation de la décision de condamnation ou son annulation entraîne de plein droit anéantissement de l'astreinte prononcée dont le montant doit alors être restitué(157). En toute hypothèse, pour les obligations de faire ou de ne pas faire, la décision judiciaire comportera une condamnation pécuniaire : des dommages et intérêts moratoires, une astreinte le cas échéant, et enfin, à défaut d'exécution, des dommages et intérêts compensatoires ; ce sont toutes des dettes de sommes d'argent dont l'exécution forcée s'opérera comme il a été dit plus haut (V. *supra*, n° 883).

La Cour de cassation considère qu'aucune disposition légale n'a pour effet de rendre incessible l'astreinte : elle sera donc transmise avec la créance qu'elle garantit(158).

SECTION 3

LES GARANTIES D'EXÉCUTION

892. – **Le risque d'insolvabilité du débiteur.** En définitive, toutes les obligations se réduisant d'une manière ou d'une autre à des sommes d'argent, le seul risque véritable que court le créancier est celui de l'insolvabilité du débiteur. Les garanties d'exécution tendent précisément à réduire ce danger.

Pour mémoire, on peut rappeler ici que certains mécanismes juridiques œuvrent indirectement en ce sens. Ainsi, dans les contrats à obligations réciproques, la possibilité d'invoquer l'*exception d'inexécution* (V. *supra*, n°s 519 et s.) – ou un *droit de rétention* – constitue un avantage précieux pour un créancier ; ce n'est certes qu'une position d'attente, mais une position de force. Mieux encore, la *compensation* (V. *supra*, n°s 865 et s.), qui est une sorte de paiement privilégié, confère au créancier une sécurité totale. On peut en dire autant de l'*action directe* (V. *supra*, n° 487) que la loi accorde par faveur à certains créanciers.

Bien que ces créanciers connaissent une situation privilégiée, ils ne bénéficient pourtant pas là de véritables *sûretés*, au sens juridique de ce terme.

À côté de ces garanties indirectes, les créanciers disposent de divers moyens contre le risque d'insolvabilité.

Les uns, communs à tous les créanciers, ont pour but de conserver intact le gage général des créanciers ; ils tendent à remédier aux disparitions d'actif qui se produiraient dans le patrimoine du débiteur. À cet effet, les créanciers disposent de l'*action oblique* pour pallier les négligences de leurs débiteurs, et de l'*action paulienne* pour déjouer leurs fraudes.

Les autres, il s'agit des *sûretés*, n'appartiennent qu'aux créanciers privilégiés. Suivant les cas, ils doivent cette garantie à la loi elle-même, ou à leur propre prévoyance qui les a conduits à exiger cautions, gages, hypothèques ou autres sûretés de leur débiteur.

(157) Cass. 2e civ., 28 sept. 2000 : *Bull. civ.* 2000, II, n° 134, p. 95 ; *JCP* 2001, II, 10591 et note E. du Rusquec ; *RTD civ.* 2000, 899, obs. R. Perrot. – Cass. 2e civ., 6 janv. 2005 : *D.* 2005, inf. rap. p. 241.
(158) Cass. 2e civ., 7 juill. 2011 : *RDC* 2012/1, p. 109 et s., obs. D. Mazeaud.

§ 1. – Les garanties communes à tous les créanciers[159]

A. – L'action oblique

893. – Protection contre la négligence du débiteur. L'action oblique, accordée à tous les créanciers par l'article 1166 du Code civil, confère à chacun d'eux la possibilité d'exercer les droits et actions de leur débiteur que celui-ci omettrait d'exercer.

Art. 1166. – Néanmoins, les créanciers peuvent exercer tous les droits et actions de leur débiteur, à l'exception de ceux qui sont exclusivement attachés à la personne.

Agissant ainsi de manière oblique (d'où le nom traditionnellement donné à l'action), le créancier fera rentrer dans le patrimoine du débiteur des biens nouveaux ou des droits qui pourront être saisis par lui, et aussi par tous les autres créanciers.

1° Conditions

894. – L'action oblique est soumise à quatre conditions d'exercice. Toutes procèdent de l'idée que cette ingérence du créancier dans les affaires du débiteur doit être légitimée par un intérêt particulier à agir.

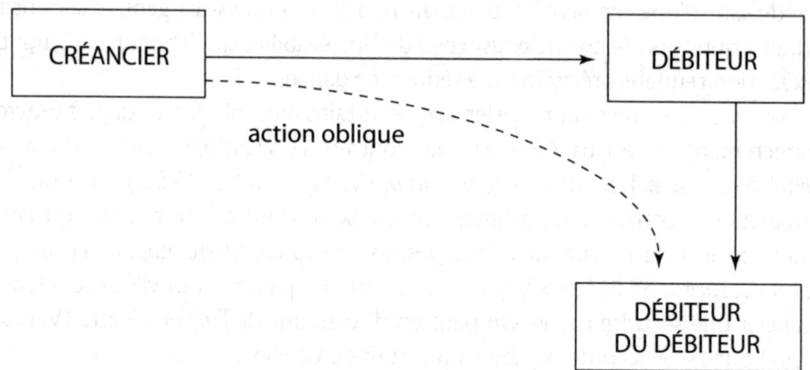

On raisonnera principalement sur les dettes de sommes d'argent.

Le créancier qui veut intenter par la voie oblique une action de son débiteur doit justifier qu'il a contre celui-ci une *créance certaine, liquide et exigible*. En effet, exercer l'action oblique, c'est prendre une *mesure conservatoire* dans la perspective de se payer sur le bien du débiteur ainsi récupéré. Une telle mesure qui constitue une immixtion dans les droits du débiteur ne peut être accordée qu'à un créancier dont la créance est d'ores et déjà exigible, donc certaine et liquide ; en revanche, l'action oblique n'étant pas une saisie mais seulement son préalable, le créancier n'a pas à justifier d'un titre exécutoire.

Il faut ensuite que le *débiteur* soit *insolvable*, faute de quoi l'immixtion du créancier dans les affaires du débiteur serait intolérable ; de quel droit irait-il faire rentrer un bien dans le patrimoine de son débiteur, si l'actif de ce patrimoine suffisait pour qu'il soit payé ?

(159) A. Cermolacce, *État des lieux des actions oblique et paulienne* : LPA 25 janv. 2008, p. 5.

Il faut également qu'il y ait *inaction du débiteur* à faire valoir ses droits[160] ; l'action oblique a pour but de pallier la négligence, intentionnelle ou non, d'un débiteur à faire valoir ses droits, mais elle ne permet pas de l'écarter et de se substituer à lui, motif pris de son inexpérience ou de sa maladresse[161]. Encore faut-il en outre que la carence du débiteur ait compromis l'intérêt du créancier[162].

Enfin, il doit s'agir de droits ou actions autres que « ceux qui sont exclusivement attachés à la personne », suivant la formule même du texte. Il paraît en effet raisonnable qu'échappent au créancier les droits et actions qui, même s'ils peuvent avoir des conséquences pécuniaires, supposent pour leur mise en œuvre une appréciation de caractère personnel[163]. Cela vise tout d'abord les *actions d'état* : on voit mal, par exemple, un créancier intenter une demande en divorce ou en séparation de biens judiciaire au motif que le conjoint du débiteur est si dépensier qu'il met en péril les intérêts du ménage... Il en est de même des actions fondées sur un droit extrapatrimonial, même si elles ont des conséquences pécuniaires : par exemple, un créancier ne saurait se substituer à son débiteur pour demander réparation d'une atteinte à son honneur, ou à sa vie privée, ni pour exercer une action en révocation d'une donation pour ingratitude[164].

Toutefois, la jurisprudence tend plutôt à favoriser les créanciers. Par exemple, la Cour de cassation a admis que le créancier pouvait demander la mainlevée judiciaire d'une clause d'inaliénabilité figurant dans une donation adressée à son débiteur[165], alors que précédemment elle avait approuvé les juges du fond d'avoir considéré cette action comme exclusivement attachée à la personne à raison des considérations personnelles d'ordre moral et familial inhérentes à la donation[166].

2° Effets

895. – Les effets de l'action oblique découlent tous de l'idée que c'est *l'action même du débiteur* qui est exercée. Comme le rappelle l'avant-projet de réforme, les créanciers exercent « au nom du débiteur » tous les droits et actions de celui-ci.

C'est ainsi que le débiteur n'est pas dessaisi de son droit par l'exercice de l'action oblique. Il est libre de se joindre à l'action et il peut même recevoir valablement paiement de son débiteur ; mais le créancier n'est pas obligé de le mettre en cause dans l'action oblique, à moins que sa demande ne soit en même temps une demande en paiement sur les sommes réintégrées[167].

---

(160) Cass. 1re civ., 5 avr. 2005 : *D.* 2005, inf. rap. p. 1176 ; *JCP* 2005, IV, 2190. – G. Goubeaux, *La carence du débiteur, condition de l'action oblique : questions de fond et questions de preuve*, in *Mél. J.-L. Aubert* : Dalloz, 2005, p. 147.

(161) Cass. 1re civ., 28 mai 2002 : *Bull. civ.* 2002, I, n° 145, p. 113 ; *D.* 2002, 3041 et note V. Perruchot-Triboulet ; *RTD civ.* 2002, 513, obs. J. Mestre et B. Fages (cas où le débiteur ne justifiait d'aucune diligence dans la réclamation de son dû).

(162) Cass. 1re civ., 11 mars 2003 ; *Bull. civ.* 2003, I, n° 65, p. 50 (refus d'accueillir une action oblique en licitation et partage d'un immeuble dont le débiteur est propriétaire indivis, faute de justifier que l'intérêt du créancier s'en est trouvé compromis). Sur le lien entre l'action ouverte par l'article 815-17, alinéa 3, du Code civil, et l'article 1166, v. R. Libehaber, *RDC* 2014, 204 et s.

(163) V. par ex., Cass. 1re civ., 3 juin 1998 : *JCP* 1998, II, 10167 et note J. Casey. – Ainsi du droit de retrait de l'associé d'une société civile : Cass. com., 4 déc. 2012 : *D.* 2013, 2729, obs. A. Rabreau, 751, note J. Moury.

(164) Cass. 1re civ., 19 avr. 1988 : *Bull. civ.* 1988, I, n° 101.

(165) Cass. 1re civ., 11 janv. 2000 : *D.* 2000, 877 et note F. Planckeel.

(166) Cass. 1re civ., 3 juin 1998 : *JCP* 1998, II, 10167 et note J. Casey.

(167) Cass. 1re civ., 27 mai 1970 : *JCP* 1971, II, 16675, obs. G. Poulain. – Cass. com., 15 oct. 1991 : *JCP* 1992, II, 21905, 2e esp., obs. G. Bolard. – Rappr. Cass. 1re civ., 9 déc. 1970 : *JCP* 1971, II, 16920, obs. M.D.P.S.

De même, parce qu'il invoque un droit de son débiteur, le créancier qui exerce l'action oblique peut se voir opposer toutes les *exceptions* qui auraient pu être opposées au titulaire du droit : nullité, prescription, paiement, remise de dette, etc. Plus généralement, l'action du créancier exercée par la voie oblique, étant celle-là même du débiteur, est soumise à toutes les conditions qui régissaient celle du débiteur[(168)].

Enfin et surtout, l'action aboutit à faire rentrer un bien, somme d'argent ou autre, dans le patrimoine du débiteur où il pourra être saisi par tous les créanciers sans que l'exercice de l'action oblique confère le moindre privilège à celui qui s'est ainsi dévoué pour la collectivité des créanciers.

Aussi, plutôt que d'intenter l'action oblique pour faire rentrer une créance de somme d'argent dans le patrimoine du débiteur, le créancier aura bien meilleur compte à faire sur elle une *saisie-attribution* ou saisie des rémunérations ; non seulement cette saisie interdira tout paiement, mais le créancier saisissant se verra attribuer la créance par privilège sur les autres créanciers qui n'ont pas fait preuve de la même diligence[(169)].

Ceci explique le peu d'intérêt que cette action a suscité dans la pratique pour les dettes de sommes d'argent. En revanche elle est plus utilisée pour pallier l'inaction du débiteur en d'autres domaines : ainsi a-t-on admis des copropriétaires à agir en résiliation du bail d'un locataire gênant pour la collectivité alors que son bailleur, lui-même copropriétaire, n'exerçait aucune diligence[(170)].

896. – Les projets de réforme. Comme le Projet Catala[(171)] (art. 1166), l'avant-projet de réforme reprend les solutions du droit positif. Dans sa version initiale, il augmentait l'efficacité de l'action en permettant au créancier qui agit de se faire payer « par prélèvement » sur les sommes entrées dans le patrimoine du débiteur grâce à son action (art. 149, al. 3)[(172)]. Cette solution a disparu dans le dernier état de l'avant-projet, selon lequel, « lorsque l'inaction du débiteur compromet les intérêts du créancier, celui-ci peut, au nom du débiteur, exercer tous les droits et actions de celui-ci, à l'exception de ceux qui sont exclusivement attachés à la personne » (art. 232).

B. – L'action paulienne

897. – Protection contre les actes frauduleux du débiteur. L'action paulienne, prévue à l'article 1167 du Code civil, tend à remédier, non à une abstention du débiteur, mais à un acte positif par lequel il s'est appauvri. Par cette action, le créancier

(168) Cass. 1re civ., 11 janv. 2000, précité, qui rappelle que l'action en mainlevée judiciaire d'une clause d'inaliénabilité exercée par un créancier est soumise à la condition de l'article 900-1 du Code civil : « si l'intérêt qui avait justifié la clause a disparu ou s'il advient qu'un intérêt plus important l'exige ».

(169) *JCP* 2013, I, 897, n° 7, obs. G. Loiseau.

(170) Cass. 3e civ., 14 nov. 1985 : *D.* 1986, 368 et note J.-L. Aubert. – V. aussi pour d'autres actions en justice, Cass. 3e civ., 4 déc. 1984 : *JCP* 1985, IV, 57 (locataire d'un terrain à usage de débit de boissons exerçant l'action de son propriétaire contre le locataire du terrain voisin à usage de cabines de bains mais exerçant en fait, contrairement aux clauses de son bail, une activité de snack-bar). – Cass. 3e civ., 16 juill. 1986 : *JCP* 1986, IV, 283 (locataires HLM exerçant l'action de la Coopérative d'HLM contre l'architecte en garantie des désordres de construction).

(171) J.-L. Aubert et P. Leclercq, *Effet des conventions à l'égard des tiers*, in *Avant-projet de réforme du droit des obligations et de la prescription, Exposé des motifs :* La Documentation française, 2006, p. 62, spéc. p. 63.

(172) Pour la critique de l'innovation, V. J.-S. Borghetti, *Des droits du créancier, in Pour une réforme du régime général des obligations*, préc., p. 57 et s., spéc. p. 59 et s.

demande que lui soient déclarés *inopposables* les actes par lesquels le débiteur – ou une caution[173] – a frauduleusement diminué son patrimoine[174].

Art. 1167. – Ils peuvent aussi, en leur nom personnel, attaquer les actes faits par leur débiteur en fraude de leurs droits.

Ils doivent néanmoins quant à leurs droits énoncés au titre *Des successions* et au titre *Du contrat de mariage et des régimes matrimoniaux*, se conformer aux règles qui y sont prescrites.

Ce sera le cas, par exemple, des donations[175] ou des ventes à vil prix faites par un débiteur aux abois à ses parents ou amis pour échapper aux poursuites de ses créanciers. Mais, bien souvent, les fraudes sont autrement plus subtiles et mettent à rude épreuve la perspicacité des juges[176]. Il ne s'agit pas, en effet, de permettre à tout créancier de critiquer tous les actes de son débiteur qui lui déplaisent, mais seulement ceux qui sont faits « en fraude de leurs droits » suivant la formule même de l'article 1167. Plus généralement, il s'agit de déjouer les tentatives faites par un débiteur d'organiser son insolvabilité.

Le fait d'organiser son insolvabilité est même sanctionné pénalement (C. pén., art. 314-7 et s.), mais seulement lorsque le créancier cherche par là à se soustraire au paiement de *dettes d'aliments* ou de dettes de *responsabilité civile délictuelle*[177].

En l'absence d'autre précision dans la loi, la jurisprudence a été amenée à préciser les conditions d'exercice et les effets de cette action.

L'avant-projet de réforme reconduit purement et simplement les solutions actuelles, en consacrant notamment la jurisprudence selon laquelle le créancier doit établir la connaissance de la fraude par le tiers, dans les actes à titre onéreux (art. 233).

Art. 233. – Le créancier peut agir en son nom personnel pour faire déclarer inopposables à son égard les actes faits par son débiteur en fraude de ses droits, à charge d'établir, s'il s'agit d'un acte à titre onéreux, que le tiers cocontractant a eu connaissance de la fraude.

1° Conditions d'exercice

898. – Créance certaine en son principe et antérieure à l'acte critiqué. L'action paulienne est soumise à quatre conditions d'exercice. Comme pour l'action oblique, elles procèdent de l'idée que cette ingérence du créancier dans les affaires du débiteur et spécialement dans les contrats qu'il a passés doit être légitimée par un intérêt particulier à agir. Mais elles sont différentes dans la mesure où l'objectif poursuivi est lui aussi différent : il ne s'agit pas d'exercer un droit ou une action du débiteur à sa place, mais de critiquer un acte accompli par lui.

(173) B. Roman, *La caution et l'action paulienne : la délicate alliance des règles de fond et de procédure* : *D.* 2003, chron. 2156.

(174) L. Sautonie-Laguionie, *La fraude paulienne* : LGDJ, 2008, coll. « Droit privé », t. 500, préf. G. Wicker. – B. Roman, *La nature juridique de l'action paulienne* : *Defrénois* 2005, 1, 655, art. 38146.

(175) Et même une donation d'un bien commun faite par le débiteur et son conjoint : Cass. 1re civ., 6 févr. 2008 : *D.* 2008, act., obs. S. de la Touanne.

(176) V. par ex., Cass. com., 10 juin 1963 : *D.* 1968, 116 et note Cl. Lombois (fusion d'une société, débiteur principal, avec sa caution solidaire). – Cass. 1re civ., 21 nov. 1967 : *D.* 1968, 317 et note Y. Lambert-Faivre (licitation consécutive à une donation-partage). – Cass. 1re civ., 14 mai 1984 : *Gaz. Pal.* 10 janv. 1985, note A. Plancqueel (renonciation à demander la réduction d'une libéralité portant atteinte à la réserve). – Paris, 21 mars 1984 : *D.* 1986, 131 et note G. Potiron (partage avec simulation). – V. aussi H. Sinay, *Action paulienne et responsabilité délictuelle à la lumière de la jurisprudence récente* : *RTD civ.* 1948, 183. – J. Ghestin, *La fraude paulienne*, in *Mél. Marty*, p. 569.

(177) Ph. Bertin, *L'insolvabilité organisée et sa répression pénale (art. 404-1 C. pén. créé par la loi du 8 juill. 1983)* : *Gaz. Pal.* 1985, 1, doctr. 332. – V. par ex. Cass. crim., 1er févr. 1990 : *Bull. crim.* 1990, n° 55 ; *Gaz. Pal.* 1990, 2, 390 (renonciation volontaire à un emploi rémunéré).

La première condition se rapproche d'une des conditions de l'action oblique : le créancier n'est admis à critiquer un acte de son débiteur que s'il justifie avoir contre celui-ci une créance certaine dans son principe[(178)], et antérieure à l'acte critiqué.

En effet, un créancier serait mal venu à se plaindre d'une situation qui existait déjà lors de la naissance de son droit ; il n'en serait autrement, et le créancier ne pourrait attaquer un acte antérieur, qu'en cas de préméditation d'un débiteur qui aurait accompli un acte en vue de faire fraude aux droits de ses futurs créanciers[(179)].

En revanche, il suffit que la créance soit « certaine en son principe au moment de l'acte argué de fraude, même si elle n'est pas encore liquide »[(180)] ou exigible[(181)].

899. – Acte d'appauvrissement. En second lieu, ne peuvent être attaqués par la voie de l'action paulienne que les actes d'appauvrissement, c'est-à-dire ceux qui diminuent l'actif du patrimoine du débiteur, qui constituent une perte : par exemple, une donation, une aliénation à vil prix, ou une remise de dette, ou une renonciation à un droit déjà acquis (renonciation à succession ou au bénéfice d'une prescription ou à la réduction d'une libéralité portant atteinte à la réserve du débiteur ou encore renonciation à un emploi rémunéré). Aux actes d'appauvrissement sont parfois assimilés les actes qui tendent à rendre impossibles ou vaines les poursuites des créanciers, par exemple la vente d'un bien consentie à un prix normal qui opère la substitution d'une somme d'argent à un bien facilement saisissable[(182)].

En revanche, les actes par lesquels le débiteur refuse de s'enrichir, n'entraînant pas une perte mais un manque à gagner, demeurent inattaquables : par exemple, le refus d'accepter une donation. Mais la solution est inverse pour le défaut d'acceptation d'une succession parce que celle-ci est dévolue de plein droit aux héritiers (C. civ., art. 724), si bien que la renonciation à succession constitue un appauvrissement[(183)].

En outre, même à s'en tenir aux actes positifs d'appauvrissement, certains d'entre eux, et non des moindres, ne peuvent être attaqués par un créancier sur le fondement de l'article 1167[(184)].

Ainsi, l'action paulienne n'est pas reçue contre les paiements de dettes exigibles que le débiteur fait entre les mains d'autres créanciers car, suivant l'adage, « le paiement est le prix de la course » et il appartient donc à chaque créancier d'être plus véloce que les autres[(185)].

(178) Pour une illustration, V. Cass. 1re civ., 16 mai 2013, n° 12-13.637, 22 mai 2013 : *RTD civ.* 2013, 607, H. Barbier ; *D.* 2013, 1706, note P. Crocq.

(179) Cass. com., 14 mai 1952 : *D.* 1953, 625 et note Radouant. – Cass. 3e civ., 4 févr. 1971 : *JCP* 1972, II, 16980, obs. M. Dagot et P. Spiteri. – Cass. 3e civ., 27 juin 1972 : *D.* 1973, somm. 17.

(180) Cass. 1re civ., 19 nov. 2002 : *Bull. civ.* 2002, I, n° 271, p. 211. – V. aussi : Cass. 1re civ., 13 avr. 1988 : *D.* 1988, inf. rap. p. 113. Il suffit que le principe de la créance ait existé : Cass. com., 25 mars 1991 : *Bull. civ.* 1991, IV, n° 119. – Cass. ch. mixte, 21 févr. 2003 : *Bull. civ.* 2003, ch. mixte, n° 2, p. 2 ; *JCP* 2003, IV, 1668.

(181) Cass. 1re civ., 25 févr. 1981 : *JCP* 1981, II, 19628. – Cass. 1re civ., 27 janv. 1987 : *Bull. civ.* 1987, I, n° 26. – Cass. 1re civ., 17 janv. 1984 : *D.* 1984, 437 et note Ph. Malaurie.

(182) Cass. 1re civ., 18 févr. 1971 : *Bull. civ.* 1971, I, n° 56 : *D.* 1972, 53 et note E. Agostini. – Cass. 1re civ., 10 déc. 1974 : *D.* 1975, 777 et note Simon. – Cass. com., 1er mars 1994 : *Bull. civ.* 1994, IV, n° 81.

(183) Cass. 1re civ., 7 nov. 1984 : *Bull. civ.* 1984, I, n° 298.

(184) Cass. 1re civ., 17 oct. 2012, n° 11-10.786 : *RDC* 2013/1, p. 197 et s., obs. crit. Ch. Goldie-Genicon ; *RDC* 2013/2, p. 571 et s., obs. R. Libchaber : l'action paulienne « ne peut avoir pour objet d'empêcher une action en partage entre coïndivisaires en niant le transfert de droits intervenu à leur profit ».

(185) Cl. Colombet, *De la règle que l'action paulienne n'est pas reçue contre les paiements* : *RTD civ.* 1965, 5.

De même, un créancier ne pourrait critiquer les engagements nouveaux que prend son débiteur et qui, sans diminuer l'actif, augmentent le passif de son patrimoine. C'est là une question de liberté individuelle : on ne peut paralyser l'activité d'une personne au motif qu'elle a des créanciers qui peuvent en pâtir ; ou alors, s'il s'agit d'un commerçant débiteur en état de cessation de paiement, il appartient aux créanciers de provoquer le redressement ou la liquidation judiciaires.

Pour le même motif de liberté individuelle, les créanciers ne peuvent non plus attaquer les actes du débiteur relatifs à des droits exclusivement attachés à la personne, même s'ils entraînent des conséquences de nature patrimoniale.

Enfin, tout en échappant à l'action paulienne, certains actes d'appauvrissement peuvent être critiqués pour fraude suivant d'autres règles : ainsi en est-il des partages de communauté et de succession pour lesquels l'article 1167, alinéa 2, opère un renvoi, et des jugements qui peuvent être attaqués par des tiers par la voie de la tierce opposition[186].

900. **-... créant ou augmentant l'insolvabilité.** En troisième lieu, même s'ils entraînent un appauvrissement, les actes du débiteur ne peuvent lui être reprochés que s'ils créent ou augmentent son insolvabilité ; sinon, les créanciers ne sauraient s'en plaindre, faute de subir un quelconque préjudice.

La preuve de l'insolvabilité, qui incombe au créancier, peut être faite par tous moyens, étant toutefois précisé qu'il suffit d'une insolvabilité apparente[187] et qu'il appartient alors au débiteur de prouver qu'il dispose de biens de valeur suffisante pour répondre de ses engagements[188]. Cette insolvabilité doit être démontrée à la fois au jour de l'acte d'appauvrissement[189] reproché et à celui du jour de l'action[190] car, à défaut d'insolvabilité à l'une de ces deux dates, le créancier ne souffrirait d'aucun préjudice. Cela dit, la preuve de l'insolvabilité est sans objet en cas d'insolvabilité notoire.

Le débiteur dispose ainsi d'une sorte de « bénéfice de discussion », mais la jurisprudence n'exige cependant pas que les créanciers saisissent d'abord les biens du débiteur avant d'attaquer ses actes par l'action paulienne[191].

Toutefois, la condition d'insolvabilité est écartée si l'acte critiqué a pour effet de diminuer les sûretés accordées au créancier[192] ou si l'acte frauduleux a eu pour effet de rendre impossible l'exercice du droit spécial dont disposait le créancier sur la chose aliénée[193], ou encore s'il en diminue l'utilité[194].

---

(186) Il a ainsi été jugé que l'action paulienne ne saurait être admise contre un jugement, lequel ne peut être attaqué que par les voies de recours ouvertes par la loi : Cass. 1re civ., 26 janv. 2012 : *D.* 2012.641, obs. C. Creton : *JCP* 2012, I, 999, obs. M. Storck, I, 690, obs. Y.-M. Serinet.

(187) Cass. 1re civ., 6 mars 2001 : *Bull. civ.* 2001, I, n° 51, p. 33 ; *D.* 2001, somm. 3244, obs. Ph. Delebecque.

(188) Cass. 1re civ., 5 juill. 2005 : *Bull. civ.* 2005, I, n° 291.

(189) Cass. 1re civ., 5 déc. 1995 : *Bull. civ.* 1995, I, n° 443. – Cass. 1re civ., 2 mai 1989 : *Bull. civ.* 1989, I, n° 172. – Cass. 1re civ., 6 mars 2001, préc.

(190) Cass. com., 14 nov. 2000 : *Bull. civ.* 2000, IV, n° 173 ; *D.* 2000, 441, obs. V. Avena-Robardet.

(191) Cass. 3e civ., 13 mai 1969 : *Bull. civ.* 1969, III, n° 373 ; *RTD civ.* 1970, 166, obs. Y. Loussouarn. – Cass. 3e civ., 4 avr. 1973 : *Bull. civ.* 1973, III, n° 258.

(192) Cass. com., 10 juin 1963 : *D.* 1968, 116 et note Cl. Lombois. – Cass. 3e civ., 13 mai 1969 : *JCP* 1969, IV, 165.

(193) Cass. 1re civ., 10 déc. 1974 : *D.* 1975, 777 et note O. Simon. – Cass. 1re civ., 18 juill. 1995 : *D.* 1996, 391, 2e esp. et note E. Agostini. – Cass. 3e civ., 6 oct. 2004 : *Bull. civ.* 2004, III, n° 163, p. 150 ; *D.* 2004, 3098 et note G. Kessler ; *Defrénois* 2005, 1, 323, art. 38109 et note Y. Dagorne-Labbé ; *JCP* 2004, IV, 3169 ; *RTD civ.* 2005, 121, obs. J. Mestre et B. Fages ; *Defrénois* 2005, 1, 612, art. 38142, n° 12, obs. R. Libchaber. – A.-G. Robert, *Action paulienne et conflits de propriété. À propos de Cass. 3e civ., 6 oct. 2004* : *JCP* 2005, I, 191.

(194) Cass. 3e civ., 12 oct. 2005 : *Bull. civ.* 2005, III, n° 189 ; *D.* 2005, act. jurispr. p. 2871.

901. –... et frauduleux. Enfin, le succès de l'action paulienne suppose la preuve d'une fraude. Si l'acte attaqué est un acte à titre gratuit, une donation par exemple, il suffira de prouver la fraude du donateur, la complicité du donataire étant alors présumée de manière irréfragable. S'il s'agit au contraire d'un acte à titre onéreux, la fraude devra être prouvée en la personne à la fois du débiteur et de son cocontractant ; en effet, il convient de distinguer entre les tiers complices de la fraude du débiteur(195) et les tiers de bonne foi qui doivent être protégés.

En fait, cette preuve est moins lourde qu'elle ne paraît. D'une part, d'après la jurisprudence, constitue une fraude non seulement l'intention de nuire au créancier(196), mais aussi « la seule connaissance qu'a le débiteur du préjudice qu'il cause au créancier en se rendant insolvable ou en augmentant son insolvabilité »(197) ; ou, suivant la formule d'un arrêt plus récent, « la fraude paulienne résulte de la seule connaissance que le débiteur et son cocontractant ont du préjudice causé au créancier par l'acte litigieux »(198). C'est la solution finalement retenue par le projet de réforme du droit des contrats qui subordonne l'exercice de l'action à charge, pour le créancier, « d'établir, s'il s'agit d'un acte à titre onéreux, que le tiers cocontractant a eu connaissance de la fraude » (art. 233). D'autre part, la fraude, étant un fait et non un acte juridique, pourra être prouvée par tous moyens et notamment par des présomptions qui résulteront des circonstances de la cause.

2° Effets

902. – Inopposabilité au créancier de l'acte critiqué. Contrairement à l'action oblique qui profite ou peut profiter à tous les créanciers, l'action paulienne ne bénéficie qu'à celui ou à ceux qui l'intentent. En effet, elle n'a pas pour conséquence de faire rentrer dans le patrimoine du débiteur un bien que tous les créanciers pourraient saisir.

L'acte jugé frauduleux n'est pas annulé, il est seulement déclaré *inopposable au créancier agissant.* À supposer qu'il s'agisse d'une vente, cette vente conserve tous ses effets entre vendeur et acheteur, et elle est opposable à tous les créanciers du vendeur autres que celui qui a exercé l'action paulienne. Mais à celui-ci, la vente est inopposable et il pourra donc saisir le bien entre les mains de l'acheteur et le faire vendre pour se payer ; comme le précise le projet de réforme (art. 150, al. 2), « le cas échéant, le tiers acquéreur est tenu de restituer ce qu'il avait reçu en fraude ». C'est ainsi que, une fois l'inopposabilité prononcée, le créancier peut poursuivre la vente forcée de l'immeuble, libre de tous droits, et l'adjudicataire le reçoit également libre de tous droits(199). Si l'acte frauduleux consiste dans la mise à disposition de fonds à

(195) Cass. 1re civ., 27 juin 1984 : *Bull. civ.* 1984, I, n° 211. Suivant la jurisprudence il y a complicité si le tiers connaît l'insolvabilité du débiteur et s'il sait que l'acte préjudicie à ses créanciers : Cass. 3e civ., 22 janv. 1971 : *Bull. civ.* 1971, III, n° 47. – Cass. 1re civ., 19 janv. 1977 : *Bull. civ.* 1977, I, n° 34. – Cass. com., 14 mai 1996 : *Bull. civ.* 1996, IV, n° 134.

(196) Cass. civ., 26 oct. 1942 : *DA* 1943, 18 ; *JCP* 1943, II, 2131, obs. Becqué. – Cass. 1re civ., 13 mars 1973 : *JCP* 1974, II, 17782, obs. J. Ghestin.

(197) Cass. 1re civ., 17 oct. 1979 : *JCP* 1981, II, 19627, obs. J. Ghestin. – Cass. 1re civ., 25 févr. 1981 : *JCP* 1981, II, 19628. – Cass. 1re civ., 14 mars 1984 : *Gaz. Pal.* 1985, 17 et note A. Plancqueel. – Cass. 1re civ., 29 mai 1985 : *Bull. civ.* 1985, I, n° 163. – Cass. 1re civ., 13 avr. 1988 : *Bull. civ.* 1988, I, n° 91. – Cass. 1re civ., 15 janv. 1993 : *Bull. civ.* 1993, I, n° 5. – Cass. 1re civ., 14 févr. 1995 : *D.* 1996, 391, 1re esp. et note E. Agostini.

(198) Cass. 1re civ., 12 déc. 2006 : *Bull. civ.* 2006, I, n° 547.

(199) Cass. 1re civ., 29 janv. 2002 : *D.* 2002, 2153. – Cass. 1re civ., 12 juill. 2005 : *Bull. civ.* 2005, I, n° 318 ; *D.* 2005, p. 2653 et note P.Y. Gautier.

un membre de la famille pour acheter un bien, le créancier poursuivant pourra saisir directement l'objet des aliénations frauduleuses entre les mains du tiers[200]. Cette technique de l'inopposabilité rappelle celle de *l'action en déclaration de simulation* dont l'action paulienne doit être rapprochée (V. *supra*, n°s 300 et s.).

Toutefois, à raison de son caractère personnel, l'action paulienne ne peut atteindre que l'auteur et les complices de la fraude, mais non les co-contractants innocents de toute fraude[201].

Dans la mesure où l'action paulienne risque d'être souvent exercée contre les actes d'un commerçant dont l'état de cessation de paiement est imminent, les règles ci-dessus doivent être combinées avec celles des procédures collectives[202]. Cela dit, de nombreux actes accomplis au cours de la *période suspecte* (c'est-à-dire du jour de la cessation des paiements jusqu'à celui du jugement déclaratif de règlement judiciaire ou de liquidation) étant déjà déclarés nuls en application des articles L. 632-1 et suivants du Code de commerce, il est probable que l'action paulienne ne présentera pas grand intérêt pour ces actes, même si elle n'est pas rendue impossible pour autant[203].

En revanche elle conserve tout son intérêt pour faire déclarer inopposables les actes frauduleux accomplis par le débiteur avant la date de cessation des paiements[204]. Mais en pareil cas le bénéfice de l'action paulienne n'est pas réservé au créancier poursuivant ; la jurisprudence a en effet décidé qu'il était étendu à tous les créanciers[205].

§ 2. – Les sûretés particulières à certains créanciers

903. – Les créanciers, et notamment les prêteurs d'argent, peuvent subordonner leur accord à l'octroi d'une garantie qui sera soit une sûreté personnelle, soit une sûreté réelle. Par ailleurs, la loi confère dans certaines hypothèses une sûreté réelle ou un privilège, en garantie du paiement de créances ou de créanciers qu'elle entend favoriser.

---

(200) Cass. 1re civ., 30 mai 2006 : *Bull. civ.* 2006, I, n° 268 ; *JCP* 2006, II, 10150 et note R. Desgorces ; *D.* 2006, p. 2717 et note G. François ; *Defrénois* 2006, 1, 1863, art. 38498, obs. R. Libchaber ; *LPA* 4 oct. 2006, p. 10 et note S. Prigent ; *ibid.* 3 janv. 2007, p. 11 et note D. Gibirila.

(201) Ainsi, le banquier qui, de bonne foi, a financé une acquisition immobilière conserve son hypothèque sur l'immeuble dans le cas où la vente a été déclarée frauduleuse en application de l'article 1167 : Cass. 1re civ., 13 déc. 2005 : *JCP* 2006, IV, 1077.

(202) C. Pizzio-Delaporte, *L'action paulienne dans les procédures collectives : RTD com.* 1995, 715. – B. Lecourt, *De l'utilité de l'action paulienne en droit des sociétés*, in *Mél. Y. Guyon* : Dalloz, 2003, p. 615.

(203) Malgré son caractère individuel, l'action paulienne peut alors être exercée, suivant les cas, par le représentant des créanciers ou par le commissaire à l'exécution du plan : Cass. com., 13 nov. 2001 : *JCP* 2002, II, 10151 et note E. Bost ; *RTD civ.* 2002, 102, obs. J. Mestre et B. Fages. – Le liquidateur est irrecevable à exercer l'action paulienne contre une déclaration notariée d'insaisissabilité effectuée par le débiteur avant sa mise en liquidation judiciaire, faute de pouvoir agir dans l'intérêt collectif des créanciers : Cass. com., 23 avr. 2013 : *JCP* 2013, 767, note Ph. Pétel ; *D.* 2013, 1127, obs. A. Lienhard, 2363, note F.-X. Lucas ; *Defrénois* 2013, n° 15-16, p. 784, 113g9, obs. F. Vauvillé. – Cass. com., 20 nov. 2012, *Lettre d'actualité des Procédures collectives civiles et commerciales* n° 1, janv. 2013, Alerte 7, obs. Fl. Petit : « l'action paulienne, qui peut être exercée par un créancier en son nom personnel pour attaquer les actes faits par son débiteur en fraude de ses droits et qui a pour effet de rendre ces actes inopposables au créancier qui l'exerce, ne permet pas au liquidateur du débiteur, agissant dans l'intérêt collectif des créanciers, d'obtenir la condamnation du tiers complice de la fraude au paiement de la créance personnelle détenue sur le débiteur mis en liquidation par le créancier ayant initié cette action ».

(204) Les paiements ne sont pas alors, en tant que tels, frauduleux ; mais ils peuvent le devenir s'ils ont été effectués par des moyens inhabituels (Cass. com., 1er avr. 2008, n° 07-11911).

(205) Cass. com., 7 juin 1967, 2 arrêts : *Gaz. Pal.* 1967, 2, 306. – Cass. com., 26 janv. 1988 : *D.* 1988, inf. rap. p. 39.

Toutes ces garanties ayant été déjà étudiées à l'occasion soit de l'étude des droits réels pour les sûretés réelles, soit de celle des garanties contractuelles de paiement pour les sûretés personnelles, il suffira de s'y reporter.

On rappellera seulement que les sûretés personnelles résident dans la stipulation de la *solidarité* entre les débiteurs principaux, ou dans l'adjonction de *cautions*, qui sont des débiteurs accessoires, ou encore découlent de l'octroi de *garanties autonomes, lettres d'intention ou de confort*, etc. (V. *supra*, n°s 544 et s.).

Quant aux sûretés réelles, elles peuvent porter ou sur des immeubles, ou sur des meubles, et offrent au créancier une garantie de paiement à peu près totale. (V. *supra*, n° 543).

CHAPITRE 3

L'EXTINCTION DES OBLIGATIONS

904. – **Les différentes manières d'éteindre les obligations.** L'extinction des obligations peut s'entendre de diverses manières, suivant qu'on y inclut ou non les procédés qui font disparaître l'obligation par désintéressement du créancier.

En un sens large, le paiement, la dation en paiement, la compensation (V. *supra*, n°s 846 et s.) sont des modes d'extinction des obligations. Et on en dit autant de ces transformations de la créance que sont la novation et la délégation (V. *supra*, n°s 837 et s.). Le Projet Catala présentait d'ailleurs six modes distincts d'extinction : le paiement, la remise de dette, la compensation, la confusion, la novation et la prescription[(1)] (art. 1218). De façon un peu différente, l'avant-projet de réforme du droit des obligations, s'inspirant du Projet Terré[(2)], énumère cinq cas d'extinction dans un chapitre II consacré à l'extinction de l'obligation : le paiement (y inclus la dation en paiement), l'impossibilité d'exécution, la remise de dette, la compensation et la confusion ; la novation et la délégation étant quant à elles appréhendées comme des opérations réalisant une modification du rapport d'obligation (sections 2 et 3 du chapitre IV du Titre IV), et la prescription restant hors périmètre de l'avant-projet de réforme.

En un sens étroit, qui sera celui retenu ici, l'extinction des obligations vise seulement les procédés d'extinction qui n'assurent pas le désintéressement du créancier. À cet égard, on peut dire que la *résolution* d'un contrat (V. *supra*, n°s 523 et s.), qui met fin aux obligations réciproques et s'accompagne de restitutions, est l'un de ces procédés. L'observation est surtout exacte lorsque l'inexécution du contrat est due à un cas fortuit ou de force majeure, auquel cas il n'y aura même pas lieu à responsabilité. C'est d'ailleurs à ce titre que ce cas particulier est envisagée par l'avant-projet de réforme, dans une section 2 (sous le titre L'impossibilité d'exécuter) de ce chapitre II consacré à l'extinction de l'obligation[(3)].

Art. 213. – L'impossibilité d'exécuter la prestation libère le débiteur à due concurrence lorsqu'elle procède d'un cas de force majeure et qu'elle est irrémédiable, à moins qu'il n'ait convenu de s'en charger ou qu'il ait été mis en demeure.

(1) V. J. François et R. Libchaber, *Extinction des obligations*, in *Avant-projet de réforme du droit des obligations et de la prescription, Exposé des motifs* : La Documentation française, 2006, p. 67.

(2) Le chapitre 3 consacré à la libération du débiteur contient six sections relatives au paiement, à la compensation, à la confusion, à la remise de dette, à l'impossibilité d'exécution, à la prescription extinctive.

(3) Pour l'explication, convaincante, de cette place, V. D.-R. Martin, *De la libération du débiteur*, art. préc., spéc. p. 109 et s.

Art. 214. – Lorsque l'impossibilité d'exécuter résulte de la perte de la chose due, le débiteur mis en demeure est néanmoins libéré s'il prouve que la perte se serait pareillement produite si l'obligation avait été exécutée.

Il est cependant tenu de céder à son créancier les droits et actions attachés à la chose.

On s'en tiendra ici aux trois autres modes d'extinction que sont la *confusion*, la *remise de dette* et la *prescription*.

SECTION 1

LA CONFUSION

905. – La confusion. Suivant l'article 1300 du Code civil, « lorsque les qualités de créancier et de débiteur se réunissent dans la même personne, il se fait une confusion de droit qui éteint les deux créances ».

Cette règle est reprise et précisée dans l'article 230 de l'avant-projet de réforme du droit des obligations.

Art. 230. – La confusion résulte de la réunion des qualités de créancier et de débiteur dans la même personne. Elle éteint la créance et ses accessoires, sous réserve des droits acquis par ou contre des tiers.

La *confusion*, qui entraîne l'extinction des créances, se produit donc en cas de réunion sur la même tête des qualités de créancier et de débiteur(4). Ainsi en est-il du locataire qui achète son appartement(5), ou du fermier qui hérite de sa ferme(6), ou de la société qui rachète les obligations qu'elle a émises(7) ; dans toutes ces hypothèses, l'obligation disparaît parce qu'on ne saurait être à la fois créancier et débiteur de soi-même.

Toutefois, si le contrat qui a entraîné la confusion vient à être annulé ou résolu, la rétroactivité inhérente à l'annulation ou à la résolution fait rétroactivement disparaître la confusion(8).

L'effet extinctif de la confusion n'est d'ailleurs pas total ; notamment dans les rapports avec les tiers, la créance confondue survit tant à leur profit qu'à leur détriment.

L'avant-projet de réforme du droit des obligations précise que l'extinction de la créance et de ses accessoires se réalise « sous réserve des droits acquis par ou contre des tiers » (V. *supra*, art. 230 *in fine*).

L'article 1301 du Code civil, repris à l'identique par l'article 1250 du Projet Catala, précise les effets de la confusion en présence de cautions ou de codébiteurs soli-

(4) Th. Vialatte, *L'effet extinctif de la réunion sur une même tête de qualités contraires et ses limites* : *RTD civ.* 1978, 567. – D. Guével, *La confusion ou les confusions : théorie générale ou relativité générale ?* : *Gaz. Pal.* 31 oct.-4 nov. 1999, doctr.

(5) Pour une illustration, V. Cass. com., 12 juin 2012 : *RDC* 2012/4, p. 1257 et s., obs. J.-B. Seube : *RTD civ.* 2012, 551, obs. Th. Revet, 4 déc. 2012 : *RDC* 2013/2, p. 629 et s., obs. J.-B. Seube : *LPA* 30 oct. 2012, n° 217, p. 11, obs. Y. Dagorne-Labbé.

(6) Ces hypothèses ont soulevé de grandes difficultés en ce qui concerne l'évaluation de l'appartement ou de la ferme pour l'application des règles de la rescision pour lésion, et des règles du partage. V. Cass. 1re civ., 16 nov. 1959 : *JCP* 1960, II, 11837, obs. Perot-Morel. – Cass. 1re civ., 8 déc. 1965 : *D.* 1967, 407 et note R. Savatier. La confusion n'atteint pas en revanche la sous-location consentie par le locataire devenu propriétaire : Cass. 3e civ., 2 oct. 2002 : *D.* 2003, 937 et note Y. Dagorne-Labbé. – C. Veiga, *Pas de confusion des droits pour le locataire principal devenu propriétaire* : *AJDI* 2003, 401.

(7) Cass. civ., 12 nov. 1946 : *D.* 1948, 345, 1re esp., et note J. Percerou. – Lyon, 5 mars 1951 : *JCP* 1951, II, 6562, obs. D.B.

(8) Cass. 3e civ., 22 juin 2005 : *JCP* 2005, II, 10149 et note Y. Dagorne-Labbé ; *D.* 2005, p. 3003 et note M.A. Rakotovahiny ; *RTD civ.* 2006, p. 313, obs. J. Mestre et B. Fages.

daires. La confusion qui s'opère en la personne du débiteur principal profite à sa caution mais non l'inverse. Quant à la confusion qui s'opère en la personne d'un codébiteur solidaire, elle ne profite aux autres que pour la part dont celui qui en bénéficie était débiteur.

L'avant-projet de réforme pose la même solution à l'article 231.

Art. 231. – Lorsqu'il y a solidarité entre plusieurs débiteurs ou entre plusieurs créanciers, et que la confusion ne concerne que l'un d'eux, l'extinction n'a lieu, à l'égard des autres, que pour sa part.

Lorsque la confusion concerne une obligation cautionnée, la caution est libérée. Lorsque la confusion concerne l'obligation d'une des cautions, les autres sont libérées à concurrence de sa part.

SECTION 2

LA REMISE DE DETTE

906. – **Deux formes.** Le Code civil traite sous le nom de remise de dette deux procédés quelque peu différents, puisque l'un est un acte juridique, la *remise de dette* véritable, et l'autre un fait matériel, la *remise du titre* constatant la créance, d'où on tire une présomption de libération du débiteur.

Art. 1282. – La remise volontaire du titre original sous signature privée, par le créancier au débiteur, fait preuve de la libération.

Art. 1283. – La remise volontaire de la grosse du titre fait présumer la remise de la dette ou le paiement, sans préjudice de la preuve contraire.

Art. 1284. – La remise du titre original sous signature privée, ou de la grosse du titre, à l'un des débiteurs solidaires, a le même effet au profit de ses codébiteurs.

Art. 1285. – La remise ou décharge conventionnelle au profit de l'un des codébiteurs solidaires libère tous les autres, à moins que le créancier n'ait expressément réservé ses droits contre ces derniers.

Dans ce dernier cas, il ne peut plus répéter la dette que déduction faite de la part de celui auquel il a fait la remise.

Art. 1286. – La remise de la chose donnée en gage ou en nantissement ne suffit point pour faire présumer la remise de la dette.

Art. 1287. – La remise ou décharge conventionnelle accordée au débiteur principal libère les cautions ;

Celle accordée à la caution ne libère pas le débiteur principal ;

Celle accordée à l'une des cautions ne libère pas les autres.

Art. 1288. – Ce que le créancier a reçu d'une caution pour la décharge de son cautionnement, doit être imputé sur la dette, et tourner à la décharge du débiteur principal et des autres cautions.

§ 1. – La remise de dette[9]

907. – **Convention de remise de dette.** La remise de dette véritable ou *décharge conventionnelle* est réglée par les articles 1285 à 1287. C'est la convention par laquelle le créancier libère le débiteur, qui l'accepte, étant entendu qu'ici le silence

(9) N. Picod, *La remise de la dette en droit privé français*, dir. C. Saint-Alary-Houin : Dalloz, coll. thèses, vol. 128, 2013.

pourrait valoir acceptation ; mais il doit s'agir d'un véritable contrat, non d'une simple renonciation unilatérale.

a) *Conditions.* En la forme, la remise de dette n'est soumise à aucune condition particulière et, en pratique, il est rare qu'un écrit soit établi pour relater les termes de la convention. Bien souvent, elle sera réalisée par la remise du titre de créance dont il sera question plus loin (V. *infra*, n° 908).

Quant au fond, outre les règles du droit commun qui sont applicables, doivent être observées les règles de l'acte – libéralité, renonciation, etc. – que la remise de dette va permettre d'accomplir.

Cette opération peut procéder d'une *intention libérale* à l'égard du débiteur, mais elle sera souvent la contrepartie d'un arrangement plus complexe entre les parties ; si bien qu'une remise de dette, tout en revêtant l'apparence d'un acte à titre gratuit, peut n'être qu'un élément d'une réorganisation générale des rapports entre deux personnes. On ne saurait dire, par exemple, que le *plan conventionnel de redressement* qui peut intervenir entre un particulier débiteur surendetté et ses créanciers (C. consom., art. L. 331-6) et qui comporte une remise de dette, est inspiré par une intention libérale ; il en va de même, en matière de sauvegarde et de redressement judiciaire, pour les *plans de sauvegarde ou de redressement de l'entreprise,* qui comportent, eux aussi, le cas échéant, des remises de dettes (C. com., art. L. 626-5 et L. 626-30-2, art. L. 631-19 et s.).

b) *L'effet de la remise de dette* est d'éteindre l'obligation et ses sûretés, réelles ou personnelles.

Ainsi, en application de l'article 1287 du Code civil, la remise faite au débiteur profite à la caution, parce qu'il n'y a plus de dette à cautionner, mais non l'inverse ; toutefois cette disposition ne s'applique pas aux remises de dettes intervenues dans le cadre du plan conventionnel de redressement(10), ou du plan de continuation de l'entreprise(11).

De même, en cas de solidarité, la remise faite à l'un des codébiteurs solidaires bénéficie à tous les autres, sauf stipulation contraire (C. civ., art. 1285) ; mais la solution serait différente si les codébiteurs étaient conjoints ou indivisibles.

Très proche des Projets Catala et Terré, l'avant-projet de réforme du droit des obligations définit la remise de dette(12) avant de préciser ses effets, qu'il modifie sur un point, en cas de pluralité de débiteurs(13).

Art. 215. – La remise de dette est le contrat par lequel le créancier libère le débiteur de son obligation.

Art. 216. – La remise de dette consentie à l'un des codébiteurs solidaires libère les autres à concurrence de sa part.

---

(10) Cass. 1re civ., 13 nov. 1996 : *D.* 1997, 141, concl. J. Sainte-Rose et note T. Moussa ; *JCP* 1997, II, 22780 et note Mury ; *RTD civ.* 1997, 191, obs. P. Crocq ; *Defrénois* 1997, 292 et note L. Aynès ; *Contrats, conc. consom.* 1997, chron. 7, obs. C. Marie. – Cass. 1re civ., 3 mars 1998 : *D.* 1998, 421, concl. J. Sainte-Rose ; *JCP* 1998, II, 10117 et note S. Piedelièvre ; *RTD civ.* 1998, 422, obs. P. Crocq.

(11) Cass. com., 17 nov. 1992 : *D.* 1993, 41 et note Vidal ; *Defrénois* 1993, 527, obs. Sénéchal. – Cass. com., 17 mai 1994 : *Bull. civ.* 1994, IV, n° 177.

(12) Comp. art. 1237 du Projet Catala qui précise « avec l'accord, exprès ou tacite, de celui-ci. ».

(13) L'article 216 consacre la règle inverse de celle aujourd'hui retenue à l'article 1285 s'agissant de l'effet de la remise consentie par un créancier à un codébiteur solidaire. La même solution vaut entre les cautions solidaires.

La remise de dette faite par l'un seulement des créanciers solidaires ne libère le débiteur que pour la part de ce créancier.

Art. 217. – La remise de dette accordée au débiteur principal libère les cautions.

La remise consentie à l'une des cautions solidaires libère les autres à concurrence de sa part.

Ce que le créancier a reçu d'une caution pour la décharge de son cautionnement doit être imputé sur la dette et tourner à la décharge du débiteur principal. Les autres cautions ne restent tenues que déduction faite de la part de la caution libérée ou de la valeur fournie si elle excède cette part.

§ 2. – La remise du titre

908. – **Présomption de libération du débiteur.** Le plus souvent, la remise de dette se réalise de manière indirecte, sans contrat apparent, par la *remise du titre* au débiteur. En effet, la loi attache à la remise du titre de créance une *présomption de libération* du débiteur (C. civ., art. 1282 et 1283). Elle s'applique indifféremment en matière civile ou en matière commerciale, par exemple à la remise de lettres de change tirées en règlement de factures(14). Encore faut-il que cette remise ait été *volontaire*, ce qui est également présumé(15), mais il s'agit là d'une présomption simple que les juges peuvent écarter lorsque les circonstances de la remise du titre paraissent suspectes(16).

En pratique, la remise du titre est un fait neutre qui peut s'expliquer bien autrement que par une remise de dette. Par exemple, le créancier une fois payé, peut faire l'économie d'une quittance en remettant son titre, c'est-à-dire son instrument de preuve, au débiteur.

La force de la présomption varie suivant la nature du titre ou, plus précisément, suivant que le créancier s'est démuni d'un titre remplaçable ou irremplaçable. Si le titre remis est la copie exécutoire d'un *acte notarié* dont l'original demeure chez le notaire, la présomption de libération peut être renversée par la preuve contraire. Si, au contraire, le titre remis est un original dont le remplacement serait impossible pour le créancier, par exemple un *acte sous seing privé*, ou un acte notarié rédigé en brevet, la présomption est irréfragable(17). La portée de la remise du titre est différente parce que les conséquences en sont également différentes : en effet, dans le premier cas le créancier qui remet le titre conserve la possibilité de faire la preuve de sa créance alors que, dans le second cas, il perd cette possibilité.

Comme le Projet Catala (art. 1232) et le Projet Terré (art. 68), l'avant-projet de réforme du droit des obligations (art. 193 et s.) traite de la question à propos de la preuve du paiement. Mais il pose une règle unifiée : la remise du titre original sous signature privée ou de la copie exécutoire « vaut présomption simple de libération ».

(14) Cass. com., 30 juin 1980 : *D.* 1982, 53 et note G. Parléani ; *RTD com.* 1981, 107, obs. M. Cabrillac et J.-L. Rives-Lange.
(15) Cass. civ., 5 juill. 1950 : *Bull. civ.* 1950, I, n° 157 ; *Gaz. Pal.* 1950, 2, 295.
(16) Cass. com., 3 déc. 1985 : *Bull. civ.* 1985, IV, n° 285 ; *RTD civ.* 1986, 603, obs. J. Mestre.
(17) Cass. 1re civ., 6 janv. 2004 : *Bull. civ.* 2004, I, n° 6, p. 4 ; *D.* 2004, inf. rap. p. 325 ; *JCP* 2004, IV, 1392 ; *Contrats, conc. consom.* 2004, comm. 37, obs. L. Leveneur.

SECTION 3

LA PRESCRIPTION EXTINCTIVE[18]

909. – **Définition.** Le Code civil de 1804 avait consacré tout le titre XX du Livre III à la prescription, qu'il définissait comme le moyen « d'acquérir ou de se libérer par un certain laps de temps, et sous les conditions déterminées par la loi » (anc. art. 2219). Derrière une définition unique, il recevait ainsi deux types de prescription : la prescription *acquisitive*, qui permet d'acquérir la propriété par la possession pendant un certain délai ; la prescription *extinctive*, qui empêche le titulaire du droit d'agir en justice passé un certain délai, et concerne notamment les droits personnels. Cette dernière sera l'objet principal[19] des développements qui suivent à raison de l'effet qui est le sien : elle éteint les droits de créance, ou du moins les actions qui les accompagnent.

910. – **Le Code civil.** La prescription est une institution indispensable car elle assure la sécurité juridique et la paix sociale : le risque de dépérissement des preuves et le souci de sécurité des affaires justifient que les actions en justice ne soient pas ouvertes indéfiniment ; il est en outre raisonnable de présumer que le paiement a été fait lorsqu'aucune réclamation n'est formulée pendant un certain délai. Pour autant, elle n'est pas sans danger car elle entame gravement les droits subjectifs, en privant le créancier du droit d'agir en paiement.

C'est pourquoi le Code civil de 1804 s'était efforcé de la canaliser : techniquement, l'institution était en principe subordonnée à l'écoulement d'un long délai de trente ans ; surtout, elle était objectivement conçue, encadrée par la loi et fortement imprégnée d'ordre public, laissant peu de place au juge et aux volontés individuelles.

911. – **Le « chaos » du droit français de la prescription.** Soucieuse d'équité et de liberté, la jurisprudence entreprit d'assouplir l'institution, en permettant notamment la prise en compte des raisons de l'inertie du créancier grâce à l'adage *Contra non valentem agere non currit praescriptio*[20], ou encore en validant certaines conventions privées[21]. Quant au législateur, tout au long du XXe siècle, il accumulât des règles spéciales pour satisfaire tel ou tel intérêt catégoriel.

De ce double mouvement, était résulté un véritable « chaos » de la prescription[22] : coexistaient un délai de droit commun de trente ans (ce qui était tout de même très long)[23] et d'innombrables délais spéciaux, entre lesquels aucune cohérence n'existait ; l'institution restait objectivement définie comme consistant en l'écoulement de tel ou tel délai, mais sa mise en œuvre laissait place à des considérations subjectives (ainsi en cas de suspension au profit de celui qui ne peut pas agir) ; la place de l'ordre public était

(18) B. Fauvarque-Cosson, *Variations sur le processus d'harmonisation du droit à travers l'exemple du droit de la prescription extinctive* : *RDC* 2004, 801. – V. Lasserre-Kiesow, *La prescription, les lois et la faux du temps* : *JCP* N 2004, 1225. – Ph. Malaurie, *L'homme, le temps et le droit. La prescription civile*, in *Mél. Malinvaud* : Litec, 2007, p. 393.

(19) Quelques développements auront trait à la prescription acquisitive pour les besoins de la compréhension de la matière. V. ainsi *infra*, nos 917 et 931.

(20) C'est-à-dire « la prescription ne court pas contre celui qui ne peut pas agir », V. *infra*, nos 913 et s.

(21) V. *infra*, n° 971.

(22) A. Bénabent, *Le chaos de la prescription extinctive*, in *Mél. Boyer*, PU Toulouse, 1996, p. 123. – *Adde*, *Les désordres de la prescription*, ss dir. P. Courbe, PU Rouen, 2000.

(23) V. mettant en garde contre le « mythe » de « l'accélération indéfinie du rythme de vie » : Carbonnier, art. cité *infra*, n° 900.

difficilement saisissable (le délai de prescription ne pouvait être allongé mais la jurisprudence admettait que la convention ajoute aux causes d'interruption) ; etc.

En outre, le droit français restait assez éloigné d'une commune inspiration européenne en la matière, commune inspiration que révélaient notamment la réforme opérée en Allemagne par la loi du 26 novembre 2001 et les projets de codification européenne[(24)].

912. - **Les propositions de réforme.** Plusieurs propositions de réforme furent avancées.

La doctrine suggérait notamment de raccourcir les délais, de supprimer les délais préfix et prescriptions particulières, d'écarter la suspension, de restreindre l'interruption, enfin de renforcer l'ordre public en la matière[(25)].

La Cour de cassation prônait l'unification du droit, et la substitution d'un délai de dix ans au délai trentenaire de droit commun[(26)].

Quant au Projet Catala, il suggérait[(27)] : de ramener le délai de droit commun à trois ans (art. 2274) ; de réserver l'application de nombreuses dispositions spéciales incluses dans d'autres codes ou traités et de maintenir certains délais inférieurs ou égaux à six mois (art. 2277) ; de consacrer une prescription de dix ans pour certaines actions en responsabilité civile (art. 2275), ainsi que pour les actions en nullité absolue (art. 1130) ; d'instituer un délai maximal de prescription de dix ans à compter du fait générateur de l'obligation, excepté pour certaines actions soumises à un délai de trente ans, et pour les crimes contre l'humanité, imprescriptibles (art. 2278) ; de consacrer des dispositions de droit transitoire (art. 2281).

913. - **La loi du 17 juin 2008.** Le 13 juillet 2006, le Gouvernement déposait sur le bureau du Sénat un projet de loi de simplification du droit tendant à lui permettre de prendre par ordonnance diverses mesures relatives aux règles de prescription civile. Il était prévu de ramener à dix ans le délai de droit commun en matière d'actions personnelles ou mobilières (sauf pour l'état des personnes), d'unifier à cinq ans les actions en paiement (ainsi que les actions en répétition correspondantes) de l'article 2277 et de revoir les règles d'application dans le temps visées à l'article 2281.

---

(24) B. Fauvarque-Cosson, *Variations sur le processus d'harmonisation du droit à travers l'exemple du droit de la prescription extinctive* : RDC 2004, 801, avait ainsi dénombré certains traits récurrents en Europe : une tendance à l'unification des délais, une tendance au raccourcissement des délais (trois ans étant la durée la plus fréquemment retenue), l'existence d'un délai butoir (souvent fixé à dix ans), la fixation du point de départ du délai au jour de la connaissance par le créancier de son droit, l'admission de clause contractuelle en matière de prescription. – D. Mazeaud et R. Wintgen, *La prescription extinctive dans les codifications savantes* : D. 2008, 2523. – *Adde*, depuis la réforme, F.-X. Licari, *Le nouveau droit français de la prescription extinctive à la lumière d'expériences étrangères récentes ou en gestation (Louisiane, Allemagne, Israël)* : *RID comp.* 2009, p. 739. – P. Jourdain et P. Wéry (ss dir.), *La prescription extinctive, Études de droit comparé*, Schulthess-Bruylant : LGDJ, 2010. – Cl. Witz, *La prescription extinctive dans les instruments d'uniformisation du droit* : *Réforme du droit de la prescription extinctive : perspectives nationales et transfrontières*, colloque Metz, mai 2009, *Lamy droit des affaires*, oct. 2009, p. 97 et s.

(25) V. not. A. Bénabent, *Sept clefs pour une réforme de la prescription extinctive* : *D.* 2007, p. 1800. – *Adde*, A. Crosio, *À propos de la prescription extinctive en matière civile et commerciale (créances)* : *LPA* 29 août 1986. – V. Lasserre-Kisow, *La prescription, les lois et la faux du temps* : *JCP* N 2004, 1225. – Ph. Malaurie, *L'homme, le temps et le droit*, in *Mél. Malinvaud*, Litec, 2007, p. 393. – F. Pollaud-Dullian, *De la prescription en droit d'auteur* : *RTD civ.* 1999, 585.

(26) Rapport du groupe de travail réuni en 2004 sous la présidence de Jean-François Weber, président de la troisième chambre civile. – *Adde*, Rapport annuel 2004 : La Documentation française, p. 11.

(27) La Documentation française, 2006, p. 193 et s. – Ch. Jamin, *Les avocats et l'avant-projet de réforme du droit des obligations et de la prescription* : *JCP* 2006, act. 479. – M. Mignot, *Aperçu critique de l'avant-projet de loi sur la prescription* : *RRJ* 2008, 1639. – A. Niemic, *L'avant-projet de réforme du droit des obligations et de la prescription : une véritable codification de la rencontre de volonté* : *LPA* 23 janv. 2008, 17, p. 11.

Le Parlement se saisit finalement de la question : après réalisation d'un rapport au nom de la commission des lois[28], une proposition de loi fut déposée au Sénat en juillet 2007[29] ; « trois petits tours au Parlement » suffirent[30] et la loi fut promulguée le 17 juin 2008[31].

Elle a suscité des réactions souvent critiques : « réforme manquée »[32], « en trompe l'œil »[33], « ignorance et naïveté »[34], « hypocrisie législative »[35], « manque d'audace »[36], « trop de flexibilité, de pouvoir du juge et de cas par cas »[37], « méthodes législatives approximatives »[38], « plus court mais pas plus simple »[39], inspiration européenne sans véritable mise en cohérence[40], subordination des droits subjectifs au bon vouloir du prince[41]...

914. – **Droit transitoire.** La loi nouvelle précise son domaine d'application dans le temps (art. 26)[42].

Elle est applicable dès son entrée en vigueur – soit le 19 juin 2008 –, et ce même si le délai de prescription a commencé à courir avant cette date. En cas d'allongement

(28) *Pour un droit de la prescription moderne et cohérent*, rapport d'information de MM. J.-J. Hyest, H. Portelli et R. Yung, au nom de la commission des lois et de la mission d'information de la commission des lois, n° 338, 20 juin 2007.

(29) M. Mignot, *La proposition de loi portant réforme de la prescription en matière civile : une nouvelle application du droit de ne pas payer ses dettes* : *LPA* 26 févr. 2008, n° 41, p. 6.

(30) L. Leveneur, *Trois petits tours au Parlement et quelques questions* : *JCP* N 2008, n° 50. Adoption par le Sénat le 21 novembre 2007, par l'Assemblée nationale le 6 mai 2008, second vote au Sénat le 5 juin 2008. – E. Blessig, Rapp. AN n° 847. – L. Bétrille, Rapp. Sénat, n° 83.

(31) S. Amrani-Mekki, *Liberté, simplicité, efficacité, la nouvelle devise de la prescription ?* : *JCP* 2008, I, 160. – F. Ancel, *La loi n° 2008-561 du 17 juin 2008 portant réforme de la prescription en matière civile* : *Gaz. Pal.* 12 juill. 2008, n° 194, p. 2. – M. Bandrac, *La nouvelle nature de la prescription extinctive en matière civile* : *RDC* 2008, 1413. – F. Bérenger, *Commentaire de la loi n° 2008-561 du 17 juin 2008 portant réforme de la prescription en matière civile* : *Administrer* déc. 2008, n° 416, p. 44. – Cl. Brenner et H. Lécuyer, *La réforme de la prescription* : *JCP* N 2009, 1118. – C. Charbonneau, *La prescription d'hier et d'aujourd'hui : commentaire de la loi du 17 juin 2008* : *Dr. et patrimoine* sept. 2008. – V. Delnaud, *Prescription et discrimination* : *D.* 2008, 2533. – D. Dupuis et G.L. Harang, *La réforme de la prescription par la loi n° 2008-561 du 17 juin 2008 : plus court mais pas plus simple* : *CDE* nov. 2008, n° 6, dossier, 59. – B. Fauvarque-Cosson et J. François, *Commentaire de la loi du 17 juin 2008 portant réforme de la prescription en matière civile* : *D.* 2008, chron. 2512. – B. François, *La prescription extinctive en droit américain et en droit français : différences et convergences* : *D.* 2008, 2543. – N. Fricero, *La nouvelle prescription : entre sécurité et modernité* : *Rev. Lamy dr. civ.* sept. 2008, p. 6. – X. Lagarde, *Réforme de la prescription en matière civile : entre simplification et incertitudes* : *Gaz. Pal.* 10-11 avr. 2009, p. 2. – Y.-M. Laithier, *Le nouveau droit français de la prescription extinctive et le rapport « Limitation of actions » de la Law Commission anglaise* : *D.* 2008, 2538. – V. Lasserre-Kisow, *Commentaire de la loi du 17 juin 2008 portant réforme de la prescription en matière civile* : *RDC* 2008, 1449. – A.-M. Leroyer, *Réforme de la prescription civile* : *RTD civ.* 2008, 563. – F. Limbach, *La prescription en droit allemand* : *D.* 2008, 2535. – Ph. Malaurie, *La réforme de la prescription civile* : *JCP* 2009, I, 134 ; *Defrénois* 2008, 2029. – L. Miniato, *La loi du 17 juin 2008 rend-elle caduque la jurisprudence de l'assemblée plénière de la Cour de cassation ?* : *D.* 2008, chron. 2953. – J. Sénéchal, *La loi française sur la prescription en matière civile et l'objectif communautaire d'un droit européen des contrats plus cohérent : concordance ou dissonance ?* : *RDC* 2008, 1472. – J.-Ph. Tricoire, *La réforme de la prescription en droit des biens et en droit de la construction* : *LPA* 24 juill. 2009, n° 147, p. 7. – G. Viney, *Les modifications apportées par la loi du 17 juin 2008 à la prescription extinctive des actions en responsabilité civile* : *RDC* 2009, 493. – *Adde* deux ouvrages collectifs : *La réforme du droit de la prescription*, colloque Strasbourg, 7 nov. 2008 : *LPA* 2 avr. 2009 ; *La réforme de la prescription en matière civile, Le chaos enfin régulé ?*, ss dir. Ph. Casson, Ph. Pierre : Dalloz, coll. « Thèmes et commentaires », 2010.

(32) A.-M. Leroyer, art. préc., p. 563.

(33) Cl. Brenner et H. Lecuyer, art. préc. : *JCP* N 2009, n° 30. – Ph. Malaurie, art. préc., *Defrénois* 2008, n° 22.

(34) Cl. Brenner et H. Lécuyer, art. préc.

(35) Cl. Brenner, art. cité *infra*, note sous n° 42.

(36) V. Lasserre-Kiesow, art. préc. : *RDC* 2008.

(37) Ph. Malaurie, art. préc. : *JCP* 2009, n° 15.

(38) G.-J. Martin, art. cité *infra*, note sous n° 41.

(39) D. Dupuis, G.L. Harang, art. préc.

(40) J. Sénéchal, art. préc.

(41) M. Bandrac, art. préc. : *RDC* 2008, n° 38.

(42) G. Eveillard, Les *règles de droit transitoire en matière de prescription civile*, in *La réforme de la prescription en matière civile, Le chaos enfin régulé ?*, préc., p. 51 et s. – Trois difficultés n'ont pas été explicitement résolues : l'application dans le temps du nouveau délai butoir, du nouveau point de départ du délai, de l'admission de nouvelles causes de suspension ou d'interruption. Pour les régler, il faut raisonner par assimilation avec l'allongement ou l'abrègement du délai de prescription : selon que la règle nouvelle a pour effet pratique d'allonger ou de réduire le délai pour prescrire, on applique la règle de conflit qui prévaut pour les lois allongeant ou réduisant le délai. Sur ce raisonnement, V. G. Eveillard, art. préc., p. 59 et s.

du délai de prescription, le délai déjà écoulé sous l'empire de la loi ancienne est pris en compte pour le calcul du nouveau délai. En cas de raccourcissement du délai, le nouveau délai court à compter de l'entrée en vigueur de la loi nouvelle[(43)].

À ces trois règles, elle apporte toutefois des limites. L'application d'un délai plus bref ne doit pas conduire à un délai excédant la durée retenue par le droit antérieur[(44)]. L'application d'un délai plus long ne peut s'appliquer si le délai consacré par le droit antérieur était expiré lors de l'entrée en vigueur de la loi nouvelle. En outre, la loi ancienne continue de s'appliquer à l'instance introduite avant l'entrée en vigueur de la loi nouvelle, y compris en appel et devant la Cour de cassation.

Ces dispositions, qui se bornent à faire application de solutions jurisprudentielles antérieures[(45)], ont par ailleurs été érigées en règles générales de conflit de lois dans le temps à l'article 2222.

915. – Plan. Seront successivement présentés : les notions retenues par la loi (§ 1) ; les délais de prescription (§ 2) ; le cours de la prescription (§ 3) ; les rôles respectifs du juge et de la volonté individuelle (§ 4).

Alors que la réforme avait été particulièrement justifiée par la nécessité de remédier au « capharnaüm » des délais[(46)], qui fleurissaient notamment à la faveur des droits spéciaux, le législateur n'a pas su tailler dans le vif[(47)]. L'analyse conduit ainsi à des incursions en droit des assurances[(48)], droit de la consommation, droit de la construction[(49)], droit de l'environnement[(50)], droit processuel[(51)], droit du transport[(52)], droit du travail[(53)], droit de la communication[(54)], etc.

(43) V. à titre d'exemple, Cass. com., 7 févr. 2012, n°s 11-12787 et 11-13213. – Cass. 2e civ., 22 mars 2012, n° 11-12284.

(44) Pour une illustration, V. Cass. 1re civ., 16 mai 2012 : *Procédures* 2012, comm. 324, R. Perrot.

(45) Cass. 1re civ., 28 nov. 1973 : *Bull. civ.* 1973, I, n° 329, p. 290. – Cass. com., 13 juin 1995 : *Bull. civ.* 1995, IV, n° 179, p. 165. – Cass. soc., 22 nov. 2001 : *Bull. civ.* 2001, V, n° 356, p. 284. – Cass. 3e civ., 22 oct. 2008 : *Bull. civ.* 2008, III, n° 160. – Cass. 3e civ., 13 nov. 2008 : *Bull. civ.* 2008, III, n° 173.

(46) A. Bénabent, art. préc., p. 124.

(47) Sur le rôle de la nature de la créance en la matière, V. C. Houin-Bressand, *Durée de la prescription et nature de la créance : Des contrats civils et commerciaux aux contrats de consommation*, in *Mél. en l'honneur du doyen B. Gross* : PUF, Nancy, 2009.

(48) V. not. A. Astegiano-La Rizza, *L'assurance et la réforme de la prescription civile : RGDA* oct. 2008, p. 833.

(49) V. not. A. Bouty, *La prescription en droit de la construction après la loi du 17 juin 2008 : RD imm.* 2009, n° 3, p. 150-155. – C. Charbonneau, *Incidence de la réforme de la prescription civile en matière de construction : Constr.-Urb.* nov. 2008, n° 11, étude 13. – M.-L. Cicile Delfosse, *L'incidence de la réforme en droit immobilier*, in *La réforme de la prescription en matière civile, Le chaos enfin régulé ?*, préc., p. 79. – G. Durand-Pasquier, *La responsabilité des constructeurs à l'aune de la réforme du droit de la prescription : consécrations et interrogations : Constr.-Urb.* juill. 2008, n° 7, alerte 36. – Ph. Malinvaud, *Prescription et responsabilité des constructeurs après la réforme du 17 juin 2008 : RD imm.* 2008, 368. – J.-Ph. Tricoire, *La réforme de la prescription en droit des biens et en droit de la construction : LPA* 24 juill. 2009, n° 147, p. 7. – V. Zalewski, *Réforme de la prescription civile : impact sur le droit immobilier : Defrénois* 2008, art. 38872, p. 2461.

(50) V. not. P. Billet, *Prescription des obligations financières liées à la réparation des atteintes à l'environnement : les affres du temps : JCP A* 2008, act. 697. – M. Boutonnet, *Réforme de la prescription civile et responsabilité environnementale : Environnement* nov. 2008, n° 11, 14. – G.-J. Martin, *Prescription et droit de l'environnement : RDC* 2008, 1468.

(51) V. not. Cl. Brenner, *De quelques aspects procéduraux de la réforme de la prescription extinctive : RDC* 2008, 1431. – J.P. Chazal et S. Wattel, *Prescription et vices de procédures : contrariété entre le Code civil et le Code de procédure civile ? : Procédures* nov. 2009, n° 11, alerte 50. – N. Fricero, *La nouvelle prescription extinctive un an après la loi n° 2008-561 du 17 juin 2008 : ce qu'il faut savoir ! : Procédures* juill. 2009, n° 7, étude 6. – J. Kayser, *La loi portant réforme de la prescription en matière civile et les modes alternatifs de résolution des conflits : JCP E* 2008, n° 28, 1938. – R. Perrot, *Mesures d'instruction préventive, Incidence sur la prescription de l'action au fond : Procédures* oct. 2008, n° 10, alerte 35.

(52) V. not. Ph. Delebecque, *La loi du 17 juin 2008 concerne-t-elle vraiment le monde des transports ? : Rev. dr. transp.* oct. 2008, n° 10, repère 9. – O. Staes, *La loi n° 2008-561 et le régime des prescriptions applicables aux transports terrestres de marchandises : Rev. dr. transp.* mars 2009, n° 3, étude 5.

(53) V. not. F. Chautard, L. Le Berre et A.S. Maigret-Mathiot, *Principales incidences de la réforme de la prescription civile en droit du travail, notamment au niveau de la relation individuelle de travail : Procédures* janv. 2009, n° 1, prat. 1.

(54) V. not. E. Caprioli, *Les apports de la loi n° 2008-561 du 17 juin 2008 portant réforme de la prescription en matière civile : Comm. com. électr.* déc. 2008, n° 12, comm. 141. – E. Lauvaux et E. Emile-Zola-Place, *La prescription des créances*

On s'interroge sur l'impact que les droits fondamentaux sont susceptibles d'avoir en la matière [(55)], qu'il s'agisse du droit au juge (V. *infra*, n° 951 et 965)[(56)] ou du droit au respect des biens[(57)], ou encore sur l'impact exact du comportement du débiteur (et notamment l'impact de la gravité de sa faute) sur la prescription[(58)].

§ 1. – Questions notionnelles

916. – Pragmatisme législatif. Se voulant pragmatique, le législateur ne s'est pas arrêté à trois questions notionnelles.

A. – Unité ou dualité des prescriptions ?

917. – Droit antérieur. Le Code civil de 1804 avait opté pour une conception unitaire de la prescription, l'article 2219 la définissant comme l'institution permettant « d'acquérir ou de se libérer par un certain laps de temps, et sous les conditions déterminées par la loi ». Pour autant, prescription acquisitive et prescription extinctive étaient soumises à des régimes juridiques partiellement distincts.

Et la doctrine s'était divisée. Pour les uns, la prescription était un mécanisme unitaire[(59)] : elle était « toujours à titre principal un phénomène acquisitif, et de manière corrélative un phénomène extinctif »[(60)]. Pour les autres, le droit connaissait deux types bien distincts de prescriptions qu'il était artificiel de prétendre ramener à l'unité[(61)].

À la veille de la réforme, certains[(62)] suggéraient de mieux dissocier les institutions pour éviter ce qu'ils considéraient comme un « facteur d'obscurcissement »[(63)].

---

de redevances dans les secteurs de l'édition et de la production depuis la loi du 17 juin 2008 : Comm. com. électr. oct. 2009, n° 10, étude 22.

(55) Les incidences effectives restent, pour l'heure, assez limitées. – V. ainsi Cass. 2e civ., 12 mars 2009 : *Bull. civ.* 2009, II, n° 72 : la prescription applicable en l'espèce a été considérée comme « n'apport[ant] aucune restriction incompatible avec les stipulations combinées des articles 6, § 1, et 14 de la Convention européenne des droits de l'homme et 1er du Protocole additionnel n° 1 à ladite Convention » parce qu'une contestation pouvait être élevée devant une juridiction de la sécurité sociale. – Comp., en matière de prescription acquisitive, Cass. 3e civ., 17 juin 2011, refusant de transmettre au Conseil constitutionnel une question prioritaire de constitutionnalité : *D.* 2011, 1819 ; *RTD civ.* 2011, 562, obs. Th. Revet ; *RD imm.* 2011, p. 500, obs. J.-L. Bergel.

(56) CEDH, 7 juill. 2009 : *RDC* 2010, n° 1, p. 201, obs. J.-P. Marguénaud. – Pour l'instant, l'argument n'a guère prospéré : Cass. 3e civ., 20 mai 2009 : *Contrats, conc. consom.* 2009, comm. 215, obs. L. Leveneur ; Cass. 2e civ., 7 juill. 2011, n° 10-19.625, inédit. – V. toutefois Cass. com., 5 sept. 2013 : *RDC* 2014/1, p. 50 et s., obs. J. Klein ; *D.* 2014, 1144, note A. Hontebeyrie ; *D.* 2014, 244, obs. A. Lienhard. – V. *infra*, n° 965. – Sur cette question, V. J.-S. Borghetti, *La conformité aux droits fondamentaux des délais de prescription des actions en responsabilité civile : D.* 2014, n° 17, p. 1019.

(57) Combiné, le cas échéant, à l'interdiction des discriminations. – V. ainsi CEDH, 3 oct. 2013 : *RDC* 2014/1, p. 129 et s., obs. F. Marchadier.

(58) N. Aymeric, *L'incidence du comportement du débiteur sur la prescription : RTD civ.* 2013, 519.

(59) M. Bandrac, *La nature juridique de la prescription extinctive en matière civile*, Économica, 1986 ; *Les tendances récentes de la prescription extinctive en droit français : RID comp.* 1994, p. 359. – F. Zénati et S. Fournier, *Essai d'une théorie unitaire de la prescription : RTD civ.* 1996, 339.

(60) F. Zénati et S. Fournier, art. préc., spéc. p. 343 : « Le possesseur d'un bien ou d'un droit en devient propriétaire et dépossède simultanément le propriétaire originaire de l'effectivité de son droit grâce à l'extinction de l'action qui sanctionnait ce dernier… Dans la prescription libératoire des droits réels, le propriétaire de la chose grevée usucape le droit dont un tiers est titulaire sur sa chose et provoque son extinction par consolidation. Dans la prescription libératoire des droits personnels, le débiteur usucape la créance, ce qui a pour effet l'extinction de cette dernière par confusion. »

(61) F. Hage-Chahine, *Les conflits de lois dans l'espace et dans le temps en matière de prescription, Recherches sur la promotion du fait au droit* : Dalloz, coll. « Bibl. dr. int. privé », 1977.

(62) A. Bénabent, art. préc., D.

(63) *Contra* pour l'affirmation de l'unité profonde de l'institution : A. Colin, *Pour une conception renouvelée de la prescription* : thèse Paris XI, juin 2008, Defrénois, coll. « Thèses », 2010. – V. Durand-Girard, *La prescription en droit civil. Essai d'une théorie unitaire* : thèse Versailles Saint-Quentin-en-Yvelines, déc. 2008.

918. – **Loi du 17 juin 2008.** Le législateur semble avoir été convaincu. L'ancienne définition unitaire a été abandonnée par la loi : l'article 2219 ne vise désormais plus que la prescription extinctive, qu'il définit comme « un mode d'extinction d'un droit résultant de l'inaction de son titulaire pendant un certain laps de temps » ; la définition de la prescription acquisitive a été quant à elle renvoyée à l'article 2258. En outre, formellement, les deux institutions relèvent désormais de deux titres différents du Livre III, les Titres XX et XXI (qui traitent respectivement « de la prescription extinctive », et « de la possession et de la prescription acquisitive »).

Mais la dissociation n'a pas été correctement opérée, si bien que la discussion perdure avec la loi nouvelle[64].

Cela tient d'abord au fait que la dissociation, accentuée sur le plan formel, ne l'a guère été sur le fond du droit : l'article 2259, propre à la prescription acquisitive, renvoie à vingt-huit des trente-cinq articles dédiés à la prescription extinctive. Plus précisément, sont applicables à la prescription acquisitive les règles de la prescription extinctive ayant trait aux conflits de lois dans le temps (art. 2221 et 2222), mais aussi au cours de la prescription (art. 2228 à 2246), et encore aux conditions de la prescription (art. 2247 à 2254).

La solution législative conduit ensuite à une difficulté d'interprétation considérable en matière de prescription acquisitive mobilière. Si la loi a précisé quel était le délai de prescription acquisitive immobilière (nouvel art. 2272) et a repris l'ancien article 2279, qui traite des effets de la possession de bonne foi des meubles à l'article 2276, elle a en revanche omis de préciser quel était le délai de prescription en matière de possession de mauvaise foi d'un meuble. L'ancien article 2262 ayant disparu, la réforme aboutit ainsi à un « trou » dans la législation[65] : en cas de possession de mauvaise foi, les meubles sont-ils imprescriptibles (il serait paradoxal qu'une loi visant à sécuriser le droit et raccourcir les délais en vienne à écarter la prescription), ou soumis au délai de prescription de cinq ans de l'article 2224 (mais il ne concerne à la lettre que la prescription extinctive) ou au délai décennal de l'article 2272 (c'était l'intention du législateur ; mais à la lettre, le texte ne concerne que la prescription extinctive) ? La proposition de réforme du droit des biens[66] rédigée par le groupe de travail réuni sous la direction d'Hugues Périnet-Marquet propose de régler la difficulté à l'article 549 : « le possesseur d'un bien en acquiert la propriété par une possession continue de trente ans ».

B. – Extinction de l'action

919. – **Droit antérieur.** Deux conceptions doctrinales s'opposent, quant à l'effet extinctif exact de la prescription[67]. Pour les adeptes de la conception minimaliste, dite « processualiste », la prescription éteint l'action mais non le droit[68]. Pour les tenants de la conception maximaliste, ou « substantialiste », la prescription éteint le droit lui-même[69].

(64) F. Rouvière, *La distinction des délais de prescription, butoir et de forclusion* : LPA 31 juill. 2009, n° 152, p. 7.
(65) L. Leveneur, art. préc.
(66) *Propositions de l'Association Henri Capitant pour une réforme du droit des biens*, Litec, coll. « Carré Droit », juin 2009.
(67) Sur quoi, Th. Lamarche, J. Huet : *JCP* E 2012, 1529.
(68) Mazeaud et Chabas, *Obligations*, 9ᵉ éd., n° 1187.
(69) Marty, Raynaud et Ph. Jestaz, *Obligations*, t. 2, 2ᵉ éd., n° 341. – Ph. Malaurie, L. Aynès et Ph. Stoffel-Munck, *Les obligations*, 3ᵉ éd., n° 1217. – Starck, Roland, Boyer, *Les obligations*, t. 3, 6ᵉ éd., n° 424. – V. aussi Cass. 3ᵉ civ., 25 avr. 2007 : *Bull.*

La jurisprudence récente paraissait se rallier à la thèse processualiste. Elle avait ainsi admis qu'une dette prescrite pouvait faire l'objet d'une compensation, et ce au motif très général que « la prescription libératoire extinctive de cinq ans prévue par l'article 2277 du Code civil... n'éteint pas le droit du créancier, mais lui interdit seulement d'exiger l'exécution de son obligation »(70).

En parallèle de cette question conceptuelle, il a par ailleurs été relevé que le droit pouvait également s'éteindre parce qu'il était limité dans le temps, auquel cas on peut parler de péremption du droit(71).

920. – **Loi du 17 juin 2008.** Le législateur n'a pas voulu résoudre la question, qui demeure donc « sans réponse »(72).

Deux textes renvoient plutôt à la conception substantielle : l'article 2219, qui définit la prescription comme « un mode d'extinction d'un droit résultant de l'inaction de son titulaire pendant un certain laps de temps » ; l'article 2221, qui dispose que « la prescription extinctive est soumise à la loi régissant le droit qu'elle affecte ».

Mais ils peuvent s'expliquer autrement que par une adhésion à la thèse substantialiste(73). En outre ils sont contredits par plusieurs autres textes qui envisagent la prescription des « actions » : ainsi des articles 2224 à 2227, 2235 et 2254. L'article 2249, selon lequel « le paiement effectué pour éteindre une dette ne peut être répété au seul motif que le délai de prescription était expiré » (V. *infra*, n° 970), peut également être invoqué en ce sens.

Certains optent donc aujourd'hui pour une analyse intermédiaire : « la prescription éteint le droit, puisqu'elle n'éteint pas seulement l'action, mais elle ne l'éteint pas complètement »(74).

Le silence législatif s'explique par l'idée qu'il n'appartient pas à la loi de trancher une controverse « doctrinale »(75). Encore faut-il qu'il n'en résulte aucune difficulté pratique(76), ce qui est douteux, les hésitations notionnelles engendrant le plus souvent des difficultés de régime(77).

C. – Prescription et délais de forclusion ?

921. – **Droit antérieur.** En marge des délais de prescription proprement dits, le droit positif avait multiplié des délais dits préfix, imposés à peine de déchéance

---

civ. 2007, III, n° 61 ; *Contrats, conc. consom.* 2007, comm. 197, obs. L. Leveneur : en cas de paiement d'un loyer, le créancier peut l'imputer même sur la fraction prescrite de sa créance. – Comp. *contra* Cass. 1re civ., 5 mars 1957 : *D.* 1957, 331 ; *RTD civ.* 1957, 720, obs. Hébraud et Raynaud.

(70) Cass. 2e civ., 9 juill. 2009 : *Bull. civ.* 2009, II, n° 194. – V. aussi Cass. 3e civ., 25 avr. 2007, préc. – Comp. autrefois, Cass. civ., 5 mars 1957, préc., affirmant que la prescription éteint « le droit et l'action ». – Rappr. la jurisprudence qui considère que les lois relatives à la prescription sont des lois de procédure : Cass. 3e civ., 7 sept. 2011, *Lamy droit civil* 2011, n° 87, obs. J.-Ph. B.

(71) C. Grimaldi, *La durée des droits : péremption ou prescription ? Approche empirique* : *D.* 2012, 514.

(72) Th. Le Bars, *La nature de la prescription, une question sans réponse*, in *La réforme de la prescription en matière civile, Le chaos enfin régulé ?*, préc., p. 3 et s. – G. Canselier, *L'effet extinctif de la prescription libératoire à la lumière de la réforme de la prescription civile* : *RRJ* 2008, 1945. – A. Guesmi, *Les effets de la prescription extinctive du point de vue du terme* : *LPA* 23 mars 2010, n° 58, p. 8 et s.

(73) Cl. Brenner, art. préc. note ainsi que pour certains auteurs l'action est un droit, et que l'article 2221 se borne à reconduire la jurisprudence antérieure.

(74) M. Bandrac, art. préc. : *RDC* 2008, n° 37. – F. Terré, Ph. Simler et Y. Lequette, *op. cit.*, n° 1504.

(75) En ce sens, V. E. Blessig, Rapp. AN n° 847, p. 31. – Cl. Brenner, art. préc., p. 1422.

(76) Pour cette crainte, V. S. Amrani-Mekki, art. préc., nos 24 et s., qui envisage par exemple la question de la réparation du dommage résultant d'une discrimination. La question a été résolue par la loi du 17 juin 2008 : les dommages et intérêts réparent l'entier préjudice résultant de la discrimination, pendant toute sa durée (C. trav., art. L. 1134-5, al. 3).

(77) F. Terré, *Observations*, in *La réforme de la prescription en matière civile, Le chaos enfin régulé ?*, préc., p. 108.

pour accomplir un acte ou faire valoir un droit. Ainsi par exemple du délai de deux ans accordé au vendeur d'immeuble pour agir en rescision pour lésion (art. 1676), ou encore des délais de deux et dix ans applicables à la responsabilité des constructeurs (ancien art. 2270).

Ces délais étaient particuliers à plusieurs égards[(78)] : généralement de courte durée, ils échappaient en principe aux causes de suspension[(79)] ; ils devaient être relevés d'office par le juge[(80)] ; ils n'étaient susceptibles ni de renonciation, ni d'aménagement conventionnel ; enfin, ils étaient soustraits à la règle selon laquelle l'exception est perpétuelle[(81)]. En revanche, la Cour de cassation avait jugé que la règle de l'ancien article 2246, règle suivant laquelle la citation en justice, même devant un juge incompétent, interrompait la prescription, s'appliquait à tous les délais pour agir[(82)].

La doctrine moderne les analysait comme des délais destinés à assurer la sécurité juridique non par la consolidation du fait mais par la sanction de l'inaction : ils n'étaient pas destinés à régler un conflit entre un créancier et un débiteur, mais seulement à instaurer une discipline, en prévoyant l'extinction de l'action du créancier – ou de son droit –, pour non usage du droit pendant un délai de rigueur[(83)]. Mais les efforts pour dégager un critère fiable de distinction avaient échoué : la courte durée ne suffisait pas, car le droit consacrait aussi des prescriptions abrégées[(84)] ; quant à la volonté du législateur, elle n'était ni toujours explicite, ni nécessairement respectée en jurisprudence[(85)]. D'où des hésitations regrettables au regard de la sécurité juridique. La terminologie elle-même flottait, entre délais préfix, délais de préfixion, ou délais de forclusion. À la veille de la réforme, pour remédier à cette « nébuleuse »[(86)], il avait été suggéré de supprimer ces « facteurs de trouble »[(87)].

922. – Loi du 17 juin 2008. La loi du 17 juin 2008 n'a pas résolu l'« énigme »[(88)]. Les délais préfix resteront ainsi une « inépuisable source de perplexité »[(89)].

---

(78) Vasseur, *Délais préfix, délais de prescription, délais de procédure* : *RTD civ.* 1950, 439. – A. Trescases, *Les délais préfix* : *LPA* 30 janv. 2008, p. 6.

(79) Ainsi, le délai de forclusion de deux ans en matière de rescision pour lésion dans la vente immobilière (art. 1676, al. 2) échappe à la suspension : Cass. 3ᵉ civ., 20 mai 2009 : *Contrats, conc. consom.* 2009, comm. 215, obs. L. Leveneur. Mais la solution n'était pas systématique. La Cour de cassation avait ainsi jugé que le délai de désaveu ne courait pas en cas d'impossibilité d'agir : Cass. req., 25 nov. 1946 : *D.* 1948, 321, note Holleaux. Elle avait aussi jugé que le délai de deux ans qui régit l'action en responsabilité contre le transporteur aérien (C. aviation, anc. art. L. 322-3) était suspendu en cas d'incapacité : Cass. ass. plén., 14 janv. 1977 : *D.* 1977, 89, concl. Schmelck.

(80) La solution n'était pas systématique. V. par ex. Cass. 1ʳᵉ civ., 9 déc. 1986 : *Bull. civ.* 1986, I, n° 293, p. 278.

(81) Cass. req., 24 mai 1898 : S. 1901, 1, 335. – Cass. 1ʳᵉ civ., 29 mars 1950 : *Bull. civ.* 1950, I, n° 89 ; *RTD civ.* 1950, 514, obs. J. Carbonnier. – Cass. 3ᵉ civ., 4 nov. 2004 : *JCP* 2004, IV, 3407 ; *RD imm.* 2005, 61, obs. Ph. Malinvaud.

(82) Cass. ch. mixte, 24 nov. 2006 : *Bull. civ.* 2006, ch. mixte, n° 11 ; *JCP* 2007, II, 10058, note I. Pétel-Teyssié ; *D.* 2007, p. 1112, note R. Wintgen ; *RTD civ.* 2007, p. 169, obs. Ph. Théry, p. 175, obs. R. Perrot. – La solution antérieure était en sens contraire : Cass. soc., 24 juin 1970 : *Bull. civ.* 1970, V, n° 438.

(83) M. Bandrac : thèse préc.

(84) Pour une illustration typique des difficultés de qualification, V. en droit de la consommation, la question de la nature du délai de l'ancien article L. 311-37 (devenu art. L. 311-52 depuis la loi du 1ᵉʳ juillet 2010), qualifié de délai de prescription en jurisprudence (Cass. 1ʳᵉ civ., 24 nov. 1987 : *Bull. civ.* 1987, I, n° 307, p. 220), et de délai de forclusion par la loi du 23 juin 1989.

(85) Cass. 1ʳᵉ civ., 2 mars 1971 : *Bull. civ.* 1971, I, n° 64, p. 54, à propos du délai de deux ans en matière de transport aérien.

(86) Ph. Malaurie, *Avant-projet de réforme du droit des obligations et de la prescription* : La Documentation française, 2006, p. 198.

(87) Alain Bénabent ayant proposé de supprimer les cas de suspension de prescription et d'affirmer le caractère d'ordre public de l'institution, la disparition des délais de forclusion, justement caractérisés par le fait qu'ils échappaient à ces deux règles, ne faisait guère débat : art. préc., *D.*

(88) Pour un droit de la prescription moderne et cohérent, rapp. préc.

(89) B. Fauvarque Cosson, J. François, art. préc., n° 14.

L'article 2220 dispose que « les délais de forclusion ne sont pas, sauf dispositions contraires prévues par la loi, régis par le présent titre ». Il en résulte que, sauf les articles 2222 (qui règle les questions de droit transitoire, V. *supra*, n° 914), 2241 (qui prévoit l'interruption du délai par l'exercice de l'action, solution acquise depuis la loi du 5 juillet 1985, V. *infra*, n° 954)(90) et 2244 (qui envisage l'interruption par un acte d'exécution forcée ou une mesure conservatoire, V. *infra*, n° 957), les délais de forclusion échappent en principe au droit de la prescription(91). Ainsi de la détermination du point de départ du délai, de sa durée, d'une éventuelle suspension du délai(92), de l'interdiction faite au juge de soulever d'office son écoulement(93), de la possibilité d'aménagement conventionnel, etc.

Pour autant, la loi s'est bien gardée d'élucider le mystère du critère de qualification.

Cette « survie sournoise »(94) des délais préfix a reçu un accueil doctrinal réservé : on s'est demandé si, à rebours du choix législatif, « la réduction des délais de prescription [n']aurait pu justifier un rapprochement des régimes »(95) ; et aussi si la consécration d'un délai butoir ne conduisait pas à un rapprochement subreptice de la prescription et des délais préfix (sur quoi, V. *infra*, n°s 961 et s.).

§ 2. – Détermination des délais

923. – Plan. Le droit antérieur était caractérisé par un délai de droit commun de trente ans, et une multitude de prescriptions plus courtes. La réforme entendait raccourcir et unifier les délais. Le résultat est incertain, qu'il s'agisse du droit commun ou des solutions spéciales.

A. – Le droit commun

924. – Substitution d'un délai de cinq ans au délai de trente ans. Le délai trentenaire qu'avait retenu le Code civil de 1804 demeurait le délai de droit commun avant la loi du 17 juin 2008 (V. anc. art. 2262).

Il ne correspondait pourtant plus aux impératifs de l'époque. Il imposait en principe de conserver pendant trente ans la justification du paiement, ce que ne faisaient pas les banques, et ce qu'il était excessif d'imposer aux professionnels et particuliers, surtout à l'heure de la preuve électronique. En outre, il avait été écarté par la loi du 5 juillet 1985 en matière de responsabilité délictuelle, et n'était plus applicable qu'en matière contractuelle, ce qui entraînait des conséquences difficilement compréhensibles lorsqu'un même acte dommageable relevait de deux prescriptions différentes selon que l'action était intentée par le contractant ou un tiers.

(90) L'effet interruptif joue même si l'assignation est nulle pour vice de procédure : Cass. 2e civ., 25 nov. 2010, *Procédures* 2010, comm. 50, R. Perrot. – Cass. 3e civ., 2 juin 2010 : *Procédures* août 2010, n° 8, comm. 310, R. Perrot. – Sur la portée exacte du texte, E. Agostini, *Délais de procédure et délais de forclusion : la cessation* : *D.* 2011, p. 728.

(91) Pour une application aux délais en matière de responsabilité des constructeurs, V. N. Fricero, *La prescription après la loi du 17 juin 2008 en droit de la construction* : *RD imm.* 2011, 435. – Pour une application en droit rural, V. Cass. 3e civ., 29 juin 2011 : *RD rur.* oct. 2011, n° 396, comm. 114, S. Crevel.

(92) La solution positive s'avère ainsi plus radicale que ne l'était le droit antérieur.

(93) Mais le plaideur qui se prévaut de la fin de non-recevoir liée au dépassement du délai doit en justifier : Cass. 3e civ., 9 févr. 2011 : *RDC* 2012/1, p. 125 et s., obs. S. Pimont.

(94) M. Bandrac, art. préc., n° 4.

(95) F. Terré, Ph. Simler et Y. Lequette, *Les obligations*, 11e éd., n° 1473.

La Cour de cassation avait donc suggéré à plusieurs reprises que les prescriptions soient harmonisées, et le délai réduit à dix ans. La tendance au raccourcissement des délais de prescription de droit commun était d'ailleurs générale dans les projets européens : l'avant-projet de Code européen des contrats de Pavie prévoyait un délai de dix ans (art. 134.4 et 134.8) ; les Principes Lando avaient même opté pour un délai de trois ans (dix en cas de créance constatée en justice : art. 14.201)(96). Et telle était aussi la solution préconisée par le Projet Catala (art. 2274).

Le besoin de rapidité, le souci d'économie d'argent, la rapide obsolescence des supports informatiques, l'impératif de compétitivité internationale, la nécessaire cohérence du droit, ont aisément convaincu le législateur qu'il convenait de raccourcir la durée du délai. La diversité du droit comparé (six ans en Angleterre, trois ans en Allemagne depuis la loi du 26 novembre 2001, dix ans en Suisse...) ou des délais spéciaux retenus par ailleurs en droit français (par exemple dix ans pour la responsabilité extracontractuelle, cinq ans pour la nullité relative pour vice du consentement, trois ans pour la responsabilité du fait des produits défectueux...) rendaient en revanche le choix du délai idoine plus délicat. Entre le délai de dix ans proposé par la Cour de cassation et celui de trois ans suggéré par le Projet Catala, la loi du 17 juin 2008 a opté pour un délai de cinq ans : « les actions personnelles ou mobilières se prescrivent par cinq ans à compter du jour où le titulaire d'un droit a connu ou aurait dû connaître les faits lui permettant de l'exercer » (art. 2224)(97).

925. - **Portée variable de la substitution au regard du droit antérieur.** La portée de la réforme varie naturellement selon le domaine considéré.

Elle est considérable dans le domaine qui relevait autrefois de la prescription trentenaire : ainsi en matière de responsabilité contractuelle (sauf quelques exceptions, V. *infra*, n°s 933 et s.) ou d'action en nullité absolue(98). À cet égard, on note que l'alignement de l'action en nullité absolue sur l'action en nullité relative réalise un singulier déclin de l'intérêt général en droit positif (comp. la prescription décennale que prônait le Projet Catala pour la nullité absolue, V. *supra*, n° 912).

Elle existe aussi dans tous les cas où, autrefois, la loi retenait par exception un délai décennal : ainsi en matière de responsabilité(99) délictuelle (anc. art. 2270). Encore faut-il noter que certains textes retiennent aujourd'hui en la matière une prescription plus longue (par ex., art. 2226, V. *infra*, n° 935).

Elle n'est guère perceptible, en revanche, lorsque, par dérogation au droit commun de la prescription trentenaire, un délai de cinq ans était antérieurement retenu. Il en va ainsi des actions en rescision ou en nullité relative, soumises à un délai de cinq ans depuis la loi du 3 janvier 1968 (art. 1304, réd. L. n° 68-5, 3 janv. 1968)(100).

(96) V. aussi, Principes Unidroit, art. 10.2.

(97) A. Guégan, *La nouvelle durée de la prescription : unité ou pluralité ?*, in *La réforme de la prescription en matière civile, Le chaos enfin régulé ?*, préc., p. 11 et s.

(98) Mais la Cour de cassation s'était déjà employée à réduire le temps pour agir en soumettant l'action en nullité absolue d'un acte mixte à la prescription décennale (sur le devenir de cette prescription, V. *infra*, n° 939) : Cass. 1re civ., 27 juin 2006 : *Bull. civ.* 2006, I, n° 325, p. 280.

(99) Sur le thème, V. M. Bruschi, *Responsabilité et prescription* : LGDJ, 1999.

(100) Le texte demeure. – La jurisprudence avait considéré qu'il ne s'appliquait pas aux ventes sur saisie immobilière : Cass. 2e civ., 3 oct. 2002 : *Bull. civ.* 2002, II, n° 206 ; *D.* 2003, 1596, note M. Lehot.

Et la même remarque vaut pour les actions en paiement des salaires[101], des arrérages de rentes perpétuelles et viagères et des pensions alimentaires[102], des loyers[103] ainsi que des indemnités d'occupation s'y substituant[104], des fermages et des charges locatives (L. 18 janv. 2005, art. 113)[105], des intérêts des sommes prêtées[106] et plus généralement de « tout ce qui est payable par année ou à des termes périodiques plus courts »[107] : l'ancien article 2277 soumettait déjà de telles actions[108] à une prescription quinquennale[109].

Le choix d'un délai quinquennal peut même aboutir à un allongement de délais relativement aux courtes prescriptions que contenaient autrefois les articles 2271 à 2273.

Pour déterminer exactement la portée du raccourcissement opéré – ce « cœur apparent de la réforme »[110] – il faut préciser deux points : le point de départ du délai d'abord, le domaine d'application du texte ensuite.

1° Le point de départ du délai[111]

926. – **Droit antérieur.** La détermination du point de départ du délai de prescription ne faisait pas l'objet de règle générale dans le Code civil de 1804[112].

L'ancien article 2257 réglait la question en cas d'obligation affectée d'un terme ou d'une condition : le point de départ de la prescription était le jour de l'échéance du terme ou de la survenance de la condition. Et la jurisprudence avait plus généralement considéré que la prescription libératoire ne commençait pas à courir le jour de la naissance de la créance : elle courait seulement à compter du jour où le

(101) G.-H. Camerlinck, *La prescription de la créance de salaires* : *D.* 1971, chron. 237. – M. Rayroux, *La prescription en matière de salaire* : *Gaz. Pal.* 1977, 2, doctr. 594.

(102) Même solution pour une prestation compensatoire sous forme de rente : Cass. 1re civ., 28 févr. 2006, pourvoi n° 04-11405.

(103) Même si les créances de loyer étaient exprimées en capital sous la forme d'une reconnaissance de dette : Cass. ch. mixte, 12 avr. 2002 : *Defrénois* 2002, 1, 1150, art. 37599, note Y. Dagorne-Labbé ; *Defrénois* 2002, 1, 1265, art. 37607, n° 69, obs. R. Libchaber.

(104) Cass. 1re civ., 5 mai 1998 : *Bull. civ.* 1998, I, n° 160 ; *RD imm.* 1998, p. 425, obs. F. Collart-Dutilleul. – Cass. 3e civ., 5 févr. 2003 : *Bull. civ.* 2003, III, n° 29. – Cass. 3e civ., 8 nov. 2006 : *Bull. civ.* 2006, III, n° 221 ; *D.* 2007, p. 347, note N. Damas ; *Defrénois* 2007, 1, 457, art. 38562, n° 31, obs. R. Libchaber ; *D.* 2007, chron. p. 1297, n° 1, obs. A.C. Monge et F. Nesi.

(105) Sur ce point, la loi avait consacré la jurisprudence : Cass. ch. mixte, 12 avr. 2002 : *JCP* 2002, II, 10100, note M. Billiau ; *D.* 2002, 2433, note C. Aubert de Vincelles ; *Defrénois* 2002, 1, 1265, art. 37607, n° 69, obs. R. Libchaber. – Cass. ass. plén., 10 juin 2005 : *Defrénois* 2005, art. 38251, p. 1607, obs. J. Massip, art. 38254, p. 1642, obs. A. Bénabent. – En revanche, et contrairement à la jurisprudence, cette même loi avait soumis au délai de cinq ans les actions en répétition des loyers, des fermages et des charges locatives. – V. J.L. Puygauthier, *Le champ d'application de la prescription quinquennale en matière de bail* : *JCP* N 2006, 1146.

(106) Solution que la jurisprudence avait étendue à l'action en paiement d'intérêts moratoires : Cass. 2e civ., 1er juin 1988 : *Bull. civ.* 1988, II, n° 134. – Cass. 3e civ., 7 nov. 2007 : *D.* 2007, act. jurispr. 2944, obs. X. Delpech. – Cass. 3e civ., 7 nov. 2007 : *Bull. civ.* 2007, III, n° 198. – Cass. com., 14 oct. 2008 : *Bull. civ.* 2008, IV, n° 170.

(107) L. Topor, *La notion de créance à caractère périodique au sens de l'article 2277 du Code civil* : *RTD civ.* 1986, 1.

(108) La prescription quinquennale ne s'appliquait toutefois qu'aux paiements périodiques : le droit générateur de la créance périodique n'était pas concerné, et restait soumis à la prescription trentenaire de droit commun : Cass. 1re civ., 3 mai 1983 : *Bull. civ.* 1983, I, n° 137. – Cass. 1re civ., 19 mars 1991 : *Bull. civ.* 1991, I, n° 94. – Cass. com., 24 nov. 1992 : *Bull. civ.* 1992, IV, n° 369.

(109) La jurisprudence s'était efforcée de cantonner l'article 2277, notamment en exigeant que la créance soit périodique et fixe : Cass. 1re civ., 28 avr. 1969 : *D.* 1969, 411. – Cass. soc., 15 juin 1972 : *D.* 1973, 253, note J. Doublet. – Cass. ass. plén., 7 juill. 1978 : *JCP* 1978, II, 18948, rapp. A. Ponsard, concl. J. Baudoin, note R. D. M. – L'exigence de fixité avait ensuite été abandonnée pour les arrérages des rentes perpétuelles et viagères et pour les pensions alimentaires : Cass. 1re civ., 18 nov. 1981 : *JCP* 1982, II, 19772, obs. J. Baudoin. – V. aussi pour le paiement des créances de l'EDF constatées par compteur : Cass. 1re civ., 29 avr. 1981 : *JCP* 1982, II, 19730, obs. P. Courbe.

(110) Cl. Brenner, H. Lécuyer, art. préc., n° 16.

(111) J. Klein, *Le point de départ de la prescription*, préf. N. Molfessis : Economica, 2013.

(112) A. Ballot-Léna, *Les multiples points de départ de la prescription extinctive* : *LPA* 7 déc. 2007, p. 5.

créancier pouvait former sa demande en paiement, c'est-à-dire le jour de l'exigibilité de l'obligation[(113)].

Des lois postérieures avaient en outre précisé le point de départ du délai relativement à telle ou telle action. L'action en nullité pour vice du consentement ou incapacité se prescrivait ainsi à compter de la découverte de l'erreur ou du dol ou de la cessation de la violence, ou du jour de la majorité, etc. (C. civ., art. 1304, réd. L. 3 janv. 1968). Quant à l'action en responsabilité, elle était prescrite : en matière de responsabilité des constructeurs, en principe à compter du jour de la réception des travaux (C. civ., art. 2270, réd. L. 4 janv. 1978) ; en matière délictuelle, à compter de la manifestation du dommage et non du fait générateur (C. civ., art. 2270-1, réd. L. 5 juill. 1985) ; en matière médicale, à compter du jour de la consolidation du dommage (C. santé publ., art. L. 1142-28, réd. L. 4 mars 2002)[(114)] ; etc.

Enfin, lorsque l'obligation s'exécutait sous forme de paiements périodiques (par exemple les loyers), la prescription courait séparément à compter de chaque échéance pour chaque paiement qui aurait dû être fait : chaque terme était donc prescrit au bout de cinq ans à compter de l'échéance[(115)]. Mais lorsque les créances, quoique répétées, n'étaient pas périodiques (comme des visites de médecin), il fallait se référer à l'intention des parties.

927. - **Loi du 17 juin 2008.** On pouvait hésiter entre plusieurs dates, et notamment entre la date de naissance du droit, la date d'exigibilité du droit, et la date de la connaissance du droit par son titulaire.

Le Projet Catala proposait de faire courir en principe la prescription à compter du « jour où le créancier peut agir » (art. 2262), mais fixait avec précision le point de départ de certains délais : la prescription de la nullité pour violence ne courait que du jour où la violence cessait, celle de la nullité pour dol ou erreur du jour de la découverte de l'erreur (art. 115-1 ; V. *supra*, n° 926) ; l'action en responsabilité se prescrivait à compter du jour de la manifestation du dommage ou de son aggravation, et non à compter du jour de la consolidation, comme le décidait la jurisprudence (art. 1384 ; V. *supra*, n° 926).

S'inspirant du droit européen[(116)], la loi du 17 juin 2008 a voulu concilier sécurité et justice, et éviter que le raccourcissement du délai ne porte gravement atteinte aux droits du créancier[(117)]. Il en est résulté une règle assez peu convaincante[(118)] : le délai de cinq ans ne commence à courir qu'« à compter du jour où le titulaire d'un droit a connu ou aurait dû connaître les faits lui permettant de l'exercer » (art. 2224)[(119)].

(113) Cass. civ., 21 oct. 1908 : S. 1908, 1, 449. – Cass. 1re civ., 30 mars 1994 : *Bull. civ.* 1994, I, n° 126. – Cass. 1re civ., 9 mars et 1er juin 1999 : *Bull. civ.* 1999, I, n° 85 et n° 186.

(114) Art. L. 1142-28 CSP : « Les actions tendant à mettre en cause la responsabilité des professionnels de santé ou des établissements de santé publics ou privés à l'occasion d'actes de prévention, de diagnostic ou de soins se prescrivent par dix ans à compter de la consolidation du dommage ».

(115) Cass. soc., 14 avr. 1988 : *Bull. civ.* 1988, V, n° 228.

(116) V. aussi Principes Unidroit, art. 10.2.

(117) Il n'est pas possible d'expliquer un tel point de départ par l'idée selon laquelle l'écoulement du délai vaudrait confirmation tacite (sur cette analyse, V. E. Gaudemet, *Théorie générale des obligations* : Sirey, 1965, p. 178 et s.), car une telle explication ne peut valoir que pour l'action en nullité relative : en ce sens, V. A.-M. Leroyer, art. préc.

(118) Comp. la solution proposée par la Société de législation comparée : Y.M. Laithier, *Le nouveau droit français...*, préc.

(119) M. Mignot, *Réforme de la prescription : le point de départ du délai* : *Defrénois* 28 févr. 2009, n° 4, p. 393. – Ph. Casson, *Le nouveau régime de la prescription*, in *La réforme de la prescription en matière civile, Le chaos enfin régulé ?*, préc., p. 25 et s.

Le Projet Terré de réforme du droit des obligations suggère une autre solution : le délai de prescription « court à compter du jour où le créancier est en droit d'agir » (art. 113, al. 2) mais « l'ignorance légitime » du créancier pourra justifier un relevé de prescription si elle a rendu « excusable son inaction » (art. 118).

928. – **Difficultés du point de départ subjectif choisi par la loi.** En l'état du droit positif, le point de départ du délai de prescription, subjectif en ce qu'il renvoie à la connaissance, réelle ou supposée, du titulaire du droit, suscite plusieurs questions.

• Quel est d'abord l'objet de la connaissance requise ?

La loi retenant la connaissance des « faits », il convient en premier lieu d'exclure la connaissance du droit, ce que l'adage « Nul n'est censé ignorer la loi » impose d'ailleurs[120].

La loi visant la connaissance des faits permettant au titulaire du droit de « l'exercer », il semble en second lieu logique d'exiger que soient connus non seulement les faits générateurs du droit subjectif mais plus largement les faits permettant d'exercer le droit en justice[121] : il eût donc mieux valu imposer, à la lettre, la connaissance des faits permettant d'exercer l'action[122].

• Quel est ensuite le degré de connaissance requise ?

La loi a retenu un critère alternatif : la connaissance effective par le créancier des faits lui permettant d'agir ou la connaissance qu'il aurait dû en avoir. Le premier critère assure la justice du cas (comment reprocher au créancier son inaction tant qu'il ignore effectivement les faits permettant l'action ?), quand le second joue une fonction normative (le créancier doit être normalement vigilant et ne peut se prévaloir d'une ignorance illégitime). Que faire en cas de dissociation entre ces deux critères ? Le texte ne devrait-il pas conduire à faire courir la prescription dès que l'un *ou* l'autre des critères est rempli ? Et dans quel ordre logique faut-il envisager le problème[123] ?

• À quel schéma probatoire la question obéit-elle enfin ?

La charge de l'allégation et de la preuve pèse sur le bénéficiaire de la prescription, soit le débiteur en cas de prescription de la créance. C'est donc à lui d'établir la connaissance, effective ou normalement possible, que le créancier avait des faits lui permettant d'agir en justice. Et la difficulté de prouver une connaissance effective suggère que, le plus souvent, il apportera la preuve d'une connaissance normalement possible. Il appartiendra alors au créancier de prouver, le cas échéant, qu'il ignorait les faits permettant d'exercer l'action pour faire retarder le point de départ du délai, du moins à condition, semble-t-il, que cette ignorance soit acceptable – ou non fautive[124].

(120) La connaissance de la règle de droit est irréfragablement présumée, sauf les rares hypothèses dans lesquelles l'erreur de droit est admise.

(121) Dans une action en responsabilité, ainsi, la prescription court-elle à compter de la survenance du dommage ? Ou seulement à compter du jour où la victime connaît en outre l'identité du responsable ? Sur cette question en matière de produits défectueux, V. art. 1386-17, qui retient comme point de départ « la date à laquelle le demandeur a eu ou aurait dû avoir connaissance du dommage, du défaut et de l'identité du producteur ».

(122) Cl. Brenner, H. Lécuyer, art. préc., n°s 28 et s.

(123) La loi envisage d'abord la connaissance effective, mais la logique probatoire veut sans doute qu'on envisage la connaissance que le créancier « aurait du » avoir. – Ph. Casson, art. préc., p. 30 et s.

(124) M. Mignot, *Réforme…*, art. préc., n° 17, n° 21, n° 27.

929. - **Politique jurisprudentielle d'objectivisation du point de départ.** Un tel « point de départ subjectif »[(125)], « flottant », voire « glissant »[(126)], n'était pas sans précédent en droit français[(127)]. Mais il a suscité de fortes critiques, à raison des difficultés qu'il génère en terme de preuve[(128)], des discussions qu'il risque de susciter[(129)], et du rôle considérable qu'il confère au juge[(130)].

Pour remédier à ce « talon d'Achille »[(131)], la jurisprudence semble engagée dans une politique de détermination objective de la date à partir de laquelle la connaissance des faits permettant d'exercer l'action devrait exister, selon le type d'action considéré (action en nullité fondée sur telle cause[(132)], action en responsabilité relative à tel fait générateur et tel dommage, action en répétition de l'indu[(133)], etc.), et selon le type de créancier considéré (professionnel, profane)[(134)].

Elle pose ainsi le principe selon lequel « la prescription d'une action en responsabilité court à compter de la réalisation du dommage ou de la date à laquelle il est révélé à la victime si celle-ci établit qu'elle n'en avait pas eu précédemment connaissance »[(135)] : il appartient donc à la victime, si elle veut faire retenir un autre point de départ que la réalisation du dommage, d'établir son ignorance[(136)], et sans doute aussi le caractère légitime de celle-ci. Plus spécifiquement[(137)], la chambre commerciale juge que « le dommage résultant d'un manquement à l'obligation de mise en garde consistant en une chance de ne pas contracter se manifeste dès l'octroi des crédits »[(138)].

---

(125) A.-M. Leroyer, art. préc. *in RTD civ.*

(126) S. Amrani-Mekki, art. préc., n°s 42 et s. – Comp. M. Mignot, art. *in Defrénois* 2009, qui y voit un « faux point de départ glissant ». La remarque est pertinente, non pas tant à raison de l'adage « nul n'est censé ignorer la loi », mais simplement parce que, le plus souvent, c'est la date à laquelle le créancier « aurait dû connaître les faits permettant d'exercer » l'action qui sera retenue, et déterminée à partir de faits objectifs.

(127) V. ainsi art. 1304, al. 2 en matière de dol et d'erreur.

(128) Ce qui explique que le droit allemand fasse partir le délai de prescription à la fin de l'année où le fait a été connu ou aurait du être connu.

(129) Ph. Malaurie, art. préc. : *JCP* 2008, n° 5.

(130) La connaissance effective des faits permettant d'exercer l'action relève du pouvoir souverain des juges du fond ; mais la détermination de la date à laquelle le créancier aurait du connaître les faits devrait faire l'objet d'un contrôle de la Cour de cassation. Sur cette question, V. N. Fricero, *La nouvelle prescription*, art. préc. *in Rev. Lamy dr. civ.*, p. 7. – G. Viney, art. préc., p. 501 ; Ph. Casson, art. préc., p. 32.

(131) M. Mignot, *Réforme...*, art. préc., n° 1.

(132) V. ainsi Cass. 1re civ., 5 mars 2014 : *D.* 2014, 1259, obs. J. Traullé, à propos de la nullité de l'article 815-16.

(133) Cass. 2e civ., 12 mars 2009 : *Bull. civ.* 2009, II, n° 72, semble admettre que le délai court à compter du jour où le *solvens* a eu connaissance de l'indu. – Cass. 2e civ., 22 janv. 2009 : *Bull. civ.* 2009, II, n° 31, semble également exiger que le *solvens* ait eu connaissance de l'identité du débiteur de la restitution.

(134) Il est logique que la date à laquelle le créancier « aurait dû avoir connaissance des faits lui permettant d'exercer l'action » varie selon les compétences et qualités du créancier. Pour autant, la diversité de solutions qui en résulte ne sert ni l'unification du droit, ni sa simplicité.

(135) C'est ce que donne à penser la Cour de cassation qui emploie, pour appliquer le droit antérieur, des formules générales qui peuvent aisément convenir sous l'empire des dispositions nouvelles. En ce sens, V. Cass. 1re civ., 9 juill. 2009 : *Bull. civ.* 2009, I, n° 172. – Cass. com., 26 janv. 2010 : *Bull. civ.* 2010, IV, n° 21. – Cass. 1re civ., 11 mars 2010 : *Bull. civ.* 2010, I, n° 62 ; *Defrénois* 2010, n° 20, p. 2220, art. 39175-4, obs. M. Latina. – Comp. Cass. soc., 1er avr. 1997 : *RTD civ.* 1997, 957, obs. P. Jourdain.

(136) Sur l'obligation de motivation de la décision, V. Cass. 1re civ., 11 mars 2010, préc.

(137) Elle a également considéré que « le point de départ de la prescription triennale » de l'action en responsabilité que l'article L. 225-254 du Code de commerce ouvre au Fonds de garantie des dépôts contre les dirigeants de la banque devait être fixé « à la date de la révélation du fait dommageable » : Cass. com., 30 mars 2010 : *Bull. civ.* 2010, IV, n° 69. – Elle a encore jugé que « l'action en contrefaçon visant l'enregistrement d'une marque se prescrit à compter de l'accomplissement des formalités prévues à l'article 712-28 du Code de la propriété intellectuelle, qui rend cet enregistrement public et opposable aux tiers » : Cass. com., 16 févr. 2010 : *Bull. civ.* 2010, IV, n° 40.

(138) Cass. com., 26 janv. 2010, cité note sous n° 113. – Comp. Cass. 1re civ., 9 juill. 2009, *ibid.* : des époux emprunteurs reprochaient à une banque de leur avoir octroyé en 1990 et 1991 deux prêts malgré leur incapacité manifeste à faire face à leur remboursement ; la cour d'appel avait considéré l'action prescrite, en retenant que « le caractère domma-

Elle considère également que « la prescription de l'action en nullité de l'intérêt conventionnel engagée par un emprunteur qui a obtenu un concours financier pour les besoins de son activité professionnelle court à compter du jour où il a connu ou aurait dû connaître le vice affectant le taux effectif global »(139), c'est-à-dire à compter de la date de conclusion du contrat(140) ou de la date de réception des documents sur lesquels le taux effectif global devait figurer(141), lorsque l'emprunteur est professionnel. La formule exclut-elle la possibilité pour le professionnel d'invoquer son ignorance, au motif qu'elle n'est pas légitime en raison, précisément, de sa qualité d'emprunteur averti ? À l'égard d'un emprunteur consommateur ou non professionnel, en revanche, elle considère que la date de conclusion de la convention ne vaut que « lorsque l'examen de sa teneur permet de constater l'erreur » ; lorsque tel n'est pas le cas, c'est « la date de la révélation de celle-ci à l'emprunteur » qui doit être retenue(142).

De même encore, elle juge que la prescription du recours subrogatoire exercé par un maître de l'ouvrage contre l'entrepreneur avec lequel il a contracté court à compter du jour où le maître de l'ouvrage a été assigné en responsabilité par le tiers victime des travaux(143).

2° Le domaine du délai de cinq ans

930. – **Domaine légal.** Le délai de l'article 2224 fixe le droit commun. Il a donc vocation à s'appliquer en matière civile comme en matière commerciale, dans le domaine contractuel ou extracontractuel. De même, il concerne tout type d'action : les actions en nullité, en responsabilité, en restitution, etc. Le texte ne vise toutefois que « les actions personnelles ou mobilières », ce qui entraîne deux questions.

931. – **Nature de l'action.** La première a trait à la nature des actions. L'article 2262 visait autrefois très généralement « toutes les actions, tant réelles que personnelles », si bien que la prescription de droit commun (trentenaire à l'époque) valait pour toutes les actions, aussi bien personnelles que réelles, mobilières ou immobilières (excepté l'action en revendication, la jurisprudence ayant déclaré le droit de propriété imprescriptible)(144). La nouvelle formulation suscite deux difficultés.

geable de ces faits s'était révélé à eux au plus tard endécembre 1993, avec les premières difficultés de remboursement qu'ils avaient rencontrées » ; la Cour de cassation considère que la cour d'appel a dès lors « à juste titre » considéré l'action prescrite. La divergence de solution procède semble-t-il de la personnalité des emprunteurs, professionnel dans le premier arrêt, profanes dans le second.

(139) Cass. com., 16 mars 2010 : *Bull. civ.* 2010, IV, n° 58 ; *JCP* 2010, n° 19, 537, note D.-R. Martin.

(140) Cass. com., 3 déc. 2013 : *JCP* 2014, I, 155, n° 15, obs. Y.-M. Serinet. – Pour cette solution relativement à l'action en nullité de la convention pour dol ou erreur, résultant du vice affectant la stipulation du TEG, V. Cass. com., 17 mai 2011, n° 10-17.397 : *D.* 2011, p. 1477, obs. A. Robardet. – Cass. com., 13 mai 2014, n°s 12-28013, 12-28654.

(141) Cass. com., 10 juin 2008 : *Bull. civ.* 2008, IV, n° 118. – Cass. com., 16 mars 2010, préc. : « le point de départ de cette prescription, dans le cas d'un découvert, est la réception de chacun des écrits indiquant ou devant indiquer le TEG appliqué ». Sur cette jurisprudence, V. Rapp. C. cass. 2008, p. 290 et s.

(142) Cass. 1re civ., 11 juin 2009 : *Bull. civ.* 2009, I, n° 125 ; *JCP* E 2009, 1839. – Comp. Cass. 1re civ., 30 sept. 2008 : *Contrats, conc. consom.* déc. 2008, n° 12, comm. 279, obs. G. Raymond, qui avait retenu le jour où le profane aurait du connaître l'irrégularité, en distinguant entre l'hypothèse de l'absence de taux (la prescription courait alors dès la conclusion du contrat) et celle de l'inexactitude du taux (le délai commençait alors à courir au jour de la découverte possible de l'inexactitude).

(143) Cass. 3e civ., 13 févr. 2013 : *RDC* 2013/3, p. 925 et s., obs. S. Carval ; V. déjà Cass. 3e civ., 8 févr. 2012 : *RTD civ.* 2012, 326, obs. P. Jourdain.

(144) En matière immobilière : Cass. req., 12 juill. 1905 : *GAJC*, 12e éd., n° 66. – En matière mobilière : Cass. 2e civ., 2 juin 1993 : *Bull. civ.* 1993, II, n° 197, p. 136.

La première a trait aux actions mixtes, c'est-à-dire les actions procédant d'un fondement personnel mais ayant un effet réel (action en rescision, action en résolution de vente immobilière, action en nullité d'un bail à construction pour prix dérisoire[145], etc.) : la doctrine suggère de les soumettre à l'article 2224, eu égard à la prévalence de leur caractère personnel[146].

La seconde a trait aux actions réelles. L'article 2224 visant très généralement les actions mobilières, faut-il en déduire que l'action en revendication d'un meuble est désormais soumise à la prescription quinquennale ? Inversement, faut-il considérer que son silence en matière immobilière rend imprescriptibles toutes les actions réelles relatives à un immeuble ? L'article 2227 répond à ces deux questions en prévoyant, d'abord, que « le droit de propriété est imprescriptible » et ensuite que, « sous cette réserve, les actions réelles immobilières se prescrivent par trente ans à compter du jour où le titulaire d'un droit a connu ou aurait dû connaître les faits lui permettant de l'exercer »[147]. Cette solution atteste la survivance de la supériorité de l'immeuble. La doctrine a regretté que le législateur n'ait pas ôté aux actions réelles immobilières « leurs ailes de géants »[148].

932. - **Exception de nullité.** L'article 2224 ne visant que les « actions », qu'en est-il des « exceptions », et plus précisément de l'exception de nullité ?

La jurisprudence considère depuis longtemps que l'exception de nullité survit à l'action[149], ce que l'on exprime traditionnellement sous la forme d'un adage : *Quae temporalia sunt agendum perpetua sunt ad excipiendum*, ou autrement dit « l'action est temporelle, mais l'exception perpétuelle ». Encore faut-il que l'acte affecté d'une cause de nullité n'ait reçu aucune exécution[150] (V. *supra*, n° 390).

La solution devrait perdurer[151], car elle est doublement justifiée : pratiquement, elle permet de déjouer les fraudes consistant à attendre l'écoulement du délai de prescription avant de demander l'exécution de l'acte nul ; théoriquement, elle assure la même fonction de stabilisation des situations de fait, en cas d'acte inexécuté, que la prescription de l'action en nullité lorsque l'exécution a eu lieu. Il est donc cohérent de raccourcir le délai de prescription des actions en nullité et de maintenir l'imprescriptibilité de l'exception de nullité : *quieta non movere*.

---

(145) Cass. 3e civ., 21 sept. 2011 : *Contrats, conc. consom.* déc. 2011, comm. 252, L. Leveneur.

(146) Cl. Brenner, H. Lécuyer, art. préc., n° 20. – *Adde*, F. Terré, Ph. Simler et Y. Lequette, *op. cit.*, n° 1480, note 1. – Comp. M.L. Cicile Delfosse, *L'incidence de la réforme en droit immobilier*, in *La réforme de la prescription en matière civile, Le chaos enfin régulé ?*, préc., p. 79 et s., spéc. p. 87.

(147) Le délai butoir nouvellement introduit par l'article 2232 n'est pas applicable non plus.

(148) A.-M. Leroyer, art. préc. – M.-L. Cicile Delfosse, art. préc., p. 82 et s.

(149) V. par ex. Cass. 1re civ., 10 juin 1964 : *Bull. civ.* 1964, I, n° 309.

(150) Cass. 1re civ., 1er déc. 1998 : *JCP* 1999, I, 171, n° 5, obs. M. Fabre-Magnan ; *Defrénois* 1999, 364, obs. J.-L. Aubert ; *RTD civ.* 1999, 621, obs. J. Mestre : l'exception de nullité du prêt ne peut plus être invoquée lorsque l'emprunteur a commencé à le rembourser. Il est difficile d'expliquer cette solution par l'idée de confirmation tacite (l'exécution vaudrait confirmation) car la confirmation suppose l'intention de réparer le vice, et que la jurisprudence n'exige pas qu'il y ait eu exécution en connaissance de cause. Il suffit, pour l'expliquer, de se référer à la raison d'être de la prescription de l'action en nullité (consolider les situations de fait) : cette même raison d'être justifie que l'on admette l'exception de nullité, mais seulement lorsqu'aucune exécution n'a commencé. – Le commencement d'exécution n'empêche naturellement pas d'invoquer l'exception de nullité lorsque le délai de prescription n'est pas écoulé : Cass. 2e civ., 4 déc. 2008 : *Bull. civ.* 2008, II, n° 256.

(151) En ce sens, V. Cass. 3e civ., 10 mai 2001 : *D.* 2001, 3156 et note P. Lipinski. – Cass. 3e civ., 3 févr. 2010 : *Bull. civ.* 2010, III, n° 27. – Cass. 3e civ., 16 mars 2010. – Cass. com., 26 mai 2010. – Cass. 1re civ., 17 juin 2010 : *RDC* 2010, n° 4, p. 1208, obs. Y.-M. Laithier. Les décisions visent « le principe selon lequel l'exception de nullité est perpétuelle ».

Alors qu'elle semblait hier vouloir réserver le jeu de l'exception à la nullité absolue[(152)], la Cour de cassation l'applique aujourd'hui également dans les cas de nullité relative[(153)]. Peu importe également que le commencement d'exécution ait porté sur l'obligation arguée de nullité ou sur une autre obligation[(154)].

B. – Les règles spéciales

933. – Volonté d'unification. La commission du Sénat avait recensé deux cent cinquante délais spéciaux, et l'un des objectifs affichés de la réforme était d'interrompre « la marche constante vers l'hétérogénéité »[(155)] qui caractérisait le droit depuis 1804. Le but n'est pas atteint[(156)]. L'article 2224 est bien désormais le siège du « droit commun » comme le dit explicitement l'intitulé de la section où le texte se trouve[(157)]. Mais, conformément à l'article 2223, ce droit commun ne fait « pas obstacle à l'application des règles spéciales prévues par d'autres lois », que ce soit dans ou hors le Code civil. Leur diversité est déconcertante, que ce soit dans leur durée (un, deux, trois, quatre, cinq ans, etc.), leur point de départ, leur domaine, etc.

1° Les règles spéciales dans le Code civil

934. – Dispositions civiles abrogées. L'adoption, par la loi du 17 juin 2008, d'un délai de droit commun de cinq ans, est allée de pair avec l'abrogation de plusieurs dispositions du Code civil qui accueillaient autrefois de courtes prescriptions, de cinq ans ou moins. Deux sortes de courtes prescriptions antérieures sont concernées.

• L'avènement d'une prescription de droit commun de cinq ans a d'abord fait disparaître par ricochet, « par absorption »[(158)], l'ancienne prescription spéciale quinquennale que prévoyait l'article 2277 pour le paiement des sommes périodiques se payant par termes d'une année au plus (V. *supra*, n° 925)[(159)]. L'unification opérée est doublement limitée. Les créances périodiques restent d'abord soumises à des règles civiles spéciales, en matière de suspension (art. 2235, V. *infra*, n° 950) et d'aménagement conventionnel (art. 2254, al. 3, V. *infra*, n° 974) de la prescription[(160)]. En outre, la disparition de la disposition civile spéciale va parfois de pair avec la création de dispositions particulières dans un autre code : ainsi le Code du travail prévoit-il explicitement, depuis la loi du 14 juin 2013, que l'action en paiement ou en répétition de salaires est prescrite par trois ans à compter du jour où celui qui l'exerce a connu ou aurait du

(152) Cass. 1re civ., 20 mai 2009 : *D.* 2010, 224, note S. Amrani-Mekki ; *JCP* 2009, 273, n° 21, obs. Y.-M. Serinet ; *RDC* 2009, 1348, obs. Th. Génicon, 1516, obs. Y.-M. Serinet ; *Contrats, conc. consom.* août 2009, n° 8, comm. 213, obs. L. Leveneur.

(153) Cass. 1re civ., 24 avr. 2013 : *Contrats, conc. consom.* 2013, comm. 154, L. Leveneur ; *RTD civ.* 2013, 596, obs. H. Barbier ; *RDC* 2013, 1310, obs. Y.-M. Laithier ; *D.* 2014, 630, obs. S. Amrani-Mekki, M. Mekki.

(154) Cass. com., 13 mai 2014, nos 12-28013, 12-28654 : *JCP* 2014, Doctr. 699, n° 9, obs. crit. J. Ghestin.

(155) Carbonnier : *RTD civ.* 1952.

(156) F. Jacob, *L'unification des délais : LPA* 2 avr. 2009, p. 7. – A. Guégan, art. préc., p. 11 et s.

(157) La section I du chapitre II est intitulée « Du délai de droit commun et de son point de départ ».

(158) A. Guégan, préc.

(159) Notamment les salaires, rentes et pensions, loyers, fermages et charges locatives, intérêts des sommes prêtées. *Adde* l'action en répétition des loyers, fermages et charges locatives qui avait été assimilée à l'action en paiement par la loi du 18 janvier 2005.

(160) L'enjeu de cette qualification perdure donc. V. ainsi, F. Terré, Ph. Simler et Y. Lequette, *op. cit.*, n° 1478.

connaître les faits lui permettant de l'exercer (art. L. 3245-1)[161].

• La réforme a également fait disparaître la plupart des courtes prescriptions présomptives contenues aux articles 2271 à 2275.

Ces textes prévoyaient une courte prescription de six mois[162], un[163] ou deux ans[164], pour certaines actions en paiement exercées contre ou par certains professionnels : médecins, hôteliers, huissiers, etc.

Ces prescriptions étaient dites « présomptives » en ce sens qu'elles étaient fondées sur une présomption de paiement : elles cédaient devant la preuve du non-paiement, qui ne pouvait toutefois être rapportée que par le serment ou l'aveu (C. civ., anc. art. 2275)[165]. Une autre spécificité les caractérisait : elles étaient soumises à l'interversion de prescription, c'est-à-dire que l'éventuelle interruption du délai initial faisait courir un nouveau délai de prescription, de droit commun quant à lui (anc. art. 2274, V. *infra*, n° 959).

La jurisprudence avait adopté diverses solutions restrictives : ainsi notamment[166], ces règles ne s'appliquaient pas lorsque la créance était constatée par un titre émané du débiteur[167].

La loi du 17 juin 2008 a abrogé ces textes. Les actions concernées sont donc désormais en principe soumises au délai de droit commun de cinq ans, ce qui, le cas échéant, conduit à un allongement de délai. Mais la doctrine s'interroge sur l'éventuelle survivance de la notion de prescription présomptive, notamment en droit commercial[168]. En outre, il arrive, le cas échéant, que telle ou telle règle spéciale ait été reprise dans les domaines considérés : les actions en paiement des vendeurs ou entrepreneurs contre des consommateurs sont ainsi soumises à un délai de deux ans par le droit de la consommation (C. consom., art. L. 137-2 ; V. *infra*, n° 939)[169] ; quant aux actions en responsabilité dirigées contre les personnes ayant représenté ou assisté les parties en justice, elles relèvent désormais du nouvel article 2225.

(161) Art. L. 3245-1 C trav. : « L'action en paiement ou en répétition du salaire se prescrit par trois ans à compter du jour où celui qui l'exerce a connu ou aurait dû connaître les faits lui permettant de l'exercer. La demande peut porter sur les sommes dues au titre des trois dernières années à compter de ce jour ou, lorsque le contrat de travail est rompu, sur les sommes dues au titre des trois années précédant la rupture du contrat ».

(162) Pour les actions des maîtres et instituteurs pour les leçons qu'ils donnent à leurs élèves, et pour celles des hôteliers et traiteurs à raison du logement et de la nourriture qu'ils fournissent.

(163) Pour les actions des huissiers pour leurs salaires et commissions ; des maîtres de pension contre leurs élèves ; pour les actions dérivant d'un contrat de transport de choses.

(164) Pour les actions des marchands pour les marchandises qu'ils vendaient aux particuliers ; des médecins, chirurgiens, pharmaciens, etc, pour leurs visites, opérations et médicaments ; des avoués et avocats pour le paiement de leurs « frais et salaires ».

(165) Cass. civ., 31 janv. 1894 : S. 1896, 1, 20. – Cass. com., 23 oct. 1967 : *D.* 1967, 671, note B. L. – Cass. soc., 29 nov. 1967 : *JCP* 1968, II, 15493, obs. J.-J. Munier. Pour une illustration, V. par ex. Cass. 2e civ., 21 déc. 2006 : *Bull. civ.* 2006, II, n° 371.

(166) Ainsi, l'article 2273 visant les « avoués », qui ont disparu au profit des « avocats », sauf devant la cour d'appel, on en déduisait que le texte visait les frais et émoluments dus en raison des actes de postulation qui étaient jadis accomplis par les avoués, et non les honoraires de consultation ou de plaidoirie (Cass. 1re civ., 2 févr. 1994 : *Bull. civ.* 1994, I, n° 43. – Cass. 1re civ., 30 janv. 1996 : *Bull. civ.* 1996, I, n° 50. – Cass. 1re civ., 27 mars 2003 : *D.* 2003, inf. rap. 1075) qui relevaient quant à eux de la prescription trentenaire (Paris, 1re ch., 22 mars 1990 : *D.* 1990, inf. rap. 111).

(167) Cass. 1re civ., 15 janv. 1991 : *JCP* 1992, II, 21863, note E. Du Rusquec ; *RTD civ.* 744, obs. J. Mestre, à propos d'une créance de prix de vente de véhicule.

(168) Cl. Brenner et H. Lécuyer, art. préc., n° 44. – Ph. Casson, *Le nouveau régime de la prescription*, in *La réforme de la prescription en matière civile, Le chaos enfin régulé ?*, préc., p. 49 et s. – B. Fauvarque-Cosson et J. François, art. préc., n° 12.

(169) C. consom., art. L. 137-2 : « L'action des professionnels, pour les biens ou les services qu'ils fournissent aux consommateurs, se prescrit par deux ans ».

935. – **Dispositions civiles spéciales créées au sein du Titre XX.** La loi du 17 juin 2008 a inséré certaines règles spéciales au sein de la section II du chapitre II du Titre XX (« De quelques délais et points de départ particuliers »).

Deux textes particuliers sont consacrés à la responsabilité.

Par faveur pour les personnes ayant représenté ou assisté une partie en justice[(170)], l'action en responsabilité ne peut être exercée à leur encontre (y compris pour la perte ou destruction des pièces qui leur ont été confiées) que pendant un délai de cinq ans qui court « à compter de la fin de leur mission » (art. 2225)[(171)].

Inversement, par faveur pour les victimes, l'article 2226 consacre des prescriptions spéciales dans deux cas jugés suffisamment graves[(172)].

L'action en responsabilité « née à raison d'un évènement ayant entraîné un dommage corporel » se prescrit ainsi par une durée de dix ans à compter de la date de consolidation du dommage initial ou aggravé (al. 1er)[(173)]. S'inscrivant dans un courant favorable à la réparation du dommage corporel[(174)], et s'inspirant pour partie du droit antérieur[(175)], la solution est très générale : peu importe que l'action soit exercée par la victime directe ou indirecte[(176)] ; peu importe que la source du dommage procède d'un délit ou d'une inexécution contractuelle ; peu importe même la nature des préjudices dont la réparation est poursuivie dès lors qu'ils « résultent » « d'un évènement ayant entraîné un dommage corporel ». Elle est très – trop ? – favorable à la victime : la consolidation peut en effet être tardive, voire ne jamais advenir (c'est la règle pour certaines maladies) ; or le législateur, tout en retenant ce point de départ, a soustrait la prescription à la limite du délai butoir de l'article 2232 (V. *infra*, n° 965) ; le responsable est ainsi confronté au risque d'une action exercée très longtemps après la réalisation du fait dommageable[(177)].

La réparation du « préjudice causé par des tortures ou des actes de barbarie, ou par des violences ou des agressions sexuelles commises contre un mineur » se prescrit par ailleurs par un délai de vingt ans (al. 2) : le texte reprend la solution que prévoyait l'article 2270-1, alinéa 2, depuis la loi du 17 juin 1998 ; son silence quant au point de départ du délai conduit à se référer au droit commun de l'article 2224, si bien que la prescription court à compter du jour où le titulaire du droit a connu ou aurait dû connaître les faits lui permettant de l'exercer.

---

(170) L'article 2277-1 du Code civil prévoyait autrefois un délai de prescription de dix ans à compter de la fin de la mission.

(171) Comp. le délai de deux ans qui s'applique aux huissiers pour la perte ou la destruction des pièces qui leur sont confiées dans l'exécution d'une commission ou la signification d'un acte. – Pour la critique, V. Ph. Casson, art. préc., p. 31.

(172) Ces deux cas spéciaux échappent également au délai butoir résultant de l'article 2232. Sur le sort des experts judiciaires, V. D. Lencou : *JCP* 2014, Doctr., 707.

(173) C. Corgas-Bernard, *La loi du 17 juin 2008 et le droit de la réparation du dommage corporel*, in *La réforme de la prescription en matière civile, Le chaos enfin régulé*, préc., p. 93 et s.

(174) Où l'on retrouve le particularisme du dommage corporel en droit français déjà consacré par la loi du 25 juillet 1985 sur les accidents de la circulation, et celle du 19 mai 1998 sur les produits défectueux. Pour la critique d'une telle spécialisation du droit à indemnisation, V. S. Amrani-Mekki, art. préc.

(175) L'article 2270-1 soumettait les actions en responsabilité extracontractuelle à une prescription de dix ans « à compter de la manifestation du dommage ou de son aggravation ». Mais la jurisprudence avait repoussé le cours du délai à la date de la consolidation du dommage : Cass. 2e civ., 4 mai 2000 : *Bull. civ.* 2000, II, n° 75, p. 53. – Cass. 1re civ., 11 juill. 2002 : *Bull. civ.* 2002, I, n° 177, p. 141. – Cass. 2e civ., 25 oct. 2001 : *Bull. civ.* 2001, II, n° 161, p. 110.

(176) Pour une application, V. Cass. 2e civ., 3 nov. 2011, n° 10-16.036, note F.-X. Licari, *Lamy droit civil* 2012, n° 90 ; *Resp. civ. et assur.* 2012, comm. 6, obs. S. Hocquet-Berg ; *RTD civ.* 2012, 122, obs. P. Jourdain. La solution s'inspire de la jurisprudence, qui affirme l'unité du fait générateur relativement à l'action de la victime par ricochet.

(177) C. Corgas-Bernard, art. préc., p. 99 et s.

On rappelle en outre ici que l'article 2227 maintient la prescription trentenaire pour les actions réelles immobilières, le délai commençant, ici encore, à courir conformément au droit commun (V. *supra*, n° 931).

936. – **Autres dispositions civiles spéciales.** D'autres dispositions dérogatoires à l'article 2224 existent dans le Code civil. Leur hétérogénéité conduit à un inventaire à la Prévert.

- Certaines concernent le droit de la responsabilité(178).

La responsabilité des constructeurs(179) est ainsi soumise à un délai de dix ans qui court à compter de la réception des travaux(180), et ce qu'elle soit engagée à raison des dommages aux ouvrages (art. 1792-4-1 ; c'est un délai d'épreuve plus que de prescription) ou sur le fondement du droit commun (art. 1792-4-3)(181). La solution est identique à l'égard des sous-traitants (art. 1792-4-2).

La responsabilité des producteurs pour les dommages causés par le produit défectueux est soumise à un bref délai de prescription de trois ans, qui court à compter de la date à laquelle le demandeur a eu ou aurait du avoir connaissance du dommage, du défaut et de l'identité du producteur (art. 1386-17)(182).

- La nullité relève parfois, elle aussi, de règles particulières(183).

L'article 1304 fait ainsi courir le délai de l'action en nullité pour vice du consentement à compter de la découverte de l'erreur ou du dol, ou à compter de la cessation de la violence(184). Quant à l'action en nullité des actes pour trouble mental, elle s'éteint par un délai de cinq ans qui court à compter « du jour où [la personne dont les facultés mentales sont altérées] en a eu connaissance, alors qu'[elle] était en situation de les refaire valablement » (art. 414-2, art. 1304, al. 3)(185). La même solution vaut pour les actes irrégulièrement accomplis par un majeur protégé pendant la mesure de protection (art. 465). À l'égard des héritiers de la personne protégée, le délai ne commence à courir « que du jour du décès, s'il n'a commencé à courir auparavant » (art. 1304, al. 3). Quant à la prescription de l'action en nullité des actes irréguliers accomplis par un majeur protégé avant la publicité du jugement d'ouverture de la mesure de protection, elle court à compter du jugement d'ouverture (art. 464, al. 3).

- Le droit des biens n'est pas en reste.

L'article 815-10 soumet ainsi l'action en partage des fruits et revenus de l'indivision à une prescription quinquennale qui commence à courir le jour où les fruits ont été perçus ou auraient pu l'être.

(178) Sur l'application de l'article 1859 à l'action d'un créancier contre un associé non liquidateur, V. Cass. com., 15 mars 2011, n° 10-10.601. – Cass. com., 13 déc. 2011, n° 11-10.008.

(179) V. not. M.L. Cicile-Delfosse, art. préc. – M. Burgard, *Les implications de la loi du 17 juin 2008 sur la prescription des actions en responsabilité des constructeurs* : *LPA* 19 avr. 2009, n° 72, p. 6. – N. Fricero, *La prescription après la loi du 17 juin 2008 en droit de la construction* : *RD imm.* 2011, 435. – J.-P. Storck, *Réforme du droit de la prescription et responsabilité des constructeurs* : *LPA* 2 avr. 2009, n° 66, p. 42 et s.

(180) Sur la question des dommages survenus avant la réception, ou des dommages qui ne sont pas des dommages à l'ouvrage, ou de ceux qui sont causés par le dol du constructeur, V. M.L. Cicile Delfosse, art. préc., p. 89 et s.

(181) V. déjà Cass. 2e civ., 16 oct. 2002, deux arrêts : *D.* 2003, 300, note Ph. Malinvaud. – L'amendement a été introduit à la demande des professionnels.

(182) Outre un délai butoir spécifique de dix ans à compter de la mise en circulation du produit : art. 1386-16.

(183) *Adde*, en matière de société, art. 1844-14. Sans compter les dispositions du Code de commerce, V. *infra*, n° 939.

(184) Pour une illustration, V. Cass. 1re civ., 11 sept. 2013 : *RTD civ.* 2013, 856, note P.-Y. Gautier ; *JCP* 2013, 1236, note N. Guerrero ; *D.* 2014, 630, obs. S. Amrani-Mekki, M. Mekki ; *JCP* 2014, I, 115, obs. Y.-M. Serinet.

(185) Cass. 1re civ., 20 mars 2013, n° 11-28.318 : *RDC* 2013/3, p. 868 et s., obs. E. Savaux : « l'action en nullité d'un acte à titre gratuit pour insanité d'esprit ne pouvant être introduite par les héritiers qu'à compter du décès du disposant, la prescription ne peut commencer à courir avant le décès du testateur ».

• Le droit des contrats spéciaux reçoit en outre divers délais préfix.

L'action en rescision pour lésion est ouverte dans un délai de deux ans à compter de la vente (art. 1676)[186] ; l'action en garantie des vices cachés peut être exercée dans un court délai de deux ans à compter de la découverte du vice depuis l'ordonnance du 17 février 2005 (art. 1648)[187] ; l'action en garantie des vices apparents contre le vendeur d'immeuble à construire est soumise à un délai annal de forclusion qui ne commence à courir qu'après la plus tardive des deux dates suivantes (la réception et l'expiration d'un délai d'un mois après la prise de possession de l'acheteur : art. 1648, al. 2 et 1642-1)[188].

• Le droit des personnes et de la famille[189] connaît également des dispositions spéciales.

L'action en responsabilité du mineur contre les organes de la tutelle ou l'État se prescrit ainsi « par cinq ans à compter de la majorité de l'intéressé, alors même que la gestion aurait continué au-delà, ou de la fin de la mesure si elle cesse avant » (art. 413). Pareillement, « l'action en reddition de comptes, en revendication ou en paiement diligentée par la personne protégée ou ayant été protégée ou par ses héritiers relativement aux faits de la tutelle se prescrit par cinq ans à compter de la fin de la mesure, alors même que la gestion aurait continué au-delà » (art. 515).

Le mariage[190] et la filiation[191] relèvent eux aussi de règles spéciales, qui accentuent la rigueur de la prescription par souci de sécurité juridique (par ex., en raccourcissant le délai : art. 333 ; ou en retenant un point de départ fixe : art. 180) ou au contraire renforcent la protection du droit d'agir (ainsi de l'action en nullité du mariage pour une cause d'intérêt général, qui reste soumise à la prescription trentenaire : art. 184).

• Les dispositions spéciales fleurissent aussi en droit des successions[192], des libéralités et des régimes matrimoniaux.

« La faculté d'option se prescrit [ainsi] par dix ans à compter de l'ouverture de la succession », et ne court pas « tant que le successible a des motifs légitimes d'ignorer la naissance de son droit, notamment l'ouverture de la succession » (art. 780). L'action en réduction des libéralités est ouverte à l'héritier pendant cinq ans à compter de l'ouverture de la succession, ou dans les deux années de la connais-

---

(186) Cass. 3e civ., 20 mai 2009 : *Contrats, conc. consom.* 2009, comm. 215, obs. L. Leveneur : le délai de forclusion court contre un incapable majeur.

(187) La garantie serait en outre enfermée dans le délai butoir de 20 ans. V. A. Bénabent, *Les contrats civils et commerciaux* : Montchrestien, 2013, n° 366.

(188) Et non à compter de la date d'achèvement des travaux : Cass. 3e civ., 17 déc. 2008 : *Bull. civ.* 2008, III, n° 207. – La prise de possession ne suffit pas à faire courir le délai, en l'absence de réception : Cass. 3e civ., 4 nov. 1977 : *Bull. civ.* 1977, III, n° 370.

(189) E. Paillet, *Contentieux familial : prescription et gestion du contentieux* : *Procédures* juill. 2010, n° 7, étude 5. L'article 2232, alinéa 2 écarte en outre le délai butoir pour l'état des personnes. – V. *infra*, n° 965.

(190) L'action en nullité pour violence ou erreur est soumise à un délai de cinq ans à compter du mariage (art. 181) ; l'action en nullité absolue reste quant à elle soumise à un délai de trente ans à compter du mariage (art. 184). Sur quoi, V. *Du nouveau sur la prescription des actions en nullité du mariage : Dr. famille* juill. 2008, n° 7, comm. 97. Le silence des dispositions sur le pacte civil de solidarité conduit-il au jeu du droit commun ? La nullité d'un pacte pour inceste ou bigamie se prescrit-elle par cinq ans à compter de la connaissance du vice ?

(191) L'article 321 soumet en principe les actions à un délai de prescription de dix ans, qui court à compter du jour où l'individu a été privé de l'état qu'il revendique ou a commencé à jouir de l'état contesté ; il prévoit en outre la suspension du délai au profit du mineur pendant sa minorité. Mais il existe également des délais plus courts (V. ainsi art. 333). – J. Hauser, *Filiation et prescription* : *AJF* 2012, n° 1, dossier p. 29.

(192) C. Pérès, *La prescription de la pétition d'hérédité : pour une intervention législative* : *D.* 2011, p. 2416.

sance de l'atteinte à la réserve héréditaire mais sans jamais pouvoir excéder dix ans à compter du décès (art. 921), l'action en révocation de libéralité pour cause d'ingratitude n'étant, pour sa part, ouverte que pendant un délai d'un an (art. 957).

Enfin le droit des régimes matrimoniaux retient parfois, lui aussi, un court délai, d'un an (par ex. art. 215, al. 3) ou deux ans (par ex. art. 220-3 ; art. 1427)(193), qui court à compter de la connaissance de l'acte irrégulier.

2° Les règles spéciales hors le Code civil

937. – **Droits spéciaux**. Plusieurs délais spéciaux existent aussi en dehors du Code civil(194), propres à certaines personnes, ou à certaines actions, et notamment aux actions en responsabilité, ruinant là encore l'effort d'unification(195).

938. – **Faveur à l'État.** La loi n'a pas repris l'ancien article 2227, qui prévoyait que « l'État, les établissements publics et les communes sont soumis aux mêmes prescriptions que les particuliers, et peuvent également les opposer ». Les articles 2224 et suivants du Code civil ont pourtant vocation à continuer de s'appliquer en pareil cas(196), sous réserve de dispositions législatives contraires. L'État bénéficie ainsi de certaines règles spéciales.

Les créances contre lui se prescrivent d'abord par quatre ans : la déchéance quadriennale joue au profit de l'État, mais non à son encontre (L. 31 déc. 1968 relative à la prescription des créances sur l'État, les départements, les communes et les établissements publics, art. 1er)(197). Elle s'applique par exemple aux indemnisations dues par l'ONIAM au titre des accidents médicaux, affections iatrogènes et infections nosocomiales : Cass. 1re civ., 11 mars 2014 : *JCP* 2014, n° 21-22613 note M. Bakache.

Le Code général de la propriété des personnes publiques connaît également une règle originale consistant à écarter l'effet extinctif de la prescription et à le remplacer par un effet substitutif : après écoulement du délai de prescription de certaines créances, le débiteur reste tenu au profit de l'État, qui se substitue au créancier n'ayant pas agi dans les délais (art. L. 1126-1 et s.). Il en va ainsi : des coupons, intérêts et dividendes des valeurs mobilières, atteints par la prescription quinquennale ou conventionnelle ; du capital de ces mêmes valeurs, atteint par la prescription trentenaire ou conventionnelle ; des dépôts d'espèces et de titres dans les banques,

---

(193) Sur le caractère subsidiaire des textes sanctionnant la fraude au regard de l'article 1427. – V. Cass. 1re civ., 23 mars 2011, n° 09-66512 : *Defrénois* 2011, 40005, obs. G. Champenois ; *Lamy droit civil* 2011, n° 86.

(194) Pour la prescription dans le droit de la copropriété, V. M.L. Cicile Delfosse, art. préc., p. 85 et s.

(195) Sur la prescription en matière de sécurité sociale, V. Circ. interministérielle DSS n° 2010-260, 12 juill. 2010 relative aux règles de prescription applicables en matière de sécurité sociale : *BO Santé, Protection sociale, Solidarité* 15 sept. 2010, n° 8. – *Adde* T. Tauran, *Les règles de prescription en matière de sécurité sociale* : *RD sanit. soc.* 2011, p. 927. – V. aussi G. Loiseau, *JCP* 214, Doctr., 771.

(196) J. Latournerie, *La prescription administrative à l'épreuve de la réforme de la prescription civile* : *D.* 2008, dossier p. 2528. – B. Pleissix, *La réforme de la prescription en matière civile et le droit administratif* : *RFDA* 2008, 1219. – V. ainsi le jeu de l'article 2271 aux actions en paiement ou restitution relatives aux rémunérations des agents publics, CE, 12 mars 2010 : *Procédures* mai 2010, n° 5, comm. 211, J. Deygas.

(197) Art. 1er : « Sont prescrites, au profit de l'État, des départements et des communes, sans préjudice des déchéances particulières édictées par la loi, et sous réserve des dispositions de la présente loi, toutes créances qui n'ont pas été payées dans un délai de quatre ans à partir du premier jour de l'année suivant celle au cours de laquelle les droits ont été acquis ». Le texte ne s'applique pas à l'action en responsabilité contre les établissements de santé publics, qui relève de la prescription de dix ans : CE, avis, 19 mars 2003 : *JO* 23 avr. 2003, p. 7277. – Le délai quadriennal s'applique à l'action en paiement de l'avocat, qui se prescrit à compter de la fin de son mandat (CPC, art. 420) : Cass. 2e civ., 7 avr. 2011, nos 10-17.575, 10-17.576, 10-17.577 : *D.* 2011, p. 1149, obs. C. Tahri. Elle doit être invoquée avant que la juridiction saisie du litige en première instance se soit prononcée sur le fond : Cass. 1re civ., 20 mars 2013, n° 12-10.200.

lorsqu'ils n'ont fait l'objet d'aucune opération ou réclamation depuis trente ans ; des sommes dues au titre de contrats d'assurance sur la vie comportant des valeurs de rachat ou de transfert et n'ayant pas été réclamés dans un délai de trente ans à compter du décès de l'assuré ou du terme du contrat (ce depuis la loi du 21 décembre 2006).

L'explication consistant à invoquer le principe selon lequel les biens vacants et sans maître appartiennent à l'État est peu convaincante, car le principe ne joue en principe que pour les immeubles, et qu'il est en outre douteux qu'il y ait ici « vacance ». La doctrine considère que cette prétendue prescription n'est qu'une « mesure caractérisée de confiscation »(198).

939. – **Courts délais en matière professionnelle.** « Les obligations nées à raison de leur commerce entre commerçants ou entre commerçants et non commerçants » étaient autrefois soumises à un délai de dix ans par le Code de commerce (art. L. 110-4, réd. L. n° 77-4, 3 janv. 1977)(199). La solution avait une portée considérable puisqu'elle valait non seulement pour les actes de commerce mais aussi pour les actes mixtes(200). La loi du 17 juin 2008 a modifié le délai prévu par le texte en alignant sa durée sur celle de l'article 2224 (art. L. 110-4)(201). Désormais donc, que l'obligation soit née à raison du commerce ou non ne change rien à la durée de la prescription, qui est de cinq ans(202). Mais le Code de commerce(203) contient encore de nombreuses prescriptions particulières, de dix(204), cinq(205), trois(206), deux(207) ou un an(208), ou même moins(209).

Surtout d'autres codes optent pour un court délai de deux ans.

---

(198) F. Terré, Ph. Simler et Y. Lequette, *op. cit.*, n° 1505.

(199) R. Houin, *La prescription décennale des obligations commerciales* : *RTD com.* 1949, 3.

(200) Cass. 1re civ., 27 juin 2006 : *JCP* 2006, IV, 2638 ; *Defrénois* 2007, 1, 461, art. 38562, obs. R. Libchaber.

(201) Art. L. 110-4 : « I. – Les obligations nées à l'occasion de leur commerce entre commerçants ou entre commerçants et non-commerçants se prescrivent par cinq ans si elles ne sont pas soumises à des prescriptions spéciales plus courtes.II. – Sont prescrites toutes actions en paiement : 1° Pour nourriture fournie aux matelots par l'ordre du capitaine, un an après la livraison ; 2° Pour fourniture de matériaux et autres choses nécessaires aux constructions, équipements et avitaillements du navire, un an après ces fournitures faites ; 3° Pour ouvrages faits, un an après la réception des ouvrages ». – Sur la question du point de départ, V. Ph. Casson, art. préc., p. 33.

(202) C'est le délai qui s'applique à la déchéance du droit aux intérêts : Cass. 1re civ., 24 avr. 2013 : *Contrats, conc. consom.* 2013, comm. 171, G. Raymond.

(203) M. Stork, *La prescription commerciale et la réforme du 17 juin 2008*, in *La réforme du droit de la prescription : LPA* 2 avr. 2009, n° spéc., n° 66, p. 37.

(204) V. ainsi l'action en responsabilité pour constitution irrégulière d'une société commerciale : art. L. 210-8.

(205) L'action en responsabilité civile engagée à l'occasion des prisées et des ventes volontaires et judiciaires de meubles aux enchères publiques est soumise à un délai de cinq ans qui court à compter de l'adjudication et de la prisée : art. L. 321-17, al. 3.

(206) En droit des sociétés, V. ainsi les articles L. 210-7, L. 223-23, L. 225-42, L. 225-90, L. 225-254, L. 235-9, L. 235-13. – *Adde* Cass. com., 8 févr. 2011 : *D.* 2011, p. 1314, note J. Klein, N. Molfessis. – V. aussi H. Rumeau-Maillot, *Les délais de prescription en droit des sociétés* : *Rev. sociétés* 2012, 203. – Cass. com., 3 avr. 2013, B. Dondero, *Chacun cherche sa prescription* : *D.* 2013, 1384. – En droit des procédures collectives, V. P. Cagnoli, *Prescription et procédures collectives* : *Rev. proc. coll.* mai 2011, n° 3, étude 12. – V. aussi pour l'action en comblement de passif, l'article L. 651-2 (réd. Ord. n° 2010-1512, 9 déc. 2010). – *Adde*, l'article L. 511-78, al. 1er, relatif aux actions résultant de la lettre de change contre l'accepteur, qui maintiendrait une prescription présomptive (en ce sens, V. F. Terré, Ph. Simler et Y. Lequette, *op. cit.*, n° 1483).

(207) Art. L. 145-60 en matière de bail commercial. – Pour l'application du texte à l'action en requalification d'un bail en bail commercial, V. Cass. 3e civ., 23 nov. 2011, nos 10-24.163 et 10-27.188.

(208) V. ainsi, en matière de lettre de change, l'article L. 511-78, al. 2. – *Adde*, en matière de chèque, C. monét. fin., art. L. 131-59. – V. surtout la matière du transport, C. com., art. L. 133-6. – Ce texte n'est pas applicable à l'action en responsabilité fondée sur la rupture brutale des relations commerciales : Cass. com., 1er oct. 2013 : *D.* 2013, 2334, obs. X. Delpech.

(209) V. ainsi en matière de lettre de change, C. com., art. L. 511-78, al. 3. – *Adde* en matière de chèque, C. monét. fin., art. L. 131-59.

Tel est le délai que retient le Code de la consommation[210] pour l'action en paiement du vendeur ou entrepreneur contre le consommateur (art. L. 137-2 ; comp. C. civ., anc. art. 2272[211]), pour l'action en délivrance conforme que le consommateur peut exercer contre le professionnel (art. L. 211-12)[212], pour toutes les actions intentées devant le tribunal d'instance à l'occasion de la défaillance de l'emprunteur dans le crédit à la consommation (art. L. 311-52)[213], et aussi pour l'action en paiement du prêteur contre l'emprunteur en matière immobilière[214].

Et il en va de même, en principe, du Code des assurances pour toutes les actions qui dérivent du contrat d'assurance (C. assur., art. L. 114-1, art. L. 172-31 ; *adde* Code de la mutualité, art. L. 221-11), etc.

Pareillement, la loi du 14 juin 2013 sur la sécurisation de l'emploi a réduit à deux ans la prescription des actions relatives à l'exécution ou à la rupture du contrat de travail (art. L. 1471-1), et à trois ans les actions en paiement ou en répétition des sommes de salaires (art. L. 3245-1).

940. – **Questions de responsabilité.** Diverses questions de responsabilité sont l'objet de dispositions spéciales.

Certaines visent à protéger le professionnel : l'article 2 *bis* de l'ordonnance du 2 novembre 1945 prévoit ainsi depuis la loi du 17 juin 2008 que « l'action en responsabilité dirigée contre les huissiers de justice pour la perte ou la destruction des pièces qui leur sont confiées dans l'exécution d'une commission ou la signification d'un acte se prescrit par deux ans » (comp. C. civ., anc. art. 2276, al. 2)[215].

D'autres dispositions s'avèrent plus favorables aux victimes.

Tel est le cas de l'article 10 du Code de procédure pénale, qui prévoit l'application distributive de la prescription civile et de la prescription pénale (qui est en principe de un, trois ou dix ans, selon que l'infraction est une contravention, un délit, un crime : CPP, art. 7, 8 et 9) en fonction de la juridiction saisie[216].

Art. 10. – Lorsque l'action civile est exercée devant une juridiction répressive, elle se prescrit selon les règles de l'action publique. Lorsqu'elle est exercée devant une juridiction civile, elle se prescrit selon les règles du Code civil.Lorsqu'il a été statué sur l'action publique, les mesures d'instruction ordonnées par le juge pénal sur les seuls intérêts civils obéissent aux règles de la procédure civile.

---

(210) M. Douchy-Oudot, *Courtes prescriptions et forclusions en droit de la consommation : Études de droit de la consommation*, in *Mél. en l'honneur de J. Calais-Auloy* : Dalloz, 2004.

(211) Art. L. 137-2 : « L'action des professionnels, pour les biens ou les services qu'ils fournissent aux consommateurs, se prescrit par deux ans ». – Reconduira-t-elle à propos de l'article L. 137-2 l'interprétation qu'elle avait adoptée, en vertu de laquelle la prescription était fondée sur une présomption simple de paiement ? Pour une illustration du jeu de ce texte, V. Cass. 1re civ., 28 nov. 2012, n° 11-26.508 : *RDBF* 2013, comm. 47, N. Mathey ; *JCP E* 2013, 1135, M. Dupré ; *JCP* 2013, 73, note N. Monachon-Duchêne.

(212) Art. L. 211-12 : « L'action résultant du défaut de conformité se prescrit par deux ans à compter de la délivrance du bien ».

(213) Art. L. 311-52 : « Le tribunal d'instance connaît des litiges nés de l'application du présent chapitre. Les actions en paiement engagées devant lui à l'occasion de la défaillance de l'emprunteur doivent être formées dans les deux ans de l'événement qui leur a donné naissance à peine de forclusion ».

(214) Le texte est applicable aux actions exercées par un professionnel en matière de crédit immobilier, en l'absence de disposition spéciale : Rép. min. n° 41018 : *JOAN Q*, 21 avr. 2009 ; *Procédures* juin 2009, n° 6, comm. 205, obs. H. Croze, Cass. 1re civ., 28 nov. 2012, *Contr. conc. consom.* 2013, comm. 45 ; 9 avril 2014, *Contr. conc. consom.* 2014, Comm. 171, G. Raymond.

(215) Pour la critique, V. A. Guégan, art. préc., p. 21.

(216) L. Leturmy, *L'articulation de la prescription des actions publique et civile devant le juge pénal : la nouvelle rédaction de l'article 10 du Code de procédure pénale*, in *Mél. J. Beauchard* : LGDJ, 2013, p. 735 et s.

Il en résulte que la victime pourra opter pour la voie qui lui est la plus favorable. Ainsi, l'imprescriptibilité des crimes contre l'humanité lui bénéficiera lorsqu'elle exercera l'action civile devant les juridictions répressives : « L'action publique relative aux crimes prévus par le présent sous-titre, ainsi que les peines prononcées, sont imprescriptibles » (C. pén., art. 213-5).

Le Code du travail précise aussi que l'action en réparation du préjudice résultant d'une discrimination se prescrit par cinq ans à compter de la révélation de la discrimination, mais qu'elle permet la réparation de l'entier dommage causé par la discrimination (art. L. 1134-5)[217].

Art. L. 1134-5. – L'action en réparation du préjudice résultant d'une discrimination se prescrit par cinq ans à compter de la révélation de la discrimination. Ce délai n'est pas susceptible d'aménagement conventionnel. Les dommages et intérêts réparent l'entier préjudice résultant de la discrimination, pendant toute sa durée.

Plus ambigu[218], le Code de l'environnement prévoit depuis la loi du 17 juin 2008[219] que « les obligations financières liées à la réparation des dommages causés à l'environnement par les installations, travaux, ouvrages et activités régies par le présent code se prescrivent par trente ans à compter du fait générateur du dommage » (art. L. 152-1)[220]. Le texte semble favoriser la réparation, en consacrant un long délai de prescription. En réalité, l'action risque fort d'être paralysée par le point de départ qui a été retenu, conformément à la directive européenne du 21 avril 2004 : le dommage écologique apparaît souvent bien après le fait générateur[221]. Il est en outre particulièrement difficile de déterminer la portée du texte[222]. S'applique-t-il seulement aux dommages causés par des activités relevant du Code de l'environnement (installation classée, etc.)[223] ? Si tel est le cas, vise-t-il seulement les obligations[224] attachées à la soi-disant « responsabilité » environnementale créée par la loi du 1er août 2008 en transposition de la directive européenne du 21 avril 2004[225] ? Ou vaut-il, plus largement, pour toute réparation pécuniaire d'un dommage causé à l'environnement ? Ou s'applique-t-il même encore plus généralement à toute obligation de réparation d'un dommage causé à l'environnement, que la réparation soit en nature ou par équivalent ?

Code de l'environnement

Art. L. 152-1. – Les obligations financières liées à la réparation des dommages causés à l'environnement par les installations, travaux, ouvrages et activités régis par le présent code se prescrivent par trente ans à compter du fait générateur du dommage.

(217) La solution est la même pour les fonctionnaires : L. 13 juill. 1983, art. 7 *bis* créé par L. n° 2008-561, 17 juin 2008.

(218) P. Billet, art. préc., p. 7.

(219) Pour la critique de cette disposition obtenue par les « lobbies industriels », V. P. Billet, art. préc.

(220) CE, 12 avr. 2013 : *Environnement* 2013, comm.59, B. Parance.

(221) L'application du droit commun n'aurait pas été nécessairement plus favorable à la victime : certes, l'article 2224 a l'avantage de retenir comme point de départ du délai de cinq ans le jour où le titulaire du droit a connu ou aurait du connaître les faits lui permettant d'exercer le droit. Mais le délai butoir de l'article 2232 a l'inconvénient de contenir l'action dans un délai maximal de vingt ans à compter de la date de naissance du droit.

(222) Sur cette question, V. not. M. Boutonnet, art. préc. ; G.-J. Martin, art. préc.

(223) Auquel cas tout dommage écologique relevant d'un autre fait générateur lui échappe.

(224) Cette solution est douteuse : la prescription trentenaire ne peut concerner l'action en paiement que l'autorité administrative voudrait exercer contre l'exploitant après avoir pris des mesures de prévention ou réparation (C. env., art. L. 162-14 et s.) car cette action n'est ouverte par l'article L. 162-21 que pendant cinq ans ; en outre, le texte fait alors double emploi avec l'article L. 161-4 du Code de l'environnement, qui prévoit que « le présent titre ne s'applique pas lorsque plus de trente ans se sont écoulés depuis le fait générateur du dommage ».

(225) Qui constitue davantage une police administrative spéciale qu'une authentique responsabilité civile.

Art. L. 161-4. – Le présent titre ne s'applique pas lorsque plus de trente ans se sont écoulés depuis le fait générateur du dommage.

Art. L. 162-21. – L'autorité visée au 2° de l'article L. 165-2 peut engager contre l'exploitant une procédure de recouvrement des coûts dans une période de cinq ans à compter de la date à laquelle les mesures prescrites ont été achevées ou de la date à laquelle l'exploitant responsable a été identifié, la date la plus récente étant retenue.

Quant au Code de la santé publique, depuis la loi du 4 mars 2002, il soumet les actions en responsabilité exercées à l'encontre des professionnels de santé ou des établissements de santé publics ou privés à l'occasion d'actes de prévention, de diagnostic, ou de soins, à une prescription de dix ans à compter de la consolidation du dommage (art. L. 1142-28).

Art. L. 1142-28. – Les actions tendant à mettre en cause la responsabilité des professionnels de santé ou des établissements de santé publics ou privés à l'occasion d'actes de prévention, de diagnostic ou de soins se prescrivent par dix ans à compter de la consolidation du dommage.Ces actions ne sont pas soumises au délai mentionné à l'article 2232 du Code civil.

Dans le contexte de l'époque, le texte était favorable aux victimes puisqu'il retenait comme point de départ le jour de la consolidation du dommage. Mais depuis la loi du 17 juin 2008, il se borne à faire application de la règle posée par l'article 2226 en matière de dommage corporel[(226)]. En outre, il existe d'autres textes spéciaux qui restreignent la réparation du dommage corporel par rapport à l'article 2226. Il en allait ainsi, hier, pour les demandes d'indemnisation que les victimes d'une exposition à l'amiante pouvaient adresser au Fonds d'indemnisation existant à cet effet, car la Cour de cassation les avait soumises à la prescription quadriennale de l'article 1er de la loi du 31 décembre 1968 (sur laquelle, V. *supra*, n° 938)[(227)]. Mais la loi n° 2010-1257 du 20 décembre 2010 a institué à leur égard un délai de prescription de dix ans (art. 53)[(228)]. Il en va ainsi de l'indemnisation par l'ONIAM des accidents médicaux, affections iatrogènes et infections nosocomiales (art. 1er de la loi du 31 déc.1968, V. *supra*, n° 938).

L'action en réparation d'une aggravation de dommage de la victime d'un accident de la circulation (C. assur., art. L. 211-19) et l'action contre le Fonds de garantie des victimes d'actes de terrorisme (C. assur., art. L. 422-3, al. 2) obéissent également toutes deux à un délai de prescription décennale.

Art. L. 211-19. – La victime peut, dans le délai prévu par l'article 2226 du Code civil, demander la réparation de l'aggravation du dommage qu'elle a subi à l'assureur qui a versé l'indemnité.

Art. L. 422-3. – En cas de litige, le juge civil, si les faits générateurs du dommage ont donné lieu à des poursuites pénales, n'est pas tenu de surseoir à statuer jusqu'à décision définitive de la juridiction répressive.

Les victimes des dommages disposent, dans le délai prévu à l'article 2226 du Code civil, du droit d'action en justice contre le fonds de garantie.

941. – **Titre exécutoire.** À ces dérogations difficiles à systématiser, il convient d'ajouter celle résultant de l'existence d'un titre exécutoire (L. 9 juill. 1991, art. 3-1,

(226) Sous réserve de l'exclusion du délai butoir de l'article 2232 du Code civil.

(227) Sur l'exclusion de la prescription décennale que prévoyait le Code de la santé publique, V. Cass., avis, 18 janv. 2010 : *Bull. civ.* 2010, avis, n° 1. – Cass. 2e civ., 3 juin 2010, nos 09-13.372, 09-13.373, 09-14.605 : *Bull. civ.* 2010, n° 102, 103, 104 : D. 2010, 2076, chron. H. Adida-Canac.

(228) Sur cette loi, V. M. Bacache : *RTD civ.* 2011, p. 185. – Sur l'application dans le temps des dispositions nouvelles, V. Cass. 2e civ., 16 juin 2011, très favorable aux victimes : *JCP* 19 sept. 2011, n° 38, 991, obs. J. Colonna, V. Renaux-Perronnie.

aujourd'hui modifié et intégré aux articles L. 111-2 et s. du Code des procédures civiles d'exécution).

La jurisprudence antérieure considérait que l'exécution d'une décision de justice, « en raison de l'autorité qui s'y attache », se prescrivait par trente ans(229). Le droit comparé obéissait à la même logique(230).

Quoiqu'incertaine dans son fondement(231), cette solution a convaincu le législateur : il a prévu une prescription de dix ans lorsque le débiteur a obtenu une décision de justice(232).

Encore faut-il que la décision ne soit pas relative à un droit qui serait soumis à une prescription plus longue (dans le cas contraire, cette prescription plus longue prévaut) ; par exemple le droit de propriété ou un droit réel immobilier (V. *supra*, n° 931).

La solution vaut pour les jugements, sentences arbitrales, transactions ou conciliations homologuées en justice. Qu'en est-il pour les créances constatées par un acte authentique revêtu de la formule exécutoire ? Après hésitations, la jurisprudence avait refusé de leur étendre la prescription trentenaire(233) : quoiqu'ils contiennent tous deux la formule exécutoire, l'acte authentique et l'acte juridictionnel ne sont pas de même nature. La loi nouvelle n'ayant pas explicitement brisé cette jurisprudence, cette solution jurisprudentielle reste de droit positif.

Code des procédures civiles d'exécution

Art. L. 111-3. – Seuls constituent des titres exécutoires :

Les décisions des juridictions de l'ordre judiciaire ou de l'ordre administratif lorsqu'elles ont force exécutoire, ainsi que les accords auxquels ces juridictions ont conféré force exécutoire ;

Les actes et les jugements étrangers ainsi que les sentences arbitrales déclarés exécutoires par une décision non susceptible d'un recours suspensif d'exécution ;

Les extraits de procès-verbaux de conciliation signés par le juge et les parties ;

Les actes notariés revêtus de la formule exécutoire ;

Le titre délivré par l'huissier de justice en cas de non-paiement d'un chèque ;

Les titres délivrés par les personnes morales de droit public qualifiés comme tels par la loi, ou les décisions auxquelles la loi attache les effets d'un jugement.

Art. L. 111-4. – L'exécution des titres exécutoires mentionnés aux 1° à 3° de l'article L. 111-3 ne peut être poursuivie que pendant dix ans, sauf si les actions en recouvrement des créances qui y sont constatées se prescrivent par un délai plus long.

Le délai mentionné à l'article 2232 du Code civil n'est pas applicable dans le cas prévu au premier alinéa.

942. – Conclusion. L'unification du droit de la prescription reste donc limitée. Quant au raccourcissement du délai, il est hypothétique, d'abord à raison du

(229) Cass. civ., 23 juill. 1934 : *DH* 1934, 457. – Cass. 2e civ., 10 juin 2004 : *Bull. civ.* 2004, II, n° 287, p. 242.

(230) Plusieurs droits étrangers allongent le délai de prescription en pareil cas.

(231) La solution n'est pas aberrante : le prescrit a été diligent, et son droit a été reconnu. Mais elle est techniquement mystérieuse : Cl. Brenner et H. Lécuyer, art. préc., nos 48 et s.

(232) G. Rébecq et D. Tatoueix, *La prescription des titres exécutoires en matière judiciaire* : *Dr. et proc.* 2010, n° 7, p. 201. – T. Moussa, *Prescription des titres exécutoires et prescription de l'action* : *Dr. et proc.* 2011, p. 284. – Le délai butoir de l'article 2232 est également écarté. – Sur l'application dans le temps de la loi nouvelle, V. Cass. 2e civ., 22 mars 2012, n° 11-12.284 ; *RDBF* 2012, comm. 128, S. Piédelièvre.

(233) V. en ce sens, et mettant fin à un conflit entre la première et la deuxième chambre civile, Cass. ch. mixte, 26 mai 2006 : *D.* 2006, p. 1793, note R. Wintgen ; *JCP* 2006, II, 10129, note H. Croze ; *Defrénois* 2006, 1, 1233, art. 38433, n° 46, obs. R. Libchaber ; *RDC* 2006, p. 1090, obs. Y.M. Laithier, p. 1197, obs. Y.M. Serinet. – Cass. 2e civ., 7 juin 2007 : *JCP* 2007, II, 10135, note O. Salati. – Cass. 1re civ., 12 juill. 2007 : *D.* 2007, act. jurispr. 2030, obs. X. Delpech ; *JCP* N 2008, 1131, note Lamoril.

point de départ « subjectif » et « glissant » retenu par la loi (V. *supra*, n°s 927 et s.), ensuite à raison des règles qui régissent le cours des délais.

§ 3. – Le cours de la prescription

943. – **Importance pratique de la question.** La question de savoir comment le délai court et quels évènements peuvent le suspendre – ou l'interrompre – est une question déterminante en pratique puisque c'est d'elle que dépendra concrètement le point d'aboutissement du délai. Dans une perspective de réduction du délai pour agir, certains considèrent même que le cours des délais constitue « le nerf de la guerre »[(234)].

944. – **Cours normal des délais.** La loi du 17 juin 2008[(235)] a reconduit[(236)] les solutions déterminant le cours normal des délais.

« La prescription se compte par jour et non par heures » (art. 2228). La règle, autrefois énoncée à l'article 2260, signifie qu'on ne compte pas le *dies a quo*, c'est-à-dire le jour où se réalise le fait qui permet à la prescription de commencer à courir, ce premier jour étant nécessairement entamé[(237)].

« Elle est acquise lorsque le dernier jour du terme est accompli » (art. 2229) : le *dies ad quem*, c'est-à-dire le dernier jour du délai, est en revanche pris en compte dans le calcul ; la prescription est donc acquise le lendemain de ce dernier jour.

Ces solutions sont générales et valent pour les délais de prescription comme pour les délais préfix[(238)].

945. – **Modification du cours normal du délai.** La réforme a davantage innové sur la question de savoir si certains évènements ne doivent pas modifier le cours normal de la prescription[(239)].

Dans certaines circonstances, le délai cesse de courir : il est *suspendu* pendant un certain temps qui ne sera pas décompté, ce qui allongera d'autant la durée totale. Dans d'autres cas, le délai est *interrompu* : l'effet est beaucoup plus radical que la suspension, en ce sens que le délai écoulé est effacé et que c'est un nouveau délai qui repartira de zéro.

Les rédacteurs du Code civil avaient souhaité limiter les pouvoirs du juge en la matière : ils avaient donc consacré des causes limitatives de suspension et d'interruption. Mais la jurisprudence avait étendu le domaine de la suspension, en accueillant notamment l'impossibilité d'agir.

Alors que la doctrine avait suggéré de limiter les cas de suspension de la prescription[(240)], le législateur a opté pour le parti inverse[(241)]. Afin de préserver la

(234) S. Amrani-Mekki, art. préc., n° 48.
(235) Même solution dans le Projet Catala : art. 2272 et 2273.
(236) Sur les difficultés antérieures, V. Th. Le Bars, *La computation des délais de prescription et de procédure, Quiproquo sur le* dies a quo *et le* dies ad quem : *JCP* 2000, I, 258.
(237) Cass. com., 8 mai 1972 : *Bull. civ.* 1972, IV, n° 136, p. 137.
(238) V. ainsi à propos d'un délai préfix, Cass. 3e civ., 21 déc. 1987 : *Bull. civ.* 1987, III, n° 216, p. 127.
(239) Ph. Casson, art. préc. – A. Géguan, art. préc. – E. Naudin et J. Lasserre Capdeville, art. préc.
(240) La doctrine avait ainsi suggéré de la supprimer à l'égard des mineurs, des époux, etc. : A. Bénabent, art. préc. D.
(241) E. Naudin et J. Lasserre Capdeville, art. préc., p. 12.

possibilité d'exercer les droits subjectifs, il a ajouté de nouveaux cas de suspension (A) et assoupli l'interruption (B). Mais pour éviter qu'il n'en résulte un rallongement excessif des délais, il a introduit un délai butoir en s'inspirant – maladroitement – du droit comparé (C).

Les règles qui suivent constituent le droit commun de la matière. Mais il arrive souvent, ici encore, que tel ou tel droit spécial les écarte (ainsi du droit des assurances, du droit du travail, etc.).

A. – Le report du point de départ et la suspension de la prescription

946. – **Droit antérieur.** Dans l'Ancien droit, c'était le juge qui décidait souverainement de l'opportunité de la suspension, par application de l'adage *Contra non valentem agere non currit praescriptio* : la prescription ne court pas contre celui qui ne peut pas agir.

Limitant ce pouvoir du juge, les rédacteurs du Code civil avaient limitativement déterminé les causes de suspension (C. civ., anc. art. 2251 et s.). La loi prévoyait donc que la prescription ne courait pas : contre les mineurs non émancipés et les majeurs en tutelle, pour qu'ils ne soient pas victimes d'une négligence de leur représentant (C. civ., anc. art. 2252)[(242)] ; entre époux, parce qu'il y a impossibilité morale d'agir contre le conjoint (C. civ., anc. art. 2253) ; contre l'héritier acceptant à concurrence de l'actif net pour les créances qu'il a à faire valoir contre la succession, parce qu'il devrait sinon se poursuivre lui-même (C. civ., anc. art. 2258).

Déniant à cette énumération un caractère limitatif, la jurisprudence avait étendu le domaine de la suspension « en cas d'impossibilité d'agir par suite d'un empêchement quelconque résultant soit de la loi, soit de la convention ou de la force majeure »[(243)].

La doctrine suggérait que la réforme de la prescription ne se borne pas à raccourcir le délai de droit commun, cette question ne constituant que « la partie visible de l'iceberg » : « il ne sert à rien de réformer les délais, si on maintient la brèche de la suspension, véritable cheval de Troie qui ruine l'échafaudage de l'intérieur »[(244)].

947. – **Loi du 17 juin 2008.** La loi du 17 juin 2008 a préféré s'inspirer du Projet Catala, qui suggérait pour sa part de reconduire pour l'essentiel le droit positif. Elle a d'abord explicité la définition de la suspension. Elle a également consacré ce qu'elle appelle « des causes de report du point de départ » de la prescription, notion obscure s'il en est[(245)]. Elle a en outre reconduit, en les élargissant, les anciennes causes de suspension et en a admis trois nouvelles. La logique voudrait que l'énumération soit limitative (sous réserve d'un aménagement conventionnel de la prescrip-

---

(242) Cass. 2e civ., 13 mars 2003 : *Bull. civ.* 2003, II, n° 64, p. 56 ; *JCP* 2003, IV, 1832. Cette solution était toutefois limitée, car la suspension était en principe écartée pour les courtes prescriptions et pour les prescriptions de cinq ans. – V. cependant Cass. 1re civ., 2 mars 1971 : *D.* 1971, 455, note A. Chao. – R. Rodière, *L'écoulement du temps et la recevabilité de l'action en responsabilité contre le transporteur aérien* : *D.* 1976, chron. 265.

(243) Cass. 1re civ., 22 déc. 1959 : *JCP* 1960, II, 11494, obs. P. E ; *RTD civ.* 1960, 323, obs. Carbonnier. – Cass. 2e civ., 10 févr. 1966 : *D.* 1967, 315, note J. Prévault. – Cass. 1re civ., 7 oct. 1992 : *Contrats, conc. consom.* 1993, comm. 2, obs. L. Leveneur.

(244) A. Bénabent, art. préc., D.

(245) Sur la critique de la loi, V. M. Mignot, *Réforme…*, art. préc., n° 28.

tion, V. *infra*, n°s 973 et s.)[246]. Le Projet Terré suggère de remplacer la suspension de la prescription par un relevé de prescription, pour une durée limitée à deux ans (art. 117 et s.)[247].

948. - **Définition légale.** La suspension est désormais explicitement définie par la loi : elle « arrête temporairement le cours [de la prescription] sans effacer le délai déjà couru » (art. 2230). Elle est donc caractérisée par son double effet temporel : un effet prospectif, tenant dans le fait que pendant l'évènement qui est cause de suspension, le temps ne s'écoule pas ; un effet rétrospectif, consistant dans le fait que le temps qui a couru avant l'évènement reste décompté. Le résultat est que, lorsque la cause de suspension disparaît, le temps qui reste pour agir est déterminé en soustrayant au délai de prescription le temps qui a couru avant l'évènement cause de suspension.

Et ce double effet temporel s'explique bien (comp. *infra*, n° 954) : la suspension s'explique toujours par le fait que le créancier, pour une raison ou une autre, n'a pas pu agir en justice ; il est donc logique que la suspension ne produise son effet que dans la mesure de cette cause, et qu'elle puisse donc ne jouer que de façon temporaire.

949. - **Report du point de départ à l'égard des droits qui ne sont pas exigibles.** L'article 2233 écarte le cours de la prescription à l'égard des créances sous condition tant que la condition n'est point advenue, des créances à terme avant l'arrivée du terme, des actions en garantie tant que l'éviction ne s'est pas produite[248].

L'article 2233 reconduit ainsi, sur le fond, l'ancien article 2257, mais en consacrant la notion, mystérieuse, de « report du point de départ » de la prescription. On voit mal, en effet, dans ces trois cas, en quoi il y a « report » du point de départ du délai. Si l'on avait appliqué l'article 2224, qui détermine le droit commun en la matière, le délai de prescription aurait commencé à courir à compter du « jour où le titulaire du droit a connu ou aurait du connaître les faits lui permettant de l'exercer » (V. *supra*, n°s 927 et s. Or dans les trois cas visés, de créance sous condition, de créance à terme, d'action en garantie avant l'éviction, le créancier ne peut pas agir tant que la condition ou le terme ou l'éviction ne sont pas survenus. L'application de l'article 2224 conduit donc sans doute à la même solution que l'article 2233. Le texte semble ainsi inutile et ne permet pas de définir précisément cette nouvelle notion de « report » du point de départ du délai de prescription, ce qui n'est pas sans incidence pratique (V. *infra*, n° 964).

En outre, c'est beaucoup plus généralement que la jurisprudence avait considéré que la prescription ne pouvait courir tant que le droit considéré n'était pas né et exigible, par application d'un vieil adage romain (*Actioni non natae praescriptibur*, c'est-à-dire « La prescription ne court pas contre l'action qui n'est pas née »)[249].

---

(246) Sous l'empire du droit antérieur, V. Cass. 2e civ., 26 juin 1991 : *Bull. civ.* 1991, II, n° 195. – Cass. 1re civ., 18 sept. 2002 : *Bull. civ.* 2002, I, n° 206. – Cass. 2e civ., 14 mai 2009 : *Bull. civ.* 2009, II, n° 124.

(247) J. Klein, *De la prescription*, in *Pour une réforme du régime général des obligations*, préc., p. 114 et s.

(248) Sans préjudice de solutions particulières. V. ainsi art. 2225, qui retarde à la fin de la mission le point de départ de l'action en responsabilité contre les personnes qui ont représenté ou assisté les parties en justice ; V. aussi art. 2226, qui retient la date de consolidation du dommage en cas de dommage corporel.

(249) V. ainsi Cass. 3e civ., 25 oct. 1968 : *Bull. civ.* 1968, III, n° 417 : application aux droits réels conditionnels. – V. aussi en matière de pacte de préférence : Cass. 1re civ., 22 déc. 1959 : *JCP* 1960, II, 11494, note P. E.

La doctrine s'interroge sur l'application éventuelle de l'adage classique dans des cas qui ne seraient pas prévus par l'article 2233.

950. – **Report du point de départ et suspension à l'égard de certaines personnes.** La loi prévoit également le report du point de départ de la prescription ou sa suspension au profit de certaines personnes que leur état personnel ne met pas en position d'agir facilement en justice[250]. La doctrine regrette l'automatisme de ces solutions, qui ne sont pas subordonnées à l'existence, en fait, d'une réelle impossibilité d'agir[251].

• La suspension profite d'abord aux mineurs non émancipés et majeurs en tutelle (art. 2235)[252]. La solution était identique autrefois. Elle est également écartée, comme autrefois, à l'égard de l'action en paiement (ou en répétition) de salaires, arrérages de rentes, pensions alimentaires, etc., plus généralement à l'égard de « l'action en paiement de tout ce qui est payable par années ou à des termes périodiques plus courts »[253] : il s'agit d'éviter l'accumulation d'arriérés et les conséquences dramatiques qu'elle pourrait avoir sur le débiteur. Le cours de la prescription pourrait sans doute alors être tempéré par l'engagement de la responsabilité du représentant légal du majeur ou mineur victime de la prescription.

• La même solution vaut à l'égard des époux, et également, depuis la loi du 17 juin 2008, au profit des partenaires liés par un pacte civil de solidarité (art. 2236). Il s'agit d'assurer la paix des ménages, et aussi de prendre en compte l'injustice qu'il y aurait à priver l'époux ou partenaire de son droit d'agir alors que la nature des relations qu'il a avec le débiteur l'a empêché d'agir en justice. On note que les concubins n'en bénéficient pas, en revanche. Mais peut-être pourront-ils se prévaloir de l'impossibilité morale d'agir par ailleurs consacrée dans la loi (V. *infra*, n° 951)[254]. En outre, la solution est écartée relativement à certaines actions, que la loi impose explicitement d'exercer pendant le mariage et dans de courts délais (V. par ex., art. 215).

• L'article 2237 prévoit la même faveur au profit de l'héritier acceptant à concurrence de l'actif net, pour les créances qu'il a contre la succession : la solution contraire l'obligerait en effet à agir contre lui-même puisqu'il doit en pareil cas administrer la succession (art. 800).

951. – **Suspension pour impossibilité d'agir.** La première innovation tient dans la consécration légale de la maxime inspirée de Bartole et que la jurisprudence antérieure appliquait déjà : *Contra non valentem agere non currit praescriptio* (autrement dit « La prescription ne court pas contre celui qui ne peut pas agir »)[255].

(250) L'exception de suspension est personnelle, si bien qu'elle cesse de pouvoir être invoquée par le subrogé à partir du jour de la subrogation. Pour la suspension résultant de l'incapacité, V. Cass. 2e civ., 31 janv. 1996 : *Bull. civ.* 1996, II, n° 27, p. 17.

(251) En ce sens, V. M. Bandrac, art. préc.

(252) Telle était déjà la solution antérieure : C. civ., anc. art. 2252.

(253) V. déjà C. civ., anc. art. 2252.

(254) Art. 2234.

(255) J. Carbonnier, *La règle Contra non valentem agere non currit praescriptio* : *Rev. crit. législ. et jurispr.* 1937, 155. – M. Buy, *Prescriptions de courte durée et suspension de la prescription* : *JCP* 1977, I, 2833. – S. Choppin Haudry De Janvry, *La suspension de la prescription en droit privé (étude de jurisprudence)* : thèse Paris II, 1989.

Le code de 1804 s'était montré soucieux de remédier à l'arbitraire du droit de la prescription qui régnait dans l'Ancien droit : il avait donc affirmé que « la prescription court contre toutes personnes, à moins qu'elles ne soient dans quelque exception établie par une loi » (anc. art. 2251). L'énumération des causes de suspension était donc censée avoir un caractère limitatif.

La doctrine avait rapidement rejeté une solution qui « condui[s]ait à l'absurde et impos[er]ait au magistrat une règle également antipathique à la raison, à la conscience et à l'équité »[(256)], et convaincu la jurisprudence d'admettre que la prescription ne court pas à l'égard de celui qui ne peut pas agir (V. *supra*, n° 946)[(257)]. Mais il ne s'agissait que d'un « remède tenu en réserve pour quelques appels désespérés de l'équité »[(258)]. La jurisprudence encadrait strictement le domaine de cette exception : une impossibilité absolue d'agir devait être établie ; le titulaire du droit devait avoir été privé du droit d'agir en justice[(259)]. Elle en limitait ensuite les effets : la prescription n'était pas véritablement suspendue, mais un temps supplémentaire était laissé à la personne, une fois disparue l'impossibilité d'agir, pour lui permettre d'exercer son droit en justice[(260)]. Cette solution avait l'avantage de ne pas trop allonger le délai pour agir mais l'inconvénient de laisser un temps supplémentaire d'une durée incertaine, ce qui n'était guère favorable à la sécurité juridique.

Soucieux de préserver le droit d'agir en justice et de s'inscrire dans le concert européen[(261)], le législateur a explicité la solution à l'article 2234 : « la prescription ne court pas ou est suspendue contre celui qui est dans l'impossibilité d'agir par suite d'un empêchement résultant de la loi, de la convention, ou de la force majeure ».

La doctrine redoute que la consécration légale ne produise un effet d'entraînement et que cette faveur exceptionnelle ne devienne un véritable droit pour le créancier[(262)]. La dynamique des droits fondamentaux pourrait d'ailleurs soutenir la survivance de l'adage[(263)].

La solution a en outre été étendue : dans son domaine, puisque trois sources d'impossibilité sont admises (la loi, la convention, et la force majeure[(264)]) et que la loi n'exige pas que l'impossibilité d'agir ait radicalement privé le titulaire du droit du bénéfice de l'action ; dans son effet, puisque l'impossibilité d'agir conduit

(256) Troplong, cité *in* S. Amrani-Mekki, art. préc., n° 55.

(257) Ainsi en cas d'ignorance par le créancier de son droit : Cass. com., 7 avr. 1967 : *Bull. civ.* 1967, IV, n° 125. La solution n'a plus lieu d'être aujourd'hui, car l'article 2224 ne permet plus, en pareil cas, à la prescription de commencer à courir. – Ainsi en cas de clause imposant une tentative préalable de conciliation : Cass. 1re civ., 27 janv. 2004 : *JCP* 2004, IV, 1555. Sur quoi, V. *infra*, n° 952. – Ainsi encore en cas de trouble mental : Cass. 1re civ., 1er juill. 2009 : *Bull. civ.* 2009, I, n° 150. – *Adde* G. Raoul-Cormeil, *Le trouble mental du contractant et l'impossibilité d'agir en justice : D.* 2009, 2660.

(258) Carbonnier, *La règle Contra…*, art. préc., p. 182.

(259) Cass. com., 11 janv. 1994 : *Bull. civ.* 1994, IV, n° 22, p. 18, avait refusé le bénéfice de l'adage au créancier qui avait encore le temps d'agir en justice après disparition de l'événement en cause. Comp. la solution retenue en Allemagne : l'impossibilité d'agir n'est prise en compte que si elle survient dans les six derniers mois du délai.

(260) Carbonnier, art. préc.

(261) La même solution existe dans les Principes Unidroit (art. 10.8) et dans plusieurs droits européens (Suisse, Allemagne notamment).

(262) Cl. Brenner, H. Lécuyer, art. préc., n° 61. – Ph. Casson, art. préc., p. 44 et s.

(263) CEDH, 7 juill. 2009 : *RDC* 2010, n° 1, p. 201, obs. J.-P. Marguénaud. – V. en ce sens, Cass. com., 5 sept. 2013, n° 13-40034 : *RDC* 2014/1, p. 50 et s., obs. J. Klein ; *D.* 2014, 1144, note A. Hontebeyrie, 244, obs. A. Lienhard.

(264) Faut-il retenir la même définition que celle admise en matière de cause exonératoire de responsabilité : un fait extérieur, imprévisible, irrésistible (ce qui correspondrait sans doute à l'impossibilité absolue d'agir autrefois requise) ? Et *quid* de l'impossibilité morale d'agir (par ex. entre concubins, entre amis, entre salarié et employeur) ? Pour une application en matière d'indemnisation d'un accident de la circulation, Cass. 2e civ., 22 nov. 2012 : *Resp. civ. assur.* 2013, comm. 48.

désormais au report du point de départ de la prescription ou à sa suspension[265]. L'allongement considérable du délai qui pourrait en résulter est toutefois limité par le délai butoir de l'article 2232 (V. *infra*, n°s 961 et s.).

952. – Suspension pour conciliation ou médiation. La jurisprudence avait jugé qu'une clause de médiation ou conciliation préalable avant tout procès établissait une fin de non-recevoir conventionnelle et suspendait donc la prescription pendant toute la tentative de règlement amiable du litige[266].

Une directive européenne du 21 mai 2008 (art. 8)[267] conduisait à étendre cette solution. Plus généralement, et conformément aux Principes du droit européen élaborés par la Commission Lando[268], le Projet Catala avait prévu que la prescription « ne court pas ou est suspendue, tant que les parties négocient de bonne foi » (art. 2264).

Sans aller jusque-là, la loi du 17 juin 2008 a repris et étendu la solution jurisprudentielle, l'objectif étant de ne pas dissuader de recourir à ces modes alternatifs de règlement des conflits et d'éviter la mauvaise foi dilatoire d'une partie : « La prescription est suspendue à compter du jour où, après la survenance d'un litige, les parties conviennent de recourir à la médiation ou à la conciliation... » (art. 2238)[269].

L'innovation n'est pas sans limite. Le texte, à la lettre, est général : la suspension ne devrait donc pas être réservée à la médiation et conciliation judiciaires[270], mais s'appliquer à toute médiation ou conciliation conventionnelle[271]. Mais la suspension est encadrée, dans son principe d'abord (de simples négociations ne sauraient suffire)[272], dans ses modalités ensuite.

La loi précise ainsi d'abord qu'elle n'existe qu'à compter du jour où, après survenance d'un litige, les parties conviennent de recourir à la médiation ou à la conciliation ou, à défaut d'accord écrit, à compter du jour de la première réunion de médiation ou de conciliation[273].

(265) La Cour de cassation maintient les solutions classiques lorsqu'il s'agit d'appliquer les textes « dans leur rédaction antérieure » à la loi du 17 juin 2008. Elle a ainsi écarté la règle *Contra non valentem*... dans le cas où le titulaire de l'action disposait encore, au moment où l'empêchement avait pris fin, d'un temps suffisant pour agir avant l'expiration du délai de prescription : Cass. 1re civ., 23 juin 2011 : *D* 2011, 1818, obs. V. Avena-Robardet ; *Contrats, conc. consom.* 2011, comm. 209, obs. L. Leveneur.

(266) Cass. ch. mixte, 14 févr. 2003 : *Bull. civ.* 2003, *ch. mixte*, n° 1, p. 1. – Cass. com., 17 juin 2003 : *Bull. civ.* 2003, IV, n° 101, p. 112. – Cass. 1re civ., 27 janv. 2004 : *Bull. civ.* 2004, I, n° 23, p. 18.

(267) *JOUE* 24 mai 2008, n° 136. Les États doivent « veiller à ce que les parties qui choisissent la médiation pour tenter de résoudre un litige ne soient pas empêchées par la suite d'entamer une procédure judiciaire ou d'arbitrage concernant le litige du fait de l'expiration des délais de prescription pendant le processus de médiation ». – Comp. BGB, § 203.

(268) PDEC, art. 14.305 : si les parties sont en négociation à propos de la créance, le délai n'expire point avant qu'une année se soit écoulée à compter de la dernière communication faite dans le courant des négociations.

(269) N. Fricero, *O temps, suspends ton vol..., Procédure judiciaire ou amiable et prescription extinctive*, in *Mél. en l'honneur de G. Wiederkehr* : Dalloz, 2009, p. 327.

(270) V. pourtant E. Blessig, Rapp. AN n° 847, art. 2238, p. 39 et s. – L. Bétreille, Rapp. Sénat n° 83, p. 27.

(271) E. Naudin, J. Lasserre Capdeville, art. préc., p. 12. La conciliation suspend également le cours d'un délai préfix : Ch. mixte, 14 févr. 2003 : *D.* 2003, 1386, note P. Ancel, M. Cottin. Il en va de même de la mise en œuvre d'une clause de conciliation : Cass. 3e civ., 20 sept. 2011 : *RDC* 2012/3, p. 885 et s., obs. C. Pelletier.

(272) La loi est en retrait par rapport aux propositions du Projet Catala. Elle l'est aussi par rapport aux propositions de la Cour de cassation en droit des assurances : sur quoi, V. Rapp. C. cass. 2008, p. 91 et s. – Comp. Cass. 3e civ., 28 mars 2000 : *Bull. civ.* 2000, III, n° 43, p. 37, écartant le jeu de la fin de non-recevoir en cas de clause prévoyant le recours préalable à un avis du conseil de l'ordre des architectes.

(273) La sécurité juridique trouve-t-elle son compte au regard des difficultés probatoires qu'occasionnera une telle règle ?

Il est également précisé que la suspension ne prend fin qu'à la date où l'une des parties, le médiateur ou le conciliateur, déclarent que la médiation ou la conciliation sont terminées[274].

Enfin, le créancier doit disposer d'un délai minimal de six mois pour agir.

953. – **Suspension pour mesure d'instruction prescrite en justice.** Conformément à l'article 145 du Code de procédure civile, le plaideur peut, avant tout procès au fond, saisir le juge d'une demande permettant de conserver ou d'établir une preuve. La jurisprudence antérieure admettait alors l'interruption de la prescription, mais seulement jusqu'au jour où l'ordonnance judiciaire prescrivant la mesure d'instruction était rendue[275].

Pour éviter « le piège du référé expertise »[276], la loi a remplacé l'interruption par la suspension de la prescription : désormais, la décision de justice ordonnant une mesure d'instruction *in futurum* suspend la prescription (art. 2239)[277]. Toutefois, dans la mesure où l'article 2239 ne vise que la prescription, et non les délais préfix, on peut se demander si cette disposition est applicable aux délais préfix, et notamment aux délais en matière de responsabilité des constructeurs[278].

La jurisprudence antérieure, qui refusait l'interruption en cas de participation volontaire à une mesure d'expertise qui n'était pas ordonnée en justice[279], demeure : l'effet suspensif n'est attaché qu'à une expertise prescrite en justice[280].

La loi précise que la suspension ne joue que jusqu'à l'exécution de la mesure d'instruction. Mais elle exige là encore qu'il reste au minimum six mois au titulaire du droit pour agir en justice[281].

B. – L'interruption

954. – **Définition légale.** L'interruption est, elle aussi, désormais explicitement définie : elle « efface le délai de prescription acquis » et « fait courir un nouveau délai de même durée que l'ancien » (art. 2231). Elle est donc caractérisée par son double effet temporel : un effet rétrospectif, tenant dans le fait que le temps qui a couru avant l'évènement est effacé ; un effet prospectif, consistant dans le fait qu'elle fait courir un nouveau délai de prescription.

Ici encore, un tel effet se comprend bien au regard des causes d'interruption (comp. *supra*, n° 948). Fondamentalement, l'interruption suppose que le droit du créancier a

(274) La notion de « déclaration » renvoie-t-elle à une volonté formellement constatée ? Ou toute expression de volonté, écrite ou orale, suffit-elle ?

(275) Cass. 1re civ., 6 mars 1991 : *Bull. civ.* 1991, I, n° 77, p. 42.

(276) Cl. Brenner, art. préc.

(277) Pour une application à la prescription de deux ans de l'action en paiement de l'indemnité d'éviction en matière de bail commercial (C. com., art. L. 145-60). – V. Cass. 3e civ., 5 sept. 2012 : *RDC* 2013/1, p. 175 et s., obs. J.-B. Seube.

(278) Ph. Malinvaud, *Les difficultés d'application des règles nouvelles relatives à la suspension et à l'interruption des délais* : *RD imm.* 2010, 105. – N. Ficero, *La prescription après la loi du 17 juin 2008 en droit de la construction* : *RD imm.* 2011, 435. – Sur l'application de l'article 2239 aux délais des articles L. 114-1 du Code des assurances et 1792-6 du Code civil, V. M.-L. Pagès de Varenne : *Constr.-Urb.* oct. 2011, n° 10, repère 9, comm. 148.

(279) Cass. 1re civ., 18 sept. 2002 : *Bull. civ.* 2002, I, n° 206. – *Adde* Cass. 3e civ., 25 mai 2011, n° 10-16.083, refusant l'effet interruptif à une ordonnance judiciaire étendant la mission de l'expert à la demande de ce dernier.

(280) Mais, en cas d'expertise convenue entre les parties avant tout procès, la doctrine s'interroge sur le point de savoir si le rapport de expertise n'est pas nécessaire à la connaissance des faits permettant d'exercer l'action : Ph. Malaurie : *JCP* 2009.

(281) Si l'on raisonnait en termes d'interruption, la solution serait inutile (en ce sens Cl. Brenner, art. préc.). Mais elle est nécessaire puisque la loi prévoit ici explicitement qu'il y a seulement suspension de prescription.

été l'objet d'une manifestation de volonté, du créancier (acte interpellatif) ou du débiteur (acte recognitif). Il est logique que de tels actes effacent le temps déjà écoulé.

1° Les cas d'interruption

955. – **Évolution.** Le Code civil prévoyait trois causes d'interruption (art. 2244 à 2248). La prescription était interrompue par un commandement ou une saisie, une citation en justice, ou une reconnaissance, par le débiteur ou le possesseur, du droit de celui contre lequel il prescrit.

Le Projet Catala ne prévoyait que deux causes d'interruption : la reconnaissance du droit (art. 2259) et les actes d'exécution tels commandement ou saisie (art. 2260). S'inspirant du droit comparé[(282)], il avait fait de la citation en justice une cause de suspension de la prescription (art. 2267).

La loi a préféré reconduire le droit antérieur, à quelques réserves près. Conformément à la jurisprudence antérieure[(283)], il faut considérer que l'énumération légale est limitative (sous réserve d'un aménagement conventionnel, V. *infra*, n°s 973 et s.).

956. – **Reconnaissance du débiteur.** Aujourd'hui comme hier, la reconnaissance par le débiteur[(284)] du droit de celui contre lequel il prescrivait interrompt la prescription (art. 2240)[(285)].

La jurisprudence avait attaché cet effet à une reconnaissance partielle[(286)], ainsi qu'à une reconnaissance implicite[(287)]. Le législateur n'a pas entendu abandonner ces solutions. Il aurait pu le préciser[(288)].

A ainsi été retenu en matière de responsabilité des constructeurs, le fait, pour un entrepreneur, d'exécuter des travaux de reprise relevant de la garantie[(289)]. Pour éviter un tel effet, l'entrepreneur déclare souvent qu'il exécute ces travaux à titre de geste commercial, et sans aucune reconnaissance de responsabilité de sa part. Cela dit, là encore (V. *supra*, n° 953 *in fine*), on peut se demander si l'article 2240, qui vise seulement les délais de prescription, pourra encore s'appliquer aux délais de forclusion, et notamment à ceux applicables à la responsabilité des constructeurs.

---

(282) Principes Lando, art. 14.302 ; Unidroit, art. 10.5.

(283) Cass. 1re civ., 18 sept. 2002 : *Bull. civ.* 2002, I, n° 206, p. 158 ; *Contrats, conc. consom.* 2003, comm. 4, obs. L. Leveneur.

(284) Cass. 1re civ., 4 mai 2012, n° 11-15.617 : *Contrats, conc. consom.* 2012, comm. 201, L. Leveneur ; *D.* 2012, 1661, note B. Dondero : « pour interrompre la prescription, la reconnaissance doit émaner du débiteur ou de son mandataire » ; elle ne peut donc émaner de l'expert-comptable, qui n'est ni le mandataire ni le préposé de son client auquel il est lié par un contrat de louage d'ouvrage. – Cass. 1re civ., 5 févr. 2014 : *JCP* 2014, 504, obs. J.-B. Perrier : des pourparlers transactionnels ne constituent pas une reconnaissance du droit du créancier. – Cass. 2e civ., 9 janv. 2014 : *D.* 2014, n° 14, 860 : solliciter un plan conventionnel de redressement qui aménage la dette est une reconnaissance du droit du créancier par le débiteur en situation de surendettement, qui interrompt la prescription.

(285) L'acte par lequel un propriétaire reconnaît qu'il construit sur une bande de terrain grevé d'une servitude de non construction à titre de simple tolérance et à titre précaire n'a pas à être publié pour être opposable aux tiers : Cass. 3e civ., 15 juin 2010, n°s 09-11.122 et 09-13.439.

(286) Cass. 1re civ., 18 juill. 2000 : *Bull. civ.* 2000, I, n° 223. – Cass. 2e civ., 16 nov. 2006 : *Bull. civ.* 2006, II, n° 322.

(287) Ainsi de la lettre par laquelle le débiteur sollicite une remise de dette, ce qui sous-entend nécessairement qu'il reconnaît celle-ci : Cass. 2e civ., 15 juin 2004 : *Bull. civ.* 2004, II, n° 97, p. 251. – Sur l'effet d'une inscription de la dette civile au bilan de la société, V. TA Cergy-Pontoise, 11 oct. 2011 : *Dr. fisc.* 8 mars 2012, n° 10, comm. 1790, N. Chayvialle.

(288) L'appréciation de la reconnaissance tacite relève du pouvoir souverain des juges du fond, ce qui rend la question incertaine : Cass. 3e civ., 20 févr. 1969 : *Bull. civ.* 1969, III, n° 158.

(289) Pour des exemples, V. J.P. Karila, *La reconnaissance de responsabilité des constructeurs (conditions d'existence et effets)* : *Gaz. Pal.* 1978, 2, doctr. 347.

La prescription est également interrompue en cas de compensation[(290)] : l'interruption jouera pour le surplus non compensé de la dette la plus élevée, et se produira dès le jour où les conditions de la compensation ont été réunies, même si elle n'est invoquée qu'après expiration du délai de prescription[(291)].

957. – **Actes d'exécution forcée et mesures conservatoires.** Le même effet interruptif est attaché aux actes d'exécution forcée et, à la suite de la modification de l'article 2244 par l'ordonnance n° 2011-1895 du 19 décembre 2011, aux mesures conservatoires prises en application du Code des procédures civiles d'exécution[(292)].

Aux commandements de payer et saisies, seuls visés par l'ancien article 2244, la jurisprudence avait assimilé certains actes, comme une déclaration de créance aux opérations de faillite[(293)]. Mais elle avait exigé que le commandement de payer soit parvenu à son destinataire[(294)] et écarté une sommation interpellative[(295)]. La loi attache désormais l'effet interruptif aux « actes d'exécution forcée ». Sans doute faut-il retenir l'expression dans un sens générique, comme désignant tous les actes qui « participent de l'exécution forcée » et « signalent au débiteur le passage à la contrainte »[(296)].

S'agissant des mesures conservatoires, l'article 71 de la loi du 9 juillet 1991 stipulait déjà que « la notification au débiteur de la mesure conservatoire interrompt la prescription de la créance qui est la cause de la mesure »[(297)]. À compter du 1er juin 2012, l'article 2244 du Code civil reprend, en l'étendant, cette solution, puisque la réalisation de la mesure conservatoire suffit, et que sa notification n'est plus nécessaire.

La loi précise enfin que la même solution vaut à l'égard des délais de forclusion.

958. – **Demande en justice.** Le législateur a étendu l'interruption de la prescription par la demande en justice (art. 2241). La doctrine note une « subjectivisation » de l'institution[(298)].

• Les conditions de l'interruption ont été assouplies.

La loi exigeait autrefois une « citation en justice » (anc. art. 2244). Mais la jurisprudence y assimilait une demande d'arbitrage[(299)], ou une constitution de partie civile[(300)], voire une demande de conciliation[(301)]. La loi du 5 juillet 1985 avait

(290) Cass. req., 21 mars 1934 : *DP* 1934, 1, 129, note Savatier.

(291) Cass. com., 30 mars 2005 : *D.* 2005, 1024, obs. E. Chevrier ; *LPA* 18 mai 2005, p. 14, note J.P. Tosi (revenant sur Cass. com., 6 févr. 1996 : *Bull. civ.* 1996, IV, n° 42 ; *D.* 1998, 87, note V. Brémond ; *D.* 1996, somm. 336, obs. Ph. Delebecque ; *RTD com.* 1996, 518, obs. B. Bouloc). – *Adde* Cass. com., 27 mai 2008 : *Bull. civ.* 2008, IV, n° 108.

(292) Le créancier titulaire d'un titre exécutoire notarié ne peut donc agir en liquidation de la créance dans le seul but d'interrompre la prescription : Cass. 1re civ., 16 oct. 2013 : *JCP* 2013, 1299, H. Croze.

(293) Cass. com., 28 juin 1994 : *Bull. civ.* 1994, IV, n° 240. – Cass. 1re civ., 28 nov. 1995 : *Bull. civ.* 1995, I, n° 440. – Cass. com., 12 nov. 1997 : *Bull. civ.* 1997, IV, n° 291.

(294) Cass. 2e civ., 9 juin 2005 : *Bull. civ.* 2005, II, n° 149 : *D.* 2005, inf. rap. 2037. – Cass. com., 18 nov. 2008 : *Bull. civ.* 2008, IV, n° 194.

(295) Cass. 3e civ., 6 mars 1996 : *Bull. civ.* 1996, III, n° 64.

(296) Cl. Brenner et H. Lécuyer, art. préc., n° 80.

(297) Ainsi de l'inscription d'une hypothèque judiciaire conservatoire : Cass. 2e civ., 18 juin 2009 : *Bull. civ.* 2009, II, n° 168 ; *RD bancaire et fin.* juill. 2009, n° 4, comm. 133, obs. S. Piedelièvre.

(298) En ce sens, V. Cl. Brenner et H. Lécuyer, art. préc., n° 76.

(299) Cass. 2e civ., 11 déc. 1985 : *JCP* 1986, II, 20677, note Taisne.

(300) Cass. 1re civ., 16 janv. 2001 : *D.* 2001, 3575, note H. Matsopoulou. Pour la solution inverse en matière d'action vindicative, lorsque la victime n'a formé aucune demande tendant à la réparation de son préjudice devant la juridiction pénale, V. Cass. 1re civ., 25 janv 2000 : *D.* 2001, 1348, note H. Matsopoulou.

(301) Ainsi d'une demande devant une commission de surendettement : Cass. 1re civ., 19 mai 1999 : *Bull. civ.* 1999, I, n° 169. – Cass. 1re civ., 6 juin 2001 : *Bull. civ.* 2001, I, n° 164. Mais la solution inverse avait été retenue pour une demande

en outre abandonné la jurisprudence qui exigeait une citation au fond[(302)], en prévoyant qu'une demande en référé suffisait. La loi se contente désormais d'une « demande en justice ».

L'interruption jouait même si la juridiction saisie était incompétente (anc. art. 2246)[(303)]. En revanche, elle était considérée comme non avenue (C. civ., anc. art. 2247) si l'assignation était nulle pour défaut de forme[(304)], voire inexistante[(305)]. Cette dernière solution a été abandonnée : peu importe, désormais, « que l'acte de saisine de la juridiction » soit « annulé par l'effet d'un vice de procédure »[(306)].

La citation en justice devait être adressée à celui qu'on voulait empêcher de prescrire (art. 2244)[(307)], et par le créancier lui-même[(308)]. La lettre du texte conduit aujourd'hui à considérer que la loi n'exige plus que la demande ait été signifiée au prescrit.

Pour autant, diverses solutions antérieures sont reconduites : une lettre recommandée avec accusé de réception reste en principe[(309)] sans effet[(310)], tout comme une intervention formelle par constitution de partie civile sans véritable demande[(311)].

• La loi précise par ailleurs quel est exactement l'effet d'une demande en justice[(312)].

Alors que le Projet Catala proposait d'en faire une cause de suspension de la prescription, la loi a maintenu la solution classique : la demande interrompt la prescription[(313)].

La portée de cette interruption a été précisée (art. 2242 et 2243). La jurisprudence avait autrefois jugé que l'interruption se prolongeait jusqu'à ce que le litige

---

de conciliation dans une procédure de saisie-arrêt (Cass. 2e civ., 8 juin 1988 : *JCP* 1989, II, 21199, note Taisne) ou en matière de loyers commerciaux (Cass. 3e civ., 18 févr. 1998 : *Bull. civ.* 1998, III, n° 38).

(302) Cass. 3e civ., 6 mars 1973 : *JCP* 1973, IV, 152.

(303) Anc. art. 2246. La jurisprudence en avait fait application à tous les cas d'incompétence : Cass. ch. mixte, 24 nov. 2006 : *Bull. civ.* 2006, ch. mixte, n° 11 ; *D.* 2006, inf. rap. 3012. – Cass. 1re civ., 9 juill. 2009 : *Bull. civ.* 2009, I, n° 174. – Il fallait toutefois que la demande ait été faite de bonne foi : Cass. 2e civ., 16 déc. 2004 : *JCP* 2005, II, 10073, note E. Sander ; *Bull. civ.* 2004, II, n° 531, p. 453. – Sur l'effet interruptif d'une demande présentée à un juge incompétent, V. Cass. 3e civ., 2 juin 2010 : *Procédures* août 2010, n° 8, comm. 310, R. Perrot.

(304) Cass. 2e civ., 8 avr. 2004 : *Bull. civ.* 2004, II, n° 180, p. 151.

(305) Ainsi lorsqu'a été saisie une juridiction qui n'existe pas : Cass. 2e civ., 23 mars 2000 : *Bull. civ.* 2000, II, n° 53 ; *JCP* 2000, II, 10348, note Desideri. – Comp. Cass. ch. mixte, 7 juill. 2006 : *Bull. civ.* 2006, ch. mixte, n° 6, p. 18 ; *JCP* 2006, II, 10146, note E. Putman ; *RTD civ.* 2006, p. 820, obs. R. Perrot : l'acte qui porte la date d'un jour férié, où la juridiction ne siégeait pas, produit interruption de la prescription.

(306) Peu importe aujourd'hui que la nullité soit de fond ou de forme. La solution est critiquée : V. ainsi. Cl. Brenner et H. Lécuyer, art. préc., nos 76 et s. Le risque d'assignation fictive (V. Lasserre-Kisow, art. préc., p. 1436) ne semble pas irrémédiable, car la sanction de la fraude reste possible (Ph. Malaurie, art. préc.). – Sur l'application immédiate de la solution, V. Cass. 2e civ., 17 févr. 2011 : *Procédures* avr. 2011, n° 4, comm. 132, R. Perrot.

(307) Cass. 3e civ., 15 juin 2005 : *Bull. civ.* 2005, III, n° 133 (pour une prescription acquisitive). Mais la jurisprudence avait limité l'exigence en considérant qu'il suffisait que le prescrit soit destinataire de la demande : Cass. 2e civ., 11 déc. 1985 : *Bull. civ.* 1985, II, n° 195, p. 131.

(308) Cass. com., 14 nov. 1977 : *JCP* 1978, IV, 20. – La citation par l'assureur ne vaut donc pas interruption au profit du créancier : Cass. 3e civ., 8 févr. 2000 : *Bull. civ.* 2000, III, n° 39, p. 27. – Sur l'application dans le domaine de la construction, V. CE, 23 mai 2011 : *Procédures* août 2011, n° 8, comm. 287, S. Deygas.

(309) Sauf règle spéciale. V. ainsi C. assur., art. L. 114-2.

(310) Cass. 2e civ., 26 juin 1991 : *Bull. civ.* 1991, II, n° 195. – Cass. 1re civ., 21 janv. 1997 : *Bull. civ.* 1997, I, n° 27. – Cass. com., 12 nov. 1997 : *Bull. civ.* 1997, IV, n° 291. – Cass. 2e civ., 14 mai 2009 : *Bull. civ.* 2009, II, n° 124.

(311) Cass. 1re civ., 25 janv. 2000 : *Bull. civ.* 2000, II, n° 23, p. 15.

(312) Sur l'effet de l'unicité de l'instance, V. Cass. soc., 8 avr. 2010 : *Procédures* août 2010, n° 8, comm. 316, A. Bugada.

(313) La solution contraire aurait conduit à la difficile computation des délais ; surtout, théoriquement, elle eût été regrettable, alors que la demande en justice manifeste bien la volonté du titulaire du droit de faire valoir celui-ci.

trouve sa solution, de sorte que le nouveau délai de prescription ne commençait à courir qu'à compter de la décision qui mettait définitivement fin à l'instance considérée[314]. La solution a été reprise par la loi nouvelle : c'est « jusqu'à extinction de l'instance » que l'effet interruptif joue[315]. Surtout, cet effet interruptif dépend d'une triple condition : qu'il n'y ait eu ni désistement du demandeur[316], ni péremption d'instance[317], ni rejet définitif de la demande[318]. Dans le cas contraire, l'interruption est anéantie. La loi n'ayant en revanche rien prévu, explicitement, en cas de caducité de l'assignation, la doctrine hésite entre la reconduction[319] et l'abandon de la jurisprudence antérieure[320].

Ces solutions valent non seulement pour les délais de prescription, mais également pour les délais de forclusion (art. 2241, al. 1, *in fine* ; V. *supra*, n° 922)[321].

2° Les effets de l'interruption

959. - **Disparition de l'interversion de prescription.** La loi du 17 juin 2008 a mis fin à la technique dite de « l'interversion des prescriptions », technique consistant dans le fait que l'interruption de certaines courtes prescriptions faisait parfois courir un nouveau délai de prescription de droit commun[322].

Telle n'était pas la solution de principe : l'interruption faisait en effet normalement courir un nouveau délai de même nature que le délai d'origine[323]. Mais, conformément à la formule un peu mystérieuse de l'ancien article 2274, il était fait échec à cette règle « lorsqu'il y a eu compte arrêté, cédule ou obligation, ou citation en justice non périmée » (anc. art. 2274, al. 2), c'est-à-dire s'il y avait eu interruption de la prescription par une citation en justice ou par une reconnaissance écrite et chif-

(314) Cass. 2e civ., 8 avr. 2004 : *Bull. civ.* 2004, II, n° 181, p. 152 : l'interruption existait « tant que le litige n'a pas trouvé sa solution définitive ». – La Cour de cassation a jugé, sous l'empire du droit antérieur, que l'effet interruptif attaché à une assignation en référé cessait dès qu'était rendue l'ordonnance mettant fin à l'instance : Cass. 2e civ., 30 juin 2011, n° 10-21.112 : *Resp. civ. et assur.* nov. 2011, n° 11, comm. 352.

(315) La doctrine s'interroge sur la signification de la formule « extinction de l'instance » : cela vise-t-il la fin du procès, le premier ou second degré, le jugement ou l'arrêt d'appel ? V. Cl. Brenner, art. préc.

(316) Autrefois, le désistement d'instance ne permettait de regarder l'interruption de la prescription comme non avenue que lorsqu'il s'agissait d'un « désistement d'instance pur et simple », l'effet interruptif étant maintenu lorsque le désistement était motivé par l'incompétence de la juridiction devant laquelle il était formulé et qu'il faisait suite à la saisine d'une autre juridiction compétente pour connaître de la demande : Cass. soc., 9 juill. 2008 : *Bull. civ.* 2008, V, n° 158.

(317) Cass. ass. plén., 3 avr. 1987 : *JCP* 1987, II, 20792, concl. av. gén. Cabannes (caducité de l'assignation à défaut de remise au greffe dans le délai imparti). Pour une illustration, V. Cass. 1re civ., 10 avr. 2013, n° 12-18.193 : *Procédures* 2013, comm. 177, R. Perrot.

(318) Cass. 1re civ., 22 mai 2002 : *Bull. civ.* 2002, I, n° 141, p. 109.

(319) L. Miniato, *La loi du 17 juin 2008 rend-elle caduque la jurisprudence de l'assemblée plénière de la Cour de cassation ?* : *D.* 2008, chron. 2952. – Ph. Malaurie, *in JCP* préc., semble considérer que l'assignation caduque n'a pas d'effet interruptif. – Comp. F. Terré, Ph. Simler, Y. Lequette, *op. cit.*, n° 1497.

(320) V. implicitement, S. Amrani-Mekki, art. préc., lorsqu'elle envisage le risque d'assignation conservatoire exclusivement destinée à interrompre le délai de prescription.

(321) La loi consacre la jurisprudence antérieure. V. ainsi, sous l'empire du droit antérieur, l'application de l'article 2246 (la citation en justice donnée même devant un juge incompétent interrompt la prescription) aux délais préfix : Cass. 2e civ., 6 janv. 2008 : *Bull. civ.* 2008, II, n° 5. – Cass. 1re civ., 9 juill. 2009 : *Bull. civ.* 2009, I, n° 174. De la lettre de l'article 2241, alinéa 1er, résulte seulement que les délais de forclusion sont interrompus par une demande en justice. Mais les articles 2242 et 2243, qui déterminent précisément la mesure de l'interruption, doivent rationnellement également leur être appliqués. Sur l'effet interruptif d'une demande présentée à un juge incompétent et la généralité de cet effet, qui vaut pour tous les délais, V. Cass. 3e civ., 2 juin 2010 : *Procédures* août 2010, n° 8, comm. 310, R. Perrot.

(322) A. Viandier, *Les modes d'interversion des prescriptions libératoires* : *JCP* 1978, I, 2885. – R. Libchaber, *Le point sur l'interversion des prescriptions en cas de condamnation en justice* : *D.* 2006, chron. p. 254.

(323) Cass. 3e civ., 11 janv. 1995 : *Bull. civ.* 1995, III, n° 10. – Cass. com., 15 nov. 1994 : *Bull. civ.* 1994, IV, n° 342.

frée de la dette dans un nouveau titre. En pareil cas, la présomption de paiement qui fondait ces prescriptions s'étant avérée inexacte, on revenait au droit commun de la prescription trentenaire, ou de la prescription décennale en matière commerciale[(324)]. On disait alors qu'il y avait « interversion de titre », et « interversion de prescription » : la prescription initiale était remplacée par la prescription de droit commun.

La jurisprudence avait toutefois limité cette technique : en la cantonnant en principe aux courtes prescriptions prévues par les articles 2271 à 2273 (V. *supra*, n° 934)[(325)] ; en en limitant alors le domaine[(326)] et la portée[(327)].

L'avant-projet avait suggéré d'abandonner cette technique[(328)], inconnue du droit européen des contrats et du droit allemand, et peu compatible avec le souci de raccourcir les délais. La loi du 17 juin 2008 a suivi la suggestion : l'article 2231 précise que l'interruption fait courir un nouveau délai qui est « de même durée que l'ancien ». Mais la doctrine s'interroge sur la portée de la suppression[(329)].

960. – **Portée de l'interruption.** La portée de l'interruption doit être doublement précisée.

• La jurisprudence décidait que la citation n'interrompait la prescription que dans la limite de son objet : elle ne s'étendait pas aux demandes voisines ayant un objet différent[(330)], sauf si elles tendaient à un seul et même but[(331)]. De même l'interruption de l'action principale ne s'étendait pas à la demande reconventionnelle[(332)]. La solution perdure, avec les mêmes limites[(333)] : l'effet interruptif ne s'étend pas en principe d'une action à l'autre, et ne vaut que pour le droit allégué.

---

(324) Cass. 1re civ., 14 déc 2004 : *Bull. civ.* 2004, I, n° 320, p. 266 ; *D.* 2005, 280 ; *Contrats, conc. consom.* 2005, comm. 63, note L. Leveneur.

(325) Elle l'avait écartée à l'égard de la prescription biennale des actions dérivant du contrat d'assurance (Cass. 1re civ., 1er juill. 1980 : *JCP* 1981, II, 19566, note A. Besson) ou de la prescription annale de l'article L. 133-6 du Code de commerce (Cass. com., 27 mai 2008 : *Rev. dr. transp.* oct. 2008, comm. 190, obs. O. Staes). – Mais elle l'avait appliquée au bref délai d'exercice de l'action en garantie des vices cachés (bref délai devenu délai de deux ans après l'ordonnance du 17 février 2005) : Cass. 1re civ., 21 oct. 1997 : *D.* 1998, 409, note M. Bruschi ; *JCP* 1998, II, 10063, note Mouloungui ; *Contrats, conc. consom.* 1998, comm. 23, obs. L. Leveneur ; *D.* 1999, somm. 17, obs. O. Tournafond. – Cass. com., 5 mars 2002 : *JCP* 2002, IV, 1684. – Cass. 1re civ., 25 juin 2002 : *Bull. civ.* 2002, I, n° 176, p. 135 ; *Defrénois* 2003, 1, 406, art. 37690, note Y. Dagorne-Labbé.

(326) La jurisprudence exigeait que la reconnaissance de dette ait été souscrite selon les modalités prévues (cf. la lettre de l'alinéa 2 de l'ancien article 2274) : Cass. 1re civ., 5 févr. 1991 : *Bull. civ.* 1991, I, n° 52, p. 33.

(327) La Cour de cassation avait jugé que le créancier pouvait poursuivre l'exécution de la décision pendant trente ans si une décision judiciaire avait condamné le débiteur au paiement de la créance périodique, mais qu'il ne pouvait poursuivre le recouvrement des arriérés échus depuis plus de cinq ans avant la demande : Cass. ass. plén., 10 juin 2005 : *Bull. civ.* 2005, ass. plén., n° 6 ; *D.* 2005, inf. rap. p. 1733 ; *Defrénois* 2005, 1, 1636, art. 38254, n° 79, obs. E. Savaux, n° 80, obs. A. Bénabent. – C. Beddeleem, *La prescription de l'indemnité d'occupation (à propos de la décision de l'assemblée plénière, 10 juin 2005) : Administrer* janv. 2006, n° 384, p. 12. – R. Libchaber, *Le point sur l'interversion des prescriptions en cas de condamnation en justice* : *D.* 2006, préc. – V. aussi Cass. 1re civ., 4 oct. 2005 : *Bull. civ.* 2005, I, n° 350. – Cass. 1re civ., 21 nov. 2006 : *Bull. civ.* 2006, I, n° 504 ; *D.* 2007, p. 842, 2e esp., note R. Libchaber.

(328) En ce sens, *Avant-projet de réforme du droit des obligations et de la prescription* : La Documentation française, 2006, p. 197. L'interversion de prescription avait toutefois été maintenue pour l'obligation de restituer résultant de la nullité ou de la résolution du contrat (art. 1162-2, al. 3).

(329) M. Mignot, art. préc., p. 60. Sur la discussion, V. Ph. Casson, art. préc., p. 40 et s. – E. Agostini, *Interversion des prescriptions et réforme de la prescription* : *D.* 2010, 2465.

(330) Cass. soc., 15 avr. 1992 : *Bull. civ.* 1992, V, n° 278. – Cass. 3e civ., 19 janv. 2000 : *Bull. civ.* 2000, III, n° 11.

(331) Cass. soc., 15 juin 1961 : *Bull. civ.* 1961, V, n° 650. – Cass. 3e civ., 26 juin 2002 : *RD imm.* 2002, 419, obs. Ph. Malinvaud. – Cass. 3e civ., 22 sept. 2004 : *Bull. civ.* 2004, III, n° 152, p. 138 ; *RD imm.* 2004, 569, obs. Ph. Malinvaud ; *D.* 2004, inf. rap. 2549 ; *JCP* 2004, IV, 3075 (le rejet de l'action sur le fondement de la garantie légale des constructeurs n'empêche pas l'action subsidiaire fondée sur la responsabilité contractuelle de droit commun de prospérer). – Cass. 2e civ., 21 janv. 2010 : *Bull. civ.* 2010, II, n° 22.

(332) Cass. com., 1er oct. 1991 : *Bull. civ.* 1991, IV, n° 276. – Cass. com., 14 janv. 1997 : *Bull. civ.* 1997, IV, n° 16.

(333) Cass. 2e civ., 28 juin 2012 : *JCP* 2012, I, 1254, obs. Y.-M. Serinet.

• L'effet interruptif de la citation en justice est en outre en principe personnel. La jurisprudence décidait qu'il ne se produisait qu'à l'égard du défendeur assigné, non à l'égard d'autres débiteurs[334], sauf indivisibilité des actions[335]. Désormais, les articles 2245 et 2246 précisent et limitent cette relativité de l'interruption.

L'interruption joue à l'égard des codébiteurs solidaires (art. 2245, al. 1er)[336], et ce qu'elle résulte d'une demande en justice[337], d'un acte d'exécution forcée, ou d'une reconnaissance par le débiteur du droit de celui contre lequel il prescrit. Cet effet interruptif joue également contre les héritiers des débiteurs solidaires (art. 2245, al. 1er, *in fine*).

L'interruption à l'égard de l'un des héritiers du débiteur est en revanche sans effet à l'égard des cohéritiers si l'obligation est divisible, et ce même en cas de créance hypothécaire ; elle n'a d'effet à l'égard des autres codébiteurs que pour la part de l'héritier considéré, sauf indivisibilité de l'obligation (art. 2245, al. 2).

Pour interrompre le délai pour le tout et à l'égard des codébiteurs, il faut que tous les héritiers aient été interpellés ou qu'ils aient tous reconnu le droit de celui contre lequel la prescription court (art. 2245, al. 3).

Enfin, l'interruption de la prescription à l'égard du débiteur principal interrompt aussi la prescription à l'égard de la caution (art. 2245)[338].

C. – Le délai butoir

961. – **Droit comparé.** La technique dite du « délai butoir » est bien connue du droit comparé : diverses codifications internationales[339], législations étrangères[340], ou règles de droit européen[341], considèrent ainsi que, en toute hypothèse, l'action en justice doit être exercée dans un certain délai à compter de la naissance du droit considéré. Un tel délai vise à protéger la sécurité juridique, que la prescription menace lorsque le délai pour prescrire ne court pas à compter de la naissance du droit mais à compter d'une date qui peut être lointaine, voire ne jamais advenir. Il en va notamment ainsi lorsque la loi retient la connaissance des faits permettant d'exercer l'action en justice.

962. – **Droit antérieur.** Le droit français n'était pas complètement indifférent à l'argument[342].

La jurisprudence avait certes refusé de considérer que l'action en nullité pour vice du consentement intentée dans le délai de prescription quinquennal de l'article 1304 du Code civil était prescrite lorsque plus de trente ans s'étaient écoulés

(334) Cass. 2e civ., 29 nov. 1995 : *JCP* 1996, II, 22699, note E. Sander. – Cass. 3e civ., 23 févr. 2000 : *Bull. civ.* 2000, III, n° 39, p. 27.

(335) Cass. 3e civ., 30 mars 2002 : *RD imm.* 2002, 239, obs. Ph. Malinvaud : l'interruption de la prescription par un copropriétaire joue au profit du syndicat de copropriété pour les désordres affectant les parties communes.

(336) Comp. C. civ., art. 1206.

(337) Pour une illustration en matière de responsabilité solidaire des fabricants et locateurs d'ouvrage (art. 1792-4), V. Cass. 3e civ., 13 janv. 2010 : *Bull. civ.* 2010, III, n° 7 ; *RD imm.* 2010, 218, obs. Ph. Malinvaud.

(338) Avant la loi du 26 juillet 2005 de sauvegarde de entreprises, la jurisprudence avait décidé que l'interruption contre le débiteur par la déclaration à la procédure collective jouait à l'égard de la caution et qu'il n'était pas nécessaire de procéder à la notification à la caution (art. L. 621-43) : Cass. com., 26 sept. 2006 : *Bull. civ.* 2006, IV, n° 190, p. 208.

(339) Principes Unidroit, art. 10.2 ; PEDC, art. 14 : 307 ; Conv. New York sur la vente internationale, 14 juin 1974, art. 8 et 10 ; Conv. Vienne sur la vente internationale de marchandises, art. 39.

(340) Allemagne, Belgique, Royaume Uni…

(341) Dir. Garanties des biens de consommation, 25 mai 1999, art. 5. – Dir. Responsabilité du fait des produits défectueux, 25 juill. 1985, art. 10 et 11.

(342) S. Joly, *La nouvelle génération des doubles délais extinctifs* : D. 2001, 1450.

depuis la conclusion du contrat[343]. Mais elle avait enfermé l'exercice de l'action en garantie des vices cachés contre un constructeur de navire dans un délai maximal de trente ans[344] et procédé de même à propos de l'action en garantie des vices cachés ouverte par le Code civil[345].

Certaines dispositions légales spéciales procédaient également de cette logique (V. ainsi art. 215, al. 3[346], art. 921, art. 1386-16[347]).

963. – **Loi du 17 juin 2008.** Le souci d'attractivité économique, le besoin de rapidité des transactions, le mouvement d'européanisation ont conduit la loi du 17 juin 2008 à introduire cette institution à titre de droit commun[348]. L'article 2232 pose ainsi un principe : « le report du point de départ, la suspension ou l'interruption de la prescription ne peut avoir pour effet de porter le délai de la prescription extinctive au-delà de vingt ans à compter du jour de la naissance du droit ».

L'innovation divise la doctrine : on la défend parfois comme une « nécessité pratique »[349], favorisant la sécurité juridique ; mais d'autres déplorent son « injustice morale »[350], ou regrettent une « source supplémentaire de complexité »[351]. En outre, sa portée notionnelle est discutée : elle transformerait subrepticement la prescription, qui deviendrait une police des droits subjectifs au lieu d'être un mode de consolidation des situations de fait[352]. Enfin, son organisation technique atteste le particularisme du droit français[353] et suscite deux difficultés.

964. – **Incertitude du domaine.** La première a trait à la détermination de son domaine d'application, fort délicate, ce qui laisse présager « de beaux procès »[354].

L'article 2232 ne vise que les cas de « report du point de départ » de la prescription, de « suspension » de la prescription et d'« interruption » de la prescription[355].

Sont donc incontestablement concernées les hypothèses que la loi désigne par de telles appellations aux articles 2233 à 2239 : prescription de l'action en paiement d'un droit non exigible, prescription de l'action exercée par un époux contre l'autre, prescription d'une action ayant déjà fait l'objet d'une demande en justice, etc. (V. *supra*, n°s 945 et s.).

En revanche, la place de l'article 2224 et la lettre des textes devraient *a priori* conduire à considérer que le délai butoir ne s'applique pas à la situation d'un titulaire du droit qui aurait eu connaissance (ou aurait dû avoir connaissance) des faits

(343) Cass. 1re civ., 24 janv. 2006 : *Bull. civ.* 2006, I, n° 28, p. 25. – Cass. 1re civ., 25 juin 2008 : *Bull. civ.* 2008, I, n° 184.
(344) Cass. com., 27 nov. 2001 : *Bull. civ.* 2001, IV, n° 187 : *JCP* 2002, II, 10021, note crit. P. Jourdain.
(345) Cass. 3e civ., 16 nov. 2005 : *Bull. civ.* 2005, III, n° 222, p. 204.
(346) L'action en nullité de l'acte irrégulier de disposition du logement familial peut être intentée dans l'année de la connaissance de l'acte « sans pouvoir jamais [l'être] plus d'un an après que le régime matrimonial s'est dissous ».
(347) L'action en responsabilité du fait du défaut de sécurité du produit ne peut être intentée plus de dix ans après la mise en circulation du produit.
(348) M. Mignot, *Le délai butoir, Commentaire de l'article 2232 du Code civil issu de la loi du 17 juin 2008 : Gaz. Pal.* 26 févr. 2009, n° 57, p. 2. – A. Guégan, art. préc.
(349) À défaut d'être « un impératif logique » : Y.-M. Laithier, art. préc., p. 2538 et s.
(350) M. Mignot, art. préc.
(351) A. Guégan, art. préc., p. 20.
(352) M. Bandrac, art. préc. *Adde* M. Mignot, art. préc., n°s 27 et s. – *Contra* Th. Le Bars, art. préc., p. 4.
(353) Le droit allemand soumet ainsi le délai butoir à la suspension, l'interruption, l'aménagement conventionnel...
(354) L. Leveneur, art. préc.
(355) Pour la critique du système mis en place, V. M. Mignot, art. préc., n° 19.

lui permettant d'exercer le droit plus de vingt ans après la date de naissance dudit droit[356]. L'article 2224 n'est en effet pas situé dans la section traitant « des causes de report du point de départ ». Le terme même « report de date » évoque la situation dans laquelle une date initialement fixée est ensuite repoussée : or dans cette situation, il n'y a rien de tel, puisque l'article 2224 prévoit, dès l'origine, que le délai court à compter de la connaissance par le titulaire du droit des faits lui permettant de l'exercer[357].

La doctrine regrette que le délai butoir soit ainsi écarté, alors qu'il a été notamment conçu pour limiter le danger potentiel du point de départ « glissant » et suggère, le cas échéant, de faire prévaloir l'esprit de la loi sur sa lettre[358].

965. – **Incertitude de la portée.** La portée effective de l'innovation risque par ailleurs de s'avérer limitée.

Elle est d'abord limitée par l'article 2232, alinéa 2[359], qui écarte le délai butoir dans tous les cas – assez nombreux – visés aux articles 2226 (action en réparation d'un dommage corporel ou du préjudice causé par des tortures, actes de barbarie, etc.), 2227 (prescription des actions réelles), 2233 (report du point de départ pour inexigibilité du droit), 2236 (report du point de départ ou suspension entre époux ou pacsés), 2241, alinéa 1er (interruption par demande en justice)[360], 2244 (interruption par acte d'exécution forcée). Plus généralement, le délai butoir est écarté pour les « actions relatives à l'état des personnes ». Le délai butoir ne serait donc qu'un « tigre de papier » « symbolique »[361].

Sa nature est incertaine[362] : délai de déchéance[363] ou délai de prescription complémentaire[364] ? Plus concrètement, on ne sait s'il est d'ordre public[365], s'il doit être soulevé d'office par le juge[366], et s'il peut être l'objet d'aménagement conventionnel[367].

Surtout, sa conformité aux droits fondamentaux que protègent le droit constitutionnel[368] et le droit européen, et notamment au droit à un procès équitable (Conv. EDH, art. 6, § 1)[369] et au droit au respect des biens (Prot. add. n° 1, art. 1er), pose problème (V. *supra*, n° 915). La Cour de cassation lui avait d'ailleurs opposé

(356) Mais V. Cass. 1re civ., 11 sept. 2013 : *Contrats, conc. consom.* 2013, comm. 258, L. Leveneur, parlant de « report » du point de départ au sujet de l'action en nullité pour dol. – Dans le même sens, V. P.-Y. Gautier, note sous Cass. 1re civ., 11 sept. 2013 : *RTD civ.* 2013, 856.

(357) Cl. Brenner, H. Lécuyer, art. préc., n° 27.

(358) V. ainsi Cl. Brenner, H. Lécuyer, art. préc., n° 85. – Ph. Malinvaud, art. préc., p. 370. – X. Lagarde, art. préc., p. 1120.

(359) Le délai butoir ne joue pas non plus s'agissant de la responsabilité des professionnels et établissements de santé pour les actes de prévention, diagnostic et soins : art. L. 1142-28 CSP.

(360) « Bizarre » exception selon M. Bandrac, art. préc.

(361) M. Bandrac, *ibid.* : le délai butoir ne jouerait finalement que pour la suspension pour impossibilité d'agir.

(362) Cl. Brenner, H. Lécuyer, art. préc., n° 83.

(363) M. Bandrac, *ibid.*

(364) B. Fauvarque Cosson, J. François, art. préc., n° 29. – *Adde* M. Mignot, *Le délai butoir*, art. préc. – L. Leveneur, *La faculté d'aménagement de la prescription en matière civile*, in *La réforme de la prescription en matière civile, Le chaos enfin régulé ?*, préc., p. 71.

(365) Oui : Cl. Brenner, H. Lécuyer, art. préc., n° 83. – Comp. M. Bandrac, *ibid.*, p. 1413.

(366) Non selon Ph. Malaurie, art. préc., n° 12.

(367) B. Fauvarque Cosson, J. François, art. préc., n° 29. – Oui : Ph. Hoonakker, art. préc., n° 15. – Non : L. Leveneur, art. préc., p. 71.

(368) Cons. const., déc. 13 déc. 1985, n° 85-198 DC.

(369) CEDH, 22 oct. 1996, a admis que la prescription vienne limiter le droit d'agir en justice.

une nette hostilité dans son rapport sur le Projet Catala[370]. Sa pérennité est donc incertaine.

Raison pour laquelle il serait préférable de retenir la solution proposée par le Projet Terré : la prescription court dès la naissance du droit d'agir du créancier (art. 113 ; pour les créances à terme, sous condition, etc., V. art. 114) ; l'interruption de la prescription est maintenue, sans être limitée par un délai butoir (art. 121 et s.) ; la suspension de la prescription est remplacée par un relevé de prescription, qui peut être obtenu dans divers cas (et not. en cas d'impossibilité d'agir, d'ignorance légitime du créancier rendant excusable son inaction, etc. : art. 117 et s.)[371].

§ 4. – Le rôle du juge et des parties en matière de prescription

966. – **Évolution.** Parce qu'elle tend à la stabilité des situations de fait et à la sécurité juridique, et constitue ainsi peut-être l'institution « la plus nécessaire à l'ordre social »[372], la prescription était autrefois considérée comme une matière d'ordre public. Certains invitaient à renforcer ce caractère, s'agissant d'une institution qui touche « directement à l'institution judiciaire elle-même »[373], quand d'autres suggéraient plus de libéralisme[374].

La loi du 17 juin 2008 a obéi à un « souffle libéral »[375]. Mais elle n'a pas transformé la prescription en une pure institution d'intérêt privé[376] : des « îlots d'ordre public » perdurent[377]. Le résultat est un compromis « sans grande cohérence d'ensemble »[378].

967. – **Plan.** Seront successivement envisagées la nécessaire invocation de la prescription par son bénéficiaire (A), l'éventualité d'une renonciation (B), l'hypothèse d'un paiement de la dette prescrite (C), enfin la question de l'aménagement conventionnel de la prescription (D).

Deux précisions préalables s'imposent.

La première concerne les prescriptions présomptives. Si elles ont disparu du Code civil, elles demeurent, le cas échéant, en dehors (V. *supra*, n° 934), notamment en droit commercial. Il convient de rappeler, à leur sujet, que le créancier pourra alors obtenir le paiement, nonobstant l'écoulement du délai, s'il défère le serment au débiteur et que celui-ci refuse de prêter serment, ou avoue n'avoir pas payé.

(370) Rapport du groupe de travail sur l'avant-projet du 15 juin 2007, préc., n° 96.
(371) J. Klein, art. préc., p. 111 et s.
(372) Formule prêtée à Bigot du Préameneu lors de la présentation du titre XX du livre III du Code civil.
(373) A. Bénabent, art. préc. : D.
(374) Projet Catala, art. 2235.
(375) Ph. Malaurie, art. préc. : *JCP*.
(376) *Contra* S. Amrani-Mekki, art. préc.
(377) A.-M. Leroyer, art. préc., p. 563.
(378) A.-M. Leroyer, art. préc., p. 563.

La deuxième concerne l'éventuelle sanction de la déloyauté du débiteur qui adopterait un comportement dilatoire destiné à tromper le créancier et obtenir ainsi le bénéfice de la prescription[379]. Le droit commun de la bonne foi, la fraude, ou encore le jeu de la responsabilité civile, permettent d'endiguer de telles déloyautés.

A. – Invocation par le bénéficiaire

968. – **Invocation par le bénéficiaire.** Le débiteur prescrit peut agir à titre préventif contre le créancier, en dehors de tout litige, pour faire constater l'extinction de sa dette[380]. Mais le plus souvent, la prescription sera invoquée sous la forme d'une fin de non-recevoir opposée à une demande en paiement (CPC, art. 122). Cette fin de non-recevoir présente deux caractères.

• Elle ne peut être soulevée d'office.

L'article 2223 interdisait déjà autrefois aux juges de « suppléer d'office le moyen résultant de la prescription ». Et la jurisprudence avait considéré que cette solution valait même lorsque la prescription était d'ordre public[381]. Ce que l'on pouvait discuter au regard des règles de procédure et de l'enjeu social de l'institution[382].

Pour autant, le droit comparé est dans le même sens[383], qu'il s'agisse du droit allemand, des Principes Unidroit ou des Principes Lando. Quant à l'avant-projet de réforme, il avait suggéré de reconduire la règle. Telle a été la solution retenue par la loi du 17 juin 2008 : le juge ne peut « soulever d'office le moyen résultant de la prescription » (C. civ., art. 2247).

La règle n'est pas sans limites. Les premières tiennent aux droits spéciaux : depuis la loi du 3 janvier 2008, l'article L. 141-4 du Code de la consommation donne ainsi au juge le pouvoir – mais non le devoir, sauf pour la sanction des clauses abusives depuis la loi du 17 mars 2014 – de soulever d'office toutes les dispositions du Code de la consommation, parmi lesquelles notamment les textes prévoyant des délais de prescription (ainsi de l'action en paiement du vendeur ou entrepreneur contre le consommateur : art. L. 137-2 ; V. *supra*, n°s 934 et 939)[384].

Art. L. 141-4. – Le juge peut soulever d'office toutes les dispositions du présent code dans les litiges nés de son application.

Les secondes viennent des délais de forclusion : la Cour de cassation considère traditionnellement que le juge doit soulever d'office leur expiration (V. *supra*, n° 921).

(379) J. Kullmann, *Fautes et sanctions liées à la prescription*, in *Les désordres...*, préc., p. 97. – V. Lasserre Kiesow, art. préc., n° 310. – Ph. Casson, art. préc., p. 29 et s. – B. Fauvarque Cosson, J. François, art. préc., p. 251.

(380) L'héritier qui souhaite connaître la consistance exacte du patrimoine du défunt et l'étendue des droits dont il peut disposer compte tenu des hypothèques qui garantissent la créance a un intérêt à exercer cette action déclaratoire : Cass. 1re civ., 9 juin 2011, n° 10-10.348 : *Procédures* 2011, comm. 255, R. Perrot.

(381) Cass. 1re civ., 9 déc. 1986 : *Gaz. Pal.* 1987, 1, 187, note M. Mayer et Pinon ; *RTD civ.* 1987, 763, obs. J. Mestre.

(382) La solution ne peut s'expliquer par l'idée qu'il s'agit d'une question de fait ; quant au prétendu caractère immoral de l'institution, il n'est pas convaincant s'agissant d'une institution prévue par la loi. Sur la critique, V. S. Amrani-Mekki, qui considère que l'enjeu social justifierait que le juge ait le devoir de soulever d'office le moyen tiré de la prescription.

(383) BGB, § 214, al. 1er ; Unidroit, art. 10.9 ; PDEC, art. 14.501.

(384) La solution est d'ailleurs discutable, et impossible à justifier par l'idée de faveur au consommateur, car elle est générale et permettra donc aussi au juge de soulever d'office la prescription d'une action exercée par le consommateur contre le professionnel.

• Le droit antérieur imposait donc au bénéficiaire[385], ou à ses créanciers par la voie de l'action oblique, d'invoquer le bénéfice de la prescription, ce qui était possible en tout état de cause (anc. art. 2224)[386]. La solution a été reprise (art. 2248)[387].

Une ancienne jurisprudence admettait que la prescription pouvait être tacitement invoquée[388]. La loi nouvelle n'en dit rien, incitant à l'admettre.

Corolaire naturel de cette charge de l'allégation : il appartient au bénéficiaire de prouver qu'elle est accomplie[389].

La loi interdit seulement au bénéficiaire de la prescription de l'invoquer après y avoir renoncé.

B. – Renonciation par le bénéficiaire

969. – **Renonciation par le bénéficiaire.** La loi du 17 juin 2008 a repris la solution traditionnelle (anc. art. 2220)[390] : le bénéficiaire de la prescription peut renoncer à celle-ci.

Elle a également reconduit la limite antérieure : la renonciation ne peut intervenir qu'une fois la prescription « acquise » (art. 2250). L'interdiction d'une renonciation anticipée s'explique doublement : elle est préjudiciable au bénéficiaire de la prescription[391], et, surtout, contraire à l'intérêt général car elle encourage l'incurie du titulaire du droit[392].

La jurisprudence avait autrefois admis que la renonciation soit tacite[393] : ainsi de l'exécution volontaire d'une dette que l'on sait prescrite[394]. Mais cette renonciation ne pouvait résulter que d'actes accomplis en connaissance de cause et manifestant de façon non équivoque la volonté de renoncer au bénéfice de la prescription[395]. La loi nouvelle est dans le même sens : la renonciation tacite « résulte de circonstances établissant sans équivoque la volonté de ne pas se prévaloir de la prescription » (art. 2251)[396].

La loi considérait autrefois qu'il fallait avoir la capacité d'aliéner le droit auquel on renonce (anc. art. 2238). La solution, reprise par le Projet Catala, découle

(385) La caution peut se prévaloir de la prescription de la dette principale : Cass. req., 2 févr. 1886 : *DP* 1886, 1, 233.

(386) Mais elle ne pouvait être invoquée pour la première fois devant la Cour de cassation : Cass. 2e civ., 7 mai 1969 : *Bull. civ.* 1969, II, n° 141, p. 102.

(387) Il n'est pas nécessaire de l'invoquer avant toute défense au fond : Cass. com., 13 avr. 2010 : *Dr. soc.* déc. 2010, n° 12, comm. 234, J.-P. Legros.

(388) Cass. civ., 3 août 1870 : *DP* 1870, 1, 358 : il n'est pas nécessaire qu'il soit invoqué en termes formels ; il suffit qu'il ressorte implicitement de la nature même de la demande et de l'ensemble des faits sur lesquels elle est fondée.

(389) Cass. 3e civ., 26 janv. 2005 : *RD imm.* 2005, 133, obs. Ph. Malinvaud ; *Contrats, conc. consom.* 2005, comm. 82, obs. L. Leveneur.

(390) Même solution dans le Projet Catala : art. 2235 et 2237.

(391) Sur le risque qu'une telle renonciation ne devienne une clause de style, V. F. Terré, Ph. Simler et Y. Lequette, *op. cit.*, n° 1500.

(392) L. Cadiet, *Clauses relatives au litige* : *JCl. Contrats et distr.*, Fasc. 20, n° 41.

(393) Cass. civ., 9 nov. 1943 : *DA* 1944, 37.

(394) Cass. soc., 24 nov. 1982 : *Bull. civ.* 1982, V, n° 638.

(395) Cass. 2e civ., 5 nov. 1998 : *Bull. civ.* 1998, II, n° 258 (réitération d'une proposition d'indemnisation deux mois après l'expiration du délai d'action). – Mais tel n'est pas le cas de la participation à une expertise ordonnée en référé : Cass. com., 1er mars 1971 : *Bull. civ.* 1971, IV, n° 64, p. 59. – Cass. 3e civ., 17 janv. 1996 : *JCP* 1996, II, 22684, note Djigo ; *RD imm.* 1996, 221, obs. Ph. Malinvaud, B. Boubli. – Tel n'est pas le cas non plus d'une défense au fond : Cass. com., 1er mars 1971 : *Bull. civ.* 1971, IV, n° 64 ; *JCP* 1971, IV, 101. – Ne constituent pas davantage une renonciation des propositions faites à titre transactionnel et de conciliation avant toute action formelle en revendication de propriété, alors que les défendeurs n'étaient pas entièrement éclairés sur leurs droits : Cass. 3e civ., 18 mars 1978 : *Bull. civ.* 1978, III, n° 123.

(396) Ce qui relève sans doute du pouvoir souverain d'appréciation des juges du fond, comme autrefois.

aujourd'hui de l'article 2252 : « celui qui ne peut exercer par lui-même ses droits ne peut renoncer seul à la prescription acquise ». La règle se comprend eu égard à la gravité des effets d'une telle renonciation. Elle vaut notamment pour le mineur et le majeur sous tutelle(397). La loi ne prévoit aucun remède à l'incapacité d'exercice : l'article 509, 1°, porte à refuser au représentant légal le droit de renoncer à la prescription au nom de l'incapable.

La loi prévoit enfin que la prescription peut, malgré la renonciation du débiteur, être invoquée par les créanciers de celui-ci, ou par toute personne intéressée (art. 2253). La jurisprudence avait subordonné cette solution à la condition que la renonciation ait eu pour effet de créer ou d'augmenter l'insolvabilité du débiteur (C. civ., art. 1167)(398). La doctrine analyse le silence de la loi comme l'abandon de cette exigence particulière(399).

C. – Le paiement par le prescrit

970\. – **Paiement par le prescrit.** La jurisprudence avait autrefois considéré que le paiement d'une obligation prescrite ne pouvait être répété(400). Ce que l'on expliquait traditionnellement de diverses façons.

Les uns se fondaient sur la nature processuelle de la prescription : celle-ci éteignant l'action sans atteindre le droit, le paiement ne serait pas indu. L'explication suppose d'adhérer à la conception processualiste de la prescription (V. *supra*, n°s 919 et s.).

D'autres expliquaient la solution par le fait que le paiement après expiration du délai de prescription vaudrait renonciation tacite à se prévaloir de la prescription (art. 2251)(401). L'explication n'est pas convaincante, car la loi n'admet de renonciation tacite que résultant « de circonstances établissant sans équivoque la volonté de ne pas se prévaloir de la prescription » (V. *supra*, n° 969), ce qui est impossible si le débiteur ignorait la prescription.

L'explication la plus convaincante consistait à voir dans la solution une simple illustration de l'obligation naturelle : la dette prescrite ne serait plus civile et ne pourrait donc plus faire l'objet d'une exécution forcée, mais elle continuerait d'exister à titre d'obligation naturelle et ferait donc obstacle à la répétition (C. civ., art. 1235, al. 2). L'explication suppose, il est vrai, de ne pas adhérer à la thèse doctrinale qui analyse l'obligation naturelle comme procédant d'un engagement unilatéral de volonté : dans le cas contraire, elle est contredite par la jurisprudence qui refuse la répétition alors même que le paiement a été effectué par erreur(402).

---

(397) Parce que la renonciation à la prescription constitue plutôt un acte de disposition, il semble logique d'exiger l'assistance du curateur et donc de considérer que la renonciation ne peut pas non plus émaner d'un majeur sous curatelle.

(398) Cass. soc., 9 nov. 1950 : *Bull. civ.* 1950, V, n° 830, p. 559.

(399) F. Terré, Ph. Simler et Y. Lequette, *op. cit.*, n° 1500.

(400) Cass. req., 21 janv. 1935 : S. 1935, 1, 321. – Cass. soc., 11 avr. 1991 : *Bull. civ.* 1991, V, n° 192, p. 118. – Cass. 3e civ., 25 avr. 2007 : *Bull. civ.* 2007, III, n° 61.

(401) Pour cette analyse, V. CE, 11 juill. 2011 : *Dr. fisc.* 15 déc. 2011, n° 50, comm. 634.

(402) Ce courant interprète le « volontairement » de l'article 1235, alinéa 2 (« la répétition n'est pas admise à l'égard des obligations naturelles qui ont été *volontairement* acquittées ») comme ne visant que le paiement fait en connaissance de cause, sans erreur. Mais cette analyse n'est pas celle de la jurisprudence, qui ne distingue pas selon que le *solvens* sait ou non que la dette est prescrite : Cass. com., 8 juin 1948 : *DP* 1948, 376. – Cass. com., 21 févr. 1949 : *D.* 1949, 208. – Cass. com., 1er juin 2010 : *Bull. civ.* 2010, IV, n° 102. – Ce faisant, la Cour de cassation semble considérer que la

Mais elle correspond bien au courant doctrinal qui, assimilant l'obligation naturelle à un devoir moral, préfère voir dans le refus de répétition d'une obligation naturelle volontairement acquittée une sorte de fin de non-recevoir fondée sur la moralité, ou plutôt l'immoralité, de la demande[403].

Sans se soucier de fonder la solution, la loi a entendu consacrer la jurisprudence antérieure. La formulation est malheureuse : « le paiement effectué pour éteindre une dette ne peut être répété au seul motif que le délai de prescription était expiré » (art. 2249)[404].

D. – L'aménagement conventionnel

971. – **Doctrine antérieure.** La doctrine distinguait autrefois les clauses contractuelles opérant raccourcissement des délais, et celles les allongeant : elle prônait la validité des premières, qu'elle jugeait conformes au souci de sécurité juridique qui fonde la prescription et favorables au débiteur, supposé plus faible économiquement, mais la nullité des secondes, contraires à l'article 2220, qui interdisait de renoncer par avance à la prescription[405].

972. – **Jurisprudence antérieure.** Les solutions jurisprudentielles n'étaient pas aussi tranchées.

• Les clauses abrégeant les délais avaient certes été validées[406], mais à condition qu'elles laissent un délai raisonnable pour agir au titulaire du droit[407], et seulement sous réserve de certaines exceptions, comme en droit des assurances[408].

• La jurisprudence avait également permis de substituer à la prescription légale une forclusion contractuelle, qui n'était interrompue ni par la citation en justice (anc. art. 2244)[409] ni par la reconnaissance du débiteur (anc. art. 2248)[410]. Elle avait également décidé que de tels délais recevaient application même en cas de faute lourde : les clauses de forclusion – qui limitent pourtant la durée de la responsabilité – échappaient donc à la règle jurisprudentielle selon laquelle les clauses limitatives de responsabilité tombent en cas de faute lourde[411]. En bref, les délais conventionnels de forclusion couraient quoi qu'il arrive. Et la pratique révélait que de telles clauses étaient assez fréquentes, notamment dans les contrats bancaires.

---

formule « volontairement » interdit seulement de valider le paiement réalisé sous la contrainte. Sur cette exigence, V. Cass. com., 22 oct. 1991 : *Bull. civ.* 1991, IV, n° 311.

(403) M. Bandrac, art. préc., n° 37. L'explication, avancée pour le seul cas du paiement de la dette prescrite, semble valoir plus généralement pour les obligations naturelles : ce que le droit refuse, c'est le mauvais retour, l'immoralité du débiteur prétextant qu'il faut restituer car il ne devait pas payer la dette puisqu'elle était prescrite.

(404) À la lettre, le texte porte à considérer que le motif tiré de la prescription ne peut à lui « seul » fonder la répétition. En revanche, il ne suffit pas à écarter l'argument consistant à soutenir que la dette a été payée par erreur, le *solvens* ignorant l'existence d'une prescription. Il serait mal venu de déduire de cette formule que l'erreur permet désormais la répétition, alors que le législateur n'entendait nullement abandonner l'ancienne solution jurisprudentielle.

(405) R. Cario, *Les modifications conventionnelles de la prescription* : *LPA* 6 nov. 1998, p. 9.

(406) Cass. civ., 4 déc. 1895 : *DP* 1896, 1, 241, note Sarrut. – Cass. civ., 31 janv. 1950 : *D.* 1950, 261, note Lerebours-Pigeonnière ; *JCP* 1950, II, 5541, note A. Weill. – Cass. com., 21 janv. 1992 : *Bull. civ.* 1992, IV, n° 30. – Cass. com., 21 mars 1995 : *Bull. civ.* 1995, IV, n° 92. – Cass. com., 12 juill. 2004 : *Bull. civ.* 2004, IV, n° 162.

(407) Cass. com., 17 déc. 1973 : *Bull. civ.* 1973, IV, n° 367 : *JCP* 1975, II, 17912, note R. Savatier.

(408) Cass. 1re civ., 6 oct. 1976 : *D.* 1977, 25, note Ch. Gaury.

(409) Cass. 3e civ., 31 oct. 2001 : *D.* 2002, somm. 2840, obs. crit. Ph. Delebecque ; *RTD civ.* 2002, 815, obs. J. Mestre, B. Fages.

(410) Cass. 2e civ., 14 oct. 1987 : *Bull. civ.* 1987, II, n° 195, p. 109 ; *RTD civ.* 1988, 753, obs. crit. J. Mestre.

(411) Cass. com., 12 juill. 2004 : *D.* 2004, 2231, obs. E. Chevrier ; *D.* 2004, 2296, note Ph. Delebecque ; *Contrats, conc. consom.* 2004, comm. 169, obs. L. Leveneur ; *JCP* 2005, I, 132, n° 11, obs. G. Viney ; *D.* 2005, somm. 2845, obs. B. Fauvarque-Cosson ; *RDC* 2005, 272, obs. D. Mazeaud ; *RTD civ.* 2005, 133, obs. J. Mestre et B. Fages.

• La jurisprudence avait en revanche rejeté les clauses allongeant le délai de prescription, jugées contraires à l'interdiction de renoncer, de façon anticipée, à la prescription (anc. art. 2220, art. 2250, réd. L. 17 juin 2008, V. *supra*, n° 969).

• Mais elle avait admis que les parties conviennent de suspendre la prescription en cours de délai[(412)]. Et elle avait également considéré que, l'article 2244 n'étant pas d'ordre public, les parties pouvaient y déroger et prévoir par exemple conventionnellement qu'un simple courrier de réclamation serait interruptif de prescription[(413)]. Cette solution remettait en cause le caractère d'ordre public de la prescription, et avait été regrettée en ce qu'elle permettait à un contractant, et notamment au professionnel qui est en mesure de dicter ses conditions à son partenaire, de mettre en place un système quasi automatique d'interruption de la prescription.

973. – **Loi du 17 juin 2008.** S'inspirant des projets européens[(414)], l'avant-projet de réforme suggérait d'admettre que les conventions puissent abréger ou allonger les délais, ou déroger aux causes légales d'interruption, sous réserve que demeure pour agir un délai qui ne soit ni inférieur à un an ni supérieur à dix ans (art. 2235, al. 2). Le rapport de la Cour de cassation incitait en revanche à davantage de prudence[(415)].

La loi du 17 juin 2008 a choisi d'étendre la liberté conventionnelle (art. 2254)[(416)], ce qui est discutable au regard des enjeux de la prescription, et risque en outre de ruiner l'effort d'unification[(417)].

974. – **Étendue de la liberté conventionnelle.** L'étendue de la liberté offerte aux parties n'est pas facile à déterminer[(418)]. La doctrine suggère diverses modifications[(419)] :

• Le texte autorise explicitement les clauses qui abrègent, ou allongent la durée (al. 1er), ce qui étonne au regard de l'objectif affiché de raccourcir les délais.

Il permet ainsi de modifier directement la durée du délai. On se demande s'il permet de la modifier indirectement en agissant sur le point de départ[(420)].

(412) Cass. req., 22 juin 1853 : *DP* 1853, 1, 302. – Cass. 1re civ., 13 mars 1968 : *JCP* 1969, II, 15903, note Prieur. – Cass. com., 30 mars 2005 : *Bull. civ.* 2005, IV, n° 75 ; *Resp. civ. et assur.* 2005, 179, note H. Groutel.

(413) Cass. 1re civ., 25 juin 2002 : *Bull. civ.* 2002, I, n° 174, p. 134 ; *D.* 2003, 155, note crit. Ph. Stoffel-Munck ; *RTD civ.* 2002, 815, obs. J. Mestre et B. Fages. – Elle avait ultérieurement abandonné cette solution : Cass. 1re civ., 18 sept. 2002 : *Bull. civ.* 2002, I, n° 206. – Cass. com., 18 mars 2005 : *Bull. civ.* 2005, IV, n° 52. – Comp. Cass. 1re civ., 11 juill. 2006 : *Bull. civ.* 2006, I, n° 390.

(414) PDEC, art. 14.601 : « le délai de prescription ne peut être réduit à moins d'un an ou étendu à plus de trente ans à compter du point de départ fixé à l'article 14.203 » ; Unidroit, art. 10.3 : « les parties ne peuvent pas abréger le délai de prescription de droit commun à moins d'un an, abréger le délai maximum à moins de quatre ans, allonger le délai maximum de prescription à plus de quinze ans ». Comp. droit allemand (§ 202, al. 1).

(415) « Eu égard au risque que de tels aménagement soient imposés à la partie la plus faible » : rapp. préc., n° 99.

(416) R. Damman et A. Keszler, *Nouveau régime de l'aménagement contractuel de la prescription : Rev. Lamy dr. civ.* mai 2009, p. 69. – Ph. Hoonakker, *La disposition de la prescription* : *LPA* 2 avr. 2009, n° 66, p. 19. – C. Pelletier, *L'aménagement conventionnel de la prescription extinctive* : *RDC* 2008, n° 2, p. 430. – L. Leveneur, *La faculté d'aménagement de la prescription en matière civile* : *La réforme de la prescription en matière civile, Le chaos enfin régulé ?*, préc., p. 71 ; *Le nouvel article 2254 du Code civil* : *Liber amicorum Ch. Larroumet*, Économica, 2010, p. 283.

(417) A. Guégan, art. préc., p. 23.

(418) Cass. com., 27 mars 2012 : *Procédures* 2012, comm. 170, R. Perrot ; *LPA* 21 mars 2014, n° 58, p. 10, obs. A. Gouezel : « la clause limitant le droit d'agir du créancier à une durée déterminée à compter de la clôture du compte a pour effet qu'à son terme, le recours du créancier est atteint par la forclusion ».

(419) Sur le. Projet Terré, V. art. 132 et s., et J. Klein, art. préc., p. 122.

(420) Pour une suggestion mesurée, V. L. Leveneur, art. préc., p. 72. Ces clauses auraient l'avantage de permettre de sécuriser le point de départ (sur quoi, V. *supra*, n° 928). Mais il est difficile d'admettre leur validité alors que les textes fixent deux limites, une durée plancher et une durée plafond, qui sont calculées justement à partir du point de départ considéré. D'où la suggestion de permettre ces clauses à condition que la double limite de l'article 2254, alinéa 1er, soit appliquée à compter du point de départ légalement défini.

Le texte pose toutefois une double limite : un délai minimal d'un an et maximal de dix ans doit être respecté.

• Il est également possible d'ajouter aux causes de suspension ou interruption (al. 2).

Les parties pourraient ainsi prévoir qu'une simple lettre de mise en demeure suffit.

Faut-il considérer, *a contrario*, que le texte interdit de retrancher par rapport aux causes légales de suspension et d'interruption[421] ? La solution serait étonnante, et « regrettable »[422], alors que le droit antérieur validait de telles clauses, et qu'elles sont conformes à l'objectif, poursuivi par la loi, de raccourcir la prescription. Elles seraient d'ailleurs, selon certains, implicitement autorisées par le texte qui permet de réduire le délai, ce à quoi elles aboutissent en pratique[423].

Les clauses relatives à la suspension ou interruption échappent-elles au double seuil impératif imposé par l'alinéa 1er ? Oui si l'on s'en tient à la lettre du texte, non si l'on se réfère à l'esprit de la loi nouvelle.

• Ces deux libertés sont écartées pour les actions en paiement ou répétition de salaires, arrérages de rente, pensions alimentaires, loyers, fermages, charges locatives[424], intérêts des sommes prêtées, et plus généralement pour les actions en paiement de tout ce qui est payable par années ou à des termes périodiques plus courts (al. 3). Le risque d'inégalité des contractants justifie sans doute que la liberté conventionnelle soit écartée[425] ; mais il aurait pu conduire à une solution plus nuancée[426].

• La loi ne dit rien, explicitement, du délai butoir de vingt ans instauré par l'article 2232. Peut-il, ou non, être supprimé, allongé, plus généralement modifié, par convention privée[427] ? La nature incertaine du délai, entre délai préfix et délai de prescription, ne permet pas de conclure catégoriquement (V. *supra*, n° 965). Mais le délai plafond de dix ans imposé par l'article 2254 conduit plutôt à considérer que la liberté ouverte par le texte n'est pas destinée au délai butoir[428].

975. – **Dérogation par les droits spéciaux**. La liberté conventionnelle ainsi octroyée est écartée dans diverses matières.

Le droit de la consommation interdit ainsi aux parties de modifier la durée de la prescription ou d'ajouter aux causes de suspension ou d'interruption de celle-ci (C. consom., art. L. 137-1).

(421) Ph. Malaurie, art. préc., n° 14.

(422) F. Terré, Ph. Simler et Y. Lequette, *op. cit.*, n° 1473.

(423) Ph. Hoonaker, art. préc., n° 12. – Mais le raccourcissement du délai n'est acceptable que s'il « s'accompagne de certaines contreparties », et notamment si la suspension et l'interruption protègent suffisamment le droit subjectif : L. Leveneur, art. préc., p. 70.

(424) L'interdiction de déroger aux règles légales vaut ainsi à l'égard de l'action en régularisation des charges locatives : Rép. min. Logement et Urbanisme, QE n° 51973 : *JOAN* 7 sept. 2010, QE n° 44300 : *JOAN* 14 sept. 2010. – Sur le recours à la bonne foi pour limiter les conséquences qu'une réclamation tardive, mais non prescrite, peut avoir à l'égard du locataire, V. Cass. 3e civ., 21 mars 2012, n° 11-14.174.

(425) Cl. Brenner, H. Lécuyer, art. préc., n° 92.

(426) L. Leveneur fait ainsi valoir qu'on aurait pu admettre les clauses favorables au débiteur : art. préc., p. 75.

(427) Ph. Hoonakker y est favorable : art. préc., n° 15.

(428) Le concept même de délai butoir, et l'objectif poursuivi par le législateur en la matière, confirment cette conclusion. Sur quoi, V. L. Leveneur, art. préc., p. 70 et s.

Art. L. 137-1. – Par dérogation à l'article 2254 du Code civil, les parties au contrat entre un professionnel et un consommateur ne peuvent, même d'un commun accord, ni modifier la durée de la prescription, ni ajouter aux causes de suspension ou d'interruption de celle-ci.

La loi ne se borne donc pas à protéger unilatéralement le consommateur, ce que l'on peut regretter[(429)]. En outre, la lettre du texte n'interdit pas de retrancher aux cas légaux de suspension ou d'interruption de la prescription, ce qui est fort étonnant[(430)]. Mais rien n'empêche le jeu d'autres dispositions : la sanction des clauses abusives pourra ainsi protéger le consommateur ; d'autres textes pourront également faire obstacle à la réduction de délais préfix[(431)] ; etc.

La liberté conventionnelle est également écartée en matière d'emploi : le délai de prescription de l'action en réparation du dommage causé par une discrimination, qui est de cinq ans à compter de la révélation de la discrimination, échappe aux accords de volonté (C. trav., art. L. 1134-5, et L. 13 juill. 1983, art. 7 *bis*)[(432)].

Art. L. 1134-5. – L'action en réparation du préjudice résultant d'une discrimination se prescrit par cinq ans à compter de la révélation de la discrimination.

Ce délai n'est pas susceptible d'aménagement conventionnel.

Les dommages et intérêts réparent l'entier préjudice résultant de la discrimination, pendant toute sa durée.

D'autres textes contiennent des interdictions : droit des assurances (C. assur., art. L. 114-3)[(433)], droit de la protection sociale (C. mut., art. L. 221-12-1)[(434)], etc.

Art. L. 114-3. – Par dérogation à l'article 2254 du Code civil, les parties au contrat d'assurance ne peuvent, même d'un commun accord, ni modifier la durée de la prescription, ni ajouter aux causes de suspension ou d'interruption de celle-ci.

La doctrine regrette certaines absences. La prescription de l'action en réparation du dommage corporel ne méritait-elle pas une attention particulière[(435)] ? N'eût-il pas été souhaitable, également, de limiter la liberté contractuelle dans les rapports de dépendance, contrats d'adhésion et autres hypothèses d'inégalité entre les parties ?...

976. – Conclusion. Les objectifs poursuivis par la loi du 17 juin 2008 étaient convaincants : moderniser, sécuriser, rationnaliser. Mais la loi s'est livrée, à divers égards, à un exercice périlleux d'équilibriste en tentant de concilier ordre et justice[(436)], solution française et inspiration européenne, ordre public et libéralisme. Elle a abandonné le délai de prescription trentenaire, devenu archaïque à l'heure du commerce électronique, et opté pour un court délai de cinq ans ; mais elle a dans le même temps repoussé le point de départ du délai. Elle a instauré un bref

(429) Comp. L. Leveneur, pour qui la sanction des clauses abusives était une protection suffisante : art. préc., p. 76.

(430) Il en va d'autant plus ainsi si l'on admet une lecture *a contrario* de l'article 2254. Autrefois valables, les clauses supprimant des causes de suspension ou d'interruption seraient devenues interdites en droit civil, mais autorisées en droit de la consommation : *RDC* 2008, n° 3, p. 1231.

(431) V. ainsi Cass. 1re civ., 12 juin 2012, n° 11-19.104, écartant une clause réduisant le délai de l'action en conformité des articles L. 211-1 et s. C. consom.

(432) Est-ce à dire que la prescription peut être aménagée par convention en dehors de ce cas particulier ?

(433) L'interdiction n'est-elle pas trop radicale ? En ce sens, V. Cl. Brenner et H. Lécuyer, art. préc., n° 92.

(434) Les parties à une opération individuelle ou collective ne peuvent ni modifier le délai, ni ajouter aux causes de suspension ou interruption.

(435) A.-M. Leroyer, art. préc. – C. Corgas-Bernard, art. préc., p. 103.

(436) Cl. Brenner, art. préc.

délai et créé un nouveau délai butoir, mais a aussi multiplié les cas de suspension et d'interruption et soustrait nombre de questions au délai butoir. Elle a sans doute excessivement étendu la liberté conventionnelle ; mais elle a posé des limites non moins excessives. Elle a supprimé diverses règles spéciales (trente-six textes suffisent à contenir le droit de la prescription extinctive dans le Code civil) ; mais elle en a aussi créé de nouvelles. Elle a repris des institutions étrangères, mais sans les maîtriser techniquement. Enfin, elle s'est voulue pragmatique, sans mesurer à quel point les questions théoriques déterminent le régime juridique. Le législateur ne semble pas, ainsi, s'être soucié de la question préalable du fondement de la prescription[(437)]. Est-il excessif de dire qu'il a « navigué à vue entre les écueils de la matière »[(438)] ?

(437) S'agit-il de consolider les situations de fait par souci de sécurité juridique, d'assurer la paix sociale et d'éviter l'encombrement de la justice, de sanctionner la négligence du titulaire du droit, de pallier le risque de dépérissement des preuves ?

(438) M. Bandrac, art. préc.

Index alphabétique

(Les chiffres renvoient aux numéros des alinéas)

D

E

F

G

H

I

L

M

N

O

P

R

Table des matières